MANUEL BANDEIRA

Poesia completa e prosa seleta

Biblioteca
Luso-brasileira
Série brasileira

Manuel Bandeira
Poesia completa e
prosa seleta em
dois volumes

volume 1
Homenagens poéticas
Crônicas biográficas e depoimentos
Fortuna crítica da poesia
Poesia completa
Teatro poético traduzido

volume 2
Fortuna crítica da prosa
Prosa seleta

O escritor
Manuel Bandeira

Manuel Bandeira
Poesia completa e prosa seleta

VOLUME 2
Fortuna crítica da prosa
Prosa seleta

Organização
André Seffrin

Editora
Nova
Aguilar

Sumário

11 Itinerário de um cronista
André Seffrin

Fortuna crítica da prosa seleta

14 Diário
Sérgio Milliet

14 Manuel Bandeira
Antonio Carlos Villaça

20 A "Vida nova" de Manuel Bandeira
Carlos Newton Júnior

23 Ouro Preto nos passos do poeta
Angelo Oswaldo de Araújo Santos

Prosa seleta

29 Itinerário de Pasárgada
89 Crônicas da província do Brasil
171 Flauta de papel
319 Andorinha, andorinha
429 Gonçalves Dias
549 Guia de Ouro Preto
599 Ensaios literários
827 De poetas e de poesia
915 A versificação em língua portuguesa
939 Crítica de artes
967 Correspondência

1069 Bibliografia
1111 Índices

Itinerário de um cronista
André Seffrin

Na prosa de Manuel Bandeira é perceptível e confessa a influência de João Ribeiro, seu professor dos tempos de juventude. "Um dos desgostos que levarei desta vida é não ter encontrado João Ribeiro na Academia, quando a ela cheguei, não ter podido conviver com ele no remanso daquelas quintas-feiras", escreve o cronista em uma de suas tantas referências ao "mestre J. R.". Talvez por sentir-se um pouco herdeiro da clareza e sobriedade de João Ribeiro – e do Machado de Assis cronista –, Bandeira buscasse diminuir a importância do que escreveu em prosa.

Das recordações da meninice pernambucana ao que há de mais patético na vida urbana carioca, tudo atraía o cronista Manuel Bandeira. Das tertúlias na Academia Brasileira de Letras à convivência com um vasto e diverso grupo de músicos, escritores, pintores e homens públicos, artistas e gentes de vária estirpe. Artistas de verdade, como Oswaldo Goeldi, Villa-Lobos ou Albert Camus, ou artistas de ocasião, que o desagradavam muitíssimo, como os "linhares" tortos que provocavam sua habitual veia irônica marcada por áspera sinceridade. Sincero na medida em que se manteve fiel a si mesmo e a cada momento de sua longa vida de militante das letras, em tudo que observou sobre seres e coisas do mundo – em conferências, cartas, prefácios, notas soltas ou crônicas breves dos anos 1920 aos 1960, a exemplo desta, de 1961: "Em todas as suas obras pôs Goeldi a sua soledade palpitante da solidão de todos os solitários deste mundo: homens solitários, bichos solitários, casas solitárias. Noites solitárias (apenas, em horas de ventania, povoadas de espantalhos macabros). Encontros com a morte, sempre sob aparências macabras, escarninhas. Poucas vezes me senti na vida tão profundamente comovido pela grandeza de uma obra plástica em seu conjunto. Poucas vezes tomei tão clara consciência da inanidade dos modismos. Que lição para os artistas: Goeldi era genuíno."

Genuíno como Manuel Bandeira, esse cronista até agora só celebrado à sombra do poeta, e que por diversos períodos na imprensa converteu-se em crítico (de arte, de literatura, de música, de teatro), um crítico multifuncional que nunca se limitou a camisas de força conceituais e teve bastante o que dizer também sobre dança, cinema, folclore, sem qualquer nota excessiva, sempre com a ousadia da simplicidade. Como crítico de arte, mais que um exemplar analista de exposições individuais e coletivas, ele como poucos soube acolher e estudar nosso quase extinto patrimônio histórico diante do acelerado crescimento das cidades – transformações que anotou com talento de arquiteto, sua aspiração de juventude.

Em seis décadas de trabalho, do início ao fim, foi igualmente um filólogo em surdina, um esplêndido desenhista de tipos humanos, um raro memorialista sem monumentalidade (*Itinerário de Pasárgada*), um observador sem arestas e ferino humorista que conseguiu ainda esmiuçar pormenores de tantas outras atividades paralelas, sem esquecer as de tradutor, historiador e antologista.

FORTUNA
DA PROSA

Sérgio Milliet

Antonio Carlos Villaça

Carlos Newton Júnior

Angelo Oswaldo de Araújo Santos

CRÍTICA
SELETA

Diário
SÉRGIO MILLIET

11-6-57 – O delicioso cronista que sabe ser Manuel Bandeira dá-nos, em *Flauta de papel*, algumas recordações de sua vida literária e dos amigos que o frequentaram. São anotações preciosas porque quem as fez tem o nome definitivamente gravado na história de nossa literatura e dele, do homem cordial e generoso tanto quanto do artista puro, hão de querer tudo saber os pósteros.

Mas assim como os amigos se tornam pontos de referência em suas memórias e crônicas, Bandeira também é para nós um marco ao qual se referem com carinhosa admiração outros memorialistas e cronistas. Quando Luiz Martins nos diz em sua balada, já famosa:

> Perto era a casa de Manuel Bandeira

o verso situa o poeta, classifica-o, é quase um atestado de sensibilidade. E se Mário de Andrade em sua correspondência alude ao "Mano Manu" de imediato o que escreve nos interessa especialmente. Por isso o que quer que saia da pena de Bandeira aguça a nossa curiosidade. Terá apreciado o mesmo poema? Descoberto algum encanto na mesma paisagem? Tomado idêntica atitude política? Admirado a mesma mulher? E, à procura de resposta a tantas indagações, vamos devorando seus comentários tão poucos formalísticos, tão gostosamente autênticos.

DE ONTEM, DE HOJE, DE SEMPRE. SÃO PAULO: MARTINS, 1960. P. 44-45.

Manuel Bandeira
ANTONIO CARLOS VILLAÇA

Manuel Bandeira foi tão grande prosador quanto poeta. Mas é claro que, no conjunto da sua obra, a poesia tem uma importância, uma significação, um relevo superior. Porque ele foi formalmente um poeta, um poeta lírico.

Foi simultaneamente um erudito, um ensaísta, um crítico literário, um historiador literário, um cronista, um tradutor, um crítico de artes plásticas, um conferencista, um professor universitário. Podemos assim aproximá-lo, pela complexidade do seu espírito estético, de um Rilke, de um Cocteau, de um Apollinaire.

Fernando Góis observou, a propósito de *Opus 10*, que Manuel Bandeira escrevia sob o signo da simplicidade ou do despojamento. Isto se aplica realmente a toda a sua obra, de poeta e de prosador. Escrevia crônicas e ensaios com uma admirável naturalidade. Não era pomposo, nem derramado. Um estilo seco, sóbrio, direto. Foi um grande cronista, de uma espontaneidade saborosa, de uma leveza angelical, de uma agilidade arielesca. Sabia dizer tudo num palmo de prosa, quer se tratasse de um comentário livre sobre a vida, quer de uma crítica a respeito de um livro, um autor.

Tinha o senso da medida, da proporção, da harmonia. E sempre um leve toque de ironia, um malunguismo inocente, um carioquismo jovial, a malícia que jamais o abandonou. Foi sem dúvida um dos maiores cronistas do Brasil, num tempo de grandes cronistas, como Paulo Mendes Campos, Fernando Sabino, Otto Lara Resende, Rubem Braga, Rachel de Queiroz, Dinah Silveira de Queiroz, Carlos Drummond de Andrade.

Pegava o assunto tão de leve, como quem não quer nada, de mansinho, meio por acaso, e o ia desdobrando, com tanta vivacidade e graça, com tamanho poder de síntese, que o leitor logo se deixava fascinar e conduzir, dominado por aquele sortilégio, possuído pelo dom multifário de cativar.

Manuel não gostava do lirismo melado, como ele dizia, o lirismo excessivo, como detestava a prolixidade ou o tom solene. Tudo nele era simples, coloquial. Parecia conversar com o seu leitor.

Queria mocinho ser engenheiro, arquiteto. Tinha uma sensibilidade especial para o desenho e para a música. Ao dar-me as suas *Obras completas* pela Aguilar, em 1958, no apartamento do Edifício São Miguel, na Esplanada do Castelo, mostrou-me uns desenhos dele. E me disse, maroto: "Disto, sim, me orgulho. Gostaria de ter sido grande desenhista e grande músico."

Sua obra de prosador conserva muitos traços desta longa intimidade com o desenho e a música. Tem a sobriedade de um engenheiro e a essencialidade musical. E jamais força a nota, jamais insiste. Tudo é rápido, instantâneo, lépido. A prosa de Manuel tem muito do seu modo de andar, do seu ritmo físico, que era todo rapidez, ligeireza. Manuel alípede, alígero. Pássaro a sobrevoar o mundo. O seu passo era de marinheiro. Ele tinha um jogo de corpo que está inteirinho na sua prosa de cronista.

Publicou dois livros eminentemente didáticos, que resultaram de suas aulas, notas de professor consciencioso, honesto, erudito: as *Noções de história das literaturas*, de 1940, que mereceu reparos críticos de Agrippino Grieco e Otto Maria Carpeaux, acolhidos inteligentemente pelo autor, e a *Literatura hispano-americana*, que nasceu das suas lições na Faculdade Nacional de Filosofia da Universidade do Brasil, a que o levou a clarividência de San Tiago Dantas, então diretor da Faculdade, 1943.

Apresentação da poesia brasileira, amplo estudo crítico, apareceu em 1944, pela Casa do Estudante. Destinava-se inicialmente a estrangeiros. Trata-se, como notou Antonio Candido, de um esboço admirável. Soube valorizar muito bem Junqueira Freire. Como também soube fazer justiça a Vicente de Carvalho. Mas, como sabiamente acentuava Antonio Candido, em artigo de 1946, "Crítica de poeta", Manuel foi perfeito ao reconceituar Augusto dos Anjos e José Albano.

Finura, eis a palavra que nos ocorre. Manuel crítico é sempre de uma finura, de um misto de argúcia e delicadeza, que o torna incomparável. A sua crítica é de fato a crítica de um poeta. Neste sentido, podemos dizer dele como crítico literário que foi um mestre daquele humanismo crítico que teve entre nós as suas mais altas expressões num Alceu Amoroso Lima, num Sérgio Millet, num Roberto Alvim Corrêa, num Álvaro Lins, num Sérgio Buarque de Holanda.

A apreciação de Antonio Candido é nítida e exata: "Soube Manuel Bandeira escrever um ensaio de grande valor, e se não produziu trabalho forte, fez obra excelente, pelo gosto, equilíbrio de conceitos e uma percepção muito fina dos valores artísticos e de história literária".

Catolicidade crítica, diz Antonio Candido. "Penetra nos poetas mais diversos, de maneiras mais várias", isto é, universalidade. Essa boa arquitetura, que pouco antes Candido notara e louvara em nosso Manuel, seria um dom do desenhista. "A mestria de um desenhista, cuja obra, apagadas as linhas da construção, se apresenta coesa e por assim dizer solidária nas diferentes partes." Manuel era, sim, um crítico seguro, de gosto certeiro, e tinha de fato o senso dos conjuntos, que é próprio do historiador.

Em 1952, publicou a sua biografia de Gonçalves Dias. Era um gonçalvino convicto. Muito mais da vertente do maranhense do que da vertente dos cástridas. Na breve advertência, Manuel com honestidade suma reconhece logo que não tem a pretensão de acrescentar nada ao livro de Lúcia Miguel Pereira. Chama-lhe magnífico. E diz que escreveu uma narrativa quase linear da atormentada vida do nosso grande romântico.

O livro é dedicado a Aloysio de Castro, a quem chama "mestre e amigo". Odylo Costa, filho, poeta e crítico sagaz, comentando o livro no seu rodapé do *Diário de Notícias*, observa que Manuel se identifica realmente com Gonçalves Dias. "Os dois grandes solitários se encontram nesta biografia que eu desejaria que andasse em todas as mãos a partir da adolescência, pelo biógrafo e pelo biografado. Mas, enquanto Gonçalves Dias só vence a solidão pela morte, Manuel Bandeira a vence com a vida."

Sim, "este livro é Antônio visto por Manuel, um homem por outro", afirma Odylo. Trata-se na verdade de Gonçalves Dias visto por Manuel Bandeira. Uma narrativa sistemática, minuciosa, documentada, proba. É impressionante em Bandeira essa capacidade de ser meticuloso, de estudar exaustivamente as fontes, de ir aos documentos sem preconceitos, de analisar o seu tema.

Foi sempre assim, um pesquisador correto, um historiador atento aos pormenores, um ser dado às filigranas, com o sentido superior da fidelidade à ordem objetiva. Esse objetivismo se unia nele a uma visão profundamente poética da vida.

Publicou as *Crônicas da província do Brasil*, em 1937, já cinquentão. Era a sua estreia na prosa. Em 1954, lançava as suas memórias, *Itinerário de Pasárgada*, que escreveu por sugestão de três amigos, Fernando Sabino, Paulo Mendes Campos e João Condé. As crônicas deliciosas, maduras, de *Flauta de papel*, apareceram em livro no ano de 1957.

A obra em prosa é assim riquíssima, variada: autobiografia, crônica, ensaio crítico de literatura e artes plásticas, biografia de autor e de cidade e um epistolário que é de fato um repositório notável e humaníssimo. Pois Bandeira sabia escrever cartas como ninguém, com uma *aisance*, uma leveza, um à vontade invejável, uma sem-cerimônia de nordestino *doublé* de carioca.

"Da sua fecunda atividade de escritor, sem que, de modo algum, esse fato obscureça a sua condição primordial de poeta lírico, avulta a produção em prosa, que, além do alto valor intrínseco, auxilia enormemente a compreensão das concepções estéticas e da evolução do poeta", diz Afrânio Coutinho.

A primeira página do *Itinerário de Pasárgada*, que é a sua autobiografia literária, vem a ser uma obra-prima da prosa bandeiriana: "Biografia de Pasárgada", uma síntese perfeita, evocativa, densa, magistral. Manuel é insuperável na arte de dizer o máximo no mínimo, nesse dom de condensar os sentimentos em poucas frases discretas, sem nenhum sentimentalismo.

Foi um sentimental, sem sentimentalismo. Sabia conter-se, domar-se, tinha aquela infinita polícia, a que se referiu o nosso Carlos Drummond, na "Ode ao cinquentenário do poeta brasileiro". O segredo da sua literatura, tanto em verso como em prosa, estava no poder, que tinha, de dominar-se, extrair o essencial, filtrar os sentimentos, com um rigor e ao mesmo tempo uma espontaneidade absoluta.

"Sou natural do Recife", assim começa esse livro único em nossa literatura, que é *Pasárgada*. Memórias literárias, dominadas por uma profunda preocupação estética, escritas com um senso inexcedível da verdade, da exatidão, da submissão ao real. Creio que a obra máxima do prosador é esse Itinerário da sua vida e da sua poesia, indissoluvelmente unidas. A vida a explicar a poesia. A poesia a explicar a vida.

O cronista é nele importantíssimo. Bandeira foi um cronista de mão cheia. Um senhor cronista, um mestre do gênero, um cronista *au grand complet*. Tinha verdadeiramente o gênio da crônica. Aprendeu a arte com Machado de Assis, de quem foi leitor fidelíssimo. E até mesmo vizinho no Cosme Velho e companheiro de viagens de bonde, na aurora do século.

Suas crônicas são instantes de perfeição literária, pelo tom íntimo, coloquial, pela inteligência aguda, pelo poder de num traço fixar a vida fugaz, pela penetrante compreensão dos homens e dos fatos. Foi um admirável comentador da vida. Sabia retratar um homem, resumir um livro, uma conferência, uma cena, comentar um acontecimento político, ou social, contar uma anedota. Tudo com simplicidade total, despretensão, modéstia, poesia e astúcia.

Dou como exemplo a crônica que escreveu sobre a celebração do centenário de Bergson, na Academia Brasileira de Letras, em 1959. Falaram Ivan Lins, positivista, e Alceu Amoroso Lima, católico. Pois Manuel soube sintetizar a sessão num suelto maravilhoso, rápido, informativo, crítico, brejeiro. Intuía num relance o ponto capital e girava em torno dele duas ou três vezes, com rapidez e desenvoltura suprema.

Alceu Amoroso Lima chegou a comentar comigo a perfeição desse comentário difícil, que Manuel soube tornar fácil, agradável, atraente, gracioso. Tinha mesmo o dom de tornar leves as coisas mais pesadas. Porque sabia abandonar o supérfluo, o ornamental, e ir direto ao seminal, ao íntimo de tudo.

A sua crônica tem uma secura aparente, uma certa rudeza, ou aspereza, que era muito dele, do seu jeito, do seu temperamento um tanto arisco ou esquivo. Não se entregava logo. Tinha uma reserva ou recato ou distância. Mas por baixo dessa dureza de superfície, desse rigor de arquiteto, da sobriedade dessas linhas, da severidade enganadora, havia a ternura dengosa de um coração hipersensível.

Em 1938, publicou o seu *Guia de Ouro Preto*, que escreveu por sugestão de seu fraternal amigo Rodrigo Melo Franco de Andrade, diretor do Patrimônio Histórico e Artístico. Obra de larga erudição, escrita depois de longa e paciente pesquisa, foi traduzida para o francês pelo escritor Michel Simon, tão apaixonado pelo Brasil. "Ouro Preto, a cidade que não mudou" é um belo capítulo, bem à maneira de Manuel. "Não se pode dizer de Ouro Preto que seja uma cidade morta. Morta é São José del-Rei. Ouro Preto é a cidade que não mudou. E nisso reside o seu incomparável encanto."

Na concisa nota introdutória ao *Guia de Ouro Preto*, Manuel modestamente fala daqueles a quem teve como seus colaboradores diletos: um Rodrigo, antes de tudo, um Carlos Drummond, um Afonso Arinos, vários outros. Foi ele o condensador de tantos saberes e experiências, numa obra que é ao mesmo tempo crônica, história, crítica de artes plásticas.

Falando das *Crônicas da província do Brasil*, Otávio Tarquínio escrevia com razão que "a primeira qualidade desse livro, que constitui até certo ponto uma surpresa e lhe dá o maior encanto – é a sua unidade. Coleção de crônicas, estudos e pequenos ensaios, não tem nunca o leitor a impressão de colcha de retalhos." A observação se aplica a todos os textos de Manuel. Todos possuíam rigorosa unidade.

A dedicatória dessas Crônicas é para Rodrigo Melo Franco de Andrade, *tout court*, apenas, sem nenhum adjetivo, nenhum adorno, nenhum elogio. Rodrigo foi grande amigo de Manuel e o levou para o Conselho do Patrimônio. Uma vez por semana, Bandeira jantava com Rodrigo. E havia entre eles uma compreensão absoluta e uma colaboração fraterna.

A advertência da primeira edição é um primor de equilíbrio: "A maioria desses artigos de jornal foram escritos às pressas para *A Província*, do Recife, *Diário Nacional*, de São Paulo, e *O Estado de Minas*, de Belo Horizonte. Eram crônicas de um provinciano para a província. Aliás, esse mesmo Rio de Janeiro de nós todos não guarda até hoje uma alma de província? O Brasil todo é ainda província. Deus o conserve assim por muitos anos."

A primeira crônica de Manuel foi publicada no *Rio Jornal*, com o título de "O Bateau Ivre". Colaborou no *Correio de Minas*, de Juiz de Fora, de 1917 a 1918, no *Diário Nacional*, de São Paulo, em 1927, em *A Província*, do Recife, ainda em 27, em *O Jornal*, do Rio, no *Diário da Noite*, em 1932 e 1933, em *A Manhã*, de 1941 a 1943, e no *Jornal do Brasil*, a partir de 1955.

Manuel foi um trabalhador intelectual infatigável. Preparou a convite de Gustavo Capanema as *Antologias dos poetas românticos e parnasianos*, com longas introduções críticas, a *Antologia dos poetas bissextos*, para a qual escreveu magnífico prefácio, a edição das *Poesias completas* do seu querido Gonçalves Dias. Trabalhou muito. Deu-nos em 1948 a edição crítica das *Rimas*, do complicado poeta cearense José Albano, a quem tanto admirava. Traduziu muitíssimo, com espírito profissional. Era um tradutor rigoroso, preciso. Traduziu desde as *Reflexões sobre os Estados Unidos*, de Maritain, até *Macbeth*, de Shakespeare, de *Maria Stuart*, de Schiller, até *Edith Stein na câmara de gás*, do franciscano Gabriel Cacho, da *Máquina infernal*, de Cocteau, até o *Auto sacramental do Divino Narciso*, de sóror Juana Inés de la Cruz, que admirava muito.

Em minucioso artigo para a *Revista do Brasil*, estudou a questão da autoria das *Cartas chilenas*, concluindo com "prova de estilo favorável a Gonzaga". Os ensaios literários, coligidos no II volume da sua *Obra completa*, pela Aguilar, 1958, revelam a grande erudição literária de Manuel, a sua familiaridade com o universo da literatura.

Era um mestre. Um crítico de alto discernimento e vasta informação. Preparava-se para escrever, lia tudo sobre o assunto, ia às melhores fontes. Não improvisava. Com frequência ia à Biblioteca Nacional atrás de livros e papéis, para preparar os seus ensaios.

O seu grande discurso na Academia Brasileira foi, não tanto o de posse, a respeito de Júlio Ribeiro e de Luís Guimarães Filho, mas o texto da conferência sobre Mallarmé, no centenário do poeta. Então, sim, se espalhou inteiramente à vontade.

Na Academia, saudou Peregrino Júnior e Afonso Arinos. E fez em dezembro de 1959 uma esplêndida conferência sobre Raimundo Correia.

O voluminho *De poetas e de poesia*, 1954, contém páginas de consumado crítico a respeito de Antero de Quental, Castro Alves, Nicolás Guillén, Raul de Leoni, Ascenso Ferreira, cujas *Poesias completas* prefaciou. Trata-se de um livro de maturidade, reunindo escritos que o mestre da crítica foi compondo, ao longo dos anos e ao sabor das circunstâncias.

O discurso, por exemplo, sobre a sua própria poesia, feito no Colégio Santo Inácio, na noite de 25 de agosto de 1947, "Juventud, divino tesoro", repetindo o verso de Rubén Darío, é uma confissão penetrante e lúcida, na mesma linha do *Itinerário de Pasárgada*.

Resta dizer uma palavra sobre Manuel Bandeira crítico de artes plásticas. Claro, como observou corretamente Murilo Mendes, Manuel não foi nunca o crítico oficial, o sistematizador. Pertenceu antes à categoria dos críticos assistemáticos, que fazem da arte mais um campo de prazer ou de contemplação do que de pesquisa ou análise.

Concluía Murilo Mendes com verdade que são os poetas, pela misteriosa via da intuição, dos primeiros a ler com avidez o que ele chama os textos plásticos. E colocá-los sob a sua verdadeira luz. E Murilo lembrava que dois nomes de poetas eminentes se ligaram no Brasil a essa grande operação pública de valorizar os artistas modernos: Mário de Andrade e Manuel Bandeira.

Foi um dos primeiros, o nosso Manuel, a exaltar Portinari, Tarsila, Anita Malfatti, Segall, Di Cavalcanti, Guignard, Goeldi, Cícero Dias, Celso Antônio. Sobre Ismael Nery, diz Murilo, o fino Bandeira foi dos "raríssimos a escrever em vida do artista, e mais de uma vez". Manuel animou a todos, deu a todos a palavra de compreensão e generosidade ou simpatia. Como também compreendeu e soube valorizar o Aleijadinho.

Quem escreveu melhor do que Bandeira sobre a música de Francisco Mignone, sobre Mário de Andrade como animador da cultura musical brasileira, sobre a nossa pintura religiosa ou sobre a escultura no Brasil colonial?

Sim, catolicidade crítica. Falando da *Face perdida*, de Cassiano Ricardo, ou da poesia de Antônio Nobre, é sempre o mesmo crítico, sereno, profundo, objetivo e denso, que sabe ler o que está para além de todas as superficialidades. Cronista e crítico nele se davam as mãos.

A visão filosófica de Manuel Bandeira era uma síntese de esteticismo, hedonismo e ceticismo. Havia um fundo de cientificismo, que haurira no seu mestre do Colégio Pedro II, o positivista Paula Lopes, que muito o impressionara.

Não tinha uma filosofia definida, propriamente. Nem uma religião. Era batizado na Igreja Católica e se dizia mais ou menos simpatizante do catolicismo. Mas o fenômeno religioso o preocupava. Seu estado era mais de dúvida que de negação. Admirava muito Santa Teresinha de Lisieux, "Teresa, não, Teresinha", Elisabeth Leseur, a grande mística leiga, que morreu em 1914, a prima carmelita descalça, em Santa Teresa.

Tudo nele acabava em estética. Mas também em ética. Era um ser densamente ético. E tinha um profundo senso metafísico. Tudo que fosse noturnidade lhe cativava o interesse. O mistério, no sentido mais amplo, era o seu mundo. Sempre fez questão de afirmar-se um poeta de inspiração, ou um possuído pela poesia, uma vítima da possessão poética. Poesia para ele sempre foi a realidade baudelairiana da infância restaurada em nós. Poesia para esse grande artista era êxtase. O artesanato vinha depois.

Manuel Bandeira: prosa. Org. Antonio Carlos Villaça. Rio de Janeiro: Agir, 1983.

A "Vida nova" de Manuel Bandeira
Carlos Newton Júnior

Itinerário de Pasárgada, esta conhecida autobiografia poética de Manuel Bandeira, veio a público, pela primeira vez, em 1954. Seu autor, então com 68 anos de idade, era um poeta de renome, já consagrado pela melhor crítica que se fazia entre nós e muito admirado entre seus pares e leitores de poesia de todo o país. Apesar de ter continuado em plena atividade literária até pouco antes da sua morte (que ocorreria em 1968, quando contava 82 anos), Bandeira havia se resignado, desde *Libertinagem* (1930), segundo suas próprias palavras, "à condição de poeta quando Deus é servido". De modo que sua produção, depois do *Itinerário*, se por um lado permaneceu bastante prolífera no campo da tradução e da crônica, por outro lado pouco mais deu em termos de poesia – incluindo-se, nesse "pouco", o livro *Estrela da tarde* e poemas como os da série "Preparação para a morte".

A bem da verdade, o edifício poético de Manuel Bandeira, cujos alicerces de fatura simbolista começaram a ser erguidos com o livro *A cinza das horas* (1917), projetando-se no espaço com *Carnaval* (1919) e *O ritmo dissoluto* (1924), já atingira, com *Libertinagem* (1930) e *Estrela da manhã* (1936), altura e feições de moderno arranha-céu, depois consolidado com *Lira dos cinquent'anos* (1940), *Belo belo* (1948) e *Opus 10* (1952). O que mais lhe faltava, portanto, ao tempo do *Itinerário de Pasárgada*, era um ou outro detalhe de acabamento, um ou outro arremate de cobertura, para que fosse então concluída uma das obras poéticas mais importantes da literatura brasileira e de língua portuguesa de todos os tempos. E é esse edifício, praticamente concluído, que o poeta que não pôde fazer-se arquiteto apresenta a seus leitores no *Itinerário*, descrevendo, com a clareza e a simplicidade dos grandes, às vezes com fino humor, mas nunca com empáfia ou pedantismo (com a humildade, enfim, que sempre o caracterizou), todo o percurso que o levou a construí-lo, revelando desde as ideias iniciais do projeto aos percalços da construção, desde os acasos que influenciaram na solução de um ou outro problema aos segredos mais recônditos da sua sólida estrutura, desde as incontáveis e sucessivas influências recebidas na elaboração da obra ao processo de decantação a que teve de submetê-las para obter, como resultado final, o ritmo próprio das suas linhas vivas e da sua plástica admirável.

A *Homenagem a Manuel Bandeira*, capitaneada por seu grande amigo Rodrigo Melo Franco de Andrade e publicada em 1936 (volume que reúne estudos e depoimentos sobre a sua obra, além de homenagens sob a forma de versos, pinturas e desenhos, assinados pelos mais destacados intelectuais, críticos e artistas da época), demonstra a dimensão a que chegara o prestígio do poeta ao completar 50 anos, prestígio que só iria aumentar com o passar do tempo, tornando-se Bandeira uma unanimidade no seu octogésimo aniversário, quando seu nome passa a identificar uma espécie de arquétipo de poeta nacional. De São João Batista do nosso Modernismo, como um dia o chamou Mário de Andrade, a "bandeira" não mais de uma geração, mas de todo o contínuo em que se desenvolve a poesia brasileira, como anunciado nos versos de Carlos Drummond de Andrade:

> Ontem, hoje, amanhã: a vida inteira
> teu nome é para nós, Manuel, bandeira.

A consagração aos 50 anos fora alcançada, curiosamente, por um poeta que até então havia publicado praticamente todos os seus livros às suas próprias expensas, em tiragens muito reduzidas. Não é à toa que Bandeira será enfático ao afirmar, no *Itinerário de Pasárgada*, a importância daquela *Homenagem*, também publicada em tiragem mínima, o que a fez surgir já como raridade bibliográfica.[1] Afirma o poeta: "Quem quer que queira estudar a minha poesia e a da minha geração não pode dispensar a leitura desse livro". E foi, muito provavelmente, dos títulos de dois ensaios publicados naquela *Homenagem*, o de Pedro Nava e o de Ribeiro Couto, respectivamente "*Itinerário* para a Rua da Aurora" e "De menino doente a rei *de Pasárgada*", que Bandeira retirou o título com o qual batizaria a sua autobiografia poética, dezoito anos depois.

Uma autobiografia cuja leitura irá se mostrar, com o passar dos anos, tão indispensável ao estudo da poesia de Bandeira e dos seus companheiros de geração quanto a leitura da *Homenagem*, o que se deve, basicamente, a dois motivos. Em primeiro lugar, sendo a poesia de Bandeira, em boa parte, de substrato confessional e biográfico (desde "Epígrafe", o primeiro poema do seu livro de estreia, passando por um poema como "Testamento", escrito aos 57 anos, até "Antologia", escrito aos 79), vários dos seus versos e estrofes, quando não poemas inteiros, permaneceriam ainda hoje eivados de hermetismo – o que evidentemente não os diminuiria em força e beleza – não fosse a benevolência do poeta em conceder-nos as devidas "chaves" para que pudéssemos compreendê-lo até a medida do possível. E se falamos "na medida do possível" é porque o poeta também nos conta de pelo menos dois poemas, dentre os muitos feitos durante o sono, que conseguiu "recompor depois de acordado", poemas, portanto, cuja decifração tornava-se impossível até para ele mesmo. Por outro lado, revelando as intenções implícitas em muitos dos seus versos e as contingências que o levaram a escrevê-los, Bandeira, que vivenciou momentos decisivos da afirmação do nosso Modernismo, termina por apresentar, no *Itinerário*, não só as etapas de formação da sua própria poética, mas um testemunho vivo de todo o ambiente intelectual e artístico do seu tempo, testemunho dos mais importantes para a história da nossa literatura.

---

1 A edição de *Homenagem a Manuel Bandeira* foi de apenas 201 exemplares, sendo um impresso especialmente para o homenageado. No colofão do livro, encontra-se a indicação de que foi impresso aos 31 de dezembro de 1936, nas oficinas tipográficas do *Jornal do Commercio*, do Rio de Janeiro. Em 1986, no âmbito das comemorações do centenário de nascimento do poeta, foi realizada uma reimpressão fac-similar da obra, patrocinada pela empresa Metal Leve S.A., cujo diretor era José Mindlin.

Registre-se, ainda, que uma das mais importantes sementes do *Itinerário de Pasárgada* encontra-se numa entrevista que Bandeira concedeu a Paulo Mendes Campos, publicada, em 1949, na revista *Província de São Pedro*[2] – entrevista à qual, inclusive, o poeta se refere no *Itinerário*, remetendo a ela os leitores interessados em maiores detalhes sobre as circunstâncias e motivos de alguns poemas do livro *Belo belo*. O cotejamento do texto da entrevista com o do *Itinerário* revela que Bandeira aproveitou, na escritura da sua autobiografia, não apenas o "tom" de depoimento da entrevista, mas passagens inteiras, ligeiramente modificadas.

Não é demais ressaltar, para o leitor que se depara com o *Itinerário* pela primeira vez, que estamos tratando de uma autobiografia *poética*. Homem discretíssimo nas suas relações pessoais e sobretudo nas amorosas, Bandeira não menciona fatos de sua vida que pudessem vir a comprometer, de algum modo, a sua privacidade. Os fatos são revelados na medida em que possuem alguma relevância para a construção da sua obra e na exata proporção em que reverberam nos poemas.

Há que se considerar ainda, em um trabalho dessa natureza, em boa parte escrito a partir de evocações e reminiscências pessoais, além da natural autocensura a que o autor se submeteu, a possibilidade de ele ter sido traído, vez por outra, pela sua memória. O próprio Bandeira reconhece, em certa passagem do *Itinerário*, as dificuldades que enfrentava, durante a sua escritura, para lembrar-se de fatos ocorridos entre 1904 – ano em que adoece do pulmão – e 1917, quando publica seu primeiro livro de versos, tempo em que, segundo afirma, tomou conhecimento de suas limitações e formou sua técnica.

Vejamos um exemplo concreto de lapso de memória comprovadamente ocorrido naquele período. Escreve o autor, relembrando o tempo em que esteve internado no sanatório de Clavadel, na Suíça, e tentou publicar, a partir de lá, um primeiro livro de versos em Portugal: "Foi em Clavadel que pela primeira vez pensei seriamente em publicar um livro de versos. As edições de França Amado me pareciam muito bonitas, e o meu sonho era ver alguns poemas meus sob a mesma forma em que eu costumava ler os versos de Eugênio de Castro. Tendo escrito na Suíça o soneto a Camões, mandei-o com mais dois poemas ao próprio Eugênio de Castro, pedindo-lhe uma recomendação para o seu editor."

A partir do trabalho do crítico e ensaísta português Arnaldo Saraiva, sabe-se que Bandeira jamais enviou o soneto sobre Camões a Eugênio de Castro. Pesquisando nos arquivos de Eugênio, Saraiva encontrou não só a carta de Bandeira, mas os originais dos três poemas enviados ao grande poeta português: "Inscrição", "A morte de Pã" e "Despertar de Pierrot" – o primeiro publicado, com pequenas variantes, em *A cinza das horas*, e os dois últimos, também com variantes, em *Carnaval* (o último sob o título "Rondó de Colombina").[3]

Um outro exemplo de lapso de memória de Bandeira, encontrado na primeira edição do *Itinerário* e corrigido na segunda, diz respeito às ruas limítrofes dos quatro quarteirões que constituíram, entre 1892 e 1896, a sua "Tróada": a troca do nome da rua Formosa (um trecho da atual av. Conde da Boa Vista) pelo da rua do Sol,

---

2 CAMPOS, Paulo Mendes. Documentos da vida literária: Manuel Bandeira fala de sua obra. *Província de São Pedro*, n. 13, p. 164-172, mar.-jun. 1949.

3 SARAIVA, Arnaldo. *Modernismo brasileiro e Modernismo português*. Campinas: Editora da Unicamp, 2004.

esta situada na outra margem do rio Capibaribe e fora, portanto, do perímetro que tanto influenciou o poeta na construção da sua mitologia.

Em certa passagem do *Itinerário*, Bandeira conta: "Quando a meu pai chamavam de bom, a sua resposta invariável era: – Bom é Deus. Pois ao me ouvir chamar de grande poeta, quero sempre dizer: – Grande é Dante." A referência a Dante Alighieri não poderia ser mais apropriada. Isso porque, se pensarmos a autobiografia poética enquanto um gênero literário, devemos forçosamente reconhecer que Dante, com a sua *Vida nova*, se não foi o seu idealizador, foi, no mínimo, o seu mais importante expoente.

O *Itinerário de Pasárgada* é, assim, a "Vida nova" de Manuel Bandeira: impossibilitado de levar uma existência normal, uma vez que descobriu possuir, nos pulmões, "lesões teoricamente incompatíveis com a vida" (como diagnosticou seu médico, no sanatório de Clavadel), ele termina encontrando para si uma outra vida, a vida que pôde ter sido e que de fato foi, e é essa vida nova, a vida na poesia, que é aqui narrada em toda a sua plenitude.

Itinerário de Pasárgada. São Paulo: Global, 2012.

Ouro Preto nos passos do poeta
Angelo Oswaldo de Araújo Santos

Gentes da minha terra!
Em Ouro Preto alvoreceu a nossa vontade de autonomia nos sonhos frustrados dos
[Inconfidentes.
Em Ouro Preto alvoreceu a nossa arte nas igrejas e esculturas do Aleijadinho.
Em Ouro Preto alvoreceu a nossa poesia nos versinhos do Desembargador.

Minha gente.
Salvemos Ouro Preto.
Meus amigos, meus inimigos,
Salvemos Ouro Preto.

Manuel Bandeira, *"Minha gente, salvemos Ouro Preto"*, 1952

O guia que não mudou – é o que se pode dizer hoje do roteiro de Manuel Bandeira sobre "a cidade que não mudou", tal como ele definiu Ouro Preto quando o escreveu. Foi no ano da graça de 1938 que apareceu o admirável livro agora devolvido ao público leitor. Se naquela época a cidade pouco havia mudado, guardando a inteireza da paisagem colonial mantida pela era imperial e os primórdios da república, as mudanças que na atualidade se avultam – ou se aviltam – passam ao largo da narrativa que se saboreia com prazer e enriquecimento sempre maiores.

Às vésperas da nova guerra mundial, o Brasil vivia um período convulsionado, não apenas pelos impactos da crise internacional, mas, sobretudo, pelo regime de exceção um ano antes instaurado por Getúlio Vargas, como ainda pela revolução que os modernistas operavam nos meandros do Ministério da Educação e Saúde. A pasta era comandada pelo mineiro Gustavo Capanema, que frequentara as rodas modernistas de Belo Horizonte, na década de 1920, ao lado de Carlos Drummond de Andrade. Chefe de gabinete do ministro, o poeta contribuiu para a ascensão dos novos e sua infiltração no governo Vargas. Em 1936, Capanema decidiu construir o edifício-sede do Ministério, rebatizado com seu nome, obra referencial do modernismo, concebida a partir do risco inovador de Le Corbusier. Um ano depois, ele institucionalizou o Serviço do Patrimônio Histórico e Artístico Nacional (SPHAN), sob a direção de Rodrigo Melo Franco de Andrade, mineiro vinculado ao grupo moderno do Rio. E grandes transformações se ampliaram por entre as linhas de uma instigante política nacional de cultura.

Em 1924, ao lado do poeta suíço-francês Blaise Cendrars, os poetas Mário e Oswald, ambos de Andrade sem serem parentes, e a pintora Tarsila do Amaral, visitaram Ouro Preto, entre outras cidades históricas mineiras, fascinados pelo Aleijadinho e o Barroco. Foi, para eles, a "redescoberta" do Brasil. E desde então passaram a reivindicar a proteção dessas raízes e matrizes identitárias de uma cultura brasileira.

Já em 1935, Mário de Andrade sugeriu a Capanema a criação de um organismo capaz de cuidar do patrimônio cultural do país. O ministro pediu ao grande modernista de São Paulo o projeto de uma enciclopédia brasileira, e o autor de *Macunaíma* alegou que era preciso primeiramente levantar-se o repertório dos bens culturais espalhados pela imensidão do território, sem referências ou registros adequados. Daí a concepção do Serviço, hoje Instituto, IPHAN. O vínculo modernista caracterizou o compromisso conservacionista, e não conservador, da benemérita instituição.

Além de promover o tombamento de bens e sítios considerados fundamentais para o patrimônio histórico e artístico do Brasil, bem como o restauro e a preservação de monumentos, a repartição do doutor Rodrigo, que a dirigiu por trinta anos, cuidou logo de divulgar os valores desses acervos culturais, de modo a ampliar a sua fruição. A segunda publicação lançada pelo IPHAN foi o *Guia de Ouro Preto*, escrito pelo poeta pernambucano Manuel Bandeira (1886-1968), uma das figuras estelares da Semana de Arte Moderna de 1922.

Assim como encomendara a Gilberto Freyre um guia sobre Olinda, Rodrigo Melo Franco de Andrade pediu a Bandeira o roteiro de visita a Ouro Preto, para sair exatamente no ano em que foi tombado o conjunto urbanístico da antiga capital de Minas Gerais. O livro tinha o propósito de divulgar os valores da velha urbe, facilitando a visitação turística, que, desde então, nela se intensifica. O poeta subiu e desceu ladeiras para recompor, no texto luminoso e preciso, os caminhos do olhar atento em busca dos segredos da metrópole do ciclo do ouro. De tal maneira afeiçoou-se à Vila Rica dos poetas inconfidentes Cláudio Manuel e Tomás Gonzaga que lhe dedicaria alguns poemas, um dos mais famosos aquele no qual conclama toda gente a salvaguardar a cidade açoitada por fortes chuvas – convocação renovada sempre que flagelos de qualquer ordem a ameacem: "Meus amigos, meus inimigos, salvemos Ouro Preto".

Bandeira trazia no olhar os cenários antigos do Recife natal e do Rio de adoção. Sensível à originalidade do Barroco recriado nas montanhas mineiras e à energia irradiada pela história, ele se encanta e vai narrar, inicialmente, um pouco da saga do ouro. Conta a aventura da descoberta dos bandeirantes e os inúmeros conflitos ocorridos na implantação dos arraiais mineradores. Avança pelo período, sintetizando as transformações de Vila Rica, sua opulência e declínio, até chegar à independência do Brasil.

Em seguida, abre um capítulo para acolher as visões dos viajantes que alcançaram a acrópole de Minas, no início do século XIX, logo após a abertura dos portos promovida pelo príncipe regente, futuro Dom João VI, instalado com sua corte no Rio de Janeiro, em 1808. As impressões de Walsh ou de Saint-Hilaire conferem um sabor especial às observações tanto do poeta quanto do leitor, ao se defrontarem com as narrativas daqueles cientistas alumbrados pelo trópico.

Manuel Bandeira começa então a guiar os passos dos leitores, sob "as duas grandes sombras" que pairam sobre Ouro Preto. Tiradentes e Aleijadinho projetam-se em cada ângulo da cidade e merecem o foco preciso com que o guia situa o papel histórico do primeiro cidadão e do primeiro artista genuinamente brasileiros. Igreja por igreja, ele passa a anotar as variações do estilo Barroco, a presença do Rococó e o advento do Neoclassicismo, registrando peculiaridades e detalhes curiosos. A procissão dos chafarizes é outro itinerário precioso, por meio do qual Bandeira desperta o olhar do leitor para as fontes que ofereciam água à população do Setecentos.

Ainda não havia os museus que vieram temperar o banquete cultural ofertado aos turistas, antevistos, porém, nos comentários e nas referências aos prédios para tanto aproveitados. Além dos passeios a pé, na região central, o erudito cicerone sugere esticadas de carro aos extremos oeste e leste, nos bairros das Cabeças e do Padre Faria, bem como às cidades de Mariana e de Congonhas, que aprofundam o mergulho na história de Minas Gerais e do Brasil. Bastante próximas, a primeira conserva a catedral primaz e o museu arquidiocesano, enquanto a segunda ostenta a obra máxima do Aleijadinho, nos Passos da Paixão do Santuário do Senhor Bom Jesus de Matosinhos.

Ilustrado por desenhos de Luís Jardim e vertido para o francês por Michel Simon – intelectual que acabou conhecido por Michel Simon-Brésil –, o *Guia de Ouro Preto* tornou-se um clássico do gênero. Seu relançamento proporciona ao leitor, ao estudioso e ao turista do século XXI o privilégio do acesso à primeira cidade do Brasil inscrita no patrimônio da humanidade, pela Unesco (1980), por meio do guia que é também uma obra literária e historiográfica, revestida do sentimento da poesia, "estrela da vida inteira" de Manuel Bandeira.

Guia de Ouro Preto. São Paulo: Global, 2015.

PROSA

Itinerário de Pasárgada

Crônicas da província do Brasil

Flauta de papel

Andorinha, andorinha

SELETA

Gonçalves Dias

Guia de Ouro Preto

Ensaios literários

De poetas e de poesia

Versificação em língua portuguesa

Crítica de artes

Correspondência

ITINERÁRIO DE PASÁRGADA

A
Fernando Sabino,
Paulo Mendes Campos
& João Condé,
que me fizeram escrever este livro,
dedico-o.
M. B.

Critérios da edição
CARLOS NEWTON JÚNIOR

A fixação do texto da presente edição do *Itinerário de Pasárgada* foi realizada a partir do cotejamento de todas as edições da obra publicadas durante a vida de Manuel Bandeira, quais sejam: a primeira (Rio de Janeiro: Jornal de Letras, 1954), a segunda (Rio de Janeiro: Livraria São José, 1957), a impressão do texto na primeira edição Aguilar da obra reunida do autor (*Poesia e prosa*, Rio de Janeiro: José Aguilar, 1958, v. II, p. 7-112) e a terceira edição (Rio de Janeiro: Editora do Autor, 1966), esta última publicada em comemoração ao octogésimo aniversário do autor. Edições póstumas foram também consultadas para se verificar, em passagens específicas, a possível existência de soluções diversas das que adotamos quando da escolha de uma ou outra variante textual.

Duas alterações encontradas na segunda edição são evidências mais do que suficientes para comprovar que Bandeira reviu o texto antes de entregá-lo à Livraria São José: a correção realizada na relação das ruas que delimitavam a sua "Tróada" (retirando o nome da rua do Sol e incluindo o da rua Formosa) e a exclusão do nome de Álvaro Lins do rol de amigos que o poeta declara gostaria de ver na Academia Brasileira de Letras – justificada pelo rompimento entre os dois escritores a partir de 1956, motivado por questões políticas.

Ocorre que esta mesma segunda edição, realizada a partir de um texto certamente revisto pelo autor, apresenta, por outro lado, um número bastante considerável de erros tipográficos, o que termina deixando dúvidas, no tocante a certas pequenas alterações (a supressão ou inclusão de uma ou outra vírgula, a troca ou omissão de uma ou outra palavra que em verdade não altera o sentido do texto etc.), se estas decorreram de um burilamento do texto, realizado pelo autor, ou de simples descuido editorial.

Nem todas essas pequenas dúvidas puderam ser sanadas a partir da consulta à edição Aguilar da obra reunida, uma vez que esta, mesmo contando, para a sua realização, "com a inestimável cooperação do escritor", como afirmado em Nota Editorial, toma nitidamente por base, no tocante ao *Itinerário*, apenas a segunda edição, endossando ligeiros descuidos editoriais introduzidos no texto a partir de 1957 e que permaneceram em todas as edições seguintes, à exceção da terceira, de 1966. Isso porque esta última, a mais bem realizada graficamente entre todas as edições da obra, parte, por sua vez, apenas da primeira edição, desconsiderando as alterações indiscutivelmente realizadas pelo autor para a segunda e mostrando-se, obviamente, imprestável para sanar qualquer dúvida acerca de variações textuais.

A nossa opção, portanto, foi pela manutenção das alterações mais significativas introduzidas na segunda edição e mantidas na edição Aguilar, imaginando que um erro editorial mais comprometedor, na segunda edição, teria chamado a atenção do poeta e motivado sua correção na edição seguinte. Agimos assim mesmo em se tratando da supressão de uma frase inteiramente dentro do contexto e sem qualquer motivo aparente para a sua retirada, como é o caso de certa afirmação do poeta quando discorre sobre a influência da música em sua obra ("Na verdade, faço versos porque não sei fazer música"), frase cuja distribuição na mancha textual da primeira edição, em uma única linha completa, não descarta a possibilidade de supressão por descuido editorial. No tocante a supressões menos significativas, porém, decidimos, por segurança, reconstituir o texto a partir da primeira edição.

Lapsos de memória mais pontuais (a troca de uma palavra na citação de um verso, o equívoco em relação a uma data etc.), quando identificados, foram prontamente corrigidos, uma vez que correções dessa natureza, quase todas realizadas em citações entre aspas, não significam violação ao texto bandeiriano. Procedemos assim, por exemplo, no tocante ao verso de Bilac "Invejo o ourives quando escrevo", do poema "Profissão de fé", citado por Bandeira como "Imito o ourives quando escrevo"; ou na correção do ano de publicação da importante entrevista que o poeta concedeu a Paulo Mendes Campos na *Província de São Pedro* – 1949, e não 1948, como se encontra em todas as edições anteriores do *Itinerário*.[1]

Ao longo da obra, Manuel Bandeira faz várias citações de poemas, versos, trechos em prosa, títulos de obras e expressões em francês, alemão, italiano, espanhol e inglês. Partia do princípio, ao que parece, de que seus leitores dominavam esses idiomas o suficiente para não perderem o fio da meada no decorrer da leitura, à exceção do alemão, pois somente os versos citados em língua alemã são apresentados com tradução para o português, realizada pelo próprio Bandeira. Na presente edição, decidimos introduzir, em notas de rodapé, além de algumas explicações e esclarecimentos ao texto, traduções dos trechos em prosa e poemas citados nos demais idiomas, no intuito de facilitar a leitura do *Itinerário* para o estudante e o leitor comum interessados na obra de Bandeira.

Há, evidentemente, algo de arbitrário no tocante às notas explicativas, ressalvados o princípio geral de que não foram escritas visando especialistas e a intenção de não se sobrecarregar o texto com notas em excesso. Quanto às traduções, além de não traduzirmos, por motivos óbvios, algumas expressões de uso corriqueiro, evitamos traduzir, também por uma questão de leveza, os títulos dos muitos livros e poemas citados, concentrando nossa atenção, de fato, nos poemas e nos trechos em prosa, cujo entendimento parece-nos indispensável para uma compreensão integral do *Itinerário*.

Nos casos dos poemas em forma fixa, procuramos, na medida do possível, respeitar a métrica dos versos, muito embora não tenhamos pretendido realizar "traduções poéticas", uma vez que a tentativa de manter o esquema rímico poderia levar a distorções de conteúdo. Na tradução dos trechos em italiano e francês, contamos com o inestimável apoio, respectivamente, de Moema Peisino e Lourival Holanda, a quem deixamos aqui registrados os nossos mais sinceros agradecimentos.

---

1 Este último lapso explica-se pelo fato de a entrevista ter sido originalmente publicada em 1948, em quatro partes, n'*O Jornal*, do Rio de Janeiro, e republicada integralmente no n. 13 da *Província de São Pedro*, no ano seguinte.

Biografia de Pasárgada[2]

Quando eu tinha os meus quinze anos e traduzia na classe de grego do Pedro II a *Ciropédia* fiquei encantado com esse nome de uma cidadezinha fundada por Ciro, o Antigo, nas montanhas do sul da Pérsia, para lá passar os verões. A minha imaginação de adolescente começou a trabalhar, e vi Pasárgada e vivi durante alguns anos em Pasárgada.

Mais de vinte anos depois, num momento de profundo *cafard*[3] e desânimo, saltou-me do subconsciente este grito de evasão: "Vou-me embora pra Pasárgada!" Imediatamente senti que era célula de um poema. Peguei do lápis e do papel, mas o poema não veio. Não pensei mais nisso. Uns cinco anos mais tarde, o mesmo grito de evasão nas mesmas circunstâncias. Desta vez o poema saiu quase ao correr da pena. Se há belezas em "Vou-me embora pra Pasárgada", elas não passam de acidentes. Não construí o poema; ele construiu-se em mim nos recessos do subconsciente, utilizando as reminiscências da infância – as histórias que Rosa, a minha ama-seca mulata, me contava, o sonho jamais realizado de uma bicicleta etc. O quase inválido que eu era ainda por volta de 1926 imaginava em Pasárgada o exercício de todas as atividades que a doença me impedia: "E como eu farei ginástica... tomarei banhos de mar!" A esse aspecto Pasárgada é "toda a vida que podia ter sido e que não foi".

M. B.

***

Sou natural do Recife, mas na verdade nasci para a vida consciente em Petrópolis, pois de Petrópolis datam as minhas mais velhas reminiscências. Procurei fixá-las no poema "Infância":[4] uma corrida de ciclistas, um bambual debruçado no rio (imagino que era o fundo do Palácio de Cristal), o pátio do antigo Hotel Orleans, hoje Palace Hotel... Devia ter eu então uns três anos. O que há de especial nessas reminiscências (e em outras dos anos seguintes, reminiscências do Rio e de São Paulo, até 1892, quando voltei a Pernambuco, onde fiquei até os dez anos) é que, não obstante serem tão vagas, encerram para mim um conteúdo inesgotável de emoção. A certa altura da vida vim a identificar essa emoção particular com outra – a de natureza artística. Desde esse momento, posso dizer que havia descoberto o segredo da poesia, o segredo do meu itinerário em poesia. Verifiquei ainda que o conteúdo emocional daquelas reminiscências da primeira meninice era o mesmo de certos raros momentos em minha vida de adulto: num e noutro caso alguma coisa que resiste à

---

2 Depoimento incorporado ao *Itinerário de Pasárgada* na primeira edição da Aguilar da obra reunida de Manuel Bandeira (*Poesia e prosa*. Rio de Janeiro: José Aguilar, 1958. 2 v.).

3 Da expressão francesa *j'ai le cafard* ("estou deprimido", "estou triste").

4 Do livro *Belo belo*.

análise da inteligência e da memória consciente, e que me enche de sobressalto ou me força a uma atitude de apaixonada escuta.

O meu primeiro contato com a poesia sob a forma de versos terá sido provavelmente em contos de fadas, em histórias da carochinha. No Recife, depois dos seis anos. Pelo menos me lembro nitidamente do sobrosso que me causava a cantiga da menina enterrada viva no conto "A madrasta":

> Capineiro de meu pai,
> Não me cortes meus cabelos.
> Minha mãe me penteou,
> Minha madrasta me enterrou
> Pelo figo da figueira
> Que o passarinho bicou.
> Xô, passarinho!

Era assim que me recitavam os versos. E esse "Xô, passarinho!" me cortava o coração, me dava vontade de chorar.

Aos versos dos contos da carochinha devo juntar os das cantigas de roda, algumas das quais sempre me encantaram, como "Roseira, dá-me uma rosa", "O anel que tu me deste", "Bão, balalão, senhor capitão", "Mas para que tanto sofrimento". Falo destas porque as utilizei em poemas. E também as trovas populares, coplas de zarzuelas, *couplets* de operetas francesas, enfim versos de toda a sorte que me ensinava meu pai. Lembro-me de uns cujo autor até hoje ignoro. Ouviu-os meu pai de um sujeito que um dia, no alpendre de uma casinha do interior de Pernambuco, lhe veio pedir esmola. Meu pai, que gostava de brincar, disse-lhe: "Pois não! Mas você antes tem de me dizer uns versos." Ora, o nosso homem não se fez de rogado e saiu-se com esta décima lapidar, cujo primeiro verso, estropiado, mostra que a estrofe não era de sua autoria:

> Tive uma choça, se ardeu-se.
> Tinha um só dente, caiu.
> Tive uma arara, morreu.
> Um papagaio, fugiu.
> Dois tostões tinha de meu:
> Tentou-me o diabo, joguei-os.
> E fiquei sem ter mais meios
> De sustentar os meus brios.
> Tinha uns chinelos... Vendi-os.
> Tinha uns amores... Deixei-os.[5]

Assim, na companhia paterna ia-me eu embebendo dessa ideia que a poesia está em tudo – tanto nos amores como nos chinelos, tanto nas coisas lógicas como nas disparatadas. O próprio meu pai era um grande improvisador de *nonsense* líricos, o seu jeito de dar expansão ao gosto verbal nos momentos de bom humor. Spender falou-nos certa vez da atração que sobre nós exercem certas palavras.

---

5   No poema "Testamento", do livro *Lira dos cinquent'anos*, certamente influenciado por esta décima, escreveu Bandeira: "O que não tenho e desejo/ É que melhor me enriquece./ Tive uns dinheiros – perdi-os.../ Tive amores – esqueci-os./ Mas no maior desespero/ Rezei: ganhei essa prece."

Braggadocio, por exemplo. Quando li essa coisa no inglês, fiquei estupefato, pois a palavra *braggadocio* sempre me invocara e um mês antes eu a introduzira num poeminha onomástico feito para Master Anthony Robert Derham.[6] Meu pai volta e meia se sentia invocado por uma palavra assim. Uma delas pude aproveitar num de meus poemas: "protonotária". Se eu tivesse algum gênio poético, certo poderia, partindo dessas brincadeiras que meu pai chamava "óperas", ter lançado o *surréalisme* antes de Breton e seus companheiros.

Procuro me lembrar de outras impressões poéticas da primeira infância e eis que me acodem os primeiros livros de imagens: *João Felpudo, Simplício olha pra o ar, Viagem à roda do mundo numa casquinha de noz*.[7] Sobretudo este último teve influência muito forte em mim; por ele adquiri a noção de haver uma realidade mais bela, diferente da realidade cotidiana, e a página do macaco tirando cocos para os meninos despertou o meu primeiro desejo de evasão.[8] No fundo, já era Pasárgada que se prenunciava.

O meu mais antigo sinal de interesse pela poesia escrita data dos oito ou nove anos. Lembro-me de por esse tempo andar procurando no *Jornal do Recife* a poesia que diariamente vinha na primeira página. E até me recordo de dois nomes que frequentemente apareciam assinando esses versos – Áurea Pires e Henrique Soído. Lembro-me ainda muito bem da estranheza, do mal-estar que me dava quando a poesia era soneto e eu, até então só afeito ao ritmo quadrado, me sentia desagradavelmente suspenso ao terceiro verso do primeiro terceto. A aceitação da forma soneto foi em poesia a minha primeira vitória contra as forças do hábito.

Não posso deixar de evocar aqui as horas de intensa emoção, as primeiras provocadas por um livro lido por mim, e foi esse livro o *Cuore* de De Amicis na tradução de João Ribeiro. Era eu semi-interno no colégio de Virgínio Marques Carneiro Leão, à rua da Matriz. Depois de certa hora os alunos externos voltavam para suas casas e eu ficava sozinho na grande sala dos fundos do edifício. O *Coração* era o livro de leitura adotado na minha classe. Para mim, porém, não era um livro de estudo. Era a porta de um mundo, não de evasão, como o da *Viagem à roda do mundo numa casquinha de noz*, mas de um sentimento misturado, com a intuição terrificante das tristezas e maldades da vida.

Dos seis aos dez anos, nesses quatro anos de residência no Recife, com pequenos veraneios nos arredores – Monteiro, Sertãozinho de Caxangá, Boa Viagem, Usina do Cabo –, construiu-se a minha mitologia, e digo mitologia porque os seus tipos, um Totônio Rodrigues, uma d. Aninha Viegas, a preta Tomásia, velha cozinheira da casa de meu avô Costa Ribeiro, têm para mim a mesma consistência heroica das personagens dos poemas homéricos. A rua da União, com os quatro quarteirões adjacentes limitados pelas ruas da Aurora, da Saudade, Formosa[9] e Princesa Isabel, foi a minha Tróada; a casa de meu avô, a capital desse país fabuloso. Quando comparo esses quatro anos de minha

---

6 Neto de Frèdy Blank, grande amiga de Manuel Bandeira. O "poeminha", escrito em inglês, encontra-se no livro *Mafuá do malungo*: "*Anthony Robert,/ sweet braggadocio,/ be-/ lieve it or not,/ I love you much more/ then you love me!*" ("Anthony Robert,/ doce fanfarrão,/ acredite ou não,/ eu o amo muito mais/ do que você me ama!").

7 Livros citados no poema "Ruço", de *A cinza das horas*.

8 Informação fundamental para a compreensão do poema "Cabedelo", do livro *Libertinagem*: "Viagem à roda do mundo/ Numa casquinha de noz:/ Estive em Cabedelo./ O macaco me ofereceu cocos.// Ó maninha, ó maninha,/ Tu não estavas comigo!...// – Estavas?..."

9 Trecho da atual av. Conde da Boa Vista.

meninice a quaisquer outros quatro anos de minha vida de adulto, fico espantado do vazio destes últimos em cotejo com a densidade daquela quadra distante.

***

Na casa de Laranjeiras, onde moramos os seis anos que cursei o Externato do Ginásio Nacional, hoje Pedro II, nunca faltava o pão, mas a luta era dura. E eu desde logo tomei parte nela, como intermediário entre minha mãe e os fornecedores – vendeiro, açougueiro, quitandeiro, padeiro. Nunca brinquei com os moleques da rua, mas impregnei-me a fundo do realismo da gente do povo. Jamais me esqueci das palavras com que certo caixeiro de venda português deu notícias de um companheiro que não era visto havia algum tempo: "O *seu* Alberto está com os pulmões podres".

Essa influência da fala popular contrabalançava a da minha formação no Ginásio, onde em matéria de linguagem eu me deixava assessorar por meu colega Sousa da Silveira, naquele tempo todo voltado para a lição dos clássicos portugueses.

Desde o primeiro ano tivéramos a fortuna de contar entre os nossos mestres o professor Silva Ramos. Não repetirei aqui o que já disse do melhor modo que pude nas *Crônicas da província do Brasil*. A Silva Ramos e a Sousa da Silveira devo o gosto que tomei a Camões, cujos principais episódios de *Os Lusíadas* eu sabia de cor e declamava em casa para mim mesmo com grande ênfase. O que ainda hoje lamento é não ter tomado então conhecimento da lírica do maior poeta de nosso idioma. Do Camões lírico apenas sabia o que vinha nas antologias escolares, especialmente na que era adotada no Ginásio, a de Fausto Barreto e Carlos de Laet. Eis outro livro que fez as delícias de minha meninice e de certo modo me iniciou na literatura de minha língua. Antes dos parnasianos a cantata "Dido", de Garção (meu pai fez-me decorá-la), já me dera a emoção da forma pela forma, e era com verdadeiro deleite que eu repetia certos versos de beleza puramente verbal: "E nas douradas grimpas/ Das cúpulas soberbas/ Piam noturnas agoureiras aves"... E mais adiante: "De roxas espadanas rociadas/ Tremem da sala as dóricas colunas"...

Sousa da Silveira residia numa pequena casa térrea da chácara de seu avô, o Visconde de Thayde. Essa propriedade acabou sendo comprada pelo marechal Pires Ferreira, que nela abriu a rua do seu nome. Creio que a casa da família de Sousa da Silveira ficava exatamente onde hoje passa a rua, e confinava com o quintal da Casa de Machado de Assis. Sousa da Silveira admirava grandemente a Machado de Assis, dizia de memória com vivo entusiasmo os "Versos a Corina". Não tinha curiosidade pelos parnasianos e eu não podia compreender como se podia gostar do Barão de Loreto, do Barão de Paranapiacaba, e não gostar de Bilac, cuja "Via Láctea" vim a saber toda de cor. Apesar do respeito que me inspirava o meu colega, três anos mais velho do que eu, nunca pude compartilhar de todas as suas admirações em assuntos de poesia. Mas uma coisa é certa – ele me fazia sentir nos grandes escritores do passado esse elemento indefinível que é o gênio da língua, a que sempre se mostrou tão particularmente sensível. A sua lição foi, e continuou sendo vida afora, muito preciosa para a minha experiência poética.

Começou essa experiência por volta dos dez anos, ainda antes de eu entrar para o Ginásio. Na realidade não se tratava de poesia, mas simplesmente de versos. Quadrinhas humorísticas, gracejando a propósito dos namoros de meus tios maternos. Depois no Ginásio, lendo versos de Sousa da Silveira, de Lucilo Bueno, e em casa os de meu tio Cláudio da Costa Ribeiro, o único dos oito irmãos dotado com essa habilidade, herdada do pai, que em versos fez a sua corte a minha avó,[10] enveredei pela lírica amorosa (estava, debaixo do maior segredo, apaixonado por uma moça amiga de minha irmã).

Antes de conhecer o manual de Castilho, eu embatucava diante de certos problemas. De uma feita fui, muito encalistrado, perguntar a meu tio Cláudio se "Vésper" rimava com "cadáver". A sua resposta negativa me inutilizou um soneto. Hoje vejo que quem tinha razão era o meu ouvido. Rima é igualdade de som. Tanto se rima consoantemente como toantemente e de outras maneiras. Só muito mais tarde vim a saber que os ingleses rimam *be* com *eternity*. Vim a saber que afinal a aliteração nada mais é do que uma rima de fonemas iniciais. Mas quanta coisa eu ignorava! Baste dizer que as rimas toantes que empreguei em dois poemas de *Carnaval*, pratiquei-as por ter verificado o efeito que delas tirara o francês Charles Guérin, poeta que andei lendo muito por volta de 1910. Era mais natural que as aprendesse na poesia medieval portuguesa. Mas eu nada sabia de trovadores, nada conhecia da poesia espanhola.

Outro condiscípulo com quem muito conversei de poesia no Ginásio foi Lucilo Bueno. Era para mim fonte de outros conhecimentos, diferentes dos que me fornecia Sousa da Silveira. Apreciava muito Luís Murat, que nunca me atraiu, mas gostava, como eu, dos franceses – Coppée, Leconte de Lisle, Baudelaire, Heredia (vão assim propositadamente misturados para mostrar que não sabíamos distinguir ainda um Baudelaire de um Coppée), já ouvira mesmo falar em Verlaine e Mallarmé. Estes, porém, não eram para o nosso bico. Quando estávamos no quinto ano, apareceu, vindo do Internato para terminar o curso de bacharel em letras no Externato, um rapaz que não era como os outros: Castro Meneses. Já havia publicado *Mythos*, colaborava na *Rosa Cruz*, a revista dos discípulos de Cruz e Sousa, tinha um ar orgulhoso, arrastava uma perna, parecia mesmo um poeta e um *poète maudit*. Nunca tive coragem de abordar aquele adolescente tão admirado. O meu acanhamento impediu-me, pois, de conhecer naquela idade os simbolistas franceses. O que lia deles nas revistas perturbava por demais todos os meus hábitos de poesia. Se até me repugnavam certos alexandrinos dos parnasianos em que a cesura caía numa palavra átona! Em 1903, já residindo em São Paulo, entrei num sebo e vi lá exposta à venda por uma ninharia a primeira edição de *Parallèlement*.[11] Comprei, li, não entendi, mandei o voluminho a Lucilo Bueno. No tempo do Ginásio o único simbolismo acessível para nós era o de Antônio Nobre. Este sim, adorávamos, sabíamos de cor. Quanto a Eugênio de Castro, só depois de 1904 vim a conhecê-lo.

Quase nada se estudava de literatura no Ginásio. Ficava-se nas antologias das classes. Havia uma cadeira de literatura no último ano. O catedrático era Carlos França, apelidado por toda a gente "França Cacete". Não sabíamos então que contra

---

10 Fato que inspirou Bandeira a escrever "Cartas de meu avô", um dos mais belos poemas de *A cinza das horas*.
11 Livro do poeta francês Paul Verlaine, publicado em 1889.

dois competidores, um dos quais o famoso Artur de Oliveira, tirara ele a cadeira por concurso. Carlos França me deixou a impressão de um senhor elegante, polidíssimo, meio cacete sim (levou aulas, muitas aulas discorrendo sem parar sobre "a palavra"), mas extremamente simpático. A certa altura do ano me designou para escrever um trabalho sobre Mme. de Sévigné e como prêmio me fez presente do livro de Taine *La Fontaine et ses fables*. Precioso estímulo foi esse. Tudo o que eu sabia até então a respeito de arte poética não passava de intuições. As primeiras reflexões que fiz sobre fundo e forma em poesia me foram despertadas pela análise de Taine. Aprendi muito com essa leitura, em que pese a meu amigo Otto Maria Carpeaux, a quem de certo devem escandalizar as linhas em que o grande crítico afirma tranquilamente: "*C'est qu'il était poète. Je crois que, de tous les Français, c'est lui qui le plus véritablement l'a été.*"[12] Creio que Carlos França nada nos ensinou: aprendemos apenas o que estava no livrinho adotado em classe, o Pauthier.

Mais nos ensinou de literatura, a mim e mais dois ou três colegas que o cercávamos depois das aulas de sua cadeira, que era a de História Universal e do Brasil, o velho João Ribeiro (ainda não o era àquele tempo). Esse abriu-me os olhos para muitas coisas. Achava Raimundo Correia superior a Bilac, e Machado de Assis mais original e profundo do que o Eça. Explicava-nos por quê. Tudo o que ele nos dizia interessava ao nosso grupinho prodigiosamente: era tão engenhoso, tão diferente da voz geral.

O que deveria ser a base do estudo das letras, o latim e o grego, foi-nos ensinado no Ginásio da pior maneira. No entanto o professor de latim, Vicente de Sousa, era homem inteligente e culto, grande latinista, mas que negação completa para mestre de meninos! Em vez de procurar despertar o nosso gosto pela poesia de um Virgílio (ou de um Lucrécio, tão em harmonia com o seu espetaculoso materialismo) e pela prosa de um Tácito, obrigava-nos a quebrar a cabeça com as formas arcaicas das declinações, fazia muita questão era da pronúncia restituída, de que foi o introdutor no Brasil. Do professor de grego nem falemos.

Mas eu não me destinava à literatura e não tratei de suprir por mim mesmo as deficiências dos meus professores, como fez meu colega Antenor Nascentes, tornado com os anos não só latinista mas também helenista insigne. Não era minha ambição ser poeta e sim arquiteto, gosto que me foi muito jeitosamente incutido por meu pai, sempre a me interessar no desenho, dando-me a ler os livros de Viollet-le-Duc (*L'art du dessin, Comment on construit une maison*), mostrando-me reproduções das grandes obras-primas arquitetônicas do passado, criticando com zombaria os aleijões dos mestres de obra do Rio. Se eu escrevia versos, era com o mesmo espírito desportivo com que me equilibrava sobre um barril lançado a toda a força das pernas, o que de modo nenhum me fazia sentir com vocação para artista de circo. Em todo o tempo do Ginásio duas vezes experimentei o desejo de publicidade, pelo menos a ponto de tomar iniciativa para isso. Da primeira foi mandando a uma nova revista literária, a *Universal*, fundada por Medeiros e Albuquerque, um soneto em louvor de Chateaubriand, onde me lembro que havia este verso, de um gongorismo imitado não do sublime cordovês mas do medíocre lusíada Filinto Elísio: "Da que altívolo engenho anima mente altiva". O soneto não

---

12 "É que ele é poeta. Creio que, de todos os franceses, ele é quem mais verdadeiramente o foi."

foi publicado e pela caixa de respostas da revista o redator sentenciou: "O seu soneto não está mau. Também não está bom. Enfim, continue!" Da outra vez fui mais feliz, enviando a Antônio Sales, redator influente do *Correio da Manhã*, um soneto, como o outro em alexandrinos, de um erotismo que bem traía as curiosidades sexuais da adolescência. A publicação desses versos na primeira página do *Correio* como que me saciou por completo a fome de glória. Pouco tempo depois partia eu para São Paulo, onde ia matricular-me no curso de engenheiro-arquiteto da Escola Politécnica. Pensava que a idade dos versos estava definitivamente encerrada. Ia começar para mim outra vida. Começou de fato, mas durou pouco. No fim do ano letivo adoeci e tive de abandonar os estudos, sem saber que seria para sempre. Sem saber que os versos, que eu fizera em menino por divertimento, principiaria então a fazê-los por necessidade, por fatalidade.

* * *

Confesso que já me vou sentindo bastante arrependido de ter começado estas memórias. Fi-lo a instâncias de Fernando Sabino e Paulo Mendes Campos. O compromisso que assumi com eles nada tinha de irrevogável, porque um e outro são criaturas humanas, compreensivas. Mas a revista a que elas se destinavam gorou, e quando eu dei por mim, estava nas mãos do João Condé, amigo sabidamente implacável, que me faz viver trabalhando para os seus Arquivos e para o *Jornal de Letras*, valendo-se para isso dos expedientes mais inconfessáveis, como sejam a sua simpatia pessoal, a televisão, o nome de Caruaru etc.

O meu arrependimento vem do nenhum prazer que encontro nestas evocações, da mediocridade que elas respiram, e ainda das dificuldades em que me vejo ao tentar refazer o meu itinerário no período que vai do ano de 1904, em que adoeci, ao de 1917, quando publiquei o meu primeiro livro de versos – *A cinza das horas*. Foi nesses treze anos que tomei consciência de minhas limitações, nesses treze anos que formei a minha técnica.

Tomei consciência de minhas limitações. Instruído pelos fracassos, aprendi, ao cabo de tantos anos, que jamais poderia construir um poema à maneira de Valéry. Em *"Mémoires d'un poème"* (*Variété V*) confiou-nos o grande poeta que a primeira condição que ele impunha no trabalho de criação poética era *"le plus de conscience possible"*;[13] todo o seu desejo era *"essayer de retrouver avec volonté de conscience quelques résultats analogues aux résultats intéressants ou utilisables que nous livre (entre cent mille coups quelconques) le hasard mental".*[14] Anteriormente chegara ele a dizer que preferia *"avoir composé une oeuvre médiocre en toute lucidité qu'un chef-d'oeuvre à éclairs, dans un état de transe..."*[15] Na minha experiência pessoal fui verificando que o meu esforço consciente só resultava em insatisfação, ao passo que o que me saía do subconsciente, numa espécie de transe ou alumbramento, tinha ao

---

13 "O máximo de consciência possível."

14 "Tentar encontrar, com empenho da consciência, quaisquer resultados análogos aos resultados interessantes ou utilizáveis que nos oferece (entre cem mil tentativas) o acaso mental."

15 "Compor uma obra medíocre em total lucidez do que uma obra-prima num estado de transe..."

menos a virtude de me deixar aliviado de minhas angústias. Longe de me sentir humilhado, rejubilava, como se de repente me tivessem posto em estado de graça. Mas *A cinza das horas, Carnaval* e mesmo *O ritmo dissoluto* ainda estão cheios de poemas que foram fabricados *en toute lucidité*. A partir de *Libertinagem* é que me resignei à condição de poeta quando Deus é servido.

Tomei consciência de que era um poeta menor; que me estaria para sempre fechado o mundo das grandes abstrações generosas; que não havia em mim aquela espécie de cadinho onde, pelo calor do sentimento, as emoções morais se transmudam em emoções estéticas: o metal precioso eu teria que sacá-lo a duras penas, ou melhor, a duras esperas, do pobre minério das minhas pequenas dores e ainda menores alegrias.

Mas ao mesmo tempo compreendi, ainda antes de conhecer a lição de Mallarmé, que em literatura a poesia está nas palavras, se faz com palavras e não com ideias e sentimentos, muito embora, bem entendido, seja pela força do sentimento ou pela tensão do espírito que acodem ao poeta as combinações de palavras onde há carga de poesia. Coisa que descobri nos lapsos de memória ou no exame de variantes. Quantas vezes, querendo relembrar uma estrofe de poema, uma trova popular, e não conseguindo reconstituí-las fielmente, fazia da melhor maneira o *remplissage*;[16] depois, cotejando as duas versões – a minha e o original –, verificava qual delas era melhor, pesquisava o segredo da superioridade e, descoberto, passava a utilizá-lo nos meus versos. Quantas vezes também vi, em poetas de gosto certeiro nas emendas, um verso defeituoso ou inexpressivo carregar-se de poesia pelo efeito encantatório de uma ou de algumas palavras, exprimindo no entanto o mesmo sentimento ou a mesma ideia que as substituídas. Compare-se, por exemplo, o poema "Mocidade e morte", de Castro Alves, como apareceu em *Espumas flutuantes*, com a primeira versão, de 1864, e publicada em São Paulo por volta de 1868-69 sob o título de "O tísico". Na oitava inicial havia o verso "No seio da morena há tanta amora!" Na versão definitiva "amora" foi substituída por "aroma". Naturalmente o poeta ponderou que as amoras do peito das morenas não são tantas, duas apenas, e mais tarde corrigiu o verso para "No seio da mulher há tanto aroma!" A superioridade é óbvia. O primeiro dístico

> Mas uma voz repete-me sombria:
> Terás abrigo sob a lájea fria.

foi mudado para

> Mas uma voz responde-me sombria:
> Terás o sono sob a lájea fria.

Evidentemente melhor pelo desaparecimento do eco em "fria" do i de "abrigo", e porque "sono" evoca muito mais fortemente a ideia de morte. Na segunda oitava fez Castro Alves duas correções importantes: mudou "O regaço da amante é um lago virgem" para "Não! o seio da amante é um lago virgem" (a negativa reforçou

---

16 Enchimento.

extraordinariamente a expressão; a substituição de "regaço" por "seio" clareou o verso com a introdução de um timbre diferente de vogal) e substituiu o sexto verso ("Adornada com os prantos do arrebol") por "Que banharam de pranto as alvoradas", verso que forma com o anterior um dístico de raro sortilégio verbal:

> Vem! formosa mulher – camélia pálida,
> Que banharam de pranto as alvoradas.

Repare-se que em "Adornada com os prantos do arrebol" a ideia é a mesma, mesmíssima, expressa em "Que banharam de pranto as alvoradas". Com esta diferença capital: no segundo verso há poesia, no primeiro não. Podia levar mais adiante o cotejo das duas versões e de fato já o fiz num trabalho intitulado "Um poema de Castro Alves",[17] mas o que aí fica basta para me fazer entender.

Na minha *Antologia dos poetas brasileiros da fase parnasiana* se pode ler o soneto "Banzo", de Raimundo Correia, como apareceu em *A Semana* de 10 de janeiro de 1885. Que diferença da versão definitiva! Transcreverei aqui apenas o segundo terceto:

> Dos monolitos cresce a sombra informe...
> Tal em minh'alma vai crescendo o vulto
> Desta tristeza aos poucos, lentamente.

A mesma ideia, o mesmo sentimento que estão no terceto depois das correções:

> Vai co'a sombra crescendo o vulto enorme
> Do baobá... E cresce n'alma o vulto
> De uma tristeza imensa, imensamente...

Duas ou três palavras que saíram, duas ou três que entraram, eis o golpe de mestre que transformou três versos medíocres em três outros palpitantes de poesia. No mesmo livro se pode comparar o soneto IV da "Via Láctea" com a versão primitiva publicada em *A Semana* de 14 de novembro de 1885: como no caso do "Banzo", a substituição de algumas palavras ("tinge" em vez de "doura", "estremecem ninhos" em lugar de "alam-se carinhos" etc.) realizou mais uma vez o milagre de influir alma em matéria sem vida.

Cotejos como esses me foram ensinando a conhecer os valores plásticos e musicais dos fonemas; me foram ensinando que a poesia é feita de pequeninos nadas e que, por exemplo, uma dental em vez de uma labial pode estragar um verso.

Devo dizer que aprendi muito com os maus poetas. Neles, mais do que nos bons, se acusa o que devemos evitar. Não é que os defeitos que abundam nos maus não apareçam nos bons. Aparecem sim. Há poemas perfeitos, não há poetas perfeitos. Mas nos melhores poetas certos versos defeituosos passam muita vez despercebidos. Bilac foi sem dúvida um belo artista. Sem embargo, não é verdade que os dois primeiros versos do "Julgamento de Frineia" lhe saíram muito desgraciosamente

---

17 Ensaio incluído no volume *De poetas e de poesia* (Rio de Janeiro: Ministério da Educação e Cultura/Serviço de Documentação, 1954. Coleção Os Cadernos de Cultura, 64), que foi republicado conjuntamente com a segunda edição do *Itinerário de Pasárgada* (Rio de Janeiro: Livraria São José, 1957).

pesados por causa de quatro adjetivos, colocados em posição homóloga, dois num verso, dois no outro, sendo que os primeiros graves, os segundos esdrúxulos?

> Mnezarete, a divina, a pálida Frineia,
> Comparece ante a austera e rígida assembleia...

A combinação adjetivo + substantivo + substantivo + adjetivo é de uma monotonia mortal para um alexandrino. Em toda a obra de Bilac há uma meia dúzia deles:

> No indizível horror de uma noite vazia...
> ("A morte")

> Da infernal multidão dos Elfos amorosos...
> ("Wilfredo")

> Na cerrada região das florestas sombrias
> ("O caçador de esmeraldas")

Mas não foi em Bilac, foi em pós-parnasianos de segunda ordem que atentei nesse trambolho e aprendi a evitá-lo.

***

As influências literárias que fui recebendo são incontáveis. Foram sucessivas, não simultâneas. Me lembro de uma fase Musset, de uma fase Verhaeren... Villon... Eugênio de Castro... Lenau... Heine... Charles Guérin... Sully Prudhomme... Até Sully Prudhomme? dirá algum requintado de hoje. Até Sully Prudhomme. Foi ele que me deu a vontade de estudar a prosódia poética francesa, o que fiz no compêndio de Dorchain. Assim se explica a mania em que andei algum tempo das formas fixas – baladas, rondós e rondéis; assim se explica a alternância de rimas agudas e graves da maioria dos poemas de *A cinza das horas*.

Mais do que a obra em conjunto de um grande poeta, me impressionou duradouramente certo poema dele, ou certo poema ou estrofe ou simples verso de poeta às vezes bem chinfrim, valha-me Deus! A um desses poemas já me referi: a cantata "Dido", de Garção. Pois há na obra de Sully Prudhomme um soneto, que ainda hoje repito com delícia sempre renovada, um soneto em que aprendi muita coisa e me parece perfeito a todos os aspectos:

> *C'était un homme doux, de chétive santé,*
> *Qui, tout en polissant des verres de lunettes,*
> *Mit l'essence divine en formules très nettes,*
> *Si nettes, que le monde en fut épouvanté.*

> *Ce sage démontrait, avec simplicité,*
> *Que le bien et le mal sont d'antiques sornettes,*
> *Et les libres mortels d'humbles marionnettes,*
> *Dont le fil est aux mains de la nécessité.*
>
> *Pieux admirateur de la Sainte Écriture,*
> *Il n'y voulait pas voir un Dieu contre nature.*
> *À quoi la Synagogue en rage s'opposa.*
>
> *Loin d'elle, polissant des verres de lunettes,*
> *Il aidait les savants à compter les planètes:*
> *C'était un homme doux Baruch de Spinoza.*[18]

Outros poemas que fizeram época na minha experiência poética desses anos de formação foram "*La chanson du mal-aimé*" de Guillaume Apollinaire, a primeira revelação para mim da nova poesia, o "Plenilúnio", de Raimundo Correia, o poema em prosa "*La poterne du Louvre*", de *Gaspard de la nuit*, de Louis Bertrand (eu e meu pai fazíamos grandes pagodeiras pela manhã no meu quarto de doente, representando ao vivo, para ninguém, o diálogo do poema), três ou quatro sonetos de Camões (Afonso Lopes de Almeida foi quem me deu a conhecer Camões sonetista, presenteando-me o livro), "*Paroles aux jeunes gens*", de Guy-Charles Cros... Sobre os sonetos de Camões e o poema de Cros preciso espraiar-me um pouco.

O soneto que começa pelo verso "O céu, a terra, o vento sossegado" tem sido para mim, desde aqueles dias, fonte de inesgotáveis reflexões. Tenho que transcrevê-lo:

> O céu, a terra, o vento sossegado...
> As ondas, que se estendem por a areia...
> Os peixes, que no mar o sono enfreia...
> O noturno silêncio repousado...
>
> O pescador Aónio, que, deitado
> Onde co'o vento a água se meneia,
> Chorando o nome amado em vão nomeia,
> Que não pode ser mais que nomeado:
>
> Ondas (dizia), antes que Amor me mate,
> Tornai-me a minha Ninfa, que tão cedo
> Me fizestes à morte estar sujeita.
>
> Ninguém responde; o mar de longe bate;
> Move-se brandamente o arvoredo;
> Leva-lhe o vento a voz, que ao vento deita.

O sexto e o décimo terceiro versos deste soneto me fizeram ver a tirania absurda do sistema parnasiano em querer impor a sinalefa obrigatória. Alberto de Oliveira, no seu exemplar de *Os Timbiras*, hoje pertencente à biblioteca da Academia,

---

18 "Era um homem cordato, de saúde frágil,/ Que ao tempo em que trabalhava, polindo lentes,/ Pôs a essência divina em fórmulas tão claras,/ Mas tão claras que o mundo ficou espantado.// Demonstrava o sábio, com simplicidade,/ O quanto o bem e o mal são antigas tolices,/ E os livres mortais humildes marionetes,/ Cujos fios pertencem à necessidade.// Seguidor tão fiel da Sagrada Escritura,/ Não queria ver Deus contrário à natureza./ Algo a que a Sinagoga com ira se opôs.// E assim longe dela, polindo suas lentes,/ Ajudava os sábios a ver os planetas:/ Era um homem cordato, Baruch de Spinoza."

escreveu à margem do verso "Grita; e os seus, medrosos, receando" as seguintes palavras: "Se não errado, frouxo". Ora, sente-se que Gonçalves Dias fazia uma pausa depois de "Grita"; mas ainda que não o fizesse, por que preferir a dura sinalefa ao suave hiato? Os parnasianos admitiam o hiato "dentro na mesma dicção", como dizia o Castilho, e Raimundo Correia escreveu, aliás lindamente, "A toalha friíssima do lago", mas reprovavam-no de dicção a dicção. Muito inconsequentemente, porque se aceitavam que se contassem em "toalha" duas ou três sílabas, como não consentir a contagem de uma ou duas sílabas em "o ar"? Camões praticou o hiato em "a água", em "o arvoredo" e fê-lo excelentemente: quem me vem dizer que há frouxidão naqueles dois versos? Suponho que era pensando nesses hiatos que Afonso Lopes de Almeida me observou um dia: "Você já reparou como são fortes os versos fracos de Camões?". Camões me reconciliou com os hiatos. A tal ponto que resolvi celebrar o acontecimento com um poema, que intitulei "Hiato" e incluí depois em *Carnaval*.

***

Por causa de um hiato num verso do poeta mineiro Mário Mendes Campos travei com o crítico Machado Sobrinho derramada polêmica, pelas colunas do *Correio de Minas*, de Juiz de Fora, o que fez minha irmã dizer em casa que eu queria penetrar na literatura brasileira via Juiz de Fora. O *Correio de Minas* foi o primeiro jornal em que colaborei seguidamente. Antes disso só publicara uma crônica no *Rio-Jornal* e um artigo intitulado "Uma questão de métrica" no *Imparcial* de 25 de dezembro de 1912.

A questão de métrica era a acentuação dos octossílabos. Um amigo de meu pai mostrara a Goulart de Andrade os meus versos "À sombra das araucárias" (*A cinza das horas*), e o poeta me aconselhara a corrigir o quarto verso desta quadra:

> As cousas têm aspectos mansos.
> Um após outro, a bambolear,
> Passam, caminho d'água, os gansos.
> Vão atentos, como a cismar...

Não aceitei a sugestão de antepor "atentos" a "vão", cuja finalidade era dar ao octossílabo acentuação na quarta sílaba, porque, habituado que estava aos octossílabos franceses e animado pelo exemplo de Machado de Assis em "Flor da mocidade" e "A mosca azul", achava que o quarto verso, com acentuação diferente da dos três anteriores, saía mais expressivo do movimento dos bichinhos. E resolvi escrever um pequeno estudo sobre a técnica dos octossílabos.

Mas voltando ao soneto de Camões: outra coisa que aprendi nele e em outros, e ainda na obra de Alberto de Oliveira, Bilac, Raimundo Correia e Vicente de Carvalho, poetas que, com os portugueses Antônio Nobre, Cesário Verde e Eugênio de Castro, foram os que mais atentamente estudei nesses anos de formação, foi não desdenhar das chamadas rimas pobres. Rimas de particípios passados, por exemplo, como no transcrito soneto de Camões, onde "sossegado" rima com "repousado", "deitado" e "nomeado". São eles tão pertinentes ao assunto (Machado de Assis de uma feita comentara versos meus com meu pai, elogiando as rimas, que lhe pareciam "bem ligadas ao assunto"), soam tão bem dentro da tonalidade geral do poema, que ninguém se lembra que são todos particípios passados. Aprendi que a boa rima é a que traz ao ouvido uma sensação de surpresa, mas surpresa nascida não da raridade, senão de uma espécie de resolução musical, como neste verso das "Pombas": "Raia, sanguínea e fresca, a madrugada". Essa "madrugada", onde está, é uma das rimas mais belas, mais generosas, mais euforizantes de toda a poesia de língua portuguesa.

O poema "*Paroles aux jeunes gens*", de Guy-Charles Cros, li-o no *Mercure de France*, número de 16 de abril de 1912. Foi, com umas *lullabies*[19] de Mac-Fiona Leod, o meu primeiro contato com o verso livre. Antes disso o que eu tomava por verso livre eram os versos polimétricos de Verhaeren.

A esse propósito vem a pelo contar a história de um concurso promovido por Medeiros e Albuquerque na Academia Brasileira de Letras. Na sessão de 4 de junho de 1910 declarou Medeiros oferecer um prêmio de 500 mil-réis para a melhor poesia sobre assunto geral, social ou filosófico, de acordo com as bases que apresentava por escrito. Não me lembra mais que bases eram essas, mas me lembra ainda que a poesia não devia ter mais de 200 versos nem menos de 100. Em 13 de maio do ano seguinte a comissão julgadora, composta de Alberto de Oliveira, Salvador de Mendonça, Augusto de Lima, Rodrigo Octávio, Filinto de Almeida e Afonso Celso, apresentou o seu parecer, segundo o qual "nenhuma das poesias apresentadas preenchia as condições exigidas, por vícios de forma ou defeitos de ideia". O parecer foi aprovado. Eis que no dia 25 do mesmo mês o *Jornal do Commercio*, edição da tarde, rompe uma campanha contra a Academia, campanha que se soube no tempo ter sido dirigida por Félix Pacheco, que então ainda não pensava em se candidatar a membro da Casa de Machado de Assis. No tópico inicial, em que os acadêmicos eram chamados "os imortais da Praia da Lapa" (a Academia funcionava no Silogeu), dizia o redator: "Ninguém admite que só os maus poetas hajam concorrido ao prêmio. De alguns temos notícia que enviaram trabalhos e bons, que servirão para confundir os severíssimos julgadores. O sr. Alberto Ramos, por exemplo, enviou formosa e ousada composição, que, como as outras, foi atirada ao limbo. As nossas colunas ficam ao dispor de todos aqueles que desejarem ver publicadas as poesias que remeteram para o concurso." Cinco concorrentes mandaram os seus poemas: Alberto Ramos, José Oiticica, Hermes Fontes, Eduardo Nazareno e um certo M. Bandeira Filho, que não era outro senão o autor destas linhas, ainda hesitante em como assinar as suas produções. Alberto Ramos concorrera com o "Canto de maio"; José Oiticica, com a sua "Ode ao Sol". Durante mais de um mês se disseram horrores contra a Academia e a comissão julgadora do concurso. Hermes Fontes e Oiticica escreveram cartas engraçadíssimas. O primeiro empombou com empáfia: "A Academia deve-me uma satisfação. *Eles* são o Olimpo. Eu sou o titã que nunca pediu favores a Júpiter." E acabava outra carta com estas palavras: "Se, pois, qualquer bestarel de metro e plaina me acoimar de interessado na perlenga, e com *parti-pris*, responderei que, com concurso ou sem concurso, na Academia ou fora dela, eu sou Hermes Fontes". Oiticica

---

19   Canções de ninar.

escreveu uma primeira carta bem-humorada: "Aquilo foi alfanje de galego a cortar grama de jardim. Não escapou ninguém." Mas em segunda carta vinha encrespado e agreste. Os outros concorrentes, e entre eles estava também Heitor Lima, não piaram. O meu poema intitulava-se "A sugestão dos astros" e foi também apresentado pelo *Jornal do Commercio*. Apresentado nestes termos: "Damos hoje a poesia do sr. M. Bandeira Filho, em que, inegavelmente, há muita coisa bonita". O elogio me pareceu muito chochinho na ocasião; pouco tempo depois já eu estava consciente de que os meus versos não passavam de um exercício poético, sem sombra de poesia, e onde, inegavelmente, nada havia de bonito... Nunca os exumei das páginas do *Jornal do Commercio*, onde espero que para sempre durmam, ao abrigo de um possível póstero violador de sepulturas.

O que lucrei nesse concurso foram umas linhas escritas em não sei que jornal por Eurycles de Mattos, que, comentando o caso, disse mais ou menos isto: "Tenham paciência os srs. concorrentes cujas poesias foram publicadas pelo *Jornal do Commercio*: nada daquilo é verso livre". Eurycles tinha razão. E vejam como eu andava atrasado: em 1911 ainda não tinha ideia do que fosse o verso livre! De repente, o poema de Guy-Charles Cros, os versos de Mac-Fiona Leod, as *Serres chaudes* de Maeterlinck.

Importa ao meu itinerário transcrever o poema "*Paroles aux jeunes gens*" (depois direi por quê):

> *Les impuissants ont tort; les sages ont tort aussi,*
> *car le corps de la femme est plus beau qu'un bel arbre*
> *et la pulpe des lèvres plus douce que le raisin.*
> *Il faut aimer au temps de l'amour.*
>
> *Pourquoi chercher ailleurs des fins plus compliqués*
> *et d'autres raisons de vivre?*
> *Il faut aimer au temps du désir*
> *et savoir qu'on n'est pas tenu d'être fidèle.*
>
> *Il faut aimer tant que tout votre sang*
> *vous bat à grands coups dans les veines et vous brûle,*
> *tant que le soir encore on rêve en se couchant*
> *à celle don't la jambe vous a plu dans la rue.*
>
> *Il faut aimer de tous ses sens ouverts*
> *la belle aux larges flancs qui n'a pas de cervelle*
> *et recommencer le lendemain avec une autre*
> *et puis avec une autre, le jour après.*
>
> *Heureux celui qui vit purement son instinct*
> *sans résister à la voix rouge de sa chair.*
> *Il faut savoir remplir son rôle de bon mâle sur la terre,*
> *faire le bonheur des femmes ou leur malheur, qu'importe!...*
>
> *Il faut aimer au temps de l'amour*
> *et ne chercher d'autre raison de vivre!*[20]

---

20 "Palavras aos jovens": "Os impotentes estão errados; os sábios também estão./ pois o corpo da mulher é mais belo que uma bela árvore/ e a polpa dos lábios mais doce que a uva./ É preciso amar no tempo do amor.// Por que buscar longe objetivos complicados/

Esses versos me impressionaram profundamente e duplamente: o doente imobilizado numa *chaise longue* sentia-se de certo modo um pouco ressarcido de longas privações por aquela cínica atitude do poeta diante do amor e das mulheres; o rapaz que fazia versos metrificados e rimados, e cujas maiores liberdades consistiam em não respeitar a cesura mediana de um alexandrino ou a pausa na quarta sílaba de um octossílabo, achou um sabor diferente nesses versos, em que a alexandrinos de corte tradicional se misturavam outros de livre movimento rítmico. E entrou a versejar pela nova cartilha.

O poema "Carinho triste"[21] foi a minha primeira tentativa de verso livre. Ainda não eram versos livres, como não o eram tampouco os do poema de Guy-Charles Cros. Mas durante muito tempo continuei nessa prática de aproximação, que foi a de muitos poetas (tinha sido a de Laforgue em alguns poemas, *"L'hiver qui vient"*, por exemplo).

O verso verdadeiramente livre foi para mim uma conquista difícil. O hábito do ritmo metrificado, da construção redonda foi-se-me corrigindo lentamente à força de que estranhos dessensibilizantes: traduções em prosa (as de Poe por Mallarmé), poemas *désavoués*[22] pelos seus autores, como o famoso que Léon Deubel escreveu na Place du Carroussel às 3 horas de uma madrugada de 1900 (*"Seigneur! je suis sans pain, sans rêve et sans demeure."*[23]), *menus*, receitas de cozinha, fórmulas de preparados para pele, como esta:

> Óleo de rícino
> Óleo de amêndoas doces
> Álcool de 90°
> Essência de rosas.

Versos como os do meu "Debussy", "Sonho de uma terça-feira gorda", "Balada de Santa Maria Egipcíaca", "Na solidão das noites úmidas", "Bélgica", "A vigília de Hero", "Madrigal melancólico", "Quando perderes o gosto humilde da tristeza" ainda acusam o sentimento da medida.[24] Ora, no verso livre autêntico o metro deve estar de tal modo esquecido que o alexandrino mais ortodoxo funcione dentro dele sem virtude de verso medido. Como em "Mulheres"[25] o alexandrino "O meu amor porém não tem bondade alguma". Só em 1921, com "A estrada", "Meninos carvoeiros", "Noturno da Mosela"[26] etc., fui conseguindo libertar-me da força do hábito. Mas não sei se não ficou sempre uma como saudade a repontar aqui e ali... Não me lembro de problemas dentro da metrificação, que eu não tivesse resolvido prontamente.

---

e outras razões para viver?/ É preciso amar no tempo do desejo/ e saber que não se é obrigado a ser fiel.// É preciso amar enquanto todo o sangue/ golpeia fortemente nas veias e queima,/ enquanto à noite ainda se sonha ao dormir/ com aquela cujas pernas nos agradaram na rua.// É preciso amar com todos os sentidos abertos/ a bela de largos quadris e sem cérebro/ e recomeçar no dia seguinte com uma outra/ e depois com outra, no outro dia.// Feliz quem vive puramente pelo instinto/ sem resistir à rubra voz da carne./ É preciso fazer bem seu papel de macho na terra,/ fazer a felicidade das mulheres ou sua infelicidade, que importa!...// É preciso amar no tempo do amor/ e não buscar outra razão de viver!"

21 Do livro *O ritmo dissoluto*.

22 Repudiados.

23 "Senhor! estou sem pão, sem sonho e sem morada."

24 Os dois primeiros poemas citados são do livro *Carnaval*; os outros, de *O ritmo dissoluto*.

25 Do livro *Libertinagem*.

26 Poemas do livro *O ritmo dissoluto*.

No entanto os primeiros versos do poema "Gesso",[27] que é em versos livres, me deu água pela barba durante anos. Originalmente me saíram assim:

> Aquela estatuazinha de gesso, quando ma deram, era nova
> E o gesso muito branco e as linhas muito puras
> Mal sugeriam imagem de vida.

Não era possível manter aquele "ma deram", tão avesso ao gênio da fala brasileira. Além disso, o verso soava pesado e desgracioso. Havia que emendar, mas conservando a estatuazinha de gesso como cabeça de estrofe. Só em 1940 ("Gesso" é anterior a 1924, talvez de 22 ou 23), ao rever as provas da edição de *Poesias completas*, acertei com a solução:

> Esta estatuazinha de gesso, quando nova
> – O gesso muito branco, as linhas muito puras –
> Mal sugeria imagem de vida.

Um número fixo de sílabas com as suas pausas cria um certo movimento rítmico, mas não é forçoso ficar no mesmo metro para manter o ritmo. Quando atentei nisso, senti-me verdadeiramente liberto da tirania métrica. A lição está em Gonçalves Dias, no poema "Minha vida e meus amores". O poeta vinha versejando em decassílabos acentuados na sexta sílaba, ou na quarta e na oitava:

> Outra vez que lá fui, que a vi, que a medo
> Terna voz lhe escutei: – Sonhei contigo! –
> Inefável prazer banhou meu peito,
> Senti delícias; mas a sós comigo
> Pensei – talvez! – e já não pude crê-la.

De súbito faz cair as pausas na quarta e na sétima, aproximando o ritmo do decassílabo do ritmo do verso de onze sílabas, que vai aparecer no quarto e quinto versos da estrofe seguinte:

> Ela tão meiga e tão cheia de encantos,
> Ela tão nova, tão pura e tão bela...
> Amar-me! – Eu que sou?
> Meus olhos enxergam, enquanto duvida
> Minh'alma sem crença, de força exaurida,
> Já farta da vida,
> Que amor não doirou.

O movimento rítmico de um verso pode sofrer a influência de verso anterior ou do seguinte. É sabido que na poesia espanhola e na portuguesa do tempo dos cancioneiros a vogal inicial de um verso podia embeber-se no verso precedente. Gonçalves Dias também versejou desse modo. O que admira é que o próprio Alberto de Oliveira, mestre de uma escola de rigorosa métrica, haja procedido assim, e

---

27 Do livro *O ritmo dissoluto*.

tenho que o fez inadvertidamente, quando, em "O exame de Hercília" (*Alma livre*), escreveu:

> Subiu ao Atlas de um salto
> E ao Kilimanjaro; logo
> De tão alto,
> Ao Barh-al-Abiah de água clara
> Baixou e ao saibro de fogo
> Do Sahara.

O quarto verso tem oito sílabas, mas a sílaba "ao" é atraída pelo verso anterior, e no contexto da estrofe se mantém o ritmo do heptassílabo.

O contrário se passa na "Valsa" de Casimiro de Abreu, poema escrito em versos de duas sílabas, mas obedecendo ao ritmo de cinco sílabas. Examine-se a última estrofe:

> Na valsa
> Cansaste;
> Ficaste
> Prostrada,
> Turbada!
> Pensavas,
> Cismavas,
> E estavas
> Tão pálida
> Então;
> Qual pálida
> Rosa
> Mimosa...

O esdrúxulo "pálida", duas vezes empregado, levou o poeta no primeiro caso a começar o verso seguinte por vogal, e no segundo a usar o verso monossilábico "Rosa", sem o que se quebraria o ritmo.

Atendendo a essas inter-relações entre os versos de um poema é que eu no poema "Boi morto",[28] escrito em octossílabos, quebrei a medida no terceiro verso da última estrofe:

> Boi morto, boi descomedido,
> Boi espantosamente, boi
> Morto, sem forma ou sentido
> Ou significado...

É que o monossílabo "boi", embora completando a medida do segundo verso, ecoa, no entanto, arrastado pelo *enjambement*,[29] no verso seguinte, como se este fosse em realidade "Boi morto, sem forma ou sentido". Nada me seria mais fácil do que dar as oito sílabas ao terceiro verso da estrofe, escrevendo "Morto, sem forma

---

28 Do livro *Opus 10*.

29 Ou "cavalgamento", fenômeno que ocorre quando o sentido de uma frase, interrompido no final de um verso, completa-se no verso seguinte.

nem sentido". Preferi, porém, quebrar o verso, por amor de um ritmo um pouco mais sutil do que o estritamente estabelecido pelo número fixo de sílabas.

***

Já disse que as influências literárias que recebi foram inúmeras: mencionei apenas algumas. E as extraliterárias? As do desenho e as da música?

Sempre fui mais sensível ao desenho do que à pintura. Lembro-me ainda de certos momentos da minha meninice em que me quedava maravilhado diante de certos desenhos dos grandes mestres do Renascimento, especialmente de Leonardo. E foi intuitivo em mim buscar no que escrevia uma linha de frase que fosse como a boa linha do desenho, isto é, uma linha sem ponto morto. Cedo compreendi que o bom fraseado não é o fraseado redondo, mas aquele em que cada palavra está no seu lugar exato e cada palavra tem uma função precisa, de caráter intelectivo ou puramente musical, e não serve senão a palavra cujos fonemas fazem vibrar cada parcela da frase por suas ressonâncias anteriores e posteriores. Não sei se estou sutilizando demais, mas é tão difícil explicar porque num desenho ou num verso esta linha é viva, aquela é morta.

Maior ainda foi em mim a influência da música. Não há nada no mundo de que eu goste mais do que de música. Sinto que na música é que conseguiria exprimir-me completamente. Tomar um tema e trabalhá-lo em variações ou, como na forma sonata, tomar dois temas e opô-los, fazê-los lutarem, embolarem, ferirem-se e estraçalharem-se e dar a vitória a um ou, ao contrário, apaziguá-los num entendimento de todo repouso... creio que não pode haver maior delícia em matéria de arte. Dir-me-ão que é possível realizar alguma coisa de semelhante na arte da palavra. Concordo, mas que dificuldade e só para obter um efeito que afinal não passa de arremedo. Por volta de 1912, tempo em que andei me intrometendo na música e até ousei querer entender o tratado de composição de Vincent d'Indy,[30] tentei, muito sugestionado pelo livro de Blanche Selva sobre a sonata, reproduzir num longo poema a estrutura da forma sonata. Sempre lamento ter destruído a minha sonata, onde havia um alegro, um adágio, um *scherzo* e o final. Não foi simples exercício: era expressão de uma profunda crise de sentimento; só que eu, como corretivo ao possível sentimentalismo, desejei estruturar os meus versos (eram versos livres) segundo a severa arquitetura musical.

Há no *Carnaval* um poema que, em sua forma, resultou dessas minhas veleidades musicais: o "Poema de uma Quarta-feira de Cinzas", em que obedeci à estrutura da forma *lied*. À música e não à imitação de qualquer modelo literário se deve atribuir a repetição de um ou dois versos, às vezes de uma estrofe inteira, em muitos poemas de *A cinza das horas* ("A canção de Maria", "Cartas de meu avô", "Poemeto irônico", "O inútil luar", "Três idades", "Tu que me deste o teu carinho") e do *Carnaval* ("Vulgívaga", "Confidência", "Poema de uma Quarta-feira de Cinzas").

---

30   Bandeira refere-se ao livro *Cours de composition musicale* (Paris: Durand, 1903; 1909; 1933. 3 v.).

Na "Evocação do Recife"[31] as duas formas "Capiberibe – Capibaribe" têm dois motivos. O primeiro foi um episódio que se passou comigo na classe de geografia do Colégio Pedro II. Era nosso professor o próprio diretor do Colégio – José Veríssimo. Ótimo professor, diga-se de passagem, pois sempre nos ensinava em cima do mapa e de vara em punho. Certo dia perguntou à classe: "Qual é o maior rio de Pernambuco?". Não quis eu que ninguém se me antecipasse na resposta e gritei imediatamente do fundo da sala: "Capibaribe!" Capibaribe com *a*, como sempre tinha ouvido dizer no Recife. Fiquei perplexo quando Veríssimo comentou, para grande divertimento da turma: "Bem se vê que o senhor é um pernambucano!" (pronunciou "pernambucano" abrindo bem o *e*) e corrigiu: "Capiberibe". Meti a viola no saco, mas na "Evocação" me desforrei do professor, intenção que ficaria para sempre desconhecida se eu não a revelasse aqui. Todavia, outra intenção pus na repetição. Intenção musical: Capiberibe a primeira vez com *e*, a segunda com *a*, me dava a impressão de um acidente, como se a palavra fosse uma frase melódica dita da segunda vez com bemol na terceira nota. De igual modo, em "Neologismo"[32] o verso "Teadoro, Teodora" leva a mesma intenção, mais do que de jogo verbal.

Mesmo do ponto de vista do sentimento, estava eu naquela época tão penetrado dos *lieder* de Schubert, que quando pensei em publicar o livro, que ia chamar-se *Poemetos melancólicos* e depois resolvi intitular *A cinza das horas*, quase lhe dei por epígrafe, não os versos de Maeterlinck, com que saíram na primeira edição:

> *Mon âme en est triste à la fin,*
> *Elle est triste enfin d'être lasse,*
> *Elle est lasse enfin d'être en vain.*[33]

mas a frase inicial do *lied "Der Leiermann"*, de Schubert.

***

Em junho de 1913 embarquei para a Europa a fim de me tratar num sanatório suíço. Escolhi o de Clavadel, perto de Davos-Platz, porque a respeito dele me falara João Luso, que ali passara um inverno com a senhora. Mais tarde vim a saber que antes de existir no lugar um sanatório, lá estivera por algum tempo Antônio Nobre. "Ao cair das folhas", um dos seus mais belos sonetos, talvez o meu predileto, está datado de "Clavadel, outubro, 1895". Fiquei na Suíça até outubro de 1914.

Essa estada de pouco mais de um ano em Clavadel quase nenhuma influência exerceu sobre mim literariamente, senão que me fez reaprender o alemão, que eu aprendera no Pedro II, mas tinha esquecido (de volta ao Brasil li quase todo o Goethe, Heine e Lenau). Dois poetas havia entre os meus companheiros de sanatório. Um logo me chamou a atenção. Era um bonito rapaz, de grande distinção de maneiras, alto, de

---

31   Poema do livro *Libertinagem*.

32   Poema do livro *Belo belo*.

33   "Minh'alma no fim se entristece,/ Entristece enfim de cansada,/ E se cansa enfim de ser vã."

olhos azuis, grande cabeleira loura, gravata preta *lavallière*. Chamava-se Paul Eugène Grindel e fizera dezoito anos em dezembro de 1913. Fiz relações com ele. Contou-me que não tinha certeza de sua vocação poética e por isso pensava em fazer-se editor. Como que se preparando para a profissão, colecionava belas edições. Mostrou-me algumas, entre elas uma de *Sagesse*, reproduzindo o próprio manuscrito do poeta, outra de *Femmes*, que então se vendia *sous le manteau*.[34] Acompanhei com curiosidade a evolução, que foi vertiginosa, do meu companheiro de cura. Ao me ser apresentado, ainda era todo de Hugo; falei-lhe de Romain Rolland, do *Jean Christophe*, e fiquei de cara à banda quando ele me respondeu abruptamente: "*Ah, Romain Rolland et ses dix volumes!*"[35] Meses depois me emprestava Vildrac, Fontainas, Claudel. Em 1914 editou uma plaquetezinha de poemas ilustrada por uma russa, mlle. Diakonova, nossa companheira de sanatório, com quem andava de namoro. Veio a guerra, separamo-nos, e aqui no Rio recebi carta dele, convidando-me para correspondente brasileiro de uma revista literária que pretendia fundar e cujo moto era a frase de Hello: "*La beauté c'est la forme que l'amour donne aux choses*".[36] Comunicava-me ainda que "*pour des motifs très littéraires*"[37] passara a assinar-se Paul Éluard... Casou-se com mlle. Diakonova, a Gala, que hoje é mulher de Salvador Dalí. Éluard tornou-se um dos grandes poetas da França e do mundo, mas o rapaz de Clavadel não deixava ainda entrever as suas possibilidades: foi ao contato dos dadaístas e depois dos *surréalistes* que se formou definitivamente. Fio que o seu talento poético, bastante pessoal e tão aristocrático (toda a sua obra o atesta), jamais se sujeitará à boçal estética imposta pelo comunismo russo aos seus escravos.

Mais interesse me despertava em Clavadel a figura de um poeta húngaro, Charles Picker, muito original como pessoa. Devia ter os seus vinte e poucos anos e se sentia perdido. Enfrentava, porém, a doença com grande bravura e *humour*. Em 23 de fevereiro de 1915 ainda estava vivo e me escreveu uma carta tocante, remetendo-me, a meu pedido, alguns poemas. Não quero que esses versos se percam e por isso aproveito a oportunidade destas minhas memórias para transcrevê-los aqui: estou certo que mais de um leitor, amigo da poesia, me há de agradecer a lembrança.

HERBST
(OUTONO)

Die Stunde atmet, frei von allem Schweren.
In leisem Scheine lacht der Bergeszug
Und rot und üpprig ballen sich die Beeren
Am Baume der einst blasse Blüten trug.
Und Fackeln gleich entzünden sich die Föhren
Wie hinter eines lichten Engels Flug,
Und selig schlummert jegliches Begehren
Und noch im Traume lachelt es: genug!

---

34 Por baixo dos panos.
35 "Ah, Romain Rolland e seus dez volumes!"
36 "A beleza é a forma que o amor dá às coisas."
37 "Por razões muito literárias."

Respira a hora, livre de todo peso.
Ri em suave luz a montanha.
Rubros e luxuriantes pendem os frutos
Da árvore onde um dia só havia flores pálidas.
Ardem como fachos os pinheiros,
Como se um anjo de luz houvesse passado.
E todo desejo dormita em beatitude
E mesmo em sonho sorri como que murmurando: basta!

*

Hast du, Freund, heute nichts den unsterblichen Göttern gestohlen?
Armer Verschwender! dir stahlen die Götter den Tag.
Aber grenzenlos ist das Meer des grossen Erinners
Stiller als Welle und Wind sinket unhebbarer Schatz.

Nada roubaste hoje, amigo, aos deuses imortais?
Pobre perdulário! então os deuses te roubaram o dia.
Mas infinito é o oceano da Grande Memória
E nele, mais docemente do que a vaga e o vento, afundam irrecuperáveis tesouros.

DER KRITIKER
(O CRÍTICO)

Ich besitze die Regel, ein knorriges Stöcklein! Nur selten
Kommt ein wildes Genie und zerbricht es – an mir.

Possuo a regra, porrete nodoso! E é raro
Que venha um gênio e mo quebre nas costas!

DER KRITIKER UND DER LORBEER
(O CRÍTICO E O GALHO DE LOURO)

Lauschend stehe ich da mit dem biegsan blühen den Zweige:
Künstlern zum Kranze das Laub, Stümpern zur Strafe der Stock.

Aqui estou eu escutando com o galho de louro na mão:
A folhagem para coroar o artista, a vara para castigar o calhorda.

Parece que ainda estou vendo os pequeninos olhos de Picker, doces e maliciosos, dizendo esses versos... Tenho que se ele houvesse resistido à tuberculose, como eu e Éluard resistimos, seria a esta hora um dos grandes nomes da literatura: possuía tudo para isso.

Foi em Clavadel que pela primeira vez pensei seriamente em publicar um livro de versos. As edições de França Amado me pareciam muito bonitas, e o meu sonho era ver alguns poemas meus sob a mesma forma em que eu costumava ler os versos de Eugênio de Castro. Tendo escrito na Suíça o soneto a Camões, mandei-o com mais dois poemas ao próprio Eugênio de Castro, pedindo-lhe uma recomendação para o seu editor.[38] Que ingenuidade a minha, e eu já tinha vinte e oito anos feitos! Não tive resposta.

***

O meu primeiro livro viria a ser impresso no Brasil, nas oficinas do *Jornal do Commercio*, dirigidas então pelo simpático Rios, homem gordo, bonachão e paciente com os poetas estreantes que queriam subverter as normas tradicionais da arte tipográfica. A tiragem foi de apenas duzentos exemplares e custou trezentos mil-réis... Bons tempos!

A cinza das horas não continha tudo o que eu havia escrito até 1917, data da publicação. Fizera eu uma escolha, preferindo os poemas que me pareciam ligados pela mesma tonalidade de sentimento, pelas mesmas intenções de fatura. O sentimento ia resumido, programado por assim dizer, nos versos, já transcritos, de Maeterlinck. A fatura já não era de modelo parnasiano e sim simbolista, mas de um simbolismo não muito afastado do velho lirismo português. Os sonetos a Camões e a Antônio Nobre são claros indícios disto. Nada tenho para dizer desses versos, senão que ainda me parecem hoje, como me pareciam então, não transcender a minha experiência pessoal, como se fossem simples queixumes de um doente desenganado, coisa que pode ser comovente no plano humano, mas não no plano artístico. No entanto publiquei o livro, ainda que sem intenção de começar carreira literária: desejava apenas dar-me a ilusão de não viver inteiramente ocioso.

Não fiz grande distribuição do folheto, senão entre parentes e amigos. E um dos motivos foi que, tendo mandado um exemplar a Bilac, não recebi nenhuma resposta. Como na ocasião tivesse conhecido em Petrópolis a Flexa Ribeiro e a Leal de Sousa, ofereci-lhes o volume. Foram eles muito amáveis comigo. O primeiro dedicou-me todo um rodapé na *Notícia*, onde colaborava semanalmente; e o segundo meia página da *Careta*. Américo Facó escreveu uma nota na *Fon-Fon*, assinalando as raízes portuguesas do meu lirismo. José Oiticica, que fazia crítica literária, não me lembra agora em que jornal, ocupou-se do livro lisonjeiramente, transcrevendo, entre outras coisas, o soneto "Um sorriso". Afonso Lopes de Almeida escreveu na edição vespertina do *Jornal do Commercio* com afetuoso carinho de amigo, o primeiro que fiz no mundo literário. No mesmo jornal fui saudado em comprido artigo por Castro Meneses. Mas a crítica mais desvanecedora, por inesperada, foi a de João Ribeiro no *Imparcial*. Não tratou naquele dia senão do meu livro e deu ao artigo o título "A poesia nova". Começava assim: "Eis aqui um excelente e verdadeiro poeta. Por que verdadeiro e excelente? Eis também uma questão de resposta difícil." Mais adiante dizia: "*A cinza das horas*, pequenino volume, é neste momento um grande livro. De tal arte nos havíamos estragado o gosto com o abuso das convenções, dos artifícios e das nigromancias mais esdrúxulas, que esta volta à simplicidade e ao natural é uma consolação reparadora e saudável." Transcrevendo a "Canção

---

38 Lapso do autor, que não enviou a Eugênio de Castro o soneto dedicado a Camões, como explicamos na página 22 deste volume.

de Maria", comentava: "... soa aos meus ouvidos como se fossem voltas e redondilhas camonianas. Têm a mesma suavidade e frescor que ainda conservam as do extraordinário lírico português". Temperava esses elogios, tão cordiais, com uma advertência onde havia uma lição admirável e que muito me valeu: "N'*A cinza das horas* há ainda uma ou outra rara poesia que parece um funesto tributo às manias reinantes. É, todavia, exceção rara, sendo quase tudo de uma arte primorosa, daquela melodia ingênita que Carlyle atribuía a todas as coisas do coração. Os elementos de sua arte são simples como as coisas eternas: céu, água e uma voz errante bastam aos seus quadros: *És como um lírio/ Nascido ao pôr do sol à beira d'água/ Numa paisagem triste, onde cantava um sino...*"

João Ribeiro não transcreveu a quadra completa, que era assim:

> És como um lírio alvo e franzino
> Nascido ao pôr do sol à beira d'água
> Numa paisagem triste, onde cantava um sino
> A de nascer inconsolável mágoa...

Era como se o mestre dissesse: "Nesse poema de oito versos o que importa como poesia são as palavras que transcrevi: o resto é enchimento, é matéria morta, que deve ser alijada". Meditei na lição e até hoje em toda poesia que escrevo me lembro dela e procuro só pronunciar as palavras essenciais.

Mas Castro Meneses não se limitou a escrever sobre o meu livro: sabendo-me invalidado pela doença, veio visitar-me e ofereceu-me papel para editar novo livro: foi o que me fez pensar no *Carnaval*. O famoso "Opus 9" era uma das músicas de minha preferência. Imaginei fazer qualquer coisa do mesmo gênero em poesia. Assim, escrevi o meu "Debussy" no mesmo espírito em que Schumann compusera o seu "Chopin". Escrevi também um "Samuel Tristão" (Samuel Tristão foi um dos pseudônimos de Álvaro Moreyra, cuja influência sofri antes de o conhecer pessoalmente, tanto que minha irmã me desaconselhou o título de meu primeiro livro, porque *cinza das horas* lhe parecia muito "Álvaro Moreyra"), um "Samuel Tristão", que afinal não incluí no livro e se imprime aqui pela primeira vez:

> Arte: eco, voz erradia
> Desmaiando em ressonâncias...
> Êxtase... Melancolia
> Que vem do azul das distâncias...
>
> Alma de estátuas que acordam
> Nos crepúsculos silentes...
> Olhos dos que se recordam...
> Sombra de gestos morrentes...

O meu *Carnaval* começava ruidosamente, como o de Schumann, mas foi-me saindo tão triste e mofino, que em vez de acabar com uma galharda marcha contra filisteus, terminou chochamente "*not with a bang but a whimper*".[39]

---

39 "Não com um estrondo, mas um gemido."

É um livro sem unidade. Sob o pretexto de que no *Carnaval* todas as fantasias se permitem, admiti na coletânea uns fundos de gaveta, três ou quatro sonetos que não passam de pastiches parnasianos ("A ceia", "Menipo", "A morte de Pã" e mesmo "Verdes mares", que este até o Pedro Dantas, meu fã nº 1, considera imprestável), e isto ao lado das alfinetadas dos "Sapos".

A propósito desta sátira, devo dizer que a dirigi mais contra certos ridículos do pós-parnasianismo. É verdade que nos versos

> A grande arte é como
> Lavor de joalheiro

parodiei o Bilac da "Profissão de fé" ("Invejo o ourives quando escrevo..."). Duas carapuças havia, endereçada uma ao Hermes Fontes, outra ao Goulart de Andrade. O poeta das *Apoteoses*, no prefácio ao livro, chamara a atenção do público para o fato de não haver nos seus versos rimas de palavras cognatas; Goulart de Andrade publicara uns poemas em que adotara a rima francesa com consoante de apoio (assim chamam os franceses a consoante que precede a vogal tônica da rima), mas nunca tendo ela sido usada em poesia de língua portuguesa, achou o poeta que devia alertar o leitor daquela inovação e pôs sob o título dos poemas a declaração entre aspas: "Obrigado à consoante de apoio". Goulart não se magoou com a minha brincadeira e sete anos depois foi quem me arranjou editor para o meu volume *Poesias*.

Com *Carnaval* recebi o meu batismo de fogo. Certa revista deu sobre ele uma nota curta, mais ou menos nestes termos: "O sr. Manuel Bandeira inicia o seu livro com o seguinte verso: 'Quero beber! cantar asneiras...' Pois conseguiu plenamente o que desejava." Na *Revista do Brasil*, ao tempo dirigida por Monteiro Lobato, apareceu este comentário: "*Carnaval* – Manuel Bandeira – Rio, 1919. É este um folhetinho de versos como os outros. Bem como os outros não: porque não há em todos belezas como estas, de um subjetivismo complicado que, noutro tempo, se chamava tolice". Seguia-se a transcrição de "Debussy" e depois: "Escola muito conhecida, como se vê. Há quem goste e tem papa francês em São Paulo." Esse papa francês, na ideia do crítico, parece que era Freitas Valle, o Jacques d'Avray de tantos belos poemas em francês e que nada tinha com o peixe.

Houve, de fato, quem gostasse. Muita gente. João Ribeiro e Oiticica dispensaram ao folhetinho a mesma boa acolhida dada a *A cinza das horas*. O primeiro escreveu n'*O Imparcial* de 15 de dezembro: "A musa do sr. Manuel Bandeira é sóbria, oracular e quase taciturna, de poucas palavras, mas por vezes sublimes e profundas. Neste novo livro... há desenvolturas de espírito e angústias de coração que bem definem o temperamento poderosamente versátil do poeta. Todas as delicadezas da arte, sem dano da suavidade da inspiração, o domínio da ideia e das palavras enfim, o *savoir-faire*, as qualidades de verdadeiro escritor aqui se apresentam com exclusivo brilho... Tudo é de esmerado lavor: bastaria uma só das composições do *Carnaval* para dizer como é numeroso o ritmo dos seus versos e como é consumada a arte com que os compõe."

Que podia eu desejar ainda? Era a aprovação e elogio do mestre encanecido na leitura da poesia de várias literaturas. Pois tive mais: a geração paulista que iria, ainda nesse ano de 1919, iniciar a revolução modernista, tomou-se de amores pelo *Carnaval*. Segundo informação de Mário de Andrade, foi Guilherme de Almeida quem primeiro assinalou o livro e o revelou aos companheiros. Naturalmente a sátira dos "Sapos" estava a calhar como número de combate e, com efeito, por ocasião da Semana de Arte Moderna, três anos depois, foi o meu poema bravamente declamado no Teatro Municipal de São Paulo pela voz de Ronald de Carvalho sob os apupos, os assobios, a gritaria de "foi não foi" da maioria do público, adversa ao movimento.

Dessa geração paulista, uns dez anos mais moça do que eu, já me era conhecido Ribeiro Couto, que se mudara para o Rio e foi levado a minha casa por Afonso Lopes de Almeida. Couto, esse tornado em forma humana, escondeu o jogo na primeira vez em que nos vimos. Falava pouco e baixo, como se já estivesse praticando os versos que escreveria mais tarde:

> Minha poesia é toda mansa.
> Não gesticulo, não me exalto...

Disse, ou antes murmurou em quase inaudível surdina, um soneto que nunca publicou, pelo menos em livro, soneto a uma negra, em que me impressionou muito o segundo hemistíquio do alexandrino inicial: "A raça te entristece". Esse primeiro encontro foi o princípio de uma amizade que dura até hoje e me tem sido fonte de grandes alegrias, grandes ensinamentos. De algumas grandes raivas também...

***

As minhas relações com Ribeiro Couto estreitaram-se quando, falecido meu pai em 1920, fui morar só na rua do Curvelo, hoje Dias de Barros. Poucos meses antes mudara-se o meu amigo para a casa de d. Sara, à mesma rua. No discurso com que me recebeu vinte anos mais tarde na Academia Brasileira de Letras fala Couto, com graça e emoção, dessa casa e da sua boa senhoria: "Era uma dessas vivendas burguesas que já vão desaparecendo, e onde laboriosas famílias de recursos medianos alugam 'quartos sem pensão' a cavalheiros". D. Sara não fornecia comida nem aos seus hóspedes, mas Couto sempre foi homem de grande lábia e conseguiu convencer "a bondosa portuguesa" a abrir exceção em nosso favor. "Passamos então nós dois, privilegiadas criaturas", conta o autor d'*A casa do gato cinzento*, livro escrito na rua do Curvelo, "a regalar-nos com a mesa que nos preparava d. Sara; e será negra ingratidão se um dia, em nossas reminiscências escritas, não levantarmos um monumento de glória àquelas peixadas, àquelas galinhas de cabidela, àquelas papas, àqueles bifes de cebolada com que a paciente senhora nos compensava da imensa pena de existir".

A rua do Curvelo ensinou-me muitas coisas. Couto foi avisada testemunha disso e sabe que o elemento de humilde cotidiano que começou desde então a se fazer sentir em minha poesia não resultava de nenhuma intenção modernista. Resultou, muito simplesmente, do ambiente do morro do Curvelo. Disse-o Couto melhor do que eu mesmo poderia explicar agora: "Das vossas amplas janelas, tanto as do lado da rua em que brincavam crianças, como as do lado da ribanceira, com cantigas de mulheres pobres lavando roupa nas tinas de barrela, começastes a ver muitas coisas. O morro do Curvelo, em seu devido tempo, trouxe-vos aquilo que a leitura dos grandes livros da humanidade não pode substituir: a rua."

A morte de meu pai e a minha residência no morro do Curvelo de 1920 a 1933 acabaram de amadurecer o poeta que sou. Quando meu pai era vivo, a morte ou o que quer que me pudesse acontecer não me preocupava, porque eu sabia que pondo a minha mão na sua, nada haveria que eu não tivesse a coragem de enfrentar. Sem ele eu me sentia definitivamente só. E era só que teria de enfrentar a pobreza e a morte. Quanto ao morro do Curvelo, o meu apartamento, o andar mais alto de um velho casarão quase em ruína, era, pelo lado dos fundos, posto de observação da pobreza mais dura e mais valente, e pelo lado da frente, ao nível da rua, zona de convívio com a garotada sem lei nem rei que infestava as minhas janelas, quebrando-lhes às vezes as vidraças, mas restituindo-me de certo modo o meu clima de meninice na rua da União em Pernambuco. Não sei se exagero dizendo que foi na rua do Curvelo que reaprendi os caminhos da infância. Lá escrevi quatro livros, três de poesias – *O ritmo dissoluto*, *Libertinagem* e quase toda a *Estrela da manhã* – e um de prosa – as *Crônicas da província do Brasil*.

Mas voltando a Ribeiro Couto, foi por intermédio dele que tomei contato com a nova geração literária do Rio e de São Paulo, aqui com Ronald de Carvalho, Álvaro Moreyra, Di Cavalcanti, em São Paulo com os dois Andrades, Mário e Oswald, quando Mário de Andrade veio ao Rio para ler em casa de Ronald e depois em casa de Olegário Marianno a sua *Pauliceia desvairada*, ainda inédita. Eu já estava bem preparado para receber de boa cara os desvairismos de Mário, porque Ribeiro Couto, grande farejador de novidades na literatura da Itália, da Espanha e da Hispano--América (correspondia-se com Alfonsina Storni e outros argentinos), me emprestava os seus livros e foi assim que conheci e comecei a gostar de Palazzeschi, cuja *"Fontana malata"*[40] sabia de cor, de Soffici, Govoni, Ungaretti. Ainda possuo daquele tempo o exemplar, que foi do Couto, do livro de Soffici *Simultaneità e chimismi lirici*,[41] onde há anotações a lápis ("Mas que estupendo!", "Ah! que gozo!", "Que delicioso!") à margem de passagens como esta:

> *Tutto si ripete e ricalca le vie di ogni giorno*
> *L'orologio che non batte le ore*
> *Che ogni sessanta minuti precisi*
> *E non si riposa mai*
> *Nè fa lo scherzo di mettersi a girare all'indietro*
> *È il simbolo legalizzato di questa vita*
> *Che ci annoia*
>
> *Tutti gli usci son chiusi come l'apocalisse*
> *Ogni camera ha un segreto idiota*
> *Di bidets di camicie mauve di pelli sudate di giuramenti e di fotografie*

---

40 *"La fontana malata"* ("A fonte doente"), poema de Aldo Palazzeschi.

41 *Simultaneidade e química lírica*, de Ardengo Soffici.

Fiordi! non mi scriver più che tu mi ami
Il cuore ha chiuso gli sportelli come le banche
Per una moratoria di tristeza[42]

E era com passagens como esta de Soffici ou palavras do *Codice di Perelà*, de Palazzeschi, que nos desabafávamos então do tédio do cotidiano.

Naquele tempo me apaixonei, mas me apaixonei deveras, por um poema de Sergio Corazzini, poeta um ano mais moço do que eu e falecido aos vinte anos, da mesma tuberculose de que escapei de morrer. Pertencera ao grupo dos *crepuscolari*, sentimentais, irônicos e antidannunzianos. Fui menino turbulento, nada sentimental. A doença, porém, tornara-me paciente, ensinara-me a humildade, o que estava muito certo. Infelizmente gerou também em mim um sentimentalão que nunca mais consegui corrigir de todo. E era este sentimentalão que se deliciava ao repetir consigo (como se fossem coisas tiradas do próprio peito) os lancinantes queixumes da *"Desolazione del povero poeta sentimentale"*,[43] de Corazzini:

Le mie tristezze sono povere tristezze comuni.
Le mie gioie furono semplici.
Semplici, così, che se io dovessi confessarle a te arrossirei.
Oggi io penso a morire.

Io voglio morire, solamente perchè sono stanco,
solamente perchè i grandi angioli
su le vetrate delle catedrali
mi fanno tremare d'amore e di angoscia;
solamente perchè io sono, oramai,
rassegnato come uno specchio,
come un povero specchio melancolico.

Vedi che io non sono un poeta:
sono un fanciullo triste che ha voglia di morire.[44]

O contato frequente com o vizinho Ribeiro Couto ajudava a minha reajustação ao mundo dos sãos. Seja dito de passagem que os versos que ele fazia naquele tempo – os do seu primeiro livro *Jardim das confidências* – também são bastante sentimentais. Mas quem julgasse do homem pelo poeta enganar-se-ia redondamente. Porque naqueles poemas do Couto havia menos sentimentalidade do que o desejo de ser um sentimental. O homem sabia dominar essa veleidade de poeta com seu viril espírito de luta, o que demonstraria alguns anos depois vencendo a doença sem nenhuma defecção à sua marcante personalidade. Costumo dizer que a tuberculose (pelo menos era assim antigamente, quando não havia estreptomicina

---

42 "Tudo se repete e segue as estradas de cada dia/ O relógio que não bate as horas/ A não ser a cada sessenta minutos/ E nunca descansa/ Nem brinca de girar ao contrário/ É o símbolo legalizado desta vida/ Que nos entedia// Todas as saídas estão fechadas como o apocalipse/ Há um segredo idiota em cada cômodo/ De bidê de camisas violetas de peles suadas de juramentos e de fotografias// Fiordi! não me escrevas mais que me amas/ O coração fechou os caixas como os bancos/ Para uma moratória de tristeza."

43 "Desolação do pobre poeta sentimental."

44 "As minhas tristezas são pobres tristezas comuns./ As minhas alegrias foram simples./ Tão simples que se tivesse de confessá-las a ti eu enrubesceria./ Hoje penso em morrer.// Eu quero morrer, somente porque estou cansado,/ somente porque os grandes anjos/ nos vitrais das catedrais/ me fazem tremer de amor e angústia;/ somente porque estou, por ora,/ conformado como um espelho,/ como um pobre espelho melancólico.// Veja que eu não sou um poeta:/ sou uma criança triste que tem vontade de morrer."

nem pneumotórax nem toracoplastia) exige humildade para a cura. Doente metido a ter personalidade ("Ah, não tomar o meu banho frio de chuveiro todas as manhãs, isso não! Prefiro morrer") morria mesmo. Pois Ribeiro Couto curou-se (é verdade que com pneumotórax) passando noites em claro a jogar *poker* com uns turcos horríveis em Abernéssia ou, de revólver em punho, enfrentando, como delegado de polícia, os inimigos da ordem em São Bento de Sapucaí.

***

À influência do homem Ribeiro Couto, muito saudável, e do poeta Ribeiro Couto, com os seus amados simbolistas de segunda ordem – Samain, Jammes etc. –, veio juntar-se a de Mário de Andrade. Uma vez, em casa de Di Cavalcanti, vi sobre a mesa um livro em cujas páginas corri os olhos com certo enjoo. Imaginem que a dedicatória dizia assim: "A Di Cavalcanti, o menestrel dos tons velados, of. Mário de Andrade". Era o *Há uma gota de sangue em cada poema*. Achei aquela poesia ruim, mas, como expliquei ao próprio Mário mais tarde, de um ruim esquisito. Em 1921 veio Mário ao Rio e foi então que fiz conhecimento pessoal com o autor de *Pauliceia desvairada*, que o ouvi ler duas vezes juntamente com as *Cenas de crianças*, que jamais publicou (não lhes dava a mínima importância). Não sei que impressão teria recebido da *Pauliceia*, se a houvesse lido em vez de a ouvir da boca do poeta. Mário dizia admiravelmente os seus poemas, como que indiretamente os explicava, em suma, convencia. Apesar de certas rebarbas que sempre me feriram na sua poesia, senti de pronto a força do poeta e em muita coisa que escrevi depois reconhecia a marca deixada por ele no meu modo de sentir e exprimir a poesia. Foi, me parece, a última grande influência que recebi: o que vi e li depois disso já me encontrou calcificado em minha maneira definitiva. Grande influência, repito, e de que eu tinha então clara consciência, tanto que depois de escrever certos poemas – "Não sei dançar", por exemplo, "Mulheres", "Pensão familiar"[45] – estive quase a inutilizá-los porque me pareciam verdadeiros *à la manière de*. Se não o fiz, foi porque o mesmo Mário me convenceu de minha ilusão, provando-me, com bons argumentos, que eles eram tudo o que poderia haver de mais "manuel". O encontro em casa de Ronald de Carvalho prolongou-se numa amizade que se fortaleceu através de assídua correspondência. Durante anos nenhum dos dois não escrevia poema que não submetesse à crítica do outro, e creio que essa dupla corrente de juízos muito serviu à depuração de nossos versos.

Em 1922 apareceu *Klaxon*, a primeira revista do movimento modernista, em cujo terceiro número saiu o meu "*Bonheur lyrique*",[46] enviado a pedido de Mário. Não me lembro mais se foi nesse ano ou no seguinte que estive em São Paulo e travei conhecimento com os companheiros de Mário e Oswald: Paulo Prado, Couto de Barros, Tácito de Almeida (Guilherme eu já conhecia do Rio), Menotti del Picchia, Luís

---

45   Os três poemas encontram-se no livro *Libertinagem*.

46   "Felicidade lírica", um dos dois poemas em francês de *Libertinagem* (o outro é "*Chambre vide*" ["Quarto vazio"]). Bandeira falará desses poemas mais adiante.

Aranha, Rubens Borba de Morais, Yan de Almeida Prado e outros. Reuniam-se eles todas as tardes numa casa de chá da rua Barão de Itapetininga, onde estive um dia, encantado de ver a camaradagem, o bom humor, o entusiasmo que reinava no grupo.

Foi assim que me vi associado a uma geração que, em verdade, não era a minha, pois, excetuados Paulo Prado, Oswald de Andrade e Guilherme de Almeida, todos aqueles rapazes eram em média uns dez anos mais moços do que eu. A minha colaboração com ela (como, por outros motivos, também a de Ribeiro Couto) sempre se fez com restrições. Assim, nem ele nem eu aquiescemos em tomar parte na homenagem que a revista *Klaxon* prestou a Graça Aranha, editando um número a este dedicado. Minha recusa não implicava nenhuma quebra da admiração e estima que sempre votei ao autor de *Canaã*. Pareceu-me, porém, que a homenagem iria dar a Graça Aranha, pelo menos aos olhos do grande público, a posição de chefe do movimento modernista no Brasil. O que veio depois mostrou que eu tinha razão: o movimento passou a ser considerado obra de Graça Aranha, e embora "as datas estejam aí, e as obras", como argumentou Mário comigo em carta de 1924, não conseguimos até hoje impor a verdade, a saber, que nunca fomos discípulos de Graça Aranha. O movimento estava já em plena impulsão quando Graça Aranha chegou da Europa, em outubro de 1921, trazendo-nos a sua *Estética da vida*, que nenhum de nós aceitou. Mas, como escreveu Mário, "o que ninguém negará é a importância dele pra viabilidade do movimento, e o valor pessoal dele. É lógico: mesmo que o Graça não existisse, nós continuaríamos modernistas e outros viriam atrás de nós, mas ele trouxe mais facilidade e maior rapidez pra nossa implantação. Hoje nós somos pra quase toda a gente." Também não quisemos, Ribeiro Couto e eu, ir a São Paulo por ocasião da Semana de Arte Moderna. Nunca atacamos publicamente os mestres parnasianos e simbolistas, nunca repudiamos o soneto nem, de um modo geral, os versos metrificados e rimados. Pouco me deve o movimento; o que eu devo a ele é enorme. Não só por intermédio dele vim a tomar conhecimento da arte de vanguarda na Europa (da literatura e também das artes plásticas e da música), como me vi sempre estimulado pela aura de simpatia que me vinha do grupo paulista.

Para completar (e de certo modo contrabalançar) essa influência havia os amigos do Rio, amigos que, a partir de Ribeiro Couto, fui fazendo em cadeia: Jayme Ovalle, Rodrigo M. F. de Andrade, Dante Milano, Osvaldo Costa, Sérgio Buarque de Holanda, Prudente de Morais Neto. Lista a que devo juntar, depois de 1925, o nome de Gilberto Freyre, cuja sensibilidade tão pernambucana muito concorreu para me reconduzir ao amor da província, e a quem devo ter podido escrever naquele mesmo ano a minha "Evocação do Recife".[47]

O morro do Curvelo, todos esses amigos e, naturalmente, outros laços de afetos – eis o clima dentro do qual compus os livros de versos *O ritmo dissoluto*, *Libertinagem*, grande parte de *Estrela da Manhã*, e o livro de prosa *Crônicas da província do Brasil*, este uma seleção de artigos que durante algum tempo escrevi para o *Diário Nacional*, de São Paulo, e para *A Província* do Recife, na fase em que ela foi dirigida por Gilberto Freyre.

---

47   Do livro *Libertinagem*. Segundo Gilberto Freyre, o poema foi escrito por Bandeira a seu pedido, para uma edição especial de jornal que depois se tornou o *Livro do Nordeste*, organizado em 1925 para comemorar o centenário do *Diário de Pernambuco* (FREYRE, Gilberto. Manuel Bandeira e o Recife. In: ANDRADE, Carlos Drummond de et al. *Homenagem a Manuel Bandeira*. Rio de Janeiro: Typ. do *Jornal do Commercio*, 1936).

*****

O ritmo dissoluto apareceu em 1924 conjuntamente com a segunda edição de *A cinza das horas* e o *Carnaval*, num volume editado pela *Revista de Língua Portuguesa*. Causou grande e divertida surpresa nos arraiais modernistas aparecer eu, autor de um poema já publicado ("Poética"), onde primitivamente havia este verso "Abaixo a *Revista da Língua Portuguesa*", aparecer eu da noite para o dia editado por essa mesma revista. Eis como se tornou possível a coisa. Depois que morreu meu pai, fiquei sem nenhuma esperança de ver em livro os versos que fizera depois do *Carnaval*. Nunca procurei editor para eles. Ora, aconteceu que um dia, encontrando-me na Livraria Freitas Bastos com Goulart de Andrade, interpelou-me o poeta muito amavelmente: "Então, quando temos novo livro?" Respondi-lhe que nunca, porque editor não me apareceria, nem eu tinha dinheiro para me editar por conta própria. Ao que Goulart acudiu prontamente: "Pois eu vou lhe arranjar editor!" Não fiz fé que o conseguisse. Dias depois, em novo encontro de rua, ouvi-lhe com espanto recomendar-me que procurasse o Laudelino Freire, a quem falara sobre mim e com quem ficara acertado que o meu livro seria editado pela *Revista*. Assim, a publicação do volume *Poesias* fiquei devendo-a a dois homens a quem atacara: ao poeta que eu satirizara nos "Sapos", e ao editor contra cuja revista havia gritado "Abaixo!" num poema escandalosíssimo para o tempo (e creio que agora, de novo, para ao menos três trimestres da Geração de 45). É verdade que o verso irreverente foi suprimido, mas para ser substituído pelo que lá está: "Abaixo os puristas!"

O ritmo dissoluto é dos meus livros aquele sobre o qual os que apreciam a minha poesia mais discordam.

Para Adolfo Casais Monteiro, que tanto me desvaneceu escrevendo um estudo (*Manuel Bandeira*, Editorial Inquérito Limitada, Lisboa, 1944),[48] o mais longo já dedicado à minha obra poética, nesse livro "o parnasiano quebrou definitivamente o seu instrumento de cordas de bronze; mas o que lhe ficou nas mãos não é um instrumento: são os pedaços com que o há de construir". E mais adiante acrescenta: "Em *O ritmo dissoluto* muitas são as poesias sem ritmo de espécie alguma; mais do que ritmo dissoluto, portanto. Mas a maioria delas oscila entre a notação sucessiva de impressões desagregadas umas das outras e a repetição de certos temas já *cansados*, em que a nota da melancolia se entrelaça com a da voluptuosidade, mas 'sem poder de convicção'. Há neste livro não sei o quê de morno, de abatido e indiferente: indiferença à poesia como à vida, ausência daquela ressonância aguda, ou profunda, que é o sinal de que a poesia desceu sobre o poema." O agudo crítico português confessou que *O ritmo dissoluto* lhe produziu certo mal-estar.

Para Octavio de Faria ("Estudo sobre Manuel Bandeira" em *Homenagem a Manuel Bandeira*, Rio, 1936), ao contrário, *O ritmo dissoluto* era, dos quatro livros que eu tinha publicado até aquela data (*A cinza das horas*, *Carnaval*, *O ritmo dissoluto* e *Libertinagem*), o que mais lhe satisfazia. "É o momento", explicou, "em que o poeta, vencendo as últimas barreiras da sujeição a regras que o tolhem demais,

---

48   Publicado no Brasil em 1958 (Rio de Janeiro: Ministério da Educação e Cultura/Serviço de Documentação. Coleção Os Cadernos de Cultura, 111).

atinge a sua forma mais agradável". Diz ainda que lido o livro *Libertinagem* logo em seguida a *O ritmo dissoluto*, decepciona um pouco; que depois de poesias como "Quando perderes o gosto humilde da tristeza", "Sob o céu todo estrelado", "Carinho triste" (todas d'*O ritmo dissoluto*), até "Evocação do Recife", "Noturno da rua da Lapa" ou "O impossível carinho" (todas de *Libertinagem*) não deixam de dar uma impressão de tenuidade, de diminuição de forças, de menor capacidade criadora.

A mim me parece bastante evidente que *O ritmo dissoluto* é um livro de transição entre dois momentos da minha poesia. Transição para quê? Para a afinação poética dentro da qual cheguei, tanto no verso livre como nos versos metrificados e rimados, isso do ponto de vista da forma; e na expressão das minhas ideias e dos meus sentimentos, do ponto de vista do fundo, à completa liberdade de movimentos, liberdade de que cheguei a abusar no livro seguinte, a que por isso mesmo chamei *Libertinagem*. N'*O ritmo dissoluto* prossegui em certas experiências de *Carnaval*, como rimas toantes, mistura de versos brancos e versos rimados, versos livres em que ainda persiste certo ritmo de medida e rimados, coisa de que depois tomei horror. Devo dizer que figuram nele poemas que são contemporâneos dos de *Carnaval* ou mesmo anteriores a eles ("Na solidão das noites úmidas", "Felicidade", "Mar bravo", que é de 1913, "A vigília de Hero", também de 1913 ou 1914, pois escrevi-o em Clavadel, "Quando perderes o gosto humilde da tristeza"). Os demais é que foram compostos a partir de 1920, na rua do Curvelo ou na Mosela (Petrópolis). (Às influências assinaladas anteriormente há que acrescentar essa da atmosfera de Petrópolis. Dos vinte e quatro poemas que perfazem *O ritmo dissoluto*, oito foram escritos na Mosela. Mas a ação de Petrópolis só se exerce quando estou lá, ação lenitiva, que atuando sobre a minha sensibilidade, logo me comunica aos versos um manso ritmo de aceitação.) Aliás, dois pelo menos dos poemas de *O ritmo dissoluto* não são dissolutos de ritmo: "Noite morta" e "Berimbau". O primeiro é um dos meus prediletos em toda a minha obra, não sei se porque até hoje guardou para mim a atmosfera do lugar e do momento em que o escrevi, ou se porque, embora em versos livres, o sinto, na forma, bem mais necessariamente inalterável do que os meus poemas de metro cuidadosamente construído. "Berimbau", que é de certo modo a minha "Amazônia que não vi", está cheio de intenções formais e me recorda um dos maiores prazeres que já tive em minha vida de poeta e foi a atenção com que o ouviu Guilherme de Almeida quando eu disse pela primeira vez o poema (e só nessa vez o disse bem), poucos dias depois de o ter escrito. À proporção que eu ia recitando, via nos olhos de Guilherme que nada lhe escapava dos efeitos que eu ali pusera, por mínimo que fosse. "Berimbau" foi musicado por Jayme Ovalle. Aproveitarei este detalhe para falar das minhas relações com os compositores brasileiros a que fiquei ligado pela poesia.

***

Muitos poetas há que só sobrevivem ainda (e sem dúvida sobreviverão para sempre) porque alguns dos seus poemas foram musicados por um grande compositor. Creio que ninguém hoje se lembraria fora da Alemanha (talvez mesmo dentro da Alemanha) de Wilhelm Müller e dos seus ciclos de poemas *Die schöne Müllerin* e *Winterreise*, se não fossem os admiráveis *lieder* de Schubert a que eles serviram de letra. Igual imortalidade devem ao mesmo Schubert outros poetas ainda mais obscuros do que Wilhelm Müller: quem entre nós já ouviu falar em Rellstab, Seidl, Schubart, Schmidt von Lübeck senão como autores dos versos destas imorredouras páginas da obra do grande gênio romântico – *Aufenthalt, Die Tauberpost, Die Forelle, Der Wanderer*?

Não alimento nenhum desejo de imortalidade. O meu poema "A morte absoluta"[49] não foi sincero apenas na hora em que o escrevi, o que é afinal a única sinceridade que se deva exigir de uma obra de arte. Posso dizer na mais inteira tranquilidade que pouco se me dá de, quando morrer, morrer completamente e para sempre na minha carne e na minha poesia. No entanto, já não será possível para alguns de meus versos aquela serena paz da morte absoluta, e até estou certo de que eles chegarão bem longe na posteridade, não por virtude própria, mas porque, a exemplo dos poemas alemães musicados por Schubert, ganharam indefinida ressonância como textos de deliciosos *lieder* de Villa-Lobos, de Mignone, de Camargo Guarnieri, de Lorenzo Fernandez, de Jayme Ovalle, de Radamés Gnattali... A lista é mais longa, porque (já assinalaram dois de nossos críticos musicais, Andrade Muricy e Aires de Andrade) os nossos compositores me têm distinguido com marcada preferência como fornecedor de texto poético para as suas canções. A que atribuir tal preferência é ponto difícil de apurar. Segundo Muricy, os próprios compositores não sabem explicar suficientemente por que buscaram a minha colaboração. A Muricy explicava Lorenzo Fernandez que atribuía a predileção à "musicalidade" que encontrava na minha poesia. "Será isso?", comentou o crítico. "Não será antes a presença nela de um acicate que lhe é peculiar, provocador do trabalho de expressão sonora? Explico de outra maneira. Os músicos sentem que poderão inserir a sua musicalidade – de música propriamente dita – naquela musicalidade subentendida, por vezes inexpressa, ou simplesmente indicada. Percebem que a sua colaboração não irá constituir uma superestrutura, mas que se fundirá com a obra poética, intimamente. Por outro lado adivinham que, nas relações mútuas, o poeta não exorbitará; que será um bom camarada: que não tentará apossar-se da parte do leão, como fariam um Castro Alves, um Luís Delfino, um Cruz e Sousa, um Hermes Fontes, grandes sinfonistas. A poesia compreendida como um 'tecido' e não como uma 'dança' é a que oferece maior plasticidade para a impregnação musical."

Há nessas palavras do crítico uma nota preciosa: é quando ele fala na musicalidade – de música propriamente dita – inserida na musicalidade subentendida, por vezes inexpressa, ou simplesmente indicada, da poesia. A isso eu já havia chegado em minhas reflexões, estudando a música a que os meus versos serviram de texto. Foi vendo "a musicalidade subentendida" dos meus poemas desentranhada em "música propriamente dita" que compreendi não haver verdadeiramente música num poema, e que dizer que um verso canta é falar por imagem. Nos versos a que mais completamente parece aderir a frase musical, como em *Du bist die Ruh*, de Schubert, ou em *Ich liebe dich, sowie du mich*, do *lied* de Beethoven, não se pode

---

49   Do livro *Lira dos cinquent'anos*.

ITINERÁRIO DE PASÁRGADA

dizer que necessariamente preexistisse a melodia tal como a escreveu o compositor. A "musicalidade subentendida" poderia ser definida por outro músico noutra linha melódica. O texto será um como que baixo-numerado contendo em potência numerosas melodias. Assim explico que eu sinta a mesma adequação da música às palavras em duas ou três realizações musicais de um só texto, como é o caso de "Azulão", texto que escrevi para uma melodia de Jayme Ovalle, musicado depois por Camargo Guarnieri, e depois ainda por Radamés Gnattali; como é o caso de "Cantiga", musicado primeiro por Guarnieri e depois por Lorenzo Fernandez. A verdade é que, como disse Mário de Andrade em sua *Pequena história da música*, a música, embora afirmem todos que ela é escrava da palavra, se tornou uma escrava despótica. "Não deixa mais a palavra falar por si. Quer sublinhar o sentido dela por meio dos intervalos melódicos, dos ritmos, harmonias e timbres." Não creio, porém, que jamais a música tenha deixado a palavra "falar por si", mesmo no tempo do cantochão. É que por maiores que sejam as afinidades entre duas artes, sempre as separa uma espécie de abismo. Nunca a palavra cantou por si, e só com a música pode ela cantar verdadeiramente. Foi, pois, descabida presunção de poeta a de Mallarmé, respondendo a Debussy, quando este lhe comunicou ter escrito música para "*L'après-midi d'un faune*": "*Je croyais y en avoir mis déjà assez*".[50] Tinha posto muita, com efeito, mas só e a bastante que um poeta pode pôr nos seus poemas: ritmo, literalmente, e figuradamente aqueles efeitos que correspondem de certo modo à orquestração na música – os timbres, por exemplo, e outros expedientes que o próprio Mallarmé definiu na prosa das *Divagations*: "As palavras iluminam-se de reflexos recíprocos como um virtual rastilho de luzes sobre pedrarias... Esse caráter aproxima-se da espontaneidade da orquestra: buscar diante de uma ruptura dos grandes ritmos literários e sua dispersão em frêmitos articulados, próximos da instrumentação, uma arte de rematar a transposição para o livro da sinfonia...". Sim, mas a autêntica melodia estará sempre ausente.

Nem sempre a melodia despertada nos músicos pelos meus versos me parecia implícita no texto. O que no entanto sempre me deixou perplexo é que em certas melodias que, pelo movimento ou pelos intervalos melódicos, pareciam distanciar-se tanto do movimento e das inflexões orais, eu me sentisse tão fielmente interpretado no sentimento geral do poema. Assim em "Berimbau" de Jayme Ovalle. O poema foi sentido e pensado em andamento quase *presto* e Ovalle ouviu-me dizê-lo dessa maneira. O andamento da música é precisamente o contrário disso, e todavia a adequação da música às palavras me parece perfeita. Assim como certos poemas admitem pluralidade de sentido ou de interpretações, como que em qualquer texto literário há infinito número de melodias implícitas.

Mas vejo que fui sendo arrastado para problemas que não são de minha arte e que jamais eu poderia resolver. Voltando ainda à predileção apontada pelos críticos, Aires de Andrade interpreta-a de maneira diferente, não lembrada por Muricy. Enxerga Aires de Andrade na minha poesia um sentimento e uma expressão muito ligados aos costumes populares: "Mesmo nos momentos em que Manuel Bandeira se manifesta exprimindo anseios de universalização, não consegue o seu pensamento se emancipar inteiramente do jugo que estabelecem em suas faculdades criadoras

---

50 "Pensei já tê-la posto o bastante."

as reminiscências acumuladas no espírito do poeta pela ação do observador apaixonado das coisas do povo. Há sempre em seu estilo a intromissão, às vezes franca, às vezes sorrateira, dessas forças que se agitam incessantemente nas camadas subterrâneas da sua emoção em atitudes expansionistas. Atribuo principalmente a esse aspecto da arte de Manuel Bandeira o motivo de atração que faz convergir para a sua poesia as preferências dos nossos compositores."

Não tenho neste instante elementos para fazer uma lista completa de todos os meus poemas que foram musicados. Mas talvez tenha havido da parte dos músicos certa preferência pelos poemas de fundo popular, como "Berimbau" (Ovalle, Mignone), "Trem de ferro" (musicado já umas quatro ou cinco vezes, e muito bem por Vieira Brandão), "Cantiga" (Camargo Guarnieri, Lorenzo Fernandez), "Azulão" (Ovalle, Camargo Guarnieri, Gnattali), "D. Janaína" (Mignone), "Irene no céu" (Camargo Guarnieri), "Na rua do Sabão", "Macumba de pai Zusé" e "Boca de forno" (Siqueira), "O menino doente" (Mignone), "Dentro da noite" (Mignone, Helza Cameu), outros mais que não me ocorrem agora. Os músicos é que melhor poderão explicar a preferência, sendo muito provável que os motivos não sejam os mesmos para todos.

Aludi ao "Azulão" e preciso dizer que, como o texto dele na música de Ovalle, outros textos meus em músicas do mesmo Ovalle e de Villa-Lobos foram escritos para melodia já existente: assim o da "Modinha" de Ovalle, o da "Modinha" de Villa-Lobos (sob o pseudônimo Manduca Piá) e muitas outras coisas de Villa-Lobos, entre as quais as *Canções de cordialidade*. Uma destas canções, a de "Boas-vindas", foi cantada em praça pública no dia 7 de setembro de 1951, sob a regência do próprio Villa-Lobos. Os comunistas aproveitaram a ocasião para praticar mais uma daquelas sordícies em que são mestres: assoalharam no seu pasquim que a canção havia sido encomendada a Villa-Lobos e a mim pelo Ministro da Educação para bajular uma missão norte-americana que compareceria à cerimônia. Palavra de comunista não merece fé nem resposta? Era o que eu pensava. Vi, porém, neste caso que todo o cuidado com eles é pouco. Pois um vereador comunista afirmou a mentira em plena sessão da Câmara Municipal e dois outros vereadores não comunistas, Magalhães Júnior e Gladstone Chaves de Melo, foram inocentemente na onda e fizeram coro com o comuna, secundando que de fato a coisa era de costa acima... Não estavam a par da verdade, que é esta:

Em 1945 Villa-Lobos, tomado de nojo pela mania em que andavam (e ainda andam) os brasileiros de cantar nas festas de aniversário a cacetíssima *Happy birthday to you*, resolveu compor para essa e outras ocasiões uma série de canções de sabor brasileiro, a que deu o título de *Canções de cordialidade*. Pediu a minha colaboração para o texto e, como sempre faz, forneceu-me cópia das melodias com os respectivos "monstros". Nos textos para essas canções tive a preocupação de me servir tanto quanto possível das frases feitas da nossa linguagem coloquial. Sobretudo em "Boas-vindas": "Amigo, seja bem-vindo! A casa é sua. Não faça cerimônia. Vá pedindo, vá mandando." Essas *Canções de cordialidade* foram editadas pelo Conservatório Nacional de Canto Orfeônico em 1946 e nele frequentemente tem sido cantada a de "Boas-vindas" em homenagem a visitantes ilustres. Já a ouvi também regida pelo próprio compositor na inauguração de um Salão de Belas Artes, à chegada do Presidente da República ou do Ministro da Educação.

Essa tarefa de escrever texto para melodia já composta, coisa que fiz duas vezes para Ovalle e muitas vezes para Villa-Lobos, é de amargar. Pode suceder que depois de pronto o trabalho o compositor ensaia a música e diz: "Ah, você tem que mudar esta rima em *i*, porque a nota é agudíssima e fica muito difícil emiti-la nessa vogal". E lá se vai toda a igrejinha do poeta! Do poeta propriamente, não: nesse ofício costumo pôr a poesia de lado e a única coisa que procuro é achar as palavras que caiam bem no compasso e no sentimento da melodia. Palavras que, de certo modo, façam corpo com a melodia. Lidas independentemente da música, não valem nada, tanto que nunca pude aproveitar nenhuma delas.

De três gêneros foi a minha colaboração com os músicos: ou estes escolheram livremente na minha obra os poemas que desejaram musicar; ou me forneceram melodias para que eu escrevesse o texto; ou me pediram letra especial para música que desejavam compor. Deste último gênero são os poemas "Cântico de Natal" e "Jurupari", que escrevi a pedido de Villa-Lobos; "Canção" e "Letra para uma valsa romântica", a pedido de Radamés Gnattali; "Desafio" e "Alegrias de Nossa Senhora", a pedido de Mignone.

"Alegrias de Nossa Senhora"[51] tem a sua história. Mais de uma vez me pedira Mignone texto para um oratório e decerto eu tinha muita vontade de satisfazê-lo, mas cadê inspiração? Um belo dia recebo de uma religiosa carmelita um caderno de poemas sobre os quais me pedia que desse opinião. Entre eles havia um, intitulado "Alegrias de Nossa Senhora", que me pareceu belíssimo e logo me deu a ideia que dele se poderia extrair o texto de que precisava Mignone. Pus mãos à obra, e no fim verifiquei que o poema resultante era tanto meu quanto da religiosa, senão mais dela do que meu. Propus-lhe então que o assinássemos ambos, mas a sua santa modéstia não quis que o seu nome aparecesse. A solução que achei, e com que ela afinal concordou, foi dizer "texto extraído por Manuel Bandeira do poema de igual nome de uma monja carmelita".

Villa-Lobos foi o primeiro compositor a escrever música para versos meus. Era nos tempos heroicos do modernismo e do próprio Villa, que morava numa modestíssima casinha da rua Dídimo, mas que noites inesquecíveis passamos ali. O poema escolhido por Villa foi "Debussy".[52] Eu o escrevera na doce ilusão de estar transpondo para a poesia a maneira do autor de *La fille aux cheveux de lin* (cito esta peça muito de caso pensado, pois no meu verso repetido "Para cá, para lá..." havia a intenção de reproduzir-lhe a linha melódica inicial).

Por isso fiquei meio que desapontado quando Mário de Andrade me escreveu: "Gosto menos de 'Debussy'. Esplêndido como fatura, não há dúvida. Mas a fatura pouco me interessa. Entendo Debussy duma outra maneira. Não tenho a *sensação* Debussy ao ler teus versos. Nem mesmo do autor da '*Boîte à joujoux*' e do '*Children's corner*'. Sabes que mais? Lendo ou evocando o teu pequeno poema, lembro-me imediatamente, imagina de quem... de Erik Satie. O Satie do '*Menuet*', da '*Aubade*', dos '*Morceaux en forme de poire*'."

Villa também não deu bola para minha intenção, foi Villa-Lobos cem por cento e até suprimiu naquela música o nome inútil do compositor francês, intitulando-a

---

51   Do livro *Opus 10*.

52   Do livro *Carnaval*.

"O novelozinho de linha". E ela foi cantada, não sei se vaiada, num dos concertos da Semana de Arte Moderna.

Assim como gosto de ser musicado, gosto de ser traduzido (no fundo é quase a mesma coisa, pois não é?). Sentir-me bem traduzido para outra língua, que delícia! Como gozei lendo a tradução que o norte-americano Dudley Poore fez de "Mozart no céu"![53] Ficou melhor do que o original. O "fazendo piruetas extraordinárias sobre um mirabolante cavalo branco" foi transformado em *turning marvelous pirouettes on a dazzling white horse*". Que força de expressão nesse *"dazzling"*. De resto sempre achei que dos idiomas que conheço o inglês é por excelência a língua da poesia: tudo se pode dizer em inglês, e a ternura mais desmanchada nunca mela. Em matéria de tradução o maior prazer que já tive foi ao ler a tradução de "Boda espiritual" feita pelo grande Ungaretti: fiquei feliz durante algumas semanas.

Sim, gosto de ser musicado, de ser traduzido e... de ser fotografado. Criancice? Deus me conserve as minhas criancices! Talvez neste gosto, como nos outros dois, o que há seja o desejo de me conhecer melhor, sair fora de mim para me olhar como puro objeto.

***

Em 1930 publiquei a minha quarta coleção de poemas: *Libertinagem*. Edição de 500 exemplares, impressa em Paulo, Pongetti & Cia., mas custeada por mim. Para de certo modo disfarçar o que pudesse parecer cínico no título, compus a capa seccionando a palavra em três linhas. Naturalmente houve muita gente que visse nisso intenção de escola ou de originalidade, senão mesmo de escândalo. Ora, eu fui sempre um tímido e jamais fiz qualquer coisa com o propósito de chamar a atenção. A capa de *Libertinagem* foi de invenção minha, como já haviam sido as de *A cinza das horas* e *Carnaval*. A vinheta do primeiro livro – uma ariesfinge desenhada por Alberto Childe – é a do meu *ex-libris*, símbolo que um dia expliquei nestas palavras:

ARIESPHINX

A força da doçura
A força da poesia
A força da música
A força das mulheres e das crianças.
A força de Jesus – o cordeiro de Deus.

A vinheta de *Carnaval*, uma cabeça de fauno, é a redução, desenhada também por Childe, de uma aquarela que pintei no Liceu de Artes e Ofícios de São Paulo, onde, em 1903 e 1904, fui aluno da classe de desenho e pintura do arquiteto Domenico Rossi.

---

53 Do livro *Lira dos cinquent'anos*.

Alberto Childe, sábio e artista de nacionalidade russa (seu verdadeiro nome era Varonin, família nobre), foi um dos homens mais inteligentes, mais finos e mais cultos que tive a ventura de conhecer. Deve ter vindo para o Brasil por volta de 1900. Lembro-me dele frequentando a nossa casa de Laranjeiras e dando umas lições de aquarela a meu pai. Era dotado de talento para tudo – literatura, pintura, ciências. Jamais se fixou em qualquer coisa senão na egiptologia e mais para ter um ganha-pão (conseguira ser nomeado egiptólogo do Museu Nacional, cujas múmias restaurou e cujo catálogo referente à sua especialidade escreveu). Possuo no meu arquivo algumas de suas cartas com uma meia dúzia de sonetos, dois originais e os outros traduções – uma de "Sete anos de pastor" de Camões, outra do *Mysterious night*" de José Maria Blanco, outra do meu soneto "A ceia". Em carta de 21 de janeiro de 1914, me escrevia: "*Les pharaons dorment maintenant au Musée dans de belles armoires neuves, allemandes, en métal laqué crême, et en verre – et aussi les petits dieux de bronze, et le peuple de figurines funéraires émaillées de bleu. Mais je ne sais trop ce qu'ils en pensent: un épervier de bois de sycomore me disait l'autre jour que, bien que davantage exposé aux morsures indélicates des 'carunchos' dans les vieilles armoires, ses sentiments conservateurs avaient été froissés par cette germanisation rénovatrice. Es ist recht! ai-je pensé à part moi, sans le fortifier dans les sentiments de la droite, si mal vus à notre époque.*"[54] Childe era em tudo um homem de direita e não gostava do moderno nem o compreendia. A última vez que o vi foi numa reunião do Conselho Consultivo do Departamento do Patrimônio Histórico e Artístico Nacional, numa sala clara e alegre do Ministério da Educação. Childe, que entrava ali pela primeira vez, confessou-me sentir-se mal naquele ambiente. Fiquei espantado no primeiro momento. Depois refleti que muito mais estranhável era um matemático elegantíssimo como mestre Almeida Lisboa pensar da mesma maneira.

Creio que a grande paixão de Childe foi o Egito. Quando, em 1911, ele restaurava o sarcófago pertencente a um certo Hori, sacerdote de Amon-Ra, teve a ideia de traduzir em soneto, resumindo-a, a confissão negativa que o Livro dos Mortos prescrevia para todo defunto que se apresentava ao tribunal de Amenti, e de fazer naquele caso falar o seu Hori. O soneto era assim:

> *Dit l'osiris Hori, cerclé de bandelettes,*
> *Hori, prêtre d'Ammon, homme juste et puissant:*
> *Je n'ai point fait charger de chaînes l'innocent,*
> *Et je n'ai point aux morts soustrait leurs amulettes;*
>
> *Aux Dieux je n'ai pas pris d'offrandes, de galettes;*
> *Ni dérobé de pains au Temple, ni d'encens;*
> *Dans les greniers sacrés j'ai, scribe obéissant,*
> *Soigneusement gardé récoltes et cueillettes.*
>
> *Vos quarante-deux noms, je les connais, ô Dieux!*
> *Hommage à vous, Dieux grands! Je suis venu, pieux,*
> *Vous apporter mon coeur assoiffé de justice;*

---

54 "Os faraós agora dormem no Museu em belos armários novos, alemães, de metal laqueado creme, e de vidro – e assim também os pequenos deuses de bronze, e o povo de estatuetas funerárias esmaltadas de azul. Mas não sei bem o que pensam: um gavião em madeira de sicômoro me dizia um dia desses que, ainda que exposto às picadas dos carunchos nos velhos armários, seus sentimentos conservadores tinham sido atingidos por essa germanização renovadora. Ele está certo! pensei cá comigo, sem reforçar seus sentimentos de direita, tão malvistos em nossa época."

Qu'il dépose pour moi son témoignage sûr;
Qu'Anubis me dirige, en la route propice,
Vers la bonne Amenti! Je suis pur! Je suis pur![55]

Bela alma a de Alberto Childe, a quem eu na idade ávida da adolescência ouvi tantas palavras de sabedoria e beleza, e cuja lembrança conservo afetuosamente, porque foi daqueles que, como o Hori do seu soneto, poderia dizer que era um puro.

***

Libertinagem contém os poemas que escrevi de 1924 a 1930 – os anos de maior força e calor do movimento modernista. Não admira pois que seja entre os meus livros o que está mais dentro da técnica e da estética do Modernismo. Isso todo o mundo pode ver. O que no entanto poucos verão é que muita coisa que ali parece modernismo, não era senão o espírito do grupo alegre de meus companheiros diários naquele tempo: Jayme Ovalle, Dante Milano, Osvaldo Costa, Geraldo Barrozo do Amaral. Se não tivesse convivido com eles, de certo não teria escrito, apesar de todo o Modernismo, versos como os de "Mangue", "Na boca", "Macumba de pai Zusé", "Noturno da rua da Lapa" etc. (este último é aproveitação de um caso que se passou com Ovalle em sua casa da rua Conde de Lage).

Alguns dos poemas de *Libertinagem*, "Mangue" por exemplo, foram publicados no "Mês Modernista", seção que *A Noite* manteve em sua primeira página não me lembro em que mês do ano de 1925. A coisa tinha sido arranjada por Oswald de Andrade, que fizera relações com Geraldo Rocha, proprietário do jornal, e o induzira a essa espécie de "demonstração" modernista. Mas quem dirigiu a iniciativa foi Mário de Andrade, e a ele coube indicar os colaboradores: Carlos Drummond de Andrade, Sérgio Milliet, Prudente de Morais Neto, Martins de Almeida e eu. A princípio não quis aceitar o convite, porque me pareceu que a gente d'*A Noite*, cujo diretor na ocasião era Viriato Correia, ia apresentar-nos um pouco como o Sarrasani exibia no circo os seus elefantes ensinados. Mário respondeu-me: "Vocês estão fazendo chiquê com *A Noite*. Aceitem isso logo! Liberdade de escrever o que quiser. Eu pretendo mandar pedacinhos vivos porém sem importância, é lógico. Importância de meia-coluna. Acho que vocês devem aceitar." Afinal concordei em colaborar e a respeito dos elefantes Mário me escreveu: "Se você me dá os elefantes do Circo Sarrasani pra mim, faço uma das meias-colunas com isso. É um bom jeito de mostrar que a gente não cai na esparrela e em última análise nada mais somos que elefantes ensinados, nós artistas. Deixe de ser historiento, que é isso mesmo!" Não levei muito a sério o "Mês Modernista": o que fiz foi me divertir ganhando cinquenta mil-réis por semana, o primeiro dinheiro que me rendeu a literatura. A uma das minhas quatro ou cinco crônicas chamei "Bife à moda da casa", que era o nome do nosso

---

55 "Disse o osíris Hori, coberto de bandagens,/ O sacerdote de Amon, justo e poderoso:/ Eu não carreguei de correntes o inocente,/ E nem retirei dos mortos seus amuletos:// Dos deuses não tirei biscoitos e oferendas,/ Do Templo não tirei nem o pão nem o incenso;/ Dos celeiros sagrados, escriba obediente,/ Recolhi com cuidado colheitas e safras.// Vossos quarenta e dois nomes conheço, ó deuses!/ Glória a vós, grandes deuses! Eu vim, piedoso,/ Doar meu coração sedento de justiça;// Que por mim ele dê todo o seu testemunho;/ Que Anúbis me oriente na estrada propícia,/ Até a boa Amenti! Sou puro! Sou puro!"

(nosso: meu, do Ovalle, do Dante Milano, do Osvaldo Costa, de Germaninha Bittencourt) prato de resistência no Restaurante Reis. No prato do restaurante entrava de um tudo: era uma mixórdia, que entupia. Assim a minha colaboração, onde havia um cocainômano que rezava: "O pó nosso de cada dia nos dai hoje...", e depois da "Lenda brasileira" e da "Notícia tirada de um jornal", este "Dialeto brasileiro", escrito especialmente para irritar certos puristas: "Não há nada mais gostoso do que 'mim' sujeito de verbo no infinito: 'Pra mim brincar'. As cariocas que não sabem gramática falam assim. Todos os brasileiros deviam de querer falar como as cariocas que não sabem gramática. – O erro mais feio de brasileiro é a construção dos pronomes 'me', 'te', 'lhe', 'nos', 'vos' com os pronomes 'o', 'a', 'os', 'as': 'Ele já mo deu'. – As palavras mais feias da língua portuguesa são 'quiçá', 'alhures' e 'amiúde'."

Em outra semana fiz "Duas traduções para moderno acompanhadas de comentários". "Traduzi" para moderno o famoso soneto de Bocage que começa pelo verso "Se é doce no recente, ameno estio". Eram assim os quartetos:

Doçura de, no estio recente,
Ver a manhã toucar-se de flores,
E o rio
        mole
              queixoso
Deslizar, lambendo areias e verduras;

Doçura de ouvir as aves
Em desafio de amores
                cantos
                risadas
Na ramagem do pomar sombrio.

Como se vê, eu estava mas era assinalando maliciosamente certas maneiras de dizer, certas disposições tipográficas que já se tinham tornado clichês modernistas.

A outra "tradução" era do "Adeus de Teresa". Num comentário, de *humour* muito sofisticado, dava o meu poema "Teresa" como tradução "tão afastada do original, que a espíritos menos avisados pareceria criação".

Na semana seguinte voltei "traduzindo" estes versos do autor d'*A moreninha*:

Mulher, irmã, escuta-me: não ames.
Quando a teus pés um homem terno e curvo
Jurar amor, chorar pranto de sangue,
Não creias, não, mulher: ele te engana!
As lágrimas são galas da mentira
E o juramento manto da perfídia.

Bem, dessa vez eu queria mesmo brincar falando cafajeste, e a coisa foi apresentada como "tradução pra caçanje":

Teresa, se algum sujeito bancar o sentimental em cima de você
E te jurar uma paixão do tamanho de um bonde
Se ele chorar
Se ele se ajoelhar

Se ele se rasgar todo
Não acredita não Teresa
É lágrima de cinema
É tapeação
Mentira
CAI FORA.

Piadas... Piadas como mais tarde as faria Murilo Mendes a propósito do Rio Paraibuna e da Batalha de Itararé. Por essas e outras brincadeiras estamos agora pagando caro, porque o "espírito de piada", o "poema-piada" são tidos hoje por característica precípua do Modernismo, como se toda a obra de Murilo, de Mário de Andrade, de Carlos Drummond de Andrade e outros, eu inclusive, não passasse de um chorrilho de piadas. Houve um poeta na geração de 22 que se exprimiu quase que exclusivamente pela piada: Oswald de Andrade. Mas isso nele não era "modernismo": era, e continua sendo, o seu modo peculiar de expressão. Um caso como o do grande poeta colombiano recentemente falecido: Luís Carlos López. Mas quem negará a carga de poesia que há nas piadas de *Pau Brasil*? E por que essa condenação da piada, como se a vida só fosse feita de momentos graves ou se só nestes houvesse teor poético?

Em *Libertinagem* incluí dois poemas escritos em francês: "*Chambre vide*" e "*Bonheur lyrique*". Ao tempo em que os compus e em anos anteriores fiz outros que nunca publiquei; posteriormente mais um intitulado "*Chanson des petits esclaves*", incluído na *Estrela da manhã*. Esses versos me saíram em francês sem que eu saiba explicar por quê. Certa vez em que eu estava preparando uma edição das *Poesias completas*, quis acabar com isso de versos em francês, que poderia parecer pretensão de minha parte, e esforcei-me por traduzi-los. Pois fracassei completamente, eu que tenho traduzido tantos versos alheios. Outra experiência minha: mandaram-me um dia uma tradução para o francês de poema meu, pedindo-me não só que sobre ela desse a minha opinião, como que emendasse, mudasse à vontade. Pus mãos à obra e vi que para ser fiel ao meu sentimento teria que suprimir certas coisas e acrescentar outras. No fim não deu também nada que prestasse. Tudo isso me confirmou na ideia de que poesia é mesmo coisa intraduzível. No entanto lá estavam em *Libertinagem* três sonetos de Elizabeth Barrett Browning, aos quais depois acrescentei um quarto. O português dessas traduções contrasta singularmente com os dos poemas originais. É que na ginástica de tradução fui aprendendo que para traduzir poesia não se pode abrir mão do tesouro que são a sintaxe e o vocabulário dos clássicos portugueses. Especialmente quando se trata de tradução do inglês ou do alemão. A sintaxe dos clássicos, mais próxima da latina, é muito mais rica, mais ágil, mais matizada do que a moderna, sobretudo a moderna do Brasil.

Não passarei além de *Libertinagem* sem tocar ainda em três dos seus poemas: "Profundamente", "Vou-me embora pra Pasárgada" e "Oração no saco de Mangaratiba".

No primeiro não falo da rua da União, mas ela está ali tão presente quanto na "Evocação do Recife":

Minha avó
Meu avô
Totônio Rodrigues
Tomásia
Rosa

Na "Evocação" já havia mencionado o nome de Totônio Rodrigues, que "era muito velho e botava o pincenê na ponta do nariz". Esse Totônio era sobrinho de meu avô e me parecia muitíssimo mais velho do que ele. Não sei se foi isso ou a maneira de usar o *pince-nez*, ou o jeito de falar que o marcou tão profundamente na minha memória. Tomásia era a velha preta cozinheira da casa da rua da União. Tinha sido escrava de meu avô e fora por ele alforriada. Naquela cozinha, com seu vasto fogão de tijolo, o seu enorme pilão, e que pelas festas de Santo Antônio, São João e São Pedro resplandecia quentemente com as grandes tachas de cobre areadas até o vermelho, Tomásia, pequena, franzina e de poucas falas, mandava sem contraste e me inspirava um sagrado respeito com as suas duas únicas respostas a todas as minhas perguntas: "hum" e "hum-hum", que eu interpretava por "sim" e "não". Rosa era a mulata clara e quase bonita que nos servia de ama-seca. Nela minha mãe descansava, porque a sabia de toda a confiança. Rosa fazia-se obedecer e amar sem estardalhaço nem sentimentalidades. Quando estávamos à noitinha no mais aceso das rodas de brinquedo, era hora de dormir, vinha ela e dizia peremptória: "Leite e cama!" E íamos como carneirinhos para o leite e a cama. Mas havia, antes do sono, as "histórias" que Rosa sabia contar tão bem...

"Vou-me embora pra Pasárgada" foi o poema de mais longa gestação em toda a minha obra. Vi pela primeira vez esse nome de Pasárgada quando tinha os meus dezesseis anos e foi num autor grego. Estava certo de ter sido em Xenofonte, mas já vasculhei duas ou três vezes a *Ciropédia* e não encontrei a passagem. O douto frei Damião Berge informou-me que Estrabão e Arriano, autores que nunca li, falam na famosa cidade fundada por Ciro, o antigo, no local preciso em que vencera a Astíages. Ficava a sueste de Persépolis. Esse nome de Pasárgada, que significa "campo dos persas" ou "tesouro dos persas", suscitou na minha imaginação uma paisagem fabulosa, um país de delícias, como o de *"L'invitation au voyage"* de Baudelaire. Mais de vinte anos depois, quando eu morava só na minha casa da rua do Curvelo, num momento de fundo desânimo, da mais aguda sensação de tudo o que eu não tinha feito na minha vida por motivo da doença, saltou-me de súbito do subconsciente esse grito estapafúrdio: "Vou-me embora pra Pasárgada!" Senti na redondilha a primeira célula de um poema, e tentei realizá-lo, mas fracassei. Já nesse tempo eu não forçava a mão. Abandonei a ideia. Alguns anos depois, em idênticas circunstâncias de desalento e tédio, me ocorreu o mesmo desabafo de evasão da "vida besta". Desta vez o poema saiu sem esforço, como se já estivesse pronto dentro de mim. Gosto desse poema porque vejo nele, em escorço, toda a minha vida; e também porque parece que nele soube transmitir a tantas outras pessoas a visão e promessa da minha adolescência – essa Pasárgada onde podemos viver pelo sonho o que a vida madrasta não nos quis dar. Não sou arquiteto, como meu pai desejava, não fiz nenhuma casa, mas reconstruí, e "não como forma imperfeita neste mundo de aparências", uma cidade ilustre, que hoje não é mais a Pasárgada de Ciro, e sim a "minha" Pasárgada.

"Oração no saco de Mangaratiba" não é poema, é resíduo de poema. Em 1926 passei duas semanas num sítio distante de Mangaratiba umas duas horas de canoa. A ida para lá, noite fechada ainda, foi a viagem mais bonita que fiz na minha vida. Vênus luzia sobre nós tão grande, tão intensa, tão bela, que chegava a parecer escandalosa e dava vontade de morrer (daquela hora é que iria sair o título do meu livro seguinte: *Estrela da manhã*). A viagem de volta foi também noturna. Saímos da praia da Figueira às duas da madrugada para apanhar em Mangaratiba o trem das cinco. Ao virarmos a ponta da Paciência, levantou-se um vento que quase dá conosco na restinga da Marambaia. Chegamos em cima da hora para pegar o trem. Caí derreado no banco do vagão. E então, numa espécie de subdelírio da extrema fadiga, todo um poema, o mais longo que já se formou na minha cabeça, começou a fluir dentro de mim. O meu esgotamento era tal, que não tive ânimo para tomar o menor apontamento. Pensei poder recompor os versos em casa. Mal cheguei, caí no sono... Quando acordei, só me restavam na memória os seis versos da oração, única estrofe regular do poema, que era no mais em verso livre. Nunca me consolei desse desastre.

***

Em março de 1933 me vi forçado a abandonar o meu apartamento do Curvelo (soube que lá morou depois Rachel de Queiroz; hoje a casa não existe mais, foi demolida). Passei a residir em Morais e Vale, uma rua em cotovelo, no coração da Lapa. A tristeza dessa mudança exprimi-a numa quadra sibilina intitulada "O amor, a poesia, as viagens". É um poema ininteligível nos seus elementos, porque só eu possuo a chave que o explica; mas que a explicação não é necessária para que pessoas dotadas de sensibilidade poética penetrem a intenção essencial dos versos, se prova pelo comentário da nossa grande Cecília Meireles, que os qualificou de "pura lágrima". Aproveito a ocasião para jurar que jamais fiz um poema ou verso ininteligível para me fingir de profundo sob a especiosa capa de hermetismo. Só não fui claro quando não pude – fosse por deficiência ou impropriedade de linguagem, fosse por discrição.

Da janela do meu quarto em Morais e Vale podia eu contemplar a paisagem, não como fazia do morro do Curvelo, sobranceiramente, mas como que de dentro dela: as copas das árvores do Passeio Público, os pátios do Convento do Carmo, a baía, a capelinha da Glória do Outeiro... No entanto quando chegava à janela, o que me retinha os olhos, e a meditação, não era nada disso: era o becozinho sujo embaixo, onde vivia tanta gente pobre – lavadeiras e costureiras, fotógrafos do Passeio Público, garçons de cafés. Esse sentimento de solidariedade com a miséria é que tentei pôr no "Poema do beco", com a mesma ingenuidade com que mais tarde escrevi um poema sobre o boi morto que vi passar numa cheia do Capibaribe. Fiquei, pois, surpreendido ao ver que faziam de um e de outro poema pedras de escândalo.

A maioria dos versos da *Estrela da manhã* e da *Lira dos cinquent'anos* datam de Morais e Vale. No primeiro livro, são ainda do Curvelo o poema que deu título ao livro, a "Canção das duas Índias", "A filha do rei", a "Balada das três mulheres do sabonete Araxá" e alguns outros. Nunca obedeci à ordem cronológica na publicação de meus versos em livro. Assim, em *Belo belo* o poema inicial, "Brisa", ainda é do tempo do Curvelo.

Mencionei a "Balada das três mulheres do sabonete Araxá": eis um poema que à Geração de 45 deve parecer bem cafajeste, o que não admira, pois já a de 30, com Schmidt, Vinicius (o Vinicius d'*O caminho para a distância*) e outros, se distinguia da de 22 pela seriedade da atitude, pelo gosto do decoro verbal. A mim sempre me agradou, ao lado da poesia de vocabulário gongorinamente seleto, a que se encontra não raro na linguagem coloquial e até na do baixo calão. Assim, a expressão "ficar safado da vida", em que o adjetivo "safado" só pode ser superado por outro que não se deve escrever, continua para mim preservando, na sua condição de lugar-comum, a mesma virtude poética inicial. O poema foi escrito em Teresópolis depois de eu ver numa venda o cartaz do sabonete. É, claro, uma brincadeira, mas em que, como no caso do anúncio "Rondó de efeito" (*Mafuá do malungo*), pus ironicamente muito de mim mesmo. O trabalho de composição está em eu ter adequado às circunstâncias de minha vida fragmentos de poetas queridos e decorados em minha adolescência – Bilac, Castro Alves, Luís Delfino, Eugênio de Castro, Oscar Wilde. Fiz de brincadeira o que Eliot faz a sério, incorporando aos seus poemas (e convertendo-os imediatamente em substância eliotiana) versos de Dante, de Baudelaire, de Spenser, de Shakespeare etc.

Quero assinalar em certa página da *Estrela da manhã* mais uma influência: "O desmemoriado de Vigário Geral" não teria sido escrito daquele jeito e naquela forma se eu não tivesse lido certo poema em prosa de Pedro Dantas, publicado na revista *Verde*, de Cataguases; creio que se intitulava "Uma aventura". O que me encantou nele foi o mistério que o poeta soube insuflar numas tantas locuções trivialíssimas. Lembro-me desta, por exemplo: "Azul-marinho, dirão vocês. Porém nem sempre".

Em "*Chanson des petits esclaves*" e "Trucidaram o rio" aparece pela primeira vez em minha poesia a emoção social. Ela reaparecerá mais tarde em "O martelo" e "Testamento" (*Lira dos cinquent'anos*), em "No vosso e em meu coração" (*Belo belo*), e na "Lira do Brigadeiro" (*Mafuá do malungo*). Não se deve julgar por essas poucas e breves notas a minha carga emocional dessa espécie: intenso é o meu desejo de participação, mas sei, de ciência certa, que sou um poeta menor. Em tais altas paragens só respira à vontade entre nós, atualmente, o poeta que escreveu o *Sentimento do mundo* e *A rosa do povo*.[56]

***

Em 1936, aos cinquent'anos de idade pois, não tinha eu ainda público que me proporcionasse editor para os meus versos. A *Estrela da manhã* saiu a lume em papel doado por meu amigo Luiz Camillo de Oliveira Netto, e a sua impressão foi custeada por subscritores. Declarou-se uma tiragem de 57 exemplares, mas a verdade é que o papel só deu para 50.

---

56 Carlos Drummond de Andrade.

Hoje nenhum de nós pode impunemente completar cinquenta anos sem a publicidade de uma homenagem dos amigos. O costume foi invenção de Rodrigo M. F. de Andrade a propósito do meu cinquentenário. Já então se afirmara ele o meu amigo mais dedicado e mais delicado. Se tudo o que possuo me veio da poesia, não sei de recompensa que ela me tenha dado maior do que o afeto inalterável em tantos anos desse homem, a quem tantos amigos devem tantos serviços e nenhum aborrecimento. Minha irmã e Rodrigo foram as duas pessoas que conheci mais dotadas do gênio da amizade.

Pois foi Rodrigo que promoveu a *Homenagem a Manuel Bandeira*, belo volume onde, ou em poemas, ou em estudos críticos, depoimentos, impressões, ou em desenhos, exprimiram muitos de meus amigos o seu sentimento a meu respeito ou a respeito da minha poesia. De todos eles – mais de trinta – só perdi um, e não creio que tenha sido por minha culpa. Se perdi esse, ganhei outros novos, cuja crítica ou depoimento faz falta naquele repositório de generosas perscrutações de minha obra, especialmente as exegeses de Otto Maria Carpeaux e de Aurélio Buarque de Holanda, a longa análise de Adolfo Casais Monteiro. Quem quer que queira estudar a minha poesia e a da minha geração não pode dispensar a leitura desse livro.

A editora Civilização Brasileira, para a qual havia eu traduzido abundantemente[57] quis também prestar-me a sua homenagem, e fê-lo editando um livro meu de prosa – as *Crônicas da província do Brasil*, seleção de artigos que escrevi para o *Diário Nacional*, de São Paulo, e *A Província*, do Recife. Há ali episódios, como "Reis vagabundos" e "Golpe do chapéu", que deram a alguns amigos meus a impressão de que eu poderia escrever contos e romances. Mas eu é que sei que não nasci com bossa para isso. Bem que o tentei várias vezes. Um dia, em Campos do Jordão, há mais de vinte anos, Ribeiro Couto, que me hospedava, teve de viajar para São Bento de Sapucaí, e eu fiquei sozinho na casa da triste rua do Sapo, onde, para matar o tempo, comecei a escrever um conto de sabor regionalista. Escrevi umas três páginas. Quando Ribeiro Couto voltou, mostrei-lhas, pedindo-lhe a opinião. O autor de *Baianinha e outras mulheres* tirou-me de golpe as ilusões, dizendo-me: "Tudo isso podia ser dito em três ou quatro linhas". Não escrevi as três ou quatro linhas. E nunca mais me meti a trahão na arte de José Lins do Rego e de Marques Rebelo.

Editou-me a Civilização um livro de prosa: não ousaria editar um de versos. Como as minhas pequenas edições estivessem esgotadas, resolvi lançar por conta própria um volume de *Poesias escolhidas*. Imprimiram-no os irmãos Pongetti em 1937. A seleção foi minha, com o conselho de dois ou três amigos. A maior ajuda me veio de Mário de Andrade. Minha ideia primeira era escolher o que me parecesse mais meu. Ponderou Mário no entanto que, procedendo eu assim, ficariam excluídas da coletânea muitas das minhas melhores coisas. Onze anos depois, em nova edição das *Poesias escolhidas*, ouvi as sugestões de Carpeaux, a quem pedi me indicasse os poemas, 30 ou 50, que ele não deixaria de incluir. Indicou-me 50, em cuja admissão concordei.

---

57 Ao todo quinze volumes: *Nômades do norte*, de J. O. Curwood; *O calendário*, de E. Wallace; *Tudo se paga*, de Elinor Glyn; *O tesouro de Tarzan*, de E. R. Burroughs; *A vida de Shelley*, de André Maurois; *Aventuras maravilhosas do capitão Corcoran*, de A. Assolant; *Gengis-Khan*, de Hans Dominick; *A educação da vontade*, de J. des Vignes Rouges; *A aversão no casamento*, de Van de Velde; *Minha cama não foi de rosa*, de O. W.; *Um espírito que se achou a si mesmo*, de Clifford Beers; *Mulher de brio*, de Michael Arlen; *A vida secreta de D'Annunzio*, de Antongini; *O túnel*, de Bernard Kellermann; *As grandes cartas da história*, de M. Lincoln Schuster. (N.A.)

Desde então principiei a sentir como é difícil organizar qualquer espécie de antologia. Já organizei seis: todas seis me deixaram insatisfeito, por todas seis recebi críticas nem sempre justas. E, o que é pior, magoei involuntariamente a muitos amigos. O culpado das minhas atividades antologísticas foi Gustavo Capanema, encarregando-me em 1936, como número da celebração do centenário do Romantismo, uma antologia dos nossos poetas românticos. Queria o grande ministro, que tão generoso impulso deu entre nós às artes (a ele deve muito a glória de um Portinari, de um Niemeyer), queria que eu resumisse em cinco antologias a melhor poesia do Brasil: anterromânticos, românticos, parnasianos, simbolistas e modernistas. Aceitei ocupar-me dos românticos e dos parnasianos. Fiz-lhe ver que o estudo da poesia colonial estaria muito melhor nas mãos de Sérgio Buarque de Holanda; que, para o Simbolismo, ninguém havia mais qualificado do que Andrade Muricy; e que o Modernismo era cumbuca onde eu, macaco velho, não me atrevia a meter, já não digo a mão, mas sequer a primeira falange do dedo mindinho.

Quem organiza uma antologia escreve sempre um prefácio em que declara o critério adotado. O que sucede de ordinário é que a maioria dos leitores não faz caso do prefácio. Agora sei que os prefácios são inúteis, e entre apanhar e apanhar, antes apanhar sem prefácio. A minha *Apresentação da poesia brasileira*, escrita especialmente para o Fondo de Cultura, do México, editada aqui em 1946 e só em 1951 na tradução espanhola, é um estudo crítico da evolução da poesia no Brasil, seguido de breve florilégio ilustrativo daquela evolução. Isso está explicado no prefácio. Pois não faltou quem visse no meu livro, em contrário do que foi minha intenção, uma antologia precedida de prefácio. Se era poeta e não vinha contemplado na antologia (às vezes porque figurava com algum poema transcrito no texto crítico), fazia beicinho.

O ano de 1937 me trouxe o primeiro provento material que me valeu a poesia: os 5.000 cruzeiros do prêmio da Sociedade Felipe d'Oliveira, da qual vim a fazer parte em 1942. Parece incrível, mas é verdade: aos 51 anos, nunca eu vira até aquela data tanto dinheiro em minha mão. Por isso, maior alvoroço me causaram aqueles cinco contos do que os cinquenta que me vieram depois, em 1946, como prêmio atribuído pelo Instituto Brasileiro de Educação e Cultura.

Tempo houve em que, parte por necessidade, parte por presunção, andei escrevendo sobre música e sobre artes plásticas. Na *Ideia Ilustrada*, revista editada por Luís Aníbal Falcão, colaborei com resenhas críticas de concertos, e certa revista musical, cujo nome me esqueceu (seu proprietário era Felício Mastrangelo), em certa época era redigida por mim de cabo a rabo, com o meu nome ou com pseudônimos. N'*A Manhã*, convidado por Cassiano Ricardo, mantive uma seção diária sobre artes plásticas. Fiz parte da tropa de choque que defendeu, apregoou e procurou explicar a arte nova de músicos, pintores, escultores e arquitetos modernos. Pouco a pouco, porém, fui perdendo não só a presunção como também o entusiasmo. É que os artistas só nos reconhecem, a nós poetas, autoridade para falar sobre eles quando os lisonjeamos. Caso contrário, não passamos de poetas. Como se, sobre artes plásticas, por exemplo, alguém tivesse acertado mais do que um poeta – Baudelaire. Como se, diante de uma tela, algum nosso pintor soubesse dizer alguma coisa de objetivo, todos eles, quando gostam, se limitando a fazer um arabesco com o dedo sobre o detalhe gostado, o que, traduzido em palavras, quer dizer: "Que matéria!"

Só no chão da poesia piso com alguma segurança. No entanto fui aceitando tarefas em outros campos. Em 1938 Rodrigo M. F. de Andrade, como diretor do Serviço do Patrimônio Histórico e Artístico Nacional, me convenceu a escrever um *Guia de Ouro Preto*; Afrânio Peixoto, diretor de uma coleção na Editora Nacional, me levou a preparar uma edição crítica e comentada da obra poética de Gonçalves Dias (1944); os meus alunos do Pedro II umas *Noções de história das literaturas*; os da Faculdade de Filosofia uma *Literatura hispano-americana* (1949)... Saibam todos que fora da poesia me sinto sempre um intruso. Torno a repetir o verso de Banville: "*Je suis un poète lyrique!*" Sim, sou sofrivelmente um poeta lírico: porque não pude ser outra coisa, perdoai...

***

Em 1940, aberta uma vaga na Academia de Letras com o falecimento de Luís Guimarães Filho, fui visitado por três amigos acadêmicos – Ribeiro Couto, Múcio Leão e Cassiano Ricardo –, que vinham me convidar a que me apresentasse candidato.

Relembrando essa visita, escreveu Ribeiro Couto no discurso com que saudou a minha entrada na Casa de Machado de Assis: "... Tivestes um recuo de hesitação; não era uma hesitação de fundo antiacadêmico, porque sabíeis que aqui dentro só viríeis encontrar companheiros devotados para uma função que é vossa: trabalhar pela cultura brasileira. Talvez porque fosse uma noite de calor e estivésseis à frescata, naquele vosso ambiente de intimidade que guardou sempre um ar de enfermaria, ficastes gravemente assustado com a expectativa de envergar o fardão regimental. Teimastes na recusa: não era possível; e nós teimamos em nossos argumentos, que acabaram por vencer a vossa indisposição para este gênero de indumentária."

Assim foi. Só que pedi dois dias para tomar uma decisão. De fato, não havia em mim preconceito antiacadêmico. Sempre me pareceu que os que atacam a Academia exageram enormemente o que possa haver de força conservadora numa Academia. Há lá dentro, é verdade, acadêmicos de gosto reacionário (e nem sempre são os menos inteligentes ou cultos), mas como coletividade tem a Academia mostrado bastante isenção nas suas relações com os revolucionários das letras. Que poderia eu ter contra ela, a tal respeito, se a vira já acolher os três patrocinadores da minha candidatura, dois dos quais haviam assumido posição saliente no movimento modernista? E não foram só esses: na Academia já estavam, antes deles, Alceu Amoroso Lima e Guilherme de Almeida, este um dos promotores da famigerada Semana de Arte Moderna, aquele um dos carregadores entusiastas de Graça Aranha na tarde de 19 de junho de 1924. Que poderia eu ter contra a Academia que em 1938 premiara Cecília Meireles pelo seu livro *Viagem*, tão fora dos cânones acadêmicos, e fizera-o não por indiferença ou descuido, como acontece algumas vezes ao sabor de maiorias ocasionais, mas depois de vivos e apaixonados debates? Os reacionários da Academia são uns velhinhos amáveis que não fazem mal a ninguém: querem é sossego. Como eu. Reacionários odiosos são os cá de fora, para muitos dos quais a Academia é uma libertina, pois não ousou reformar a ortografia?

E em verdade, se alguma coisa se pode censurar à Academia, será ter, em mais de uma ocasião, faltado àquele espírito conservador, tão natural nela. Por exemplo, três vezes deixar preterir por outros escritores o candidato Mário Barreto, o nosso mais completo conhecedor da língua em seu tempo. Enfim, nesse caso ainda se poderá desculpá-la com dizer que ainda eram vivos Rui Barbosa, Carlos de Laet, Silva Ramos, João Ribeiro, Ramiz Galvão. Em 1945, porém, todos eram mortos, a Academia estava sem um filólogo, e no entanto não acolheu para sucessor de Pereira da Silva, o admirável autor dos *Textos quinhentistas* e das *Lições de português*, o sábio professor Sousa da Silveira. Grande erro, senão o maior que já cometeu a Casa de Machado de Assis.

Ainda que eu não tivesse sido eleito como fui (no primeiro escrutínio, por 21 votos), daria por bem proveitosa a experiência da minha candidatura. Aprendi muita coisa em pouco tempo. Diverti-me bastante. Algumas decepções foram contrabalançadas por surpresas agradáveis (o velho amigo da família que não vota na gente; o confrade antimodernista que vota). Em maio (a eleição seria em agosto) saíram à luz, muito inoportunamente, as minhas *Noções de história das literaturas*, onde só quatorze acadêmicos eram citados. Um dos não citados, a quem foram pedir o voto para mim, respondeu com muita graça: "Ele não tomou conhecimento do meu nome como autor, eu também não tomarei conhecimento do dele como candidato!" Outros, porém, tomaram e votaram em mim. Em compensação cinco dos quatorze citados não me deram confiança...

Eleito, me vi em apuros para escrever o elogio do meu antecessor, cuja obra jamais me havia atraído. Do patrono, Júlio Ribeiro, conhecia *A carne*, lida na adolescência, e a fama de gramático. Atirei-me, com a maior paciência e boa vontade, à leitura dos dois autores. O patrono interessou-me bastante como homem combativo e reto, e quanto aos seus romances, até hoje estou convencido que têm sido julgados com demasiada severidade. No meu embaraço, apelei para Valéry: pensara nele (e o seu exemplo muito influíra em minha decisão) quando fui convidado a me inscrever candidato; pensei nele, novamente, ao ter de compor o meu discurso de posse, imaginando que no seu aprenderia talvez o tom, o ritmo conveniente. Li-o e me senti, ai de mim, na maior depressão moral. Me senti como que desamparado. *Que je suis piètre et sans génie!* disse comigo mesmo, repetindo o verso de Laforgue, alterado por mim especialmente para me servir de desabafo em ocasiões como essa.[58] Labutei no aranzel como escrevia em menino os meus deveres de colegial – sem gosto e sem vontade. E foi bem consciente do medíocre da minha prosa, intencionalmente acadêmica (por espírito de automortificação), que, numa noite de novembro – fazia um calor do inferno –, me aproximei da tribuna, encalistrado e meio sufocado sob os chumaços do odioso fardão, que nunca mais vesti, nem vestirei.

A Academia de 1940 já estava bem longe de poder competir com a de 1901, que eu vi reunida no Gabinete Português de Leitura na noite de 2 de junho para ouvir o elogio de Gonçalves Dias por Olavo Bilac, e os necrológios de Luís Guimarães Júnior, J. M. Pereira da Silva e Visconde de Taunay (sócios falecidos) por Medeiros e Albuquerque. A de junho de 1901 representava realmente a plenitude de nossa

---

58   O verso de Laforgue é *"Comme on fut piètre et sans génie"* ("Como era pobre e sem talento"), alterado por Bandeira para "Eu sou pobre e sem talento!"

força intelectual nas letras. Com exceção de Capistrano de Abreu, que não tinha querido entrar para ela, de Afonso Arinos, Euclides da Cunha, Lafayette Rodrigues Pereira e Vicente de Carvalho, que entrariam depois, e de Alphonsus de Guimaraens, pode-se dizer que nela tinham assento as maiores figuras de nossa literatura em todos os gêneros. A muitos deles tive ocasião de ver de perto naquela noite, e ainda tenho bem presente o sentimento de admiração e respeito com que os olhei na ingenuidade dos meus quinze anos. Sem dúvida isso me ajudou a compreender que a Academia não é só o elenco atual, mas alguma coisa que transcende a geração do momento. Em 1940 a ideia da Academia ainda implicava para mim, como ainda implica até hoje, a ideia de Casa de Machado de Assis, casa de Nabuco, casa de João Ribeiro, para só citar três grandes espíritos que fascinaram a minha adolescência. E a hesitação me nascia precisamente de me sentir desqualificado para sustentar a tradição que eles, com outros, tão magistralmente encarnavam. Partidário da impureza em matéria de língua, parecia-me descabido e quase petulante pretender lugar numa companhia que, pelo menos teoricamente, sempre se considerou zeladora da pureza do idioma.

Eu tinha mais contra a Academia duas ojerizas. Uma, mencionada por Couto, a do fardão; outra, a de sua divisa. Ouro, louro, imortalidade me horrorizavam. Comuniquei as minhas perplexidades a um amigo, que é o bom senso em pessoa. Ele tranquilizou-me quanto ao fardão, dizendo-me: "Será o vexame de uma noite. Eu também não tive de vestir calça listada e fraque para me casar, e não me saí muito mal?" Outros amigos me empurraram, vi a fotografia de Valéry metido no fardão da Academia Francesa, se Valéry topava a parada, quem era eu para bancar o difícil, fechei os olhos e aceitei o convite de Ribeiro Couto, Múcio Leão e Cassiano Ricardo. Sabia que a iniciativa dos três era apoiada por outros amigos acadêmicos – Olegário Marianno, Alceu Amoroso Lima, Levi Carneiro, Adelmar Tavares, Barbosa Lima Sobrinho, João Neves. E nas primeiras visitas verifiquei que votariam em mim Afrânio Peixoto, Rodolfo Garcia e Roquette-Pinto. Doze votos. Seriam necessários vinte. Meus concorrentes eram quatro. Havia o espantalho da possível candidatura de Getúlio Vargas (houve até a última hora, pois na véspera de se encerrar a inscrição, o secretário d'*O Globo* me disse ter informação "de fonte segura" que a carta do chefe do Governo inscrevendo-se candidato seria entregue naquela tarde).

Nestes onze anos que venho frequentando a Academia, com assiduidade, nunca senti constrangimento na minha maneira de entender e praticar a poesia. A Academia atual difere grandemente da de 1901, mas sem dúvida vale mais do que a de 1924, com que teve de romper Graça Aranha. Na de 1924 só sobreviviam da gloriosa geração fundadora duas grandes figuras: João Ribeiro e Alberto de Oliveira. Medeiros e Albuquerque, com os anos, perdera toda a elasticidade. Tornara-se, apesar de inteligentíssimo, tão reacionário quanto Osório Duque-Estrada, que conseguira penetrar na companhia e, por incrível que pareça, era ouvido (foi ele que em 19 de junho ousou interromper Graça Aranha, transformando a sessão pública, onde não se admite debate, em sessão ordinária, e provocando com isso o escândalo). A Academia atual é mais cordata, mais compreensiva. Pois não comemorou, por proposta de Cassiano Ricardo, unanimemente aprovada, o trigésimo aniversário da Semana Paulista? É verdade que uma vez ou outra vi a arte moderna malsinada em sessão pública. Naturalmente se falava, em tais discursos, da ignorância dos inovadores: os pintores deformam porque não sabem desenhar; os poetas desdenham da lógica e da métrica porque desconhecem a gramática e os tratados de versificação. Que delícia, numa dessas ocasiões, ter ouvido o entonado confrade explodir numa silabada, ao recitar um trecho da "Profissão de fé" de Bilac, pronunciando como proparoxítono o paroxítono "blasfemo"!

É verdade também que, quase todo ano, tenho um bate-boca danado com Olegário Marianno por causa do prêmio de poesia, de cuja comissão julgadora ambos fazemos parte. Doem-me na consciência alguns votos a que fui arrastado por ele? Sim, mas tirei a minha forra fazendo-o premiar comigo dois *mauvais sujets*[59] da Geração de 45: o jovem Lêdo Ivo e o velhinho Domingos Carvalho da Silva.

Para ser verídico até o fim, confessarei que, não obstante ter feito muito bons amigos na Academia, pesa-me de não ver lá dentro Sousa da Silveira; pesa-me de não ver lá dentro mais uma meia dúzia de companheiros que tanto admiro e afeiçoo: Carlos Drummond de Andrade, José Lins do Rego, Afonso Arinos de Melo Franco, Augusto Meyer, Augusto Frederico Schmidt, para só mencionar alguns que sei disporem de ambiente para se fazer eleger. Ao menos que um deles se lembre destas minhas palavras quando vagar a cadeira nº 24.

***

Quando me candidatei à Academia, estavam esgotadas as edições dos meus versos. Era, pois, necessário fazer a toda a pressa, em dois meses, uma nova edição, para que os acadêmicos tomassem conhecimento da minha poesia. No aperto vali-me de meu amigo Alfredo Maia Júnior, que por aquele tempo havia acabado de montar uma impressora – a Companhia Carioca de Artes Gráficas, à rua Camerino. Recomendado por ele ao gerente, foi-me prometida por este a entrega do livro no prazo de sessenta dias. Mas o volume só saiu do prelo depois da eleição. Como se tratava de uma edição de emergência, feita à minha custa, tratei de simplificar tudo, apresentando os poemas em composição corrida, para economia de papel. Aos versos já editados acrescentei novos sob o título de *Lira dos cinquent'anos* (um amigo meu, aliás inteligentíssimo, e muito da minha admiração, viu nesse título já um primeiro sinal de lamentável academização, e exprimiu em letra de forma o seu ligeiro nojo). No *Carnaval* incluí o poema "A Dama Branca", escrito em 1922 ou 1923. Ou 1924?

Há na *Lira dos cinquent'anos* quatro poemas que resultaram da minha atividade de professor de literatura no Colégio Pedro II, cargo para o qual fui nomeado por Capanema em 1938. Esses poemas são o "Cossante", o "Cantar de amor" e os dois sonetos ingleses. Me sinto com a cara no chão, mas a verdade precisa ser dita ao menos uma vez: aos 52 anos eu ignorava a admirável forma lírica da canção paralelística, ignorava a não menos admirável combinação estrófica (*abab cdcd efef gg*) derivada por Wyatt e Surrey do soneto petrarquiano, aparentemente menos dificultosa, na realidade bem mais incômoda de manejar por causa da passagem da quadra para o dístico, o mesmo buraco da oitava rima (por falar nisto, que estupendos sonetos ingleses

---

59 No sentido de *persona non grata*.

não teria feito o Camões, tão grande virtuose da oitava, se tivesse conhecido a forma, levada à maior perfeição pelo seu contemporâneo Shakespeare!).

O "Cantar de amor" foi fruto de meses de leitura dos cancioneiros. Li tanto e tão seguidamente aquelas deliciosas cantigas, que fiquei com a cabeça cheia de "velidas" e "mha senhor" e "nula ren"; sonhava com as ondas do mar de Vigo e com romarias a San Servando. O único jeito de me livrar da obsessão era fazer uma cantiga (a obsessão era sintoma de poema em estado larvar). Escrevi o "Cantar de amor" no vão propósito de fazer um poema cem por cento trecentista. E para ficar seguro de não ter cometido nenhum anacronismo, submeti os versos à crítica de Sousa da Silveira. A juízo do meu amigo, não havia anacronismo na linguagem; havia-o, sim, no sentimento. A observação é finíssima. Mário Pedrosa deu-me um dia a honra de me qualificar poeta muito bem realizado mas inatual. Ora, estou convencido de que homem nenhum pode ser inatual, por mais força que faça. O vocabulário, a sintaxe podem ser inatuais; as formas de sentir e de pensar, não. Somos duplamente prisioneiros: de nós mesmos e do tempo em que vivemos. O pobre José Albano fez um esforço tremendo para não ser do seu tempo e não o conseguiu. Ninguém o consegue.

A tiragem da edição de 40 foi de 2.000 exemplares. Em 1944 estava ela esgotada, e pela primeira vez na minha vida recebi de uma casa editora proposta para edição dos meus versos. A editora foi a Americ-Edit., do francês Max Fischer. A edição, de 2.000 exemplares em papel comum e 1965 em papel de linho.

Nessa edição o livro *Lira dos cinquent'anos* vinha aumentado de dezoito poemas, um deles de 1930 ("Dedicatória"). O soneto em louvor de Augusto Frederico Schmidt foi o único que escrevi à sua maneira, isto é, em versos livres e sem rimas, e fi-lo assim para acentuar a minha homenagem, como se quisesse mostrar em mim ao poeta e a todos a marca de sua garra. "A última canção do beco" é o melhor poema para exemplificar como em minha poesia quase tudo resulta de um jogo de intuições. Não faço poesia quando quero e sim quando ela, poesia, quer. E ela quer às vezes em horas impossíveis: no meio da noite, ou quando estou em cima da hora para ir dar uma aula na Faculdade de Filosofia ou sair para um jantar de cerimônia... "A última canção do beco" nasceu num momento destes, só que o jantar não era de cerimônia. Na véspera de me mudar da rua Morais e Vale, às seis e tanto da tarde, tinha eu acabado de arrumar os meus troços e caíra exausto na cama. Exausto da arrumação e um pouco também da emoção de deixar aquele ambiente, onde vivera nove anos. De repente a emoção se ritmou em redondilhas, escrevi a primeira estrofe, mas era hora de vestir-me para sair, vesti-me com os versos surdindo na cabeça, desci à rua, no beco das Carmelitas me lembrei de Raul de Leoni, e os versos vindo sempre, e eu com medo de esquecê-los, tomei um bonde, saquei do bolso um pedaço de papel e um lápis, fui tomando as minhas notas numa estenografia improvisada, senão quando lá se quebrou a ponta do lápis, os versos não paravam... Chegando ao meu destino, pedi um lápis e escrevi o que ainda guardava de cor... De volta a casa, bati os versos na máquina e fiquei espantadíssimo ao verificar que o poema se compusera, à minha revelia, *em sete estrofes de sete versos de sete sílabas.*

Há em *Homenagem* dois estudos magistrais sobre técnica da poesia: o de Abgar Renault e o de Onestaldo de Pennafort. O de Abgar versa as minhas traduções do inglês. Leem-se nele frases como estas: "Manuel Bandeira solucionou o problema..."; "O tradutor contornou agilmente o escolho, fazendo desaparecer..."; "Mais

uma vez o problema dos monossílabos ingleses é resolvido com a mesma sutileza..."
No fim vêm estas palavras: "Seria injusto, porém, atribuir exclusivamente ao poeta
todo esse êxito. Boa parte deve ser lançada ao crédito dos seus conhecimentos da
língua em que foram escritos os *Sonnets from the Portuguese*. Há sutilezas, '*sha-
des of meaning*',[60] '*idioms*' e outras dificuldades de natureza puramente gramatical
ou linguística, que a simples intuição poética não resolveria absolutamente e que
estavam a exigir uma longa, íntima familiaridade com os fatos e coisas da língua
inglesa" etc. Gostaria que fosse verdade o louvor tão lisonjeiro de meu querido amigo Abgar. Mas devo confessar que sou bastante fundo no inglês. Fundo no sentido
que a palavra tem na gíria. Todas aquelas soluções julgadas tão felizes pelo crítico,
por mais cavadas ou sutis que pareçam, devem se ter processado no subconsciente,
porque as traduções me saíram quase ao correr do lápis. Antes, houve, sim, o que
costumo fazer sempre quando traduzo: deixar o poema como que flutuar por algum tempo dentro do meu espírito, à espera de certos pontos de fixação. Aliás só
traduzo bem os poemas que gostaria de ter feito, isto é, os que exprimem coisas que
já estavam em mim, mas informuladas. Os meus "achados", em traduções como em
originais, resultam sempre de intuições.

A propósito de minha tradução de uma canção de Christina Rossetti escreveu Sérgio Milliet (*Diário Crítico*, 3º volume): "Se se colocar em frente desse texto
o original inglês ter-se-á uma ideia precisa daquilo que eu insisto em denominar
equivalência e que consiste não na tradução exata das palavras, mas na expressão
do mesmo sentimento, e até das mesmas imagens, sob forma diferente". Foi essa
equivalência que sempre procurei em minhas traduções.

Há versos que nem quebrando a cabeça semanas a fio consigo traduzir. Não
se trata de poesia intraduzível por sua própria natureza, como a de Mallarmé ou a
de Valéry, em que a emoção poética está rigorosamente condicionada às palavras (e
foi, creio, nesse sentido que Mallarmé disse a Degas que a poesia se faz com palavras
e não com sentimentos), mas de poesia traduzível até em prosa.

A primeira edição de minhas traduções (350 exemplares em papel *vergé*) foi
muito carinhosamente preparada por Murilo Miranda (R. A. Editora, 1945: R. A., *Revista Acadêmica*), com ilustrações de Guignard. As provas me foram dadas sem as
capitulares, de sorte que a edição saiu com um erro que se repetiu na 2ª edição (Livraria do Globo) e de que até hoje não me consolei. Foi num dos nove poemas de
Hölderlin, que traduzi a pedido de Otto Maria Carpeaux (uma das maiores batalhas
que já pelejei na minha vida de poeta...). A estrofe inicial do poema "Metade da vida"
é assim:

> Peras amarelas
> E rosas silvestres
> Da paisagem sobre a
> Lagoa.

Provavelmente o linotipista não acreditava que se pudesse misturar peras a
rosas e imaginou que devia ser "heras" e não "peras". Assim que, todos os que estas
insossas memórias estiverem lendo, fiquem cientes que não escrevi nem jamais

---

60 "Pequenas diferenças de sentido."

escreveria aquele horrendo verso "Heras amarelas". Previno também que tendo traduzido a "Balada da linda menina do Brasil", de Rubén Darío, como ela vem, erradíssima, na péssima edição de Aguilar (1941), resultou uma grande porcaria. Refiz a tradução segundo o texto da *Antologia poética de Rubén Darío*, de Torres Rioseco (Guatemala C. A., 1948) e publiquei-a num dos números de 1951 da revista *Santiago*.

A primeira edição dos *Poemas traduzidos* trazia uma advertência em que eu explicava que a maioria das traduções apresentadas não as fizera eu "em virtude de nenhuma necessidade de expressão própria, mas tão somente por dever de ofício, como colaborador do *Pensamento da América*, suplemento mensal d'*A Manhã*, ou para atender à solicitação de um amigo". Sérgio Milliet meteu-me o pau por isso. "Não compreendo um grande poeta a traduzir sem *necessidade de expressão própria*. Há nessa advertência um orgulho agressivo e uma indisfarçável vaidade. Orgulho por implicar a nota em menosprezo às produções alheias, *por dever de ofício* traduzidas. Vaidade pela afirmação de segurança técnica que o trabalho artesanal exprime." O bom Sérgio precisa reformar o seu juízo. Não estarei a salvo do orgulho, apesar de todos os dias rezar baixinho o verso de Verlaine: "*Seigneur, délivrez-moi de l'orgueil, toujours bête!*",[61] nem da vaidade, especialmente a de me julgar destorcido na ginástica do verso, a única a mim permitida desde os 17 anos. No caso, porém, não houve nem um nem outro pecado. Dizer que, "sem necessidade de expressão própria", traduzi um poema, não implica que o tenho em menosprezo. Há tantos grandes poemas que admiro de todo o coração e que traduziria "sem nenhuma necessidade de expressão própria". As "*Soledades*" de Góngora, por exemplo. Mas é-se levado a pensar que o fato de traduzir inculca certa preferência. Era meu direito, sem sombra de orgulho, dar a entender que no meu caso não o havia. Se Milliet está certo, isto é, se não se compreende um grande poeta a traduzir sem necessidade de expressão própria, então é que eu não sou grande poeta, o que aliás me parece evidente. Quando a meu pai chamavam de bom, a sua resposta invariável era: – Bom é Deus. Pois ao me ouvir chamar de grande poeta, quero sempre dizer: – Grande é Dante.

***

A edição das *Poesias completas* feita pela Americ-Edit. esgotou-se rapidamente. Fischer já assinara comigo contrato para nova edição e para uma segunda edição aumentada das *Crônicas da província do Brasil*, quando o fim da guerra veio pôr fim também às atividades da sua casa editora. Foi um custo para mim reaver os originais já entregues das *Poesias completas*, e os das *Crônicas* perderam-se.

Tratei então de organizar nova edição das *Poesias escolhidas* e para isso me apalavrei com os Irmãos Pongetti. Os meses foram passando e o livro não saía. Pensando que não saísse nunca, aceitei proposta de Arquimedes de Melo Neto, diretor da editora da Casa do Estudante, para nova edição das *Poesias completas*. O resultado é que em 1948 vieram a lume, ao mesmo tempo, as duas edições. Receei, pelos editores, que uma edição fosse prejudicar a outra. Louvado Deus, me enganei, só que as *Escolhidas*, que custavam metade do preço das *Completas*, se esgotaram em

---

61 "Senhor, livrai-me do orgulho, sempre estúpido!"

1952, ao passo que em 1951 já a Livraria da Casa do Estudante lançava outra edição, desta vez de 3.000 exemplares, aumentada.

Não tive cara para incluir nas edições de 1948 o poema "Infância". É que há nele certo verso em que conto um episódio impossível de suprimir no poema porque seria uma mutilação de todo o quadro evocado. A coisa está dita cruamente, e tinha que ser dita assim para que não se insinuasse nas palavras o menor ressaibo de malícia. É um desses casos em que a maior inocência se afirma precisamente pelo maior despejo (aparente). O que eu temia não era a condenação dos homens graves, nem da crítica desafeta, que me atribuísse intenção de escândalo. Não, o que eu não queria era chocar as minhas fãs menores de dezesseis anos. Afinal o meu escrúpulo foi-se gastando com o tempo, é verdade que ajudado pela opinião de amigos, alguns deles católicos e um até sacerdote, que me tranquilizou dizendo: – Muito inocente, muito inocente. Assim decidi incluir o poema, com todos os ff e rr, na edição de 1951.

Um poema da *Lira dos cinquent'anos*, "Belo belo", deu-me o título para o novo livro das *Poesias completas*, no qual se inclui, aliás, outro poema com o mesmo título. Na edição de 1951 acrescentei mais quatorze poemas, sendo que o intitulado "Céu" é bem antigo (não posso precisar-lhe a data). Tanto esse como "Brisa", "Poema só para Jayme Ovalle" e "Minha terra" tinham ficado de quarentena. Costumo fazer isso, ou porque, depois de concluído o poema, não saiba avaliar se presta, ou porque no momento não tenha achado solução para alguma perplexidade. (Os meus versos "Consoada"[62] foram encontrados numa pasta e em estado informe; tinha-me esquecido deles e a princípio nem pude compreender do que se tratava, pensei até que fosse algum ensaio de tradução; depois me fui lembrando que era resíduo de uma tentativa fracassada de poema.)

Não farei observações sobre os poemas de *Belo belo*: estas memórias já me vão cansando, e por isso a quem interessar conhecer as circunstâncias ou motivos ligados a certos poemas remeto à entrevista que dei a Paulo Mendes Campos e se pode ler no nº 13 (março-junho de 1949) da revista *Província de São Pedro*. Abro exceção para o soneto "O lutador", porque desejo dizer alguma coisa a respeito dos poemas que tenho feito durante o sono. Foram numerosos. Infelizmente não os pude recompor depois de acordado. Só duas vezes o consegui. Da primeira vez, imperfeitamente: foi o caso de "Palinódia".[63] Ao despertar, me lembrava ainda nitidamente dos quatro últimos versos:

> [...] não és prima só
> Senão prima de prima
> Prima-dona de prima
> – Primeva.

e vagamente dos primeiros:

> Quem te chamara prima
> Arruinaria em mim o conceito
> De teogonias velhíssimas
> *Todavia viscerais.*

---

62 Do livro *Opus 10*.
63 Do livro *Libertinagem*.

Para completar o poema tive que inventar a segunda estrofe, que não saiu hermética, como a primeira e a terceira. Achei que seria melhor isso do que fingir obscuridade, coisa que jamais pratiquei. É verdade que tentei o ditado do subconsciente, segundo a receita *surréaliste* (fracassei, como sempre).

Do "Lutador" eu me lembrava quase integralmente; havia um ou outro claro, que precisei encher depois de despertado.

Há na poesia inglesa uma obra-prima que é uma *dream-wrought fabric*: o "Kubla Khan" de Coleridge. Conhecemos a gênese do poema pela narrativa do próprio autor. Para curar-se de uma ligeira indisposição, tomara o poeta uma dose de ópio e adormecera sentado no momento preciso em que lia no *Purchas's Pilgrimage*[64] esta frase: "Aqui o Khan Kubla mandou construir um palácio com suntuoso jardim. E assim dez milhas de terra feraz foram cercadas de muro." Despertando do sono, que durou umas três horas, lembrava-se de todo o poema que, inspirado naquelas palavras, compusera em sonho. Começou a escrever os versos. Nessa tarefa foi interrompido por alguém que se demorou com ele cerca de uma hora. Quando voltou ao poema, viu, surpreso e mortificado, que tinha esquecido a continuação; só conservava uma reminiscência vaga e indistinta do conteúdo geral da visão, salvo uns oito ou dez versos e imagens esparsos. Ao publicar pela primeira vez o fragmento de "Kubla Khan", declarou Coleridge fazê-lo "mais como curiosidade psicológica do que fundado em quaisquer supostos méritos *poéticos*". Não há, porém, quem não concorde com o juízo de Lowes em *The road to Xanadu*,[65] quando diz que o poema é "infinitamente mais do que uma curiosidade psicológica".

Desçamos agora das alturas de "Kubla Khan" para o meu "Lutador", que com ele só pode ser alinhado a título de "curiosidade psicológica". Esta foi a gênese do soneto: ouvi um dia de minha prima Maria do Carmo do Cristo Rei, monja carmelita, a narrativa de viagem que lhe fizeram umas irmãs peruanas, de volta de uma peregrinação a Ávila, onde viram as relíquias da reformadora do Carmelo. Naturalmente falaram com unção do coração transverberado da grande santa. A palavra "transverberado" impressionou-me fundamente. Passei o resto do dia pensando nela, mas sem nenhuma ideia de poema. No dia seguinte de manhã acordo com o soneto pronto na cabeça, com título e tudo. *Believe it or not*. Não sei até hoje quem seja o lutador. O primeiro quarteto não permite supor que se trate do Cristo: aplica-se, sim, a Beethoven, cuja biografia escrita por Romain Rolland li e reli comovidíssimo aos vinte e tantos anos. Tanto esse soneto como a "Palinódia" são coisas que tenho que interpretar como se fossem obra alheia.

***

Nesse mesmo ano de 1948 publiquei em livro sob o título de *Mafuá do malungo* os meus versos de circunstância. "O poeta se diverte", comentou Carlos Drummond de

---

64 *A peregrinação de Purchas*, obra do escritor inglês Samuel Purchas (1577?-1626).

65 *The road to Xanadu*: a study in the ways of the imagination (*A estrada para Xanadu*: um estudo sobre os caminhos da imaginação), do norte-americano John Livingstone Lowes (1867-1945), especialista na obra de Samuel Taylor Coleridge.

Andrade, traduzindo um verso de Verlaine. E era isso mesmo. Já contei que os meus primeiros versos datam dos dez anos e foram versos de circunstância. Até os quinze não versejei senão para me divertir, para caçoar. Então vieram as paixões da puberdade e a poesia me servia de desabafo. Ainda circunstância. Depois chegou a doença. Ainda circunstância e desabafo. Fiz algumas tentativas de escrever poesia sem apoio nas circunstâncias. Todas malogradas. Sou poeta de circunstâncias e desabafos, pensei comigo. Foi por isso que, embora se dê comumente o nome de versos de circunstância aos do tipo do *Mafuá do malungo*, preferi não intitulá-los *Versos de circunstância*, como tive ideia a princípio. "Mafuá" toda a gente sabe que é o nome por que são conhecidas as feiras populares de divertimentos; "malungo", africanismo, significa "companheiro, camarada". Uma boa parte do livro são versos inspirados em nomes de amigos. O mais antigo, o ponto de partida dos *Jogos onomásticos*, é o que escrevi para Temístocles Graça Aranha em 1912 (foi quando o conheci em Petrópolis, no Hotel da Europa, a ele e a seu pai).

É possível que nunca viesse a publicar esses versos se não fosse a neurastenia de João Cabral de Melo, que, aconselhado pelo médico a adotar um *hobby* manual, escolheu a arte tipográfica e começou a lançar de Barcelona uma série de edições limitadas do mais fino gosto. Pediu-me o poeta-tipógrafo alguma coisa minha para imprimir e eu me lembrei dos meus jogos onomásticos e outras brincadeiras. Por coincidência que me foi muito grata, ao aparecer aqui o meu *Mafuá* saiu no México o volume *Cortesía*, de Alfonso Reyes; com a diferença que o poeta mexicano juntou aos seus versos de circunstância versos de amigos que dizem respeito à pessoa dele, como por exemplo o meu "Rondó dos cavalinhos".[66] Em curto prefácio, depois de recordar a produção, no gênero, de Marcial, Góngora, Juana Inés de la Cruz, Mallarmé e Rubén Darío, lamenta Reyes que se tenha perdido o bom costume de tomar a sério – "*o mejor en broma*" – os versos sociais, de álbum, de cortesia. E acrescenta estas palavras que eu gostaria de ter tomado por epígrafe do meu *Mafuá*: "*Desde ahora digo que quien sólo canta en do de pecho no sabe cantar: que quien sólo trata en versos para las cosas sublimes no vive la verdadera vida de la poesía y de las letras, sino que las lleva postizas como adorno para las fiestas*".[67]

Pareceu a mais de um crítico, Sérgio Milliet por exemplo, que alguns poemas do livro mereceriam passar para o volume das *Poesias completas*. Antes de escrever estas linhas dei-me ao trabalho de verificar a sugestão. Da releitura saí com a certeza de que nenhum transcende da circunstância e por conseguinte têm todos de permanecer no requietório do *Mafuá*.

***

Na minha vida de poeta os meus contatos têm sido sempre com gente nova, o que talvez explique que eu venha envelhecendo devagar. Não é que eu tenha, em tempo algum, procurado os novos: jamais procurei ninguém, o que de minha parte era

---

66 Poema do livro *Estrela da manhã*.

67 "Desde agora afirmo que quem só canta em 'dó de peito' não sabe cantar: que quem se vale de versos apenas para as coisas sublimes não vive a verdadeira vida da poesia e das letras, levando-as postiças como adorno para as festas."

timidez, não orgulho. Mas sempre, desde Afonso Lopes de Almeida e Ribeiro Couto, fui procurado por gente mais moça do que eu. Estreei com uma geração que não era a minha, e nas gerações seguintes vim encontrando grandes amigos em suas maiores figuras. Agora está aí roncando bravura a chamada Geração de 45: há nela uma meia dúzia de talentos que não me toleram nem como poeta nem como homem. Dou-lhes razão, porque, como o dr. Strauss do meu confrade Austregésilo, eu "positivamente não gosto de mim". Mas eles acabarão gostando: sei, por experiência, que no Brasil todo sujeito inteligente acaba gostando de mim.

Tenho meus fãs na Geração de 45: com desvanecimento o digo. Dois deles, Thiago de Mello e Geir Campos, não me deixaram sossegar enquanto não lhes dei matéria para uma edição "Hipocampo". Eis porque este ano apareceu, magrinho, o meu *Opus 10*, que será acrescentado à futura edição das *Completas*.

Falei na Geração de 45: ela, e o que eu chamei a segunda estreia de Cassiano Ricardo (o Cassiano de *A face perdida*, *Um dia depois do outro* e *Poemas murais*), e as retardadas edições em livro de Américo Facó, Dante Milano e Joaquim Cardozo vieram tornar a minha *Apresentação da poesia brasileira*, escrita antes de 1945, um livro truncado. Deus me dê tempo para atualizar aquelas páginas.

Olhemos agora para trás. Quando caí doente em 1904, fiquei certo de morrer dentro de pouco tempo: a tuberculose era ainda a "moléstia que não perdoa". Mas fui vivendo, morre não morre, e em 1914 o dr. Bodmer, médico-chefe do sanatório de Clavadel, tendo-lhe eu perguntado quantos anos me restariam de vida, me respondeu assim: "O sr. tem lesões teoricamente incompatíveis com a vida; no entanto está sem bacilos, come bem, dorme bem, não apresenta, em suma, nenhum sintoma alarmante. Pode viver cinco, dez, quinze anos... Quem poderá dizer?..."

Continuei esperando a morte para qualquer momento, vivendo sempre como que provisoriamente. Nos primeiros anos da doença me amargurava muito a ideia de morrer sem ter feito nada; depois a forçada ociosidade. Já disse como publiquei *A cinza das horas* para de certo modo iludir o meu sentimento de vazia inutilidade. Este só começou a se dissipar quando fui tomando consciência da ação dos meus versos sobre amigos e principalmente sobre desconhecidos. Uma tarde voltei para casa seriamente impressionado de ter ouvido, na Livraria José Olympio, Rachel de Queiroz me dizer: "Você não sabe o que a sua poesia representa para nós". Foi à força de testemunhos como esse, às vezes de gente quase de todo alheia à literatura, que principiei a aceitar sem amargura o meu destino. Hoje na verdade me sinto em paz com ele e pronto para o que der e vier.

Otto Maria Carpeaux, escrevendo uma vez a meu respeito, disse, com certeira intuição, que no livro ideal em que ele estruturaria a ordem da minha poesia, esta partia "da vida inteira que poderia ter sido e que não foi" para outra vida que viera ficando "cada vez mais cheia de tudo". De fato esse é o sentido profundo da "Canção do vento e da minha vida".[68] De fato cheguei ao apaziguamento das minhas insatisfações e das minhas revoltas pela descoberta de ter dado à angústia de muitos uma palavra fraterna. Agora a morte pode vir – essa morte que espero desde os dezoito anos: tenho a impressão que ela encontrará, como em "Consoada" está dito, "a casa limpa, a mesa posta, com cada coisa em seu lugar".

---

68   Poema do livro *Lira dos cinquent'anos*.

CRÔNICAS DA PROVÍNCIA DO BRASIL

A Rodrigo M. F. de Andrade

ADVERTÊNCIA DA PRIMEIRA EDIÇÃO

A maioria destes artigos de jornal foram escritos às pressas para A Província *do Recife,* Diário Nacional *de São Paulo, e* O Estado de Minas *de Belo Horizonte. Eram crônicas de um provinciano para a província. Aliás este mesmo Rio de Janeiro de nós todos não guarda, até hoje, uma alma de província? O Brasil todo é ainda província. Deus o conserve assim por muitos anos!*

NOTA: Suprimiram-se nesta edição as crônicas "De Vila Rica de Albuquerque a Ouro Preto dos estudantes", "O Aleijadinho" e " Carlos Drummond de Andrade". O motivo da supressão é que a matéria delas foi aproveitada quase *ipsis litteris* em outras obras do autor.

Bahia

Nunca vi cidade tão caracteristicamente brasileira como a "boa terra". Boa terra! É isso mesmo. A gente mal pisou na cidade baixa e já se sente tão em casa como se ali fosse a grande sala de jantar do Brasil, recesso de intimidade familiar de solar antigo com jacarandás pesados e nobres.

Ali a gente se sente mais brasileiro. Em mim confesso que, mais forte do que nunca, estremeceram aquelas fundas raízes raciais que nos prendem ao passado extinto, ao presente mais remoto. Raízes em profundidade e em superfície. E fiquei comovidíssimo, querendo mais bem não somente aos baianos, com que ali me irmanava, senão também aos patrícios mais afastados ou mais esquivos – paulistas, acrianos, gaúchos, mato-grossenses. Comoção brasileira, como experimentei também vendo o coro de anjinhos mulatos de Tarsila do Amaral.

Um espírito amargo me foi logo advertindo à minha chegada:

– Vai ter uma péssima impressão disto aqui. Cidade sem higiene, sem água, sem esgotos, sem iluminação.

Que bem me importava tudo isso! Estou farto de tanta luz crua voltaica. Um dia virá em que um governador bem-nascido dará aos baianos todos esses bens preciosos. Não lhes dê, porém, luz demais, como fizeram a este Rio de Janeiro, que parece automóvel noturno de novo-rico. O que ninguém lhes poderia dar é aquele aspecto tradicional, tão diferente do das velhas cidades mineiras, porque na Bahia a tradição está viva, integrada no presente mais atual, dominando estupendamente o progressismo apressado, sovina e tapeador que tem desfigurado as nossas cidades litorâneas, que estragou completamente o meu Recife.

Há muita gente ingênua para quem progresso urbano é avenida e arranha-céu. Modernidade – asfalto e cimento armado. Pois eu estou pronto a sustentar para essas sensibilidades modernas, que os tais arranha-céus cariocas não passam de casarões passadistas de muitos andares, ao passo que os velhos sobradões de duas águas da Bahia, com três, quatro andares e soteias, obedecem à estética despojada, linear, sintética dos legítimos arranha-céus.

O que surpreende nos arquitetos e construtores do período colonial, do Primeiro Reinado e primeira metade do Segundo, é essa adaptação ao ambiente, às necessidades arquitetônicas, à natureza do material.

Eles bem que enfeitavam com amor e capricho um solar térreo ou de dois pavimentos. Mas nos tais sobradões, que nada! Serviam-se de linhas simples e poucas, dispondo dos claros com uma ciência ou intuição admirável da assimetria. O que há de variedade nas fachadas dos oitões! Um velho quarteirão baiano lembra muito as sínteses plásticas dos pintores modernistas quando representam uma cidade.

Não se pense que não tenham feito tolices na Bahia. Tanto a administração pública como os particulares. A casa da Câmara Municipal, por exemplo, que deve ter sido um bonito edifício, está inteiramente desfigurada. O palácio do governo é monstruoso, e faz rir o espetáculo das lápides que assinalam em inscrições bem legíveis os nomes do governador que ordenou a obra, do arquiteto que a planeou, dos mestres de obras que a executaram, dos engenheiros civis que serviram na fiscalização. Mas repito: o velho ambiente, pela abundância e força de suas formas, abafa o mau gosto das construções recentes.

Foram dias de tocante contemplação esses em que andei pelas praças, ruas e becos da Bahia na companhia do guia mais inteligente e mais solícito que se me podia deparar: Godofredo Filho.

Foi graças a Godofredo Filho que pude conhecer muita curiosidade escondida da boa terra.

Não comi, como os viajantes de escala, os vatapás e carurus da Petisqueira, pratarrazes comerciais afinal de contas. Godofredo levou-me com mistério à cozinha modesta onde a gorda preta Eva preparava, com a simplicidade do trivial mais fácil, as mais estupendas misturas de dendês e pimentas queimadas que já provei na minha vida. Era passar lá às nove da manhã e encomendar: peixada de moqueca, ou vatapá, ou caruru, ou efó, ou galinha de xinxim. Quando se voltava ao meio-dia encontrava-se um prato cheiroso e complicadíssimo que parecia exigir um mês ao menos de manipulação. E aparecendo de improviso era quase a mesma coisa.

Mas é tempo que eu comece a falar do que há de mais belo na Bahia – as suas igrejas. E em primeiro lugar da mais rica maravilha de todo o Brasil: a igreja de São Francisco.

Os críticos de arte europeus não poupam o estilo barroco, considerado por eles como uma degenerescência do Renascimento.

É a época da decoração pela decoração, diz Reinach, intervindo em toda a parte e a contrassenso, comprazendo-se numa visão quase febril de linhas atormentadas e de relevos imprevistos. Entretanto, depois de dizer "que o gênio da Renascença acabou por afundar naquela orgia decorativa", acrescenta: "não sem ter produzido, todavia, até ao fim do século XVIII, edifícios notáveis pela ousadia e elegância".

O interior da igreja de São Francisco da Bahia é um desses exemplos de Barroco depurado e harmonioso. Por prodigioso que seja o trabalho de talha dourada, não deixando pedaço nu de parede, nunca a abundância e a riqueza da ornamentação obscurecem o relevo das grandes linhas, sempre bem acusadas em toda a sua força e majestade.

Em nossa terra exuberante, onde a natureza dá o modelo do mais fantástico capricho de curvas, o Barroco é o grande estilo religioso. Os nossos maiores sentiram isso. Agora é que deram para um gótico mofino, um gótico pobre, quase protestante, que destoa insipidamente no céu brasileiro. Pois essa gente não compreende *que o ogival foi uma coisa que aconteceu na França e acabou-se*? Todos esses nossos góticos de meia-tigela não valem a igrejinha pobre de Mangaratiba ou outra qualquer capelinha caiada de arraial.

A história da igreja e convento de São Francisco está minuciosamente contada no *Orbe seráfico*, de frei Antônio de Santa Maria Jaboatão.

Convidados por Dom Antônio Barreiros, bispo de São Salvador, vieram os franciscanos à Bahia, onde levantaram no ano de 1587 um pequeno convento e igreja no mesmo local do templo de hoje.

Um século mais tarde, convento e igreja já eram acanhados para o desenvolvimento da ordem e da cidade, razão pela qual se pensou em erguer casa mais vasta e mais rica.

As obras do novo convento começaram em 1686. Em 1708 lançava-se a pedra fundamental da igreja, segundo consta do *Livro dos guardiães:*

> Ao 1º de novembro de 1708 benzeu a primeira pedra o Ilmo. Sr. D. Sebastião Monteiro da Vide, arcebispo metropolitano deste Estado do Brasil; e a lançou no fundo a uma parte do Cruzeiro, quer dizer, onde se cruzam os arcos da capela-mor e da nave transversal, junto com o Sr. Luís César de Meneses, governador-geral. Esta memória se lançou neste livro para que se saiba a todo o tempo, e nos mostremos agradecidos a este povo da Bahia, e seu Recôncavo; pois nos deram esmolas com que fizemos este Convento, e imos fazendo este templo tão grandioso.

Era então guardião frei Vicente das Chagas.

Já em 1713, ainda longe de completado o templo, rezava-se nele a primeira missa para celebrar a festa do Seráfico Patriarca.

Assim reza o cronista do *Livro dos guardiães:*

> A 8 de outubro de 1713, véspera de N. P. S.. Francisco, de tarde, benzeu a igreja deste Convento o Ilmo. Sr. arcebispo desta metrópole D. Sebastião Monteiro da Vide, e se fez uma procissão pelas ruas da cidade com aplauso e contentamento universal de todo o povo. Levou o Santíssimo Sacramento o Sr. arcebispo, o qual, recolhida a procissão, o colocou na igreja, e ao outro dia, que foi de N. P. S. Francisco, celebrou a primeira missa, dizendo-a de Pontifical, o dito senhor.

Os trabalhos de construção propriamente estavam concluídos em 1723, mas a decoração interna se prolongou ainda por muitos anos, só ficando pronta em 1750.

Levou, pois, 42 anos o acabamento daquela grandiosa fábrica.

Há mais de duzentos anos lá está ela, piedosamente conservada pelo zelo religioso e artístico dos irmãos de São Francisco.

Tempo houve em que a mão do tempo exerceu o seu estrago. O decreto da Regência que restringia às ordens a faculdade de admitir noviços (1834) e o do governo imperial que de todo a retirava (1855), causaram o despovoamento dos conventos, cujos patrimônios artísticos entravam a arruinar-se por falta de zeladores.

Felizmente a República restaurou a liberdade de profissão religiosa. Da Europa, sobretudo da Alemanha, nos vieram numerosos religiosos de São Francisco, e estes puseram logo mãos à obra de reparação da majestosa casa.

Compõe-se o interior de uma vasta nave central, ladeada de duas outras mais baixas, abrindo-se para ela em quatro arcos e com três capelas cada uma.

A nave principal é cortada em cruz por uma nave transversal, em cujos extremos estão colocados os altares de Nossa Senhora da Glória e do Sagrado Coração de Jesus, primitivamente de São Luís e mais tarde do Senhor Santo Cristo da Boa Sentença, ambos talvez mais ricos do que o santuário.

As balaustradas que separam as naves laterais da central foram talhadas em jacarandá por um irmão da ordem, frei Luís de Jesus, mais conhecido por frei Luís Torneiro.

Era um artista habilíssimo, que, além daquela talha notável, deixou as mesas e os ricos armários da sacristia, as cadeiras e estantes do coro e a escadaria que leva ao primeiro andar do convento, tudo de jacarandá.

Os tetos são admiráveis. O da nave principal faz meia-volta junto às paredes, sendo o mais corpo de esteira aquartelado com painéis de molduras douradas. Os das capelas laterais são abobadados, com arcos de barretes de talha. A abóbada da capela-mor retém longamente a vista do observador pela engenhosidade com que o artista obteve o forte e rico efeito de girândola pela simples combinação de hexágonos e octógonos.

Escreveu o autor do *Orbe seráfico*:

> Depois do material das suas paredes, se cuidou logo no seu interior ornato, mandando-se fazer retábulos, forros, douramentos, grades, sepulturas de mármore, e o mais na perfeição e grandeza que se vê... e tudo a benefício e esmolas do povo em comum, e de muitos benfeitores em particular para que assim seja melhor servido, e mais glorificado Deus em si, e nos seus santos, que é o princípio e fim para que se ordenam os templos...

Entre esses benfeitores a que se refere frei Antônio de Santa Maria Jaboatão, está em primeiro lugar el-rei Dom João V, que fez vultosas doações ao convento. Foi ele que mandou revestir de painéis de azulejos o claustro do convento, que custeou o douramento do altar de Santo Antônio e a este santo conferiu o posto de capitão intertenido do forte de Santo Antônio da Barra. Também foram oferta real as duas belas pias de mármore português.

Doação magnífica foi a do capitão Antônio de Andrade Torres: a maravilhosa lâmpada da capela-mor, toda de prata maciça do Porto, medindo mais de dois metros de altura e pesando oitenta quilos.

Os irmãos franciscanos têm especial ufania em mostrar aos visitantes, como a mais bela imagem do Brasil, a figura em madeira de São Pedro de Alcântara, obra do escultor baiano Manuel Inácio da Costa. É realmente uma escultura notável pela expressão de sofrimento estampada no rosto e nas mãos. Quando Dom Pedro II visitou o convento, em 1859, ficou tão impressionado pela imagem do seu padroeiro que se propôs adquiri-la pela quantia de trinta contos. Não o conseguiu.

Também de Manuel Inácio da Costa são as belas imagens da Virgem da Conceição, da Senhora de Sant'Ana e de Santo Antônio. No nicho em que se abriga este último venerava-se antigamente a milagrosa imagem de Santo Antônio de Arguim, festejado anualmente pela Câmara e povo, por ter sido ele o protetor da cidade contra os invasores holandeses.

A imagem de Nossa Senhora da Piedade, também notável, é obra de outro escultor baiano – Antônio de Sousa Paranhos.

Frei Matias Teves, de cuja monografia colhemos os dados para estes informes, faz esta admirada interrogação: considerando as condições do tempo e das circunstâncias em que foi planejada e executada obra tão grandiosa, como foi isso possível? Que homens eram estes que, só duzentos anos depois do descobrimento, num meio apenas iniciado na civilização, longe dos elementos que na velha Europa favoreciam o desenvolvimento das belas-artes, provocaram no Brasil uma primavera de arte, exuberante e encantadora, de que o nosso templo é testemunho magnífico e glória imorredoura?

Anexado ao templo está o formidável edifício do convento, cujos fundos dominam com quase centena e meia de janelas o casario da cidade baixa.

As celas são pobres, segundo os votos da ordem. Além do claustro de azulejos, a que já nos referimos, delicioso retiro de contemplação, é digna de nota a sala da biblioteca, sem riqueza mas de harmoniosíssimo efeito nos seus azuis e rosados de tijolo.

Modesto é o convento dos frades carmelitas. Modesto em comparação com o de São Francisco, pois se trata também de uma imponente mole, onde outrora vivia uma multidão de frades. Hoje são apenas cinco monges, insuficientes para zelar pela grandeza do edifício. O tempo, os maus abades, os ladrões despojaram a casa de muitos primores. Contudo, ainda resta o que ver, e o guardião atual defende com solicitude o patrimônio restante.

Não se imagina o que é por esse Brasil afora a pilhagem das igrejas pelos antiquários! Quando visitamos o convento do Carmo, andava o abade às voltas com dois sujeitos que havia uma semana o sitiavam para comprar por bom preço a linda mobília joanina que guarnece a sala histórica em que os capitães holandeses assinaram o tratado de entrega da cidade.

Pela famosa cadeira de Dom João V já houve quem oferecesse 35 contos. Quando Dom João regente passou pela Bahia, hospedou-se num solar (hoje desfigurado!), fronteiro ao convento. E fazia transportar à capela dos carmelitas a poltrona de jacarandá e assento de couro furado, em que rezava o ofício com os frades. Retirando-se para o Rio, fez doação da cadeira ao convento. Está hoje na sacristia, exposta como uma joia.

Na igreja são dignos de nota os grandes tocheiros de prata maciça, tão pesados que os ladrões não lograram carregar quando de uma feita assaltaram o templo, o revestimento do altar-mor igualmente de prata todo ele, e a lápide singela que cobre os despojos do conde de Bagnuolo.

O convento de São Bento já não foi obra daqueles homens de que se espantou frei Matias Teves. A casa está toda infiltrada de mau gosto e da mediocridade do estilo Sagrado Coração. O velho coro de jacarandá, removido para uma sala interior, onde assenta hoje o cabido, cedeu lugar a um pau-amarelo todo requififeado.

Nada que ver, senão uns belos móveis de jacarandá, a livraria e uma pequena lápide quadrada no chão de uma saleta de passagem com esta simples inscrição: "Aqui jaz um pecador". É a sepultura de Gabriel Soares, o do roteiro.

A livraria dos beneditinos é que é notável pelos exemplares raros e preciosos que encerra. Infelizmente os monges são poucos para cuidar convenientemente dos livros, muitos dos quais estão se esfarelando pela ação dos bichos. Entre outras obras de valia vi lá a primeira edição da *Enciclopédia francesa*, em bom estado.

Godofredo Filho levou-me a quase todas as velhas igrejas da Bahia, bisbilhotando nas sacristias e desvãos escusos para descobrir peças interessantes. Algumas merecem que nos detenhamos um pouco. E para começar, a maciça, sombria Sé Velha, avó rija e venerável. Erguida no sítio onde se levantou a Sé de Palha, primeira igreja construída no Brasil, creio eu, a velha Sé ainda é dos tempos em que as casas de Deus deveriam servir eventualmente de fortalezas, e daí as suas paredes robustas de poucas e acanhadas abertas. A fachada principal, que dá para o mar, era toda de pedra. Como o peso ameaçava esbarrondar o morro, foi ela demolida *pelo governador-geral, pensando-se* substituí-la por uma frente trabalhada em barro. Coisa que nunca se fez. No interior, rica prataria guardada na pequena capela à esquerda do altar-mor.

A dois passos da Sé Velha fica a pequena igreja da Misericórdia, onde tantas vezes pregou o padre Vieira, com claustro revestido de belos azulejos.

Em estilo mais severo e inteiramente construídas de pedra são as duas igrejas da Conceição da Praia e Catedral. Esta tem a honra de guardar os restos de Mem de Sá no centro da cruz em face da capela-mor e os de Vieira, que estão na primeira capela lateral à direita. No altar-mor se vê o quadrinho histórico da Virgem, ao qual os jesuítas se abraçaram e encomendaram por ocasião do naufrágio de que se salvaram milagrosamente. Era esta a casa dos jesuítas. O Colégio ainda se conserva em parte como foi no tempo de Vieira, cuja cela era a última no fundo do corredor.

Outra maravilha, a sacristia da Catedral. Imaginem-se duas enormes cômodas de jacarandá de uns sete metros de comprimento, ricamente embutidas de tartaruga e marfim, guarnecidas cada uma com oito pequenos painéis a óleo, cenas bíblicas traçadas com forte ciência de composição e grande doçura de colorido. Essas pinturas suscitaram a cobiça de um rico americano, que ofereceu três contos por cada painel.

Quanta igreja bonita, meu Deus! São Domingos, ao lado da casa em que nasceu Gregório de Matos, São Pedro dos Clérigos, a pequenina capela do Monte Serrat, a de Nossa Senhora da Graça... Esta foi mandada levantar pela Paraguaçu, segundo reza a inscrição tumular:

> Sepultura de D. Catarina Álvares Paraguaçu, senhora que foi desta capitania da Bahia. A qual ela e seu marido Diogo Álvares, natural de Viana, deram aos senhores reis de Portugal. Edificou esta capela de Nossa Senhora da Graça e a deu com as terras anexas ao patriarca de S. Bento em o ano de 1589.

Tive a sorte de passar na Bahia por ocasião da festa do Senhor do Bonfim. É a grande romaria tradicional, a Penha dos baianos com um pouco de carnaval carioca da praça Onze de Junho, ternos e ranchos de pastorinhas, muito aperto de povo, namoro grosso, barraquinhas de vatapás, carurus e outras ardências negras, isto madrugada adentro dias a fio. Este ano quebrou-se a tradição da cerimônia da lavagem do templo. Em vez de feita pelo potirão de fiéis, que parece dava lugar a cenas folionas por demais, foi ela confiada a meia dúzia de aguadeiros mercenários. Nesses dias toda a população da cidade se desloca para o adro da bonita igrejinha iluminada.

A mania do Neocolonial está se apoderando de todo o Brasil. Seria bom que nossos amadores de estilo dessem um pulo à Bahia para sentirem e apreenderem a razão, a força, a dignidade daqueles velhos solares ou dos altos sobradões dos bairros comerciais. Para ver se dariam depois outro rumo a estas tentativas de arte brasileira, que, positivamente, enveredaram por caminho errado aqui no sul, fazendo bonitinho, engraçadinho, enfeitadinho, quando o espírito das velhas casas brasileiras era bem o contrário disso, caracterizando-se antes pelo ar severo, recatado, verdadeiramente senhoril.

Parece que hoje não se gosta mais disso, mesmo na Bahia. Os velhos solares do bairro da Sé estão hoje reduzidos a cortiços de gente pobre, e é mesmo uma impressão curiosa ver o mais reles meretrício da cidade, o meretrício pretinho, aboletado em nobres casarões arruinados, com brasão de pedra ou azulejo sobre as portas de batentes almofadados.

Mas foi talvez essa deserção da burguesia endinheirada que nos preservou os melhores bairros das restaurações em que tudo se abastarda.

Dois antigos solares pelo menos mereciam do governo estadual algum zelo, a fim de se lhes restituir o esplendor passado: o do Saldanha e o dos Aguiares, aquele no centro do bairro da Sé e este num arrabalde.

O Saldanha foi um fidalgo português indicado por el-rei para desposar uma mulata espúria, filha de um riquíssimo senhor de engenho do Recôncavo. O dote era uma fabulosa fortuna. O Saldanha aceitou e parece que foi feliz com a brasileira. A casa que fez levantar para sua moradia ostenta uma grande nobreza de linhas. O pórtico da entrada é uma belíssima escultura em granito. Pude ver o interior, onde hoje está instalado o Liceu de Ofícios, que aluga o antigo salão nobre, de bonito teto apainelado, para sala de projeção de um cinema. E o saguão, que é um magnífico exemplo daquele forte e plácido estilo dos nossos antepassados, está agora cheio dos grandes carões coloridos dos filmes americanos.

Mais lastimável ainda é o estado de degradação do solar dos Aguiares. Reduzido a casa de cômodos. O pátio interno ameaçando ruir. Os lindos azulejos, que contam a história do Filho Pródigo, tão maltratados! Na própria capela duas camas de ferro miseráveis. Cozinhavam a lenha no aposento pegado, de sorte que toda a fumaceira entrava para a capela, enegrecendo irremediavelmente a velha talha dourada do altar...

Fala brasileira

A propósito do livro do professor Antenor Nascentes, intitulado *O idioma nacional*, escreveu o professor Sousa da Silveira um excelente artigo de crítica no *Jornal do Commercio* do Rio. Desse artigo destaco o seguinte período:

> Um linguista como ele [Nascentes] o é, não podia absolutamente usar daquela denominação [*Idioma nacional*] para encobrir a realidade das coisas, nem entrar na corrente delirante dos que pretendem, pela simples resolução de adotar na língua escrita todas as licenças da língua falada, criar uma língua nova, uma língua que querem não seja portuguesa, sem se lembrarem de que, com esse processo, apenas conseguiriam (se veleidades humanas pudessem desviar o curso natural das coisas) escrever uma língua que seria a portuguesa com alterações numerosas e talvez profundas, mas sempre e em substância a língua portuguesa.

Nesse período empregou Sousa da Silveira o adjetivo "delirante" no sentido etimológico, para significar "o que sai do sulco", não tendo, portanto, a palavra nenhuma intenção menos delicada para os adeptos daquela corrente. Não é menos visível, porém, que as expressões do sábio professor encerram alguma... direi injustiça? para os que ultimamente se têm aplicado a aproveitar artisticamente na prosa e na poesia brasileiras formas e dições da nossa gente, até agora condenadas como incorretas.

Que essa condenação existia, e existe ainda, é um fato. O nosso grande João Ribeiro caçoou de Tobias Barreto nas *Páginas de estética*, dizendo que este se exprimira "com certa riqueza de ideia, mas grande miséria de gramática" nos dois versos famosos:

> Das pedras todas que atiram-me
> Hei de fazer um altar!

Ora, não há aí nenhuma miséria de gramática, salvo para um ouvido português.

Lima Barreto, um morto de ontem, era por muitos considerado escritor desleixado e incorreto pelo fato de se servir em prosa literária de formas correntes na linguagem falada da boa sociedade.

Isso, é inegável, só se explicava pela influência da tradição portuguesa, sensível até hoje em todos os escritores brasileiros, mesmo naqueles que experimentaram a necessidade da insubmissão, como Alencar, furiosamente atacado pelos gramáticos do tempo, Lima Barreto e outros.

Foi preciso que aparecesse um homem corajoso, apaixonado, sacrificado e da força de Mário de Andrade para acabar com as meias medidas e empreender em literatura a adoção integral da boa fala brasileira. Não cabe aqui discutir os erros, os excessos, as afetações da solução pessoal a que ele chegou. Nada disso tira o valor enorme da sua iniciativa, a segunda, e muito mais completa e eficiente que a primeira de Alencar. Aqueles mesmos excessos, aquelas mesmas afetações contribuíram para ferir as atenções, para promover reações e discussões, para focalizar o problema em suma.

O ambiente hoje é mais favorável que no tempo de Alencar. A filologia fez progressos enormes e os seus mestres atuais são entre nós os Antenor Nascentes e os Sousa da Silveira, espíritos sem ranço de gramatiquices estreitas, e com os quais se pode conversar. Nenhum deles dará mais por incorretas as pobrezinhas das formas brasileiras, o que não acontecia nos anos em que se aprendia português pelas gramáticas de Sotero, Júlio Ribeiro, Alfredo Gomes.

Mas embora Sousa da Silveira admita nos outros as liberdades brasileiras, sente-se que a sua simpatia ainda está com a tradição literária escrita.

O período do seu artigo, transcrito atrás, importa num ataque sem razão de ser. Porque – quem falou até hoje em "língua brasileira"? Não me consta que jamais Mário de Andrade tenha pretendido criar língua nova. Nem ninguém pensa que o português falado pelos brasileiros seja língua nova.

Nos seus livros já publicados o poeta paulista anuncia a publicação próxima de uma *Gramatiquinha da fala brasileira*. Notem bem: não diz língua brasileira, e sim fala brasileira.

O que intenta aquela corrente a que aludiu o professor Sousa da Silveira é criar na linguagem escrita uma tradição mais próxima da linguagem falada natural, correta mas sem afetação literária, da sociedade brasileira culta. Entre esta linguagem e a tradição literária existe um abismo como não o há em país algum, inclusive o próprio Portugal. *É que a linguagem literária entre nós divorciou-se da vida. Falamos com singeleza e escrevemos com afetação.*

Humberto de Campos repetiu num dos seus folhetins literários o caso passado com Anatole France que, tendo dúvidas sobre a correção gramatical de um período de sua autoria, recorrera aos bons ofícios de Darmesteter, o filólogo ilustre.

– De que terra é o senhor?

– De Paris – respondeu France.

– Então é ao senhor que me cabe esclarecer – respondeu o mestre.

Darmesteter entendia que o francês falado por um parisiense culto não podia deixar de ser o bom francês. O mais é literatura, e má literatura.

A propósito da combinação dos pronomes oblíquos "me", "te", "lhe", "nos", "vos" com "o", "a", "os", "as", combinação sempre evitada na linguagem falada pelos brasileiros, cita o professor Sousa da Silveira um trecho de Alencar onde vem esta oração: "Martim lho arrebatou das mãos". E comenta: "Suprimam dali o 'o' ou substituam-no por 'o vaso', e vejam se a forma lapidar daquela frase não degenera em construção pobre e sem energia".

Não passou pela cabeça do mestre a construção que acudiria logo a Mário de Andrade: "Martim lhe arrebatou ele das mãos". Bem sei a repugnância que tal construção pode causar a quem se educou na tradição clássica portuguesa. Mas força é confessar que não há outra dentro do gênio da fala brasileira. Admito que tenha menor energia, menos concisão e elegância. Tem contudo mais caráter, do nosso ponto de vista, bem entendido. Ora todos sabemos que o caráter é uma escola de sacrifícios... Haverá muito sacrifício que fazer nessa tentativa de aproveitamento artístico da fala brasileira. E dentro da tradição clássica portuguesa não há tanta coisa para lamentar entre as que se arcaizaram e morreram, sendo no entanto admiráveis instrumentos de concisão e elegância? Os pronomes "en", "endo" por exemplo.

O fato de um filólogo da mais pura formação clássica, como o prof. Nascentes, já considerar lusitanizantes certas construções correntes na prosa literária brasileira de um Euclides, de um Monteiro Lobato, de um Lima Barreto é muito significativo. E o meu sentimento é que as formas brasileiras da linguagem falada serão chamadas a substituir as que o professor Nascentes qualificou de lusitanizantes, com grande escândalo do professor Sousa da Silveira.

Um purista do estilo colonial

A derrubada do antigo solar de Megaípe provocou até aqui no Rio muitos comentários em conversa e artigos de jornais. Mais uma vez todos deploraram a falta de cultura artística e histórica mercê da qual vão desaparecendo as nossas relíquias coloniais mais significativas.

José Marianno (filho), médico de gosto que em vez de dar para escrever castiço virou no mestre arquiteto Diogo de Muribara, autor do solar Monjope, teve mesmo um momento de mau humor e despejou uns remoques da mais fina ironia sobre a literatura plangente e lírica dos tradicionalistas de Pernambuco, "que acabam de fundar um Museu para recolher as fotografias dos belos monumentos arquitetônicos que eles não puderam salvar".

Não tenho elementos para defender os tradicionalistas de Pernambuco que fundaram o tal Museu. Creio que este é de formação oficial. Ignoro as relações entre os particulares e aquele instituto. Já ouvi explicar o gesto lamentável do atual proprietário de Megaípe do seguinte modo: o usineiro teria botado abaixo a velha casa para não entregá-la ao patrimônio público. Quem me contou esse caso estava cheio de admiração pela façanha cívica do senhor de engenho, que ele comparou à de não sei que herói da guerra dos holandeses incendiando os seus canaviais para não os abandonar nas mãos do invasor. Não acreditei. O sr. Júlio Belo afiançou que o sr. João Lopes de Siqueira Santos é um homem bom, e um homem bom não procederia assim.

Também não acredito, como o sr. Júlio Belo, que a culpa daquele feio gesto caiba à Usina. Esta Usina com U grande está aí como símbolo de modernidade sem entranhas, de civilização duramente materialista, de dinamismo atropelante. Não me parece razoável tanta prevenção contra a usina. (Eu vejo a usina com u pequeno, isto é, um aparelhamento aperfeiçoado, fornecendo maior rendimento e permitindo aos nossos fabricantes de açúcar concorrerem com os produtores de Java e da América Central. Esses métodos de uma técnica industrial econômica podem perfeitamente coexistir com o amor das belas coisas e o culto da tradição aproveitável, como de resto sei que coexistem no próprio sr. Júlio Belo.)

Se é preciso arranjar uma desculpa que nos tire o sentimento desagradável de indignação contra o sr. Siqueira Santos, não há senão levar o seu ato à conta de indiferença ou ausência absoluta de senso artístico e histórico. Quase todo o mundo no Brasil é como o sr. Siqueira Santos. Portanto o que se pode fazer é falar sempre que possível nessas coisas para formar ambiente. Quem dispõe de gosto e fortuna, como José Marianno (filho), pode, além de falar, agir: desvalijar conventos e solares em proveito nosso antes que judeus solertes o façam para o seu e o do estrangeiro. Mas quem não tem nada de seu, que há de fazer senão derramar lágrimas líricas?

José Marianno (filho) foi de um sarcasmo incompreensível para com os pobres tradicionalistas pernambucanos, tanto mais quanto no fundo, bem no fundo, ele talvez tivesse ganas de espinafrar com o tal solar de Megaípe, sobre o qual acha que a crítica tem dito coisas "nem sempre justas". Marianno é, em arquitetura colonial, tradicionalista, ou que melhor nome tenha, um purista. Quer a tradição portuguesa, alentejana. Megaípe não era para ele a casa grande mais bela do estado. Preferia a ela as casas dos engenhos Anjos e Noruega. Não conheço, infelizmente, nem uma nem outra. Por mim adorei Megaípe. Não sei de casa que ficasse melhor no quadro da paisagem pernambucana. Eram linhas do passado que além de veneráveis por tão bonitas, possuíam também o encanto de condizer com as novas formas dos nossos dias: ela tinha em comum com o arranha-céu o predomínio das geometrias retas.

Tradicionalistas pobres de Pernambuco, de Pernambuco e de todo o Brasil, o momento é bem duro para nós que não dispomos senão de lágrimas líricas. Depois da casa de Megaípe chegará a vez da Sé Velha da Bahia...[1] O caso é pior. Na Bahia manda um homem que conhece a importância enorme de um monumento como aquele. Recebeu o governo das mãos de outro homem cuja residência é um riquíssimo museu das mais lindas antiguidades que já se colecionaram no Brasil. São dois cavalheiros de grande cultura e fino gosto. Como não fizeram nada para conservar e restaurar os belos monumentos coloniais de Salvador? Como deixam arruinar-se o solar dos Aguiares?

---

1 Chegou; a velha Sé foi demolida. (N. A.)

Certamente a ação dos governantes não basta. É preciso despertar a consciência do valor dessas relíquias na mentalidade dos detentores eventuais delas. Criar o ambiente tradicionalista. Chorar muitas lágrimas líricas... E, na frase de Heine posta em epígrafe aos *Manuscritos de Stênio*, "esperar cem anos"...

As Câmaras Municipais no Brasil

A imprensa do Rio comemorou em 1º de outubro de 1928 o primeiro centenário da Carta de Lei que organizou as Câmaras Municipais no Império. Destacou-se o serviço do *O Jornal*, com uma série de artigos assinados por especialistas e acompanhados de algumas ilustrações curiosas, como a fotografia da histórica igreja do Rosário dos Pretos, onde funcionou o Senado da Câmara e de cujas sacadas foram anunciadas ao povo em 9 de janeiro de 1822 as alegres palavras do "fico"; um desenho de Rugendas reproduzindo um aspecto da antiga rua Direita; e outro de Debret, onde num bando solene da Câmara Municipal se pode ver a indumentária aparatosa de vereadores e almotacéis de casaca preta, capa e volta, chapéu de dois bicos emplumado, e na mão a vara simbólica.

A quem conhece um pouco da nossa história a lei de 1º de outubro de 1828 se apresenta antes como uma diminuição da autonomia e do espírito municipais em favor da centralização política que tem sido a tendência constante dos governos desde a Independência até os nossos dias. O principal escopo daquela lei foi definir as atribuições municipais e regular o jogo das relações entre municipalidades e governos provinciais e central. Desde esse momento as Câmaras perderam aquele prestígio com que tantas vezes intervieram na vida nacional em ocasiões decisivas.

Durante os séculos coloniais elas foram os núcleos de cristalização do nosso sentimento político. Em nome dele sabiam falar com firmeza e às vezes até com arrogância, como o fez em 1710 o presidente da Câmara de Olinda ao capitão-general Sebastião de Castro Caldas.

Sobretudo nas lutas e agitações que precederam e seguiram o Sete de Setembro a sua atuação foi precípua. Quando o príncipe entrou em conflito com as Cortes portuguesas, choviam no Paço as mensagens, moções e representações dos Senados das Câmaras insistindo com ele pela desobediência ao mandado de viagem. Foi o Senado da Câmara carioca que levou ao príncipe a representação dos 8 mil patriotas; foi ainda ele que dias depois, subjugada a divisão reacionária de Avilez, ofereceu a Dom Pedro o título de Defensor Perpétuo do Brasil e insinuou a convocação de uma assembleia constituinte.

A evolução política, com a organização da vida nacional independente, tinha naturalmente que arrebatar às Câmaras o papel por elas representado com tanto brilho até a Independência, principalmente a partir das franquias amplas das Ordenações Filipinas, fonte de uma tradição liberal que a Restauração e o Império respeitaram em linhas gerais.

Essa importância política das nossas Câmaras no longo período colonial deixou vestígio até hoje no ardor que caracteriza as nossas políticas municipais. O brasileiro ainda não tem educação política bastante para se interessar por uma eleição federal. Pouco se lhes dá aos mineiros, por exemplo, que vença este ou aquele numa campanha presidencial. Mas para botar um homem na chefia de uma vereação, são capazes de disputar a bala a vitória do seu candidato.

A lei de 1828, retocada pelo Ato Adicional de 1834, que restringiu ainda mais a esfera da influência municipal, prolongou-se até a queda da monarquia.

É curioso confrontar o Rio de hoje, movimentado e monumental, com a cidadezinha descrita no almanaque de Plancher. O desenvolvimento foi enorme. Em 1828 a cidade contava apenas 73 ruas, 23 becos, seis praias, um caminho, um campo, dez largos, cinco ladeiras, dez travessas e o Arco do Teles, que até hoje escapou incólume às transformações de em torno. A cidade ficava limitada pelo bairro da Glória de um lado, pelo saco do Alferes do outro. O Catete parecia tão afastado do Centro, que era então apenas lugar para "passar as festas" nas lindas chácaras que bordavam as faldas do morro de Guaratiba. Não havia ainda a mania da consagração patriótica na nomenclatura das ruas. Elas traziam nomes ingênuos tirados de um detalhe topográfico ou do ofício ou comércio dominante. Era a rua do Sabão, a rua das Violas, a rua dos Latoeiros, a estrada de Mata-Cavalos... Esta quase uma personagem nos romances de Machado de Assis. São hoje raras as ruas que guardaram esses nomes tradicionais. É aliás um mau costume antigo esse de andar trocando o nome das ruas. Em 1857 Francisco Otaviano lamentava num dos seus folhetins do *Jornal do Commercio* terem crismado – prosaicamente, diz ele – em rua das Marrecas a rua das Belas Noites, que levava às alamedas ensombradas do Passeio Público.

O Rio de 1828 era uma cidade de seus 130 mil habitantes com uma receita orçada em 31:000$000.

O surto da capital começou com a instituição da Prefeitura, sob o regime republicano. Os jornais recordam a figura de Barata Ribeiro, o prefeito que desrespeitou o mandado judiciário com que se pretendeu embargar o arrasamento do célebre cortiço Cabeça de Porco. Desde Barata Ribeiro não tem faltado energia e dedicação aos administradores da cidade. O que faltou a todos porém foi o senso do urbanismo. Sob eles a cidade cresceu desmedidamente, mas sempre à lei do capricho com que ela veio descendo pelas vielas dos morros às rechãs pantanosas.

Velhas igrejas

Quando em 1926 voltei a Pernambuco após uma ausência de trinta anos, era de preferência para Olinda que se voltava a minha curiosidade. Para Olinda, cujo outeiro nunca subi em menino e da qual não conservava senão a lembrança dos banhos de mar e da viagem no trenzinho de maxambomba que partia da esquina da rua da União, da escura estação em cuja calçada fui tanta vez comer tapioca de coco nos tabuleiros das pretas, que ainda cobriam os ombros com vistosos xales de pano da Costa.

Apesar de vir da Bahia, tão rica de monumentos e tradições do nosso passado, Olinda produziu em mim uma emoção nunca dantes sentida. Na Bahia fica-se um pouco vexado de parar no meio do tumulto das ruas para contemplar a frente de algum velho sobrado. Em Olinda há o silêncio e a tranquilidade que favorecem os passos perdidos dos que se comprazem nessa contemplação do passado e dos seus vestígios impregnados de tão nobre melancolia.

Mas chegado ao alto da colina, quebrou-se-me de súbito o doce encantamento que eu vinha tendo por aquelas ladeiras velhinhas, quando me vi em face da nova Sé. Tinham transformado a velha capela barroca num detestável gótico de fancaria! Como havia sido possível desconhecer a tal ponto o significado da igreja primitiva? Contaram-me então que o erro não se limitara àquela monstruosa adulteração: o interior do templo fora também despojado dos seus painéis de azulejos, que por muito tempo ficaram amontoados num canto como caliça imprestável, até que um amador dessas coisas pediu e obteve o consentimento de reconstruí-los para si e levou-os.

Tremo sempre que leio nos jornais a notícia de que alguma das nossas velhas igrejas vai sofrer reparações. Se as obras se limitassem a uma simples consolidação e limpeza, à restauração no estilo geral de detalhes que trabalhos anteriores já desfiguraram, se deixassem como estão os seus ouros amortecidos de pátina, não haveria decerto inconveniente. Mas desgraçadamente sabemos todos como essas coisas se fazem.

Mesmo quando existe confessa a intenção de poupar as linhas e a decoração primitivas, o resultado é sempre desastroso. O ouro de hoje é o ouro-banana. Quem não viu até dois anos atrás o interior de São Francisco na Bahia não poderá mais fazer ideia do deslumbramento místico que instilava na alma o brilho velho da antiga douradura. Hoje é um amarelo estridente. A capelinha de Nossa Senhora da Glória do Outeiro no Rio perdeu também com a restauração a sua doce intimidade.[2] No entanto quer num quer no outro caso houve cuidado em não sacrificar a feição tradicional. Diante desses exemplos, fica-se com medo de que toquem nas belas igrejas do passado, as únicas que dão, independente de qualquer crença, a vontade de rezar, porque só elas suscitam pelo milagre artístico a emoção religiosa. Dos templos modernos que conheço só um inspira igual sentimento – a igreja de São Bento em São Paulo. Todos os outros são pobres de arte, pobres de ambiente, pobres de sombra. Por toda a parte o mármore (quando não é a imitação do mármore), o cimento armado e o *biscuit* vão substituindo a madeira de lei de talha caprichosa.

Que procedam assim nas novas igrejas, vá – que os tempos não são mais de bastante fé ou desprendimento para que os ricos católicos façam doações como a do lampadário de São Francisco da Bahia – com os seus oitenta quilos de prata cinzelada... E os escultores quase que abandonaram a talha direta pela fácil e espúria modelagem (não é à toa que a escultura anda em tal decadência). Devemos contudo empregar todos os esforços para prolongar a conservação do patrimônio insubstituível que nos legaram os nossos antepassados. Quando não for possível restaurar dignamente um velho monumento, melhor será deixá-lo arruinar-se inteiramente. As ruínas apenas entristecem. Uma restauração inepta revolta, amargura, ofende.

---

2   Houve posteriormente nova reparação, dirigida pelo DPHAN, que repôs o interior da capela no seu estilo primitivo. (N. A.)

O QUE ERA O PERNAMBUCO DE 1821

Tenho um amigo cuja leitura favorita são os velhos livros de viagem: uma doce mania que está ficando tão dispendiosa quanto a das antiguidades de prata e jacarandás... O meu amigo distingue-se entre os amadores dessas coisas pelo amor quase de namorado que põe na procura e aquisição de cada volume. Não é para ele uma compra vulgar. Não. É sempre uma pequena aventura, uma deliciosa aventura em que ele emprega tanto pudor e delicadeza como na aproximação e cerco de uma mulher. Obtido o volume cobiçado, a sua leitura tem para ele o sabor de um idílio.

A sua última conquista foi o livro de Maria Graham – *Journal of a voyage to Brazil*, exemplar velhinho ilustrado de estampas amoráveis desenhadas pela autora, em uma das quais tive o prazer de encontrar a preta das bananas da minha "Evocação do Recife", com todos os detalhes característicos que faziam o encanto da minha meninice nas tardes da rua da União: o largo tabuleiro de pau, o xale vistoso de pano da Costa, o colar de contas, o bracelete, a camisa muito alva descaindo nos ombros magros.

Maria Graham está caríssima agora depois dos estudos de Oliveira Lima sobre o tempo de Dom João VI. O alfarrabista contou-me ter vendido alguns dias antes ao sr. Paulo Prado um exemplar de bela encadernação por quatrocentos mil-réis. Meu amigo pagou pouco menos que isso pelo seu. O livro em si é uma dessas coisas sem preço, tão deleitoso à vista no seu aspecto gráfico, como agradável ao espírito no interesse e amenidade do texto. Maria Graham encanta como o próprio nome.

Vou repetir um pouco do que ela escreveu sobre o Recife. É o único jeito de aliviar a minha paixão anacrônica.

Atravessava a minha província natal um período memorável. Os patriotas de Goiana sitiavam a cidade que Luís do Rego, soldado experimentado nas campanhas da península, defendia em nome da causa realista. "É um homem severo", diz ela, "e especialmente entre os soldados mais temido do que amado." Precisamente na véspera de sua chegada o governador repelira o ataque dos rebeldes ao sul de Afogados.

Longe de atemorizar-se, ficou ela encantada de desembarcar e observar a cidade em estado de cerco, espetáculo inteiramente novo para ela. Os seus primeiros passos foram para o palácio, onde esteve com o governador, a senhora e as filhas. Madame Luís do Rego era agradável, *rather pretty*, e falando inglês como uma inglesa (sua mãe, a viscondessa do Rio Seco, era irlandesa). "Nada mais afável e lisonjeiro que as suas maneiras e as de suas meninas", uma das quais de grande formosura.

Cumprindo o dever de cortesia, a visitante percorreu a cidade, de que dá pormenores muito curiosos. Surpreendeu-a grandemente o hábito de instalar a cozinha no andar superior, com o que se mantinham em temperatura fresca os andares inferiores. O pavimento térreo era ocupado pelas lojas, aposento de escravos e cocheiras; no segundo ficavam os escritórios e armazéns; a família residia no terceiro andar. Em cima de tudo, a cozinha.

Impressionaram-na muito as cenas da escravidão, o mercado dos cativos – "cerca de cinquenta criaturas moças, moleques e raparigas com todas as aparências da doença e da fome, sentadas ou deitadas na rua no meio dos mais imundos animais". Do balcão da casa do cônsul presenciou uma mulher branca, um demônio, bater numa negrinha, torcendo-lhe os braços cruelmente. Em Olinda, perto do Varadouro, viu ao pôr do sol um cão puxar da areia um braço de negro defunto e devorá-lo...

Como andavam vestidas as recifenses daquele tempo? Dentro de casa usavam uma espécie de bata "que deixava o seio muito exposto". Na rua traziam um xale ou manta das cores mais alegres, cadeias de ouro no pescoço e nos braços, brincos de ouro.

Ficou surpreendida com a extrema beleza de Olinda, "ou antes do que dela resta, porque está agora em melancólico estado de ruína".

Apesar da incerteza da hora, que era de expectativas graves e apreensões de luta iminente, o governador e a senhora não se descuidavam de obsequiar os hóspedes da fragata inglesa, aos quais ofereceram um jantar em palácio. Jantava-se naqueles tempos às quatro e meia. A recepção foi muito cordial. Fez-se depois excelente música. Madame Luís do Rego tinha uma voz admirável, e houve além dela vários outros bons cantores e pianistas.

Aventura engraçada foi a que se passou com a roupa lavada de bordo. Os patriotas não a tinham querido deixar passar de volta, de sorte que lá foi uma comissão de ingleses entender-se com os revolucionários nos postos de vanguarda de Capibaribe acima. Maria Graham aproveitou a ocasião para ver o que ela andava acesa em curiosidade por olhar: os arredores da cidade, de que registra uma encantadora descrição.

No quartel-general dos revolucionários, em face dos membros da junta do governo provisório um homenzinho muito *smart*, que servia de intérprete em francês passável, começou, a propósito daquela reclamação sobre barrela de roupa, um longo discurso de ataque à injustiça do governo português para com o Brasil em geral e para com os pernambucanos em particular. Os ingleses não pescavam quase nada mas Maria Graham sentiu que a respeitável junta fazia a mais alta ideia do talento e da eloquência do orador. Depois do discurso, a negociação sobre a roupa foi rápida e os estrangeiros obtiveram não só o que pretendiam como outros grandes favores e provas de cortesia.

Em outubro, acertado um armistício entre os campos adversários, pôde a inglesa observar a cidade, restituída à sua atividade normal. Chamou-lhe a atenção a grande preponderância da população negra – em 70 mil pessoas (incluída Olinda) dois terços eram de pretos e mulatos, os mulatos mais ativos, mais industriosos, mais animados do que as outras classes. "Muitos enriquecem e não ficam atrás em promover a independência da pátria." Já o negro forro, quando tinha o bastante para comprar uma bonita fatiota preta para si e braceletes e colar para a madama, não queria saber mais de se cansar...

Muitos, de qualquer cor, uma vez que podiam pagar-se o luxo de um escravo, não faziam mais nada. O preto trabalhava ou mendigava para eles.

Os europeus evitavam com horror o casamento de suas filhas com os brasileiros natos, preferindo dá-las, filhas e fortunas, ao caixeirinho da mais humilde extração europeia.

Maria Graham visitou uma família portuguesa, curiosa que estava de notar a diferença entre um interior inglês e um interior português. A disposição dos aposentos era a mesma. A sala de visitas diferia só em dispor de melhor mobília, de resto tudo artigo inglês, até o bonito piano de Broadwood; mas a sala de jantar era inteiramente outra: muros cobertos de estampas inglesas e pinturas da China; na parede menor da sala, uma grande mesa apresentando sob redoma um presepe completo: anjos, os três reis magos, musgos, flores artificiais, conchinhas e miçangas, gazes salpicadas de ouro e prata, os santos Antônio e Cristóvão, um à direita, outro à esquerda. Pendentes do teto, nove gaiolas de passarinhos e numa saleta de passagem uma porção de papagaios bem educados. Ao canto, as grandes talhas para refrescar a água, manufatura baiana. O ar e maneiras da família, perfeitos, só que os homens em casa não usavam colarinho...

A casa de campo do cônsul inglês pareceu-lhe, como todas as outras, comparável a um bangalô oriental: um só pavimento esparramado, com larga varanda em volta e cercado de roseiras, coqueiros e mangueiras.

Não foi sem saudades que Maria Graham deixou o Recife, onde, salvo as cenas de escravos, tudo foi alegria pitoresca para os seus olhos. Do que presenciou das lutas entre os patriotas e a gente de Luís do Rego levou a persuasão de que nunca mais aquela parte do Brasil se submeteria a Portugal. Acertou mais do que pensava. Ela mesma se demorou no Brasil o bastante para verificar que todo o país sentia assim, quando um ano depois proclamou e defendeu de armas na mão a sua independência.

A festa de N. S. da Glória do Outeiro

Alguém, falando da festa de Santa Cruz, no Recife, notava que onde o brasileiro mais sente nos olhos o gosto do Brasil é decerto quando fica parado num pátio de igreja em dia de festa de Nossa Senhora. O cronista acentuava como aspecto dominante nessas festas a democracia sincera da gente de toda cor que se mistura.

Esse prazer, que ainda subsiste forte no ambiente mais tradicional das províncias, quase desapareceu na capital do país. São sempre as mesmas as festas de igrejas, mas sem aquele pitoresco popular que desenvolvia no adro o movimento ruidoso das romarias.

Hoje no Rio só há duas solenidades religiosas a sustentar a tradição da cidade: a festa da Penha e a festa da Glória.

Nunca fui à festa da Penha. Parece que ela é cara sobretudo aos portugueses. Na minha infância eu olhava com uma certa repugnância para os magotes de labregos que desde cedo acudiam de todos os pontos da cidade para o longínquo subúrbio da baixada, emprestando às ruas uns tons exóticos de aldeia lusa. Iam a pé ou em caminhões ou carros abertos. Levavam em evidência grandes garrafões de vinho verde ou virgem, o que fez dizer a Artur Azevedo "que pareciam mais amigos do virgem do que da Virgem". A tiracolo traziam enormes fiadas de roscas coloridas. Estas roscas coloridas eram o complemento indispensável, o distintivo mais característico do folião da Penha.

De tudo aquilo me ficou uma recordação de bródio português. Por isso a Penha nunca me interessou.

Mais brasileira, mais tradicional, mais poética, incomparavelmente, é a festa de Nossa Senhora da Glória. O pequeno outeiro da Glória, com a sua capelinha duas vezes secular, é um dos sítios mais aprazíveis, mais ingenuamente pitorescos da cidade. As velhas casas da encosta cederam lugar a construções modernas. Entretanto a igrejinha tem tanto caráter na sua simplicidade, que ela só e mais uma meia dúzia de palmeiras bastam a guardar a fisionomia tradicional da colina. Embaixo a paisagem se renovou completamente. Lembro-me bem do largo da Glória e da praia da Lapa da minha meninice: um desenho de Debret. Desapareceu o casarão do mercado que servia de caserna e despertou o interesse público quando abrigou por algum tempo as jagunças e os jaguncinhos trazidos de Canudos. O largo estendeu-se até à falda do outeiro. O caminho da praia alargou-se em ampla avenida arborizada. O velho edifício onde no Império estava instalada a Secretaria dos Negócios Estrangeiros foi substituído pelo Palácio do Arcebispado. Todas essas mudanças vieram realçar ainda mais a graça ingênua da igrejinha. Só uma coisa a prejudicou: a mole pesada do Hotel Glória. O observador que olha do morro de Santa Teresa não vê mais o perfil da capela recortado no fundo das águas.

O romance *Lucíola* começa por um encontro no adro da poética ermida no dia de Nossa Senhora da Glória. Já naquele tempo, 1855, diz Alencar pela boca do herói, era aquela uma das poucas festas populares da Corte. Descreve-a o romancista:

> Todas as raças, desde o caucasiano sem mescla até o africano puro; todas as posições, desde as ilustrações da política, da fortuna ou do talento, até o proletário humilde e desconhecido; todas as profissões, desde o banqueiro até o mendigo; finalmente, todos os tipos grotescos da sociedade brasileira, desde a arrogante nulidade até a vil lisonja desfilaram...

O cortejo de Alencar não está completo. Faltam a ele as figuras principais que eram as dos soberanos. Os imperadores do Brasil, e antes deles os vice-reis e governadores-gerais, compareciam todos os anos à festa, prestigiando com a sua presença a tradicional solenidade, e isso dava aos festejos um cunho de comunhão democrática que singularizou entre todas as comemorações eclesiásticas o dia da Glória do Outeiro. Era uma festa a um tempo popular e aristocrática. Dom Pedro II, a imperatriz, a princesa, acompanhados de numeroso séquito, onde se viam os homens mais ilustres e as senhoras mais lindas da Corte, subiam a íngreme colina e de volta da solenidade descansavam na Secretaria dos Estrangeiros.

Com a queda da monarquia os festejos perderam inteiramente o elemento aristocrático. O progresso da cidade roubou-lhe muito da concorrência. Em todo o caso, o dia de Nossa Senhora da Glória ainda não decaiu à categoria de festa de bairro. Ainda é uma das raras festas populares da cidade.

Tive este ano particular interesse em visitar a ermida porque sabia que a irmandade levara a efeito grandes obras internas de restauração. Entrei o pórtico receoso, embora tivesse lido nos jornais uma entrevista em que um dos membros daquela irmandade assegurava o respeito que presidira aos trabalhos de restauração. O meu receio infelizmente se confirmou. A pequenina nave, despojada dos seus ouros e das suas argamassas patinadas, perdeu o encanto que lhe vinha da idade. Tudo está novo ou renovado. Baixei os olhos e saí depressa para guardar nos olhos a imagem das velhas capelinhas e tribunas, como eu as vi até o ano passado.

Fora, no adro, faziam o clássico leilão de prendas. Rapazes e moças namoravam. Isso ao menos não mudara! Só que a concorrência amulatou-se bastante. A festa é hoje exclusivamente do povo.

As ladeiras de acesso ainda regurgitavam quando desci às onze da noite. Não havia mais, como nos outros anos, as bandeirinhas e galhardetes enfeitando o largo da Glória, nem canela cheirosa espalhada no chão. Olhei ainda uma vez para o "côموro octógeno" dos versos detestáveis de Porto-Alegre: a ermida luzia docemente. Não se viam as luzes, estando o templo iluminado pela projeção de fortes focos elétricos dissimulados na amurada do adro. O efeito é muito bonito porque nada mascara as linhas ingênuas da igreja. Todavia não deixei de ter saudades da iluminação primitiva que formava em torno da capelinha um como manto cintilante de Nossa Senhora.

ARQUITETURA BRASILEIRA

A guerra de 1914 provocou em todo o mundo uma como revivescência do sentimento nacional, que andava adormecido por várias décadas de propaganda socialista ativa. As elites sonhavam com uma organização política e social mais justa numa humanidade sem fronteiras. Mal, porém, se declarou o conflito, o espírito feroz de pátria apoderou-se de todos, inclusive de socialistas. Nas nações beligerantes o movimento nacionalista assumiu naturalmente as formas do patriotismo mais agressivo. Em países mais remotamente interessados, como foi o caso do nosso, o sentimento nativista exprimiu-se nas artes por uma volta aos assuntos nacionais.

A música culta entrou a recolher sistematicamente a música popular desde o tempo da colônia. As artes plásticas tomaram um quê de primitivo, como que procurando imitar a ingenuidade de cor e desenho das promessas de Congonhas do Campo e Bom Jesus de Pirapora. Os modernistas da literatura, após um breve período de treino técnico em que refletiram a sensibilidade dos poetas europeus de vanguarda, puseram-se de repente a considerar "em que maneira a terra é graciosa"... E foi então uma verdadeira corrida para aproveitar tudo.

Foi esse movimento que a arquitetura procurou também acompanhar tentando criar a casa brasileira. O fim do Segundo Reinado assinalou a decadência do espírito tradicional na construção. Não havia mais nem a lembrança daqueles sargentos de engenheiros que riscavam com mão forte e sóbria os projetos de igrejas e de casas de câmara e governo. Os Calheiros e os Alpoins foram, à falta de arquitetos, sucedidos pelo mestre de obras português, insigne introdutor do lambrequim, das compoteiras de platibanda e do mármore fingido. Mas este ainda fazia os casarões retangulares com, ao lado, a acolhedora varanda. O que veio depois era ainda pior: tinha pretensões a estilo. A avenida Atlântica, coleção de aleijões, ilustra essa época, a mais detestável da arquitetura em nosso país.

O mau gosto tomou tais proporções, que as velhas casas pesadonas do tempo da Colônia e da Monarquia assumiram por contraste um ar distinto e raçado, um ar de nobreza para sempre extinta na República.

Foi dessa contemplação melancólica que nasceu, de uns quinze anos para cá, um movimento de elite em favor da casa brasileira. Era preciso, aconselhava-se, construir a casa brasileira dentro da tradição secular que a afeiçoara segundo as necessidades do nosso clima, dos nossos costumes e das nossas necessidades.

O movimento pegou – pegou demais. Fabricaram com detalhezinhos de ornato um *estilo*, deram-lhe um nome errado, e aí está, nas casinhas catitas de telhas curvas e azulejos enxeridos, em que deu o renascimento da velha arquitetura brasileira começado a pregar em São Paulo pelo sr. Ricardo Severo.

O meu amigo José Marianno anda agora com um trabalho danado para mostrar que nada disso é "casa brasileira", que não basta azulejo e telha curva para fazer arquitetura brasileira, que os *profiteurs* da moda (porque hoje é moda ter o seu "bangalô colonial") sacrificaram inteiramente o espírito arquitetônico da renovação a exterioridades bonitinhas.

E é de fato o que está acontecendo. Os grupos escolares, os edifícios de Câmaras Municipais que se estão construindo dentro do *estilo* representam o que há de mais contrário ao caráter da construção em que *soi-disant* se inspiram. Fiquei horrorizado em Sabará quando vi a nova casa da Câmara, que apesar de todos os matadores neocoloniais não passa de um casebrezinho ridículo, ao passo que ao lado o antigo sobrado da Câmara guarda uma linha de robusta dignidade, esse ar de casa que não é enfeite urbano, mas na definição de Le Corbusier – máquina de morar. O caso da Câmara de Sabará é típico, porque põe um ao lado do outro o padrão inspirador e o pastiche desvirtuado, num contraste verdadeiramente grotesco.

É preciso repetir a essa gente as palavras de Lucio Costa, um dos poucos arquitetos novos que sentem o passado arquitetônico da nossa terra: a nossa arquitetura é robusta, forte, maciça; a nossa arquitetura é de linhas calmas, tranquilas; tudo nela é estável, severo, simples – nada pernóstico.

É a esse caráter de simplicidade austera e robusta que devem visar os que pretendem retomar o fio da tradição brasileira na arquitetura.

Crônica de 1880

A leitura dos velhos almanaques proporciona muitas vezes à gente surpresas bem curiosas. Quem diria, vendo o pouco-caso com que hoje tratam aqui um Villa-Lobos, quem diria que esta cidade do Rio de Janeiro já vibrou durante dois dias inteiros de puro entusiasmo por um artista?

Pois foi lendo a *Folhinha dramática para o ano de 1881, contendo a comédia em um ato O segredo de uma fidalga assim como a crônica nacional de 1879 a 1880,* publicada e à venda em casa de Eduardo & Henrique Laemmert, rua do Ouvidor 60, que tomei consciência da decadência artística em que andamos nesta República Nova, toda voltada para a conquista dos bens materiais em detrimento das glórias espirituais que outrora alvoroçavam a pátria de Carlos Gomes!

Porque se trata de Carlos Gomes, precisamente. Naquele ano de 1880 o autor d'*O Guarani* regressava ao Brasil, depois de uma longa ausência, durante a qual tanto elevara no estrangeiro o nome da sua terra. A nossa mocidade acadêmica, bem diversa da de agora, que deserta os prélios intelectuais para correr aos encontros de boxe e jiu-jítsu, preparou-se com grande antecedência para honrar na pessoa do cisne de Campinas o maior gênio musical do Brasil. E eis como os *festejos*, que segundo o *Jornal do Commercio*, de 19 de julho, chegaram à exaltação, "ao delírio mesmo", se desenrolaram.

***

Às cinco horas da manhã (acordava-se cedo!) estudantes das Escolas Militar, Politécnica e Marinha, das Academias de Medicina, de Direito de São Paulo, das Belas Artes, do Liceu de Artes e Ofícios, do curso de preparatórios, carregando os respectivos estandartes escolares e mais os paulistas residentes na Corte e o Círculo Italiano Vítor Manuel transpunham a porta do Arsenal de Marinha para tomar lugar a bordo do transporte *Madeira* e de numerosas lanchas de vapor (dizia-se, com mais vernaculidade, "de vapor") que iriam ao encontro do paquete *Guadiana*. Acompanhavam-nos as bandas militares dos batalhões de engenheiros, do 7º e 10º de infantaria e dos imperiais marinheiros.

Durante o trajeto, por iniciativa "dos srs. estudantes Patrocínio e Paula Ney" (os jornais escreviam sempre "os srs. estudantes"), fez-se a coleta improvisada de 100$700, que reunida à de 430$000 anteriormente obtida, seria levada à conta da alforria do escravo Tito, avaliado em 800$000, e cuja carta deveria ser-lhe entregue pelo maestro na noite do seu benefício.

O *Guadiana* entrou a barra às oito horas. Às nove os estudantes subiram às vergas do *Madeira* e acenaram com os lenços, saudando Carlos Gomes, que apareceu no convés do paquete agradecendo com o lenço as aclamações entusiásticas dos rapazes. Dezessete embarcações "de" vapor e inúmeros escaleres escoltavam então o *Guadiana*. As girândolas espocavam quer a bordo, quer em terra...

***

Às dez horas, Carlos Gomes desembarcava no Arsenal e seguia para a casa do inspetor, onde almoçou. Por essa ocasião foi-lhe oferecido "um chapéu de seda com a respectiva dedicatória". Vão tomando nota.

Às dez e meia o maestro deixou o Arsenal. A sua passagem pelas ruas do Centro foi uma apoteose. As do Ouvidor e Primeiro de Março estavam ornamentadas. As bonitas colchas de damasco e brocado, que hoje não se veem mais, bandeiras e festões adornavam as sacadas, de onde as senhoras e meninas agitavam lenços e atiravam flores sobre a cabeça do autor d'*O Guarani*.

A cada passo o cortejo parava para que se prestasse ao maestro uma homenagem. Aqui era "uma distinta senhora" que lhe oferecia dois ramalhetes. Ali era uma comissão de tipógrafos da casa dos srs. Leuzinger que lhe trazia um ramo de flores de pena. Das redações dos jornais partiam idênticas homenagens. E em frente à Notre-Dame não só lhe foi recitada uma poesia, como lhe fizeram presente de uma rica bengala de unicórnio com castão de ouro. Vão tomando nota.

No largo de São Francisco havia vistoso coreto. O maestro Mesquita empunhou a batuta, a orquestra executou a *ouverture* d'*O Guarani*, o sr. estudante Paula Ney soltou o verbo, entregando a carta de liberdade do alforriando Lino ao maestro, que a passou ao escravo, abraçando-o com lágrimas nos olhos. Então as bandas militares tocaram o Hino Nacional.

E o cortejo prosseguiu pela rua do Teatro, largo do Rocio e rua Visconde do Rio Branco, sempre debaixo de vivas ovações. A Secretaria do Império estava repleta de senhoras. No Club Mozart o maestro recebeu as principais homenagens, sob forma de discursos das várias comissões. Só às duas e meia é que pôde ele se retirar para o Engenho Velho, hospedando-se em casa do sr. Castelões. E à noite as principais ruas e muitos estabelecimentos iluminaram-se festivamente. No coreto do largo de São Francisco uma banda tocava. Parecia uma data nacional.

***

No dia seguinte continuaram os festejos. Diz o *Jornal do Commercio* que à tarde já era difícil o tráfego por algumas ruas, especialmente pela do Ouvidor.

À noite esta apresentava um tom "verdadeiramente festivo" (hoje os repórteres diriam "feérico"): eram lanterninhas chinesas, copinhos de cores e uma "enorme profusão de bicos de gás, uns em linha reta, outros formando arcos e emblemas". Na rua dos Ourives, por baixo de cada arco de gás havia uma estrela, tendo no centro o nome de uma das óperas do maestro e em semicírculo o seu nome. Depois das cinco horas, várias bandas tocavam em diversos pontos da cidade. A Sociedade Euterpe Comercial Tenentes do Diabo (aí têm como começaram os Tenentes do Diabo) embandeirou e iluminou toda a fachada, onde se via rico troféu de instrumentos de música encimado pelo retrato do maestro.

E o Club dos Democráticos? Também embandeirou e iluminou a fachada. Sobre o frontal da entrada havia uma lira rodeada de folhas de louro, tendo ao centro a inscrição: "A gratidão é um dever".

Nessa noite a mocidade das escolas realizou pela cidade uma passeata. Levavam todos lanternas chinesas, alguns arcos com transparentes no centro, onde se liam os nomes das óperas do campineiro, e cada escola carregava o seu estandarte. Atrás vinham as bandas de música. "Por toda a parte recebiam-nos corações expandidos pela mais sincera satisfação, porfiando todos em honrar o laureado maestro." Assim desfilaram finalmente diante do Club Mozart, onde se encontrava Carlos Gomes em companhia de seu filhinho.

Às dez horas da noite, o grande brasileiro saía do *club*, dirigindo-se à rua do Ouvidor, que percorreu de ponta a ponta, seguido por mais de 2 mil pessoas "de todas as gradações sociais". De instante em instante recitavam-se poesias, que eram calorosamente aplaudidas.

Cerca de quinhentas pessoas visitaram o maestro na casa do Engenho Velho.

***

Como os tempos mudaram! Quando Villa-Lobos voltou da Europa não teve nada disso. Não ganhou bengala de unicórnio com castão de ouro, nem chapéu de seda com a respectiva dedicatória. Nenhum sr. estudante fez discurso. Os seus concertos estiveram às moscas. No entanto ele também é o maior gênio musical de nossa terra...

Tomara que Villa-Lobos não leia esta minha crônica: tudo isto é muito triste!

Na câmara-ardente de
José do Patrocínio Filho

A igreja do Rosário dos Pretos tem aspecto despojado e paupérrimo. É talvez a nave mais triste do Rio, porque com ser nua e modesta é bem grande e faz pensar na frase de Burton, a quem as igrejas brasileiras davam a impressão de *huge barns*, celeiros ou paióis enormes. Ele dizia isso a propósito das belas igrejas mineiras do Aleijadinho. Na igreja do Rosário dos Pretos a impressão de Burton é justa. O templo não tem senão interesse histórico: em suas dependências funcionou provisoriamente o Senado da Câmara da cidade: foi de lá que saiu o préstito levando ao príncipe a moção assinada pelos 8 mil patriotas, e foi de lá, de uma das sacadas laterais, que José Clemente Pereira, de volta do Paço, anunciou ao povo as palavras memoráveis do "fico". A velha igreja guarda ainda um jazigo ilustre – o de mestre Valentim, segundo assinala uma placa de bronze à direita de quem entra.

Ali esteve exposto em câmara-ardente o corpo de José do Patrocínio Filho, José Carlos do Patrocínio Filho, o Zeca Patrocínio. Estive lá depois de meia-noite e demorei-me uma hora vendo os círios arder e ouvindo a conversa de amigos que recordavam casos da vida agitada e boêmia do extinto. J. B. Silva, o Sinhô dos sambas estupendos, (não arredara pé dali) me contava o fim de uma noitada em que o Zeca o intimou com um navalhão cheio de dentes a fazer uma serenata sob as janelas da atriz Lia Binati.

Quem tivesse encontrado uma vez com o Zeca tinha uma história engraçada para contar. Eu conheci-o ultimamente, numa farra em certa casa inconfessável da rua Riachuelo. Estava lá o Villa-Lobos, o Ovalle, o João Pernambuco, o Catulo. O violão passava de mão em mão, porque todos tocavam. Catulo estava impossível. Bebera cerveja demais e deu para declamar poemas. Nós queríamos que ele cantasse umas modinhas, bem bestas, bem pernósticas, como "A tua coma", ou "Célia, adeus!" ou "Talento e formosura". Mas o bardo estava em maré de grandeza e dizia muito sério a duas belezas venais:

– Minhas senhoras, eu tenho sessenta anos e já li todos os grandes poemas de todas as literaturas; li todo o Homero, todo o Virgílio; li Goethe, Shakespeare, Ariosto: nunca encontrei nada como este poema da minha lavra que vou lhes recitar!

Quando ele puxava o pigarro para começar e a versalhada parecia inevitável, o Zeca salvava a situação:

– Ó Catulo, canta aquela modinha!

– Que modinha?

– Aquela em que você compara um pé a um pensamento de Pascal.

E como Catulo estava por conta da cerveja, esquecia imediatamente o poema e cantava a modinha pedida.

Zeca era pequeno, tez baça e magríssimo. Nunca vi ninguém mais magro. Magro assim, só quem está nas últimas. Mas o Zeca era magro assim e tinha um porte, uma vivacidade de rapaz com perfeita saúde. Esse contraste era coisa surpreendente. Ouvia-se falar de vez em quando que o Zeca estava muito doente, coitado do Zeca, e de repente aparecia o Zeca de *smoking* na avenida às três e meia da madrugada, desenvolto, loquaz, cheio de planos.

– Volto pra Paris. O Trololó só me dá uns três contos e eu com menos de seis não posso viver aqui. Prefiro morar embaixo de uma ponte em Paris!

E viveu toda a vida assim, do Rio pra Paris e de Paris pra o Rio. Depois da "sinistra aventura" passou aqui um pedaço mais duro, sobrecarregado de tanta tarefa jornalística que teve de contratar "negros" para o ajudarem no seu ofício de cronista. Mas isto só não bastava. Então fez excursões. Esteve na Bahia, onde a horas mortas andou beijando portões vulgares que na excitação do *whisky* tomava como relíquias de arte tradicionais. Ganhou contos de réis até em Ilhéus.

Ganhar dinheiro para Zeca Patrocínio parecia ser coisa tão fácil quanto respirar. O seu espírito, a sua graça vivaz, a sua capacidade de invenção, de improvisação cativavam à primeira vista e dir-se-ia que os amigos tinham prazer em lhe abrir a bolsa. Zeca era um pardal que fazia gosto sustentar, que fazia gosto ver alegre, irrequieto. Tendo nascido poeta, só fez versos no tempo em que cursava os preparatórios.

Há sujeitos de pouco talento e no entanto com tanta habilidade para aproveitar esse pouco talento que com meia dúzia de lugares-comuns organizam em alguns anos uma reputação literária ou científica, dominam a sociedade e chegam antes da maturidade às Academias. Zeca Patrocínio era o tipo oposto – dos que não tomam a sério o dom que trouxeram do berço, desperdiçam-no e morrem sem deixar atrás de si vestígio da riqueza malbaratada.

Junto a essa ladeada pelos seis círios, as pretinhas de cabeça branca (como deviam ser velhas!) da Irmandade do Rosário ajoelhavam de hora em hora para rezar o terço em voz alta. Haverá espíritos e o de Zeca veria naquele momento o espetáculo tocante?, pensava eu fitando o ataúde.

Na manhã desse dia foi o corpo inumado. 28 de setembro. O filho de José do Patrocínio foi levado ao cemitério numa data famosa da campanha que fez a glória paterna.

O ENTERRO DE SINHÔ

J. B. Silva, o popular Sinhô dos mais deliciosos sambas cariocas, era um desses homens que ainda morrendo da morte mais natural deste mundo dão a todos a impressão de que morreram de acidente. Zeca Patrocínio, que o adorava e com quem ele tinha grandes afinidades de temperamento, era assim também: descarnado, lívido, frangalho de gente, mas sempre fagueiro, vivaz, agilíssimo, dir-se-ia um moribundo galvanizado provisoriamente para uma farra. Que doença era a sua? Parecia um tísico nas últimas. Diziam que tinha muita sífilis. Certamente o rim estava em pantanas. Fígado escangalhado. Ouvia-se de vez em quando que o Zeca estava morrendo. Ora em Paris, ora em Todos os Santos, subúrbio da Central. E de repente, na avenida, a gente encontrava o Zeca às três da madrugada, de *smoking*, no auge da excitação e da verve. Assim me aconteceu uma vez, e o que o punha tão excitado naquela ocasião era precisamente a última marcha carnavalesca de Sinhô, o famoso "Claudionor"...

> que pra sustentar família
> foi bançar o estivador...

Me apresentaram a Sinhô na câmara-ardente do Zeca. Foi na pobre nave da igreja dos Pretos do Rosário. Sinhô tinha passado o dia ali, era mais de meia-noite, ia passar a noite ali e não parava de evocar a figura do amigo extinto, contava aventuras comuns, espinafrava tudo quanto era músico e poeta, estava danado naquela época com o Villa e o Catulo, poeta era ele, músico era ele. Que língua desgraçada! Que vaidade! Mas a gente não podia deixar de gostar dele desde logo, pelo menos os que são sensíveis ao sabor da qualidade carioca. O que há de mais povo e de mais carioca tinha em Sinhô a sua personificação mais típica, mais genuína e mais profunda. De quando em quando, no meio de uma porção de toadas que todas eram camaradas e frescas como as manhãs dos nossos suburbiozinhos humildes, vinha de Sinhô um samba definitivo, um "Claudionor", um "Jura", com um "beijo puro na catedral do amor", enfim uma dessas coisas incríveis que pareciam descer dos morros lendários da cidade, Favela, Salgueiro, Mangueira, São Carlos, fina flor extrema da malandragem carioca mais inteligente e mais heroica... Sinhô!

Ele era o traço mais expressivo ligando os poetas, os artistas, a sociedade fina e culta às camadas profundas da ralé urbana. Daí a fascinação que despertava em toda a gente quando levado a um salão.

Vi-o pela última vez em casa de Álvaro Moreyra. Sinhô cantou, se acompanhando, o "Não posso mais, meu bem, não posso mais", que havia composto na madrugada daquele dia, de volta de uma farra. Estava quase inteiramente afônico. Tossia muito e corrigia a tosse bebendo boas lambadas de Madeira R. Repetiu-se a toada um sem-número de vezes. Todos nós secundávamos em coro. Terán, que estava presente, ficou encantado.

Não faz uma semana eu estava em casa de um amigo onde se esperava a chegada de Sinhô para cantar ao violão. Sinhô não veio. Devia estar na rua ou no fundo de alguma casa de música, cantando ou contando vantagem, ou então em algum botequim. Em casa é que não estaria, em casa, de cama, é que não estaria. Sinhô tinha que morrer como morreu, para que a sua morte fosse o que foi: um episódio de rua, como um desastre de automóvel. Vinha numa barca da ilha do Governador para a cidade, teve uma hemoptise fulminante e acabou.

Seu corpo foi levado para o necrotério do Hospital Hahnemaniano, ali no coração do Estácio, perto do Mangue, à vista dos morros lendários... A capelinha branca era muito exígua para conter todos quantos queriam bem ao Sinhô, tudo gente simples, malandros, soldados, marinheiros, donas de *rendez-vous* baratos, meretrizes, *chauffeurs*, macumbeiros (lá estava o velho Oxunã da praça Onze, um preto de 2 metros de altura com uma belide num olho), todos os sambistas de fama, os pretinhos dos choros dos botequins das ruas Júlio do Carmo e Benedito Hipólito, mulheres dos morros, baianas de tabuleiro, vendedores de modinhas... Essa gente não se veste toda de preto. O gosto pela cor persiste deliciosamente mesmo na hora do enterro. Há prostitutazinhas em tecido opala vermelho. Aquele preto, famanaz do pinho, traja uma fatiota clara absolutamente incrível. As flores estão num botequim em frente, prolongamento da câmara-ardente. Bebe-se desbragadamente. Um vai-vém incessante da capela para o botequim. Os amigos repetem piadas do morto, assobiam ou cantarolam os sambas ("Tu te lembras daquele choro?"). No cinema da rua Frei Caneca um bruto cartaz anunciava *A última canção* de Al Johnson. Um dos presentes comenta a coincidência. O Chico da Baiana vai trocar de automóvel e volta com um *landaulet* que parece de casamento e onde toma assento a família de Sinhô. Pérola Negra, bailarina da companhia preta, assume atitudes de estrela. Não tem ali ninguém para quebrar aquele quadro de costumes cariocas, seguramente o mais genuíno que já se viu na vida da cidade: a dor simples, natural, ingênua de um povo cantador e macumbeiro em torno do corpo do companheiro que durante tantos anos foi por excelência intérprete de sua alma estoica, sensual, carnavalesca.

PEQUENINO

A morte de Frederico Nascimento Filho, de Pequenino, como era conhecido dos íntimos, não surpreendeu a ninguém. O que surpreendia era a sua incrível resistência a uma vida de dissipação em que tudo consumiu – a voz, o talento, a reputação, a saúde. Dessas criaturas que fazem a gente repetir penalizado a interrogação dos versos de Raimundo Correia:

> Por que tudo o que tem de fresco e virgem gasta e destrói?

Conheci Nascimento ainda mal saído da adolescência, na casa de Tilda Aschof, que foi o ambiente onde ardeu numa chama tão bela e tão breve o gênio de Glauco Velásquez. Foi ali que ouvi pela primeira vez essa voz de barítono que vinte anos de alcoolização diária não conseguiram extinguir de todo. Mas os dons de Pequenino não se limitavam somente à voz: tinha tudo o que era preciso para fazê-la valer com perfeição – a inteligência e a cultura musical, a intuição de todos os sentimentos humanos, a melhor dição. Tudo isso, que encantava pelo caráter de dons naturais, frescos e virgens, ele gastou e destruiu, com uma amargura implacável, como um homem apostado em se degradar. Por quê?...

A voz lhe foi desmerecendo, malgrado se lhe apurasse cada vez mais a arte do canto; acabou inteiramente branca e é espantoso como de instrumento assim já quase imprestável podia arrancar acentos por vezes tão comoventes.

Na conversação é que essa voz adquiriu todos os seus temíveis valores. Já disseram, e com razão, que Nascimento era o crítico da cidade. O crítico da Galeria Cruzeiro, o boca de inferno dos *bars* e dos cafés, onde era sempre de encontrar. O Rio tem tido desses homens que fazem com brilho e bom humor a crítica falada, compensando as limitações do regime de censura à crítica escrita ou o comodismo das reputações feitas. Nenhum, porém, tinha a agressividade inquietante de Nascimento. Não havia nele a alegria nem bom humor. A voz dos outros – um Emílio de Menezes, um Zeca Patrocínio – era afinal uma arma, coisa que sempre desperta nos homens dignos desse nome o instinto de reação batalhadora. A de Nascimento dava mais a sensação de um instrumento requintado de intervenção cirúrgica. A dição de Pequenino, apoiada em mímica de impressionante seriedade, era um aparelho de precisão impossível de deter ou contrariar. A réplica mais justa quebrava-se sem força nas pontas daquele virtuosismo verbal, que fascinava, mesmo quando desarrazoava. Nascimento não compreendia as correntes mais modernas em música, poesia ou artes plásticas. Em matéria de poesia parara nos poetas musicados por Debussy e Fauré. Dizia bobagens como uma menina de Sion. Mas de que maneira as dizia! Não havia como fazer-lhe frente senão descaindo para o terreno do soco e da bofetada.

Terreno que, de resto, aceitava porque tinha bravura pessoal, embora fosse mirrado. Quantas vezes no Bar Nacional, na Brahma ou na Americana foi visto a provocar pancada de gente da natação ou do remo. Era um técnico da insolência.

No meio de toda essa atmosfera de sarcasmo e negação, podia às vezes chorar com a mesma soberba impudência, à vista de toda a gente, numa mesa de *bar*. De uma feita que trabalhou na temporada de ópera do Teatro Municipal, não foi levado com a companhia para São Paulo. Precisamente na noite em que a *troupe* viajava para São Paulo encontrei-o bêbedo e envenenado de despeito numa mesa do Bar Nacional. Foi um *sketch* dramático inesquecível. Falou, falou, invectivou todo o mundo, depois chorou. Subitamente ergueu-se e num repente de orgulho:

– Porque apesar de dez anos de bebedeira constante eu ainda tenho mais voz do que todos esses... – E abalou todos os ecos do largo da Carioca e da rua de Santo Antônio com uma ternura formidável.

Há um ano encontrei-o no mesmo estado de espírito às duas horas da madrugada na Galeria Cruzeiro já deserta. Como estava magro e desfeito! Parecia que se ia desfazer de um momento para outro na bruma de inverno da noite. A voz, no entanto, era sempre a mesma, cortante, incisiva, mordaz, como se toda a energia daquele corpo devastado pelo álcool estivesse concentrada nas cordas vocais. Vai morrer, pensei comigo. Hoje mesmo.

Morreu agora. Vi-o na rua poucos dias antes, magríssimo, mas ereto, no ar distante e desdenhoso que tinha nas horas de abstenção. Não abdicou nunca.

Um grande artista pernambucano

O encanto do Recife não aparece à primeira vista. O Recife não é uma cidade oferecida e só se entrega depois de longa intimidade.

Se não fosse muito esquisito comparar cidades com mulheres, eu diria que o Recife tem o físico, a psicologia, a graça arisca e seca, reservada e difícil de certas mulheres magras, morenas e tímidas. Porque, não repararam que há cidades que são o contrário disso? Cidades gordas, namoradeiras, gozadonas? O Rio, por exemplo. Belém do Pará. São Luís do Maranhão são cidades gordas. A Bahia é gordíssima. São Paulo é enxuta. Mas Fortaleza e o Recife são magras.

Essa magreza é sensível em tudo no Recife. A vida comercial da cidade estendeu-se a comprido da avenida Marquês de Olinda até o fim da rua da Imperatriz. Os sobrados são magros e magros todos os detalhes arquitetônicos. Mesmo nas velhas casas solarengas do bairro da Madalena há não sei quê de seco, de sóbrio, de abstinente – de magro em suma.

Quase todas as igrejas do Recife, as características pelo menos, são magras. São Pedro dos Clérigos é a igreja mais magra do Brasil.

A ideia que se faz de um pernambucano é de indivíduo magro. A arma de sua predileção é a faca de ponta – arma também magra.

O próprio nome – Recife – é palavra magríssima, como de resto o mesmo acidente natural por ela nomeado.

Essa magreza, aliás, não prejudica em nada a cidade. Não é magreza de doença ou de miséria, senão de regime, ou melhor, de constituição. Assuntando bem, parece-me que nessa magreza calada e desenfeitada é que reside o encanto essencial e característico do Recife.

Essa cidade magra tinha necessidade de dar um artista magro capaz de refletir em sua arte aquela graça característica das suas linhas. Deu-o de fato na pessoa de Manuel Bandeira.

Há muita gente que toma como meus os desenhos do meu xará. Quem me dera que fossem! Eu não hesitaria um minuto em trocar por meia dúzia de desenhos do xará toda a versalhada sentimentalona que fiz, em suma, porque não pude nunca fazer outra coisa.

Manuel Bandeira desenha a bico de pena e faz aquarelas. Mas é sobretudo no desenho a pena que reside a sua maior força. Aí é que é magro como as igrejas da sua cidade. O seu traço é forte, áspero, duro. Todavia em toda essa força a poesia reponta sempre e uma certa ternura bem cariciosa. Poesia e ternura fortes – eis as características dos desenhos melhores de Manuel Bandeira. E foram essas qualidades que o tornaram o intérprete por excelência dos velhos aspectos da arquitetura colonial – velhas ruas, velhas casas, velhas pedras. O Recife da Lingueta, Olinda, Igaraçu, Salvador, Ouro Preto, Mariana, Sabará, São João d'El-Rei assistem na arte do desenhista pernambucano com o mesmo misterioso sortilégio da realidade. Ele faz compreender – sem intenção, aliás, porque não há nenhuma literatura nesse artista bem confinado na sua técnica – o que há de passado venerável nessa arquitetura dos nossos avós. Faz compreender que essa arquitetura deliciosa não é coisa que se deva repetir, imitar. Quem sente profundamente o colonial não pode sofrer o neocolonial.

Bandeira formou-se no Recife, creio que sem mestre nenhum. Vi os seus primeiros desenhos na saudosa *Revista do Norte*, dirigida, composta e impressa por José Maria de Albuquerque. Quando o *Diário de Pernambuco* encarregou Gilberto Freyre de organizar a edição comemorativa do seu centenário, Bandeira foi convidado para ilustrá-la. Veio depois a edição de *O Jornal* consagrada a Pernambuco, a colaboração efetiva em *A Província* do Recife e finalmente a sua obra mais importante – a ilustração de todo o número de *O Jornal* dedicado ao estado de Minas. Para executá-la Bandeira passou dois meses em Ouro Preto, trabalhando com tal ardor que os olhos se lhe fatigaram e adoeceram. Os desenhos de Minas mostram o artista na plena posse de todos os recursos da pena e do nanquim. Nenhuma incerteza mais. Uma segurança impecável na oposição dos brancos e dos negros, sensível especialmente na Nossa Senhora do Carmo de Sabará, no solar do conde de Assumar, na capelinha do padre Faria, no renque de casinhas e nos burricos da rua Barão de Ouro Branco.

É de realçar como Bandeira apanhou bem o caráter de cada uma das velhas cidades mineiras. O aspecto severo, áspero e melancólico da antiga Vila Rica, as ruínas ingênuas de Sabará, onde as casas de porta e janela parecem sorrir contentes de se sentirem tão velhinhas, a grandeza processional da encosta do Santuário de Congonhas do Campo, tudo Bandeira fixou com surpreendente fidelidade.

Magistrais são também as reproduções de detalhes das esculturas de Ouro Preto: as pias de São Francisco e Carmo de Ouro Preto, os púlpitos, os coroamentos dos portais etc. Ao todo 51 desenhos magníficos que testemunham a beleza artística em que floresceu o *rush* do ouro vista através da força ingênua e sóbria de um grande artista da nossa atualidade.

É pena que os trabalhos de Manuel Bandeira permaneçam sequestrados em coleções particulares ou nas reproduções, nem sempre fiéis, de edições jornalísticas esgotadas. Não existe entre nós nem público nem editores para uma obra dessas. Seria caso de se promover a expensas do Governo Federal ou do estado de Pernambuco uma edição dos melhores desenhos de Manuel Bandeira. Ela representaria um dos mais altos e finos padrões da nossa cultura.

RECIFE

Este mês que acabo de passar no Recife me repôs inteiramente no amor da minha cidade. Há dois anos atrás, quando a revi depois de uma longa ausência, desconheci-a quase, tão mudada a encontrei. E sem discutir se essa mudança foi para melhor ou para pior, tive um choque, uma sensação desagradável, não sei que despeito ou mágoa. Queria encontrá-la como a deixei menino. Egoisticamente, queria a mesma cidade da minha infância.

Por isso diante do novo Recife, das suas avenidas orgulhosamente modernas, sem nenhum sabor provinciano, não pude reprimir o mau humor que me causava o desaparecimento do outro Recife, o Recife velho, com a inesquecível Lingueta, o Corpo Santo, o Arco da Conceição, os becos coloniais...

Mesmo fora do bairro do Recife, quanta diferença! Quanta edificação nova em substituição às velhas casas de balcões, esses balcões tão bonitos, tão pitorescos com os seus cachorros retangulares fortes e simples como traves. (Um arquiteto inteligente aproveitaria esse detalhe tradicional bem característico do Recife.) Os cais do Capibaribe, entre Boa Vista e Santo Antônio, sem os sobradões amarelos, encarnados, azuis, tão mais de acordo com a luz dos trópicos do que esta grisalha que os requintados importaram de climas frios.

No meio de tanto desapontamento um bem doce consolo: a rua da União, a mesma de trinta anos antes, salvo o nome e a estação da rua da Princesa. (Ah, falta também a gameleira da esquina! Meus olhos não esqueceram nada.) Exatamente como a deixei. Não tem uma casa nova. Ali ainda residem primos. Em casa de meu avô moram velhos amigos que me conheceram menino. E aquele prediozinho baixo? Tem uma tabuleta na fachada: Asilo Santa Isabel. Não! Quem vive ali é d. Aninha Viegas. Bentinho vai já aparecer ao postigo, com a pasta de cabelo bem empomada, camisa de peito engomado, sem colarinho (parecia que a falta de colarinho era um detalhe ou requinte da elegância de Bentinho).

Não havia nada para quebrar a ilusão da minha saudade. E comecei a ver outras figuras, que, embora desaparecidas no túmulo, continuavam a viver para mim com mais realidade do que os desconhecidos que cruzavam comigo na calçada: o velho Alonso, de gorro e cacete, comprando latas de doce de araçá e goiabada em quantidade que me deixava deslumbrado; Totônio Rodrigues que me parecia velhíssimo, perito em situar os incêndios pelo toque do sino, mas com uma má vontade evidente contra o bairro de São José, seu Alcoforado que eu nunca vi mas cujo nome me impressionava...

O SONHO DE FRANÇA JÚNIOR

Pedro Dantas escreveu há tempos uma longa apologia de França Júnior, que lhe parece ser um escritor injustamente esquecido pelas gerações vivas. Menos esquecido que menoscabado. Com efeito o antropófago paulista que certa vez chamou a António de Alcântara Machado "o França Júnior do Modernismo", teve intenção de menoscabar a ambos.

Muita gente se riu com a perfídia, muita gente que nunca lera França Júnior e apenas o conhecia pela tradição de folhetinista fácil dos tempos em que se jantava às cinco horas, em que se tomava o bondinho de burros na esquina da rua do Ouvidor e se frequentava em agosto a novena de Nossa Senhora da Glória do Outeiro. Mas Pedro Dantas não riu. Ele nunca ri sem saber bem do que ri, como ri, e por que ri. É um poeta – está-se vendo logo que é um poeta e excelente – mas é ao mesmo tempo esta coisa mais rara – um espírito crítico. Precisamente o que constitui o singular encanto de tudo o que ele escreve é esse constante equilíbrio entre a inteligência e a sensibilidade. Sente-se atrás do escritor um homem com saúde e com caráter. Pedro Dantas ouviu a pilhéria do antropófago, refletiu que ainda não conhecia França Júnior – conhecia o outro, o admirável António de Alcântara Machado, e sabia que daquilo tudo poderia resultar que o folhetinista esquecido valesse a pena de ser lido. Como de fato valeu. E eis o nosso Pedro Dantas desmontando metodicamente, com precisão e vagares, a pilhéria antropófaga, o riso da galeria, o comentário da *Pequena história da literatura brasileira*, sempre com aquele ar pachorrento de quem é capaz, como o Príncipe do Fogo, "de vos suscitar grandes peixes mansos"...

O artigo de Pedro Dantas interessou-me também por França Júnior, que eu só conhecia pelos elogios de Artur Azevedo. Li os *Folhetins*. Admirei-me da isenção crítica de Pedro Dantas. Ninguém, como este, tão diferente do António de Alcântara Machado de 1876.

O folhetinista era improvisador loquaz e descuidado. O tipo do conversa-fiada. Ao passo que Dantas procede como o sujeito que, munido de esquadros perfeitos e lápis Faber de ponta irrepreensível, vai determinando as linhas de uma figura de geometria descritiva. Não há escritor menos "fácil" do que ele. Não obstante, seduziu-o a "facilidade" do outro, porque debaixo dela discerniu de pronto o dom agudo de observação, esse mesmo dom que existe em António de Alcântara Machado.

Em suma, a pilhéria antropófaga era boa, não como pilhéria, mas como observação crítica. França Júnior e António de Alcântara Machado são dois anotadores insignes dos nossos costumes. Como o *Brás, Bexiga e Barra Funda* faz-nos viver no meio dos ítalo-brasileiros de São Paulo, os *Folhetins* de França Júnior nos restituem ao vivo a sociedade do tempo em que o sr. Martinho Campos derrubava ministérios, quando os homens namoravam ou conversavam de política à porta do Castelões e do Albernaz e as senhoras se vestiam na Dreyfus ou na Mme. Lambert.

Essa faculdade de observação fácil é o único mérito dos *Folhetins*, mas por isso mesmo faz dessas crônicas um acervo precioso para o conhecimento do nosso passado. França Júnior anotava tudo e até as palavras com que se convidava para um casamento ou um enterro. Quis ver se encontrava nos *Folhetins* alguma referência ao maxixe, dança cuja origem tão próxima de nós está contudo envolta em mistério. Só uma vez encontrei neles a palavra, mas no sentido de festa caseira, sinônima de forrobodó e chinfrim: – "Não há habitação modesta onde no dia seguinte ao de um 'forrobodó', 'maxixe' ou 'chinfrim', como se diz na gíria, não se veja a dona da casa a mandar a negrinha empastar de barro as manchas de gordura que sujam o soalho." França Júnior fala muito é em polca, *schottisch* e às vezes samba. Tenho um amigo de perto de setenta anos que chegou ao Rio em 1885 onde já encontrou o maxixe. Sendo os *Folhetins* de 1876, pode-se concluir que a dança e o nome nasceram dentro daquela década.

França Júnior era amador de pintura e fazia paisagens que vendia por bom preço. Inimigos seus, ou antes do curador de órfãos, que ele era, insinuaram que o pintor se valia da influência do curador para vender os quadros. Sem dúvida calúnia de despeitados. O cronista era levado pelo seu gosto a ocupar-se frequentemente de artes plásticas, e assim vemos pelos *Folhetins* como se foi formando o primeiro grupo de paisagistas brasileiros – Caron, Vasquez, Ribeiro, Parreiras – em torno do Grimm, alemão malcriado que só ensinava ao ar livre.

Diante do esplendor da paisagem carioca, França Júnior vivia fantasiando uma cidade mais bela, mais limpa, mais sociável, mais civilizada. Um dos seus folhetins de *O País* finge um sonho que os cariocas de hoje estão vivendo acordados. Nem todos os detalhes coincidem, mas em linhas gerais o Rio de hoje corresponde ao do sonho de França Júnior.

França Júnior acordou de bom humor numa bela manhã de verão. Vestiu-se às pressas assobiando trechos do *Trovador*, da *Traviata* "e outras velharias que lhe recordavam" – que lhe recordavam não! "que recordavam-lhe", pois naquele tempo não se obedecia a regras de colocação pronominal portuguesas – "os dias felizes da mocidade"... Aqui o sonhador enganou-se: todos os anos ainda se ouve o *Trovador* e a *Traviata*...

Mandou buscar um carro – ele não adivinhou o automóvel – e saiu a passear por praças e avenidas ajardinadas. Afinal foi dar na avenida da Aclamação, que corresponderia à avenida Rio Branco. Essa avenida da Aclamação saía da praça da Aclamação (Campo de Sant'Ana) e provinha do alargamento das ruas Senhor dos Passos e Hospício. Como veem, é a avenida ideada pelo prefeito Carlos Sampaio. Ficou até hoje no papel, porém mais cedo ou mais tarde o sonho de França Júnior se fará realidade. Onde o folhetinista acertou inteiramente foi na avenida Beira-Mar, que chamou das Palmeiras, indo do cais Pharoux até Copacabana. Quando agora vou de automóvel da avenida Rio Branco pelos novos jardins da Glória e praias do Russell, Flamengo, Botafogo e Atlântica, fico pensando no sonho do folhetinista. E o meu gozo é maior que o dos menores de trinta anos, como o Pedro Dantas, porque eu ainda conheci o Rio antigo, o infecto Rio em que França Júnior imaginava o maravilhoso Rio de agora.

PRESENTE!

A morte de Silva Ramos, o douto vernaculista e membro da Academia de Letras, veio, na manhã em que li nos jornais a triste notícia, transportar-me o espírito aos anos longínquos da minha infância, quando eu, ainda de calças curtas, frequentava o primeiro ano do Colégio Pedro II, naquele tempo, e para a grande amargura monarquista de Carlos de Laet, chamado Ginásio Nacional.

Silva Ramos era o catedrático de português. Já naquele tempo não parecia moço à nossa meninice. Tinha o busto acurvado e a fisionomia cansada. Entretanto, fazendo agora as contas de sua idade de então, vejo que mal passava dos quarenta anos. O espírito guardava ainda todo o calor da mocidade. E de fato bastava que um aluno, mau leitor, estropiasse a dição de uma bela página da *Antologia nacional* para que a sensibilidade do mestre, ferida em suas fibras mais finas, estremecesse e buscasse evadir-se conosco para fora da sombria sala de aula: de todo esquecido da gramática, da seca análise gramatical e da "chamada análise lógica, que de lógica muitas vezes nada tem", como ele mesmo escreveu em prefácio a um livro de Sousa da Silveira, Silva Ramos interrompia o aluno, talvez bem seguro de todas as subordinadas conjuntivas do período, para lhe fazer sentir a beleza do trecho, que passava a ler com o entusiasmo mais vibrante e comunicativo. Toda a classe ficava fascinadamente presa à sua palavra, em que havia um leve sabor da fala portuguesa. Ainda hoje quando nos encontramos, os companheiros daquele tempo, gostamos de recordar a maravilhosa aula de dição que foi certa vez a leitura da "Última corrida real de touros em Salvaterra": não só tenho bem presente na memória quadro objetivo da velha sala, da atitude dos colegas, da figura subitamente remoçada do mestre, da voz com todas as suas inflexões mais peculiares, como também todas as imagens interiores evocadas pelo surto eloquente da leitura. A bravura e o esplendor da ilustre casa de Marialva ficou para todo o sempre dentro de mim como um painel brilhante: na verdade em um ponto da minha consciência ficou armado um redondel definitivo para essa última corrida de touros em Salvaterra, a qual nunca deixou de ser uma das festas preferidas da minha imaginação. A tal ponto que longe de ser a última, passou a ser a eterna corrida de touros em Salvaterra: eterna e única, pois foi a primeira e me fez achar insípidas, mesquinhas, labregamente plebeias as verdadeiras touradas que vi depois com os olhos do corpo e não os da imaginação excitada pelo admirável gosto literário do mestre.

Silva Ramos era um espírito de formação clássica portuguesa. Mas ele entendia versar os clássicos naquele mesmo largo espírito humanista de que nos fala João Ribeiro, outro grande mestre do Pedro II daquele tempo: isto é, versá-los, situando-os em seu tempo, revivendo-os no ambiente de suas paixões. Com Silva Ramos o que se procurava em Camões não eram os atestados de bom comportamento de um pronome oblíquo nem a personalidade irregular de um infinito, mas a força rítmica da oitava decassílaba, atrás da qual choravam as lágrimas de Inês ou de longe bradava o despeito amoroso de Adamastor. As cruéis vicissitudes do ensino secundário no Brasil privaram-nos desse mestre insigne no segundo ano do nosso curso. Pois bem, em nove meses de aulas Silva Ramos teve o talento, eu deveria dizer a alma, de pôr na cabeça de um menino até então inatento a qualquer espécie de beleza literária, o gosto, a verdadeira compreensão dos padrões mais nobres da nossa linguagem; no português que falo e escrevo hoje, mesmo quando me utilizo de formas brasileiras aparentemente mais rebeldes à tradição clássica, eu sinto as raízes profundas que vão mergulhar nos cancioneiros.

Tivemos, a minha turma do Pedro II, muitos mestres admiráveis: Nerval de Gouveia, Said Ali, Paula Lopes, João Ribeiro, Cabrita, tantos outros. Silva Ramos, talvez por atuar sobre nós na virgindade de impressões do primeiro ano, decidiu porventura da vocação de dois colegas meus, que com o tempo vieram a se tornar dos maiores sabedores da nossa língua: Sousa da Silveira e Antenor Nascentes. No ardor científico com que ambos pesquisam hoje os casos difíceis da nossa gramática histórica não é provável que esteja, ampliada, organizada, fortificada pelo estudo, aquela velha emoção dos dez anos, quando o mestre nos punha trêmulos de medo diante dos touros de Salvaterra? Ou com Afonso Domingues debaixo da abóbada do mosteiro da Batalha que "não caiu e ainda hoje lá está!" como exclamava ao cabo da página de Alexandre Herculano, apontando com o dedo numa vaga direção, que pretendia ser a do famoso mosteiro?

Silva Ramos chegou aos 77 anos trabalhando sempre: dando lições de português a meninos e a colegas da Academia. Estes aproveitaram menos do que aqueles, segundo se depreende da última reforma ortográfica, nos debates das quais o meu querido mestre demonstrou mais uma vez a lucidez do seu espírito e a sua extraordinária cultura vernácula. À proporção que envelhecia ia-se dobrando cada vez mais para a terra, onde acaba agora de desaparecer...

Nesta hora de enternecida recordação, se os seus olhos espirituais estão procurando no mundo material os daqueles que o amaram e admiraram, entre os seus antigos discípulos do Ginásio me orgulho de comparecer, respondendo como à lista de chamada: Presente!

Graça Aranha

Graça Aranha morreu num arranha-céu da praia do Russell, em frente à estátua do almirante Barroso. O seu apartamento era de um conforto simples, claro, geométrico e correspondia bem àquele bom gosto que o levava para as formas plásticas mais abstratas e mais despojadas do elemento pitoresco. Nenhum luxo senão o da arte, que o não era para o seu espírito que só dela se alimentava. Ambiente inteiramente modernista. Só se encontraria de antigo naquelas paredes alguns retratos de antepassados ou de amigos já desaparecidos (Nabuco) e por trás da cabeceira da cama uma pintura representando a velha mansão colonial de Filipe no largo do Boticário. Tudo o mais eram quadros de Ismailovitch, Cícero Dias, Di Cavalcanti, De Garo e outros novos, fotografias de casas de Le Corbusier, de criações plásticas populares (esculturas pobrezinhas de Garanhuns) nas quais se encontra o mesmo caráter da arte culta de vanguarda.

Àquela hora ainda matinal havia pouca gente a lhe velar o corpo. Renato Almeida e d. Eugênia Álvaro Moreyra lá estavam e me contaram como o tinham deixado na véspera, depois de dez horas da noite, bem disposto, alegremente ocupado com a divulgação dos primeiros prêmios da fundação que tem o seu nome. Três quartos de hora depois ambos recebiam em suas casas a telefonada aflita que anunciava o ataque súbito e quase fulminante do edema. O destino foi generoso para com ele, poupando-lhe as degradações do fim lento, matando-o numa hora de alegria, daquela alegria que ele desejava para base estética de toda arte.

A mão de sua neta, neta também de Rosa e Silva, levantou para mim e para Rodrigo Melo Franco de Andrade o lenço que lhe cobria o rosto. Estava um pouco mais magro. Tinha a palidez de todos os mortos. Estava belo. Integrado não na perpétua alegria, que a alegria afinal é agitação e criação do espírito, no seu caso aparência e jogo pueril de arte – integrado na perpétua serenidade. Fraquezas que porventura haveria no homem tinham desaparecido daquela máscara de impressionante nobreza. O homem fora belo, mas o morto estava ainda mais belo. Assim a morte nos ensina a nobreza da matéria, descomposta às vezes pelo tumulto vão do espírito. A morte dava ali a Graça Aranha o de que sempre senti falta em sua obra por tantos títulos magnífica: a serenidade, a interioridade. O que ele procurou sempre e cada vez mais à proporção que lhe aumentava a idade foi o entusiasmo e a alegria. O seu último livro testemunhava um estado de verdadeira readolescência.

Nunca fiz parte do grupo de amigos e discípulos de Graça Aranha. Aliás não havia propriamente discípulos de Graça Aranha. O movimento de aproximação foi mais dele para os rapazes do que destes para ele. Havia amigos de Graça Aranha que aceitavam a sua profissão de fé de entusiasmo. Ora, esse entusiasmo não só me deixava frio como suscitava mesmo a vontade de contrariar o professor de entusiasmo, o que não tinha a menor importância, porque ele era um grande escritor e eu apenas o mais tísico dos poetas líricos. Só uma vez o seu entusiasmo me contagiou e foi no famoso dia da Academia. Me entusiasmei sem razão nenhuma, porque o dia da Academia foi afinal um despropósito e o gesto de Graça Aranha, parecendo que era a consolidação do movimento modernista, foi na realidade o começo da desagregação do Modernismo como movimento coletivo. Só que naquela escaramuça acadêmica Graça Aranha era o lado inteligente e estava realmente simpático, destemido e radiante de mocidade.

O que me parece ter agido como elemento inibitório na última fase de Graça Aranha é que a esse gosto absorvente de moça modernidade se contrapunha o resíduo persistente da sua verdadeira mocidade, a que datava da escola do Recife, impregnada ainda daquela imaginação verbal arrebatada e quase destituída de todo espírito de *humour*. O esforço de Graça Aranha para se aproximar dos processos modernos prejudicou os seus dons naturais de romancista. A sua obra teria sido maior se fosse construída no mesmo espírito de *Canaã*, que afinal, ficará como a única que é extremamente sua: *Malasarte* está contaminada de ibsenismo, como a *Viagem maravilhosa* de intenções plásticas cubistas e objetivo-dinâmicas que brigam com os surtos descritivos do seu temperamento romântico, amigo de cores e sentimentalidades vibrantes e sensacionais. A sua força estava nos períodos longos e ele tentou fragmentar-se e restringir-se em elipses contrárias ao seu feitio largo. Obrigou-se a uma técnica de volumes, quando o seu natural era, ao invés, desmanchá-los no jogo violento das claridades meridianas.

Augusto Frederico Schmidt

Já estava tardando um poeta que reagisse contra os processos e o estado de espírito da geração modernista. Alguém para quebrar os clichês gastos. É verdade que havia os continuadores de parnasianos e simbolistas. Esses, porém, não reagiam: repetiam apenas. Era preciso um poeta que tivesse passado pela experiência moderna, que a tivesse assimilado e, portanto, embora diferenciando-se dela, afastando-se dela, soubesse aproveitar-lhe as lições. É o que entre nós se dá agora pela primeira vez com a afirmação poética de Augusto Frederico Schmidt.

O seu novo livro de poemas, o *Pássaro cego*, precisa com formosa eloquência a anunciação do *Canto do brasileiro*, dos *Cantos do liberto* e do *Navio perdido*.

Augusto Frederico Schmidt retomou o fio partido da tradição romântica brasileira. Verseja com a mesma abundância descuidada. No amor é um poeta de sinhás. Na morte, é o poeta das inadaptações agressivas e amargas da puberdade. Como os românticos, mistura à sintaxe mole dos brasileiros uma licença prosódica portuguesa de gosto bem duvidoso e diz: "Pela felicidade que jamais virá".

Mas à inadaptação romântica dos nossos Casimiros de Abreu ele junta um elemento de intensa dramaticidade que vem dos séculos bíblicos da sua raça. Por mais cotidiana que se nos apresente a sua figura de livreiro solerte, o tom da sua poesia acomete a consciência como um eco dos versículos severos dos profetas judeus. As suas apóstrofes suscitam ambientes de apreensão, como se estivéssemos na véspera de calamidades irreparáveis. E é propriamente esse tom sinistro que assegura a Augusto Frederico Schmidt uma qualidade nova em nossa poesia.

Esse tom é a sua qualidade essencial. Mas ao lado dela outras são de notar, muito saborosas, não tem dúvida, se bem que de natureza mecânica, facílimas de macaquear, e o próprio Schmidt é demasiado condescendente consigo mesmo na insistência em certos efeitos de sua predileção. As repetições e os refrãos, por exemplo. Schmidt descobriu, ou lhe disseram, que ele tinha o segredo do refrão em língua portuguesa. De fato assim é. Todavia em alguns dos seus poemas o refrão não tem a importância de frase essencial e cheia de perspectiva para todos os lados, como convém a uma legítima frase-refrão. "Lembrou-se de outras noites de repente" é imenso como evocação; mas não tem importância nenhuma o "quando eu passar" do poema de amor da página 101.

Augusto Frederico Schmidt reparou no efeito encantatório das repetições. É um recurso trivial de magia. Toda palavra, ainda a mais simples, toda palavra repetida adquire o valor de uma advertência terrível. Qualquer um pode fazer a experiência. Por aí já se deixa ver como é preciso usar com discrição um efeito de facilidade tão perigosa.

Uma qualidade saborosa, e essa sem perigo, deste magnífico poeta é o jeito de pegar o poema já do meio:

> Lembrou-se de outras noites de repente.
> No céu o mesmo luar...

E como começa interrompe, de sorte que ficamos suspensos com o poema na mais completa indeterminação de tempo e espaço.

Essa indeterminação é outra atitude frequente em Augusto Frederico Schmidt. Há poemas seus em que aparecem personagens tão inquietantes, desconhecidos tão estranhos, que não se chega a identificá-los: pode ser um simples amigo; também pode ser um inimigo; ou um tipo como M. Charlus; mas, por absurdo e até sacrílega que pareça a ideia, não se pode afastar de todo a hipótese da pessoa do Cristo.

De resto Schmidt é um dos poucos poetas que sabem falar a Deus com tranquila dignidade. Isso também deve proceder do seu fundo judaico. O cristão em tal colóquio toma uma postura muito sentimental e um tanto pedinchona por demais. Os antigos hebreus não. Schmidt a esse respeito não tem quem se lhe compare. Encontra sempre o tom justo, as palavras mais acertadas de respeito, de fé e de confiança:

> Caminharei em busca do presépio
> A noite inteira, meu Senhor...

Schmidt é católico, mas o seu sentimento religioso não é repousado e repousante como o de Elizabeth Leseur, por exemplo. Ele mesmo se pergunta num mau soneto irregular por que não crê em Deus sem se martirizar. É que as suas inquietações vêm talvez da insatisfação de bens terrestres, o que parece decorrer tão somente de sua falta de confiança em si. Sente-se que a sua experiência é limitada e exaspera-se por isso em anseios para outras coisas, climas ausentes, Lucianas misteriosas. Um sintoma muito curioso desse estado de espírito é o seu gosto de falar nas *formas do futuro*: "As luzes serão frias... Haverá apenas uma grande planície... Estarás ansiosa... Tentarei fugir...". Fala quase sempre assim: "Farei isto, farei aquilo...". É a poesia do faço e aconteço.

Há quem sinta e lamente a monotonia destes poemas e desejaria que o poeta se renovasse fora dos temas habituais do presságio, da morte e da inutilidade dos esforços. Por mim penso que o melhor de Schmidt está precisamente nessa ressonância persistente de harmônicos elegíacos, que, como aos velhos profetas, lhe conferem um timbre próprio e característico.

GUILHERME DE ALMEIDA

Guilherme de Almeida é o maior artista do verso em língua portuguesa. Realmente, ele brinca com todos os recursos de técnica já conhecidos, inventa a cada passo novas combinações surpreendentes, faz-o que quer, faz positivamente o que quer. O pobre do poetinha comum precisa das dez sílabas bem medidas para dar o ritmo do decassílabo: Guilherme, não, arranja a mesma coisa com onze sílabas ou nove. *Raça*, por exemplo, é um prodígio de virtuosidade. A célula rítmica de todo o poema é o pentassílabo:

> Gentias tatuadas – coroadas de penas – curvadas como arcos.

Este o primeiro verso do poema em que ele surge e se estabelece com valor de cadência, antes sutilmente preparada por outras medidas. Depois vêm todos os metros, na agilidade sempre impecável de mil variações. O ritmo, porém, continua o mesmo, porque o baixo do pentassílabo, que a intervalos aparece, está sempre presente no ouvido e domina toda a polifonia do poema. Às vezes a célula germina e se multiplica dentro de um só verso:

> Teias cheias de luas, de medos, de danças guerreiras em torno de fogos sonâmbulos...

E no fim o ritmo se esquematiza em tercetos regulares (o número de sílabas não importa) precedidos de um verso muitas vezes de ritmo inumerável:

> ritmos paralíticos do silêncio imóvel estendido sobre –
> capitanias
> tabas
> quilombos...

Como técnica é lindo e formidável.

No *Meu* há poemas em que as duas técnicas, a regular e a livre, se justapõem da maneira mais curiosa: a pontuação dá a primeira, o sentido a segunda; quando às vezes aparece um verso regular se sente que ele está funcionando sem valor métrico. Por um lado as toantes dão a satisfação completa de rima consoante; outras vezes é o contrário, a rima fica admiravelmente fundida na trama do ritmo livre:

> Os últimos ventos do dia
> Sacodem os galhos
> Como uma horda vadia de malfeitores sutis
> Que erra ao acaso.
> E a noite monstruosa
> Tomba das árvores
> Como um fruto de sombra
> Pesado e mole
> Que se achata sobre a terra.

Esta é a versão em verso livre que eu desentranhei do admirável "Noturno". Poderia multiplicar os exemplos.

Propositadamente falei aqui só do artista. Para a glória do poeta bastaria aquela imagem comovida da Sóror Dolorosa, lembram-se? quando a monja transpõe pela primeira vez o vestíbulo do Eleito:

> Meu coração fugiu do peito:
> foi nos meus joelhos que o senti!

Esse coração batendo nos joelhos é uma das coisas melhores que eu conheço em poesia.

Mário de Andrade

O meu primeiro contato com o poeta de *Pauliceia desvairada* declanchou em mim um movimento de repulsão: achei detestável o seu primeiro livro (*Há uma gota de sangue em cada poema*). Somente, achando aquela poesia ruim, notei que era um ruim muito diverso dos outros ruins: era um ruim esquisito. Mas não tive esperanças. É que já tinha tido a decepção de outros ruins esquisitos. *Pauliceia desvairada* veio mostrar que daquela vez eu me enganara. Aquele ruim esquisito era do legítimo, isto é, significava uma força e um talento ainda nos limbos do desconforme. *Remate de males*, o livro aparecido agora, é o termo da lenta evolução de Mário de Andrade (evolução que não é só literária, senão moral também) no sentido de compor em formosa serenidade espiritual e técnica todas as forças, às vezes tão desencontradas, daquele ruim esquisito. O mais romântico, o mais pessoal, o mais rebelde, o mais brabo dos nossos poetas – o flexionador de advérbios da *Pauliceia*, o descolocador de pronomes, o possesso lírico invectivador de burgueses, o pontilhista do carnaval carioca, o *clown* trágico das "Danças", que são neste volume como uma reminiscência do puro lírico que foi o poeta, se transformou nos "Poemas da negra" e nos "Poemas da amiga" no mais sereno, no mais disciplinado, no mais azul dos nossos poetas de todos os tempos. Que vitória para o homem e para o poeta! Esses poemas, que são a verdadeira novidade do *Remate de males*, nos dão o sentido da concepção de felicidade a que chegou o poeta: a de conformidade com o seu destino. Por maior que seja a incompreensão em que nos deixam muitas das imagens dos "Poemas da negra" e "da amiga", é impossível ficar insensível ao tom de repousante calma que todos eles respiram, uma impressão de altura em que se perdem os ecos odientos da controvérsia humana e aonde só chegam os harmônicos de um lirismo sutilmente, tão sutilissimamente organizado. É incrível ter o poeta chegado a isso. Não há exemplo disso em nossa poesia. Os ingleses é que são assim. Essa ardência que não consome, esse afeto que não mela nunca, essa transubstanciação de sentimentos em pensamento é uma especialidade deles. Mário de Andrade vinha se dirigindo para esses climas líricos desde a "Louvação da tarde", que é um dos seus mais fortes e belos poemas, da "Manhã", que sei? talvez de antes mesmo, daquele "Momento" de novembro de 1925. Os "Poemas da negra" e os "da amiga" parecem vir de um isolamento enorme, mas de um isolamento em que não se pode falar nem de tristeza nem de alegria. Será de indiferença? "Que indiferença enorme!" diz um verso. Mas não é indiferença não. É antes sabedoria. Tenho de dar marcha a ré: é serenidade, é conformidade com o destino, é, em uma palavra – felicidade.

Nos "Poemas da negra" eu gosto muito da maneira por que o poeta tratou a Negra e o Recife. A Negra é bem negra naquele grito de carinho em que lhe diz:

> Te vejo coberta de estrelas,
> Coberta de estrelas,
> Meu amor!

O Recife está bem nestes versos em que há a calma das tardes no Capibaribe:

> O que me esconde
> É o momento suave
> Com que as casas velhas
> São velhas, morenas,
> Na beira do rio.
>
> Dir-se-ia que há madressilvas
> No cais antigo...

Negras e cidades do Brasil são temas exóticos. Mesmo nos brasileiros. Uma coisa cacete nas nossas tentativas de assuntos nacionais é que os tratamos como se fôssemos estrangeiros: não são exóticos para nós e nós os exotizamos. Falamos de certas coisas brasileiras como se as estivéssemos vendo pela primeira vez, de sorte que em vez de exprimirmos o que há nelas de mais profundo, isto é, de mais cotidiano, ficamos nas exterioridades puramente sensuais. Mais uma lição que nos dá o poeta! Porque ele nos tem dado tantas: salvo talvez o Oswald de Andrade, que com ele são os dois temperamentos poéticos mais originais, as duas personalidades mais marcadas que possuímos, não há poeta modernista, grande ou pequeno, que não lhe deva alguma coisa. Os grandes fizeram estrada real no rastro deste abridor de picadas.

Raul de Leoni

Na obra curta de Raul de Leoni há que assinalar muitas dessas contradições que suscita em toda sensibilidade um pouco viva o contato das realidades. A versatilidade desses movimentos interiores podia mesmo assumir no poeta a aparência de uma luta de almas, como ele próprio notou no soneto "Confusão". Há, todavia, em todos os seus poemas uma constante de pensamento que se pode tomar como o momento de todas essas contradições: é o seu amor das "ideologias claras". Ela que dá unidade ao livro, de tal sorte que os seus versos, conquanto pensados fragmentariamente, suscitam em quem os ler sem interrupção a emoção circular de um só e grande poema. E essa emoção nasce toda do espetáculo das ideias. Não das ideias provocadas na inteligência pelas contingências exteriores, porém das ideias encaradas como entidades platônicas, cujas aventuras seduziam irresistivelmente o espírito de Raul. Em seu breve mas incisivo prefácio à segunda edição da *Luz mediterrânea*, Rodrigo de Andrade fixou com agudeza essa distinção na poesia de inspiração filosófica. E tem razão: Raul de Leoni foi entre nós o único poeta (único bom, está claro) de emoção puramente filosófica. Em Augusto dos Anjos, em Cruz e Sousa, a filosofia é interessada. Decorre da experiência pessoal como um corolário de amargura. Para Raul a emoção residia nas ideias em si mesmas. Elas eram para ele uma inesgotável nascente de lirismo. E esse lirismo ele soube transmitir-nos em imagens e conceitos de singular limpidez e precisão (sobretudo no soneto – sob outras formas o seu pensamento divagava um pouco e perdia muito da força essencial, como se o soneto fosse a medida natural do seu espírito).

Era, aliás, o dom das formas puras e das ideias claras que mais o fascinava na civilização do Mediterrâneo, em cuja bacia ele situou o próprio espírito, não nas épocas de forte solidez construtiva, e sim na Grécia da decadência, onde, perdida a fé, os homens jogavam com as ideias "pela volúpia inútil de pensar".

Entretanto não creio que essa atitude representasse para Raul uma solução definitiva. Se examinarmos pelos seus poemas a história da sua vida mental, veremos que ele passou da inconsciência distraída da infância, quando "era um ser mansamente natural", para a inquietação da adolescência, ansiosa de penetrar a essência das coisas, por entre as quais andava até então

> Simples como a água lírica das fontes e puro como o espírito das rosas.

O resultado paradoxal desses debates interiores, em que o poeta exercitou a inteligência, foi a perda da fé no pensamento. Perdeu a fé, sem perder o amor, que vinha do hábito de pensar. O pensamento era para ele agora como os punhais dos malabaristas. O poeta continuou brincando com as ideias e com as formas, pensando sempre, mas "numa serenidade indiferente", preferindo à contemplação das ideias eternas "a alegria das belas aparências". Descreu do pensamento para acreditar no instinto, que exaltou em vários dos seus poemas e sobretudo no belo soneto a que deu por título aquela palavra:

> És a minha verdade, e a ti me entrego,
> Ao teu sereno fatalismo cego.

Ele queria voltar, mas agora consciente, à "pura sabedoria natural" da infância. A felicidade ele a via então "longe do Pensamento e do Desejo", na tranquilidade distraída das almas simples. Se pensava, era como um bailarino de círculos viciosos, como um ginasta das ideias.

No entanto há um poema da *Luz mediterrânea* que contraria essa atitude: daí eu ter afirmado atrás não acreditar nela como numa solução definitiva. Falando das ideias, disse o poeta:

> As ideias que criam, as ideias
> Vivas que elevam religiões e impérios,
> Gênios e heróis e mártires e santos,
> As ideias orgânicas e eternas
> Que dão nomes aos séculos, destinos
> Às raças, glória aos homens, força à Vida,
> Que nutrem almas e orientam povos,
> Fecundam gerações e geram deuses
> E que semeiam civilizações,
> Essas terão que vir da nossa fonte humana,
> Deitando profundíssimas raízes
> No generoso espírito em que nasçam:
> Terão que ser humanas, quer dizer,
> Ser a nossa energia e a nossa fé,
> Ser sementes recônditas, ser dores,
> Sentimentos, paixões e quase instintos.

Ele acreditava portanto nas ideias cujas raízes se embebem na consciência profunda. Os instintos, que passou a glorificar, eram talvez para ele o balbucio desses abismos transcendentes.

A evolução do pensamento de Raul se fazia ultimamente no sentido do Oriente, cuja mensagem também chegara até ele. Da última vez que conversei com Raul, uns dois anos antes da sua morte, ouvi-o discorrer sobre as filosofias orientais, em cujo estudo estava embebido com a mesma paixão dos tempos em que a sua inteligência acordara para a vida do espírito. Renunciaria ele algum dia às "ideologias claras" de seu querido *Mediterrâneo*?

Entre os versos que deixou inéditos há uns que se intitulam "Um fantasma" e de fato mais parecem voz de outros mundos:

> Nenhuma brutal lei do universo sensível
> Atua e pesa e nem de longe influi
> Sobre o meu ser vago, difuso, esquivo,
> No éter sereníssimo flutuo
> Com a doce sutileza imponderável
> De uma essência ideal que se volatiliza...
>
> E da matéria cósmica que tem
> Tantos e variadíssimos estados
> Eu sou o estado-alma, quer dizer,
> O último estado rarefeito, o estado ideal:
> Alma, o estado divino da matéria...

Gosto de imaginá-lo assim nessa imaterial serenidade que foi, parece, a dos seus últimos instantes.

Poesia do sertão

Ribeiro Couto, escrevendo sobre a morte do poeta Eduardo Guimaraens, notava como em nossa poesia de agora a profundidade interior está desaparecendo em favor do aproveitamento cada vez mais indiscreto dos temas e modismos folclóricos. A observação é justa em parte. Não o é de todo porque a tal profundidade interior pode muito bem ser posta dentro dos temas populares, quando o poeta que o faz é grande de fato. Exemplo: o norte-americano Vachel Lindsay. Exemplo nacional... Não, não há um bom exemplo nacional. Tem havido muitas tentativas, a boa vontade não tem faltado, mas se compararmos a riqueza da matéria-prima com o *stock* lírico da produção modernista, devemos reconhecer que, apesar de todos os esforços, a geração atual errou o pulo. Talvez por intenção excessiva. A qualidade mais preciosa da arte popular é a ingenuidade e no entanto toda essa nossa poesia de inspiração nacional carece de ingenuidade. Os poetas mais fortes do grupo – o Mário de Andrade da "Andorinha" e do "Pai do mato", o Raul Bopp da *Cobra Norato* – são citadinos, sensibilidades de cidade que se interessaram pelo sertão e souberam meter nos seus poemas o conhecimento do sertão.

Wagner contou nunca exprimir o que via, mas o que sentia a propósito do que via. A quase totalidade dos poetas da brasilidade apenas contam o que veem. O que veem? – Nem isso: o que leem. Os melhores fizeram como Wagner. Me faltava, e eu tinha enorme curiosidade de encontrar, o poeta que sentisse e não visse – aquele em quem o sertão fosse uma coisa tão *matter of fact* como a vida que levo no Rio, tomando um bonde, entrando num café, botando uma carta no correio.

Catulo da Paixão Cearense? É sem dúvida um poetão, um sujeito que fabrica imagens com surpreendente facilidade. Mas é tão da cidade quanto nós outros. Não se confunde com o sertão. É um sertão de saudade o seu. Um sertão muito saído de vocabulários regionais. O que tem mais gosto de sertão nos seus poemas são as lagoas do Nordeste, cujo encanto sentiu e sabe transmitir como ninguém: em dois, três versos ele põe nos olhos e no coração da gente a delícia de uma Pajuçara.

Há dois anos atrás pensei ter encontrado o poeta matuto na pessoa de Ascenso Ferreira. Uma meia dúzia dos seus poemas tinham bem aquele sabor da obra de arte em que o autor se confunde com o assunto. É verdade que em outros o poeta se desdobrava no espectador que fazia comentários, para deixar bem claro que se tratava de um ariano docemente compadecido da raça de Luanda. Fiz o possível para inspirar ao autor de *Catimbó* o gosto de ser o poeta de Palmares. Foi assim que o quis apresentar no Rio. Mas logo da primeira vez o autor do *Catimbó* me chamou de parte e me fez sentir que eu estava fazendo com ele uma pilhéria de mau gosto. Ascenso Ferreira faz questão fechada de ser um poeta culto. Tal e qual Catulo – o Victor Hugo do sertão, o Lamartine das serenatas, o São Francisco de Assis do *Evangelho das aves*, como ele próprio se dá.

O MÍSTICO

Os amigos do místico que fomos levá-lo a bordo do *Astúrias*, voltamos do cais com a sensação penosa de ter perdido por alguns anos aquele que melhor sabia comentar e interpretar para nós a vida da cidade carioca, porque a sentia de instinto melhor que ninguém. E sobretudo a vida da Lapa, reduto carioca, tão diferente de tudo o mais. Para compreender a Lapa é preciso viver algum tempo nela e não será qualquer que a compreenda. Para falar dela e fazer-lhe sentir todo o prodigioso encanto, só um Joyce – o Joyce do *Ulysses*, com a sua extraordinária força de síntese poética. Basta dizer que a Lapa é um centro de meretrício todo especial (onde vivem as mulatas mais sofisticadas do Rio), e esse meretrício se exerce no ambiente místico irradiado da velha igreja e convento dos franciscanos. A igreja não é bela e não tem exteriormente nada que desperte a atenção artística. No entanto, nenhuma outra no Rio terá a sua influência de sugestão religiosa. Uma vez cheguei a entrever o segredo dessa influência entrando ao lusco-fusco na nave iluminada: a imagem de Nossa Senhora do Carmo luzia adorável no cimo do altar-mor.

Era esta Lapa que em certas madrugadas transtornava de tal modo o nosso místico, que ele tinha que se agarrar a um poste para dizer baixinho: "Meu Deus, eu morro!" Hoje será a Lapa que estará a repetir os versos do poema admirável em que Augusto Frederico Schmidt chorou a partida do amigo:

> Esmeralda, onde estão teus noivos?
> Teus irmãos, teus primos, onde estão?
> Onde está teu velho Amor, teu namorado,
> Aquele de antigamente, que vagava nas ruas?
> Onde estão teus sonhos, Esmeralda?
> Onde estão teus noivos, Esmeralda?
>
> A lua de Londres roubou meu noivo...

A casa do místico ficava a meio da ladeira de Santa Teresa. Quando uma voz de mulher aparecia numa ligação errada de telefone e indagava: "Aí é o escritório do dr. Fulano?", o místico respondia com o maior carinho: "Não, aqui é minha casinha..." Havia um riso gostoso do outro lado do fio e frequentemente o idílio acabava na alcova obscura da ladeira. *Alcova* aqui não está como palavra bonita em vez de *quarto*. A "câmara de dormir" do místico não se poderia chamar de outro modo. Não havia abertura direta para a luz exterior. Tinha qualquer coisa de parecido com as "salinhas do santuário" das nossas macumbas. Ali o místico acordava às vezes no meio da noite para esbofetear-se, clamando diante do crucifixo:

– Apanha, judeu! apanha, judeu! – E o pranto lhe corria abundante pelas faces maculadas.

A saleta de entrada, minúscula e entupida por um piano de cauda, fora decorada com painéis de Cícero Dias, pintados em lona. Uma das melhores coisas do malogrado artista pernambucano, hoje inteiramente absorvido por interesses comerciais e a caminho de se tornar um desses "capitães de indústria" celebrados nos editoriais doutrinários da grande imprensa de opinião. Os painéis da casa do místico davam a impressão de que neles o menino de engenho da pintura brasileira estava se despedindo daquela infância meio louca que era a alma da sua arte tão longe do mundanismo em que se atolou depois. Um desses painéis representava o Brasil abestalhado roncando ao lado de uma mulata nua debaixo dos Arcos da Lapa; outro, a Virgem da Lapa, vestida de noiva – e pelo vão da janela se via uma paisagem lunar com uma dessas igrejas que existem em todo o largo da Matriz das cidades do interior. Foi sem dúvida essa figura de Cícero que inspirou o verso de Schmidt:

> A lua de Londres roubou meu noivo...

Ali nos reuníamos para comer os quitutes de Sinhá Rosa, para ouvir depois o místico cantar ao violão o "Zé Raimundo", o "Como Chiquinha não tem, como Toto-nha não há" e tantas outras coisas que ele dizia ser do *folklore*, mas que em verdade parece que saíam inteirinhas de dentro dele: o místico não tomara inspiração do *folklore*, estava dentro dele, era a sua única ciência – com a Bíblia.

A última manhã do místico na casinha da ladeira foi uma coisa tão comoven-te que eu não sei contar. E eu gostaria de contar como o encontrei com a cara en-tregue ao barbeiro, as mãos a d. Nazaré, distinta manicura, formosa mulher de pele gorda e alva... Em torno todo um corpo de técnicos – o alfaiate que viera arrumar as malas, o professor de inglês (da Stanford University), o poeta-procurador etc. A toda hora o telefone tilintava: eram "os chamados misteriosos" que vinham da Lapa, de Copacabana, da ilha do Governador, todos com lágrimas, com soluços. E o místico foi-se embora.

A TRINCA DO CURVELO

No baralho, a trinca são três cartas do mesmo valor. A semântica da molecada alar-gou o conteúdo da palavra e fê-la sinônima de baderna de bairro: a trinca do Curve-lo, a trinca do Itapiru. É o conjunto da molecada do bairro, que a gente vê a todas as horas batendo bola na rua, empinando pipas, estalando os tecos na buraca (– "Bus-ca!" – "Marraio!"), abatendo os pardais a bodoque... (Às vezes se atiram a distantes excursões donde regressam com uma jaca enorme. Nesses dias, é, na rua, jaca por todo o lado, uma orgia de jaca – enervante como todas as orgias.)

Mas há a trinca de rua: a trinca do Curvelo, por oposição à trinca do Cassiano. Se atendesse à nomenclatura atual, teria que dizer a trinca de Hermenegildo de Bar-ros, o que soa tão engraçado como antítese, aproximando a mais alta magistratura togada desse mundozinho irresponsável dos piores malandros da terra...

Os piores malandros da terra. O microcosmo da política. Salvo o homicídio com premeditação, são capazes de tudo – até de partir as vidraças das minhas jane-las! Mentir é com eles. Contar vantagem nem se fala. Valentes até na hora de fugir. A impressão que se tem é que ficando homens vão todos dar assassinos, jogadores, passadores de notas falsas... Pois nada disso. Acabam lutando pela vida, só com a saudade do único tempo em que foram verdadeiramente felizes.

Para muitos a luta começa como uma extensão da pagodeira da trinca. Vender os jornais da tarde, "xepar", isto sim que é divertido, já sendo atividade de homem: – "*A Noite! O Globo! O Diário!* Qual é?" Voltar às onze horas da noite para casa, trazendo cinco, seis, sete mil-réis. Sustentando a família com treze e quatorze anos... Mas no dia que traz só três mil e tanto é que vadiou. "Malandro! Te boto na Colônia!" Então é que começa a perceber que a vida não é brinquedo, como na trinca.

A trinca do Curvelo conta com exemplares interessantes. Primeiro que tudo conta com um Lenine autêntico. Uma tarde a polícia deu uma batida na residência do comunista Otávio Brandão, pondo em verdadeiro pé de guerra o minúsculo e pacato bairro do Curvelo. No entanto estava ela então, como ainda está hoje, longe de suspeitar da existência desse Lenine, cujo sonho mais caro é o comunismo integral. Tem sete anos apenas, mas já me considera um infame pequeno-burguês, só porque eu nunca lhe quis dar uma fita métrica de aço que um dia viu sobre a minha mesa. Toda vez que eu defendo, a propósito de um livro, de um canivete, de um isqueiro cobiçado por Lenine, o princípio de propriedade, Lenine brada com um "toque de mal" e vai se vingar na minha porta, contra a qual investe a pontapés e pedradas. O grito de guerra é: "Vou es... bodegar a sua porta!"

A trinca não tem lá grande respeito por Lenine e volta e meia estão gritando: "Tatuí! Tatuí de areia!" O crioulinho José Antônio Bento Marinho, nove anos, inventou uma nova maneira muito sonsa de infernizar Lenine com o apelido detestado. Começa de longe a vocalizar feito sabiá: "Tuí, tuí, tuá, tuá! Tuí, tuí, tuá!" Até Lenine encontrar a primeira pedra...

Mas Lenine é a criança de peito da trinca. De Lenine até os "bambas" – o Zeca Mulato, o Encarnadinho, o Culó, o Piru Maluco, a trinca é rica em tipos bem diferenciados pelo físico, pela cor, pelo caráter. Ao mulatinho Ivan dei, como de direito, o cognome de Terrível. Batem à minha janela. – "Quem é?" – "Sou eu!" – "Eu quem?" – "Ivan" – "Que Ivan?" – "Ivan, o Terrível!" Foi assim que ensinei a me responder. Os outros fazem troça: – "Qual nada, seu Manuel Bandeira, é um marica. Não tem nenhum que não dê nele!" Quem falou assim foi o jovem Antenor, que eu prefiro chamar o antena Antenor: – "Quem é?" – "É o antena Antenor!" Há um Armando de Castro, que, naturalmente, é Castro Forte. Mas esse quase não é da trinca e até lê romances dessa tal baronesa que escreveu a Castelã não sei de onde.

A espécie ruivo-sardenta é representada na pessoa do Nelson, que parece neto de escocês. Na realidade é neto de uma velha preta, das antigas, opulentamente preta, colonial como a marquesa de Santos e o Convento de Santo Antônio. Nunca me esquecerei do *grand air* com que ela falou ao Álvaro no dia em que este bateu no Nelson. Não gritou, não fez escândalo. Falou com voz baiana, amável e gostosíssima: "Vai bater na bundinha da Mamãe... Vai..." O Álvaro, que tem resposta pra tudo e não respeita as caras, ficou inteiramente desnorteado, abestalhado, diante daquele insulto que parecia um afago, coisa tão nova que ele não entendia bem.

Este Álvaro estava habituado com a técnica materna, que é a da pancadaria sem sutilezas. A sova com o que está ao alcance da mão: correia, tamanco, pau de vassoura ou tranca de ferro. Um dia assisti a uma dessas execuções. Depois caçoei com o Álvaro. E ele, cínico: "Também eu tirei o corpo fora e ela deu com a mão na parede que chega destroncou o dedo!"

É assim.

***

Tenho pena de não ver hoje na trinca o Panaco. Panaco era o Olavo, irmão desse Álvaro. Criado nu na rua. Uma saúde de ferro e já andava. Era a borboleta do Curvelo. Sarampo bateu nele. A mãe estava no emprego. Os irmãos entenderam de lavar o quarto. Panaco apanhou um resfriado, e lá se foi para a trinca dos anjinhos de Nosso Senhor!

SAMBISTAS

Quando morreu o afamado Sinhô, escrevi para o *Diário Nacional* de São Paulo uma crônica em que recordava com saudade alguns traços curiosos da figura do rei do samba carioca. E contei uma cena a que tive o prazer de assistir em casa dos meus amigos Eugênia e Álvaro Moreyra. Foi o caso que numa das extintas deliciosas quintas-feiras em que o casal recebia, apareceu o Sinhô e regalou os convidados não só com a sua conversação como com os seus sambas. Estava mal de voz, tossia muito (era a velha tuberculose que apertava o cerco), mas nenhum de nós teve a menor ideia de atribuir aquela tosse à terrível moléstia e, como era do mais elementar dever, poupar o doente. O que nos desculpa daquela descaridade é que Sinhô para toda a gente era uma criatura fabulosa, vivendo no mundo noturno do samba, zona impossível de localizar com precisão – é no Estácio mas bem perto ficam as macumbas do Encantado, mundo onde a impressão que se tem é que ali o pessoal vive de brisa, cura a tosse com álcool e desgraça pouca é bobagem. Assim, quando Sinhô parava num acesso, ia-se buscar uma boa lambada de Madeira e o fato é que a tosse passava.

A acreditar no Sinhô, ele não tinha dormido na noite da véspera. Passara-a numa farra, e naquela manhã mesmo, ao regressar a casa, não fora bem recebido pelo seu bem, que naturalmente estava ralado de ciúmes. Contou Sinhô que foi então para o piano e improvisou um samba, que entoou para nós ainda com as hesitações das coisas inacabadas. Era gostosíssimo e parecia do melhor Sinhô. (Ninguém duvidou que fosse dele.) Lembro-me bem da toada e da letra do estribilho:

> Já é demais,
> Meu bem, já é demais!
> Eu já notei que tu queres me acabar...

Fizemos o Sinhô repetir a toada um sem-número de vezes. Todos os presentes já a sabiam de cor e secundavam em coro quando chegava a hora do "já é demais". Foi isso em fins de 1929.

***

Há pouco mais de um mês um amigo meu, que se interessa atualmente por modinhas policiais, pediu-me umas informações, e para servi-lo andei correndo os olhos na literatura de cordel. Fui à toa à praça Tiradentes onde, sob as arcadas do antigo São Pedro, havia um vasto estenderete do gênero. O café da esquina da rua das Marrecas estava em demolição. Mas passando por lá de bonde verifiquei que nos andaimes da reconstrução os cordelinhos do engraxate resistiam bravamente à poeira. Lá pude arranjar uma pequena coleção de "liras" que remontavam até 1927.

Vim para casa e correndo a vista por aquelas páginas sujíssimas deparei num dos cadernos com o título "Já é demais". Abaixo dele vinha a informação: "Letra e música de *seu* Candu". Ora, lá estava o estribilho do samba de Sinhô:

> Já é demais, meu bem
> Meu bem já é demais!
> E hoje já notei
> Que tu queres me acabar...

Verifiquei logo que o plágio não podia ser de *seu* Candu, porque a publicação era de 1927 (editor Menotti Carnaval, depósito rua General Pedra, 169) e de resto havia ainda a indicação abaixo do título de que o "Já é demais" era choro do carnaval de 1925, o que estava aliás provadíssimo pelo contexto da letra todo cheio de alusões aos fatos revolucionários de 1924:

> Lá no morro de São Carlos
> É lugar de pretensão.
> Já botaram metralhadoras
> Pra brigar com aviação.

Ainda não pude descobrir quem conhecesse a toada do choro de *seu* Candu. Em todo caso está claro que Sinhô avançou no refrão de *seu* Candu.

***

Isso tudo me fez refletir como é difícil apurar afinal de contas a autoria desses sambas cariocas que brotam não se sabe donde. Muitas vezes a gente está certo que vem de um Sinhô, que é majestade, mas a verdade é que o autor é *seu* Candu, que ninguém conhece.

E afinal quem sabe lá se é mesmo de *seu* Candu? Possivelmente atrás de *seu* Candu estará o que não deixou vestígio de nome no samba que toda a cidade vai cantar. E o mais acertado é dizer que quem fez estes choros tão gostosos não é A nem B, nem Sinhô nem Donga: é o carioca, isto é, um sujeito nascido no Espírito Santo ou em Belém do Pará.

A Nova Gnomonia

Tive conhecimento da Nova Gnomonia por uma conversa de café. O poeta Augusto Frederico Schmidt e o compositor Ovalle debatiam animadamente um ponto da nossa situação interna, particularmente a ação de certo homem político, quando o segundo, inclinando-se para a frente em atitude de advertência, colocou a mão direita no joelho do primeiro e proferiu gravemente:

– *Seu* Schmidt, vá por mim! Aquele sujeito é do exército do Pará!

Do exército do Pará? Que exército era esse que eu desconhecia?

Ovalle explicou: o exército do Pará é formado por esses homenzinhos terríveis que vêm do Norte para vencer na capital da República; são habilíssimos, audaciosos, dinâmicos e visam primeiro que tudo o sucesso material, ou a glória literária, ou o domínio político.

Compreendi. O nome do Pará não implica desdouro, senão honra para o grande estado, torrão natal do homem-símbolo ou Anjo da grande categoria. O meu Pernambuco tem dado muita gente para o exército do Pará, talvez os seus soldados mais típicos.

Da categoria do exército do Pará passamos às demais, que são quatro, abrangendo em linhas gerais os principais tipos de caracteres humanos: os Dantas, os Kernianos, os Onésimos e os Mozarlescos.

Os Dantas são os bons (toda a gente quer ser Dantas), os homens de ânimo puro, nobres e desprendidos, indiferentes ao sucesso na vida, cordatos e modestos, ainda quando tenham consciência do próprio valor. Quem deu nome a este grupo foi o jovem jornalista San Tiago Dantas, cuja natureza aliás vai ser questão de debate no próximo 1º Congresso da Nova Gnomonia, porque a muitos iniciados parece errada a categoria de Anjo atribuída ao sr. San Tiago (alguns o classificam no exército do Pará). Não sofre dúvida que o sr. Prudente de Morais, neto (não o político residente em São Paulo, mas o outro, o poeta e crítico da revista *Estética*) está muito melhor qualificado para o papel de Anjo dos Dantas (uma prova luminosa e até com caráter de revelação está no fato de que, desconhecendo de todo a nova ciência e desejando adotar um pseudônimo literário, escolheu o de Pedro Dantas com que subscrevia as crônicas literárias da revista *A Ordem*). O tipo mais perfeito que conheço nessa categoria é a falecida Elizabeth Leseur. Posso citar outros para instrução do público: São Francisco de Assis, Spinoza, o abade dos *Noivos* de Manzoni, ou mais perto de nós Auta de Sousa, Capistrano de Abreu, Amadeu Amaral, a d. Carmo do *Memorial de Aires*.

Os Kernianos são os impulsivos por excelência. Indivíduos de bom coração, capazes de grandes sacrifícios pelos outros, deixam-se no entanto arrastar às vezes à prática dos atos mais condenáveis, não por maldade, mas por um impulso irresistível de cólera: ilustra-o bem o caso passado com um Kerniano em Nova Pasárgada e é sempre citado como anedota já hoje clássica nesse ramo de estudos. Um empregado público de pequena categoria, irritado com a conduta impolida de uma viúva, não se conteve e lhe deu um pontapé no ventre, de que resultou a morte imediata, porque a infeliz estava grávida. *Incontinenti* arrependeu-se, arrancou os cabelos, pediu perdão ao cadáver, e sabendo que a viúva deixava onze filhos ao desamparo, tomou-os todos ao seu encargo, criou-os, educou-os com o mesmo carinho que dedicava aos próprios filhos: Kerniano puro. O Anjo dos Kernianos é o sr. Ari Kerner, autor de sambas e canções que têm alcançado grande voga. A classe é numerosíssima. Byron e Verlaine foram Kernianos. Greta Garbo é Kerniana. Nobilíssimo exemplar é o sr. H. Sobral Pinto. Ribeiro Couto é um Kerniano. O sr. Paulo Ribeiro de Magalhães, idem. Kerniano foi o primeiro imperador. Já Pedro II foi um Mozarlesco.

Difíceis de definir, sem magoar toda a classe, esses caracteres tão interessantes que são os Mozarlescos. Em primeiro lugar – por que são assim denominados? Os Mozarlescos são pessoas que se exprimem ou obram de molde a fornecer aos que os observam uma impressão de coisas consideráveis, ao que todavia não corresponde o conteúdo das suas palavras ou das suas ações. São homens de bem. Acreditam no sufrágio universal. Leem os ensaios econômicos do sr. Mário Guedes. Manifestam decidido pendor pela pedagogia. Mas repito: por que Mozarlescos? O nome não pode derivar de Mozart, Wolfgang Amadeus, o grande. Este foi um dos tipos mais quintessenciados de Dantas, exemplar verdadeiramente único porque era um Dantas que se apresentava sob as espécies mais infantis e angélicas, naquele extremo limite em que os Dantas confinam de um lado com os Kernianos e por outro com os Onésimos, de que trataremos a seguir. Se houve alguém isento de Mozarlesco, Mozart o foi. Ninguém quer ser Mozarlesco por causa da companhia do conselheiro Acácio, do professor Everardo Backeuser e outros Anjos classificados nessa categoria. No entanto há formas extremamente sutis e refinadas de Mozarlismo. O grande pintor Cícero Dias, apesar de se revoltar com a classificação (pretende ser um Dantas, embora dê em geral a impressão de Kerniano) é afinal de contas um Mozarlesco, como se depreende bem das suas luas lacrimejantes e da concepção da morte nos seus quadros. Güiraldes, o grande poeta argentino, autor de *Don Segundo Sombra*, a melhor obra de ficção sul-americana, sentindo-se morrer pediu uma dose de *whisky*. Como? *Whisky* na hora por excelência difícil e grave? E Güiraldes explicou aos parentes e amigos que precisava de muita coragem, o caso era muito sério: – "*Ahora, hay que hablar con Dios*". Este, sim, não tinha nada de Mozarlesco.

Restam os Onésimos. O Anjo da classe é um cavalheiro desse nome, que acercando-se abruptamente de uma roda de Dantas ligados pelas mais estreitas afinidades e que debatiam com o mais puro entusiasmo a questão da salvação do país pelo preparo das elites no sentido neotomista, lançou um frio indescritível na roda, causando evidente mal-estar. O Onésimo onde aparece é assim: duvida, sorri, desaponta; diante dele ninguém tem coragem de chorar. O seu *sense of humour* sempre vigilante é o terror dos Mozarlescos avisados. Não é que o faça por maldade: os Onésimos não são maus. O drama íntimo dos Onésimos é não sentirem entusiasmo por nada, não encontrarem nunca uma finalidade na vida. Não obstante, se as circunstâncias os colocam inesperadamente num posto de responsabilidade, podem atuar (não todos, é verdade) com o mais inflexível senso do dever. O sr. Gilberto Freyre, por exemplo, é Onésimo. Em geral os humoristas são Onésimos. Não os humoristas nacionais, que esses pertencem todos ao exército do Pará (os srs. Mendes Fradique, Raul Pederneiras, Luís Peixoto etc. Aporelli faz exceção, é Dantas). Mas os grandes humoristas, Sterne, Swift, Heine são Onésimos. O sr. João Ribeiro é um exemplo muito curioso de Onésimo. O escritor paulista Couto de Barros, outro.

CRÔNICAS DA PROVÍNCIA DO BRASIL

Eis em linhas gerais o arcabouço do novo sistema. Cumpre advertir que os tipos puros são raríssimos. Um Dantas pode revelar traços de Onésimo, de Mozarlesco, de Kerniano e até mesmo (mas isso raramente) de exército do Pará. Todavia um Mozarlesco nunca se revela Onésimo, salvo na capacidade de dar azar, o que é também atributo Onésimo. O que determina em última análise a classificação é a dominante. Convém igualmente salientar que do exército do Pará podem fazer parte tipos superiores da humanidade. Santo Inácio de Loiola e Anchieta, o padre Vieira, o padre Leonel Franca, por exemplo, eram do exército do Pará.

Para mostrar a complexidade dos problemas ligados a esse ramo novo de pesquisas, basta citar algumas obras mais notáveis da sua rica bibliografia:

Categorias gnomônicas (Pedro Dantas);
Do caráter kerniano de Judas (Gilberto Freyre);
Um charlus *pode ser Dantas?* (Jayme Ovalle).

REIS VAGABUNDOS

Juque! o outro não teve tempo de acabar o insulto: um soco bem colocado nos queixos atirou-o por cima de uma das mesas do *bar*. No meio da confusão, vidros partidos, bebida entornada, um *garçon* (os *garçons* gostavam dele) encaminhou o agressor para o mictório, de onde por uma escada de mão se subia a uma soteiazinha, que era depósito de víveres e bebidas. Isso era novidade para ele. Foi só quando os seus olhos se habituaram à meia escuridão do local, que percebeu nas prateleiras as latas de *foie gras* e mortadela, os queijos, *"and lo! creation widened in man's view"*, a bateria impressionante dos Black Label e dos White Horse ali ao alcance da mão.

– Eta, sabiá da mata! O sol quando nasce é para todos!

Quebrou o gargalo de uma garrafa numa quina de madeira e o *whisky* começou a rolar dentro e fora da boca. Um desperdício de *roquefort* completou aquela orgia sem mulheres. Meia hora depois o mesmo *garçon* que o encaminhara ali, veio avisar que o caminho estava desimpedido.

Desceu na calada e ganhou a rua. Hep! Rapidez e eficiência. Na rua Treze de Maio sentiu que não podia esperar. Desacatou o poste de iluminação. Quando estava assim, a sua ideia fixa era desacatar. Mas tanto era desacatar o ato de provocar um amigo ou desconhecido, como virar uma garrafa inteira de Madeira R ou fazer aquilo no poste, à vista de toda a gente. "Desacatei! Hep!"

No Ventania apareceu o vice-cônsul, maior do que ele, mais corado do que ele, elegante pra cachorro: "Vil burocrata, espancá-lo-ei na via pública!" Mas espancou o quê, foram mas foi beber numa pensão da Lapa, espavorindo as mulheres, afugentando os michês, hep!, enquanto a pianista feia e velha, única pessoa sem medo, mantinha o prestígio da casa atacando com bravura o "Zaraza". Depois o Lamas até às primeiras claridades da manhã. Só então, porque como a Tristão e Isolda o sol é odioso aos notívagos desta espécie, os dois deixaram o tradicional café do largo do Machado em busca de abrigo.

O vice-cônsul dormia num velho solar do Segundo Reinado, que ficava para os lados da Gávea, próximo da lagoa Rodrigo de Freitas. A quebradeira dos herdeiros ajudada pelo capim reduzira o antigo solar a habitação coletiva e quinze anos deste último regime acabaram arruinando o casarão, hoje desocupado, com exceção de um pequeno quarto no puxado, onde o vice-cônsul se instalara com armas e bagagens. As bagagens eram uma cama de ferro, uma mesa de pinho não envernizada e uma cadeira de assento de palhinha furado; a arma era uma só, uma arapuca de passarinhos, cuja utilidade se verá mais adiante. Havia aos fundos uma boa chácara, onde por favor moravam dois mulatos que não atendiam nunca pelos nomes e sim pelos títulos de sua atividade junto ao vice-cônsul. Eram os secretários nos 1 e 2.

Até às oito horas houve uma tentativa honesta de sono. Àquela hora o vice-cônsul, que sempre cochilara um bocadinho, levantou-se da cama e disse sério para o outro: – "Chegou a hora do ganha-pão!"

O secretário nº 1 foi despachado para a cidade com uma carta que bem respondida deveria valer uma nota de vinte. Depois os dois amigos se dirigiram ao fundo da chácara, o vice-cônsul armou o alçapão, que ficou confiado à vigilância do secretário nº 2, enquanto os rapazes voltavam para o quarto a fumar os últimos cigarros. O vice-cônsul sabia que o recurso não falhava. O ganha-pão era seguro.

Com efeito, três quartos de hora mais tarde o secretário nº 2 entrava da chácara trazendo na mão um bonito bem-te-vi laranjeira. Hep! Seguiu-se o preparo do bem-te-vi. O vice-cônsul tomou do bichinho, abriu-lhe o bico e deixou cair uma ou duas gotas de aguardente de bagaceira. O passarinho arregalou os olhinhos e ficou firme, empoleirado no dedo indicador do secretário nº 2, como se estivesse hipnotizado.

– Não venda por menos de dez mil-réis!

O secretário ganhou a rua, veio descendo até Voluntários da Pátria, com o bem-te-vi firme no dedo. Quando passasse por ele um menino acompanhado da mãe, era só oferecer o "bem-te-vi ensinado". O passarinho passava para o indicador do menino e enquanto durasse o porrinho seria bem-te-vi ensinado. Era sempre assim e foi assim também daquela vez.

Quando o secretário nº 2 voltou com os dez mil-réis do bem-te-vi, o vice-cônsul mandou-o comprar ovos, presunto, queijo e cachaça, mais cigarros, e os amigos almoçaram aí pelas duas da tarde, hep!

GOLPE DO CHAPÉU

– *Pauca sed bene parata!*
  – Ou o meu trono por um cavalo.
  – Como dizem os fascistas.
  – Os supracitados fascistas!
  Ora, jamais os fascistas haviam sido supracitados. "Supracitados" era uma pura iluminação verbal como ocorre nos processos de poética *surréaliste*. O ambiente, de resto, favorecia as iluminações, que os rapazes estavam numa pensão da Lapa, aí pelas duas e meia da manhã. Clientes, se os havia, andavam acasalados nos

quartos. Tinha na ponta da mesa da sala de jantar um sírio explorador de bananais em Mangaratiba, que conversava com uma mulher gorda. Falavam muito juntos, a mulher escutava atenta e o sírio nunca ria, parecendo estar contando em detalhe como chegara à aquisição do bananal. Em pé, encostado ao piano, um sujeito namorava a pianista. Esta era bem o tipo acabado da espora velha, mas aquele *habitué*, sabia-se na pensão, tinha esses gostos esquisitos e só procurava as feias meio velhas, como se a mocidade e a boniteza lhe inspirassem uma repulsão invencível.

– O meu trono por um cavalo! – gritou de novo o artilheiro.

Foi nesse instante que ele deu por falta do subchefe interino do Laboratório de Pesquisas Clínicas, de quem era aliás convidado condicional. Porque quando o subchefe interino do Laboratório de Pesquisas Clínicas o chamara para a farra, ficara entendido que não havia níquel. O desarranchado da 2ª Bateria Isolada de Costa começou a ficar preocupado. Pra tomar altura fez as contas das bebidas: andavam em mais de setenta mil-réis.

– Setenta e cinco mil e trezentos!

– Em dinheiro, em ficha ou em mercadoria? – perguntou o ajudante contratado da 1ª Residência.

O subchefe do Laboratório de Pesquisas Clínicas tinha de fato desaparecido na calada. Agora era bem o caso do trono por um cavalo. O desarranchado tinha que se explicar com a dona da pensão. Esta, porém, foi camarada, temendo muito menos o "beiço" do que o fecha inevitável naquele impasse.

Sair sujo assim! Além do mais o subchefe deixara o capote e o chapéu. Como lhe relumeasse a ideia de o encontrar no Lamas, o desarranchado levou capote e chapéu, mas danado da vida.

– Espancá-lo-ei na via pública!

No Lamas quem disse que estava o subchefe interino do Laboratório de Pesquisas Clínicas? Níquel do subchefe! Quem estava, grande, espaçoso, bem dividido e bem ventilado, era o vice-cônsul (vide crônica "Reis vagabundos"). Todas as fadas benfazejas tinham encaminhado os passos do vice-cônsul para o local do crime.

O desarranchado da 2ª Bateria Isolada de Costa olhou para o vice-cônsul como o décimo terceiro andar de um arranha-céu olha para o décimo quinto andar do arranha-céu fronteiro. Decerto o vice-cônsul não abdicara níquel da elegância, que resistia no terno verde como o sr. Washington Luís, já deposto, no Palácio Guanabara. Mas o chapéu, Deus dos chapéus! Baste dizer, como dizia Machado de Assis, que preferia nesta sintaxe o subjuntivo ao indicativo, baste dizer que era preto. O próprio vice-cônsul tinha consciência da ignomínia, pois considerou:

– Parece um urubu numa campina verde!

Um eflúvio de ternura se derramou no coração do artilheiro: experimentou na cabeça do outro o chapéu que trouxera da pensão. Assentava como uma luva de encomenda na mão de uma *professional beauty*. O chapéu do subchefe interino do Laboratório de Pesquisas Clínicas era um feltro cinzento que lhe fora trazido da Europa pelo padrinho milionário, não fazia uma semana. Um feltro para o príncipe de Gales! O vice-cônsul reassumiu instantaneamente, não o consulado perdido, *hélas!*, mas a elegância incompossível na fase do chapéu preto. Agora sim, era de novo o mesmo homem a quem as mulheres de Berlim sussurravam nos encontros de rua: *Eleganter Mann!* O vice-cônsul tinha chapéu para um ano.

– *The right hat on the right place*!
– Ou o meu trono por um cavalo!
Caloca atestou:
– Como dizem os fascistas!
– Os supracitados fascistas!

No dia seguinte, depois do batizado, o desarranchado da 2ª Bateria Isolada de Costa procurou o subchefe interino do Laboratório de Pesquisas Clínicas para fazer-lhe entrega do capote e chapéu esquecidos na pensão.

– Mas este feltro não é o meu! advertiu o afilhado do milionário, alarmadíssimo com a cor e o feitio daquele chapéu de missa de sétimo dia.

– Foi o que encontrei! respondeu com o melhor ar de perfeita inocência o desarranchado da 2ª Bateria Isolada de Costa.

ROMANCE DO BECO

O marinheiro triste debruçou-se à janela do apartamento 54, olhou a paisagem de mares e montanhas equilibrada sobre telhados sujos e afinal, como sempre, acabou descaindo a vista na calçada do beco. Mas desta vez foi diferente, porque o homem desceu apressado os cinco lances de escadas do edifício e foi escrever no paredão do convento o "Poema do beco".

> Que importa a paisagem, a Glória, a baía, a linha do horizonte
> – O que eu vejo é o beco.

Toda a gente concorda em achar que a melhor parte da obra poética de Emílio de Menezes são os seus versos satíricos. Para mim, porém, é antes o verso com que abre o famoso soneto do leito:

> Este leito, que é o meu, que é o teu, que é o nosso leito...

A minha predileção nasceu da utilidade indispensável desse alexandrino em todos os momentos da vida, conforme verifiquei. Repitam o verso, entrem bem no fundo lírico por ele suscitado, meditem-no, mas sem ideia preconcebida, e verão que se pode aplicar a todos ou a quase todos os objetos (falarei adiante das exceções). Alguns exemplos: "este pente, que é o meu, que é o teu, que é o nosso pente"; "este ônibus, que é o meu, que é o teu, que é o nosso ônibus". Qualquer nome, próprio ou apelativo, serve, contanto que seja masculino e singular. Até "caravançará". Senão, vejam: "este caravançará, que é o meu, que é o teu, que é o nosso caravançará". Com qualquer substantivo masculino singular o ritmo se mantém, para qualquer número de sílabas irredutivelmente alexandrino. Isso porque o marca o núcleo imperioso – "que é o meu, que é o teu, que é o nosso". Mas isto é todo um capítulo da mística poética do Marinheiro Triste. A demonstração é facílima de dar pela substituição de qualquer nome feminino de qualquer número de sílabas: "Esta casa, que é a minha, que é a tua, que é a nossa casa". Não fica mais nada da armação original.

Tudo isso, está se sentindo, foi para apresentar o tema fundamental:

Este beco, que é o meu, que é o teu, que é o nosso beco.

Não se trata do beco dos Carmelitas. Esse, que foi aberto nos terrenos dos frades carmelitas da Lapa, começa na praia da Glória e vem morrer na rua Morais e Vale. Aqui outrora reboaram hinos. Toda a mocidade do Rio, estudantes, caixeiros, empregados públicos, artistas, Raul de Leoni... É inacreditável como cabia tanto homem no beco. O beco era a matriz da cidade. Um dia não pôde mais, rebentou em Mangues, na porneia dos desenhos de seu Cicinho de Batateira, no *Ulysses* de Joyce. Foi no beco que Swann encontrou pela primeira vez Odete. Mas não antecipemos.

E já que falei nas personagens de Proust, aproveito a ocasião para anotar que ele é a única exceção masculina das variações sobre o alexandrino de Emílio de Menezes. Com efeito, ninguém pode dizer do romance de Proust: "Este Proust, que é o meu, que é o teu, que é o nosso Proust". O sujeito que quer ler bem o Proust, tem que possuir o *seu* Proust, tem que comprar o *seu* Proust. Senão terá que o ler novamente ou será infeliz o resto da vida. Não se deve ler Proust em exemplares emprestados. Quem me ensinou isso foi o bom Gigante.

E agora o desfecho. Quando os dois amigos saíram do arranha-céu, hesitaram um pedaço. Podiam tomar à direita, entrar no beco dos Carmelitas e desembocar na praia. Podiam, ao contrário, embicar à esquerda pela rua Morais e Vale para sair na rua da Lapa. Qual era o *côté de chez Swann*? Qual era o *côté de Guermantes?* Odete morava no beco dos Carmelitas. Foi lá que Swann a encontrou. Não tinha dúvida: o *côté de chez Swann* era por ali. O lado Guermantes era o do convento. Então foram andando para a praia e na calçada do Teatro Cassino tomaram um ônibus Mauá-Ipanema.

Candomblé

O grupo, composto de quatro companheiros de bar – o pintor Cicinho de Batateira, o poeta sem fé, sem pão, sem lar, o modesto sociólogo e o Poliglota Antenor–, saiu em demanda do candomblé, que durava havia três dias, segundo informara o pintor Cicinho.

Era na rua das Laranjeiras, e quem passasse por ali não suspeitaria jamais que houvesse na cidade um cortiço daquele feitio. Era um cortiço metido no fundo de outro cortiço: uma enfiada de casinholas, tendo cada qual o seu cercadinho, rigorosamente retangular, de forte arame trançado. No centro do pátio havia um alpendre comprido abrigando os tanques de lavar roupa. Ora, tudo isso era ainda contemporâneo do prefeito Barata Ribeiro, de Aluísio Azevedo e do caricaturista Raul.

O grupo entrou, com a devida licença, na salinha do candomblé. Sentiu-se logo haver ali uma mistura de bodum de negro e sangue fresco de galinha.

"I want some fresh air!" falou baixinho o modesto sociólogo, o que traduzido em vulgar responde assim: "Mas que cheiro safado, seu mano!"

O Poliglota Antenor, que se tinha refugiado perto da única janelinha, chamou-o para junto de si. Minutos depois, mais habituados à atmosfera do lugar, puderam observar melhor o ambiente. A saleta dava, à esquerda, para um cubículo onde havia uma cama de casal. Uma pretinha de ano e pico despertou num acesso de tosse convulsa. Depois virou para o outro lado e adormeceu de novo. Lá dentro havia Mulatas Misteriosas, que o pretalhão pai de santo chamava de vez em quando para fazer isto e aquilo. À direita havia uma porta aberta para o santuário. A figura central, no primeiro plano, era a Sereia: branca formosa, cabelos e olhos pretos, nua da cintura para cima, pomas formidáveis, sustentava no braço direito o menino Jesus. Era Nossa Senhora? era a Mulher Branca? era a Jandira do poeta sem fé, sem pão, sem lar? a Harpista do pintor Cicinho? a Estrela da Manhã do Poliglota? Havia santinhos miúdos em torno dela, covilhetes de balas e caramelos, frascos de dendê, pires com amêndoas, pimenta-do-reino, a Santa de Coqueiros, fitas, conchinhas e não sei que mais, e tudo ia subindo num altar em degraus, todo iluminado... No fundo, em cima de tudo, tronava um tabernáculo com a imagem de São Pedro em madeira sobre um pano de seda carmesim, onde se via bordado o sol, uma harpa e flores. Estava muito bonito!

O pai de santo acabava a cozinha da oferenda.

Eram duas palanganas de barro, uma cheia de ovos de galinha com a casca salpicada de sangue, a outra com as frangas e os pombos sacrificados. O preto trabalhava com vagar, estava visivelmente fatigado. Comandava com autoridade bonachona, mas firme. Despejou dendê em cima de tudo. Em seguida tirou do santuário uma grande palma de rosas amarelas e com uma faca de ponta ia cortando cerce cada flor, que colocava nas palanganas, cobrindo o manjar de Ogum.

– É... Quem entrou tem que se assujeitá! – sentenciou o pai de santo.

"Are you going to eat it?" perguntou ao Poliglota o modesto sociólogo, o que traduzido em vulgar responde assim: "Seu mano, você vai comer essa porqueira?"

Mas o receio do grupo era desnecessário: só tinham direito ou dever de cumprir o rito os que estavam presentes desde o início da sessão. Esses comeram a pimenta e depois foi cada um por sua vez soprar o seu desejo na boca das palanganas. Era preciso descalçar os sapatos, ajoelhar de quatro e pronunciar o voto sobre a oferenda. Os mulatos e as pretinhas ajoelharam e pediram.

Em seguida pai de santo mandou comprar papel de embrulho. Veio o papel de cor, pai de santo embrulhou as palanganas, amarrou com duas fitas de seda, uma branca, outra azul, e tornou a embrulhar tudo de novo em papel de jornal amarrado com barbante. Tinha acabado a sessão. Pai de santo disse:

– Quem é de abença, abença, quem é de boa-noite, boa noite.

LENINE

Homens há que levam uma vida obscura e só depois da morte se vai tecendo a lenda em que se lhes perfaz a glorificação. A outros, ao contrário, a lenda os anuncia. Surge primeiro um nome, até então de todo desconhecido, e em torno dele as imaginações trabalham, as informações contraditórias pululam, e à mercê desse lento processo de cristalização uma estranha figura vai avultando extrarreal e muitas vezes com proporções até nitidamente inumanas.

Lenine era para mim um desses nomes. E no entanto, preciso dizê-lo, Lenine foi uma das grandes decepções da minha vida. Assim acontece sempre quando a imaginação, superexcitada longamente, se encontra de repente face a face com a realidade no cotidiano das coisas.

Lenine!... Lembram-se como essas três sílabas começaram a aparecer no serviço telegráfico da guerra? No atordoamento das derrotas russas o nome se insinuava misteriosamente como de um habilíssimo espião a soldo de agentes alemães e servindo contra a sua própria pátria. Lenine era isto. Lenine era aquilo. Lenine era agente alemão? O nome por si só vivia de uma vida intensa. Dir-se-ia criação verbal de um grande poeta, um desses grandes artistas que guardam toda a força mesmo sob os gestos de maior carinho – um Bach na música, um Villon na poesia. A pujante virilidade do vocábulo lhe vinha daquela líquida inicial, rica de associações com o felino formidável: Le... Leo, Leonis. E toda essa força se abrandava de súbito na aliteração da doce dental nasal e com o *i* claro, infantil e corajoso!

Depois do nome veio a imagem visual física. Essa também me cativou enormemente, sobretudo os olhos pequeninos, com a sua expressão, arguta, maliciosa, cautelosa.

Quando, porém, chegou a hora de maiores intimidades intelectuais, Lenine se me mostrou já imbuído do que há de mais odioso no espírito pequeno-burguês: a preocupação do ganho, a cobiça dos bens materiais, o gozo e delícia da propriedade.

Se me encontrava na rua, pedia tostão. Se me via à janela, entrava a pedinchar quanto deparava em minha sala:

– Me dá um livro! aquele.

– Aquele é em francês, você não entende.

– Então aquele!

– Aquele é em inglês.

– Não tem figura?

– Não tem figura.

– Deixe ver!

E eu mostrava. Um silêncio.

– Então me dá um biscoito!

– Acabaram-se.

– Então eu esbodego a sua porta!

Lenine nunca diz "esbodegar", mas coisa pior, que não posso citar aqui. Esbodegar a minha porta é meter os pés nela, atirar pedra, rabiscá-la com giz ou carvão. Lenine inicia a represália, mas interrompe-se muito espantado quando eu lhe advirto:

– Lenine, você é um malfeitor. O que você está fazendo não passa de uma vesânia. É pura e simplesmente o rompimento unilateral de um contrato sinalagmático! Toque de mal.

Lenine estende o dedo mindinho, toca de mal e vai agitar a Polônia, que é o cortiço da travessa do Cassiano.

Uma tarde entrou-me quarto adentro um canarinho-da-terra. Devia ter fugido de alguma gaiola, porque se deixou prender com facilidade. Passarinho de gaiola não sabe viver solto na cidade. Morre de fome ou de pancada. De ordinário acaba caindo contente em algum alçapão. Meu vizinho do andar de baixo tem sempre o seu alçapão armado para esses fugitivos. O canarinho, porém, preferiu o alçapão maior do meu quarto, onde jamais cairá o passarinho verde dos meus sonhos.

Seguro o canarinho, tratei logo de convocar a trinca do Curvelo para que me arranjassem uma gaiola.

– Lenine tem! Lenine tem!

Chamou-se Lenine, que compareceu de gaiola em punho e mais digno do que nunca. Entramos logo em negociações.

– Quanto quer pela gaiola?

– Dois tostões!

Era uma gaiola em petição de miséria.

– Muito caro. Só dou mil-réis.

E fui logo passando a mão na gaiola, o que encheu de indignação o proprietário. Lenine abriu no berreiro, esbravejou e correu a apanhar pedras para desacatar – esbodegar – as minhas vidraças. A trinca fazia grande caçoada.

É assim Lenine: esquivo, irascível, exigente. Dana da vida quando a trinca o chama de *tatuí de areia*.

No entanto não lhe posso guardar rancor, porque se lhe digo: "Lenine, você é um grande malandro! Não é?", ele me olha meio sério, meio rindo, com um ar tão meigo, tão lindo, tão cândido, que é de fazer inveja ao primeiro *team* dos anjos de Nosso Senhor.

Mas há a questão social... Falando de Lenine, do Lenine do Curvelo, ao comunista Otávio Brandão, este me respondeu sem o menor entusiasmo:

– Um Lenine batizado...

OS QUE MARCAM *RENDEZ-VOUS* COM A MORTE

Decididamente sou o sujeito mais desprovido daquilo que os espiritistas chamam o senso da mediunidade. Nunca soube distinguir aquele não sei quê que assinala os que têm marcado um *rendez-vous* com a morte.

Se porventura em 1913 tivesse encontrado em Paris o americano Alan Seeger, não teria nem por sombra notado nele a menor advertência de predestinação àquela bala de metralhadora que o abateu na flor da idade três anos depois. Mesmo que ele me houvesse lido o poema a que a sua morte veio juntar uma segunda profundidade, é provável que lhe tivesse sorrido aos versos como a uma pura imagem de beleza:

> *I have a rendez-vous with Death*
> *When Spring brings back blue days and fair.*

Quando eu era menino, conheci de vista uma moça cuja beleza a fazia muito falada. Nem era propriamente beleza o que cativava nela, mas uma seiva de mocidade, de bom sangue, de alegria de cores saudáveis. Tenho esquecido muito nome na vida, mas o "dela" não esqueci nunca: Alice Monteiro.

Ainda hoje e passados tantos anos que é morta, esse nome evoca para mim a mesma visão de radiante juventude. Parecia uma dessas criaturas predestinadas a sobreviver aos companheiros de geração. A febre amarela, a gripe, as pneumonias são para os outros, não para elas. Alice Monteiro morreu no ano mesmo em que a conheci. Foi a primeira vez que a morte me perturbou profundamente. Antes disso ela andava em meu espírito associada sempre à ideia de decadência física. Eu não podia conceber que uma moça bonita e cheia de vida pudesse morrer assim tão depressa!

Algumas vezes, raras, duas ou três, recordei *après coup* em dadas criaturas um certo sinal que produziu em mim não sei que estranheza. Não tive porém a lucidez de distinguir nele a advertência...

Lembro-me que uma tarde, na exposição de Segall, Tobias Moscoso apareceu de repente, abraçou-me e disse-me algumas palavras. Guardei uma impressão estranha desse encontro. Mas nem um segundo me passou pela ideia que estava com o amigo pela última vez. Hoje é que, recordando aqueles momentos e a minha sensação de estranheza, noto que havia no ar e nas palavras de Tobias Moscoso a marca do *rendez-vous* ajustado com a morte.

Conheci nos *bars* da Galeria Cruzeiro um boêmio que tinha muita admiração pelos livros de Ribeiro Couto. Quando um dia lhe revelei que era amigo íntimo do poeta, ficou contente como uma criança. E pediu-me que lhe arranjasse um livro com dedicatória do Couto. Couto mandou o livro com a dedicatória, mas na distribuição de outros exemplares houve uma troca e o meu boêmio ficou com o volume sem o autógrafo. Tempos depois Couto veio ao Rio. Uma noite estávamos no Lamas quando vi ao fundo o rapaz. Ele se dirigia para o nosso lado. Quis apresentá-lo ao Couto. Porém este não se sentia disposto para o encontro naquela ocasião. O boêmio passou por nós sem nos ver. Não há nisso nada de extraordinário. Mas quando o rapaz passou e eu olhei-o pelas costas, que foi que me fez ficar longo tempo a segui-lo com os olhos? Era um rapaz forte, brigador valente. No entanto naquele instante senti nele qualquer coisa de para lá da vida. De fato morreu um mês depois.

LEITURAS DE MOCINHAS

Quem tem de oferecer um livro – sobretudo um romance – a uma mocinha de seus quatorze ou quinze anos, dessas que os alemães chamam *back-fisch* e o nosso Machado de Assis chamou "entreaberto botão, entrefechada rosa", fica muitas vezes indeciso, sem atinar bem com o que possa agradar mais à maravilhosa idade ingrata. Sem dúvida Ardel, Delly, a tal baronesa agradam. Mas isso é *hors de la littérature*, como dizia Anatole France ao ocupar-se dos romances de George Ohnet. E dentro da literatura, na boa literatura? Pode-se dar um romance de Machado? (Certamente as *Memórias póstumas de Brás Cubas* ou o *Dom Casmurro*, não; mas os da primeira fase: *Ressurreição, Helena, Iaiá Garcia*?) *Ou* será mais prudente persistir no Alencar? Um romance como o *Le Bal chez le Comte D'Orgel* de Radiguet, onde paira um tão delicado perfume de adolescência, será sentido, compreendido por uma menina de quinze anos?

Há alguns anos atrás, propus o problema a um ilustre professor da Escola Normal, que certa vez me falara com entusiasmo de uma turma a que lecionava português e na qual se encontravam muitas meninas com o gosto literário e o talento de composição. Se se lhes desse como tema de redação esse de "impressões de leitura", recomendando que assinalassem os livros prediletos?

Meu amigo aceitou a ideia e o *test* se fez. Há dias, mexendo nas minhas gavetas, dei com as notas que escrevi a respeito desse inquérito com o fim de desenvolvê-las mais tarde. Os anos correram e hoje vejo, com pesar, que confiei demais na memória e fui quase estenográfico nos meus apontamentos. Em todo o caso, salva-se ainda alguma matéria, que dê para ajuizar dos pendores literários da adolescência feminina brasileira. E há depoimentos interessantes, que guardei na própria redação original.

***

Não resta dúvida que o doce Júlio Dinis é ainda o preferido. *Os fidalgos da casa mourisca, A família inglesa, A morgadinha dos canaviais* foram assinalados pela maioria das meninas, às vezes com algum comentário repassado da gratidão suscitada pela delícia da leitura. Diz uma assim do autor da *Morgadinha*: "É tão meigo nas suas frases, tão simples, que agrada logo à primeira vista". Outra escreve a propósito da *Família inglesa*: "O tipo estouvado e ao mesmo tempo meigo de Carlos, o seu caráter arrebatado, o seu coração generoso, constituem uma figura original e profundamente simpática". *Os fidalgos da casa mourisca*, que parece ser o mais querido dos romances de Dinis, arrancou de um coraçãozinho de quinze anos este profundo e grave suspiro de íntimo deleite: "Sinto-me satisfeita e orgulhosa por já ter lido este tão apreciado livro".

Helena de Machado de Assis era também muito admirado da turma. A maioria fala nele. "É um romance não só delicado como também triste", escreve uma normalistazinha que evidentemente pensa, como meu amigo Augusto Frederico Schmidt, que a beleza é sempre triste. Outra, que também acha Machado de Assis "muito triste", impressionou-se bastante com os *Papéis avulsos*, do qual destacou este trecho: "Temos duas almas: uma que olha de fora para dentro e outra que olha de dentro para fora". Admirava também o Eça, todavia sem prejuízo do Dinis da *Família inglesa*, que também cita e louva. Essa menina era um dos temperamentos mais interessantes pela naturalidade da expressão. Foi assim que começou as suas impressões: "O livro de que mais gostei? Ah! professor, na minha idade gosta-se de tudo, e gosta-se de tudo com o mesmo ardor e entusiasmo."

Houve uma que salientou o *Abade Constantino* "pela simplicidade". E acrescentou: "Não se encontram nele essas histórias fantásticas e impossíveis que são geralmente próprias de romances, não. O autor, cujo nome não me recordo" – ah! ingrata – "escreveu-o com grande simplicidade. Admiro um romance quando o enredo é simples e natural."

Outra ingrata é a que não se lembra também do nome do autor de *Os dois garotos.*

De Alencar, aparecem citados O *Guarani, O sertanejo, O tronco do ipê.* Do primeiro escreve uma menina o comentário seguinte:

> A princípio não fiquei muito entusiasmada, pois achei muito diferente das histórias que até então havia lido – Carochinha – mas continuando a leitura, comecei a interessar-me e muito entusiasmada fiquei ao ler as páginas em que o autor tão bem descreve a beleza das selvas brasileiras. Depois de *O Guarani,* quantos romances não tenho lido! Entretanto, posso dizer que foi ele o romance de que mais gostei. Não poderei esquecê-lo!

Desta o predileto é o romance *Magali*: "Quando não tenho que estudar, tomo o livro e releio, tendo-o sempre na imaginação". Daquela é o *Pêcheur d'Islande*: "Nenhum me deixou mais grata impressão do que *Pêcheur d'Islande*".

Não posso mais atinar pelas minhas notas a que romance se refere a seguinte impressão, de tão tocante espontaneidade:

> Há descrições lindas de passeios campestres, narrações de uma noite de luar em alto-mar, verdadeira maravilha. O arrependimento da filha, o perdão do pai. Este pedaço, o fim do romance, é comovedor. Quando o li, confesso que chorei, é verdadeiramente triste. Não mais me esquecerei deste livro, pois é o meu consolo nas horas tristes da minha vida.

A moreninha, Inocência, Salammbô e o *Fabulário* de Coelho Neto também foram lembrados.

Dos autores vivos só Coelho Neto e Guilherme de Almeida apareceram citados, e a respeito do último no *Messidor* fizeram este comentário: "Poeta inspiradíssimo, de uma leveza de estilo, graça, sentimento verdadeiramente notáveis".

Agora, para acabar com chave de ouro, transcrevo *ipsis litteris* esta adorável confissão de infância:

> Dentre os livros de estudo que tenho lido, o que mais me agradou até hoje foi a História do Brasil. Porque nela é que aprendemos os fatos relatados no mundo e por meio desta conhecemos de nome os principais homens heroicos daquele tempo. Assim como José Bonifácio de Andrade e Silva, por alcunha Tiradentes, foi um dos maiores vultos da Inconfidência Mineira. Tinha esse apelido devido ter a mania de arrancar dentes. Além deste, tem muitos outros como Pedro Álvares Cabral, Cristóvão Colombo etc. O que sabemos de Pedro Álvares Cabral, é que o Brasil foi descoberto por ele no ano de 1500, e de Cristóvão Colombo, que foi ele o principal vulto da descoberta da América, sendo esta descoberta no dia 12 de outubro de 1492. Além deste, tenho lido muitos outros, como: *Os fidalgos da casa mourisca, Os morgadinhos dos canaviais* e um álbum que trazia as fotografias dos estados. Deste último livro que li, a fotografia que mais me agradou foi a do estado de Minas Gerais, onde temos muitas minas de ouro e, além disto, a famosa cachoeira de Paulo Afonso.

Impressões de um cristão-novo do Regionalismo

O Regionalista Aprendiz vivia muito envergonhado de só conhecer de livros o sabor regional da vida de engenho. Não sabia como era um banguê. Em menino esteve em Muribara. Mas naquele tempo não era ainda regionalista. Da casa de engenho só lhe ficou como lembrança uma mancha escura de almanjarra, a que estava ligada a recordação sinistra de um primo esfacelado na moenda. O que o atraía então era a grande piscina de cimento onde se podia nadar... E o vulto encolhidinho da bisavó de noventa anos, cujos dentes perfeitos começavam a cair.

O Regionalista Aprendiz fazia muitas perguntas sobre os banguês. Tinha medo que eles se acabassem de todo. Queria sentir de verdade o famoso cheiro das tachadas que respirado na infância, dizia Nabuco, embriagava para o resto da vida. E perguntava a si mesmo se seria ainda possível embriagar-se agora.

Não era só em matéria de engenhos que lhe faltava o contato vivificador da realidade. Ignorava tudo da alma profunda do Nordeste. Tinha um amor grande por todas essas coisas. Mas era um amor sem nenhuma experiência, muito desinfeliz, embora cheio de ternura.

Na genealogia de certo tronco ilustre da velha aristocracia rural, a "brava gente" das crônicas não sabia distinguir o ramo espanhol, que se assinava com *y*, do português que se assinava com *i*.

Lembrava-se bem como lhe apontou o gosto pelas tradições de sua província. O pai possuía na biblioteca uns livros grossos de lombada azul onde havia um título que o Regionalista Aprendiz, aos treze anos, não entendia bem (nem procurava entender): *Miscelânea*. Esses tomos de *Miscelânea* representavam um mundo para ele. Desse mundo um dos cantos mais cheios de delícia eram umas páginas de folclore de Sílvio Romero. As histórias de jabutis e de onças encantavam-no. Havia detalhes perturbadores em certas quadrinhas que ele lia e relia sem se aborrecer. Por causa mesmo de uma quadrinha dessas meteu-se em cabeça que aquela leitura devia de ser coisa proibida e por isso lia sempre às escondidas a tal *Miscelânea*.

> Há duas coisas no mundo
> Que são da minha paixão:
> Perna grossa e cabeluda,
> Peito em pé no cabeção.

Que era *cabeção*? Uma vez, depois de muitos dias de medo e hesitação, perguntou à mãe: "Mamãe, que é cabeção?" A mãe perguntou onde ele tinha lido a palavra. Então ele desconversou e saiu correndo.

Disse que ele ignorava tudo da vida do Nordeste. Não é verdade. Ao menos a cozinha conhecia bem. Tinha viva a recordação das grandes tachas de cobre onde pelas festas a avó fazia preparar a canjica de coco. (O encarnado do cobre polido era a cor mais nítida de toda a sua infância.) Não só conhecia, como se deliciava sinceramente no paladar de todos aqueles pratos, de que ficou privado a partir dos nove anos.

Essa a única superioridade que podia alegar sobre o ex-Regionalista, o que propriamente o diferençava do outro. Com efeito, o ex-Regionalista era um sujeito enfastiado que todas as manhãs, em frente de uma mesa repleta de cuscuz, tapioca molhada, angu de milho e outras gostosuras, bebia um copo de leite condensado de Horlick, a que misturava uma colher de um pó esquisito feito com ovo, malte e cacau, tudo coisa de fábrica.

Esse ex-Regionalista fora como ele. Escrevera sobre cozinha pernambucana, sobre os descendentes dos fidalgos vianeses que vieram com Duarte Coelho, sobre os negociantes portugueses que comiam nas calçadas da rua Nova em porcelana azul de Macau, sobre as sinhás que as mucamas espiolhavam na modorra das sestas, tudo com abundantes citações de Koster e Tollenare. Para acabar tomando leite condensado de Horlick...

Ele tinha que defender o seu amor periclitante contra o ruim pessimismo do ex-Regionalista. E foi sob os apupos do outro que partiu para o banguê de Vitória, a pequena cidade do interior pernambucano. A viagem correu difícil. Automóvel empacado na lama, empurrado a braço, cordas enroladas nos pneumáticos. Mas no engenho o fresquinho de Petrópolis; a hospitalidade confirmando as tradições rurais; a varanda acolhedora, a capelinha tão amorável, restaurada por um curioso mais dentro das linhas do estilo que tanta coisa que há por aí afora com pretensão a arquitetura tradicional; e finalmente o banguê.

A maquinaria complicada da descrição de Antonil estava ali com a grande roda de água, a moenda, as tachas, a fornalha, a bagaceira, as formas de purgar, tudo tão simples, fácil, acessível.

A expectativa sarcástica do ex-Regionalista ficou lograda. O Regionalista só tinha encontrado motivos de prazer. É verdade que não contou para o outro a sua impressão do famoso cheiro que embriaga para a vida inteira quando respirado na infância. Pareceu-lhe que pode ser sentido numa simples xícara de mel de engenho e dispensa a infância. O que não dispensa é o dom de poesia, como existiu em Nabuco.

PORTINARI

Filho de um casal florentino que se fixou em Brodowsky e nunca mais tornou à pátria, Cândido Portinari não tem uma só gota de sangue brasileiro. Todavia Brodowsky – malgrado o nome eslavo, que era de um engenheiro de origem polonesa, rompedor de estradas no noroeste paulista – naturalizou de tal sorte o pequeno florentino, que, com lhe respeitar a finura dos traços fisionômicos, o fez quase caipira.

Sempre tive para mim que o matuto, no seu jeito e no seu espírito, pode dar nas artes as obras mais características do Brasil. O mineiro sonso será o nosso grande humorista: na massa anônima da população de Minas Gerais, tenho certeza, existe em potencial a força de um Swift.

Creio poder discernir em Portinari esse espírito do interior brasileiro – tímido, acanhado, mas observador, e, com todo o seu medo de ser debicado, debicador de primeira. Brodowsky é paulista, mas já fica perto de Minas. Nos mapas é de São Paulo, mas em Portinari já é Minas.

Foi, me parece, esse espírito de Brodowsky que situou Portinari na posição singular que ele ocupa hoje na pintura brasileira. O brilho dos modernos, que a agressividade paulista, a boca mole do Norte e a mordacidade divertida do carioca exageraram, com prejuízo das qualidades de fundo, viu-se de repente em Portinari corrigido por esse instinto de cautela, tão forte em nossos caipiras.

No pintor de hoje está o menino de Brodowsky, que passava os dias armando arapucas nos capões e destroncou a coxa jogando *football* no largo da Matriz – o amigo de Palanim, figura notável de Brodowsky e o grande mestre de Portinari, influência subterrânea, porém mais decisiva que as de Chagall, Modigliani, De Chirico *oder wie sie alle heissen*.

Como o menino de Brodowsky tinha o olho exato e a mão precisa, o amor do trabalho e a paixão exclusiva da pintura – eis que o movimento moderno produziu nele o pintor mais completo do Brasil de hoje, o mais bem equipado e com apoio mais sólido na tradição e na técnica. A estada na Europa fez-lhe um bem enorme. A volta ao Brasil também. Os conselhos de Foujita também: quando o japonês andou por aqui, pareciam, ele e Portinari, dois cozinheiros da pintura a se comunicarem receitas e processos. Estudo de cozinha ótimo para o brasileiro, que meteu no papo, firme e de vez, aquele senso da matéria, hoje um dos atributos mais persuasivos das suas obras.

TARSILA ANTROPÓFAGA

Os senhores já repararam na força de certas palavras? O adjetivo *abstrato* é uma delas. O sujeito está estupefato diante de uma figura mais deformada do que o Macobeba. Pede socorro:

– Como se deve entender esta pintura?

– No sentido abstrato, meu caro.

Abstrato? Ah, sim! A palavra, por não explicar nada, esclarece tudo.

Muitas vezes, e com as pinturas de Tarsila é assim, não há mesmo nada que explicar. Não há nada que explicar nas formas, nas cores, na composição do delicioso quadro intitulado *Religião brasileira*. Parece que quem já viu igrejas, capelinhas, oratórios domésticos da nossa terra deveria sentir à primeira vista o encanto e a poesia daquela pintura. O brasileiro então traz na memória da meninice a devoção das ladainhas nos serões caseiros, das noites cheias de luzes nas naves festivas. A *Família de caipira*, esse ainda é mais fácil de entender. São tipos tomados da realidade com um mínimo de deformação plástica. E que observação a um tempo sutil e profunda se revela em cada figura e nos menores detalhes! Até nos animais: nunca vi nada mais caipira do que aquele cachorrinho de roça (decerto ele se chama Brinquinho ou tem nome de peixe pra não danar).

São quadros assim – *Anjos*, um coro de anjinhos mulatos, *Pastoral* – os que acho verdadeiramente difíceis de explicar, porque a intervenção da inteligência atrapalha.

Entretanto os que provocam o riso ou o ranger de dentes são os da última fase da pintura. O título de um deles, o mais considerável como dimensão e como intenção, define a diretriz em que Tarsila acompanha Oswald de Andrade, pajé da tribo interessada na transformação do tabu em totem: *Antropofagia*. As ideias antropofágicas foram expostas com um sabor imprevisto pelo franciú Waldemar George em nota transcrita no catálogo da exposição. Vamos ler juntos, provincianos:

> O sr. Oswald de Andrade quer remontar as fontes de uma civilização para sempre desaparecida, a do Brasil, anterior à cruel invasão portuguesa. Escavações e trabalhos de etnologia recentes lhe permitiram estudar a cultura, primitiva mas grandiosa, de um povo que satisfazia ao ideal do nosso Jacques Rousseau. Esse povo vivia feliz no seio da natureza e ignorava as coerções da lei. O rito católico e romano lhe foi imposto pela força. O sr. de Andrade não pretende sem dúvida voltar ao paganismo, nem mesmo à vida natural. Mas quer induzir as constantes de uma civilização local e autóctone. Essa civilização opõe-se nitidamente às do Ocidente e do Oriente. Comporta uma ética e uma visão do mundo adequada às leis psicológicas dos povos equatoriais. Combate na doutrina pagã e no latinismo as marcas de uma servidão.

Nos quadros recentes de Tarsila a estética antropofágica se manifesta na escolha dos assuntos tanto quanto no processo de expressão. Por exemplo: um sapo apresentado em solidão monstruosa, urutu enrolada num ovo, mandacarus assombrativos. O processo é despojado em extremo de todas as sensualidades da pintura. Tem-se a impressão que a rica Tarsila desfez-se de tudo e fez voto de pobreza. Oswald e os antropófagos estão radiantes.

Eu não estou radiante. Não gosto de Tarsila antropófaga. Preferia a Tarsila até dois anos atrás, a Tarsila cristã pela graça de Deus, em cujos olhos morava (sosseguem, ainda mora) "a preguiça paulista", em cujos quadros, de gosto e técnica bem ocidental, "locomotivas e bichos nacionais geometrizam as atmosferas nítidas" (cito um poema do *Pau-Brasil*) e onde há "um cheiro de café no silêncio emoldurado"; a Tarsila que pintava com o azul e cor-de-rosa dos bauzinhos e das flores de papel, que são as cores católicas e tão comoventes da caipirada.

O "NOSSO" SAINT-HILAIRE

A fama de Auguste Saint-Hilaire não teve a projeção da de seu irmão Geoffroy, o continuador de Lamarck; o seu nome não figura, como o do outro, em todas as enciclopédias. Para nós, entretanto, a memória que importa, a que nos deve ser sobremodo cara é a do irmão menos ilustre. Nenhum estrangeiro deixou entre nós lembrança mais simpática.

Roquette-Pinto narra o encantado interesse com que na fazenda dos seus avós devorava, adolescente, as páginas das *Viagens*.

"Os livros de Auguste Saint-Hilaire", diz ele, "leem-se aos quinze anos como se fossem romances de aventuras, tão pitorescos são os aspectos e a linguagem que neles se encontram." E assinala o grande carinho, a bondade, a tão justa medida no louvor e na crítica das nossas coisas.

"Quando falamos de Saint-Hilaire, de Martius, de Freire Alemão e tantos outros, o fazemos com tanta emoção como se falássemos de companheiros atuais", disse o sr. César Diogo, botânico do Museu Nacional, relembrando com emoção a obra formidável do sábio francês.

Essa obra representa seis anos de viagens pelo nosso interior através de regiões muitas vezes inóspitas. Pelo desconforto dos nossos dias, apesar das estradas de ferro e do automóvel, podemos avaliar as dificuldades e fadigas de uma jornada a Goiás em 1816! Saint-Hilaire fez quatro desses *raids* surpreendentes. Em dezembro de 1816 partiu para Minas, que atravessou de sul a norte, furando depois até Boa Vista, então capital de Goiás. Foram quinze meses de estudos e pesquisas em sertão brabo. Voltou de lá cheio de reconhecimento por um povo no seio do qual encontrou "a hospitalidade mais amável, um povo que a natureza dotou de um caráter brando e comunicativo, do sentimento das artes, de uma rara inteligência, de uma facilidade extraordinária para aprender o que se lhe ensina".

Três vezes voltou Saint-Hilaire ao interior do Brasil: em 1818 ao Espírito Santo, onde percorreu as regiões mal-afamadas do rio Doce, em 1819 através de São Paulo, Paraná e Santa Catarina, até a Cisplatina; finalmente em 1822 a São Paulo por uma larga digressão ao sul de Minas. Ao todo 2 500 léguas!

Duas vezes esteve em risco de morrer, uma feita envenenado pelo mel da vespa lecheguana, em pleno território das antigas Missões. Os frutos dessas longas e penosas jornadas foram enormes. Quando regressou à França levava Saint-Hilaire 7 mil espécies novas de plantas, 2 005 pássaros, 16 mil insetos, 129 quadrúpedes e 21 espécies de peixes, quase tudo desconhecido dos europeus. Ao voltar à pátria, depois de tão consideráveis trabalhos, e com a saúde seriamente abalada em consequência do envenenamento, o voto mais caro do seu coração exprimiu-o ele nestas palavras tão bonitas pela sua simplicidade: "Feliz de mim se me for permitido lançar os primeiros fundamentos da Flora do Brasil Meridional e se puder não ficar inútil para a ciência".

Esta simplicidade, esta modéstia é aliás um traço característico constante na obra do sábio francês. Embora a sua especialidade fosse a botânica, as suas pesquisas estenderam-se colateralmente a todos os domínios da cultura. A estatística dos países que visitou, o estado do comércio, da agricultura, da indústria, os usos e costumes dos habitantes, religião, administração civil e judiciária, tudo examinou com sagacidade e simpatia, tomando notas, "tanto quanto o permitiam os seus fracos conhecimentos", desculpava-se ele.

As suas faculdades artísticas não eram nem fortes nem incomuns, tanto que de passagem por Ouro Preto apenas assinalou as matrizes de Conceição de Antônio Dias e do Fundo de Ouro Preto, não dizendo uma palavra de São Francisco de Assis e Carmo, igrejas incomparavelmente mais belas e mais interessantes a todos os respeitos.

Teve, porém, bastante sentimento plástico para se comover diante das rudes estátuas dos profetas de Congonhas do Campo. Pode-se dizer que foi ele quem descobriu o Aleijadinho nessas páginas em que comentou as figuras que emprestam tanta grandiosidade ao adro do Santuário de Bom Jesus:

> Não quis deixar Congonhas sem visitar a igreja do Bom Jesus, que é para esta região, como observa Luccock, o que é para a Itália Nossa Senhora do Loreto. Esta igreja foi construída no alto de um morro, no centro de uma plataforma, calçada de largos lajedos e cercada de um muro de arrimo. Diante dela colocaram sobre os poiais da escadaria estátuas de

pedra que representam os profetas. Estas estátuas não são obras-primas, sem dúvida; mas nota-se na maneira por que foram esculpidas alguma coisa de largo que prova no artista um talento bem pronunciado.

A seguir deu uma ligeira notícia sobre o Aleijadinho, provavelmente as primeiras palavras de louvor que se escreveram sobre o nosso grande primitivo.

Por tudo isso, por tantos trabalhos e privações, por tanta bondade, tanta abnegação, tão lúcido afeto e simpatia e para diferenciá-lo do irmão, mais mundialmente glorioso, podemos chamar Auguste Saint-Hilaire o "nosso" Saint-Hilaire. Amou-nos com os nossos defeitos, deu-nos conselhos preciosos. A sua atividade entre nós e os seus escritos são duas lições das mais profundas e simples que já recebemos de estrangeiros.

Quero salientar aqui em especial a sua lição de estilo.

Escrevia sempre sem sombra de ênfase nem pedantismo. A propósito das suas *Lições de morfologia vegetal*, escreveu Payer, citado pelo sr. Tobias Monteiro: "Um dos característicos da obra de Saint-Hilaire é ser exposta com tanta clareza e simplicidade que a profundeza do julgamento parece apenas bom senso".

Essas palavras de Payer valem por todo um tratado de estilo. Entre nós é frequente fazer-se o contrário: escrever de tal maneira, com tão ridículas imagens e tão falsa profundidade que as coisas de simples bom senso viram transcendências. Precisamos ler muitos homens como Auguste Saint-Hilaire.

VELÓRIOS

Mais de uma pessoa já me perguntou o que significa essa palavra "velório", que intitula o livro de contos de Rodrigo M. F. de Andrade. Não eram, está claro, cariocas. Creio, com efeito, que se trata de uma expressão do linguajar carioca, embora não tenha sido incluída pelo professor Nascentes na sua brochura relativa ao assunto.

Dizer-se que velório é a cerimônia de velar um defunto não basta para definir psicologicamente o ato. Em toda a parte do mundo se vela defunto. Mas talvez só no Rio se vele da maneira por que o descreve com tão fino senso de observação o malicioso mineiro que é o nosso Rodrigo. O estilo, se assim podemos dizer, do velório carioca é o que ele mesmo chama de "conversa mole". A conversa mole é irresistível. Veja-se por exemplo no conto "Seu Magalhães suicidou-se" a atitude, a conduta de seu Aderne. Estabelecida "a cordialidade efusiva" do pessoal do plantão mortuário, seu Aderne ouve uns fragmentos de conversa sobre uma rodinha de *poker*, e afasta-se irritado, perguntando a si próprio como se podia entreter ali uma conversa daquelas... No entanto, daí a pouco surge uma criada amável com uma bandeja:

– O senhor é servido?

Quase sempre é café que vem. Desta vez foi vinho do Porto e biscoitos Maria. Seu Aderne, que não tinha jantado, gostou do vinho e dos biscoitos, acendeu em seguida um cigarro, e "insensivelmente", diz o autor dos *Velórios*, "foi sendo atraído pela conversa" de um certo Vilaça, que contava num grupo as tratantadas de um mulato que passara a perna em todo o mundo e lascara na praça um prejuízo de mais de seiscentos contos...

Ninguém imagina a solércia envolvente da conversa mole de um "velorista" consumado. Há alguns que não se constrangem nem mesmo diante das pessoas mais diretamente afetadas pelo passamento. Lembro-me de que no velório de meu pai (foi no necrotério de uma casa de saúde – horrível) um sujeito – naturalmente com a caridosa intenção de aliviar o meu estado de espírito – tentou envolver-me na sua conversa mole.

Nem sempre o velório carioca fica circunscrito nesse terra a terra do ambiente familiar, como o descreve Rodrigo. Se aquele sujeito que poderia ter sido "o príncipe dos nossos prosadores" fosse realmente o príncipe dos prosadores, teríamos então o velório de proporções públicas, o grande velório, em que toda irreverência se desmancha num movimento de formidável lirismo. Foi assim o velório do Zeca Patrocínio na igreja do Rosário dos Pretos, e o de Sinhô, no necrotério do Hospital Hahnemaniano.

O livro de Rodrigo traz como epígrafe a frase de Montaigne: "*Et n'est rien de quoi je m'informe si volontiers que de la mort des hommes*". Mas um crítico do Norte, Olívio Montenegro, já observou que o mineiro se interessa nestes contos menos pela morte em si do que pelas reações dos vivos em face da morte, as reações "dos que ficam"; não tanto por seu Ernesto, como pela viúva de seu Ernesto, pelas irmãs de seu Ernesto.

Por falar nisso: conheci este seu Ernesto. Há entre os contos de Rodrigo alguns que são inventados, como "O nortista" e "Seu Magalhães suicidou-se" (para mim o melhor do volume, o mais bem composto); outros são transposições da realidade, mas transposições executadas com uma segurança de mão que as equipara à invenção. "O enterro de seu Ernesto" é desta categoria. Seu Ernesto era na sua humildade de vida um sujeito admirável, mais herói do que a maioria dos heróis que enchem a boca de toda a gente. A morte de seu Ernesto deu para um conto; a vida daria para um romance. Rodrigo podia escrever esse romance.

Mas que não escreva esse: tem que escrever outro. Porque os contos dos *Velórios* revelam raros dons de observação e composição, de expressão também, tudo muito pessoal, muito diferente da maneira dos outros, principalmente da maneira atual. O tom, por exemplo, é reservado enquanto o escritor comete indiscrições ferinas sobre os mais íntimos ou mais escabrosos sentimentos que observou em si ou no próximo. A sua musa é a mesma de Machado de Assis – aquela d. Severina de braços perturbadores, mais perturbadores que o corpo inteiro das outras mulheres, mas uma d. Severina que vai um pouco mais longe, e deixa ver os braços até às axilas...

FRAGMENTOS

Um aquário é um verdadeiro encantamento para os olhos de um menino. De um menino? Creio que para os de toda a gente. Eu por mim confesso que sou frequentador assíduo do pequeno aquário do Passeio Público. E ainda da última vez que lá estive fui testemunha da alegria imensamente divertida que despertava num gurizinho de 27 meses apenas o espetáculo dos peixes cambalhotando atrás das paredes de vidro do aquário. A pesada tartaruga incutia-lhe um arzinho sério. Mas como ele se ria do cardume claro, ágil, nítido das pequeninas crocorocas! dos camarões batendo as patinhas dorsais incessantemente! O peixe-enxada, chato e quase redondo, com as duas listras escuras bem marcadas, parecia um brinquedo bonito – como os peixes que os índios do Amazonas fabricam para os filhos e que eu tive ocasião de ver no Museu do Pará. As moreias verdes, à semelhança de cobras e engolindo a água com os movimentos de deglutição dos ruminantes; os baiacus de espinho, nos quais as nadadeiras finíssimas contrastam com a bojuda armadura; as cabrinhas, andando no fundo da água e levando bem abertas, como leques, as nadadeiras peitorais; os feios mangangás, confundindo-se preguiçosos com as pedras, onde aderiam pequenas anêmonas azuis, estrelas-do-mar cinzentas e escarlates; os robalos bicudos; as minaguaias de barbinhas engraçadas debaixo da queixada; os caranhos gordos e chatos; o bagre-urutu; e o que deixei para o fim – o polvo! o polvo com os tentáculos tão macios e tão cruéis! olhos de gente, olhinhos malvados, inteiramente despreocupados no meio dos pobres siris e caranguejos apavorados, de patolas escancaradas mas sem ânimo de fechá-las nas pontas dos tentáculos do monstro inimigo...

***

Há de haver muita gente que se lembre ainda da rua do Ouvidor de antigamente... Do agrupamento quase intransitável do canto da rua Gonçalves Dias, onde labregos floristas vendiam cravos e rosas espetados em mamões verdes... Do tumulto do velho Pascoal e do Café do Rio... Da porta de madame Dreyfus, a linda madame Dreyfus muito branca e muito loura, porta de grande significação política porque lá aparecia todas as tardes o senador Rosa e Silva cercado de seus amigos... Perto ficava a Confeitaria Castelões, onde se reunia a boêmia literária do tempo – Bilac, Coelho Neto, Guimarães Passos, Emílio de Menezes, Patrocínio, tantos outros, e mais vivo e mais surpreendente que todos, Paula Ney... Bem mais longe o sirgueiro e alfaiate militar, a cuja porta comparecia todos os dias o derrotado Custódio José de Melo, sempre de jaquetão e cartola – porque a cartola ainda era coisa de uso cotidiano e o almirante não relaxava...

***

Todos os dias a poesia reponta onde menos se espera: numa notícia policial dos jornais, numa tabuleta de fábrica, num nome de hotel da rua Marechal Floriano, nos anúncios da Casa Matias... Poesia de todas as escolas. Parnasiana: "Fábrica Nacional de Artigos Japoneses" (não sei se ainda existe, era na praça da República). *Surréaliste*:

"Hotel Península Fernandes" (ao meu primo Antoninho Bandeira, que perguntou ao proprietário português: "Por que *Península Fernandes*?", respondeu o homem: "*F'rnandes* porque é o meu nome, e *Península* porque é bonito!"). Por aí assim, românticos, simbolistas, futuristas, unanimistas, integralistas...

Faltava à minha coleção algum haicai. Acabo de achar vários agora, e estupendos, onde menos esperava: num livro de fórmulas de *toilette* para mulheres.

Alguns exemplos:

> Água de rosas
> Glicerina
> Bórax
> Álcool

Que brilho verbal, que surpresa para o ouvido na sonoridade seca da palavra *álcool* depois da musicalidade um pouco solta dos dois primeiros versos e desfazendo num como acorde suspensivo a cadência perfeita do verso *bórax*!

> Tintura de benjoim
> Borato de sódio
> Tintura de quilaia
> Água de rosas

> Água-de-colônia
> Água de flores de laranjeira
> Borato de sódio
> Mentol

> Óleo de rícino
> Óleo de amêndoas doces
> Álcool de 90°
> Essência de rosas

Dirão que o haicai tem só três versos. Pois aqui vai um:

> Pó de arroz
> Talco
> Subnitrato de bismuto

Outro:

> Água de rosas
> Ácido bórico
> Essência de mel da Inglaterra

Há mesmo um que constitui um verdadeiro "epigrama irônico e sentimental". Senão, vejam:

> Leite de amêndoas
> Bicloreto de mercúrio

O livro de Marie d'Osny encerra, nestas e outras receitas, uma lição e um exemplo de poesia.

***

O brasileiro da geração que fez a República era um sujeito que usava fraque e gostava de discursos. A mania do fraque passou, mas o gosto do discurso persiste, apesar da campanha de ridículo da nova geração de jogadores de *box*, *football*, verso livre e outros esportes estrangeirados.

Todavia não há motivo para desesperar. Houve alguma melhora, sensível em raros sinais que não terão escapado ao observador arguto. Por exemplo: o voluntário silêncio que se impuseram as vocações oratórias da geração que anda agora beirando os quarenta. O sr. Edmundo Luz Pinto é uma dessas vocações. Em outros tempos teria o renome de um grande orador. No entanto vive caladinho. Prefere fazer carreira por outras qualidades mais frias da inteligência. Assim os outros.

A geração anterior é que não entregou os pontos. Volta e meia, e quando menos se espera, surge uma metáfora das brabas, um efeito como aquele do dr. Sampaio Correia no enterro de Amoroso Costa, o nosso grande matemático vítima da catástrofe do Santos Dumont:

– Tão modesto na morte como o fora em vida, quis que o seu corpo fosse o último a aparecer...

OUTRAS CRÔNICAS

CASANOVA

> *Pues, señor, yo desde aquí*
> *Buscando mayor espacio*
> *Para mis hazañas, di*
> *Sobre Italia, porque allí*
> *Tiene el placer un palacio.*

Assim fala o Don Juan de José Zorrilla da terra que seria berço de Giacomo Casanova. Itália, terra do prazer! O conceito é feliz e ilustra às mil maravilhas a diferença de caracteres entre o veneziano amável do século XVIII e o sombrio matador do comendador Ulloa. A libertinagem de Don Juan, por mais que se destempere em leviandades de coração e espírito, não consegue nunca reter na consciência um momento puro de felicidade. Antes de envenenar moralmente as mulheres que seduz, ele mesmo é envenenado pela própria franja, riquíssima de toda sorte de recalques cavalheirescos e religiosos. As experiências amorosas de Don Juan são apostas. Amor?... Antes raiva de perdição. O sedutor de Dona Inês é bem o libertino espanhol do século de Filipe II.

Ao passo que Casanova era filho do prazer, nascido na terra do prazer, naquela Veneza de setecentos em que a máscara foi acessório de disfarce tão comum que ninguém lhe punha reparo; onde até as monjas pecavam com deliciosa espontaneidade. Casanova não teve amante mais encantadora do que a freira M. M. e quem lê os dezesseis volumes das suas *Memórias* depressa esquecerá os atrativos físicos, em suma sempre os mesmos, sempre de uma qualidade acadêmica, a técnica erótica e os nomes de todas as conquistas – não esquecerá nunca as iniciais, a graça inventiva e misteriosa sedução da religiosa de Murano, um dos poucos retratos que marcam nessa estonteante galeria feminina.

Sim, Don Juan era o pecado: Casanova era o prazer. O amor do primeiro um tecido de angústias, uma longa expectativa de catástrofes; o segundo, pelo contrário, aliviava as mulheres, às vezes até os homens responsáveis dessas mulheres, de todo o peso dos imperativos morais; com ele a paixão virava coisa fácil, que se toma e larga, sem outras olheiras senão as dos excessos, inteiramente a salvo do suicídio, da tentativa de assassinato, da paranoia e até dos desarranjos do fígado. Há as vítimas de Don Juan; não as há de Casanova. Este sacrificador de virgindades e de virtudes possuía o dom incomparável da leviandade.

Don Juan era sinistro demais. Não admira, pois, que o símbolo sexual, de que parecia já ser a encarnação acabada e definitiva, esteja agora a descorar, a desagregar-se em favor da glória mais natural, mais animal, mais esportiva de Casanova. Casanova renovou o símbolo três vezes secular, coisa espantosa. E renovou-o num sentido saudável, antinobre, antiburguês. Ainda que não morra Don Juan, é certo que doravante não ficará mais no seu insolente isolamento: terá quando menos de compartir o pedestal com o filho da Buranella...

Por diferentes que sejam, numa coisa se parecem o espanhol e o veneziano (e creio que se parecerão todos os exemplares do homem irresistível): ambos lançam mão de todos os recursos para vencer a fortaleza feminina.

É ingenuidade supor que a beleza, a graça física, o *it* bastem a esses fins. Casanova tinha tudo isso no mais alto grau: era verdadeiramente um demônio, capaz de seduzir três irmãs em comum. Todavia não se fiava de tão raros recursos (nenhum verdadeiro sedutor se fiará jamais). Corrompia sempre pelo dinheiro, e confessa mais de uma vez nas *Memórias* que em noventa por cento das suas conquistas o dinheiro foi o instrumento mais eficaz de triunfo. O dinheiro, em si ou por tudo o que proporciona de fácil, amável. Assim o conselho dele é o mesmo de Iago a Rodrigo: "*Put money in thy purse... I say, put money in thy purse...*" Primeira grande lição de Casanova.

Casanova usou de todos os recursos, todos os subterfúgios, todas as astúcias: chorou como uma cabra, fingiu-se doente, simulou desgraças, fez versinhos... Em nossos dias seria, podem estar certos, um temível propiciador de entorpecentes. Stefan Zweig escreveu um belo livro sobre o genial *homme à femmes*, de quem traça um retrato inesquecível quando o pinta de chegada a uma pequena cidade, numa sala de ópera:

CRÔNICAS DA PROVÍNCIA DO BRASIL

Com um guapo movimento levanta a fronte que todo poeta invejaria e que assim se destaca sob a cabeleira castanha delicadamente cacheada; o nariz ressalta como um croque insolente e ousado, assim como o queixo de forte ossatura e, abaixo deste, o pomo de adão, duas vezes o tamanho de uma noz (o que aos olhos de mulheres simples é a melhor garantia de uma robusta virilidade); inegavelmente cada traço do rosto exprime a impetuosidade, a audácia, a resolução. Só o lábio, muito vermelho e sensual, se curva molemente e descobre a dentadura forte e impecável. Lentamente vira agora o perfil ao longo do sombrio anfiteatro; sob as pálpebras regulares, pestanudas e de uma linha perfeita, flameja nas pupilas negras um impaciente olhar de agitação, um verdadeiro olhar de caçador em busca da presa, pronto a se precipitar...

Não é verdade, porém, que tamanho esplendor físico dispensasse sempre a estratégia e a tática da conquista. Stefan Zweig esquece tanta página das *Memórias*, em verdade deliciosas de invenção, de *rouerie*, de crapulice, quando afirma que "um ser como o de Casanova não tem necessidade de recorrer à simulação nem de elevar o diapasão; não precisa servir-se de artifícios líricos ou fraudulentos para seduzir". Como não! Servia-se de tudo isso. Há, sim, truques próprios de Casanova e os volumes das *Memórias* são a melhor *Ars amandi* que já se escreveu.

Arte de amar, bem entendido, nessa maneira. Stendhal dizia que o prazer dado por uma linda mulher que se desejou quinze dias e com quem se ficou três meses é *diferente* do prazer proporcionado por uma amante desejada três anos e possuída dez. Como quer que seja, foi este último um prazer que jamais Casanova conheceu. Mesmo porque não teria tempo de conhecer: três meses eram de ordinário o prazo suficiente para a polícia intervir nas atividades do Cavaliere de Seingalt. O ciúme mal mordia essa epiderme endurecida em tanta aventura de passagem. Não seria ele que tremeria nunca de repulsão e vergonha lendo o famoso teorema XXXV do Livro III da *Ética* de Spinoza ("Aquele que imagina que a mulher amada se entrega a outro etc. etc.").

Afinal esse estupendo profissional do amor físico acabou cometendo uma gafe: envelheceu... E o espetáculo da sua aborrecida decadência no castelo de Waldstein, entre as lembranças das suas façanhas da mocidade e as impertinências do intendente Feltkirchner, dá que pensar... Não há amor físico que baste ao espírito. Três mil mulheres possuídas não consolam de não possuir três mil e uma... Segunda grande lição de Casanova.

O heroísmo de Carlito

Não há hoje no mundo, em qualquer domínio de atividade artística, um artista cuja arte contenha maior universalidade que a de Charles Chaplin. A razão vem de que o tipo de Carlito é uma dessas criações que, salvo idiossincrasias muito raras, interessam e agradam a toda a gente. Como os heróis das lendas populares ou as personagens das velhas farsas de mamulengo.

Carlito é popular no sentido mais alto da palavra. Não saiu completo e definitivo da cabeça de Chaplin: foi uma criação em que o artista procedeu por uma sucessão de tentativas e erradas.

Chaplin observava sobre o público o efeito de cada detalhe.

Um dos traços mais característicos da pessoa física de Carlito foi achado casual. Chaplin certa vez lembrou-se de arremedar a marcha desgovernada de um tabético. O público riu: estava fixado o andar habitual de Carlito.

O vestuário da personagem – fraquezinho humorístico, calças lambazonas, botinas escarrapachadas, cartolinha – também se fixou pelo consenso do público.

Certa vez que Carlito trocou por outras as botinas escarrapachadas e a clássica cartolinha, o público não achou graça: estava desapontado. Chaplin eliminou imediatamente a variante. Sentiu com o público que ela destruía a unidade física do tipo. Podia ser jocosa também, mas não era mais Carlito.

Note-se que essa indumentária, que vem dos primeiros filmes do artista, não contém nada de especialmente extravagante. Agrada por não sei quê de elegante que há no seu ridículo de miséria. Pode-se dizer que Carlito possui o dandismo do grotesco.

Não será exagero afirmar que toda a humanidade viva colaborou nas salas de cinema para a realização da personagem de Carlito, como ela aparece nessas estupendas obras-primas de *humour* que são *O garoto*, *Ombro arma*, *Em busca do ouro* e *O circo*.

Isto por si só atestaria em Chaplin um extraordinário dom de discernimento psicológico. Não obstante, se não houvesse nele profundidade de pensamento, lirismo, ternura, seria levado por esse processo de criação à vulgaridade dos artistas medíocres que condescendem com o fácil gosto do público.

Aqui é que começa a genialidade de Chaplin. Descendo até o público, não só não se vulgarizou, mas ao contrário ganhou maior força de emoção e de poesia. A sua originalidade extremou-se. Ele soube isolar em seus dados pessoais, em sua inteligência e em sua sensibilidade de exceção, os elementos de irredutível humanidade. Como se diz em linguagem matemática, pôs em evidência o fator comum de todas as expressões humanas. O olhar de Carlito, no filme *O circo*, para o brioche do menino faz rir a criançada como um gesto de gulodice engraçada. Para um adulto pode sugerir da maneira mais dramática todas as categorias do desejo. A sua arte simplificou-se ao mesmo tempo que se aprofundou e alargou. Cada espectador pode encontrar nela o que procura: o riso, a crítica, o lirismo ou ainda o contrário de tudo isso.

Essas reflexões me acudiram ao espírito ao ler umas linhas da entrevista fornecida a Florent Fels pelo pintor Pascin, búlgaro naturalizado americano. Pascin não gosta de Carlito e explicou que uma fita de Carlito nos Estados Unidos tem uma significação muito diversa da que lhe dão fora de lá. Nos Estados Unidos Carlito é o sujeito que não sabe fazer as coisas como todo o mundo, que não sabe viver como os outros, não se acomoda em meio algum – em suma um inadaptável. O espectador americano ri satisfeito de se sentir tão diferente daquele sonhador ridículo. É isto que faz o sucesso de Chaplin nos Estados Unidos. Carlito com as suas lamentáveis aventuras constitui ali uma lição de moral para educação da mocidade no sentido de preparar uma geração de homens hábeis, práticos e bem quaisquer!

Por mais ao par que se esteja do caráter prático do americano, do seu critério de sucesso para julgamento das ações humanas, do seu gosto pela estandardização, não deixa de surpreender aquela interpretação moralista dos filmes de Chaplin.

Bem examinadas as coisas, não havia motivo para surpresa. A interpretação cabe perfeitamente dentro do tipo e mais: o americano bem verdadeiramente americano, o que veda a entrada do seu território a doentes e estropiados, o que propõe o pacto contra a guerra e ao mesmo tempo assalta a Nicarágua, não poderia sentir de outro modo.

Não importa, não será menos legítima a concepção contrária, tanto é verdade que tudo cabe na humanidade vasta de Carlito. Em vez de um fraco, de um pulha, de um inadaptável, posso eu interpretar Carlito como um herói. Carlito passa por todas as misérias sem lágrimas nem queixas. Não é força isto? Não perde a bondade apesar de todas as experiências, e no meio das maiores privações acha um jeito de amparar a outras criaturas em aperto. Isto é pulhice?

Aceita com estoicismo as piores situações, dorme onde é possível ou não dorme, come sola de sapato cozida como se se tratasse de alguma língua do Rio Grande. É um inadaptável?

Sem dúvida não sabe se adaptar às condições de sucesso na vida. Mas haverá sucesso que valha a força de ânimo do sujeito sem nada neste mundo, sem dinheiro, sem amores, sem teto, quando ele pode agitar a bengalinha como Carlito com um gesto de quem vai tirar a felicidade do nada? Quando um ajuntamento se forma nos filmes, os transeuntes vão parando e acercando-se do grupo com um ar de curiosidade interesseira. Todos têm uma fisionomia preocupada. Carlito é o único que está certo do prazer ingênuo de olhar.

Neste sentido Carlito é um verdadeiro professor de heroísmo. Quem vive na solidão das grandes cidades não pode deixar de sentir intensamente o influxo da sua lição, e uma simpatia enorme nos prende ao boêmio nos seus gestos de aceitação tão simples.

Nada mais heroico, mais comovente do que a saída de Carlito no fim de *O circo*. Partida a companhia, em cuja *troupe* seguia a menina que ele ajudara a casar com outro, Carlito por alguns momentos se senta no círculo que ficou como último vestígio do picadeiro, refletindo sobre os dias de barriga cheia e relativa felicidade sentimental que acabava de desfrutar. Agora está de novo sem nada e inteiramente só. Mas os minutos de fraqueza duram pouco. Carlito levanta-se, dá um puxão na casaquinha para recuperar a linha, faz um molinete com a bengalinha e sai campo afora sem olhar para trás. Não tem um vintém, não tem uma afeição, não tem onde dormir nem o que comer. No entanto vai como um conquistador pisando em terra nova. Parece que o Universo é dele. E não tenham dúvida: o Universo é dele.

Com efeito, Carlito é poeta.

Elizabeth Barrett Browning

Em *Two or Three Graces* Aldous Huxley conta que, entrando certa vez num salão, ouviu um rapaz que dizia em alto e bom som: "Somos absolutamente modernos. Minha mulher pode se entregar a qualquer um, pelo que me toca. Não me importo. Ela é livre. E eu sou livre. Isto é o que eu chamo ser moderno." A Huxley, ao contrário, isso pareceu primevo, quase pré-humano, visto que o desejo promíscuo é geologicamente velho. "Modernos de fato", refletiu ele, "são os Brownings." O amor é a nova invenção, e nenhum casal de criaturas humanas foi jamais tão longe, mesmo nos domínios da fábula, como Elizabeth Barrett e Robert Browning, cujo grande e inalterável sentimento tem, pelas circunstâncias e vicissitudes em que se formou e cresceu, a beleza cíclica e indestrutível dos mitos. Pertence às coisas ideais da vida, disse um comentador.

Tanto mais curioso é por isso que em nossa época de tamanho favor para as biografias romanceadas pouco se tenha escrito sobre a vida daquela que nos *Sonnets from the Portuguese* deixou as mais altas inspirações que o amor de um homem já inspirou a uma mulher. Creio que até agora só existia o livro de Germaine-Marie Marlette (*La vie et l'oeuvre de Elizabeth Barrett Browning*), publicado em 1905. Agora nos chega de Nova York a obra de Dormer Creston *Andromeda in Wimpole Street*. Wimpole, 50 foi a casa onde Elizabeth passou os seis anos de sua vida anteriormente ao casamento. Ali conheceu as horas mais tristes e desoladas, quando voltou das praias de Torquay, onde perdera o irmão afogado. Ali visitou-a Robert Browning pela primeira vez. E dali a tirou para levá-la à Itália. Mas isso depois de um tormentoso namoro de muitos anos, cujos episódios e carinhos podemos muito bem acompanhar, porque se fez sobretudo por cartas. E todas essas cartas, exceto uma, queimada por Browning, foram conservadas.

***

Elizabeth Barrett Browning nasceu em 1805 e foi a primogênita de uma garotada de onze irmãos, que todos sofreram, com ela, a tirania de um pai, sujeito esquisitíssimo, exercendo no ambiente da família os instintos ancestrais de filho e neto de senhores de escravos na Jamaica. Harrow e Cambridge, toda uma existência na metrópole, não conseguiram extirpar do coração de Edward Barrett a paixão hereditária do mando incontrastável. E a sua intransigência se manifestou sobretudo na oposição com que sempre contrariava qualquer casamento na família, não só das meninas (o que é frequente da parte de pais extremosos e ciumentos), mas também dos rapazes. Sem nenhum motivo de conveniência material ou moral: não queria e pronto! Veremos com que excessos de dureza agiu no caso da pobre Elizabeth.

Desde os mais tenros anos que a futura autora dos *Sonnets from the Portuguese* revelou gosto e talento para a poesia. Lia Homero como as demais crianças leem as histórias da Gata Borralheira e do Pequeno Polegar. Como seu pai a proibisse de ler um certo rincão da biblioteca onde havia livros de moral e linguagem duvidosas, claro que Elizabeth obedeceu. Tempos depois veio ele a descobrir que a menina estava devorando com ardente paixão as obras de Voltaire, Goethe e Rousseau.

Aos dez anos já era autora de várias tragédias em inglês e francês representadas na *nursery* pelos irmãozinhos. Imagine-se a cena do fedelho exclamando com ar aniquilado:

> *Qui suis-je? Autrefois un général romain,*
> *Maintenant, esclave de Carthage, je souffre en vain!*

Aos treze anos escreveu um poema épico intitulado "A batalha de Maratona". Elizabeth criança convivia familiarmente no mundo dos deuses e dos heróis. Pobrezinha! com pouco teria que exercer a seu mau grado uma das formas mais duras e mais difíceis do heroísmo – o que resulta do contraste entre uma natureza ardente e rica e a situação de inválido.

***

Elizabeth sofreu um acidente por volta dos quinze anos, quando selava o *poney* em que gostava de montar na propriedade de seu pai, em Herefordshire. Algumas notícias biográficas aludem a uma lesão na espinha. É difícil distinguir a verdadeira causa da quase completa invalidez de Elizabeth, em virtude desse pudor esquisito que mostra a gente de raça inglesa quando trata de coisas do físico. Haja vista este livro de Dormer Creston, onde nunca se pronuncia a palavra *tuberculose*. No entanto, o que ressalta de toda a narrativa é que essa misteriosa enfermidade foi, sem sombra de dúvida, a tuberculose. Falando de uma crise grave que a doentinha atravessou em Londres, Dormer Creston descreve-a como "o rompimento de um vaso sanguíneo", eufemismo bem da raça inglesa para apresentar delicadamente o que foi na realidade uma violenta hemoptise. O fato é que Elizabeth foi uma tuberculosa alinhadíssima. Na sua triste reclusão em Wimpole Street, no quartinho dos fundos da casa, sempre reclinada num sofá, sem ver os estranhos, cuja curiosidade fora grandemente excitada pelos versos admiráveis de *The Seraphim and Other Poems*, o seu segundo livro, dava ela a impressão romântica de uma constituição apenas delicada e invalidada pelo acidente do *poney*.

A sua fama já tinha chegado à América com a publicação do "Cry of the children", poema de largo alcance social em que a poetisa protestava contra o trabalho das crianças nas fábricas. Dele disse Edgar Poe que respirava "uma indomável energia nervosa – um horror sublime em sua simplicidade – de que o próprio Dante se haveria de orgulhar".

Depois da perda do irmão, o destino de Elizabeth parecia definitivamente encerrado no solitário ambiente do seu quartinho de inválida. A mocidade passara e fora vazia de todo interesse sentimental. O raiozinho de sol em que se aquecia nos dias de inverno o seu cãozinho Flush ("meu companheiro constante, meu amigo, minha distração") dava-lhe inveja: na sua vida sem nenhuma esperança faltava o equivalente moral desse raiozinho de sol que era a delícia de Flush. Elizabeth já completara quarenta anos.

***

Foi então que lhe baixou do céu aquela sombra mística de que fala no primeiro dos seus sonetos. Representou-a tomando-a de trás pelos cabelos:

> "Adivinha quem sou!" "A morte", eu falo.
> E a voz responde: "A Morte não, o Amor!"

Era de fato o amor. O mais forte, o mais puro, o mais completo que já foi dado a nenhuma mulher experimentar da parte de um homem. E que homem era esse!

Robert Browning não pensava em se casar. Sentia-se obrigado a uma obra poética que seria uma mensagem de otimismo e conforto moral para a espécie. Além disso julgava não poder nunca encontrar uma mulher que significasse bastante para ele. Os versos de Elizabeth, as notícias vagas que tinha dela despertaram a sua curiosidade. Escreveu-lhe pedindo-lhe autorização para uma visita. *"I love your verses with all my heart, dear miss Barrett."* Ora, a *"dear miss Barrett"* viria a ser depois e para o resto da vida a sua *"dearest Ba"*.

***

Quem não esteve pelos autos foi o sinistro filho e neto de senhores de escravos da Jamaica. A doçura e a triste condição de sua primogênita não lograram nunca aplacar o natural tirânico de Edward Barrett. Mas embora tivesse pelo pai o afeto mais firme e mais respeitoso, Elizabeth deu provas de que nem só nos seus versos havia aquela "indomável energia nervosa" que Poe já notara no poema do "Cry of the children". O novo Perseu teve que arrebatar a sua pobre Andrômeda inválida. Fugiram para a Itália. Foram durante dezesseis anos inalteravelmente felizes, não tendo faltado a Elizabeth nem mesmo as delícias da maternidade. Só lhe faltou a bênção do pai que nunca a perdoou: nunca abriu nenhuma das cartas que a filha lhe escrevia regularmente da Itália. A felicidade dela em vez de o desarmar, irritava-o ainda mais. Morreu assim, fechado no seu rancor.

***

E Elizabeth expirou como um passarinho. Foi quase de repente (na verdade vivera morrendo). Browning descreve-a no supremo momento: "Sempre sorrindo, feliz, e com um rosto de criança, e em poucos minutos morreu nos meus braços, encostando a cabeça em minha face".

Daquela vez era a Morte mesmo, mas de mãos dadas com o Amor.

O CORAÇÃO INUMERÁVEL

– Sobre o que você vai escrever?

– Sobre a nossa querida amiga Ana.

– ?

– Ana-Elizabeth, princesa de Bessaraba de Brancovan...

– Depois condessa Mathieu de Noailles.

– A condessa não me interessa. O que sempre me interessou foi a princesinha de Bessaraba de Brancovan. Desta é que vem toda a poesia de *Le coeur innombrable* e de *L'ombre des jours. O* que veio depois foi eco amortecido ou variação virtuosística sobre o incomparável tema da adolescência.

Afonso Arinos de Melo Franco mostrou-me há alguns anos o retrato com dedicatória que recebera de mme. de Noailles. Olhei retrato e dedicatória sem inveja nem cobiça. Como a vida nos faz cínicos! Um mês antes da morte de Ana de Noailles eu vendera num sebo o exemplar do *Coeur innombrable* que me acompanhava há mais de vinte anos.

Há mais de vinte anos Ana de Noailles foi também a minha paixão. Ah se eu tivesse recebido então o retrato com dedicatória que Afonsinho ganhou! Eu estava morrendo, literalmente morrendo, e imaginem que caixa acústica não era a minha cabeça para versos como estes:

> *Ah! faut-il que mes yeux s'emplissent d'ombre un jour,*
> *Et que j'aille au pays sans vent et sans verdure*
> *Que ne visitent pas la lumière et l'amour...*

Ou este outro:

> *Je suis morte déjà, puisque je dois mourir.*

Mas eu traí o destino romântico dos poetas brasileiros e não morri do peito aos vinte e poucos anos, como me impunham os exemplos ilustres de Álvares de Azevedo, Castro Alves e Casimiro de Abreu.

A vida foi passando. Mme. de Noailles escreveu uma porção de livros em que não era mais aquela que escrevia para que no dia em que não existisse mais, os rapazes que a lessem,

> *Sentant par moi leur coeur ému, troublé, surpris,*
> *Ayant tout oublié des épouses réelles*

a acolhessem na alma e a preferissem a elas.

Os *Éblouissements*, malgrado belezas inegáveis, não tinham mais o encanto ingênuo da adolescência. Já era obra de escritora de fama que todo o mundo admirava. Os editores a assediavam. As encomendas choviam. O coração tinha virado máquina. A minha paixão acabou-se. A vida faz-nos uns cínicos.

Mas mme. de Noailles continuou a ter adoradores de vinte anos até o momento da guerra. Quando esta rebentou, mme. de Noailles completara 38 anos.

Uma brasileira de 38 anos já está pronta para vovó. Na Europa é bem diferente, e todo o mundo sabe que a famosa mulher de trinta anos de Balzac tem de fato quarenta bem puxados. É a hora em que as mulheres como mme. de Noailles podem fazer os rapazes esquecer tudo das esposas reais.

Podem? Podiam! Podiam na geração de antes da guerra. A guerra foi um cataclismo que abalou a sensibilidade dos rapazes mais fundo do que a economia internacional. Um na mão, melhor que cem voando. A esposa real. De um dia, de uma hora, seja!, mas real, bem real. Seriam vãs todas as mensagens da mãe-d'água distante:

> *Tu leur diras que je m'endors,*
> *Mes bras nus pliés sur ma tête,*
> *Que ma chair est comine de l'or*
> *Autour des veines violettes;*
>
> *Dis-leur comme ils sont doux à voir,*
> *Mes cheveux bleus comme des prunes,*
> *Mes pieds pareils à des miroirs*
> *Et mes doux yeux couleur de lune.*

Os versos são deliciosos, dos mais sutis e suaves que a princesinha escreveu para "comover, perturbar, surpreender" os rapazes. E são perfeitamente verídicos, a julgar pelo depoimento dos que a conheceram ao tempo em que apareceu o seu primeiro livro. Edmond Jaloux disse que os que vieram depois deles

não podem fazer uma ideia daquela sedutora aparição e da surpresa encantada, da admiração, do estupor por ela causados. Com o rosto mate, que tinha qualquer coisa do mármore, os grandes olhos ardentes, o nariz aquilino, mme. de Noailles quando aparecia em qualquer parte obtinha logo de todos um *empressement* maravilhado.

Mas a geração que surgiu depois da guerra tinha outra coisa a fazer do que suspirar pela esposa imaginária. A esposa real – a vida – com os seus deveres difíceis mas caros afinal aos homens de verdade, estava bem junto deles. *Et ils ont tout oublié*, quando ela ainda vivia, da musa que escrevia para quando fosse morta... A musa sofreu com a deserção dos rapazes.

Afinal a traição não foi tão grande assim. Propriamente não houve traição. A lição do "coração inumerável" foi o mesmo *carpe diem* antigo dada não com a serenidade risonha do poeta latino, mas com o frenesi de um condenado que não aceita a ideia de morte e que já se sente morto só porque tem que morrer. Os rapazes desdenharam do mestre mas aceitaram a lição.

No mundo de Proust

Uma das delícias do romance de Proust é que ele é cheio de surpresas. O fato de a surpresa ser às vezes moralmente desagradável não lhe tira o sabor de delícia, porque em toda surpresa há o elemento intelectual de conhecimento que resulta em gozo para a inteligência. Qual é o traído, por exemplo, que embora sofrendo mil mortes do coração não procure essa satisfação do conhecimento inquirindo as circunstâncias e pormenores da traição?

Para quem conheceu o Legrandin do *Du côté de chez Swann* é coisa inteiramente inesperada vir a saber em *Albertine disparue* que ele fosse dado desde sempre ao mesmo vício, digamos antes aos mesmos gostos que o barão de Charlus. Legrandin mudara bastante fisicamente e eis como Proust explica essa transformação:

> Como as mulheres que sacrificam resolutamente o rosto à esbeltez do talhe e não deixam mais Marienbad, Legrandin tinha tomado o aspecto desenvolto de um oficial de cavalaria. À proporção que M. de Charlus se tornara pesado e embrutecido, Legrandin estava mais esbelto e rápido, efeito contrário de uma mesma causa. Ele tinha o hábito de frequentar certos lugares de má fama, onde não gostava que o vissem entrar ou sair: sovertia-se neles.

Essas palavras quando as li em *Albertine disparue* se gravaram em minha memória, para que eu as reconhecesse adiante em *Le temps retrouvé*, aplicadas então a outra personagem, o simpático Robert de Saint-Loup, coitado, tão *charlus* quanto o outro. Saint-Loup sofrera a mesma transformação que Legrandin:

> Estava bem diferente daquele que eu conhecera. A sua vida não o tinha engrossado, como a M. de Charlus, muito ao contrário, operando nele uma mudança inversa, tinha-lhe dado o aspecto desenvolto de um oficial de cavalaria – e embora houvesse dado a sua demissão por ocasião do casamento – a um ponto como jamais o tivera. À proporção que M. de Charlus se tornara pesado, Robert, como certas mulheres que sacrificam resolutamente o rosto ao talhe e a partir de um certo momento não deixam mais Marienbad, se tornara mais esbelto, mais rápido, efeito contrário de um mesmo vício. Essa velocidade tinha de resto diversas razões psicológicas, o receio de ser visto, o desejo de não parecer ter esse receio, a febrilidade nascida do descontentamento de si e do tédio. Ele tinha o hábito de frequentar certos lugares de má fama, onde, como não gostava que o vissem entrar ou sair, sovertia-se para oferecer aos transeuntes malévolos o menos possível de superfície, como se procede a um assalto.

Proust não reviu as provas tipográficas da sua obra a partir de *La prisonnière*. Se o tivesse feito, haveria certamente de notar a repetição e tê-la-ia suprimido. Para nós essa inadvertência foi preciosa, por ilustrar a técnica do romancista. As personagens de Proust parecem tão vivas, a vida anedótica delas é tão embastida, tão rica de detalhes que se diria copiadas do natural. Entretanto Proust no *Le temps retrouvé* e em carta a Astruc afirma não haver nenhum tipo *à clef*, nem mesmo nenhum detalhe de ação não fictício no seu romance, onde diz ele que não fez nenhum retrato, exceto os monóculos da *soirée* em casa de mme. de Saint-Euverte.

A um leitor superficial Proust parecerá um sujeito extremamente preocupado com os detalhes. A verdade é que os detalhes só lhe interessavam como elementos para a indução das grandes leis. Ele observou os mesmos detalhes – um olhar, um gesto, uma frase, em muitos dos seus conhecidos, e tomando em consideração as circunstâncias inquiria os móveis de tal ou qual forma de expressão, chegando assim a uma verdade geral, onde cabiam não só os seus conhecidos, como todos os semelhantes a eles, por ocasião de reações análogas.

Todo esse riquíssimo *stock* de observações recolhido nos longos anos de aparente inatividade literária do "tempo perdido" veio depois a servir, segundo as necessidades de sua demonstração. As personagens foram desenvolvidas segundo a lógica dos seus temperamentos, dos seus hábitos, acabando por dar uma tal ilusão de vida que os amigos do escritor viam fulano no barão de Charlus, sicrana em Odete, embora nunca tivesse havido intenção de retrato.

No caso da repetição de que nos ocupamos, havia anterior à criação dos tipos de Legrandin e Saint-Loup a observação de certos "charlus" que com o tempo tomam o aspecto desenvolto de oficiais de cavalaria. Esse detalhe físico estava associado no pensamento de Proust à ideia de certos hábitos, certa maneira de ser. Porque estes fossem comuns a Legrandin e a Saint-Loup, o detalhe gravitou para as pessoas deles, obedecendo em um e outro caso ao mesmo princípio de lógica criadora.

FLAUTA DE PAPEL

Gralhas

Gralhas, informa o precioso livrinho de Aníbal Moreira *Elucidário técnico do linotipista*, são os erros peculiares à tipografia e que a revisão deixou escapar. E acrescenta: "É menos um acidente do que a prova da insuficiência técnica da oficina que a produz". Mas às vezes, digo eu, esses errinhos que tanto mortificam o escritor correm por conta dos revisores, culpados então de zelo excessivo.

Deus me livre de falar mal dos revisores: é uma classe heroica. Há muita gente boa cuja prosa nos aparece em forma aceitável só porque passou pelas mãos dos modestos rapazes da revisão. Tenho visto certos originais, cujos autores correriam o risco de ser reprovados no exame de admissão ao curso ginasial, se caíssem nas unhas de um Oiticica. Os revisores, porém, sabem pôr o sujo mingau em pratos limpos.

Não se pode saber tudo. Os rapazes da revisão são traquejados naquele domínio que no idioma corresponde ao que na cozinha brasileira se chama o "trivial". Conhecem bem a ortografia e se adaptam com agilidade a qualquer novo sistema, desde o etimológico do falecido Ramiz Galvão até ao fonético do general Klinger: colocam os pronomes tão lusitanamente bem quanto Rui Barbosa; sabem na ponta dos dedos as regras de concordância: pontuam de maneira irrepreensível. Em tudo isso nos salvam às vezes de cochilos comprometedores.

De outras feitas, porém, a intervenção, sempre bem-intencionada, acarreta o desastre. É quando saímos fora do trivial. Os escritores sutis e amigos de certas preciosidades estão a cada passo levando na cabeça quando escrevem para os jornais. Eu, por exemplo, sou um deles. De vez em quando dou para sofisticado e emprego o adjetivo "estreme". Há "extremo", último, e "estreme", puro, sem mistura. Gosto muito de "estreme" mas os revisores não gostam ou não o conhecem. De sorte que jamais consegui que a palavra saísse em letra de forma com o ezinho final, que bato à máquina com o maior capricho.

Há outro adjetivo – "almo, alma" – de que usei e abusei nos meus tempos de iniciação parnasiana, porque no seu vago significado de bom, agradável, favorável é um calço comodíssimo para travar um verso na justa medida. Depois matutei comigo que o recurso era indecente, e jurei que no futuro só empregaria a palavra no seu sentido primeiro que é "nutriente, criador" (em latim *almus* vem do verbo *alere*, que quer dizer "fazer aumentar, crescer, nutrir, fortalecer"). Fiquei fiel ao meu juramento e só uns quarenta anos depois me surgiu a oportunidade única de me socorrer do poético vocábulo para exprimir com exatidão o meu pensamento: numa crônica para este jornal sobre a exposição de cartazes de propaganda do Banco do Sangue chamei de "alma riqueza" o estoque do precioso líquido (com perdão da irmã água!). Mas ao entregar o artiguinho ao meu querido amigo Barros Vidal, secretário de *A Manhã*, propus-lhe apostarmos que no dia seguinte sairia impresso "alta riqueza" em vez de "alma riqueza". Riu-se o Barros, prometeu-me olhar pela revisão, não sei se olhou mesmo, a verdade é que saiu, como eu previra matematicamente, "alta" e não "alma".

O mês passado escrevi a respeito de José de Abreu Albano. Um amigo me tinha mostrado uns lindos tercetos do poeta cearense, entre os quais havia este:

Ó meu sonho de amor, tu me acompanha
Por esta vida, às vezes tão escura
Por esta vida às vezes tão estranha.

A datilógrafa estranhara o "acompanha" e ajuntou-lhe um "s", erro que só podia ser descoberto pela rima, porque tanto o indicativo como o imperativo davam sentido no poema. Desta vez contou-me o Barros que o revisor, ao ler "tu me acompanha", viera consultá-lo imaginando "que seria distração do professor Bandeira"...

Esta nota, que ofereço aos meus amigos da revisão de *A Manhã*, me foi inspirada pela deliciosa crônica de Cecília Meireles, aqui publicada na quarta-feira. Intitulava-se "Conversa quase fiada". Como fia bem o grande poeta de *Viagem* e *Vaga música*!

A CRÍTICA

Leio em *Diretrizes* um artigo ferino de Afrânio Coutinho sobre o problema da crítica no Brasil. Para esse crítico dos críticos não há crítica entre nós: o que há são "folhetins" e cita um dos nossos maiores poetas, que não sei quem seja: "Verdade é que a nossa crítica é antes episódica e seus mais finos cultores fazem dela antes questão de gosto, não de sistema..."

Descontados os exageros, que parecem nascer de uma birra pessoal, as falhas apontadas são um fato que salta aos olhos de toda a gente. É, porém, injustiça fazer tão cerrada carga aos críticos. A verdade é que não temos ainda a crítica no alto padrão em que a coloca o colaborador de *Diretrizes*, simplesmente porque o nosso meio não está amadurecido para a profissão de crítico. Isso se traduz claramente no procedimento dos nossos grandes jornais. Poucos mantêm uma seção permanente de crítica, e os que a sustentam não remuneram de modo a permitir o *full time* do crítico. A crítica brasileira não passou até agora de uma atividade colateral, um "bico" de trabalhadores formidáveis e, sejamos justos, abnegados, porque afinal o que se ganha fazendo crítica no Brasil? No máximo cem ou duzentos das redações... e fora delas o diploma de burro, de leviano, de corrilheiro. Crítica: sacrifício de tempo, de dinheiro, de amizades.

É preciso ser muito prudente – Prudente de Morais Neto – como o Pedro Dantas, para resistir à tentação dos convites dos amigos donos de jornais, à pressão dos amigos literatos, ao interesse das casas editoras, e no momento de se decidir impor a condição primeira: tempo integral. Mas qual é a folha que está disposta a dar ao crítico um ordenado de três ou quatro contos?

Sem tempo integral não é possível a especialização em coisa nenhuma desta vida. Fazer versos, sobretudo metrificados e rimados, é coisa fácil... ou impossível, como dizia Hugo. Ler meia dúzia de livros de poemas e escrever sobre eles também é fácil... desde que exista no crítico o instinto poético. Se não, também é impossível. Já um romance exige no mínimo uma semana, desde que não seja em dois grossos volumes como *O lodo das ruas*, de Octavio de Faria. E que dizer de uma obra de história, de sociologia, de política, de moral? Pobre do crítico nosso, um Sílvio Romero, um Veríssimo, um Tristão de Athayde, um Álvaro Lins, professores mal pagos e obrigados a outras tarefas, que recebem de repente livros densos como *Os Sertões*, as *Populações meridionais*, *Casa-grande & senzala*, as *Raízes do Brasil*... e têm de os ler, assimilar e julgar nos lazeres quase inexistentes do seu ganha-pão inadiável! No entanto há que o fazer, porque a vida não espera, principalmente no Brasil...

Sílvio Romero não era um especializado em nada. Os positivistas atacaram-no, a ele e outros que se ocuparam de sociologia, zombando de sociólogos que não sabiam matemática. Mas quem negará os benefícios enormes à nossa cultura de sua ação de improvisador, cheio de deficiências? Todos os grandes homens da América Latina, os que mais contribuíram para a formação de uma consciência americana – os Sarmiento, os Hostos, os Montalvo foram desse tipo. Os únicos possíveis na América. Os Croce, os Voss são para a Europa.

Triste do Brasil, tristes dos países hispano-americanos se o crítico, antes de aparecer, esperasse, como quer Afrânio Coutinho, ter completado o estudo da história da crítica e da estética, a ilustração nas literaturas estrangeiras e nos autores nacionais, a aquisição da técnica e de uma concepção e padrão de crítica, o levantamento de uma tábua de valores para a literatura nacional! O crítico morreria de fome antes de começar a escrever.

15-1-1944

Notícias de Cícero

Não se trata do Cícero de Arpino, do Cícero das *Catilinárias* e das *Filípicas*, mas do Cícero de Cajazeiras, estado de Pernambuco. Cícero Dias. Cícero dos Santos Dias, pintor e poeta.

O Rio não deve ter esquecido aquele estranho rapaz que um dia expôs na sala térrea do derrubado edifício da Policlínica à avenida Rio Branco uma abracadabrante coleção de aquarelas, diante das quais o visitante incauto era desde logo tomado por uma impressão de atropelamento. Quase toda a gente passou a considerar o rapaz como louco, o que até certo ponto justificavam os seus bastos cabelos revoltos e a expressão meio alucinada dos seus grandes e belos olhos negros. Creio que o próprio Juliano Moreira tinha para com ele aquele paternal carinho que dispensava sempre aos que suspeitava iriam acabar no casarão da Praia Vermelha. Cícero viveu alguns anos no Rio, progrediu muito dentro da sua técnica absurda em que entrava até a tinta de escrever, e ganhou a admiração e a amizade de todos quantos procuram a poesia na vida e estão se ninando para tudo o mais. Cícero fez pintando o mesmo que fez José Lins do Rêgo escrevendo: desentranhou a poesia assombrosa dos meninos de engenho.

Há muita gente que diz ao olhar as pinturas de Cícero: – Qualquer criança faz isso.

É um engano, erro de quem observa mal os desenhos das crianças. Certamente as crianças pintariam todas assim, se todas elas possuíssem igualmente o dom de expressão. De fato, toda criança é dotada da faculdade eminentemente poética de criar o seu mundo interior. Toda criança é poeta, e mesmo poeta genial. Mas só os que nasceram com o dom complementar de exprimir plasticamente esse mundo é que conseguem suscitar nos outros a emoção artística.

Essa capacidade, aliás, pode ser a mais desajeitada: através de deficiências de traço e de composição a essência expressiva transparece. Mesmo o desequilíbrio entre a expressão e a intenção, às vezes tão tocante por si só, é que nos pode transviar no julgamento das imagens plásticas de uma criança, como de resto das de um louco, das de um inculto, em suma das de todo primitivo.

A técnica de Cícero Dias pode parecer deficiente mesmo a um artista liberto de toda rotina acadêmica. Mas aqui seguramente não é aquele desequilíbrio a que nos referimos atrás que gera a profunda impressão das suas criações no espírito dos que olham sem preconceitos. Essa impressão é a de um lirismo surpreendentemente ágil e versátil, o qual está constantemente reorganizando a realidade cotidiana com alguns dados humorísticos ou pressagos que escapam à generalidade dos homens e no entanto vincam com a agudeza das superstições uma sensibilidade extraordinária como a de Cícero. O que há de infantil nessa sensibilidade é a atitude ingênua diante desses aspectos humorísticos e mal-assombrados da vida.

Possuí uma pintura de Cícero que era um quadro bem pernambucano: uma casa de engenho encostada à igrejinha modesta. Foi uma casa que visitei no Cabo em criança e que nunca mais se apagou de minha memória. O vazio triste daquela igreja velha onde me contaram que havia à noite alma penadas, era dentro de mim uma coisa sem voz que reclamava existência no plano da arte. Cícero adulto viu-a com os olhos e a alma da minha infância, e realizou uma admirável criação.

Cícero tem tirado do noticiário policial dos jornais algumas obras da mais tocante piedade, como fez do caso banal de uma mocinha de Niterói, a qual, abandonada pelo namorado, se matou. Cícero ofereceu-lhe o que sempre oferece aos infelizes e às mulheres que ama – flores e estrelas. O grupo da família da suicida à entrada do cemitério é uma das imagens mais ingenuamente dolorosas que já vi. Quem pensa em técnica diante dessas imensidades puras da piedade? Antes de analisar, é o espírito avassalado de chofre pela emoção que o artista nos impõe.

Aqueles a quem chocam as extravagâncias de Cícero dedico este pequeno quadro urbano: era numa das horas mais trepidantes da vida da cidade: largo da Carioca, calor danado e os homens cavando ferozmente a vida. O Rio de toda a gente. Mas no orifício de engate de um bonde enorme da Light que passava, algum garoto tinha enfiado um ramo de hortênsias. Aquilo não era mais o Rio: era outra cidade, cidade fantástica, alguma cidade lírica do mundo delicioso de Cícero Dias.

Mundo em que tudo é possível: aquele homem é uma pedra, o Pão de Açúcar é gente e frequenta o cassino da Urca... Mundo absurdo, se quiserem, errado no desenho e na perspectiva (mas a paisagem que eu via da janela do meu quarto em Santa Teresa é obra de Deus, e também está errada, como posso provar aos interessados), mundo imensamente consolador para quem está farto do outro, o de cada dia sem pão nosso para tanta gente! Mundo lírico, mundo delicioso de Cícero em que, repito, tudo é possível. Tudo menos uma coisa: o retrato parecido.

E as notícias de Cícero? É verdade. Estou aqui a falar, esquecido que tomei da pena para informar aos amigos que recebi uma carta de Cícero. Carta à maneira de Cícero, escrita na folha de guarda de um livrinho – *Le livre de Monelle*, de Marcel Schwob. De Paris ou de Vichy? Parece que de Paris. Sem data, mas deve ser posterior à ocupação alemã.

Esta carta veio dar-me a mim por minha vez saudades enormes de Cícero. Tanto maiores quanto imagino que ele ficará pela França muito tempo ainda, se não for para sempre. Saudades de Cícero e saudades de outras coisas, também. A casinha em que morei no Curvelo (e onde depois morou Rachel de Queiroz) foi posta abaixo. Outro dia passei por lá e me lembrei de Cícero, porque vi o meu quarto no ar, como num desenho de Cícero: o meu quarto no mundo de Cícero.

DEPOIMENTO DE UM INOCENTE DO FLAMENGO

Quando eu era professor de Literatura no Externato do Colégio Pedro II, vivia assediado pelos alunos que, desorientados na balbúrdia das reformas ortográficas, queriam resolver as suas perplexidades. Perguntava um: "*Têm, eles têm*, se escreve com dois *ee* ou com um só e acento circunflexo?" Outro: "Professor, Luísa é com *s* ou com *z*?" E assim por diante. Eu respondia da melhor maneira e com toda a paciência a todos eles.

Mas se eu tivesse a elevação moral do amado cronista, devia era correr com todos, mais ou menos assim: "Pois no momento em que a pugna social cresce de sentido e intensidade, vocês andam preocupados com essas baboseiras? Sumam-se da minha vista!"

Quando o ministro Capanema compareceu o ano passado à Academia Brasileira de Letras para pôr nas mãos dos acadêmicos a tarefa de elaborar um vocabulário ortográfico baseado no da Academia de Ciências de Lisboa, eu só abri a boca para escusar-me de tomar parte nos trabalhos da comissão, fiel à minha ideia de que trabalhos dessa natureza não competem a literatos.

Mas se eu tivesse a elevação moral do operoso cronista, teria pedido a palavra para dizer ao ministro da Educação: "Meu ministro, pois nesta hora em que a sorte da cultura contemporânea está sendo jogada com a sorte das pátrias nas linhas de frente, vem V. Ex.ª desviar a nossa atenção para questiúnculas de gramatiquice?"

Quando o dr. Nelson Massena, da redação de *A Noite*, me telefonou pedindo-me que lhe dissesse, para ser transmitido aos leitores do seu jornal, o que eu sabia acerca dos trabalhos da Academia relativos ao acordo ortográfico, forneci ao jornalista, como era da mais elementar polidez, as informações solicitadas.

Mas se eu tivesse a elevação moral do cintilante cronista, o que eu deveria ter feito era gritar possesso: "Ora, dr. Massena, o sr. não vê logo que eu não vou deixar de pensar nas criancinhas bombardeadas para me ocupar de ortografia?"

Quando recebi o convite para visitar, como crítico de artes plásticas de *A Manhã*, a Exposição de Pintura Britânica Contemporânea, acudi prontamente e escrevi algumas linhas *sobre* ela dias depois.

Mas se eu tivesse a elevação moral do belicoso cronista, a elevação moral e os recursos materiais, bem entendido, teria era passado um telegrama ao Churchill, mais ou menos nestes termos: "Francamente, bichão! A Inglaterra está empenhada numa guerra de vida e de morte, milhares de rapazes ingleses morrem nos campos de batalha dos cinco continentes, e o sr. ainda se lembra de mandar embaixadas artísticas aos quatro cantos do mundo? O sr. parece um fantasma do grupo lakista ou algum sobrevivente da Pré-Raphaelite Brotherhood! O sr. é um inocente do Tâmisa!"

Não tenho elevação moral, reconheço. Não é que não me interesse pela tragédia da guerra, como julga maliciosamente o magnânimo cronista. Se tivesse a sua idade e saúde, iria bater-me de armas na mão, como ele está fazendo. Mas sou um homem que não pode com um gato pelo rabo. Dir-me-á o cronista: "Não pode lutar como eu, vá lá. Mas ao menos escreva poemas de guerra, chore sobre as criancinhas metralhadas!"

Eu lhe direi no entanto que sou um poeta menor; que poesia social não é para quem quer mas para quem pode, e quem pode é Eluard, é Aragon, é Neruda, é Carlos Drummond de Andrade. Deixe o bravo cronista em paz este pobre inocente do Flamengo. Nem ao menos do Leblon! Ah, deitar na boa praia, pedalar de sunga, como o Vinicius ou o Rubem Braga! Ah, Pasárgada!

Uma coisa, porém, afianço ao cronista: ainda que eu tivesse a bossa da poesia militante de guerra, não falaria nos meus poemas de criancinhas metralhadas pelos aviadores do Eixo. E isso porque não acredito que haja aviadores, mesmo alemães e japoneses, capazes de visar deliberadamente as criancinhas. Podia falar, porque sou um sentimentalão. Mas tudo tem o seu limite, e eu na sentimentalidade paro antes da sordície.

Os maracatus de Capiba

Uma das mais fortes impressões que guardo do tempo da meninice foi o meu primeiro encontro com um maracatu. Era Terça-feira Gorda e eu ia para a rua da Imperatriz, no Recife, assistir de um sobrado à passagem das sociedades carnavalescas – Filomomos. Pás, Vassourinhas.

De repente, na esquina da rua da Aurora, me vi quase no meio de um formidável maracatu. De que "nação" seria? Porto Rico? Cabinda Velha? Leão Coroado? Não me lembra. Dos melhores era, a julgar pelo apuro e dignidade do Rei, da Rainha e seu cortejo – príncipes, damas de honra, embaixadores, baianas.

Pasmei assombrado. Tudo o mais, em volta de mim era carnaval: aquilo, não. Mas o que é que me fazia o coração bater assim em pancadas de medo? Analisando agora, retrospectivamente, o meu sentimento, creio que o motivo do alvoroço estava na música, naquela música que mal parecia música – percussão de bombos, tambores, ganzás, gongos e agogôs, num ritmo obsessor, implacável, pressago...

Mesmo de longe (lembro-me de certas noites em que, na velha casa de Monteiro, a viração trazia uns ecos do batuque), o ritmo dos maracatus me invocava.

Todas essas memórias dos meus oito anos, inapagáveis como o cheiro entre-mar-e-rio dos cais da rua da Aurora, buliram em mim, mais vivas do que nunca, à leitura do livrinho *É de Tororó*, primeiro de uma série, *Danças pernambucanas*, com o qual Arquimedes de Melo Neto, diretor da editora da Casa do Estudante, acaba de enriquecer a nossa literatura musical.

A coleção é organizada e dirigida por Hermilo Borba Filho. Neste primeiro volume colaboram Ascenso Ferreira, o grande poeta do Nordeste, e Ariano Suassuna. Ascenso expõe a origem dos maracatus e como eles, destacando-se do grupo das festas dos Reis Magos (coroação dos reis nas nações negras exiladas no Brasil), entraram para o carnaval, como os temas de evocação da pátria perdida vieram sendo substituídos pelos de acontecimentos contemporâneos; e finalmente como eles têm degenerado no Recife por se afastarem da velha tradição. Ariano Suassuna escreve substancioso ensaio crítico sobre a obra de Capiba. Na verdade o livrinho é uma coleção de maracatus de Capiba, ilustrada pelos estudos do Ascenso e Suassuna e pelos desenhos de Lula Cardoso Ayres e Percy Lau.

Mas quem é Capiba? Capiba é o apelido de Lourenço da Fonseca Barbosa, pernambucano de Bom Jardim, criado na Paraíba, músico desde menino na banda regida pelo pai, o "Professor Capiba." Quando voltou ao Recife, homem-feito, foi para se tornar o compositor popular mais festejado, com os seus frevos-canções, sambas, valsas e maracatus.

Informa-nos, porém, Suassuna que Capiba não parou aí. Procurou transpor o popular para a música erudita. Assim, usou do ritmo do frevo no primeiro movimento de uma sua sonata para violoncelo e piano, escreveu toda uma série de *Canções nordestinas* onde se utilizou das formas englobadas no litoral sob o nome de "moda", e fixou temas da música negra em batuques e numa *Suíte nordestina*, esta última transcrita depois para orquestra por Guerra Peixe.

Nada conheço de tudo isso. E mais – que mal pernambucano que sou! – ignorava o próprio nome de Capiba. No entanto vejo que Suassuna dá como "a mais audaz e mais musicalmente perfeita" entre as canções do compositor nordestino aquela que tem por letra a tradução que fiz de um pequenino poema de Langston Hughes. O fragmento transcrito deixou-me com água na boca...

Dez são os maracatus de Capiba apresentados nesta coleção. Três letras são de Ascenso, as demais são do mesmo Capiba. De todos eles o que me empurrou para mais perto da minha visão no cais da rua da Aurora foi *Eh Luanda!* Reconheci logo nos acordes da mão esquerda aquele ritmo obsessor, implacável, pressago a que me referi atrás. Está ele também, mas mitigado, quase carinhoso, em *É de Tororó*, onde, no quinto compasso, há uma sétima abaixada que é uma pura delícia. Esses dois e mais *Cadê os guerreiros* e *Onde o sol descamba*, este com um tema que figura igualmente na *Dança de negros* de Camargo Guarnieri, são os que me pareceram mais originais. Todos, aliás, têm o mesmo sabor forte de Nordeste.

Poema desentranhado

O poeta é um abstrator de quintas-essências líricas. É um sujeito que sabe desentranhar a poesia que há escondida nas coisas, nas palavras, nos gritos, nos sonhos. A poesia que há em tudo, porque a poesia é o éter em que tudo mergulha, e que tudo penetra.

O poeta muitas vezes se delicia em criar poesia, não tirando-a de si, dos seus sentimentos, dos seus sonhos, das suas experiências, mas "desgangarizando-a", como disse Couto de Barros, dos minérios em que ela jaz sepultada: uma notícia de jornal, uma frase ouvida num bonde ou lida numa receita de doce ou numa fórmula de *toilette*.

Há quem censure o poeta por isso. Não me parece avisada tal atitude: a poesia é como o *radium* – o milésimo de miligrama constitui uma riqueza que não se deve deixar perder.

Eu, por mim, vivo cada vez mais atento a essa poesia disfarçada e errante. E um dos exercícios que mais me encantam é desentranhar um poema que está não raro desmembrado, desmanchado numa página de prosa.

Como sou advertido da presença do poema? Acho que é quase sempre por uma imagem insólita ou por um encontro encantatório de vocábulos.

Vou dar um exemplo. Há pouco tempo o poeta Augusto Frederico Schmidt escreveu sobre outro poeta uma página e meia de excelente prosa. No meio do escrito aparecia uma imagem de extraordinária beleza. Para achá-la era preciso ter, como Schmidt tem, uma extrema agudeza de sensibilidade para apreender a poesia mais fora do alcance do comum. Todo o mundo sente a poesia formidável de uma noite de luar. Mas sentir a serenidade "com que o céu escuro recebe a companhia das primeiras estrelas", isso é que fia mais fino. Não é que muita gente já não tenha sentido isso. Deve ter sentido, porém, tão vagamente, ou sentiu qualquer coisa que não soube bem que era isso, eu sei lá. Em todo o caso, creio que até hoje, desde que o mundo é mundo, ninguém exprimiu tal sentimento.

A imagem me pôs alerta. O meu instinto de "desgangarizador" estava acordado. – Aqui deve haver poema, disse eu comigo. Fiz então o que Tolstoi costumava fazer com a prosa dos evangelistas: ele sublinhava a traço vermelho o que nela lhe parecia sem sombra de dúvida marcado com o selo divino do Cristo. Voltei a reler a prosa de Schmidt, procurando nela a parte de Deus.

A experiência deu resultado. O poema apareceu como o precipitado de uma reação química.

Risquei a lápis vermelho: na segunda linha "É uma luz triste mas pura" etc.; no começo do quarto período "A solidão é em F. o grande sinal de seu destino"; seis linhas adiante "Da poesia feita como quem ama e quem morre, caminhou ele para uma poesia de quem vive e recebe a tristeza naturalmente como o céu escuro recebe a companhia das primeiras estrelas"; no meio do período seguinte "O pitoresco, as cores vivas, o mistério e o calor dos outros seres o interessam realmente, mas ele está apartado de tudo isso, porque F. vive na companhia de seus desaparecidos, dos que brincaram e cantaram um dia à luz das fogueiras e estão, no entanto, dormindo profundamente."

Com a transposição da imagem das estrelas e uma ou outra insignificante alteração ou acréscimo de palavra, ficou assim recomposto o poema de Schmidt:

Palavras a um poeta

A luz da tua poesia é triste mas pura.
A solidão é o grande sinal do teu destino.

O pitoresco, as cores vivas, o mistério e calor dos outros seres te interessam
[realmente
Mas tu estás apartado de tudo isso, porque vives na companhia dos teus
[desaparecidos.
Dos que brincaram e cantaram um dia à luz das fogueiras de São João.
E hoje estão para sempre dormindo profundamente.
Da poesia feita como quem ama e quem morre
Caminhaste para uma poesia de quem vive e recebe a tristeza
Naturalmente
– Como o céu escuro recebe a companhia das primeiras estrelas.

Vestido de noiva

Em dezembro do ano passado, indo à redação de *O Globo*, recebi de Nelson Rodrigues, a quem fui então apresentado, um convite para assistir à sua peça de estreia – *A mulher sem pecado*.

Confesso que me dirigi à noite para o Teatro Carlos Gomes sem grande entusiasmo. Sou como o Ribeiro Couto, "um homem que vai pouco aos teatros". Não que não goste. Ao contrário: tenho o teatro no sangue. Representei muito quando menino, e sabia conquistar uma plateia. Mas o nosso teatro, com todo o seu repertório "para rir", é uma coisa melancólica demais. Ora, eu costumo fazer a minha higiene mental... Não tolero o tom declamado dos nossos atores, a sua insuportável indiscrição de efeitos. Houve tempo em que gostei das revistinhas populares do Rocio. Parecia-me que daí podia sair um teatro brasileiro. Afinal as revistinhas do Rocio esgotaram-se sem dar nada.

***

A mulher sem pecado interessou-me desde as primeiras cenas. Senti imediatamente no autor a vocação teatral. O diálogo era de classe – rápido, direto, e por ser assim, facilitava aos atores a dicção natural, a personagem mais importante – o marido doentiamente ciumento – um falso paralítico em sua cadeira de rodas, criava em torno de si uma vida intensa, a que vinham dar maior relevo as duas personagens mudas; figuras quase que exclusivamente plásticas, sugestionadoras de mistérios inquietantes. A mentalidade mórbida do ciumento acusava-se, coerente e convincente, em cada réplica. Afinal a mulher sem pecado acabou pecando... por culpa do marido. E a peça, que vinha bem conduzida, acabou também pecando, e também por culpa do marido, que, no 3º ato, num verdadeiro *coup de théâtre*, levanta-se muito lampeiro de sua cadeira de falso paralítico. Pode-se fingir uma loucura, como *Henrique IV de Pirandello*, mas uma paralisia! Mas a peça ficará de pé com o protagonista paralítico de verdade. E até mais justificado no seu tirânico ciúme.

Ao sair do teatro, tomei conhecimento da reação do público, que de lá saiu discutindo, discordando, discorrendo. Remexido enfim. Bom teatro, o que sacode o público. Nelson Rodrigues sacode-o, e tem força nos pulsos.

Agora o autor de *A mulher sem pecado* anuncia a sua segunda produção. Intitula-se *Vestido de noiva*. Nelson Rodrigues deu-me o prazer de a conhecer *avant la lettre* pela leitura do manuscrito. Pediu-me, como um favor, que a lesse com a maior atenção – "religiosamente". Mau! pensei comigo: que será quando vista em cena uma peça que, lida, exige tamanha atenção? Fiquei até com medo de não a ter compreendido, acabada a leitura. Nelson acudiu medroso também.

– O caso é assim: Duas irmãs. Uma furta o namorado da outra e casa-se com ele. Mas a outra era "boa" também, e o cunhado continua com ela o namoro. Os dois insensatos chegam a desejar a morte da primeira. Chegam mesmo a desejá-la mediante um crime. Mas não foi necessário o crime: a que sobrava é atropelada por um automóvel no largo da Glória e vai para o pronto-socorro. É operada. Morre. Bate o remorso na irmã, que começa a ter visagens. Mas a perturbação foi passageira. O remorso não resiste a uma breve estação de cura fora do Rio. E ela acaba casando com o cunhado, e estava até "um amor" no seu vestido de noiva. Pelo menos é o que diz a sogra, a dona Laura, que aliás tinha dito a mesma frase no dia do casamento da nora morta.

Mas é tão simples! dirá o leitor. Não é não. O espectador tomará conhecimento do conflito entre as duas irmãs através do delírio da atropelada. Aqui é que se revela a força a um tempo realística e poética de Nelson Rodrigues. Nunca delirei alto em minha vida, e peço a Deus que me livre disso. Mas o subdelírio me é muito familiar: qualquer febrinha declancha na minha cachola aquela mistura estapafúrdia de realidade e sonho, tão terrível, mas tão cheia de sentido poético. A criação de Nelson Rodrigues é admirável.

O progresso de *A mulher sem pecado* para *Vestido de noiva* foi grande. Sem dúvida o teatro desse estreante desnorteia bastante porque nunca é apresentado só nas três dimensões euclidianas da realidade física. Nelson Rodrigues é poeta. Talvez não faça nem possa fazer versos. Eu sei fazê-los. O que me dana é não ter como ele esse dom divino de dar vida às criaturas da minha imaginação. *Vestido de noiva* em outro meio consagraria um autor. Que será aqui? Se for bem aceita, consagrará... o público.

CARTA DO RECIFE

Do Recife me escreve um amigo. "Vim para a praia, sentir o mar, como Stevenson e os românticos. Infelizmente Boa Viagem já não é a mesma. É quase Avatlântica, e o quase é terrível, põe o mundo a perder. Nem a Boa Viagem de outrora, nem... nada. Vejo o mar por cima dos telhados. A vida em vez do mar deu-me telhados..."

A essa altura deve ter suspeitado o leitor que o meu correspondente é meio poeta. Vou logo assegurando que não, que não é meio poeta é sim que é poeta cem por cento. O que está confirmado na continuação da carta: "Tenho tentado escrever e tenho escrito muito mas nada que preste... e rasgo, é claro. Procuro o maravilhoso verbal, engano-me com Donne e Góngora (quem sou eu?), quando a verdade está não nas palavras maravilhosas, mas na união maravilhosa das palavras simples, como o bom freire Luís de Sousa já descobrira."

Interrompo a leitura da carta e fico meditando numas tantas palavras maravilhosas, algumas das quais já me inspiraram poemas, como "transverberado" ou essa assurgente e panorâmica "protonotária" lembrada por meu amigo, em outro período de sua carta. Fico meditando ainda nesse milagre das palavras simples, que pareciam sem forma, sem cor e sem peso e ganham tudo isso ao serem agrupadas pela intuição do poeta.

"É uma palavra que rompe de nossa boca, significando tudo, e a necessidade de escrever tal palavra. Foi assim que escrevi os dois poemas que lhe envio e que Você me perdoe."

O que eu não perdoo a meu amigo do Recife (atenção, senhor revisor: não escrevi *de Recife*, mas *do Recife*, porque sou pernambucano) é ter-se esquecido de pôr na carta os poemas prometidos. Saudoso de sua poesia, o remédio foi tirar da estante o seu primeiro livro para renovar as gratas emoções da primeira leitura. Esse livro quando o li não só me restituiu violentamente como atirando-o aos meus braços o Recife de minha infância – o Recife é o seu *Capibaribe com cheiro de melancia dos tubarões, Capibaribe vazio no coração da Cidade* – mas me deu a conhecer outro que não conheci porque era menino, o da rua das Flores e da rua Frei Caneca e do beco da Facada.

Como o poeta sabe falar dos morenos Pontuais "de dentes de lobo!" e dos "Cavalcantis com i", blasonando "Na minha roça tem tudo, menos tuberculoso e mulato!", das casas-grandes dos engenhos "de salas tão grandes que parecem vazias", dos dias de Entrudo, que ainda peguei, entrudo com "farinha do reino, bacias d'água, pó de café, bosta de boi..."

Ama o poeta aquele açúcar

> ... de história nem sempre
> doce e branca, Glória e fausto
> de Pernambuco outrora,
> Esse açúcar senhoril que morreu de vez Na Revolução de
> 1930.

E quanta coisa morreu com ele, meu caro Rodolfo Maria de Rangel Moreira!

Ao começar a escrever esta crônica, fiz a intenção de deixar para o fim, como chave de ouro, o nome do poeta autor da carta. Eis que num impulso do sentimento deixei cantar o hendecassílabo.

Dos poetas de minha terra três há que são inseparáveis dela: Ascenso Ferreira, Joaquim Cardozo e Rodolfo Maria de Rangel Moreira. O primeiro é o que está mais perto das fontes populares. Não que Ascenso Ferreira seja popular no sentido em que o são os cantadores do sertão. A de Ascenso é poesia culta e não sei mesmo de poeta brasileiro capaz de passar com tamanha agilidade do verso metrificado para o verso livre e vice-versa. Em Joaquim Cardozo o regional se esbate no universal sem perder o caráter, a pinta, a cica, digamos assim, já que os seus versos cheiram tanto a flor de cajueiro. Rangel Moreira é diferente: não ri gostosamente, como Ascenso, nem sorri com finura, como Cardozo. Veio amargo "dos últimos Engenhos agonizando". Sofre na sua carne de se ter perdido em sua geração o "jeito de mandar" que havia nos "ásperos avós", indeformáveis e rudes "fazedores de Pátria":

> Não maldigo a Usina de 110 quilos de rendimento
> Que gira ao comprimir de um botão
> Como num *film* em série de Bela Lugosi;
> O que me faz mal
> É o carreiro que passa sentado na mesa do carro
> E não me tira o chapéu,
> É o corumba que veio do sertão sem casa-grande
> E me chama "você".

"O morto debruçado", chamou-se Rangel Moreira a si mesmo, e num poema completou o pensamento – "o morto debruçado sobre o muro da vida". Não o vejo assim: vejo-o é "nadando no mistério como um peixe n'água", agenciador daquelas uniões maravilhosas de palavras simples, um poeta que honra a sua terra.

Os hipocampos

"Hipocampo, n. m. (do grego *hippos*, cavalo, e *kampos*, nome de um peixe). Cavalo-marinho, monstro metade cavalo metade peixe. Gênero de peixes teleósteos, aos quais a forma de sua cabeça e a curva do seu corpo fizeram dar o nome de *cavalos-marinhos*." A definição é do Larousse. Um dicionariozinho de fábula editado em 1860 por Pillet Fils Ainé em Paris, Rue des Grands Augustins, 5, informa que os hipocampos eram os cavalos-marinhos de Netuno e de outras divindades marítimas. Aí têm vocês tudo quanto sei do monstro fabuloso. Do peixe teleósteo conheço mais alguma coisa, que aprendi com Jean Painlevé. O elegantíssimo peixinho, único vertebrado marinho dotado de *démarche* vertical, é notável pela parte que assume nos trabalhos da parturição de sua espécie. Eis como as coisas se passam: no decurso de enlaçamentos múltiplos e graciosos (estou traduzindo as palavras de Painlevé), a fêmea depõe num bolso que o macho possui debaixo do ventre cerca de duzentos ovos, que ele fecunda por ocasião da passagem: este bolso não é apenas de proteção, pois o contato da rede sanguínea interna contribui para a nutrição dos embriões. Cinco semanas depois o nosso hipocampozinho passa por um verdadeiro parto e de aparência dolorosa. Assim esse bichinho que parece fabuloso e no entanto existe, junta ao esforço viril a mais tocante maternalidade, para não dizer maternidade.

Admirável símbolo, que os poetas Geir Campos e Thiago de Mello foram buscar para emblema de uma empresa editora de poesia, na qual tiram quase tudo de si, porquanto nesses partos bonitos que se chamam *A mesa* (de Carlos Drummond de Andrade), *Silêncio e palavra* (de Thiago de Mello), *Ode equatorial* (de Lêdo Ivo) e *Ladainha do mar* (de Augusto Frederico Schmidt), tudo é trabalho desses dois hipocampos da poesia, a um tempo viris e maternais, que vivem como enleados na flora submarina da poesia como os cavalinhos do mar no convívio das algas.

Mas eu quero falar de Geir e Thiago poetas, não de Geir e Thiago editores. Há muito tempo estou devendo a mim mesmo este prazer de confessar a minha admiração aos autores de *Rosa dos rumos* e de *Silêncio e palavra*, dois livros que claramente assinalam duas personalidades entre os novíssimos. Geir Campos começou a despertar-me a curiosidade com os poemas e traduções de poemas que vinha publicando no suplemento dominical do *Diário Carioca*. Um dia, falando nele ao Pedro Dantas, vi que este ficara evidentemente satisfeito com a minha opinião, que coincidia com a sua.

Depois fiz parte de um júri num concurso de poemas aberto pelo *Jornal de Letras*, e sem saber em quem estava votando, votei para o primeiro lugar no poema de Geir. Poucos meses mais tarde aparecia *Rosa dos rumos*, um livrinho de cinquenta poemas, todos revelando uma técnica primorosa, e muitos a consumação de momentos autenticamente poéticos, ainda quando as palavras são tão escassas que se nos afiguram pouco mais que "surda mímica de peixe" entre os lábios do poeta. Geir sabe que

> Ao que importa dizer não corresponde
> nenhuma das palavras conhecidas.

Mas também sabe que para isso servem os versos, essas, como disse Valéry, "palavras totais, vastas, nativas, perfeitas, novas e estranhas à língua". Geir é bom garimpeiro de tais diamantes. Se eu tivesse alguma autoridade para dar um conselho ao poeta, o que lhe diria é que ele tome cuidado com a sua extrema perícia em versejar: esse seu grande talento será sempre o seu grande perigo.

Perigo de que está livre o hipocampo nº 2, Thiago de Mello. Não sei como houve quem falasse em técnica a propósito desse rude mastigador de sarrafos, desse poeta cuja originalidade parece resultar precisamente do seu duro esforço em acertar o passo de marcha – um, dois, um, dois, um, dois, alto! – e é poeta de verdade, que quando arranca uma coisa do coração, ela vem com raiz e tudo, "suja de tempo e palavras":

> Ante o regresso das aves ao chão,
> mensageiras do nosso último apelo,
> mas que o canto, no além, desaprenderam,
> a nós, então, resta abolir a face
> por não haver mais pranto e apenas mágoa
> tornada cega e enxuta como a rocha.

Nessa dureza de rocha não há nunca a sensualidade de uma rima (ao contrário do que sucede na poesia de Geir, que aliás resolveu o problema da rima rara fazendo-a por *enjambement*).

Vou parar, que não quero tomar ares de crítico; quis apenas fazer uma declaração de amor. Gosto da poesia de Geir Campos e da de Thiago de Mello, tão diferentes uma da outra. Tão diferentes ambas da poesia de outros belos talentos da chamada Geração de 45, entre os quais alinho com prazer não Dantas Mota, nem Bueno de Rivera, nem Péricles Eugênio, nem mesmo João Cabral, já mestres maiores de 35 anos, creio eu, mas os novíssimos a partir do multifário e multifloro Lêdo Ivo, a saber: Paulo Mendes Campos, Emanuel de Morais, Darcy Damasceno, Paulo

Armando, Etienne Filho, Darcy Damasceno, Afonso Félix de Sousa, Dirceu Quintani-lha, Darcy Damasceno, Darcy Damasceno, Darcy Damasceno, Fred Pinheiro, Ferreira de Loanda, Hélcio Martins, Darcy Damasceno, José Paulo Moreira da Fonseca, Marcos Konder Reis, Mauro Mota, Antônio Olinto, Manuel Cavalcanti, Darcy Damasceno, Rodolfo Maria de Rangel Moreira, Darcy Damasceno, Domingos Carvalho da Silva, Reynaldo Bayrão, Wilson Figueiredo, Ferreira Gullar, Darcy Damasceno, Olímpio Monat da Fonseca, Domingos Paolielo, Darcy Damasceno, Darcy Damasceno, Darcy Damasceno, Darcy Damasceno, Darcy Damasceno etc.

Variações sobre o passado

A morte de Inácio Areal, o proprietário da famosa Rôtisserie Americana, o restaurante mais requintado da cidade até fechar-se há anos atrás, expoente em tudo, até na decoração *art nouveau*, do estilo de vida 1900 (de que só resta agora a Confeitaria Colombo), inspirou ao meu querido amigo e torrencial poeta Augusto Frederico Schmidt uma dessas deliciosas crônicas com que, a partir das páginas de *Galo branco*, vem ele enriquecendo a nossa tão mofina ainda literatura de memórias. Repete Schmidt as palavras de admiração que eu lhe disse pelo telefone, comentando aquela sua aptidão para arramar o passado como coisa definitivamente morta e enterrada, coisa perempta e de que já é possível falar num longínquo de melancolia evocativa. O que, acrescentou, "diverte Manuel extremamente, fazendo-o julgar-se homem de priscas eras, por ter visto e participado de coisas ainda mais antigas". Ora, aqui há engano de Schmidt. Embora muito mais velho que Schmidt, não me julgo absolutamente de priscas eras e precisamente por isso é que me espanta ver o meu amigo envelhecer-se tão completamente para efeito de submergir o mundo sob a onda de poesia em que ele próprio vive imerso.

Não é que me julgue moço. Ao contrário, já tomei conhecimento da velhice, não fisicamente, é verdade, porque a esse aspecto conheci a pior das velhices – que é a invalidez em plena adolescência (mas a vida pode ser às vezes um jogo de compensações: a minha foi de sentir renascer-se as forças na idade em que o comum dos homens sofrem a primeira queda no tono vital). Sei que estou velho é por certos estados de alma, certos *moods*: moro no Castelo e não fui ver *O carnaval no gelo*, não tenho nenhuma vontade de conhecer pessoalmente T. S. Eliot, e não me seduzem as viagens (recusei convites para a Argentina, o Chile, o Equador, os Estados Unidos, Portugal e... Paris)... Gosto dos meus cômodos... Por tudo isso sei que estou velho. Mais do que as datas confirma-o um ou outro encontro com algum amigo de infância já avô de moças casadouras e rapazes de bigodeira.

Sim, estou velho, mas na minha sensação de velhice não entra absolutamente o peso morto do passado. Sou um velho sem passado. Quero dizer que o passado continua a existir para mim como um presente, digamos uma enorme paisagem sem linhas de fuga, uma paisagem sem perspectiva, onde todos os incidentes, os de ontem, os do ano passado, os de há cinquenta anos se apresentam no mesmo plano, como nos desenhos das crianças. Há cinquenta e quatro anos eu li no Colégio de Virgínio Marques Carneiro Leão, à rua da Matriz no Recife, o *Coração* de De Amicis. Não tenho saudade: foi ontem. Meu pai morreu faz vinte e nove anos. Não me consolo: foi ontem. De vez em quando me assusto: faz trinta anos que tal coisa aconteceu!

Passado, passado para mim só o das coisas ocorridas em ambientes que nunca mais tornei a rever. Se os revejo, tudo reverte da franja para o foco da consciência e não consigo dar às minhas evocações aquele segredo de melancolia com que tanto nos comovem um Chateaubriand e um Schmidt. Mas as *rêveries* de Chateaubriand me falam de paisagens e tempos que não vi. Schmidt não. Schmidt fala da Rôtisserie do velho Areal, onde comi mais de uma vez, fala do tempo em que ia aos domingos a Paquetá e nas segundas-feiras me fazia o relatório das suas felicidades ou desditas amorosas (ó amor de golpes que era aquele!)... Nesta vida de Schmidt contracenei. Pois bem, juro-vos que foi ontem, o poeta está exagerando, não acreditem, trata-se de um falso Matusalém. Compreendo que ele me transmita o seu calafrio nostálgico quando nos evoca as suas manhãs de caixeirinho da firma Costa Pereira & Cia. (a cena nos fundos do armazém, olhando ele com inveja os que entravam e saíam da Livraria Briguiet, então estabelecida à rua Sachet, é um passo de mestre). Mas não posso deixar de me divertir quando o vejo pretendendo promover, ou melhor remover, a passado longínquo o passado de ontem, a afundar em Catais e Cipangos de lenda o Oriente Próximo de agora.

Não se zangue Schmidt, sei que é sincero no seu sentimento, só que não sinto como ele. E pergunto a mim mesmo: que vale mais, o que magoa menos, sentir o passado à minha maneira ou à dele?

PAULO SÉRGIO

Da última vez que estive em São Paulo fiz o propósito de visitar Paulo Sérgio, a quem só conhecia por dois ou três poemas e uma carta. Acabei não indo vê-lo e não sei se não foi melhor assim. Soube depois que a minha visita, se eu a tivesse realizado, cairia na véspera de sua morte. Foi melhor que eu não o conhecesse na terrível imagem a que nos pode reduzir a moléstia conhecida outrora como "a que não perdoa". (Hoje ela já perdoa, mas é preciso ter com ela certos respeitos... Paulo Sérgio não os tinha. Paulo Sérgio era desses que afirmam a sua personalidade mesmo em face da tuberculose. Ora, a tuberculose não admite personalidade: com ela há que ser humilde.)

Agora fico a imaginar como seria ele. Estará parecido este risco de Ilde Weber na bonita edição dos *Dez poemas* publicada pela revista *Colégio*? Leio pela quarta ou quinta vez os versos tão comovidos e tão comoventes de seu amigo Reynaldo Bayrão: "Revejo seus olhos pretos e secos... sua boca em leves contorsões... suas mãos esguias e brancas..." Tudo "fogo e cristal". Sei, por seu pai e por Bayrão, que ele gostava das músicas de Noel Rosa.

Sérgio Milliet e Paulo Duarte, apavorados com as imprudências do filho e sobrinho, pediram-me que escrevesse ao rapaz, dando-lhe os meus conselhos de veterano, de provecto na experiência da doença. Fi-lo de todo o coração, mas confesso que sem esperança nenhuma, porque desde logo senti que havia em Paulo Sérgio um inconformismo irremovível na sua mansidão. Neste belíssimo "Poema do trigésimo dia" em que Sérgio Milliet parece desabafar e repartir com os amigos a inaceitação da "lei terrível", há estes versos:

> Mas Deus chama os melhores
> em que pese a nossa revolta...
> Ele se cerca dos mais puros
> dos mais fortes e mais perspicazes.
> Ele quer tropas aguerridas
> de lúcidas almas que lhe possam ouvir
> e entender os desígnios inescrutáveis.

Gosto dessa expressão "tropas aguerridas". A mocidade que não se poupa e em plena saúde a sacrifica pelo prazer de um minuto, ou no mais grave perigo de doença ou de luta desdenha de toda precaução, e em tudo isso esquece pai e mãe, esquece tudo, oh como ela é louca, mas como ela é bela.

Paulo Sérgio respondeu à minha carta em termos que me envergonharam. Lamento não lhe ter guardado as palavras (rasguei-as propositadamente num gesto de superstição)! Era uma carta sem a menor literatura, sem o menor sentimentalismo. Uma carta muito simples (como os olhos qualificados por Bayrão "pretos e secos"), mas que simplicidade! Qualquer coisa como o que está no seu poema "Mais ou menos bíblico", no qual se diz que "no princípio era o verbo, que era o verbo no fim, que no meio era o verbo, que tudo não era mais que o verbo". Portanto, viver, morrer, tudo a mesma coisa.

Estes dez poemas de Paulo Sérgio despertaram em mim uma emoção que não sei bem explicar. Sem dúvida entra nela a recordação do rapazola de sua idade que aos dezenove anos escreveu em estado de subdelírio o soneto "Renúncia". Entra também o sentimento de me ver irmanado ao poeta em certas frases aparentemente quaisquer mas que um dia me perturbaram profundamente, como vejo que a ele também perturbaram: "Foi precisamente nesse momento..." ("Poema em prosa"); "Havia também um cachorro que latia..." ("Poema triste"). Não sei se existirá algum leitor que compreenda o sentido desta minha observação. Enfim, coisas à parte do que transmite essa poesia tão encantadoramente adolescente, tão rica de irrealizáveis promessas! "O canto do cisne que morre menino..."

A CASA DA RUA 92

O bardo, arreliado com o calor carioca, com as telefonadas, com os poetinhas e contistas incipientes que insistem em pedir-lhe os inúteis conselhos (leiam as *Cartas a um jovem poeta*, de Rilke!), arrumou as malas e veio descansar em Petrópolis.

Ah, Petrópolis! Andar a esmo, de noite, pelas alamedas desertas sentindo o cheiro docemente persuasivo dos jasmins e das magnólias! Não há "cachorra", mesmo a de meu sobrinho e amigo Pedro Dantas, que resista a isso.

Infelizmente o bardo tem de continuar cronista de cinema neste paraíso tão à mão, mas um pouco caro para os seus minguados caraminguás. E já ontem entrou depois do jantar na sala de projeções do Cinema Petrópolis para ver *A casa da rua 92*, "o primeiro filme sobre a bomba atômica!", dirigido por Henry Hathaway, com William Eythe, Lloyd Nolan e Signe Hasso nos principais papéis, "falado em nosso idioma!"

O bardo confessa a sua secreta ternura por estes cineminhas de Petrópolis, a quatro mil e não me aborreças por cabeça com fitas em série e intervenção das galerias quando o mocinho leva a melhor sobre o vilão.

Este filme da 20th Century Fox, já passado no Rio, só tem o interesse de mostrar o mecanismo do F.B.I., ou seja o Bureau Federal de Investigações ou seja ainda o Serviço Federal de contraespionagem nos Estados Unidos. Mais do que nunca o cinema – arte aplicada. Tudo muito ruim, tudo muito difícil de suportar, até neste ar naturalmente refrigerado da serra.

Mas era "o primeiro filme falado em nosso idioma" visto pelo bardo.

Os técnicos de Hollywood venceram galhardamente o problema de achar em português a frase que termina exatamente com o movimento de articulação dos atores; mais – de escolher as palavras que dão quase perfeitamente a ilusão de que os artistas falam em português. As inflexões é que deixam muito a desejar. Adeus aquela naturalidade dos artistas americanos!

Por enquanto estamos ainda na ignominiosa cantilena do teatro nacional e de novela de rádio. Tudo pronunciado de uma maneira explicadíssima e... cacetíssima. Se as coisas continuarem nesse pé, o bardo abandonará o ofício de cronista. Deixará mesmo de frequentar os cinemas, como já deixou de frequentar os nossos teatros.

Enfim, o elenco deste insignificante filme de espionagem e contraespionagem está na altura da elocução teatral e radiofônica brasileira. Mas o que não será ouvir falar assim uma Catherine Hepburn, uma Ingrid Bergmann, uma Joan Fontaine! Ou um Paul Muni, um Gary Cooper, um Humphrey Boggarth!

Felizmente, ah felizmente! a Greta Garbo de minha cotidiana consumptiva saudade, a aposentada estrela da manhã do meu passado cinemeiro, parece a salvo da profanação.

Resta-nos a esperança de que os técnicos americanos acabem ensinando-nos a falar com inflexões justas e naturais no teatro e no cinema. Por ora, está ruim!

O Vale da Decisão

Confesso que quando entrei outro dia no Metro Passeio, ia levado menos na esperança de ver um bom filme do que pelo desejo de matar saudades de Greer Garson. A primeira vez que a vi, lembra-me bem, foi um deslumbramento: aquela beleza de rosa branca um dia depois de a colocarmos num vaso, aquele ar de velha seda que começa a esgarçar-se, aquele encanto de coisa que se entrega passivamente nas mãos do tempo me invocava, me bouleversava, me consolava de adolescências agressivas e inacessíveis. Mas Greer Garson é uma dessas atrizes que em um ou dois filmes dão tudo o que têm. Marta Eggerth esvaziou-se completamente na *Sinfonia inacabada*; Greer Garson está toda em *Noite do passado* e *Rosa de esperança*. Jamais entrarei agora num cinema unicamente para ver Greer Garson. Greer Garson, rosa esgarçada, adeus! Adeus, apesar da maneira, magistral da parte da atriz, e da parte da mulher nem sei como diga, por que te deixaste beijar por Gregory Peck, esse rapaz que decididamente caiu no gosto do público feminino carioca, a julgar pelas confidências que tenho recebido.

O *Vale da Decisão* não é cinema: é teatro e da pior qualidade. Não tenho preconceito contra o cinema-teatro. Posso testemunhar que, nunca tendo visto no palco um Shakespeare em grande estilo, foi no filme *As You Like It* que senti pela primeira vez intensamente a qualidade shakespeariana. *O Vale da Decisão é* um produto típico da indústria de Hollywood. Todos os elementos da sujeição da arte à bilheteria estão presentes nessa estopada em duas horas e quinze minutos e a sete mil e setecentos por cabeça: a má propaganda democrática, a trama concentrada em torno do par amoroso ideal, os ambientes de luxo, o desenlace feliz depois das lágrimas.

Mas o que n'*O Vale da Decisão* chega a dar náusea é a beleza moral de toda aquela gente da usina siderúrgica de Pittsburg. Quando a mãe aparece, a sua fisionomia *pincée* dá-nos esperança de a ver opor-se com unhas e dentes ao casamento do filho com uma criada. Nada disse, e a excelente senhora acaba legando toda a sua fortuna para a criada. O marido, tubarão do aço, com aquelas suíças assustadoras, é também um pescoço fraco, tão fraco que não se compreende o rancor sem perdão do velho Pat, encarnado na pessoa desse cacetão que foi (Deus lhe fale nalma, porque suponho que já morreu) Lionel Barrymore. Fica-se tão saturado de tanta nobreza de sentimentos que a revelação integral de um autêntico patife como o filho mais velho do magnata causa na gente, causou em mim pelo menos, um verdadeiro desafogo.

A direção é de Tay Garnett. Ah, como neste ponto de minha crítica caio na inveja de meu amigo Vinicius de Moraes! A erudição em qualquer assunto sempre me impôs respeito porque erudição pressupõe memória e eu nem posso reconhecer de pronto uma pessoa que me foi apresentada na véspera. Se eu tivesse em matéria de cinema a erudição de Vinicius, como me seria fácil este rabo de linguiça! Já devo ter visto muito filme dirigido por Tay Garnett. Não me digam que se não me lembro de nenhum é sinal que o diretor não vale nada: porque o mesmo me acontece com um Pudovkin. Creio, porém, que para Vinicius o tal Tay Garnett é um chato. Para mim também.

Se eu tivesse, como o cronista cinematográfico de *O Globo*, um bonequinho para classificar o valor dos filmes, adotaria a pessoa do Comendador Ventura da *Folha Carioca*. E no caso deste produto da marca do leão, apresentaria o comendador muito fressura ao lado de Joana, a Louca, que gostou da fita, mas por trás a sombra dele retribuindo o abacaxi da Metro-Goldwyn com outra fruta igualmente tropical.

O Mangue[1]

A princípio mangue mesmo, onde, em 1820 se abriu uma vala para a navegação de pequenos barcos e balsas. Depois veio a estrada do Aterrado ou rua de São Pedro da Cidade Nova, atual Senador Eusébio, caminho da casa imperial entre o paço da Boa Vista, em São Cristóvão, e o paço da cidade.

O mangue continuava mangue mesmo, – foco de mosquitos e mau cheiro. Várias tentativas se fizeram para sanear a zona insalubre pela construção de um canal que deveria ir do Rocio Pequeno até o mar. Todas falharam. Até que em 1855 apareceu Mauá e dois anos depois era lançada a primeira pedra. No dia 7 de setembro de 1860 inauguravam-se 600 braças de canal, e inaugurava-se ainda o grande gasômetro, também iniciativa de Mauá.

A festa da inauguração foi um grande dia para o Mangue, já com maiúscula, e a descrição que dela fez Moreira de Azevedo no seu livro *O Rio de Janeiro* faz lembrar a famosa narrativa do Triunfo Eucarístico em Vila Rica. Vale a pena transcrevê-la:

> Acompanhado do engenheiro Ginty e de todos os operários do canal em número de quatrocentos, divididos em turmas, percorreu o Barão de Mauá as duas pontes que iam ser entregues ao povo; regressando entrou o préstito na fábrica do gás na seguinte ordem:
>
> Dois guardas da fábrica de uniforme verde, quatro trinchantes vestidos de branco com facas e garfos, um carro puxado por vinte e quatro pretos com roupa branca contendo dois bois inteiros assados, quatro carneiros também assados e trinta arrobas de batatas cozidas, quatro trinchantes com facas e garfos, dois guardas da fábrica, o presidente, o gerente e o engenheiro com suas mulheres, e o engenheiro ajudante, os empregados superiores da companhia do gás e da obra do canal, os inspetores, contramestres, superintendentes, apontadores e outros empregados da companhia do gás e do canal, os aparelhadores do gás e seus ajudantes, os ferreiros, caldeireiros, pedreiros, carpinteiros, pintores, funileiros e os trabalhadores de todas as classes incluindo os calceteiros, carroceiros, foguistas e outros da companhia do gás, noventa e seis acendedores fardados, setenta e seis canteiros, cinquenta pedreiros, carpinteiros, maquinistas, ferreiros e noventa e quatro trabalhadores do canal e oitenta escravos da companhia do gás.
>
> Em frente do gasômetro o préstito parou e, circundando-o, abriu a Baronesa de Mauá as válvulas que deviam deixar escapar gás para o grande depósito, o que foi saudado com muitos vivas.
>
> Entrando de novo em marcha, seguiu o préstito para as trinta e duas mesas colocadas em frente do edifício da fábrica sob uma coberta de arcos de folhas ornado de bandeiras; admitia cada mesa vinte e quatro pessoas, e junto de cada uma havia uma torneira que, quando aberta, deixava correr excelente cerveja de Bass ou Tenent. O prato-travessa era um carro com chapas de ferro de vinte palmos de comprimento e oito de largura sobre rodas de dezoito polegadas de diâmetro.
>
> Prepararam-se os assados nos fornos da fábrica; havia em todas mesas profusão de frutas, abundância de pão, muito queijo e manteiga.
>
> Tomando assento a imensa comitiva, começaram os trinchantes a cumprir com destreza a sua missão reinando muito entusiasmo entre os convivas, que mostraram muito apetite e muita sede. Levantou o Barão de Mauá dois brindes, um ao engenheiro, gerente e mais empregados e operários da companhia do gás, o outro ao engenheiro, empregados e operários da empresa do canal, aos quais respondeu um dos operários propondo um brinde ao Barão, o qual foi entusiasticamente aplaudido; seguiram-se outros, terminando com grande regozijo esta festa industrial, a que assistiram mais de oitocentas pessoas.

---

1 Prefácio ao álbum de Lasar Segall, *Mangue*. Rio de Janeiro, 1947.

Parecia que o Mangue ia entrar no destino de segunda Veneza americana: plantaram-se quatro renques de palmeiras-imperiais, abriram-se ruas largas nos pantanais aterrados de um lado e outro do canal, embelezou-se o Rocio Pequeno.

Qual segunda Veneza americana! O novo bairro ficou fiel à inércia da lama original. O canal encheu-se de piche, onde encalhavam as barcaças que o deveriam limpar; as ruas largas ladearam-se de casinhas baixas de porta e janela; residência de gente pobre, que vive porque é teimosa. Debalde as grandes palmeiras-imperiais espalmavam-se imperialmente...

Um dia, na República, um chefe de polícia preocupado com a localização do meretrício lembrou-se de fazer do Mangue a Suburra carioca. As pobres marafonas da cidade viviam em becos e ruas estreitas do centro – São Jorge, Conceição, Regente, Morais e Vale, Joaquim Silva, Carmelitas. Era uma prostituição de miserável aspecto, acanhada e triste.

O Mangue teve então a sua grande época. Os primeiros anos da prostituição ali foram uma festa de todas as noites. Aquilo era uma cidade dentro da cidade, com muita luz, muito movimento, muita alegria, e quem quisesse conhecer a música popular brasileira encontrava-a da melhor nos numerosos cafés da rua Laura de Araújo, a grande artéria! Que grupinhos de choro apareciam por lá, que flautas, que cavaquinhos, que pandeiros! Ovalle que o diga. As mulheres tinham toda a liberdade: mostravam-se em camisa de fralda alta e cabeção baixo nas portas escancaradas.

Foi esse o Mangue que cantei:

> Mangue mais Veneza americana do que o Recife
> Meriti meretriz
> Mangue enfim verdadeiramente Cidade Nova
> Com transatlânticos atracados nas docas do Canal Grande
> Linda como Juiz de Fora!

Mas a alegria do desafogo não durou muito. Vieram as restrições policiais. Os choros desapareceram. A tristeza infiltrou-se com o bandolim dos cegos. E afinal o golpe de misericórdia: o fechamento dos prostíbulos, a dispersão das mulheres, com alguns suicídios patéticos a veneno ou a fogo...

Como tantos outros artistas, como tantos poetas, romancistas e sociólogos, nacionais e estrangeiros, atraídos pela curiosidade daquele fenômeno único na história da prostituição, Lasar Segall também fez a peregrinação do Mangue e creio que ainda nas grandes noites. Mas o que o atraía ali não era o pitoresco dos costumes, não era o sabor da música popular em primeira razão, nem era o formidável desrecalcamento dionisíaco.

Segall, alma séria e grave, ia ali para debruçar-se sobre as almas mais solitárias e amarguradas daquele mundo de perdição, como já se debruçara sobre as almas mais solitárias e amarguradas do mundo judeu, sobre as vítimas dos progromes, sobre o convés de terceira classe dos transatlânticos de luxo.

As mulheres que olhou com tão funda piedade foram de preferência aquelas que outro espírito de igual fraterna humanidade, o poeta Vinicius de Moraes, vingou do desamparo social nos admiráveis versos da "Balada do Mangue":

Pobres flores gonocócicas
Que à noite despetalais
As vossas pétalas tóxicas!
Pobres de vós, pensas, murchas
Orquídeas do despudor,
Não sois Loelia tenebrosa
Nem sois Vanda tricolor;
Sois frágeis, desmilinguidas
Dálias cortadas ao pé
Corolas descoloridas
Enclausuradas sem fé.

Como as prostitutas do poeta, as do pintor são também "pobres, trágicas mulheres", "maternais hienas", que não despertavam o desejo de ninguém e apenas enganavam com triste heroísmo o desejo insatisfeito dos homens sem mulheres, tão miseráveis quanto elas.

Não há nas figuras deste álbum, fixadas sempre com lancinante traço, nenhuma sensualidade: há tão somente o testemunho de um coração bem formado e de um grande artista no processo da injustiça social.

SÃO JOÃO

São João está dormindo,
Não acorda não!
Dê-lhe cravos e rosas
E manjericão!

Quem não ouviu contar em criança a bonita história? Nossa Senhora, que já concebera o Menino Jesus, foi de visita a Santa Isabel, que esperava o Batista. E mal as duas se avistaram, João ajoelhou-se no ventre da mãe, saudando o futuro redentor do mundo. Santa Isabel comunicou o que sentira à Virgem, e esta perguntou-lhe: – "Que sinal me dareis quando nascer o vosso filho?" Ao que respondeu a santa: – "Mandarei plantar no alto do morro um mastro com uma boneca e mandarei acender uma grande fogueira." Nasceu o Batista, viu Nossa Senhora a fumacinha da fogueira e veio vê-lo. Meses depois João perguntou à mãe: – "Minha mãe, quando é o meu dia?" E Isabel: – "Quando for, te avisarei, meu filho; dorme." Dormiu o menino e só acordou com o estouro dos foguetes no dia de São Pedro. – "Ora, minha mãe, por que não me disse, que eu queria brincar!" Mas Santa Isabel sabia que, se o menino acordasse, o mundo pegava fogo!

Vamos deixar São João dormindo, e façamos-lhe a capelinha de melão:

Capelinha de melão
É de São João;
É de cravos e rosas
E manjericão!

São João terá este ano uma linda capelinha. Vamos contar o segredo bem baixinho para o menino não acordar. As sr.as Mary Mallon e Madalena Bicalho vão promover em Petrópolis uma festa em benefício do Ambulatório de Frei Leão. Será ela patrocinada por Sua Alteza o Príncipe Dom Pedro de Orleans e Bragança, pela sr.a Martínez de Hoz e outras grandes damas.

Esperamos que a comissão organizadora dos festejos não esqueça nada do repertório joanino enumerado por Melo Morais Filho no seu precioso livro *Festas e tradições do Brasil*. Em primeiro lugar, que o folguedo dure a noite inteira e termine com o banho de praxe. Quero ver moças e rapazes cantando:

> Ó meu São João,
> Eu vou me lavar;
> Se eu cair no rio,
> Mandai-me tirar!

Quero o mastro bem alto com a sua boneca e em torno a grande fogueira. Quero cocos de negros à roda. Quero as comidas gostosas: milhos, carás e canas, tudo assado na própria fogueira. Quero que as moças tomem bochecho dos copos passados na fogueira e vão depois ficar atrás de uma porta para ouvir o primeiro nome de homem que for pronunciado lá fora... O nome do futuro marido.

Não me esqueçam as barraquinhas onde se possam comer os bons petiscos de milho e coco: canjica, mungunzá, pamonhas, tapioca molhada em folha de bananeira. Não me esqueçam tampouco as barraquinhas de oráculos (talvez ainda haja esquecidas numa prateleira do Garnier-Briguiet ou no sebos da rua São José, *Os dados da fortuna*, *A roda do destino*, *O cigano*, etc.).

E quem sabe se não seria possível arranjar uma boa cavalhada?

... E se nós acordássemos São João para o mundo pegar fogo? Não como está pegando na guerra. Não fogo de ódio e de conquista, mas fogo de amor e de caridade.

> Capelinha de melão
> É de São João;
> É de cravos e rosas
> E manjericão!

UM CENTENÁRIO

A celebração de centenários é hoje um gosto tão vivo que até parece mania. Raro se abre o jornal pela manhã que não se leia notícia de um: centenário disto, centenário daquilo, centenário do nascimento de Fulano (do nascimento ou da morte ou da primeira camisa que vestiu etc.).

Pois vou aproveitar a vaza e celebrar sozinho, eu também, um centenário, o das *Viagens na minha terra*, de Garrett. Não o da edição em volume, que esse celebraremos em 46, depois de ter celebrado em 45 o da publicação na *Revista Universal Lisbonense*. Faz cem anos hoje, dia por dia, que às seis horas da manhã de uma segunda-feira, "dia sem nota e de boa estrela", o imortal autor do *Frei Luís de Sousa* saiu de casa e se dirigiu ao Terreiro do Paço para tomar o barco que o deveria levar a Santarém.

Garrett andava no ostracismo desde o ano de 1838, em que fora demitido por Costa Cabral de todos os cargos que ocupava, aliás gratuitamente, diretor do Conservatório, inspetor dos teatros e cronista-mor do reino. Via, naturalmente, com maus olhos, a situação política e administrativa de Portugal, entregue aos "barões", "zebrados de riscas monárquico-democráticas por todo o pelo". Mas exprimirá o seu ceticismo com a displicência irônica do *dandy*, que fazia questão de ser, "do verdadeiro homem do mundo", como dirá depois do incrível prefácio da segunda edição dessas *Viagens*. Dava-se por demitido também de poeta, ele que dois anos depois, num baile a favor dos emigrados, ia apaixonar-se loucamente pela viscondessa da Luz, a bela d. Rosa Montúfar Barreiros, que lhe inspirara os versos das *Folhas caídas*, o seu melhor volume de líricas.

Os críticos já têm assinalado a importância desse livrinho em que encontramos aquelas delícias das coisas imperfeitas de que falou o Eça. Importância em si, como documento da alma portuguesa durante a crise política e literária do Romantismo, e importância relativa ao seu autor. As *Viagens* são, diz o meu querido Fidelino de Figueiredo, "um correr da pena, em que a fisionomia moral e intelectual de Garrett mais e melhor se expandiu do que em nenhuma outra obra". Sobretudo, acrescento eu, se se lhe juntar ao corpo da obra o famoso prefácio da segunda edição, no qual declara que sendo a que mais descuidadamente escreveu, é também a que mais mostra "os seus imensos poderes intelectuais, a sua erudição vastíssima, a sua flexibilidade de estilo espantosa, uma filosofia transcendente, e, por fim de tudo, o natural indulgente e bom de um coração reto, puro..."

Por toda essa rapsódia, que se deve transpor uma oitava abaixo para não esganiçar a verdade, são realmente as *Viagens* uma leitura deliciosa. Mas faltou-lhe a ciência da composição que poderia ter feito do livrinho uma obra-prima. Que pretendeu afinal fazer Garrett? Escrever o romance da Joaninha, da menina dos rouxinóis, à maneira digressiva de Sterne, situando-o dentro das suas impressões de viagem à terra de Afonso Henriques e os seus bravos, de S. Frei Gil, de Frei Luís de Sousa, ali nascido, de Camões, ali desterrado, de Pedro Álvares Cabral, ali inumado, em suma do que há de mais interessante e mais poético na história de Portugal? Ou, ao contrário, era esse o fito principal e enxertou o romance na crônica para lhe dar algum interesse romanesco e, romanticamente, se narcisar nas reminiscências dos seus amores? É difícil dizer, porque os dois elementos da obra estão bem distribuídos e conjugados. As falhas de composição aparecem no caráter polêmico de certas digressões em que se sente o político posto à margem. Estão sobretudo nos excessos destrambelhadamente românticos de certas passagens do romance, no caráter, melodramático até ao ridículo, do Frei Dinis. Tudo isto tão destoante dentro do tom leve, deslizante, superiormente irônico, discretamente realista das páginas de crônica. Ah, que não se pode fugir à pressão do seu tempo! Garrett nunca se desembaraçou totalmente do fundo clássico de sua formação, e ele reponta aqui em muitas páginas, nas citações gostosas de Horácio, nos sarcasmos que atira aos românticos da poesia e sobretudo do teatro contemporâneo de Portugal. Chega mesmo a dizer: "Romântico, Deus me livre de o ser – ao menos, o que na algaravia de hoje se entende por essa palavra". Remeda-lhes as apóstrofes campanudas; as maldições furibundas, o tom fatal, o cheiro de cemitério: "Ah, mulher indigna, tu não sabes que neste peito há um coração, que deste coração saem umas artérias..."

Mas quando chega ao clímax da tremenda história do Frei Dinis, põe as mesmas palavras e o mesmo tom na boca das suas personagens:

– Carlos, diz o frade a Carlos, perdoa também... oh, perdoa à memória de tua desgraçada mãe!

E o "mancebo", que era filho adulterino do religioso e não o sabia, salta convulsamente, com um brado de trovão:

– Demônio! demônio encarnado em figura de homem, que vieste recordar-me? Dizias bem inda agora, monstro: só às minhas mãos deves morrer. E hás de.

Isso tem o seu sabor, confesso, nos romances de Camilo com a sua prosa sempre suculenta e escaldada. Mas no fino Garrett é pena.

O artigo vai-se alongando e eu teria ainda a comunicar aos leitores tanta observação colhida em minha última releitura das *Viagens*! Sobre o Garrett indignado com o vandalismo da administração a propósito dos monumentos arquitetônicos (leiam-no, srs. prefeitos e srs. bispos que não ajudam o nosso Serviço do Patrimônio Histórico e Artístico Nacional); do Garrett a falar no ritmo dos grandes versos bíblicos "que se não cadenciam por pés nem por sílabas, mas caem certos no espírito e na (audição interior) com uma regularidade admirável" (um Garrett que, sem dúvida, aceitaria hoje o verso livre); do Garrett reformador da prosa e, como tal, contra os puritanos "que, à força de sublimado quinhentista tem conseguido levar a língua à decrepitude para a curar de suas enfermidades francesas", e, *dandy* do idioma, lança na linguagem literária o "abandono" e o "desapontamento" franceses, o italianismo *regata*, que trouxe encantado da Inglaterra (homem de bom gosto, reservava as suas repugnâncias para o pedantesco "pinacoteca", que lhe soava tão mal em português)... Sobretudo lamento não falar do Garrett que certamente terá influído muitíssimo com as *Viagens* na maneira de Machado de Assis a partir de *Brás Cubas*. Não sei, mas acho que o nosso romancista terá chegado a Sterne, via Garrett. O início das *Viagens* lembra muito o prefácio das *Memórias póstumas*. Aliás, todo o romance de Joaninha é escrito através de interrupções e digressões, com apartes para o leitor e advertências como esta: "A minha opinião sincera e conscienciosa é que o leitor deve saltar estas folhas e passar ao capítulo seguinte que é outra casta de capítulo". Estou convencido que não há necessidade de ir ao Sterne para explicar a mudança brusca de estilo no Machado de Assis por volta de 42. Ele pode ter saído de Garrett. Mas o mestre brasileiro conseguiu despojar-se completamente da farandulagem romântica em que o português ficou embaraçado.

– O que não posso deixar de registrar é que a expressão de agora, "o tal", que a toda a gente há de parecer pura malandragem de cafajeste carioca, está no capítulo XI das *Viagens*. Se não vejam: "Ora, o que não ama, que não ama apaixonadamente, seu filho se o tem, sua mãe se a conserva, ou a mulher que prefere a todas, esse homem é o tal, e Deus me livre dele".

Alphonsus de Guimaraens

Se fosse vivo, completaria hoje o poeta do *Setenário das dores de Nossa Senhora*, setenta e três anos. Se fosse vivo... Em verdade vivo ele está e cada vez mais no afeto e na admiração de todos os brasileiros. A prova é que a bela edição de suas *Poesias*, publicada pelo Ministério de Educação em 1938, foi rapidamente esgotada (lembro aqui ao ministro Capanema a necessidade de uma reedição, pois os versos do grande poeta mineiro são objeto de ansiosa procura e nem nos alfarrabistas se podem encontrar).

***

Alphonsus de Guimaraens morreu de repente na madrugada de 15 de julho de 1921. Contava 51 anos. Esse homem boníssimo, que dispunha apenas de trezentos e tantos mil-réis mensais para sustentar os seus quatorze filhos, nunca soube fazer-se lembrado aos amigos da mocidade que chegaram às situações de mando na política da República. Mas o que sofreu na sua ternura de esposo e pai extremoso deixou uma queixa lancinante nestes quatorze versos de um soneto quase inédito, feito, sem dúvida, para consolo de sua companheira de privações e melancolias:

> Seremos como dois lírios enfermos
> Que morrem numa jarra abandonada.
> O acaso nos mostrou a mesma estrada.
> E sonhamos ao luar nos mesmos ermos.
>
> Abençoou-nos o mesmo azul sem termos
> Ao descambar da véspera sagrada...
> E hei de ter e terás, ó bem amada,
> Tranquilidade e paz para morrermos.
>
> Ah! tu bem sabes que não tarda o outono...
> Perder-nos-emos pela escura brenha,
> Pelos ínvios sertões do eterno sono.
>
> E que nos baste amor, termos vivido
> Em meio destes corações de penha,
> Sem o lamento inútil de um gemido!

Esse soneto admirável de forma tanto quanto pelo sentimento de resignada doçura que ressuma, foi publicado em 1906 na *Gazeta de São Paulo*; escapou, como alguns outros, à edição de 1938. Gosto de aproximá-lo de outro, que foi o primeiro *rebate do amor que se consumou no casamento*:

Como se moço e não bem velho eu fosse,
Uma nova ilusão veio animar-me.
Na minh'alma floriu um novo carme,
O meu ser para o céu alcandorou-se.

Ouvi gritos em mim como um alarme,
E o meu olhar, outrora suave e doce,
Nas ânsias de escalar o céu, tornou-se
Todo em raios, que vinham desolar-me.

Vi-me no cimo eterno da montanha,
Tentando unir ao peito a luz dos círios
Que brilhavam na paz da noite estranha.

Acordei do áureo sonho em sobressalto:
Do céu tombei ao caos dos meus martírios
Sem saber para que subi tão alto...

Nunca pude dizer alto esses versos sem me sentir engasgado de emoção. Posta de parte a sinceridade e profundeza da inspiração, sempre me encantaram pela perfeita expressão do sentimento em termos de rara sugestão poética. Por eles aprendi, como em nenhum outro exemplo, que não há palavras simpáticas ou antipáticas, simples ou pretensiosas, bonitas ou feias: as palavras são como as cores e valem pelas relações em que se colocam com as suas vizinhas. Confesso que, antes de os ler, jamais teria coragem de empregar num poema as expressões "carme", "alcandorar-se", "áureo sonho"... E no entanto, como todas caem bem, caem insubstituivelmente no soneto de Alphonsus de Guimaraens!

Mas voltando ao abandono do poeta na melancolia de juiz municipal de Mariana, há duas cartas em sua correspondência que traem a mesma queixa suspirada tão discretamente no primeiro soneto transcrito. Em 1908 escrevia a Mário de Alencar: "Publicaste o teu livro de versos e até hoje estou à espera dele. No entanto outros – Coelho Neto, por exemplo, a quem só falei duas vezes, Luís Edmundo, a quem só de nome conheço – se lembram de mim." E em 1919 contava ao filho João Alphonsus: "Há cinco dias esteve aqui o sr. Mário de Morais Andrade, de São Paulo, que veio apenas para conhecer-me. Leu e copiou várias poesias minhas. A verdade é que, para quem vive, como eu, isolado – uma visita dessas deixa profunda impressão."

***

Nesse mesmo ano de 1919 eu, que andava em Minas convalescendo da sinistra gripe de 1918, exprimi não numa visita, que não poderia fazer, mas em artigo publicado no *Correio de Minas*, de Juiz de Fora, carinho igual ao de Mário de Andrade pelo incomparável poeta da *Pastoral*. Dera-se a vaga de Bilac na Academia e eu sugeria que se lembrassem do artista esquecido na solidão de Mariana: "Não vejo outro poeta a quem com mais justiça pudesse dar a Academia a sucessão de Bilac. Honrar-se-ia a Academia da espiritualidade do trovador de Nossa Senhora – do poeta que inventou, para celebrar a sua Padroeira, versos tão lindos como os mais lindos versos religiosos de Verlaine." Nada fizeram, e o movimento simbolista passou sem deixar numa poltrona da Casa de Machado de Assis a lembrança de um grande nome, e no Simbolismo brasileiro só houve dois – Cruz e Sousa e Alphonsus de Guimaraens.

NOVO ESCULTOR

Pessoas que leram a minha crônica de sábado passado neste jornal andaram me perguntando quem era João, quem era Esmeralda etc. Gente terrível essa. Da espécie dos que, quando o poeta lhes mostra um poema de amor, querem logo descobrir para que mulher foi feito. Varro a minha testada: João não existe, Esmeralda não existe. Ou por outra, existem, mas naquela super-realidade de que falava Gérard de Nerval a propósito dos seus sonetos. Na realidade de todos os dias João não existe: quem existe é o exemplar funcionário da Alfândega. A esses meus leitores que em qualquer história ficam a procurar onde está o gato, repito que na minha o gato estava na estrada Rio-São Paulo! Pronto, acabou-se.

Quem existe em todas as realidades é o escritor. E vejam só: ele mesmo não tinha conhecimento de sua existência. Imaginava ser apenas poeta. E poeta era de fato. Poeta bissexto, como chamamos ao dr. Pedro Nava, ao Pedro Dantas. Poeta sem livro publicado, mas, como os dois citados, autor de meia dúzia de livros de tantos outros poetas. O meu amigo não sabia que era escultor. Um dia o Celso Antônio, queixando-se a ele da falta de bons auxiliares, disse-lhe do pé pra mão: – Por que você não experimenta fazer escultura?

O interpelado pediu ao grande escultor um pouco de barro, e foi para casa modelar uma cabeça. Saiu escultura e da boa. Vieram outras cabeças. A última é a minha. Não direi como os *soi-disant* críticos de artes plásticas: "É um retrato feito de dentro para fora, porque o artista apanhou não tanto o físico do seu modelo, mas sobretudo a alma, o espírito do torturado poeta da *Estrela da manhã*"... Digo só que o novo escultor vê com exatidão a prova de compasso, e sabe dar ao que vê aquela segunda vida da arte, sem a qual o trabalho mais perfeito – poema, pintura ou escultura – não passa de decalque insípido da realidade.

Li não sei onde que não há nada como o conhecimento profundo de uma arte qualquer para dar a compreensão das outras artes. O meu amigo chegou à escultura depois dos quarenta anos, mas trazia insuspeitado nos dedos o dom de modelar, e no espírito o rico outono de toda uma vida de poesia, – teoria e prática do verso que é carne e sangue.

O seu caso, guardadas as proporções (vamos ser brasileirinhos humildes), é o mesmo de Maillol. Conhecem a história de Maillol? Não? Pois vou contá-la.

Aristides Maillol nasceu em Banyuls, sul da França, em 1861. Menino, gostava de desenhar. Aos 18 anos publica com alguns camaradas um jornalzinho ilustrado por ele com desenhos. Arranjam-lhe uma subvenção para que possa estudar em Perpignan. Aos vinte e um anos está em Paris e frequenta a Escola de Belas Artes, como aluno livre da classe de desenho à antiga, regida por Gerôme. Alguns meses depois o mestre lhe diz: – Você não sabe nada! Vá para a Escola de Artes Decorativas e faça narizes e orelhas! Maillol segue o conselho, mas em 1883 volta para a Escola de Belas Artes e, desta vez com Cabanel, estuda desenho e depois pintura. No fim de quatro anos deixa a escola com a impressão de não ter aprendido coisa alguma. Então regressa a Banyuls e funda uma oficina de tapeçarias. Enquanto cinco ou seis moças teciam as lãs, Maillol desenhava os cartões, e descansava do labor talhando em madeira estatuetazinhas de sabor arcaico. Casou-se, e quando lhe nasceu o único filho, esculpiu para ele um berço. Com o sucesso obtido com as suas tapeçarias, o artista muda-se para Paris, manda construir um grande tear e se põe ele próprio a manejá-lo. Resultado: os olhos fraquearam e durante seis meses Maillol perde o uso da vista. Força foi desistir do ofício que era o seu ganha-pão. No verão de 1902 Ambroise Vollard organiza uma exposição de tapeçarias e estatuetas de Maillol. Entre estas últimas estava a *Leda*, uma figurinha em bronze. Ao vê-la, e depois de observá-la de todos os ângulos, Rodin disse a Mirabeau: – Não conheço, lhe juro, não conheço em toda a escultura moderna uma peça que seja tão absolutamente bela quanto esta, tão absolutamente pura, tão absolutamente obra-prima.

Começara a carreira e a glória do grande escultor. Tinha ele então 41 anos. Mas o nome do meu escultor?... Paciência, leitores: o nome do meu escultor está se fazendo...

SUICIDAS

Uma das cousas que me causam mais horror e mais repugnância na vida é a exploração sentimental em torno dos suicidas. Um homem obscuro pode matar-se com relativa discrição: basta que não explique nada. No dia seguinte o noticiário policial dos jornais dirá, se se trata de uma infeliz mulherzinha do Mangue: Título da notícia: "Ateou fogo às vestes" e a seguir: "Desiludida da vida a nacional Palmira da Conceição etc." Seis linhas no máximo e pronto. Se, porém, o homem é conhecido, sobretudo se tem a desgraça de ser poeta lírico, se possui amigos afeiçoados em cuja alma floresce a doce flor da piedade, a porquíssima e cabotiníssima doce flor da piedade, então vereis! Sob pretexto de honrar o morto exibe-se sem o menor recato uma compaixão mil vezes mais ultrajante do que as dores que foram os móveis do suicídio; a vida mais íntima do morto é entregue à curiosidade pública; não lhe poupam nem o instantâneo atroz do cadáver em pijama.

Bem sei que há os suicidas cabotinos, os que se matam um pouco por vaidade póstuma, os que escrevem cartas romanceadas. Não é destes que me ocupo. Me ocupo daqueles cujo silêncio digno está a pedir o silêncio para um gesto atrás do qual a sensibilidade mais elementar sente um mundo de sofrimentos que ninguém poderá medir. Lembra-me agora o caso de dois rapazes ingleses, homens de ciência que se arruinaram em pesquisas sobre o câncer: mataram-se deixando como única declaração: "A vida não vale a pena de ser vivida". Esses falaram por todos os outros:

no fundo do coração dos suicidas que não se explicam está a sentença terrível dos que desertaram da vida como se deixa uma sala de cinema antes de acabado o filme cruel, imbecil e sem sentido, ainda que seja a obra de um deus.

Houve tempo em que a imprensa do Rio movida por moralistas que temiam o efeito da sugestão do noticiário sentimental dos suicídios (tinha lastrado uma verdadeira epidemia deles), tentou uma combinação entre os jornais no sentido de suprimir todos os detalhes perigosos e creio que até mesmo o do ato em si. Está claro que o acordo não durou grande coisa. Os jornais vivem dessas sensações malsãs.

E afinal de contas, matutando bem, talvez tenha sido melhor assim. Essa exploração sentimental, se por um lado acoroçoa o pieguismo cabotino de muitos, por outro lado quantos não salvará da obsessão fascinante? A compaixão dos belos cronistas?... A piedade dos corações bem-nascidos leitores dos belos cronistas?... Ah, não! Antes todos os piores horrores desta vida.

Um homem inteligente e discreto tem que se matar como quem não quer. Ele tem que organizar uma espécie de sabotagem muito bem disfarçada para que os próprios amigos não percebam nada. Sob esse ponto de vista os alcaloides não servem, são vícios muito esquisitos e muito elegantes. O próprio álcool, que é a forma lenta mais comum de suicídio, tem ainda muito de romântico, de "noite na taberna". Tem que se proceder a uma sabotagem muito mais sutil para escapar à compaixão alheia e principalmente para evitar nos usos passionais que o cruel ou a pérfida tirem carta de gostoso. Não sabem o que é a carta de gostoso? – "Eu gostava muito dele e no princípio pensei até em me matar! Mas depois disse comigo pra quê? pra em cima de tudo ele tirar carta de gostoso às minhas custas? Não vê!" Está aí o que é a carta de gostoso.

A sabotagem é fácil e prática quando o candidato ao suicídio tem uma dessas doenças como a tuberculose, a diabetes, a dilatação da aorta, no decurso das quais uma simples quebra de regime pode trazer uma agravação fatal. Por exemplo uma série bem calculada de resfriados para o caso de um tuberculoso. Daí a meses em vez de uma notícia escandalosa de um tiro no peito, primeira página com clichê, virá na quinta página o aviso fúnebre por onde os amigos e relações do falecido saberão que "vítima de pertinaz moléstia etc." Ninguém indaga da vida sentimental de um sujeito que morreu vítima de pertinaz moléstia. Naturalmente é mais duro, oh muito mais duro, morrer de pertinaz moléstia do que de um tiro no ouvido ou de uma dose de cianureto de potássio. Mas ao menos assim evita-se a carta de gostoso nos casos passionais, a doce flor da piedade em todos os casos e pode-se morrer dizendo para si, com o orgulho a que só têm direitos os bem desgraçados: que a vida não vale a pena de ser vivida.

Cecília, Maria Isabel e José Carlos

Quero pagar nesta crônica algumas dívidas.

Em primeiro lugar a Cecília Meireles, pelo seu livro *Vaga música*. Cecília é, sem sombra de dúvida, a mais forte, a mais completa organização poética feminina que apareceu no Brasil. E em matéria de técnica do verso é tão ágil, tão apurada, que com ela pode aprender qualquer marmanjo – em primeiro lugar o que assina estas linhas.

Cecília teve a gentileza cativante de me oferecer o seu magnífico livro numa dedicatória em versos, de sabor marcadamente ceciliano, para empregar aqui o adjetivo inaugurado por Jaime Cortesão e que lhe saiu tão carinhosamente das lusas barbas ao apresentar a poetisa numa conferência por ela proferida no Gabinete Português de Leitura. A dedicatória diz assim:

A Manuel Bandeira
Para o saudar,
– Este caramujo
Ainda cheio de mar.

Ao que respondo, encantado, em público e raso:

À grande Cecília
Meu muito saudar
Pelo caramujo
Mágico, de vaga
Música, profunda
Como a voz do mar.

Um poeta de Portugal – e que poeta, o maior dos vivos! – estranhou que nós brasileiros já não tivéssemos gritado para o mundo inteiro o valor de Cecília. O caso explica-se. Cecília foi desde menina uma alma tocada de poesia. Mas em *Viagem* a ferida era mais funda... E foram os poemas de *Viagem* que tanta admiração despertaram em José Régio. Agora que *Vaga música* veio confirmar a pujança do livro anterior, gritemos a plenos pulmões: Grande Cecília!

Minha segunda dívida é com Maria Isabel. Maria Isabel *tout court*. Como os seus poeminhas do *Dardo de vidro*: poesia *tout court*. Aí está uma poetisa que não devassa os seus recalques, nem nunca pretendeu esfacelar-se nas pontas de Betelgeuse. Mas que insinuante que é a sua voz modesta! O dardo é de vidro mas quando nos bate no peito e se quebra, deixa lá dentro umas estilhazinhas que doem, doem, doem:

Diante de ti não fingirei,
Diante de ti todas as palavras serão exatas,
Todas as expressões serão definitivas.
Poesia – água clara – quero no teu espelho
Ver os meus verdadeiros olhos,
Quero encontrar minha alma de criança,
Quero olhar bem de frente essa imensa doçura
– Meu humilde mistério,
– Minha angústia sem nome.

Maria Isabel viu no espelho da Poesia os seus olhos verdadeiros e pôde transmitir à gente o seu mistério e a sua angústia:

Louca eu era. Tu, imóvel!
Ó mundo de mãos geladas,
Ó mundo em morte talhada!

Quero sombra, sombra, sombra
Para cobrir nos meus ombros
Tanto esplendor humilhado.

Ah Maria Isabel, Maria Isabel

Passarinho na montanha,
Rosa louca sobre o mar!

Minha terceira dívida é com José Carlos. Há quase um ano mandou-me ele um caderno de versos com este recado: "Gostando, telefone para 23-1494 e chame o José Carlos. Do contrário, ponha esta joça no lixo." Passaram-se meses, e quando eu telefonei para 23-1494 – uma pensão – não havia mais rastro de José Carlos. Onde para José Carlos? Meus amigos, meus inimigos, quem me dá o rastro de José Carlos? Eu queria dizer-lhe que o seu caderno não foi para o lixo. José Carlos é muito moço: num destes poemas fala em seus 21 anos e diz: "Tenho todos os vícios..." Não acredito na declaração: "Ontem, domingo, tomei trinta e quatro chopes". Os versos deste caderno revelam uma sensibilidade poética, mas não estou certo se revelam verdadeiramente um poeta. Para decidir sobre esse ponto, há que esperar que a expressão de José Carlos assente um pouco: por enquanto é ainda muito tumultuária, literária, parasitária. José Carlos precisa escrever, como o Oswald de Andrade, o seu *Primeiro caderno de poesia* e começar pelo último verso do último poema: "Vida: dissílabo, paroxítono, substantivo comum, simples, abstrato". Mas olhe que faltou dizer "feminino"!

Tenho muitas outras dívidas a pagar. Ficarão para depois: *hélas*! não posso dizer que *j'ai lu tous les livres*. O que vivo dizendo nestes dias de calor brabo é o resto da *"Brise marine": Fuir! là-bas fuir!* O melhor, porém, é dizê-lo na tradução de Vicente do Rêgo Monteiro:

Ó fugir! Sinto as aves tontas nos engodos
De estarem entre céus e escuma desconhecida!
Nada, nem a velha horta nos olhos refletida.
Deterá longe do mar imerso coração
Noites! nem da lâmpada o deserto clarão
Sobre o vazio papel que o branco incisa
Nem a jovem lactando o filho ameniza.

Mas vejo que estamos já bem longe de Mallarmé e da poesia.

LITERATURA DE VIOLÃO[2]

Na sua obra dos *Paraísos artificiais*, no capítulo intitulado: "Do vinho e do haxixe comparados como meios de multiplicação da individualidade", Baudelaire evoca em páginas deliciosas a figura de um espanhol que durante muito tempo viajou com Paganini, acompanhando-o ao violão: foi antes da época da grande glória oficial de Paganini.

Levaram uma vida de boêmios ambulantes, vagando de cidade em cidade, de aldeia em aldeia, e onde quer que chegassem, cercava-os logo o espanto maravilhoso do povo ao ouvir as árias, as variações e os improvisos dos dois amigos. A fascinação de Paganini é facilmente compreensível, mas a do espanhol? Todo o mundo sabe como o timbre do violão fica desmerecido junto das vozes de um violino. Era mesmo preciso que esse espanhol, cujo nome ficou esquecido, fosse um ente sobrenatural para sustentar no seu violão o cotejo do violino de Paganini. Sem dúvida uma técnica prodigiosa lhe permitiria tirar sempre do instrumento aquelas vozes redondas e cheias, de emissão tão difícil nas passagens de alguma velocidade.

E são precisamente essas vozes as mais características do violão, aquelas que lhe dão o acento de melancolia e ternura íntimas, o seu encanto de instrumento incomparável para as horas de solidão e sossego.

Para nós brasileiros o violão tinha que ser o instrumento nacional, racial. Se modinha é a expressão lírica do nosso povo, o violão é o timbre instrumental a que ela melhor se casa. No interior, e sobretudo nos sertões do Nordeste, há três coisas cuja ressonância comove misteriosamente, como se fossem elas as vozes da própria paisagem: o grito da araponga, o aboio dos vaqueiros e o descante dos violões.

Desgraçadamente entre nós o violão foi sempre cultivado de uma maneira desleixada. É verdade que a sua técnica é ingratíssima e o tempo perdido em adquirir nele um mecanismo sofrível será bem mais compensador aplicado a outro instrumento de repertório mais rico e mais nobre. O desleixo, em todo o caso, era excessivo. Desconhecia-se por completo o dedilhado da mão direita. Basta dizer que se reservava o polegar para os bordões, o índice para o sol, o médio para o si e o anular para a prima. E esse dedilhado de harpejo era pau para toda obra. Havia dedilhados mais extraordinários. Lembra-me ter ouvido no sertão do Ceará a um cego que só se servia do índex. Quando tocava, dava a impressão de estar escrevendo nas cordas do violão. Só com esse dedo Zé Cego pintava o bode... O que não faria ele, se conhecesse a verdadeira técnica do instrumento?

Houve também uma certa prevenção contra o violão por carregar a fama de instrumento refece, alcoviteiro e cúmplice da gandaia em noitadas de sedução.

---

2   Esta minha crônica envelheceu muito, pois o aparecimento de Andrés Segóvia veio criar um grande repertório para o violão. O genial andaluz não só fez numerosas transcrições do velho repertório do alaúde e do cravo, como levou muitos compositores modernos, aos quais tem assombrado pela sua técnica e pela pureza de seu estilo, a escrever especialmente para o violão e para ele. Foi o que aconteceu com o nosso Villa-Lobos, que, depois de o ouvir em Paris no ano de 1929, compôs "12 Estudos" a ele dedicados. Anteriormente a esses Estudos, escrevera o nosso patrício as seguintes composições para o violão: "Panqueca" (1900), "Fantasia" (1909), "8 dobrados" (1909-1912), "Dobrado pitoresco" (1910), "Quadrilha" (1910), "Tarantela" (1910), "Canção brasileira" (1910), "Suíte popular brasileira" (1914). Em 1940 compôs ainda "6 prelúdios". O italiano Castelnuovo-Tedesco e o mexicano Manuel Ponce escreveram um concerto cada um para o violão e orquestra: o primeiro escreveu também uma "Serenata" para violão e orquestra. Casella e Manuel de Falla compuseram igualmente para Segóvia: não tenho, porém, notícia de tais composições. O Concerto de Castelnuovo-Tedesco está gravado em *longplay*. (N.A.)

Era, tipicamente, o instrumento *mauvais sujet*. Ele foi, porém, reabilitado pela visita que recebemos de dois artistas estrangeiros, os quais vieram revelar aos nossos amadores todos os recursos e a verdadeira escola dos grandes virtuoses de Espanha. Refiro-me a Agostinho Barrios e Josefina Robledo.

O primeiro era paraguaio e tinha um jogo muito pessoal, brilhantíssimo. Era um rebelde, um revolucionário. Embora conhecesse perfeitamente a escola de Aguado (aprendera com um discípulo de García Tolsa), passava por cima dela muitas vezes. O emprego de cordas de aço, aliás, modificando um pouco o timbre do instrumento, exigia uma técnica especial. A de Barrios baseava-se no máximo aproveitamento possível da terceira corda, cujas vozes são mais cheias e pastosas. Todavia Barrios tocava com igual habilidade e encanto no encordoamento de tripa, como tive ocasião de verificar. Barrios compunha também. Eram próprias a maior parte das peças que executava.

Josefina Robledo foi discípula de Tárrega, o grande continuador da escola de Aguado, cuja tradição nos veio transmitir em toda a sua pureza. Deu numerosos concertos aqui e em São Paulo, captando o público pela suavidade do som e pela simplicidade e justeza da sua técnica. Tocava as passagens mais eriçadas com a mais tranquila modéstia. Ninguém podia suspeitar que dificuldades ela estava assim vencendo com um sorriso. Era sobretudo notável no harpejo. Josefina Robledo começou a formar alguns discípulos entre nós.

Além disso, observando a sua maneira de tocar, os nossos velhos amadores entraram a corrigir e reformar o dedilhado defeituoso que empregavam, de sorte que hoje já se vai começando a tocar com limpeza e estilo.

Mas o repertório? Eis um ponto que descoroçoa frequentemente os amadores. Comecemos por dizer que o repertório do violão é, além do próprio, todo o repertório do alaúde. O alaúde é um instrumento cuja caixa é parecida com a do bandolim, um pouco maior, braço alongado, e tem o mesmo número de cordas, afinadas da mesma maneira que as do violão. O timbre é também o mesmo, ligeiramente mais tênue. Antes da invenção das primeiras espinetas, era o instrumento preferido para acompanhamento de canto. Com o aperfeiçoamento dos primeiros instrumentos de teclado começou a decair a sua voga, até que foi quase completamente banido pela chamada guitarra espanhola, o nosso violão. Entretanto nas mãos das senhoras o alaúde é bem mais gracioso que o violão, embora em si mesmo este seja mais rico de sugestões plásticas, sobretudo se a caixa é de jacarandá. (Picasso tomou-o como tema de numerosos quadros seus, onde o violão volta sempre como uma obsessão.)

Existem entre as canções dos séculos XVI, XVII e XVIII deliciosas *bergerettes*, maliciosas e ternas, que as nossas amadoras poderiam reviver para aqueles que sabem saborear o antiquado encanto daquele repertório. Nos bons tempos do alaúde escrevera-se também grande cópia de solos em forma de suítes.

Certa vez tomei a liberdade de escrever uma carta ao grande mestre Vincent d'Indy, consultando-o acerca do repertório do violão. Escrevi sem grande esperança de alcançar resposta. Qual não foi a minha surpresa recebendo três meses depois a seguinte bondosa e extensa carta, cheia de informações preciosas sobre o assunto.

Genebra, 10 de janeiro de 1916.

Senhor.

Queira desculpar a minha demora em responder-lhe, mas desde a reabertura da Escola, no mês de outubro, não tenho mais nem um minuto de liberdade e só por ocasião das férias é que posso dispor de alguns instantes para responder às cartas, numerosas demais, *laissées en souffrance...*

Infelizmente não lhe posso deixar ilusões; nenhum mestre dos tempos passados escreveu para o violão, e mesmo nos tempos mais modernos, não vejo senão as quatro peças para piano e violão de Weber que sejam dignas de algum interesse.

Mas me parece que onde o senhor devia procurar, seria no imenso repertório do antigo alaúde, cujo único sucedâneo atual é o violão.

Há um sem-número de peças para o alaúde, quer peças originais em forma de suíte, quer transcrições de canções em voga no século XVI ("Batalha de Marignan" etc.). Somente, muito poucas foram restabelecidas em notação moderna e todo esse tesouro está escrito em tablatura e esparso em diversas bibliotecas.

Creio que quem lhe poderia informar com mais segurança a respeito das peças transcritas, seria Mr. Henri Expert, bibliotecário do Conservatório de Música; ele poderia em todo o caso, se o senhor quisesse, mandar copiar-lhe algumas das peças que se encontram naquela biblioteca.

Como a afinação do alaúde (à parte as cordas soltas) era, quanto às seis cordas, a mesma que a do violão, o senhor não teria nenhuma dificuldade em assimilar essas peças e isso ao menos seria música de verdade em lugar das insânias dos tocadores de violão.

Queira aceitar a expressão dos meus sentimentos da maior consideração.

Vincent D'Indy

A carta, que imediatamente escrevi ao senhor Henri Expert, bibliotecário do Conservatório de Música de Paris, nunca teve resposta.

Além das peças de Weber citadas por Vincent d'Indy, pode-se nomear a serenata de Mefistófeles da *Danação de Fausto.*

Berlioz levou o seu violão para a Itália e foi mesmo nele que esboçou as melodias que serviriam de núcleo à futura ópera. Massenet, outro prêmio de Roma, também levou consigo o violão, em que dizem ter sido exímio improvisador. Nada, porém, conhecemos dele para o instrumento.

Dos compositores para o violão o melhor ainda me parece ser Aguado. Esse espanhol fez um sucesso espantoso em Paris, onde se apresentou por volta de 1825. Não tenho competência musical para decidir se as suas composições se devem também classificar entre as "insânias dos guitarristas". Creio entretanto que os três rondós, especialmente aquele em lá menor, podem chamar-se música. O tema do rondó em lá menor lembra o tema da "Patética" e o seu desenvolvimento tem o dinamismo e a bela e forte lógica dos de Beethoven.

Modernamente Tárrega, o mestre de Josefina Robledo, transcreveu para o violão algumas peças clássicas e românticas. Há notadamente uma *bourrée* de Bach que está muito bem adaptada.

Creio que são da própria Josefina Robledo umas transcrições, que ouvi em concertos seus, de algumas peças de Albéniz e Granados.

Barrios exaltava muito as peças de um certo Regondi (creio que do século XVIII); do qual apenas ouvi uma *Dança macabra*, com efeitos de dissonância realmente interessantes e... diabolicamente difíceis.

Como se vê, um amador que se disponha a despender tenacidade e dinheiro, pode alcançar um repertório sofrível. Todavia, se os nossos músicos e os nossos editores quisessem mostrar um pouco de boa vontade, nós não precisaríamos ir buscar fora da nossa terra aquilo de que somos tão ricos. Bastava transpor ao violão os nossos maxixes, tangos e cateretês. Em muitos casos a transposição já se fez, mas não foi escrita. Barrios transpôs a deliciosa "Viola cantadeira". Mas não a escreveu. Ele, que tinha um considerável repertório próprio, onde passa aquela selvagem melancolia de guarani despaisado na civilização latina, nunca fez imprimir uma só peça!

Os nossos tocadores de violão compuseram peças de caráter brasileiro interessantíssimas. Correm, porém, de oitiva. Tais são os maxixes de Artidoro da Costa, João Pernambuco, Quincas Laranjeiras e outros de igual valor.

VITALINO

Certa vez, em circunstância muito especial, perguntei a quem estava comigo: "De onde que você é?" – "De Caruaru", ela respondeu. Foi a conta.

Passaram-se os anos e eu vim conhecendo muitos outros naturais da cidadezinha pernambucana: Bartolomeu Anacleto, Austregésilo de Athayde, Álvaro Lins, os irmãos Condé, cada um dos quais – os irmãos Condé e os outros três – bastaria para dar celebridade ao mais caruaru recanto do Brasil.

Mas não me consolo de não conhecer ainda em carne e osso Vitalino.

– Vitalino?

– Sim, Vitalino. Vitalino Pereira dos Santos. Um homem de 43 anos, analfabeto, que nunca calçou sapatos, nunca entrou num cinema, nunca desceu a Recife...

– Você está dizendo o que ele nunca fez... E o que é que ele faz?

– O que ele faz, o que ele sempre fez desde os seis anos de idade, olhe estes papagaiozinhos, estes tourinhos, aqueles burrinhos, são essas figuras de barro, que ele vende todos os sábados na feira de Caruaru.

A feira semanal de Caruaru não é como estas do Rio não. É toda a rua do Comércio, quer dizer um estirão de quilômetros, tão comprida quanto a mesma cidade, e onde se compra de um tudo, desde o gado em pé até o que você possa imaginar, salvo, bem entendido, geladeira elétrica e automóvel Cadillac. A feira de Tenochtitlán, que tanto assombrou a Cortés, devia de ser assim. Quando Álvaro Lins e João Condé eram meninos, iam todos os sábados à feira indigestar com frutas e doces e comprar calungas de barro. Compravam os calungas (que ainda não eram os de Vitalino), não, como fazem agora, para adornar o apartamento, mas para massacrá-los nos jogos similimilitares da meninice. Porque é preciso que se saiba: esses calunguinhas de barro, hoje tão admirados pelos estrangeiros que nos visitam e que os apreciadores da arte moderna admitem nas mesas e vitrinas de seus *living rooms* ao lado das cerâmicas de Picasso e na companhia das deformações expressionistas de Portinari (os seus autores, pobres matutos nordestinos, jamais pensaram merecer um dia tamanha honra), começaram a ser feitos para servirem de paliteiros ou brinquedos infantis; eram manufatura de louceiros, que fabricavam (e continuam a fabricar) panelas, talhas, moringas (no Norte se chamam "quartinhas"), potes, jarros etc.

A mãe de Vitalino era louceira. E foi vendo-a moldar os tourinhos de cachaço crivado de furos para neles se espetarem os palitos de dente, que Vitalino sentiu aos seis anos vontade de plasmar aqueles outros bichos, como os via no terreiro de casa – galos, cachorros, calangos. Depois feras – onças, jacarés. Depois gente...

Como foi aprendendo? Ele mesmo achou a melhor expressão para a resposta quando disse a João Condé: "Puxando pela cadência".

Vitalino viveu anos e anos obscuro, casou-se, teve seis filhos, três dos quais já iniciados hoje na arte do pai. Parece que quem trouxe o nome de Vitalino para o Rio foi Augusto Rodrigues. Hoje Vitalino já é citado em Paris... Mas continua comparecendo todos os sábados à feira de Caruaru com o seu tabuleiro de calungas de barro. Só que hoje não custam mais dois vinténs, como no tempo da meninice de João Condé.

Também a arte de Vitalino veio se complicando. Já não se limita ele aos simples bichinhos de plástica tão ingenuamente pura. Atira-se a composições de grupos, com meio metro de comprido e uns vinte centímetros de altura. Cenas da terra: casamentos, confissões na igreja, o soldado pegando o ladrão de galinhas ou o bêbado, a moenda, a casa de farinha etc. Já vi Gilberto Freyre esbravejar contra essa degeneração para o anedótico numa arte que encantava tanto sem auxílio da anedota. Foi em casa de João Condé, que naturalmente não ousou piar na frente do trovejante mestre de Apipucos. Mas, cá para nós, ele bem que gosta do matuto trepado no alto do pé de pau e atirando nas duas onças...

Eu poderia contar muita coisa interessante de Vitalino. Não o faço porque não quero roubar um assunto que pertence a Condé. Um dia vocês verão tudo isso no *Jornal de Letras*, ou quem sabe aqui mesmo na *Manchete*, se Henrique Pongetti conseguir que o homem dos "arquivos implacáveis" venha para estas páginas, com os seus *flashes* e as suas fichas.

Aliás, nesse delicioso ainda que humilde gênero de escultura, Vitalino não está sozinho não. Outras cidadezinhas do interior de Pernambuco (de todo o Nordeste, creio eu, não sou entendido no assunto, esta crônica devia ter sido encomendada à mestra Cecília Meireles) têm o seu Vitalino. Por exemplo Serinhaê tem o Severino. Naturalmente quando se trata de saber quem entre os dois é o tal, os colecionadores se dividem. E naturalmente também, os Condés torcem para o Vitalino, que é de Caruaru.

Já tive muitas dessas figurinhas em minha casa. Não sei se alguma era de Vitalino ou de Severino. Sei que eram realmente obras de arte, especialmente certo papagaiozinho naquela atitude jururu de quem (quem papagaio) está bolando para acertar uma digna do anedotário da espécie. A simplificação plástica valia as de Lipschitz. Acabei dando o meu papagaio. Sempre acabei dando os meus calungas de barro. Não há coisa que se dê com mais prazer.

FLAUTA DE PAPEL

Mesmo porque, quando não se dá, elas se quebram. Se quebram com a maior facilidade. E isso, na minha idade, é de uma melancolia que me põe doente. Não quero mais saber de coisas efêmeras. Deus me livre de ganhar afeição a passarinho: eles morrem à toa. Flor mesmo dei para só gostar de ver onde nasceu, a rosa na roseira etc. Uma flor que murcha num vaso está acima de minhas forças. Sou um mozarlesco, que hei de fazer?

Pedro Américo e Victor Meirelles

Todos os brasileiros aprendemos desde meninos que Pedro Américo foi o maior pintor brasileiro, crença que nos foi imposta por uma geração que chegou até a chamar à pintura "a arte de Pedro Américo". Nos livros escolares de péssima impressão víamos, curiosos, a fotografia da *Batalha de Avaí* e cinco por cento dos garotos do meu tempo terão ido ver o original nas galerias crepusculares do nosso Museu.

Pedro Américo terá sido realmente o maior pintor brasileiro? Terá sido (deixado de lado Almeida Júnior, o preferido de Portinari) maior que Victor Meirelles? As aparências são por Pedro Américo contra Victor Meirelles – pela abundância, pelas dimensões das telas, pela ambição dos assuntos. No entanto, se eu tivesse de escolher entre as duas obras, guardaria, sem hesitação, a de Victor Meirelles. Todas as qualidades que não são propriamente do domínio da pintura, todas as qualidades de ordem geral – inteligência, sensibilidade, dons poéticos – me parecem mais acusadas no catarinense do que no paraibano. Pedro Américo é certamente destríssimo. Mas tanta facilidade me irrita. Com má vontade entrego os pontos diante de um tratamento da matéria como há em *O rabequista árabe*, em *O consertador de bandolim*, nos retratos de Porto-Alegre e no autorretrato, porque queria ver a mesma consciência em telas mais ambiciosas, por exemplo, nas nudezas tão falsas, tão teatrais de *O noviço*, *A mulher de Potifar* (de tão incrível vulgaridade), de *David e Abisag*... *A carioca* é bem mais honesta, mas não faz lembrar as fontes da Renascença com a sua água a gorgolejar ao lado da mulher? Pedro Américo sobrecarregava as suas composições, e um quadro em que a figura é ótima, como *O voto de Heloísa*, resulta prejudicado por esse barroquismo enfeitador. A fraqueza de composição em Pedro Américo transparece evidente cotejando-se o quadro realizado em grande e o seu esboço. Assim em *Voltaire abençoando o neto de Franklin*: o esboço é bem-composto e harmonioso; no grande quadro as novas figuras introduzidas à direita, o vermelho do pano e do gorro vieram desequilibrar a composição, que no esboço tinha outra ponderação de volumes e de cores.

E a famosa batalha? Terreno perigoso como todo terreno de batalha... Meu patriotismo não dá um sinal de sua graça diante daquela orgia sem embriaguez. Entenda-se: orgia de movimentos, embriaguez de entusiasmo. Podemos contar os grãos das espigas de milho, as riscas do pano etc. e no entanto não há na sala do *Museu* bastante *espaço* para o necessário afastamento que permita abranger comodamente o conjunto da composição. Aqui a falsidade está no gênero mesmo. Pinta-se um episódio de batalha, como fez Victor Meirelles na sua *Batalha de Guararapes*, mas o conjunto de uma batalha? É coisa que só se vê de tão alto, que não restaria, como advertiu Baudelaire, senão um quadro de tática ou de topografia. Os pintores acreditaram resolver a dificuldade fazendo uma colcha de retalhos – cada episódio um retalho. Há vinte quadros episódicos na tela de Pedro Américo: retratos (Caxias, tão espectador, tão contemplativamente turístico, Osório etc.), naturezas-mortas (as espigas de milho com todos os seus grãos) etc. Baudelaire não suportava o quadro militar mesmo quando simples episódio da carreira das armas: detestava aquela imobilidade na violência – *"l'épouvantable et froide grimace d'une fureur stationnaire"*. A *Batalha de Avaí* é um modelo típico desse furor estacionário.

Tenho a impressão que o pincel na mão de Pedro Américo não oferecia a mínima resistência: julgava-se na mão do gênio e obedecia. Em Victor Meirelles acho que se dava o contrário: o pincel resistia, mas o artista duvidava, refletia, teimava, e o pincel acabava obedecendo da mesma maneira, mas transmitindo à tela o calor da luta. Em quase todos os quadros do pintor se nota o mesmo cuidado que ele punha nos pequeninos estudos de trajos.

Todos os seus retratos têm segurança de composição, de penetração, de expressão (retratos de Nabuco de Araújo, dos pais de Bethencourt da Silva, deste e de Eusébio de Queirós). Gosto das suas paisagens do Rio, de tons baixos como de dias sem sol.

Será possível que eu me engane pondo a *Primeira missa* acima de tudo o que fez o nortista? Eis o que me parece um grande quadro, em que tudo concorre harmoniosamente para a composição; em que todos os tons se combinam e progridem para o branco esplendor da casula de Frei Henrique, repousante como uma cadência perfeita naquele movimento ascensional das almas.

Quem é maior: Gonçalves Dias ou Castro Alves? Nunca soube responder à incômoda pergunta. Mas entre Pedro Américo e Victor Meirelles não hesito.

MINHA MÃE

O livro mais precioso de minha biblioteca é um velho caderninho de folhas pautadas e capa vermelha, comprado na Livraria Francesa, rua do Crespo, 9, Recife e em cuja página de rosto se lê: "Livro de assentamento de despesas. Francelina R. de Souza Bandeira". Francelina Ribeiro de Souza Bandeira era o nome de minha mãe. Mas toda a gente a conhecia e tratava por dona Santinha. Em meu poema dos "Nomes" escrevi:

> Santinha nunca foi para mim o diminutivo de Santa.
> [...]
> Santinha eram dois olhos míopes, quatro incisivos claros à flor da boca.
> Era a intuição rápida, o medo de tudo, um certo modo de dizer "Meu Deus valei-me".

Até hoje não pude compreender como tão completamente pude dissociar o apelido Santinha (mas só na pessoa de minha mãe) do diminutivo de santa. Santinha é apelido que só parece bom para moça boazinha, docinha, bonitinha – em suma mosquinha-morta, que não faz mal a ninguém. Minha mãe não era nada disso. E conseguiu, pelo menos para mim, esvaziar a palavra de todo o seu sentido próprio e reenchê-lo de conteúdo alegre, impulsivo, batalhador, de tal modo que não há para mim no vocabulário de minha língua nenhuma palavra que se lhe compare em beleza cristalina e como que clarinante.

Mas voltemos ao caderninho. Ilustra ele curiosamente a desvalorização de nossa moeda. Iniciado em fevereiro de 1882 (minha mãe casara-se em janeiro), contém naquele ano e nos anos seguintes apontamentos como estes:

Calçado pra mim	9$000
Uma lata de bolachinhas	1$000
Tesoura e escova	1$900
Espartilho e chapéu de sol	25$000
Uma missa	3$000
Ordenado de Vicência cozinheira	17$000
12 galinhas	10$000

Há alguns longos hiatos nesse registro quase diário. O que me interessa mais particularmente é o que ocorre no dia 18 de abril de 1886, porque no dia seguinte nascia eu. Lá para o fim do caderno vem esta nota:

> Nasceu meu filho Manuel Carneiro de Souza Bandeira filho, no dia 19 de abril de 1886, 40 minutos depois de meio-dia, numa segunda-feira santa. Foi batizado no dia 20 de maio, sendo seus padrinhos seu tio paterno dr. Raimundo de Souza Bandeira e sua mulher dona Helena V. Bandeira.

Sempre me acharam muito parecido com minha mãe. Só no nariz diferíamos. A semelhança estava sobretudo nos olhos e na boca. Saí míope como ela, dentuço como ela. Há dentuços simpáticos e dentuços antipáticos. Muito tenho meditado sobre esse problema da antipatia de certos dentuços. Creio ter aprendido com minha mãe que o dentuço deve ser rasgado para não se tornar antipático. O dentuço que não ri para que não se perceba que ele é dentuço está perdido. Aliás, de um modo geral, a boca amável é a boca em que se vê claro. Era o caso de minha mãe: tinha o coração, já não digo na boca mas nos dentes, e estes eram fortes e brancos, alegres, sem recalque: anunciavam-na. Moralmente julgo ser muito diferente dela, mas fisicamente sinto-me cem por cento dela, que digo? sinto-a dentro de mim, atrás de meus dentes e de meus olhos. Moralmente sou mais de meu pai, e alguma coisa de meu avô, pai de minha mãe. Sinto meu avô materno nos meus cabelos, sinto-o em certos meus movimentos de cordura. Naturalmente essas coisas me vieram através de minha mãe. Minha mãe transmitiu-me traços de meu avô que, no entanto, não estavam nela. Que grande mistério que é a vida! Minha mãe era espontânea, sabia o que queria, não era nada tímida: ótimas qualidades que não herdei. Notou Mário de Andrade como em minha poesia a ternura se trai quase sempre pelo diminutivo; creio que isso (em que eu não tinha reparado antes da observação de Mário) me veio dos diminutivos que minha mãe, depois que adoeci, punha em tudo que era para mim: "o leitinho de Neném", "a camisinha de Neném"... Porque ela me chamava assim, mesmo depois de eu marmanjo. Enquanto ela viveu, foi o nome que tive em casa, ela não podia acostumar-se com outro. Só depois que morreu é que passei a exigir que me chamassem – duramente – Manuel.

A ANTIGA TRINCA DO CURVELO

Vai para uns quinze anos escrevi uma crônica sobre a trinca do Curvelo. Curvelo, a rua do Curvelo, em Santa Teresa, hoje rua Dias de Barros. Expliquei então que trinca era na linguagem da molecada a baderna dos meninos do bairro e passei em revista alguns dos tipos mais curiosos da malta do Curvelo – Lenine, o menor de todos que, quando batia à minha janela para pedir um níquel e eu não dava, ameaçava esbodegar a minha porta; Antenor, que eu chamava o antena Antenor; Ivã, que apelidei o Terrível; os irmãos Ernâni e Álvaro, os irmãos Piru Maluco, Arlindo e Ademar, os irmãos Culó e Orlando, o Encarnadinho, Juca Mulato e outros. Essa miuçalha vivia batendo bola em frente das minhas janelas, porque só ali, naquele trecho da rua, se praticava a verdadeira democracia, com absoluta liberdade de espatifar as vidraças nas vicissitudes do *football* de calçada... isso enquanto não foi meu vizinho fronteiro o austero Celso Vieira, então secretário da Corte de Apelação. De tempos a tempos a trinca do Curvelo travava lutas homéricas com a trinca de Hermenegildo de Barros, gentinha de morro abaixo, que a outra olhava com o maior desprezo.

Escrevendo sobre a velha trinca, arrisquei um prognóstico otimista que deu inteiramente certo. "Os piores malandros da terra", disse: "O microcosmo da política. Salvo o homicídio com premeditação, são capazes de tudo. Mentir é com eles. Contar vantagens, nem se fala. Valentes até à hora de fugir. A impressão que se tem é que ficando homens vão todos darem assassinos, jogadores, passadores de notas falsas... Pois nada disso. Acabam lutando pela vida, só que com a saudade do único tempo em que foram verdadeiramente felizes..."

Tal e qual. Mudei-me do Curvelo para a Lapa. Durante alguns anos tive notícias da trinca por Ernâni, que de quinze em quinze dias ia encerar o meu apartamento. Mas Ernâni entisicou e morreu. Quando estava nas últimas, mandou-me um recado, pedindo-me que o fosse ver. Fui. Ernâni sofria sem nenhum sentimentalismo. Em certo momento a irmãzinha, um anjo louro, não soube acudir-lhe a tempo com a escarradeira. – "Dá um bofetão nessa burra!" gritou o quase moribundo para o irmão Álvaro. A trinca era assim. Dois dias depois morreu.

Perdi o contato com a trinca. Hoje, passando na avenida Rio Branco, vi o Álvaro. Álvaro vende bilhetes de loteria e joga *football*. Está com vinte e um anos, não quer saber de casamento. Foi ele que me deu notícia dos companheiros de dez anos atrás.

A única tristeza é a loucura de Lenine (já no tempo do Curvelo sofria de ataques epiléticos). Os outros, porém, prosperaram. Encarnadinho é alfaiate na Lapa; o pretinho Malaca, ajudante de alfaiate; Culó, aviador; Orlando e Rafael, cadetes do exército; Piru Maluco e Arlindo, gráficos; Zeca Mulato foi sapateiro, mas estudou e hoje é datilógrafo; Bacurau é investigador; Ademar, jogador de boxe e de luta livre... Nenhum se perdeu. Nenhum tem nota de culpa na polícia.

Tenho saudades desses meninos. Prestavam-me de vez em quando um servicinho, ao que eu procurava corresponder com fornecer-lhes linha e papel fino para os papagaios. Uma vez por outra um susto – pá! – o impacto da bola "que saía fora pela linha das arquibancadas". Duas vezes, a minha vidraça partida. Raiva, raiva de verdade só me deram uma vez, em que saí de fraque para um casamento. Não vos conto nada: a trinca suspendeu a partida de *football* e começou a gritar: "Seu Manuel Bandeira de fraque! Seu Manuel Bandeira de fraque!" Também foi a última vez que vesti fraque na minha vida.

João

Estes últimos dias ando posando para um poeta que virou escultor e está fazendo a minha cabeça. Quase sempre ficamos sós, e enquanto o amigo vai modelando os meus traços cansados, conversamos de uma coisa e outra – poesia, pintura, bichos, mulheres, crianças. Uma vez apareceu Ratinho. Ratinho é uma menininha de onze anos, filha de um empregado da Light que tem sete filhos e ganha 350 cruzeiros. Perguntei a Ratinho se achava a cabeça do escultor parecida com o modelo. Achou mas sem mostrar grande interesse pela arte. Estava evidentemente fascinada pelo meu suspensório de vidro (sub-repticiamente começou logo a arranhá-lo com a unha). Ratinho ganha 20 cruzeiros mensais para pajear um pequenino-burguês langanho, e entrega todo o dinheiro ao pai. Quando soube disso, propus-lhe jogarmos cara ou coroa: perdi para ela seis cruzeiros. Pedi-lhe um beijo de indenização: não vê que me deu!

Duro plantão que é posar para escultor! Nenhum me pega mais. O meu amigo me passou para o barro com a maior indiscrição. O pior é que me vou sentindo roubado em minha vida. A coisa dá na fraqueza da gente, palavra. Ontem eu estava positivamente desmilinguido, de sorte que a chegada de João foi uma alegria, um conforto, uma transfusão de sangue.

João chegou e abriu largamente os braços. Foi logo contando que um sujeito na rua, vendo-o de luto, pontificou que o luto é uma convenção tola. Ao que João respondeu: – Deixe eu botar meu lutinho!

Depois João contou a história do gato de Chica. O bichinho desapareceu. Chica ficou inconsolável. Gastou um dinheirão de anúncios nos jornais. Anúncios lancinantes.

– Como eram os anúncios, João?

E João começou: "Perdeu-se..." tão patético o tom... que nós caímos na risada. – O gato era bonito? – Um angorá! mas todo aleijadinho. Afinal apareceu na estrada Rio-São Paulo... – Na estrada Rio-São Paulo? Um gato aleijado? – É... Foi apanhado *numa rua de Santa Teresa* por um português, *chauffeur* de caminhão. – Mas para que diabo queria esse português um gato aleijado? – Pra matar: ele matou um gato sem querer e, pra se livrar do azar, precisava matar mais seis: o gato de Chica perfaria a conta... Mas a verdade é que não matou o gato, o anúncio foi lido, e o bichinho voltou a Santa Teresa.

Depois da história do gato, falamos de Esmeralda, uma das muitas paixões de João. Conhecíamos muitos episódios do caso. Esmeralda já virou a cabeça de uma porção de sujeitos. No entanto não é bonita, não é fina, não é boa (o leitor me entende!). Coisa misteriosa. O Álvaro tentou certa vez esclarecer o enigma com um gesto e uma frase que infelizmente não se pode repetir. O fato é que Esmeralda depenava os seus adoradores um depois do outro, e como residia em casa de porão alto, os adoradores depostos passavam a morar no porão e confraternizavam, entre si e com o último empossado. Uma organização perfeita.

João era recebido por Esmeralda na esquina de uma travessa da rua dos Voluntários da Pátria. Esmeralda punha-lhe uma venda – um lenço de seda preta perfumado de *Amour Amour*. Assim andava alguns minutos, depois subiam uma escada e, quando se lhe restituía a vista, João se achava num *boudoir* fabuloso, com jarrões da China e uma estante cheia de edições preciosas em Madagascar e *pur fil Lafuma*. Seguia-se o amor...

João é aquele mesmo amigo a quem chamávamos o Santo da Ladeira, o Místico, só leu um livro na vida – a Bíblia. Schmidt definiu-o: "Aquele de antigamente, que vagava nas ruas..." João hoje não vaga mais nas ruas, não se abraça mais com os postes da Light em crises de ternura...

Mas foi em vão que morou três anos em Londres. Foi em vão que se tornou poeta inglês. No fundo continua o mesmo João, embora mais sedentário, mais triste. O mesmo João que sabe descobrir a beleza nas mulheres mais feias. O caso de Esmeralda.

– Mas João, disse o escultor, não sei como você foi se apaixonar por uma mulher daquelas!

Com assombro de nós dois, João se desculpou:

– Mas foi uma noite só!

GERMANINHA

Desde ontem à noite que sopra lá fora um vento furioso. Impossível abrir as janelas, que pelas mesmas frinchas das venezianas o frio jorra em ondas de tamanho desconforto. Me sinto em meu quarto exposto como em campina rasa. Todavia a desordem, o desespero, a fúria do tufão são impotentes para quebrar o meu ritmo interior que é apenas de triste sossego: trago dentro de mim a imagem da morte sob as aparências mais serenas e mais soberanas. Continuo a ver em imaginação o rosto sem vida de Germana.

No primeiro momento de contemplação senti que a vida, o que foi vida (tão ardente, tão ansiosa) naqueles traços delicados e firmes, já andava longe, longe, oh tão longe e por eternidades formidáveis. Repeti para mim mesmo os versos pressagos de Vignale:

> *Te alejas*
> *te vas te vas*
> *por la cuesta*
> *de la eternidad...*

O espírito se fora, levando consigo tudo o que havia nele de infantil, brincalhão, boêmio, versátil, inconsequente. Ali estava a máscara corajosa da mulher que com um físico de menina

> *más pequena que lágrima*
> *más suave que morro de oveja*
> *más tierna que agua del alba*
> *más dulce que tú mismo, oh pájaro!*

disputara sempre a felicidade palmo a palmo, pelos caminhos mais rudes, destemerosa de viver perigosamente, expondo sempre a saúde, que afinal fraqueou longe dos ares natais, cúmplices benignos. A doença não a abateu: separou-se animosamente do esposo e do filhinho, tentou os recursos mais ásperos e mais arriscados, – queria viver. No fim queria viver ao menos o bastante para se despedir de Vignale e do menino, pelos quais morreu gritando, gritando.

O vento pode se desmandar lá fora: eu trago dentro de mim a imagem da face morta de Germana. Me lembro do tempo em que a sua voz ainda rouca de adolescência evocava pelo sortilégio dos timbres as forças da natureza, da nossa natureza:

> *Cuando tú cantas*
> *crece en torno la selva*
> *y se oye nacer el viento*
> *que sube*
> *desde el profundo límite*
> *de tu naturaleza*
> *Tu voz cálida de trópico*
> *Tu voz*
> *para llamar*
> *Dios*
> *entre nosotros.*

A indisciplina de Germana não lhe permitiu realizar-se artisticamente com todo o esplendor que seria de esperar de um timbre impressionante e de um riquíssimo temperamento. Conheci-a quando renunciou à ópera ("Não sou mais operária!" caçoava) para se dedicar ao repertório de fundo folclórico. Ouvi-a pela primeira vez cantando as saborosas melodias de Jayme Ovalle: "Berimbau", "Zé Raimundo", "Papai Curumiassu". Viajou ao Nordeste, colheu temas populares, toadas de trabalho. Com esse material, que foi das primeiras a aproveitar sistematicamente em recitais, transportou-se às Repúblicas do Prata, onde foi grande o seu sucesso. Malgrado o que havia ainda a polir na sua arte toda espontânea, soube revelar aos nossos vizinhos os acentos mais característicos da música do povo, – a nossa melhor música. Sua voz era da mais comovente qualidade:

En ti el dolor de América
brota
con la ingenuidad de una fuente
El dolor de la selva virgen
Apretada de muerte
El dolor de la fazenda terrible
El dolor de nuestras ciudades
melancólicas
suburbanas
pantanosas como crepúsculos
donde se ahogan las razas.

Germana não era para mim uma amiga: tratei-a sempre como aos rapazes meus amigos. Gostei sempre dela como de um amigo. Foi a única experiência que tive desse gênero, tanto mais surpreendente quando sobrava nela todo o encanto feminino que poderia perturbar, envenenar a nossa pura camaradagem. Com essa inocência era que se deixava ficar conosco até altas horas em cafés da cidade ou no Restaurante Reis.

O Reis! Foi, pode-se dizer uma descoberta de Germana. O dinheiro na roda era escasso. Germana, – Germaninha, que assim a chamávamos, possuía o talento de organizar um *menu* para cinco sem exceder, duas garrafas de vinho do Rio Grande inclusive, a nota de dez mil-réis. Não sei bem como era, nunca pude saber, mas o fato é que todos saíamos bem jantados e alegres. Naquele tempo o Reis era metade do que é hoje. Não tinha letreiro a gás *neon*, nem *frigidaire*. Mas já o animava o mesmo espírito cantado em versos magníficos pelo simpático Tuñon:

Conozco, camaradas, varios rincones del mundo. Conozco el restaurant de Léon y
[Baptiste en la rue des Martyrs
Conozco la granja de Villa Rosa en Barcelona.
Conozco el Puchero Misterioso en Buenos Aires.
Conozco el restaurant de la Salamandra en Chartres. Conozco la freiduría del Coral
[en Málaga.
Y hoy, amigos, qué lejos están esos rincones de nuestro restaurant Reis, digno de
[Rabelais y de Rimbaud!
Oh restaurant Reis, grande, espeso, picante, popular, oloroso, luminoso, impúdico y
[sonoro!

O mesmo espírito de fraternização internacional caro aos operários, aos artistas, aos decaídos de todos os rótulos. *Rotisserie Naval* chamavam-lhe na roda de irmãozinhos: naval porque ficava na vizinhança do Club Naval, *Rôtisserie*, por literatura e para estabelecer o equívoco...

Germana irmãzinha:

Te oímos: te alejas
te vas te vas
por la cuesta
de la eternidad.

Fala o sexagenário

Il y a trois espèces de sexe: *le sexe masculin, le sexe féminin et le sexagénaire*. Assim dizem os franceses. Por isso e por outras coisas era do meu interesse guardar a maior reserva sobre a minha desqualificação para o terceiro sexo. Os amigos da onça, porém, decidiram o contrário; fizeram tamanho alarde dos meus sessenta anos, que o bom Gondin da Fonseca e possivelmente muita gente mais me têm hoje na conta de um cabotino. Assim fica firmada a minha nova reputação: sexagenário e cabotino. Seja como Deus quiser!

"O poeta Manuel Bandeira chega à casa dos sessenta", trombeteou do alto de uma página d'*O Jornal* o iminente grande poeta Lêdo Ivo. No dia seguinte recebo uma telefonada do Levi Carneiro: "Não é casa, Manuel, é pardieiro!" A advertência enche de apreensões o inquilino novo. Mas ainda que sem a experiência do sábio confrade e amigo, induzo que sessenta anos de existência não deveriam dar glória a ninguém. É que me acodem aqueles versos correntes na boca do povo de Pernambuco:

> Quem tem sessenta anos
> Toma o seu rapé,
> Pega no rosário,
> Começa a rezar,
> Não pode beber,
> Não pode dançar,
> Não pode namorar.

Que não podia beber, eu já sabia por vários coices amáveis do fígado.

"Sessenta anos e nenhum cabelo branco!" dizem-me os amigos, não sem examinar de perto a raiz dos meus cabelos... Até dois anos atrás era assim, mas hoje posso parodiar os belos versos de Alberto de Oliveira, dizendo que me

> começa de chegar aos cabelos a neve
> que me caiu no coração

Luís Aníbal Falcão pergunta-me em versos encantadores: "*Où sont les neiges d'à présent?*" Respondo-lhe acabrunhado: No coração, Luís, no coração!

Coração já estremecido daquele "calefrio aquerôntico" do poema de Liliencron que Otto Maria Carpeaux, sem segunda intenção, me pediu que traduzisse. Pois é. Nesta casa (ou pardieiro) dos sessenta, fico à espera do famoso barco "que me há de levar ao frio silêncio".

Conforta-me pensar que levarei comigo alguns saldos: primeiro o clássico saldo de Brás Cubas – o de não haver transmitido a nenhuma criatura o legado da minha miséria; segundo a certeza de em uns poucos versos ter dado voz aos sentimentos de outros – e que é ser poeta se não isso: exprimir o que outros sentiram e não souberam dizer? Finalmente uma boa carga de afetos, de que são fiança tantas manifestações de carinho, as quais agradeço com humildade e profundo reconhecimento.

SÉRGIO, ANTICAFAJESTE

Há uns poucos, muito poucos escritores nossos, cuja formação nos dá uma impressão de milagre. Como terá sido possível que chegassem a tamanha força e tamanha disciplina mental dentro do nosso atraso e da nossa desordem? Três sobretudo me espantam: Machado de Assis, João Ribeiro e Sérgio Buarque de Holanda. No entanto, são todos três bem brasileiros e até bem de suas províncias: Machado, bem carioca; João Ribeiro bem nordestino; Sérgio bem paulista. O enxerto de cultura estrangeira em gleba nacional de tão generoso teor não será bastante para explicar a superioridade deles, já que em outros autores, muito estimáveis decerto, os mesmos elementos não puderam gerar a robusta originalidade daqueles três mestres, cada um dos quais verdadeiramente sem par em sua geração.

Por diferentes que pareçam, há um traço a irmaná-los: não sei como chamá-lo senão pelo que possa ser o antônimo de cafajestismo. O meio carioca é cafajeste e creio que sempre foi assim, pelo menos desde os tempos de Pedro I. Pois Machado, nascido e criado aqui, João Ribeiro e Sérgio, vivendo aqui desde os vinte ou vinte e poucos anos, não apresentam a menor tisna de cafajestismo. Sérgio é o anticafajeste por excelência. Bem, Sérgio é paulista e todo paulista tem os seus defeitos, mas é raro que seja cafajeste.

A classe de Sérgio! Foi a primeira qualidade que me chamou a atenção para ele há uns trinta anos. Nunca me esqueci de sua figura certo dia em pleno largo da Carioca, com um livro debaixo do braço e no olho direito o monóculo que o obrigava a um ar de seriedade. Naquele tempo não fazia senão ler. Estava sempre com o nariz metido num livro ou numa revista – nos bondes, nos cafés, nas livrarias. Tanta eterna leitura me fazia recear que Sérgio soçobrasse num cerebralismo cuja única utilidade seria ensinar a escritores europeus de passagem pelo Rio a existência, desconhecida por eles, de livros e revistas de seus respectivos países. Sérgio talvez não tivesse lido ainda a *Ilíada* ou *A divina comédia*, mas lia todas as novidades das literaturas francesa, inglesa, alemã, italiana e espanhola. Sérgio não soçobrou: curou-se do cerebralismo caindo na farra. Dispersou a biblioteca, como se já a trouxesse de cor (e trazia mesmo, que memória a dele!) e acabou emigrando para Cachoeiro de Itapemirim. As suas andanças por lá podem ser contadas pelo príncipe dos cronistas brasileiros, o velho Braga, que naquele tempo era ainda menino, e suspeito que fez parte das badernas que acompanhavam em assuada os passos malseguros do dr. Progresso.

Por um triz que Sérgio se perde, e foi quando pretendeu ser professor no Ginásio de Vitória. O estado do Espírito Santo até hoje não sabe a oportunidade que botou fora quando o seu governador de então voltou atrás do ato que nomeava professor de História Universal e História do Brasil o futuro autor de *Raízes do Brasil*. Benditos porres de Cachoeiro de Itapemirim! Eles nos valeram a devolução, em perfeito estado, de Sérgio, enfim descerebralizado, pronto para a aventura na Alemanha, de volta da qual já era a figura sem par a que me referi no começo destas linhas.

Sérgio já não lia mais nos cafés, desinteressara-se bastante da poesia e da ficção, apaixonara-se pelos estudos de história e sociologia, escrevia *Raízes do Brasil* e

Monções. Entrementes casara-se. Quem diria que desse um marido exemplar? Pois deu. Verdade seja que o bom marido depende muito da boa esposa. Nesse capítulo Sérgio acertou no pleno. E graças aos muitos filhos que vieram vindo, devemos a volta de Sérgio à crítica literária. Ninguém diria também que voltasse de ponto em branco, a par de tudo o que se passara no mundo das letras. Tomou pé da noite para o dia. Senão vejam, ninguém melhor do que ele tem escrito sobre a chamada Geração de 45. (Saibam todos que Sérgio versejou antes dos vinte anos, e sabia fazer versos no duro.)

O estilo de Sérgio, na sua atual clareza e lógica, foi uma conquista. Há hoje um certo casticismo na sua prosa, mas não é dos clássicos portugueses. Tirou-o, suspeito, das atas da Câmara da Vila de São Paulo, das ordens régias e dos testamentos quinhentistas.

Agora tudo o que ele escreve tem no mais alto grau aquela qualidade que já assinalei – a classe; até relatando fuxicos do Modernismo não se lhe nota nem sombra de cafajestismo. Insisto nisso, porque o Brasil, valha-nos Deus! cada vez mais está para os cafajestes.

Olhai os lírios

As palavras com que o Cristo anunciou o sacramento da Eucaristia foram situadas pelos evangelistas Mateus, Marcos e Lucas na última Páscoa. João, porém, coloca-as no discurso pronunciado por Jesus na sinagoga de Cafarnaum, e os seus comentários pintam ao vivo a rudeza dos pobres primeiros discípulos do Divino Mestre.

– Eu sou o pão vivo, dizia Jesus. O pão que eu der é a minha carne, que eu darei pela vida do mundo.

Mas os judeus não compreenderam o sentido daquelas palavras e consultavam-se, uns aos outros, perplexos: Como nos pode dar este a sua carne a comer?

Jesus insistia:

– Quem come a minha carne e bebe o meu sangue tem a vida eterna. Porque a minha carne verdadeiramente é comida, e o meu sangue verdadeiramente é bebida.

O que escutando, disseram muitos dos discípulos: Duro é este discurso; quem o pode ouvir?

Os séculos passaram, e hoje não há quem não entenda as palavras da Eucaristia. Toda esta multidão que estou vendo passar sob a minha janela para receber a hóstia junto ao altar do Congresso sabe que vai comer a carne e beber o sangue do Senhor. E sabe que essa carne é verdadeiramente comida, e que esse sangue verdadeiramente é bebida.

Há, no entanto, outras palavras do Evangelho que continuam duras de ouvir para muita gente. Não gente simples e bronca: muitos até que bem inteligentes.

Por exemplo, esta exortação do Sermão da Montanha:

– Olhai para as aves do céu, que não semeiam nem segam, nem ajuntam em celeiros: e vosso Pai celestial as alimenta. Olhai para os lírios do campo, como eles crescem: não trabalham nem fiam. Buscai primeiro o reino de Deus e a sua justiça.

Hoje ainda há quem sustente que isso é conversa de intelectuais desligados das realidades deste mundo. Primeiro enriquecer; depois, sim, cuidar-se-á do reino de Deus e de sua justiça. Duro discurso é esse, digo eu agora.

RETORNO

Meu amigo Sizenando é homem de cor, mas a cor nunca lhe deu nem sombra de recalque. É, aliás, um mestiço eugênico, alto, robusto, bem formado e quase belo. Tem sido, por todas essas qualidades físicas e mais por uma lábia amorosa verdadeiramente infernal, tem sido amado até o delírio por grandes mulheres de todas as cores e todos os matizes. Sua esposa legítima é branca. Sua amante, também legítima, é outra branca. Com esta vinha ele passando, ultimamente, a maior parte de seus dias, o que acabou levando a mulher legítima a uma expedição ao quartel-general daqueles amores clandestinos. Chegou lá, bateu, a porta entreabriu-se, mas, reconhecido o inimigo, logo se fechou, para dar tempo a que meu amigo se escondesse num armário. Então, aberta de novo e rasgadamente a porta, começou o ajuste de contas entre as duas mulheres. A amante convidou a esposa a debaterem o caso na rua, não só para evitarem o escândalo naquele edifício de apartamentos superlotado, como para salvar Sizenando de uma possível morte por sufocação dentro do armário. Chegadas à porta da rua, tomaram à direita e enfiaram pela primeira transversal.

Tranquilizado pelo silêncio que se seguiu à partida das mulheres, saiu Sizenando de seu esconderijo, despiu o pijama, vestiu a roupa e deixou o apartamento. À porta de entrada do edifício, espiou a um lado e outro, não viu as mulheres, consultou a intuição, para onde terão ido? para a esquerda? para a direita? A intuição respondeu que para a esquerda. Sizenando rumou para a direita e foi cair na boca do lobo. Das lobas, pois deu com as duas mulheres empenhadas num entrevero, as quais, ao verem-no, vieram para ele, tomadas ambas da maior indignação.

Foi então que Sizenando usou de um golpe genial, dizendo-lhes reprovativamente e com grande calma: – Mas vocês, duas brancas, brigando por causa de um preto?! E afastou-se rápido.

Desfecho: Sizenando, naquela noite, foi pernoitar em casa da mulher legítima, que o recebeu de braços abertos. Passou com ela o dia e a noite seguintes. No terceiro dia, procurou a amante. Duas noites de cão passara ela. Mas quando abriu a porta e viu diante dela o meu eugênico amigo com o seu plácido sorriso, abriu-lhe, também, como a outra, os braços de Severina. E os dois se encaminharam para o interior do apartamento: era o movimento de retorno aos quadros constitucionais vigentes.

ELSIE HOUSTON

Vi Elsie Houston pela primeira vez na casa de senador Vergueiro, aonde fui levado por Jayme Ovalle. Estava lá Luciano Gallet. Fez-se música. Elsie cantou. Ainda não pensava em fazer vida artística, mas Gallet e Ovalle pressentiam nela a intérprete que haveria de ser – incomparável – da nossa música popular tradicional. Trazia-a no sangue. Porque o nome de Houston era de empréstimo e serviria, ah, isso sim, a um agente de publicidade norte-americano *to create a sensation*, dando a brasileira como descendente do desbravador do Texas... Elsie era Elza, brasileira da gema, nos olhos, na boca, em todo o corpo, na voz, no riso, na alma...

Aliava ao temperamento, alegre e boêmio, uma grande força de vontade, o que lhe permitiu estudar o canto e a teoria da música com bastante apuro para tirar do seu fio de voz efeitos que ninguém no Brasil jamais conseguiu no gênero a que se dedicou.

Naquela noite fizeram-me dizer o meu "Berimbau", que eu acabara de escrever, e para o qual Ovalle comporia pouco tempo depois uma interpretação musical que deu às minhas pobres palavras o seu verdadeiro acento de assombração amazônica. "Berimbau" foi muito cantado, mas só Elsie Houston é que, com a sua inteligência e o seu temperamento, soube traduzir na voz toda a potencialidade que havia na música de Ovalle.

Oh, o quebranto cansado da melopeia inicial: "Nos iguapés dos aguaçais dos igapós dos japurus..."[3] A inflexão meio irônica, meio de alma penada na solidão da hileia...

Felizmente tudo isso não desapareceu com a artista. Está otimamente gravado em disco, e curioso é que na distorção fonográfica a voz de Elsie ganhava maior prestígio. Assim a cantora deixou numa pequena coleção de discos um repertório padrão da autêntica maneira de interpretar as canções afro-brasileiras, em que insinuava com exemplar sobriedade um dengue, uma malícia, uma ingenuidade de enfeitiçar.

Depois Elsie foi para a Europa, caiu no meio *surréaliste*, casou-se com um poeta do grupo, Benjamin Péret, com quem voltou para o Brasil, já cantora profissional. E uma vez, na minha casinha de Santa Tereza, teve um gesto cujo realismo sacrílego encheu-me de revolta e levou-me a cortar relações com o casal. Elsie tornou a Paris, os anos passaram, ela regressou sozinha, e um dia, em plena avenida Rio Branco, nos encontramos tão de surpresa, o sorriso de Elsie era tão cordial que, antes de qualquer resolução consciente de minha parte, o abraço veio e fizemos as pazes.

Depois foi a viagem aos Estados Unidos, o sucesso fulminante nos *nightclubs* de Nova York, e por fim a notícia brutal do suicídio inesperado...

---

3 Provável lapso do poeta, o verso de "Berimbau" é "... dos Japurás e dos Purus". (Nota do Organizador)

Começo de conversa

Volto, hoje, à tarimba jornalística, trazido pela mão ilustre de Annibal Freire. Bem que relutei em aceitar-lhe o convite. Mas o meio de resistir à doce persuasão do mestre?

– Isto você faz em cinco minutos, instou ele, animando-me. Fiquei com vergonha de dizer que não sei rabiscar nada em cinco minutos, o que bem prova que não nasci para jornalista, que não sou jornalista. Annibal, sim, o é, e grande; pode dizer que cinco minutos bastam para se escrever dois dedos de prosa.

Três vezes forneci crônica periódica a jornal: à *Província*, do Recife, na fase em que foi dirigida por Gilberto Freyre; ao *Diário Nacional*, de São Paulo, nos saudosos tempos da República carcomida; e na *Manhã* carioca, na era desta nova República, que já podemos chamar de carcomidíssima, pois não?

De todas três vezes levei vida apertada, a colaboração era semanal, eu ia adiando a tarefa até a véspera, chegava o dia e eu acabava garatujando qualquer coisa em cima da perna, uf! e respirava aliviado... Mas o demônio fazia a semana correr com velocidade de avião a jato, e a impressão que eu tinha era a que deve ter o condenado à cadeira elétrica... Isto, para quem não é jornalista, não é meio de vida: é meio de abreviar a existência. Ora, eu ando pela idade em que gostamos de viver em câmara lenta, só fazendo o que importa, saboreando bem o nosso raiozinho de sol, descartando-nos das cacetadas, privando-nos até da delícia de ler os versos da Geração de 45, para podermos reler mais uma vez o *Quixote* ou tomarmos conhecimento de tanta coisa bela em que jamais pusemos os olhos...

Sei que estou ficando velho, não pela calva nem pelas cãs (tenho-as poucas, o que leva alguns de meus amigos a examinarem disfarçadamente a raiz de meus cabelos), sei que estou ficando velho pela vontade que está me dando de ver transferida a Capital para o planalto goiano. A ver se o Rio se descongestiona um pouco, se perde metade de seu tráfego e de seus ruídos. De vez em quando suspiro como no meu minúsculo poema de tão longo título "O amor, a poesia, as viagens": "Pará, Capital Belém!" Isto é, a Belém de 1929, tão tranquilazinha e amorável, onde eu comia regaladamente no *Grande Hotel* casquinhos de muçuã...

Bem, mãos à obra. Deus me dê assunto e inspiração. Me impeça, sobretudo, de cair na imitação do velho Braga – Braga, o inimitável, atual grande perigo da croniquinha de palmo ou palmo e meio no Brasil.

1-6-1955

Astrologia e política

Tenho um amigo que é astrólogo, numerologista e quiromante. Sobretudo astrólogo. Acredita ele piamente que vivemos, os homens, na sujeição inapelável dos planetas. Astrólogos há, é verdade, que entendem de outra maneira: os astros inclinam, não obrigam. Mas para o meu amigo não tem de guerê-guerê: os astros obrigam. Segundo a sua doutrina, a vida seria horrível de viver, se não houvesse na lei fatal a confortadora ressalva de poder o homem aguardar com paciência o momento propício no curso regular dos planetas. Casar-se um velho com um broto, candidatar-se um general a Presidente da República – tudo pode dar certo ou errado, depende da posição de Saturno ou da conjunção de Marte e Vênus, tudo é movimento planetário.

Devo dizer que não faço fé na astrologia, nem muito nem pouco. Mas gosto que gosto de conversar e discutir os seus problemas com meu amigo. Às vezes mesmo recebo umas pancadas de susto, quando uma ou outra expressão, minha desconhecida, surge cabalisticamente na terminologia do astrólogo. Dizia eu um dia: "Mas fulano, você não vê que é absurdo ficarem todos os nascidos em certo mês sujeitos ao mesmo destino?" Ao que ele me respondeu, com um sorriso de triunfo: "Mas há os decanatos!" Não procurem a palavra nos dicionários, que não a encontram senão nos livros de astrologia: é o espaço de dez dias. Observei-lhe de uma feita que certa circunstância era dada por ele como desfavorável na minha vida e favorável na vida do presidente Café Filho. Meu amigo explicou: "É que ele tem, como presidente, poderosos aspectos. Beneficiou-se do trígono de Marte com Vênus, sabe lá o que é isso?" De fato eu não sabia nem o que era trígono. Trígono é o aspecto de dois planetas, cuja distância angular é de 120 graus. Parece que é formidável.

Em outra ocasião comentávamos o gênio versátil, nervoso, trêfego de certo político brasileiro. O astrólogo desculpou-o: "Coitado, não tem culpa, ele tem Mercúrio aflito!" Nunca na minha vida imaginei assim o deus da eloquência, do comércio e dos ladrões. Imaginava-o, sim, alígero, irrequieto, astuto: aflito, nunca! Pois há um Mercúrio aflito, e quando ele dá na vida de um sujeito, é uma calamidade. Pior só Lua aflita.

Claro que neste momento de nossa vida política, as informações do astrólogo importariam grandemente. Ontem puxei conversa sobre o assunto. Pois bem, saibam os meus prezados problemáticos leitores que as coisas estão pretas. Nem Juscelino, nem Etelvino têm chance. Juarez terá? Teria, se tivesse apresentado a sua candidatura quatro horas antes. Estaria então no trígono. Por quatro horas de antecipação, caiu na quadratura de Saturno, sabem lá o que é isso?

5-6-1955

Rose Méryss

Em *Machado de Assis desconhecido*, falando do velho Alcazar, daquele *Alcazar Lyrique Français* da rua da Vala, hoje Uruguaiana, escreveu Raimundo Magalhães Júnior:

[...] o ambiente era o de um café-concerto, envenenado pelo fumo dos charutos e dos cigarros, repleto de público ruidoso, de cartolas luzidias e chapéus na cabeça, por falta de chapelaria que os guardasse... Mas nada disso importava, porque o essencial era ver as diabruras da estrela, Mlle. Aimée, as gaiatices da Delmary, da Rose Villiot, da Rose Méryss, da Suzanne Castera, da Marie Steven...

Esse nome de Rose Méryss, encontrado assim inesperadamente na página de Magalhães Júnior, atuou em mim como a famosa *madeleine* do romance de Proust: reminiscências de meus treze anos, em Laranjeiras, vieram aflorando da franja do passado e comecei a me lembrar, nitidamente, da emoção e curiosidade com que certa manhã penetrei numa saleta de fundo num sobrado da rua Correia Dutra, aonde ia, com meu irmão, tomar lições de conversação francesa e dicção com uma ex-atriz, que não era outra senão a Rose Méryss. Provavelmente meu pai fora frequentador do Alcazar, e sabendo que a antiga estrela vivia, àquele tempo, de lições, a ela nos encaminhara para suprir as deficiências da nossa classe de francês no Pedro II.

Que idade podia ter então aquela que me pareceu uma velhinha, mas viva, inteligente, graciosa? As paredes de seu gabinete de trabalho estavam cobertas de fotografias do tempo em que ela foi atriz nova e bonita. Muitas vezes me apanhou ela distraído de suas lições na contemplação dos travestis de seus dias de glória no palco. Rose Méryss não era uma simples atrizinha bonita: tinha boa cultura, literária e musical. Lembro-me de ter aprendido com ela um monólogo do repertório de Coquelin Cadet, a história de um sujeito que saiu por Paris a pedir informações sobre um noivo, passou por uma série de amolações, a última das quais foi cair na casa de um velho tenor aposentado, que a tudo respondia com frases das óperas do seu repertório. O livro onde vinha o monólogo não dava a música, nem o título da ópera, no entanto, na lição seguinte, Rose Méryss me trouxe tudo apontado direitinho. Fiquei maravilhado.

Mais maravilhado ainda fiquei quando descobri que ela fazia versos. Uma tarde mandou-me ela chamar em casa para ensaiar a declamação de um longo poema de sua autoria, intitulado "*La Charité*", escrito especialmente para ser dito numa festa de caridade que realizaria no dia seguinte. Voltei para casa preocupado, e até na hora do espetáculo não fiz outra coisa senão meter a martelo na cabeça os alexandrinos bem metrificados e bem rimados da minha professora. Quando entrei no palco do Teatro Apolo e vi a plateia abarrotada, senti um medo danado de embatucar no meio do poema, apesar da presença da autora na caixa do ponto. E em vez de dizer de cor, saquei da cópia que trazia no bolso e li. Dei com isso uma grande decepção à poetisa, que assim ficou privada de agradecer em cena os aplausos do público. Hoje só me recordo do último verso do poema: "*Elle est la Charité, qui fait tous les miracles!*" Mas quando o redigo, tenho sempre um pensamento de saudade para a amável velhinha que me ensinou a boa pronúncia de francês.

12-6-1955

Machado de Assis

Com a publicação do volume *Machado de Assis desconhecido* amadurece bastante a já ensaiada candidatura de R. Magalhães Júnior à Academia Brasileira de Letras. O livro é de boa composição, está bem desenvolvido e bem escrito, revela um conhecimento minuciosíssimo da obra do romancista, retifica muito erro corrente, desvenda aspectos novos. E em cada página pôs Magalhães Júnior aquele calor entusiástico, marca de seu nobre temperamento. Se algum reparo se lhe pode fazer é a um certo tom de hostilidade com que se refere a trabalhos anteriores, especialmente aos de nossa excelente Lúcia Miguel Pereira. Não leve a mal, meu caro Raimundo, mas um tom como este só se justifica em revide polêmico, não em crítica de primeira mão. Afinal, como todos sabemos e Otto Maria Carpeaux frisou em artigo recente, houve dois Machados – o moço, que era extrovertido e até fazia versinhos em francês para as atrizes do Alcazar, e o esquivo desencantado que em 1879 publicava na *Revista Brasileira* os tercetos de "Uma criatura", espécie de suma do pessimismo a que obedecerão os seus quatro grandes romances e os seus melhores contos.

Diga-se, aliás, que, apesar de cético e sem nenhuma fé nos homens, procedia Machado de Assis na vida com cordialidade e bondade. Lembra-me que, nos meus quatorze anos, tomei um bonde no largo do Machado e aconteceu que ao lado do velho escritor. Vinha ele lendo um jornal, *A Notícia*. Era natural que não me desse atenção e continuasse na sua leitura. Pois não o fez: dobrou a folha e puxou conversa comigo. Conhecia-me ele do Ministério da Viação, onde trabalhava meu pai como consultor técnico do Ministro Alfredo Maia, e ele como chefe da seção de contabilidade.

A propósito, posso contar que ao sair o *Dom Casmurro* ou *Esaú e Jacó*, não sei bem qual dos dois, havia uma pequena operação aritmética errada, e Abel Ferreira de Matos, engenheiro frequentador do gabinete de meu pai no Ministério, escreveu uma carta ao romancista, na qual assinalava o erro e comentava: "Não me admira isso no grande romancista de *Memórias póstumas de Brás Cubas*, mas no chefe da Contabilidade do Ministério da Viação e Obras Públicas!..."

Grande pessimista, grande cético era Machado. A sua extrema reserva na correspondência com os amigos (até com Mário de Alencar!) o está mostrando. Mas seria também um materialista? A esse respeito darei testemunho em minha próxima crônica.

15-6-1955

Machado e Abel

O *Almanaque Garnier* de 1906 trazia o conto de Machado de Assis "O incêndio", postumamente recolhido no 2º volume de *Páginas recolhidas* da edição Jackson. O conto principia assim:

> Não inventei o que vou contar, nem o inventou o meu amigo Abel. Ele ouviu o fato com todas as circunstâncias, e um dia, em conversa, fez resumidamente a narração que me ficou de memória e aqui vai tal qual. Não lhe acharás o pico, a alma própria que este Abel põe a tudo o que exprime, seja uma ideia dele, seja, como no caso, uma história de outro.

Este Abel era o engenheiro civil Abel Ferreira de Matos, de que falei em minha crônica passada, na verdade o homem mais espirituoso, mais finamente espirituoso que já vi na minha vida. Na conversa, fosse com quem fosse – homem, senhora ou menino –, na correspondência – era um correspondente pontual – punha sempre aquele pico e alma própria a que aludiu Machado de Assis e que a tudo comunicava logo extraordinário interesse.

O caso do conto "O incêndio" ouviu-o Abel de mim, que por minha vez o ouvi da boca do próprio protagonista, oficial da marinha inglesa, que acabava de curar a sua "perna mal ferida" no Hospital dos Estrangeiros, onde eu então me achava também internado morre não morre. A história pode contar-se em poucas linhas: um navio de guerra inglês andava em cruzeiro pelo sul do Atlântico; no porto de Montevidéu desceu o oficial à terra e passeando na cidade viu um ajuntamento de gente diante de um sobrado envolvido em fogo e fumarada; no segundo andar, a uma janela, parecia ver-se a figura de uma mulher como que hesitante entre a morte pelo fogo e a morte pela queda: o oficial é que não hesitou: abriu caminho entre a multidão, meteu-se casa adentro para salvar a moça; quando chegou ao segundo andar, verificou que a moça da janela não era uma moça, era um manequim; tratou de descer, mas precisamente ao galgar a porta de entrada do sobrado foi atingido por uma trave, que lhe pegou uma das pernas.

Casos como esse, em que parece haver uma injustiça ou pelo menos indiferença da parte da Divina Providência, punham o nosso bom Abel, que era um crente e espiritista, completamente desnorteado e infeliz. Foi o que sucedeu quando lhe narrei a história do inglês. Primeiro sacudiu a cabeça entre as mãos ambas. Em seguida comentou: "É um conto para Machado de Assis".

Era mesmo. E Machado de Assis não deixou de agravar: o caso inventando por sua conta que os bombeiros iam prendendo o oficial na suposição de que fosse um ladrão; era acrescentar à iniquidade divina a iniquidade humana. E Machado acaba o conto instalando o seu desencanto dos homens na alma do oficial, com dizer que ele "foi mandado a Calcutá, onde descansou da perna quebrada e do desejo de salvar ninguém".

Abel tinha a Machado na conta de materialista. Convencera-se disso pela leitura de seus grandes romances. Ficou, pois, espantadíssimo quando um dia, no meio de uma conversa, dizendo tranquilamente a Machado: "Vocês materialistas...", foi vivamente interrompido pelo outro, que começou a gaguejar protestando: "Eu, ma... materialista? A b s o l u t a m e n t e!"

19-6-1955

MONAT

"Começo de conversa" chamei à primeira das minhas crônicas para o *Jornal do Brasil*. E é sempre em tom de conversa que as vou escrevendo. Ora, conversa de velho costuma ser um desfiar de reminiscências; qualquer coisa puxa por elas: é o que está me acontecendo.

A semana passada as sociedades médicas celebraram o centenário do nascimento de Henrique Alexandre Monat, e as notícias que li a respeito nos jornais levaram-me aos tempos em que eu cursava o Externato do Colégio Pedro II, quando ainda havia rua Larga e rua Estreita de S. Joaquim, hoje uma só avenida Marechal Floriano. E mandei um pensamento de saudade ao morto ilustre.

Não conheci Monat como médico. Conheci-o, sim, como professor de francês. Concorreu ele em 1900 à cátedra daquela matéria no Pedro II. Naqueles dias a meninada do colégio interessava-se vivamente pelos concursos e eu era um dos que não perdiam o bate-boca das arguições. Assisti ali a duas provas memoráveis – a de Almeida Lisboa na cadeira de matemática e a de Monat na de francês.

Com Monat concorriam Gastão Ruch, que acabaria tirando o primeiro lugar, e Roberto Gomes, que admirávamos e invejávamos porque em francês saudara muito elegantemente a Réjane em cena aberta no velho Teatro Lírico (era então ainda estudante de direito). Todos três falavam o francês como parisienses, mas dos três o que me parecia mais parisiense, pela fisionomia, pelo jeito, pela vivacidade e malícia de suas réplicas e repentes era Monat. Não tinha nem de longe o ar professoral, esse ar vagamente cafardento que, com os anos se vai insinuando na voz, nas maneiras, em todo o conspecto do professor. Parecia mesmo era médico e grande médico – um médico que descansasse dos labores da profissão ensinando francês como quem conversa.

O espírito de Monat fez durante algumas horas as delícias do auditório. Quando o arguido parecia levado à parede, eis que se saía brilhantemente em escapula divertidíssima, que sacudia a assistência num acesso de hilaridade. Uma dessas respostas tornou-se mesmo proverbial. O examinador que o arguia era um purista, e a certa altura censurou na tese de Monat o emprego de uma expressão incorreta. Não me recordo mais o que era, mas devia ser uma dessas peculiaridades da nossa fala brasileira, talvez um caso de colocação pronominal.

– Sr. Monat, isto não é correto, disse o homem severo.

Ao que Monat retrucou com a velocidade de um raio:

– Não é correto, mas é corrente!

E era mesmo, todo o mundo estava vendo, e o purista embatucou.

22-6-1955

Santa Clara

Recebo um livro lindíssimo – o *Pequeno oratório de Santa Clara*, poema de nossa grande Cecília Meireles, ilustrado por Manuel Segalá, composto com tipos 10 pt. Ideal With Bold fonte n. 1756 por Hélio Gomes e estampado em papel Ingres, marca de água Montgolfier St. Marcel-les-Annonay, na prensa à mão A Verônica por Dilza Galvão e Manuel Segalá, impressores editores de *Philobiblion*. Vão aqui todos esses pormenores para desde logo fazer sentir a bibliófilos o requinte da edição, verdadeiramente digna daquela de quem disse o seu contemporâneo Tomás de Celano que foi "clara pelo nome, mais clara ainda pela sua vida, claríssima pelos seus costumes", ou seja, no latim de intraduzível beleza: *clara nomine, vita clarior, clarissima moribus.*

O poema de Cecília Meireles já havia sido impresso em Portugal, noutro formoso livro organizado e editado por Frei Armindo Augusto para celebrar o sétimo centenário da morte de Sorella Chiara, "plantazinha do mui bem-aventurado Pai S. Francisco". *Em louvor de Santa Clara* é um volume cuja leitura lava o peito da gente: leem-se as páginas comovidas de Frei Armindo, os versos admiráveis de José Régio, Alberto de Serpa, Anrique Paço d'Arcos, Fausto José, Fernanda de Castro, João de Barros e tantos outros grandes poetas de Portugal, as prosas de mestre Joaquim de Carvalho, Vitorino Nemésio, Antônio Sérgio, Hernani Cidade – são ao todo setenta colaboradores, – lê-se a antologia de trechos da Regra de Santa Clara – ó divina regra de humildade e obediência ao santo Evangelho de Nosso Senhor Jesus Cristo! – e fica-se docemente reconfortado na paz do espírito franciscano... Bem haja Frei Armindo Augusto, que nos proporcionou esse manjar do céu!

Nesse rosal de louvores a rosa mais bela, a contribuição poética mais importante é, sem dúvida, o poema de Cecília Meireles. O poema é, em verdade, uma coroa de poemas, treze poemas na forma romance, que cantam os episódios capitais da vida da santa. Algumas alterações fez a sua autora no texto aparecido no livro português. Constituem elas para quem cotejar os dois textos uma verdadeira lição de bom gosto e boa técnica. Um exemplo: o episódio "O milagre" principiava assim: "Um dia veio o Anticristo, com seus cavalos violentos". Agora está "acesos" em vez de "violentos". Em "cavalos violentos" havia uma aliteração que poderia parecer onomatopeia intencional, coisa de que a nossa elegantíssima Cecília seria incapaz.

Não me é possível definir a arte suprema destes versos. Prefiro transcrever aqui os últimos do episódio "Voz", que celebram a morte da discípula e inspiradora de São Francisco.

> E neste falar morria
> Irmã Clara,
> tão feliz de ter vivido,
> tão de amor transfigurada,
> que era a morte no seu rosto
> como a estrela dalva.
> ("Com quem falais tão baixinho,
> Bem-aventurada?"
> "Com minha alma estou falando...")
> Ah, com sua alma falava...

26-6-1955

ONESTALDO

Grande satisfação terei hoje quando o presidente da Academia de Letras, esse campeão da simpatia que é Rodrigo Octavio Filho, entregar a Onestaldo de Pennafort o prêmio Machado de Assis. Essa láurea, a mais alta concedida pela Casa, é também a única espontânea, pois não exige inscrição, e talvez por isso tem sido quase sempre (quase sempre...) conferida com acerto. Para os demais prêmios é imprescindível apresentarem-se os candidatos, e muita gente boa, a maioria mesmo da gente melhor, não quer saber disso.

Há poucos dias um grande poeta declarou, com exagerado entono, a sua modéstia, afirmando que jamais disputara honras ou prêmios de qualquer natureza, que jamais pretendera entrar para a Academia. O que é verdade, salvo a honra de orador oficial em banquetes, da qual me parece que é recordista. Onestaldo de Pennafort pode dizer o mesmo: nunca disputou honrarias ou láureas. Com esta diferença: jamais chamou atenção para o fato.

Homem recatado este Onestaldo! Sabe o que vale, mas vive no seu canto, com seus belos quadros e edições raras, seu amor de todos os tempos, e quando escreve os seus poemas, escreve-os, como Tristan Derême, *pour peu d'hommes*. Não que sejam herméticos. São, porém, de extrema singeleza, de requintada singeleza. João Ribeiro disse de Onestaldo: "Custamos crer que não seja o seu nome mais conhecido, tanta é a delicadeza, a suavidade, a inspiração da sua arte". Precisamente. Mas é que a simplicidade, suavidade, delicadeza levada àquele ponto é também coisa irrespirável para o homem comum. "Graça virginal" chamou Ronald de Carvalho à musicalidade dos ritmos leves e como que etéreos de Onestaldo. Leia-se, por exemplo, o "Narciso", uma de suas obras-primas, onde ele desenvolve com inexcedível arte o tema camoniano do amador que se transforma na coisa amada "por virtude do muito imaginar":

> Uma tarde em Zéfiro, nascido
> no mar, aereamente respirava,
> manso como um suspiro não ouvido,
>
> vi, sobre velha fonte que imitava
> um espelho onde a luz toda se esconde,
> alguém que, debruçado, contemplava
>
> o reflexo da própria imagem...

De ouvir um poeta assim, "a namorar-se em seus sutis enganos", fica-se a escutá-lo dias e anos. Querido Onestaldo.

29-6-1955

Pardais novos

Um dia o meu telefone, instalado à cabeceira de minha cama, retiniu violentamente, às sete da manhã. Estremunhado tomei do receptor e ouvi do outro lado uma voz que dizia: "Mestre, sou um pardal novo. Posso ler-lhe uns versos para que o senhor me dê a sua opinião?" Ponderei com mau humor ao pardal que aquilo não eram horas para consultas de tal natureza, que ele me telefonasse mais tarde. O pardal não telefonou de novo: veio às nove e meia ao meu apartamento.

Mal o vi, percebi que não se tratava de pardal novo. Ele mesmo como que concordou que o não era, pois perguntando-lhe eu a idade, hesitou contrafeito para responder que tinha 35 anos. Ainda por cima era um pardal velho!

Desde esse dia passei a chamar de pardais novos os rapazes que me procuram para mostrar-me os seus primeiros ensaios de voo no céu da poesia. Dizem eles que desejam saber se têm realmente queda para o ofício, se vale a pena persistir etc. Fico sempre embaraçado para dar qualquer conselho. A menos que se seja um Rimbaud ou, mais modestamente, um Castro Alves, que poesia se pode fazer antes dos vinte anos? Como Mallarmé afirmou certa vez que todo verso é um esforço para o estilo, acabo aconselhando ao pardal que vá fazendo os seus versinhos, sem se preocupar com a opinião de ninguém, inclusive a minha.

A semana passada recebi carta, não de um pardal, mas de uma pardoca. De uma pardoquinha. Com dezesseis anos, que beleza! Mandava-me versos não só em português, mas em francês também e inglês. Havia qualquer coisa naqueles balbucios. O francês estava bem erradinho, mas o inglês não, e até saiu bonitinho. Respondi-lhe assim:

> Dos poemas que você me mandou o melhor está no próprio texto de sua carta e é isto:

> Tenho dezesseis anos
> Estou cursando o 1º científico
> E fico eufórica sempre que escrevo algo.

Se você se sente eufórica quando escreve alguma coisa, vá continuando a escrever, pelo só prazer de escrever, que já não é pouco.

Dezesseis anos! Que idade risonha e bela, não, leitores?

3-7-1955

O largo do Boticário

Quando eu disse a meu amigo que o largo do Boticário não estava tombado no Departamento do Patrimônio Histórico e Artístico Nacional, percebi que ele ficara bastante decepcionado. Mudara-se, havia pouco, para lá e entrava muito no prazer da nova moradia a *soi disant* venerável antiguidade do logradouro.

– E por que não foi tombado? – perguntou-me.

Expliquei-lhe que nada ali era autenticamente velho. O velho autêntico tinha sido substituído pelo velho fingido. A casa que fica no fundo, à extrema direita de quem entra no largo, é nova e foi projetada por Lúcio Costa; creio, aliás, que o seu risco não foi totalmente respeitado. A casa da extrema esquerda é reconstrução de Rodolfo Siqueira; ficou muito bonita, mas não tem nada da simples casa antiga: é uma casa nova feita com materiais velhos. As lajes do jardim, por exemplo, eram as lajes das calçadas da rua Gonçalves Ledo; uma porta veio da Bahia, uma janela de Portugal, e assim tudo. Quanto às outras casas, foram desfiguradas por ineptas restaurações, que quiseram dar-lhe um ar mais colonial do que o que elas tinham. Hoje têm um ar de colonial enfeitado – horrível. As primitivas eram sólidas e singelas, como se conservou, salvo o puxado dos fundos, a casa que fica à esquerda no beco. O próprio calçamento do largo, que era de pedrinhas, o calçamento pé de moleque chamado, foi substituído por lajes. Fui dizendo essas coisas a meu amigo com a autoridade de quem conheceu o velho largo do Boticário aí por volta de 1897.

– Afinal o que há de autêntico aqui? – indagou ele.

– Aquela árvore, respondi-lhe apontando uma velha mangueira à entrada do largo, junto ao rio.

Leio agora nos jornais que uns estúpidos puseram fogo ao tronco da mangueira, que decerto não resistirá ao estrago, tanto mais que as suas raízes devem estar envenenadas pelo veneno com que ali se vem dando caça aos ratos, que são uma praga do famoso largo.

Desaparece assim a única coisa autenticamente velha daquele amorável retiro, belo apesar de tudo. Já agora o largo do Boticário da minha meninice pode passar a chamar-se, com mais propriedade e modernidade, praça do Farmacêutico.

13-7-1955

ALPHONSUS

Nesta semana de Congresso Eucarístico tenho rezado bastante, não repetindo as orações que aprendi menino – o padre-nosso, a ave-maria, a salve-rainha – mas relendo os versos de Alphonsus de Guimaraens na recente edição organizada por seu filho Alphonsus de Guimaraens Filho. Edição que corrigiu muita coisa da edição anterior de 1938 e lhe acrescentou numerosos poemas.

Tenho rezado os versos de Alphonsus de Guimaraens. Rezado eucaristicamente os poemas do único poeta verdadeiramente eucarístico entre os poetas brasileiros...

> Cantai, ó língua, o alto mistério
> Do glorioso Corpo Sagrado
> E do inefável sangue etéreo.

O poeta que viveu tão pobremente na arquiepiscopal cidadezinha de Mariana tinha todo o tempo para meditar no divino mistério, cuja emoção tão bem nos transmitiu em seus ritmos suaves...

> O Verbo, que homem se fez, muda
> Em Carne, que do céu dimana,
> O pão, e em Sangue o vinho.

A sua emoção era toda religiosa. Mesmo falando de seus amores terrenos, não lhe esquecia nunca a imagem das coisas santas. E o amor divino santificava os seus afetos de homem, baixando sobre eles as grandes asas tutelares...

> Com mágoa tanta.
> Santa Teresa de Jesus sorri-me
> Naquela suave palidez de santa...

A sua poesia tem o recolhimento das grandes naves sombrias à hora em que o incenso as enevoa e, esvanecido o último acorde do órgão, a campainha vibra para a elevação do Senhor...

> Este divino Sacramento
> Adoremo-lo humildes.

As suas imagens ardem como os círios de uma câmara-ardente. *Câmara-ardente* é, de resto, o título de um de seus livros. "Poeta da morte", "alma de assombros" chamou-se ele a si próprio.

Rezo os versos de Alphonsus de Guimaraens. No intervalo da leitura saio ao balcão de meu apartamento e olho o céu...

> E o céu é o Santo Graal eucarístico. Desce,
> Cobrindo terra e mar...

20-7-1955

VIOLA DE BOLSO

Mallarmé gostava de redigir em versos os endereços de suas cartas. E não desdenhava desses nadas encantadores, pois certa vez publicou alguns na revista norte-americana *The Chap Book*, e até pensou em editar uma plaqueta mais desenvolvida e com ilustrações da esposa de Whistler. Todavia, só depois da morte do poeta saíram em letra de forma os *Vers de circonstance*, onde vêm, não só endereços, mas também versos escritos em leques, fotografias, ovos de Páscoa, livros etc. Tudo isso feito "por puro sentimento estético" e, como desses breves poemas disse Jean Royère – igualando em complexidade e ironia *"les morceaux classés"*. De fato: há tanto de Mallarmé no *"Prélude à l'aprés-midi d'un faune"* como nos endereços das cartas do poeta a mme. Méri Laurent.

A mesma coisa e até com as mesmas palavras se poderá dizer dos versos de circunstância de Carlos Drummond de Andrade, agora aparecidos em segunda edição aumentada desta *Viola de bolso*: igualam em complexidade e ironia os grandes poemas de *Poesia até agora*. Drummond passou anos sem saber que podia fazer poesia metrificada e rimada. Um belo dia deu-lhe o estalo e ei-lo desatado nas mais perigosas acrobacias, nos mais surpreendentes saltos-mortais da tradição gongorina e mallarmeana. Naturalmente, essa atividade ginástica e gratuita se pode exercer com mais liberdade na poesia de circunstância. E Drummond inscreveu-se entre os grandes mestres do gênero tão espirituosamente louvado por Alfonso Reyes no prefácio de *Cortesía*: Marcial, Góngora, Juana Inés de la Cruz, Mallarmé, Rubén Darío, Adela Villagrán...

Como em todas as coletâneas desta natureza, há em *Viola de bolso* numerosos poemas que podem figurar com honra em maiores violas do mesmo autor, sobretudo porque nunca houve em Drummond compartimentos estanques de poesia de eternidade e poesia de circunstância: nisto somos românticos, os modernos, misturando, como no drama romântico, a tragédia e a comédia. A "Invocação com ternura" celebra a García Lorca em termos precisamente de eternidade:

> E já baixam teus assassinos
> a uma terra qualquer e vã,
> enquanto, entre palmas e sinos,
> tu inauguras a manhã.

"Cidade sem rio", "Divina pastora", "Luar em qualquer cidade", mesmo o virtuosíssimo "Caso pluvioso", em que uma certa Maria, *anti-petendam* e pluvimedonha, chove-chuveira sem parar, esses poemas e outros mais até parecem estar na *Viola* apenas para mostrar que a poesia dos bons poetas é uma só.

Há no livro uma parte que se intitula "Meigo tom". Sinto-me feliz de ter sido alvo de duas meiguices do poeta. Uma, do mais puro sabor gongorino, e que não traslado para esta crônica por mal disfarçada modéstia. Não posso, porém, privar os leitores da dedicatória do meu exemplar, que é assim:

> Querido Manuel, a minha
> musa de pescoço fraco,
> ao ver-te, mete a violinha
> no saco.

Ao que respondo com este repinico de prima:

> Como do "Vaso grego" às finas bordas,
> aqui ouvirás, na *Viola* de Drummond,
> outra encantada música de cordas
> em meigo tom.

17-8-1955

GOAL!

Aquele dom com que nasceu Nabuco de nomear e definir ideias, sentimentos e situações em fórmulas exatas, concisas e fascinantes, acaba de receber homenagem de dois grandes escritores nossos, os quais, para intitular os seus livros, não acharam palavras melhores do que as já empregadas pelo autor de *Um estadista do Império* e *Minha formação*.

Afonso Arinos de Melo Franco conta, na introdução a sua biografia de Afrânio de Melo Franco, as indecisões em que andou na escolha do título da obra até se fixar no que lhe veio a parecer o mais natural – *Um estadista da República*. Gilberto Amado não conta nada a respeito do título de sua autobiografia, mas chamou-lhe, muito apropriadamente, *Minha formação no Recife*. Sobre uma e outra obra como que paira a sombra tutelar de Nabuco, sem, no entanto, comprometer de modo nenhum a força e originalidade de seus autores.

Sobre o livro de Arinos nada posso dizer, ainda, porque vou debulhando devagar as 1 627 páginas maciças dos três formidáveis tijolos, que constituem *Um estadista da República*. O de Gilberto li de uma assentada, ou antes, de uma deitada, porque é assim e só assim, que posso ler.

Minha curiosidade, como em toda a gente, era intensa. Natural: o nosso telúrico Amado estava em xeque desde a publicação de *História de minha infância*, livro de qualidades excepcionais. Conseguiria o valente sustentar o mesmo rojão nos volumes posteriores? Agora podemos respirar aliviados: o segundo volume não desmerece do primeiro. As belas qualidades do autobiógrafo persistem com os mesmos valores na crônica do Recife de 1905 a 1909. Naturalmente, o primeiro volume blasonará sempre a sua monumentalidade de pórtico. A infância é, para cada indivíduo, o descobrimento do mundo e de si próprio. Por isso todo menino inteligente de fina sensibilidade parece gênio. Depois vem a rotina, e o gênio desaparece. São grandes artistas os que na idade adulta preservam o gênio da infância. Amado preservou o dele.

Da mesma maneira que em *História de minha infância*, abundam neste volume novas maçanganas. Como o ambiente do velho Recife está nele bem evocado e em traços de como quem não quer! Que páginas de grande poesia as do capítulo "Dias intensos", onde Gilberto evoca as suas noites de sonhos e estrelas na pensão de Caxangá! E de vez em quando uma imagem a refletir em pincelada rápida a funda realidade das coisas. Como esta, em que Gilberto se nos mostra no entusiasmo de se sentir identificado com a sua grei – "feliz de mexer-se no rebanho numa ondulação igual".

28-8-1955

CARTA DEVOLVIDA

A sua carta, com aquele fabuloso nome de Barra de Jangada (conheço-o desde criança: meu pai tinha um amigo que falava frequentemente em Barra de Jangada, e toda vez que eu ouvia o nome, ficava com a cabeça perdida nos sem-fim da poesia), me deu vontade de largar tudo aqui e correr para Barra de Jangada: o Rio está se tornando uma cidade infernal, superlotada, cansativa, inabitável. (É de fazer suspirar por uma cidadezinha morta do interior ou do litoral.) Antigamente, aqui, nos cafés e nas confeitarias, bebia-se boa cajuada, feita de caju espremido na hora à vista do freguês. Acabou-se isso... Este ano, apareceram nas casas de frutas uns cajuzinhos raquíticos, feios, miseráveis... a quatro cruzeiros cada! Em que terra vivemos?! Quando vim para o Rio, em 1896, fiquei maravilhado com as laranjas seletas que se compravam ao quitandeiro ambulante italiano. Eram sempre deliciosas e baratas. Desapareceram: começou-se a exportar laranja e, como na estranja gostavam mais de laranja-pera, acabaram-se as boas seletas e tangerinas. O pregão dos vendedores de rua era este, que não se ouve mais: "Olha a boa laranja seleta! Olha a boa tangerina!" (Hoje não ouço mais as vozes daquele tempo...)

Estou brincando, mas a verdade é que ando abafadíssimo. Imagine que saí de uma gripe, eu que resisti valentemente a tanta gripe, inclusive à espanhola de 1918, quase completamente surdo. Surdez de nevrite, isto é, que não regride ou raramente regride. Já me armei de um desses aparelhos otofônicos, que remedeiam, mas não consolam da perda de audição direta. Às vezes tenho gana de me meter em casa e não falar mais com ninguém. Parece que estou vivendo debaixo da terra... Enfim... Diálogo com a minha lavadeira:

Eu – Melhorei não, dona Públia. Mas, afinal, podia ser pior: cegar, ficar paralítico...

Dona Públia – Como a dona Aninha, minha senhoria, que está há doze anos entrevada numa cama.

Poeta, este mundo é uma beleza, não tem dúvida, mas às vezes é bastante pau. E não adianta ouvir *Le chant des matelots*.

Gostaria de trocar o Rio por, por exemplo, Ubatuba... Mas como romper as amarras? A uma certa altura da vida, a gente tem a impressão de que não se pertence. Ora, que aconteça isso a um pai de família, vá, mas a mim! Há mais de ano que não escrevo uma linha de poesia (para fazer versos preciso de solidão e lazer). Tenho muito desejo de rever o Recife. Soube que a casa da rua da União é hoje uma pensão de estudantes. Seria capaz de me hospedar lá. Imagino, já me imagino num quarto do sobrado, ouvindo a chuva bater na telha-vã! Tomara que isso aconteça.

4-9-1955

Tempos do Reis

Quem poderia imaginar que o simpático Américo Joaquim de Almeida acabaria bebendo formicida na Gruta da Imprensa? Escreveu um noticiarista que ele foi o criador da "meia porção" dos restaurantes modestos. Não foi: a "meia porção" já existia antes dele, pelo menos no Bela Pastora, restaurante da Lapa onde, por volta de 1910, comia meu amigo Pedro Teixeira de Vasconcelos, sobre o qual quero, um dia, falar a vocês. Mas o Américo foi o criador e a alma do Restaurante Reis, que eu conheci como foi primitivamente, humilde casa de pasto, cujo grosso da freguesia era de motoristas e carroceiros, a que vieram, com o tempo, e não sei como, juntar--se jornalistas, escritores, artistas ou simples boêmios. E muitas vezes via-se isto: o carroceiro portuga, em manga de camisa, devorando esplendidamente o caldo verde depois da porção inteira de feijoada completa, tudo regado com uma garrafa de cerveja preta, ao passo que o poeta, que o olhava invejoso e bestificado, tinha que se contentar com a meia porção de silveira de galinha, sem pão nem guardanapo.

Frequentei o Reis nos primeiros anos da década de vinte, e não sei quem da minha roda o havia descoberto. Deve ter sido a Germaninha, mais boêmia que nós todos. Nós, Ovalle, Dantinho, Osvaldo Costa. O nosso *menu* era invariável: bife à moda da casa, um só prato para os cinco, mas reforçado com muito pão e muito arroz. Vinho, naturalmente. Do Rio Grande, ainda mais naturalmente.

Bons tempos aqueles, em que Ovalle ainda tocava violão, Dantinho cantava as modinhas de Catulo, Osvaldo era alegre e loquaz, a boa Germaninha vivia... Havia, ainda, no Rio de 1920, uns visos de Pasárgada. (Tinha alcaloide à vontade. Tinha prostitutas bonitas para a gente namorar...) O Mangue era novidade como bairro do mere-trício e os literatos estrangeiros que por aqui passavam não deixavam de ir lá tomar conhecimento daquele fato social, ao mesmo tempo repelente e empolgante como uma bela pústula. Segall fixou-o num álbum maravilhoso, eu num poema em que achei jeito de meter até a Tia Ciata e que publiquei no "Mês Modernista" de *A Noite*.

O Reis, onde às vezes se tinha a surpresa de encontrar uma grande figura, como Alfonso Reyes, Embaixador do México, que ali recebeu a homenagem de um jantar oferecido por poetas e jornalistas, era limpíssimo: basta dizer que saiu sempre com honra das "batidas" dos comandos de Capriglioni.

7-9-1955

Ovalle

I

O que havia de mais extraordinário em Jayme Ovalle é que, tendo tão pouca instru-ção, fosse tão profundamente culto. Cultura que fizera quase que exclusivamente por si próprio e pela leitura da Bíblia. Era um homem visceralmente impregnado da palavra do Cristo. E nunca ninguém sentiu tão compreensivamente o Brasil, de cuja formação étnica tinha uma consciência como que divinatória. Em qualquer manifestação artística que fosse, sabia discernir de pronto e infalivelmente o que havia de negro ou de índio. O seu amor das negras era, afinal, amor da raça negra. Um dia uma negrinha da Lapa repeliu-o, repreensiva: – O senhor, um homem branco! E Ovalle: – Eu sei que é uma infelicidade minha, mas não tenho culpa de ser branco!

Ovalle começou, rapazola, sendo um simples tocador de violão e boêmio notívago. E desse chão tão humilde subiu à música erudita (mas sempre fundamente enraizada no patos popular), ao poema em inglês e ao devanear místico, este ortodoxamente católico, mas com uns ressaibos de judaísmo e de macumba.

No movimento modernista foi um elemento marginal, que agia contaminando os seus amigos militantes de sua personalidade federativamente brasileira. Mário de Andrade era paulista (por mais que forcejasse absorver todo o Brasil); Carlos Drummond de Andrade, mineiro; Augusto Meyer, rio-grandense-do-sul; eu, pernambucano mal carioquizado, e assim por diante. Ovalle era o carioca de sua definição famosa, isto é, um sujeito nascido no Espírito Santo ou em Belém do Pará. Ovalle nascera no Pará. Mas não era, nunca foi paraense. Nunca foi de estado nenhum: era brasileiro e sentia em si todos os estados. Fala-se de influência disto e daquilo, deste e daquele poeta francês, italiano ou alemão sobre os poetas da geração de 1922. A influência de Ovalle foi muito maior: nunca de exterioridades formais, mas de alma. Ele sabia dizer com absoluta segurança onde estava o momento mais alto da poesia numa música, num poema, numa pintura.

O espantoso de Ovalle é que coincidissem nele um artista tão profundo, embora tão deficientemente realizado, um boêmio tão largado, um funcionário aduaneiro tão exemplar na sua honradez e competência, e um ser moral de ternura a um tempo tão ardente e tão esclarecida.

14-9-1955

II

Ovalle compositor tem a sua imortalidade garantida como autor do "Azulão." Todos os nossos críticos musicais celebraram a perfeição dessa página por tudo o que ela exprime da alma brasileira em sua melodia, em seu ritmo, em seu colorido, em sua mesma substância. Massarani confessou que o "Azulão" conciliou-o com o Brasil musical, de que a princípio andou meio desconfiado.

Mário Cabral equivocou-se ao dizer que "Azulão", "Modinha" e "Três pontos de santo" foram concebidas e escritas em Londres. Não, são anteriores. As duas primeiras peças foram compostas no apartamento térreo da ladeira de Santa Teresa, de paredes decoradas por pinturas de Cícero Dias executadas em aniagem ordinária.

Não, o "Azulão" não é uma canção de exílio. Mas representa na música brasileira o que representa na poesia a "Canção do exílio". Nos versos de Gonçalves Dias como na melodia de Ovalle há aquele inefável das coisas despretensiosas que pela simplicidade atingem o sublime.

"Modinha" também ficará, porque, se bem não tenha o sabor total brasileiro de "Azulão", transpôs à música erudita o espírito da seresta carioca – os dengues e as malandragens das valsas e polcas dos Anacletos para as quais Catulo escrevia as suas letras capadoçalmente conceptistas (tanto que, tendo eu de escrever palavras para ela, procurei catulizar-me o mais que pude.)

Seria injusto, porém, reter de Ovalle apenas essas duas melodias. Os "Pontos de santo" ocuparão sempre lugar de honra num cancioneiro de temas negros. "Estrela brilhante", "Estrela no céu é lua nova", exprimindo o que havia de mais densamente cósmico em Ovalle, transmitem com incomparável fidelidade e felicidade o mistério do mundo das macumbas. E quanta graça e ternura e fina melancolia há nas pequenas peças para piano – os "Dois retratos" (o meu e o de Maria do Carmo), o "Tango", o "Martelo", o "Prelúdio"... Sem falar nas "Legendas", que seriam o pórtico para uma atividade musical de maiores ambições. Mas essa já não seria possível para Ovalle, que desperdiçara em serestas de violão os anos em que se pode aprender. Bem que ele tentou recuperar o tempo perdido e antes de embarcar para Londres andou tomando lições com Paulo Silva. Mas era tarde, evidentemente. A música de Ovalle tinha de ficar no que ficou: uma extensão ao piano daquilo que ele balbuciava com indizível sortilégio nas cordas do violão. O seu violão não se parecia com nenhum outro. Tangia-o ele com a canhota, o que lhe valeu uma técnica *sui generis*. Não era violão de seresteiro: tinha todos os encantos dos seresteiros e mais alguma coisa de muito requintado mas sem a mínima pretensão nem duvidoso gosto.

18-9-1955

III

Ovalle poeta foi bem diverso de Ovalle músico. Eram duas almas distintas na mesma pessoa. A música de Ovalle foi a sublimação do sentimento e das formas populares absorvidas por ele na sua infância e na sua verde mocidade. Não assim a sua poesia, cujas raízes estavam na Bíblia, salvo a da lírica amorosa, de natureza extremamente sofisticada.

As raízes estavam na Bíblia, disse eu, mas não havia nela, como na de Augusto Frederico Schmidt, não havia de todo nela o acento bíblico. O Deus de Ovalle não era um Deus formidável, era um Deus dulcissimamente humano, ou por outra e melhor, um Deus ovalliano, era Ovalle deificado. Só mesmo um Deus concebido por Ovalle poderia ficar contemplando em silêncio as folhas que caem das árvores e as folhas que não caem, contente de ver que elas *do it right*. Só um Deus de Ovalle poderia vir esperar Ovalle à porta do céu com sua Mãe e seus Anjos e seus discípulos. E só Ovalle poderia imaginar que, então, ele, Ovalle, haveria de chorar por assim nascer para a vida eterna, como chora qualquer criança que nasce para esta nossa vida terrena. Ovalle, sabia o que é ser um santo: é como ser louco.

No pecador Ovalle havia momentos de tal pureza, que ele podia sonhar a pureza da Virgem Maria em versos como estes:

> Era uma virgem
> A mais pura de quantas mais puras
> Viviam na santa Jerusalém.

FLAUTA DE PAPEL

Uma noite depois de fazer as suas orações
Deitou-se adormeceu e na manhã seguinte
Acordou triste e doente de vergonha:
Sonhara este sonho
Um pássaro veio voando do céu
Veio voando voando
Pousou em sua cama
E dormiu assim a noite toda.

Advirto que a minha tradução é muito imperfeita. O original é em inglês. E isso constitui mais uma das singularidades de Ovalle. Só no inglês é que a sua poesia pôde encontrar expressão adequada. Como chegou ele a exprimir-se num idioma que mal conhecia? Teve, sem dúvida, quem o ajudasse, mas ao seu idioma soube transmitir precisamente o que queria dizer. As vivências de todos esses poemas em inglês são sabidamente ovallianas, o acento também.

21-9-1955

O ESCULTOR

O artista parou de modelar, deu um suspiro e, batendo várias vezes com o desbastador na prancheta, naquele gesto que lembra tanto o dos pássaros quando limpam o bico no pau do poleiro, repetiu tristemente a frase que ouvira, um dia, do grande Bourdelle:

– *Quel malheur d'être sculpteur!*

Desabafou. As razões dele não eram as de Bourdelle. Ou por outra, eram as de Bourdelle mais as dificuldades que os artistas plásticos encontram no Brasil para criar a sua obra. Um poeta precisa apenas de lápis e uma folha de papel (que pode ser até de embrulho) para escrever o poema; já o escultor necessita de tanta coisa cara! E o problema do modelo? Era precisamente o problema do modelo que fazia o meu amigo suspirar tão fundo no momento em que falou como Bourdelle.

– Você não imagina a luta que é! Se tento fazer a cabeça de um amigo, não para ganhar dinheiro, mas para realizar o que trago dentro de mim e quer viver fora de mim, não consigo que ele pose longamente e com assiduidade; aparece aqui umas quatro ou cinco vezes, depois começa a negacear e afinal some. Muitos que fazem isso comigo são homens cultos, sabem que Despiaux levava três anos para modelar um busto. Aqui, quando o escultor pega a parecença com o modelo, acham logo que o trabalho está terminado, que o escultor quer é remanchar, têm medo que no acabamento minucioso da escultura se canse o barro e, quem sabe? a semelhança desapareça.

– Mas os modelos profissionais? perguntei.

– Horríveis! No Brasil, modelo só entre dezoito e vinte anos. Depois desta idade não há mais seio, há é muxiba. Os jornais são muito puritanos, não aceitam anúncio redigido assim, por exemplo: "Precisa-se de uma moça, de dezoito a vinte anos, com tipo indígena, para modelo de escultura". O recurso é anunciar: "Precisa-

-se de uma empregada para serviços leves". E quando a candidata se apresenta e tem condições para modelo, explicar-se com ela. Às vezes vêm aqui umas tão broncas, que quando põem a vista nestas cabeças, ficam apavoradas e fogem. Outras recusam-se a despir-se. De uma feita, uma delas despiu-se, era um modelo esplêndido, tratei tudo com ela, fiquei feliz. Farei, afinal, a minha fonte! disse comigo. Pois na manhã seguinte ela me apareceu para dizer que estava o dito por não dito, que ela tinha vergonha de posar:

– Mas você ontem não se despiu para mim? Como é que tem vergonha?

– Ah, mas ontem foi um instantinho. Muito tempo eu tenho vergonha.

E não houve meio de convencê-la. *Quel malheur d'être sculpteur!*

9-10-1955

BALLET

Há muito tempo que deixei de frequentar os espetáculos de *ballet*, e se me perguntarem por que, terei de responder que por saudosismo. Quem, como eu, começou a conhecer o *ballet* na sua grande época, isto é, no tempo de Nijinsky, Karsávina, Pávlova, sente uma funda melancolia ao ver os conjuntos modernos, que são, em cotejo com o conjunto fabuloso do *ballet* russo de Diaghilev, como destroços de uma bela arquitetura derrocada. Nem se diga que era assim porque Nijinsky foi um gênio. A verdade é que, fora daquele ambiente, Nijinsky provavelmente não seria... Nijinsky. Fãs de Rabowsky, não podereis fazer ideia do que seria Rabowsky, se Rabowsky trabalhasse, não no pobre conjunto de hoje, mas no daquele tempo. Porque no esplendor do *ballet* russo tudo concorria para o rapto do espectador: a música russa era uma novidade, os cenários de Bakst outra, os dançarinos, a orquestra... A emoção era demais, ficava-se até abafado. Sentia-se desde logo que naquele gênero não se poderia ver nunca mais nada superior ou sequer igual. O *ballet* para o futuro teria que ser outra coisa.

De fato, só quando aparecia outra coisa, como *"Table verte"*, nós, que vimos Nijinsky e seus companheiros de *troupe*, podíamos esquecer a maravilha já vista. Até nem gosto de falar nisto: estou me lembrando do remoque de certo crítico de bailados que escreveu, um dia, dos saudosistas como eu: "Umas pessoas que viram Nijinsky e depois não viram mais nada..." Dizia isso a propósito de Lifar, que ele adorava. E Lifar valia infinitamente menos do que vale este belo e levitante Rabowsky, que neste momento faz reboar de aplausos entusiásticos a plateia do Municipal.

Vi Rabowsky. É um grande dançarino sem dúvida, mas não justifica absolutamente o juízo emitido por um técnico, a saber, que a arte de Nijinsky, em comparação com a dele, era um frio academismo. Precisamente o que sinto é que Nijinsky me parecia mais telúrico, mais animal. Rabowsky *espectro da rosa* é muito mais medido e comedido, mais acadêmico (no bom sentido) do que Nijinsky. Os dois grandes saltos de Rabowsky, o de entrada e o de saída, são plasticamente mais perfeitos do que os de Nijinsky, mas os deste eram mais emocionantes... Nijinsky era um monstro.

Onde pude admirar Rabowsky sem reserva, porque nisto ele não lembra ninguém e se coloca num plano acima de quaisquer comparações, é nas atitudes e passos de alegria, de pura alegria, de alegria ginástica, como no *pas de deux*, de *Copéllia*. Mas, meu Deus, para deliciar-me naqueles curtos momentos, tive que bocejar durante duas horas com as trivialidades de *Mascarade* e do *Eterno triângulo*.

16-10-1955

O ESTRANGEIRO

A campainha tocou, abri a porta, estava ali um rapaz de blusão, que se inclinou num ângulo de 45 graus e foi dizendo que era um poeta da América espanhola, a nacionalidade não importava, conhecia toda a minha obra e desejava *charlar* um pouco. Que maçada! pensei. E expliquei-lhe que no momento não seria possível, eu estava com visitas (não era praticável introduzir no colóquio elemento tão heterogêneo). – Mas volte outro dia. Não deixe, porém, de telefonar antes, avisando-me. Novo cumprimento de 45 graus e o estrangeiro partiu sem mais palavra.

No dia seguinte, abri a porta para sair, lá estava o rapaz. – Por que não telefonou, como pedi? Ele balançou a cabeça, triste, mas resoluto, como querendo significar que aquele expediente burguês era coisa abaixo de sua dignidade de poeta e boêmio. – Dê-me três minutos. Três minutos de relógio!

Dei-lhe três minutos. Uma lábia infernal. O estranho visitante falou-me de meus versos com perfeito conhecimento de causa. Virou pelo avesso o meu "Último poema", comentou a tradução do "Torso de Apolo", de Rilke, referiu-se com entusiasmo a uma jovem poetisa cubana, Carilda Oliver Labra, conhecia todo o mundo na América, falou de Neruda, de León de Greiff, de Coronel Urtecho, mostrou-me notícias de conferências suas em Belém do Pará...

– Quando chegou ao Rio?
– Ontem mesmo.
– Quanto tempo vai se demorar?
– Não sei.
– De que vive?
– De mendicância. Tem sido assim em toda parte, será aqui também. Quando tenho fome, entro num restaurante e peço comida. Um, dois, três recusam, o quarto me atende. Quando me regalam onde dormir, durmo em cama. Senão, passo a noite andando: tenho uma saúde de ferro, posso andar 25 quilômetros sem sentir fadiga. Comer, dormir não são problemas para mim. Os problemas da vida são outros.

Despediu-se sem me pedir nada. Perguntei-lhe se aceitava dinheiro para o jantar. O "sim!" alegre e enérgico com que respondeu já era o seu agradecimento. Apertou a minha mão e antes que eu chamasse o elevador, desceu as escadas como uma bala.

19-10-1955

PRUDENTE

Está de parabéns o *Diário de Notícias*, tendo desde anteontem à testa de sua redação um dos homens melhores e mais inteligentes do Brasil – o experimentado jornalista Prudente de Morais, neto, meu sobrinho adotivo muito amado (vá nesse decassílabo espontâneo a mais lírica demonstração do meu afeto). Está de parabéns o *Diário de Notícias*, mas não sei se se deva dizer o mesmo de Prudente. Não há na minha reserva o mais mínimo desapreço pelo grande jornal de Orlando Dantas, baluarte das liberdades públicas em memoráveis campanhas. O que há nela é a dor de ver continuar a perder-se em tarimba de imprensa um homem que me parece nascido para outra coisa: nascido para poeta, crítico e professor. Não sei se o poeta ainda subsiste em Prudente: há anos que ele não dá um ar de sua graça bissexta. O crítico e o professor sabemos todos que subsiste, porque o que foi durante anos a fio o seu cotidiano artigo no *Diário Carioca* senão uma luminosa lição em matéria de política ou economia?

Sim, Prudente faz jornalismo do melhor, do mais sereno, do mais alto, mas isso é tarefa que muitos outros poderão desempenhar, outros que nasceram exclusivamente para jornalistas. Prudente, porém, é dos poucos, entre nós, que trouxeram do berço o dom de sentir, e ao mesmo tempo analisar, a poesia, e bastaram alguns pequenos ensaios da adolescência nesse domínio para nos dar a certeza de que iríamos ter enfim, o nosso primeiro grande crítico de poesia. Ora, é triste ver tão rara capacidade empregada em demonstrar por A mais B que o presidencialismo nos convém mais do que o parlamentarismo e o mal está em que não é cumprido, que a reforma cambial deve ter execução imediata; que a aliança do PSD com o PTB e com o PCB, meu Deus, é de amargar.

Que idade risonha e bela a daqueles tempos em que era frequente topar-se com o Prudente numa esquina da avenida e ir com ele para um café – café sentado – e ficar uma meia hora, uma hora, falando de poesia, de samba, de corridas de cavalo – de tudo que *non è una cosa seria!* Prudente jornalista é um enfurnado, ninguém mais o vê senão no jornal.

O jornalismo de Prudente é de primeira ordem, sem eiva de sensacionalismo, *sólido e repousante*. Os leigos em política podem confiar nele como os meninos descansam na opinião dos pais. Mas que influência poderá realmente exercer em nosso meio político? Todos nós sabemos a força catastrófica de uma balela infame como a dos "marmiteiros", como a das cartas falsas de Artur Bernardes; as palavras de clara e serena persuasão, como são as de Prudente, pesarão alguma coisa?

26-10-1955

FINADOS

À proporção que vamos envelhecendo, vai este dia de Finados assumindo, para nós, cor mais melancólica, ainda que, talvez, menos inquietante. Porque, com os anos, viemos perdendo os grandes afetos insubstituíveis, foram-se alargando os claros na fileira dos velhos amigos. Por isso mesmo esse outro lado da vida, o *undiscover'd country* do poeta, vai-se tornando cada vez menos estranho, tão povoado o vemos de caras figuras desaparecidas do mundo mas não de nossa memória.

Este ano de 1955 foi-me, para mim e para muitos amigos, particularmente duro a esse respeito. Pois vimos partir três dessas figuras que contavam tanto em nosso afeto: Roquette-Pinto, Jayme Ovalle, dona Mariquinhas Beltrão.

Roquette-Pinto, o sábio-poeta, Ovalle, o músico-poeta, foram abundantemente celebrados na imprensa: toda a gente de cultura os conhecia e os tinha como brasileiros dos mais notáveis e dos mais genuinamente brasileiros.

Já minha querida amiga dona Mariquinhas só era conhecida no círculo familiar de suas amizades. Nunca foi outra coisa senão boa filha, boa esposa, boa mãe, boa avó, boa amiga... Mas como foi todas essas coisas excelentemente! Mesmo depois dos noventa anos continuava a guardar não sei que encanto inexplicável, certo aquele encanto de sinhá do fim da Monarquia, qualquer coisa de muito doce e muito raro que dava à sua presença um prestígio angélico. Era a minha mais velha amizade, e ela gostava de me dizer isso. Quando vim para o Rio definitivamente, no lar de dona Mariquinhas senti de algum modo prolongado o ambiente da rua da União: ela foi como que o traço de união entre a minha vida no Recife, que se acabava para sempre, e a minha vida no Rio. Os poucos meses que residi com os meus na travessa do Piauí e rua do Souto, hoje Senador Furtado, ainda souberam àquele amorável convívio da rua recifense. Tínhamos todos duas famílias – a família de casa e a família de rua. Na travessa do Piauí moravam no mesmo correr de casas, como na rua da União, dona Mariquinhas Beltrão e Yayá Viegas. Yayá, filha daquela dona Aninha Viegas de quem falo na "Evocação do Recife". Era um pedacinho de rua da União no ambiente novo do Rio.

Na rua das Laranjeiras, para onde nos mudamos seis meses depois, o estilo de vida era outro: cada um em sua casa e não havia que se meter com os vizinhos. A verdadeira infância começava a morrer.

2-11-1955

A BALEIA GIGANTE

Ao voltar, ontem, para casa, encontrei à porta do elevador o meu vizinho paredes-meias Genolino Amado, que vinha sobraçando, muito encalistrado, um volumoso embrulho de papel pardo. Tão encalistrado que se julgou na obrigação de me explicar que eram umas limas do sítio de um amigo obsequiador.

Então, em três ou quatro segundos, o tempo de chegarmos ao oitavo andar do heroico Edifício S. Miguel, expus a Genolino a minha teoria do embrulho. Nasce-se para portador de embrulho como se nasce para poeta, inventor ou olheiro de automóveis. Eu, por exemplo, nasci para portador de embrulho, e aos quinze anos transportei às costas, como uma carapaça, desde a rua Benjamin Constant até Laranjeiras, uma banheira portátil (tratava-se de um caso de vida ou de morte, era ao cair da noite num dia feriado, as lojas de ferragens estavam fechadas e não havia carregadores na rua). João Conde é outro como eu. O "mercador de livros" Carlos Ribeiro, também. Mas quem pode imaginar meu amigo e mestre Aloysio de Castro a pé pelas ruas da cidade levando debaixo do braço um embrulho como aquele que vi nas mãos de Genolino?

Vou contar-lhes uma anedota curiosa: quando fui eleito para a Academia, meu amigo Nascentes comentou para mim que a honra tinha suas vantagens e suas desvantagens. As desvantagens, disse-me ele, era que eu não poderia mais, não me ficaria bem, andar em estribo de bonde, carregar embrulhos na rua etc. Fiquei perplexo, não tinha pensado nisso, que havia de fazer? Pois era tarde: ninguém que entra para a Academia poderá deixar de pertencer a ela, mesmo que o queira; mas igualmente ninguém pode fugir ao seu destino de portador de embrulhos! Continuei na Academia e continuei sobraçando cotidianamente os meus embrulhos. Digo comigo mesmo, para me consolar, que o fato de um sujeito carregar com naturalidade um embrulho implica um certo tono de juventude, pelo menos espiritual. Mas agora me acode que Gilberto, irmão de Genolino, é incapaz de sair à rua com qualquer espécie de embrulho, e, no entanto, é espiritualmente um dos homens mais perenemente jovens do Brasil. Meus amigos, meus inimigos, meditai no problema, enquanto a Baleia Gigante não rebenta putrefata. A Baleia Gigante a que me refiro não é a da praça do Congresso: é a Democracia Brasileira.

13-11-1955

Depoimento do modelo

Uf! Acabei de posar para Celso Antônio. Durante cinco meses, mais! aguentei o suplício diário de ficar imobilizado, em pé sobre um caixote, por espaço de uma hora (aos sábados, hora e meia, com direito a um café, aliás excelente), só tendo para distrair-me os meus próprios tristes pensamentos e, às vezes, umas breves iniciações nos domínios tenebrosos da astrologia.

No começo, o escultor fazia, de vez em quando, o que ele chama "operação plástica": procedia a uma ablação do nariz, ou da boca, ou da orelha, para enxertar-lhes barro por baixo. Então eu ficava sentado no divã, assistindo com um certo mal-estar àquela execução em efígie.

Perdi a liberdade de cortar o cabelo quando bem entendesse; o escultor não mo consentia. – Preciso fazer, amanhã, dizia-me ele, severo, uma revisão geral. Na revisão geral, eu girava sobre o caixote, demorando apenas alguns minutos em cada posição. Era, de certo modo, uma trégua: eu podia espairecer os olhos nas reproduções d'*Os escravos*, de Miguel Ângelo (fundição de *Barbedienne*, o maior fundidor que já houve em todos os tempos!), de pinturas de Renoir, de Cézanne, de esculturas do próprio artista, modelos de quinze anos, belíssimos, mas *hélas!* de pernas abertas, não gosto disso.

Afinal, o trabalho entrou na fase do desenho, o que significa a tarefa de unir os planos, coisa exasperantemente minuciosa, com erradas e erratas. O a que o escultor aspira, então, é o que ele chama "a poeira de luz", que vai descer como uma bênção do céu sobre a forma cantante em sua sábia plenitude.

Chegou o tempo de passar a cabeça para o gesso. Quatro dias de descanso. Depois, mais uns dias de pose para retoque do gesso. Servia-me o escultor uma papa do chamado gesso podre, gesso com água, batido como se bate ovo. Muito desagradável. Mais desagradável ainda era receber de quando em quando uma borrifada enérgica: o escultor enchia a boca de água e, como se dá banho em papagaio, tome em minha cara de barro!

Mas tudo tem um fim, mesmo, por incrível que pareça, o trabalho de posar para Celso Antônio. Um belo dia, quando eu já não esperava, recebi alta daquele serviço militar. Olhei a minha cabeça em tamanho duplo do natural e me pareceu, sinceramente, que estava ali escrachado para toda a eternidade.

A escultura irá, um dia, se Deus quiser e Mário Melo não mandar o contrário, embelezar alguma praça do meu amado Recife, de que sou filho tão ingrato. Devo dizer que, modéstia à parte, mereço a homenagem: não pelos versos que fiz, em verdade poucos e chochos, não pela "Evocação do Recife" tão abaixo do indefinível e inigualável encanto da minha cidade natal – mas pela inaudita paciência com que posei para o grande artista e monstro Celso Antônio de Menezes, que Deus guarde sempre das quadraturas de Saturno![4]

16-11-1955

POESIA EM DISCO

Anteontem, na Livraria São José, Carlos Drummond de Andrade e eu estivemos, durante mais de duas horas, autografando discos que Carlos Ribeiro e Irineu Garcia fizeram gravar e onde alguns de nossos poemas estão ditos por nossas próprias vozes.

A ideia de fixar em discos a voz dos poetas só teve, entre nós, o precedente da Continental, que há alguns anos lançou no mercado poemas meus e de Olegário Marianno. Mas a iniciativa parou aí, não sei por que motivo. No estrangeiro tem ela prosperado abundantemente, e eu já tive ocasião de ouvir comovidamente as vozes de T.S. Eliot, Dylan Thomas, Marianne Moore, Elizabeth Bishop e outros. Sei que há discos de Éluard. Inútil é encarecer o valor de tais gravações, sobretudo para o futuro.

---

4   Atualmente há no espaço público do Recife duas esculturas em homenagem ao poeta. A mais antiga é de Celso Antônio e está situada no Espaço Pasárgada, rua da União 263, que foi residência de seu avô. A outra, de autoria de Demétrio Albuquerque, está na rua da Aurora, às margens do rio Capibaribe. (N.E.)

Imagine-se o que não seria ouvirmos hoje a voz de Gonçalves Dias, a de Castro Alves; ouvir Casimiro de Abreu dizer o "Amor e medo"; Fagundes Varela, o "Cântico do Calvário"!

Podemos ainda hoje ouvir a voz de Caruso: da mesma maneira poderíamos ouvir os versos de Alberto de Oliveira, de Bilac, Raimundo Correia recitados por eles próprios. Bilac dizia admiravelmente (ouvi-o em "Dentro da noite" e na tradução de "O Corvo" por Machado de Assis). Mas não houve, no tempo, Carlos Ribeiro e Irineu Garcia para pensarem nisso.

Nem sempre são os poetas os melhores intérpretes de seus versos. Alguns os dizem melhor que ninguém. Era o caso de Bilac e de Mário de Andrade. Ah, se tivéssemos em disco a voz de Mário interpretando o "Carnaval carioca", o "Noturno de Belo Horizonte", as "Danças", "As enfibraturas do Ipiranga"!

A voz do poeta, seu jogo de inflexões, seu acento de emoção nesta ou naquela palavra podem esclarecer muita coisa que no poema nos parece obscuro, hermético. De minha parte, posso dizer que só compreendi em maior profundidade os poemas de Eliot e de Dylan Thomas depois de os ouvir recitados por eles próprios.

Quanto a mim, devo declarar que nunca reconheci a minha voz nas gravações de rádio e vitrola. Dizem, contudo, que ninguém sabe a voz que tem. Se é assim, se o timbre de minha voz é mesmo aquele, então não gosto de minha voz e talvez por ela possa explicar a antipatia que me têm algumas pessoas, e não sei como não são mais numerosas.

27-11-1955

Rio antigo

Há dias, fiz referência "ao livro de Coaracy". Trata-se das *Memórias da cidade do Rio de Janeiro*, de Vivaldo Coaracy. Quem quiser viver o Rio também na quarta dimensão, que é a do tempo, e não apenas nas tristes três atuais dimensões, não deve deixar de ler estas páginas, escritas de maneira encantadora, pela sua singeleza e graça espontânea. Encontrará nelas algum consolo, talvez, aos males do presente, verificando que são males de todos os tempos, pois em todos os tempos houve negociantes ladrões, intermediários açambarcadores, autoridades prepotentes etc. E até, a certos aspectos, houve progresso moral: hoje não se vê uma cena de frades caceteiros, como vem deliciosamente contada por Coaracy no capítulo relativo à praça Quinze: a Irmandade da Misericórdia gozava do privilégio dos enterramentos; entendendo os frades do Carmo que era afronta à sua Ordem passarem os cortejos fúnebres diante do edifício do Convento (ainda hoje lá está, à esquina da rua Sete de Setembro), toda vez que tal acontecia, vinham para a rua com os seus escravos, e o pau cantava para dissolver o préstito; revidavam os da Misericórdia, era uma verdadeira batalha, durante a qual ninguém mais pensava no defunto.

Todo o mundo pode agora atravessar pacatamente o Arco do Teles, mas houve tempo em que aquela exígua passagem era ponto de desordeiros terríveis, e tais cenas ocorriam ali que um morador das imediações promoveu a remoção da imagem de Nossa Senhora dos Prazeres, que se cultuava num pequeno oratório existente à entrada do Arco.

Quanta coisa se aprende neste volume! Eu, por exemplo, não sabia (nunca tratei de saber) que a rua D. Manuel se chama assim em homenagem a D. Manuel Lobo, governador do Rio de Janeiro, ou que o sal era monopólio do Estado. Sabia que abundavam as baleias na Baía de Guanabara (a Armação de Niterói era armação de pescaria de baleias), mas não sabia que de uma feita veio uma baleia encalhar bem em frente à porta do Convento do Carmo.

Muita coisa de que fala Coaracy ainda alcancei conhecer. Assim o Hotel de França, onde me hospedei um dia e uma noite, a Igreja de São Joaquim, junto onde está o Externato do Colégio Pedro II... A este respeito devo dizer que a minha memória pretende corrigir o cronista quando ele afirma que desde a época em que serviu de quartel a tropas portuguesas já não se praticavam nela as cerimônias do culto. Durante o meu curso no Pedro II, de 1897 a 1902, creio que havia culto; muitos alunos ali entravam, em tempo de sabatina, a agarrar-se com São Joaquim para se sair bem.

Outra coisa a que quero pôr reparo é a propósito do largo do Boticário. Diz Coaracy que o pitoresco recanto de Águas Férreas conserva intacto até hoje o aspecto das zonas residenciais da cidade antiga. Ora, o atual largo do Boticário é uma falsificação do século XX: casas, calçamento, chafariz, tudo, salvo a mangueira. Conheci em menino o autêntico largo do Boticário. Por isso não posso ver sem revolta a sofisticação ali praticada.

4-12-1955

DIÁRIO CRÍTICO

No movimento literário paulista de 1922, Mário de Andrade e Oswald de Andrade foram os elementos mais combativos, mais turbulentos, mais ousados. Com a diferença de que Mário se preparou para a empreitada, sabia o que fazia; Oswald era um inconsiderado, sem lastro sério de cultura, e todo ele estava naquela opinião que emitiu acerca de certo livro de sucesso: "Não li e não gostei".

Mas o movimento tinha também os seus elementos moderados, que se exprimiam sem tumulto e, não obstante, concorriam tão eficientemente quanto os extremistas para a renovação do nosso ambiente literário. Um deles era Couto de Barros, que, um belo dia, desapareceu da literatura sem deixar rastro. Da literatura só, não: há vinte anos estou sem notícias dele, e tenho pena, pois é das criaturas mais encantadoras que já conheci. Outro é Sérgio Milliet.

Este continua fiel à poesia e à prosa, nas quais se tem afirmado um mestre. Uma das partes mais consideráveis de sua obra é a de seus ensaios críticos, agora no oitavo volume, que acaba de aparecer, e onde reuniu as suas impressões de leitura durante os anos de 1951 e 1952. Um diário crítico, e é esse o título da série.

Pode-se dizer que não há questão de interesse em matéria de literatura que neste livro não receba um toque, uma sugestão compreensiva, e é um raro gozo intelectual ver Milliet esclarecer em poucas linhas certas confusões correntes, como, por exemplo, a de ritmo e movimento. Alguém censurou a Milliet estar o seu *Diário crítico* se tornando cada vez menos crítico e mais pessoal. Ao que ele responde: "Assim o desejei sempre, não como uma coletânea de ensaios mais ou menos pedantes, porém como uma conversa com amigos". Naturalmente, os convencidos da própria rasa profundidade desdenham desta crítica de conversa. Eu adoro.

Note-se que o prazer de tal leitura nasce, muitas vezes, dos desencontros de juízos. Quando Milliet diz, por exemplo, que a obra realmente valiosa de Mário de Andrade só se inicia com os "Poemas da negra" e só alcança a plenitude em *Lira paulistana*, somos levados a tomar as poesias de Mário nesta bela recente edição da Livraria Martins para reler as "Danças", o *Losango cáqui*, o "Carnaval carioca", o "Noturno de Belo Horizonte", a "Toada do Pai do Mato", tanta coisa anterior aos "Poemas da negra" onde já canta a poesia de Mário em sua mais rica plenitude.

7-12-1955

Carneiro, sim; leão, não!

O caso de minha aposentadoria tem suscitado comentários que não posso deixar passar sem protesto. O de Odylo Costa, filho é um, pois dizer, como ele fez, que Unamuno não significava para seus patrícios mais do que eu para os brasileiros é um disparate.

O deputado Batista Ramos, a quem não tenho a honra de conhecer pessoalmente, declarou-me "patrimônio nacional" no seu parecer apresentado à Comissão de Serviço Público. Quando li essa amável enormidade, tive um primeiro impulso de correr ao Ministério da Educação para ser devidamente tombado por meu amigo Rodrigo M. F. de Andrade.

Benjamim Costallat, que não vejo há anos e tenho pena, serviu-me outro dia neste jornal uma *tartine* deliciosamente parisiense.

Lêdo Ivo, que foi quem soprou a Carlos Lacerda o generoso projeto, deixou-me verdadeiramente perplexo. Sendo ele o mais temível representante da Geração de 45, era de esperar que promovesse a minha aposentadoria, não de professor, mas de poeta com 38 anos de serviço. Em vez, não: escreveu *O preto no branco*.

Carpeaux, esse delirou. Ele sabe perfeitamente o meu nome civil completo, como está provado na sua excelente *Pequena bibliografia crítica da literatura brasileira*. Pois bem, num tópico do *Correio da Manhã* me chamou de Manuel Sousa Leão Carneiro Bandeira. Alto lá, Carpeaux! Carneiro sou, medo não tenho, mas não sou leão. Se não fosse Carneiro, seria Manuel de Souza, aliás Souza erradamente com z. Não sou Sousa Leão, sou é Souza Bandeira, com muita honra e não porque meu avô paterno tivesse reprovado Castro Alves em geometria na Faculdade de Direito do

Recife. Outrossim, se não sou leão, pelo sangue de carneiro me aparento com leões que são carneiros (que trapalhada!), o que me desvanece grandemente quando, por exemplo, o Leão é Múcio.

All Right, que preciso urgentemente conhecer para abraçá-lo agradecido pela sua crônica a meu respeito, foi nas águas de Carpeaux e também me nomeou Leão. Declaro, pois, em público e raso que sou, dentro dos quadros constitucionais vigentes e como atesta a minha caderneta de identidade fornecida pelo Departamento Federal de Segurança Pública (registro nº 462.163, nº de ordem 143.774), Manuel Carneiro de Souza Bandeira. Muito obrigado a todos e boa noite.

18-12-1955

BRECHERET

Vão-se alargando os claros na fileira dos primeiros modernistas: daqueles que Mário de Andrade chamava modernistas das cavernas: primeiro foi-se ele próprio, depois Jorge de Lima, depois Oswald de Andrade, agora Brecheret.

Victor Brecheret, de origem italiana, formado artisticamente em Roma, vivia obscuro em São Paulo, num quarto que lhe haviam cedido por favor no Palácio das Indústrias, quando foi descoberto, em 1920, por Menotti del Picchia e Oswald de Andrade, os quais, alertados desde 1916 pela exposição da pintora Anita Malfatti, vinham lançando às cidadelas passadistas as primeiras tochas incendiárias. Aluno que fora de Meštrović, o grande escultor iugoslavo, deixara-se Brecheret influenciar pela técnica poderosa e romanticamente expressionista do mestre. Nos trabalhos vistos por Menotti e Oswald, logo depois por Mário, havia uma força, uma novidade que os fizeram logo proclamar aos quatro ventos do Brasil a genialidade do escultor. "Fazíamos – contou o poeta de *Pauliceia desvairada* – verdadeiras *rêveries* a galope em frente da simbólica exasperada e estilizações decorativas do 'gênio' Porque Brecheret, para nós, era, no mínimo, um gênio. Este o mínimo com que podíamos nos contentar, tais os entusiasmos a que ele nos sacudia. E Brecheret ia ser em breve o gatilho que faria *Pauliceia desvairada* estourar..."

Não, Brecheret não era um gênio. Era mesmo muito pouco inteligente. Mas não é menos verdade que as suas estátuas atestavam um senso plástico, um vigor, uma contensão desconhecidos na escultura brasileira desde os *Profetas* do Aleijadinho. Daí o alarido dos homens das cavernas. A sua *Eva* é uma figura de amorável pureza. O *Monumento das Bandeiras*, inaugurado o ano passado no Parque do Ibirapuera, um dos poucos exemplos, e sem sombra de dúvida o maior, de monumentalidade escultural no Brasil. Marca uma época, para repetir aqui as justas palavras de Alceu Amoroso Lima na Academia Brasileira de Letras. Não tive ocasião de ver o seu

Caxias, terminado já há muito tempo e, não sei por que, ainda não assentado onde deverá ficar. Deve ser a sua obra-prima, porque o trabalhou na madureza e, decerto, já libertado da garra do mestre, sensível ainda nos *Bandeirantes*.

25-12-1955

JOGRAIS DE SÃO PAULO

Quando Carlos Drummond de Andrade e este vosso criado fomos convidados a ouvir os Jograis de São Paulo, confesso que o apelido medievalista me assustou um bocado. Mas o convite era instante, o espetáculo um pouco de homenagem a nós e a Vinicius de Moraes, que visitávamos a Pauliceia, não havia como fugir. Depois, alguns amigos tranquilizaram-nos: os Jograis eram interessantíssimos. Fomos e não nos arrependemos. Os amigos tinham razão: os Jograis são de fato interessantíssimos.

Ao ver aqueles quatro rapazes ali alinhados no Teatro Leopoldo Fróes, diante de uma casa fraca, lembrei-me logo de Mário de Andrade (a lembrança de Mário é para mim obsedante em São Paulo) e de sua "Moda dos quatro rapazes": parodiei-a de mim comigo: "Somos quatro rapazes diante de uma plateia quase vazia..." Aproveito desde já a minha lembrança para sugerir aos Jograis a inclusão da "Moda" de Mário no seu repertório: será um número de sucesso garantido.

Os Jograis são, pois, quatro rapazes simpáticos, três com voz grave, um atenorado, o que serve admiravelmente ao conjunto quando surge nos poemas a restrição irônica, os quais dizem poesia em coro, num estilo, por assim dizer, oratorial, lendo os poemas, não declamando de cor e, portanto, não teatralizando-os. O mal da declamação é, a meu ver, a teatralização. Recitar um poema tem que ser como cantar um *lied*: a expressão deve estar toda na voz e nos olhos. Os Jograis se exibem também individualmente, e às vezes até beníssimo, como foi o caso de Carlos Vergueiro em meu "Desencanto". Mas aí se confundem com os bons declamadores. A originalidade e excelência deles está no coro, no poema dito a quatro vozes, o que permite pôr em destaque certos elementos dramáticos, humorísticos ou simplesmente musicais. Por exemplo: na "Evocação do Recife", as variantes "Capiberibe, Capibaribe". (A propósito, uma crítica: quem deve dizer a primeira forma é o da voz atenorada: no momento não me recordo se Ruy Affonso ou Rubens de Falco. Capibaribe soa como um Capiberibe abemolado: foi a intenção musical que pus na variante.)

A audição dos Jograis agrada tanto, que se fica logo desejosíssimo de ouvir tais e quais poemas ditos por eles: a "Quadrilha" de Drummond de Andrade, certos poemas de Ascenso Ferreira, como a "Mula de padre" ou "Cavalhada", o início de *Cobra Norato*, tantos!

Jograis, vocês precisam vir dar a conhecer ao Rio a vossa invenção (falo paulistamente para demonstrar o meu entusiasmo).

28-12-1955

Comunicações interessantes

Gustavo Barroso acaba de regressar de uma viagem ao Norte, e, como sempre faz depois de suas andanças por este mundo, entreteve os seus confrades da Academia com o relato das coisas que viu ou leu lá por fora.

Sabe-se que Barroso é um dos homens mais abundantemente condecorados do Brasil. Seu largo peito de cearense (o pai chegou aos cento e um anos, e Deus permita que o filho chegue lá também) não dá bastante praça para todas as medalhas com que o autor de *Terra de sol* já foi agraciado: nos dias de gala Barroso tem que limitar-se a uma antologia de veneras. Aliás, a única que me faz inveja, e grande inveja, é a de "Cidadão de Quixeramobim", que lhe foi entregue por ocasião das festas comemorativas do segundo centenário da criação da paróquia cearense. A cidadania de Quixeramobim vale pela honra mais rara do mundo, pois só se concede de cem em cem anos e a duas pessoas propostas pela Câmara Municipal. O título, como se vê, é igual à flor do lótus de que falou o poeta, a qual "em cem anos floresce apenas uma vez."

Desta feita, as comunicações de Barroso à Academia versaram sobre a protagonista do romance *D. Guidinha do Poço*, uma, e, outra, sobre a visita que fez ao santuário de S. Francisco do Canindé. Ali viu o nosso confrade uns barquinhos de cerca de um metro de comprimento, barquinhos que os pobres seringueiros dos rincões mais remotos de subafluentes do Amazonas lançam às águas de algum igarapé, com prendas ou dinheiro para o santo, e os frágeis pauzinhos vêm descendo ao sabor da corrente, passam do igarapé ao subafluente, deste ao afluente, entram no rio-mar e depois no mar, onde são recolhidos por pescadores cearenses e encaminhados a Canindé. E não encalham nas margens dos rios? perguntareis. Encalham, sim, mas eles trazem um letreiro que diz: "Quem encontrar encalhado na margem, empurre para o meio". Quantias como dois mil cruzeiros já têm chegado assim ao santuário.

"Esse fato", comentou para nós Gustavo Barroso, "é uma coisa verdadeiramente admirável, um ato extraordinário de fé, ato de um outro Brasil que nós não conhecemos, que está fora de nossas cogitações, inteiramente à margem deste Brasil em que vivemos."

Fiz questão de transcrever o próprio comentário de Barroso: porque ele nos soou como alguma coisa de reconfortante nesta hora de descrença, em que nós escritores sofremos de ver certas palavras cinicamente definidas pelos seus antônimos.

4-1-1956

Temístocles

Graça Aranha, dona Yayá, Heloísa, Temístocles, todos mortos... E ponho-me a recordar como os conheci pessoalmente em Petrópolis, no Hotel da Europa, em 1912.

Graça Aranha voltava ao Brasil no auge da celebridade. *Malazarte* havia sido representado em Paris por artistas franceses de grande cartaz: Suzanne Desprès e

De Max. *Canaã* fora traduzido para o francês. O grande escritor trazia em sua bagagem um novo livro – *A estética da vida*, sua frustrada esperança de renovar no domínio da filosofia o seu fulminante sucesso na literatura.

Tentei aproximar-me de Graça Aranha, embora naquele tempo ainda não pensasse em fazer carreira literária. Entreguei ao homem ilustre um cartão de meu tio Souza Bandeira apresentando-me. Mas Graça Aranha não me deu bola. Nem havia, realmente, motivo para isso. E eu tive que me contentar com a amizade dos filhos, Heloísa e Temístocles, ambos encantadores e com menos de vinte anos. Heloísa, muito bonita, com o seu perfil grego, escandalizando Petrópolis com a sua *badine* e a paixão pelo quase sexagenário conselheiro Rosa e Silva (dona Yayá não se conformava com o casamento e vibrava de revolta; aliás, *Malazarte* enchera-a de ciúmes, e como eu lhe dissesse um dia: "Não devia ter-se casado com poeta", respondeu-me amarga: "Quando me casei, ele ainda não escrevia!"). Temístocles, com o moreno mais lindo que já vi em rapaz ou moça, era já o que foi toda a vida: malicioso, brincalhão e... doente do coração. Creio que trazia do berço uma lesão qualquer. Tinha, de vez em quando, umas crises de dispneia, o que nunca lhe alterava o bom humor. Aquele verão no Hotel da Europa correu-me fagueiríssimo, graças ao adolescente fértil em mistificações e *boutades*, que recitava de cor Verlaine e Henri de Régnier, um Régnier que eu ainda não conhecia, o das *Odelettes* ("*Je suis venue avec un seul bâton de hêtre...*"). O filho do grande escritor não era metido a escritor, mas sabia o que era bom em matéria de poesia. Quando, anos depois, Secretário de Legação em Portugal, desposou uma neta de Antônio Feliciano de Castilho, comentou, satisfeito, que "era a vingança do passadismo" contra o famoso discurso do pai na Academia.

Temístocles foi dos primeiros a ler meus versos de circunstância, e os meus poeminhas que chamei "onomásticos" começaram com uma quadrinha feita para ele:

> A aranha morde. A graça arranha
> E vale o gládio nu de Têmis:
> Logo se vê que tu não temes,
> Temístocles da Graça Aranha.

O gênio folgazão de Temístocles não o impediu de ser um diplomata que honrou o nome do Brasil no estrangeiro, pela sua inteligência, sua cultura, suas cativantes maneiras.

8-1-1956

Eduarda

A menina Eduarda Duvivier, nove anos, filha do escultor Edgard Duvivier, pode, agora, ser conhecida de toda gente, na primeira edição comercial que se acaba de fazer de seus poeminhas, já que a outra, a que foi composta e impressa pelos poetas Thiago de Mello e Geir Campos na saudosa Editora Hipocampo, mal deu para os amigos.

Esta nova edição vem aumentada de poeminhas escritos posteriormente aos primeiros e entre os quais se encontram alguns intitulados "Impressões de viagem". Viagem à Europa; impressões do Coliseu, das Catacumbas de Roma, da Torre de Pisa, do Sena e do Arco do Triunfo, dos sanfonistas da rua St. Roch, de Veneza, de Espanha... Aumentada também de desenhos, porque, meus amigos, esta menina tem jeito para tudo, pinta e modela, nada como uma sereia, e com tudo isso não é nada saliente, ao contrário, e encanta a gente com os seus silêncios, onde fica de olhar perdido e triste. Mas Eduarda não é triste. Como poderia sê-lo, com aqueles pais de tamanha compreensão e doçura? Quando publicou os primeiros poeminhas, talvez houvesse alguma razão: Eduarda era filha única. Hoje tem uma irmãzinha e um irmãozinho, para os quais, todavia, ainda não fez nenhum versinho, que ingratidão!

Reparem que chamo sempre poeminhas os poemas de Eduarda. O diminutivo me parece definir com precisão o caráter destes versos, em que infância e poesia se misturam a tal ponto que não se pode dizer onde acaba uma e começa a outra. É a menina que diz: "Eu queria ir no Inferno, feito Dante" ou, em Veneza, "Água, você bate nas portas das casas". É o poeta que me interpela natalicialmente:

> Ó Manuel, fica um peixe
> Para eu dizer a você:
> – Vai apanhar uma estrela,
> – Traz uma escama verde de sereia,
> – Vira cavalo-marinho.
> [...]
> Ó Manuel, chama os convidados para o mar...

Eduarda quer que eu faça o que ela gosta de fazer: ela adora o mar; a alma de Eduarda é uma terra encantada onde o mar circula como em Veneza a água "que bate nas portas das casas".

No prefácio que escrevi para a edição Hipocampo, disse que Eduarda ditava à mãe "palavras arranjadas à maneira de poemas e que nos enchem a alma, inexplicavelmente, de surpresa e alegria". Isso era aos cinco anos. Agora, Eduarda tem nove. A menina continua poeta. Deus a conserve assim, sempre capaz de dizer, quase como São Francisco: "Água, você é bonita, branquinha, leve, limpa..."

15-1-1956

Orestes

Não é do Atrida que vou falar, daquele grego terrível que matou a mãe, foi perseguido pelas Fúrias, apunhalou Pirro e, junto com a irmã e Pílades, sacrificou Toas, roubou a estátua de Diana e acabou morrendo prosaicamente de uma mordedura de cobra. Não, o meu Orestes é outro, pertence à raça pacata e cantante de Orfeu, era funcionário da Câmara de Vereadores, mas aposentou-se e desapareceu da circulação carioca, no louvável e derrisório intuito de desafogar o trânsito nas imediações da Galeria Cruzeiro. Em duas palavras famanadas: Orestes Barbosa.

Andava eu com saudades de seu passo de baliza, de suas roupas brancas impecáveis, de seus olhos claros de água-marinha: onde andará ele? Não me venham dizer que teve um enfarte e está na tenda de oxigênio, pensava comigo, apreensivo. Nada disso. O último número de *Manchete* traz uma entrevista com Orestes, e sabemos agora que o velho jornalista continua em boa forma, só que aposentado não apenas do funcionalismo, mas de tudo – das letras de canções e até dos cavacos de rua. O Rio mudou muito, agora só há cafés em pé, e Orestes é dos tempos do Nice, para não falar do Suíço, que saudades! onde vi o poeta Schmidt, então modesto gerente da Livraria Católica, ser tocado para fora do café por estar em mangas de camisa, o que não era permitido ali.

Orestes vive hoje em Paquetá, não vem ao Rio senão para receber os seus vencimentos de aposentado, tem casa na Ilha e passa as tardes em sua varanda bebendo cerveja gelada, que delícia! Não se queixa da vida, diz que o seu tempo como letrista de canções passou, que o povo agora quer é samba e baião, com sanfona e tudo. Só não concordo com Orestes quando ele zomba de violão encordoado com tripa. Viva a corda de tripa! Violão com cordas de aço não é violão, é guitarra. Violão é alaúde. Alaúde é violão medieval.

Grande poeta da canção, esse Orestes! Se se fizesse aqui um concurso, como fizeram na França, para apurar qual o verso mais bonito da nossa língua, talvez eu votasse naquele de Orestes em que ele diz: "Tu pisavas os astros distraída..." Só mesmo em chão de estrelas era possível achar esse verso. Decerto Orestes rojava no sublime, e a mulher que o inspirou pisou-lhe, acinte ou inadvertidamente, o coração, que se abriu na queixa imortal. Sei de muito poeta (Onestaldo de Pennafort é um deles e eu sou outro) que se rala de inveja porque não é autor daquele verso. Com razão: nunca se endeusou tanto uma mulher como naquelas cinco palavras...

18-1-1956

CIVILIZAÇÃO

O sociólogo sorveu com vigor, duas, três vezes, o fumo do cigarro e enquanto, durante meio minuto, o fumegava de volta, foi dizendo:

– Há quem sustente, ainda hoje, que o homem provém do macaco. É possível. Porque estamos vendo, agora, o contrário, isto é, o homem regredindo ao macaco. A civilização progride sempre, mas não se confunda civilização com cultura, e esta tenho a impressão que vai para trás com o rádio, a televisão e a bomba atômica.

E como eu o olhasse incrédulo:

– Olhe, eu sou de uma cidadezinha do interior de Minas, onde vivi até os dezessete anos. No meu tempo, existiam lá duas bandas de amadores. Cada uma com vinte e cinco músicos. A rivalidade entre as duas era grande. Por isso, havia que ensaiar muito para não ficar atrás no favor público, que estimulava uma e outra.

Ensaiava-se todos os dias. Mal acabava o jantar, a rapaziada corria para a sede da charanga e, com ela, ia muita gente, que, assim, passava as noites inocentemente, ouvindo dobrados sadios ou valsinhas do tipo dessas que Mignone, Camargo Guarnieri e Gnattali têm estilizado. Havia também teatro, igualmente de amadores. Ensaiavam, ensaiavam, e de vez em quando davam o seu espetáculo, a que concorria toda a gente do lugar. Havia dois clubes de futebol, que, à semelhança das charangas, dividiam as preferências do povo.

Passei trinta anos sem rever a minha cidadezinha. A semana atrasada, tendo que ir a Diamantina, aproveitei a ocasião e fui rever os meus pagos... Que decepção! Ainda não há lá arranha-céu, mas há uns prédios de dois ou três andares imitando os arranha-céus de mau estilo do Rio e de São Paulo. Soube que as duas bandas de música tinham desaparecido. Não se fazia mais teatro. O futebol decaíra.

O culpado de tudo isso, explicou-me o vigário, foi a civilização: foi o rádio, produto e instrumento dela. Em cada casa da minha cidadezinha natal, mesmo a mais pobre, há um rádio. As moças do lugar deixaram de se interessar pelas charangas de antigamente: só querem saber dos cantores e cantoras de samba, baião e *blue* da Rádio Nacional; os velhos e velhas acompanham com paixão as novelas do Amaral Gurgel e seus concorrentes.

– E a rapaziada? – perguntei.

– A rapaziada vai para o bar e fica torcendo... pelo Vasco ou pelo Flamengo!

25-1-1956

LADAINHA

Eu estava, anteontem, na maior fila em que já entrei na minha dilatada existência (era no Tesouro, à uma hora da tarde insolativa), quando passou por mim mestre Alceu Amoroso Lima e, euforicamente católico, me informou: – Hoje é dia de S. João Crisóstomo, cuja principal virtude era a paciência.

Foi água na minha fervura. Agarrei-me com o santo doutor ecumênico da Igreja grega, o Patriarca de Constantinopla, o Boca de Ouro enfrentador de Eutrópio e Eudóxia, e até chegar à boca do remoto guichê fui enganando o tempo a recitar mudamente uma improvisada ladainha, de que só me ficaram na lembrança estes versículos, que ofereço, dedico e consagro aos cariocas neste mês da fundação, e este ano da provação, de sua cidade cada dia menos maravilhosa:

"Meu S. João Crisóstomo, dai-me paciência para nesta fila aguardar a minha vez com humildade e bom humor;

"Aliás, dai-me também paciência para aturar outras filas desta cidade duplamente superlotada, a mais iludida de todas as quais é a dos que ainda esperam melhores dias para o Brasil;

"S. João Crisóstomo, dai-me paciência para olhar sem nojo os aleijões que enfeiam a Metrópole, como as estátuas de Floriano e Deodoro, os Ministérios da Guerra e do Trabalho, a cabeça de porco amarela que substituiu o saudoso Hotel dos Estrangeiros etc.;

"S. João Crisóstomo, dai-me paciência para olhar sem nojo a grosseria dos trocadores de ônibus, a arrogância dos automóveis de chapa branca, a antipatia dos *chauffeurs* à hora do *rush*, e outras calamidades;

"Meu bom S. João Crisóstomo, dai-nos paciência para ler até o fim os jovens críticos da Geração de 45, porque os poetas, alguns me parecem ótimos, mas os críticos são de amargar;

"S. João Crisóstomo, dai-me paciência para esperar a publicação, anunciada há mais de vinte anos, do livro *João Ternura*, de meu querido amigo Aníbal Monteiro Machado, que Deus guarde;

"S. João Crisóstomo, dai-me, outrossim, paciência para não dizer um palavrão quando nas festas de aniversário começam a cantar o 'Parabéns a você';

"Meu S. João Crisóstomo, dai-me a paciência de sorrir aos que me procuram para pedir a minha opinião sobre os poemas de sua lavra ou da do diabo que os carregue;

"Mas não nos deis paciência para suportarmos o sítio e a censura! Isso é demais."

29-1-1956

CONTRA A MÃO

Nesta hora de sol puro, como cantou Ronald, palmas paradas, claridades, faíscas, cintilações, ou, em linguagem terra a terra, com este sol de rachar (são três horas da tarde desta terça-feira de trevas), chego ao meu balcão da avenida Beira-Mar, no Castelo, vejo a dupla fileira de soldados lá embaixo comendo grosso sob a soalheira, e volto à minha mesa para bater esta crônica, fechando os ouvidos à sereia dos batedores, a qual só tem um aspecto simpático – o de parecer uma vaia no meio disso tudo.

Vou contra a mão dos vencedores – a eles, as batatas e os perus gigantes – quero ouvir a voz de outras sereias, e aqui está uma, precisamente neste momento acaba de chegar; o seu timbre é dos mais delicados e raros, e os seus últimos cantos se chamam *Jeux de l'apprenti animalier*. Esta sereia é a musa de Ribeiro Couto.

Há muito tempo que ela anda fora do Brasil, porque o poeta do *Jardim das confidências*, aquele magro rapaz boêmio que dava tantos cuidados à sua boa avozinha, botou corpo e foi longe, é hoje embaixador em Belgrado.

Em 1952, mandou-nos um livro delicioso escrito em Portugal – *Entre mar e rio*. Agora, de Paris, nos envia esta coleção de miniaturas em francês, nas quais se revela não aprendiz e sim mestre na velha arte dos bestiários. Revela-se também um desenhista, sempre engraçado, e às vezes fino e seguríssimo. Dou-lhe aqui a minha mão à palmatória, pois quando o via pegar do lápis e do papel para fazer a *charge* de um amigo, sempre sorri incrédulo. O desenho de Couto tem as qualidades da sua poesia, em especial aquela certeza de toque justo, docemente irônico. O do galo da capa, por exemplo.

Estes jogos admiráveis, define-os o poeta como de quadras metrificadas e rimadas, jogos de aprendiz que continuam nos jogos do desenho alusivo, prolongamento das palavras: "O conjunto não forma senão um bestiário de papelão, cortado pela mão enternecida de uma criança já madurona". Isto é, explico eu, um poeta. Um grande poeta que jamais perdeu, através de todas as vicissitudes da vida, a alegria de viver, e agora, depois dos cinquenta, pede assim à cigarra:

> Le jour de mon adieu, cigale,
> Viens chanter près de ma fenêtre,
> Viens crier, faire du scandale.
> Dire la joie de la joie d'être.

1-2-1956

LÊDO

Fernando Pessoa disse, uma vez, e disse-o em verso, que um poeta é um fingidor: um fingidor que finge tanto, que até chega a fingir a dor que ele próprio sente. Outro grande poeta, o holandês Bertus Afjes, nosso contemporâneo, exprimiu mais ou menos a mesma coisa neste comprimido de cinco palavras: "O poeta mente a verdade". Sim, o poeta fala a verdade, isto é, não fala a aparente verdade: mente essa verdade de toda a gente para chegar à verdade que está dentro dessa verdade.

Queira o leitor perdoar, mas entrei neste cipoal de sutilezas depois de ter virado a última página de um livro de poemas intitulado *Um brasileiro em Paris e o rei da Europa*. O autor é Lêdo Ivo, alagoano estabelecido com indústria de Canto na rua Farani. Diz ele que mar e vento são as matérias-primas de sua manufatura. Está mentindo a verdade. Emprega outras, notadamente a estrela Vega. Aliás, a veraz mentira está claramente exposta no poema-chave do livro, aquele "Alfabeto", que deveria ser dedicado a mim, e não a José Lins do Rego; vou nesse sentido mover uma ação sumária contra o poeta.

Lêdo deu tudo em "Alfabeto". Vê-se no poema que criatura utilitária ele é, não desperdiçando nada entre o humano e o divino, tubarão das letras, as do alfabeto, bem entendido, que faz servirem-lhe como servas, e é uma beleza, quando cantam "reunidas na praça de uma página branca!" Lêdo é um demônio metódico: eu já havia sentido isso muito antes de ele o confessar. Está claro que, sendo demônio, resiste ao rigor do verão, já não digo o do Rio, que até eu aguento bem depois que estou neste apartamento com frente para o mar e a sua brisa. Lêdo resiste ao verão daquele país

> de extrema
> secura, onde a canícula
> modela gestos e almas.

Por sinal que é de lá que nos traz a sua bela desolação. Poesia é o nome dela!

> Rosa da inteligência
> no chão excrementício

Sobre *O rei da Europa* só digo uma coisa: "Cuidado, Lêdo, a Geração de 45 vai dizer que você está voltando ao poema-piada!"

Mas como este alagoano mente bem a verdade!

8-2-1956

ECOS DO CARNAVAL

Antigamente, era na rua do Ouvidor que pulsava com mais força a vida desta heroica Cidade. "Grande artéria", chamavam-lhe os literatos e jornalistas, inclusive Coelho Neto. Era, de certa maneira, uma imagem inexata, porque na artéria está o sangue de passagem. Ora, não se passava pela rua do Ouvidor: ia-se para a rua do Ouvidor. Ali se parava, se namorava, se conspirava. Ali se situavam as redações dos grandes jornais, as lojas mais elegantes, os cafés e confeitarias mais frequentados. Ali é que chegavam ao clímax os acontecimentos mais notáveis da consagração pública. Quando, em 1880, Carlos Gomes voltou glorioso da Itália, foi na rua do Ouvidor que recebeu a apoteose máxima. O mesmo sucedeu com o segundo Rio Branco, ao regressar da Europa para ser ministro das Relações Exteriores. Nos três dias de Carnaval, então, a rua do Ouvidor ficava de não se poder meter um alfinete: a afluência de povo transbordava dali para as travessas, e a festa culminava com a passagem dos préstitos rua abaixo.

Pois bem, este ano, terça-feira gorda, por volta das três da tarde, desci de um lotação na avenida e subi a rua do Ouvidor até a rua Primeiro de Março. Estava deserta! Em certo trecho mesmo, entre Quitanda e Carmo, eu era o único transeunte! Senti-me um pouco como fantasma. Por sinal que me pareceu bom, só que um pouco melancólico, ser fantasma.

***

Situação privilegiada a que desfrutamos, os moradores da avenida Beira-Mar, do Obelisco até o aeroporto: estamos no coração da cidade e somos, no entanto, paradoxalmente marginais. O Carnaval das ruas está morrendo: já cabe todo na avenida e nem sequer a toma inteira. Dela para o mar é o deserto e o silêncio.

***

Naturalmente, me lembrei muito de Irene – Irene preta, Irene boa e sempre de bom humor. Passava ela o ano inteiro juntando dinheiro para gastar no Carnaval.

Também, graças a ela, o boqueirão da travessa do Cassiano brilhava nos três dias. Quarta-feira de Cinzas, às oito da manhã, estava à minha porta para o serviço. Era uma preta gorda, feia e tinha não sei que doença que lhe comia a beirada das orelhas, onde havia sempre um pozinho branco. A especialidade de Irene era a limpeza dos metais. Nas mãos dela o cobre virava ouro; todo metal branco, prata. Se as almas envolvessem os corpos, Irene não seria preta, não: seria da cor dos cobres que ela areava. Irene boa!

19-2-1956

Manuelzinho

Na rua Tonelero tem um bosque, que se chama, que se chama solidão; nesse bosque, nesse bosque mora um anjo, que se chama Alexandre Manuel Thiago de Melo. É um caboclo amazonense nascido por engano em Copacabana; fez, ontem, precisamente quatro anos.

Está me palpitando que dará para poeta, como o pai, e será um craque na geração de 1975. Digo isso porque o meu xará já se saía com coisas estranhíssimas antes dos quatro anos. Quando foi tomar banho de mar pela primeira vez, achou a água fria demais e botou a boca no mundo. Mas o mar impressionou-o fundamente. Dias depois, deitado na praia com a tia, perguntou-lhe: "O mar fica aí de noite?" Respondeu a tia: "Fica". E Manuel: "Fazendo o quê?" A tia: "Esperando pelo sol". Manuel: "Pra se esquentar, não é?"

Rute junto de Booz adormecido viu no céu o crescente e perguntou a si mesma:

> *Quel dieu, quel moissonneur de éternel été*
> *Avait, en s'en allant, négligemment jeté*
> *Cette faucille d'or dans le champ des étoiles?*

Manuelzinho viu o minguante e perguntou à mãe: "Mamãe, quem foi que quebrou a lua?" Para mim, a lua de Manuelzinho vale a de Victor Hugo.

Alexandre Manuel resultou de uma burrada na vida de Thiago de Mello e Pomona Polítis. Thiago e Pomona são muito boas pessoas, mas não tinham sido feitos um para o outro. O casamento não podia dar certo, e não deu. Mas isto é considerar as coisas do ponto de vista da felicidade humana. Do ponto de vista da Mãe Natureza, o caso muda de figura. Ela sabe o que faz (muitas vezes). Assim, quando Manuel García e Rosa Sarmiento se casaram, foi sem saber que eram incompatíveis. Eram, e seis meses depois se separavam definitivamente. Mãe Natureza, porém, precisava deles para fabricar um poeta de gênio, que foi batizado com o nome de Félix Rubén García Sarmiento e mais tarde se crismou literariamente a si próprio com o de Rubén Darío.

Manuelzinho dará o quê? Dê no que der, aos quatro anos é uma grande figura, um brasileiro notabilíssimo, e não necessita de vir a ser outro Rubén Darío para justificar plenamente, do ponto de vista da Natureza, a burrada de Thiago e Pomona.

22-2-1956

Roda, pião!

Sei de uma paraense que um dia, querendo definir a estupidez excessiva de outra mulher, disse: "É burra até no Pará!"

Estive dez dias em Belém, foi uma delícia (vide minhas *Poesias*, Rio de Janeiro, José Olímpio Editora, 1956, p. 188), não dei por aquilo. Talvez andasse por demais enlevado nos casquinhos de muçuã que comia no Grande Hotel e nos bacuris e cupuaçus do mercado de Ver-o-Peso. Aqui, o que vejo é, de vez em quando, aparecer um paraense, homem ou mulher, excepcionalmente inteligente. Como Eneida, por exemplo.

Como esta Ruth Maria Chaves, que outro dia veio trazer-me o seu primeiro livro de versos – *Roda, Pião!* Ruth tem 22 anos, é uma uva (moscatel rosada) e nem por isto deixou de achar na vida motivo para sentir na boca o travo de uma decepção:

> Joguei prata, joguei ouro,
> Joguei amores também;
> Me esqueci que era com a Vida,
> E a Vida jogava bem.

A esta altura, vocês já devem estar sentindo que Ruth não será nenhuma poetisa bem prendada, mas é, desde já, um poeta de verdade, que sabe tocar com mão segura no ponto sensível de quem a lê. E quem já não sofreu na carne a solércia da mais velha jogadora do mundo?

Este livro de cantiguinhas revela em Ruth Maria Chaves uma extrema perícia em se servir das toadas de infância para exprimir os seus próprios sentimentos atuais, passando ela das palavras da tradição para as de sua invenção, variando-as sutilmente, com encantadora versatilidade:

> O cravo brigou com a rosa,
> Mas minha sorte é mais dura:
> Brincava de quatro cantos
> E não sei em qual dos quatro
> Se perdeu minha ventura.

Que beleza!

> Senhora dona Sancha,
> Se perguntarem por mim,
> Conte que lavo meus olhos
> Nos riachos de águas-manhãs.
> Não diga que estou assim.

Ruth tem olhos de sombra e diz que "não há preamar que os lave". Serão os olhos do avô?

> Eu fui na Espanha
> Na terra de meu avô,

Que dos vários outros sangues
O dele é que me ficou.

Esta última quadra pertence à primeira das "7 cantiguinhas de um bem mais triste", um primor do princípio até o fim.

A outra é burra até no Pará: Ruth seria poeta até em Paris.

26-2-1956

BILAC, PRÍNCIPE

Hugo de Figueiredo (o nome obscuro e aparentemente tão real esconde outro, que está entre os mais ilustres de nossa atualidade literária) publicou, nos dois últimos suplementos dominicais, do *Diário de Notícias*, uma interessantíssima reportagem sobre a eleição, em 1913, de Olavo Bilac para Príncipe dos poetas brasileiros. "Esta reportagem", conclui Figueiredo maliciosamente, "não é literária, é arqueológica". Emprazo o malicioso a insistir na arqueologia, dando-nos, futuramente, mais duas novas reportagens – as das eleições de Alberto de Oliveira e Olegário Marianno.

Na reportagem de Figueiredo figura o meu nome como eleitor de Bilac. Está certo, só que votei, não com o meu nome literário atual, mas assinando-me M. Bandeira Filho. Meu nome não apareceu na relação definitiva dos eleitores organizada pela redação do *Fon-Fon*. Fui, depois, admitido a votar, porque meu amigo Honório Bicalho (literariamente Rufino Fialho, autor de uma novelazinha, *Na vida*) informou aos redatores de *Fon-Fon*, e à minha revelia, que eu era poeta com direito a voto, pois havia publicado em *Careta* meia dúzia de sonetos etc. Isso mostra que efetivamente a eleição não foi nenhuma marmelada para se eleger o diretor da revista, o simpático Mário Pederneiras, como se insinuou então. Apesar de suas falhas de organização, apontadas por Figueiredo, o concurso se processou "com decência", nas palavras do repórter. Aliás, tanto no caso de Bilac, como posteriormente nos de Alberto de Oliveira e Olegário Marianno "o concurso exprimiu, pela voz dos escritores, a média da opinião nacional sobre o grande poeta do tempo". Se houve erro da parte dos escritores, esta consideração de certo modo os absolve do erro.

M. Bandeira Filho terá errado votando em Bilac e não em Alberto de Oliveira, Vicente de Carvalho, Alphonsus de Guimaraens ou Augusto dos Anjos? Uma coisa é certa: era um leviano, uma vez que votou, mal conhecendo Alphonsus, cujos livros, é verdade, estavam esgotados àquele tempo, e não tendo nem o cheiro de Dos Anjos.

Pelo amor de Deus, não lhe perguntem como votaria hoje retrospectivamente. A resposta continua difícil. Sem sombra de dúvida em Dos Anjos havia maior densidade poética do que nos outros; mas o artista era deficientíssimo. A água de Bilac era bem rasinha, mas defluía em canais de arte primorosa. Se Raimundo Correia *ainda fosse vivo em 1913*, aí sim, eu não teria dúvida. Nem então, nem hoje.

29-2-1956

BRAGA

Eu andava sentindo falta de qualquer coisa e não sabia o que era. Isso me punha na velha alma uma insatisfação, um enfaro, que eu atribuía às causas mais diversas – à supressão de um ponto de parada de ônibus na avenida Calógeras, ao general Lott, à falta de boa baunilha no mercado... De repente me deu o estalo e achei: eu estava era sentindo falta da crônica diária do velho Braga: a semanal da *Manchete* não me bastava.

Agora estou como quero: compro de manhã o *Diário de Notícias* e vou logo à segunda página, ao puxa-puxa de Braga. Braga é sempre bom, e quando não tem assunto então é ótimo. Disseram um dia do português Latino Coelho que era um estilo à procura de um assunto. Braga é o estilista cuja melhor performance ocorre sempre por escassez de assunto. Aí começa ele com o puxa-puxa, em que espreme na crônica as gotas de certa inefável poesia que é só dele. Será este o segredo de Braga: pôr nas suas crônicas o melhor da poesia que Deus lhe deu? Os outros cronistas põem também poesia nas suas crônicas, mas é o refugo, poesia barata, vulgarmente sentimental, que tanto pode estar ali como nos versos de... Bem, cala-te, boca! A boa poesia eles guardam para os seus poemas. Braga, poeta sem oficina montada e que faz poema uma vez na vida e outra na morte, descarrega os seus bálsamos e os seus venenos na crônica diária.

Sempre me irritou ouvir dizer de um sujeito estúpido: "É um cavalo". O cavalo é um animal inteligente, observador. Grande observador, e o que é mais interessante, *sans en avoir l'air*. Braga também é assim. Com aquele seu ar contrafeito, hipocondríaco e de última hora (salvo seja), parecendo não prestar atenção a nada, não perde nada, anota nos escaninhos do seu subconsciente os mil detalhes da vida enorme, os quais, muito mais tarde, a propósito disto ou daquilo, comparecem numa crônica a tempo e a hora, no minuto exato em que são requisitados pela memória de Braga para nos surpreender a sensibilidade incauta.

Nem sempre, porém, Braga é *va comme je te pousse*. Frequentemente compõe. Uma vez contei a ele como, saindo à noite de um bar na praia do Flamengo, caí em cheio dentro dos olhos de Clarice Lispector, que ia passando por ali. Braga juntou isso com outra coisa, que não sei se era experiência própria ou alheia, e fabricou uma de suas obras-primas.

Saúdo a presença de Rubem Braga nas colunas do *Diário de Notícias* com a última dose de laranjinha que tenho em casa. Laranjinha confeccionada por meu amigo Raul Maranhão com Sapucaia velha do Vilarino, Cointreau e casca de laranja, que não sei se é seleta ou da terra, vou indagar.

7-3-1956

NAVA

Cerca de uns quatrocentos amigos de Pedro Nava se reuniram, quinta-feira passada, em almoço no Automóvel Club, congratulando-se com ele pela sua nomeação para diretor do Hospital dos Servidores do Estado.

Lá estive também, e com a grata obrigação de dizer algumas palavras, o que fiz, não obstante a minha falta de jeito para orador de sobremesa. Expliquei que a comida sempre me deu muito na fraqueza e me sentia, na ocasião, fraquíssimo para saudar um gigante, pois o nosso querido Pedro da Silva Nava é várias vezes gigante – gigante no tamanho, gigante na bondade, gigante na ciência e gigante na poesia.

Conheci Nava há bem trinta anos, em Belo Horizonte, adolescente magro e desenvolto, tão ágil no corpo quanto no espírito. Foi-se a agilidade do corpo, mas a outra persiste em grande forma. Naquele tempo não se poderia dizer em que daria Nava: se grande poeta ou grande pintor (fundou, com Carlos Drummond de Andrade e outros, a *Revista*, que foi o foco de irradiação modernista em Minas, e ilustrou um livro de poemas de Austen Amaro). Como poeta, limitou-se às atividades de bissexto, mas metendo inveja aos contumazes, pois "O defunto" e "Mestre Aurélio entre as rosas" são poemas que os melhores poetas do mundo gostariam de ter escrito (o primeiro, "O defunto", foram os versos que mais impressionaram o grande Neruda, quando ele andou por aqui). Há uns quatro ou cinco anos, talvez mais, deu-lhe ao Nava, uma espécie de frenesi pictórico e ele retratou magistralmente o seu amigo Teixeira. Pintou, ainda, duas paisagens. Uma era um Portinari; outra, um Utrillo. Se insistisse na pintura, poderia, um dia, produzir um... Nava. Porque há, dentro de Nava, Nava para dar e vender.

"O defunto" é Nava cem por cento, não o Nava de hoje, chegado a porto seguro na companhia de Nieta, mas o Nava abafado da tempestuosa mocidade, o Nava que ia afogar as suas angústias e o seu medo da morte nas cervejadas do Danúbio Azul. O Nava insatisfeito da vida, que, por temer a morte mais do que ninguém, pintou-a, melhor do que ninguém, "terrífica e habitual", a morte "nua e crua", a morte "com mau gosto".

Nava não é hoje o poeta ou o pintor que poderia ser, se tivesse querido. É, afinal, o grande médico, o grande reumatologista, tão querido e admirado de seus colegas.

25-3-1956

ESTILO ROMÂNTICO

Nas *Páginas de estética*, livrinho admirável, no entanto escrito como escrevo estas crônicas – colaboração semanal que foi para o *Correio da Manhã* – ensinou mestre João Ribeiro que para entender os clássicos há que respirar a atmosfera em que eles viveram, entranhar-se naquele mundo, tão diferente do nosso, que edificaram. Sábias palavras, que, na verdade, valem para qualquer autor do passado.

> E embora a gente humana te não louve,
> Hás de viver contente, conhecendo
> Que Polímnia te inspira e Apolo te ouve

A musa consola o poeta na mesma maravilhosa *terza rima* e são estas as suas últimas palavras:

> Ah, não me deixes nunca andar sozinho
> Mas dá-me sempre em aflição tamanha
> Um pouco de consolo e de carinho.
>
> Ó meu sonho d'amor, tu me acompanha
> Por esta vida, às vezes tão escura,
> Por esta vida, às vezes tão estranha.

Aqui não posso deixar de parar um pouco, porque já estou ouvindo Augusto Frederico Schmidt dizer comovido: – Que beleza! (Realmente, que profundidade de mistério e sentimento neste simples verso: "Por esta vida, às vezes tão estranha."!)

E o poema acaba:

> Assim falou e a flama em que me acendo
> Dentro do coração ia aumentando
> Enquanto a doce voz ia gemendo.
>
> E ela, que de Cupido segue o mando,
> Colheu no bosque os ramos duradouros
> E co'um sorriso milagroso e brando
> Me coroou de mirtos e de louros.

Há quem diga falando do poeta: – Pobre Albano!

Eu não digo. Pobre, coisa nenhuma! José de Abreu Albano foi um altíssimo poeta, escreveu um dos mais belos sonetos da língua portuguesa e de todas as línguas, viveu perfeitamente feliz dentro do seu sonho, na loucura que Deus lhe deu e na miséria que foi a criação de sua própria mão perdulária.

15-4-1956

FLORA

A semana passada, eu estava me vestindo para sair, e já em cima da hora, quando Paulo Gomide me telefona, não para me comunicar um de seus estranhos poemas, acabado de fazer, como é às vezes o caso, mas para me convidar a ver uma pedra.

– Uma pedra, Gomide?

– Sim, uma pedra com plantas.

A coisa era meio misteriosa, e o mistério decidiu-me. Fui. Tratava-se de visitar uma senhora, moradora à rua Soares Cabral, numa casa cujos fundos dão para uma aba de morro. A pedra era esse morro. Dessa pedra fez dona Hermelinda Flora dos Santos Lemos um sonho das *Mil e uma noites*, enchendo-a de plantas, construindo, em socalcos, estufas de ripado, que abrigam as mais belas e preciosas plantas do Brasil. Muitas delas em flor, como as orquídeas, os antúrios, as violetas. Mas no jardim de dona Flora as flores passam quase despercebidas. Para dona Flora o que conta realmente são as plantas, e ela se tem batido para que nas exposições elas, que apenas costumam aparecer como humilde fundo ornamental, sejam apresentadas em igualdade de condições com as orgulhosas flores.

Dona Flora não é desses colecionadores ricos, que gozam do prazer de possuir as plantas, deixando a mãos mercenárias o trabalho de as tratar. O prazer de dona Flora é cuidar ela mesma de suas plantas, e para isso se levanta todos os dias às 5 da manhã. Aquelas plantinhas são todas como suas filhas. Conhece-as uma por uma.

– As plantas, disse-me ela, são caprichosas, teimosas. Às vezes estranham ser mudadas para um metro de distância mais longe.

Sempre tive inveja de quem nasceu com vocação para alguma coisa. Trabalhar naquilo para que se tem vocação é a grande felicidade. Quem nasce com isso, nasce armado para suportar e vencer todos os contratempos, todas as agruras da vida. Vocação para a pintura, como Portinari, vocação para a música, como Villa-Lobos. Vocação para as plantas como dona Flora.

Desse paraisozinho da rua Soares Cabral trouxe para o meu apartamento da avenida Beira-Mar uma criaturinha encantadora, de sete centímetros de altura e doze pétalas veludosas de um verde indefinível, uma cactácea; "planta gorda", como é vulgarmente conhecida, para a qual os cientistas arranjaram um nome sesquipedantíssimo: *Kalanchoe tomentosa*, vejam só! Mas para mim ela será, sempre, Gordinha, minha mais recente namorada. Mais uma vez obrigado, dona Flora. Deus a abençoe e às suas plantinhas!

18-4-1956

QUE IDADE RISONHA E BELA

A dos vinte anos, não é? Em 19 de abril de 1936 nascia aquela que iria tornar-se a menina dos olhos de Rodrigo Melo Franco de Andrade – a repartição que se tornou ilustre sob a sigla SPHAN e hoje é DPHAN: Departamento do Patrimônio Histórico e Artístico Nacional.

Ideada por Capanema, planejada por Mário de Andrade, aprovada por Vargas, que sempre a amparou, salvo no caso em que não resistiu à pressão do arcebispo dom João Becker, responsável pela demolição da velha igreja do Rosário, em Porto Alegre, a repartição organizada e dirigida por esse homem, cidadão, administrador, amigo (*j'en passe*) exemplar que é Rodrigo, vem prestando os mais assinalados serviços à cultura nacional. Carlos Drummond de Andrade, arquivista dela, sumariou, em crônica de regozijo pela data, a importância do trabalho realizado nestes vinte anos. É impressionante: 419 obras de arquitetura restauradas, 21 imóveis históricos ou artísticos incorporados ao patrimônio federal, fundação de vários museus – Museu da Inconfidência, em Ouro Preto, Museu do Ouro, em Sabará, Museu das Missões, em São Miguel das Missões, no Rio Grande do Sul, Museu do Diamante, em Diamantina – catalogação de arquivos eclesiásticos e civis, pesquisas em tais arquivos efetuadas por técnicos insignes e das quais resultaram uma série de estudos constantes de livros e da admirável *Revista do Patrimônio* etc. Entre as obras de recuperação merece ser citada a da igrejinha de Nossa Senhora do Ó, em Sabará, uma joia que estava em perigo de perder-se e foi amorosamente preservada.

A luta tem sido, muitas vezes, árdua. Se Rodrigo encontrou aliados fiéis, como o inesquecível dom Sebastião Leme, pioneiro na campanha de salvação do patrimônio artístico de nossas igrejas, deparou, em numerosas ocasiões, oposição tremenda da parte mesma daqueles que deveriam estar interessados na ação de defesa. Em São João del-Rei, por exemplo, onde só faltou ser lapidado na via pública, porque não admitiu que se pusesse abaixo uma velha casa, das mais belas da cidade, para em seu lugar se levantar um hotel catita.

Membro que sou do Conselho Consultivo da notável repartição e como amigo de Rodrigo, estou apto a testemunhar a dedicação incomparável do diretor, as suas inexcedíveis qualidades de chefe, entre as quais está aquela a que aludiu Carlos Drummond na sua crônica, a saber, a paciência de aturar "os mais atrozes cacetes". Há vinte anos que Rodrigo não vive senão em função do Patrimônio Histórico e Artístico Nacional. O amor que ele dá à sua repartição é um prolongamento do amor que dá à família, daquele amor reflorescido agora na pessoa de seu netinho.

25-4-1956

CRÔNICA PARA PARDAIS

Para duas coisas (entre muitas outras) sei que positivamente não nasci: juiz e conselheiro. Sucede, porém, que no setor da literatura volta e meia sou chamado a proferir juízo decisório ou a dar conselhos que me são pedidos igualmente com intenção decisória. Diariamente me traz o correio cartas de rapazes e moças que mandam os seus primeiros ensaios poéticos e me perguntam se tais versos valem alguma coisa; querem saber se são realmente poetas, se convém insistir ou cuidar de outra vida. Em muitos casos, a resposta é facílima; em muitos outros, não sei o que responder. Ponho o caso em mim mesmo, que hoje me vejo excessivamente festejado como poeta, e me lembro que pelos vinte não fazia verso que prestasse. Há poetas que na adolescência já são como serão na idade madura: cristalizam-se cedo e definitivamente. Ribeiro Couto foi assim: os versos do *Jardim das confidências* são tão perfeitos como os do seu último livro. Já Carlos Drummond de Andrade pertence, como eu, à raça dos que vão conquistando com os anos o segredo de se exprimirem com felicidade.

Que erradas se podem dar! Imagine-se que, sob a forma de pardal novo (chamo a esses principiantes de "pardais novos"; o nome foi inventado por um deles), me entrasse, um dia, pelo apartamento um gênio, coisa muito pouco provável no Brasil, mas admitamo-la para argumentar. Um Rimbaud. É bem possível que as suas *Iluminações* me deixassem perplexo. Imagine-se esta coisa grotesca: algum de nós a dar conselhos a Rimbaud! Mais ou menos nestes termos: "Olha, rapaz, os seus versos denotam inteligência e uma grande dose de originalidade, mas são absurdos! Você revela uma enorme curiosidade do mundo: pois vá viajar, faça-se comerciante na Abissínia ou qualquer outra coisa assim..."

Eu gostaria de divulgar a carta que o grande poeta português vivo, José Régio, escreveu "A um jovem literato sobre a inanidade dos conselhos em arte". Li-a no *Diário Popular*, de Lisboa, número de 10 de julho do ano passado. "Em que medida", diz ele, "uma personalidade mais forte, mais firme (e até por uma questão de experiência e idade) não poderá antes desorientar do que ajudar, antes atrasar do que fazer avançar caminho uma jovem personalidade ainda hesitante?" É o que me pergunto sempre para me responder, também como ele: "Não será o próprio principiante quem sozinho – porque todos estamos sozinhos na realização do íntimo de cada um de nós – terá de aprender consigo próprio e se ajudar a si próprio?"

Fica entendido, e é o fim desta crônica, fica entendido, ó pardais novos, que de hoje em diante não vos darei mais conselhos: persisti na versalhada ou ide contrabandear armas de guerra na Abissínia, não quero assumir nenhuma responsabilidade nisso.

23-5-1956

História de um poema

Queríamos sair da Praia da figueira pela madrugada. À 1h30 o despertador estrilou. Levantamo-nos, tomamos café, e toca a descer a ladeira no escuro, porque a lua, com que contávamos, já tinha dado o suíte. O embarque foi o mais sereno de que rezam as crônicas da Figueira. Baste dizer que os canoeiros nem molharam os pés. O mar parecia uma pocinha de água. A guarnição era de cinco homens, entre os quais o Deco. Não lhes conto nada... Antes de Cotiatá Pequena começou a soprar um noroeste. Começou de mansinho, como festinha de cachorro. Depois, foi crescendo, crescendo. O Deco só fazia dizer: "Se ele está assim aqui, que não será na baía!" De fato: quando foi para fazer a virada da Paciência, quem diz que podíamos virar? Os homens botavam toda a força e a canoa permanecia firme no mesmo lugar. O pior é que se partiu o estropo do tolete do remo do Deco e foi preciso parar para consertá-lo. E olhe a canoa disparando para trás como uma bala! Em alguns minutos se perdeu meia hora de remado! Fiquei apreensivo, pois via que, a continuarem as coisas daquele jeito, ou tínhamos de voltar para a Figueira, ou haveria que arribar na praia da Cruz... se não fôssemos atirados para a Marambaia! Consertou-se o estropo, e toca a remar de novo. Mas o noroeste caía bem de proa, e não era possível passar. Então, foi decidido apanharmos o "cordão do vento", isto é, abandonarmos o rumo de Mangaratiba, atravessarmos a baía e navegarmos ao abrigo dos morros do lado de lá. Aquela linha de separação em que a ação do vento não se faz mais sentir é o que os canoeiros chamam o "cordão do vento". – "Vamos pegar o cordão!" Foi-se pegar o cordão, mas que luta! O pessoal remava de verdade, porque senão era Marambaia na certa! Afinal, chegamos ao outro lado, onde o mar e o vento serenaram.

Eram 5h30 quando pusemos o pé na praia de Mangaratiba. O trem partia às 5h35: foi o tempo de me engasgar com um cafezinho quente. O resto da viagem correu bem, eu exausto, amodorrado, meio subconscientemente reduzindo tudo aquilo a poema, o maior que já fiz em minha vida. Quando cheguei ao meu apartamento no Rio, cadê poema? Só me tinham ficado gravados na memória os poucos versos que intitulei "Oração do saco de Mangaratiba" e figuram no meu livro *Libertinagem*.

24-6-1956

O FANTASMA

Quando tomei o trem para Campanha, pensei comigo que se encontrasse por lá alguém conhecido, ele havia de me tomar por um fantasma. Na verdade, ao chegar à velha cidade da Princesa da Beira, eu mesmo tive a impressão de ser um fantasma. Desde a estação encontrei mudanças. Em 1905 havia a estação e, separando esta da cidade, que fica num morro, um descampado barrento, onde o sol *faisait rage*. Construíram uma dupla calçada da estação ao morro, à direita plantaram uma matinha de eucaliptos e à esquerda cavaram um lagozinho, onde a garotada toma banho. Marchei para o hotel ao pé do morro e quando me vi no quartinho meio sujo, fiquei meio que arrependido de ter deixado as comodidades do Hotel Silva, em Cambuquira. Descansei umas duas horas e então subi, muito curioso, a rua Direita, que vai dar no largo da Matriz, hoje praça D. Ferrão. Verifiquei que eu era um camelo em 1905. Pois não senti então o que sentia agora: um prazer delicioso diante das velhas casas coloniais autênticas, quadradas, as quinas dos telhados com telha em forma de asa de pombo. O largo também encontrei melhorado. No meu tempo não havia nada; era um declive nu, com capim junto às calçadas. Fizeram um passeio de cimento no centro, ladeado de cedros. As casas todas no mesmo, salvo a novidade de um Teatro Municipal, edifício execrável. Ele e a matriz reformada estragaram bastante o aspecto genuíno do largo. A igreja velha era esse barroquinho pobre e tão simpático que há em toda velha cidade do Brasil. Reformaram-na, abrindo-lhe janelas em ogiva. Quando me vi em frente da casa onde vivi e passei por tantos sofrimentos, senti um nó na garganta. A casa está igual. Junto, a mesma farmácia.

E junto da farmácia, a casa de Donana. Não quis logo procurar Donana, deixei para depois do jantar. Fui dar os passeinhos que fazia em 1905. Passei pelos fundos da matriz, desci a rua do Fogo, onde fica a segunda casa onde morei. A primeira era térrea, esta era um sobradão colonial com cinco janelas de frente e nove de lado! Com grande quintal atrás e mangueiras e outras árvores. Está muito estragada e soube que foi vendida por doze contos. De novo senti o nó na garganta. Me lembrei de uma porção de coisas, inclusive de Violinha, uma nossa cachorrinha amarela, que uma manhã amanheceu morta na escadinha da entrada. Voltei para o hotel, jantei meio horrorizado com a cara do garçom, que parecia leproso, e logo depois do jantar subi ao largo. Havia Via Sacra na matriz, entrei um pouco. Pensei: quantas vezes minha mãe e minha irmã deviam ter rezado por mim ali! Saí, dei umas voltas pelo largo e me dirigi à casa de Donana. Em 1905 Donana era um brotinho, de caninha muito fresca, muito cor de rosa, e uma dentadura perfeita. Donana mudou bastante, não tanto, porém, quanto eu temia. Ficou com o *teint tanné* e heroico das mães de família do interior. A dentadura resistiu bravamente, como um reduto. Via-se que ela se tinha defendido ali. Indaguei de todo o mundo e ela me contou coisas de minha mãe e de minha irmã, coisas que eu não sabia e que me fizeram bem, como certos retratos que a gente não conhecia. Quando saí de lá, a cidade estava deserta e silenciosa, fazia um luar estupendo. Vocês sabem o que é um luar estupendo no Largo da Matriz de uma cidade do interior? A tal rua Direita estava um encanto. Custei a me decidir a entrar no hotel.

A saída, às cinco da manhã, é que foi uma delícia para o fantasma. A lua ainda ia alta no céu. O lagozinho artificial com a saparia coaxando, umas neblinas se rasgando, os eucaliptos, tudo isso no crepúsculo da madrugada formava um quadro inesquecível. Às 6h35 o fantasma reencarnou no dia já claro na estação de Cambuquira e foi diretamente lavar o fígado na fonte magnesiana.

27-6-1956

Diálogo

– Você conheceu João Maximiano de Figueiredo?

– Não.

– Foi um grande advogado. Um dia, quis ter a sua casa própria, e encomendou o risco a meu pai. Meu pai não era arquiteto, mas gostaria de o ter sido e projetou com amor algumas casas. Uma delas foi a de Figueiredo. Anos depois, este, desejando dar nova cor à fachada da casa, que estava precisando de pintura, não o fez sem antes consultar a meu pai.

– Assim se procede nas terras onde há respeito pela obra do artista. Esse Figueiredo foi *avis rara* no Brasil. Aqui, o que se vê de ordinário é a mais completa desconsideração pela obra alheia. Você sabe quem foi que projetou o edifício da Escola Naval?

– Foi o Carlos Leão.

a esquerda, sem ver onde ela iria cair, a folha às vezes saía voando e umas três vezes o bom Maurício Medeiros curvou-se, risonho, para apanhar a repudiada; a certa altura, Álvaro perdeu-se na leitura, não achava a página; Josué, calmo e eficiente, interveio, enquanto Álvaro, nervosíssimo, seviciava a massa de papéis, atropelava o microfone, que quase foi ao chão; ele próprio tropeçou para a esquerda (eu tinha medo que fosse para trás; conheço as falsetas daquela tribuna!); enfim, pouco a pouco, Álvaro conseguiu dominar-se.

Mas o diabo é que se esqueceu totalmente de que estava falando para um auditório de carne e osso, e perdeu a conta do tempo. À uma hora da manhã, a situação dos ouvintes era trágica. O presidente Kubitschek, valha a verdade, portou-se com grande bravura, só que lhe deu uma sede tremenda. O senhor Nereu Ramos parecia medusado. João Neves, àquela altura dos acontecimentos, já tinha percebido que não haveria tempo para pronunciar o seu discurso, e sorria, malicioso, do futuro embaixador em Portugal. Perto de mim, na assistência, uma linda senhora, linda na sua maturidade bem emperiquitada, não resistiu à densidade daquela excelente literatura: à 1h30, principiou a descolar, estava destroçada. E Álvaro continuava a falar...

Terminou às duas, depois de três horas e meia de massacre metódico daquele auditório tresnoitado. Ninguém mais tinha forças para lhe prestar atenção. E foi pena, porque, a julgar pelo que ouvi até me sentir também privado de sentidos e de inteligência, o discurso é uma peça notável de penetração crítica, a todos os aspectos digna da insigne figura de Roquette-Pinto.

11-7-1956

O PROFESSOR DE GREGO

Cyro contou-me:

— Quando X. assumiu o governo do estado, tratou logo de colocar os seus amigos, que eram numerosos e andavam bem esfomeados. A mudança de política permitiu demitir muita gente, que foi substituída pela gente do peito do novo governador. Eis que, quando já não sobrava lugarão de encher o olho e o bolso, chegou do interior do estado mais um amigo do governador, amigo de infância, a que era impossível deixar de atender.

— Mas também você se meteu naqueles cafundós, nunca mais deu notícias de si, ponderou o governador. Agora, os melhores lugares já estão preenchidos. Em todo caso, vou pensar no seu caso. Dê-me uns dias e apareça.

Três dias depois, o amigo voltou a palácio. Foi recebido com efusão:

— Arranjei uma coisa ótima para você, disse o governador. Uma sinecura: Você vai ser professor de grego no ginásio do estado.

— Mas eu não sei nada de grego, nem quero saber!

— Nem precisa saber. Pela última reforma do ensino, o grego é matéria facultativa, e há dois anos não aparece ninguém para estudar grego. Portanto, tudo que você tem que fazer é comparecer no princípio do mês para receber os seus vencimentos.

O amigo achou ótimo e foi nomeado. Era aí por junho. Até o fim do ano não houve nuvem na sua felicidade de comensal à mesa do orçamento do estado. Mas no começo do ano seguinte principiou ele a apreender que se apresentasse no ginásio algum rapazola extravagante com vontade de aprender grego. O professor ia à secretaria do ginásio e indagava do secretário se entre os matriculados havia algum inscrito para a cadeira. O secretário, muito amável, respondia que não, mas que aqueles rapazes deixavam tudo para a última hora e era bem possível que o professor tivesse a satisfação de conseguir um aluno. Não sabia o secretário que era justamente o que o professor não queria!

Afinal, na véspera de se encerrarem as matrículas, surgiu um desalmado que desejava aprender o grego para ler Homero no original. O professor ficou aterrado e correu para o governador. Queria a demissão imediata, para não ficar desmoralizado. – Arranje-me outra coisa, pedia aflito ao amigo.

– Calma, homem. Não vá ao ginásio na primeira semana. Raro é o professor que vai. Até lá é bem possível que o matriculado desista do grego. Passe por aqui dentro de uma semana. Verei o que se pode fazer.

Não foi preciso arranjar outro lugar para o amigo do governador. Ele continuou como professor de grego. O aluno é que desistiu. Isto é, não desistiu, mas foi preso e expulso do estado como comunista. A notícia do caso espalhou-se, e nunca mais apareceu ninguém no ginásio com veleidades de aprender o grego.

19-8-1956

Saudades de Quixeramobim

O cabeçalho desta crônica mais parece título de alguma valsinha. Aliás, se eu tivesse bossa para a música, gostaria de compor três valsinhas – "Saudades de Campanha", "Saudades de Teresópolis" e "Saudades de Quixeramobim". Poria num chinelo a Antenógenes Silva com as suas "Saudades de Ouro Preto" e "Saudades de Uberaba", essas duas puras delícias.

Creio que as saudades de Quixeramobim são as que mais me doem. Como me doem as de Paris. Porque a verdade é que não estive em Paris: estive durante três dias num quarto de hotel na rue Balzac. Do mesmo modo, não estive em Quixeramobim: estive durante uns meses num sobradão da praça principal da cidade, em frente à velha matriz, e se estou batendo esta crônica de saudades é porque vi no *Cruzeiro* de umas semanas atrás uma fotografia do templo, não como é agora, desfigurado pela restauração, mas como era ainda em 1908.

Os dois veteranos pardieiros, a igreja e o meu sobrado, pareciam as duas personagens de um apólogo dialogal. Dois fantasmas. A casa dava fundos para o rio, de sorte que, logo que eu cheguei, fui à janela ver o rio. Foi uma grande lição de geografia: não havia rio nenhum: o Quixeramobim estava seco, seco; o que eu vi foi um areal, branco como uma praia, sobre o qual se arqueava a enorme ponte da estrada de ferro. E nesse areal várias cacimbas. O sobrado, que tinha um ar de

As memórias de Amado

Cá o temos de novo, o nosso grande Amado, no terceiro volume de suas memórias – *Mocidade no Rio e primeira viagem à Europa* – Gilberto Amado "ao grande completo" (galicizo com a mesma soberba, lúdica, lírica impudência com que ele escreveu, entre primores de estilo, "batia o seu pleno" – um purista não nos compreenderá, mas Amado há de entender que eu o compreendi). Gilberto de corpo inteiro, com o seu realismo, o seu "puro, grande, limpo e são" sensualismo, o seu otimismo, a sua fé no Brasil apesar de tudo (e de todos), as suas "torporências" e "matinalidades", a sua "santidade" atual, enfim Gilberto à sombra, não das *jeunes filles en fleur*, mas do canaânico Ser Egrégio.

Este longo período já é a minha primeira homenagem às excelências deste volume. Excelências que são muitas, a cada página, e quero desde logo destacar as com que está retratada a figura de Pinheiro Machado. Eis um dos motivos por que eu esperava com tanta curiosidade esta parte das Memórias. Nunca me aproximei do famoso caudilho. Sempre o detestei, mas a verdade é que era um homem que a gente respeitava mesmo odiando-o, e os caudilhos brasileiros atuais são tão desprezíveis! Não conheci Pinheiro Machado e tenho de aceitar o que lucidamente nos modela aqui Gilberto Amado como o autêntico Pinheiro.

O mesmo direi do retrato de Paulo Barreto. Com este tive dois rápidos encontros: era o bastante para conhecê-lo. Foi quando ele se preparava para lançar *A pátria*. Naquele tempo, os jornais ainda davam em rodapé um romance traduzido: era o "folhetim." Eu queria ser o tradutor de romances d'*A pátria*. Vejam os rapazes da Geração de 45 como eu era tocantemente modestozinho! Paulo Barreto tirou-me as ilusões. A folha não teria um tradutor de romances – teria um corpo de tradutores! "Porque", explicou-me ele, "eu não iria fundar um novo jornal para fazer uma segunda *Gazetinha de Notícias*!" Era assim Paulo Barreto, e o retrato dele por Gilberto saiu perfeito, como imagino que terá saído também o de Pinheiro Machado e os de tantas figuras apanhadas de passagem, – de escorço de face ou *à profil perdu*. Assim aparece, dir-se-ia que saltando da página 426, meu tio e padrinho Raimundo Bandeira, "homem singular, amalucado, dicacíssimo, repertório de conhecimentos heteróclitos, verdadeira galeria de retratos humanos". Aí está uma coisa a que eu gostaria de ter assistido: as conversações de Gilberto com meu tio. Será que Amado manjou bem o que havia de diabólico no outro?

19-9-1956

Queijo de minas

Numa de minhas últimas crônicas, fiz breve referência à soberba epístola em que Dantas Mota pôs a falar aluvialmente o "chamado rio da unidade nacional, apartado dos demais que fluíam este país, para ser santo". E não me contive que não lembrasse ao poeta que nunca mais me mandara ele um queijo de sua terra e do nome de sua terra.

Pois não lhes conto nada: dias depois, recebo de Aiuruoca um jacazinho com quatro queijos de minas e um maço de goiabada cascão. Tudo acompanhado destas instruções tão saborosas quanto o manjar de boca:

> Olhe que é um queijo tão digno que se aborrece na geladeira. Nela, perde o gosto. O que ele quer é tábua numa cozinha sem forro e acima do fogão. Mas você não tem, o seu apartamento, nem uma coisa nem outra. Nem mesmo fumaça. Acredito, assim, que, quanto mais depressa comido, mais você lhe diminui a tristeza. Torne-lhe, pois, breve o exílio. Pena que não lhe possa mandar também angu quente. Isso com queijo mineiro é admirável. Mas o angu, como o queijo mineiro, a única coisa que não requer é civilização. Fubá do Rio não dá liga. Logo, o angu, partido disciplinadamente, é a coisa mais indigna que já vi. Vai também um maço de goiabada tipo cascão. Um pouco impraticável principalmente para quem possui dentaduras duplas ("ainda não sou bem velho para merecer-vos"). Vai envolta decentemente em palha fervida e amarrada com embira limpa. Dou-lhe apenas um trabalho: o de mandar buscá-los na rua Acre, 34, às 13 horas de quarta-feira, no momento em que aí chega o caminhão-transporte daqui. Convém buscar logo, para evitar o calor carioca, com o que não se dá bem o queijo, feito com muito carinho em cozinha limpa de sítio de gente limpa e sem a interferência indigna de qualquer maquinaria.

Dantas, meu grande poeta, Dantas, meu velho, sabe que considerei também coisa indigna mandar mãos mercenárias buscar tão raras iguarias: fui buscá-las eu mesmo. E desde aquela quarta-feira tem sido aqui neste apartamento do Castelo e suas sucursais uma formidável, gargantesca e pantagruelesca orgia de queijo de minas e goiabada tipo cascão! E, honra a ambos, ninguém indigestou! Sabe, Dantas, que não engulo queijo de minas que não me lembre do nosso querido Mário, que Deus tenha. O criador de *Macunaíma* era brasileiro como ninguém. Menos nisto: não gostava de queijo de minas! "Começa que não é queijo!", bradou-me indignado certa vez que ousei enfrentar a erudição de meu amigo no assunto. – "Queijo ou não queijo – com goiabada tipo cascão é sublime!", respondi.

Dantas, meu velho, agradeço-te tanta sublimidade com palavras do teu mais recente poema: "Graça te seja dada, e paz da parte do Senhor, o Qual te assista, assim seja!"

23-9-1956

Carlos, o Intrépido

Tive ocasião de ouvir pelo rádio o julgamento do assassino do major Vaz. O rádio, em tais oportunidades, é precioso. Perdemos a visualização do acontecimento, mas levamos sobre os que o viram a vantagem de ouvir o que eles não podiam ouvir. Assim, os que não estiveram presentes à posse do acadêmico Álvaro Lins na Academia puderam tomar conhecimento do que ele resmungava nas suas aflições de recipiendário ao seu eficiente colega e amigo Josué Montello. Graças ao rádio. Do mesmo modo, graças ao rádio, os que acompanhávamos os argumentos dos senhores Araújo Jorge, Baldessarini e Adauto Cardoso, íamos ouvindo as piadinhas, ora atrevidas, ora desenxabidas, do advogado da defesa.

A impressão que me ficou daqueles debates é que o patrono do réu, sentindo a impossibilidade de argumentar a favor do sicário, preferiu dar, em tragicômico estilo, um *show* de combatividade. Esta foi a única boa qualidade de sua atuação.

Aliás, aplicou mal os seus dons de ofensiva, encarniçando-se contra a pessoa de Carlos Lacerda justamente no que este tem de inatacável, de inegável, de indiscutível: a bravura pessoal. Bravura da melhor espécie, porque sem nenhuma jactância. Lacerda, que tanto gosta de brigar por meio da palavra – da palavra escrita, pois quando fala é um argumentador ponderado e manso, quase sempre – Lacerda nunca demonstrou o menor gosto pela briga braçal.

Pretender provar pelo argumento dos energúmenos – repetição pura e simples – a pretensa covardia de um homem que há anos vem expondo a sua vida em campanhas de tremenda agressividade contra os homens mais poderosos do país; de um homem que por três vezes já foi assaltado em locais ermos, em duas se defendeu sozinho, revidando aos golpes sem berreiro de pávido; e, depois de agredido, espancado, baleado, voltou ao ataque jornalístico e não retratou uma linha do que escreveu, não alterou em nada a sua atitude de implacável violência: é, realmente, querer tapar o sol com uma peneira.

Como disse Adauto Cardoso, a última coisa que se possa inventar contra Lacerda é chamá-lo covarde. Por isso à antipatia que me inspirava o general Teixeira Lott depois do 11 de novembro veio juntar-se outra, mais funda, quando ele falou de Lacerda como de "um pobre rapaz que andava com medo de sua própria sombra".

Lacerda regressa ao Brasil quarta-feira. E eis, irrefutavelmente, mais um atestado de seu destemor. Ele sabe bem o que o espera: a luta de todos os momentos, a luta sem quartel, a luta em que pode perder a vida, como a ia perdendo ao lado do major Vaz. Então é covarde esse homem? Intrépido é o que ele é: Carlos, o Intrépido.

Saúdo-o no seu regresso. Peço a Deus que o preserve de seus inimigos, que Deus lhe fale na alma, inspirando-lhe o tom justo em que ele deva falar à tripulação e passageiros: deste barco bêbedo que é o Brasil de hoje.

7-10-1956

Tasso e Gomide

Esse Tasso não é o da *Jerusalém libertada*: é Tasso da Silveira, que me manda o seu recente livro de poemas – *Puro canto*, ao mesmo tempo que Paulo Gomide me invade o apartamento, trazendo pela mão Uanadiqui, a índia carajá; e na alma todas as angústias de Juqueri e do Flamengo.

Tasso da Silveira, com os seus doze volumes de poesia e dezesseis de prosa, é um nome amplamente consagrado. Não falo nele senão para agradecer o puro prazer que me deu, mais uma vez, o seu puro canto, que sobe sempre tão

> fresco, simples, inocente
> para os astros, para a lua,
> no seio da solidão.

De Gomide, porém, há que falar, porque ainda não é conhecido senão de uns poucos oficiais do mesmo ofício. Mas que oficiais! Carlos Drummond de Andrade, Sérgio Milliet, Vinicius de Moraes, Maria Eugênia Celso, Lêdo Ivo, Sylvio da Cunha. Todos eles estão nas orelhas do volume de Gomide exprimindo a sua admiração pelos versos do poeta Drummond, em pentassílabos:

> De Paulo Gomide
> a poesia agride
> toda convenção.

De fato: Gomide é um poeta agressor. Lembra um pouco, e em certos poemas bastante, os destrambelhamentos líricos do Mário de Andrade do "Carnaval carioca" e do "Noturno de Belo Horizonte". O que dá unicidade à voz de Gomide é a sua histriônica, irônica, sardônica neurose. A sua angústia de homem cifrado e até hoje indecifrado para toda gente e até para si mesmo. Dá a impressão de estar querendo analisar-se – psicanalisar-se – através de sua poesia: de encontrar nela a possivelmente impossível catársis.

Às vezes, dir-se-ia que a própria Nossa Senhora passa os dedos nos cabelos desse poeta torturado, e então ele murmura contrito algumas estrofes de inefável suavidade. Esse estranho pecador que comunga todos os dias é um católico do tipo Baudelaire, isto é, agudamente consciente da presença do demônio no mundo e na sua alma, e, como o francês, capaz de implorar a Satã, não a Deus, piedade para a sua longa miséria.

Gomide recebeu do Criador duas belas sementes. Não as cultivou, porém, e chegou à madureza quase sem saber que era um poeta e um artista plástico. Só nos últimos três anos se definiu. Fui o único espectador dessa curiosa e pujante definição. Gomide está hoje entre os nossos poetas de mais marcada personalidade. Forjou a sua técnica de espantos. "Flamengo", o poema que deu título ao seu livro, testemunha toda a sua força. Aqui se celebra, não o Flamengo da minha infância, que era apenas a praia, mas o Flamengo engolidor de bairros, pois hoje "de Botafogo ao Castelo tudo é Flamengo, Catete, Glória e Miséria, tudo é Flamengo e flambeja". Vai terra adentro e sobe a rampa de Tavares Bastos e ganha Laranjeiras e Cosme Velho. Flamengo é o maior e flamba: flamba no estro vira-mundo desse poeta despejado.

10-10-1956

O PELO DO CRÍTICO

Há algum tempo, um poetinha da Geração de 45 escreveu um artigo em que, a propósito de exaltar a poesia de outro, afirmou que o mais que se pode dizer de meus versos é que eles são bonitinhos. Li a piada e fiquei imaginando o prazer, a satisfação do engraçado rapaz ao talhar a pequena seta envenenada com que pretendeu humilhar o velho bardo já bastante humilhado pela vida. Mas o velho bardo tem, por isso mesmo, a pele dura. A setazinha ricocheteou e foi bater no volume 33, estante 17, prateleira 3. Um livrinho magro de poemas do rapaz.

Conta Ramalho Ortigão, não sei onde, que ele e seus amigos competiram, certa feita, a ver quem diria sobre os críticos frase mais vingadora. Não sei se foi dele ou de Eça de Queirós a seguinte receita, que é verdadeiro porrete: dentada de crítico se cura com pelo do mesmo crítico.

Foi o que fiz. No anterrosto do voluminho de versos do meu crítico vinha esta dedicatória: Ao poeta Manuel Bandeira, com um abraço de admiração. Depois, a assinatura e o endereço. Devo ter agradecido a oferta num cartão. Mas o agradecimento pode não ter chegado ao destinatário: hoje o correio extravia tão frequentemente a correspondência, que não seria antes do aumento das taxas? Como quer que seja, nunca me referi pela imprensa ao jovem poeta. Cometi, sim, a imprudência de me referir a outros de sua geração – Thiago, Lêdo, Geir, João Cabral de Melo... Não há nada que mais irrite um jovem poeta sedento de glória. Fiz um inimigo. Não tem importância, e até talvez seja bom: meus fãs já são sem conta, e a unanimidade poderia botar a perder a minha periclitante modéstia. As urtigas de um geniozinho serão um bom corretivo aos excessos dos amigos e admiradores.

Vou revelar um dos meus segredos profissionais. Não posso guardar todos os livros que recebo (moro em apartamento de sala, quarto, banheiro e cozinha). Tenho que fazer uma seleção: quando o livro não vale nada, arranco a página da dedicatória e me desfaço dele; se, porém, tem qualidades, catalogo-o na minha biblioteca. Fique, pois, sabendo o meu atual desafeto que o seu volume não foi para o lixo. Nem mesmo depois da piada. Meus versos são bonitinhos? Ainda bem. O elogio agradou a mim, ao Dante Milano e à Estrela da Manhã. Obrigado, rapaz!

21-10-1956

Oswald

Em seus *Episódios de minha vida*, que acabam de ser editados pela Anhembi, dedica Renê Thiollier sete páginas à figura de Oswald de Andrade. É pouco, se ponderarmos que Thiollier teve larga convivência com o turbulento amigo e deve saber dele muito mais coisas do que contou. Mas neste pouco debuxou o memorialista dois aspectos marcantes daquela extraordinária personalidade.

Oswald era um folheador de livros, não um leitor. "Segundo uma senhora muito de sua intimidade, ele nunca teve a paciência de ler um livro da primeira à última página". Quando se preparava para o concurso de uma cátedra de Literatura em São Paulo, veio ao Rio conversar com vários amigos acerca de sua tese, que versava o tema dos árcades mineiros. Eu fui um desses amigos. E fiquei assombrado quando, falando em Sannazaro, Oswald me olhou surpreso e perguntou: – Quem é Sannazaro?

Corri com Oswald: – Puxa, Oswald! Pois você está escrevendo uma tese sobre os árcades e não conhece o autor da *Arcádia*?

Oswald não se alterou nem corou. Riu muito e depois soltou esta: – Que é que você quer? Há quarenta e dois anos que eu não abro um livro! Não tenho tempo!

Sua *blague* famosa – pediram-lhe a opinião sobre não sei que romance de autor nacional e ele respondeu "Não li e não gostei" – define-o: ele gostava e não gostava das obras sem as ter lido: farejava-as com a sua surpreendente intuição. E, se errava, não era que errasse, porque errava de caso pensado, segundo as simpatias do momento.

Durante muitos anos vivi nas boas graças de Oswald, que, estou certo, nunca terá lido um livro meu de cabo a rabo. Sempre me dedicava os seus com dedicatórias tocantes: "A Manuel Bandeira nacional da poesia" foi uma delas. Um dia publiquei a *Apresentação da poesia brasileira*, que era um estudo histórico-crítico da nossa poesia seguida de uma pequena antologia ilustrativa apenas. Oswald não entrava na antologia porque no estudo, onde eu o tratava com a largueza que ele merecia, já eu havia transcrito dois de seus poemas. Pois Oswald ficou despeitado e nunca mais foi o mesmo para mim. Não houve explicação que o satisfizesse. Quem não quiser fazer desafetos, comece não fazendo antologias...

A outra nota marcante em Oswald e assinalada por Thiollier é a de que ele "só se sentia bem quando via o riso alastrar-se-lhe em redor, por ter conseguido irritar, futricar a paciência de alguém".

Era um sagitário de feroz bom humor, a quem não importava o valor das vítimas. E deliciava-se naquilo que o saudoso Raul de Leoni chamava "estabelecer o equívoco".

24-10-1956

O COLETE

Enquanto se dá a última demão na lei contra a imprensa e especialmente contra o papão Carlos Lacerda; enquanto se prepara, melifluamente, como quem não quer, a cúpula que deve coroar a constitucional ditadura militar vigente: nós, lunáticos, devemos começar a ir-nos habituando a tratar os temas verdadeiramente construtivos e sem pecha de facciosismo numa democracia futurosa como a nossa. O colete por exemplo.

Mestre Oto Prazeres contou, outro dia, a história de um candidato a governador de estado que viu fracassada a sua aspiração porque apareceu em casa de Pinheiro Machado sem colete e com a gravata "fazendo o que bem queria".

Era assim nos primeiros anos do século. Colarinho duro, colete e gravata não só bem ajustada como apropriada à circunstância e à hora. Lembro-me ainda da indignação com que uma senhora "bem" daqueles tempos profligou a conduta do bom primitivo Moacir, que se apresentou para jantar com ela de gravata clara. – Como se fosse para um piquenique! comentou.

Lembro-me ainda que na boa sociedade o guapo Pandiá Calógeras era um pouco olhado como cafajeste porque andava sem colete, e creio que foi o primeiro homem de responsabilidade que ousou descartar-se dele publicamente. Creio mesmo que o seu exemplo ajudou muito a acabar com esse paletozinho sem mangas e cheio de bolsos, um tanto ridículo, convenhamos, quando a descoberto (Marinetti sustentava que era o ponto difícil na primeira entrevista amorosa esse de aparecer em colete, pelo que recomendava aos amantes uma velocidade vertiginosa em tal emergência). O colete foi ficando apenas o companheiro fiel do fraque. Mas o fraque desapareceu até dos casamentos: o mês passado fui a um casamento elegante (baste dizer que era na Capela da Reitoria) e só havia lá um fraque, por sinal que muito encabulado.

Não lastimo a decadência do colete. Tenhamos a coragem de ser tropicais. O colete não foi inventado para dignificar a criatura humana e os possíveis candidatos a governador; foi inventado e adotado nos climas frios, como simples agasalho. Podemos perfeitamente passar sem ele. Não condeno a mocidade que anda em mangas de camisa. Tudo está em usar a camisa feita de propósito para isso. Na verdade, se tivéssemos juízo e coragem, adotaríamos o traje inventado pelo Flávio de Carvalho. Como não temos, chamamo-lo de louco e vaiamo-lo.

Ainda bem que o colete perdeu o prestígio e vai ficando obsoleto, coisa de velhote. Hoje colete só o para as senhoras que sofrem de espondilose.

28-10-1956

SANTA

Era assim que o chamávamos, como se quiséssemos pôr em evidência o que havia de santo naquele que foi o mais amável dos pecadores. E essa impressão parece que decorria da sua inalterável serenidade, aquela serenidade que ele preservava mesmo nos redutos de mais acesa discórdia nas *coulisses* administrativas do Teatro Municipal, por exemplo. Serenidade que não excluía, aliás, a capacidade de luta, inclusive de luta física: contam os seus amigos que, quando na mocidade frequentava noturnamente os barzinhos da Lapa, na hora do pau cantar removia tranquilamente os óculos do nariz e, com cordial bravura, distribuía também as suas pancadas de míope.

Tenho que essa serenidade, que era uma atitude tão marcante em Santa Rosa, resultava da sua necessidade de compreender. Extremamente dotado para tantas coisas diversas – o desenho, a pintura, a cenografia, a poesia, a música, a crítica, o teatro, o amor (esse *coloured* soube amar e se fazer amar de pretas e brancas), nunca se fixou definitivamente em nenhuma, porque a sua verdadeira vocação era compreender tudo isso – compreender, numa palavra só, a vida. Amava a vida, apesar de todos os aborrecimentos e horrores da vida. Vocação de ser homem compreensivo da vida em sua prodigiosa totalidade.

Por isso certa vez que escrevi um poema reticente, sibilino, esquisito, não resisti que não interrompesse o fuxico lírico para reflexionar: "Santa Rosa me compreende". Santa compreendia tudo.

FLAUTA DE PAPEL

283

Sabemos todos como os pintores são uma classe desunida. Sempre admirei a habilidade – mas não era habilidade, era cordura, cordialidade ou qualquer outro atributo de nome derivado de *cor, cordis*, coração – com que ele evoluía serenamente entre esses "lobos de estepe" (vi esta imagem em Drummond e passo a adotá-la), sem jamais despertar em nenhum deles a alergia do ciúme. Santa compreendia a pintura e compreendia os pintores...

Compreendia a pintura: não tomaria nunca como de Portinari a pintura de uma das alunas do grande pintor, como vi acontecer a outro artista ilustre. Um dia quisemos experimentá-lo, mostrando-lhe como de Portinari a pintura de uma sua discípula, muito influenciada pela maneira do mestre, aliás bem boa pintura. Santa tirou os óculos para ver melhor de perto e abanou a cabeça: "Esta pincelada não pode ser de Candinho..."

Raramente eu estava com o Santa e sempre de passagem. Mas, longe de nossos olhos, era desses amigos que estão sempre conosco em pensamento. Porque sabíamos todos que *esse* nos compreenderia. Agora, acabou-se...

2-12-1956

Diálogo anteontem

– Sabe quem estava lá?

– ?

– Marium. Há milhões que não via ela!

– Eu também. Há dez anos foi muito interessante.

– Foi. Hoje caiu no murcho.

– Ficou pra tia?

– Não, casou.

– Com quem?

– Com um *playboy*.

– Que é *playboy*?

– Puxa, você não sabe? *Playboy* é um rapaz da moda, que "sai" muito, que hoje está noivo de uma pequena, amanhã de outra, e o Ibrahim cita quase todo dia na Reportagem Social.

– Ahn! Cite um *playboy*. O Maneco é *playboy*?

– O Maneco está queimado há muito tempo!

– Qual é o seu programa hoje?

– Não sei. A Zenaide me convidou pra tomar chá com ela. A Zenaide é de morte: é uma mulher que ainda toma chá! Ninguém mais toma chá com ninguém! Pois a Zenaide toma! E depois do chá pega a gente pra jogar buraco de graça! Buraco e biriba são jogos que só se jogam a dinheiro, porque não têm graça nenhuma. A graça deles é o dinheiro. Tudo o que não se faz mais a Zenaide faz. Ainda fala em "it", imagine!

– Você vai amanhã à recepção do Zé Lins na Academia?

– Tinha muita vontade. O Zé Lins fardado de acadêmico deve ficar ainda mais parecido com cangaceiro. Mas sessão pública da Academia é a coisa mais *moche* deste mundo. Depois, não tenho paciência para "trocar ideias" com as "crentes" da Academia: são piores que a Zenaide!

– Mas a recepção do Zé Lins será uma coisa diferente. Vai gente que nunca põe os pés no Petit Trianon. Até o Antônio Maria já disse que vai.

– O Antônio Maria vai? Então talvez eu vá. Não, não vou não. Prefiro ir abraçar o Zé Lins na ceia do Flamengo. Vá você à Academia, depois se encontre comigo na ceia pra me contar tudo como foi, tá?

– Tá o quê?

– Puxa, você não sabe nada mesmo!

16-12-1956

Na Academia

Sábado passado, ao abrir a sessão em que se ia receber o novo acadêmico José Lins do Rego, o diserto presidente atual da Casa de Machado de Assis lembrou que naquele dia completava a Academia 60 anos de idade. Ora, parece que a distinta senhora anda querendo disfarçar as suas rugas saindo fora do sério, refugindo às atitudes convencionais. O sangue novo dos Lins veio provocar-lhe turbulentas urticárias: Álvaro massacrou o seu auditório com um discurso de três horas e meia; agora, Zé Lins massacra, num espetáculo também inédito, todos os seus antecessores na poltrona.

Esta foi, sem sombra de dúvida, a oração menos acadêmica que já se pronunciou na Academia desde o famoso estouro de Graça Aranha. Zé Lins preveniu de saída que ia falar com "a língua solta que Deus lhe deu". E falou, de fato, sem as consabidas papas protocolares: "Franklin Dória e Artur Orlando, os dois primeiros ocupantes da cadeira patrocinada por Junqueira Freire, não exprimiram em suas obras senão a mediania; Ataulfo, esse exprimia o que havia de exterior à Casa, era o colibri dos salões, expoente da atividade social e mundana, cercador de narcisos, o homem que "chegou ao Supremo Tribunal sem ter sido um juiz sábio e à Academia sem nunca ter gostado de um poema".

Zé Lins foi impiedoso como os cangaceiros dos sertões do seu Nordeste. Tudo o que disse era verdade. Mas a hora não era de dizer toda a verdade ou dizê-la sem as papas cozinhadas naquele "leite de bondade humana", tão abundante, como sabemos, no coração do bom paraibano. O que em Ataulfo resgatava as suas poucas letras, aquilo que fazia dele o mestre do convívio mundano, o líder da assistência social, mencionou-o Zé Lins, mas aparece em seu discurso em toques quase apagados ao lado das pinceladas de mestre com que o grande virtuose da prosa "ligada ao falar do povo" retratou de corpo inteiro o seu predecessor. Havia, porém, que acentuar, e Zé Lins não o fez, certos achados de expressão de Ataulfo. Podiam às vezes exprimir nada ou uma pura necessidade, mas sem a morta-cor do trivial. E algumas vezes acertava, genialmente, como no caso do "parabéns por tudo" dito ao próprio Zé Lins, ou quando, tendo visto seu confrade Calmon brilhar entre os oradores de certa festividade, contou-nos na Academia: "O Calmon, esse então pipilava!"

Austregésilo de Athayde quis, no seu lúcido discurso de saudação, contrabalançar a língua solta do recipiendário e pôs no elogio do morto todo o possível calor do afeto, mas não é verdade que, ao chamá-lo o "irmão leigo da Ordem", estava fazendo o mesmo que Zé Lins? Toda gente reconhece que era difícil fazer o elogio de Ataulfo. Só uma pessoa poderia fazê-lo impecavelmente, como aliás o fez em dois artigos do *Correio da Manhã*: Carlos Drummond de Andrade.

Não quero fechar estas linhas de crítica sem declarar o meu contentamento de ver entrar na Academia José Lins do Rego, um dos Grandes das nossas letras, grande não só entre os vivos, mas também entre os mortos.

19-12-1956

LEMBRANÇA DE GABRIELA

O que mais me impressionou em Gabriela Mistral, a primeira vez que me avistei com ela, foi o que havia no seu físico de denso, de sério, de profundo. Era qualquer coisa de telúrico, que parecia enraizá-la no solo. Foi assim que sempre eu havia imaginado as grandes figuras das mitologias, a Deméter dos gregos, a Ceres dos romanos, simbolizadoras das riquezas da terra em minerais e sementes. Tão grave impressão poderia chegar a intimidar-nos, se, de repente, na conversação, a extraordinária mulher não nos sorrisse de lado, de quando em quando. O seu sorriso era de inefável doçura e dava-lhe aos olhos claros uma expressão indulgente, cariciosa, maternal. A mãe frustrada que ela foi toda a vida estava inteira naquele sorriso de soslaio.

Gabriela falava pouco. A bem dizer, não falava: murmurava, sussurrava, articulando indistintamente as palavras. Na meia surdez em que eu já andava naquele tempo, era-me difícil compreendê-la. Mas o mesmo acontecia com outros brasileiros de boas ouças. Por isso Gabriela não acreditava na propalada facilidade que temos, brasileiros e portugueses, de entender os de língua espanhola.

Uma das primeiras perguntas que lhe fiz foi para saber por que, sendo o seu verdadeiro nome tão bonito – Lucila Godoy – adotara o de Gabriela Mistral, certamente menos belo que o outro e um tanto áspero.

– *Tontería de niña*, respondeu-me ela, *yo tenía grande admiración por D'Annunzio y Mistral.*

Em Petrópolis, onde viveu alguns anos, primeiro num sobradão da rua Primeiro de Março, depois num bangalô na Independência, visitei-a muitas vezes, e saía sempre de sua casa carregado de livros que ela me dava: sabia-me professor de literaturas hispano-americanas e queria ajudar-me e ao mesmo tempo tornar conhecidos os seus amigos da América espanhola. Tinha o gênio da amizade: lembro-me do carinho com que me recomendou que procurasse, no Rio, Gonzalo Zaldumbide, então embaixador junto ao nosso governo.

Era frequente confiar-me as suas apreensões acerca de um seu sobrinho que viera morar com ela em Petrópolis. Bonito rapaz de dezessete anos, inteligente, vivo, mas, por ter um defeito de conformação da espinha, cheio de complexos. Uma tarde que Gabriela estava num cinema, vieram dizer-lhe que o sobrinho tinha ingerido veneno num café da rua Quinze e o seu estado era desesperador. Pobre Gabriela! Sempre foi perseguida pelos suicídios dos outros: o do inspirador dos famosos *Sonetos de la muerte*, o do sobrinho, o de Stefan Zweig, de quem era grande amiga. Tudo concorria, assim, para lhe aumentar a expressão machucada de sua fisionomia.

Um dia, Benjamin Carrión comunicou-lhe estar escrevendo um livro sobre ela e o livro se chamaria *Santa Gabriela Mistral*. Gabriela implorou: *No me haga el mal grande que me causaria la publicación de un libro entero sobre mí. La honra sobrada, exagerada, de un Premio Nobel, se doblaría con su libro. Por favor, yo no puedo más con estos años de gente herida y profundamente! Hágame, déme silencio.*

Deus deu-lhe, agora, o silêncio que ela vinha pedindo há tanto tempo. Silêncio para o seu coração machucado, não para a sua obra, não para a voz da sua poesia oracular e profunda.

13-1-1957

POEMAS PARA CORDAS

Se nos reportarmos ao que na poesia será timbre e forma musical, poderemos dizer que os grandes poetas românticos foram, sobretudo, sinfonistas (às vezes, abusando um pouco da bateria). Quanto aos parnasianos, prezavam na sua arte mais o elemento plástico, pictural ou escultórico, do que o musical. Os simbolistas eram por excelência musicais, quebrando a extrema doçura melódica com umas sutis dissonâncias e preferindo entre todos os timbres os mais especiosos – oboé, trompa: *Le son du cor s'afflige vers les bois...*

Os modernos, a partir de Rimbaud, é que procuraram aproximar a sua música do naipe das cordas. Claudel comparou a da prosa de *Une saison en enfer* com a do *bois moelleux et sec d'un Stradivarius*. Perfeita comparação. Joyce chamou à sua coletânea de líricas *Música de câmera (Chamber Music)*. Depois veio T. S. Eliot, com os seus famosos *Four Quartets*. O nosso José Paulo Moreira da Fonseca quis dar aos seus *Poemas do mar* o título de *Quartetos do mar*, e penso que desistiu de chamá-los assim para não parecer que estava imitando Eliot.

Agora surge-nos Homero Icaza Sánchez com este belo volume *Poemas para cuerdas*, edição primorosamente composta, impressa e ilustrada por Manuel Segalá. Icaza Sánchez estreara em 1947 com o livro *Primeros poemas*. Poesia ainda com aquela disponibilidade da adolescência, não se podendo prever em que sentido se definiria o poeta, nem mesmo se persistiria poeta. O timbre era preferentemente de flautim, aliás delicioso às vezes, como quando um dia perguntou à lua:

> *Dime en secreto, graciosa luna,*
> *de qué estás llena cuando estás llena?*

Em alguns poemas, entretanto, já havia sonoridades *"moelleuses et séches"*, timbre grave de viola, conjuntos quartetísticos. *"En una gota de agua"*, as *"Tres Elegías"* já lhe davam direito às honras de grande poeta. Honras que presentemente há que ampliar, depois destes *Poemas para cuerdas*.

Icaza Sánchez nos veio do Panamá para fazer aqui o seu curso de Direito. Aqui ficou e casou-se – com brasileira e artista, Helena Figner, fina cantora de *lieder*. Hoje Homero tem duas pátrias. Bem entendido, não se naturalizou, mas é um carioca de coração, só que fala português com sotaque espanhol do istmo.

Homero agora é ele mesmo. Perempta a influência de Lorca, dos poetas negristas da América Central. O poeta já se tornou *"hombre adulto y responsable"*, e o maior elogio que posso fazer de sua poesia é dizer que está arraigada *"a la substancia de los misterios puros: la lengua, el pan, el agua"*.

O Panamá tem meia dúzia de grandes poetas: Rodrigo Miró, Demetrio Herrera, Roque Javier Laurenza, Ricardo Bermúdez, Rogelio Sinán, Eduardo Ritter Aislán. Homero Icaza Sánchez vem completar a plêiade.

20-1-1957

Poesia concreta

I

Um diário carioca incendiou que eu tinha aderido à poesia concreta. Alguns amigos telefonaram-me alarmados. Como se eu tivesse sido vítima de um enfarte ou coisa assim – atropelamento, assalto, arbitrariedade policial.

Vamos devagar. Não aderi à poesia concreta. O que houve é que depois de ler uns ensaios do grupo concretista escrevi um poema aplicando ao meu superado jeitão de poesia uns toques de Concretismo. Não creio que Décio Pignatari ou qualquer um de seus companheiros aceite o meu "Analianeliana" (é o título e peço desde já perdão) como poema concreto.

Dada essa explicação, quero dizer que fui ver a Exposição de Arte Concreta mais por causa da poesia, e saí de lá um pouco decepcionado. Porque de poesia concreta só havia lá o que eu já tinha visto em *Noigandres 3* e fragmentos de um poema de Ferreira Gullar. Ouvi o poeta falar a um jornalista explicando o seu processo de composição e apresentação do poema. Os cartões são tão grandes porque devem ser fotografados para redução no clichê. Senão como ler uma letra grafada dentro de outra? A obra não foi exposta integralmente porque se estende por 76 cartões: tomaria toda a sala. A poesia concreta é tremendamente espacial. Sobretudo a de Gullar. Confessa ele, nos comentários ao seu poema "O formigueiro", que a sua arte opera no silêncio. O silêncio é o branco. E é preciso muito branco para isolar suficientemente uma palavra, ou uma sílaba, ou uma letra. Domingo passado o *Jornal do Brasil* deu no seu suplemento literário outro poema concreto de Gullar. Toma toda uma página. Uma página onde as palavras somam apenas 434 letras.

Antes de mais nada, a reflexão que me acudiu foi esta: eis uma coisa que não poderia ter acontecido ao tempo em que foi diretor do *Jornal do Brasil* o pouco jornalista e nada poeta Pires do Rio. Quando Barbosa Lima Sobrinho foi recebido na Academia em 1938 era, se não me engano, redator-chefe da folha. Saudou-o Múcio Leão, também seu redator graduado. Pois o jornal não deu na íntegra os discursos de seus redatores. Contou-me Múcio que Pires do Rio se justificara alegando que uma página do jornal valia cinquenta contos. Bem, isso foi em 1938. Quanto não valerá hoje? Os tempos estão bem mudados! Parabéns aos concretos.

6-2-1957

II

Se acaso entendi bem o que vi e o que li de poesia concreta, o processo que a distingue consiste em tomar as palavras não como signos – "túmulos em que a convenção sepulta as ideias", na expressão de Augusto de Campos – mas como coisas em si mesmas.

Já se disse que o poeta é o homem que vê o mundo com olhos de criança, quer dizer: o homem que olha as coisas como se as visse pela primeira vez; que as percepciona em sua perene virgindade. Imagino que o poeta concretista se esforça por ver as palavras despojadas de todo o seu convencional conteúdo semântico. É assim que as crianças e os adultos analfabetos veem uma página de cartilha, com as suas sentenças do tipo A AVÓ VÊ A AVE. O tema condutor do poema "O formigueiro", de Ferreira Gullar, é uma sentença de cartilha: A FORMIGA COME A PLANTA. Ninguém poderá negar a intensa poesia das frases de cartilha: só que é poesia não intencional. Pois bem, vem o poeta e passa a usar intencionalmente o processo, mas em sentido contrário. O analfabeto acaba apreendendo o sentido da sentença, a virgindade das palavras se gasta, elas se transformam nos túmulos da imagem de Augusto de Campos (os poetas concretistas, quando explicam em prosa o seu procedimento, viram também sandapilários); o poeta terá que fazer ver a palavra liberta de suas mortalhas. Tenho que é empresa dificílima – uma aventura como a do *Un coup de dés* de Mallarmé.

Vou exemplificar. Vocês já tentaram ver os nomes dos nossos grandes românticos como nomes quaisquer? Gonçalves Dias, Castro Alves, Fagundes Varela, Álvares de Azevedo? Desde a infância ouvimos falar neles, de sorte que os seus nomes se tornaram como palavras novas da língua, têm a sua música própria, o seu desenho, o seu cheiro, derivados de tudo o que sabemos desses poetas e de sua poesia. Gonçalves Dias, por exemplo, não é mais uma combinação de Gonçalves com Dias (basta inverter a ordem dos elementos e dizer Dias Gonçalves para torná-lo "concreto".) No entanto, antes de adquirir fama, quando – precisemos mais – apareceu em Portugal na revista *O Trovador* a sua poesia "Inocência", os leitores do tempo devem ter lido a assinatura A. Gonçalves Dias como a gente leria hoje, digamos, Lopes Teixeira ou Almeida Pinto. Ou Ferreira Gullar. Não tenho a menor dúvida de que o nome do autor de "O formigueiro" está nessa fase de casulamento. Ora, muito bem, eu tinha vontade de compor um poema concreto em que partiria do nome Gonçalves Dias e dissociaria os dois apelidos e combiná-los-ia com outros e forjaria firmas comerciais (Dias Gonçalves, S. A., Dias Leiloeiro, Gonçalves, Dias & Cia. etc.), enfim,

FLAUTA DE PAPEL

faria o diabo, de maneira que ao fim do poema o leitor visse o nome inteiramente dissociado da imagem do poeta. Como Ribeiro Couto leu, um dia, o seu na placa de uma firma da rua Primeiro de Março: Ribeiro, Couto & Cia.

Eu disse que teria vontade. Mas não tenho coragem. Não quero bancar *le pitre châtié*. A poesia concreta exige o poeta de gênio: *hic labor est*.

10-2-1957

III

Não pretendia eu voltar ao tema da poesia concreta, mas aconteceu que um anônimo, dizendo-se meu "constante leitor", me dirigiu uma carta em que mete o pau nos rapazes concretistas e sua poesia.

"Admira-me", diz ele, "que o senhor leve a sério essa gente. São uns pândegos. O que eles fazem pode ser interessante como charadismo, algumas vezes uma modalidade de palavras cruzadas. *A poesia é outra coisa*. A propósito, mando-lhe um "poema concreto", em que as palavras estão grafadas de modo que, lidas só as letras maiúsculas, resulta a frase acima escrita em grifo."

O "poema" do "constante leitor", cá pra nós uma paródia bem chinfrim, reza deste jeito (atenção, revisores!):

A-qui
jaz
aos
cor-PO
E-cos
phr
ene-SI
A-qui
hic
est
mar-É
jaz
zás
OU-tão
con-TRA
fio
fias
COI-tas
pous-SA

Quem já tomou conhecimento das publicações de Décio Pignatari, Haroldo e Augusto de Campos (*Noigandres 1, 2* e *3*), quem esteve na Exposição de Arte Concreta e viu os poemas de Ronaldo Azeredo, Ferreira Gullar e Wlademir Dias-Pino, pode testemunhar que as pesquisas de todos eles estão bem longe de merecer qualquer aproximação com a caricatura do "constante leitor". Elas dão que pensar, ainda que não as aprovemos ou mesmo as compreendamos. Conversei longamente com esses rapazes, especialmente com Pignatari e os irmãos Campos. *Não são uns pândegos*, acredite o "constante leitor." Bem ao contrário, são impressionantemente sérios, a ponto de acreditarem que a sua concepção de arte poderá clarificar a consciência brasileira, melhorar a condição social do Brasil. São inteligentíssimos, cultos, viajados. São bem-intencionados. Não estão querendo lançar poeira aos olhos dos trouxas para atrair a atenção e publicidade para os seus nomes. Há já alguns anos que trabalham obscuramente em contato com outros rapazes de outras terras, apaixonados como eles por essa direção de pesquisa poética. Qualquer que seja o valor que possam ter as suas produções, merecem mais deferência do que a eterna *rengaine* dos decalcadores.

13/2/1957

POESIA CONCRETA

Reina uma grande confusão nos domínios da poesia concreta. Abro uma revista e me vejo dado como ferrenho adversário dos concretistas; abro um jornal do mesmo dia e esse anuncia que aderi ao Concretismo. Não posso confirmar nem infirmar uma ou outra coisa, porque, afinal de contas não sei ainda o que caracteriza um poema concreto. Reynaldo Jardim tem razão: "Ainda não foi satisfatoriamente conceituado o que seja um poema concreto", escreveu ele há pouco. Haroldo de Campos, um dos três ou quatro pioneiros fabricadores da poesia concreta, definiu: "O poema concreto aspira a ser composição de elementos básicos da linguagem, organizados ótico-acusticamente no espaço gráfico por fatores de proximidade e semelhança como uma espécie de ideograma para uma dada emoção, visando à apresentação direta – presentificação – do objeto". Mas o poema "Mar azul" de Ferreira Gullar, publicado num dos últimos suplementos dominicais deste jornal, nada tem a ver, como assinalou o crítico Oliveira Bastos, com a escritura ideográfica. Já li, por outro lado, uma proclamação concretista; incluindo entre as novidades do movimento a abolição do verso. Mas o mesmo poema de Gullar resulta construído em ritmo anapéstico (duas sílabas breves seguidas de uma longa) e a última linha do poema é um belo alexandrino trímetro com cesura mediana e tudo; ainda, é claro, que não tenha o poeta versejado intencionalmente.

Do que se conclui que a poesia concreta é uma experiência em gestação. Pode ser, às vezes, simples modalidade de palavras cruzadas, mas acusando certa intenção plástica, certo *humour* poético. Foi assim que elaborei dois de meus poemas, um em homenagem a Constant Tonegaru, poeta romeno executado pelos comunistas de sua terra em Bucareste ("O crime foi em Bucareste..."), outro, um poema de amor (aos 71 anos eu não ousaria fazer um poema de amor senão muito concretisticamente!). Todavia o meu *Analianeliana* obedece apenas ao item concretista de lançar as palavras ao papel sem nexo gramatical, sem nenhuma palavra de relação. Processo encontradiço em qualquer grande poeta do passado. Não importa que eles tenham construído o verso gramaticalmente lógico. Por exemplo, este de Victor Hugo (tudo está em Victor Hugo!): *Chair de la femme, argile idéale, ô merveille!* Mais do que qualquer outro elemento de beleza nesse verso, que é em si um poema completo (mas todo grande verso é um poema completo dentro do poema), inscrevamos aqui as cinco palavras *chair, femme, argile, idéale* e *merveille*. Imagine-se que Victor Hugo tivesse criado esse verso como um poema monóstico independente do seu contexto. Poderíamos grafá-lo segundo o padrão concretista, escrevendo em grandes versais os nomes e em minúsculas as palavras de relação... Mais ou menos assim:

d   e

CHAIR   FEMME

l   a
ARGILE

IDÉALE   ô   MERVEILLE

Apresentado sob tal forma o verso de Hugo, creio que atuará de maneira global mais imediata sobre a sensibilidade do leitor. Me parece ser esse o principal segredo da poesia concreta. Em todo o caso a minha observação talvez ajude a fazê-la compreender um pouco.

20-2-1957

GRANDE SERTÃO: VEREDAS

Amigo meu, J. Guimarães Rosa, mano velho, muito saudar! Me desculpe, mas só agora pude campear tempo para ler o romance de Riobaldo. Como que pudesse antes? Compromisso daqui, obrigação dacolá... Você sabe: a vida é um Itamarati – viver é muito dificultoso.

Ao despois de depois, andaram dizendo que você tinha inventado uma língua nova e eu não gosto de língua inventada. Sempre arreneguei de esperantos e volapuques. Vai-se ver, não é língua nova nenhuma a do Riobaldo. Difícil é, às vezes. Quanta palavra do sertão! A princípio, muito aplicadamente, ia procurar a significação no dicionário. Não encontrava. Pena o título: *Grande sertão: veredas*. Nenhum dicionário dá a palavra "vereda" com o significado que você mesmo define à página 74: "Rio é só o São Francisco, o Rio do Chico. O resto pequeno é *vereda*." Tinha vezes que pelo contexto eu inteligia: "ciriri dos grilos", "gugo da juriti" etc. Mas até agora não sei, me ensine, o que é "arga", "suscenso", "lugugem" e um desadoro de outras vozes dos gerais. Tinha vezes que eu nem podia atinar se a palavra era nome de bicho vivente, plantinha ou coisa sem corpo nem cor nem coragem, abstrato que se diz, não é? Ou é? Ou será?

Ainda por cima disso, você fez Riobaldo poeta, como Shakespeare fez Macbeth poeta. Natural: por que um jagunço dos gerais demais do Urucuia não poderá ser poeta? Pode sim. Riobaldo é você se você fosse jagunço. A sua invenção é essa: pôr o jagunço poeta inventando dentro da linguagem habitual dele. O vocabulário dele já é riquíssimo, dá a impressão que não ficou de fora nenhuma dição de seus pagos e arredores; aumentado com os neologismos, sempre de boa formação linguística, ficou um potosi, nossa! A gente acaba tendo que entregar os pontos, nem que seja um Gilberto Amado. O diabo é que depois de ler você a gente começa a se sentir e cantar eu sou pobre, pobre, pobre, rema, rema, rema ré.

Só que acho que não precisava contar de um rojão só, como o Joyce do último capítulo de *Ulysses*, as 594 páginas da história de Riobaldo. Quantas horas levaria? Eu levei dias para ler. Ainda bem que você virgulou tudo, minudente. E o caso de Diadorim, seria mesmo possível? Você é dos gerais, você é que sabe. Mas eu tive a minha decepção quando se descobriu que Diadorim era mulher. *Honni soit qui mal y pense*, eu preferia Diadorim homem até o fim. Como você disfarçou bem! nunca que maldei nada.

Amigo meu J. Guimarães Rosa, mano velho, o menino Guirigó e o cego Borromeu são duas criações geniais. Aliás todo esse mundo de gente vive com uma intensidade assombrosa. E o sertão? "O sertão é uma espera enorme." E o silêncio? "O vento é verde. Aí, no intervalo, o senhor pega o silêncio, põe no colo." Tão deleitável tudo, nem que estar nos braços da linda moça Rosa'uarda, ou de Nhorinhá, de Ana Dazuza filha, ou daquela prostitutriz que "proseava gentil sobre as sérias imoralidades". Ah Rosa, mano velho, invejo é o que você sabe: "O diabo não há! Existe é o homem humano." Soscrevo.

13-3-1957

Mar azul

Quando eu era menino, havia no largo do Machado, esquina da rua do Catete, um velho pardieiro térreo onde se tinham estabelecido três casas comerciais – uma venda, um hotel e um boteco. Todas as manhãs, ao passar ali de bonde, a caminho do colégio, qualquer coisa de cantante esvoaçava dentro de mim: é que os letreiros pintados na fachada das três casas comerciais formavam duas redondilhas ARMAZÉM DE MANTIMENTOS HOTEL SILVA BOTEQUIM. Como veem, duas redondilhas lapidares: havia ritmo, havia versos, havia poesia nesse encontro casual de palavras; dava vontade de completar a quadra, e eu tentei e Miguel Guimarães, engenheiro vagamente poeta, amigo de meu pai, também tentou. Fracassamos: era muito difícil a gente elevar-se à gongorina perfeição daquelas duas redondilhas. Senão experimentem: deixo o problema aos poetas bissextos de algum talento.

Lembrei-me disso a propósito da resposta de Ferreira Gullar às considerações por mim feitas sobre o seu poema sem título, mas conhecido pelo nome de "Mar azul". Eu afirmei que a penúltima linha do poema era um belo alexandrino, com cesura mediana e tudo. Errei (enganei-me na precipitação com que batia o meu artiguete) dizendo que o alexandrino era trímetro, isto é, construído em três seções: está construído em quatro – MAR AZUL BARCO AZUL MARCO AZUL ARCO AZUL. Eu poderia ter dito que todas as linhas eram versos: MAR AZUL, trissílabo; MAR AZUL BARCO AZUL, hexassílabo; MAR AZUL, BARCO AZUL MARCO AZUL, eneassílabo. Mas no momento o que me feriu mais a atenção foi o alexandrino.

Gullar protestou. Não havia alexandrino tal. Ele dispusera as palavras do poema de maneira a impedir, a "neutralizar a viciada tendência da dição para o contínuo melódico do verso tradicional". Eu retruco: meu caro poeta, não o conseguiste. Já disse, de outra feita, que a poesia concreta é tremendamente espacial. Neste mal-entendido de agora se confirma o meu conceito. Gullar precisaria de mais espaço para grafar de outra maneira os elementos do seu poema. Como o fez, não evita a irresistível tendência de um espírito viciado, como o meu, a cair na fluição melódica. Na fluição e na fruição. Gullar escreveu muito conscientemente um poema, a seu ver, cem por cento concreto

Admito-o. Mas sustento que o seu poema é ambivalente. O que eu vejo nele, o que nele me encanta é a admirável progressão associativa e aliterativa, o ritmo anapéstico (dir-se-ia o avanço de um barco ao esforço das remadas), a obsessão do azul (a mesma emoção de "L'azur", de Mallarmé). Plasticamente, me encanta a construção triangular.

Gullar poderá sorrir das minhas razões. Mas ele deve estar farto de saber que num belo poema como o seu há mais de um conteúdo: há o que estava na mente do poeta e há o que cada um de nós, leitores, põe dentro dele.

20-3-1957

ROTÍLIO MANDUCA

Uma das páginas mais interessantes dos *Escritos póstumos* de Alberdi é a que registra as suas impressões do encontro com Rosas num salão de Londres. Vendo-o jovial e atento, a falar com as senhoras, depois palestrando com ele sobre a política argentina, referindo-se com moderação e respeito a todos os seus adversários, inclusive Alcina, mal podia Alberdi reconhecer naquele burguês pacato o terrível tirano de Buenos Aires, e a si próprio perguntava: Como pôde este homem dominar a tanto extremo todo um povo?

Semelhante impressão tive eu quando um dia, inesperadamente, me vi frente a frente com Rotílio Manduca, que eu só conhecia, mas muito bem, pelo noticiário dos jornais, que estavam sempre a relatar as suas façanhas jagunceiras nos sertões do Carinhanha. Foi aí por volta de 1921 ou 22. Talvez Alberto Deodato se lembre melhor, pois foi no quarto dele, numa pensãozinha da rua Muratori, em Santa Teresa, pensão cujo proprietário era o Viana do Castelo, pouco tempo depois ministro da Justiça (voltas que o mundo dá!), que me avistei com o famoso chefe de bando. Alberto Deodato chegara havia pouco do Norte, conhecera Ribeiro Couto e por intermédio deste é que viemos a fazer relações. Falávamos de literatura quando bateram à porta, Deodato abriu e eu vi entrar... Aqui vou transcrever as palavras de Riobaldo em *Grande sertão: veredas*. Vi entrar um homem "sequinho, espigadinho, *vestido cidadão, com mãozinhas pequenas, pezinhos* – e do ar sempre assustado constantemente. Dele sozinho o que se diz: umas duzentas mortes!"

Tal e qual. Só que mais me impressionou ainda o seu olhar triste, triste, um olhar como extinto. – Sabe quem é este? – me perguntou sensacional Alberto Deodato. Como que eu podia adivinhar? Olhava o homem na cara, ele desviava, modesto, os olhos tristes, até que Deodato desfechou a resposta: Rotílio Manduca!

Era o homem da rua mais comum que poderia haver. Nada, mas nada denunciava nele o que ele era. Dir-se-ia incapaz de matar uma mosca. Se nos desse, numa entrada de cinema, um esbarrão involuntário, qualquer um de nós seria bastante afoito para grimpar com ele. E era o famanado homem de cabras, terror dos gerais do Carinhanha! Esteve apenas alguns minutos no quarto, falou pouco, sempre de olhar apagado, de fala mansa, triste, triste.

Depois que saiu, a minha conversa com Deodato versou toda, naturalmente, sobre coisas do barranco do São Francisco...

27-3-1957

A CHAVE DO POEMA

A poesia concreta pode que seja uma maluqueira e até que não seja poesia. Mas que está despertando interesse, está. Vivo assediado de perguntas "em forma de cavalo-marinho", velhos, moços e moças que me pedem que defina o que seja a poesia concreta. O diabo é que ainda não descobri o endereço do Ferreira Gullar para encaminhar toda essa gente para ele. Ora bem, declaro em público e raso que não sei o que é um poema concreto. As três experiências que fiz, inspirado nos processos dos irmãos Campos e de Décio Pignatari, não creio que sejam poemas concretos: serão paraconcretos ou preconcretos, sei lá! Diagramas líricos, dois uma simples modalidade de palavras cruzadas: sempre gostei de palavras cruzadas, os irmãos Pongetti que o digam, sempre adivinhei um conteúdo poético nos seus problemas.

O meu "Poema de amor", publicado no último suplemento literário do *Jornal do Brasil*, é puro diagrama de um grito passional, rojão de lágrimas felizes, portanto a ler-se na direção do vetor, isto é, de baixo para cima. Tradução: *rosa tumultuada te adoro.*

Puerilidade? Então me deixem ir para junto de Jesus, que disse *Sinite parvulos venire ad me.*

Ora direis: "Mas isso não é poesia, é enigma". Eu vos direi no entanto que toda poesia é enigma. Toda palavra, antes que lhe conheçamos o significado, é um enigma formidável. Claro enigma chamou o poeta Carlos a um dos seus livros e no soneto da "Oficina irritada" claro enigma é Arcturo, a estrela de primeira grandeza na cauda da Ursa Maior. Que haverá de mais poético (concreto no duro!) que o Universo? Que maior poeta que Deus? (No entanto os seus desígnios, consultem o Corção, são muitas vezes impenetráveis.) Mesmo o Deus feito carne, o Deus feito homem se exprimia por poesia enigma. Hoje todos sabemos o que o Cristo queria dizer quando falou: "Quem come a minha carne e bebe o meu sangue permanece em mim e eu nele. Porque a minha carne verdadeiramente é comida e o meu sangue verdadeiramente é bebida." Mas no tempo, para os seus discípulos, isso soava a enigma e muitos deles, ouvindo-o, se puseram a dizer: "Duro é este discurso; quem o pode entender?"

Os enigmas da poesia concreta têm isto de bom: é que são todos decifráveis, porque todos resultam de um esforço consciente da inteligência. Não era assim com os do surrealismo, que nasciam feitos, do subconsciente, recesso tão tenebroso quanto aquele porão do conto de Otto Lara Resende. Porque é decifrável, o poema concreto convence, uma vez explicado: o leitor comum nem trata de saber onde está a poesia: em poesia, como em toda arte, em geral, o que o leitor comum deseja é compreender, porque o que ele mais teme é ser empulhado. Uma senhora que não tinha entendido o meu poema de domingo telefonou-me pedindo a tradução. Disse-lha e ouvi-a sorrir do outro lado, encantada: "Ah, é!" Por pouco que não me chamou "o maior".

3-4-1957

Mundo de Kafka

Comunico aos meus amigos e aos meus inimigos que, apesar de nas vésperas de completar o septuagésimo primeiro ano de atribulada existência, continua o velho bardo Bandeira a lecionar, sem grande proveito para os seus alunos, as literaturas hispano-americanas na Faculdade Nacional de Filosofia.

Não devia estar acontecendo tal coisa, pois desde o ano passado o presidente Juscelino Kubitschek teve o belo gesto de sancionar a resolução do Congresso que concedeu aposentadoria ao restaurador de Pasárgada. Mas é que, sancionada a lei, caiu o processo nos porões da burocracia e ninguém sabe onde anda.

Cyro dos Anjos é um homem de extraordinária perspicácia tanto no mundo da ficção (haja vista a sua *Montanha*), como neste mundo de meu Deus. Em desespero de causa, recorreu a ele o bardo, pois já uma vez, precisando de documentos e escritos relativos à querida Soror Juana Inés de la Cruz, escreveu a Cyro, que se encontrava no México, e pela volta do correio recebeu não só o que pedira como outras coisas mais. Cyro está agora no Catete e prometeu localizar o encantado processo. De qualquer maneira, previno que na primeira quinzena de julho vou-me embora pra Pasárgada.

Essa é a minha história. Agora a de dona Frederica, holandesa admitida no território nacional em caráter permanente e que se prepara neste momento para viajar em visita à sua terra. Exigiram-lhe atestado de bons antecedentes e folha corrida. Lá fui eu ao Instituto Félix Pacheco tratar disso. Disseram-me que era indispensável a presença da senhora. Que enchesse as fórmulas e levasse duas estampilhas de Cr$ 20,00, duas de 10 e dois selos de Educação. Assim fizemos. Então foi-nos informado que faltava ainda uma estampilha de Cr$ 3,00 e outro selo de Educação. *Fomos comprar os selos. Voltamos.* Depois de tomada a impressão digital de minha amiga, deram-nos um papelzinho marcando para uns dez dias depois a entrega dos documentos requeridos. Voltei ao cabo dos dez dias. A repartição estava se mudando para mais longe, na rua Venezuela. Voltei segunda vez dois dias depois. Na praça Mauá não havia guichês, o público ficava separado dos funcionários por uma simples balaustrada: era um ambiente mais humano. Na rua Venezuela o expediente assumiu com os guichês aquele ar fia mais fino cem por cento burocrático. Entrei na fila dos infelizes e, quando cheguei à boca do guichê, o funcionário consultou o arquivo, achou os papéis relativos a dona Frederica, leu-os e veio dizer-me que faltava ainda um documento – a pública-forma da Carteira nº 19 (Carteira de Identidade para Estrangeiro); que eu voltasse com ela e com uma estampilha de Cr$ 20,00. Precisa também selo de Educação? perguntei cauteloso. Não, não precisava. Fui tirar a pública-forma. Cr$ 40,00. Comprei a estampilha. Voltei. Até que enfim! exclamei quando de novo me vi na boca do guichê da rua Venezuela. Que ingenuidade a minha! O funcionário (era outro) olhou a forma, olhou-me de lado, como se eu fosse um criminoso, leu de alto a baixo o documento, me deixando de braço estendido com a estampilha, e afinal me deu outro papelzinho marcando a entrega para doze dias depois!

Esperemos que em Brasília, onde, segundo o poeta Augusto Frederico Schmidt, o presidente Kubitschek está fundando, como Enéias, uma nova Roma, as coisas se passem de maneira diferente do que neste mundo de Kafka que é atualmente esta inabitável cidade de São Sebastião do Rio de Janeiro.

14-4-1957

SALDO DE RETALHOS

Jô me escreve de Belgrado:

> Engraçado como a tal exposição do Museu de Arte de São Paulo, feita pelo Chateaubriand, na Europa, tornou o Brasil conhecido; não há quem não a tenha visto (e gostado).
> Lilá aqui se chama "iorgovan": não é lindo o nome? E violeta é "lubichitza". Mas o mais bonito é pestana: "trepavitza"! Tudo isso eu sei, mas "Venha cá" ou "Me dê isso" não sei ainda!

***

Cúmulo da adulação: a do sujeito que lembrou para substituir o nome de Brasília a palavra JUSSARA. JUSSARA tirada de Jus (celino) + SARA.

***

Entrei no café-bar para tomar uma água tônica junto ao balcão. Fazia um calor danado. Um pobre-diabo se aproximou e pediu ao *barman*, que era um homem da mesma condição que ele, um copo d'água. Foi-lhe respondido com a maior brutalidade: "Água é na torneira!" Enquanto o sedento se dirigia à torneira do lavatório ao pé da privada, ainda o sujeito do balcão resmungava: "Tenho mais o que fazer!"

Aí está uma cena que não se via no Rio de trinta anos atrás. Não se negava um pouco d'água fresca aos sedentos. Em todo café havia mesmo no zinco do balcão, uma batelada de copos de água gelada para quem quisesse. No Rio de hoje todo o mundo "tem mais o que fazer". Água é na torneira!

***

Cúmulo do mau gosto: o edifício da Câmara dos Deputados e o novo Palácio da Municipalidade ladeando a amorável igrejinha de São José. Três épocas, três estilos. Isto é, a igreja tem estilo; os outros dois são falsos estilos em toda a sua asquerosidade. Não posso olhar para aquele crispante contraste sem dizer comigo: Cristo entre dois cafajestes!

***

Um repórter me acorda pelo telefone, às sete horas, para me perguntar se eu acho que o beijo dado na via pública é uma violação do decoro. Respondo que há beijo e beijo. Há o beijo que é um fim em si e há o beijo que já é começo de outra coisa. De qualquer maneira, há olhares que são mais impudentes do que qualquer beijo.

17-4-1957

O GRANDE ALBERTO

Na sua oração de quinta-feira, na Academia, evocou Austregésilo de Athayde com fidelidade a grande figura de Alberto de Oliveira, cujo centenário de nascimento passa hoje. Evocou-o na sua impecável presença física, que parecia a personificação de sua arte impecável, e na sua pessoa moral, tão cativante pela polidez, discrição, distinção.

O homem que pelas suas maneiras pareceria o mais distante dos mestres parnasianos foi o que se mostrou mais acessível aos rapazes da geração modernista. Sérgio Buarque de Holanda e Prudente de Morais Neto conversavam com ele e anotaram a atitude de simpática expectativa com que ele olhava os novos iconoclastas de 22. Nunca me aproximei do mestre, porque sempre refugi aos encontros que não se processam como no habitual simples contato humano. Gostaria de ter entrado em relações com ele, sim, mas como o faria com um sujeito qualquer, digamos por exemplo num hotel de Cambuquira. Como o fez certa senhora de minhas relações, que o conheceu assim e para sempre ficou encantada, não porque ele fosse um grande poeta, mas porque era encantador como homem: tinha então 71 anos, vestia-se com o mesmo apuro da mocidade, irrepreensivelmente bem-posto e perfumado de *Narcisse noir*, jamais se abandonando em posturas largadas, horrorizando-se com um companheiro de hotel que saía ao corredor de pijama e em chinelos cara de gato... Nunca tive tal oportunidade. Tenho pena.

Gostaria de ter conversado com ele sobre certos aspectos de sua poesia. Sobre tal afirmação, que me parece ter sido traição de sua memória. Athayde se referiu a ela. Declarou o mestre que só a partir de 1900 começou a estudar seriamente a língua. Não é possível: o "Vaso grego" pertence aos *Sonetos e poemas*, que foram escritos entre 1884 e 1886; o famoso soneto revela já um profundo conhecimento dos clássicos, o primeiro quarteto inculca mesmo em Alberto de Oliveira maiores afinidades com os mestres gongóricos seiscentistas do que com os seus contemporâneos parnasianos: o poeta do "Vaso grego" e da "Taça de coral" podia ter sido um dos chefes do movimento de reabilitação de Góngora. Os dois primeiros versos do "Vaso grego" reproduzem o mesmo desenho dos versos iniciais da dedicatória da "Fábula de Polifemo e Galateia". Os versos de Alberto:

> Esta de áureos relevos, trabalhada
> De divas mãos, brilhante copa, um dia...

Os versos do cordovês:

> *Estas que me dictó, rimas sonoras,*
> *Culta sí aunque bucólica Talía...*

Os contemporâneos de Alberto de Oliveira não sentiram a importância renovadora dos dois admiráveis sonetos, tomaram-nos como requintamentos parnasianos, amigos advertiram o poeta contra os perigos do caminho por onde ia enfiando, e na geração seguinte um frustrado presunçoso poetinha chamou de "saca-rolha" o soneto "Taça de coral". Alberto de Oliveira devia ter persistido naquela direção, que era a sua linha natural, menos parnasiana do que gongorina.

28-4-1957

ANTÔNIO NOBRE

I

Quando cheguei a Clavadel, em 1913, encontrei no sanatório um português, Cunha, negociante no Rio, que um dia me surpreendeu dizendo-me que Antônio Nobre havia feito uma estação de cura naquele recanto da Suíça. E até, para comprovação do que afirmava, me recitou um verso do poeta: *Clavadel, Clavadel, que me curaste!* Posteriormente procurei por toda a parte esse verso na obra de Nobre e não o encontrei. O meu companheiro de sanatório não ia inventá-lo, não era poeta, longe disso. Onde o teria visto? Deixo o problema ao meu querido amigo Alberto de Serpa, que o ano passado publicou um volume de *Cartas e bilhetes-postais de Antônio Nobre a Justino de Montalvão.*

O livro abre precisamente com uma carta escrita de Clavadel em 9 de outubro de 1895. Quando eu e Cunha conversávamos sobre a estada de Nobre ali (quantas vezes então repetíamos o verso acima citado, compadecido da ilusão do poeta!), situávamo-lo naturalmente no Kur-Haus, um modesto hotelzinho que do Sanatório avistávamos ao fundo do vale. Agora, por esta carta fiquei sabendo que Nobre hospedou-se foi na Villa Bellevue, que ficava atrás do sanatório. Sua estada aliás foi curta: instalado em 29 de setembro, nos primeiros dias de novembro transferia-se para Davos-Platz.

E aqui vou tocar num ponto que torna a leitura desta correspondência bastante melancólica, porque decepciona, fazendo descobrir no Anto do *Só*, tão encantadoramente o menino de sua Carlota, o ser de carne e osso, capaz de mesmo ao abrir-se com um amigo tão íntimo como era Justino de Montalvão ocultar a simples verdade de uma hemoptise. O que ele conta é que deixou Clavadel "onde o meu tédio era imenso e maior do que ele a minha tristeza". Na verdade teve uma hemorragia, não havia ali assistência médica, a dona da Villa Bellevue assustou-se e passou a ser menos delicada com ele.

Nobre afetava genialmente os males de Anto quando tinha saúde; adoecendo, passou a esconder cautelosíssimo a sua tuberculose. Quando em 1898 segue para Funchal, escreve a Justino: "Parto um pouco à socapa para evitar que os jornais noticiem, – pois, sabes, a Ilha da Madeira tem a mesma fama que a Suíça."

É verdade que ainda apanhei o tempo em que a tuberculose inspirava o mesmo terror que a lepra. Para um tuberculoso ser recebido num hotel era preciso estar a doença ainda muito em começo, de sorte a permitir o eufemismo "fraco do peito". E o "fraco do peito" não era aceito para noivo. Ora, Nobre queria casar-se com a Purinha.

Estas cartas do poeta a Montalvão são muito interessantes a outros aspectos. Continuarei na próxima crônica.

12-5-1957

II

Outro ponto em que o poeta nos decepciona, nestas suas cartas, é a atitude em relação aos críticos. Eu, pelo menos, me tinha habituado à imagem de um Anto muito dado com os humildes, mas distante com os beletristas e pouco se ninando de seus juízos favoráveis ou desfavoráveis. O primeiro Anto é autêntico, o segundo não: Nobre preocupava-se com o que poderiam dizer de seus poemas. "Tem-se falado? Os jornais falaram? Peço-te mos envies, sim?" E mais adiante, na mesma carta: "Os literatos fazem comentários ao *Só*?" Um ano antes de morrer, escreve da Ilha da Madeira a Montalvão, a propósito de certa notícia aparecida num jornal de Lisboa: "Não te parece que pede bengala? 'Entre fumiste e honesto!': a mim, nem mesmo a brincar, pode algum tocar na minha alma. Tu me dirás, quando eu aí chegar, qual bengala preciso usar, a ser preciso."

Curiosíssimo é que só em 1895, portanto, cinco anos antes de morrer, leu *Os Lusíadas*. De Lausanne escreve em julho de 1896: "Na minha passagem por Paris, em setembro, os meus editores deram-me um exemplar e foi o meu companheiro inseparável durante o meu inverno nos Alpes". Assim se explicam as oitavas iniciais do poema "O Desejado": "A Lisboa das naus cheias de glória", escritas em Clavadel. Nobre escreveu essas oitavas porque tinha lido *Os Lusíadas*, mas poeta de gênio que era, a sua oitava saiu-lhe Anto cem por cento: magníficas estrofes, que retratam com a maior fidelidade o poeta que tanto amamos. Em Clavadel também, ao mesmo tempo que compunha esses versos tão "nobremente" épicos, escrevia, dias depois, certamente ao ter a hemoptise, o adorável soneto "Ao cair das folhas": "Pudessem suas mãos cobrir meu rosto..." Na primeira carta que mandou de Davos-Platz a Montalvão, dizia: "Escrevi muitos versos em Clavadel..." Quais seriam os outros?

A publicação destas cartas, que devemos a Alberto de Serpa, faz-nos ainda mais lamentar a perda das que o poeta escreveu a Alberto de Oliveira e que foram por este destruídas, como informa Serpa, no seu comovido prefácio.

15-5-1957

Augusto Meyer

As Livrarias São José, agora aumentadas com a lojinha Itabira, acabam de lançar um livro pelo qual eu vinha suspirando havia longos anos: as *Poesias* de Augusto Meyer. Meyer é um poeta impossível – neste sentido, que não parece fazer muito caso da própria poesia. Baste dizer que para se compor uma segunda edição dos *Poemas de Bilu* eu é que tive que emprestar o meu exemplar da primeira edição. Os livros de versos de Meyer estavam esgotados. Esgotadíssimos, não se encontravam nem nos sebos. De sorte que as novas gerações só conheciam Meyer prosador, – um dos quatro ou cinco melhores prosadores do Brasil. Eu, porém, conhecia o poeta Meyer desde *Coração verde*, sobre o qual escrevi na *Revista do Brasil* uma nota entusiástica, chamando-lhe ao poeta "gaúcho macanudo". Eu, lendo os primorosos ensaios de Meyer, sabia que se ele é excelente na prosa é porque atrás do ensaísta está um grande poeta. Poeta de tal modo pessoal que nunca me havia desgostado encontrar nos seus poemas uma que outra reminiscência de poetas de sua geração. Que me importava que em "Poeta", "Sombra verde" se sentisse Ronald atrás de Meyer? Se Ronald nunca teria achado este verso: "Como se eu fosse longamente uma raiz profunda..." A estrofe inteira é assim:

> Volúpia de gozar as sensações,
> De sentir junto a mim o coração da terra,
> No seu trabalho milenário e silencioso,
> Como se eu fosse longamente uma raiz profunda...

Creio que foi por causa de Ronald que andamos todos, por volta daquele tempo, abusando desse modo de começar poema: substantivo mais preposição "de": volúpia disto, volúpia daquilo e no fim a reticência especiosa..

Depois de *Giraluz*, os *Poemas de Bilu* marcavam a maioridade do poeta, ainda que *"Chewing Gum"* empregue muito indiscretamente certos processos do Mário de Andrade do *Losango cáqui*. Meyer virou Bilu, "o filóis Bilu, malabarista metafísico, grão tapeador parabólico", dissolvendo os pensamentos e as emoções em caretas de sagui. O resíduo último dessa filosofia niilista é que "somos a sombra de um sonho numa sombra". Creio que esse é o Meyer que não faz caso dos amigos (salvo os do Rio Grande, bem entendido); que não nos visita nem nunca aparece onde é de praxe o abraço de solidariedade, o Meyer capaz do cínico "Discurso do Zaori", o Meyer que "se aferrolha, se tranca, se embarrica na penúltima circunvolução interior". Como, apesar de tudo, deixar de lhe querer bem, de o admirar, se, com tudo isso, ele é "uma pupila inocente e profunda?"

Mas há um terceiro Meyer, que se vai aproximando da velhice sem as caretas de Bilu: o Meyer dos *Últimos poemas*, tão gravemente meditativo, irmão brasileiro de Antonio Machado.

22/5/1957

VOLPI

Em política há os golpistas; na pintura, os volpistas. A retrospectiva de Volpi foi o 11 de novembro das artes plásticas: uma junta, presidida pelo Mário Pedrosa, ferrabrás simpaticão, depôs Portinari da presidência e deu posse ao bom velhinho Alfredo Volpi, ítalo-brasileiro de Cambuci.

Fui ver a exposição de Volpi no Museu de Arte Moderna e saí de lá encantado. Ainda bem, graças a Deus! Porque se não tivesse gostado, estaria a estas horas rotulado de bobo pela moranguíssima Myra Giorgi, de adorador de cemitérios por Bruno Giorgi, de muito cretino por Franz Weissmann, de coisa impublicável por Lygia Clark, de simplesmente imbecil por Mário Pedrosa. Com este correria ainda o risco de ser tocado a pontapés na primeira ocasião oportuna ou inoportuna, atitude um pouco excessiva da parte de tão ótima pessoa. Espera aí, Mário!

Mas, como ia dizendo, gostei do Volpi. Se não o considero "o Mestre" da pintura brasileira, considero-o, sem nenhum favor, antes com toda a abundância de coração, um Mestre. Ressalvo que os seus quadros concretistas me deixam frio. Não sem admiração, mas frio. Aliás, é assim que me deixa toda arte concreta: intelectualmente interessado, mas frio. Cedo mesmo a quem quiser os seus renques de casas, preferindo guardar para mim só os casebrezinhos daquele beco que vai dar no mar, tema que Volpi trabalhou quatro vezes com infinita doçura e poesia. Mas não sei se deva empregar linguagem tão lírico-sentimental em documento público que será lido pelos que acham que doçura e poesia é uma coisa e arte outra coisa. Fio, porém, que Volpi me compreenderá. É um velhinho tão simpático!

Tenho que o próprio Volpi há de ter sorrido quando um dos seus tremendos admiradores decretou que ele Volpi era "o primeiro grande pintor do Brasil, o maior pintor das Américas e um dos maiores do mundo". Decretaram mesmo outros golpistas ou volpistas que ele era o primeiro pintor brasileiro e a sua pintura "a primeira manifestação de uma arte autenticamente brasileira". Ora, isto é fazer do excelente Volpi gato morto para bater na cara de Portinari, Di e outros pobres pinta-monos estrangeiros. É uma falta de respeito, não para com Portinari e Di, mas para com Volpi. Volpi, cuidado com os amigos da onça: eles não dormem!

26-6-57

ANTOLOGIAS

Adolfo Casais Monteiro escreveu, outro dia, sobre antologias. Embora isso represente, para mim, falar em corda em casa de enforcado, li o seu artigo com o maior interesse (Casais desperta-o sempre, porque é um homem que medita e faz a gente meditar). Aliás, leio tudo o que se refere ao assunto, sempre na esperança de que tenha alguém descoberto, enfim, a receita para a antologia ideal. Porque a verdade é que toda antologia terá que ser forçosamente defeituosa, omissa, unilateral, e dir-se-ia mesmo que implica em seu autor uma espécie de... desonestidade intelectual. Perdão, antologistas! Perdão, Casais, que fizeste, ultimamente, a propósito do abraço das duas pátrias, a tua e a minha, uma pequena antologia encantadora.

Casais Monteiro bateu rijo nas antologias que pretendem ser imparciais e ao mesmo tempo cronológicas; que colocam lado a lado, por docilidade às datas, poetas como Fernando Pessoa e Antônio Sardinha, Antônio Botto e José Régio etc. Parece que Casais prefere o agrupamento que atenda à natureza dos espíritos, à sua filiação e afinidades reais. O critério é excelente, está claro. Em matéria de antologias, creio que bom será a coexistência de vários critérios: antologias baseadas na cronologia, ou na afinidade dos espíritos, ou na identidade dos temas...

Será absurdo emparelhar Fernando Pessoa e Antônio Sardinha, sem dúvida. Mas será muito curioso para o leitor, também sem a menor dúvida, saber que este e aquele e aqueloutro poeta, nascidos no mesmo ano ou na mesma década, poetaram com tamanhas diferenças. E é mais fácil apreender a filiação dos espíritos numa antologia cronológica do que a situação cronológica numa antologia de critério psicológico.

O artigo de Casais ("Desconcertos da cronologia") acaba com uma breve análise – magistral – da poesia de Florbela Espanca. Ela foi uma isolada e para Casais os poetas isolados correm o risco de ficarem atrasados em relação aos seus contemporâneos. É certo para a generalidade ordinária dos espíritos. Não para um espírito de exceção, como, por exemplo, o de Emily Dickinson. Nunca terá havido no mundo poeta mais isolado. No entanto, esse isolamento, acredito, concorreu muito para fortalecer a originalidade da norte-americana, para torná-la contemporânea da geração atual e não da sua.

30-6-1957

Diário de bordo

19 de julho – Quando os amigos se retiraram de bordo, recolhi-me ao camarote na firme intenção de repousar até a hora do jantar. Mas ao sentir o navio mover-se, não resisti ao desejo de ver mais uma vez o grande espetáculo que é a futura ex-capital do Brasil vista de um transatlântico que vai transpor a barra. Como sempre, valeu a pena. Não só pelas grandes massas de montanhas, que nos aparecem tão diferentes de sua fisionomia habitual vistas de terra, como pela vera estranha aparência dessas velhas amigas de infância – a Laje, Santa Cruz, Ilha do Pai, Ilha da Mãe, Cotunduba etc. Depois, como despedida, Copacabana. Cidade de minha vida desde os dez anos. Dos meus sofrimentos. Mas também das minhas mais fortes alegrias. Cidade tornada tão incômoda, tão suja, tão perigosa. Sem água, sem trânsito decente. E, infelizmente para mim, cheia, cada vez mais cheia de senhoras desajustadas que buscam compensação na poesia e me pedem a minha opinião sobre os seus versos...

20 de julho – O *Aldabi* é um vaporzinho de nove mil e tantas toneladas, que transporta apenas algumas dezenas de passageiros. Holandês, quer dizer, limpeza impecável, ordem absoluta. Comida... ah, os queijos maravilhosos, os aspargos enrolados em presunto, o *petit-pois* miudinho, os cogumelos, os pães e bolos – uma certa delícia que se chama *krentenbrood*...

Navio de pouca altura, como gosto, porque é fácil entrar em comunhão com o mar, o que não permitem os grandes transatlânticos. Desço logo ao *deck* inferior para alcançar a "cortadora proa". As expressões camonianas vão acudindo, tão exatas.

– Sentaram-me à mesa com dois paraguaios, que parecem tudo menos paraguaios. São médicos de Assunção. Vão à Europa "descansar e aprender". Desceram em Santos e foram ver a Pauliceia. Ficaram surpreendidos. Desceram no Rio, subiram a Petrópolis, visitaram o Museu Imperial, viram a Coroa de Pedro II. "País poderoso o Brasil", comentaram. Sorri amável dos dentes para fora, amargo dos dentes para dentro porque me lembrei do... Bem, como disse um pífio poeta

Quero esquecer tudo,
Quero descansar...

21 de julho – O *Aldabi* leva apenas algumas dezenas de passageiros, mas não faltam os tipos marcantes em toda travessia marítima: a mulher fatal, cheia de "seleções", como diria Ribeiro Couto, a menina encantadora, o sujeito que depois das refeições passeia obstinadamente, etc. Meia dúzia de meninos, por milagre bem-comportados, apesar de vivos e alegres. O rádio de bordo é discretíssimo. Ontem tivemos *welcome party* para os passageiros embarcados no Rio. Sou abordado por um embaixador da Holanda e logo descubro que conhece Ribeiro Couto da Holanda e de Lisboa. Depois um secretário da embaixada alemã no Rio me reconhece como "o senhor que disse umas palavras em cena na estreia de *Maria Stuart* no Rio". – "O próprio", confirmei. "E graças a Maria Stuart é que sou seu companheiro de viagem", acrescentei. Engraçado: os críticos brasileiros baixaram o pau no espetáculo do T.B.C.; no entanto ainda não encontrei um alemão que não se refira à representação como de boa qualidade.

– Há algumas horas que estamos vendo Ilhéus de longe. Só as montanhas, muito vagas a princípio, depois mais acusadas. Por fim, as igrejas, o casario. Tenho um instante a veleidade de descer ao camarote e apanhar lápis e papel para traçar um croqui. Ilhéus é bonitinha. Pelo menos de bordo. Domingo não há trabalho de estiva. São cinco da tarde. Vamos pernoitar ao largo. Não sei se amanhã poderemos descer em terra. Talvez seja melhor não descer – guardar a ilusão que Ilhéus de perto é tão amorável como de longe; que valeria a pena viver alguns meses em Ilhéus. Tenho desses desejos absurdos (mas por que absurdos?): morar algum tempo em Ubatuba, em Parati, em Diamantina: nos Brasis pequenininhos, atrasadinhos, que há no grande Brasil acafajestadamente progredido.

– Não sabendo ao certo se o *Aldabi* tocava em Ilhéus, não sabendo se poderíamos ir à terra, não preveni de minha passagem a meu amigo Abel Pereira, plantador e exportador de cacau, aliás, haicaísta exímio.

Abel amigo, se amanhã não nos virmos a bordo ou em terra, fique aqui o meu abraço para você e a minha declaração de amor para Ilhéus, princesinha do cacau.

22 de julho – Ilhéus de dia estava bonitinha. De noite ficou como toda cidadezinha vista de longe: uma constelaçãozinha triste, que não pode competir com as do céu. Tanto menos que a estrela Vésper do pastor errante luzia escandalosamente bela sobre a pobrezinha de Ilhéus. Uma vez, há muitos anos, na praia de Mangaratiba, vi a mesma Vênus luzir assim, mas de madrugada, e me deu vontade de morrer. Ontem não tive de todo vontade de morrer. Não permita Deus que eu morra sem que eu volte para a avenida Beira-Mar. Quero morte com velório na Academia, ali perto da Faculdade de Filosofia, do Restaurante Sul-Americano, do Vilarino, da Casa Esplanada, da Casa Amizade. Estou a caminho da Europa, mas a Europa a gloriosa não me atrai. O tempo transforma a gente em gatarrões amigos de seus cômodos.

– Ontem, à noite, tivemos sessão de cinema. A história do filme se passava na África, com muita fera, muito negro, Clark Gable, Ava Gardner e Grace Kelly. As feras representando muito bem... Clark Gable disfarçando com grande *charme* a sua velhice. Ava Gardner e Grace Kelly eu só conhecia de fotos nas revistas e jornais. Bonitas, mas não me dão vontade de revê-las. Tenho vontade de rever é... Audrey Hepburn.

– Hoje, diante de Ilhéus, o tempo custando a passar para quem não gosta de ver os cambiantes da luz no mar e no casario da cidade. O trabalho de carga, as lingadas de dez sacos de cacau transferidos da chata para o porão do navio sob a regência do capataz caboclo. Convencido como um Toscanini da estiva, aborrece ao cabo de alguns minutos. Que fazer então? Visitar a eguinha solitária no convés de proa ou os pássaros – tucanos, periquitos e outros, na proa.

A tarde cai, Ilhéus ilumina-se, partimos. Mais uma hora e será de novo "todo o infinito céu sobre o infinito mar..."

24 de julho – Às três da madrugada de ontem senti que o *Aldabi* parara. Já teríamos chegado à Bahia? Sento-me na cama, olho pela janela e vejo as luzes tristes do litoral e a luz possante, intermitente, prodigiosamente generosa do farol. Que farol? Amaralina? Nunca vi luz tão confortadora na minha vida. Fico longo tempo a receber nos olhos, no peito, na alma o jato intenso do farol.

Às dez horas o camaroteiro vem chamar-me. Subo ao salão e caio nos braços de Odorico Tavares e Godofredo Filho. Descemos à lancha da Alfândega. Em 1929 a cidade vista do mar era mais bonita. Hoje alguns arranha-céus quebram a antiga harmonia. Saltamos em terra. Atravessamos o velho, indestrutível edifício imperial da Alfândega. Revivo as emoções do meu primeiro contato com a boa terra. Rua Portugal, ladeira do Tabuão, terreiro do Paço, a Catedral, São Francisco. Entramos em São Francisco. Menos bonita que em 1929: o ouro do último redouramento, muito inferior ao primitivo, está carecendo a pátina do tempo. Descemos a rua Chile, passamos ao outro lado da cidade. Odorico, pernambucano que se fixou na Bahia, se identificou com ela, leva-me a ver a obra admirável de Edgard Santos, o reitor da universidade. Evoco o desaparecido solar dos Aguiares. Ao menos o que levantaram em lugar dele é aceitável e todos os azulejos foram inteligentemente aproveitados. No grande auditório, de boa acústica, uma jovem pianista ensaia. Odorico me fala das atividades culturais da Universidade – concertos, teatro (o serviço de teatro a cargo de Martim Gonçalves). Mostraram-me, só por fora porque não há tempo de entrar, a Escola de Enfermagem, o Hospital das Clínicas. Levam-me a ver a Casa da Moça, a Casa do Estudante. Aperto a mão do grande baiano Edgard Santos.

Almoçamos no Hotel da Bahia. Este mete num chinelo os hotéis do Rio. No *hall*, servindo o café, em trajo baiano típico, uma das mais encantadoras moreninhas brasileiras que já vi na minha vida. Volto ao *Aldabi* cansado e feliz.

26 de julho – Subo ao convés antes do jantar e mais uma vez fico bestificado diante da beleza de Vênus luzindo solitária baixo no horizonte. Repito, mas com a impressão de o ter inventado naquele momento, o extraordinário ponto de macumba:

> Estrela brilhante
> Lá do alto mar!...

E sinto uma saudade funda de Ovalle.

27 de julho – Gosto que o navio jogue um pouco. Gosto de me sentir balançado no duplo movimento que me traz à direita, à esquerda, pela proa, pela popa a linha do horizonte. Tenho a ilusão de estar no centro do universo, junto de Deus, puro e perdoado de todos os meus erros.

29 de julho – Vamos passando ao largo do arquipélago de Cabo Verde. Lembro-me dos amigos da Ilha do Sal: Jorge, Baltasar. De repente me lembro também de António Botto. Com remorso, porque não lhe mandei, até hoje, uma linha de agradecimento pelo belo soneto que me dedicou quando entrei na casa dos setenta. O poeta admirável merecia que eu me lembrasse dele em versos, e foi o que fiz nesta quadra:

> Da imensidão atlântica, onde, um dia
> Pela primeira vez, os lusos mastros
> Apontaram aos homens novos astros
> Mando-lhe na aura um voto de alegria!

31 de julho – Os dois paraguaios, meus comensais no *Aldabi*, têm-se mostrado extremamente amáveis. Ambos são dotados de apetite devastador, mas um deles defende-se da gordura e aliás tem o seu *menu* limitado por um certo número de idiossincrasias: não gosta de salmão, por exemplo, o que parece surpreendente em pessoa de tão pícnico bom humor. Saidenstein: não é engraçado um paraguaio chamado Saidenstein? O outro, Casati, menos dinâmico, menos alegre, é onívoro e quando o prato lhe agrada, repete-o. Graças a um metabolismo perfeito pode engolir com método e absoluta tranquilidade – *a fuerza de pan* – algumas toneladas diárias de alimento.

Já disse que são médicos. Casati deve ser um ás em cirurgia do tórax, pois já praticou mais de duzentas operações, com boa percentagem de casos felizes. Sente-se nele o cortador e serrador imperturbável. Tanto Saidenstein como Casati ficaram tomados da maior admiração quando me viram descascar laranja como costumamos fazer à mesa. Nunca tinham visto descascar laranja assim. Tentaram fazê-lo e fracassaram. Consideram-me por isso um artista, *el maestro*. Estou dando a eles lições de descascar laranja. Por sinal que estas laranjas do *Aldabi* trazem a marca "Calilegua": são argentinas – ótimas.

Descobriram os meus paraguaios – não sei como, na Bahia – que sou poeta. Saidenstein sabe poemas e poemas de cor, desde Gutierre de Cetina até Neruda. Recitou-me outro dia versos de um paraguaio já falecido. Casati me informa:

– Era leproso.

– E morreu de lepra?

– Morreu. Mas além de leproso era tuberculoso.

– Coitado!

– E tinha sífilis também.

– Era um exagerado.

Saidenstein solta uma risada. Casati fica interdito. Para amenizar a minha dureza, recito-lhe o meu "Pneumotórax".

Naturalmente conversamos de vez em quando sobre o Paraguai. Pergunto qual o sentimento atual do povo em relação a Solano Lopez.

– O maior general de toda a história.

2 de agosto – Uma das coisas que mais me interessavam nesta minha viagem era rever Las Palmas, onde passara uma tarde, em 1914, inesquecível. Inesquecível porque só em Las Palmas, a Las Palmas de 1914, e em nossa paraibana Cabedelo tive impressão de encontrar na realidade o país de sonho da *Viagem à roda do mundo numa casquinha de noz*. Mas quando o *Aldabi* deixou para trás a massa imensa

da Grande Canária e Las Palmas apareceu com o seu porto moderno, e seu molhe, a cidade velha longíssima do porto, grandes edifícios etc., compreendi que, felizmente para os canarinos e infelizmente para mim, Las Palmas tinha progredido de maneira espantosa nestes 43 anos. Não desci em terra: preferi guardar a visão da Las Palmas de 1914. Ao ouvir depois as impressões do embaixador Flaes, meu companheiro de viagem, me arrependi um pouco, mas tarde: a cidade não era mais que duas longas reticências de luzes entre duas luzes maiores – as dos faróis.

4 de agosto – Há entre os passageiros um velhinho estranho – seco, míope, bastante surdo, vestindo sempre, de manhã à noite, quer chova quer faça sol, o mesmo terno de cor indefinível; pontual em todas as refeições, não saltou na Bahia nem em Las Palmas; não tem nenhuma confiança no comissário, aliás em ninguém de bordo, e ficou danado porque no dia da escala em Las Palmas o jantar foi servido às oito horas e não às sete como de ordinário. Disseram-me que era brasileiro, o que eu devia ter logo adivinhado, porque está na cara. Digo mais: está na cara que é mineiro. Tipos assim vi muitos em Minas e este podia ser sacristão em Sabará ou Mariana.

Pois ontem o velhinho, inesperadamente, sentou-se junto de mim no convés, puxou conversa e eu ouvi esta história inacreditável: o homem nasceu na Holanda, veio para o Brasil há mais de quarenta anos, fixou-se em Belo Horizonte, naturalizou-se, amineirou-se completamente, mas sem esquecer o idioma holandês, arranjou emprego no serviço da lepra, trabalhou nele durante 35 anos, foi aposentado agora e vai, solteirão, sem família no Brasil nem na Holanda, rever o país natal!

5 de agosto – Até que enfim, nesta minha viagem, a lua deu um ar de sua graça. Lua já de latitudes europeias, mas nem por isso menos a louca das formosas estâncias de Raimundo Correia. Tanto que escrevi uns versos em sua honra.

6 de agosto – A viagem está tocando ao fim. Não me aborreci um dia, um minuto, um segundo. Há no entanto que reconhecer: depois dos aviões que vencem em 24 horas a distância Rio-Paris, o navio, como meio de transporte para o homem, parece obsoleto, insensato, absurdo. Mas não embarquei no *Aldabi* para me transportar do Brasil à Holanda. Eu buscava outra coisa, outras coisas, e encontrei-as: a intimidade com o mar, com os céus, com os ventos (meu Deus, o que o vento do mar alto pode dizer à gente em certas horas!). Carneirinhos no céu e no mar: *Carneirinho, carneirão, neirão, neirão: olhar pro céu, olhar pro mar, pro mar, pro mar!*

La mer, la mer toujours recommencée...

Viajar de navio é hoje absurdo. *Credo quia absurdum...* Gosto porque é absurdo.

7 de agosto – Da primeira vez que vim à Europa desembarquei em Boulogne. Não vi, pois, o passo mais estreito da Mancha. Ontem, ao anoitecer, deixei-me ficar horas contemplando as luzes da costa inglesa, faróis piscando aqui e ali, e a sucessão das pequenas cidades tão ricas de perspectiva histórica: Hastings, Folkestone, Dover.

Esta madrugada, ao despertar, olhei pela janela e vi que já subíamos o Escalda. Às nove, estávamos diante do porto de Antuérpia. Para um brasileiro como eu, que não conhecia senão portos marítimos lineares, um grande porto fluvial como este, o quarto do mundo, disseram-me, foi um espetáculo sensacional. De dia aquela floresta de mastros, guindastes, pontes levadiças; de noite, a sinfonia de luzes – brancas, verdes, vermelhas, os reflexos delas nas águas; luzes fixas e luzes movediças, estas, mais misteriosas, de longas chatas, descendo e subindo o rio; e por sobre todas elas, já muito alta, a da lua quase cheia.

8 de agosto – Desci ontem em terra à tarde e fui direto ao Consulado do Brasil. Bonito edifício na Chaussée de Malines. Pergunto ao funcionário que se me deparou: Quem é, atualmente, o cônsul? Era Josias Leão, que eu não via há anos. Josias de regresso de Hong-Kong, que me foi logo falando dos quadros de pintores chineses modernos que ele trouxe do Oriente. Não houve tempo de ir ao apartamento de Josias: os minutos eram contados para ir visitar o Museu e a Catedral, o que fiz guiado pelo vice-cônsul Henrique de Mesquita. A sua intimidade com a pintura poupou-me erradas no Museu. Levou-me logo ao melhor – a sala de Rubens. Na Catedral não tive sorte: a grande Crucifixão já estava velada, e quando voltei, no dia seguinte, chovia, a luz era miserável.

O Aldabi trouxe muita carga para Antuérpia. Só zarparemos amanhã de tarde, o que me permitirá visitar Bruxelas.

9 de agosto – Otto Lara Resende veio de Bruxelas buscar-me a bordo. A ele devo ter visto a capital da Bélgica. Que papo foi o nosso! Tão entretidos íamos nele que não tomamos conhecimento da tempestade que desabou durante a nossa viagem no trem elétrico e não percebemos o raio que inutilizou a cabine do carro motor. Tivemos que saltar perto da cidadezinha de Vilvoorde para apanhar ônibus ou táxi. Não havia nem uma nem outra coisa, o trânsito estava quase totalmente interrompido, de sorte que ficamos umas duas horas num café à espera de Renato de Mendonça, a quem havíamos telefonado, pedindo que nos mandasse condução de Bruxelas. Veio ele mesmo em nosso socorro. Jantamos em casa de Otto, dormi no apartamento de Renato. Sono em leito dom João V: tudo o que Renato tem é do mais apurado bom gosto .

Mas antes de nos recolhermos, Renato levou-nos a ver a Grand Place iluminada. Foi uma das mais fortes emoções artísticas de minha vida. Como é que ninguém nunca me falou da Grand Place? Toda a gente vive a falar da perspectiva dos Campos Elísios, da praça de São Marcos, de São Pedro de Roma, e com razão, tudo isso é fabuloso, mas a Grand Place de Bruxelas também é, e tão diferente de tudo, aquelas duas obras-primas – o *Hôtel de Ville* e a *Maison du Roi*, e mais as casas das Corporações, – três séculos condensados naquele retângulo venerável. Saí dali convencido que vale a pena vir à Europa só para ver a Grand Place.

Otto tem três filhos – dois meninos e uma menina. O menino mais velho, de apenas seis anos, já é uma personagem. Está começando a soletrar e disse outro dia ao pai com ar trágico: "É terrível não saber ler! Quando eu souber ler, me meto na cama e não quero saber de ninguém: vou ler todos os livros!" Ele não sabe ainda que um poeta chamado Mallarmé escreveu este verso: *"La chair est triste, hélas! et j'ai lu tous les livres..."*

10 de agosto – Acordo e sinto que o *Aldabi* está parado. Olho o relógio de pulso: seis horas. Olho para fora da cabine: estamos atracados no cais de Rotterdam. Termina aqui este diário.

31-7 a 1-9-1957.

Declaração de amor

Uma paixão depois dos setenta é sempre coisa muito perigosa, não sei o que vai ser de mim, estou apaixonado.

Apaixonei-me pela Holanda. Não foi *coup de foudre*. O primeiro contato até que foi triste, um triste cais de Rotterdam. Depois só fiz atravessar a cidade pela zona destruída, em cujo centro se ergue – símbolo da aflição e desespero da população bombardeada pelos aviões alemães – a estátua moderníssima de Zadkine, estátua que o povo chama Jan Gat (João Buraco), porque apresenta um vazio mais ou menos circular na região do abdômen. Jan Gat aliás é no holandês expressão muito mais vulgar do que João Buraco. Mal tive tempo de olhar as novas construções da nova arquitetura.

O encantamento principiou quando comecei a ver a paisagem fora da cidade, as campinas intermináveis, com as boas vaquinhas malhadas, canais, moinhos, ao longe e ao perto cidadezinhas e aldeias; quando comecei a reconhecer o que conhecia dos grandes paisagistas – Ruysdael, Hobbema; quando atravessei Delft pelo centro, Delft cuja porcelana azul mediocrizou-se, mas que persiste linda como nos tempos de Vermeer. Não havia tempo para localizar a famosa vista do mestre, com o seu paninho de muro amarelo tão exaustivamente analisado por Proust em *La prisonnière*.

Haia acabou de conquistar-me. Ela tem aquela graça das cidades grandes que parecem pequenas. Das cidades que têm um só grande coração.

O centro de Haia, com o seu Hofvijver, onde se refletem o Buitenhof e Mauritshuis, a Porta dos Prisioneiros, de sinistra memória, a Plaats, suas belas alamedas – Langevorworort e Kortevorwoort – é verdadeiramente um coração e me pareceu, como a Grand Place de Bruxelas, uma das obras-primas da paisagem urbana em todo o mundo. Nesse coração a gente se sente como em casa desde o primeiro momento. Haia é uma cidade em que o estrangeiro não se perde. Ela acolhe-o como a um filho. Senti-me acolhido como um filho e tornei-me logo um namorado.

4-9-1957

Rembrandt

Quando entrei pela primeira vez no Mauritshuis, enfiei pelas escadas acima, direito às salas 8 e 9 do primeiro andar, onde eu já sabia que estão os Rembrandts. E logo me vi diante da *Lição de anatomia*. Olhei, pasmei, mas devo confessar que as grandes emoções resultaram das obras menores que estão ao lado da famosa obra-prima dos 25 anos: da *Apresentação no templo*, dos autorretratos da mocidade, dos retratos do pai, da mãe e do irmão do artista, da pequenina e maravilhosa *Andrômeda encadeada*, da pequenina *Susana no banho*, não menos maravilhosa. Sobretudo da *Apresentação no templo* eu não tinha força para afastar-me, examinando – sem compreender – a maneira por que foi pintada a luz sobrenatural que envolve o grupo Santo diante do Grão-Sacerdote.

Afinal passei à sala 9, onde fui me defrontar com o *Homero*, os *Dois negros*, o *Saul* e o último autorretrato do artista, pintado no ano de sua morte.

Dias depois eu veria no Museu Nacional de Amsterdam os *Síndicos* e a ex-*Ronda noturna*, para a qual ainda não se achou um novo nome cômodo como o falso antigo.

Bem, meus amigos, não esperem que eu cometa a tolice de comentar esses prodígios insuperados e insuperáveis da pintura. Quero só dizer que nem as palavras mais sábias nem as cópias mais perfeitas podem dar ideia da grandeza do gênio. Agora sei o que é Rembrandt. Sei que além de sua pintura há em suas obras uma qualidade que eu descobria pela primeira vez – a sua incomparável musicalidade. Sempre fui mais sensível à música do que à pintura. Sempre preferira ser autor – se Deus me desse a escolher – da obra de um grande gênio da música do que da obra de um gênio da pintura. Hoje, porém, posso dizer que não trocaria a obra de Rembrandt pela de nenhum gênio da música, salvo, bem entendido, Bach.

11-9-1957

VI A RAINHA

Alberto de Lacerda não foi o único português que tive a fortuna de encontrar em Londres.

Dias depois de minha chegada à Inglaterra tive o raro prazer de estreitar nos braços, comovidamente, o Jorge de Sena.

Claro que de nome já o conhecia bem, desde uma nota crítica escrita por ele para a revista *Inquérito* a propósito do estudo que Casais Monteiro fez de minha poesia. Depois veio a oportunidade de admirar o dramaturgo de O *indesejado*, o poeta de *As evidências*, para só citar duas obras-primas de sua bagagem de escritor.

Esse engenheiro-poeta é um homem que tem a paixão da história... Mas de que é que ele não tem paixão? Música, artes plásticas, de tudo ele entende, tudo ele estuda, e como tem uma memória de anjo, a sua conversa é repleta de sabedoria e informação.

Que sorte tê-lo por cicerone em duas ocasiões: visitando a National Portrait Gallery e a abadia de Westminster.

O dia de Westminster foi um dos que mais me impressionaram em Londres. Parar junto ao túmulo de Elizabeth, reparar (graças à advertência de Jorge de Sena) no anel que a rainha deu ao seu favorito Essex, depois parar junto ao túmulo de Maria Stuart, olhar de longe o túmulo de Chaucer... Não nomeemos mais ninguém. Sena disse excelentemente: Westminster é como um convento de Batalha que tivesse dentro um Cemitério dos Prazeres.

A introdução desta crônica me levou longe, e o que eu quero sobretudo contar foi a nossa *chance* de chegar à abadia na hora em que devia passar a Rainha

Elizabeth. Eram 11h10. A soberana devia inaugurar ali perto, em Westminster Hall, às 11h30, a Conferência Interparlamentar. Pois até 11h27 o trânsito se fez livremente: pedestres de um lado para outro das ruas, autos e ônibus em todas as direções. Só um guarda-sinaleiro estava todo o tempo de olho atento ao fim da avenida onde deveria apontar o automóvel real. Quando o avistou estendeu o braço interrompendo o trânsito e segundos depois passavam três autos, no primeiro dos quais vinha a Rainha tendo à sua esquerda o marido. Nada de batedores em motocicleta arrebentando os tímpanos da gente com o silvo diabólico das sereias. Nada de soldado nem a cavalo nem a pé. O povo, à beira do meio-fio, não gritou nem bateu palmas, apenas acenou com a mão, ao que a Rainha correspondia acenando também. Que simplicidade, que seriedade, que dignidade! Imediatamente após a passagem da Rainha restabeleceu-se o trânsito.

Tomo a liberdade de dedicar esta crônica ao excelentíssimo presidente Kubitschek, ao honrado chefe de polícia do Distrito Federal, aos vários dignos chefes das inspetorias de trânsito de todo o Brasil, sobretudo do Rio, e às outras consideráveis personagens a quem interessar possa esse episódio edificante.

9-10-1957

Volta a Haia

Londres é formidável; Paris, uma maravilha; Amsterdam – bem, concedamos que é a Veneza do Norte. Mas quando eu deixar estas terras da Europa que andei vendo, com Haia é que ficará um pouco da minha ternura.

Sei bem que Haia tem os seus denegridores. Sobretudo entre holandeses nascidos em outras cidades da Holanda. Sobretudo os de Amsterdam. Haia é uma grande aldeia, dizem; Haia não é caracteristicamente holandesa; Leyde, por exemplo, o é mais. "Amsterdam", explicou-me um dia um senhor elegante na embaixada do Brasil, "é a nossa cidade patrícia; Haia não tem caráter."

Almoçando com o professor van Dam e vendo-me ele elogiar liricamente Haia, não se conteve que não me perguntasse se eu podia definir para ele o encanto que eu achava nessa Haia, que era apenas, como já dissera um espirituoso, "a aldeia mais bonita da Europa".

Ao que respondi: "Precisamente por isso". Haia tem para mim aquele encanto de, sendo uma grande cidade, ter preservado o caráter de uma bonita aldeia. As grandes cidades são os lugares em que mais intensamente a gente experimenta o sentimento da solidão. Em Haia nunca senti o peso da solidão. Em Haia sempre me senti aconchegado como num seio amigo. Afastava-me dela – para ir a Londres, a Paris, a Utrecht ou Amsterdam e tudo em mim eram medos, e eu logo suspirava pelo Brasil; voltava a ela e logo começava a respirar aliviado, sentindo-me um pouco como em casa.

Não conheço a vida, a alma, o caráter holandês. É possível que para um holandês a vida aqui do corpo diplomático, a que adere a de uma sociedade de *snobs*, Haia pareça uma grande aldeia sem caráter. Eu, no entanto, estou vendo é este centro urbano, que é como um grande coração: grandes praças – o Bewtenhof, o Binnenhof, a Plaats, o Plein, o Spui –, ligadas por largas ruas que são outras tantas praças retangulares – Kneuterdijk, Lange Vijverberg, Lange Voorhowt, lindas alamedas que nestes dias de outono tomaram a tonalidade ferrugem própria da estação –, e não sei como isto se formou, mas o certo é que resultou numa das mais impressionantes obras-primas da paisagem urbanística em todo o mundo. Paisagem única, *de grande caráter*, onde avultam, acrescentando à perspectiva física a perspectiva histórica, os edifícios severos e sombrios da Gevangen Poort e do Binnenhof. A gente se esquece que Gevangen Poort era casa de suplícios para só se lembrar que foi primitivamente a porta de entrada dos domínios dos condes de Holanda. No Binnenhof está Ridderzaal ou *sala dos cavaleiros*, e aqui a perspectiva afunda até o século XIII. Essas construções dão ao coração alegre de Haia uma grave densidade: há uma extraordinária poesia na "aldeia mais bonita da Europa".

19-11-1957

Ainda Haia

Falei que o centro de Haia é como um imenso coração, com as suas grandes praças intercomunicantes. Mas atrás dessas aurículas e desses ventrículos corre uma rede de arteríolas e venículas – as ruas estreitas do comércio especializado e elegante, e vêm depois as largas e longas avenidas, umas onde se estabeleceram os enormes *magazines* do tipo Bijenkorf, colmeia em holandês, outras que levam aos bairros residenciais. A estas nunca vou senão por obrigação social: essa não é a Haia que me agrada; essa, sim, não tem muito caráter no seu casario em série, solução inventada pelos arquitetos modernos para o problema da habitação barata e rapidamente construída (era de urgência depois dos bombardeios arrasadores da última guerra). Solução muito funcional, muito simpática, mas de uma monotonia, meu Deus!

Estas ruas comerciais de Haia, como disse, estreitas e nunca muito longas – Noordeinde, Hoog Straat, Spui Straat, Vene Straat etc., lembram a nossa carioca rua Gonçalves Dias, para mim a mais bonita rua do centro do Rio. Paris, Londres não têm nenhuma rua Gonçalves Dias. Quem sabe se não está aí o segredo dessa fascinação que tem sobre mim a cidade onde Spinosa viveu os últimos seis anos de sua vida?

Muitas vezes, andando em Hoog Straat me imaginei descendo a rua Gonçalves Dias. E que prazer entrar em certa casa de chá, pedir um *poffertjes en wafel*, que, *hélas!* não se encontra em nenhuma casa de chá da rua Gonçalves Dias ou de outra qualquer rua do Rio, e ficar olhando através das vidraças o movimento dos transeuntes lá fora. As carinhas bonitas são raras, salvo as das crianças, sempre adoráveis, com o sangue que parece querer espirar das bochecas. Muito cachorro levado pela coleira, sempre de boa raça, alguns de tanta aristocracia que nos sentimos ao lado deles infamemente plebeus.

Coisa de que sinto muita falta aqui é o café como se faz no Brasil. Até agora não tive saudade nem de feijão, nem de banana-maçã, nem de qualquer outra gostosura brasileira. Mas de café... Brasileiro na Europa é capaz de andar léguas e pagar uma fortuna por uma boa xícara de café. O que se toma em Haia é uma bebera- gem rala que só se torna tragável misturando-se-lhe o excelente leite holandês. Os italianos já introduziram por toda a parte as suas máquinas de café expresso. Em Londres e Paris é fácil encontrar um ponto de café expresso. Aqui em Haia eles são raros e custei a descobri-los. Ficam, aliás, longe do meu hotel. O preço varia entre 30 e 70 cents, em nossa moeda 6 a 14 cruzeiros. Tenho andado léguas e gasto uma fortuna para beber a espumante droga italiana, bastante parecida com o nosso au- têntico café.

20-11-1957

Adeus a Haia

Amanhã deixarei Haia. Sei que vou ter grandes saudades desta cidade onde durante algumas semanas parei remoendo minhas velhas experiências e minhas novas an- gústias. Há, como entre as criaturas humanas, misteriosas afinidades entre elas e os sítios, as paisagens, as cidades. Foi com surpresa que descobri entre mim e Haia uma dessas afinidades, que nunca uma cidade que não fosse da minha terra, me havia até hoje despertado.

Quero despedir-me de Haia fazendo pela última vez o circuito da "aldeia mais bonita da Europa". E por relembrar a definição, quero contar que, entrando há dias numa casa de gravuras antigas, vi sobre uma mesa um livro sobre a Holanda, e era da autoria de Sacheverell Sitwell, o irmão-baronete de Dame Edith Sitwell. O escri- tor reside em Londres, na velha mansão da família, uma casa setecentista, onde o pai nunca admitiu que se fizesse instalação elétrica. O palácio é iluminado a vela, e ai dos hóspedes que tenham medo de almas do outro mundo, porque se sabe que a mansão Sitwell é frequentada por dois fantasmas, – um dos quais do século XVIII. Sacheverell, que é autoridade em arte barroca, escreveu uns três livros de viagem. Vim a conhecer, agora, este sobre a Holanda, e é delicioso. Porque por onde anda procura o inglês ver o que não está na cara. Assim foi, graças a ele, que pude olhar em certa casa de tapetes de Noordeinde, um teto em estuque de Marot, o francês que foi arquiteto de Guilherme III e deixou em Haia muita obra encantadora de ar- quitetura, decoração e escultura. Sacheverell ajudou-me a compreender um pouco o encanto de Haia quando diz que ele está em uma cidade imensa que se desenvol- veu em torno da primitiva aldeia, e respeitando-a, de sorte que, paradoxalmente, é no centro de Haia que se encontra a tranquilidade e, salvo o momento do *rush* das bicicletas, a segurança.

Faço, já cheio de saudades, o circuito da aldeia. Saio do simpático hotelzinho de Zalm (o *Salmão*), desço Molenstraat, entro em Oude Molenstraat, subo Papes- traat, quebro à direita por Hoogstraat, atravesso Groenmarkt, enfio por Venestraat, dobro à esquerda por Spuistraat, faço uma digressão à Grotemarktstraat – para tomar um café expresso, o melhor de Haia – no grande *magazin* Vroom en Dreesman, volto a Spuistraat, cruzo o Spui, alcanço o Plein pela Lange Poten, ladeio a Casa de Maurício e caio em Lange Voorhout, um dos meus sítios prediletos na cidade. Olho com pena para o velho teatro que irá ter defronte o futuro edifício moderno da embaixada norte-americana. Será arranha-céu? Um arranha-céu no meio destas veneráveis casas do século XVIII! Pela primeira vez desço uma travessa onde a construção remonta ao século XVII. Leio numa casa a data de 1651, – quando os holandeses andavam em Pernambuco.

O que eu desejava ver no fim de Jagerstraat, este o nome da travessa, era o cais onde durante alguns anos viveu Ribeiro Couto, quando foi aqui segundo-secretário da Legação. Smitswater é, como Waissenaar, onde também morou o nosso poeta, um sítio *on te dromen*, quer dizer para devaneio. Pensei no amigo com saudade, mandei-lhe o melhor dos meus pensamentos e voltei para o hotel por Lange Voorhont, Plaats, Noordeinde, não sem ter lançado ao Vijver, o lindo tanque público da cidade, com os seus cisnes, marrecos e gaivotas, um olhar de agradecida ternura. Foi esse o meu adeus a Haia.

27-11-1957

VOLTA AO LAR

Meus afetos, meus desafetos, bom dia! Do mar da Europa, estive mandando a vocês umas impressões de apressada redação e não sei como me saíram, pois não as li em letra de forma, e só sei avaliar o que escrevo depois da coisa impressa ou datilografada. Viajei sem máquina, sou péssimo calígrafo, e embora aqui a datilógrafa fosse uma Pérola que é uma pérola, imagino que os nomes próprios europeus, sobretudo holandeses, devem ter saído bastante estropiados.

Não me lembro se já contei como andei angustiado lá por fora. Não saberei dizer se eram saudades do Brasil ou, mais modestamente, do meu cantinho no São Miguel. Muitas vezes, e sobretudo quando fui derrubado pela asiática em Londres, repeti esta pífia paródica da "Canção do exílio":

> Não permita Deus que eu morra
> Sem que eu regresse ao meu lar,
> Sem que os oitis ainda aviste
> Da avenida Beira-Mar!

Fui mais feliz do que o Dias e aqui estou, sofrendo com vocês a queda vertiginosa do cruzeiro, a falta de manteiga e a ameaça da candidatura Lott-Jango. Por causa destes quatro meses de ausência passo de vez em quando por sustos tremendos. Ainda outro dia entrei no Vilarino e vi um rapaz pedir uma maçã e uma pera. – Quanto é? perguntou. O caixeiro pesou as duas frutas e desfechou o tiro: – A maçã, 14; a pera, 30. Trinta cruzeiros por uma pera! Parece que eu estava adivinhando quando, a bordo do *Aldabi*, me empanturrava, quatro vezes ao dia, das excelentes peras europeias. Era uma despedida.

Aliás, pode-se passar perfeitamente sem peras onde há abacaxis, mangas e cajus. Um dia, em Haia, enxerguei, no restaurante do meu hotel, um belo exemplar do fruto em cuja superfície o xará Santa Maria Itaparica viu "a cor que Citereia deu à rosa". O *menu* advertia que uma talhada *"flambée au kirsch"* custava um dinheirão. Não resisti, mas dispensei o *kirsch*. O *maître d'hôtel* procedeu com a maior elegância. Como aqui nos nossos restaurantes quando preparam crepe Suzette à vista do freguês. Cortou com grande sovinice uma fatiazinha de uns três milímetros de espessura, sacou fora o duro do centro e me estendeu o prato como se me oferecesse um manjar do céu. Ah que não sei de nojo como o conte! Era uma droga.

Outro golpe baixo foi o que me deu *seu* Alberico da vendinha aqui embaixo. Entrei lá, pedi quatro ovos e um pãozinho francês, estendi uma nota de dez cruzeiros e fiquei esperando o troco. Alberico não recolheu a cédula e falou seco: – Mais cinco. – Mais cinco, Alberico? Quanto está custando um ovo? – Três mil e quinhentos. Não perguntarei, como as donas de casa ingênuas, onde vamos parar. Desde que me entendo nunca vi parada. Na rua da União, no Recife, ouvi em 1895 apregoarem ovos a dez por uma pataca. Registrei o fato num poema. Um dia, não muito distante, teremos saudades do tempo em que um ovo custava só três cruzeiros e meio.

1-12-1957

O BAR

A notícia da demolição do Hotel Avenida e consequente desaparecimento da Galeria Cruzeiro não me causou nenhum sobrosso sentimental. Aquilo era um monstrengo que enfeava a cidade. Todavia, quando a derrubada atingiu o canto do Bar Nacional e eu vi desventrado o que o Bom Gigante chamava a "casa dos que não tinham casa", senti um pequenino, doloroso rebate no coração, afogado subitamente numa onda de recordações.

No Bar Nacional vivi um pouco a vida "que poderia ter sido e que não foi". A doença que me salteou por volta dos dezoito anos não me deixou realizar o currículo da adolescência nas suas loucas aventuras. Ora, aos quarenta pude desfrutar um pouco o sabor delas através da experiência de um rapaz de vinte. Já o nomeei Bom Gigante. Não quero identificá-lo na atual pessoa de engenheiro *rangé*, bom esposo e bom pai. Naquele tempo, aí por 1925, era o símbolo da mocidade decantada por Raimundo Correia.

> Porque tudo o que tem de fresco e virgem gasta
> E destrói...?

No Bar Nacional e da boca do Bom Gigante ouvi a crônica do Túmulo dos Faraós, porão aberto à juventude noctívaga e onde se cheirava cocaína quando era vendida livremente a três mil-réis o grama. No Bar Nacional tiveram início alguns episódios surrealistas que narrei nas *Crônicas da província do Brasil*. No Bar Nacional me relumeou de repente a célula de muito poema de *Libertinagem* e da *Estrela da manhã*. No Bar Nacional assisti a uma passagem de ano, a mais turbulenta e lírica cena urbana que presenciei na minha vida.

... Tudo correu tranquilamente até meia-noite. Foi precisamente quando as sereias começaram a apitar saudando o Ano-Novo que o Bom Gigante se levantou, bastante bêbedo, e desfechou um soco na cara do Ubirajara. Ubirajara batia-lhe pelo ombro, mas era um dos três ou quatro valentes mais destros daquela mocidade faraônica. Quando o Bom Gigante desfechou o segundo golpe – um pontapé à altura da cara, Ubirajara aparou no peito, como um arqueiro apara uma bola de *penalty*, o pé do amigo (porque eram amigos, muito amigos!), fez vuquete! e quando vi foi a massa enorme do Gigante revolutear no ar e estatelar-se no chão do bar. Aí, não sei como, a briga generalizou-se, as sereias apitavam ainda mais, bombas estouravam, viva o Ano-Novo! e no meio de toda aquela confusão havia uns bêbedos beatamente sorridentes que andavam de um lado para outro, de copo na mão, desejando felicidades a toda gente. Quando a calma se restabeleceu, o Bom Gigante tinha desaparecido com a mais linda mulata da cidade, *pivot* da briga, e foi preciso livrar Ubirajara das mãos da polícia. Voltando à minha mesa dei com o meu guarda--chuva, um guarda-chuva novo, completamente esfrangalhado. Até hoje não pude compreender como foi aquilo.

29-1-1958

GRANDES PERDAS

No espaço de uma semana perdeu o Brasil duas das mais raras figuras que lhe ilustravam as artes – Pancetti e Cornélio Penna: duas grandes perdas.

Tão diferentes um do outro, mas com algo que os aproximava. Ambos poetas. Pancetti, que era sobretudo um pintor, sentia de vez em quando necessidade de se exprimir em versos, como se o amor em que todo se abrasava – amor pelas mulheres, pela poesia, pela paisagem, pelo mar, que foi a sua constante paixão, não pudesse caber nas cores e nos volumes dos seus quadros. Cornélio Penna, grande romancista, mestre das profundas interiorizações, cultivava também o desenho, em que era tão hábil quanto Pancetti no verso e na prosa. Ambos marcadamente diferentes de todos os seus confrades.

Lembro-me bem da saborosa surpresa que foram para mim as marinhas com que Pancetti conquistou o prêmio de viagem ao estrangeiro no Salão de 1941. Por aquela época lavrava como uma praga na pintura nacional a influência de Portinari. Essa imitação só teve de bom mostrar a toda a gente o que havia de fundamente brasileiro e pessoal na arte de Portinari. Porque a pintura de Portinari andava então muito influenciada pela de Picasso, e era natural que se dissesse que os outros, como Portinari, estavam influenciados por Picasso. Em vez, não: dizia-se, sim, que eram imitadores de Portinari. Pancetti apareceu forte, fresco, fecundo, sem nada que nem de longe lembrasse o pintor de Brodowski. Não lembrava ninguém. O seu grande mestre foi o mar. Alguém falou em Castagneto a propósito de Pancetti. A diferença entre os dois, a grande diferença que extremava de tal maneira o mar de um e o do outro, é que Castagneto tinha a curiosidade insaciável do mar, ao passo que em Pancetti o que havia era, como já disse, a paixão do mar, principalmente do mar nas suas horas de soberana tranquilidade, o mar dos profundos azuis, cujo segredo de melancolia o pintor soube fixar com mão segura.

A Cornélio Penna o que interessava despoticamente era o segredo das almas humanas. Mas em *Repouso*, o meu predileto entre os seus romances, ele mostrou como a soma de muitas almas pode impregnar de inquietante melancolia a paisagem onde elas vivem. Só em *Repouso* vim aprender a decifrar a alma de uma velha cidade mineira onde morei durante um ano – Campanha, a velha Campanha da Princesa da Beira, terra de minha querida amiga Donana, cuja dorida vivência seria um tema que só em Cornélio encontraria o seu cabal romancista. Só uma coisa nunca pude compreender no artista: a técnica do seu desenho, tão antípoda de sua técnica de artista da palavra. Ah, eu não gostava do desenhista, e este me manteve durante muito tempo indesejoso de ler os seus romances. Mas *Repouso* encheu-me de admiração. Não só de admiração: era com lágrimas interiores de carinho que eu ultimamente cruzava com o escritor no bairro de Laranjeiras, vendo-o passar, tão diminuído fisicamente, mas espiritualmente tão inteiro, tão bom, amparado no braço de sua esposa.

16-2-1958

ANDORINHA, ANDORINHA

Andorinha lá fora está dizendo:
– "Passei o dia à toa, à toa!"

Andorinha, andorinha, minha cantiga é mais triste
Passei a vida à toa, à toa...
(Andorinha)

Quem sou eu?

Datilografo esta crônica na manhã de terça-feira. Hoje à noite deveria ir ao estúdio da Televisão Tupi para responder às perguntas de Heloísa Helena no programa "Quem sou eu?". Mas uma gripe me derrubou de improviso e vou perder esse raro prazer. Ela e os telespectadores é que não perderão nada, porque responderá por mim Francisco de Assis Barbosa, meu biógrafo bem-amado e bem informado.

Aliás, perdi, a semana passada, a proposição do enigma, porque eu não podia faltar, à mesma hora, ao recital de Paulo Autran, que esteve excelente, sobretudo no "I-Juca-Pirama" e na história do peixinho de Mário Quintana.

Eu podia ter perguntado "quem sou eu?" definindo-me em versos herméticos para pôr em polvorosa os candidatos ao prêmio de cinco mil cruzeiros da casimira Aurora. Por exemplo, assim:

> Sou o que não tem e tende.
> O que pende e não impende.
> Como o fingidor Pessoa,
> Que foi ótima pessoa,
> Finjo (e fazendo-o não minto)
> A dor que deveras sinto.

Em vez disso, não, só faltei dizer o meu nome. Durante a semana estiveram a me telefonar indagando do meu nome completo e qual era o patrono da minha cadeira na Academia e uma moça me pediu que tirasse o envelope dela, que era azul. Só se você for feinha, respondi. Ela jurou que sim, que era feinha. Mas não acreditei. A voz se conhecia que era de moça bonita. Bonitíssima.

Que me perguntaria Heloísa Helena? A minha opinião sobre Brasília? Sobre a poesia concreta? Sobre o mausoléu acadêmico? Sobre Brasília e a poesia concreta já me pronunciei. Não assim sobre o mausoléu. Pois, dona Heloísa, sou contra o mausoléu, embora goste muito do autor da ideia. E sou contra pelos motivos que já disse em versos o incomparável trovista Adelmar:

> Não quero, na minha morte,
> Nem pompa nem mausoléu.
> Quero uma campinha rasa
> Que abre os braços para o céu.

O resto é com o compadre Chico Barbosa, a quem desde já cedo o meu corte de casimira Aurora, ai, ai!

[19-XI-1958]

O QUINTAL

Que é um quintal? Abro o meu velho Morais, o meu velho e querido Antônio de Morais Silva, e leio esta definição: "É na Cidade, ou Vila, um pedaço de terra murada com árvore de fruta etc." Não era bem isso o que chamávamos quintal na casa de meu avô materno no Recife, a casa da rua da União que celebrei num poema. Então vamos ver o que diz o Aulete no verbete "quintal". Reza assim: "Porção de terreno junto da casa de habitação, com horta e jardim". Está melhor, quer dizer, aplica-se melhor ao que chamávamos quintal na casa do meu avô. Apuremos a etimologia, recorramos ao dicionário etimológico de Antenor Nascentes. Eis o que ele averba: "*Quintal* – 1 (horto): Do lat. *quintanale* (Leite de Vasconcelos, *Lições de Filologia* 306) cfr. *quinta*. A. Coelho tirou de *quinta* o sufixo al". No verbete "quinta" registra Nascentes que em Portugal, na Beira, ainda hoje a palavra significa "pátio".

O quintal da casa da rua da União era isto: uma pequena porção de terreno em quadrado para onde dava a varanda da sala de jantar e em quina com esta a varanda com acesso para a copa, a cozinha, o banheiro, o quarto de guardados; do lado oposto à segunda varanda, bem mais estreita que a primeira, havia o paredão alto da casa vizinha, onde moravam umas tias de José Lins do Rego; ao fundo ficava o galinheiro, e ao lado deste, o cambrone. Aqui no Sul muita gente não sabe o que é cambrone e ainda menos por que motivo no Recife daquele tempo (começo do século) se dava à privada o nome do general de Napoleão, que intimado pelo inimigo a render-se na Batalha de Waterloo, respondeu energicamente com uma só palavra de cinco letras. Pois fiquem sabendo que o motivo foi este: o engenheiro francês que projetou e dirigiu no Recife o serviço de instalação dos esgotos chamava-se Cambrone, mas não sei se era parente do herói de Waterloo. Os cambrones do Recife eram o que havia de mais primitivo, mas por que o menino de sete anos, futuro poeta a seu malgrado, gostava de estar ali? Só muitos anos depois, homem feito, descobriu a razão, ao ler o poema de um menino genial que se chamava Jean-Nicolas-Arthur Rimbaud, poema intitulado *"Les poètes de sept ans"*, escrito aos dezessete anos. Dizia ele, a meio do poema:

L'été

*Surtout, vaincu, stupide, il était entêté
À se renfermer dans la fraîcheur des latrines.*

Havia, muito, essa *"fraîcheur"* no cambrone daquele quintal da rua da União...

O quintal, porém, tinha outros atrativos. Primeiro, num canto da varanda da sala de jantar, a grande talha de barro, refrescadora da água, que se bebia pelo "coco", vasilha feita do endocárpio do fruto do mesmo nome e com bonito cabo torneado; havia, no centro do quintal o coradouro, "quaradouro", como dizíamos, magnífico quaradouro, com as suas folhas de zinco ondulado; em torno, ao longo das varandas e do paredão da casa das Lins, ao fundo, dissimulando o galinheiro, também magnífico (um senhor galinheiro!), e o cambrone, os canteiros de flores singelas, hortaliças, arbustos, medicinais de preferência (sabugueiro, malva etc.). Minha avó estimulava as minhas veleidades de hortelão: "Plante estes talinhos de bredo, que quando eles derem folha eu lhe compro". E eu plantava e ela comprava o bredo, e com esse dinheiro comprava eu flecha e papel de seda para fabricar os meus papagaios... Essa atividade não me fez agricultor nem negociante, mas as horas que eu passava no quintal eram de treino para a poesia. Na rua, com os meninos da minha idade eu brincava ginasticamente, turbulentamente; no quintal sonhava na intimidade de mim mesmo. Aquele quintal era o meu pequeno mundo dentro do grande mundo da vida...

[1965]

FUI FILMADO

Primeiro vieram o diretor e o seu assistente. Para estudar o local, cujas dimensões tornavam a filmagem particularmente difícil. Começou então um trabalho que me pareceu penoso, misterioso, minucioso. Eram medidas com trena, miradas por um instrumentozinho bonito chamado "visor", deslocamentos de móveis. De uma vez que entrei na cozinha, onde o diretor e o assistente agiam, tive a impressão das primeiras horas depois de um terremoto ou da explosão de uma bomba de hidrogênio. Nesses deslocamentos o que mais me invocou foi a instabilidade de minha torradeira elétrica. Um dia estava aqui, outro dia ali, depois acolá. E eu que pensava que a torradeirazinha era a coisa mais qualquer deste mundo! UMA PERSONAGEM. Respeito-a agora como tal. O diretor e o assistente traziam sempre uns caderninhos, onde faziam cálculos e cálculos e cálculos.

Afinal chegou o dia de filmar. Entraram-me apartamento adentro umas malas, umas tripeças, refletores, cabos de transmissão elétrica, o diabo. Tudo isso passou a morar na minha sala de visitas com um ar de perfeita e irremovível felicidade. A equipe de operadores era agora completa: além do diretor e do assistente, havia o gerente de produção, *débrouillard* e simpaticão, a me tratar com o desvelo de uma bá para com o seu garotinho, o *cameraman*, com um ar de jovem arquiteto construtor de Brasílias; o fotógrafo, que imediatamente tentou converter-me ao espiritismo. O que mais me assombrou nessa gente foi a sua paciência. Aturavam impassíveis as vicissitudes mais inesperadas. Qualquer tomadinha à toa, coisa que dura uns segundos, leva horas a ser preparada. Eis que tudo estando pronto para rodar, o sol desaparece (ou aparece, é o mesmo), ou numa cena de exterior, no meu famoso pátio, surge a turma dos garis para varrê-lo, e como a imundície lá é sempre grande, o fiscal da prefeitura faz parar tudo, porque "aquilo iria depor contra a sua repartição".

E a minha parte nisso tudo? De amargar. Pior do que posar para o Celso Antônio. Há que repetir cada tomadinha uma porção de vezes. Vários ensaios e vários a valer, e vale tudo! Ainda tenho nos ouvidos, ai tão surdinhos!, as ordens de comando do diretor: "Atenção! Câmara! AÇÃO!" Leitores que nunca vistes fazer um filme, ainda que um simples documentário de oito minutos, como este meu, sabei que uma fita não é, que esperança, essa escorrida e escorreita continuidade que apreciamos prazerosamente nas salas de cinema: é, sim, uma sequência de tomadas de segundos, cada uma das quais se leva horas a compor com mil atenções especiais, e basta que não se atenda a um detalhe mínimo, para pôr tudo a perder. Eu tinha muita pena de ator, que considero profissão duríssima. Agora passei a minha pena para os profissionais do cinema. Para se meter numa e noutra vida é preciso ter paixão pela coisa, ser tarado. Como meu afilhado de crisma Joaquim Pedro, a quem desde já perdoo as intermináveis horas em que me fez bancar o astro de cinema.

[30-IX-1959]

Cheia! As cheias!...

Meu avô Costa Ribeiro morava na rua da União, bairro da Boa Vista. Nos meses do verão, saíamos para um arrabalde mais afastado do bulício da Cidade, quase sempre Monteiro ou Caxangá. Para a delícia dos banhos de rio no Capibaribe. Em Caxangá, no chamado Sertãozinho, a casa de meu avô era a última à esquerda. Ali acabava a estrada e começava o mato, com os seus sabiás, as suas cobras e os seus tatus. Atrás de casa, na funda ribanceira, corria o rio, à cuja beira se especava o banheiro de palha. Uma manhã, acordei ouvindo falar de cheia. Talvez tivéssemos que voltar para o Recife, as águas tinham subido muito durante a noite, o banheiro tinha sido levado. Corri para a beira do rio. Fiquei siderado diante da violência fluvial barrenta. Puseram-me de guarda ao monstro, marcando com toquinhos de pau o progresso das águas no quintal. Estas subiam incessantemente e em pouco já ameaçavam a casa. Às primeiras horas da tarde, abandonamos o Sertãozinho. Enquanto esperávamos o trem na Estação de Caxangá, fomos dar uma espiada ao rio à entrada da ponte. Foi aí que vi passar o boi morto. Foi aí que vi uns caboclos em jangadas amarradas aos pegões da ponte lutarem contra a força da corrente, procurando salvar o que passava boiando sobre as águas. Eu não acabava de crer que o riozinho manso onde eu me banhava sem medo todos os dias se pudesse converter naquele caudal furioso de águas sujas. No dia seguinte, soubemos que tínhamos saído a tempo. Caxangá estava inundada, as águas haviam invadido a igreja...

[23-III-1960]

Minha adolescência

A história de minha adolescência é a história de minha doença. Adoeci aos dezoito anos quando estava fazendo o curso de engenheiro-arquiteto da Escola Politécnica de São Paulo. A moléstia não me chegou sorrateiramente, como costuma fazer, com emagrecimento, febrinha, um pouco de tosse, não: caiu sobre mim de supetão e com toda a violência, como uma machadada de Brucutu. Durante meses, fiquei entre a vida e a morte. Tive de abandonar para sempre os estudos. Como consegui com os anos levantar-me desse abismo de padecimentos e tristezas é coisa que me parece a mim e aos que me conheceram então um verdadeiro milagre. Aos 31 anos, ao editar o meu primeiro livro de versos, *A cinza das horas*, era praticamente um inválido. Publicando-o, não tinha de todo a intenção de iniciar uma carreira literária. Aquilo era antes o meu testamento – o testamento da minha adolescência. Mas os estímulos que recebi fizeram-me persistir nessa atividade poética, que eu exercia mais como um simples desabafo dos meus desgostos íntimos, da minha forçada ociosidade. Hoje vivo admirado de ver que essa minha obra de poeta menor – de poeta rigorosamente menor – tenha podido suscitar tantas simpatias.

Conto estas coisas porque a minha dura experiência implica uma lição de otimismo e confiança. Ninguém desanime por grande que seja a pedra no caminho. A do meu parecia intransponível. No entanto saltei-a. Milagre? Pois então isso prova que ainda há milagres.

Gosmilhos da pensão

Em *Presença na política* assinalou Gilberto Amado que nas suas viagens, por onde quer que andasse, em Paris como em Washington, ninguém sabia responder à pergunta: "Que flor é esta?" E eu que pensava que esse desinteresse pelo nome das flores fosse próprio só de brasileiros? Não só pelo nome das flores. No meu discurso de posse na Academia escrevi: "O brasileiro nomeia a palmeira, a bananeira, a mangueira, e quase todas as outras espécies são para ele 'árvore' ou, como no Norte, 'pé de pau'. Já anotara Agassiz que para a maioria dos brasileiros todas as flores são 'flores', todos os animais, desde a mosca até o burro ou o elefante, 'bichos'".

Quando Anatole France esteve aqui e foi levado a um passeio nas Paineiras, fez questão de saber o nome de todas as florezinhas silvestres que pintalgavam a estrada. Ninguém sabia responder-lhe. Então, Tomás Lopes (da boca deste ouvi o fato), envergonhado de nossa ignorância, começou a inventar nomes. Esta florzinha vermelha era "sangue-de-vênus", aquela roxinha "pranto-de-viúva", e assim por diante. O francês comentou que os brasileiros tínhamos imaginação muito poética, o que fez Tomás Lopes suspeitar (Tomás era inteligentíssimo) que France desconfiara da mistificação.

No meu poeminha "Pensão familiar" falo do jardinzinho interno da Pensão Geoffroy, em Petrópolis, onde só havia pobres flores e arbustos mais comuns – dálias, marias-sem-vergonha, trapoerabas, mas entre a tiririca sitiante sorria uma florzinha modesta e bonita, mais modesta que todas as outras. Quis nomeá-la no meu poema e perguntei o nome dela ao jardineiro da pensão. O homem respondeu sem hesitação: "Gosmilho". O nome caía-me bem no verso e escrevi logo: "O sol acaba de crestar os gosmilhos que murcharam".

Pois agora fui chamado a contas por um professor norte-americano, que leu o meu poema, procurou "gosmilho" nos dicionários e não achou, escreveu de Nova

York à nossa Livraria Briguiet sobre o caso e da livraria me interpelaram que diabo de flor era essa, que nenhum dicionário registra.

E agora, José? Este José que interrogo, aflito, é o meu querido, jamais assaz querido José Sampaio, velho morador de Petrópolis, a quem peço informar-se com os jardineiros locais se de fato existe por lá uma florzinha chamada "gosmilho".

[20.VIII.1958]

CARTA A MESTRE CORÇÃO

Antes que alguém me denuncie a você, venho eu mesmo denunciar-me: acaba de sair a 5ª edição das minhas *Noções de história das literaturas* e nela não está, como devia estar, na primeira fila dos homens de letras e de pensamento mais completos que já deu o Brasil, o seu nome, por tantos títulos ilustres. Quem me apontou a omissão imperdoável, ainda que involuntária, foi nosso comum amigo Fromm. A princípio não quis acreditar. Procurei tranquilizar-me, pensando comigo que a omissão se teria verificado no índice onomástico. Folheei nervosamente as páginas consagradas à nossa literatura contemporânea: tanto nome encarreirado, um que outro bem dispensável, Deus me perdoe, alguns nomes que nada ou pouco admiro, mas que são admirados por muita gente, até uns tantos meus rancorosos desafetos, este ou aquele rapaz de talento promissor, mas ainda em estado larvar... e você ausente! Você, a quem tanto admiro, estimo e respeito desde que li *Lições de abismo*, você, que em seus artigos de jornal, sempre tão vibrantes de ideias e de sentimentos, me tem tratado mais de uma vez com cativante generosidade... Estou envergonhado, estou desesperado, estou verdadeiramente de cara no chão...

Não me consolou bastante ter corrido à *Enciclopédia Delta-Larousse*, de recente publicação, e lá, no mesmo breve histórico de nossa literatura, de minha autoria, ver o seu nome citado duas vezes – como romancista e como crítico. A ausência de seu nome no meu livro será o meu remorso de todos os dias.

Vou contar-lhe e aos meus leitores deste jornal outro triste episódio da minha atividade literária. Em 1944 colaborei com Edgard Cavalheiro numa antologia – *Obras-primas da lírica brasileira*. Impresso o volume, verifiquei eu mesmo, mortificado, a omissão de dois poetas da minha mais particular estima: Adelmar Tavares e Alphonsus de Guimaraens Filho; verifiquei também que o nome de Alphonsus de Guimaraens pai havia sido estropiado para Alphonsus Guimarães. Escrevi a Alphonsus Filho uma carta, que figura na edição Aguilar de minhas obras completas. Nessa carta dizia eu: "Se há alguém que não deve duvidar da minha admiração e estima é você: considero-o desde já como um dos grandes poetas definitivos do Brasil". Mais adiante acrescentava: "Espero que o volume tenha novas edições e então remediarei essa falha enorme..." Pois bem, o volume teve nova edição em 1957 e nela não figuravam os nomes de Adelmar Tavares e Alphonsus de Guimaraens Filho, e o nome de Alphonsus pai continuava irreverentemente grafado Alphonsus Guimarães!

Après ça tirez l'échelle... pour me pendre! E perdoe este setuagenário, já bem avariado na memória, que se confessa aqui seu grande admirador.

[3-VII-1960]

AVISO AOS NAVEGANTES

O último número do *Jornal de Letras* traz uma entrevista comigo, onde há coisas que eu não disse e muito me aborreceram. Valha-me Deus! Já estou bastante calejado em ver as minhas palavras estropiadas pelos entrevistadores, gente perigosa, que às vezes faz literatura por conta dos entrevistados. E sei que não adianta tomar precauções, adverti-los: pode ser pior, como já me aconteceu certa vez em que o entrevistador era um amigo e eu disse a ele:

– Você está vendo que não tenho aqui nenhum móvel nem pintura ou desenho moderno. Faço questão que você diga isso.

Pois no dia seguinte o meu quarto saía descrito na entrevista como o *dernier cri* do Modernismo mais abracadabrante! Fiquei danado.

Nunca protestei de público contra essas invenções, por maiores que fossem as bobagens que me atribuíam. Desta vez, porém, não posso deixar passar sem desmentido uma peta que me põe numa situação muito desagradável diante de um poeta da minha maior admiração e estima, a inglesa Edith Sitwell.

Nunes Machado, o autor da entrevista, até que é um rapaz simpático e amável. Mas não tem o senso do ridículo. Porque eu me encarapitaria no cúmulo do ridículo se pretendesse fazer crer aos leitores do *Jornal de Letras* que Edith Sitwell, coberta de glória mundial, laureada pelo Governo inglês com o título de *Dame* tivesse saído de seus cuidados para traduzir 37 poemas meus! Um que fosse! Até parece perfídia de Nunes Machado, no que não posso acreditar. O que eu disse a Nunes Machado é que gostaria de traduzir alguns poemas da Sitwell, mas que não me sentia com força bastante para tal.

Também não é verdade que, a propósito da asiática que apanhei em Londres, tenha exclamado em tom de lástima: "Ah... Londres aziaga!" Boa bola, mas não é minha: é de Nunes Machado. Há trinta anos que não faço um trocadilho.

Aproveito esta minha desastrada experiência para tomar uma decisão definitiva: não darei mais entrevistas aos jornais. Salvo, está claro, ao Lêdo Ivo e ao Carlos Castello Branco. Porque esses dois, mesmo sem conversar com a gente, são fidelíssimos nas suas entrevistas. Lêdo, por exemplo, telefonou-me um dia, queria a minha opinião sobre não sei o quê. Eu não estava pra maçadas, disse: "Lêdo, invente você qualquer coisa e ponha o meu nome por baixo". Foi o que ele fez, e nunca eu fui mais eu.

[19-I-1958]

No Festival do Escritor

Dizem, e eu acredito, que o soldado que toma parte numa batalha não sabe contar o que foi essa batalha, pois nunca tem a visão do conjunto. Foi o que me aconteceu anteontem no 1º Festival do Escritor Brasileiro. Fui soldado dessa batalha, em que labutamos pela União Brasileira de Escritores. Mas é imprópria, no caso, a imagem da batalha: tratava-se de um movimento de confraternização dos escritores e artistas de todo gênero (até os que fazem letras com os pés nos campos de futebol), dos escritores entre si e deles com o grande público.

Não pude ver nada senão o que se passava dentro e em frente da lojinha, onde Adalgisa Nery e eu não tínhamos mãos a medir na concessão de autógrafos (os organizadores do festival esqueceram-se de estipular algum preço, módico que fosse, para os autógrafos em álbuns ou simples papeluchos ou flâmulas, havendo assim, por aí, grande evasão de renda).

Para me garantir contra o fracasso, eu tinha tomado para minhas madrinhas Maísa, Tônia e Glauce. A primeira foi para o Japão, a segunda não me deu bola, só Glauce não me abandonou, mas quem está com Glauce está com tudo, não é verdade, meu caro Antônio Bulhões?

Entre dois autógrafos eu podia ver que tudo quanto é notabilidade do Rio em qualquer setor da cultura desfilava nas ruas internas do Super Shopping Center de Copacabana. A iniciativa de Peregrino Júnior e seus companheiros da UBE foi coroada de um sucesso de frequência e venda que ultrapassou de muito a expectativa de toda a gente.

Franquezinha franca, muitos andavam ali não pelos escritores, mas pelas *vendeuses*: deve ser encantador ser atendido por uma Teresa de Sousa Campos, uma Cacilda Becker e levar para casa o nome delas autografado. Contaram-me que na lojinha apadrinhada por Pelé um sujeito desenganou o outro dizendo-lhe: – Não quero o seu autógrafo não; quero é o do Pelé.

Vi no festival amigos ou simples conhecidos que não avistava há anos, velhas alunas do Pedro II e da Faculdade de Filosofia – Dulce, Marina, Rosália, Leonor, aprendi nomes que nunca pensei que pudessem existir, e eram de amiguinhas até aquele momento minhas desconhecidas, mas em cujos olhos eu constatava o sorriso de uma antiga amizade.

Apareceu às tantas um rapaz perguntando a Glauce em que livro meu estava o poema "E agora, José?" Já uma vez, em plena avenida Presidente Wilson, um transeunte me deteve para fazer a mesma pergunta. Respondi a um e a outro que infelizmente o poema de José não figura em nenhum de meus livros. Não sei se Drummond estava no festival. Sei que estavam o amado Gilberto, o adorado Vinicius, já livre da crioula (gripe, bem entendido) e outros santos da minha devoção.

À meia-noite tinha acabado a minha tinta e a minha paciência. Beijei Adalgisa e Glauce, gritei "Vou-me embora pra Pasárgada!" E fui, mas me perdi no caminho.

[27-VII-1960]

MEUS POEMAS DE NATAL

João Condé pediu-me:

– Bandeira, você quer escrever pra mim a história dos seus poemas de Natal?

– Vou tentar, respondi.

Desobrigo-me da promessa.

Dez foram os poemas que escrevi por ocasião do Natal, seis originais e quatro traduzidos. O mais antigo data de 1913, intitula-se "Natal", e faz parte de meu primeiro livro, *A cinza das horas*. Escrevi-o em Clavadel, na Suíça, onde estive internado num sanatório, a ver se dava jeito à minha já então velha tuberculose, e parece que dei, pois aqui me tendes alinhavando estas mal traçadas linhas neste calamitoso ano de 1962.

Começava assim:

> Penso em Natal. No teu Natal. Para a bondade
> A minh'alma se volta. Uma grande saudade
> Cresce em todo o meu ser magoado pela ausência.
> Tudo é saudade... A voz dos sinos... A cadência
> Do rio... [...]

Não vale a pena continuar. Esses versos, hoje, só podem ter interesse para mim e para a loura deidade que os inspirou. O Natal não entra neles senão como pretexto para uma declaração de ternura. Os técnicos de poesia facilmente reconhecerão no ritmo ondulante do alexandrino e no emprego da reticência com valor sugestivo a influência do Simbolismo.

Vinte e seis anos depois, em 1939, escrevia eu no Rio, residia na rua Morais e Vale (o beco dos meus poemas), os "Versos de Natal". Estes foram sermão de encomenda. Encomenda d'*O Globo*. Rememoram uma das vivências mais caras de minha infância: os chinelinhos postos atrás da porta do meu quarto de dormir, na véspera de Natal, e encontrados no dia seguinte cobertos de presentes ali colocados pela fada, segundo a encantadora mentira dos verdadeiros mimoseadores.

Rezam assim:

Versos de Natal

> Espelho, amigo verdadeiro,
> Tu refletes as minhas rugas,
> Os meus cabelos brancos,
> Os meus olhos míopes e cansados.
> Espelho, amigo verdadeiro,
> Mestre do realismo exato e minucioso,
> Obrigado, obrigado!

Mas se fosses mágico,
Penetrarias até ao fundo desse homem triste,
Descobririas o menino que sustenta esse homem,
O menino que não quer morrer,
Que não morrerá senão comigo,
O menino que todos os anos na véspera do Natal
Pensa ainda em pôr os seus chinelinhos atrás da porta.

Até hoje gosto bem desses versos. "Mestre do realismo exato e minucioso", dito de um espelho, me parece bem sacado, desde que, bem entendido, ele não seja daqueles que Mário de Andrade no "Carnaval carioca" chamou "espelho mentiroso de mascate".

Em 1942, a Segunda Grande Guerra ensanguentava o mundo, meu amigo Odylo Costa, filho, casava-se no Piauí com uma menina de dezoito anos, Maria de Nazareth. Fui, por procuração, um dos padrinhos dos nubentes. Mandei-lhes nesta quadra a bênção pedida por Odylo:

Vai a bênção que pediste.
Mas a maior bênção é
Ganhar em Natal tão triste
Maria de Nazareth.

Em 1948 escrevi, a pedido de Villa-Lobos e para ser musicado por ele, o meu primeiro verdadeiramente

Canto de Natal

O nosso menino
Nasceu em Belém.
Nasceu tão somente
Para querer bem.

Nasceu sobre as palhas
O nosso menino.
Mas a mãe sabia
Que ele era divino.

Vem para sofrer
A morte na cruz,
O nosso menino.
Seu nome é Jesus.

Por nós ele aceita
O humano destino:
Louvemos a glória
De Jesus menino.

Os técnicos de poesia terão notado imediatamente o sainete formal do poema: ter eu repetido o primeiro verso nas duas estrofes seguintes, variando de colocação e dando a rima da segunda estrofe. "Presepe", o quinto poema, é de 1949 e foi incluído em *Belo belo*. É um poema amargo, "participante" no sentido de protestar contra as execuções dos regimes totalitários de esquerda. Aquele bicho estranho de que falo no meio do poema, bicho

> Que tortura os que ama;
> Que até mata, estúpido,
> Ao seu semelhante
> No ilusivo intento
> De fazer o bem,

eram os Fidel Castro do tempo, os comunistas russos, executores dos seus camaradas dissidentes.

Já em "Natal sem sinos", que é de 1952, outro sermão de encomenda, novamente d'*O Globo*, volto à inspiração puramente lírica:

> No pátio a noite é sem silêncio.
> E que é a noite sem o silêncio?
> A noite é sem silêncio e no entanto onde os sinos
> Do meu Natal sem sinos?

> Ah meninos sinos
> De quando eu menino!

> Sinos da Boa Vista e de Santo Antônio.
> Sinos do Poço, de Monteiro e da igrejinha de Boa Viagem.

> Outros sinos
> Sinos
> Quantos sinos

> No noturno pátio
> Sem silêncio, ó sinos
> De quando eu menino,
> Bimbalhai meninos,
> Pelos sinos (sinos
> Que não ouço), os sinos de
> Santa Luzia.

Finalmente, os quatro poemas traduzidos, o foram a pedido de Ribeiro Couto para o suplemento hispano-americano d'*A Manhã*, por ele organizado na fase inicial do extinto matutino. Os originais são de Rafael de la Fuente, González Carballo, Víctor Londoño e Pablo Rojas Guardia. As minhas traduções figuram no livro *Poemas traduzidos*.

Aqui tem você, João Condé, a história pedida. Não torça o nariz, que é cavalo dado!

[5-1-1963]

Mestre, contramestre

Outro dia, na Livraria S. José, alguém me mostrou à página 245 do livro *Machado de Assis*, de Agrippino Grieco, recentemente editado, estas linhas que me dizem respeito: "Pena é que Lêdo Ivo perca tanto tempo com o contramestre Manuel Bandeira, quando poderia tratar do mestre verdadeiro que foi Machado de Assis etc."

A minha primeira reação foi achar graça: sou sempre sensível à graça, ainda quando exercida contra mim. Depois a palavra contramestre me agrada. Contramestre, dizem os dicionários, é o imediato do mestre de fábrica, o que o substitui. O vocábulo cheira bem a artesanato, ao passo que o outro mestre cheira a medalhonismo e pode até implicar os seus laivos de ironia, e não será por isto que Gilberto Freyre não gosta que lhe chamem "o mestre de Apipucos"?

Refleti em seguida que o pecado de Lêdo Ivo tem a atenuante de um precedente insigne, que é nada menos que do próprio Agrippino. Com efeito, em seu volume *Evolução da poesia brasileira*, consagra mestre Grieco ao contramestre Bandeira, onze páginas de períodos cerrados e sem transcrição de poemas, coisa enorme, injustificável, escandalosa, se se levar em conta que dedica oito a Castro Alves, quatro a Bilac, três a Vicente de Carvalho e a Alberto de Oliveira, duas a Gonçalves Dias e a Fagundes Varela... Mais do que eu só teve Augusto dos Anjos: doze; o mesmo que eu, Alphonsus de Guimaraens. Positivamente é honra demais para um pobre contramestre. A minha vingança poderia se repetir, *mutatis mutandis*, as linhas do mestre: "O livro é excelente. Pena é que o autor perca tanto tempo com o contramestre Bandeira, quando poderia tratar mais largamente dos mestres verdadeiros que foram Castro Alves, Gonçalves Dias, Bilac, Cruz e Sousa etc."

Mas isso seria pretensão. Pretensão e muita ingenuidade. Toda a gente sabe como mestre Agrippino compõe os seus livros: junta artigo daqui e dali, sem o cuidado de correlacioná-los, preenche as lacunas, e o resultado é uma saborosa (sempre saborosa!) moxinifada. Quando saiu o meu livro *Libertinagem*, Agrippino deu-me a honra da longa análise, depois incluída, sem corte algum, na *Evolução da poesia brasileira*. Daí a perspectiva errada a favor do contramestre em detrimento dos mestres verdadeiros.

[13-V-1959]

Viva a Suécia

No começo deste mês tive a surpresa de receber pela manhã uma chamada telefônica do Banco do Brasil: – "Temos aqui uma ordem de pagamento de coroas suecas para o senhor".

Coroas suecas?, repeti para mim mesmo intrigado. Eu sabia que um escritor sueco havia organizado uma antologia de poetas brasileiros. Esses estrangeiros são corretíssimos nesse capítulo. Não procedem como os nossos antologistas e editores, que lançam mão de nossas produções, não nos pagam direitos, nem ao menos pedem licença e muitas vezes nem nos mandam um exemplar da obra. Sim, deve ser isso e nada mais, disse como o homem do "Corvo".

De repente me lembrei de Sacha. Sacha, aquela brasileirinha muito loura, para quem escrevi, quando ela era um bebezinho de seis meses, os versos "Sacha e o poeta". Os anos passaram, Sacha ficou uma moça, viajou para a Inglaterra, conheceu um sueco bonitão, casou-se com ele e foi morar numa cidadezinha perto de Estocolmo. A vovó de Sacha faz anos agora, Sacha me mandou essas coroas suecas para eu comprar algum presente para a sua vovozinha querida.

Como quer que fosse, tomei meu banho, vesti-me e cheio de fé, de júbilo e de entusiasmo saí em demanda das minhas coroas suecas. A surpresa foi maior do que eu esperava. Não era dinheiro de Sacha nem de antologista. A ordem era da Rádio de Estocolmo. Direitos autorais pela inclusão de poemas meus em seus programas. Mil e tantas coroas suecas, equivalente a 13 mil (treze, não três!) cruzeiros! Eu, que nunca recebi na minha terra um tostão pelos meus versos declamados (mal declamados) em estações de rádio e televisão, estava recebendo da longínqua Estocolmo 13 mil cruzeiros de direitos autorais, não era sonho não, e como eu explicasse ao rapaz do banco de que se tratava e como aqui nos tratavam, ele comentou: "Mas nós vivemos numa bela democracia!" Ao que eu respondi com um "Viva a Suécia!"

E acrescento agora um "Viva os Estados Unidos!" Bem entendido, não é só para fazer raiva aos comunas, isso eu faço bebendo muita Coca-Cola, coisa de que até eu não gostava, mas aprendi a gostar para fazer raiva aos comunas. O meu viva é porque, ao mesmo tempo que recebia as coroas suecas, recebia um cheque de uma editora de Nova York, como antecipação de direitos autorais sobre uma edição da minha *Literatura hispano-americana* traduzida para o inglês, antecipação paga por ocasião da assinatura do contrato. Aqui no Brasil as coisas pioraram a esse respeito. Há uns vinte anos trabalhei muito para uma grande editora paulista, que sempre me pagava os direitos globais no ato da entrega dos originais. Hoje, ela, e as outras, só nos pagam quando o livro aparece impresso, e os direitos são pagos parceladamente. No Brasil já se faz justiça aos trabalhadores braçais, mas aos intelectuais neca: temos que fazer nome aqui para ganhar bem no... estrangeiro.

[1-IV-1962]

FALA O EX-ENCADERNADOR

Numas notas que há meses escrevi sobre meu falecido amigo Honório Bicalho contei haver aprendido com ele muita coisa: xadrez, grafologia e a arte de encadernar. Quero falar aqui desta última.

Como começou Honório a encadernar? Um dia considerou a sua biblioteca, quase toda de brochuras, em petição de miséria, e como fossem livros muito queridos (toda a coleção de Eça de Queirós e de Anatole France), resolveu mandar encadernar os volumes. Mas iria ficar numa fortuna: a encadernação mais simples custava então (era em 1907) uns cinco ou sete cruzeiros! O recurso seria executar o trabalho ele mesmo. Comprou um manual do encadernador, uma prensa de mão, grosa ele tinha na sua banca de carpinteiro, pouca coisa mais, e iniciou as suas experiências na arte de Leopoldo Berger. Para que era a grosa?, dirão vocês! Bem, Honório não tinha máquina de aparar as folhas dos livros, era coisa caríssima; então descobriu que, apertando o volume na prensa, limando-lhe e lixando-lhe as bordas, resolvia o problema: tudo Honório resolvia com pouca despesa e muita habilidade.

Aprendi a arte, vendo Honório encadernar um volume do princípio até o fim. Quando o volume saiu da prensa, todo frajola, no seu costume de percalina, Honório virou-se para mim e disse: "Agora faz-se assim!", e atirou-o contra a parede. Levei um susto. Ele explicou: "A encadernação tem que ser sólida; é a primeira condição de um livro bem encadernado."

Pratiquei o ofício como *hobby* durante alguns anos. Desisti dele por dois motivos: primeiro, a douradura, que jamais consegui realizar de maneira aceitável; segundo, os amigos que, sabendo-me encadernador amador, vinham com uns livros em pedaços para eu encadernar (o amigo nunca nos traz a brochura bem conservada, essa ele manda para o encadernador profissional). O meu último trabalho deixou-me arrasado: era um exemplar de código telegráfico estragadíssimo e quase tão grosso como o dicionário de Webster.

Nunca produzi nenhuma obra-prima, como as que vi a semana passada no saguão da Biblioteca Nacional, onde o já citado Leopoldo Berger, profissional da arte e exímio artista nela, promoveu uma exposição de encadernações artísticas que foi um sucesso; mas sei dizer se um livro está bem ou mal encadernado. Ao contrário do que se dá comigo em matéria de poesia, pois sei fazer os meus poemas, mas cada vez sinto mais dificuldades em decidir se um poema presta ou não presta. Sobretudo se ele é neoconcreto.

[4-X-1959]

SEMANA CHEIA

Semana cheia... Para mim principalmente, que me vi na obrigação de completar meia grosa de anos. Ainda se a coisa passasse despercebida! Mas os amigos não deixam: fazem-me a cada aniversário uma publicidade tão grande que eu acabarei me convencendo de que ser velho é vantagem. Este ano foi Irineu Garcia, que, de cumplicidade com Carlos Ribeiro, tomou a iniciativa das homenagens: uma tarde de autógrafos na Livraria S. José, a qual deveria ser seguida de uma noitada em pleno largo do Boticário (o mau tempo impediu este último número do programa).

Na livraria houve para mim duas surpresas. A primeira foi ganhar de Mignone a dedicatória de suas "Doze valsas-choros". Quando Mignone gravou as "Valsas de esquina", queixei-me despeitado de não ver nenhuma dedicada a mim. Então Mignone, num gesto de quem diz "Se lambuze!", me ofereceu uma dúzia de valsas tão gostosas, que não sei se não metem as outras num chinelo. Da primeira à última são uma pura delícia. Delícia brasileira como a casa de meu avô. A quinta me pôs a andar sobre as águas, sobranceiro e soberano... Obrigado, Mignone!

A segunda surpresa foi obra de Eneida, a quem ainda não felicitei pelas crônicas de *Aruanda*, continuadoras das de *Cão da madrugada*. Eneida tem na crônica a sua receita pessoal, de sorte que nem precisa assinar o que escreve. A surpresa de Eneida foi levar à Livraria S. José uns cantadores paraibanos que nos encantaram com as suas emboladas repentistas. Campina, Curió e mais outro, cujo nome não guardei, se desmandaram em redondilhas maiores e menores. Enquanto Curió teimava no estribilho "Maria, meu amor!", Campina tirava:

> Sou adepto de São Miguel
> E só não lhe boto no céu
> Porque não tenho posses...

Um quarto cantador, Paulo Nunes Batista, "Pau-Brasil" (pois cantador que se preze tem que ter outro nome), ofereceu-me dois folhetos – *O filho do valente Zé Garcia* e *O Negrinho do Pastoreio*, com dedicatórias em verso me arrastando "pelos céus da Fantasia, nas asas soltas do Sonho". Eta eu!

[23-IV-1958]

Noite de autógrafos

Depois de *Furacão sobre Cuba* a Editora do Autor lança o quarteto Braga, Vinicius, Sabino, Paulinho. Sabino tinha prevenido de véspera: "Amanhã, entre 8 e 11 horas da noite, estaremos os quatro, no Clube dos Marimbás, autografando para os leitores, se os leitores nos quiserem dar a honra de aparecer". Os leitores, e sobretudo leitoras *mouchèrent*, como gostava de dizer o nosso prezado Saint-Simon. Meu Deus, quanta mulher bonita: Tônia Carrero e Ayla Thiago de Mello, tão lindas todas duas, que a gente não sabe dizer se é Ayla que se parece com Tônia, ou se é Tônia que se parece com Ayla. Meu Deus, quanto broto bonito! Raquel, filha de Clóvis Ramalhete, que só deve aceitar por genro quem lhe sirva muitas vezes sete anos de pastor... Minhas afilhadas Maria Cristina e Maria Isabel, filhas de Chico Barbosa, para as quais, quando nasceram, compus este acalanto:

> Dorme sem susto, Cristina,
> Dorme sem medo, Isabel:
> Nossa Senhora vos nina,
> Ao pé está o anjo Gabriel.

Isto foi ontem, e hoje já estão moças. Como o tempo passa!

Mas paro com a enumeração, que não devo invadir a seara de Ibrahim. Não quero, porém, deixar de registrar a presença de um grande poeta galego, Ernesto Guerra da Cal, de passagem pelo Rio e surpreendido com aquela parada de beleza, de elegância, de espiritualidade.

Fui bastante explorado pelos fãs, que pediam meu autógrafo nos livros lançados. No de Paulo Mendes Campos, e que se intitula *O cego de Ipanema*, escrevi: "Manuel Bandeira, o surdo do Castelo". No de Fernando Sabino, ao título *O homem nu*, acrescentei "não sou eu" e assinei. No de Vinicius improvisei esta quadrinha:

> Aqui, neste volumão,
> Vai condensado Vinicius:
> Delicadeza, paixão,
> Poesia e mulher – dois vícios.

No de Rubem Braga torvelinhei, caprichei:

> Quando crônico, uma fina
> Angústia, uma angústia vaga
> Me dói... Não é enfarte ou angina:
> É inveja do velho Braga.

Depois da meia-noite houve uma briga com garçons que serviam batida de caju, e na qual estiveram envolvidos Carlos Drummond de Andrade e Aníbal Machado. Mas foi coisa que eu sonhei, pois àquela hora já estava em casa dormindo.

[14-XII-1960]

Prefácio gentil e injusto

Em fins de 1955, começo de 1956, fui procurado em meu apartamento por um editor português, que me propôs a edição de uma pequena antologia de poemas meus a ser vendida só em Portugal e suas colônias, a preço que devia corresponder em moeda portuguesa a cinquenta cruzeiros nossos. Sobre essa base calculamos os direitos autorais, que me foram imediatamente pagos. Alguns meses depois tive a surpresa de receber não uma plaqueta antológica, mas um grosso volume de minhas poesias completas. Era a violação do contrato, um esbulho, contra o qual protestei, sem nunca ter recebido resposta. Quando, afinal, me dispus a mover ação contra o editor faltoso, soube que se tinha matado. Não pensei mais no caso.

Mas não foi só o prejuízo material que me aborreceu então. Aborreceu-me também o fato de ter o editor incluído no volume um prefácio, sobre o qual não fui consultado. Prefácio muito honroso para mim, demasiadamente honroso, pois sou nele apresentado como "o mais alto valor contemporâneo de uma poética luso--brasileira (muito portuguesa nas raízes, muito brasileira nos ramos)", mas que na quase sua totalidade consiste numa objurgação violenta contra todo o Modernismo. Para o prefaciador este não consistiu, as mais das vezes, senão, na poesia, em "cantar, sem métrica nem rima, frequentemente sem gramática, as alfaces, os pepinos, as abóboras etc., onde se cantavam as rosas, os jasmins, as violetas etc. – ou a vestir de farrapos de outra retórica a poesia que antes se vestia de sedas e gorgorões mais ou menos roçagantes – quando não apenas em desarticular a grafia da prosa numa grafia de versos"; nas artes plásticas, numa "veneração do feio, do rebarbativo, do contundente"; na música, "em ritmos negroides, ritmos sem ritmo, desarmonia".

É claro que, tendo eu tantos amigos portugueses, – poetas, artistas plásticos, músicos – criadores e participantes do movimento modernista em seu país, não concordaria na inclusão de um prefácio assim redigido, por mais gentil que o seu autor houvesse sido para comigo. Isso mesmo declarei numa entrevista dada à BBC de Londres, num programa para Portugal e colônias.

O prefácio parecia, apesar de suas setas ferinas contra "o dr. Júlio Dantas" e de um modo geral contra as Academias ("esses museus de ridículo!"), parecia obra de um espírito conservador, ou pelo menos inimigo de toda revolução, mesmo feita em nome da liberdade, da "santa liberdade". Pois sabem quem era o autor do prefácio? Henrique Galvão, o Capitão Henrique Galvão, o do *Santa Maria*, esse mesmo!

[12-II-1961]

Direito por linhas tortas

O humorismo nacional não perde tempo. Assim, ao contrário da Academia Brasileira de Letras, cujo plenário resolveu não tomar em consideração a proposta de Osvaldo Orico, que queria, já e já, que se mudasse a sede da Casa de Machado de Assis para a nova capital, um dos nossos humoristas mais apreciados, o dr. Augusto Linhares, lança agora o primeiro livro editado em Brasília. O volume está dedicado, como era de toda a justiça, ao presidente Juscelino Kubitschek de Oliveira, e sua matéria são os discursos pronunciados na recepção do dr. Augusto Linhares na Federação das Academias de Letras do Brasil.

O dr. Augusto Linhares teve a gentileza escarninha de me remeter um exemplar com a seguinte dedicatória: "Para o ilustre Acadêmico Manuel Bandeira, homenagem do seu grande admirador Augusto Linhares".

Ainda que é grande dos poetas a cegueira, caí logo no engano dessa retalhante ironia, pois de longa data sei que o dr. Linhares é um desafeto da poesia de 1922 (vamos chamá-la assim, já que ela não é mais modernista senão para uns poucos humoristas) e especialmente da minha. A leitura do livrinho confirmou-me na suspeita, pois lá comparecem as consabidas piadas sobre o "Boi morto", "Poema do beco", "Pneumotórax" e outros "churrasquinhos", assim os chama o dr. Linhares, de *minha especialidade*.

Agradeço ao dr. Linhares todas essas graciosas urtigas. E agradeço-lhas porque elas me rejuvenescem singularmente: imagino-me de novo em 1922, quando éramos atacados pelos mesmos motivos e no mesmo estilo. Hoje a coisa mudou: as novas gerações nos olham com infinita pena, somos uns pobres superados.

Tive a honra de ser um dia apresentado ao dr. Linhares e ele narra nestas páginas o nosso rapidíssimo encontro. Parece que eu lhe perguntei ingenuamente: "O senhor é médico?" Parece também que ele viu na minha pergunta não sei que intenção maquiavélica, porque o comentário que disto faz é *cinglant* e acaba ameaçando-me de uma abreugrafia em regra no "vasto *opus*". A verdade é que tendo um amigo que era cliente do dr. Linhares, ao ouvir eu na apresentação o nome, quis saber se se tratava do famoso clínico.

Repito: fiquei contente com as ironias do dr. Linhares. Mais uma vez verifiquei que Deus escreve direito por linhas e até linhares tortos.

[23-XI-1958]

GUIGNARD

I – PINTURAS NO CAFÉ

No penúltimo número da revista *Diretrizes* vem uma interessantíssima reportagem de Carlos Cavalcanti sobre esses ingênuos exemplares de arte popular que são as pinturas murais dos cafés e pequenos restaurantes da cidade. É a primeira vez, creio, que um crítico de arte fala desses trabalhos. No entanto, há muito tempo vinham eles despertando a curiosidade de alguns pintores e poetas. Cícero Dias, Murilo Mendes, Vinicius de Moraes e tantos outros, são grandes admiradores dessa pintura incorreta, mas prodigiosamente sincera. Murilo Mendes possui mesmo uma erudição surpreendente no assunto e sabe, por exemplo, que em tal café do Catete há um São Jorge fabuloso, e em tal botequim da Saúde uma sereia copacabaníssima. Nenhum de nós, porém, soube nunca o nome desses modestos muralistas, só agora revelados por Carlos Cavalcanti – Justino Migueis, natural do Porto, chegado aqui em 1912, ex-aluno da nossa Escola de Belas Artes, Bravo Filho, Albino Beija-flor... Migueis contou a Carlos Cavalcanti que foi o primeiro professor de Portinari, menino recém-chegado de Brodowski.

Mas o que Carlos Cavalcanti parece que não sabe, senão teria citado, é que entre esses pintores de cafés do povo se deve citar um dos nossos artistas mais finos, mais cultos, mais viajados – Guignard. O Café e Restaurante Progresso, pertencente ao sr. Francisco Rocha, estabelecido à rua Barata Ribeiro nº 218, tem as suas paredes enriquecidas com três pinturas à têmpera do conhecido artista. E uma delas está assinada pelo autor com todas as letras do seu nome. Vale a pena ir ao cafezinho do Inhangá especialmente para ver os trabalhos de Guignard.

Na parede à direita de quem entra, está o painel assinado – as três caravelas de Cabral, limitada lateralmente a pintura por dois golfinhos, ao alto a data de 1500, embaixo uma concha sobre a qual passa uma fita com o nome do descobridor do Brasil.

Na parede da esquerda, a primeira pintura representa o martírio de São Sebastião, colocado no primeiro plano, amarrado a uma árvore e traspassado por seis flechas. Um São Sebastião atlético e formosíssimo. O fundo é uma paisagem de montanhas, como a que se descortina antes de chegar ao túnel da Mantiqueira. A cena é delimitada por uma imitação de molduras. A segunda pintura é uma natureza morta – um vaso de flores (girassóis, margaridas, lírios e outras florinhas menores) posto sobre o peitoril de uma janela – as fronteiras do quadro –, através da qual se vê um fundo de montanhas.

Tentei puxar conversa com o proprietário do café para saber algum detalhe curioso dessa incursão de Guignard nos domínios de Migueis, mas o sr. Rocha é de poucas falas. Aliás o café estava repleto e não havia mãos a medir no atender à clientela.

Apurei o que já sabia pelo próprio Guignard. As pinturas não foram encomendadas. Guignard se ofereceu para pintar as paredes e o proprietário consentiu, dando plena liberdade ao artista. Não pude saber se o sr. Rocha aprecia as pinturas do seu café. Também não provei o café do sr. Rocha. Se for tão bom como as pinturas de Guignard, o Café Progresso está na ponta e qualquer outro café do Rio junto dele é "café pequeno"!

[30-XI-1941]

II – A VIDA É BELA

Há um momento na vida do artista em que a sua glória como que amadurece. É o que está acontecendo agora a Guignard. Há muito que ele já gozava de bom conceito e simpatia entre os seus confrades, caso pouco comum, porque a classe é bastante desunida. Dos poetas sempre desfrutou uma fraterna admiração, como os poetas costumam dar a todo artista musical ou plástico em cuja arte o elemento lírico é evidente, pois, quando este existe, que lhes importa a gramática? Certa vez um pintor resumiu as suas impressões sobre a exposição de um confrade nesta frase de duplo fio navalhante: "– Pintura para poetas..." Pois bem, Guignard tem lirismo e tem gramática. Mas, como ia dizendo, o sinal certo do amadurecimento glorioso de Guignard é o amor da mocidade que o está cercando agora. Quando os rapazes, espontaneamente e sem segunda intenção alheia à arte, cerram fileiras em torno de um artista, ele já se pode considerar garantido de uma posteridade, como de um sólido renome no presente. Depois de ver, há alguns anos, o carinho e o entusiasmo que Guignard desperta entre as suas alunas da Fundação Osório, a admirável instituição entregue ao zelo de dona Cacilda Martins, a maior de nossas educadoras atuais, vejo hoje os moços da Escola Nacional de Belas Artes, fascinados pela arte e pelo otimismo transbordante do pintor, promoverem uma exposição de suas obras em iniciativa combinada com a redação deste jornal.[1] A inauguração teve lugar anteontem no porão da Escola, onde funciona o Diretório Acadêmico. Aquele subterrâneo, que mais parece um abrigo antiaéreo, como o qualificou Aníbal Machado,

---

1 *A Manhã.*

mas tão simpático na sua singeleza e imediata acessibilidade, vai ficar memorável. Depois de uma deliciosa exposição de pinturas e desenhos de crianças, vem agora esta de Guignard, como um prolongamento da ingenuidade infantil na arte adulta e magistral de um dos melhores pintores do nosso tempo. Com efeito, como nos meninos, notamos nos quadros de Guignard a mesma aptidão de ver o mundo com olhos inocentes, a alegria de o descobrir, o entusiasmo de o revelar. Alegria, entusiasmo, lirismo, eis as grandes qualidades de alma de Guignard. Boa circulação, me segreda Landucci, que não *poteva* explicar melhor a aura eufórica do pintor.

A exposição apresenta algumas dezenas de trabalhos – óleos, aquarelas e desenhos. Em óleo alguns retratos, que mostram a vigorosa versatilidade do artista, tão hábil em fixar a cabeça forte de um homem (retrato do dr. Sá Pires) como em tratar um rosto feminino (retratos das sras. Múcio Leão e Percy Lau) ou em apanhar o inefável encanto de uma fisionomia de criança (três cabeças). Dois desses retratos, o da sra. Percy Lau e o de uma menina de olhos cor de sonho, bastariam para fazer a reputação de um pintor em qualquer país. A técnica, o tratamento da matéria, a composição, na figura em si e no equilíbrio com o fundo, salta aos olhos mesmo de um leigo, e no entanto o observador pode esquecê-la para deixar-se deliciar por aquele sortilégio que nos faz passar

> da particular beleza
> para a beleza geral.

Ir das criaturas para o Deus que as fez. Grande Guignard!

Pintura para poetas... Mas para os mestres da pintura também. Pois os mestres deverão reconhecer o mestre do desenho naquelas vitórias-régias e, sobretudo, naquele recesso de bambual, feito a lápis, onde sem eiva de realismo fotográfico Guignard nos dá a atmosfera de verde sombra em tanto raminho sutil *demeuré les vrais bois même...*

Não menos admiráveis são os aspectos de Ouro Preto, tanto em óleo como em aquarelas e desenhos, uma Ouro Preto mais Vila Rica do que todas as que já vi na interpretação de tantos artistas. E as claras *pochades* da Serra do Mar, do Parque Nacional do Itatiaia? Tudo aquilo é para a nossa alma atormentada pela guerra um banho de lirismo sadio e tão confortador como a arrancada dos norte-americanos na África! A vida é bela!

[15-XI-1942]

III – Ouro preto remoçada

A Petite Galerie da avenida Atlântica acaba de virar grande galeria na praça General Osório, mas conservando o título de confortável intimidade e inaugurando a nova sede, projetada por Sérgio Bernardes, com uma exposição do esplêndido Guignard.

Havia muito tempo que eu não via Guignard, Guignard de repente sumiu do Rio, enfurnou em Minas, montando escola em Belo Horizonte, ensinando as minei-rinhas bonitas a pintar, apaixonando-se por elas, sofrendo por causa delas, e quem mais ganhou com a presença de Guignard foi Ouro Preto, que hoje está definitiva-mente tombada na obra do pintor (o tombamento oficial não será talvez suficiente para poupar a velha cidade-monumento-nacional, pois nem a zelosa DPHAN nem o clamor de alguns poucos interessados nas relíquias do nosso passado histórico e artístico têm conseguido impedir que continue a abalar a estrutura do casario a circulação do tráfego pesado). Nesta exposição são numerosas as telas que fixam o encanto da paisagem ouro-pretana, e eu fiquei com inveja de Alfredo Lage, feliz pos-suidor de certo quadrinho que me fez grandes saudades da ladeira do Vira-Saia. A Ouro Preto de Guignard não é triste, Guignard remoça Ouro Preto, sem no entanto a descaracterizar. Gosto da Ouro Preto de Guignard.

O pintor é excelente retratista. Seus autorretratos são obras-primas, sobre-tudo o que nos recebe logo à entrada da exposição, retrato patético, de uma força vangoghiana. Obra-prima também é a de uma filha de Aníbal Machado, a que eu e Vinicius, cunhado dela, chamamos "mulher das ilhas" (porque tem um jeito das mulheres de Gauguin).

E os desenhos de Guignard? Aqui é que ele põe toda a delicadeza de sua alma de criança. Porque Guignard, a despeito da idade provecta, continua criança, como nos diz Portinari no seu poema-apresentação. Esses versos de Portinari vingam to-dos os poetas que já se ocuparam de pintura do antigo desprezo que o pintor mani-festava por eles. Portinari *in illo tempore* não admitia que se falasse de pintura em termos de poesia: pintura eram linhas, cores, volumes, nada mais. Pois sim! Eis que um dia Portinari, pintor e poeta, pintor-poeta, sentiu necessidade de se exprimir por meio de palavras, e agora que é que ele nos conta de Guignard? Que o nosso amigo é o "pintor do vento e do imperceptível". Parece coisa de Murilo Mendes, por causa de quem um dia quase eu briguei, quase não, briguei mesmo com Portinari.

[26-X-1960]

Oswaldo Goeldi

I – Apresentação do artista

Uma das mais fortes e curiosas exposições de arte que já vi foi improvisada num bar, depois da meia-noite, quase à hora crispante de se correrem as cortinas de aço. Apresentaram-me um rapaz anguloso, de nariz duro, olho metálico: o artista Oswal-do Goeldi. Um nome em branco para mim. O rapaz trazia uma pasta embaixo do braço. Sentou-se à mesa, abriu a pasta, e então, correu em volta de mão em mão uma estupenda coleção de gravuras em madeira e de desenhos a pena e a lápis. Que emocionante surpresa! Todo um mundo interior riquíssimo abria-se ali, atestando uma força de concepção, uma magistralidade de traço, um senso dramático da pai-sagem urbana, que nos enchia de pasmo.

A imaginação de Oswaldo Goeldi tem a brutalidade sinistra das misérias das grandes capitais, a soledade das casas de cômodos onde se morre sem assistência, o imenso ermo das ruas pela noite morta e dos cais pedrentos batidos pela violência de sóis explosivos – arte de panteísmo grotesco, em que as coisas elementares, um lampião de rua, um poste, a rede telefônica, uma bica de jardim, entram a assumir de súbito uma personalidade monstruosa e aterradora. Um admirável artista.

Mas donde saíra? Como viera? Por que assim inteiramente desconhecido?

Oswaldo Goeldi nasceu em 1895, no Rio. Viveu a primeira infância no Pará. A riqueza da fauna e da flora que tinha diante dos olhos alimentaram a fantasia do menino, da mesma forma que mais tarde as frequentes viagens entre o Amazonas e o Rio, duas travessias à Europa, um poder de impressões diversas, portos, cidades, raças – tudo o que a arte do homem refletiria depois com vigor insólito.

Em 1915 iniciou-se em Berna em estudos químicos e agrícolas, mas o pendor para a arte levou-o a abandonar tudo, partindo para Genebra, bom centro artístico, onde naquele tempo existia ainda o grande Ferdinand Hodler. Ali, na Galeria Moos, via Goeldi quadros de Gauguin, Cézanne, Renoir, Van Gogh, Van Dongen, Signac... Já nessa época produzia muitos desenhos. Passou pelo *atelier* de Serge Pahnke e Henry Van Muyden, onde recebeu uma espécie de educação às avessas, pois naquele ambiente acadêmico se lhe formou uma profunda, definitiva antipatia contra essa arte morta, sem imaginação, sem alma, sem nervos. Os verdadeiros mestres de Goeldi foram aqueles artistas cujos quadros ele via na Galeria Moos; foi sobretudo a arte visionária de Kubin, o tcheco fantástico, o genial ilustrador de Poe, de Gérard de Nerval, de Barbey d'Aurevilly, do Livro de Daniel.

Em 1920 voltou Goeldi ao Brasil, onde nunca realizou nenhuma exposição. Todavia tem trabalhado continuamente e só ultimamente a sua obra começou a ser conhecida. Tal o artista que apresenta neste álbum alguns exemplares de gravura em madeira, pelos quais se pode apreciar a sua força de intuição e temperamento.

[1930]

II – Alto, puro, ascético

Quando, na capela de Real Grandeza, me abeirei do esquife em que jazia o corpo de Oswaldo Goeldi, o seu rosto estava coberto por um lenço. Só lhe podia ver um pouco das mãos, meio escondidas sob as flores. Mãos já lívidas, de dedos que pareciam de operário, e haviam sido de um grande artista, mãos criadoras de tanta coisa forte e dolorosa.

Fiquei sem saber se devia levantar o lenço, como desejava fazer para contemplar pela última vez a face do amigo. Mas o gesto foi praticado pelo pintor Reis Júnior, e os que estávamos junto ao caixão pudemos observar a impressionante máscara. – Parece um santo, disse a meu lado Rachel de Queiroz. De fato, qualquer coisa havia de muito alto, de puro e ascético na face de Goeldi, no queixo voluntarioso, nos lábios finos, sem nenhuma sensualidade, no grande nariz aquilino, nas pálpebras tristes, que pareciam interceptar o que havia de estranho, de inquieto e de inquietante nos olhos do artista quando vivo. A máscara exangue refletia toda a solitária dignidade em que sempre vivera Oswaldo Goeldi.

A presença de tantas figuras ilustres de poetas e artistas na câmara-ardente de Goeldi testemunhava a grandeza de sua obra, certamente a mais importante entre as dos desenhistas gravadores. A mais rica de sentido trágico. "Pesquisador da noite moral sob a noite física", li num jornal que lhe chamou Carlos Drummond de Andrade. Com efeito o mundo de Goeldi era um mundo noturno, povoado de seres moralmente torturados, homens ou cachorros, e os próprios fios telegráficos pareciam vibrar de mensagens aflitas e dolorosas. Dores e aflições exprimiam-se, aliás, sem o mínimo queixume de sentimentalidade, antes com dureza, estoicismo e coragem.

Hoje a gravura desfruta entre nós de grande favor. Numerosos são os artistas do gênero e quase todos ganham bem. Quando Goeldi apareceu, não era assim. A sua luta foi dura, e dura continuou, porque o estranho artista não sabia tirar partido de seu incomparável talento. Quantos outros, mais novos, obtinham melhor remuneração para as suas tarefas de ilustradores! E no entanto nenhum o igualava na mestria do traço, na força da emoção, na capacidade de comunicação. Era, na verdade, um mestre, o mestre. Mestre Goeldi. É doloroso pensar que o perdemos em pleno fastígio de sua força criadora, com encomendas importantes a realizar.

[19-II-1961]

III – SOLEDADE

O Museu de Arte Moderna do Rio de Janeiro está expondo desde quarta-feira passada um acervo importante de obras de Oswaldo Goeldi. Não só de suas gravuras, como de suas aquarelas e desenhos; esta parte uma grande surpresa, mesmo para os seus amigos mais íntimos. Nunca nenhuma exposição individual de caráter retrospectivo me deu o impacto emocional em que me senti, a princípio como que submergido, ao cabo levantado, confortado e reconfortado. Ela é toda uma vida – a vida de um grande artista em visão panorâmica, de que ele próprio nunca teve a percepção. Dói pensar que o criador de tão fabulosa riqueza tenha vivido e morrido tão pobre. No entanto, foi o caminho que ele muito conscientemente escolheu.

Logo ao penetrarmos na primeira sala da exposição, deparam-se-nos dois documentos patéticos na sua simplicidade: um magnífico retrato fotográfico do artista e um seu autógrafo, brevíssima biografia desse homem que falava pouco e trabalhava como um gigante. Nessa vida, tem-se a impressão de que só um fato importante teve lugar, e está expresso em duas linhas: "Devo ao grande desenhista Alfred Kubin (Áustria) o ter encontrado o meu caminho".

Achado o caminho, começou a caminhada. Goeldi só. Goeldi definido em outras duas linhas: "Nunca sacrifiquei a qualquer modismo o meu próprio eu". Foi feliz? Foi infeliz? Foi infeliz, tenho certeza, porque o testemunhei mais de uma vez, foi infeliz quando tinha que se separar de qualquer um dos seus trabalhos (talvez por isso guardou para si as aquarelas e os desenhos, da mesma grande classe de suas gravuras). Foi feliz quando trabalhava. Dureza de vida, privações, pobreza, que importava afinal tudo isso? Aqui, de novo, outras duas linhas que são como traços fortes de suas gravuras: "A caminhada é dura, mas vale todos os sacrifícios".

Em todas as suas obras pôs Goeldi a sua soledade palpitante da solidão de todos os solitários deste mundo: homens solitários, bichos solitários, casas solitárias. Noites solitárias (apenas, em horas de ventania, povoadas de espantalhos macabros). Encontros com a morte, sempre sob aparências macabras, escarninhas.

Poucas vezes me senti na vida tão profundamente comovido pela grandeza de uma obra plástica em seu conjunto. Poucas vezes tomei tão clara consciência da inanidade dos modismos. Que lição para os artistas: Goeldi era genuíno.

[4-VI-1961]

DJANIRA: POBREZA FELIZ

Quarta-feira encontrei Djanira na avenida Rio Branco e ela instou amavelmente comigo para que eu não deixasse de estar presente, no dia seguinte, à inauguração de sua retrospectiva no Museu de Arte Moderna. Prometi e fui. Desgraçadamente, quem não vi lá foi a própria Djanira, e pelo mais cruel dos motivos: perdera ela a mãe, falecida naquela noite em São Paulo.

Djanira é um caso à parte na pintura brasileira. Veio daquele fundo de tristeza misturada de gostosura que jaz, como um lençol de inflamável, nos subterrâneos da alma brasileira. A sua arte, como a de Cícero Dias antes de Paris, como a do poeta pernambucano Ascenso Ferreira, nasceu do povo, mas já não é mais primitiva, embora continuando a guardar a mesma ingenuidade, só que tornada avisadamente sábia.

Esta sua retrospectiva informa sobre todas as influências que ela veio recebendo desde que o pintor Marcier a descobriu em Santa Teresa: o mesmo Marcier, Portinari e Aleijadinho e os santeiros barrocos, Pancetti e *tutti quanti*, ultimamente Volpi. Mário Pedrosa historiou no prefácio ao catálogo a curiosa evolução da artista e de sua técnica.

Grandes viragens de bordo muitas vezes. No entanto a exposição assinala consistente unidade e seria impossível deixar de ver nela uma só forte personalidade. Personalidade que digere sempre qualquer influência que receba a artista, e está bem definida na comparação admirável de Pedrosa: Djanira é "selvagem e doce como uma índia".

Selvagem e doce – daí aquele sentimento de liberdade que se respira nas suas telas e para o qual Murilo Mendes chamou uma vez a atenção. Liberdade, sem revoltas nem gritos, mas incontrastável, inapelável, insubornável.

A riqueza temperamental da pintura de Djanira traduz e nos inculca não sei que pobreza feliz, do mais alto nível moral.

[3-VIII-1958]

Escrever para o homem da rua

I

Meu querido amigo Mário Pedrosa atingiu no domínio da crítica das artes plásticas uma preeminência, de que me parece, a todos os aspectos, digno: pela poderosa inteligência, pela dilatada cultura, tanto a especializada como a geral, e ainda pelas suas qualidades de caráter, garantidoras de toda isenção nos seus pronunciamentos críticos. Pode-se discordar de Pedrosa, e eu discordo muitas vezes, sobretudo no que se refere ao valor de Portinari; não se pode, porém, duvidar de sua seriedade e de sua sinceridade.

Sou leitor assíduo de sua seção no *Jornal do Brasil*. Suas notas críticas, quando de caráter geral, são como pequeninos ensaios, de rara elegância de expressão. Mas aqui, precisamente, bate o ponto do apelo que vou fazer-lhe. Desconfio que Mário, na entrega que de si faz ao prazer da especulação, se esquece de que está escrevendo para o grande público; se esquece de que a sua função como crítico deve ser primacialmente esclarecedora. As artes modernas, todas elas, a poesia, a música, as artes plásticas, são indecifráveis esfinges para o chamado homem da rua. Há que explicar-lhas a este em linguagem acessível, evitando tanto quanto possível o jargão de vanguarda. Não é o que Mário faz.

Ainda quarta-feira última comecei a ler a lição de Pedrosa muito interessado pelas sugestões implicadas no título – "O novo espaço de viver". Ao cabo estava me sentindo como o burro da expressão popular em frente do palácio. Ora, eu sou, dentro da categoria dos burros, não dos mais fechados. Gosto das aventuras intelectuais fora dos caminhos batidos. Pois só entendi o escrito de Mário por alto e longe. Acredito que Gullar, Lygia e seus simpáticos companheiros o tenham entendido cem por cento. Quanto a mim, só entendi menos mal trinta por cento. Imagino o homem da rua, lendo aquele conceito de Focillon, lançado por Mário a meio do seu artigo e sem o mínimo esclarecimento, o "avesso do espaço". Lendo e indagando intrigadíssimo: "Que diabo disto é aquilo?"

Antes desse "avesso do espaço" vinha outra citação do mesmo Focillon: "O homem não caminha mais pelo exterior ou pela superfície das coisas, mas pelo interior delas. Ou, melhor definido o novo fenômeno, já não distingue exterior e interior, como se estivesse permanentemente sobre uma cinta de Moebius."

Tom tão subido estará bem numa mesa-redonda de críticos de artes plásticas ou ainda numa revista especializada; o simples leitor de jornal não o entende. Sei que Mário se pode louvar até no exemplo de Cristo, que, falando uma vez aos seus discípulos, disse-lhes: "Quem come a minha carne e bebe o meu sangue tem a vida eterna"; e eles, que eram uns pobres-diabos antes da descida do Espírito Santo, murmuravam perplexos: "Duro discurso é este; quem o pode ouvir?" Mas o Cristo falava do mistério da Eucaristia, ao passo que Mário apenas definia o novo espaço de viver dentro da casa de morar.

[5-III-1961]

II

Mau, mau! Meu amigo Mário Pedrosa tomou como censura pública o apelo que lhe fiz no sentido de ele usar na sua colaboração para o *Jornal do Brasil* sobre artes plásticas linguagem mais acessível ao comum dos leitores. Censura? Quem sou eu, por mais poeta que me considere (e só me considero sofrível poeta menor) para censurar aquele que reputo, e o declarei, o príncipe dos nossos críticos em tal matéria? "Como se estivesse chamando a atenção de nossa cara Condessa[2] para as insuficiências de seu crítico de arte": esse pedacinho de sua resposta ao meu apelo inquietou-me. Se não foi pura brincadeira, não entendo. Todos sabemos o garbo que a Condessa põe em sustentar na sua folha o mais moderno dos suplementos literários da imprensa carioca, o único verdadeiramente revolucionário.

Mário atribui-me modéstia "à Rui Barbosa" quando eu disse ter entendido apenas uns trinta por cento do seu artigo. Peço-lhe que me acredite: não me julgo senão medianamente inteligente. Daí o que havia de "urgente e patético" no meu apelo. Em menino fui bastante pretensioso, mas caí em mim, ainda antes da adolescência, ouvindo meu pai contar o diálogo de dois amigos, um muito inteligente, outro muito burro. Foi assim:

– Fulano, não lhe acontece muitas vezes ler uma coisa e não compreender?

– É.

– Torna a ler e não entende...

– De fato.

– Relê quatro, cinco vezes, quebra a cabeça durante horas e fica na mesma?

– Tal e qual.

– Pois é isso que se chama ser burro.

Depois do que, fiquei modesto para o resto da minha vida.

A doutrinação das vanguardas anteriores à atual era sempre clara, compreensível. Podia-se não compreender muitas vezes uma obra cubista, expressionista, *surréaliste*: a teoria, porém, era acessível a toda a gente. A doutrinação dos vanguardistas de hoje é duro discurso. Se não se entende a obra, ainda menos se entende a explicação.

Agradeço a Mário Pedrosa a atenção que deu ao meu apelo, esclarecendo os casos do "avesso do espaço" e da cinta de Moebius. Mas não leve a mal que eu insista em que ele e seus companheiros não se sirvam, sem explicações, de vocabulário que só é "moeda corrente entre críticos, professores, artistas, arquitetos". Escreva para o homem da rua.

[12-III-1961]

---

2 Condessa Pereira Carneiro, diretora-presidente do *Jornal do Brasil*.

Pérez Rubio, retratista

I

Não aconselho ninguém a expor nos salões superiores do Museu Nacional de Belas Artes. Aquilo é um túmulo. Está na avenida, mas tão alto que é como se estivesse no Corcovado. No Corcovado, mas com um calor de rachar. Luz péssima depois das dezesseis horas. E o diabo do museu só abre às quatorze horas...

O resultado é que quando se abre uma exposição ali, a gente vai adiando a visita e acaba não indo.

Timóteo Pérez Rubio, pintor espanhol fixado entre nós há cerca de um ano, foi a última vítima do museu. A sua exposição tem passado despercebida, com prejuízo para o nosso público, a quem conviria tomar conhecimento com um artista de grande valor, senhor de uma técnica poderosa e de uma rica sensibilidade.

Pérez Rubio, segundo nos informa no catálogo a nossa querida Gabriela Mistral, é natural de Badajoz, aquela Badajoz, da qual Nicolau Tolentino disse tantas cobras e lagartos num soneto que é dos menos ruins que fez. De Badajoz, quer dizer, quase de Portugal. No temperamento dele, diz a grande escritora chilena que sente sempre "uma dessas criaturas de trânsito entre duas raças, pontes vivas entre duas sensibilidades". É, portanto, um pintor que está muito próximo de nossas raízes.

A primeira sala de sua exposição contém apenas uma coleção de desenhos, bastante para avaliarmos a sua ciência do desenho e a sensibilidade do seu traço.

Em três outras salas estão as suas pinturas a óleo, retratos e paisagens. Pérez Rubio é um mestre em ambas. Só que no retrato há que fazer, e ele o faz frequentemente, muitas concessões. É muito de lamentar que onde não haveria necessidade de concessão (como no retrato de Carlos Drummond de Andrade), não tenha sido feliz: que nuvem de doçura terá passado subitamente nos olhos habitualmente tão censurados do poeta, para assim transviar um retratista de tanta lucidez?

No retrato de outro poeta, Vito Pentagna, um rapaz que, como Eduardo VII, descobriu a maneira de ser elegantíssimo com mais de cem quilos, a nota mundana me parece demasiado acentuada. Será que Pérez Rubio não leu os belos poemas mortuários do seu retratado?

Mas todos os recursos do pintor estão presentes nos soberbos retratos de Mlle. Catá, da sra. Pentagna, de Mlle. Sandbank.

O poder de interpretar as paisagens se revela em Pérez Rubio pela Paquetá que nos apresenta, tão diferente da Paquetá exploradíssima a que estamos habituados. Uma Paquetá de quem viu a Guerra de Espanha. Repousante, mas sem sentimentalidades nem sensualidades. Uma Paquetá que não é a dos suicídios passionais da praia da Imbuca e quase não é também a da Moreninha. Em suma, uma Paquetá encantadora.

Ao lado dessas dezoito paisagens, outras mais fortes ou mais sombrias – de Valença (uma excelente "fazenda de café"), do Rio (a Guanabara vista de Santa Teresa, o Forte de Copacabana), de Genebra e de Marselha.

Na exposição figura uma tela que já havia sido adquirida pelo nosso governo para o Museu de Belas Artes, o famoso retrato da esposa do artista.

Vale a pena afrontar as escadarias inamistosas do museu para conhecer um pintor como Timóteo Pérez Rubio.

[29-IV-1942]

II

Em agradecimento à notícia que dei de sua exposição de pintura no Museu Nacional de Belas Artes, escreveu-me Pérez Rubio uma carta, que é um documento da encantadora modéstia do seu autor. Como vi por ela que o simpático artista não compreendeu o sentido de dois trechos da minha crônica, fiquei receoso que o mesmo tivesse acontecido aos meus improváveis leitores habituais, e por isso quero desfazer o engano no espírito de Pérez Rubio para melhor lhe fazer justiça perante o público.

Disse eu no meu escrito que o gênero retrato exige, às vezes, concessões da parte do pintor, e acrescentei: "É muito de lamentar que onde não haveria necessidade de concessão (como no retrato de Carlos Drummond de Andrade), Pérez Rubio não tenha sido feliz: que nuvem de doçura terá passado subitamente nos olhos habitualmente tão censurados do poeta, para assim transviar um retratista de tanta lucidez?"

Pérez Rubio adverte-me que não fez concessão no retrato do poeta: *El retrato resultó así porque hice con cierta timidez y poco conocimiento de su personalidad*. Estamos de acordo: eu não disse ter havido concessão no retrato de Carlos Drummond de Andrade; disse, sim, que houve infelicidade, explicada agora pelo artista como resultante de pouco conhecimento da personalidade do poeta. Lamentei apenas ter havido essa infelicidade num caso em que não haveria necessidade de concessão.

Também no caso do retrato de Pentagna, não falei em concessão: disse tão somente que a nota mundana (que não representa concessão porque de fato no jovem poeta existem, de fundo inato, aquelas qualidades de elegância que os granfinos de última hora exigem nos seus retratos para que eles, *soi-disant* granfinos, não pareçam o que na realidade são – *peuple*, como eles dizem), que a nota mundana se me afigurava demasiado acentuada em detrimento da face mais importante do retratado, que é a de ser autor de dois ou três graves poemas de assunto mortuário. O retrato é aliás forte e belo, como fatura; o que não me agrada nele é aquela sensualidade gulosa. Tanto o retratado como o retratista me parecem antes voluptuosos que sensuais. É verdade que pelo jovem Vito Pentagna não ponho a mão no fogo; mas quanto a Pérez Rubio, acho que a sua verdadeira natureza está mais nos desenhos de um tão fino senso amoroso e na delicadeza de tons das paisagens de Paquetá do que na matéria às vezes densamente sensual de alguns dos seus retratos.

Terá ficado claro o meu pensamento depois dessas explicações?

[8-V-1942]

Retratos de Ismailovitch

Depois que posei para Celso Antônio – anos de imobilidade em pé e sentado, a maior provação de minha dilatada existência e também o mais importante serviço que já prestei às artes plásticas de minha terra – jurei nunca mais servir de modelo para ninguém. Assim que, quando Ismailovitch me convidou a posar para ele, eu disse logo que sim, como não? mas no fundo bem decidido a ludibriá-lo. Não contava com a persistência do simpático russo. Driblei-o muitas vezes. Mas quando me contaram o caso do general João Francisco, entreguei os pontos.

Foi o caso que uma tarde estava Ismailovitch no *hall* do Palace Hotel quando entrou da rua um figurão de bigodeira empinada e ar marcial, embora vestido à paisana. O artista achou-o interessante, teve vontade de o retratar. Perguntou ao porteiro do hotel quem era. Quem era? Era o célebre general João Francisco, homem terrível, que das revoluções gaúchas saíra com a fama de degolador implacável. De tal modo que bastava ouvir aquele nome para a gente sentir um frio na nuca.

Ismailovitch é de pequena estatura, olhos azuis, sonhadores, mas debaixo de tão tranquila aparência um bravo, ex-oficial do exército russo, serviu em guerras e revoluções... As informações do porteiro estimularam ainda mais a decisão do artista. E ele abordou o general. O general não disse nem uma nem duas: deu-lhe as costas, simplesmente.

Pensais que Ismailovitch desistiu? Pois sim! Passou a cumprimentar o general sempre que cruzava com ele. O general nunca respondeu ao cumprimento.

Um dia, em plena avenida Rio Branco, estava João Francisco conversando num grupo de amigos, Ismailovitch aproximou-se, dirigiu-lhe a palavra. O general despediu-o de mau humor, alegando que estava ocupado, ele bem via, procurasse-o em outra ocasião.

Oito anos se passaram, Ismailovitch não viu mais João Francisco, que voltara aos seus pagos. Senão quando, um belo dia, em São Paulo, quem aparece no hotel em que Ismailovitch estava hospedado? João Francisco! Ismailovitch marchou para ele. Se o general estivesse nas coxilhas gaúchas, certamente teria degolado o importuno. Em vez, não. Marcou hora para a pose no dia seguinte às sete e meia da manhã. Ismailovitch triunfava. No dia seguinte, quando bateu à porta do quarto do general, ele não estava. Para concluir: dois dias depois o terrível general João Francisco posava para os doces olhos azuis sonhadores do pintor Ismailovitch...

Posei docilmente para Ismailovitch. E agora posso morrer descansado, certo de que, mercê de sua arte minuciosa e exata, minha vera efígie chegará à mais remota posteridade.

[17-IX-1961]

Direção do museu

O Museu Nacional de Belas Artes tem novo diretor. O antigo era cem por cento acadêmico; o novo é um moderno de sangue na guelra. A mudança não se fez sem batalha: houve um memorial dirigido ao presidente pedindo a permanência do sr. Osvaldo Teixeira. A facção moderna levou a melhor, com aplausos da Associação dos Artistas Plásticos Contemporâneos, atualmente presidida por Augusto Rodrigues, e da Comissão Brasileira da Associação Internacional de Artistas Plásticos, comissão que tem por presidente a srª Georgina de Albuquerque.

O novo diretor do Museu Nacional de Belas Artes, o sr. José Roberto Teixeira Leite, é um moço inteligente e já tem nome feito entre os críticos de artes plásticas da nova geração. Segundo os partidários de sua nomeação, está ele chamado a atualizar o nosso museu oficial, que, sempre segundo os seus amigos e admiradores, havia deixado de ser um órgão vivo.

Abro, com algumas dúvidas, um crédito de confiança a Teixeira Leite. As minhas dúvidas nascem de estar todos os dias vendo na geração moderna um certo desapreço pela arte do passado, e o nosso Museu de Belas Artes é sobretudo uma casa destinada a ir colhendo o patrimônio que pertence ao passado. Vejo nas artes plásticas os rapazes mais inteligentes desfazerem em Portinari, vejo na literatura um Raimundo Correia tratado de cima para baixo. Não ando a par do que vai pela música.

Para falar com franqueza, eu gostaria de ver à testa do Museu de Belas Artes um homem maduro, do tipo Rodrigo M. F. de Andrade ou Lúcio Costa, isto é, um homem em que coexista o espírito de aceitação para as novas formas de arte e o carinho e admiração pela arte do passado, um homem que goste de Milton Dacosta e Lygia Clark sem menosprezar Victor Meirelles e Batista da Costa. Estará nessa disposição o novo diretor do Museu?

Mesmo sem levar em conta a pauta da atualização, que deve ser feita com grandes precauções, há no Museu, dentro do critério passadista, muita coisa que realizar. Há que ganhar espaço para salvar da escuridão e umidade dos porões o acervo lá depositado. Aquela grande casa deve pertencer toda ao Museu. Há que melhorar as galerias, nas suas condições materiais e na sua arrumação. Há que atrair o público à visitação delas.

A mocidade de Teixeira Leite, o seu gosto pelas formas mais vivas da arte inquietam um pouco, mas se ele se compenetrar do que representa na evolução das artes o patrimônio do passado, poderá corresponder plenamente ao crédito de confiança que lhe estamos fazendo, que lhe fez, nomeando-o, o presidente Jânio Quadros.

[21-V-1961]

O SALÃO MODERNO

I

O V Salão Nacional de Arte Moderna, que visitei duas vezes, da segunda vez "tranquilo e a gosto" e de catálogo em punho, deixou-me uma impressão de... de elegância. Um prazer todo intelectual, roçando aqui e ali uma emoção discretíssima. E fico imaginando se os expositores sentem diante dos trabalhos de seus colegas alguma coisa mais do que isso.

Um dia, conversando com um abstracionista meu amigo, ponderei-lhe que muitas obras modernas, a "Unidade tri-partita", por exemplo, premiada na I Bienal de São Paulo, valiam apenas pela concepção, sem acusar, no entanto, nenhum *métier*. Ao que ele me respondeu: "E o senhor acha que isso é necessário?"

Há, neste Salão, coisas assim. Quero citar como a mais bonita entre as mais características dessa arte valiosa, apenas, pelo achado plástico, a "Ideia instável" de João José S. Costa. Essa, como outras composições abstracionistas ou concretistas, me agradam pela impressão de serenidade ou de alegria que me comunicam. Mas essas mesmas impressões estou eu tendo todos os dias diante das "composições" que vejo em asas de insetos, em folhas de arbustos, em efeitos de sombra e luz.

O que não vejo nesses elementos naturais são as composições mais complicadas (a de Kleber neste Salão, as de Bandeira, que não figura nele, etc.), onde há uma extraordinária multiplicidade de linhas e planos, cuja execução exige apurado gosto e ciência do desenho.

Não quero, porém, discutir arte moderna: não sou adversário dela, o que não compreendo é que se fique no abstracionismo a vida inteira. A vida inteira é um modo de dizer: ninguém fica a vida inteira numa coisa: o próprio Brasil há de sair, um dia, desta, não vil tristeza, mas triste vileza em que anda. Não compreendo que, de repente, "não mais que de repente", um Ivan Serpa não lhe dê na gana de pintar uma figura de mulher.

Mesmo, aliás, que eu não tolerasse as novas correntes, não cometeria a insânia de negar-lhes razão de ser. Este Salão está mostrando que os rapazes mais bem-dotados da nova geração dão, no momento, as costas ao figurativismo: só o admitem em suas extremas depurações abstracionistas. Deve haver um motivo para isso. Quem não gosta dessa arte, vá matar as saudades da outra no Museu Nacional de Belas Artes. Nunca no outro Salão oficial!

[10-VI-1956]

II

Este ano não fui ver o Salão de Arte Moderna. Os comentários de Mário Pedrosa tiraram-me toda curiosidade de chegar até lá, toda a coragem de subir aquelas íngremes escadarias da Escola Nacional de Belas Artes. Informava Pedrosa haver, entre tais "modernos", artistas que também concorrem ao outro Salão, o que mostra já se ter, dentro dos processos que em 1922 se chamavam arte moderna, criado um academismo tão aguado e insosso como o da arte clássica. De sorte que ambos os Salões já nos inspiram igualmente aquele sentimento que se traduz nas palavras imortais do Evangelho: deixai os mortos enterrar os mortos.

Sejamos francos: não há mais motivo para dois salões, a confusão é geral. O verdadeiro espírito moderno desertou do Salão e está hoje estabelecido e entabulado ali no Aterro, no Museu de Arte Moderna.

Estas minhas palavras não implicam, aliás, nenhuma ternura pela modernidade que anda avassalando o mundo quer nas artes plásticas, quer nas artes escritas. Mas há que nos conformarmos com as forças e os ventos do tempo. A verdade é que, gostemos ou não, da arte de vanguarda atual, os rapazes de maior sensibilidade e de maior talento estão alistados nela. Deve haver uma razão para isso, ainda que seja apenas o desejo de fazer tábua rasa dos processos tradicionais para mais tarde voltar a eles com maior pureza de alma e de mão.

Para ser sincero até o fim, confesso a meu amigo Ferreira Gullar que o considero tão transviado ao vê-lo discutir com Magalhães Júnior sobre a passagem do serviço da censura da Polícia para o Ministério da Educação, como quando ele lança ao papel meia dúzia de vezes a palavra "árvore". Na ilusão de criar uma floresta? Ou ao contrário, porque a floresta em que não se vê árvore ele já havia levantado em poema anterior – um retângulo formado pela repetição da palavra "verde" e, prolongando a linha da base do retângulo, a palavra "árvore". Gullar é poeta capaz de criar poesia em qualquer estilo, mas depois da luta corporal, que foi dura e brava, só no-la concede sob as espécies concretas. Os que não as entendemos ou sentimos temos que nos consolar com as suas crônicas, onde às vezes, como nas reminiscências da infância em São Luís, há coisas que me põem em transe: os dias passados numa fazenda, por exemplo, impressões que, de resto, só podiam mesmo ser escritas por um concretista.

[27-VII-1958]

VILLA-LOBOS: UM CONCERTO EM DUAS CRÍTICAS

I

O Rio de Janeiro ainda não conhece as obras mais importantes do sr. Villa-Lobos, obras de cuja excelência sabemos pela crítica, verdadeiramente crítica, de Paris e Buenos Aires, onde elas foram executadas com grande brilho. Faltam-nos elementos para tal. Falta sobretudo o respeito e o afeto a um músico que sem favor podemos colocar entre os seis ou sete nomes mais fortes da atualidade musical, porque a sua música não se limita a ser bonita e bem-feita, não revela apenas talento e aplicação, habilidade de pequeninos achados e sutilezas harmônicas. Ela é, como a música de um Stravinsky, de um Malipiero, de um Hindemith, de um Honegger, a expressão de uma surpreendente vitalidade espiritual, música de primeira mão, que dá trancos na gente mas vai arrastando, interessando, excitando porque é vida.

Para dar-nos alguma coisa da sua atividade nos últimos tempos o sr. Villa-Lobos organizou um concerto para pequenos conjuntos e foi assim que tivemos o prazer de ouvir em setembro no Instituto Nacional de Música uma série de peças novas, com exceção das "Danças africanas", já conhecidas. A mais forte delas nos pareceu ser o "Septimino" (Choro nº 7), onde a par daquela prodigiosa riqueza de ritmos e de efeitos de timbres que formam a ambiência natural da música de Villa-Lobos e que só a má-fé muito velhaca lhe pode contestar, se encontram também deliciosos motivos melódicos, tão frescos, tão isentos de rebusca como de vulgaridade, comovendo a um tempo pelo que há neles de brasileiro e de universal. O "Septimino" é uma obra forte e leve, forte pela rica matéria musical e leve pelo equilíbrio dos elementos de melodia, ritmo, harmonia e timbres, pelas suas proporções formosíssimas. Isso era bem sensível, apesar de alguns senões da execução que carecia de mais ensaios.

Outra parte admirável do programa foram as três peças para canto e violino, interpretadas por Mme. Teles de Meneses e Mlle. Paulina d'Ambrósio, sobretudo aquela coisa impressionante das sílabas indígenas e palavras sem nexo, de uma audácia genial. Genial, sim senhores. Acabemos com essa covardia pequeníssima de só falar em gênio quando o homem já morreu ou é estrangeiro! Mme. Teles de Meneses saiu-se galhardamente daquela prova perigosíssima. Basta dizer que foi convidada a bisá-la. No "Quero ser alegre" faltou talvez a intenção irônica: faltou o *quero ser alegre*, ficou só a melancolia formidável. A voz de Mme. Teles de Meneses é de um patético maciço; nela não cabe a ironia.

O "Carnaval das crianças brasileiras" é uma série de páginas admiráveis, de um infantilista que só tem igual em Mussorgsky. Elas foram executadas pela própria esposa do compositor, dona Lucília Villa-Lobos, tão profundamente a par das intenções de seu marido. A peça final, intitulada "As folias de um bloco infantil", para piano e pequeno conjunto, é deliciosa e era de notar como o timbre do piano, tão rebelde às demais companhias, casava-se bem com os outros instrumentos.

Destacamos estes números mas todo o concerto foi admirável: as peças de canto a cargo de Nascimento Filho, o "Choro nº 2", para clarineta e flauta...

[1-15-X-1925]

II

O concerto de peças para pequeno conjunto que o compositor Villa-Lobos realizou em setembro passado no salão do Instituto Nacional de Música despertou um interesse como raramente se observa neste mangue estagnado em que vivemos.

A música de Villa-Lobos interessa – eis uma excelência que é essencial: depois discuta-se. Exalte-se. Meta-se o pau. Como quiserem. Caceteado é que ninguém fica. Ou tem raiva ou gosta.

O segredo de tal interesse está na personalidade do compositor que é forte, inesperada, poderosamente versátil.

O sr. Coelho Neto, que fez a apologia do músico antes de começar a segunda parte do programa, citou as palavras ditas por Villa-Lobos em Buenos Aires ao crítico musical da revista *Nosotros*. Villa-Lobos afirmou que não era músico; apenas se servia dos sons, como um pintor se serve das cores, e o escultor dos volumes, para exprimir os seus pensamentos e emoções. Isso, com licença, é tapeação. Villa-Lobos para mim é músico e nada mais. Pensamento? Nunca vi mentalidade mais confusa. Temperamento? Ouvido? Isso sim. A música de Villa-Lobos é uma festa de timbres, uma golfada de ritmos, onde os motivos selvagens constituem o substrato de humanidade profunda que sustenta o edifício sonoro. Villa-Lobos pensa que é ele quem acrescentou a profundeza humana daqueles motivos folclóricos. Na realidade ele não sente a grandeza do folclore. Toma-o como material que carece de sublimação. Villa-Lobos é impotente para sair de dentro de Villa-Lobos. Todo o mundo conhece o epigrama irônico e sentimental de Ronald de Carvalho:

A verdade é talvez um momento feliz: o teu momento mais feliz.

Quem conhece a obra do poeta sabe como isso deve ser dito. Villa-Lobos conhece pessoalmente Ronald. Pois musicou esses dois versos à maneira de ópera lírica! É estupendo. É interessantíssimo. Mas não tem nem um tiquinho de Ronald ali dentro. É um contrassenso.

Quem vê, pensa que eu não gosto de Villa-Lobos. Não é verdade. Sou dos que acreditam sinceramente na genialidade do nosso patrício. E se Oswald de Andrade vier aqui com história eu boto ele na cadeia...[3]

A música de Villa-Lobos é dificílima e exige dotes excepcionais nos seus intérpretes. D. Julieta Teles de Meneses e Mlle. Paulina d'Ambrósio tinham a seu cargo uma das partes mais perigosas do programa: uma coleção de três peças para canto e violino, nas quais o compositor parece apostado em desafiar o sarcasmo público. Não há como louvar a nobre coragem com que Mme. Teles de Meneses enfrentou aquele passo difícil. Saiu-se lindamente. O público entusiasmou-se e fez bisar as sílabas indígenas e as palavras sem nexo.

Nascimento Filho cantou com acompanhamento de pequeno conjunto, o epigrama "Verdade" que foi bisado, o "Epigrama", de psicologia interessantíssima na parte instrumental, "Tristeza" e "Tempos depois", onde se encontra um Villa meigo, coisa que não é muito comum.

O "Choro nº 2" para clarineta e flauta foi dialogado um tanto lerdamente, nos pareceu. O "Septimino" (Choro nº 7), malgrado alguns senões de execução, constituiu um número delicioso. Compreende-se que muita gente tenha rido ou vociferado quando Mme. Teles de Meneses disparou a gritar bahu! bahu! na peça de que falamos atrás: negar, porém, a beleza, a emoção, a riqueza de timbres e ritmos do "Septimino", tão claro, tão equilibrado, de tamanha frescura e novidade de inspiração, é dar ou testemunho de má-fé ou de inteira inaptidão musical, ainda mesmo que o inepto tenha o curso completo de harmonia, contraponto e fuga do Instituto.

O mesmo se poderia dizer de "Carnaval das crianças brasileiras" em que dona Lucília Villa-Lobos estava à vontade para traduzir o pensamento de seu esposo, ela que primeiro e melhor que ninguém sentiu a grandeza daquela música, compreendendo-a em suas menores intenções.

[X-1925]

3   Alusão ao poema "Senhor feudal", de Oswald de Andrade: "Se Pedro Segundo/ Vier aqui/ Com história/ Eu boto ele na cadeia".

Villa regendo

O grande concerto de coros e orquestra realizado em 15 de novembro por iniciativa do maestro Villa-Lobos foi um dos mais belos espetáculos de arte brasileira que já se ofereceu ao nosso público. Malgrado todas as deficiências de realização, são manifestações dessa ordem que verdadeiramente contam na vida artística de um povo, porque representam, mais que uma empreitada de lucro ou simples diversão, um admirável esforço criador, organizador, disciplinador. A música nacional há muito tempo que vem repontando, balbuciando na obra dos nossos compositores. Agora tem-se a impressão que começou a falar. Pelo menos este concerto do maestro Villa-Lobos já nos deu uma sensação acabada e gostosa de coisa bem nossa.

Falamos acima em deficiências.

A principal e que logo se notava era o desequilíbrio entre a massa coral numerosíssima (mais de cem vozes) e a pequenina da orquestrinha, às vezes completamente abafada pelo coro. Outra foi a defeituosa articulação desses dois elementos, devida à insuficiência de ensaios, pois se o coro ensaiou muito sozinho, com a orquestra ensaiou pouco, o que se tornou sensível sobretudo no "Toca Zumba" de Luciano Gallet e no "Rasga o coração", este então bastante sacrificado por uma entrada fora de tempo (apesar de tudo a grandeza cíclica do choro levantou a plateia). Havia no programa três números fracos e sem interesse brasileiro: as "Uiaras" de Nepomuceno, a "Ave-Maria" do sr. Agostinho Gouveia e "Meu país", hino patriótico e castrolópico do próprio Villa. O "Kyrie" do maestro Oswald, esse é de todos os países: na verdade prece emocionante, e que me deu no ensaio geral um sobrosso sentimental que eu gostaria de fazer passar ao coração do dr. Washington Luís. É que na meia-luz do ensaio aquelas cento e tantas figuras de homens e mulheres de várias idades e vários sotaques, onde havia, de par com brasileiros de todos os sangues, elementos italianos e teutos, todos dando abnegadamente o melhor de si mesmos numa obra incerta e improvisada, me perturbaram de repente como uma imagem reduzida do meu Brasil, implorando o Senhor com imenso cansaço. Que emoção, Santo Deus!

No dia do concerto havia mais luz, havia menos ingenuidade, não havia o cansaço. No dia do concerto havia em toda a gente, no palco e na plateia, entusiasmo, satisfação, gostosura, como se todo o mundo estivesse chupando manga numa varanda de fazenda. Se fosse possível, teriam bisado tudo, como fizeram com a deliciosa "Cantiga de roda", de Villa-Lobos, o formidável "Teiru" índio, a "Cantiga e dança de negros" do maestro Braga, o coro masculino a seco "Na Bahia tem", ao qual Villa-Lobos deu um sentido místico, que pode estar no caráter da música mas não está na letra, pois não se compreende tanta religiosidade pra dizer que na Bahia "tem coco de vintém". Mas ficou tão bonito!

Muito rica a harmonização do "Toca Zumba" de Luciano Gallet, com uma intervenção interessantíssima do piano, em que quase se desunhou o meu elegantíssimo amigo Brutus Pedreira.

No "Choro nº 3" de Villa-Lobos a parte do pica-pau é estupenda; a unidade do choro me pareceu duvidosa com o "Nozanina-Orekuá" no começo, e aquele estapafúrdio "Brasil! Brasil!" do fim. Não creio que fosse ironia (a turma agora quando se estrepa apela pra ironia). Quer me parecer que Villa precisava ali de uma palavra em liberdade acabada por *il*. Botou Brasil. Acho que ficava melhor "barril".

Quanto ao "Rasga o coração", é uma forte composição com importante prelúdio orquestral, onde abundam os efeitos onomatopaicos de timbres em que é tão fértil a fantasia de Villa; vem depois a citação entre aspas da modinha de Catulo.

Se tu queres ver a imensidão do céu e mar

Villa envolveu-a de uma formidável roupagem harmônica onde sobre um fundo imperioso de marcha batida corusca fabulosamente a pris-ma-ti-za-ção da luz solar.

Villa-Lobos foi aclamado pela plateia unânime, como de fato merecia, estendendo-se os aplausos aos seus numerosos colaboradores, entre os quais se contava a fina flor dos nossos professores, cantores e amadores, que o presentearam em cena aberta com uma baita batuta de ouro.

[30-XI-1926]

MIGNONE BEM BRASILEIRO

I

Já Mário de Andrade havia assinalado que desde os primeiros maxixes e valsas publicados por Mignone, sob o pseudônimo de Chico Bororó (era, então, ainda um rapazola a se desmilinguir na flauta em serestas por Brás, Bexiga e Barra Funda), percebia-se nele uma perfeita identificação nacional. Depois vieram os anos de aprendizado na Itália, e Mignone divagou um pouco, divagou bastante, fascinado pelas Europas, chegando mesmo a compor *L'innocente*, drama lírico que nunca ouvi, mas tenho impressão que devia ser um Puccini disfarçado.

Voltando, porém, ao Brasil, reintegrou-se o compositor no seu destino nacional e foi a fase da sua música negra. Como é possível que Mignone, filho de italianos, nascido e criado na São Paulo de tão poucos negros, na São Paulo do princípio do século, tão italianizada (a jafetização não começara ainda), formado na classe de um mestre ítalo-francês, o maestro Vincenzo Ferroni, como é possível que viesse a dar, mais do que qualquer outro músico brasileiro, tamanha plenitude às vozes negras da nossa música? Porque, afinal, se é verdade que, como disse Bilac, a música brasileira é a "flor amorosa de três raças tristes", nessa música Villa-Lobos é predominantemente o índio, Camargo Guarnieri o branco, Mignone o negro. Estarei errado? Estou pensando no "Batucajé", no "Babaloxá", poemas sinfônicos, no bailado "Leilão"; estou pensando, sobretudo, no formidável "Maracatu de Chico-Rei", também bailado.

Todavia, nem por ser negro deixou Mignone de ser índio também, e o índio está nos "Quadros amazônicos", no bailado "Iara", como o caipira está, com esse outro caipira que é Portinari, no bailado "O espantalho", como o não católico indivíduo

Mignone se catolicizou musicalmente para estar como brasileiro total em "Festa das igrejas", em "Alegrias de Nossa Senhora", oratório para o qual tive a honra de escrever o texto.

[12-X-1955]

II

Ouvindo domingo a terceira exibição da Orquestra Sinfônica Nacional, criada no papel pelo presidente Juscelino, pouco antes de deixar o governo, e tornada realidade pela equipe de músicos da Rádio Ministério da Educação (Mignone, Bocchino, Krieger, Tavares etc.), disse comigo: desta vez meu amigo Massarani vai ficar satisfeito.

Porque Massarani não gostou que a estreia da OSN não fosse toda dedicada à música nacional. O primeiro concerto foi a "Nona sinfonia", de Beethoven, no segundo ouvimos três românticos russos, Rimsky-Korsakov, Tchaikovsky, Rachmaninoff, tudo regido por Eleazar de Carvalho. Não tive coragem de ir ao Maracanã ouvir a "Nona": não estou mais em idade para esses piqueniques musicais. Mas fui ouvir os russos, ainda que nenhum dos três seja de minha especial simpatia. Fui porque nunca tinha visto Eleazar reger, nem Jacques Klein tocar. Parece incrível, mas é a verdade. Pois vi e gostei. Eleazar é, de fato, um grande regente, Jacques Klein um grande pianista.

O terceiro concerto era um Festival Mignone: duas obras importantes em primeira audição no Rio – uma "Suíte brasileira" e um "Concertinho para clarineta e orquestra", e mais "Leilão" e o "Concerto para piano e orquestra".

Mignone está envelhecendo bem brasileiramente, cada vez mais depuradamente brasileiro. Quero dizer que, escrevendo música brasileira, procura despojar as suas obras (e aqui vou me servir de suas próprias palavras) de "complicações rítmicas e de mudanças inúteis e torturadas de compassos". Assim, a sua melodia deflui natural e espontânea. Mignone tem razão: "Escrever música fácil é tarefa dificílima". Mignone sai-se dela galhardamente, porque tem autocrítica e bom gosto. Deliciei-me especialmente com a bateria de "Na cabana de Pai Zusé", onde vi, positivamente vi, a história do Pai Zusé do meu poema, aquele preto pai de santo que fez mandinga na macumba do Encantado, e no palacete de Botafogo o sangue de uma branca virou água... Na verdade me deliciei com tudo, tanto com o *clarinetista* Estrela como com o *pianista* José Botelho (estava assim no programa).

[15-XI-1961]

Antonieta Rudge Miller

A propósito de música, poesia e artes plásticas é comum ouvir falar em forma, técnica, arte como puras realidades físicas e estas palavras aparecem na linguagem de quem assim as emprega como esvaziadas do seu conteúdo espiritual, indispensável ao verdadeiro conceito delas. Existe na forma uma realidade ideal subjetiva que escapa a essa gente. Forma para eles é uma realidade tátil, nada mais. Arte, fabricação. Ouve-se frequentemente dizer: fulano tem muita técnica mas não tem sentimento. Esse Fulano, dizemos nós, poderá ter muito mecanismo, mas não terá técnica nenhuma se não tem sentimento. A técnica, como a arte, é essencialmente expressiva.

Essas considerações nos acudiram ao escutar Antonieta Rudge Miller, a genial pianista, que há sete anos não tocava em público e reapareceu finalmente no dia 2 de agosto num recital que teve lugar no velho casarão do Lírico.

Antonieta Rudge Miller é o exemplo acabado da técnica tomada não em seu conceito grosseiramente materialista, mas entendida à luz daquela realidade subjetiva de que falamos atrás. É uma arte que parece despojar-se da matéria que a condiciona. Nietzsche disse uma vez que no verdadeiro amor a alma envolve o corpo. Assim também na arte de Antonieta Rudge Miller a alma é que parece envolver a substância musical. Não há uma só nota morta no jogo pianístico daquela intérprete finamente vibrante de vida requintada. Grande técnica, em verdade, pelo que há nela de humanidade quintessenciada e profunda.

O programa do recital compreendia uma grande variedade de formas e estilos musicais, desde os clássicos até os modernistas. A primeira parte abriu com um "Prelúdio e fuga" de Bach e fechou com a *"Chaconne"* de Bach-Busoni.

Como ela tocou a *"Chaconne"*! Pela primeira vez em terras cariocas se nos revelou a unidade daquela obra monumental, reduzida por intérpretes medíocres à condição de uma espécie de rapsódia. Antonieta acentuou bem o caráter de variação sobre um tema de três tempos, de sorte que mesmo debaixo dos arabescos mais especiosos a linha melódica transparecia em toda a sua pureza.

A segunda parte foi consagrada a Chopin. Um Chopin sem pieguice, embora de incomparável ternura.

Na terceira parte, modernos e modernistas. O moderno era Ravel, cujos *"Jeux d'eau"* encontraram em Antonieta uma intérprete insuperável. O público sentiu-o e fez bisar aquela joia de composição e de interpretação. O modernista era o nosso Villa-Lobos, com a "Alegria na horta", em que aparece um motivo português musicalmente aproveitado com aquela veia que refoge sempre à vulgaridade tão querida dos ouvidos preguiçosos.

Antonieta Rudge Miller recebeu do público manifestações de aplauso e carinho como raramente temos presenciado em nossos salões de concerto. Aos pedidos de *mais* (digamos *mais* em vez de *bis*, pois o *bis* é repetição), ela teve de dar um verdadeiro concerto extra de seis peças. As palmas ainda continuaram na rua, à saída da artista, que foi cercada e festejada por um grupo numeroso de artistas, amigos e simples admiradores.

[IX-1925]

Sob o signo de Santo André

> É meu colégio,
> Meu jardim é,
> Jardim-colégio
> De Santo André!

O timbre inefável das vozes infantis (todas de meninos e meninas menores de dez anos) nos ala a paragens angélicas... Estamos recebendo, Villa-Lobos e eu, uma homenagem fora do comum: o Colégio de Santo André, fundado e dirigido pelas professoras Madalena e Isabel Bicalho, canta pela primeira vez em público o hino que para ele compusemos.

Na verdade não é um hino. Deu-lhe o poeta ritmo de hino, mas o músico, muito amoravelmente, desmanchou-o em mais doce cadência de uma encantadora melodia, entre alegre e religiosa. Milagre de Santo André, padroeiro do colégio.

O poeta sempre dantes havia fracassado em tarefas semelhantes. Quando foi professor interino de Literatura no Externato do Colégio Pedro II, o seu diretor, prof. Gabaglia, de saudosa memória, lhe encomendou um hino para o velho educandário, onde aliás fizera o poeta o seu currículo secundário. Não saiu nada, não houve jeito. Anos depois o ministro – grande ministro! – Capanema, tomou a iniciativa de dar um hino à juventude brasileira. Abriu concurso, nomeou uma comissão julgadora, empenhou-se comigo para que concorresse. Eu disse que não, mas anonimamente concorri. Fui desclassificado. A comissão, de que fazia parte o glorioso senador Arinos, andou bem, as minhas estrofes não valiam nada, só havia um verso bonito, que era este: "E se amardes, amai com ternura!"

Desta vez, porém, acho que acertei. Pelo menos pude proporcionar a Villa-Lobos a oportunidade de tirar de sua mina inesgotável aquela deliciosa infantil melodia. Milagre do Villa e de Santo André, grande apóstolo, irmão de Pedro e evangelizador das Rússias e da Acaia.

O *clou* da festa no Conservatório de Canto Orfeônico foi a saudação lida por um menino que é um prodígio. Como a leu bem, com que propriedade de expressão, com que graça! Soubemos depois que é um netinho de Cecília Meireles: estava explicado.

[26-X-1958]

História da música, de Carpeaux

A figura de Otto Maria Carpeaux singulariza-se entre nós pela universalidade de sua *cultura, sobretudo no domínio das artes*. É um homem que toma pé em todas elas, fala de cadeira e pode dizer coisas muito originais, muito pessoais tanto sobre uma tela de Portinari, como um poema de Drummond ou um quarteto de Villa-Lobos.

A este último aspecto, isto é, em matéria musical, tem ele contribuído grandemente para a educação do nosso público. Basta lembrar os artigos em que destruiu a lenda de um Mozart uniformemente rococó. Carpeaux tem-se esforçado em restituir o gênio de Salzburgo à sua verdadeira grandeza.

Foi, pois, com vivo interesse que vimos aparecer esta sua *História da música*, cujo único defeito está na péssima revisão, sendo a esse respeito o livro mais errado que já saiu de qualquer prelo brasileiro: estabelece um recorde.

A última história da Música que tive ocasião de ler foi a do nosso saudoso Mário de Andrade. Mário e Carpeaux têm algo de comum: são ambos diretos, personalíssimos e sem papas na língua. Mas Carpeaux não se excede jamais como Mário, que, a propósito de Haydn, se permitiu dizer que "a vida dele foi a de um bocó". Haydn, informa Carpeaux, era de fato considerado como um simplório. Hoje já se sente que "o fenômeno Haydn não é simples", antes se complica de toda a sorte de ambiguidades.

A principal diferença entre os dois livros – o de Mário e o de Carpeaux – é que o primeiro se destinava aos alunos do Conservatório paulistano, ao passo que o segundo foi escrito para o grande público. O de Mário é, aqui e ali, duro de roer para quem não possui os necessários conhecimentos musicais, ao passo que o de Carpeaux está muito mais ao alcance dos leigos no assunto. E, dando lugar a digressões biográficas, é frequentemente de comovida leitura. A esse ângulo são de assinalar as partes referentes a Handel, a Bach, a Beethoven.

Carpeaux pretende ter evitado as explicações chamadas "poéticas" das obras musicais. Ainda bem que nem sempre o conseguiu, pois abundam no livro as comparações poéticas de ordem plástica. Assim, a propósito do *"De profundis"* e do *"Miserere"* de Josquin observa que "nos lembram os anjos pretos que, nos quadros de Rogier van der Weyden, voam como grandes aves da morte em torno da Cruz erigida em Gólgota". A vocação poética é coisa que nunca se estrangula de todo.

Sente-se em todo o livro a veracidade da advertência do autor no prefácio: na medida do possível foram excluídas as preferências e idiossincrasias pessoais. Exemplo disso é a larga praça que faz à ópera, ele que evidentemente prefere a música instrumental. A ópera atravanca mesmo o livro. Mas isso é a fatalidade da ópera – atravanca sempre.

[22-II-1959]

Zuimaalúti

Bailado inspirado no poema "Toada do Pai do Mato", de Mário de Andrade

A moça Zuimaalúti vai, ao romper da alva, colher fruta no mato. Chegando a uma clareira, no recesso da floresta, e encantada com o lugar, começa a brincar, rindo, saltando, dançando. De repente ouve uma voz de homem cantando. Procura de onde ela vem e julga ver um moço sentado num galho de tarumã. Aproxima-se da árvore e pede ao rapaz que lhe atire uma fruta, que ela está com fome. O vulto atira-lhe não frutas mas folhas. A moça amua: não quer folhas, quer frutas. O vulto sentado no galho da árvore continua a negacear com Zuimaalúti. Afinal, de súbito, salta da árvore ao chão, e Zuimaalúti, aterrada, reconhece no homem o Pai do Mato, deus das selvas. Este executa um bailado, que a moça segue com os olhos, a um tempo medrosa e deslumbrada. O Pai do Mato quer arrastá-la na dança. Ela repele-o e tenta fugir, mas de trás das árvores surgem monstros da floresta, serviçais do deus, que lhe interceptam os passos. O Pai do Mato vai ao fundo da cena e faz gestos para dentro. Surge então um bando de moças dançando alegremente. São as Filhas do Pai do Mato. Estas e o Pai do Mato executam um bailado, que acaba por fascinar Zuimaalúti. A moça finalmente adere à tentação e entra a bailar com as outras moças, que de ora em diante serão suas companheiras para sempre.

O Santo e a Porca

O tema da peça com que a nossa grande Cacilda estreou excelentemente o seu teatro é um lugar-comum do repertório clássico: Plauto tomou-o dos gregos; Molière, de Plauto, contaminando-o com elementos hauridos em outras fontes, francesas e italianas; Ariano Suassuna permeou-o todo de saboroso Nordeste. Plauto é o mais literalmente clássico, na sua pintura de um caráter de avarento; Suassuna é o mais complicado, não só pela maior abundância de incidentes na afabulação, como pela evidente intenção de moralidade filosófica. A moralidade é a mesma do meu poema "Momento num café" e se exprime, curiosamente, pelas mesmas palavras no comentário que Suassuna escreveu sobre a sua esplêndida farsa: "A vida é traição". Eu havia dito antes: "A vida é uma agitação feroz e sem finalidade". Suassuna acrescenta: "... uma traição contínua. Traição nossa a Deus e aos seres que mais amamos. Traição dos acontecimentos a nós, dentro do absurdo de nossa condição, pois de um ponto de vista meramente humano, a morte, por exemplo, não só não tem sentido, como retira toda e qualquer possibilidade de sentido à vida." Eurição Árabe traiu a todo o mundo e a si próprio, e acaba descobrindo que foi traído pela vida ao constatar que a fortuna tão avaramente guardada na porca-mealheiro era dinheiro recolhido e portanto sem nenhum valor. Este lance, que dá à farsa o seu sentido filosófico, e os elementos nordestinos da porca e seu protetor o Santo (Santo Antônio) são os grandes achados de Suassuna, e o que confere o timbre de originalidade na volta ao velho tema.

Não tive oportunidade de ver a representação de *A Compadecida* e fiquei com água na boca quando outro dia, na estreia de *O Santo e a Porca*, Carlos Drummond de Andrade me disse que é uma beleza. A nova peça de Suassuna coloca-o entre os clássicos do assunto. Talvez a sua apresentação tenha sido um pouco prejudicada (digo-o com todas as reservas, pois quem sou eu para dar lição a um Ziembinski?) pelo ritmo excessivamente acelerado, e por isso fatigante da representação.

Houve quem visse na história alusão ao general Lott (o Santo) e à nossa prezada Constituição (a Porca): todos sabemos que o general desfechou o golpe de novembro para proteger a porca. "Que diabo de proteção é essa?" ainda hoje perguntamos, como Euricão pergunta à imagem de Santo Antônio quando se vê ameaçado de perder o seu tesouro.

Melhor interpretação do título será esta: o Santo, pela sua mansidão, cordura e paciência, é o carioca; a Porca é esta cidade de São Sebastião do Rio de Janeiro, sem água, sem serviço decente de coleta de lixo, urbe de arranha-céus de cujas janelas todo o mundo cospe para a rua, joga à rua papéis, pontas de cigarros, cascas de frutas, e outros detritos.

[9-III-1958]

Bilhete a Zora

Saluba, Zora! Eparrei! Eparrei!

Creio que não poderia exprimir melhor o respeito de que fiquei tomado por você depois de ler as *3 Mulheres de Xangô* e a *Festa do Bonfim*. É que eu não sabia, não podia suspeitar que você bracejasse tão bem e tão fundo nas águas de Oxum, voasse tão segura nos ventos de Iansã, palmilhasse tão destemida os caminhos de Exu. Sempre imaginei que para isto fosse indispensável uma pinta de negro, e você, Zora, é aurora iugoslava, branquinha, branquinha. Agora você me ensinou que a questão é mais de personalidade do que de fisionomia: "Rosto branco ou negro pouco importa desde que o corpo saiba dançar a moda do orixá".

Verdade, verdade, já conheci outra branca que era filha de terreiro. Foi ela que me ensinou as palavras *Atôtô, meu santo, ei abaluaê*, que meti em meu poema "Boca de forno". Não tinha a sua ciência da mitologia negra, mas praticava o culto, até que uma noite ajudei ela a deitar um despacho junto a um pé de pau em frente da Igreja da Glória do largo do Machado. Eu nem sabia aquilo pra que era e espero que não tenha sido pra nenhum malfeito, ela já é falecida, Deus a tenha em sua glória.

Confesso a você, um pouco envergonhadamente, que essas histórias de mitologia me fazem grande confusão na cabeça. A mitologia negra então nem se fala. A arte é uma grande clarificadora: você pôs em pratos limpos nas suas peças toda essa trapalhada dos amores de Xangô e agora eu conheço essa deusada por fora e por dentro (uma das excelências do seu teatro é como você marcou a personalidade, o caráter de cada um e cada uma dessas estranhas divindades, desde Oxalá, o poderoso e tranquilo pai da colina, até os seus mensageiros mais pífios – o maçarico ou o carneiro).

Posso bancar um pouco o impertinente dizendo-lhe que nas três peças das mulheres de Xangô o seu saber me parece que andou sufocando o trabalho da criação artística? Acho que este resultou, por isso, um tanto frouxo, um tanto desmanchado. Já em *Festa do Bonfim*, não. O drama de Oxalá está bem estruturado, só lhe ponho uma restrição, e é que às vezes o tom das falas lembra o das tragédias gregas. O negro e os seus deuses assumem dignidade dramática de maneira bem diferente dos brancos. Mesmo quando agindo como malandros, como aqueles pretos da Irmandade de S. Benedito combinando os festejos nas vésperas do dia do padroeiro:

– Precisa mandá dorá o altá de Nossa Senhora!

– Tem tempo!

– Precisa encomendá vinho do Porto pra bebê a saúde dos convidado...

– Êre que venha! Êre que venha!

E obrigado pelo machado de asas: espero poder com ele cortar todos os malefícios e abrir todos os caminhos desta ingrata vida! Saluba, Zora! Arrôbôbô! Arrôbôbô!

[28-XII-1958]

Documentário de escritores

O filme que uma centena de pessoas vimos anteontem no auditório do Ministério da Educação – *O mestre de Apipucos e o poeta do Castelo* – inaugura uma iniciativa muito louvável de José Renato Santos Pereira, diretor do Instituto do Livro, qual seja a de fixar pela imagem e pela voz a personalidade dos nossos escritores. Não é só para a posteridade que se está trabalhando assim: é desde logo para o presente: os que vivem nos estados e se interessam pela literatura poderão de hoje em diante tomar contato mais vivo com os nossos homens de letras. Não sei se a filmoteca do Instituto do Livro se estenderá também a músicos e artistas plásticos. Deveria, aliás, estender-se a todos os setores da cultura. Pena é que não se tivesse pensado nisso mais cedo; que Mário de Andrade, Jorge de Lima, José Lins do Rego, Roquette-Pinto, tantas outras figuras ilustres tenham morrido, sem que tenhamos guardado num filme um pouco da sua vida de todos os dias.

Gilberto Freyre não gosta que lhe chamem *o mestre de Apipucos*. Parece ver no título uma ironia. Mas o fato é que mestre ele é e em Apipucos mora. Que bonita propriedade a sua, essa rústica chácara com o sobradão que já foi casa-grande de engenho! Tenho esperança de um dia a conhecer de corpo presente, mas enquanto a oportunidade não vem, que prazer foi para mim ver pela imagem tudo aquilo, acompanhar o amigo no seu passeio matinal, observar-lhe a curiosa maneira de trabalhar, não sentado a uma secretária, mas derreado na mangalaça de uma poltrona e dir-se-ia que meio assistido por um gatinho adorável, a-do-rá-vel. Em certas tomadas o mestre está muito natural – quando trabalha, quando conversa com a cozinheira, quando faz a batida; em outras deixou-se dominar por aquela *self-consciousness* que julgo ser castigo de Deus para o seu gosto de gozar os ridículos alheios. Em suma, para quem nunca teve trato pessoal com o mestre, o filme apresenta o homem em toda a sua verdade.

Creio que o mesmo se pode dizer da parte que me toca. Senti-me devassado na tarde de anteontem, e de noite não dormi bem, a minha própria imagem me perseguia. Fiquei também bastante vaidoso, meio compenetrado de que tenho um enorme talento para ator e de que Hollywood não sabe o que está perdendo na sua ignorância da minha existência.

O roteiro e direção desse filme é de um rapaz curioso. Joaquim Pedro de Andrade, filho de Rodrigo M. F. de Andrade e meu distinto afilhado, fez um ótimo curso de Física na Faculdade Nacional de Filosofia, já estava bem encarreirado na profissão, e de repente larga tudo para se entregar de corpo e alma ao cinema. Esta película é o seu Opus 1. Pode-se-lhe fazer aqui e ali alguma crítica. Em conjunto saiu-se esplendidamente. O filme está, do começo ao fim, bem estruturado, o ritmo das sequências não trasteja nunca, o interesse do espectador mantém-se constante. Joaquim Pedro já é um valor em nosso cinema. A ele e aos seus companheiros de equipe os meus parabéns.

[15-XI-1959]

O PASSADO

Meu amigo Onestaldo de Pennafort prepara-se alvoroçadamente para rever um velho amor da tela muda, a passional Francesca Bertini, programada no Festival do Cinema Italiano, que se anuncia para breve. Será para o querido poeta a revocação de toda uma época, aliás, por ele mesmo já relembrada no seu livro *O rei da valsa*. A época anterior à criação da Cinelândia, a época dos primeiros cinemas da avenida Rio Branco – o velho Odeon, o Avenida, o Kosmos, dos cinemas com sala de espera, com a sua orquestrinha (houve tempo em que no Odeon a orquestrinha foi substituída por Ernesto Nazaré tocando ao piano os seus tangos e as suas valsas); com a sua orquestrinha e os seus namoros.

Ai tempos do cinema a um e dois cruzeiros! O que não quer dizer que o cinema fosse barato. O nosso dinheiro é que valia mais, o jornal e o bonde custavam duzentos réis, pagava-se com cem mil uma cozinheira de forno e fogão, novecentos mil era o ordenado de um professor de escola superior... Éramos então bem mais felizes em nossa despreocupada inconsciência de povo subdesenvolvido, com eleições a bico de pena e domingos sem suplementos literários.

Não irei ver Francesca Bertini, sou menos corajoso do que Onestaldo. Dou-me por contente com ter visto o filme *Risos e mais risos*, em inglês *When comedy was king*, salada de primeiras fitas de Chaplin (quando Chaplin era só Carlitos e não Mr. Verdoux ou rei destronado), de Buster Keaton, de Charley Chase, de Ben Turpin, de Chico Boia, cuja carreira foi cortada por uma tragédia nefanda, d'*O Gordo e o Magro*, Laurel e Hardy, hoje dois gordos... E outros.

Revi Glória Swanson, não a grande mulher no esplendor de sua beleza. Glória Swanson ainda *girl* das comediazinhas de Sennett, mal saída da adolescência, sem nada de fatal. Glória Swanson contracenando em perseguições e correrias doidas, em encontrões e tombos espetaculares. Vi Glória em plena glória e Glória decadente. Faltava-me ver Glória-broto (decerto a tinha visto mas sem adivinhar que era ela).

O selecionador dos filmes desse filme poderia ter evitado a impressão de monotonia que há naquela sucessão de correrias desabaladas, a de Buster Keaton, que é a melhor, bastava. Uma coisa impressiona em todos eles: a ridicularização permanente do polícia, sempre boboca, sempre levando a pior.

A sala ria que ria. Eu também ri muito, mas com alguma melancolia. Estou quase aconselhando Onestaldo: – Não vá ver Francesca Bertini.

É verdade que, na sua doçura de poeta lírico, Onestaldo é um forte.

[20-VII-1960]

BILU, ACADÊMICO

Em ambiente refrigerado e, por isso, inteiramente ao abrigo dos ruídos da rua – mais um servição prestado à Casa de Machado de Assis pelo presidente Austregésilo de Athayde – tivemos quarta-feira passada a alegria de ver instalar-se na poltrona nº 13 um dos mais insignes homens de letras que já existiram no Brasil dentro ou fora da Academia, o grande poeta e grande prosador Augusto Meyer.

Nem foi o ar-condicionado a única novidade da noite memorável. Outras houve: as dimensões do discurso do recipiendário, a elegância inovadora, valeryana, de Alceu Amoroso Lima, digna de ser celebrada nas colunas de Ibrahim Sued, Pomona Politis e outros cronistas mundanos da imprensa carioca.

O discurso de Meyer não foi tão curto quanto o de João Ribeiro. Durou a sua meia-hora e foi o bastante para que o novo acadêmico dissesse o essencial que lhe incumbia dizer sobre a obra de Hélio Lobo, a quem sucedia, sobre Francisco Otaviano, patrono da cadeira, e Meyer ainda achou jeito de evocar a pequena Academia que era a sala do diretor da Biblioteca Nacional ao tempo da administração do saudoso Rodolfo Garcia, glosa do tema *Ubi sunt*, a parte comovida da oração. Porque Meyer não deu tom comovido a todo o seu discurso, como fez no que pronunciou por ocasião de receber o Prêmio Machado de Assis. Neste seu discurso de posse, Bilu, o heterônimo do poeta, colaborou largamente, pontilhando de *humour* quase todos os períodos, lidos aliás com fina desenvoltura pelo orador, que estava perfeitamente à vontade (quem diria?) no aurisplendente fardão. Discurso atualíssimo, incluindo até a atualidade trágica de Cuba.

Alceu, na sua maneira de trazer o fardão, quase me reconciliou com o pomposo uniforme. Sabem todos que as duas peças da imortalidade se compõem de calças e casaca-dólmã. Mas há algum tempo que o nosso querido amigo e mestre não cabe dentro daquela disfarçada camisola de força, salvo seja. Então que fez? Desdolmanizou a casaca, deixando-a aberta sobre um colete branco. Estava elegantíssimo.

Seu elogio de Augusto Meyer foi longo. Soou porém tão substancial e foi lido com tais requintes de boa dicção, que poderíamos ouvi-lo por mais tempo ainda. Sem deixar de aludir ao aspecto humanístico da obra de Meyer, concentrou Alceu o seu esforço no estudo da poesia de Meyer. Ninguém o faria melhor, e até os poemas que ilustravam a magnífica apreciação foram ditos com a maior perfeição. Grande noite a de quarta-feira!

[23-IV-1961]

Expoentes

A nossa Academia de Letras adotou o critério da que foi o seu modelo, a Academia Francesa, admitindo homens que, sem ser literatos de carreira, escrevem com acerto e manifestam nos seus escritos o amor das letras. Mas se na Casa de Machado de Assis já ingressou considerável número de médicos, dois bispos, um almirante, um general, um aviador e até um presidente da República, nunca ela chamou ao seu convívio nenhum músico ou artista plástico. E todavia, entre músicos e artistas plásticos, muitos houve que estavam nas mesmas condições de um Antônio Austregésilo, de um D. Aquino, de um Jaceguay, de um Dantas Barreto, de um Santos Dumont, de um Getúlio Vargas.

Sobre tal exclusão me falava Portinari frequentemente, nos últimos tempos de sua vida. Sentia-se ele também poeta, a par de pintor, e provou-o num belo livro de poemas, que só foi publicado postumamente, e seria um título cabal para justificar a sua entrada na Academia. Di Cavalcanti é outro pintor cuja admissão na Academia muito a honraria: escreve versos e prosa com elegância e o original sabor de sua vigorosa personalidade.

Lembrei-me de falar a tal respeito lendo um artigo de Marcos Madeira no excelente suplemento literário de *O Fluminense*, onde se ocupou das atividades de Antônio Parreiras no campo das letras. Parreiras escrevia bem, foi dos raríssimos homens de sua geração que teve consciência do gênio do Aleijadinho (Bilac, Laet, João do Rio não a tiveram). Merecia ter sido convidado para entrar na Academia como um dos mais altos expoentes da cultura brasileira. O mesmo se pode dizer de Pedro Américo. Haveria outros nomes a citar no domínio da pintura. No da música também, sobretudo no setor da crítica: um Luís de Castro, um Guanabarino, entre os mortos; um Eurico Nogueira França, um Ayres de Andrade, entre os vivos.

Outra coisa que causa estranheza na vida da Academia é verificar-se que dois estados do Brasil – Goiás e o Espírito Santo – nunca tiveram representante na Casa, ao passo que dois municípios, o de Caruaru, em Pernambuco, e o de Ilhéus, na Bahia – têm presentemente dois! Sem fazer nenhuma pesquisa, posso citar dois nomes goianos de categoria acadêmica no melhor sentido: Bulhões, expoente, grande ministro da Fazenda que foi, e Carvalho Ramos, ótimo contista. Do Espírito Santo não me recordo de ninguém no momento. De ninguém já falecido. Mas agora há um escritor insuperável no gênero da crônica: Rubem Braga. O velho Braga, queira ou não queira, está obrigado a defender os brios capixabas na esfera acadêmica. O pequeno Estado, tão famoso pelas areias radioativas de Guarapari, não pode perder, não deve perder essa oportunidade de se inscrever nos anais da Casa de Machado de Assis. Dê as caras por lá, velho Braga, e pode contar com os quatro votos deste seu admirador e amigo.

[1965]

CUIDADO COM O X.!

Outro dia tomei um táxi-lotação para Copacabana, havia dois lugares vagos atrás, mas anoitecia, peneirava uma chuvinha miúda, fazia frio, preferi sentar-me no banco da frente para me aquecer ao calor da máquina. O passageiro que ocupava a ponta teve o gesto antipático de sair muito polidamente para me dar entrada, e lá fui eu, espremido entre ele e o chofer, quando a lotação se completou com dois novos passageiros. Estes eram grandes palradores, um ao que parece literato e bastante academizável, pois, caindo a conversa sobre a Academia, o outro perguntou-lhe: – Você nunca pensou em se candidatar?

Aí apurei o ouvido, quer dizer, dei toda a força à minha maquinaria de ouvir e o que ouvi foi isto, que reproduzo com a possível fidelidade:

– Eu, candidatar-me?

– Por que não?

– Deus me livre!

– Tem preconceito antiacadêmico?

– Não é isso. Não tenho é vocação para ser traído!

– Traído?

– Não quero dar ao X. o gostinho de me fazer o que fez ao A. e ao B.!

– Não conheço o caso, me conte.

– Pois ouça lá. A. e B. disputavam a mesma vaga. X., amigo de ambos, prometera o voto a ambos. Prometera de pedra e cal, como se diz. Era, porém, de crer que o desse a B., pois à véspera do pleito telefonara à mulher de B. recomendando-lhe: "E olhe, não se esqueça de pôr champanha na geladeira, a vitória é certa!" Mas no momento de votar...

– Votou em A.

– Qual A. nem B.! Votou em C.!

– Em C.? C. não tinha nenhuma possibilidade de ser eleito! Foi então um voto humorístico?

– X. não é humorista, você sabe disso melhor do que eu. Votou em C. porque o homem lhe andava prestando uns serviços, na ocasião precisava mais dele do que de A. e de B.

– Incrível!

– Mas ouça o resto, que ainda é melhor. X. teve o descoco de telefonar a B., que foi o eleito, para felicitá-lo: "Meus parabéns! Então ganhamos!" Ao que B. respondeu, seco: "Ganhamos sim, mas não com o seu voto, que foi de C.". No dia seguinte B. recebia uma telefonada de C.: "Dr. B., quem votou em mim não foi o X., foi o Y.". Grande surpresa de B., que telefona para A.: "C. me telefonou dizendo que quem votou nele não foi o X., foi o Y.". A. desmentiu indignado: "É falso! Y. votou em mim, eu próprio fui o portador dos votos dele!"

Eu escutava estarrecido. Decerto tudo aquilo era invenção. Mas invenção ou não, aviso aos navegantes: se se candidatarem à Academia, cuidado com o X.

[28-VI-1961]

Sensibilidade simbolista

Alphonsus de Guimaraens Filho: *Poemas reunidos*

Há vinte anos, escrevendo a Alphonsus de Guimaraens Filho, disse-lhe: "Você entrou na poesia com uma responsabilidade tremenda – o nome de seu pai! Mas está se saindo galhardamente. Este *Lume de estrelas* atesta um grande poeta, não é reflexo da poesia paterna, mas brilho de estrela com luz própria."

Coisa curiosa! Alphonsus Filho adora a poesia do pai, sabe-a quase toda de cor. No entanto nunca em seus versos me saltou aos olhos uma reminiscência da poesia paterna. Influências que se me depararam foram de outros poetas. De Mário de Andrade, por exemplo (em certa época, a dos poemas de *A cidade do sul)*; de Camões, nos dois primeiros versos do soneto "Contemplação": "Quando dos horizontes a cansada/ Contemplação aos poucos se dilui..." Nunca me apliquei a um cotejo entre a obra do pai e a do filho, mas tenho a impressão que a autonomia do filho em relação ao pai é absoluta. O fato é tanto mais notável quanto, apesar das influências modernas, Alphonsus Filho se afirmou sempre com um fundo simbolista irredutível. Pode-se dizer que ele e Onestaldo de Pennafort são os dois grandes poetas de hoje em que persiste intacta a sensibilidade simbolista. Para esse poeta perplexo neste mundo de foguetes teleguiados, de satélites artificiais e possíveis viagens à lua, "o mais real é sempre a irrealidade"; o que o seu coração deseja não é Urano nem Marte, mas a pequenina estrela "morta há milênios no infinito, ou no meu peito".

Este volume dos *Poemas reunidos* apresenta nada menos de cinco novos livros: *O unigênito, Elegia de Guarapari, Uma rosa sobre o mármore, Cemitério de pescadores* e *Aqui*. A fecundidade de Alphonsus é extraordinária. Não se mostra, porém, como desova a propósito de tudo e de nada. Ao contrário, o poeta coíbe-se; mais de uma vez, em conversa comigo, tem procurado desculpar-se (!) dessa não procurada, dessa espontânea, irreprimível necessidade de expressão poética. A abundância não o levou à facilidade. Do *Lume de estrelas* escreveu Mário de Andrade que era a afirmação de "um poeta bastante forte num livro ainda bastante fraco". Se o grande Mário fosse vivo, teria agora o prazer de proclamar que os cinco novos livros de Alphonsus estão à altura do poeta forte, chegado ao inteiro domínio do seu instrumento. A *Elegia de Guarapari* e *Uma rosa sobre o mármore* assinalam o fastígio de sua criação poética.

[14-IX-1960]

Rima natural

Ribeiro Couto: *Longe*

Quando a Editora José Olympio lançou as *Poesias reunidas*, de Ribeiro Couto, escrevi uma crônica, na qual assinalava que faltavam ao volume nada menos que quatorze anos de poesia, visto que os "Sonetos da rua Castilho", última parte da coletânea, datavam de 1946. Agora, menos de um ano depois, aparece, editado em Lisboa, o volume *Longe*, que se encerra com os "Sonetos da rua Hilendarska". Na rua Hilendarska, em Belgrado, reside atualmente o poeta, que é o nosso embaixador na Iugoslávia. Quer dizer que estamos quase em dia com o poeta. Quase, porque a fonte dos belos versos continua a manar sem interrupção: "Saem-me sem eu querer!", conta-me ele.

Longe se chama este livro. Ora, nunca me terei sentido mais perto do amigo do que lendo estes poemas, que são a mais fina flor de sua sensibilidade e de sua técnica. O poeta continua a cultivar o gosto daqueles momentos de "indecisão delicada". *Longe* está cheio deles. E eles se exprimem agora preferentemente em metro curto. Em certo soneto relembra o poeta os tempos em que, rapaz, sua mão não se cansava "de trabalhar à noite o verso alexandrino", o que lhe valeu ser o poeta de língua portuguesa que com mais doçura e flexibilidade o tem manejado. Mas agora se sente que a sua preferência vai para "o trapézio do metro curto", em que se revela igualmente exímio.

Uma das excelências da poesia de Ribeiro Couto é o seu rimário. Não sei de poeta, em qualquer idioma, em cujos poemas as rimas caiam tão bem, com tamanha naturalidade, quer se trate de rimas fáceis, mas exigidas pela ligação com o assunto, quer se trate de alguma rima difícil a reclamar ginástica no trapézio. Não se assuste, porém, o espectador do circo: o trapezista executará o salto sempre com a maior perfeição.

Duas páginas deste livro me comoveram mais do que as outras, não por sortilégio de velhas saudades: a "Elegia de Domodossela" e a "Elegia para Raul de Leoni em Trieste". Na primeira fala Couto de Corazzini, o grande poeta italiano falecido de tuberculose aos vinte anos, grande amor nosso nos tempos da rua do Curvelo:

> Ó meu poeta Sérgio Corazzini,
> Deixa essas asas de anjo e vem ver como estão
> Estas cidades...
> Não vens? Talvez tenhas razão.
> Troppo dolore, troppo dolore...

O outro poema evoca a fascinante figura do poeta da *Luz mediterrânea*... As noites garoadas de Petrópolis, quando, junto à "bacia" (ainda existirá a "bacia" na desfigurada rua Quinze?) Couto e Raul, dois louquinhos de vinte e poucos anos, arruinavam os pulmões respirando "o orvalho das madrugadas". Ainda bem que Couto sarou e hoje pesa mais de cem quilos. Mas Raul lá se foi... Tão cedo!

[23-VII-1961]

Ribeito Couto, intraduzível

Ribeiro Couto: *Le jour est long*

Que Ribeiro Couto seja poeta em francês é coisa sobre que não podia pairar dúvida, depois dos seus *Jeux de l'apprenti animalier*, aparecidos o ano passado. Há que reco-

"o poeta poderia ser mais conciso se não tivesse a mania da repetição". Para Rubem, essas 113 palavras, a maioria tão repetidas, não dizem nada. É evidente, no entanto, que o poeta quis dizer muito.

Braga não é o homem da rua, não é um leitor comum. Se o sentido da poesia atual de Gullar lhe escapa, quem a poderá entender fora dos arraiais do concretismo? Poetas e críticos concretistas têm tentado explicá-la, mas a verdade é que quando falam fazem-no lá para eles, aliás estão brigados, há o grupo de São Paulo, há o grupo do Rio, e cada um deles se julga senhor da verdadeira ortodoxia concretista.

Gullar é dos nossos melhores poetas moços, como reconhece Braga, e inteligentíssimo. Poderia ajudar-nos a compreendê-lo. De fato pretendeu fazê-lo na epígrafe que pôs ao seu livro: "Esta poesia mostra o tempo como uma fruta aberta: tempo espaço de si mesmo". Segue-se um silêncio de duas páginas em branco e o primeiro poema é realmente uma fruta aberta, tempo e espaço de si mesma. O já famoso "Mar azul". Esse entendi bem, admiro-o, incluí-o numa antologia. Há outro poema no livro, como indicá-lo? Os poemas concretos não levam título, podiam ao menos levar número, chamemos a este "Verde erva", julguei entendê-lo, mas conversando com o poeta verifiquei não ter apanhado a exata intenção. O poema está, aliás, explicado num artigo do próprio Gullar, "Poesia concreta: palavra viva", aparecido no suplemento dominical do *Jornal do Brasil* comemorativo do primeiro aniversário de poesia concreta naquela folha. Esse artigo devia ter sido juntado ao livro como prefácio. Pareceram-me essenciais nele os seguintes conceitos: "O poema será construído com a palavra viva". Que é palavra viva? "A palavra carregada de experiência que o poeta traz consigo. Só essa palavra viva contém em si a carga de energia que fará dele não uma simplória combinação de palavras, mas um *fato* no mundo verbal, isto é, no mundo. Elemento objetivo de construção: a repetição. A repetição pela repetição, isto é, para desligar a palavra de suas aderências imediatas, para *limpá-la* e inserir-lhe uma significação precisa, imediata, concreta."

Tudo isso é muito claro. Nas 113 palavras repetidas de Gullar posso chegar a sentir a carga de experiência que em cada uma delas existe para o poeta, mas o conteúdo dessa experiência, o sentido dessa experiência não nos é comunicado, salvo no poema "Mar azul". A palavra "árvore" ou a palavra "erva" retém, para Gullar, um mundo de significações precisas, imediatas, concretas, mas o processo de repeti-las não nos dá a chave para entrar nele. O que vejo nitidamente nestes poemas, em seu conjunto, é um visual para quem o mundo se apresenta principalmente como uma confusão de espaço e tempo fortemente marcada de cores violentas – verde, azul, vermelho, sol, girassol, girafa.

[17-XII-1958]

O POETA E O CREMADOR

OSWALD DE ANDRADE: *TEATRO. A MORTA, O REI DA VELA*

"Dou a maior importância à *Morta* em meio da minha obra literária. É o drama do poeta, do coordenador de toda ação humana, a quem a hostilidade de um século reacionário afastou pouco a pouco da linguagem útil e corrente", diz Oswald de Andrade em sua carta-prefácio. Realmente é o que fere logo a atenção quando se leem as últimas obras do poeta: a espécie de descorrelação entre a sua intenção social, política e a sua natureza profunda. Esta é a de um poeta, irremediavelmente poeta. Como poeta, Oswald de Andrade embebe, ensopa, afoga o doutrinador. Não há meio deste falar a "linguagem útil e coerente". Os seus dons de invenção, de imaginação, de sátira, de jogo verbal, não se aquietam um só momento: põem o leitor num estado de perpétua surpresa. Esse paulista tem, no fundo, uma alma amazônica, mas amazônica sem pavores, antes com a fácil libertinagem carioca. Na direção que tomou a sua obra, a aterrissagem parece-lhe difícil. E apela para Julieta Bárbara, sua esposa. Julieta tem que disciпliná-lo, se é possível disciplinar esse Tenente Melo da poesia, que a cem metros de um campo denso de povo gira sobre as asas e "pisa" de rodas para o ar.

A poesia da *Morta* é a mais intensa que Oswald já fez. Infelizmente ela não poderá ser entendida pelos que mais precisariam dela. Creio que Oswald faz um pouco o jogo dos turistas, da polícia, "das empresas funerárias mais dignas, como a imprensa, a política" quando transporta o conflito entre mortos e vivos para aquela estratosfera de iluminações poéticas. Os turistas se divertem. Os soldados, os marinheiros não entendem. E a polícia acaba pondo os cremadores heroicos na cadeia.

Este senão, que restringe o alcance social da *Morta*, tão bela obra como obra de arte em si, é bem menos sensível em *O rei da vela*. Aqui o avião de Oswald toma os primeiros contatos com o campo de aterrissagem. Com as súbitas guinadas de quem, em suma, gosta é dos *loopings*, dos parafusos, das folhas-mortas. Oswald-poeta *versus* Oswald-cremador. Quando os dois um dia se entenderem, teremos enfim a obra-prima do Brasil esquerdo.

[2-IX-1937]

CHIRU: VISÃO NO CAMPO

CYRO MARTINS: *SEM RUMO*

A história de Chiru, indiozinho destorcido que foge da estância do padrinho para escapar aos maus-tratos do capataz Clarimundo, vagueia sem rumo certo pela campanha na rude vida de peão e acaba dando com os costados na cidade, fornece a Cyro Martins larga margem para nos descrever cenas e aspectos da vida gaúcha. A linguagem é ótima. Talvez um certo excesso de vocabulário regional. *Sem rumo* poderia, por si só, abonar todos os modismos do linguajar do Rio Grande do Sul. É uma mina para os dialetologistas. Vou transcrever ao acaso uma das páginas da novela: ela pode servir de amostra da segurança com que Cyro Martins sente e transmite ao leitor o ambiente, a alma dos seus pagos:

> Quando chegou em casa, aquela tarde, largou o bagual ruano, sem cerimônia, sem nem ao menos lhe banhar o lombo. E depois, deitou no pasto, de barriga para cima, indiferente, distraído, sem dar conta que deitara em cima da mangueira. Espichou-se bem, olhou para o céu, e pensou no petiço tordilho negro que o padrilho lhe dera. Aquele, sim, era de verdade. Os outros, os seus, eram de pau... E a sua guacha? A sua guacha já estava vaca, já dera um terneiro, já tinha, já tinha duas reses, portanto.
> – Boa tarde, Chiru!
> Virou-se, surpreendido.
> A família do posteiro vinha de volta da estância. Siá Mulata fora ajudar a patroa a fazer linguiça.
> Chiru ficou deitado, quieto. Abriu os olhos bem para cima. Fundura de céu! Fechou de novo as pálpebras, quase com sono. Mas logo comicharam os olhos. Nascia a lua no Caverá. Abriu as vistas para ver a lua.
> As posteiras iam perto ainda. Alzira, guria cresçuda, pulou um mio-mio. O vestido subiu alto nas pernas. Chiru viu, e não se importou. Mas ficou olhando, por olhar, no mais. A guria pulou outro mio-mio. Chiru achou graça: guria cabrita, aquela!
> Desapareceram num baixo.
> Escurecia. Vaga-lumes. Lua cheia. Sapos gritando nas sanguinhas. Grilos tinindo nas touceiras. Dorminhocos voando curto e desajeitados, como panos que o vento erguesse.
> Chiru meio dormia, lembrando, inventando coisas, viajando léguas, correndo mundo, como o Joãozinho que Siá Catarina contava... Mas voltava ligeiro para perto, para junto do gado de osso e dos cavalos de pau, assustado do que vira, longe, pelas distâncias desconhecidas, desdobrando-se dos trapos grandes de sombra que ficavam para trás...
> Topou bem de frente a lua. Contra a roda da lua, roliças, duas pernas saltavam.

Esta chinoca Alzira vem a ser a companheira de Chiru. Na cidade Chiru é envolvido, a seu mau grado, na política. Pela boca do dr. Rogério, o novelista nos dá uma ideia do que é essa política: "O que têm feito os grandes filhos deste chão, os valores do Rio Grande, pelos seus pagos, pela gente simples e valente que encheu dois séculos de glória na história da pátria? Os políticos... Ah! os políticos! Aproveitaram as virtudes marciais do seu povo, para explorar nelas as suas desavenças. E depois? Exploraram os seus defeitos, agravando-os, para fins ainda piores. Em vez de procurarem corrigir este homem, de índole boa, nas suas falhas, serviram-se delas, como os saltadores se utilizam dos trampolins. Amestraram-no na fraude, na baixa esperteza, no banditismo torpe e traiçoeiro. E mais, deram exemplos berrantes de altas traições! E assim, graças à corrupção que semearam, fizeram-se eleger para os grandes postos de representação, de onde falam para o povo, pelo povo." Isto não toca somente ao Rio Grande: toca a todo o Brasil, e dá razão aos cremadores de Oswald de Andrade.

[2-IX-1937]

O ROMANCE DE CARLOS EDUARDO

OCTAVIO DE FARIA: *MUNDO MORTOS*

Mundos mortos é o primeiro de uma série de quinze volumes subordinados ao título geral de *Tragédia burguesa*. O sr. Octavio de Faria pretende, pois, escrever um vasto romance do qual este volume constitui um fragmento. Desde logo sente-se a crítica impedida de se pronunciar sobre quase tudo que diz respeito à construção da obra: falta-nos a visão do conjunto a que referir as partes já apresentadas. Nestas condições qualquer juízo seria temerário, porque o que neste volume possa parecer defeituoso, ganhará talvez propriedade quando relacionado ao que virá depois. Exemplificando: fica-se decepcionado ao fim deste volume com a morte de Carlos Eduardo. O que me pareceu mais bem-feito nos *Mundos mortos* foi o preparo da apresentação de Carlos Eduardo. Quando o rapaz aparece, estamos vivamente curiosos de vê-lo viver. Carlos Eduardo, no entanto, aparece e morre logo atropelado por um automóvel. Claro que se o romance acabasse aqui, não perdoaríamos ao sr. Octavio de Faria essa defecção. Tanto mais que já nos sentíramos decepcionados quando, em vez de nos apresentar a experiência de Carlos Eduardo com a amiguinha de Pedro Borges, o autor substitui-a pelo encontro com Silvinha. Que Carlos Eduardo se apaixone por Silvinha é tudo que há de mais natural, de mais conforme com a natureza do "anjo". A aventura com Joan é que nos dava esperança de conflito interessante. Mas sem dúvida nada disto importaria ao desenvolvimento dos quatorze volumes restantes. E a gente sente que o fenômeno Carlos Eduardo é que terá importância sobre a vida futura de todas essas personagens que vemos ainda em plena crise de adolescência. Se *Mundos mortos* fosse um romance completo em si, criticaríamos a sua construção sob a forma de três novelas justapostas. Descrevendo-nos as crises de consciência de Ivo, de Roberto, e outros, todos companheiros de colégio, ganharia o livro maior força de unidade, com o entrelaçamento de todas essas experiências. A de Roberto é contemporânea da de Ivo. Não haveria dificuldade séria para um ajustamento da terceira parte. Mas a crítica perde o sentido uma vez que o romance vai continuar. E mesmo refleti agora que o processo empregado pelo sr. Octavio de Faria permitiu criar aquela atmosfera em torno da personagem de Carlos Eduardo, o que já disse que me pareceu o que há de mais bem-feito neste volume... Em geral a introspeção do sr. Octavio de Faria é prolixa. As suas anotações não têm a agudeza de outros romancistas nossos voltados para a análise subjetiva – um Mário Peixoto, por exemplo, que a gente precisa ler com muita atenção, porque, dado o seu gosto pelas elipses mentais, o seu menosprezo de todo detalhe vulgar ou supérfluo, na sua narrativa não há linhas mortas, não há *flou*. As análises do sr. Octavio de Faria estão cheias desse *flou* fotográfico, dessas linhas mortas. Se Carlos Eduardo evoca os momentos de felicidade no baile ao lado de Silvinha, fá-lo nestes termos: "Ainda a via, naquele instante, como lhe aparecera na festa, num momento verdadeiramente inesquecível – uma espécie de visão que o perturbara por alguns instantes, mas depois passara a ser o supremo encanto entre as inúmeras recordações extraordinárias que lhe tinham ficado daquela noite. Um vestido branco, muito simples, com um enfeite verde nos ombros. E um sorriso extraordinário, vindo do fundo de um rosto cuja delicadeza e suavidade excediam de muito tudo o que vira até então."

Ora, Carlos Eduardo aparecia-nos mais vivo quando apenas sugerido por uma ou outra referência das personagens da primeira e segunda partes do romance. A prosa de ficção do sr. Octavio de Faria é bem inferior à sua prosa de ensaísta e crítico. Àquela falta a força nervosa que comunica a esta o instinto agressivo tão característico do autor de *Dois poetas* e do *Destino do socialismo*. E é isto, creio, e a sua carência de dons poéticos que prejudicam a comunicação com o leitor, malgrado o bom desenvolvimento dos caracteres e outras qualidades que atestam no sr. Octavio de Faria a ciência e consciência da melhor técnica do romance.

[9-IX-1937]

Nascentes do Modernismo

Mário da Silva Brito: *Antecedentes da Semana de Arte Moderna*

Com o belo volume intitulado *Antecedentes da Semana de Arte Moderna*, de recente publicação (Edição Saraiva), inicia o nosso caro Mário da Silva Brito uma história do movimento modernista no Brasil, obra de que, em verdade, muito estávamos carecendo, sobretudo feita no espírito em que a planejou e começa a realizar o poeta e crítico paulista, isto é, fornecendo ao leitor de hoje os textos dos primeiros documentos que marcaram o início da agitação renovadora. Pela primeira vez vemos agora reunidos em livro o famoso artigo de Monteiro Lobato sobre a primeira exposição de Anita Malfatti em São Paulo, o discursinho de Oswald de Andrade saudando Menotti del Picchia no Trianon, o artigo do mesmo Oswald sobre Mário de Andrade ("O meu poeta futurista"), a série de artigos de Mário de Andrade sobre os nossos grandes parnasianos ("Os mestres do passado"), e outros importantes manifestos do movimento. Eu mesmo, que tomei parte no cultivo e proselitismo da nova estética, só os conhecia por ouvir falar, pois eles são anteriores a outubro de 1921, e só nessa data eu tomei conhecimento da pessoa e da poesia de Mário de Andrade em casa de Ronald de Carvalho.

A leitura de tais documentos causou-me não pequena surpresa. Assim, verifiquei não ser verdade que o Lobato tivesse apresentado Anita como uma paranoica ou mistificadora. Ao contrário, reconhece-lhe "um talento vigoroso, fora do comum". E acrescenta: "Poucas vezes através de uma obra torcida para má direção, se notam tantas e tão preciosas qualidades latentes. Percebe-se de qualquer daqueles quadrinhos como a sua autora é independente, como é original, como é inventiva, em que alto grau possui um sem-número de qualidades inatas e adquiridas das mais fecundas para construir uma sólida individualidade artística." O que Lobato atacou a fundo foi o que lhe parecia a "má direção".

Quanto aos primeiros documentos de Oswald, são decepcionantes e até bastante ridículos. O chamado "Manifesto do Trianon" e o artigo "O meu poeta futurista" oferecem exemplos daquela prosa inchada "que julga dizer tudo e não diz nada". É evidente que o admirável instrumento de Oswald ainda não estava afinado.

Mas o movimento tinha que pesar porque os moços estavam com a razão. Eles ainda não eram nada e metiam-se a derruir grandes nomes. A sua desculpa está naquela aguda observação de Valéry: "As lacunas e os vícios do que existe nos são maravilhosamente sensíveis na idade em que nós mesmos quase não existimos ainda".

[18-II-1959]

CARICATURAS
HERMAN LIMA: *HISTÓRIA DA CARICATURA NO BRASIL*

Não quero ficar atrás no coro de encômios que se levanta agora na imprensa, saudando os nomes de Herman Lima e José Olympio, respectivamente autor e editor da obra *História da caricatura no Brasil*. Tanto mais que no assunto caricatura me sinto um pouco como em casa.

Certa vez alguém me perguntou desde quando eu gostava de música. Desde sempre, respondi; nasci no meio da música. O mesmo posso dizer da caricatura: nasci meio da caricatura; meu pai se pelava pelas caricaturas, comprava um jornal e ia logo à caricatura do dia, comprava os semanários humorísticos nacionais, assinava os estrangeiros, o *Punch*, inglês, o *Fliegende Blätter*, alemão. Esse último, sobretudo, fazia as minhas delícias, com as suas histórias em quadrinhos sem legenda. Meu pai comprava também as coleções de caricaturas dos grandes caricaturistas estrangeiros, e certo álbum de Caran d'Ache, o seu predileto, por causa do traço sintético, fez época lá em casa.

Assim, fácil é imaginar com que interesse e prazer tenho manuseado e saboreado os quatro volumes, graficamente primorosos, da obra, também primorosa, de Herman Lima.

Não é esta a primeira vez que o simpático autor de *Tigipió* e *Garimpos* se ocupa do assunto pelo qual revela agora verdadeira paixão: anteriormente organizara um álbum de caricaturas de J. Carlos, editado em 1950, outro – *Rui e a caricatura*, biografia política do grande baiano pela caricatura, também editado pelo Ministério da Educação, em 1949, e ainda neste mesmo ano o ensaio *A caricatura, arma secreta da liberdade*.

Essas publicações, porém, eram apenas amostrazinhas do labor formidável em que andava empenhado e cujo resultado final é esta monumental *História da caricatura no Brasil*, que constitui uma verdadeira biografia do Brasil pela caricatura, e aliás é também história da caricatura no mundo, desde a primeira caricatura conhecida, que é, ao que parece, um papiro egípcio existente no Museu de Turim.

Ainda que a *História da caricatura no Brasil* não fosse tão valioso estudo sobre a arte que, entre todas, é a que mais particularmente "castiga rindo os costumes", só a cópia das ilustrações insertas (910, sendo 27 a cores) justificaria a sua aquisição. Há entre essas caricaturas algumas famosas. Sinto que não esteja entre elas uma famosíssima, representando a Rainha Vitória de saias arregaçadas e levando umas palmadas de Kruger, o presidente do Transvaal. Na luta dos bôeres contra a Inglaterra fomos entusiasticamente pró-bôeres, de sorte que Crispim do Amaral, o brasileiro autor da caricatura, se tornou popularíssimo então no Brasil. A irreverente sátira motivou o repatriamento imediato do artista, que durante algum tempo chamava a atenção de todo o mundo nas ruas do Rio, pelo sucesso alcançado na Europa com essa caricatura e pelo seu tipo em si, que era de mulatão de basta trunfa e bigodeira, chapelão enorme.

Mas não pense o meu caro Herman Lima que a sua missão está terminada no mundo da caricatura: já agora temos o direito de lhe exigir a reedição dos álbuns de Emílio Cardoso Ayres e J. Carlos, e edições de álbuns de Raul, pelo menos o Raul das "Cenas da vida carioca", de Calixto, de Julião Machado, enfim de tantos outros que apanharam com tanta graça os ridículos da *belle époque*.

[1963]

Diário de romancista

Lúcio Cardoso: *Diário*

Tenho uma velha dívida a saldar com meu amigo Lúcio Cardoso. Admiro-o com abundância de alma, desde a publicação de *Maleita*, e no entanto jamais escrevi uma linha sobre o grande romancista que tão fundas emoções me tem despertado com as suas histórias e personagens estranhas, o seu mistério tão bem definido pelas palavras de José Lins do Rego: "O que acontece é um nada em relação ao que pode acontecer". De fato, o que angustia nos romances de Lúcio é (como na vida...) o que pode acontecer.

Sobre Lúcio escrevi apenas umas poucas linhas na *Apresentação da poesia brasileira*, para dizer que "a sua expressão cabal está nos romances e contos, aliás de densa atmosfera poética".

Não há dúvida: o romancista é maior do que o poeta. Mas... mas o romancista é grande precisamente pelo poeta que o informa. Houve tempo em que me encontrava frequentemente com Lúcio na cidade, e muitas vezes discutimos sobre os seus romances. As suas deficiências irritavam-me porque eram deficiências fáceis de corrigir. O que me parecia faltar a Lúcio eram coisas que se aprendem, ao passo que ao lado delas havia sempre o que não se aprende: o dom poético, o dom de criar vida, atmosfera, de armar os lances imprevisíveis e patéticos do destino. Na *Crônica da casa assassinada* culminou essa força demiúrgica, de Lúcio. As personagens do romance – Nina, Valdo, Ana, o coronel, o farmacêutico, o incrível Timóteo – todas continuam a viver na minha imaginação inapagáveis. No entanto por ocasião da leitura, como me incomodava que todos escrevessem da mesma maneira, que é afinal a maneira de Lúcio! Todavia esse elemento destruidor da verossimilhança foi impotente para anular a verdade imanente das criaturas a que Lúcio insuflou o seu extraordinário sopro de vida.

Agora Lúcio inicia a publicação do seu *Diário*. Aqui não haverá que fazer restrições desse gênero. Aqui temos Lúcio contando na sua própria voz o seu próprio romance. E as confidências de Lúcio interessam a gente, sacodem a gente por aquele mesmo misterioso toque de inquietação – a apreensão "do que pode acontecer". Vemos nestas páginas um homem em luta consigo mesmo, com o seu destino, com o seu Deus. E como esse homem é rico de sensibilidade, de inteligência, fundamentalmente nobre e bom e corajoso, o seu *Diário* empolga-nos desde as primeiras linhas e, terminado o volume, fica-se ansioso pela continuação prometida. No meu caso de amigo e admirador de Lúcio faço votos para que o romance tenha um fim não do gosto do romancista para os romances que inventa – um *happy end*.

[30-XI-1960]

Cronista meio leviano

Manuel Bandeira: *Crônicas da província do Brasil*

Ainda antes de publicar o seu primeiro livro de versos, o sr. Manuel Bandeira escrevera algumas crônicas para o *Correio de Minas* de Juiz de Fora, o que fez alguém – um anjo moreno, violento e bom, pernambucano – dizer que ele queria penetrar na literatura brasileira "via Juiz de Fora". Mais tarde ele escreveu para o seu Recife, para São Paulo, para Belo Horizonte. Creio que falou sobretudo para os seus amigos. O gênero crônica permite uma certa leviandade muito de jeito para aqueles de quem se diz depois que "muito moço, teve que interromper os estudos" etc.

Tenho pena de não ver neste volume a crônica que o sr. Manuel Bandeira escreveu sobre o sr. Cícero Dias na revista *Forma*. O poeta admira grandemente o pintor pernambucano a quem ele próprio chamou "o menino de engenho da pintura brasileira". No entanto, no volume das *Crônicas* só aparecem umas poucas linhas de caçoada a respeito do Cícero. Francamente, aqui a leviandade foi excessiva.

Uma crônica interessante é a que expõe o sistema biotipológico inventado pelos srs. Jayme Ovalle e Augusto Frederico Schmidt: a neognomonia. Na roda dos amigos do cronista é impossível conversar cinco minutos sem falar em "parás", "'kernianos", "mozarlescos" e "onésimos". Aqui também há leviandades grossas, como por exemplo classificar Greta Garbo entre os "kernianos". Greta Garbo é sabidamente "pará". O sr. Manuel Bandeira escreveu com certeza a sua crônica depois de ter visto o filme *Mulher de brio*, no qual a heroína se mata um tanto kernianamente. Declara também ignorar a origem da categoria "mozarlesca", quando toda a gente sabe que o anjo mozarlesco é o sr. Mozart Monteiro. Com grave preterição aliás de tantos "mozares" ilustres...

[7-X-1937]

O MISTÉRIO POÉTICO

Um poeta que raramente faz versos, mas que está sempre pondo o dedo de fora no trabalho que chama "vão e cansativo de fazer crônicas", Rubem Braga, debruçou-se, domingo passado, sobre o mistério poético. Definiu-lhe um dos elementos na faculdade de "dar um sentido solene e alto às palavras de todo dia". É aquela "audácia mágica na simplicidade", a que se referiu Augusto Meyer falando de certas rimas pobres de Camões (as gerundiais, por exemplo), refertas, no entanto, de profunda ressonância emotiva.

Naturalmente, são inumeráveis os processos de que se serve o poeta para dar um sentido alto às palavras de todo dia, aos lugares-comuns da linguagem coloquial. Aludirei somente a um deles, que consiste em colocar a palavra em evidência nas pausas métricas do verso. Foi o que praticou Antero de Quental no último verso do soneto "Sepultura romântica": "Desse infecundo, desse amargo mar!"

"Infecundo" e "amargo" são palavras corriqueiras. Todavia, colocadas as suas tônicas nas pausas do decassílabo sáfico (quarta e oitava sílabas), ganharam alto e solene sentido, comunicando ao verso não sei que mágica profundidade. Profundidade que desaparece se deslocarmos os dois adjetivos daqueles postos-chaves, dizendo, por exemplo, "desse infecundo mar, amargo mar!" Aqui os acentos na quarta e oitava sílabas são secundários, o acento principal está na sexta.

É essa "magia na simplicidade" que não me deixa concordar com o voto vencido de meu querido amigo e mestre Otto Maria Carpeaux no processo de Quental, em que assino de *grand coeur* com o relator Adolfo Casais Monteiro, editor literário do volume *Antero de Quental*, na série "Nossos clássicos", editada pela Livraria Agir. "Um poeta único, um dos poetas máximos da língua portuguesa", conclui Casais no seu belo prefácio.

Perdoe-me o mestre Carpeaux, mas meio que fiquei escandalizado de o ver classificar Quental como poeta parnasiano, "com todas as fraquezas típicas do Parnasianismo", e chamando-lhe à poesia "prosa impecavelmente versificada". Primeiro que não é tão impecável: um dos seus encantos reside precisamente na sua pecabilidade, em certa frouxidão bem portuguesa que só a prosódia portuguesa torna não só aceitável, como até consubstancial à força do verso. Isso é tudo o que há de menos parnasiano. O próprio Carpeaux anota que "em torno de seus adjetivos incolores, em torno dos seus versos mais prosaicos há uma aura inefável, como de uma presença mística". É a "audácia mágica na simplicidade", a bruxaria dos grandes poetas.

[7-V-1958]

Anatomia de um poema

Sob o título acima publicou o sr. Marino Falcão no *Diário do Povo*, de Campinas, uma exegese dos meus versos "Sacha e o poeta", pedindo-me depois, em carta muito amável, que lhe dissesse se a sua interpretação coincidia com o meu pensamento.

Antes de responder, vou transcrever aqui o poema, e fá-lo-ei em composição corrida para poupança de espaço: "Quando o poeta aparece, Sacha levanta os olhos claros, onde a surpresa é o sol que vai nascer. O poeta a seguir diz coisas incríveis, desce ao fogo central da Terra, sobe na ponta mais alta das nuvens, faz gurugutu, pif paf, dança de velho, vira Exu. Sacha sorri como o primeiro arco-íris. O poeta estende os braços, Sacha vem com ele. A serenidade voltou de muito longe. Que se passou do outro lado? Sacha mediunizada – ah-pa-papapá-papá – transmite em morse ao poeta a última mensagem dos anjos."

Para Marino Falcão esse poema é o relato metafórico de uma sedução, Sacha uma jovem ingênua, inexperiente, deslumbrada "com os ademanes e manigâncias" do poeta, os quais "desencadeiam nela o processo do viciamento da vontade". E como Marino Falcão, sobre ser homem de letras, é promotor público na nobre Cidade de Campinas, capitula a aventura como "crime definido em lei e previsto no artigo 217 do Código Penal". Bem entendido, se Sacha era menor de dezoito anos.

Marino Falcão acertou em parte. De fato, o poema é o relato de uma sedução. Só que a finalidade de todas as manigâncias do poeta era obter tão somente um sorriso de Sacha. E como está contado nos versos, obteve-o. Obteve mais, coisa inefável, a última mensagem dos anjos, sob a forma de um *vocalise* muito semelhante às linhas e pontos do alfabeto morse.

Marino errou também no que concerne à idade de Sacha. Era menor de dezoito anos, sim, tinha, ao tempo da sedução, apenas uns seis meses de idade, só falava em alfabeto morse. Louríssima, alvíssima, seriíssima. Eu tinha que conquistar-lhe um sorriso, usei de todos os recursos referidos. E o sorriso veio. Como deve ter luzido sobre o mundo o primeiro arco-íris.

Vou mandar esta crônica a Sacha. Ela vive hoje em Estocolmo, casada com um rapagão sueco, mãe de duas suequinhas maravilhosas – Ann-Marie e Ingrid, três anos e um ano, portanto, ambas já mais idosas do que Sacha quando inspirou o poema tão interessantemente anatomizado por Marino Falcão. Não lhe doa a este o que há de errado na sua interpretação. Valéry não disse que não existe verdadeiro sentido de um texto? Não vale a autoridade do autor: "*Quoiqu'il ait voulu dire, il a écrit ce qu'il a écrit*".

[8-III-1961]

Cantador violeiro

Em minha "Saudação aos cantadores do Nordeste" celebrei um deles nos versos:

> Um, a quem faltava um braço,
> Tocava c'uma só mão.
> Mas como ele mesmo disse,
> Cantando com perfeição,
> Para cantar afinado,
> Para cantar com paixão,
> A força não está no braço,
> Ela está no coração.

Lamentei não ter nomeado o cantador, como não nomeei outros, porque eram muitos e memória de velho não vale nada. José Pereira da Costa se chama o cantador sem braço direito. Informou-me outro nordestino poeta, Sebastião Batista, que Pereira da Costa perdeu, porém, o braço num desastre de caminhão, faz agora quatorze anos. Não perdeu o ônibus: aprendeu a escrever com a mão esquerda e continuou a dedilhar a viola, inventando para isto a sua técnica especial. Dizem os seus colegas cantadores que quando tinha os dois braços era considerado um dos melhores violeiros do Nordeste.

Desse repentista exímio tive a satisfação de receber um agradecimento em verso à saudação que dirigi aos poetas improvisadores. Assim principia Pereira da Costa:

> Sou poeta sertanejo
> Lá da terra do Teixeira,
> Toquei bem na regra inteira,
> Nasci na terra do queijo,
> Hoje por aqui me vejo
> Sem pai, sem mãe, sem irmão,
> Liso, sem nenhum tostão...

E por aí vai... Canta as belezas do Rio, de que se despede com pena:

> Meu bom *Jornal do Brasil*,
> Meu adeus, minha saudade
> Dos passeios na Cidade,
> Das águas da cor do anil;
> Deste céu primaveril,
> Do Pacheco e todos mais,
> Moça, menino e rapaz,
> Casa, pintura e desenho:
> Eu não morrendo inda venho,
> Morrendo não volto mais.

Obrigado, José Pereira da Costa, pela sua gentileza. Guardarei sempre a preciosa lembrança do seu gesto e da sua voz cantando com viril valor nordestino:

Meu defeito está no braço
Mas minha alma está sadia.
Versejo com o coração,
Não preciso a outra mão
Pra ganhar a cantoria...

[16-XII-1959]

Origem do "cromo"

Nas leituras e releituras a que venho procedendo para me desincumbir da empreitada,[4] tive a surpresa de deparar em *Primeiros sonhos*, o livro de estreia do poeta aos vinte anos, uma coisa que me era desconhecida porque nunca ninguém, que me conste, falou nela e que despercebida me passou quando li pela primeira vez, na Biblioteca Nacional, a brochurazinha que era raridade bibliográfica ao tempo em que eu preparava a *Antologia dos parnasianos*, mas hoje está reproduzida na reedição das obras poéticas completas do poeta maranhense, organizada por Múcio Leão.

O que me passara despercebido em *Primeiros sonhos* foi identificar em certo sonetilho em hexassílabos, a "Oração da manhã", a matriz daquele gênero que B. Lopes, também nascido em 1859, levou à perfeição sob o título de "cromo". *Cromos* chamou ele ao seu livro de estreia, vindo à luz três anos depois de *Primeiros sonhos*. É assim a "Oração da manhã":

A madrugada acorda
E tênue luz desata;
D'aroma o val transborda,
Referve a catarata...

Lá, da lagoa à borda,
A rosa se retrata...
Que música na mata!
A madrugada acorda!

E a virgem no seu leito,
Meu Deus! já despertando
Dos seus sonhos d'amor,

Levanta-se e no peito –
Postas as mãos – rezando,
Saúda-te, Senhor!

Digam agora os leitores se não é a mesma sensibilidade, a mesma moldura, o mesmo processo. que se encontram nos singelos poeminhas que B. Lopes cultivou sob o título de *Cromos*. Este, por exemplo:

---

4 Falar na Academia Brasileira sobre Raimundo Correia, no centenário do seu nascimento.

Caíra o sol no horizonte!
A rapariga travessa
Vai, de cântaro à cabeça,
Pelo caminho da fonte.

Fumega o rancho. Defronte
Azula-se a mata espessa...
Antes, pois, que a noite desça,
Voam as aves ao monte.

Aponta Vésper brilhante...
E o largo silêncio corta
Uma toada distante...

Irado, enxotando o galo,
Está um homem na porta,
Dando ração ao cavalo...

[6-XII-1959]

CALEJADO NO OFÍCIO

A Editora do Autor convidou-me para organizar uma antologia da poesia brasileira, das origens até hoje, e eu caí na asneira de aceitar o convite. É verdade que impus uma condição: que me dessem um colaborador à minha escolha, menor de trint'anos, a quem caberia o encargo de proceder à seleção a partir da geração de 1922. Refleti comigo que um rapaz nas condições de José Guilherme Merquior já pode representar em relação aos da Semana de Arte Moderna uma espécie de razoável posteridade. Convidei-o a trabalhar comigo, e ele topou bravamente a parada, inclusive escrevendo um prefaciozinho (cada um escreveu o seu), a que deu o título de "Nota antipática". Entende José Guilherme que "o maior defeito em cultura é o injustificável pudor de se afirmar". E se afirmou, ora se não! "Não admira", preveniu logo, "se há autores omitidos, poemas relegados, livros inteiros excluídos". Não tem dúvida que José Guilherme vai fazer os seus talvez primeiros inimigos. Eu farei mais alguns. Não importa: calejei-me no ofício. Quem não queira fazer inimigos nas letras não se meta a fazer antologias nem histórias literárias.

Até 1922, em matéria de poesia, era relativamente fácil organizar uma antologia, porque cada uma das escolas que se sucederam tinha dado apenas uma meia dúzia de bons poetas e o resto podia ficar de fora. Mas de 1922 para cá a coisa mudou de figura. Não sei se houve estalo de Vieira ou se o Modernismo deu a receita, mas o fato é que o número dos bons poetas aumentou assustadoramente para os antologistas. Baste dizer que o simpático Ayala, Walmir Ayala, um dos bons poetas de agora, acaba de lançar o volume *A novíssima poesia brasileira*, onde reuniu, sem escândalo, nada menos que 73 poetas. Pois me disseram que ele já fez numerosos desafetos entre excluídos que se julgavam com direito impostergável de figurar na seleção.

Vocês conhecem alguma antologia irreprochável? Qualquer que seja o critério que se adote, haverá sempre defeitos e falhas. A verdade é que a poesia de um país não pode ser representada por uma só antologia: são precisas umas poucas, organizadas à luz de diferentes critérios, diferentes gostos. Esta apresentará poucos autores e muito de cada autor, como a de Villaurrutia, que aliás escolheu para epígrafe da sua excelente antologia da poesia moderna de língua espanhola um verso lindo de Lope de Vega: *"Presa en laurel la planta fugitiva"*, justificando o título que é *Laurel*. Aquela, e é o caso da de Walmir Ayala, admite muita gente e pouco de cada um. Há que haver antologias dos dois tipos e de outros. A nossa, quero dizer a minha e de Merquior, pende mais para o primeiro tipo, incluindo todavia certos lugares-comuns da cultura de um brasileiro e que até forneceram, alguns, frases feitas à linguagem cotidiana: o "Quem passou pela vida em branca nuvem...", de Francisco Otaviano, por exemplo.

Meu caro José Guilherme, somos mútuas testemunhas de que trabalhamos sem prevenções num esforço honesto de acertar. Temos, porém, certeza de que a nossa antologia será defeituosa como todas as outras. Mas ouso esperar que muito leitor gostará de apreciar a nossa poesia do ângulo em que nos colocamos para apanhar-lhe a formosa perspectiva.

[1963]

Antologia diferente

I

Será um poema coisa traduzível? O ano passado, numa sessão da Semana de Estudos Americanos, o problema me foi proposto por Ernesto Guerra da Cal, poeta galego, hoje diretor do Departamento de Espanhol e Português na Universidade de Nova York. Respondi-lhe, segundo a minha experiência do assunto, que há poemas traduzíveis e poemas intraduzíveis; que são intraduzíveis aqueles em que a poesia nasce indissoluvelmente ligada aos valores formais das palavras, à música das palavras (como observa T.S. Eliot, é intraduzível aquela parte do sentido do poema que está na sua música). Mas o poeta-tradutor pode achar em outra língua a mesma virtude musical em outra combinação de palavras. Nessa esquina me esperava da Cal para me desarmar com o argumento de que, em tal caso, o que resulta não é mais tradução, e sim, criação nova. Perguntaram certa vez ao escritor húngaro Miguel Babits qual o poema de seu idioma por ele considerado o mais importante. Ao que ele respondeu: – "O melhor poema húngaro é 'Ode ao vento de Oeste', de Shelley, traduzido por Arpad Toth". Neste sentido se pode dizer que um dos melhores poemas da língua portuguesa é "O corvo", de Poe, traduzido por Machado de Assis. Os chamados plágios de Raimundo Correia foram, na realidade, traduções que resultaram em variações originais. Ezra Pound disse que o Villon das traduções de Swinburne não é muito exatamente Villon, mas é talvez o melhor Swinburne que temos; da mesma forma considerava melhores do que Rossetti as traduções de Rossetti.

Tenho que o problema foi posto em termos definitivos por Croce na sua *Estética*: "Toda tradução é impossível se pretende o transvasamento de uma expressão em outra, como o do líquido de um recipiente a outro; não podemos reduzir o que já tem forma estética a outra forma estética. Toda tradução, com efeito, ou diminui e estropia, ou cria uma expressão nova. Assim, a tradução que merece o nome de boa é uma aproximação que tem valor original de obra de arte, e que pode viver independentemente."

Não haverá então um meio de fazer sentir o poema em si, na intraduzível verdade de sua forma original? A esse problema se dedicou o poeta norte-americano Stanley Burnshaw, o qual, ajudado por outros poetas partidários de suas ideias, acaba de editar a antologia *The Poem Itself* (Holt Rinehart and Winston, New York, 1960), onde 45 poetas modernos, franceses, alemães, espanhóis, portugueses, brasileiros e italianos são apresentados de maneira que o leitor de qualquer outra língua possa compreender cada um dos poemas e ao mesmo tempo senti-lo como poema. Como se faz isso? É o que veremos em nossa próxima crônica.

[19-VI-1960]

II

Na antologia *The poem itself* cada poema é apresentado na língua original (há no fim do volume, uma nota ensinando a pronúncia dos fonemas particulares a cada idioma) e esclarecido por um extenso comentário em prosa. Consta esse comentário de uma tradução literal envolvida numa discussão explanatória do poema.

Na tradução literal fica entendido o poema em seu conteúdo; o comentário é que ajuda o leitor de outra língua a senti-lo como poema. Tomemos para exemplo ilustrativo um dos mais breves, senão o mais breve poema jamais escrito em qualquer idioma – o famoso *"Mattina"*, de Ungaretti:

> Me illumino
> D'immenso.

"Mattina" é o título que tem o poema no livro *Sentimento del tempo*. Mas o poeta já o havia intitulado alhures *"Cielo e mare"*. Aqui o comentarista, que é o nosso conhecido John Frederick Nims, adverte que o ponto crucial do poema não está na manhã, nem no céu e no mar, mas sim "no efeito de toda vasta realidade do universo físico sobre a alma humana". Vem em seguida uma análise dos valores formais:

"A sílaba mais enfática do poema prolonga o *n* tônico de *illumino*, um longo, lento, cogitabundo, quase rapsódico *uuuu* – efeito suportado, de resto, pelos *ss* e *mm*, que soam dobrados em italiano, e os *oo* finais. Os dois versos quase rimam (*mino, menso*); provavelmente a rima perfeita seria demasiado confinativa para um poeminha cujos círculos de expansão se dilatam ao infinito." O comentário dos dois versos de Ungaretti toma toda uma página e funciona como uma iluminação a todos os ângulos.

Stanley Burnshaw, o organizador da antologia, distinguiu-se nas letras norte-americanas com um livro de poemas, *Early and late testament* (1952) e um volume sobre *André Spire and his poetry*, quarenta traduções e ensaios (1933). As suas pesquisas em matéria de tradução de poesia remontam a trinta anos atrás e amadureceram na forma em que se apresentam nesta antologia ao enfrentar ele a tradução de alguns poemas de Mallarmé (o poema *"Don du poème"* foi o ponto de partida para esse original processo de revelação de um poema).

A equipe dos comentaristas inclui nomes de grande prestígio, entre eles Ernesto Guerra da Cal. Este traduziu dois poemas meus, dois de Cecília Meireles e dois de Fernando Pessoa ("Autopsicografia" e "Entre o sono e o sonho"). Os seus comentários ao meu "Tema e voltas" são dos mais argutos do volume, e a mim próprio me esclareceram, pondo-me em pleno foco da consciência valores conteudísticos e formais abrolhados na franja do subconsciente: fiquei querendo bem ao meu poeminha...

[22-VI-1960]

SONETO DAS CARTAS

Há algumas semanas publiquei neste jornal a tradução de um dos *Sonnets from the Portuguese* de Elizabeth Barrett Browning. Em verdade a publiquei a medo, pois sentia todas as deficiências da minha tentativa.

Entretanto a versão agradou de tal modo, tantas interpelações recebi de amigos a respeito dela e da autora, que me animei a segunda tentativa, ensaiando passar também ao vernáculo o famoso soneto das cartas.

Como disse da primeira tradução, direi desta igualmente que é menos uma tradução do que uma paráfrase. De resto estou convencido que a paráfrase é a única forma viva de tradução. Se esta consegue pela ciência do verso e da língua acompanhar à letra o pensamento original, quase sempre o faz com sacrifício do sentimento e dos elementos emotivos imponderáveis do ritmo. Na paráfrase o tradutor recria, tomando do autor a parte mais profunda e mais humana da sua experiência, podendo para o resto servir-se dos dados pessoais próprios.

Do primeiro que traduzi tive ocasião de ler ultimamente uma versão francesa que é perfeita como fidelidade de sentido. No entanto é uma coisa morta. Matou-a de princípio o ritmo, o do alexandrino, que reputo fora de toda aplicação para o caso dos "Sonetos do português". Não há dúvida que os tradutores portugueses levarão vantagem aos de qualquer outra literatura para os sonetos de Elizabeth, porque o soneto clássico camoniano é a forma por excelência daqueles poemas de quatorze versos.

Disse com intenção que os sonetos de Elizabeth são poemas de quatorze versos. A maioria dos sonetos ingleses são assim, apesar dos nexos das rimas. Os poetas ingleses não respeitam muito a estrutura do soneto. Para eles o soneto não é tanto um poema dividido em duas quadras e dois tercetos, se não um todo de quatorze versos obrigados à conhecida combinação das rimas.

Elizabeth no soneto das cartas passou da segunda quadra para o primeiro terceto e deste para o segundo apagando inteiramente as linhas a que no soneto português clássico, muito mais orgânico, nós outros estamos habituados. Não creio que houvesse intenção expressiva nessa desarticulação da estrutura do soneto, razão pela qual me servi do molde clássico. Já disse em outra ocasião que para mim o essencial da forma soneto é um certo equilíbrio de volumes líricos, genialmente esquematizado na divisão de duas quadras mais dois tercetos. E entendo que essa estrutura deve ser respeitada. Tudo o mais me parece acessório – metro que pode até faltar, rimas ou toantes ou nada disso.

Eis, na minha tradução, o famoso soneto das cartas:

> As minhas cartas! Todas elas frio,
> Mudo e morto papel! No entanto agora
> Lendo-as, entre as mãos trêmulas o fio
> Da vida eis que retomo hora por hora.
>
> Nesta queria ver-me – era no estio –
> Como amiga a seu lado. Nesta implora
> Vir e as mãos me tomar... Tão simples! Li-o
> E chorei. Nesta diz quanto me adora.
>
> Nesta confiou: sou teu, e empalidece
> A tinta no papel, tanto o apertara
> Ao meu peito, que todo inda estremece!
>
> Mas uma... Ó meu amor, o que me disse
> Não digo. Que bem mal me aproveitara
> Se o que então me disseste eu repetisse.[5]

[20-VI-1929]

Poema de *eternidades*

Quando li a notícia do falecimento de Juan Ramón Jiménez, fui logo procurar no meu arquivo a carta que em 5 de abril de 1955 me escreveu, em nome do poeta, a que durante quarenta anos foi até a morte a sua esposa, secretária e enfermeira – a admirável Zenóbia. Dez anos antes, enviara eu a Jiménez a primeira edição dos *Poemas traduzidos*, linda edição ilustrada por Guignard e lançada por Murilo Miranda. A remessa representava uma pura homenagem ao mestre, de quem eu traduzira 33 canções. Não ousando esperar do poeta uma linha sequer de agradecimento, deixei de informar-lhe o meu endereço. Foi, pois, com grande contentamento que li na carta de Zenóbia o terem as minhas traduções das canções causado alegria ao mestre. O casal andou dez anos sem descobrir o meu endereço; só em Porto Rico veio a descobri-lo por intermédio de Federico de Onis.

---

5 Soneto incluído em *Poemas traduzidos*.

Pela carta vim a saber que desde 1950 a saúde do poeta era bem precária. No entanto resistiu por mais oito anos; a esposa veio a falecer antes dele e, por crueldade da sorte, no momento em que o Prêmio Nobel de Literatura era dado a Jiménez. Naquela ocasião escrevi uma crônica celebrando o "andaluz universal".

Lida a carta de Zenóbia, onde, no fim, vem a preciosa assinatura do poeta, fui à estante dos meus espanhóis queridos e tomei do volume das *Eternidades*. Li a primeira, a segunda, a terceira, a quarta. Quando cheguei à quinta estava tão comovido que senti a necessidade imperiosa de traduzi-la: ela é um escorço da evolução poética de Juan Ramón Jiménez até ele alcançar a suprema singeleza de sua última fase. Do seio de Deus, onde repousa agora, receba o mestre esta homenagem humilde, – estas flores de pobre.

> Veio, primeiro, pura
> vestida de inocência:
> como um menino amei-a.
>
> Logo se foi vestindo
> de não sei que roupagens.
> E fui odiando-a, sem sabê-lo.
>
> Chegou a ser rainha
> faustosa de tesouros...
> Que iracúndia de gelo e sem sentido!
>
> ... Mas se foi desnudando,
> desnudando... E eu sorria.
>
> E quedou-se com a túnica
> de sua antiga inocência.
> Voltou-me a crença nela.
>
> Por fim despiu a túnica
> E surgiu toda nua...
> Paixão de minha vida, ó poesia
> desnuda, minha para sempre!

[1-VI-1958]

História de Joanita

Amanhã faz muitos anos que nasceu Joanita. Bom assunto para uma crônica: vou *contar a história de Joanita*.

Tive a primeira notícia de Joanita quando ela ainda brincava de esconder no ventre de sua mamãe que era, e continua a ser, uma fada, só que hoje duas vezes bisavó. Joanita nasceu marcada: tinha uma grande mancha de cor na testa. Esteve para ser operada. Se tivesse sido operada, estaria hoje com uma bruta cicatriz na testa. Não foi operada, a mancha desapareceu com o tempo, Joanita, que já era linda, ficou lindíssima. Que o diga Gerard Elisa, Barão Van Ittersum.

Até os nove anos Joanita não havia aprendido nada, escrevia em francês (de três palavras fazia uma; de uma fazia três). A mãe, a tal fada, achava muita graça, eu disse um dia: – Isto tem que acabar.

Principiei a ensinar Joanita a escrever. Foi o início de uma carreira, que me levou até a Faculdade de Filosofia da Universidade do Brasil, de onde, após alguns anos de magistério, fui compulsado com escandalosa aposentadoria, de iniciativa do deputado Carlos Lacerda (e esse futuro governador do estado da Guanabara ainda ousa pretender moralizar os costumes políticos de nossa terra!).

Quando fui professor de Joanita andava em moda falar contra a pedagogia livresca. O que se estuda só nos livros não fica na memória, é preciso estudar a natureza na própria natureza. De sorte que, chegada a hora de estudar com Joanita a anatomia do cérebro, coisa complicada, pedi a Castelliano que me arranjasse um cérebro na Santa Casa, e ele mo trouxe num balde cheio de álcool. Durante uns três dias cortamos e esquadrinhamos aquele bolo de massa branca e cinzenta. É tudo de que ainda me lembro, e de que, provavelmente, Joanita ainda se lembra, do que aprendemos nesses três dias de estudo: uma massa branca e cinzenta com circunvoluções. Joanita aprendeu por si a fazer poemas, e um pouco com Zina Aita e Portinari a pintar.

Um dia Joanita casou-se com o mencionado Van Ittersum, diplomata holandês, e, anos depois, se viu embaixatriz em Belgrado, com cinco criados, piscina e 3 mil tulipas no jardim. Mas isso acabou. Hoje Joanita corta uma volta em Haia, reside num apartamentozinho, não tem criado nenhum (ninguém tem): a embaixatriz virou cozinheira. Mas é feliz com o seu marido, que é muito feliz com ela, e assim Deus os conserve.

[12-VI-1960]

Um amigo: Rufino Fialho

I

Se meu amigo Honório Bicalho fosse vivo, teria feito ontem 73 anos. Éramos da mesma idade, com diferença de treze dias apenas. Morreu aos 44 anos, a 5 de fevereiro, na cidade de Juiz de Fora. Há tempos dei nesta coluna, em vez da minha crônica habitual, um "Colóquio unilateralmente sentimental", que é uma cena tirada de uma comediazinha sem importância que escrevemos juntos. Alguém a quem o diálogo agradou me perguntou quem era esse Rufino Fialho. Rufino Fialho era Honório Bicalho.

Conheci Honório em 1908 num hotel de Mendes, onde estávamos hospedados a sua e a minha família. Seu pai era o grande engenheiro Francisco de Paula

Bicalho. Honório, paralítico das pernas, locomovia-se em casa numa cadeira de rodas; na rua era carregado ao colo, como uma criança, por um português robusto, e quando os dois passavam, um no braço do outro, toda a gente olhava curiosa: pouco se lhe dava ao carregado. Honório era um forte.

A sua paralisia resultara de uma queda, com fratura da espinha, aos seis meses de idade. De perfeito só tinha a cabeça e os braços. Cabeça bem plantada, de olhar firme e imperioso, podendo porém adoçar-se em expressão carinhosa. A sua invalidez física não o impediu de educar-se normalmente como os outros. Cursou a Faculdade de Direito e, diplomado, praticou a profissão como advogado da Assistência Judiciária. Mais tarde mudou-se para Juiz de Fora, em cujo foro exerceu durante alguns anos a atividade de contador-partidor. Um dia desentendeu-se com um novo juiz e, enojado daquilo, vendeu o cartório. Pouco tempo depois morria, de uma infecção na bexiga.

Com ele aprendi muita coisa: xadrez, grafologia, a arte de encadernar. Porque Honório, inteligência poderosa e sempre alerta, tinha curiosidade de tudo. Assim como aprendera a encadernar, aprendera a trabalhar de carpinteiro. Tinha uma banca em casa. Quando estava danado da vida, metia-se com as suas ferramentas de carpinteiro e desafogava a abafação martelando rijamente a madeira. Durante muito tempo tive uma régua fabricada por ele, que era feita de fragmentos, apresentando toda sorte de emendas que se usam em carpintaria. Naturalmente escrevia, escrevia...

[3-V-1959]

II

Honório Bicalho começou a publicar os seus escritos em 1911 na *Folha Acadêmica* e já então usava o pseudônimo Rufino Fialho. A *Folha* era um periódico de estudantes e subtitulava-se "órgão da classe acadêmica". Seus redatores eram M. Lopes Pimenta, J. Mendes da Rocha, Alexandre de Oliveira, J. B. Ferreira Pedrosa e Honório Bicalho, este o redator-chefe. Deu 53 números: de 7 de agosto de 1911 a 20 de novembro de 1912. Seu âmbito de circulação chegou a estender-se a São Paulo, Minas, Bahia, Rio Grande do Sul e até o Alto Acre. Foi a pioneira de outras folhas acadêmicas que foram surgindo... e morrendo antes dela – *A Palavra*, o *Jornal Acadêmico*, *A Reforma*. Na *Folha* assinava o meu amigo Honório Bicalho ou simplesmente as iniciais H. B. os artigos de doutrinação ou os comentários, e Rufino Fialho os contos ou fantasias. Os números 16, 17 e 18 traziam um conto seu, intitulado "Amor demais".

Para Bicalho fixar-se em Juiz de Fora como contador-partidor, isto é, passar de bacharel de Direito, profissão para que se havia preparado durante cinco anos com fé e entusiasmo, a serventuário de cartório implicava uma dolorosa renúncia. A carta que então me escreveu foi pungentíssima: "O segredo da alegria, da felicidade consiste apenas em... não pensar, em deixar-nos ir através da vida como quem na rua olha distraidamente uma vitrina, sem procurar ver a qualidade e o valor da mercadoria exibida: o que vale dizer que a única coisa boa que existe é a imaginação, a fantasia, o sonho, e que tudo o mais quanto seja ou ao menos possa parecer realidade e verdade, não passa de desilusão e tristeza." Mas para aquele organismo fisicamente invalidado deixar de pensar, ou como ele escreveu, deixar de "bordar fiorituras sobre a banalidade chata da realidade" era o único meio de a superar. Alonso Martins, outro pseudônimo seu, retomou os seus cadernos, Honório Bicalho iniciou o seu diário. Entrou a colaborar assiduamente no *Correio de Minas*, a folha fundada por Estêvão de Oliveira. *O Correio* era politicamente o jornal mais vibrante de Juiz de Fora. Bicalho deu-lhe vida literária mais intensa, escrevendo comentários e crônicas, mantendo uma seção de crítica, outra de consulta grafológica, até notas mundanas. Lembro-me de uma longa série de artigos intitulados "Ideias russas" e assinados Lenine, que eram de crítica aos nossos costumes sociais e políticos. Assim se desforrava da "banalidade chata da realidade". Mas não era só assim: ao lado dessa atividade puramente jornalística, também cultivava a ficção. E nela deixou, além de trabalhos menores, dois pequenos romances – *A Vingança* e *Na vida*.

[6-V-1959]

III

A vingança, romance ainda inédito, é uma sátira à nossa vida política e administrativa ao tempo do governo do marechal Hermes da Fonseca. Este é facilmente identificável na pessoa do coronel Aires Fernandes, como na do senador Redondo, o senador Azeredo. Todas as figuras da época – Pinheiro Machado, Rui etc., se movimentam nas páginas do romance, *soi-disant* passado em Cocanha, país onde ocorrem as coisas mais extraordinárias e onde um dos departamentos públicos se nomeia Repartição de Defesa Geral dos Interesses Oligárquicos. Tudo a propósito e em torno da vidinha reles de Brederodes – um pobre-diabo de funcionário público. Na verdade *A vingança* foi escrito ainda no Rio, em dias de agosto de 1916. Escrito de um jato, e o romance precisava de ser retrabalhado. Bicalho retrabalhou-o, de fato, em Juiz de Fora. Mas sem vontade. Nisto residia a deficiência da personalidade literária de meu amigo: não tinha paciência nem gosto de reler e emendar o que escrevia. Se publicou, dois anos depois, a novela *Na vida* foi porque eu chamei a mim todo o trabalho da edição; Bicalho não quis nem passar os olhos nas provas tipográficas.

Na vida (o título deriva da expressão popular "cair na vida", tão rica de sentido profundo e doloroso, como assinalou Américo Facó ao louvar a "arte apurada e fina dessas páginas" numa de suas "Perspectivas" escritas para a revista *Seleta*) resultou de uma experiência pessoal de Bicalho. Uma noite, entrando num café mal frequentado que havia na rua do Passeio, esquina de Marrecas, avistou uma prostitutazinha, que não era outra senão uma sua companheira de infância em Belo Horizonte, ao tempo em que seu pai, o engenheiro Bicalho, construía a cidade. Honório enterneceu-se, apaixonou-se (não era a primeira vez nem foi a última), meteu-se com a rapariga, que pintou o diabo com ele.

Monteiro Lobato, na *Revista do Brasil*, denunciou no autor "o estofo de um verdadeiro romancista, dotado de muita observação". E rematava: "Se cuidar da forma, com o apuro a que nos habituaram os mestres, Rufino Fialho, com meia dúzia de romances desta ordem, abrirá na plêiade pouco numerosa dos nossos romancistas um lugar de bastante relevo".

João Ribeiro, no *Imparcial*, com louvar "a delicadeza e suavidade das tintas, a linguagem limpa e elegante" do romance, que, pela forma e certas exterioridades de estilo lhe lembraram os famosos "perfis" de Alencar, achou que a novela dava impressão muito diversa da vida. "Um pouco mais de objetivismo", criticou, "dar-lhe-ia a realidade verdadeira das coisas." A impressão de mestre João Ribeiro resultava de um erro capital cometido por Bicalho na transposição do seu caso para o de um rapaz fisicamente normal. Com isso, muita coisa que acontece e toda a psicologia da personagem se tornam incompreensíveis ou fora da realidade. No entanto o romance era a realidade em seus mínimos pormenores. Há que lê-lo sabendo que o rapaz da novela era o próprio Bicalho, com a sua paralisia e todas as suas amaríssimas frustrações. Assim lido, sentir-se-á nele como (palavras de Facó) "uma queda da alma nas sensações mais voluptuosas e mais tristes".

Do seu caso de inválido falou Bicalho, sem nenhuma espécie de transposição e uma espécie de ajuste de contas consigo mesmo, nas páginas do diário. Eram alguns cadernos. Tomei conhecimento de algumas páginas dele. Imagino que o terá destruído para que não ficasse lembrança do verdadeiro martírio que foi sua vida. Martírio que ele suportou e tentou superar (em parte o conseguiu) com extraordinária fortaleza de ânimo.

[10-V-1959]

Poeta da indecisão delicada

I

Ribeiro Couto me foi apresentado, em 1919, por Afonso Lopes de Almeida. Este foi, durante muitos anos, o único amigo literato que eu tive. Ribeiro Couto é que, com a sua prodigiosa capacidade de "homem cordial", iria pôr-me em contato com todos os poetas que ele conhecera pessoalmente num ano que vivera em São Paulo e nos poucos meses que tinha do Rio. Foi assim que, só depois do *Carnaval*, vim a avistar-me com Goulart de Andrade, Álvaro Moreyra, Rodrigo M. F. de Andrade, Raul de Leoni, Ronald de Carvalho e os modernistas de São Paulo – Mário de Andrade, Oswald de Andrade e seus companheiros.

Naquele tempo Couto cultivava, na sua pessoa e na sua poesia, uma disciplinadíssima discrição. Não gesticulava, não se exaltava. O que ele chama "o seu tormento sem esperança" tinha "o pudor de falar alto". Mais tarde, voltou a gesticular, a exaltar-se, e com arrastante loquela, o que era, aliás, muito mais conforme o seu temperamento extrovertido, abundante, generoso. Lembro-me, como se fosse hoje, de sua primeira visita. Impressionou-me o seu *pince-nez* de aros de tartaruga, que o envelhecia e lhe dava certa parecença com Max Elskamp, como este foi desenhado por Valloton no *Livre des masques* de Rémy de Gourmont. Couto leu, antes sussurrou um soneto inspirado por uma negra ("A raça te entristece!"), a que ele não deu a honra da inclusão no *Jardim das confidências*, seu primeiro livro de poemas.

Couto foi como Bilac: quando estrearam já tinham ambos alcançado o perfeito domínio da técnica do verso e neste sentido não se acrescentariam. Isso mesmo que lhe disse, tomado de grande admiração, quando, dias depois do nosso primeiro encontro, conversei uns momentos com ele na Livraria Garnier.

– Porque, afinal de contas, você tem apenas 21 anos!

– Incompletos, advertiu Couto em tom pianíssimo.

Hoje o poeta-embaixador, embaixador do governo brasileiro em Belgrado, embaixador de nossas letras na Europa, poeta bilíngue, prêmio de *Les Amitiés Françaises*, completa sessenta anos.

Ah Couto, Coutinho, Ruy, como te chamava tua mãe e te chamam os teus amigos sérvios de Belgrado, lembras-te de que naquele encontro de livraria me segredaste, em voz falsamente pressaga, que não chegarias aos trinta anos? Teu pai morrera cedo e estavas certo de morrer prematuramente como ele.

Dois poetas conheço que se enganaram redondamente em suas fúnebres apreensões: Ribeiro Couto e Augusto Frederico Schmidt. Schmidt pelo mesmo motivo de Couto: a morte do pai em plena mocidade. Um entrou na casa dos cinquenta, outro entra agora na dos sessenta. Mas para ambos a casa já não tem importância: ambos estão instalados na imortalidade a que têm direito como grandes poetas que são.

[12-III-1958]

II

Já escrevi uma vez, mais de uma vez, que Ribeiro Couto é desses poetas que aos vinte anos atingem a mestria de sua arte. Do ponto de vista da técnica, os primeiros versos do poeta têm a mesma perfeição dos mais recentes. O que houve através dos anos foi o amadurecimento da sensibilidade e com ele o aprimoramento, o enriquecimento da expressão e dos ritmos. Ribeiro Couto começou por demais afeiçoado no ritmo langoroso e às aliterações do alexandrino simbolista: "O olhar nevoento... o passo lento... sonolento..." Versos como esse eram frequentes, demasiado frequentes nos poemas do *Jardim das confidências*. Quando veio a revolução modernista o poeta quase que só aceitou dele o verso livre. Ficou insensível ao entusiasmo de Graça Aranha. Sua poesia continuou sempre sendo a anotação arguta dos momentos raros da vida, aqueles momentos de "indecisão delicada". Momentos de subúrbio, digamos assim, quando do luar descem coisas – "certas coisas". Nunca lhe interessaram as polêmicas sobre o que seja poesia. "É poesia? Não é poesia? Quem saberá jamais?" Todos os problemas estavam resolvidos para ele "pela aceitação da simplicidade". A evolução da poesia de Couto foi esta: aproximação cada vez maior da simplicidade. Talvez esteja nisso a explicação da preferência que ele veio dando nos últimos anos aos metros curtos, de cinco e quatro sílabas, dentro dos quais tem produzido algumas obras-primas como "Elegia", "Tágide", "Ria de Aveiro" e outros poemas de *Entre mar e rio*.

[2-XI-1960]

III

Em 26 de maio, dois dias antes de ser acometido de um enfarte, quatro dias antes de morrer, escreveu-me Ribeiro Couto, e foi sem dúvida uma de suas últimas cartas, senão a última, muito contente de regressar breve e definitivamente ao Brasil. Sentia-se bem, só que declarava precisar emagrecer: estava com 102 quilos e queria antes de embarcar fazer uma cura em Brides-les-Bains para reduzir o seu peso a 95 no máximo. Toda a sua carta respirava a alegria do que chamava *le retour à la réalité*: "Quero reintegrar-me no ano de 1943, como se estes vinte últimos anos nada fossem". A carta só me chegou ontem, 3 de junho, como um adeus póstumo.

Há uns dois meses havia eu recebido uma carta de Gilberto Amado na qual me contava o choque profundo que lhe causara o seu recente encontro com Ribeiro Couto: o contraste patético entre a situação daquele homem praticamente cego e a esplêndida coragem com que ele se sobrepunha a ela e falava todo o tempo, cheio de animação e projetos, numa verdadeira euforia. E concluía Gilberto: "Bandeira, prepare-se para o choque". Preparei-me para o choque. E ele veio, mas foi outro, foi o da morte, quase súbita.

Essa impressão de Gilberto põe em plena luz a qualidade moral mais alta de Ribeiro Couto – a sua infracassável virilidade, de que não suspeitaria quem quer que só o conhecesse pela sua obra de poeta, que foi, sobretudo nos primeiros livros, de uma doçura, de um sentimentalismo, que raiava muitas vezes pela pieguice. No poema "O desconhecido", que o velho João Ribeiro apreciava tanto, contava o poeta:

> Quem é esse que está, sob a lâmpada morta,
> Infantil, a chorar debruçado na mesa?
> Olá, rapaz, que tens? Conta... Contar conforta.
>
> E em tua boca eu sinto estrangulada, presa,
> A confissão que assim, sob a lâmpada morta,
> Entre livros, terá mais tristeza, tristeza...
>
> Pões os olhos em mim: pobres olhos molhados
> Em que o pranto desceu como que um véu vermelho.
> Conta o que tens... Enxuga os olhos desgraçados...
> E ele chorava para mim, dentro do espelho.

Essa extrema doçura da poesia de Couto vinha dos temas – os romances perdidos, a mocidade inquieta, a espera inútil – e da técnica simbolista assimilada dos poetas franceses. Couto foi desde os vinte anos um mestre no alexandrino desparnasianizado: gostava de eliminar-lhe a cesura mediana, acentuando-o na quarta e oitava sílabas, ou na terceira e na oitava. A isso juntava as aliterações, as rimas interiores, as reticências:

> O olhar nevoento... o passo lento... sonolento...

É que a poesia sempre foi para ele como que o seu "jardim de confidências". O homem de ação, intrépido diante de qualquer perigo, consentia em chorar nos seus versos. Salvo numa parte de sua obra, principalmente em *Noroeste e outros poe-*

mas, onde cantou em voz alta com entusiasmo o seu estado natal, preferia chamar a atenção dos distraídos para os instantes fugazes e delicados da vida. Todo ele está neste poema intitulado "O delicioso instante":

> O crepúsculo desceu de manso.
> E apesar do céu ainda claro
> A cidade ficou em penumbra.
>
> Vai cair a noite.
> Vão acender-se os combustores.
> E desaparecerá esta indecisão delicada.
>
> É o momento de partir para sempre, sem dor...

Ribeiro Couto foi acima de tudo e por excelência o poeta desses instantes "de indecisão delicada". Quando eu me encontro na rua nessa hora do lusco-fusco em que se pressente o próximo acender-se dos combustores, sempre penso em Couto, na sua fina sensibilidade, no seu amor da "indecisão delicada". E neste momento estou me perguntando: será que na hora da morte lhe terá sido dado, como ele tanto merecia, um instante desses, para ele "partir para sempre sem dor"?

[1963]

O pavão de Braga

Domingo passado apanhei na banca os meus jornais (numerosos por causa dos suplementos literários, e agora o jovem Eduardo Portella está-nos obrigando a comprar também o *Jornal do Commercio*), voltei para casa e, *lentus in umbra*, comecei a leitura pelo *Diário de Notícias*, buscando na segunda página do primeiro caderno, à esquerda, no alto, o palmo de prosa de Rubem Braga. Mas desta vez não chegava a um palmo, eram três dedos, mal medidos. E pensei comigo: "O velho Braga anda preguiçoso".

Qual não foi a minha surpresa quando principiei a ler e vi que estava diante de mais uma pequenina obra-prima desse príncipe da crônica que é o taciturno cidadão de Cachoeiro de Itapemirim!

Já tentei explicar um dia a razão da superioridade de Braga sobre todos nós no gênero por excelência caduco – a crônica. Parece-me que o segredo dele é pôr sempre no que escreve o melhor de certa sua inefável poesia. "Os outros cronistas", ajuntei, "põem também poesia nas suas crônicas, mas é o refugo, poesia barata, vulgarmente sentimental... A boa, eles guardam para os seus poemas. Braga, poeta sem oficina montada e que faz poema uma vez na vida e outra na morte, descarrega os seus bálsamos e os seus venenos na crônica diária."

É isso mesmo. De vez em quando mostra espírito público, escreve sobre Brasília, impostos, eleições. Quando a tragicomédia brasileira o enche demais, volta aos dias da infância em Cachoeiro. Ou se Zico está fora, escreve-lhe uma carta puxa-

-puxa. Ou, muito simplesmente, namora com uma das suas paixões, que, segundo a receita do famoso soneto de Vinicius, são sempre eternas enquanto duram.

A crônica de domingo era desta última categoria. Braga leu nos livros que as cores da cauda do pavão, esse "arco-íris de plumas", não estão nessas plumas: são efeitos de prisma. Muito bem, até aí o que há é didática. Mas a seguir o poeta Braga tira dessa primícias duas imagens de também luxo imperial como o da cauda do pavão. A primeira é a do artista, que quando é grande "atinge o máximo de matizes com o mínimo de elementos"; a segunda é a do amor – do amor dele Braga: de tudo o que esse amor suscita e que esplende, estremece e delira nele, existe de fato o quê? Os dois olhos dele recebendo a luz dos dois olhos dela...

Obrigado, Braga, por esse pavão magnífico.

[12-XI-1958]

Uma santa

I

Perdi uma amiga na Terra, ganhei uma amiga no Céu: morreu a semana passada, no Carmelo de Santa Teresa, Madre Maria José de Jesus. Era uma santa.

Devo a fortuna de havê-la conhecido, sem nunca a ter visto, a minha prima-irmã Maria do Carmo de Cristo Rei, que professou naquele convento e encontrou na suave priora uma segunda mãe.

Quando as monjas do Carmelo faziam a tradução das obras completas de Santa Teresa, fui muitas vezes, a convite de minha prima, ao locutório do convento para conversar com ela e Madre Maria José sobre dúvidas que elas tinham a respeito da nova ortografia. A conversa estendia-se frequentemente aos domínios da poesia. Madre Maria José cultivava a poesia religiosa, teve curiosidade de conhecer a técnica do verso livre e não tardou em se servir dele em muitos dos seus poemas. Com segura liberdade e gosto em "Alegrias de Nossa Senhora", poema do qual extraí para Mignone o texto de um oratório.

Como tive de alterar muita coisa para adaptar a obra à forma musical, mas procurando, por outro lado, guardar o mais possível os passos mais felizes do original, resultou que a versão final não era só de Madre Maria José, nem só minha: autêntica colaboração, embora sem consulta. Quis eu ter a inefável honra de associar ao meu nome o nome da boa Madre. Ela, porém, não o consentiu. Consentiu apenas na fórmula que afinal lhe propus: "Texto de oratório extraído do poema de uma monja carmelita". Aquela alma era toda modéstia e vivia permanentemente aplicada na contemplação ou no serviço do Senhor.

Devo-lhe muitos carinhos espirituais a essa que no século se chamava Honorina de Abreu e era filha do grande Capistrano de Abreu. Disso falarei em minha próxima crônica.

[18-III-1959]

II

Muito sofreu Capistrano de Abreu de se ver separado de sua Honorina. Pareceu-lhe a separação pior mesmo do que a morte. Disse-lhe que conversar com ela sem a ver e através das grades seria como entender-se com a esposa morta por meio do espiritismo. Não tinha a fé, que lhe teria feito aceitar a provação.

Honorina, porém, estava segura de si. Sabia que com se salvar, fugindo do mundo e até de seu pai, a quem tanto amava, poderia levar "ao seio do Eterno" aquele que de lá a arrancara para esta vida. "Vem comigo", exortou-o maternalmente num belo soneto:

> Vem comigo!
> Vem, que eu te levarei a Jesus, teu amigo.
> Foste meu pai e tua mãe serei agora...
> Dar-te-ei a Eterna Luz de que me deste a aurora,
> Dar-te-ei – por esta vida – a vida que é sem fim.

Capistrano, com todas as suas arestas, era um homem bom e de primeira ordem. Com tão santa protetora deve ter alcançado o Céu.

E se Céu existe mesmo, também eu tenho esperança de me salvar, porque se não tive as virtudes de Capistrano, tive como ele por mim a intercessão, as orações de sua filha. Minha prima Maria do Carmo de Cristo Rei me contava em suas cartas os cuidados que Madre Maria José tinha para comigo. Agradara à santa o meu "Cântico de Natal", sobretudo os versos: "Mas a Mãe sabia/ Que ele era divino". Achava até, o que tanto me confundiu, que para produzi-los devia eu ter n'alma o sentido teológico. De uma feita, dia dos meus anos, informou-me Maria do Carmo que "a boa Madre, ela mesma, bem cedinho, antes da Missa, escreveu meu nome em letras grandes e pôs na estante, no meio do Coro, para todas as Irmãs rezarem de modo especial por mim". "Nossa Madre", acrescentou minha prima, "tem um *soft corner* para você."

Também eu tinha um *soft corner* para ela – o cantinho dos meus pensamentos mais puros e mais ternos. Logo mais, na missa de Madre Maria José, vou derramá-los nas únicas orações que sei rezar – o Padre-Nosso e a Ave-Maria.

[22-III-1959]

III

Minhas amigas as Carmelitas Descalças do Convento de Santa Teresa, do Rio, iniciam a publicação das obras poéticas da Santa Madre Maria José de Jesus, que foi no século Honorina de Abreu, a filha de Capistrano de Abreu. Os *Sonetos e poemas*, acabados de aparecer, serão seguidos de mais três volumes: *A Santíssima Virgem e outros poemas*, *Ciclo litúrgico* e *Festas do Carmelo*.

[...] Por muito tempo Madre Maria José foi para mim apenas o poeta do soneto "A meu pai", onde julguei ver o seu adeus ao mundo dos homens no momento em que ela entrava o mundo de Deus. Enganei-me: a poesia nunca havia sido na moça atividade exercida por simples vaidade ou deleite; a poesia era para aquela alma sempre toda votada a Deus um meio a mais de se pôr em comunicação com Jesus, de receber em seu seio as dádivas inefáveis daquele a quem chamou num soneto "o Divino Perdulário". Madre Maria José escrevia versos no mesmo espírito em que os escrevera a grande Santa Teresa de Ávila ou a humilde e doce colombiana Madre Francisca Josefa del Castillo.

Em 1935 dois dos maiores poetas brasileiros – Jorge de Lima e Murilo Mendes – publicavam o livro *Tempo e eternidade*, que em sua epígrafe preceituava: "Restauremos a poesia em Cristo". – "Poeta", instava Murilo no poema final, "cobre-te de cinzas, volta à inocência; tu que és a testemunha, sustenta o candelabro, descerra os véus da Criação, mostra a face do Cristo".

Para Madre Maria José desnecessário era o convite. Sua poesia sempre estivera instaurada em Cristo, e outra coisa nunca mostrou senão a face do Cristo. Os sonetos "Cristo, vida da alma", "O Sacrário", "Caridade", "Quem é Jesus ou que é Jesus", e tantos outros atestam essa constante sede de Cristo, que ela sabia só saciável na outra vida, como lhe ensinara o salmo: *Satiabor cum apparuerit gloria tua*.

A poesia religiosa não tem tido entre nós senão raros frequentadores: no passado – Sousa Caldas, correto mas frio, ou, pelo menos, deixando-nos frios, Alphonsus de Guimaraens e José Albano, os maiores, mais requintados e ao mesmo tempo mais comovidos, e o Jorge de Lima de *Tempo e eternidade*, *A túnica inconsútil* e *Anunciação e encontro de Mira-Celi*; entre os vivos, sobre-excelentemente, Murilo Mendes. Creio, porém, não ter havido exemplo de quem como Madre Maria José haja consagrado toda a sua inspiração ao louvor das coisas sagradas. Seus poemas são verdadeiramente poesia em Deus. Como tais e pela sua inefável candura e primor, farão, como me disse em carta uma irmã carmelita, "farão bem a muitas almas".

[6-XI-1960]

Coração de criança

A. D. Tavares Bastos, nascido no Espírito Santo, nasceu poeta, e com ser brasileiro cem por cento, com uma tocante paixão pela França. Esse poeta capixaba não sabia exprimir-se poeticamente senão em francês. Onde o aprendeu? Creio que consigo mesmo. O certo é que escrevia em francês como um francês. Os seus versos franceses não são como os da quase totalidade dos brasileiros que se metem a poetar em francês. A prosódia poética de Tavares Bastos obedecia rigorosamente aos cânones banvillianos.

Foi ao tempo do movimento modernista que apareceram os volumes do poeta, intrigando-nos a todos sob o pseudônimo estranho de Charles Lucifer. Quem seria esse luciferino vate francês perdido nos trópicos?, perguntávamo-nos. Quando autenticamos o autor na figura pequenina cordial e doce do brasileirinho do Espírito Santo, logo principiamos a tratá-lo por Lúcifer, com acento na primeira sílaba, porque achávamos graça de assim chamar o menos demoníaco dos homens.

Lúcifer, o mais orgulhoso dos anjos, o revel por excelência e por isso precipitado no Inferno, – com ele nada tinha de parecido, por mais remoto que fosse, o bom, o simples, o cândido Tavares Bastos. Um rapaz que nunca vi dizer mal de ninguém, uma criatura completamente despida de orgulho, incapaz de inveja ou de qualquer outro sentimento menos nobre.

O ideal de Tavares Bastos era viver em Paris. Logo que pôde, arrumou as malas e partiu. Só voltou a visitar o Brasil uma vez. Em Paris se fixou, lá se casou com francesa, lá acaba agora de morrer. Em 1957 tive ocasião de vê-lo pela última vez. A impressão que me deu foi penosa; meses antes fora acometido de derrame cerebral, recuperara-se, mas articulava mal. Era, apesar de tudo, o mesmo Tavares Bastos de 1930, – bom, simples, bem-humorado, cândido. Um coração de criança, sem o menor veneno.

A paixão pela França nunca lhe embotou o constante amor pelo Brasil. Ao Brasil serviu sempre em Paris, e no setor literário foi quem revelou ao francês a poesia contemporânea brasileira. A sua *Anthologie de la poésie brésilienne contemporaine* alcança a geração chamada de 1945 e foi publicada em 1954 pelas Éditions Pierre Tisné. Finas traduções, precedidas de um breve histórico da nossa poesia desde as suas origens.

A estranha aventura do poeta está terminada. *"De l'autre coté des aubes allumées, là-bas, c'est le salut"*. Tenho certeza de que o encontrou, porque ele sempre trouxe nos lábios a palavra pura *"qui fait s'écrouler les falaises de glace"*.

[23-X-1960]

Borba e suas arestas

A desvantagem da longevidade é a gente ver a vida esvaziar-se da presença dos velhos amigos. De 1959 para cá quantos se foram! Os dedos das mãos não são bastantes para contá-los... Segalá, Villa-Lobos, Octavio Tarquínio e Lúcia Miguel Pereira, Aloysio de Castro, Alfonso Reyes, Gastão Cruls, Carmen Saavedra, Tavares Bastos... Cito só os nomes conhecidos de todo o mundo. Agora Osório Borba.

A morte de Borba, ao contrário das outras, deu-me um sentimento nunca dantes tão estranhamente experimentado. Lembrou-me aquela frase de Guimarães Rosa ("Não concebo a morte como um fim, concebo-a como uma expansão"). Talvez pelo que houve de frustrado na estoica existência do grande jornalista, imagino o seu passamento como uma evasão para esferas menos limitadas do que aquelas em que em vida sempre se movera.

Não é intenção minha pôr a culpa em ninguém, ainda menos nele próprio (Borba tinha suas arestas incômodas), mas a verdade é que esse grande jornalista não encontrou nunca em nenhum jornal onde tenha trabalhado a situação de preeminência que merecia e outros muito menos dotados facilmente conseguem na carreira. Borba, com o seu invulgar talento, não passou nunca de um operário das letras. No entanto era um jornalista completo, dos mais completos que já tivemos. Podia, de improviso, escrever um artigo sobre política internacional, ou sobre um problema da economia nacional, ou a crítica a um livro de poesia ou de ficção, ou uma crônica, ou um suelto. Era sempre franco, direto, de uma honestidade irredutível.

Tinha, como disse, as suas arestas, as suas urtigas. De uma vez as senti eu próprio em minha carne. Foi o caso que, ao tempo da minha candidatura à Academia, Borba, com grande surpresa minha, dedicou uma crônica ao assunto, rufando generosamente caixa em favor da minha pretensão. Muito bem. Meses depois fui eleito e poucos dias antes saía uma obra minha didática, a que, embora tivesse ela o volume de um tijolo, chamei modestamente de "obrinha". O inocente substantivo diminutivado teve a infelicidade de irritar profundamente Borba, que o considerou como uma capitulação aos convencionalismos do mais mofado academismo. "Obrinha"! Eu, Bandeira, estava perdido para a boa literatura. Claro que nem por sombra levei a mal o mau humor de Borba. Fingi até que lhe aceitava a lição, e nas edições seguintes do livro substituí o substantivo por outro que não cheirasse a caturrice acadêmica.

Jamais falei sobre isso com Borba. Hoje, porém, me veio vontade de contá-lo, e fi-lo misturando às minhas saudades o preito da admiração que ele sempre me inspirou por tudo o que havia de grande em sua inteligência e em seu coração.

[9-XI-1960]

Murilo em Roma

Contam que quando os nossos príncipes voltaram ao Brasil, certa vez, num trem que ia para Petrópolis, um vizinho de banco puxou conversa com D. João e, encantado com as boas maneiras do rapaz, quis saber-lhe o nome.

– João, respondeu o príncipe.

– João de quê?, indagou o outro.

– "De Bragança e Orléans", completou o rapaz com a maior simplicidade, como diria qualquer outro que fosse apenas dos Anzóis Carapuça.

Lembrei-me disso há três dias, ao ser chamado pelo telefone por outro príncipe de grande linhagem – a dos maiores poetas do Brasil, e que eu estava longe de imaginar entre nós. Começou o diálogo assim:

– Alô?

– 22-0832. Quem fala?

– Murilo.

– Que Murilo?

– Mendes.

– Murilo Mendes? O quê? Não diga!

Não era este, esse ou aquele Murilo: era o Murilo por excelência, era D. Murilo, Murilo Medina Celi Monteiro Mendes, por quem há anos eu vinha curtindo grandes saudades. Minha alegria foi imensa, logo um pouco empanada pelo desapontamento de saber que Maria da Saudade, a encantadora completação do casal perfeito, não pudera vir com o poeta.

Finalmente ontem nos abraçamos longamente, ontem no segundo lançamento da Editora do Autor, no Clube dos Marimbás. Murilo está esplêndido, o mesmo magro Murilo, mas com um rosado nas faces arranjado no clima de Roma. Sabemos que Murilo é hoje personagem na vida literária e artística da capital italiana, solicitado para prefácio em catálogos de exposição de pintura, traduzidos para o italiano os seus poemas e por quem? por Ungaretti! Precisamente o último livro que tinha recebido dele foi *Finestra del caos*, em edição bilíngue, um primor de *All'insegna del pesce d'oro*.

Eis Murilo na voz de Ungaretti:

Telefonano di pachi,
Telefonano lamenti,
Incontri inutili,
Noia e rimorsi.
Ah! chi il conforto telefonerà
La rugiada pura
E la vettura di cristallo.

Ah Murilo, Murilo, puro orvalho, carruagem de cristal, salve!

[16-VIII-1961]

POLTRONA CATIVA

Quem morre nos dias de carnaval morre quase despercebido. Assim, quase despercebida passou a morte de Freitas Vale, pelo menos na capital do País. É verdade que no Rio nunca ele chegou a ser conhecido na medida em que mereciam as suas finas qualidades de intelectual – de poeta e *causeur* admirável. No Rio a sua adega tinha mais fama do que o seu talento: sabia-se que mais de uma vez ela tinha salvo o Governo paulista em apertos de banquetes oficiais a grandes personalidades em trânsito, fornecendo os maravilhosos vinhos que nela guardava o senador e *grand seigneur* da Villa Kyrial. Ignorava-se, porém, que ele fosse o único remanescente do Simbolismo entre nós, que tivesse sido íntimo amigo de Alphonsus de Guimaraens. Que fosse, enfim, Jacques d'Avray.

Jacques d'Avray foi o grande erro de Freitas Vale. Em vez de ser em língua portuguesa o poeta que poderia ser, Freitas Vale escrevia os seus poemas em francês, assinando-os com aquele pseudônimo. Não eram desdenháveis, mas quem até hoje, desde que mundo é mundo, foi cabalmente poeta em idioma que não fosse o que mamou com o leite materno? Ainda há pouco recebi de Uys Krige, grande escritor sul-africano, grande contista em língua inglesa, a confidência de que não se sente poeta em inglês: "O sentimento está presente, mas as palavras não são bastante exatas, precisas, sensitivas". Nunca li nenhum verso de Freitas Vale em português, e creio que nunca os escreveu.

A Villa Kyrial era uma mansão magnífica, onde o poeta recebia com uma elegância não isenta de certo engraçado esoterismo. Havia lá uma poltrona que, ao primeiro olhar, se destacava das demais pelas suas dimensões, estofo e pregaria: era a poltrona do anfitrião. Ninguém senão ele se sentava nela. Todos os amigos sabiam disso. Uma noite Freitas Vale reuniu as suas amizades para apresentar-lhes uma jovem poetisa do Rio Grande do Sul, que compareceu acompanhada por um tio. Lembra-me que nesse dia estava entre os convidados o próprio governador do Estado, o dr. Washington Luís. A conversação corria animada. Um pouco à parte do grupo principal, eu e Freitas Vale falávamos de Alphonsus, senão quando o poeta nota que a sua poltrona estava ocupada pelo tio da poetisa, que nela se refestelara abusivamente. Freitas Vale interrompeu o que estava dizendo e me expôs o mistério da poltrona: "Naquela cadeira não se senta nem o governador do Estado!... E vai aquele sujeito e se escarrapacha ali. Mas, coitadinho, ele não sabe..."

Só essa vez estive na Villa Kyrial. Anos depois, muitos anos depois, o poeta, já perto dos oitenta, foi nosso comensal num dos famosos jantares do dia 13 instituídos por Ribeiro Couto nos restaurantes portugueses da rua do Lavradio e adjacências. Freitas Vale parecia o mais moço de todos, não só na verve como no apetite formidável. Depois nunca mais o vi.

[26-II-1958]

Memórias de seu Costa

Vocês não conheceram seu Costa. Eu conheci. Era um rapaz alto, magro, bonitos olhos, bonita cabeleira. Como ele próprio contou em suas memórias, frequentava saraus familiares, onde se exibia, não só como dançarino, mas também como declamador de poesias ao som da "Dalila". Diziam que fazia versos, e de fato, tempos depois, publicou uma plaqueta – *Nimbos* – sob o nome literário de Luís Edmundo. O poeta Luís Edmundo matou *seu* Costa. Isso ocorreu em 1897, eu tinha onze anos, já me interessava por literatura, lia os folhetins críticos de Medeiros e Albuquerque n'*A Notícia* e me lembro perfeitamente da importância que ele deu ao novo poeta, consagrando-lhe todo o espaço da sua seção.

Um ano depois, um segundo livro, *Turíbulos*, confirmava a felicidade da estreia, Luís Edmundo era decorado e recitado. Nos meus doze anos retive na memória (até hoje!) aquele bonito soneto que começa com estes dulcíssimos versos:

> Quando na luz do teu olhar se esquece
> A luz tranquila de meus olhos tristes,
> Sei que a ventura existe porque existes...

Luís Edmundo, hoje acadêmico, vem demonstrando, ano após ano, a sua vocação para a imortalidade, lépido e lúcido que está nos seus verdes oitent'anos. E *quem diria que essa fortaleza foi uma criança débil e morrinhenta*, "periodicamente assaltada por moléstias de várias naturezas, dando cuidados aos médicos e assustando a família"? Pois foi e assim nos conta o poeta em suas *Memórias*.

Essas memórias enchem cinco grossos volumes. Mas são cinco volumes que se leem como se fossem cinco linhas, tal a facilidade dessa prosa lábil, que mantém constantemente um sabor de improvisação. Oitenta anos bem vividos, como os de Luís Edmundo, dão histórias para mil e uma noites. Quem quiser viver ou reviver a *belle époque* leia esses cinco volumes.

[25-II-1959]

ASCENSO DO BREJO E DO SERTÃO

Ontem às sete horas o meu telefone tilintou, peguei do fone, um vozeirão retumbou do outro lado, compreendi logo tudo: Ascenso estava de novo na terra. Uma hora depois ele me enchia a casa, atravancando-a. Digo atravancando, porque o meu apartamento é pequeno, não comporta bem um homem das dimensões de Ascenso, que me entope a sala, o quarto e parte da cozinha e do banheiro. Ainda se fosse Ascenso só! Não, é Ascenso e mais o seu enorme chapelão de palha grossa, mais oca de bugre do que chapéu.

Enfim, a alegria de rever o grande poeta de *Catimbó*, de *Cana-caiana* e de *Xenhenhém* compensa tudo. Ascenso está na terra e veio lançar um novo disco de poemas escolhidos entre os melhores dos seus livros. O lançamento se fará na próxima quarta-feira na Livraria São José. Não será à base de uísque, ainda que falsificado: espero que seja à base de caninha, daquela que ele cantou num dos seus mais famosos poemas, "suco de cana passado nos alambiques" e que "pouquinho é rainha, muitão é tirana..."

Quando Ascenso publicou as primeiras edições de *Catimbó* e *Cana-caiana*, quem os conhecia de ouvi-los declamados pelo autor, comentou que os versos do rapsodo nordestino eram não para ser impressos em livros, mas para ser gravados em disco. Certa vez escrevi: "Quem não ouviu Ascenso dizer, declamar, cantar, rezar, dançar, cuspir, arrotar os seus poemas, não pode fazer ideia das virtualidades verbais nele contidas, do movimento lírico que lhes imprime o autor".

Alguns anos mais tarde fez Ascenso a primeira gravação, em dois discos. Esta de agora é a segunda, num disco só e muito mais perfeita do que a primeira. São 64 poemas e três historietas populares. Gravação e prensagem foram feitas no Recife e fazem honra à Fábrica Mocambo, da firma Irmãos Rosemblat & Cia. Ltda. A apresentação literária é de Luís da Câmara Cascudo, que em poucas palavras diz o essencial sobre a poesia de Ascenso e a maneira inimitável que o poeta tem de a declamar, com a sua voz "cava, profunda, reboante, misteriosa, vezes quase infrassonora".

Saiu Ascenso, fiquei só, coloquei o disco no prato da vitrola, fi-lo girar, e mais uma vez foi todo o Recife, todo o brejo e todo o sertão, – todo o meu Pernambuco, que tive dentro de meu quarto de dormir pelo sortilégio da poesia e da voz de Ascenso... Poesia que, como disse Mário de Andrade, nos apresenta, "no equilíbrio e na verdade da expressão lírica e formal, o sentimento muito firme da perfeição clássica".

[30-VII-1961]

O anjo Dantas

Quando Jayme Ovalle e Augusto Frederico Schmidt lançaram a Nova Gnomonia classificando os caracteres humanos em cinco tipos principais – os Parás, os Dantas, os Kernianos, os Onésimos e os Mozarlescos – cada categoria com o seu Anjo, que lhe dava o nome, erigiram em anjo dos Dantas a seu amigo Francisco Clementino de San Tiago Dantas, então jovem bacharel e jornalista. Os Dantas, segundo a tal Gnomonia, são os homens de ânimo puro, nobres e desprendidos, indiferentes ao sucesso na vida, cordatos e modestos, ainda quando tenham consciência do próprio valor. Entronizar Francisco Clementino como anjo da mais alta hierarquia significava um preito da mais elevada admiração.

Aconteceu, porém, que fatos subsequentes levaram Sérgio Buarque de Holanda à formulação da lei da gravitação dos Anjos para o Exército do Pará. Nenhum escapou. O próprio Francisco Clementino ensaiou-se no integralismo, virou grande advogado, enriqueceu.

Um verão que eu pedestreava solitário pelas alamedas de Petrópolis, um automóvel me tirou um fino, estacou, dentro vinha Afonso Arinos com um amigo que eu não conhecia. Afonso fez a apresentação: era San Tiago Dantas. Trocamos um aperto de mão bastante frouxo. Ficou evidente que ele não ia comigo nem eu com ele.

Mas a vida é mestra em dissipar essas prevenções sem motivo. Rolaram os anos, e um dia, San Tiago Dantas era diretor da Faculdade Nacional de Filosofia, recebo uma telefonada dele convidando-me para professor de Literaturas Hispano-Americanas.

Foi na Faculdade que tomei verdadeiro contato com a superior inteligência do atual chanceler. Sobretudo nas sessões da Congregação era de ver como San Tiago, depois de deixar falar os loquazes confrades, tomava a palavra, resumia as opiniões em poucas e luminosas frases, dando-nos a mim, a Sousa da Silveira e alguns outros que detestávamos aqueles intermináveis debates, a oportunidade de votar com perfeito conhecimento da matéria.

O nobre paraísmo de San Tiago vinha há muito pintando para a política. Custou-lhe bastante abrir caminho através da mediocridade de cúpula. Eis, porém, que ele aparece agora na crista da onda.

Por ocasião da última campanha presidencial, disse-lhe pelo telefone: "Estamos em campos opostos". San Tiago corrigiu, compreensivo: "Não são tão opostos".

Opostos ou não, uma coisa é certa: conforta-me ver à testa de nossas Relações Exteriores um homem de rara inteligência, de excepcional cultura, de fácil e segura capacidade de expressão. Lembre-se San Tiago de Ovalle, retorne à sua condição de Anjo, ajude a reparar o mal que Jânio fez ao Brasil com a sua renúncia.

[13-IX-1961]

Olegário, água corrente

Olegário Marianno, era evidente, nunca duvidou de sua condição de grande poeta. Não creio, porém, que jamais tivesse tido consciência do papel que sua poesia desempenhou na história do lirismo brasileiro. Ingenuamente se julgava um parnasiano e jurava por Bilac e Alberto de Oliveira, quando o que dava particular encanto aos seus versos era uma musicalidade que nada devia à escola em pleno fastígio nos anos de sua estreia. Por essa musicalidade estava ele já muito mais perto dos simbolistas do que dos parnasianos. E ainda por uma certa sensibilidade que admitia nos seus poemas a nota prosaica sentimental.

> Água corrente, água corrente,
> O teu destino é igual ao destino da gente...

Nunca um parnasiano matriculado se permitiria usar a expressão "a gente" em poesia séria. No entanto, como ela soa amorável no alexandrino de Olegário!

Influenciado a seu malgrado e talvez inconscientemente pelos simbolistas, o poeta das cigarras afirmou-se em sua primeira adolescência com uma desenvoltura bem pessoal, impondo-se como uma voz verdadeiramente nova no concerto de seus irmãos e tios poetas. Foi por essa música própria, a que ele ficou sempre fiel, que eu lhe dei desde logo a minha admiração e nela persisti, mesmo quando a poesia tomou, depois, outros caminhos em que Olegário não quis aventurar-se.

Ele não aceitou o verso livre. Procurou aproximar-se dele o mais que pôde pela polimetria, de que se utilizava com fino gosto e grande habilidade. As suas silvas de alexandrinos – alexandrinos frequentemente descesurados – e hexassílabos tinham especial sortilégio rítmico, e pode-se mesmo dizer que era a sua mais genuína forma de expressão.

Ao tempo se pôs em dúvida a sinceridade de sua poesia. Muita gente não acreditava naquele poeta que, sendo um rei da vida, se proclamava "o mais infeliz de todos os rapazes". Hoje temos melhor noção da sinceridade na arte. A poesia de Olegário exprime o homem que Olegário criou em substituição ao Olegário cotidiano. Como Fernando Pessoa criou os seus heterônimos.

Na sua facilidade, na sua fragilidade, a poesia de Olegário tem uma força de penetração profunda – envolve-nos, subjuga-nos, arrasta-nos. É espontânea, cantante, desalteradora – como a água corrente.

[3-XII-1958]

Odylo em revista

Meus amigos, meus inimigos, uma boa notícia: a partir do próximo número a revista *Senhor* passa a ser dirigida por Odylo Costa, filho. É o caso de se telegrafar ao feliz proprietário da luxuosa publicação, dizendo apenas isto: sim, senhor!

Quando ela apareceu, tão elegante no seu aspecto material, tão primorosa no seu texto, desabafamos logo: vamos, enfim, ter a nossa *Squire*. Perguntávamo-nos, porém, receosos, se o nosso meio já comportaria um magazine naqueles moldes. Tranquilizaram-nos: os assinantes eram aos milhares; a publicidade, aos milhões. Um bom negócio.

Mas todo negócio, mesmo os bons, talvez sobretudo os bons, precisa de vez em quando sangue novo. *Senhor* andava precisando de sangue novo. Literariamente sempre teve classe. Notava-se no entanto certa ausência de masculinidades – modas, esportes, *hobbies* do sexo. *Senhor* carecia de ser jornalisticamente o que era *Senhor* literariamente. Sangue novo, sangue jornalístico. E o problema foi resolvido, recorrendo-se a esse formidável doador Odylo Costa, filho, que na vida civil já deu o seu sangue a dez filhos (eu vivo dizendo a ele como se grita no circo ao homem do trapézio: Pare! Pare!), e na vida de jornalista o tem dado a tanto filho dos outros.

Odylo é um jornalista completo. Chamo jornalista completo, como chamo professor completo, o que não só sabe a fundo da sua profissão, mas sabe ainda formar novos profissionais, transmitindo-lhes com o *métier* a melhor consciência da profissão. Para o *Jornal do Brasil* trouxe ele meia dúzia de meninos que, sob a sua direção, logo se tornaram ótimos jornalistas. Não é um jornalista do tipo Assis Chateaubriand ou Carlos Lacerda. Não tem pontas. Parece redondo, redondinho, como seu rosto moreno de maranhense ou piauiense? Nunca decorei isso. Mas não se fiem das redonduras de Odylo. Sua força tranquila tem surpreendido muito tralhão incauto.

A novidade agora é que Odylo, veterano em matéria de jornal, vai estrear, em plena maturidade, no gênero revista. E numa revista de caráter todo especial. De uma coisa estamos certo: é que com ele *Senhor* nunca será Charlus nem para Charlus, não senhor!

[19-VII-1961]

Pintor na Embaixada

Muita gente houve que torceu o nariz à notícia da designação dos nomes de nossos embaixadores para algumas das novas repúblicas africanas. Uns, por questão de princípio, são pela diplomacia de carreira, pois o Estado não mantém um instituto para a formação de diplomatas? Outros, por simples espírito de oposição ao presidente: nos governos anteriores eram situacionistas e sempre aceitaram muito bem que se contemplassem com embaixadas ministros demissionários ou correligionários políticos derrotados nas eleições.

A novidade de agora é que Jânio e Arinos chamaram a servir na diplomacia dois escritores, um pintor e um jornalista, gente considerada de somenos pelos homens graves. Mas logo apareceu quem desse ampla cobertura ao nome de Rubem Braga. Realmente todos quantos conhecem o velho Braga sabem do que ele é capaz: tanto de escrever deliciosamente sobre o joelho de uma certa moça que ele entreviu tomando banho de mar na Praia do Arpoador, no verão de 1956, como de tratar com pleno conhecimento de causa o problema da triticultura nos estados do Sul. Barreto Leite Filho e Raimundo Sousa Dantas também tiveram a sua coberturazinha. Cícero Dias, não.

Se José Lins do Rego fosse vivo, já teria derramado o coração num artigo. Pois aqui estou para falar por ele, não fosse eu pernambucano de quatro costados, nascido no Recife, em Capunga e, com muita honra, na rua Joaquim Nabuco.

Quando Cícero deixou o Brasil para viver em Paris, muito moço ainda, já tinha renome nacional como grande pintor, intérprete da paisagem e da alma pernambucana em sua maior profundidade. Mas era ainda um louquinho, basta dizer que se servia em suas aquarelas até de tinta de escrever. Um Chagall brasileiro, pela sua fantasia sempre surpreendente e desvairadamente poética. Mas aquele rapaz de basta cabeleira e gestos descomedidos, que parecia indisciplinável, quer como pintor quer como homem, tornou-se, em poucos anos de Paris, como pintor um abstracionista de severa linha construtiva, como homem que luta pela vida um excelente funcionário contratado da nossa embaixada em França. (Disto sabe o presidente Jânio, disto soube quando esteve em Paris, soube direitinho.)

Cícero Dias vai para o Senegal, terra de cultura francesa, cujo presidente é um *agrégé* da Sorbonne, poeta, fino poeta, amigo de Éluard. Cícero, casado com francesa, por ele tornada grande brasileira, como dizia Ovalle, esposa ideal, que soube dar ao marido uma filhinha com ar de nascida não em Paris, mas em Jundiá, será, tenho certeza, um ótimo iniciador de nossas relações com a jovem República do Senegal.

[17-V-1961]

A CARTA DEVOLVIDA

I – PENA FILHO

Escrevo esse nome, e estou certo que o inscrevo na eternidade. Pois me parece impossível que as presentes e as futuras gerações esqueçam o poeta encantador, tão cedo e tão tragicamente desaparecido.

Em janeiro deste ano, a propósito da publicação de seu *Livro geral*, exclamei: "Bonita a constelação pernambucana no céu da Federação! Viva o Recife e o seu rio com os seus cais de auroras e os seus poetas!" Queria me referir à geração moderna dos João Cabral de Melo, Mauro Mota, Carlos Moreira e Carlos Pena Filho, depois da dos Ascenso Ferreira e Joaquim Cardozo. Uma Estrela apagou-se agora, e é todo o Brasil, não somente Pernambuco, que vê o seu céu desfalcado.

Como Mallarmé, tinha o poeta recifense a obsessão do azul: a sua Maria Tânia lhe parecia "bela e azul"; na rosa que ele amou via, nos seios da rosa, dois bêbedos marujos "desesperados, sós, raros, azuis"; há uma orgia de azul no "Soneto do desmantelo azul", onde acaba nascendo um sol "vertiginosamente azul"; e em certo carnaval, depois de muitas aventuras, se viu o poeta dependurado "nos cabelos azuis de fevereiro".

Por essas poucas imagens já se está sentindo a força encantatória que havia em Carlos Pena Filho. E que de pacientes "buscas no esquisito" praticava ele em cada poema, em cada verso. Sua extrema delicadeza permitia-lhe tratar os temas mais arriscados, como naquele "Retrato breve do adolescente", em que põe tanta beleza no solitário gesto da iniciação amorosa. O coração do adolescente foi visitado por Isa, Rosa e uma vaga Maria da Conceição.

> E aquele mais do que nunca
> herói do sonhar em vão
> foi dormir com todas elas
> nas curvas da própria mão.

Esse poeta, que podia ser em tantos momentos raro e quintessenciado, soube, nos temas da terra natal, apoiar-se firmemente nos metros e no estilo do povo, escrevendo os deliciosos poemas de *Nordesterro*, onde canta Olinda, Fazenda Nova, o Episódio sinistro de Virgulino, as Memórias do Boi Serapião, e o Regresso ao sertão, rio acima, "construindo o entardecer"; escrevendo o *Guia prático da cidade do Recife*, todo o Recife, com o seu centro e os seus arrabaldes, poema onde tenho, mais do que na Academia, garantida a minha imortalidade.

"Foi mais que longa a vida que eu vivi", disse o poeta num soneto-testamento; não a queria prolongada em lembranças. Ela sê-lo-á, porém, enquanto houver entre nós o gosto da poesia.

[6-VII-1960]

II

Em 22 de janeiro do ano passado escrevi ao poeta Carlos Pena Filho a seguinte carta:

"Caro poeta, muito obrigado pelo *Livro geral*, e me desculpe ter demorado tanto em vir dizer-lhe quanto gostei de seus poemas, especialmente dos sonetos 'A rosa, no íntimo', 'Por seres bela e azul...', 'Soneto do desmantelo azul', de 'Poema de Natal' e do recifíssimo 'Guia prático'. Não quer isso dizer que não me agradam os outros: em todos encontro, a cada passo, algum impressionante achado das suas 'pacientes buscas no espírito'. Por exemplo, no 'Retrato breve' aquela dormida do adolescente com Ida, Rosa e outras 'nas curvas da própria mão'. Nunca pensei que se pudesse pôr tanta beleza no imemorial e sempiternal gesto de iniciação erótica.

"Desvaneceram-me as citações de meus versos no meio dos seus – as 'Índias de Leste', a 'Noiva da revolução'. Não é verdade que a nossa melhor glória são esses resíduos que deixamos na memória dos outros?

"Muito concho fiquei também com a parte que me coube no elogio da trinca Manuel, João e Joaquim em 'Guia prático'.

"Depois de Joaquim e Ascenso, João. Depois de João, Mauro e Carlos. Depois destes, você. Bonita a constelação pernambucana no céu da Federação. Viva o Recife e o seu rio com os seus cais de auroras! Um abraço."

II

Outro dia, de novo, inesperadamente como sempre, me deparei na cidade com Rosa, purpúreo e belo. Fiquei feliz o resto da semana.

Desta vez não filosofamos sobre a vida e a morte e o subconsciente. Puxei conversa a propósito da colaboração semanal que Rosa iniciou em *O Globo*. Eu desejava saber, para meu governo, o que Rosa está sentindo diante dessa obrigação hebdomadária de um estirão de jornal assinado por ele.

A resposta veio pronta: – Angústia. Concluí imediatamente: Rosa não é jornalista.

Explico-me. Para o jornalista, digo o jornalista de vocação, escrever não é obrigação: é necessidade. O jornalista quer escrever todos os dias, não pode deixar de escrever, se não escrever, morre entupido. Duas vezes por semana apenas eu bato à máquina, à última hora, uma croniquinha pífia. Danado da vida. Não sou jornalista. Rosa nunca escreve senão caprichado. Por isso, mal entrega a sua colaboração da semana, começa a trabalhar na da semana seguinte. Ora, uma semana não dá para Rosa caprichar nas suas invenções verbais (há sempre invenções verbais em tudo o que Rosa escreve). Daí a angústia. Rosa confidenciou-me:

– Começo a escrever, um mundo de coisas, ideias, imagens, reminiscências, me acodem. Escrevo cinco, dez, quinze páginas. É preciso reduzir a três. Começo a cortar, começo a corrigir. Aí tomo gosto. Nunca se acaba de corrigir. O meu desejo é então continuar a corrigir até o fim da minha vida. Mas há que entregar os originais. E no dia seguinte recomeçar coisa nova.

Eu sabia que era assim com Rosa. Sabia do que se passou com ele quando foi convidado a traduzir para *Seleções* um romance condensado. Era a história de um pássaro. Rosa mandou vir dos Estados Unidos o romance completo. Mandou vir também tratados de ornitologia. Fez a tradução, reescreveu-a cinco vezes. No fim saiu obra perfeita, coisa que não era no original. Mas Rosa gastou muito mais do que ganhou.

No caso de *O Globo* deve estar sucedendo o mesmo. Escrever para jornal é como escrever na areia. Rosa não escreve na areia: Rosa grava na pedra. Para a eternidade. Assim, o que Rosa está fazendo em *O Globo* é, capítulo a capítulo, mais um livro, digno de ficar junto de *Sagarana*, *Corpo de baile* e *Grande sertão: veredas*.

[22-I-1961]

III

Tenho um amigo que não vai com Guimarães Rosa escritor: – "Gosto da prosa pão pão, queijo queijo", diz ele. "Rosa é torcicoloso."

Respondo-lhe que também gosto da prosa pão pão, queijo queijo, mas Rosa, como Joyce, há que aceitar-se como exceções. Têm o direito de não ficar em se servirem da língua, como toda a gente, ou de o fazerem, mas acrescentando, como Mallarmé, "um sentido novo às palavras da tribo". Rosa inventa palavras, deforma-as, desintegra-as, recompõe-nas, faz alquimias, cirurgia plástica, sei lá o que seja. De *Hitler* e *atrocidade* já fez *hitlerocidade*, monstro esplêndido.

A restrição que, uma vez ou outra, tenho a impertinência de lhe fazer é a sua mesma extrema opulência de invenção verbal. Rosa não se repete, não tira clichês de seus achados. Começa que a gente nunca sabe quando a invenção é dele ou é do povinho de seu município mineiro.

Uma das invenções mais surpreendentes de Rosa foi aquilo de falar "nesta outra vida de aquém-túmulo". O que eu não dava para ter fabricado isso! Agora é tarde, está achado, e o único jeito é plagiar.

Resolvi fazer como Nilton Silva, que escreveu uns bonitos versos a que intitulou "Poesia com um verso de Manuel Bandeira". O meu verso é "Eu quero a estrela da manhã!" sobre ele Nilton teceu as suas variações.

Procederei um pouco diferentemente: direi meia dúzia de lugares-comuns e rematarei dando consistência ao mingau ralo com o tutano verbal de Rosa. Assim, por exemplo (é um ensaio):

Poema com uma linha de Guimarães Rosa

Depois de morto,
Primeiro quererei beijar meus pais, meus irmãos, meus avós, meus tios, meus primos.
Depois irei abraçar longamente uns amigos – Vasconcelos, Ovalle, Mário...
Gostaria ainda de me avistar com o santo Francisco de Assis.
Mas quem sou eu? Não mereço.
E então me abismarei na contemplação de Deus e de sua glória.
Esquecido para sempre de todas as delícias, dores, perplexidades
Desta outra vida de aquém-túmulo.

Que tal, Rosa. Que tal, leitores?

[18-VI-1961]

Boêmios

Não ganham ao passarem da névoa da lenda para a realidade do livro as figuras dos grandes boêmios do tipo Artur de Oliveira, Paula Ney e José do Patrocínio Filho. O melhor que se pode fazer é tratá-los em nota alusiva, como com o primeiro procedeu Machado de Assis a propósito de seu poema "A Artur de Oliveira, enfermo". Uma biografia minuciosa como a que de Paula Ney nos dá Raimundo de Meneses, e mais que isso uma biografia palpitante de vida como a de Patrocínio Filho por Magalhães Júnior acabam destruindo o herói, cuja glória vivia precisamente do prestígio da lenda, esbatidos nela os aspectos negativos de sua personalidade.

Do fabuloso Ney que conheceram os seus contemporâneos, do Ney de que mais de uma vez me falou meu pai, que resta no livro de Raimundo de Meneses senão meia dúzia de boas piadas? Os poucos sonetos transcritos na biografia não atestam uma sensibilidade de poeta acima da mais rasa mediocridade. As cartas são melhores, espirituosas sim, mas sem nada de excepcional. No entanto, os contemporâneos não podiam ter-se enganado tão simploriamente. É que o encanto de tais figuras reside na própria presença, no olhar, nos gestos, na graça espontânea e inesperada. Não cheguei a conhecer Paula Ney, mas conheci Patrocínio Filho. Malgrado toda a habilidade de Magalhães Júnior, não *vi*, positivamente não vi, ou melhor, não revi no livro o *meu* Zeca, o Zeca que retratei *à profil perdu* em duas das minhas *Crônicas da província do Brasil*. O que vi foi um mau poeta, um cronista meio ridículo, e, o que é mais triste, um doloroso exemplar de baixeza humana. O episódio com Coelho Neto é desses que dão náusea. Certamente sem intenção de diminuir o seu biografado, Magalhães Júnior foi impiedoso com ele: o seu livro é terrível.

Provavelmente há nesta biografia mais mentiras do que as perpetradas por esse pobre pardalzinho crapuloso que foi o Zeca. Zeca mentia muito, suas mentiras eram exageradas pelos amigos, que inventavam, ainda por sua conta, outras mentiras, e tudo isso registrado minudentemente por Magalhães Júnior dá um enjoo de mentiras, onde aqui e ali a gente surpreende a prova provada da mentira. Um exemplo: Magalhães transcreve uma página de *As amargas, não...*, de Álvaro Moreyra, em que aparece um Zeca moribundo, o médico recomendara que o doente bebesse leite de mulher, Zeca vê a mulher, o seio era bonito, Zeca manifesta o desejo de beber *à même*. Ora, uns cinco anos antes eu ouvira isso contado por um amigo como anedota. Álvaro engoliu a anedota como repente verídico, já que verossímil, do *Fabuloso Patrocínio Filho*.

Estes dois volumes acabaram de me convencer de que o melhor é deixar para sempre nos limbos da tradição oral a vida dos grandes boêmios do tipo Ney e Zeca.

[21-V-1958]

Dois que se foram

Um dia Brito Broca, bom exumador literário de casos passados, chegou-me ligeiramente às urtigas. Foi a propósito da questão Alencar – Castilho. Respondi ao confrade, mas ao mesmo tempo compus esta sextilha, que nunca lhe enviei nem mostrei a ninguém:

> Brita o Broca, broca o Brito,
> E os dois juntos, Brito e Broca,
> Pulverizam qualquer roca,
> Desmancham qualquer granito,
> Brito e Broca, Broca e Brito
> Num homem só – Brito Broca.

Guardei para mim a sextilha, porque receei que o destinatário levasse a mal a brincadeira e me imaginasse agastado com a sua crítica, que havia sido delicada e em parte justa. Aliás, Brito Broca não era o pulverizador anunciado nos versos. Alma boníssima, grande trabalhador, que até para outros trabalhou muito, anonimamente.

Vede da natureza o desconcerto: homem tão pacífico chamava-se Brito Broca; ao passo que Pacífico Passos, Vital Pacífico Passos, satírico sem papas na língua, era um poeta de veia agressiva, demolidor de homens encastelados em sólidas reputações. A este, quando me mandou o seu *Forrobodó*, agradeci em verso:

> Poeta do Forrobodó,
> Se és pacífico não sei,
> Mas que és vital jurarei,
> Ó satírico sem dó,
> Sem dono, sem lei nem laços
> – Vital Pacífico Passos!

[23-VIII-1961]

Jantando com Milliet

No movimento literário de 1922 fomos quase todos antropófagos *avant la lettre*. Faziam exceção dois ou três apenas: o suave Antônio Couto de Barros, que hoje é fazendeiro e dizem-me que não quer saber de nada senão de sua fazenda, e Sérgio Milliet, que, para afirmar a sua qualidade de brasileiro, não precisa assinar por inteiro Sérgio Milliet da Costa e Silva.

Lembro-me ainda com que admiração se falava nas rodas modernistas do Rio desse Milliet educado na Suíça, já com três livros publicados na Europa, livros de versos escritos em francês, e que de volta a São Paulo logo se ligou a Mário, Oswald e seus companheiros. Mandou o francês às urtigas, não tardou em se tornar um dos mais finos poetas do grupo e um crítico sempre avisado, sempre comedido, nisto bem francês e do melhor francês.

Passaram os anos, Sérgio construiu uma obra, que na poesia chegou à *Valsa latejante* e na prosa a este primeiro volume de memórias, lançado agora sob o título *De ontem de hoje de sempre*, e por aí já se está vendo que no espírito do poeta as coisas de ontem estão nas de hoje e nas de amanhã, – ontem, hoje e amanhã tudo é sempre. Só os que sentem assim podem escrever boas memórias.

Para festejar Sérgio memorialista os seus amigos consagramos o dia de ante-ontem ao poeta. De manhã pensamos nele, de tarde fomos à Livraria São José para a cerimônia dos autógrafos, grã-finismo literário inventado por Carlos Ribeiro, e de noite nos reunimos sob a latada do Bar Recreio, esse curioso restaurante, onde, nesses jantares de homenagem, hoje a quinhentos cruzeiros por cabeça, os garçons apressados nos servem o troço de excelente churrasco como se estivessem lançando a ração sangrenta às feras de uma *ménagerie*.

A mesa era enorme, estava lá, à direita de Sérgio, o acadêmico Peregrino Júnior, que o saudou com elegante brevidade, à esquerda outro acadêmico (não guardei o nome) e os dois, enquadrando assim o poeta, pareciam emissários da Academia encarregados de levar à força o amigo para a Casa de Machado de Assis; estava lá Moysés Vellinho, gaúcho tão raro por estas bandas; o meu xará Antônio Bandeira, de cuja maravilhosa exposição no Museu de Arte Moderna não falei porque ainda não aprendi o vocabulário da boa crítica na matéria; havia Rubem Braga, que põe graves óculos para comer, e aquele que ele chama Zizico em suas crônicas; havia o excelente homem que tem nome de constelação – Adalardo; havia, havia, não, ardia, cintilava, fulgurava Elissée, a bebedora de cauim, ferozmente alegre, fatigantemente bela; havia... havia de um tudo. E todos bebemos à saúde do homem que escolheu a profissão das letras porque a considera "limpa e honesta", o que apenas quer dizer que ele a exerce com limpeza e honestidade. Era essa limpeza, essa honestidade, além do singular talento, que estávamos celebrando na noite de anteontem.

[17-VII-1960]

PERFEIÇÃO MORAL

Não conheço nem sei de homem moralmente mais perfeito, direi mesmo tão perfeito quanto Milton Campos. No âmbito familiar foi sempre bom filho, e é bom esposo, bom pai, bom irmão. Quanto ao amigo, quem que o tenha como tal não sentiu os tesouros do coração desse *vir probus* que é amigo de seus amigos em todas as horas, salvo na hora da patifaria? Mas um patife jamais será amigo dele, como jamais ele será amigo de um patife.

A perfeição moral implica a modéstia, mas a modéstia de Milton Campos vai a ponto de esconder-se, de se disfarçar quando indiscretamente provocada. Foi o que se passou num programa de televisão na presente campanha eleitoral. Perguntou o repórter se Milton Campos possuía automóvel, esperando naturalmente uma dessas respostas de falsa modéstia infalíveis na boca dos cabotinos da modéstia. Milton retrucou que não, logo acrescentando porém: "Mas ando muito de táxi..."

A bondade de Milton Campos não exclui todavia a malícia. Milton é superiormente malicioso, irônico, só que não se vale da malícia em proveito próprio ou para diminuir os seus semelhantes. Famosa é a resposta que deu aos seus auxiliares de governo no caso da Rede Mineira de Viação, cujo pessoal estava em greve por falta de pagamento de seus salários. Queriam mandar contra os grevistas um contingente da Polícia Militar. Milton não aceitou a sugestão e indagou com mansidão e agudeza: "Não seria melhor mandarmos o pagador?"

Esse e outros episódios caracterizam aquele traço psicológico de Milton por Abgar Renault definido como "a franciscana tendência à omissão de si mesmo e à falta de espetáculo pessoal". Franciscanismo de que todo dia dá ele prova em sua nobilíssima campanha pela vice-presidência. Só se refere às baixezas de seus adversários políticos quando formalmente inquirido pelos profissionais do jornalismo, do rádio e da televisão. E é sempre com delicadeza e moderação que o faz, porque, e aqui cito novamente Abgar, "guarda Milton no coração as indulgências mais completas para todas as formas de erros, falhas, ridículos e misérias do mesquinho animal humano".

Não há duas morais para Milton Campos: a doméstica e a pública. Milton advogado, grande advogado, e Milton político se conduzem com o mesmo pudor, a mesma probidade, a mesma capacidade de sacrifício do chefe de família, pondo sempre o bem da comunidade acima do seu bem doméstico, e o doméstico acima do pessoal.

Votarei nele para a vice-presidência. Na verdade, é nele que gostaria de votar para a presidência...

[31-VII-1960]

Oswaldo Aranha: erros do coração

Avistei-me pela primeira vez com Oswaldo Aranha e João Neves uma noite em casa de Afrânio de Melo Franco, antes de 1930, quando se preparava a revolução. Oh noite de grandes esperanças! De João Neves vim a me tornar amigo; de Oswaldo nunca, a vida não me deu oportunidade de maior aproximação senão em breves, e espaçados encontros. Mas a impressão que recebi dele, da sua simpatia, da sua inteligência, do seu *panache* naquele dia em casa de dr. Afrânio foi profunda e resistiria a todas as decepções da revolução realizada e malograda na ditadura de Getúlio Vargas. A este ficaria Oswaldo fiel até o fim. E, todavia, a sua dedicação ao ditador não suscitava em ninguém a mesma repulsa que inspirava em outros. É que, em Oswaldo, o fascínio pessoal, a sua nunca desmentida generosidade impunha a aceitação de seus erros e defeitos.

Não se sabia bem donde nascia aquele fascínio, o maior que já exerceu na elite brasileira qualquer de seus homens públicos, fascínio que era da mesma natureza que o de Nabuco, feito de beleza física, de irradiante simpatia, de dominadora inteligência, a que, no caso de Oswaldo, se somava ainda a nomeada de sua bravura nos entreveros gaúchos.

É certo que errou muito. Tenho, porém, que se errou foi sempre pelo coração, não pela inteligência. Quinta-feira, na Academia, ao se lhe prestarem as homenagens que partiam de homens tão diversos como Levi Carneiro, Alceu Amoroso Lima, Vianna Moog, Rodrigo Octavio Filho, Austregésilo de Athayde, o depoimento deste último ilustrou sobejamente esse traço marcante na psicologia do extinto. O nosso presidente relembrou um dos repentes mais infelizes do grande coração de Oswaldo. Foi por ocasião de uma conferência proferida no Itamaraty por Alceu Amoroso Lima e a convite do próprio Oswaldo, então ministro das Relações Exteriores, vejam bem. A conferência de Alceu analisava as nossas deficiências e foi implacável, objetiva, realista. A assistência aplaudiu-o calorosamente. Oswaldo, cuja fé em nossos grandes destinos não suportava semelhantes restrições, foi tomando pressão à medida que Alceu discursava e, terminada a oração do seu *convidado*, não se conteve e explodiu – literalmente explodiu num improviso arrebatado, que, todavia, o auditório acolheu com a maior frieza. Foi da parte do ministro uma gafe, um destempero, um escândalo. E logo com quem! Com o exemplo de todas as virtudes e todas as elegâncias que é Alceu! Era o grande coração de Oswaldo que estava, mais uma vez, errando destrambelhadamente.

Mas, encerrada a cerimônia, contou-nos Athayde, Oswaldo convidou este a acompanhá-lo ao seu gabinete, e lá, sentando-se desconsoladamente numa poltrona, acabrunhado, exclamou: –"Acabo de dar um coice!" Era a inteligência reagindo rápida contra o coração errado e enchendo-o de arrependimento.

O fascínio pessoal de Oswaldo Aranha, como o de Joaquim Nabuco, cumpriu enormes serviços ao Brasil no estrangeiro. Poucos, muito poucos homens nossos deram lá fora impressão tão lisonjeira. Para falar franco e duro, homens como os dois, ele e Nabuco, a esse aspecto, verdadeiramente não nos representam. Porque são exceções.

[31-I-1960]

Grande da Venezuela

Se o Villa-Lobos estivesse aqui, eu o convocaria com o seu orfeão, reforçaria este com as vozes de uma boa dúzia de amigos das letras hispano-americanas – o Justo Pastor Benitez, o Stefan Baciu, o Homero Icaza Sánchez, os candidatos à minha sucessão na Faculdade Nacional de Filosofia Bella Jozef, Leônidas Porto, Mário Camarinha, Hélcio Martins, pediríamos licença ao Sílvio Júlio e iríamos entoar, sob as janelas da Embaixada da Venezuela, a canção de cordialidade das boas-vindas ao novo embaixador Mariano Picón-Salas.

Eis agora entre nós um dos grandes espíritos de "nuestra América", da linhagem dos Bello, dos Martí, dos Hostos, isto é, dos homens cuja principal atividade intelectual sempre consistiu no estudo apaixonado de nossas realidades, na busca incessante de nossa expressão própria, para usar a expressão de Pedro Henríquez Ureña, que, com Picón-Salas, Alfonso Reyes, Martínez Estrada e tantos outros, herdaram a mentalidade fraternamente continental daqueles insignes próceres do século XIX.

Mariano Picón-Salas é um verdadeiro mestre. Quando andei lecionando literaturas hispano-americanas, frequentemente estava recorrendo a essa opulenta canteira que é o seu livro *De la conquista a la independencia*, volume em que cada capítulo, como argutamente acentuou Augusto Mijares, é síntese de muitas obras e ao mesmo tempo ponto de partida para outras. Desde o breve prefácio nos adverte o mestre sobre o permanente conflito da vida natural *"criolla"*: "a presença de elaboradas formas estrangeiras, de uma cultura forânea que serve às minorias privilegiadas, mas um tanto indiferentes à realidade da terra, e o acúmulo de irresolutos problemas que brotam das massas índias ou mestiças"; assinala como o maior problema educativo da América espanhola o conciliar com a cultura dos livros e das universidades a "urgente civilização manual", aquela civilização iniciada nas tentativas pedagógicas de Pedro de Gante e Vasco de Quiroga no século XVI. Os capítulos referentes às primeiras formas de transculturação, especialmente a parte que diz respeito à pedagogia da evangelização, e o que versa o tema do barroco das índias são páginas magistrais; como pensamento erudito tanto quanto como esplendor de expressão.

Outro livro em que se trai a ternura "americana" de Picón-Salas é *Intuición de Chile*. Já em *Odisea de tierra firme*, relatos da negra era de Gómez, o que admiramos é a sensibilidade do democrata que sempre teve a bravura de enfrentar as tiranias.

Homens como este é que os nossos vizinhos deviam mandar sempre como seus representantes. Há anos estava eu esperando que a Venezuela nos mandasse Picón-Salas. Chegou a vez. Agora, que o Equador nos mande Jorge Carrera Andrade, o México José Gorostiza, Cuba Eugenio Florit, e as outras repúblicas nomes da mesma categoria. Todas os possuem.

[4-VI-1958]

Conhecimento de Carrera Andrade

Um dia um rapaz equatoriano que fazia versos embarcou num navio holandês rumo ao Panamá e dali partiu para a Europa. A viagem iniciou-o "na magia verde da geografia". No estrangeiro começou a escrever os seus *Boletines de mar y tierra*. Estava com 25 anos e desde então a Hispano-América passou a contar com mais um grande poeta – esse extraordinário, esse raro Jorge Carrera Andrade, que ora nos visita. Chegou, finalmente, a nossa vez de nos enquadrarmos na sua mágica geografia.

Havia muitos anos que eu suspirava por este momento de conhecer em carne e osso o poeta de *Biografía para uso de los pájaros*. Por que o Equador, dizia eu comigo, não nos manda como embaixador o seu maior poeta, que é também um dos maiores da América? Fê-lo agora, infelizmente só em missão especial, quer dizer, por pouco tempo, quando o que queríamos era tê-lo aqui por alguns anos, como tivemos outras grandes figuras da América – Alfonso Reyes, Mariano Picón-Salas. Tanto mais que Carrera Andrade, homem, não fica atrás de Carrera Andrade poeta, na sua envolvente simpatia e afetividade.

O poeta não é ainda conhecido do nosso grande público. Quem, porém, quiser saber o que é a sua poesia não tem senão que ler a arte poética contida em seu poema *"El objeto y su sombra"*. A vida são as coisas. E o poeta aconselha:

> *Limpiad el mundo – esta es la clave*
> *de fantasmas del pensamiento*
> *Que el ojo apareje su nave*
> *para un nuevo descubrimiento.*

As janelas são tema constante na poesia de Carrera Andrade: *"La ventana, mi propiedad mayor..."* Pedro Salinas escreveu um dia que as ideias básicas da poesia de Carrera Andrade são: viagem e registro. Registro de tudo o que vai vendo em suas viagens, e o mais importante é que o poeta tem olhos para os seres e objetos que a toda gente parecem insignificantes ou feios. Os seus *Microgramas* (o poeta provou que o espírito e a técnica do haicai existia no epigrama castelhano, no *cantar* e na *saeta*), os seus *Microgramas* são uma série desses registros de coisas e seres humildes. Que é o caracol?

> *Caracol:*
> *mínima cinta métrica*
> *con que mide el campo Dios.*

[1-I-1961]

Botto, inventor

Era um grande poeta – e um grande inventor de mentiras. Como poeta podia fazer canções desta deliciosa ingenuidade:

Faze ó ó meu pequenino, –
Anda lá fora um rumor...
Voz do mar, ou voz do vento.
Faze ó ó...

      – Seja o que for!
Vejo as estrelas brilhando
Através desta vidraça;
– Sinto-me triste, mais só...
E a minha voz vai cantando:
– ó, ó... – ó, ó...

Cito essa "Cantiga de embalar" porque é curta. Há numerosas outras tão bonitas ou mais.

Como inventor de mentiras era capaz de improvisações como esta:

Uma noite, numa reunião em São Paulo, a conversação caiu no nome de Mário de Andrade, já falecido. Botto tomou um ar pesaroso e falou:

– Ainda me lembro da primeira vez que o vi. Foi em Lisboa. Eu estava a banhar-me, quando o criado veio dizer-me: "Está aí o sr. Mário de Andrade". Mário de Andrade? Nu como estava e sem me enxugar, corri à sala...

Aí um dos da roda interrompeu-o: – Mas o Mário nunca saiu do Brasil.

Botto não se alterou:

– Ah não? Então devia ter sido o Gide, ou o Proust.

Não se contentou jamais de ser um grande talento; proclamava-se gênio. Por si e pela voz dos maiores escritores – Pirandello, Unamuno, Antonio Machado, García Lorca, Fernando Pessoa... Quando deu o primeiro recital no Rio (dizia maravilhosamente os seus versos), pediu-me que o apresentasse. Fi-lo em algumas palavras que depois me fez escrever. Mas tirando cópia delas para publicação numa revista, onde o chamei de grande poeta, riscou o qualificativo "grande" e substituiu-o por "genial". Ele não fazia por menos...

Tinha tudo para ser admirado e amado: presença simpática, maneiras encantadoras, voz insinuante, dotada de persuasivas inflexões. Não precisava senão de ser simplesmente o que era. Não compreendeu isto. Não compreendeu que mais do que as palavras de exagerado louvor que pôs na boca dos que talvez nunca tivessem lido uma linha dele, valiam as do seu sincero conterrâneo José Régio ao dizer da obra do confrade mais velho que ela ficaria, "pesada de sentido e cristalina de timbre, sobre a qual o tempo não terá poder".

[25-III-1959]

Maria da Saudade

Mandou-me alguém uns poemas, pedindo-me em carta a minha opinião sobre eles. Assinava-se Maria Gonçalves. Essas consultas, que me chegam com uma frequência um tanto enervante, me deixam sempre perplexo. São, em grande maioria, versos de rapazes e moças que andam beirando os vinte anos. Que poesia se pode fazer nessa idade, a menos que se seja um Rimbaud ou, mais modestamente, um Castro Alves? Balbucios informes, que às vezes enternecem pela sua ingenuidade desajeitada...

O caso de Maria Gonçalves, porém, não era esse e era uma exceção. Vi logo nos seus versos um poeta feito e perfeito. No entanto exprimia-se na carta com uma encantadora modéstia e incerteza da vocação, todavia claríssima: "Os poemas que lhe envio não foram vistos por ninguém, se V. achar que não valem nada ou que valem pouco ninguém mais os verá. O caso, querido Manuel Bandeira, é que sou uma mulher e a palavra 'poetisa' me enche de horror. Se V. acha que não poderei passar dessa coisa temível que é uma poetisa de salão, peço que o diga sem piedade; mais vale cortar o mal pela raiz. Sei que esses versos são tremendamente inexperientes e eu própria os poderia corrigir um pouco. São de épocas diferentes, esquecidos por gavetas, encontrados ao acaso; mas penso que, se eles não valem nada, seria ridículo tentar melhorá-los, e que, se valem alguma coisa, V. o saberá descobrir através das *gaucheries* duma principiante."

Não havia *gaucheries*. Ao contrário, havia uma surpreendente segurança de mão no manejo e combinação das palavras encantatórias criadoras de poesia. Huidobro disse em sua *Arte poética* que o adjetivo quando não dá vida, mata. Os adjetivos de Maria Gonçalves eram sempre vivificantes. O substrato dos poemas, meditativo e grave, revelava uma sensibilidade amadurecida e muito pessoal; a forma era sóbria, de bom desenho, rico de matéria, como se diz em pintura, de uma musicalidade muito moderna. Não havia ali aquilo que tanto irritava Valéry: as belezas que são acidentes. Nada era acidental naquela poesia: tudo parecia surgir e ordenar-se obedecendo ao apelo vigilante da decisão criadora. E certos versos me fizeram lembrar uma imagem de Claudel, soando aos meus ouvidos *"imprégnés jusqu'en ses dernières fibres, comme le bois moelleux et sec d'un Stradivarius, par le son intelligible"*.

Quem era Maria Gonçalves? O enigma parecia insolúvel. Mas eu já fui charadista... Uma manhã disquei para a casa de Jaime Cortesão, atendeu-me sua filha Maria da Saudade e eu disse-lhe sem preâmbulo: – Bom dia, Maria Gonçalves!

E era Maria Gonçalves mesmo, isto é, um raro poeta que não precisa dos conselhos de ninguém, e ainda menos deste seu deliciado admirador.

CENDRARS DAQUELE TEMPO

Blaise Cendrars, que acaba de morrer em Paris em relativa obscuridade, foi na década de 1920 um dos nomes de maior prestígio universal no mundo da poesia. Para isso concorriam, tanto quanto a sua obra, certas faces pitorescas da sua personalidade: era um mutilado da guerra de 1914, na qual perdera um braço e desde os dezesseis anos um *globe-trotter* que não esquentava lugar. A sua poesia impressionava então violentamente pela mistura do épico e do lírico: ao mesmo tempo que representava a vida moderna no que ela tinha de mais novo e mais chocante, sabia confidenciar os sentimentos mais íntimos do seu autor. Cendrars era um possuído da vida moderna. *"L'univers me déborde"*, explicou ele na *"Prose du Transsibérien"*. Essa confissão definia-o.

No Brasil foi grande a sua influência sobre os rapazes que em 1922 desencadearam o movimento modernista. Tanto que, alguns anos depois da famosa Semana, indo Paulo Prado à Europa, trouxe de Paris o poeta para lhe mostrar o Rio, São Paulo e Minas. Algumas das impressões dessa passagem entre nós estão nos poemas curtos do livro *Feuilles de route*, poeminhas que evidentemente influenciaram a maneira em que depois começou a poetar o "aluno de poesia" Oswald de Andrade.

A seiva mais densa de Cendrars como que se esgotou nos três longos poemas de *Du monde entier*. Ali se pode dizer que verdadeiramente reuniu *"les éléments épars d'une violente beauté"*.

Quem me revelou Blaise Cendrars foi Ribeiro Couto, quando éramos vizinhos na rua do Curvelo. Ainda hoje conservo preciosamente o exemplar de *Du monde entier* na simpática edição da *Nouvelle Revue Française*, emprestado por Couto e que eu jamais restituí. Lembro-me nitidamente do fervor com que líamos e relíamos os versos, tão surpreendentes para nós, de *"Les Pâques à New York"*, *"Prose du Transsibérien"* e *"Le Panama"*... Versos que hoje não me satisfazem mais, mas que naquele tempo punham em meu coração um frêmito novo...

[25-I-1961]

Recordação de Camus

De todos os grandes escritores europeus que nos visitaram, e eu tive oportunidade de abordar, nenhum me impressionou tão agradavelmente como esse Albert Camus, que acaba de desaparecer num fortuito acidente de automóvel. Quando ele esteve aqui, ainda não era Prêmio Nobel, mas já havia escrito *La peste* e o seu nome se tornara conhecido em todo o mundo. A maior láurea literária não podia aumentar-lhe a celebridade, que já era imensa: era dos tais que fazem mais honra ao prêmio do que o prêmio a eles.

Assim, ao se anunciar a sua conferência, a ser pronunciada no auditório do Ministério da Educação, a afluência do público foi enorme, e creio mesmo que só Anatole France despertou entre nós tamanha curiosidade. Até eu, que sou muito avesso a esses corre-corres, a esse espevitamento de tomar o cheiro dos famanazes em trânsito, saí-me dos meus cuidados e fui até o Ministério. Mas, diante do aspecto da sala, absolutamente à cunha, com gente sentada até junto à mesa, bati em retirada. A consequência foi que nunca vi Camus falar em público.

Vi, porém, coisa melhor. Conversei com ele em *tête-à-tête*, e eis como tive essa fortuna, que devo a Maria da Saudade Cortesão. Alguns amigos brasileiros do grande escritor, uns vinte, entre os quais Murilo Mendes, tiveram a boa ideia de lhe oferecer um almoço de despedida num restaurante português da rua do Ouvidor, perto do cais. Ao fim do almoço, eu, que apenas havia apertado a mão de Camus ao lhe ser apresentado, sentia-me bastante derreado pela peixada e pelo verde da casa: mal podia trocar palavra com os meus vizinhos de mesa. Foi quando Maria da Saudade, que ocupara o lugar à direita do escritor, levantou-se e veio buscar-me para me fazer sentar ao lado de Camus, a fim de que ele e eu conversássemos um pouco. Obedeci com certa relutância, pois não esperava grande coisa do contato (a minha experiência com Spender, Lehman e outros *sublimes* fora desanimadora). Que dizer de saída a Camus? Eu estava arrasado. Foi o que disse: – "Esses almoços em restaurante me cansam muito". A simpatia de Camus foi total. – "A mim também", respondeu. E eu prossegui: – "O senhor deve estar exausto de tanta conferência, tanta homenagem". E ele: – "Estou doente. Eu resisti à guerra, resisti à Resistência, não resisti à América do Sul!" Por aí fomos num papo sem nenhuma formalidade, falamos de nossa doença (porque Camus também foi dos marcados pela tuberculose na mocidade), falamos de muitas outras coisas e ele acabou dando-me o seu telefone privado em Paris para que eu o procurasse quando fosse à França. Durante todo o tempo que o ouvi, senti-me à vontade e encantado. Surpreso. Não havia naquele homem vestígio dessa personagem odiosa que é a celebridade itinerante. *Não parecia um homem de letras.* Era um homem da rua, um simples homem, dando a outro homem um pouco da sua substância espiritual, simplesmente humana. Senti vontade de ser seu amigo. Quando, um ano depois, estive em Paris, quis procurá-lo. Ele estava ausente. Agora o desastre... Deixo nessas pobres linhas a minha saudade do homem Camus, tão simples, tão simpático, tão despretensioso na sua glória mundial.

[10-I-1960]

Presença de Dante

Coisa difícil que é dizer versos bem. De ordinário não gosto dos declamadores profissionais; são demasiado intencionais, lembram certos cantores que se preocupam mais com o seu órgão vocal – a pureza do som, a nitidez da articulação – do que com a fidelidade ao sentimento expresso. Muitas vezes uma pessoa qualquer, sem nenhuma pretensão a dizer bem, diz bem, precisamente por isso. Foi o caso de Laudelino Freire dizendo o poema de Ribeiro Couto "A velhinha dos cabelos de algodão" no discurso de recepção do poeta na Academia de Letras. Laudelino balbuciou os alexandrinos de Couto, tão refertos do doce carinho dos netos, numa voz neutra, sem pôr em nenhum deles nenhuma ênfase, nenhuma intenção de bem dizer. Pois disse-os muito bem, porque o fez com ingenuidade, aquela ingenuidade que quase sempre falta aos profissionais da dição.

Domingo passado, às nove e pouco da noite, sintonizei o meu rádio com a PRA-2 e vi que estava uma voz masculina declamando o Canto IV do *Inferno*, de Dante:

> *Vero è che in su la proda mi trovai*
> *Della valle d'abisso dolorosa,*
> *Che truono accoglie d'infiniti guai.*

Ai, árvores!

Em sua crônica de domingo para o *Correio da Manhã* comentou o poeta Carlos Drummond de Andrade, com aquelas palavras irônicas que ele sempre tem para as calamidades remediáveis ou irremediáveis da vida, o brutal assassinato de Chiquinha, mais um crime de dois exemplares perfeitos da juventude transviada.

Chiquinha era uma amendoeira, assim crismada pelo poeta em homenagem ao ex-prefeito Francisco Negrão de Lima, que a mandou plantar a seu pedido. "Volta, Chiquinha, ao limbo das pequeninas árvores sacrificadas a cada instante pelos que não sabem amar coisa alguma e não merecem sombra", arrematava o poeta em sua crônica.

Eu, que já vi seis das minhas Chiquinhas passarem ao limbo, ando em contínuo sobressalto pela sobrevivência de uma sétima, esta, como as outras, mandada plantar por Negrão de Lima a meu pedido. As duas primeiras foram plantadas no inverno de 1957. Pouco tempo depois parti para a Europa e nos quatro meses que estive fora, pensei nelas com carinho. Quando voltei vi que tinham desaparecido.

As que as substituíram não tiveram melhor sorte; uma depois da outra foram decepadas para brinco de um instante. Dessa vez já não pedi substitutas; compreendi que era inútil lutar contra a selvajaria dos desocupados. Mas um belo dia lá estavam não duas, estavam três mudinhas de árvores, lindas, lindas na sua inocência de vegetais felizes. Duas semanas depois uma era degolada. Das restantes uma era perfeitamente conformada, verdadeira *miss*; a outra, não, haste fora de prumo, irregularmente esgalhada, meio feinha e rebelde. A bonita viveu bonita, cada vez mais bonita, uns quatro meses. Uma manhã amanheceu reduzida ao talozinho melancólico: tinha sido sacrificada pelos que "não merecem sombra". A minha reação não foi irônica, como a do poeta: fiquei indignado, roguei pragas, converti-me em princípio à adoção da pena de morte, pelo menos para os assassinos de árvores... Agora minha última esperança é a Chiquinha feia. Nem posso dizer que seja esperança. Alguma coisa me diz que será assassinada como as outras...

Contou-me Júlio Moura que meu conterrâneo José Raul de Morais, grande amigo das árvores, tem na sua chácara de São Clemente azulejos com versos dos nossos poetas. De Adelmar Tavares são estes, que deveriam ser ensinados aos meninos em nossas escolas primárias:

> Raul, que felicidade!
> Plantar árvores e vê-las
> Crescer rumando às Estrelas,
> Dando sombra, e fruto, e flor
> Aos filhos dos nossos filhos,
> Aos netos do nosso amor.

Quero improvisar no momento uma quadra para a chácara de Morais. Não será tão bela quanto a sextilha transcrita, que eu não sou Adelmar, mas vai como homenagem ao Morais, ao Moura, a Negrão de Lima, a Drummond e às árvores em geral:

Já reparaste na árvore antiga
Esse ar de mãe que é toda carinhos?
– Árvore, nossa melhor amiga,
Fonte de sombra, mansão de ninhos!

[9-IX-1959]

Está morrendo mesmo

Quem? O carnaval. Com a supressão dos alto-falantes nas ruas o fato se tornou evidente. Esses insuportáveis aparelhos davam aos carnavais anteriores uma animação fictícia. Emudecidos eles, verificou-se que o povo não cantava mais. Não brincava. Espairecia. Esperava a passagem das escolas de samba.

O setuagenário me falou:

– Carnaval no Rio houve mas foi no tempo em que ainda existia a rua do Ouvidor. Porque essa que ainda chamam assim não é mais a rua do Ouvidor, a que Coelho Neto chamava nos seus romances a "grande artéria". Ali se situavam, então, as redações dos principais jornais – *Jornal do Commercio*, *O País*, *Gazeta de Notícias*, *A Notícia*, *Cidade do Rio*. Ali estavam estabelecidas as mais elegantes casas de modas, os grandes advogados etc. Tudo vinha acabar, completar-se, consagrar-se definitivamente na rua do Ouvidor. Carlos Gomes quando voltou da Itália, Rio Branco quando veio ser ministro de Rodrigues Alves, foi na rua do Ouvidor que receberam a homenagem máxima da cidade. E o melhor carnaval era o da rua do Ouvidor. As senhoras e moças mais bonitas do Rio enchiam as sacadas e as portas das casas comerciais e dos escritórios e enquanto não despontavam os préstitos brincavam com alegria e entusiasmo.

A abertura da avenida Rio Branco foi o primeiro golpe sério no carnaval. A festa diluiu-se, perdeu o calor que lhe vinha do aperto. Mas durante alguns anos houve o corso, que era realmente lindo com o seu espetáculo de serpentinas multicores. Os automóveis fechados vieram acabar com ele. Junte-se a isso a comercialização das músicas, a intromissão do elemento oficial premiando uma coisa cujo maior sabor estava em sua gratuidade...

Vale a pena lamentar? Acho que não. O carnaval está morrendo, outras coisas estarão nascendo. No tempo dos bons carnavais não tínhamos o espetáculo das praias. A vida é renovação. "Mudam-se os tempos, mudam-se as vontades", disse o poeta máximo da língua, e outro disse que "isto é sem cura". Quem não estiver contente com o presente, viva, como eu, das saudades do passado.

[15-II-1959]

Batalha naval no Lamas

As forças que se defrontavam estavam em perfeito pé de igualdade: de cada lado um couraçado, dois destroieres, três cruzadores e quatro submarinos. Evidentemente tudo dependia da colocação e da habilidade maior ou menor dos artilheiros. Não retive o nome do almirante da esquadra A. O da esquadra B era Tomás Terán, o grande pianista nosso conhecido. Águas de um fundo obscuro de loja na rua do Ouvidor, com bancos perigosos de rádio-eletrolas, armários de discos e, na linha do horizonte, retratos de Carmen Miranda, Elisa Coelho, Rogério Guimarães e vários outros astros internacionais.

Terán abriu fogo: três tiros: Girafa 5, Iodo 3, Hermengarda 9. O adversário acusou: couraçado atingido, submarino a pique, um tiro n'água; e por sua vez mandou bala: Benedito 2, Cocada 4, Alemanha 6. Terán sorriu: Todos os tiros n'água!

Todavia a sorte em breve mudou. Ao cabo de vinte minutos só restava um cruzador, esse mesmo atingido, ao pianista, que não havia podido localizar dois destroieres inimigos. O tiro seguinte aniquilou de todo a Armada.

Foi assim que conheci o novo jogo de salão: duplo tabuleiro quadriculado, com 81 casas, cada casa determinada pelas coordenadas horizontal e vertical, aquela designada por letra, esta por número. Cada adversário dispõe a sua frota: um submarino toma um quadrado, o destróier dois, o cruzador três, o couraçado quatro. Como reina a mais negra cerração, quase sempre afetando a forma de um chapéu, os beligerantes não veem as posições inimigas.

Segundo a disposição de espírito, o jogo, como tantas outras coisas na vida, – o *bridge*, o namoro de portão, a derrubada de interventores – pode parecer interessantíssimo ou cacete.

Dizem que foi inventado pelos malandros do Lamas. Deve ter sido.

O Lamas é um café do largo do Machado. Fica aberto toda a noite. Se fechou alguma vez, tê-lo-á sido acidentalmente, na hora mais difícil de bafafá na rampa... Do Rio que o prefeito Passos remodelou, será talvez a única tradição sobrevivente em casas dessa natureza. Todos os outros cafés, todos os outros restaurantes *ouverts la nuit* desapareceram: o Stadt Munchen, o Critério do antigo largo do Rocio, onde Paula Ney e a sua roda farreavam, a Castelões, o famoso Café do Rio, o Java não passam de nomes vivendo apenas na memória melancólica de alguns quinquagenários. O Café Lamas continua aberto, imortal, dessa imortalidade idêntica à da natureza que se renova cada ano pela força da primavera. Com efeito cada ano traz ao Café Lamas uma nova turma da mocidade das escolas superiores. Os meninos que passam nos bondes, nos ônibus, nos automóveis espiam para ele com olhos compridos, achando que tarda o momento de conhecer o famoso reduto de noitadas de cerveja e bilhar, o inconcebível bife com batatas das três da manhã, o dia da carta de valente, a fuga da polícia pelos fundos do açougue vizinho. Eles sabem que só é verdadeiramente bambambã quem já "virou mesa no Lamas". (Tempos longínquos em que eu vinha de Laranjeiras para o ginásio e espiava também para o Lamas, à espera da hora de ser rapaz, de ter a chave de casa, não dar satisfações, jogar bilhar, espetar contas! A vida se encarregou de escamotear-me tudo isso, e outras cousas.)

Andorinha, andorinha

O mesmo prestígio tem o Lamas aos olhos das meninas; o mesmo não, que aqui se mistura o seu quê de ciumada e medo. Elas sabem que há perversos ali capazes de tudo, leões de chácara, bambas de *dancings*, gigolôs barrados, jogadores tesos. Sabem que a partir de uma certa hora não há mais para onde ir e o Lamas é o fim de todas as noites em claro por uma razão ou por outra.

Pois foi do Café Lamas que saiu, dizem, o jogo da Batalha Naval, em que é mestre o meu ótimo amigo Terán, comodoro da Grande Armada.

[12-IX-1931]

GONÇALVES DIAS

Ao mestre e amigo
Aloysio de Castro
Homenagem do autor

Advertência

Não tem esta biografia a pretensão de acrescentar nada ao magnífico livro *A vida de Gonçalves Dias*, de Lúcia Miguel Pereira, fruto de pesquisa exaustiva em todas as fontes de informações sobre o poeta. Nele sobretudo e, subsidiariamente, no de Antônio Henriques Leal e nas achegas de Nogueira da Silva e Josué Montello, me baseei para escrever esta narrativa quase linear da atormentada existência do nosso grande romântico.

Manuel Bandeira

Autobiografia
Escrita em 1854 para Ferdinand Denis

As províncias do norte do Brasil foram as que mais tarde aderiram à independência do Império. Caxias, então chamada *Aldeias altas*, no Maranhão, foi a derradeira. A independência foi ali proclamada depois de uma luta sustentada com denodo por um bravo oficial português que ali se fizera forte. Teve isso lugar a 1º de agosto de 1823. Nasci a 10 de agosto desse ano.

Ali estudei latim, francês e filosofia; mas para concluir estes estudos e começar novos, acompanhei em 1837 meu pai que vinha para a Europa tratar de sua saúde. Meu pai faleceu no Maranhão e eu voltei para Caxias.

Em 1838 saí novamente de minha província, cheguei a Lisboa e segui para a Universidade de Coimbra, onde frequentei o curso de Jurisprudência.

Enquanto estudante, apliquei-me à literatura e ao estudo das línguas vivas, — e continuei apesar da revolução de Caxias de 1839, que me deixou sem recursos em um país estrangeiro, tendo apenas dezesseis anos incompletos.

A minha primeira poesia foi dedicada à coroação do atual Imperador, e recitada em um festejo que deram os estudantes brasileiros para celebrar aquele acontecimento. Fiz parte da redação de um periódico poético — *O Trovador* — que publicavam alguns estudantes.

Tendo em 1844 tomado o grau de bacharel em Jurisprudência que me habilitava para a profissão de advogado, conhecendo o espanhol, italiano, francês, inglês e alemão, voltei para o Brasil em 1845, depois de correr grande parte de Portugal.

Fui para Caxias, e publiquei ainda nesse ano algumas poesias que despertaram a atenção. "É a imaginação de Lamartine com o estilo de Filinto Elísio", escrevia um crítico.

Fui para o Rio em 1846, em cujo ano apareceu o 1º volume de minhas poesias *Primeiros cantos*. Algum tempo se passou sem que nenhum jornal falasse nesse volume, que, apesar de todos os seus defeitos, ia causar uma espécie de revolução na poesia nacional. Depois acordaram todos ao mesmo tempo, e o autor dos *Primeiros cantos* se viu exaltado muito acima de seu merecimento. O mais conceituado dos escritores portugueses — Alexandre Herculano — falou desse volume com expressões bem lisonjeiras, — e esse artigo causou muita impressão em Portugal e Brasil.

Mas já nesse tempo, o povo tinha adotado o poeta, repetindo e cantando em todos os ângulos do Brasil.

Em 1847 publiquei um drama — *Leonor de Mendonça* — elogiado pelo Conservatório Dramático.

Em 1848 — um segundo volume de poesias — *Segundos cantos*; e fui nomeado professor de História do Brasil no Imperial Colégio de Pedro II.

Em 1850 — o terceiro volume de poesias — *Últimos cantos*. Nesse ano fui em uma comissão do governo às províncias do norte, que assim tive ocasião de visitar.

Pouco tempo depois de ter voltado desta digressão, fui nomeado oficial da Secretaria de Estado dos Negócios Estrangeiros.

Tenho-me aplicado com afinco aos estudos históricos, e apresentado algumas memórias ao Instituto Histórico, sendo, até agora, a principal delas a que se intitula

O Brasil e a Oceania, comparação dos caracteres físicos, morais e intelectuais dos indígenas destas duas porções do mundo, considerados no tempo da descoberta para deduzir desta comparação qual deles oferecia mais probabilidade à civilização.

(Biblioteca Nacional, 1-33,5,142)

Cronologia

1823 10 de agosto: Nascimento de Antônio Gonçalves Dias no sítio Boa Vista, em terras de Jatobá, a 14 léguas de Caxias, província do Maranhão.

1825 João Manuel Gonçalves Dias, pai do poeta, se estabelece com a amante Vicência Ferreira e o filho em Caxias, na rua do Cisco.

1829 João Manuel despacha Vicência para casar-se com a senhora Adelaide Ramos de Almeida.

1830 Gonçalves Dias é matriculado na aula de primeiras letras regida pelo professor José Joaquim de Abreu.

1831 João Manuel retira o menino do colégio e dá-lhe como professor de caligrafia e contas o seu caixeiro e parente Antônio.

1833 Gonçalves Dias começa a servir na casa comercial do pai como caixeiro e encarregado da escrituração.

1835 É retirado do balcão e matriculado no curso superior do professor Ricardo Leão Sabino, com quem principia a estudar latim, francês e filosofia.

1837 Maio: João Manuel parte para São Luís, donde pretendia embarcar para Portugal, levando o filho. — 13 de junho: Falecimento de João Manuel em São Luís. Volta o menino para a casa da madrasta em Caxias.

1838 13 de maio: Parte Gonçalves Dias para Portugal na companhia do ferreiro português Bernardo de Castro e Silva, vizinho e inquilino de dona Adelaide. — Outubro: Chegada a Coimbra. Entra para o Colégio das Artes, onde, sob a direção do professor Luís Inácio Ferreira, estuda latim e letras clássicas, ao mesmo tempo que toma lições particulares de retórica, filosofia e matemática.

1839 Dona Adelaide, tendo sofrido grandes prejuízos com a Balaiada, manda que Gonçalves Dias se recolha à casa do correspondente, o ferreiro Bernardo, em Figueira da Foz, até que possa embarcar para o Maranhão. — Outubro: ao se reabrirem as aulas da universidade, alguns colegas de Gonçalves Dias convidam-no a vir morar com eles.

1840 Maio: Gonçalves Dias aceita o oferecimento dos amigos. — 31 de outubro: Matricula-se na universidade.

1841 Primeiro ataque de reumatismo. Entra em relações com o grupo da *Gazeta Literária*. — 3 de maio: Recita uma ode, alusiva à coroação de Pedro II, numa festa organizada pelos estudantes brasileiros. Passa as férias em Lisboa, onde se apaixona pela filha da dona da Hospedaria Nacional. Principia a estudar o italiano.

1842 Namoro em Coimbra com Engrácia e com outra moça de Formoselhas. Publica n'*O Trovador*, revista de poesia dirigida por João de Lemos, o poema "Inocência". Começa a escrever o romance *Memórias de Agapito Goiaba*. Nas férias volta a Lisboa.

1843 Julho: Escreve a "Canção do exílio". Começa a estudar o alemão. Escreve os dramas *Patkull* e *Beatriz Cenci*.

1844 É graduado bacharel em Ciências Jurídicas. Vai a Lisboa despedir-se de seu amigo Alexandre Teófilo de Carvalho Leal, que embarcava para o Maranhão.

— Julho: Estava em Gerez, onde fora a fim de obter reparação para uma irmã seduzida por um primo; mas, quando volta a Coimbra, já estavam encerradas as matrículas na universidade, o que o faz desistir de continuar o curso para obter os títulos de bacharel formado e doutor. — Setembro: Volta a Gerez para tratamento do reumatismo pelas águas termais. Em seguida viaja pelas províncias do Minho e Trás-os-Montes, e passando-se à Espanha visita algumas paragens da Galiza.

1845 Janeiro: Embarca no Porto para o Maranhão. — Março: Chega a São Luís, hospedando-se em casa de Alexandre Teófilo. Parte no dia 6 para Caxias, onde é nomeado para uma banca examinadora de mestra de meninas, cargo de que em junho já estava demitido. — Junho: Começa a escrever a *Meditação*. — Setembro: Envolve-se nas eleições municipais, a favor do partido *cabano* (conservador). Durante a estada em Caxias retoca o drama *Beatriz Cenci*.

1846 Janeiro: Retira-se de Caxias e chega em fins do mês a São Luís, hospedando-se novamente na casa de Alexandre Teófilo. — 6 de fevereiro: Escreve as poesias "Seus olhos" e "A leviana", inspiradas por Ana Amélia Ferreira do Vale, prima e cunhada de Alexandre Teófilo. — 8 de maio: conclui a *Meditação*. — Junho: Alexandre Teófilo obtém de Ângelo Moniz, vice-presidente do Maranhão, uma passagem de Estado para Gonçalves Dias transportar-se ao Rio. — Dia 14: Embarque do poeta. — 7 de julho: Desembarque no Rio; hospeda-se no Hotel de l'Univers, no largo do Paço. — Agosto: Estão em composição no Laemmert os *Primeiros cantos*. O poeta estuda a matéria para o drama *Leonor de Mendonça*, frequentando diariamente a Biblioteca Pública, situada então no Largo da Lapa. — 2 de outubro: Entrega ao presidente do Conservatório Dramático o drama *Beatriz Cenci*. — Novembro: O drama é recusado como imoral pelo Conservatório. Trava conhecimento com Odorico Mendes. É aprovado pelo Conservatório o drama *Leonor de Mendonça*. No fim do ano residia à rua da Misericórdia.

1847 Janeiro: Aparecem os *Primeiros cantos*, trazendo no frontispício a data de 1846. — 6 de fevereiro: Corre perigo numa aventura amorosa, em que é apanhado "com a boca na botija". — Maio e junho: Passa algumas semanas em Macacos, chácara de Lisboa Serra na Gávea, na qual planeja *Os Timbiras* e escreve o primeiro canto e parte do segundo. — 2 de setembro: Entra para o Instituto Histórico, proposto por Porto-Alegre. — 7 de setembro: Pronuncia o discurso de abertura do Liceu de Niterói, recém-criado, e para o qual fora nomeado secretário e professor adjunto de latim. — 30 de novembro: Publicação na *Revista Universal Lisbonense* do artigo de Alexandre Herculano sobre os *Primeiros cantos*.

1848 Solicita quatro meses de licença para ser redator de debates do Senado no *Jornal do Commercio* e da Câmara no *Correio Mercantil*. — Junho: Aparecem os *Segundos cantos* e *Sextilhas de Frei Antão*. Nesse ano escreve crônicas e folhetins literários para o *Correio Mercantil* e *Correio da Tarde* e crítica literária, sob o pseudônimo de "Optimus criticus", para a *Gazeta Oficial*. Namoro com a moça que lhe inspirou "Olhos verdes".

1849 5 de março: É nomeado professor de Latim e História do Brasil no Colégio Pedro II. — 2 de dezembro: É agraciado pelo Imperador com o hábito de cavaleiro da Ordem da Rosa.

1850 Muda-se para a rua da Assembleia, onde pouco se demora, e depois para a rua dos Latoeiros, atual Gonçalves Dias, onde adoeceu de febre amarela. — Ao se reabrirem em maio as Câmaras, não quis reassumir as funções de redator de debates. — Junho: Deixa a redação da revista *Guanabara*, que fundara no ano anterior com Macedo e Porto-Alegre.

1851 Aparecem no princípio do ano os *Últimos cantos*. Conhece num baile sua futura esposa, Olímpia Coriolana da Costa, filha do médico Cláudio Luís da Costa. — 21 de março: Parte para São Luís; incumbido pelo Governo de estudar a instrução primária, secundária e profissional nas províncias do Norte e de colher documentos históricos nos arquivos. — Abril a junho: Visita no Maranhão colégios e seminários, bibliotecas e arquivos. Apaixona-se por Ana Amélia. — Agosto: Estava no Pará, onde permaneceu até 10 de setembro. — Outubro: Volta a São Luís e vai com Alexandre Teófilo e a família deste conhecer o engenho Pixanuçu, às margens do Mearim. — Novembro: Antes de embarcar para o Sul escreve a dona Lourença Ferreira do Vale, que estava em Alcântara, pedindo-lhe a filha Ana Amélia em casamento. — Dezembro: Estava na Paraíba.

1852 Janeiro: Recebe no Recife a carta em que dona Lourença lhe nega a mão da filha. — Maio: Estava na Bahia. — 29 de julho: Apresenta o relatório da comissão desempenhada no Norte. — Agosto: Pede em casamento dona Olímpia da Costa. — 20 de agosto: Começa a ler no Instituto Histórico a sua memória *O Brasil e a Oceania*. — 26 de setembro: Casa-se com dona Olímpia na igreja da Glória do Outeiro. — 21 de dezembro: É nomeado oficial da Secretaria dos Negócios Estrangeiros. Nesse ano conhece o engenheiro Guilherme Schür de Capanema, de quem se torna grande amigo.

1854 14 de junho: — Parte para a Europa com a esposa e a cunhada Maria Joaquina, comissionado para estudar os métodos de instrução pública em diversos países e coligir nos arquivos documentos relativos à História do Brasil. — 10 de julho: Chegada a Lisboa. — Outubro: Segue para Paris. — 20 de novembro: Nascimento de sua filha Joana. Nesse ano conhece pessoalmente a Alexandre Herculano e escreve para Ferdinand Denis a nota autobiográfica.

1855 Em fins de março ou princípios de abril volta a Lisboa, onde recebe a nomeação para comissário do Brasil à Exposição Internacional de Paris. — Maio: Encontro casual com Ana Amélia, do qual resultou o poema "Ainda uma vez, adeus!", escrito de 18 a 21 do mês. Em fins desse ano ou começo do seguinte viajou, só, à Bélgica e à Alemanha.

1856 10 de março: A esposa, a filha, a cunhada e o sogro embarcam de regresso ao Brasil. — Março: Parte para a Espanha. — Maio: Está em Lisboa. — Depois vai a Londres e torna em julho a Portugal, seguindo para Évora, onde se demora até fins de setembro e apanha febres terçãs. — 24 de agosto: Morre a filha de pneumonia, no Rio. — Fins de setembro, princípios de outubro parte para a Alemanha por Paris e Bruxelas. — 1º de outubro: É nomeado chefe da seção de Etnografia na Comissão Científica de Exploração: — Novembro: Recebe ordem, datada de 9 de outubro, para passar a João Francisco Lisboa o cargo de pesquisar documentos nos arquivos.

1857 Janeiro: Entrega ao livreiro-editor Brockhaus, em Dresda, os *Cantos* e os quatro primeiros cantos d'*Os Timbiras*. — Abril: Sai a edição Brockhaus dos *Cantos*. — Junho: Está em Viena. Sai a edição Brockhaus do *Dicionário da língua tupi*. — Julho: Visita a Roma. — Setembro: Chega a Paris. — Outubro: Sai a edição Brockhaus d'*Os Timbiras*.

1858 Fevereiro e março: Esteve em Bruxelas. — Maio: Está em Paris. — 8 ou 9 de agosto: Embarca em Southampton para o Rio. — 3 de setembro: Desembarque no Rio.

1859 Partida da Comissão Científica de Exploração. — 4 de fevereiro: Chegada a Fortaleza. — 19 de fevereiro: É nomeado 1º oficial por ocasião da reforma da Secretaria dos Negócios Estrangeiros. — Março: Visita a serra da Aratanha, demorando-se em Pacatuba. — 15 de agosto: Parte com Capanema para Pacatuba, Acarape, Baturité e, depois de uma digressão a Canindé, vai a Quixeramobim e Quixadá.

1860 Janeiro: Estava no Icó, donde seguiu para o Crato, onde se demora examinando os arquivos da Missão Velha. De regresso, visita Jardim, Milagres, percorre parte da Paraíba (Sousa) e do Rio Grande do Norte (Pau dos Ferros) e, reentrando no Ceará, vai ter a Limoeiro. Desce então o Jaguaribe até Aracati e ruma pela estrada do litoral para Fortaleza, onde chega a 10 de março. — Agosto: Acesso de malária e escarros de sangue.— Setembro: Está no engenho de Pixanuçu, no Maranhão, onde se demora até novembro. — 4 de novembro: Parte de São Luís para Caxias. Lá aceita a candidatura a deputado geral proposta numa reunião de conservadores, mas muda depois de ideia e retira-a.

1861 Meados de janeiro: Está em São Luís. — 2 de fevereiro: Está em Belém. — 10 de fevereiro: Segue para Cametá e dali para Manaus, onde é operado de escrófulas no pescoço. É nomeado pelo presidente da província, Manuel Clementino Carneiro da Cunha, visitador das escolas do Solimões. Esteve em Baena, Coari, Tefé, Fonte Boa, Tocantins, São Paulo de Olivença e Tabatinga (Brasil); Loreto, Cochequinas, Pebas, Iquitos, Nauta, São Rissi, Parmari e Mariná (Peru). A viagem durou um mês. — 6 de julho: Parte em nova excursão da mesma natureza, desta vez à região do Madeira; foi até Vila do Crato. — 25 de julho: Está em Manaus. — 15 de agosto: Parte em excursão ao Rio Negro, a qual dura 55 dias; foi até o Cocuí e à povoação venezuelana de São Carlos. — 9 de outubro: Chega a Manaus. — 11 de outubro: É nomeado por Manuel Clementino presidente da comissão organizadora da contribuição da província à Exposição Industrial do Rio. — 26 de outubro: Despede-se pelos jornais. — 12 de novembro: Chega ao Maranhão. — 7 de dezembro: Chega ao Rio; hospeda-se em hotel; a esposa deixa a casa do pai e vai residir à rua Princesa do Catete e depois à praia do Flamengo, mas o poeta não coabita com ela.

1862 Março: Os médicos diagnosticam em Gonçalves Dias inflamação crônica do fígado e lesão incipiente do coração. — Toma posse do cargo de 1º oficial da Secretaria dos Negócios Estrangeiros. — 7 de abril: Parte com destino ao Maranhão. Em Recife o médico doutor Sarmento examina-o e, constatando hepatite subaguda e perturbações no coração, aconselha o poeta a deixar a zona tórrida. — 20 de abril: Embarca para a Europa, único passageiro do navio de vela Grand Condé. — 14 de junho: Chegada a Marselha; depois de uma semana de quarentena, parte para Paris e depois para Vichy; melhora e segue para Marienbad; dali se dirige a Dresda. — 25 de julho: Corre no Rio a falsa notícia da morte de Gonçalves Dias. — 22 de agosto: É desligado da Comissão Científica de Exploração. — Outubro: Breve estada em Koenigstein para tratamento. — 4 de novembro: Regressa a Dresda; estava quase afônico. No fim desse ano e princípios do seguinte esteve quase entrevado em casa de Porto-Alegre; vai convalescer em Teplitz; volta a Dresda um pouco melhor.

1863 Julho: Esteve em Carlsbad com Porto-Alegre e Gonçalves de Magalhães; não tendo obtido melhoras, volta a Dresda, vai a Berlim consultar um médico e segue para Bruxelas, onde um especialista da garganta lhe amputa a campainha; demora-se em Bruxelas até fins de setembro, quando parte para Paris a fim de consultar o médico doutor Fauvel. — 5 de setembro: Nomeado novamente para colher documentos históricos nos arquivos em substituição a João Francisco Lisboa. — 25 de outubro: Embarca em Bordéus para Lisboa, onde termina a tradução da *Noiva de Messina*.

1864 1º de abril: Ataque de angina e gastrite. — Fins de abril: Está em Paris para tratamento. — Maio: Parte para Aix-les-Bains. — Junho: Recebe comunicação da dispensa de seus serviços nos arquivos. Parte para Allevard, estação de águas. — Fins de julho: Segue para Ems. — Agosto: Regressa a Paris, onde combina com Odorico Mendes partirem juntos de volta ao Maranhão. — 17 de agosto: Falecimento de Odorico Mendes em Londres; Gonçalves Dias adia a sua partida para ocupar-se dos manuscritos do amigo. — 10 de setembro: Embarca no Havre no navio Ville de Boulogne; piora em viagem; oito dias antes da morte já não comia, tomando apenas água com açúcar. — 2 de novembro: Avistam-se terras do Brasil e o poeta pede que o carreguem à tolda; desfalece nessa ocasião. — 3 de novembro: O navio bate de madrugada no baixo dos Atina; fendendo-se ao meio; toda a tripulação salvou-se, mas o poeta não pôde ser encontrado e o seu corpo perdeu-se no mar.

Capítulo I – Nascimento e infância – 1823-1838

Nasceu Antônio Gonçalves Dias a 10 de agosto de 1823 no sítio Boa Vista, em terras de Jatobá, a 14 léguas de Caxias, antiga Aldeias Altas.

A então próspera vila do sertão maranhense foi o derradeiro reduto da resistência portuguesa ao estabelecimento do Império independente do Brasil: "Antemural do lusitano arrojo, último abrigo seu", na expressão do poeta. Ali se retirara o bravo coronel Fidié e ali foi acometido e cercado por cearenses, piauienses e maranhenses sob a chefia do coronel Pereira Filgueiras, ao qual teve de capitular em 27 de julho de 1823. Muito comprometidos ficaram neste sucesso os principais residentes portugueses da vila, entre eles João Manuel Gonçalves Dias, natural de Trás-os-Montes, negociante na rua do Cisco, onde vivia amasiado com Vicência Mendes Ferreira, mulher casada e separada do marido. Temendo a perseguição dos nacionalistas, entrados na vila a 1º de agosto, fugiu Manuel para o seu sítio da Boa Vista, levando consigo a amásia, que dez dias depois dava à luz, em tão precárias e dramáticas condições, o primeiro grande poeta romântico do Brasil.

De João Manuel pouco sabemos, senão que era de natureza ríspida e pouco expansiva, grande trabalhador apesar da má saúde, bom pai, como ficou provado pelos cuidados que deu à educação do filho natural, e homem de caráter, pois em circunstâncias perigosas ousou manifestar-se e atuar abertamente contra as ideias emancipadoras. Amava-o e respeitava-o grandemente o nosso poeta. Anos depois de o perder, chama ao seu luto "essa dor que não tem nome" e rememora sentidamente o transe

> De quando sobre as bordas de um sepulcro
> Anseia um filho, e nas feições queridas
> Dum pai, dum conselheiro, dum amigo
> O selo eterno, vai gravando a morte!
> Escutei suas últimas palavras,
> Repassado de dor! — junto ao seu leito,
> De joelhos, em lágrimas banhado,
> Recebi os seus últimos suspiros.
> E a luz funérea e triste que lançaram
> Seus olhos turvos ao partir da vida
> De pálido clarão cobriu meu rosto,
> No meu amargo pranto refletindo
> O cansado porvir que me aguardava!

Raros, e além disso contraditórios, são os depoimentos dos contemporâneos sobre Vicência. O filho, que aliás jamais se pejou dela aos olhos dos amigos, que depois de homem-feito sempre a assistiu, fornecendo-lhe pensão desde 1848 e procurando-a todas as vezes que voltou à província natal, não diz palavra sobre ela, salvo as alusões frequentes na correspondência, e Lúcia Miguel Pereira registra que em hora grave a lembrança da mãe concorreu para dissuadi-lo do suicídio. Nunca lhe dedicou na sua obra versos comovidos como os que escreveu sobre o pai, sobre a irmã Joana, sobre a filha e até sobre amigos. Só uma vez, na poesia "Miserrimus", que é uma transposição objetiva de dados autobiográficos, aparece a lembrança materna: o recém-nato que um dia apareceu "como a concha que o mar à praia arroja", que "qual águia que nas asas se equilibra, começou a trilhar da vida a senda", e "cansou, que era sozinho", sentou-se um dia à borda do caminho, cruzou os braços, inclinou a cabeça e

> Minha mãe! — soluçou; e um eco ao longe
> Minha mãe! — respondeu.

Fora disso, a imagem da mãe só aparece indistinta e misturadamente à dos demais "rostos caros", como nos versos em que recorda a partida para Portugal:

> Parti dizendo adeus à minha infância,
> Aos sítios que eu amei, aos rostos caros,
> Que eu já no berço conheci, — àqueles
> De quem, malgrado a ausência, o tempo, a morte
> E a incerteza cruel do meu destino,
> Não me posso lembrar sem ter saudades,
> Sem que aos meus olhos lágrimas despontem.

> ("Saudades", *Últimos cantos*)

Vicência era mestiça. Difícil, porém, será já agora apurar a natureza ou as proporções de sua mestiçagem. Antônio Henriques Leal, primeiro biógrafo do poeta, limita-se a dizer que era "mulher de cor acobreada", mas ao falar no desgosto do amigo quando viu recusada a sua pretensão de casar-se com Ana Amélia Ferreira do Vale, comenta: "A quem considera os fatos à luz da sã filosofia, e com ânimo desprendido e despreocupado, não há de revoltar essa muralha chinesa insuperável e ameaçadora, levantada contra aqueles que tiveram a desdita de provirem da ilegitimidade, ou em cujas veias corre sangue africano ou indígena, posto que às vezes de remota estirpe...?" Mais adiante, ao descrever o físico de Gonçalves Dias, assinala as asas do nariz "um pouco arregaçadas" e os cabelos "raros, castanhos, macios, anelados nas extremidades", mas acrescentando: "sem contudo denunciarem, quer eles ou as maçãs, por mui salientes, sua origem mestiça". Também às maçãs proeminentes, às "ventas dilatadas", e ainda aos "beiços grossos" alude no breve retrato que traçou do maranhense o poeta português Bulhão Pato.

Gilberto Freyre não tem dúvida quanto à presença do elemento negro no sangue do poeta, e em *Sobrados e mucambos* escreveu: "O tipo do bacharel mulato. Filho de português com cafuza, Gonçalves Dias foi a vida inteira um inadaptado tristonho. Uma ferida sempre sangrando embora escondida pelo *croisé* de doutor. Sensível à inferioridade de sua origem, ao estigma de sua cor, aos traços negroides gritando-lhe sempre do espelho: 'lembra-te que és mulato!' Pior, para a época, do que ser mortal para o triunfador romano."

Mas o douto Roquette-Pinto, em sua conferência de 1º de dezembro de 1943, realizada na Academia Brasileira de Letras ("Gonçalves Dias e os índios"), disse: "Falando dos seus alunos no Colégio do Maranhão escrevia um padre jesuíta que, na maioria, eram eles *obscuri et mixti sanguinis*. É o mais que se pode dizer, quanto ao tipo antropológico, do poeta-sábio que foi o meu primeiro mestre em matéria de etnologia brasiliana. A julgar pelos seus retratos e pelas indicações de pessoas que o conheceram seria antes caboclo, de um dos tipos dos meus xantodermos. Isso porém só o índice nasal poderia esclarecer. Mas o seu corpo desapareceu no mar. Acham alguns que além de sangue índio deveria ter Gonçalves Dias algo de negro. Lúcia Miguel Pereira fala mesmo na *pinta* africana que lhe parece incontestável. Venância — a mãe do poeta seria, então, cafuza ainda que disfarçada. Mas os cabelos do poeta e as informações não se ajustam à gaforinha própria dos cafuzos. É pois de melhor alvitre ficar naquela definição jesuítica: *obscuri et mixti sanguinis.*"

Um mês depois de nascido o filho, João Manuel, não se julgando a salvo no recesso da Boa Vista, despede-se de Vicência e do menino, desce ocultamente à capital da província e embarca para Portugal, onde em Trás-os-Montes se demora cerca de dois anos. Torna a Caxias em 1825 e reinicia os negócios na sua casa de comércio da rua do Cisco, instalando-se ali com Vicência e o filho.

Os quatro anos que vão de 1825 a 1829, durante os quais viveu mimado pela mãe e sem obrigação de trabalho ou estudo, foram os únicos de perfeita felicidade em toda a vida do poeta. A eles é que certamente se refere a primeira parte do poema "Quadras de minha vida", onde remata saudoso:

> Oh! quadra tão feliz! — doce harmonia,
> Acordo estreme de vontade e força,
> Que atava minha vida à natureza!
> Ela era para mim bem como a esposa
> Recém-casada, pudica sorrindo;
> Alma de noiva — coração de virgem,
> Que a minha vida inteira abrilhantava!
> Quando um desejo me brotava n'alma,
> Ela o desejo meu satisfazia;
> E o quer que ela fizesse ou me dissesse,
> Esse era o meu sentir do fundo d'alma,
> Expresso pela voz que eu mais amava.

Caxias — "bela flor, lírio dos vales, gentil senhora de mimosos campos" — era então um lugar cheio de vida e movimento, porta do sertão por onde se escoava para São Luís a riqueza dos algodoais maranhenses, na opinião de Martius os mais belos do Brasil e só inferiores aos de Pernambuco. O sábio alemão, que a visitou em 1819, considerava-a uma das mais florescentes vilas do interior do Brasil, com os trinta mil habitantes do seu termo.

Eis como a descreve o poeta, que desde a mais tenra infância sentiu fortemente o fascínio da natureza:

> Quanto és bela, ó Caxias! — no deserto,
> Entre montanhas, derramada em vale
> De flores perenais,
> És qual tênue vapor que a brisa espalha
> No vapor da manhã meiga soprando
> À flor de manso lago.
>
> Tu que és a flor que despontaste livre
> Por entre os troncos de robustos cedros,
> Forte — em gleba inculta;
> És qual gazela, que o deserto educa,

No ardor da sesta debruçada exangue
À margem da corrente.

Em mole seda as graças não escondes,
Não cinges d'oiro a fronte que descansas
Na base da montanha;
És bela como a virgem das florestas,
Que no espelho das águas se contempla,
Firmada em tronco anoso.

Menino vivo, inteligente e travesso, trazendo no sangue a herança da agilidade em todos os exercícios físicos no seio das matas, não tardou Gonçalves Dias em
atestá-la e diz Antônio Henriques Leal que nenhum companheiro o batia "na luta,
em trepar árvores, passarinhar e nadar". Muito deviam impressionar-lhe a imaginação infantil, onde certamente terão lançado os primeiros germes da inspiração
indianista, os bandos de índios mansos que de tempos em tempos desciam à vila
para trocar por utilidades da civilização as suas grandes bolas de cera, as suas plumas de variegados coloridos, as suas armas de combate e caça, arcos e flechas delicadamente trançados. Índios como os que vira Martius alguns anos antes, airosos
e robustos, com brilhantes cilindros de resina ou alabastro no furo dos lábios, com
grandes batoques de pau cobrindo a concha das orelhas, executando as suas danças
selvagens ao rouco trombetear dos borés, ao estrépito dos maracás.

"A quadra feliz", em que, embora constrangido pela severidade do pai, tinha os
mimos da mãe, sempre pronta a perdoar-lhe as travessuras, termina em 1829, quando João Manuel "despediu" a amásia (a expressão é de Antônio Henriques e inculca
bem a condição servil de Vicência no lar do português) para casar-se com a senhora
Adelaide Ramos de Almeida, que lhe daria quatro filhos: José, João Manuel, Domingos e Joana. Vicência, por seu lado, teria de outro ou outros pais, mais três filhos:
Carlota, Vicência ou Maria e Sebastião, que se assinava Correia de Araújo. Diz Leal
que o poeta "esteve ausente da mãe e quase sem a conhecer, até 1845": o ríspido pai
tomou a si educá-lo, mas não lhe permitia avistar-se com a mãe. Só isto já seria infortúnio bastante para encher de indissipável melancolia o coração de uma criança: em
vez da fácil complacência materna, teria doravante apenas os cuidados da madrasta,
que para dispensá-los haveria de vencer o natural sentimento de ciúme em relação a
Vicência. "Não fez [Gonçalves Dias] à madrasta", escreve Lúcia Miguel Pereira, "senão
referências veladas — nem sempre agradáveis, aliás — e a única carta sua que existe,
a ela dirigida, só trata de negócios." De tudo isso se conclui que faltava no lar de João
Manuel e Adelaide aquele carinhoso aconchego tão necessário às crianças de natureza sensível como era a do nosso Gonçalves Dias.

Aos sete anos começou o menino a aprendizagem das primeiras letras, a
princípio na aula do professor José Joaquim de Abreu, durante um ano, e depois em
casa, com o primo Antônio, caixeiro da loja, o qual, a força de palmatória e açoite, o
industriou na caligrafia e na aritmética, de tal sorte que dentro de dois anos estava
o poeta habilitado a tomar conta da escrituração do armazém paterno. Caixeiro aos
dez anos! "Era para ver", conta Leal, "como ele tamanino, que mal lhe aparecia a cabeça por trás do balcão, não se deixava embair pelos fregueses, antes levava-lhes a
melhor em respostas agudas e ditos picantes."

GONÇALVES DIAS

441

Por um lado a carência de mimos maternos, por outro essa precoce vida de labuta ao balcão, com os rigores de estilo no comércio português do tempo, explicam o tom amargo das reminiscências do poeta nos versos dedicados à irmã, única fonte de ternura a refrescar-lhe o coração sedento de carinhos:

Eras criança ainda; mas teu rosto
De ver-me ao lado teu se espanejava
À luz fugaz de um infantil sorriso!
Eras criança ainda; mas teus olhos
De uma brandura angélica, indizível,
De simpáticas lágrimas turbavam-se
Ao ver-me o aspecto merencório e triste;
E amigo refrigério me sopravam,
Um bálsamo divino sobre as chagas
Do coração, que a dor me espedaçava!
A luz de uma razão que desabrocha,
As leves graças que a inocência adornam,
Os infantis requebros, as meiguices
De uma alma ingênua e pura — em ti brilhavam.
Eu, gasto pela dor antes do tempo,
Conhecendo por ti o que era a infância,
Remoçava de ver teu rosto belo.
Todo o teu ser em mim se transfundia:
Meu era teu viver, sem que o soubesses,
Tua inocência, tuas graças minhas:
Não, não era ditoso em tais momentos,
Mas de que era infeliz me deslembrava!

("Saudades", *Primeiros cantos*)

Desforrava-se de tanta tristeza com a leitura da *História do imperador Carlos Magno e dos doze pares de França*, de Vasco de Lobeira, de *Paulo ou a herdade abandonada*, de *O cego da fonte de Santa Catarina*, e outros livros que lhe vinham ter às mãos, livros cujos autores enumera Leal: Ducracy-Duminil, Marmontel, Montolieu, Florian, Bernardin de Saint-Pierre. Era esse um prazer consentido pelo pai, que, austero e patriota, o presenteou com a *História de Portugal*, de Laclede, e a *Vida de Dom João de Castro*, de Jacinto Freire de Andrade. "A primeira biblioteca de Gonçalves Dias...", comenta Lúcia Miguel Pereira. "Nela já figuravam a história e a poesia — a verdade e o sonho que a disputarão a vida toda."

Esse gosto pelas coisas do espírito acabou impressionando o pai, que se era de natural seco e ríspido amava todavia o filho. Em junho de 1835, tirou-o do balcão para fazê-lo frequentar as aulas de latim, francês e filosofia do professor Ricardo Leão Sabino.

O modesto professor caxiense não tardou em vislumbrar nos rápidos progressos do aluno os albores de uma inteligência de exceção. A ele, às suas instâncias se deve sobretudo a resolução que tomou João Manuel de levar o filho para Portugal a completar os estudos na Universidade de Coimbra. Em maio de 1837 partiram pai e filho para São Luís, onde deveriam embarcar rumo a Lisboa. O mau fado, porém, dispôs de outro modo. João Manuel, que ia bem doente dos pulmões, viu os seus padecimentos agravados na capital maranhense e ali faleceu aos 13 de julho do mesmo ano.

Voltou Gonçalves Dias para Caxias, onde teria ficado, onde talvez se estiolasse a bela vocação que trouxera do berço, se não fosse nova intervenção do professor

Sabino, que, ajudado pelo doutor Antônio Fernandes Júnior, juiz de direito da comarca, pelo coronel João Paulo Dias Carneiro e pelos doutores Luís Paulino Costa Lobo e Gonçalo da Silva Porto, induziu dona Adelaide a cumprir o propósito do marido. Ofereceram-se até a custear a manutenção do rapaz em Portugal, o que foi recusado pela viúva.

Partiu Gonçalves Dias da vila natal no dia 13 de maio de 1838, com o professor Sabino, que o acompanhou até São Luís, e o ferreiro português Bernardo de Castro e Silva, que tornava à terra, onde se encarregaria de abonar as mesadas e prestar assistência, quando necessário, ao enteado de dona Adelaide.

Estudar em Portugal era no tempo um privilégio para todo brasileiro, ainda mais para Gonçalves Dias, que se sentia tão infeliz no lar da madrasta. Conta-nos Antônio Henriques Leal que para o amigo fora Coimbra o "sonho dourado e constante de seus devaneios da primeira juventude". No entanto na poesia "Saudades" aparece o privilégio transmudado em catástrofe:

> Parti! sulquei as vagas do oceano;
> Nas horas melancólicas da tarde,
> Volvendo atrás o coração e o rosto,
> Onde o sol, onde a esp'rança me ficava,
> Misturei meus tristíssimos gemidos
> Aos gemidos dos ventos nas enxárcias!

"Onde a esp'rança me ficava..." Que esperança? Cremos que aqui chora o poeta por atitude romântica. Era natural que sentisse saudades do ambiente natural da pátria, que sofresse a separação da irmãzinha estremecida, que apreendesse as dificuldades em terra estranha, uma vez que perdera no pai "o conselheiro", "o amigo". Mas a verdade é que os anos passados em Portugal, não obstante todos os contratempos que feriram o poeta no seu orgulho, foram a sua salvação: ali lhe amadureceu harmoniosamente o gênio poético em condições que não lhe teria proporcionado nunca a sua província, ali se lhe fortaleceu o caráter verdadeiramente viril, tão em contraste com as lamúrias a que muitas vezes se entregará em sua poesia por influência da escola dominante na época.

Capítulo II – Em Portugal – 1838-1845

Não conhecemos a data em que o poeta chegou a Lisboa. Mas em outubro, segundo Leal, já se achava em Coimbra. O ano letivo na universidade ia de outubro a maio. Tinha, pois, Gonçalves Dias um ano para habilitar-se à matrícula no ano letivo de 1839-1840 e para isso inscreveu-se no Colégio das Artes, onde completou os estudos preparatórios de Latim, Filosofia, Retórica e Matemática elementar. Até meados de 1839 moraria o estudante em casa do padre Bernardo Joaquim Simões de Carvalho.

A vocação romântica de Gonçalves Dias está atestada na volúpia com que ele sempre se entregou ao sentimento da saudade. No presente via sempre o "breve momento d'incômodo ou desgraça ou prazer, que passa mais veloz que o ligeiro pensamento". O prazer, que passa veloz, pode voltar na saudade, e esta "hera do coração, memória dele", até das passadas mágoas "bálsamo santo extrai consolador".

Quais foram as suas primeiras impressões em Coimbra? De solidão, de tristeza, de nostalgia da pátria:

> Ao ver nublado
> Um céu d'inverno e as árvores sem folhas,
> De neve as altas serras branqueadas,
> E entre esta natureza fria e morta
> A espaços derramados pelos vales
> Triste oliveira, ou pálido cipreste,
> O coração se me apertou no peito.
> Arrasados de lágrimas os olhos,
> Segui no pensamento as andorinhas,
> Nos invejados voos! — procuravam,
> Como eu também nos sonhos que mentiam,
> A terra que um sol cálido vigora,
> E em frouxa languidez estende os nervos.
> Pátria da luz, das flores!
>
> ("Saudades", *Últimos cantos*)

Em Portugal, fechando os olhos à saudável realidade que era a vantagem de se formar numa profissão liberal, o melhor impulso para a ascensão social em sua terra, a vantagem de educar-se literariamente em meio mais avançado, compraz-se sempre no sentimento romântico de *self-pity*, fala sempre de si como do triste "que um tufão expeliu do pátrio ninho":

> Ai daquele que um fado aventureiro,
> Qual destroço de mísero naufrágio,
> A longínqua e remota plaga arroja!
> Ai daquele que em terras estrangeiras
> Corte nas asas do desejo o espaço,
> Enquanto a realidade o vexa em torno
> E opresso o coração de dor estala!
> Onde a pedra, onde o seio em que descanse?
> Que arbusto há de prestar-lhe grata sombra
> E olentes flores derramar co'a brisa
> Na fronte incandescida? Peregrino,
> Em toda a parte forasteiro o chamam!
> Insensível à dor, na sua marcha,
> Não, não atende ao termo da jornada;
> Mas volta atrás o rosto, — e entre as sombras
> Confusas do horizonte — enxerga apenas
> O débil fio da esperança teso,
> E da grata distância adelgaçado!
>
> ("Saudades", *Últimos cantos*)

No entanto, quando, de volta ao Maranhão, escreve em São Luís as "Quadras de minha vida", refere-se enternecido, na dedicatória a seu amigo Antônio Rêgo, àqueles anos — "o primeiro e o melhor quartel da vida". É que só lhe sorria à imaginação o que lhe ficava longe, no tempo ou no espaço. Nem conheço melhor definição do famoso *mal du siècle* que a sexta estrofe da sua "Lira quebrada":

> Uma febre, um ardor nunca apagado,
> Um querer sem motivo, um tédio à vida
> Sem motivo também, — caprichos loucos,
> Anelo doutro mundo e doutras coisas.

Não se pense, porém, que fosse o poeta um casmurro ou um lamuriento. Das desgraças que o machucavam, reais como a condição de mestiço espúrio, ou imaginárias, guardava as queixas para só as depor nos seus versos e numa ou noutra carta a um amigo mais íntimo. Antônio Xavier Rodrigues Cordeiro, que foi seu contemporâneo, seu colega, seu amigo, pintou-o "enérgico, vivo, franco, afoito, leal".

Essas qualidades de inteligência e de caráter logo lhe granjearam entre os companheiros de estudos amizades sólidas, que o iriam salvar em momento difícil. Com efeito, antes que o poeta pudesse encetar em 1839 o curso jurídico, rebentou no Maranhão a Balaiada.

Durante esse movimento sedicioso, nascido das competições locais entre as facções políticas dos *cabanos* (conservadores) e dos *bem-te-vis* (liberais), ficou o interior do Maranhão, sobretudo as comarcas de Itapicuru, Brejo e Caxias, entregue à sanha de guerrilheiros facínoras, porque, como acentuou Pedro Calmon, a Balaiada "representa a explosão das forças nativas, insurgidas contra a legalidade fraca, desacreditada ou parcial". Cercada pelas hordas de Manuel Francisco dos Anjos Ferreira, o *Balaio*, e defendida pelo prefeito coronel João Paulo Dias Carneiro, aquele mesmo que com o professor Sabino e outros se prontificara a pagar a estada de Gonçalves Dias em Portugal, foi Caxias tomada e saqueada em 30 de junho de 1839, recuperada pelos legais em 10 de setembro, novamente ocupada pelos insurretos em 9 de outubro e finalmente retomada no dia seguinte.

Foram esses sucessos contados pelo poeta nos versos "À desordem de Caxias", compostos em 1844, e a eles alude ainda na poesia "À restauração do Rio Grande do Sul", escrita e recitada em Caxias a 9 de maio de 1845:

> Nós, caxienses, nós — também sofremos,
> De fraterno lidar o fel amargo
> Provado hemos também

Em consequência dos prejuízos que sofrera com a revolta, suspendeu dona Adelaide a mesada que fornecia ao enteado, mandando-lhe que fosse para a casa do correspondente, o ferreiro Bernardo, em Figueira da Foz, até poder embarcar para o Maranhão.

Quando em outubro voltaram das férias os amigos brasileiros do poeta — João Duarte Lisboa, Alexandre Teófilo de Carvalho Leal, Joaquim Pereira Lapa, maranhense, e José Hermenegildo Xavier de Morais, fluminense — e souberam do caso, decidiram escrever-lhe, oferecendo-lhe, como diz Leal, "casa e bolsa". Não era sacrifício pesado: segundo Alexandre Teófilo, "com três moedas por mês viviam os estudantes vida de príncipe e qualquer dos quatro tinha maior mesada que essa".

Tentou Gonçalves Dias esquivar-se à generosidade dos amigos, escrevendo à madrasta uma carta inábil, por seca e quase imperativa, enviando-lhe minutas das ordens que ela "deveria" dirigir ao correspondente para que ele lhe entregasse a quantia de cento e oito mil-réis tomados de empréstimo para as despesas desde julho de 1838 até março de 1840, e mais duzentos mil-réis todos os anos para livros, casas e matrículas. Uma carta cujo estilo comercial só é quebrado na linha final com um "Muito estimarei sua saúde e felicidade, queira dispor de quem será De V. Mcê. Filho obd.ᵉ e mt.° obg.° *Antônio Glz. Dias*".

Revela esse documento — primeiro a frieza das relações entre madrasta e enteado, segundo a precoce dignidade de seu autor. Doía-se o seu orgulho de aceitar o oferecimento dos amigos: nem por isso assumia para com dona Adelaide tom de pedinte.

As ordens não foram remetidas. Em carta citada por Lúcia Miguel Pereira narra o caxiense Antônio Campos ter um seu irmão ouvido de dona Adelaide que ela "não iria prejudicar os filhos do casal em favor de um caboclo". Verdade ou não, diga-se em abono da viúva que voltou a ajudar o enteado quando as circunstâncias lho permitiram, e foi até com dinheiro enviado por ela que o poeta adquiriu uma boa biblioteca.

A insistência dos amigos acabou vencendo os escrúpulos do poeta. Gonçalves Dias submeteu-se ao que lhe parecia "sorte de mendigo". Receber na hora incerta auxílio espontâneo de amigos certos só pode ser reconfortante para um coração despido de orgulho. Mas o orgulho foi talvez o maior pecado do poeta. No momento soube dominá-lo, não sem guardar na memória o estigma da humilhação. Cinco anos depois escrevia de Caxias ao amigo Alexandre Teófilo:

> Triste foi a minha vida em Coimbra, que é triste viver fora da pátria, subir degraus alheios — e por esmola sentar-se à mesa estranha. Essa mesa era de amigos... embora! O pão era alheio — era o pão da piedade — era a sorte do mendigo. Compaixão! é um termo de expressão incompreensível — não a quero. Mas ser desconhecido — ou mal conhecido, mas sentir dores d'alma, mas viver e morrer sem nome, sonhar de tormentos e viver deles — é mais triste ainda!

Em 1862, ao rememorar esses fatos em carta a Antônio Henriques Leal, parece reter apenas o sentimento de gratidão para com os amigos que lhe acudiram:

> Acho-me aos quatorze anos, [quinze aliás], uma criança, sem ter quem olhe por mim, mas também sem dever satisfações a ninguém... e tenho a imensa fortuna de sair dessa posição socorrido pelos meus primeiros e bons amigos que datam desse tempo, Teófilo, Serra, Lapa, Rêgo, Pedro, Morais, Virgílio, Jacobina, maranhenses e aqueles três últimos fluminenses que então estudavam em Coimbra e alguns outros que são hoje dos primeiros homens de Portugal.

A alguns desses amigos — Alexandre Teófilo de Carvalho Leal, João Duarte Lisboa Serra, Antônio do Rêgo, José Hermenegildo Xavier de Morais — dedicará várias de suas poesias. A Alexandre Teófilo, o amigo do peito, ofereceu os *Últimos cantos*, numa longa dedicatória, onde confessa:

> [...] o que sou, o que for, a ti o devo, — a ti, ao teu nobre coração, que durante os melhores anos da juventude bateu constantemente ao meu lado... ao prodígio de duas índoles tão assimiladas, de duas almas tão irmãs, tão gêmeas, que uma delas rematava o pensamento apenas enunciado da outra...

A Lisboa Serra, enlutado pela morte da irmã Leonor, disse:

> Não poder eu a troco de meu sangue
> Poupar-te dessas lágrimas metade!

O sentimento da amizade foi em Gonçalves Dias mais sólido, mais firme do que o do amor. Tema frequentemente versado na sua poesia, cantou-o em deliciosos decassílabos brancos das "Quadras de minha vida":

> Amizade! — união, virtude, encanto
> Consórcio do querer, de força e d'alma —
> Dos grandes sentimentos cá da terra
> Talvez o mais recíproco, o mais fundo!
> Quem há que diga: Eu sou feliz! — se acaso
> Um amigo lhe falta?

E mais adiante, na mesma poesia, declara:

> ... meus prazeres
> Foram só meus amigos, — meus amores
> Hão de ser neste mundo eles somente.

Não obstante, por atitude romântica, já laivada de ceticismo byroniano, uma ou outra vez se esquece de tudo que devia aos amigos para exclamar:

> Amo estar só com Deus, porque nos homens
> Achar não pude amor, nem pude ao menos
> Sinal de compaixão achar entre eles.
>
> ("Tristeza", *Primeiros cantos*)

> Amizade! ilusão que os anos somem...
>
> ("Miserrimus", *Primeiros cantos*)

Em maio de 1840 voltou Gonçalves Dias a Coimbra, indo residir a princípio em Palácios Confusos, com o estudante maranhense José Francisco Carneiro Junqueira, e um mês depois, quando este tornou ao Brasil, na rua do Correio, onde moravam os amigos que o socorriam e mais os maranhenses Antônio Rêgo, Francisco Leandro Mendes, Pedro Nunes Leal e José Joaquim Ferreira do Vale.

Finalmente, em 31 de outubro matriculava-se o poeta na universidade, depois de aprovado nos exames preparatórios. Ninguém, diz Leal, "foi nunca mais estudioso do que ele. Operário da inteligência, não conhecia o que era medir o estudo pelo tempo, e largava os livros da mão só de puro cansaço". Nem se limitava a versar as matérias do curso jurídico: aprofundava-se no conhecimento dos clássicos portugueses, da literatura francesa, iniciava-se no estudo do inglês e da sua literatura. Em 1841, entusiasmado com a voz da cantora Violeta Gazzeroli, que ouviu no Teatro São Carlos, começa a estudar o italiano, e dois anos depois principia a aprender o alemão.

Desde 1841 entra em contato com o grupo da *Gazeta Literária*, dirigida por José Freire de Serpa Pimentel e mais tarde faz parte da redação do periódico *O Tro-*

vador, revista de poesia lançada por João de Lemos e outros estudantes. Eram os poetas que Fidelino de Figueiredo chama "medievistas", e cuja influência sobre Gonçalves Dias vamos encontrar em algumas de suas poesias — "O soldado espanhol", "O trovador", "O pirata", "O donzel", "A lua".

De 1841 datam os seus primeiros versos. "A minha primeira poesia", diz ele próprio em sua autobiografia, "foi dedicada à coroação do atual Imperador, e recitada em um festejo que deram os estudantes brasileiros para celebrar aquele acontecimento." Consistiu o festejo, que foi a 3 de maio, num passeio no Mondego em saveiros enfeitados de flores e folhas, seguido de um banquete na lapa dos Esteios, ao fim do qual Serpa Pimentel, João de Lemos, Lisboa Serra e outros declamaram versos. "No mais empenhado do febril entusiasmo daquela mocidade", narra Leal, "levanta-se Gonçalves Dias, cujo dom era apenas sabido de mui raros, e todo envergonhado e de olhos baixos recitou a arrebatada poesia:

> Entusiasmo ardente me arrebata,
> Eleva-se o meu estro e a minha lira."

Os versos são fracos, mas já revelam no adolescente de dezessete anos o domínio do decassílabo branco flexibilizado por Garrett e aquele asseio de linguagem haurido na leitura dos mestres do idioma. Não os incluiu o poeta nos *Cantos*. A poesia de mais antiga data que neles figura é o epicédio "À morte prematura da Ilma. Srª D." (Leonor Francisca Lisboa Serra), escrita em junho de 1841.

As férias de 1841 passou-as o poeta em Lisboa, onde gostava de passear no Tejo em falua, sensível sobretudo "à voz do nauta que ecoa triste na solidão da noite e acorda mil outras vozes". Assim contou em carta a seu amigo Alexandre Teófilo, e acrescentava: "Eram vozes estrangeiras; mas que importa? meu coração as entendia, eu também era proscrito como eles, e como eles também suspirava por um túmulo na terra de meus pais!"

Não suspirava somente por isso: suspirava também pela filha da dona da hospedaria, pela qual se apaixonou, e segundo Antônio Henriques Leal "seguramente esposá-la-ia a não opor-se a isso o doutor Teófilo". Primeiro amor, que facilmente esqueceu por outros quando tornou a Coimbra.

Os anos de 1842 e 1843 foram de intensa produção literária: dois romances — as *Memórias de Agapito Goiaba* e outro à imitação do *Joseph Delorme* — um longo poema, todas três obras destruídas mais tarde, dois dramas — *Patkull* e *Beatriz Cenci*, algumas poesias, entre as quais "Inocência" e a "Canção do exílio". A primeira, sem maior importância, apenas graciosa, traindo no pensamento e na estrofação a influência de Ronsard, tem a sua história. Instavam os diretores d'*O Trovador* pela colaboração do amigo. Este, porém, recusava sempre, querendo, ao que parece, guardar para a pátria as primícias de sua inspiração. Mas uma noite vindo um dos redatores da revista comunicar-lhe que faltavam apenas umas cinquenta linhas para fechar a matéria, acedeu ao convite, sentou-se à mesa e ao correr da pena escreveu "Inocência":

> Ó meu anjo, vem correndo,
> Vem tremendo

Lançar-te nos braços meus;
Vem depressa, que a lembrança
Da tardança
Me aviva os rigores teus.

Esses rigores de que se queixa o poeta estão a indicar que os versos datam o começo de um namoro. Os rigores desapareceram, e Engrácia, a moça coimbrense, apaixonou-se deveras pelo poeta. Ele mesmo é quem o diz em carta a Alexandre Teófilo: "Como ela me ama, pobre moça! Eu não choro por mim; sou homem, dispenso grandezas e quando sofro sou desmentido por minhas palavras que nunca denotam sofrimento; mas ela?! Eu quisera vê-la sempre feliz, sem pesares, sem dores, sem lágrimas, sempre cheia de contentamento." Não é essa a linguagem do amor, senão a da simples ternura compadecida. Mais tarde o poeta, no seu vezo romântico de criar dores fictícias, produzidas pela imaginação, transformará o romance frustrado, em que certamente o infeliz não foi ele, numa fonte de queixumes líricos:

E todavia amei! pude um momento
Ver perto a doce imagem debruçada
Nas águas do Mondego, — ouvir-lhe um terno
Suspiro do imo peito, mais ameno,
Mais saudoso que as auras encantadas,
Que entre os seus salgueirais moram loquaces!
Foi um momento só! — talvez agora
Nas mesmas águas se repete a imagem
Dos meus sonhos de então! — talvez a brisa,
Nas folhas dos salgueiros murmurando,
Meu nome junto ao seu repete aos ecos,
Que eu, triste e longe dela, escuto ainda!

Sim, amei; fosse embora um só momento!
Meu sangue, requeimado ao sol dos trópicos,
Em vivas labaredas conflagrou-se.
Feliz naquele incêndio ardeu minha alma,
Um ano, talvez mais! Qual foi primeiro
A soltar, a romper tão doces laços
Não pudera dizê-lo, em que o quisesse.

("Saudades", *Últimos cantos*)

Não pudera dizê-lo? Pudera-o, sim, e de fato o disse em ocasião de maior sinceridade:

E essa que tanto amei — que amou-me tanto,
Cuja presença me escaldava a mente,
Cuja voz me encantava,
Cujo silêncio me falava n'alma,
Essa mulher — tão terna — e amante, e pura,
Essa mulher deixei-a!

E explica por quê:

Deixei-a por não dar-lhe recompensa
Um tálamo de espinhos — uma taça
De fel e de amargores.
Deixei-a porque horrível é meu fado,
Minha vida penada, e eu não quisera
Assassiná-la comigo.

("Tristes recordações", *Obras póstumas*)

Mas esta explicação é ainda meia verdade. A verdade inteira dirá nestes versos de "Quadras da minha vida":

Amei! e o meu amor foi vida insana!
Um ardente anelar, cautério vivo,
Posto no coração, a remordê-lo.
Não tinha uma harmonia a natureza
Comparada à sua voz; não tinha cores
Formosas como as dela, — nem perfumes
Como esse puro odor qu'ela esparzia
D'angélica pureza. — Meus ouvidos
O feiticeiro som dos meigos lábios
Ouviam com prazer; meus olhos vagos
De a ver não se cansavam; lábios d'homens
Não puderam dizer como eu a amava!

E achei que o amor mentia, e que o meu anjo
Era apenas mulher! chorei! deixei-a!

Assim, Gonçalves Dias deixou Engrácia, como deixará depois outras, porque viu que "o amor mentia", isto é, porque verificou que o seu sentimento era uma ilusão passageira, porque não encontrou na mulher o anjo de sua concepção romântica do amor, como ele o definiu em "O amor" (*Segundos cantos*):

Celeste emanação, gratos eflúvios
Das roseiras do céu; bater macio
Das asas auribrancas dalgum anjo,
Que roça em noite amiga a nossa esfera,
Centelha e luz do sol que nunca morre;
És tudo; e mais do qu'isto: — és luz e vida,
Perfume, e voo d'anjo mal sentido,
Peregrinas essências trescalando!...

Aspirando ao que não é deste mundo, vivia o poeta, como resumiu excelentemente Lúcia Miguel Pereira:

a perseguir um amor ideal e eterno, o amor-fatalidade, irmão da morte, o amor, enfim, que tornava insípidos e banais os seus amores de estudante pobre. Por isso corria de um a outro, volúvel, sem conseguir apaixonar-se realmente, não por incapacidade sentimental, mas, paradoxalmente, por excesso de amor em potencial.

Em "Minha vida e meus amores", escrita em 1844, confessa o poeta:

> O amor sincero e fundo e firme e eterno,
> Como o mar em bonança meigo e doce,
> Do templo como a luz perene e santo,
> Não, nunca o senti.

E na estrofe anterior se compara à fugaz borboleta "sempre em novos amores enlevada". Três mulheres são evocadas nesse poema:

> E esta era linda, como é linda a aurora
> No fresco da manhã tingindo as nuvens
> De rósea cor fagueira;
> Aquela tinha um quê de anelos meigos
> Artífice sublime;
> Feiticeiro sorrir dos lábios dela
> Prendeu-me o coração; julguei-o ao menos.

> Aquela outra sorria tristemente,
> Como um anjo no exílio, ou como o cálice
> De flor pendida e murcha e já sem brilho
> Humilde flor tão bela e tão cheirosa,
> No seu deserto perfumando os ventos.
> — Eu morrera feliz, dizia eu d'alma,
> Se pudesse enxertar uma esperança
> Naquela alma tão pura e tão formosa,
> E um alegre sorrir nos lábios dela.

Três: a filha da dona da hospedaria de Lisboa, Engrácia e a moça de Formoselha, sítio próximo de Coimbra, cortejada pelo poeta ao mesmo tempo que ardia por Engrácia. Segundo Antônio Henriques Leal, a estes últimos amores se refere o capítulo das *Memórias de Agapito Goiaba* intitulado "Uma página de álbum" e que se pode ler nas *Obras póstumas*.

Desses três romances o mais sério, o que pelo menos deixou na obra do poeta mais numerosos ecos e no seu coração mais fundas raízes de saudade foi o de Engrácia. Já vimos as passagens que lhe dedicou nas poesias "Saudades", "Quadras de minha vida" e "Minha vida e meus amores". De regresso ao Brasil na solidão sentimental dos meses de 1845 em Caxias, relembra, sufocado de saudade, os encantos daquela que amou ou pensava amar. Assim em "Recordação":

> Quando em meu peito as aflições rebentam
> Eivadas de sofrer acerbo e duro...
> [...]
> Volvo aos instantes de ventura, e penso
> Que a sós contigo, em prática serena,
> *Melhor futuro me augurava*, as doces
> Palavras tuas, sôfregos, atentos
> Sorvendo meus ouvidos, — nos teus olhos
> Lendo os meus olhos tanto amor, que a vida
> Longa, bem longa, não bastara ainda
> Porque de os ver me saciasse!... O pranto
> Então dos olhos meus corre espontâneo,
> Que não mais te verei.

Assim em "Sempre ela":

> E depois que os meus olhos a perderam,
> Como se perde a estrela em céus infindos,
> Errei por sobre as ondas do oceano,
> Sentei-me à sombra das florestas virgens,
> Procurando apagar a imagem dela,
> Que tão inteira me ficara n'alma!

E é certamente Engrácia a "etérea visão" de "Delírio":

> À noite quando durmo, esclarecendo
> As trevas do meu sono,
> Uma etérea visão vem assentar-se
> Junto ao meu leito aflito!
> Anjo ou mulher? não sei. — Ah! se não fosse
> Um qual véu transparente,
> Como se a alma pura ali se pinta
> Ao través do semblante,
> Eu a crera mulher... — E tentas, louco,
> Recordar o passado,
> Transformando o prazer, que desfrutaste,
> Em lentas agonias?!

Em "Amor! delírio — engano" as saudades se complicam mesmo de ciúme vingativo e acusa-a de ingrata, ao imaginá-la

> Esquecida talvez de amor tamanho,
> Derramando talvez noutros ouvidos
> Frases doces de amor, que dos seus lábios
> Tantas vezes ouvi, — que tantas vezes
> Em êxtase divino aos céus me alçaram,
> — Que dando à terra ingrata o que era terra
> Minha alma além das nuvens transportaram.
> Existo! como outrora, no meu peito
> Férvido o coração pular sentindo,
> Todo o fogo da vida derramando
> Em queixas mulheris, em moles versos.
> E ela!... ela talvez nos braços doutrem
> Com sua vida alimenta uma outra vida,
> Com o seu coração o de outro amante,
> Que mais feliz do que eu, inferno! a goza.

Até onde era então sincero não se poderá dizer: o poeta tinha o gosto das "queixas mulheris", dos "moles versos", e o dom de emprestar realidade tangível às dores fictícias do seu espírito enfermo.

Dividindo o tempo entre os estudos, os trabalhos literários e os namoros, chegou o poeta em 1844 ao termo do seu curso de bacharel, marcado pelo único incidente da campanha em que se envolveu, com alguns colegas, contra o catedrático de Direito Civil, o padre Lins Teixeira. Com eles assinou uma representação ao Governo, publicada na folha *A Revolução de Setembro*, na qual criticavam a redação das apostilas de aula daquele professor.

Três eram os graus conferidos no curso jurídico pela universidade: o de bacharel no fim do quarto ano, o de bacharel formado no quinto, e depois de tese defendida o de doutor. Pretendia Gonçalves Dias cursar o quinto ano, mas nas férias de 1844, achando-se em Lisboa, onde fora para se despedir de seu amigo Alexandre Teófilo, de partida para o Maranhão, teve notícia de que uma irmã paterna, residente em Gerez, fora seduzida por um primo. Partiu logo em socorro da moça, a quem aliás nem conhecia pessoalmente, e conseguiu obter para ela a devida reparação. Perdeu, porém, com isso o prazo das matrículas, e como os apertos financeiros não lhe permitiam a folga de um ano, decidiu voltar ao Brasil, contentando-se com o primeiro e simples grau de bacharel. Segundo informação, de seu amigo Tomás Pipa em carta a Antônio Henriques Leal, era propósito do poeta vir para o Rio de Janeiro e fazer-se jornalista.

Antes de embarcar, e a conselho médico, para curar-se de um ataque de reumatismo, volta a Gerez e em seguida viaja pelas províncias do Minho e Trás-os--Montes, estendendo a excursão até algumas paragens da Galiza.

Nas *Obras póstumas* há várias poesias datadas de Pitões, a localidade do Gerez, descrita com mordacidade pelo poeta na epístola ao seu colega e patrício José Antônio Fernandes Pinheiro:

> Queres vir-te sepultar
> Numa terra malfadada
> Onde não há que gozar
> A não ser triste queijada
> Que é pior que o rosalgar?

> [...]

> Em sinal de religião,
> Conquanto com grande mágoa,
> Este bom Povo Cristão
> Resolveu não chegar água
> Nem aos pés — nem ao carão.

> Da língua lusa coitada
> E do imundo galego
> Fazem tal moxinifada
> De que tu terias medo
> Sem poderes pescar nada.

Foi ali, no entanto, que desabrochou, ainda incerta e pálida, a flor do seu indianismo. Com efeito, de Pitões data a poesia "O índio", que, com duas outras — "Coral" e "Jacaré", depois inutilizadas, foram os seus primeiros ensaios de poesia americana. O poema é fraco, e assim o sentiu o poeta, não o incluindo nos *Cantos*, mas enviado com os outros dois a Alexandre Teófilo, este fê-los chegar às mãos de Antônio Feliciano de Castilho, o qual tanto se entusiasmou com eles, que pretendeu publicá-los na *Revista Universal Lisbonense*. Não consentiu nisso Alexandre Teófilo, que conhecia e quis respeitar o desejo do amigo de reservar para o Brasil as primícias de suas produções poéticas. Mas fez Castilho sentir ao poeta o seu entusiasmo, estimulando-o, antes de Alexandre Herculano, a trilhar um caminho quase virgem na literatura de língua portuguesa.

Em janeiro de 1845 vai Gonçalves Dias para o Porto e embarca no mês seguinte para o Maranhão no brigue-barca Castro II. Embarca sem vintém, com passagem a pagar em São Luís. Tinha 21 anos e cinco meses de idade. Que bagagem poética trazia? Ainda escassa e pobre dos fundos acentos que lhe dariam no futuro a glória de primeiro grande poeta lírico de sua terra. Pelas datas que lhe pôs o poeta ou por informações de Antônio Henriques Leal, sabemos que foram escritas em Portugal as seguintes poesias dos *Cantos*: "Inocência", "Canção do exílio", "À morte prematura da Ilma. Srª D.", "O romper d'alva", "A escrava", "A tarde", "O vate", as seis "Visões", "À desordem de Caxias", "A pastora". Muito provavelmente também "Lágrimas sem dor e dor sem lágrimas", "O desterro de um pobre velho", "O pirata", "O templo" e "A mendiga". Ponhamos de parte a "Canção do exílio", que analisaremos depois, e convenhamos que todas as outras revelam apenas que o poeta trazia afinado o seu instrumento, era senhor da língua e dos segredos de sua arte, qualidades sensíveis sobretudo nos belos decassílabos brancos de "A tarde", expressão já definitiva do seu sentimento em face da natureza.

A "Canção do exílio" é que foi o seu primeiro grande momento de inspiração, o passaporte da sua imortalidade. Ainda que não tivesse escrito mais nada, ficaria, por ela, o seu nome para sempre gravado na memória da sua gente. Haverá brasileiro que não a saiba de cor? Tão grande foi a popularidade alcançada por esses versos, que os dois primeiros vieram a ser aproveitados como tema de uma cantiga de roda alagoana. É uma poesia cujo encanto verbal desaparece quando traduzida para outra língua. Desaparece mesmo quando dita com a pronúncia portuguesa. Poesia profundamente brasileira, não porque fale no sabiá, mas por qualquer coisa de inefável no sentimento e na expressão. Em geral a língua de Gonçalves Dias trai quase sempre a lição dos clássicos portugueses: é castiça e até, aqui e ali, arcaizante, o que levou Bilac a definir a musa do mestre com a imagem, tão justa, de certa mulher que em pleno viço da mocidade ostentava a graça melancólica de uma cabeleira precocemente encanecida. Mas na "Canção do exílio" não se nota o menor ressaibo de lusitanismo. José Veríssimo louvou-lhe a simplicidade "quase sublime". Por que o "quase"? Aurélio Buarque de Holanda procurou investigar onde reside o segredo dessa simplicidade e acreditou tê-lo descoberto em mais de um ponto. Primeiro na ausência de qualificativos, ausência que valoriza fortemente os substantivos do poema, porque

> o poeta usou de substantivos carregados, já por si, de um denso conteúdo sugestivo — seres e coisas da natureza, na grande maioria, ou abstrações: elementos que assim despojados, nus, ganham fundo em intensidade; que se fazem valer melhor por si sós: *terra, palmeiras, sabiá, aves, céu, estrelas, várzeas, flores, bosques, vida, amores, noite, prazer, primores, Deus.*

Em seguida assinala o crítico a admirável técnica da repetição: sete dos 24 versos da canção repetem na íntegra versos anteriores, e quatro são repetições parciais. Comentando a sextilha final, acrescenta:

> É um achado de poética: um verso formado de palavras inteiramente novas, outro em que aparece uma das constantes mais poderosas do poema — *lá*; dois que repetem par-

cialmente o décimo terceiro e o décimo quarto; sendo que o segundo termina com outra constante das mais valiosas — *cá*; por fim, integralmente, o verso mais repetido de toda a composição, o único, pode-se dizer, em que aparece um ser vivo, o sabiá, — a nota mais típica da terra pátria: o único, sim, porque *aves*, nome também de ser vivo, é usado assim genericamente, no plural, e uma só vez, apenas para, desenvolvendo a ideia de que no lugar do exílio não havia o sabiá, poder o poeta frisar que as mesmas aves comuns aos dois países gorjeavam na terra natal com maior beleza.

Se a ausência de qualificativos e a boa escolha dos substantivos concorreram grandemente para o efeito de simplicidade, o encadeamento e o paralelismo reforçaram no seu ar como que largado o sentimento de funda e sossegada, de quase religiosa nostalgia. É verdadeiramente sublime.

Capítulo III – No Maranhão – 1845-1846

Se era ainda, como já dissemos, escassa e pobre a produção trazida pelo poeta de Portugal, nela, contudo, já se acusava por inteiro a sua compreensão da poesia, como a havia de praticar toda a vida:

> Reduzir à linguagem harmoniosa e cadente o pensamento que me vem de improviso, e as ideias que em mim desperta a vista de uma paisagem ou do oceano — o aspecto da natureza. Casar assim o pensamento com o sentimento — o coração com o entendimento — a ideia com a paixão — colorir tudo isso com a imaginação, fundir tudo isto com a vida, com a natureza, purificar tudo com o sentimento da religião e da divindade, eis a Poesia — a Poesia grande e santa — a Poesia como eu a compreendo sem a poder definir, como eu a sinto sem a poder traduzir.

Os grandes espetáculos da natureza sempre arrastaram o pensamento do poeta para a ideia de Deus. A bordo do brigue, de regresso à pátria, o rugir dos ventos bravos nas horas de tempestade, e nas noites de atmosfera pura e limpa a tranquilidade da solidão oceânica "entre dois céus brilhantes" lhe inspiram o mais belo talvez dos seus hinos religiosos — "O mar". Mais duas poesias escreveu o poeta durante a longa travessia: outro hino religioso, "Ideia de Deus", bem inferior ao primeiro, e "Anália", poema em dois cantos, inspirado numa lenda normanda, só concluído nos *Últimos cantos* e suprimido na edição de Leipzig. A supressão foi atribuída por Nogueira da Silva ao conhecimento que teve Gonçalves Dias em 1852 do poema de Ducis *"La côte des deux amants"*. Quero antes crer que se confirmou no fraco juízo que dele fazia quando publicou os *Primeiros* e os *Segundos cantos*, onde não o admitiu.

Em março chega a São Luís e é hospedado no lar de seu amigo Alexandre Teófilo, à rua de Sant'Ana. No dia 6 parte para Caxias. Em viagem, no lugar Paiol, pouco acima da foz do Itapicuru, escreve "O canto do índio", e nessas impressões de selvagem apaixonado por uma mulher branca julgou Lúcia Miguel Pereira divisar uma origem real, como se, vendo a nudez da banhista, tomasse o poeta consciência da sua parte de sangue indígena.

Chegada é a hora de retratar o homem-feito devolvido à sua terra. Nenhum testemunho melhor que o de Antônio Henriques Leal.

> Era Gonçalves Dias [diz o seu amigo e biógrafo] como Horácio e como Dante, de baixa estatura, que não excedia a 1 m 50; mas bem proporcionado e musculoso: tinha mãos e pés mui pequenos, agilidade nos movimentos, passo curto e apressado, e grande disposição para caminhar a pé. Sua cabeça bem desenvolvida para os lados das fontes era realçada por uma fronte elevada e ampla, profundamente vincada em toda a sua extensão pelo longo meditar e pelas acerbas agruras da sorte que incessantes o magoavam. Seus olhos pequenos, pardos, serenos, mui vivos e expressivos, espelhavam a franqueza de seu caráter e acentuavam aquele móvel e simpático rosto. Boca e nariz regulares, sendo as asas deste um pouco arregaçadas; tez morena, barbas e cabelos raros, castanhos, macios, anelados nas extremidades, sem contudo denunciarem, quer eles ou as maçãs, por mui salientes, sua origem mestiça. Quando em boa companhia ou entre amigos, franzia-lhe constante os lábios sincero e franco sorriso, e tomava larga parte na conversação, principalmente se havia senhoras de espírito e cultura na sociedade; porque então o poeta desentranhava-se em conceitos agudos e engraçados, cheios de delicadeza e dessa amena zombaria que não ofende, e em que ninguém o vencia quando estava de veia. Era outro a sós consigo; aquele supremo esforço abandonava-o e os tristes pensamentos, livres de distrações ou contensões, vinham anuviar-lhe a mente, transformando-lhe o riso em traços de profunda melancolia e mergulhá-lo em tristeza e em fundo meditar.

Simples no trajo, mas caprichoso na finura das roupas de baixo, comendo pouco e abstêmio por natureza, era um grande fumador de charutos, sobretudo quando escrevia ou meditava.

De sua modéstia são vários os testemunhos: de Antônio Henriques Leal, de Ferdinand Denis, de Wolf, de Inocêncio Francisco da Silva.

> Era ele [escreveu este último] de seu natural encolhido e modesto, e esquivava-se sempre a dar notícias de si, posto que às vezes as prometesse, mostrando ceder às instâncias que lhe faziam a esse respeito. A mim mesmo as prometeu encontrando-nos pessoalmente na sua última estada em Lisboa, em fins de 1863: mais de uma vez me renovou a promessa, que afinal nunca satisfez.

Extremamente acessível, mesmo depois de afamado, nunca se esquivara a receber visitantes, ainda que importunos, e punha todo o empenho em não revelar sinais de impaciência.

Assim era, em linhas gerais, o moço de 22 anos, que, intelectual e moralmente muito superior ao meio natal, ia começar a sua vida pública de bacharel e poeta. Não admira que a decepção fosse imediata.

Caxias, tão amorável em sua paisagem, era socialmente um pobre lugarejo de vida monótona, só quebrada pelas manobras da política local, em que perduravam os ódios da Balaiada na competição acesa entre *cabanos* e *bem-te-vis*. O poeta, habituado à liberdade de Coimbra, escandalizava os conterrâneos pelo simples fato de fumar nas ruas e tomar cerveja no Riacho da Ponte, isso quando nem em São Luís, como anota Antônio Henriques Leal, se admitira ainda o costume de fumar e beber em público. Era natural que vissem naquele homenzinho de metro e cinquenta de altura, simples de maneiras, amigo de rir, franco e chistoso na fala, não o bacharel culto, o poeta sabido em cinco literaturas estrangeiras, mas o filho natural de João Manuel, o caboclinho da pobre Vicência, conhecida de todos na vila, o enteado de dona Adelaide, em cuja casa, baldo de recursos, tivera de se hospedar. Inutilmente esforçou-se o poeta por se acomodar à terra que, apesar de sua, lhe parecia estranha. Já em 11 de abril escrevia a Alexandre Teófilo:

> Cada vez mais vulgarismo, mais tédio, mais aborrecimento desta *imundície*. Cada dia um vivo protesto de me acostumar à minha vida, cada dia percebo um novo motivo de *desgosto e de descontentamento*. Futuro! lá se vai com o resto de meus doidos projetos!... Poesia?! Já lhe perdi o amor e nenhum outro para o substituir.

As últimas palavras não passam de exagero sentimental. Em Caxias foram escritas as poesias "Sofrimento", "Delírio", "O orgulhoso", "Tristeza", "Recordação", "O cometa", "O soldado espanhol", "Deprecação", "Amor? delírio — engano", "A virgem", "Tristes recordações", "O donzel", talvez "O oiro", e as duas onde celebra a vila natal, ambas intituladas "Caxias" e incluídas uma nos *Primeiros cantos* e outra nos *Últimos cantos*. E na primeira, em momentânea remissão do tédio causado pela *imundície* a que se refere na carta de 11 de abril, exclama comovido:

> Mas um dia virá em que te pejes
> Dos que ora trajas símplices ornatos
>   E amável desalinho:
> Da pompa e luxo amiga, hão de cair-te
> Aos pés então — da poesia a c'roa
>   E da inocência o cinto.

Não só não deixara de cultivar a poesia, mas até declamou no Harmonia, o teatro local, vários poemas de circunstância não incluídos nos *Cantos*: "À restauração do Rio Grande do Sul e ao herdeiro presuntivo", "Ao aniversário da Independência do Maranhão", "Hino ao dia 28 de julho", "Ao aniversário de S. M. I.". Sem falar nos versos satíricos.

Pouco depois de chegado a Caxias fora Gonçalves Dias nomeado para uma banca que devia examinar as candidatas a mestra de meninas. Mas já em junho estava demitido. O motivo disse-o em carta a Alexandre Teófilo, explicando o atraso da instrução pública no lugar:

> A causa disto é óbvia — no meu entender — é o patrocinato... queres tu saber? é uma cousa em que tão bem me comprometi, e falarei sem temor de que me deem por suspeito. — Havia quatro examinandas — dessas quatro — duas pertenciam aos dois partidos — inimigos figadais. Acendeu-se a Câmara. Altercação entre os dignos vereadores. Próprios para o Maranhão — nova eleição de examinadores, demitidos eu e o Vilhena, eleitos para este cargo. As pessoas eleitas examinadoras eram da *panelinha* de uma das meninas — as outras três retiraram-se porque entenderam que a teima seria inútil — e foi a menina examinada e arvorada Mestra de Meninas — mestra na extensão da palavra...

Parece que, apesar de todos os aborrecimentos, pretendia em agosto exercer a advocacia em Caxias. Assim se explica a encomenda feita a Alexandre Teófilo de livros relativos à prática forense. E a atitude do Juiz de Direito da comarca, o doutor Gregório de Tavares Osório Maciel da Costa, o qual mandou pedir a Gonçalves Dias exibisse cartas, isto é, o diploma de bacharel, "querendo por este meio", conta o poeta ao amigo, "fazer-me passar por um impostor diante dos meus concidadãos".

É que o doutor Maciel da Costa fazia política e era *bem-te-vi*, ao passo que as simpatias do poeta já se haviam definido pelos *cabanos*, e a 1º de agosto aparecera no *Farol*, jornal caxiense, uma sátira de Gonçalves Dias a certa autoridade que ameaçara os músicos por terem tocado no aniversário da independência de Caxias:

> Certamente
> Nunca vi
> Bem-te-vi
> Tão demente!

A carta de 31 de agosto a Alexandre Teófilo respira o mais fundo desalento:

> [...] há horas durante a noite em que eu me julgo bem fraco — para o meu propósito — e para viver. Viver! Talvez não o saibas; há vidas ignoradas que passam sobre a terra com mais coragem do que um guerreiro em dia de batalha, há instantes tenebrosos em que é preciso um grande esforço de virtude para que se não ceda à vertigem — à atração do suicídio.

Mas aquele homenzinho de um metro e cinquenta, que em versos moles ou na correspondência íntima tanto se queixava, e remoendo a sós os seus desgostos emprestava-lhes as proporções de irremediáveis desgraças, crescia muito acima do estalão comum nos atos de sua vida, sempre reveladores de forte vontade, sereno estoicismo e extraordinária resistência. Em agosto falava de suicídio, e no mês seguinte empenhava-se nas eleições municipais a favor de seus amigos *cabanos*. Não o atraía, porém, a política, como a via praticada no Brasil. Cria na necessidade do governo monárquico, queria ao Imperador, em quem reconhecia "qualidades de um rei literato", mas para ele "no Brasil, onde quer que seja, qualquer que seja a cor política, não passa ela nunca do individualismo, não é nunca mais do que isso!"

Alexandre Teófilo, compreendendo a triste situação do amigo em Caxias, instava com ele para que viesse para São Luís, onde lhe oferecia hospedagem em sua própria casa. Na capital o ambiente era outro, o seu nome já começava a ser citado com admiração, sobretudo depois do artigo de Sotero dos Reis, mestre de todos acatado, o qual lendo "O mar", "Inocência" e "Ideia de Deus", publicadas à revelia do poeta no *Jornal de Instrução e Recreio*, vaticinara certo:

> O Sr. Gonçalves Dias, que se dá a conhecer por tais ensaios e faz a sua entrada no mundo literário debaixo de tão felizes auspícios, é um engenho de finíssima têmpera, um engenho que sem dúvida há de honrar o nome brasileiro, se continuar a trilhar a carreira poética.

Desde fins de agosto prometera o poeta aceitar o convite de Alexandre Teófilo:

> Em eles chegando [referia-se às suas poesias e dramas, seus papéis da universidade, deixados em Portugal], diz: vem — e serei contigo. Vou ao Rio — represento a *Beatriz* — vendo o *Patkull* — vendo o volume de poesias — e então, com um tal ou qual nome — talvez com fortuna para algum tempo — virei para a terra em que estiveres — porque bem o sabes — minha vida está contigo — meu futuro — e família — e sentimento.

E de fato, em fins de janeiro deixava Caxias. Deixava-a "com saudades de quem não quer tornar", tão pobre como chegara, mas confortado no seu orgulho, porque, se fizera inimigos, estava intimamente convencido de que não se tinha "curvado a nenhum".

Os cinco meses que passou no lar feliz da rua Sant'Ana foram os mais despreocupados, os mais tranquilos, os mais alegres de toda a sua vida. Ali todos o estimavam e admiravam. Ali tinha a conversação e o estímulo de seu amigo dileto; afeiçoado à música, deleitava-se ouvindo ao piano a mulher de Alexandre Teófilo; e em três meninas frequentadoras da casa, as irmãs Ana Amélia, Inês e Luzia, primas e cunhadas do amigo, encontrava motivo para dar largas ao seu temperamento galanteador, tão facilmente impressionado pelas graças femininas. Esquecia-se o poeta dos pesares e incertezas de sua existência nos grandes olhos negros de Ana Amélia, "às vezes luzindo, serenos, tranquilos, às vezes vulcão", ora inquietos e travessos, ora desmaiados em doces cismas, olhos que lhe falavam de amores "com tanta poesia, com tanto pudor, com tanta paixão". Inspirado nela escreveu ainda "Leviana" e os versos "Mimosa e bela", que copiou no álbum de dona Maria Luísa, a esposa de Alexandre Teófilo. São essas três composições, com "Olhos verdes", escritos mais tarde no Rio, o que deixaria de melhor no gênero fugitivo. Era evidente nelas um tom de namorico, de *marivaudage*. Se não passou disso então o sentimento, foi porque Ana Amélia era ainda muito menina. Mas no coração do poeta ficou o germe da futura paixão que lhe despertaria a mulher-feita.

Em São Luís escreveria ainda o "Canto do guerreiro", "O canto do Piaga", "O trovador", "Epicédio", "A um menino", *Te deum*", "Quadras de minha vida" e "Adeus aos meus amigos do Maranhão", assim como terminaria a prosa bíblica de *Meditação*, começada em Caxias, primeiro grito abolicionista da poesia brasileira.

Nas visões desse poema, tão diferente de tudo o que escreveu Gonçalves Dias, o Brasil aparece como uma terra prodigiosa e bendita, mas sobre a qual milhares de homens de cor vária e fisionomias discordes formam círculos concêntricos:

> E os que formam os círculos externos têm maneiras submissas e respeitosas, são de cor preta; — e os outros, que são como um punhado de homens, formando o centro de todos os círculos, têm maneiras senhoris e arrogantes; — são de cor branca. E os homens de cor preta têm as mãos presas em longas correntes de ferro, cujos anéis vão de uns a outros — eternos como a maldição que passa de pais a filhos.

De sorte que o estrangeiro que aporta ao vasto império julga que um vasto inimigo o empurrou para as costas da África. Porque grande parte da população, dessa terra privilegiada pela natureza é escrava:

> Sua riqueza consiste nos escravos — mas o sorriso — o deleite do seu comerciante — do seu agrícola — e o alimento de todos os habitantes é comprado à custa do sangue do escravo! E nos lábios do estrangeiro desponta um sorriso irônico e despeitoso — e ele diz consigo que a terra da escravidão não pode durar muito.

Os Grandes, os poucos homens que estão no centro dos círculos, fazem a política, e essa política "é mesquinha e vergonhosa, e milagroso é o homem que sai dela limpo de mãos e de consciência". E o Rei o que faz? O Rei dorme, como dorme o povo na sua indolência. Tão consciente estava Gonçalves Dias do que havia de temerário nas suas ideias que, remetendo a Alexandre Teófilo o segundo capítulo da *Meditação* para ser publicado no periódico *O Arquivo*, recomendava: "Cortem sem dó — o que julgarem mau —, ou perigoso de imprimir".

Depois da "Canção do exílio", é no "Canto do Piaga" e em "Quadras de minha vida" que se revela o grande poeta. "O canto do guerreiro" e "O canto do Piaga" marcam as primeiras expressões definitivas da sua inspiração indianista.

Em fins de maio entra em casa o bom Alexandre Teófilo transportado de alegria e surpreende o amigo com estas palavras alvoroçantes:

— Sabes que vais partir para o Rio de Janeiro?

E contou-lhe como: procurara o vice-presidente da província, Ângelo Carlos Muniz, então à testa do governo, expusera-lhe a situação do amigo e pedira para ele uma passagem de Estado. Fora prontamente atendido. Mas dente por dente! Gonçalves Dias seria nomeado promotor público interino de São Luís para o único fim de funcionar num processo, em que Muniz suspeitava que o promotor efetivo queria proteger o réu dando parte de doente a fim de protelar o julgamento. A portaria chegou a ser lavrada, mas Gonçalves Dias não chegou a empossar-se, porque o promotor efetivo, vendo baldado o seu expediente, reassumiu logo o exercício do cargo.

Partiu o poeta de São Luís aos 14 de junho de 1846 no vapor Imperador, levando por toda fortuna os seus versos e a quantia de trezentos mil-réis.

No "Adeus" confessa as saudades que levava do remansoso viver no sobrado da rua Sant'Ana:

> Curtos instantes
> De inefável prazer — horas bem curtas
> De ventura e de paz fruí convosco:
> Oásis que encontrei no meu deserto,
> Tépido vale entre fragosas serras
> Virente derramado, foi a quadra
> Da minha vida que passei convosco.
> Aqui de quanto amei, do que hei sofrido
> Deslembrado vivi!

Devia partir alegre, porque, confiante no seu gênio, via em perspectiva a esperança de fazer nome na Corte e em todo o Brasil, de assegurar-se enfim uma posição estável. Mas a imaginação enferma exigia que o poeta disfarçasse em "força oculta, irresistível" a impeli-lo "qual folha instável em ventoso estio" a sua íntima e muito justa ambição de glória. Consequentemente dá-se por miserando:

> Rasgado o coração de pena acerba,
> Transido de aflições, cheio de mágoa,
> Miserando parti!

E remata o poema com um vaticínio, a cujo vago romântico o tempo precisará em sinistra realidade:

> ... a desgraça
> Do naufrágio da vida há de arrojar-me

À praia, tão querida, que ora deixo.
Tal parte o desterrado: um dia as vagas
Hão de os seus restos rejeitar na praia,
Donde tão novo se partira, e onde
Procura a cinza fria achar jazigo.

Capítulo IV – No Rio – 1846-1851

Gonçalves Dias desembarcou no Rio na manhã do dia 7 de julho. A viagem do *Imperador* foi longa, 21 dias, e acidentada: ao sair da Paraíba, abalroamento com um iate no meio da noite; em Pernambuco, quebra de uma amarra, e o vapor andou às cristas com os navios ancorados; ao entrar no Rio, falta de carvão, e uma das caldeiras deixou de funcionar. Ao desembaraçar a bagagem viu o poeta que uma caixa de livros estava molhada: a água estragara três volumes de Byron, alguns de Filinto Elísio e todos os manuscritos. "Por fim", acrescenta na carta onde descreve os sucessos da viagem, "como eu não posso mudar de terra sem granjear moléstias, estou com a boca toda ferida, não sei de que, talvez seja por causa do charuto: veremos de que é!"

Há nos *Segundos cantos* uma poesia, "Palinódia", que na primeira edição trazia a data "Bahia — junho de 18..." Só podia ser 1846. Os versos são o desabafo de um desatinado despeito amoroso. Quem seria a mulher que ferira tão fundo o orgulho do poeta? Conhecida a bordo? No Recife? Na Bahia? Suspeitamos que os versos tenham sido escritos no Rio, inspirados num caso amoroso do Rio (o da judia talvez?), e a data da Bahia teria sido simplesmente um recurso de despistamento, tanto mais que o poeta a suprimiu na edição de Leipzig. Nenhum dos biógrafos se refere ao caso. São candentes estrofes, em que a perjura é tratada impiedosamente de loureira:

Mentistes quando amor tínheis nos lábios.
Mentistes a compor meigos sorrisos,
Mentistes no olhar, na voz, no gesto...
        Fostes bem falsa!...

Falsa, como a mulher que em bruta orgia
Finge extremos de amor que ela não sente,
E o rosto of'rece a ósculos vendidos,
        Ao sigilo da infâmia.

[...]

Ouvi! — não éreis bela, — nem minha alma
Vos amou, que um modelo de virtudes,
— Um sublime ideal — amou somente;
        Vós o não fostes nunca.

Que uma alma como a vossa, já manchada,
Aos negros vícios mais que muito afeita,
Já feia, já corrupta, já sem brilho...
        Amá-la eu, Senhora!

> Deitar-me sob a copa traiçoeira,
> Que ao longe espalha a sombra, o engano, a morte;
> Recostar-me no seio onde outros dormem,
> Que por ninguém palpita!

> Beijar faces sem vida, onde se enxerga
> Visgo nojento d'ósculos comprados;
> Crer no que dizem olhos mentirosos,
> Em prantos de loureira!

Quando o poeta argentino Carlos Guido y Spano, que vivia no Rio desde menino (o pai era representante diplomático da Argentina), leu os *Segundos cantos*, escreveu ao autor uma carta onde, louvando-o com entusiasmo, tomara a liberdade de lhe censurar aquele anátema fulminante da "Palinódia":

> Se eu não tivesse tanta confiança nos instintos do coração, que o levam a exalar o seu amor só onde acha fogo, fidelidade e carícias, pensaria talvez que aquela mulher existe, e então eu faria ao poeta amargas reflexões sobre a crueldade, de que usou para com ela.

Gonçalves Dias aceitou a censura e escreveu a "Retratação" dos *Últimos cantos*, inspirada na leitura dessa carta:

> Perdoa as duras frases que me ouviste:
> Vê que inda sangra o coração ferido,
> Vê que inda luta moribundo em ânsias
> Entre as garras da morte.

> Sim, eu devera moderar meu pranto,
> Sofrear minhas iras vingativas,
> Deixar que as minhas lágrimas corressem
> Dentro do peito em chaga.

> [...]

> Que m'importava a mim teu fingimento,
> Se uma hora fui feliz quando te amava,
> Se ideei breve sonho de venturas,
> Dormindo em teu regaço.

A esses versos respondeu Guido y Spano com outros, intitulados "*Consuelo*".

> E era [disse Gonçalves Dias em nota a "Retratação"] efetivamente um canto de consolação e de esperança: perdi há muito o autógrafo dos versos do Sr. Guido; mas o sentido, a suavidade, a sentida simpatia do seu canto, esses me ficaram no coração.

De tal forma ficaram, que ao organizar o poeta a edição dos *Últimos cantos* pediu a Guido y Spano, alguns anos mais moço que ele, um prólogo para o livro. O prólogo foi escrito, mas a rapidez com que se viu Gonçalves Dias forçado a concluir a impressão da obra, obrigou-o a suprimi-lo.

A "Palinódia" não honrava nem ao poeta nem ao homem. Curioso é que seis anos depois, de novo na Bahia, igual movimento de despeito, provocado por outra mulher, perturba-lhe a serenidade habitual e fá-lo explodir nas estância de "Tu não queres ligar-te comigo", onde as apóstrofes são tão amargas e mesquinhas quanto as da "Palinódia", posto não cheguem a infamantes. Mas não antecipemos.

Desembarcado no Rio, hospedou-se Gonçalves Dias num dos hotéis mais caros da cidade, no Largo do Paço, o Hotel de l'Univers, de Mme. Moreau, francesa quarentona, que deve ter parecido bastante apetitosa ao sensual mestiço, pois a pinta "ainda fresca como um pé de alface colhido há três dias, porém há três dias mergulhado n'água". Gastava "pouco mais ou menos como um lorde". E justificava-se: "Não nasci com gênio de mãe de família que reparte com exatidão matemática o pão que há pelos filhos que tem".

Trazia o poeta algumas boas cartas de recomendação. Fiava, porém, mais nos amigos que haviam sido seus companheiros em Coimbra e agora residiam no Rio, entre outros Lisboa Serra e Hermenegildo Xavier de Morais. Ofereceu-lhe este hospedagem em sua chácara de São Clemente, convite que não foi aceito unicamente porque o transporte para o centro da cidade era difícil. Aceitou, sim, as refeições no lar de Lisboa Serra, à rua da Misericórdia, próximo à casa onde acabou tomando quarto, mobiliado com pobreza franciscana — uma mesa redonda, que lhe servia de secretária, duas cadeiras e algumas estantes sem vidraças.

Imediatamente cuidou o poeta da impressão dos *Primeiros cantos*, contratada no Laemmert pela quantia de novecentos mil-réis. Em novembro de 1846 escrevia a Alexandre Teófilo: "O meu livro de poesias está a acabar; cortei-lhe muitas peças porque o Laemmert entra agora com impressão de teses e a minha impressão se demoraria indefinidamente".

Desde logo também passou a frequentar a Biblioteca Nacional, onde se demorava todos os dias, das nove da manhã às duas da tarde. Tinha muitos projetos literários em mente — dramas e romances históricos, uma história dos jesuítas no Brasil. "Qualquer dia", comunicava a Teófilo na mesma carta de novembro, "principio o meu primeiro romance histórico sobre o Maranhão." A sua saúde não era boa e o pressentimento de morrer cedo precipitava-lhe a atividade: "Como me parece que a minha vida literária será como os dias dos polos, isto é, infinitamente pequena, quero fazê-la no pouco tempo que tenho, a mais brilhante possível". Preparava-se para isso lendo na Biblioteca muito alfarrábio velho, muita crônica antiga: "É a primeira vez que me tenho dado ao trabalho de tomar apontamentos, e para a primeira vez tenho bons cadernos cheios de massada indigesta".

Para distrair-se tinha as casas dos amigos, os teatros, os bailes do Tivoli, os namoros. Travou conhecimento com Odorico Mendes, que lhe parecia entre os poetas que se achavam no Rio o de "gosto mais apurado e juízo mais seguro e são".

> Também creio que será o único com quem me darei; a primeira qualidade sua é o entusiasmo — encontramo-nos neste ponto. O seu caráter é nobre e independente — quanto à última parte, sou também como ele, tanto como ele, e até posso dizer mais do que ele, atentas as nossas circunstâncias, que não sofrem comparação.

Ainda antes da publicação dos *Primeiros cantos*, já corria a sua fama de poeta. "Em bailes a que tenho assistido, tenho passado por um menino que de vez em quando diz as coisas assim não sei como, que não é comum..." Nas admirações que procurava entre o mundo feminino havia que abater as alfinetadas recebidas pela sua estatura de um metro e cinquenta. Mas disfarçava com muito *sense of humour* o seu complexo de homem pequeno:

> Vou-me apregoar por uma raridade e mandar pôr nos jornais: *"Atenção!!! Tom Pouce americano dá espetáculos em tais e tais noites: é uma raridade maravilhosa! Tom Pouce faz versos e tem uma carta de bacharel. Tom Pouce é um pigmeu gigante, o que é prodigioso e incrível, Tom Pouce fala como toda a gente, o que é estupendo, Tom Pouce namora, o que é divertidíssimo; sabe um pouco de latim, de espanhol, de francês, de italiano, de inglês e de alemão, o que é sem exemplo para os pigmeus. Tom Pouce tem vinte e tantos anos, e poderá chegar aos trinta, o que será um macróbio entre os seus pares!"* Meu Deus, quando penso que assombro não seria para o mundo um homem que tivesse duas varas e meia de altura, sinto infinita comiseração dos nossos grandes homens que escaparam de nascer no reino de Micromegas!...

Nos bailes do Tivoli ganhou "foros de *jeune homme du bon ton* e patente de gracioso perfeito". Namora uma judia:

> A minha judia! a minha eterna judia — a nunca assaz louvada — a nunca assaz bem-amada — a nunca assaz apreciada filha dos *sem prepúcios*, como quem dissesse filha de um *sans-cullotte*. Deus de Abraão e de Jacob! eu só te peço uma noite como aquela em que este último santo e patriarca viu uma escada que topetava com os céus, e anjinhos que subiam por ela acima; seja eu um desses anjinhos e venha embora a pateada do Teatro e a crítica dos jornais, que já me acham aparelhado!
>
> Boa Judia! imagina tu uma rapariga belíssima — novíssima — elegantíssima, com uns olhos rasgados prodigiosamente — com umas pálpebras longas — acetinadas — transparentes, que se alevantam vagarosamente como o pano de boca do Teatro do Maranhão; um colo de neve (cousa trivial em poesia), um pescoço torneado, com veios azuis, um pescoço flexível, comprido — um pouco arqueado, que sustenta *as obras com que amor matou d'amores* — um rosto!... um garbo!... uma "esbelteza" de palmeira...

Namoro dois meses depois substituído por outro, o da moça para quem num baile de máscaras improvisou as voltas sobre o mote "Não posso dizer que não, Não posso dizer que sim", decerto dado pela bela:

> Senhora, pois que podeis
> Dizer que não ou que sim,
> A ambos não magoeis:
> Dizei "sim", mas não a ele;
> Dizei "não", mas não a mim.

As voltas produziram efeito. A moça apaixonou-se

a ponto de fazer loucuras; onde quer que estivermos juntos, bailes, teatros, reuniões — em casa dela ou fora — é sempre a mesma mulher — mulher de vir sentar-se junto comigo e contra mim vinte vezes em uma noite, se eu mudar vinte vezes de lugar; se está com *alguém*, dá-lhe as costas e estende-me a mão o mais destramente possível, e se eu não lhe apertar, ela é capaz de ficar de pé a noite toda, diante de todos, e com a mão estendida como uma estátua; tudo isso já aconteceu. É nova, bela, espirituosa, doida como eu, imprudente como ninguém, romântica exagerada, corajosa que passa à temeridade, amorosa que passa a frenesi: iremos longe, se algum anjo não se vier meter entre nós...

[Aqui vinha transcrito por inteiro o "Canto do guerreiro" e as últimas estrofes do "Morro do Alecrim".]

Abstendo-me de outras citações, que ocupariam demasiado espaço, não posso resistir à tentação de transcrever das *Poesias diversas* uma das mais mimosas composições líricas que tenho lido na minha vida. ["Seus olhos".]

Se estas poucas linhas, escritas de abundância de coração, passarem os mares, receba o autor dos *Primeiros cantos* o testemunho sincero de simpatia que a leitura do seu livro arrancou a um homem que o não conhece, que provavelmente não o conhecerá nunca, e que não costuma nem dirigir aos outros elogios *encomendados*, nem pedi-los para si.

A glória do poeta, a sua nomeada de estudioso da História do Brasil dão-lhe, aos 24 anos, o diploma de sócio efetivo do Instituto Histórico e Geográfico, para o qual foi proposto em 2 de dezembro por Porto-Alegre. Encerrava-se nesse mês o concurso aberto pelo Instituto para uma obra sobre a história dos jesuítas no Brasil. Desistira, porém, Gonçalves Dias de apresentar a sua, porque o prazo estipulado lhe parecia ridiculamente pequeno para o assunto, visto que "escrever a história dos jesuítas no Brasil equivale a escrever a História do Brasil".

O seu labor intelectual era então intenso. Desde janeiro começara a trabalhar as *Sextilhas de Frei Antão*, a respeito das quais escrevia em 23 a Antônio Henriques Leal:

> Estou agora compondo uma coleção de *romances* que hei de imprimir com o nome de um reverendo padre de S. Domingos que Deus tem há mais de trezentos anos; é obra pequena. Já escrevi um deles em português antigo, tu o verás.

Não é verdade, como se tem dito, repetindo uma falsa informação de Leal, que os tivesse escrito em quinze dias. Lúcia Miguel Pereira, rastreando-lhe a correspondência, provou que a composição das *Sextilhas* ocupou o poeta durante bons sete meses. Igualmente provou ser inexata outra informação de Leal: a de que, com as *Sextilhas*, quisesse Gonçalves Dias, mostrando-se senhor da língua arcaica, revidar à "canzinada" do Conservatório, que lhe teria descoberto na condenada *Beatriz Cenci* erros de linguagem e estilo.

Não tiveram tão mesquinha intenção as *Sextilhas*. E eram muito mais que um "ensaio filológico", como as classificou o poeta (aliás muito pecariam como simples ensaio filológico, porque confessadamente figuradas como escritas na metade do século XVII, estão cheias de anacronismos linguísticos). A epígrafe que lhes pôs, tomada de *Stello*, de Vigny, diz bem da sua intenção:

> *J'ai fait de ma chambre la cellule d'un cloître, j'ai béni et sanctifié ma vie et ma pensée; j'ai raccourci ma vue et j'ai éteint devant mes yeux les lumières de notre âge; j'ai fait mon coeur plus simple, et l'ai baigné dans le bénitier de la foi catholique; je me suis appris le parler enfantin du vieux temps: et j'ai écrit!...*

E no prólogo aos *Segundos cantos* explica ter procurado

dar ao pensamento a cor forte e carregada daqueles tempos em que a fé e a valentia eram as duas virtudes cardeais, ou antes as únicas virtudes. Coloquei-me no meio daquelas épocas de crenças rígidas e profundas — talvez de fanatismo, — e esforcei-me por simplificar o meu pensamento, por sentir como sentiam os homens de então, e por exprimi-lo na linguagem que melhor os pode traduzir — a dos Trovadores — linguagem simples mas severa, — rimada mas fácil, — harmoniosa e valente sem ser campanuda, nem guindada. Variei o ritmo das sextilhas para que não cansasse; quis ver enfim que robustez e concisão havia nessa linguagem semiculta, que por vezes nos parece dura e malsoante, e estreitar ainda mais, se for possível, as duas literaturas — brasileira e portuguesa, — que hão de ser duas, mas semelhantes e parecidas, como irmãs que descendem de um mesmo tronco e trajam os mesmos vestidos, — embora os trajem por diversa maneira, com diverso gosto, com outro porte, e graça diferente.

Escrevendo-as, tinha a convicção de que desagradaria ao maior número de leitores. Que lhe importava isso?

Aceito a inspiração quando e donde quer que ela venha; — da imaginação ou da reflexão, — da natureza ou do estudo, — de um argueiro ou de uma crônica, é-me indiferente: publico-as, se me agradam; rasgo-as, se me desprazem.

Em maio ou junho principiara a compor *Os Timbiras*, cuja ideia lhe veio na chácara Macacos, de Lisboa Serra, situada na antiga estrada de dona Castorina, na Gávea. Eis como expôs em carta a Antônio Henriques Leal o plano do poema:

Saberás que estive cousa de cinquenta dias em uma chácara do Serra, em Macacos, e durante todo aquele santo ócio, como diria Virgílio, nada mais fiz do que fumar, caçar e imaginar. Imaginei um poema... como nunca ouviste falar de outro: magotes de tigres, de quatis, de cascavéis; imaginei mangueiras e jabuticabeiras, copadas, jequitibás e ipês arrogantes, sapucaieiras e jambeiros, de palmeiras nem falemos; guerreiros diabólicos, mulheres feiticeiras, sapos e jacarés sem conta: enfim, um *Gênese* americano, uma *Ilíada Brasileira*, uma criação *recriada*. Passa-se a ação no Maranhão e vai terminar no Amazonas com a dispersão dos Timbiras; guerras entre eles e depois com os portugueses. O primeiro canto já está pronto, o segundo começado.

Realizava assim uma ideia que lhe ocupava o espírito desde 1844, pois em 1º de março daquele ano escrevera de Coimbra a Alexandre Teófilo:

Ando a estudar para compor um Poema — é por agora — "a minha obra". Quero fazer uma cousa exclusivamente americana — exclusivamente nossa — eu o farei talvez — já que todo mundo hoje se mete a inovar — também eu pretendo inovar — inovarei — criarei alguma cousa que, espero em Deus, os nossos não esquecerão.

De volta dessas férias em Macacos teve o poeta a boa notícia de que se cogitava criar um liceu em Niterói e que Lisboa Serra se empenhava junto aos políticos para arranjar-lhe uma colocação no novo instituto. De fato foi nomeado, professor adjunto da cadeira de Latim e secretário do colégio, com o ordenado anual de um conto de réis. Era pouco, mesmo para aqueles bons tempos em que a diária nos melhores hotéis não ia além de três mil-réis. A situação do poeta continuava precária. A publicação de *Leonor de Mendonça* no *Arquivo Teatral* de Picot não lhe rendera direitos:

De maneira que a Sra. duquesa veio por fim de contas a custar-me trinta dias de estudos, trinta noites de trabalho, trinta provas que revi, trinta suprimentos que fiz, e por último 30$000 que tenho até hoje gasto em comprar as minhas queridas filhas!

Queria referir-se aos cinquenta exemplares que teve de comprar para oferecer aos amigos.

O liceu foi inaugurado em 7 de setembro, incumbido o poeta de abrir com um discurso a solenidade. Leu-o, diz Leal, "com voz fraca e breve, como quem queria ver-se desapressado dele, e nem consentiu que o publicassem". Segundo Lúcia Miguel Pereira, foi a única oração pronunciada por Gonçalves Dias em toda a sua vida.

Entrementes continuavam os namoros, sempre efêmeros e às vezes concomitantes. Deles dava conta pontualmente ao seu amigo Alexandre Teófilo. A este comunicava em carta de 24 de fevereiro de 1848:

> Sem exageração — estou agora com três belíssimos começos de namoro; são largas histórias, fica para outra vez —, um deles já me rendeu talvez a mais delicada das minhas páginas líricas — tem por título "Os suspiros".

Aqui falhava a autocrítica do poeta: "Os suspiros" são, como outros galanteios incluídos nos *Segundos cantos*, poesia rala, tão inconsistente quanto o sentimento em que se inspirava, e naquele livro os melhores acentos amorosos estão ainda nas recordações da moça de Coimbra ou no tema constante da ausência de amor; — do amor "que nos leva a extremos, aos quais não basta a natureza humana".

Em maio solicita no liceu quatro meses de licença e emprega-se como redator de debates, no *Jornal do Commercio* para o Senado ("estou agora feito burro de carga do Senado", escrevia em julho de 1848), no *Correio Mercantil* para a Câmara. Não voltaria mais ao liceu, pois em 5 de março do ano seguinte é nomeado professor de Latim e de História do Brasil no Colégio Pedro II. Todavia continuou exercendo as funções de jornalista nas Câmaras até maio de 1850. E ainda em 1848 inicia a sua colaboração literária no *Correio Mercantil* (crônicas e folhetins teatrais), no *Correio da Tarde*, novo nome da *Sentinela da Monarquia* (crítica literária sob pseudônimo de "Optimus criticus") e na *Gazeta Oficial*. Lúcia Miguel Pereira, sempre tão escrupulosa, deu-se ao trabalho de ler toda essa matéria impressa, e o seu juízo, em que podemos confiar, é que

> perdidas, esquecidas nas coleções dos jornais, essas páginas em nada diminuiriam a nossa compreensão de Gonçalves Dias, como, lidas, nada acrescentam à sua glória; quando muito encerram uma ou outra anedota a seu respeito, mostram-nos, por exemplo, que não gostava do entrudo mas apreciava bailes de máscaras, que foi a um no Teatro S. Pedro. Noutro, a que compareceu vestido de Otelo, agradou-lhe ser tomado pelo ator João Caetano, com quem, explica com a sua ponta de vaidade, tinha semelhanças na voz e na estatura.

O que à biógrafa pareceu melhor foi o cronista do *Correio Mercantil*, interessado pela coisa pública, comentando fatos e serviços da cidade, cenas típicas como a do aguadeiro português com o seu burro empacado na rua da Alfândega, a do chefe de polícia mandando na rua da Ajuda parar contra a mão o seu carro para conversar à porta do ourives Michaud; criticando os maus hábitos, como o de se despejarem dos sobrados, depois das oito horas da noite, as águas servidas.

Em junho de 1848 apareceram os *Segundos cantos*, impressos na Tipografia Clássica, de José de Freitas Monteiro, edição custeada pelo autor, salvo a subvenção oficial de trezentos mil-réis por Lisboa Serra obtida de Alves Branco, então ministro do Império e presidente do Conselho. Era intenção do poeta dedicar o livro a Alexandre Teófilo. Ignorando-o certamente, Serra prometera ao ministro que a obra lhe seria dedicada. A combinação desagradou a Gonçalves Dias, e Alves Branco exacerbou ainda mais a irritação do poeta ao sugerir que a dedicatória fosse não a ele, mas ao Imperador, ou a uma das princesas. A Alexandre Teófilo contou o poeta o seu desabafo:

> Então não estive pelos autos; não tinha aceitado o dinheiro, não o aceitaria, com tal condição; fiz-me de pedra e cal, e disse alto e bom som que os mandava bugiar a todos eles — Serra, Alves Branco, Imperador, Princesas e os trezentos mil-réis. Que tenho com eles, que me fizeram eles, que relação há entre mim e eles, que lhes fosse eu dedicar o meu trabalho, os meus estudos de um ano?

Entraria nisso talvez mais o desgosto de já não poder dedicar o livro ao amigo do que o orgulho, o respeito humano, o receio de parecer lisonjeiro ou adulador, porque sete anos depois dedicaria ao Imperador os quatro primeiros cantos d'*Os Timbiras*, impressos em Leipzig.

No prólogo dizia o poeta que a primeira parte do livro (as poesias várias) não eram senão a continuação dos *Primeiros cantos*:

> É ainda o mesmo estilo, — o pensamento dominando em todo o verso, mas que seja menosprezada a metrificação, — e a rima que naturalmente se lhe sujeita, e o metro que se dobra em todos os sentidos, — e o verso que se acomoda a todos os tons, como instrumento harmonioso, que sempre agrada, mesmo tangido por mãos inexperientes.

Juntem-se a estas linhas as palavras já por nós transcritas do prólogo dos *Primeiros cantos* e ter-se-á em resumo toda a arte poética de Gonçalves Dias, como ele a praticou sempre. "Mas que seja menosprezada a metrificação"... Entenda-se: ainda que seja menosprezada a metrificação. Era talvez uma resposta à crítica de Herculano, o qual no seu artigo da *Revista Universal Lisbonense* aludira a imperfeições de língua, de metrificação, de estilo, "defeitos do escritor ainda pouco amestrado pela experiência". O poeta corrigiria na edição de Leipzig algumas imperfeições de língua e estilo, mas não buliria na metrificação. A metrificação violara-a e continuaria até o fim da vida a violar com plena consciência de que o fazia, sempre fundado em algum motivo de expressão e com fino gosto.

Este segundo livro alcançou da crítica e do público o mesmo favor que o primeiro. Era-lhe no entanto inferior, salvo nas *Sextilhas de Frei Antão*, que revelavam uma face nova do talento do autor. Representava em parte, de certo modo, um fundo de gaveta: cinco, pelo menos, das poesias várias — "A virgem", "Mimosa e bela", "O donzel", "O bardo" e "À desordem de Caxias" haviam sido escritas antes da publicação do primeiro livro; as três últimas foram suprimidas da edição de Leipzig, — sinal de que não satisfaziam ao poeta. De inspiração indianista havia apenas o poema "Timbira", muito enfadonho nos seus eneassílabos de linguagem enfática e monótono ritmo, salvando-se apenas pela sua bela "Dedicatória aos pernambucanos". O que havia de melhor no livro eram os hinos, especialmente "A noite", e as *Sextilhas*. Aqui demonstrava o poeta o domínio absoluto da redondilha, e a ideia de se meter na pele do frade dominicano setecentista deu-lhe nesses deliciosos rimances a graça, o *humour* que falta aos seus outros poemas narrativos.

E os namoros continuavam... Porque, como disse Bulhão Pato, citado por Lúcia Miguel Pereira:

> Feio era [Gonçalves Dias], e pequeno de estatura, que é um grande senão no homem; mas as mulheres gostavam dele — à parte os seus versos, à parte o seu grande talento... Seria pelo brilho excepcional dos olhos, pelo ar arrebatado e meigo da sua fisionomia, tão irregular, mas tão viva, tão enérgica?... Seria... Fosse pelo que fosse, gostavam dele as mulheres...

Pelos meados do ano de 1848 duas o interessaram: uma viuvinha de seus trint'anos ("Viúva de minha alma! Grande cousa é uma viúva! não tem a gente necessidade de lhe explicar as cousas mais comezinhas da vida!"), com quem ele gastava pontualmente de sete em sete dias, aos domingos, a sua eloquência — "frases de amor, de romance — poesia mesmo, fogo, delírio, beijos, lágrimas e sorrisos, arrependimentos, aperturas de coração, — o diabo"; e a moça dos "olhos verdes", de quem se diz "muito namorado", olhos verdes em que pretendia "beber muitos volumes de inspiração". Com esta não se tratava senão de "simples passatempo, sem nenhuma consequência". Mas um tio da donzela, major reformado, quis dar ao passatempo uma consequência que não entrava nos cálculos do poeta — a do casamento. E escreveu-lhe uma carta, desafiando-o para um duelo. Gonçalves Dias não lhe deu resposta.

No ano de 1849, às atividades de professor no Pedro II (era aplicadíssimo: em outubro de 1849 escrevia: "vão começar os exames de História e eu tenho de estudar como um diabo."), de jornalista nas várias folhas já nomeadas e de membro ativo do Instituto Histórico junta Gonçalves Dias a de diretor-fundador, com Porto-Alegre e Joaquim Manuel de Macedo, da *Guanabara*, revista científica e literária, que vinha continuar a tradição da *Niterói* e da *Minerva Brasiliense*. Saiu o primeiro número no dia 2 de dezembro, aniversário do Imperador, e os três editores foram levar-lho pessoalmente ao paço de São Cristóvão. Porto-Alegre e Macedo ostentavam ao peito as veneras das suas condecorações. Reparando Dom Pedro que na casaca de Gonçalves Dias não havia nenhuma distinção honorífica, logo providenciou, terminada a audiência, para que o nome do poeta fosse incluído na lista já pronta dos agraciados naquele dia festivo. Se o Imperador imaginou dar uma grande alegria ao jovem poeta concedendo-lhe o hábito de cavaleiro da Ordem da Rosa, estava muito enganado. Ao ver o seu nome no fim de uma lista que tomava toda uma página do *Jornal do Commercio*, sentiu-se Gonçalves Dias não "distinguido", mas "confundido" com as centenas de agraciados. Por isso nem pensou em tirar o diploma e comprar a venera: "Nada, não quero que me confundam com algum tendeiro ou negreiro, basta que embrulhem aqueles a manteiga e o açúcar com o que escrevo!" Venera e diploma lhe vieram ter às mãos por mais uma gentileza do bom Lisboa Serra. Não sabia o Imperador, não sabiam os amigos e conhecidos solícitos em felicitar o poeta, que orgulho havia debaixo daquela "máscara de cera", daquelas maneiras modestas. Porque modesto era Gonçalves Dias, mas *royalement modeste*, como de Paul Valéry disse Léon-Paul Fargue. Mais honrado do que com a condecoração se sentiria quando dias depois, no programa das teses distribuídas a vários sócios do Instituto Histórico pelo Imperador, coube-lhe a de "comparar o estado dos indígenas da quinta parte do mundo com os do Brasil, considerados uns e outros na época da respectiva descoberta, e deduzir quais ofereciam maiores probabilidades à empresa da civilização", origem da memória *O Brasil e a Oceania*, lida em nove sessões consecutivas do Instituto, de 20 de agosto de 1852 a junho do ano seguinte.

O professor Raimundo Lopes, no seu trabalho *Gonçalves Dias e a raça americana*, assinala as excelências dessa memória, admirado de que um homem "cuja visão de poeta envolveu em tanta fantasia a vida do selvagem, não se deixou levar no labor erudito pela sedução de tão arrojadas hipóteses como as em que se emaranharam cientistas de valor e de uma educação mais técnica". A intuição do poeta acertou em vários pontos confirmados posteriormente pelas pesquisas dos especialistas: assim acerca das migrações dos tupis, Métraux desenvolve as ideias expostas por Gonçalves Dias. Compreendera este "a importância do vale amazônico e especialmente da zona inferior paraense na formação cultural dos povos sul-americanos". Para o professor Raimundo Lopes o capítulo mais forte talvez da memória é o que trata da decadência pré-colombiana dos índios. Sem acreditar que os nossos selvagens tivessem alcançado uma alta civilização, pensava Gonçalves Dias que eles tiveram cultura mais ampla e mais completa antes do descobrimento: "É o que a arqueologia brasílica, cujos achados são posteriores à sua morte, mostraria, em Marajó e alhures". A valorização do indígena, romântica nos poemas indianistas dos *Cantos* e n'*Os Timbiras*, apresenta-se, segundo o juízo de Gilberto Freyre, "com qualidades surpreendentes de equilíbrio científico".

Mais folgado financeiramente em princípios de 1850, deixa o poeta o quartinho pobre da rua da Misericórdia e muda-se para a rua da Assembleia, onde pouco se demora, e depois para um andar da rua que tem hoje o seu nome e então se chamava dos Latoeiros. Ali adoeceu da febre amarela, que, se o não matou, deixou-o em estado de continuada vertigem, com "uma displicência, um quebranto geral, um fastio de tudo". Abandonou por isso os trabalhos das Câmaras, mas logo que se sentiu melhor, voltou às colaborações na imprensa, aos trabalhos do Instituto Histórico, acabou um novo drama, o *Boabdil*, e começou a ocupar-se da impressão dos *Últimos cantos*, escrevendo em agosto a dedicatória ao seu amigo Alexandre Teófilo. Desde abril estava "horrivelmente zangado" com a revista *Guanabara*: "E como não estou disposto para aturar mais maçadas, vou dar-lhe de mão no fim do semestre". De fato desligou-se dela em junho.

Em princípio de 1851 saíram à luz *os Últimos cantos*, impressos na tipografia de F. de Paula Brito. Eram, desde o título, uma confissão de esgotamento (mas nisto se enganava o poeta, que nos *Novos cantos*, incluídos na edição de Leipzig, e em outras poesias posteriores, só postumamente publicadas, atingiria enfim os acentos mais convincentes da sua lírica amorosa).

> Eis os meus últimos cantos [dizia no prólogo-dedicatória] o meu último volume de poesias soltas, os últimos arpejos de uma lira, cujas cordas foram estalando, muitas aos balanços ásperos da desventura, e outras, talvez a maior parte, com as dores de um espírito enfermo — fictícias, mas nem por isso menos agudas, — produzidas pela imaginação, como se a realidade já não fosse por si bastante penosa, ou que o espírito, afeito a certa dose de sofrimento, se sobressaltasse de sentir menos pesada a costumada carga. No meio de rudes trabalhos, de ocupações estéreis, de cuidados pungentes, — inquieto do presente, incerto do futuro, derramando um olhar cheio de lágrimas e saudades sobre o meu passado — percorri este primeiro estádio da minha vida literária. Desejar e sofrer — eis toda a minha vida neste período; e estes desejos imensos, indizíveis, e nunca satisfeitos — capri-

chosos como a imaginação, — vagos como o oceano, — e terríveis como a tempestade; e estes sofrimentos de todos os dias, de todos os instantes, obscuros, implacáveis, renascentes, — ligados à minha existência, reconcentrados em minha alma, devorados comigo, umas vezes me deixaram sem força e sem coragem, e se reproduziram em pálidos reflexos do que eu sentia, ou me forçaram a procurar um alívio, uma distração no estudo, e a esquecer-me da realidade com as ficções do ideal.

A glória, conquistada tão rapidamente, não lhe trouxera nenhum lenitivo: "Paguei bem caro esta momentânea celebridade com decepções profundas, com desenganos amargos, e com a lenta agonia de um martírio ignorado".

A mesma confissão de esfriamento da fé e do entusiasmo aparece em algumas poesias, como em "Lira quebrada", "Que me pedes", "Desalento", "O meu sepulcro" etc.

No entanto nos *Últimos cantos* está o ápice da sua inspiração indianista, com os poemas "I-Juca-Pirama", tão fortemente épico-dramático, "Marabá" e "Leito de folhas verdes", tão encantadoramente líricos. A fraqueza, o esgotamento se notam é na lírica amorosa, todavia ainda graciosa em "Olhos verdes", "Por um ai", "Meu anjo, escuta". Bem superiores, porém, pelo sentimento, que lhes deu expressão mais tensa e comovente, são os poemas "Desalento", "O meu sepulcro" e "Saudades": aqui falavam as dores do "martírio ignorado", falava o romântico que não limitava "nos términos da terra os seus desejos".

Farto dos volúveis namoricos, cansado dos trabalhos estéreis das Câmaras e da imprensa, ansiava o poeta por umas férias fora do Rio. Ainda antes da publicação dos *Segundos cantos*, já as glórias literárias pareciam-lhe coroas efêmeras:

> São por ventura belas, mas vêm nelas muita flor agreste, muita raiz dependurada, muito barro; e quando mais não fosse, são cousas que só aos olhos falam, e eu quero mais do que isso.

Assim se queixava a Alexandre Teófilo em fevereiro de 1848. Em maio de 1850 escrevia ao mesmo amigo:

> Faço mil cálculos por hora, porém o mais teimoso de todos e que me convém é sair do Rio por uma temporada, pois que me vou bestificando demasiadamente. Não sei ainda se vá ao Prata ou ao Amazonas, viagens daquelas a que estou acostumado de longa data: — olhos no céu, mãos nos bolsos vazios, olho para o norte e para o sul, para o poente e para o nascer do sol e posso dizer como o poeta na tristeza do meu coração: *Nulle part le bonheur ne m'attend!*

E em agosto dizia ao mesmo amigo no prólogo dos *Últimos cantos*:

> Minha alma não está comigo, não anda entre os nevoeiros dos Órgãos, envolta em neblina, balouçada em castelos de nuvens, nem rouquejando na voz do trovão. Lá está ela! — lá está a espreguiçar-se nas vagas de São Marcos, a rumorejar nas folhas dos mangues, a sussurrar nos leques, das palmeiras: lá está nos sítios que os meus olhos sempre viram, nas paisagens que eu amo, onde se avista a palmeira esbelta, o cajazeiro coberto de cipós, e o pau-d'arco coberto de flores amarelas.

E ali pretendia, remoçado dos anos esperdiçados, "voltar aos gozos de uma vida ignorada".

De fato, para rever o seu querido Maranhão, pleiteou no ano seguinte uma licença sem vencimentos e uma passagem do Estado. Mas Costa Carvalho, então ministro do Império, deu-lhe em vez da licença uma comissão — a de estudar a instrução pública nas províncias do norte, e de colher documentos históricos nos arquivos provinciais. Ganharia o professor do Pedro II o seu ordenado e teria na volta uma gratificação.

Partiu Gonçalves Dias para o norte em 21 de março de 1851. Partiu para novos trabalhos, para novas decepções; para se afundar, como a flor de "Não me deixes", na corrente por que desde Coimbra suspirava, "o amor igual ao seu", o amor a que clamara "Onde existes?". Mais que o amor, — a paixão que pedira a Deus em "Minha vida e meus amores":

> Dá, meu Deus, que eu possa amar,
> Dá que eu sinta uma paixão,
> Torna-me virgem minha alma
> E virgem meu coração.

Capítulo V – Viagem ao norte – 1851-1852

A comissão de que ia incumbido Gonçalves Dias estendia-se às províncias da Bahia, Alagoas, Pernambuco, Paraíba, Rio Grande do Norte, Ceará, Maranhão e Pará. Como julgava indiferente ao bom êxito dos trabalhos começar por esta ou aquela província, foi direto ao Maranhão. Decerto queria em primeiro lugar matar as saudades que tinha da terra natal, refazer-se dos cinco anos de canseiras e privações no Rio, "desbestificar-se" no ambiente da casa de seu amigo Alexandre Teófilo, reviver os meses tão felizes que ali passara em 1846.

A menina para quem fizera os versos de "Leviana" e de "Seus olhos", Ana Amélia Ferreira do Vale, cunhada e prima de Alexandre Teófilo, estava agora moça feita, gorda, bonita e risonha. No coração do poeta renasceu de pronto, agora trasmudada em sentimento mais sério, a ternura levemente maliciosa que lhe havia inspirado a meninota de quatorze anos. A moça não pedia outra coisa. E no jardim...

> Lembra-te o Jardim, querida!
> Lembra-te ainda da vida
> Aquela quadra florida,
> Que ali passamos então!...
> — Duas salas, um terraço,
> Poucas flores, muita espaço,
> Muita luz; mas a melhor,
> — A flor do teu coração,
> A luz do teu santo amor!
>
> Não tinha a casa pintura,
> O chão não tinha cultura:
> Paredes nuas, ladrilho,
> Tudo singelo, sem brilho...

> Ninguém diria a ventura
> Que ali se pudera achar!
> É porque ninguém sabia
> Que tu ali vinhas ter
> A cada romper do dia
> Como um raio de alegria!

Quando vinha a noite, ficava o poeta a cismar, adormecia em sonhos prazenteiros e ainda ali

> Eu contigo me entretinha,
> Tu ali estavas — bem perto,
> A voz te ouvia que vinha
> De amor minha alma inundar!
> Mais formoso que tal sonho
> Era só meu acordar,
> Vendo teu rosto risonho,
> Vendo nele do meu sonho
> A imagem se desenhar!

Ninguém o sabia... Todos, até dona Lourença, a mãe de Ana Amélia, malgrado os seus preconceitos de cor e classe, não viam naquilo senão a continuação das brincadeiras, de cinco anos atrás: simples galanteios de poeta, sem consequência matrimonial. O que talvez tivesse iludido o namorado, levando-o a acreditar na aceitação de um pedido de casamento. Não ousou, porém, fazê-lo senão mais tarde.

Entretanto visitava Gonçalves Dias, de abril a julho, em São Luís, colégios e seminários, bibliotecas e arquivos. A colheita não podia ser grande, porque a vida da cidade estava completamente desorganizada pela epidemia de febre amarela. E muita coisa do que mais interessava à sua *História dos jesuítas*, como o arquivo da Ordem, desaparecera quase totalmente, extraviada ou roída pelas traças. Nos cartórios os escrivães, por preguiça ou por motivos políticos, sonegavam-lhe os documentos.

Em julho partiu para o Pará, onde ficou cerca de um mês. Tornando a São Luís, viajou ao interior da província para conhecer o engenho de Alexandre Teófilo, às margens do Mearim. Ali passou dias folgados, na companhia da família amiga. O Mearim parecia-lhe um rio romântico e nele gostava o poeta de pescar o peixe-boi, de remar nos lagos de ilhas boiantes do mururu.

Admira que não tivesse feito uma visita a Caxias, que não tivesse procurado rever a velha Vicência. Egoísmo de namorado que, não dispondo de muito tempo, não queria afastar-se de junto de Ana Amélia? Não se esqueça que a viagem era muito morosa: Antônio Henriques Leal anotou que em 1845 gastara o nosso poeta trinta dias para ir de São Luís a Caxias. Não há no relatório de Gonçalves Dias nem na sua correspondência conhecida nenhuma referência a uma ida a Caxias, assim o apurou Lúcia Miguel Pereira, que não acredita na estada referida pelo caxiense Antônio Campos, com hospedagem em casa do chefe político Domingos Desidério Machado, banda de música todas as noites tocando à porta e o poeta declamando versos da janela para o povo...

Foi por essa época, em outubro de 1851, que, na festa de Nossa Senhora dos Remédios, João Francisco Lisboa viu "o nosso poeta Gonçalves Dias dando o braço a umas senhoras, conversando alegre e satisfeito, sem deixar rever o menor vislumbre daquela melancolia e desesperação que nos vende em seus mimosos versos". E acrescentava o malicioso Timon: "Hei de estimar que continuem as suas infelicidades". O voto cumpriu-se, como já veremos.

Adiara o poeta o pedido de casamento até as vésperas de sua partida e teve de fazê-lo em carta, porque Dona Lourença se tinha retirado com as filhas para Alcântara. A carta era pão pão, queijo queijo, como se na sobriedade e quase secura dos termos já quisesse o mestiço ressalvar o seu orgulho na hipótese de uma possível recusa:

> Estou por momentos à espera do vapor em que hei de partir para o Ceará: por este motivo, e porque a minha demora já tem sido bastante longa, não posso ir a Alcântara pedir as suas ordens nem para falar-lhe de um negócio, que me interessa, e sobre o qual me permitirá de a ocupar por alguns momentos. Parecer-lhe-ei importuno e impertinente; por isso também para escrever-lhe esta preciso de recordar-me da bondade suma com que me tem sempre tratado.

> Para falar sem rodeios, a que estou acostumado, eis de que se trata: peço-lhe D.... em casamento. Fazendo-lhe semelhante pedido, quero e é do meu dever ser franco. Não tenho nem a ambição de figurar na política de meu país, nem o amor de fazer fortuna, e quando se desse o contrário faltar-me-ia ainda a habilidade, o jeito para alcançar ambas ou qualquer dessas cousas. Assim, parece-me que nem chegarei a ter mais do que hoje tenho, sendo difícil que venha a ter menos, nem valerei mais do que hoje valho, que é bem pouco. Não desconheço que outros, e decerto melhores partidos se oferecerão para sua filha: a única compensação, que lhe posso oferecer, mas que não sei se a julgará suficiente — é que me parece ter conhecido quanto ela por suas qualidades se recomenda, e querer lisonjear-me de que a trataria quanto melhor pudesse, se bem que não quanto ela merece. Rogo-lhe pois que não veja neste meu pedido atrevimento da minha parte, porém o desejo grande que tenho de me ver ligado com uma família a quem por tantos motivos respeito e sou obrigado e a uma pessoa, a quem desejaria ter por companheira.

> Sendo afirmativa a sua resposta voltarei do Rio, tendo assegurado dalguma forma um futuro, e o farei o mais breve que puder para aceitar o seu favor e beijar-lhe as mãos.

> No caso contrário posso afirmar-lhe que, acostumado de há muito a sofrer reveses na vida, não será este dos menores. Procurarei persuadir-me que algum motivo mais forte que a sua natural bondade terá obstado ao seu consentimento, e consolar-me-ei com a lembrança de que me esforçarei por alcançar a mão de sua filha, se não fui digno de a merecer.

> Creia etc.

> *A. Gonçalves Dias*

A José Joaquim Ferreira Vale, irmão de Ana Amélia, depois barão do Desterro, e político influente no Maranhão, seu colega e amigo desde Coimbra, escreveu Gonçalves Dias a seguinte carta:

> Pedi D... a tua mãe; mas antes de tudo convém dar-te uma explicação. Não te quero envolver neste negócio, porque sei que é de si melindroso: não te queria falar dele senão quando estivesse concluído ou desfeito. Então era um dever, um dever de

amizade para contigo, um dever de cortesia para com o irmão daquela a quem preten-do. Não queria ter de me queixar de ti, o que é de uma eventualidade tão remota, que apenas é possível, nem também que agradecer-te para que no futuro nem ela, nem pessoa alguma da tua família pudesse queixar-se de ti.

Sou fatalista no que diz respeito à minha vida, e resolveu-se-me sempre a fata-lidade em fazer por fim o que não quisera; por isso te escrevo, pedindo-te ao mesmo tempo que não tomes neste negócio senão a parte que tomarias sem que antecedesse pedido algum meu, ou como se te fosse eu inteiramente indiferente.

Sabes que não tenho fortuna, e que longe de ser nobre de sangue azul, nem ao menos sou filho legítimo; falo-te assim, porque ainda quando eu por natureza hou-vesse sido e fosse um homem nobre, é esta uma das ocasiões em que a honra, o pun-donor, a própria dignidade requeriam toda a franqueza da minha parte. Não tenho fortuna, e segundo todas as probabilidades não a terei nunca; porque para isso, como para mil outras cousas, não tenho nem jeito, nem paciência, nem cabeça. Não tenho ambição de posições vantajosas, talvez mesmo não tivesse possibilidade para as ob-ter; mas quando as tivesse, não imagino que possa haver interesse nem meu nem de família minha, que extraviem do trilho, a que eu, talvez erradamente, chamo o meu — destino. É possível que mude de pensar, porém tratamos de atualidade.

Assim, pois, o que te proponho será, se o quiseres, não um casamento, mas um sacrifício. A que se quiser ligar com a minha sorte, terá de se contentar com o que sou, que é bem pouco, com o que valho, que é pouco menos, com o que posso vir a ser ou a valer, que ainda menos pode ser do que isto, ou pode vir a ser mais do que me é dado imaginar.

É preciso que ela se aventure: terá uma vida de rosas ou de espinhos — viverá para o mundo ou para o sofrimento. A incerteza poderá ser um incentivo para que ela o aceite, um motivo para que tua família o rejeite, eu por franqueza o digo.

Essas e outras reflexões tu as farás contigo, tu as dirás, se o quiseres. O que te posso asseverar é que em falta de abundância, de luxo ou de riqueza, que lhe não posso dar, terá tua irmã um coração que a ama, e um homem que a estima tanto que a pede com a quase certeza de que vai sofrer uma repulsa.

O que espero, meu caro, é que tua mãe me responda brevemente, o que te peço é que mostres esta carta a D... no caso de que tua mãe se resolva afirmativamente para que ela saiba que não a enganei, e do nenhum partido que vai fazer em entregar-me todo o seu futuro. Sendo negativa, sentirei e muito, não por orgulho ofendido, senão porque ela o desejava deveras. Não me queixarei nem terei motivos para isso. Conhe-ço que sem má vontade, e só por estas razões poderia qualquer pessoa aceitar ou rejei-tar sem vexame a minha proposta, e ainda sem desar para mim. Bem podes crer, não haverá forças que me façam esquecer que sou teu amigo, do ... e da família de ambos.

Farei votos pela felicidade de todos, e para que em outra parte e com outra pessoa possa tua irmã achar a ventura que lhe desejo e de que é merecedora por todos os títulos.

Crê-me

Teu do C.
A. Gonçalves Dias

Dirigiam-se essas palavras menos a José Joaquim do que à própria Ana Amé-lia ("o que te peço é que mostres esta carta a D..."). Aludiam muito de raspão à con-dição de filho ilegítimo, à condição de mestiço, eufemisticamente disfarçada em se declarar o poeta "longe de ser nobre de sangue azul", como se nelas não visse motivos razoáveis para uma repulsa. Sabia que por cima disso tudo passaria a moça para aceitar o casamento: "porque ela o desejava deveras". O que lhe parecia ponderável eram as incertezas de um futuro que se lhe antolhava sem abastança nem posições vantajosas, e para isso desejava abrir os olhos de Ana Amélia.

Em circunstâncias materiais não se podia fundar aquela quase certeza de repulsa. Gonçalves Dias era, aos vinte e oito anos, um nome glorioso em todo o Brasil e em Portugal. Professor do Pedro II, membro do Instituto Histórico, cavaleiro da Imperial Ordem da Rosa, comissionado pelo Governo numa tarefa importante, não daria à família de Ana Amélia preocupações sobre o futuro. O motivo mais forte do que a natural bondade de Dona Lourença só podia ser o da cor e humilde nascimento do poeta. Em sua vaga esperança, ter-se-ia Gonçalves Dias deixado iludir pela admiração, estima, intimidade e confiança com que era tratado no seio da família de Ana Amélia? Ninguém como os mestiços para desencovar o preconceito de cor nos brancos que mais isentos se dizem dele. A situação do mulato no Brasil ainda hoje é esta: pode subir em qualquer carreira — nas armas, na magistratura, na diplomacia, na política, pode chegar sem favor a Ministro e até a Presidente da República. Peçam, porém, a um branco, mesmo sem fumaça de fidalguia, que meta a mão na consciência e responda se daria de bom grado a mão de sua filha ou de sua irmã a um preto ou a um mulato chapado... Gonçalves Dias não era mulato chapado. Mas no seu tempo, e sobretudo no Maranhão, a coisa fiava mais fino. A D. Lourença deve ter parecido mesmo um atrevimento do filho ilegítimo de Vicência pretender à mão de Ana Amélia. E a repulsa foi breve, seca, em quatro linhas. Recebeu-as o poeta no Recife, onde prosseguia nos trabalhos de sua comissão, depois de ter visitado as províncias do Ceará, Rio Grande do Norte e Paraíba.

Para se ter uma ideia dos sentimentos de Gonçalves Dias antes e depois de receber a resposta de D. Lourença, é preciso ler por inteiro a carta que então escreveu a Alexandre Teófilo, favorável, como sua mulher, ao casamento:

> Meu bom Teófilo,
>
> O Comandante Secundino, que me trouxe da Paraíba, deu-me a triste notícia que voltaras do Mearim, porém doente; espero que já estejas bom. Estás com a tua roda montada? Conclui isso de uma vez e prepara-te para deixares esse mísero Maranhão.
>
> Um pouco da minha vida. D. Mariquinhas já te terá dito alguma cousa sobre a resposta que obtive de tua Tia. Que se há de fazer, meu Teófilo? Tinha meditado tantas vezes, não na probabilidade, mas na impossibilidade deste sucesso, que eu mesmo me admiro da impressão que me causou. Acostumado de há longa data aos desenganos e sofrimentos, já era tempo para mim de ser menos criança e mais sofredor. Demais chamava eu a esse casamento, se se chegasse a realizar, um casamento razoável. Amava, mas não pensei que amava tanto. Acontecia comigo como quem carrega algum peso e conhece que tem força para muito mais. Amava, mas podia amar mais e muito mais; amava, porém minha alma, adormecida com a esperança que interiormente me *sorria, não estava toda ocupada*; amava, mas o amor que eu tinha para o amor que eu adivinhava, que me conhecia capaz de sentir, era o espaço em relação à imensidade, o tempo em relação ao infinito!

Ainda me lembra, e como não seria assim? ainda me lembra o lugar, o momento, as circunstâncias em que recebi aquela fatal carta. Estava eu no correio com o major Lopes: deram-me as cartas que eu tinha e me esperavam em Pernambuco. Abri-as todas sem as ler, para ver de quem eram; e entre todas feriram-me as quatro linhas de D. L. de que eu só pude ler a assinatura, como se uma luz demasiadamente forte me ofendesse os olhos. Vim para casa; e o major Lopes, tendo de visitar uma pessoa no hotel em que estou, me acompanhava. Que momentos aqueles! que ansiedade! que turbilhão de ideias, contrárias, confusas, baralhadas, me acudiam ao pensamento, enquanto parecia faltar-me a terra, o ar, a vida!

Todas as ideias e cismas que durante o espaço de quase um ano me tinham aparecido, embalado ou entristecido, risonhas como a ventura que me esperava, ou tristes como o desespero; essas fantasias de todos os tempos e de todas as horas que atrás e dentro de mim me acompanharam pelo norte do Brasil, do Amazonas até Pernambuco, no mar e nos rios, nas florestas do teu Mearim e nas serras do Maranguape; todo esse firmamento de amor, de dúvida, de incertezas, de estrelas e de trevas desdobrou-se de novo para minh'alma! Tinha essa carta contra o peito, ou a apertava contra mim; ela queimava-me, e eu pude conter-me, porque essa prolongação de martírio se me assemelhava a um prazer. Ali tinha o meu futuro, as minhas esperanças, a minha condenação, ou o prêmio que Deus quisesse dar-me de uma juventude trabalhada e infeliz, e de uma vida sem merecimento talvez, mas não sem lágrimas nem sem coragem.

Então realmente começaria a vida para mim; e um momento, um sopro de felicidade celeste me teria feito esquecer todos os pesares e ainda aqueles a que tu não tens recusado lágrimas!

Narro-te estas cousas assim por extenso; porque recordando o passado, — o passado de ontem! — me parece que abraço também alguns dias da minha vida, e que volto de novo àquele estado, que foi ou se me afigurava martírio, e que hoje eu reputaria ventura.

Chegamos a casa e pedi cerveja, que ninguém quis aceitar, e enquanto o major Lopes se entretinha com o meu comensal, retirei-me ao meu quarto. Como o sentenciado que procura espaçar a leitura de sua sentença, ou porque me adivinhasse o coração, ou porque o receio me tirasse a coragem, despi-me lentamente, li primeiro as demais cartas, e ainda hesitei chegando àquela.

Li-a enfim! tornei a lê-la quatro mil vezes, e daquela leitura só me ficou a ideia de repulsa, a consciência de quanto eu a amava pelo que sofria, da grandeza da perda pelo sentimento dela. Lágrimas e soluços me revelaram toda a intensidade do meu amor e da minha infelicidade; tive de conter os meus soluços, de abafar a minha dor para que não mos conhecessem. Estava fora de mim, chorava e delirava e repetia comigo palavras incoerentes, absurdas, expressões amargas ou carinhosas de quanto eu sentia; como se dessa forma pudesse adquirir a mentida seguridade com que vivera e revocara a imagem de meus sonhos, e colocá-la de novo, como dantes, em frente de minh'alma para que continuasse a presidir a todos os atos de minha vida íntima, à elaboração de todos os meus projetos, a todas as criações de uma glória, se tal nome lhe cabe, solitária e estéril!

Felizmente não soube nem saberá nunca A. A. com quanto extremo era amada: os acentos da paixão que ela me inspirou, mas que não ouviu nunca, ficarão comigo e eu não terei de o repetir a mulher alguma.

É ou não fatalidade! Com tantas famílias em que eu poderia escolher companheira, fui logo esbarrar com a tua, para quem estou de mãos atadas, não me sendo muito permitido nem mesmo queixar-me. Conheço que eu casado na atualidade, poderia depois de algumas dificuldades, mas breves, e empenhando-me por cousas que agora me não convidam nem atraem, adquirir uma posição. Mas assim, de que me servirá? Continuarei com a minha vida improvidente e tratarei de dar razão àqueles para os quais sou irrefletido e péssimo partido; — e mesmo a D. L. que talvez se aplauda no futuro da sua decisão de hoje, sem lembrar-se que a minha vida terá em grande parte dependido dela. Embora! Se não há fatalidade, há pelo menos predestinação, e estou-me persuadindo que nos é preciso seguir até o fim a carreira que nos é traçada pelo céu ou pela necessidade. Pensando assim, bem vês que não quero culpar ninguém; desculpo a todos e queixo-me só de mim.

Mas se desisto das minhas pretensões é com uma condição única, mas imprescritível. Que D. A. A. não sofra por meu respeito, — que não sofra de sua família, que não sofra de sua saúde: estou resignado: o contrário me levaria a algum ato que não seria fácil de atalhar-se por bem e menos por mal. Isso porém é pouco crível que aconteça.

Escrevo a A. A. que se resigne, que me esqueça: no entanto não sabia ela das minhas intenções e reputando-me orgulhoso (como não sei por que motivo me reputa), acreditará que a resposta que tive deixou-me mais irritado que sentido, e que a não amo, a menos a ponto de romper por causa dela. Ficará mal comigo, ter-me-á em péssimo conceito, e se assim for, tranquilo de que a minha memória não perturbará mais a tranquilidade da sua vida, tirarei algum contentamento do único sacrifício que nisto faço e quase superior às minhas forças, deixá-la persuadida que a requestei por passatempo, e não dizer-lhe jamais como a amo agora e como a amarei sempre.

Se porém ela resiste a esta prova, o que não creio, ou antes o que não espero, se ela padecer por meu respeito, se a sua vida perigar, sabendo que eu me retiro para a Europa, o que tenciono fazer dentro em pouco, agradecerei a Deus o momento em que ele me inspirou a ideia de uma viagem ao Maranhão. Dir-lhe-ás, se eu e ela te merecemos este favor, que eu volto, e que me espere: comunica-me que se faz precisa a minha presença, e eu voltarei — e com a mão na minha consciência reputarei que obro bem, que não falto aos deveres da hospitalidade, nem aos da amizade, deixando-me arrastar a algum ato menos amigável. Tenho alma capaz de sofrimento, mas não de remorsos; e esse sacrifício, se é sacrifício, que eu faria por quem quer que fosse nas mesmas circunstâncias, com mais diligência e de melhor vontade o farei por amor dela.

Perdoa-me esta carta tão extensa; mas não julgo ter de falar-te mais nisto. Foi como uma dessas joias que usamos em um dia de festa, de que nos esquecemos em uma gaveta, que malgrado nosso conservamos para nos tornar mais lutuosa a desventura, recordando-nos as ilusões do passado.

Muitas lembranças a D. Mariquinhas, muitos beijos a Ricardinho e a minha Inesota e a ti adeus, meu Teófilo.

do sempre teu
Glz. Dias
Pernambuco, 6 de fevereiro de 1852.

Movido pelos sentimentos expressos nessa carta, escreveu o poeta no mesmo mês a poesia "Se se morre de amor!", cuja epígrafe, tomada a Schiller, diz que podem mares, montanhas e o horizonte interpor-se entre dois amantes, mas as almas escapam à sua prisão e vão encontrar-se no paraíso do amor. Conta Antônio Henriques Leal que esses versos foram escritos depois de um serão em que algumas senhoras da alta sociedade do Recife haviam contestado que o amor pudesse matar.

No calor de sua sinceridade, são dos mais belos da lírica amorosa do poeta, sobretudo nas passagens em que define o sentimento:

Amor é vida; é ter constantemente
Alma, sentidos, coração — abertos
Ao grande, ao belo; é ser capaz d'extremos,
D'altas virtudes, té capaz de crimes!
Compr'ender o infinito, a imensidade,
E a natureza e Deus; gostar dos campos,
D'aves, flores, murmúrios solitários;
Buscar tristeza, a soledade, o ermo,
E ter o coração em riso e festa;
E à branda festa, ao riso da nossa alma
Fontes de pranto intercalar sem custo;
Conhecer o prazer e a desventura
No mesmo tempo, e ser no mesmo ponto
O ditoso, e misérrimo dos entes:
Isso é amor, e desse amor se morre!

Amar, e não saber, não ter coragem
Para dizer que amor que em nós sentimos;
Temer qu'olhos profanos nos devassem
O templo, onde a melhor porção da vida
Se concentra; onde avaros recatamos
Essa fonte de amor, esses tesouros
Inesgotáveis, d'ilusões floridas;
Sentir, sem que se veja, a quem se adora,
Compr'ender, sem lhe ouvir, seus pensamentos,
Segui-la, sem poder fitar seus olhos,
Amá-la, sem ousar dizer que amamos,
E, temendo roçar os seus vestidos,
Arder por afogá-la em mil abraços.
Isso é amor, e desse amor se morre!

De por amor ser capaz de extremos, ser capaz de altas virtudes, era certamente o poeta, como o provou, sacrificando a sua ventura à lealdade de amigo: até capaz de crimes, não. Não foi capaz nem da indelicadeza de trair a confiança das famílias Leal e Ferreira Vale, aceitando a solução de Ana Amélia, que lhe propusera fugir com ele. O episódio é referido por Antônio Henriques Leal: "Passando dias depois pelo Recife, onde ainda ele se achava, fui procurá-lo. Recebera nessa ocasião uma carta da mulher, que adorava, e na qual exprobrava-o duramente por não ter tido a coragem nem tanto amor que o compelisse a romper com considerações d'amizade e do mundo, indo arrancá-la da casa paterna. A sós comigo, no recanto mais escuso do jardim dessa casa, abraçou-me soluçando e com olhos afogueados, fora de si e silente, apresentou-me esse papel. Dolorosa e terrível era sua lastimável posição: de um lado o amor a provocá-lo, a obrigá-lo, as vivas recordações de um passado tão próximo e venturoso a atraí-lo e essa carta a ordenar-lhe, e de outro seu caráter de homem de bem, a gratidão à família, mil outras considerações de brio e de pundonor a impeli-lo!"

O homem sobrepôs-se ao amante e ao poeta, o homem Gonçalves Dias, que era, como tão acertadamente afirmou Otto Maria Carpeaux, maior do que o poeta.

Deixou a moça persuadida talvez de que a requestara por passatempo, provocou-lhe talvez alguma fria e final resposta, que o ofendeu, que o fez desatinar de despeito nos versos incríveis de "Tu não queres ligar-te comigo", escritos em maio na Bahia:

> Tu não queres ligar-te comigo,
> Que me fosses mulher t'infamara!...
> É tua casa no sangue tão clara,
> Que eu me honrasse de unir-me contigo?!...
>
> És acaso tão pura lindeza,
> Que eu não possa tua mão apertar?...
> Mas teus olhos com menos pureza
> Outros olhos já vi afagar!
>
> E esses lábios que a jura de esposa
> Para mim não darias no altar,
> Nesses lábios alguém já não ousa
> Algum beijo de amor estampar?
>
> Já me ouviste falando de amores
> Um carinho dos teus mendigar?
> Já me ouviste cantar dissabores?
> Que o amor me fizesse passar?
>
> Pobre louca, que o orgulho atormenta,
> Despe a bronca vaidade que tens,
> Nem a mim teu amor me contenta,
> Nem me ferem teus falsos desdéns!
>
> Sei amar, mas a ti!... não soubera;
> Sei sofrer, mas por ti... também não;
> De te amar nenhum gosto tivera,
> De perder-te — nenhuma aflição!
>
> O meu nome que enjeitas vaidosa,
> Que de ilustres avós não herdei,
> Cobre ao menos pobreza orgulhosa,
> Que eu contigo jamais partirei!
>
> Não te assuste esse fado tristonho,
> Não te deixes vencer da aflição,
> Vive em paz!... que eu não quero, não sonho,
> Ter a posse do teu coração.
>
> Mas se acaso uma sorte medonha
> Violentar-me por ti a dar ais!
> Possa ao menos morrer de vergonha,
> Quem de amor não morrera jamais!

Pouco tempo depois casavam-se ambos, cada qual para o seu lado, primeiro Gonçalves Dias, no Rio, e Ana Amélia no Maranhão com o negociante Domingos da Silva Porto, que parecia escolhido a dedo por ela para dar uma lição ao poeta e à família, pois, segundo as informações de Antônio Henriques Leal, estava "nas mesmas desfavoráveis condições de origem e de nascimento" e para a realização do casamento "foi de mister interferir a justiça". Leal acrescenta que um mês depois de casado, Porto faliu fraudulentamente e a fim de evitar a prisão ocultou-se e fugiu para Lisboa.

Na capital portuguesa, em maio de 1855, tiveram os namorados de dois anos atrás um encontro casual de rua, inspirador da famosa poesia "Ainda uma vez, adeus!" Esta melhor que qualquer comentário, instrui sobre os sentimentos do poeta, completando o que já se leu na carta a Alexandre Teófilo, e por isso, e porque é também o mais comovido poema de amor de toda a sua obra, cabe aqui transcrita na íntegra:

Enfim te vejo — enfim posso,
Curvado a teus pés, dizer-te
Que não cessei de querer-te,
Pesar de quanto sofri.
Muito penei! — Cruas ânsias,
Dos teus olhos afastado,
Houveram-me acabrunhado,
A não lembrar-me de ti!

Dum mundo a outro impelido,
Derramei os meus lamentos
Nas surdas asas dos ventos,
Do mar na crespa cerviz!
Baldão, ludíbrio da sorte
Em terra estranha, entre gente
Que alheios males não sente,
Nem se condói do infeliz!

Louco, aflito, a saciar-me
D'agravar minha ferida,
Tomou-me tédio da vida,
Passos da morte senti;
Mas quase no passo extremo,
No último arcar da esp'rança,
Tu me vieste à lembrança:
Quis viver mais e vivi!

Vivi; pois Deus me guardava
Para este lugar e hora!
Depois de tanto, senhora,
Ver-te e falar-te outra vez;
Rever-me em teu rosto amigo,
Pensar em quanto hei perdido,
E este pranto dolorido
Deixar correr a teus pés.

Mas que tens? Não me conheces?
De mim afastas teu rosto?
Pois tanto pôde o desgosto
Transformar o rosto meu?
Sei a aflição quanto pode,
Sei quanto ela desfigura,

E eu não vivi na ventura...
Olha-me bem, que sou eu!

Nenhuma voz me diriges!...
Julgas-te acaso ofendida?
Deste-me amor, e a vida
Que me darias — bem sei;
Mas lembrem-te aqueles feros
Corações; que se meteram
Entre nós; e se venceram,
Mal sabes quanto lutei!

Oh! se lutei!... mas devera
Expor-te em pública praça,
Como um alvo à população,
Um alvo aos dictérios seus!
Devera, podia acaso
Tal sacrifício aceitar-te
Para no cabo pagar-te,
Meus dias unindo aos teus?

Devera sim; mas pensava
Que de mim t'esquecerias,
Que, sem mim, alegres dias
T'esperavam; e em favor
De minhas preces, contava
Que o bom Deus me aceitaria
O meu quinhão de alegria
Pelo teu quinhão de dor!

Que me enganei, ora vejo;
Nadam-te os olhos em pranto,
Arfa-te o peito, e no entanto
Nem me podes encarar;
Erro foi, mas não foi crime,
Não te esqueci, eu to juro:
Sacrifiquei meu futuro,
Vida e glória por te amar!

Tudo, tudo; e na miséria
Dum martírio prolongado,
Lento, cruel, disfarçado,
Que eu nem a ti confiei;
"Ela é feliz (me dizia)
"Seu descanso é obra minha".
Negou-me a sorte mesquinha...
Perdoa, que me enganei!

Tantos encantos me tinham,
Tanta ilusão me afagava
De noite, quando acordava,
De dia em sonhos talvez!
Tudo isso agora onde para?

Onde a ilusão dos meus sonhos?
Tantos projetos risonhos,
Tudo esse engano desfez!

Enganei-me!... — Horrendo caos
Nessas palavras se encerra,
Quando do engano, quem erra,
Não pode voltar atrás!
Amarga irrisão! reflete:
Quando eu gozar-te pudera,
Mártir quis ser, cuidei qu'era...
E um louco fui, nada mais!

Louco, julguei adornar-me
Com palmas d'alta virtude!
Que tinha eu bronco e rude
Co'o que se chama ideal?
O meu eras tu, não outro;
'Stava em deixar minha vida
Correr por ti conduzida,
Pura, na ausência do mal.

Pensar eu que o teu destino
Ligado ao meu, outro fora,
Pensar que te vejo agora,
Por culpa minha, infeliz;
Pensar que a tua ventura
Deus ab eterno a fizera,
No meu caminho a pusera...
E eu! eu fui que a não quis!

És doutro agora, e p'ra sempre!
Eu a mísero desterro
Volto, chorando o meu erro,
Quase descrendo dos céus!
Dói-te de mim, pois me encontras
Em tanta miséria posto,
Que a expressão deste desgosto
Será um crime ante Deus!

Dói-te de mim, que t'imploro
Perdão, a teus pés curvado;
Perdão!... de não ter ousado
Viver contente e feliz!
Perdão da minha miséria,
Da dor que me rala o peito,
E se do mal que te hei feito,
Também do mal que me fiz!

Adeus, qu'eu parto, senhora;
Negou-me o fado inimigo
Passar a vida contigo,
Ter sepultura entre os meus;
Negou-me nesta hora extrema,
Por extrema despedida,

Ouvir-te a voz comovida
Soluçar um breve Adeus!

Lerás porém algum dia
Meus versos d'alma arrancados,
D'amargo pranto banhados,
Com sangue escritos; — e então
Confio que te comovas,
Que a minha dor te apiade,
Que chores, não de saudade,
Nem de amor, — de compaixão.

Seis anos depois não se tinham ainda arrefecido as saudades de Ana Amélia, os remorsos de, por "adornar-me com palmas d'alta virtude", a ter feito infeliz, de não ter ousado disputar a própria felicidade. Várias poesias, escritas então de Manaus e recolhidas por Leal nas *Obras póstumas*, "Oh! que acordar!", "Se muito sofri já, não mo perguntes", "No jardim", "A baunilha", "Se te amo, não sei!" e "Como! és tu?" traduzem o mesmo sentimento. A última, em que retrospectivamente revê a amada nos seus atavios de noiva, volta às explicações de "Ainda uma vez, adeus!"

E Ana Amélia?

O romântico amor da mocidade [diz Lúcia Miguel Pereira] não a impediu de ser feliz com o marido, nem de, enviuvando, depois da morte do poeta, tornar a casar-se. Morreu velha, em 1905, ainda bela, deixando duas filhas, uma de cada matrimônio, e vários netos. Se, todavia, a lembrança do poeta, de quem foi a maior inspiradora, não lhe perturbou a serena existência de esposa e mãe virtuosa, também não a abandonou de todo. Ter sido amada por Gonçalves Dias era cousa que nenhuma mulher esqueceria. Queimou, abusando talvez do direito de propriedade, vários poemas seus, mas, velhinha, ainda lhe evocava a figura sedutora.

Onestaldo de Pennafort, genro de um sobrinho de Ana Amélia, escreveu para a minha *Antologia dos poetas brasileiros da fase romântica* uma interessante nota, que terminava por estas palavras:

Tinha Ana Amélia o tipo *mignon*, olhos rasgados e muito vivos, cabelos pretos. Possuía uma extraordinária expressão de doçura, que a tornava de uma simpatia envolvente. Deixou na família a recordação de uma extrema bondade unida a um gênio ligeiramente frívolo, apesar do temperamento apaixonável. Foi uma amorosa, na acepção nobre da palavra, que sem um deslize de conduta — a não ser o seu casamento de capricho — conservou sempre intacto, no entanto, o seu grande amor infeliz pelo poeta, sobre o qual, ainda na velhice, discorria com os arroubos das naturezas privilegiadas que vieram ao mundo para a violência dos grandes sentimentos. Foi uma verdadeira musa do Romantismo e digna dele.

Capítulo VI – No Rio – 1852-1854

Nunca adversidades e pesares impediram Gonçalves Dias de bem desempenhar os deveres que lhe incumbiam. Preocupado todo o tempo que durou a viagem ao Norte pelo pensamento de Ana Amélia, não deixou o funcionário exemplar de cumprir cabalmente a dupla tarefa de que fora encarregado. Do que dizia respeito à instrução, mandou ao Governo sete relatórios, um sobre cada uma das províncias visitadas — Pará, Maranhão, Ceará, Rio Grande do Norte, Paraíba, Pernambuco e Bahia, mais um sumário das conclusões a que chegara. As deficiências do ensino primário pareciam-lhe resultantes da inexistência de escolas normais; nas escolas secundárias assinalava o defeito de prepararem os moços exclusivamente para os cursos médico e jurídico, com prejuízo das ciências naturais e matemáticas, do comércio e da indústria; estendia-se largamente sobre a falta absoluta de ensino e educação aos índios e aos negros escravos, sobre as vantagens de, para os fins educativos, se unirem estreitamente a família, a escola e a igreja, sobre a necessidade, enfim, de centralizar a instrução. Propunha a criação de escolas normais, do bacharelado no curso secundário, de escolas industriais coroadas por uma Politécnica, e de uma universidade ao lado da Politécnica — "um vasto sistema, que desse ao Brasil nas letras, indústrias e ciências — o lugar que lhe prometem a extensão do seu território e a abundância dos seus recursos naturais".

Na parte relativa à colheita de documentos históricos, escreveu Gonçalves Dias outro relatório, perdido como os outros, salvo o sumário. Sabemos, todavia, que para o Arquivo Público do Rio foram remetidos doze livros da Câmara Municipal de São Luís, extratos de diplomas de governadores e capitães-generais, cópias de patentes, laudos, cartas régias e particulares, privilégios e alvarás. Extraoficialmente recolheu o poeta para o Instituto Histórico grande cópia de material manuscrito, entre o qual o *Roteiro da viagem do Pará até a última povoação do Rio Negro*, de dom José Afonso de Morais Torres, o *Vocabulário da língua-geral usada no Alto Amazonas*, atribuído ao mesmo dom José Afonso, as *Operações militares do Ceará em 1832*, de Francisco Xavier Torres. A *Recopilação de notícias brasílicas*, de Luís Santos Vilhena, um vocabulário de palavras em uso no Brasil que não pertencem à língua portuguesa e uma coleção dos termos mais vulgares do dialeto dos Pupricanz, tribo de tapuias das margens do Alto Mearim.

Os relatórios de Gonçalves Dias foram dormir na pasta do Império, à espera que os extraviassem. Elogiou-os por três vezes o Governo, prometendo imprimi-los: a impressão nunca se fez. Quanto à gratificação, para recebê-la teve o poeta de esgotar todos os recursos e de reduzir-se "à desagradável condição de pretendente".

Chegara ao Rio no dia 1º de junho. Esperava-o aqui o seu mau destino na figura especiosamente romântica de uma moça que conhecera em março de 1851 numa festa na fazenda do Paraíso, em Porto das Flores, na província fluminense. Era Olímpia Coriolana da Costa, três anos mais velha do que ele, filha do doutor Cláudio Luís da Costa, médico e membro da Academia de Medicina e do Instituto Histórico, depois diretor do Imperial Instituto de Meninos Cegos, cargo que exerceu desde 1856 até 1869, ano de sua morte.

O sentimento despertado no poeta por essa moça, que logo lhe lembrou o *Pallida mortis imago* de Horácio, foi apenas de ternura compadecida. Ela, porém, apaixonou-se, deu-lho a sentir, escreveu-lhe cartas para o Norte e quando Gonçalves Dias tornou ao Rio, continuou na sua porfia, que era casar-se. O poeta caiu como um patinho nos engodos sentimentais de Olímpia: "Nem que ela adivinhasse que para com ela o sentimento da comiseração era o que convinha fortalecer em minha alma". Além disso, magoado pela repulsa de dona Lourença, sentir-se-ia reconfortado de se ver acolhido de braços abertos por uma família de brancos, cujo chefe era tão conceituado que em 1846 fora nomeado médico da Imperatriz. Demais, queria dar toda a liberdade a Ana Amélia, desenganando-a de vez com o exemplo do casamento. Achou que se não amava Olímpia, podiam ser amigos, e estava disposto a tudo sacrificar — projetos, aspirações a maior renome nas letras — só para vê-la satisfeita. Disse-lho sinceramente. E o pedido de casamento foi feito ao doutor Cláudio por Porto-Alegre. A 26 de setembro, na igrejinha do Outeiro da Glória, realizava-se o enlace, no qual Lisboa Serra serviu como padrinho do noivo.

A situação pecuniária do poeta tornou-se desafogada desde dezembro, quando foi nomeado oficial da Secretaria dos Negócios Estrangeiros, com 1:200$000 anuais e os emolumentos, além da gratificação de 80$000 anuais por serviços especiais de que o encarregou o ministro Limpo de Abreu, proventos a que juntava o contos de réis da cadeira de História do Brasil no Colégio Pedro II.

Mas não tardou que na casa do doutor Cláudio, onde se estabeleceu o casal, situada no largo do Valdetaro, nome que tinha então o trecho da rua do Catete em frente ao atual palácio da Presidência, a vida se tornasse um inferno, tanto para Gonçalves Dias, como para Olímpia.

Na sua *Vida de Gonçalves Dias* analisou Lúcia Miguel Pereira, com fina intuição feminina, os motivos do irremediável desentendimento:

> Certo, havia erros e faltas de parte a parte, mas é preciso não esquecer, quando lemos as queixas de Gonçalves Dias, que ele se casou sem gostar da mulher — e que esta parece tê-lo amado. Talvez só o tivesse feito sofrer porque o amasse, porque não se conformasse com a simples amizade que ele lhe queria dar. O seu casamento foi um desencontro, um equívoco, um terrível equívoco. Amarga, revoltada, inábil porque sincera, tornou-se injusta, desconfiada, ciumenta, afastando aquele que queria prender, apertando cada dia mais o trágico círculo vicioso que só se romperia com o desastre do Ville de Boulogne.

Do contínuo e mútuo suplício que foi a vida do casal, não temos o depoimento de Olímpia. O de Gonçalves Dias está numa carta escrita a Alexandre Teófilo em 19 de maio de 1854, a qual, não se sabe como, foi ter às mãos de Ferdinand Denis, que a remeteu, depois da morte do poeta, ao Arquivo da Biblioteca Nacional, com a seguinte nota:

> Serão um dia estas confidências dolorosas do poeta muito preciosas para a história literária. Ao desventurado Gonçalves Dias sucedeu o mesmo que a Byron e a muitos outros antes dele: viveu casado e solitário, deixando imperecíveis saudades àquela que lhe poderia ter dado a felicidade. Conheci esta senhora; era interessante, e a lembrança que dela conservo explica em parte o conteúdo desta carta.

Em pós-escrito acrescentava:

Não sei como esta carta me chegou às mãos, a não ser que o próprio poeta ma tenha enviado.

O depoimento é pungente, como se vai ver:

Amº Teófilo

Vou para Europa e parto no próximo paquete qualquer que ele seja, exceto talvez se for da linha de Southampton: tenciono visitar Inglaterra e França, Bélgica, Holanda, Áustria e Prússia, Itália e Espanha, e algum tempo me demoro na volta, se voltar, em Portugal, onde agora na minha ida talvez fique um mês ou dois, três quando muito.

Estou muito doente, meu Teófilo; às vezes me passa pela cabeça a fantasia do que posso fazer, e do que projeto fazer na Europa; mas, refletindo melhor, vejo que me é preciso ir dando de mão a esses pensamentos. Nada farei talvez! Não importa isso, que só lastimarei o que tenho publicado, se não tinha de ver concluído o que eu meditava. Sinto-me fraco, abatido, sem energia, sem força, e bem cansado já.

Minha mulher vai doente, e bastante; os médicos proíbem-lhe entrar em carro; falta-lhe o mênstruo há três meses ou quatro. Um outro, em quem eu e ela mais confiança temos, me disse que ela estava com tuberculose e grávida. Grávida, creio que não; mas se estiver, teria ela esses meses de Oratório, se a bondade de Deus não tivesse tornado mais suportável semelhante moléstia, iludindo a imaginação do enfermo. Em todo o caso está mal.

Quem te disser que essas moléstias não são contagiosas, mente. Sabes se sou bem constituído; já passei dos trinta anos que é a idade crítica para essas enfermidades; a minha estatura mesmo é das que menos se presta ao contágio; pois há bastante tempo sofro do peito, — comecei a sofrer logo depois de casado, e somente apelo para a mudança de clima.

Meu sogro me tem iludido de um modo um pouco bárbaro, — e um pouco estupidamente também. Perguntei-lhe se minha mulher sofria do peito; disse-me que não; reiterou-me essa asserção por diferentes vezes e sem que eu lhe tivesse perguntado. No entanto o remédio que hoje lhe vou procurar na Europa, podia o ter ido buscar mais cedo, e em tempo de porventura lhe poder aproveitar. E tanta confiança tinha nele, e lhe mostrava, que ele não devera abusar da minha boa-fé! Dias antes, eu lhe tinha pedido com instância que me deixasse levar para Europa uma filha mais nova que ele tem, de seis anos de idade, para a fazer educar lá! E depois de tudo, em atenção à minha mulher, contra a minha vontade, contra os meus projetos, — só para os ver satisfeitos, insisti com ele como não faria com meu próprio pai, e consegui à força de rogos e de esforços que ele me acompanhasse com a sua família para Portugal ou Itália, fazendo-lhe eu todas as despesas de estada, enquanto lá nos demorássemos!

Quero acreditar que, quando ele me encobriu o estado da filha, sabia; porque o cegava o amor de pai, e o desejo que ele pudesse ter de que ela vivesse; mas porque nenhuma só palavra tem soltado depois que o seu colega a examinou e conferenciou com ele? Queres saber por quê?

Receou o bom homem que eu não me separasse da convivência da filha, como a prudência me aconselharia; no entanto sei, há bastantes dias, do seu estado, — há bastantes meses; há três ao menos que o desconfio; e vivo com ela sem resguardo algum, durmo na mesma cama, e nenhuma palavra tenho dito que lhe possa dar a suspeitar alguma coisa, do que ela a própria moça não tem culpa. Mas se não me importa morrer, é cousa que em supremo grau me irrita e indigna nas pessoas que comigo vivem, que em vez de atribuírem o meu procedimento para com elas a alguma bondade da minha parte, julguem que o conseguem, e que unicamente o devem a artimanhas, a sagacidades ridículas, a espertezas de pobríssimos espíritos; — teias de aranha que eu romperia com um sopro, se eu não estivesse tão aborrecido de tudo, e de todos eles. Nem isso vale a pena.

Deixa-me escrever-te tudo, — e conversar largamente contigo, porque me transborda o coração.

Às vezes, quando era ainda solteiro, sentia um sentimento de profunda tristeza, quando me via só; e considerava que estava a chegar ao meio da vida — aos trinta anos — e que morreria talvez sem que tivesse uma mão amiga que me cerrasse os olhos. Tu estavas longe de mim.

No *Paraíso* em um baile *campestre* vi essa moça. Pálida, desfalecida, arrastando-se a custo, sem quase animação, quase sem vida, contrastava com o arruído, com a alegria do baile. Sou triste nessas reuniões: ao vê-la passar senti por ela uma piedade, uma comiseração inexprimível; murmurei, sem o querer, irrefletida, espontaneamente o *Pallida mortis imago* de Horácio; e essas palavras não me puderam mais sair da lembrança em toda essa noite; e vi-a muitas vezes, porque ela procurava avistar-se comigo, que a não conhecia.

Ultimamente me tenho recordado dessas palavras, como de um pressentimento. E não creiam neles! — Queres saber mais?

No dia em que me casei, pouco antes de sair de casa do Segundino, onde eu morava, inquieto por falta de um colete de casamento que me tardava de casa do alfaiate, — nada podia fazer com o desassossego de espírito de quem vai dar um passo tão arriscado, e passeava na minha saleta até que enfim deparei com um volume de Ducis e Chénier, da edição panteônica, de que em Pernambuco me tinha feito presente o nosso comprovinciano Marques Rodrigues. Quis ler para distrair-me, e por casualidade abri-o, e foi logo em uns versos feitos a La Pallière em que eu nunca dantes tinha reparado. Vê se nesse *acaso*, em que me parece descobrir hoje uma revelação, não há alguma cousa lá de cima. Dizem assim:

> *Ah! lorsqu'un jeune couple à l'autel se présente,*
> *Brillant d'attraits, d'amour, et d'espoir, et de fleurs,*
> *Et que l'anneau sacré d'un noeud qui les enchante*
>> *Va serrer les deux coeurs;*

> *Pallière, à cet objet (car ce sort fut le nôtre)*
> *Malgré moi je soupire, et je me dis tout bas:*
> *Qui des deux doit survivre, et vêtir avant l'autre*
>> *Le linceul du trépas?*

Hoje releio esses versos, acho que Ducis fez bem em acrescentar-lhes:

> *Lui, le triste avenir, si Dieu le cache au monde,*
>> *C'est par pitié pour nous.*

> *C'est de lui que nos biens et que nos maux nous viennent.*
> *Ses desseins sont couverts d'une profonde nuit:*

E por fim remata:

> *Tout finit ici-bas, et tout s'immortalise*
> *Au delà du tombeau!*

Ter-me-ia encontrado mais vezes com ela; mas não reparei nisso. Enfim apresentaram-me em um baile. Natureza delicada, constituição frágil, eminentemente nervosa, excessivamente impressionável, — romântica com a leitura de poesias e romances, — com as contemplações de uma vida quase solitária, — com o excessivo abuso do chá, — persuadia-se de boa-fé, que era um infortúnio vivo, o resumo de todas as dores da humanidade; nem que ela adivinhasse que para com ela o sentimento da comiseração era o que convinha fortalecer em minha alma.

Otelo diz de sua mulher, — que ela o amara a ele pelas suas desgraças; e ele a ela porque dele se apiedava. Creio que entre nós se trocaram as partes.

Compadeci-me; todos os esforços que era possível fazer para me agradar, ela os fez: todas as considerações, todas as atenções, condescendências e extremos, eu os tive. Ia para o Norte, e não me tinha despedido dela: o vapor voltou depois de ter largado, e foi preciso isso para que eu lhe fosse dizer adeus. Fui para o Norte, e tive cartas dela; não lhe respondi, e ela constante em escrever-me: voltando, não a visitei; e ela continuou na sua porfia. Acreditarias que era amor? — ou não queria a pobre provinciana senão escrever às suas amigas: "Casei-me com um poeta", como se isso fosse alguma cousa.

Outras razões, tu as sabes, me aconselharam que casasse; demais, — era moça de educação, podíamos ser amigos; todos me falavam bem do pai, e eu acreditei que poderíamos ser amigos também. Casei-me resolvido a fazer, no que eu pudesse, a felicidade de minha mulher; — a sacrificar-lhe tudo, até os meus projetos, as minhas aspirações a um nome nas letras, só para vê-la satisfeita: até a minha vida, enfim, se ela não pudesse ser feliz comigo.

Disse-lhe isso, meu Teófilo; e seja-me Deus testemunha em como estava bem decidido a cumprir a minha palavra.

Para viver bem, tudo quanto um homem prudente pode nestes casos prever, eu o executei: revelei-me a ela tal qual eu me conhecia: exagerei-lhe os meus defeitos, para que ela os não estranhasse; dei-lhe todos os dados para viver bem comigo, para conseguir tudo de mim, — e era bem fácil, quando eu nada lhe queria negar e nem quero ainda. — Então por vontade, hoje um pouco por aborrecimento.

Sobretudo, disse-lhe eu, — preciso de franqueza: aborreço o disfarce e o fingimento: em querendo alguma cousa, diga: "Eu quero" — basta-me isso; nada lhe negarei, absolutamente nada.

Preciso também que V. suponha bem de mim; porque sabendo que é esse o conceito que V. de mim faz, não quererei desmerecer.

Preciso enfim de toda a sua confiança em tudo e por tudo: nunca abusei da confiança de ninguém (ao menos não me recordo disso), não abusarei também da sua.

Que fez ela? — Principiou por me supor interesseiro. Julgou que alguma cousa que ela pudesse ter poderia influir na minha resolução: aumentou o número dos escravos do pai, ocultou-me a existência de um outro irmão além da irmã: e nota, nunca lhe havia perguntado pelos seus teres, — não quis ouvir do pai quando ele me começou a falar nisso, — e não sei o que dele recebi, a não ser o enxoval da filha. Já não era supor bem de mim, não gostei; mas desculpei-a atribuindo a desejo de me ver seu marido.

Falo-te em bagatelas; porque são elas o que constituem a vida doméstica; e nisso se revela melhor o caráter.

Em agosto do ano em que me casei, falava-lhe eu com pesar de já nos não podermos casar no dia dos meus anos. Perguntei-lhe pois quando fazia anos a ver se seria possível então. Disse-me já os ter feito, quando ela nasceu em outubro; e lembrou-se o dia dos anos do pai — a 26 de setembro! Se queria casar-se mais cedo, não bastava dizê-lo? não o tomaria eu como uma demonstração de amor? — Era pois um hábito, que eu não pude tirar, de conseguir as cousas, não francamente, mas por meio de finuras e espertezas.

Depois de casada, alterou-se-lhe o gênio, se é que já não era o começo da moléstia, que se vai manifestando agora. Julgou-me por si, entendeu que os meus conselhos eram artifícios, que lhe pedia confiança por astúcia, — e que a queria fazer tola, quando ela campava de esperta.

Calo-te as ninharias, — um formigueiro de *coisinhas*, não tem outro nome, que me tem atormentado mais do que uma qualidade má, um vício, um defeito, grande, enorme; mas que fosse um, e franco. Quando se sabe onde alguém tem chaga, não se lhe toca, e não há queixa; mas quando todo o corpo dói, todo o contato ofende.

Minha mulher crê no fundo d'alma, com a melhor boa-fé do mundo, que não tem defeitos. É esse o pior de todos os defeitos, diz Byron: eu vou além, — esse é o pai e a mãe de todos eles. Em tese ela poderá admitir que não há ninguém que os não tenha; mas particulariza, especifica-os a respeito dela, — desaparecem todos! — não digo bem, convertem-se em outras tantas virtudes; por exemplo, — a teima chama-se caráter, — a vaidade e o orgulho e um pouco de soberbia isso é dignidade, — o ânimo suspeitoso e desconfiado é penetração, — e a irreflexão e desaforo nas palavras é franqueza!

Trato só do que foi grande infelicidade para ambos.

A minha vida tem sido em casa, — e em casa mesmo é no meu quarto com os meus livros. Minha mulher começou a suspeitar de tudo, a ter ciúmes tolos e ridículos de todas as escravas estuporadas de seu pai, quando de fato nem o meu procedimento, nem os meus modos em casa a autorizavam a isso. Aborreço a espionagem e a desconfiança: disse-lhe sério, e contudo dei-lhe um ano para que visse, espreitasse, e examinasse, e espiasse à sua vontade; mas que findo ele, acabasse também; porque nem eu sabia viver com ciúmes, nem queria aprender como passa a vida fora de casa. Assim passei um ano, tão longo e cheio de tormentos, como os não tenho tido em minha vida, nem Deus mo dê mais. Dia e noite, em cada ato meu, em qualquer teia de aranha que o vento desarranjava, descobria minha mulher uma traição.

Disse-lhe que governasse a sua casa como entendesse; despedisse a quem lhe desagradasse, chamasse para a servir a quem lhe conviesse; que a isso eu nada tinha que dizer. Somente lhe pus uma condição, — fizesse tudo isso, mas sem me tocar em ninguém com um dedo que fosse por minha causa; porque isso — e só isso lhe não tolerava.

Passei esse ano no meio de uma desconfiança eterna; via a cada hora minha mulher a interromper-me nos meus trabalhos, espiando-me (ao menos nunca pude supor outra cousa) a pretexto de me render serviços, sempre cheia de suspeitas, e revelando-as nos modos, no olhar, nos gestos e em tudo, — em casa, fora, diante de Deus e de todos: além de tudo, contrariando o meu teor de vida, o meu modo de pensar de que não é decente nem de boa educação ocupar a atenção de estranhos com desgostos particulares; e contando, suponho, com a minha discrição — dava a entender, e o dá ainda, ao primeiro que a quer ouvir, — homem ou mulher — onde quer que seja — as suas dificuldades, devidas só a ser ela o modelo das casadas e eu o pior dos homens. A isso chama ela franqueza! Suportei-o; mas a bem custo em todo esse tempo nada pude escrever de imaginação, — estudar muito pouco, — porque a mim, que sempre antes disso, tinha achado uma distração no estudo, um esquecimento de tudo quanto me incomodava, aconteceu-me um sem-número de vezes estar olhando estupidamente para o papel ou livro, sem me ocorrer ideia alguma, sem compreender o que lia. Alguma cousa me desagrada: concentro, rumino essa ideia, fica-me uma impressão desagradável por muito tempo; antes que isso passasse: vinha logo um novo objeto de quizília, que eu curtia silenciosamente. É misericórdia uma boa punhalada, logo de uma vez, profunda, direta ao coração em vez do martírio lento de uma carta de alfinetes, que se sentem por todo o corpo, constantemente, ainda que arranhem só, sem fazer sangue.

Queres saber? — Suspeita que os seus incômodos — sou eu que lhos comunico, — que a envenenam, e eu tolero e encubro o crime, — que a quero levar para a Europa para a maltratar por lá!! Enfim como seu pai me deu razão uma vez (tratava-se de uns pós de dentes, que ela chamava veneno), disse — que eu tinha ganhado fama... querendo sem dúvida acrescentar que era para cometer depois toda a casta de malvadeza.

Que farias tu?

Alguns motivos de queixa me parece que tenho de meu sogro: graves ou fúteis, — pouco importa isso, quando não há necessidade de que uma pessoa viva constrangida; mas minha mulher, se eu lhas dissesse, entenderia que era isso por vontade de contradizê-la e de afligi-la.

Por fim deixei-me vencer pelo tédio e aborrecimento de tudo quanto me cercava. Esperava somente, e esperava como uma grande felicidade, o momento em que os médicos me dissessem: V. não pode mais viver! Então estava resolvido: metia-me eu só no vapor, — ia para o Maranhão, rever o teu Mearim, e acabar ao menos entre amigos, sem maldizer a ninguém.

Isso porém demorou-se muito, — demorar-se-ia muito mais; porque nem o bem, nem o mal, nem a morte vem quando a gente deseja.

Vamos a Europa, pensei eu: ali talvez possa fazer alguma cousa, — conseguirei talvez que minha mulher aprenda a viver comigo, quando estiver fora dos seus! Para não lhe tornar muito sensível a separação, pretendia, como pretendo, levar-lhe a irmã, que ela criou. Não a satisfez isso. Além disso percebi então a sua suspeita de que eu a queria levar para a Europa com a intenção de a maltratar por lá. Instei e muito com meu sogro para que ele nos acompanhasse. Meu sogro também não pode ir só: tem em sua companhia ou antes na nossa, uma rapariga que passa por sua afilhada. Vexo-me de que minha mulher a acompanhe na rua; minha mulher é filha de seu pai, que para ela é tudo, — entende, e entende muito bem, que pai na vida é um, e marido vem um atrás do outro: não o quis desagradar, embora descontente e me escandalize a mim. Como meu sogro não pode ir sem essa rapariga, — vá a rapariga também! Não o consentiria, se achasse mais condescendência em minha mulher; ou antes, não o permitiria, se eu a não considerasse hoje como uma mulher com quem posso ter relações, mas que no fundo d'alma deixou de pertencer-me.

Assim pois não posso viver com ela sem torcê-la: seria cousa fácil, — trabalho de um mês quando muito; mas não o quero nem posso, porque para isso seria preciso empregar meios que repugnam ao meu gênio e à minha educação; porque ela está doente, porque enfim não vale isso a pena. Se eu não a ofendendo, nada lhe recusando, não a desejando senão ver satisfeita, — não lhe tendo pedido senão que não abandonasse o seu piano (o que de nada serviu), ainda assim acha motivos para, indiretamente, a todos os momentos, na presença de quem quer que seja, e onde estiver, equiparar-me aos que ela reputa maus, ou contrapor-me aos que ela julga bons, — vê o que seria se eu mudasse de teor para com ela! — Não vale isso a pena.

O pai prometeu ir ter a Lisboa comigo: espero-o dois ou três meses, — por mais tempo não posso. Em ele lá chegando, entrego-lhe a filha, dou-lhes quanto puder, — digo-lhes adeus, — e parto. Terei diante de mim dois ou três anos: preciso deles, —

posso fazer alguma cousa, posso morrer também; mas ao menos terei a consolação de os não ter separado nunca, — e morrerei, como devera ter vivido, — solitário, e porventura tranquilo. No fim desse tempo voltarão, mas sem mim! sejam felizes, — não lhes desejo mal.

Se ele não for, o que farei é levá-la para França ou Itália: hei de envidar todos os esforços e esmerar-me por tratá-la bem; empregarei todos os sacrifícios, todos os meios para vê-la boa. Conseguindo isso, voltará ela sem mim, ou eu estarei louco. Restituo a filha a seu pai só com a diferença que a recebi doente e entregar-lha-ei com saúde. Não quero a infelicidade de ninguém; seja feliz; e a nossa Sociedade, como está só oferece um meio de romper o casamento sem escândalo.

Não deveria escrever esta carta; mas parte disso que aí vai escrito, disse-o há dois dias ao Segundino e D. Vitória, não o quero esconder de ti: depois, com a certeza de que sabes quanto sofro, talvez me venha o ânimo de continuar a sofrer ainda mais.

Ainda te escreverei talvez antes da minha partida; no entanto aceita um abraço de coração e minhas saudades do sempre e cada vez mais

Teu Mano e Amº do C.
A. Gonçalves Dias
Rio, 19 de maio de 1854

Essa triste situação doméstica teve naturalmente nefastas consequências sobre a capacidade criadora do poeta. Se ao publicar os *Últimos cantos*, já sentia ele que "a fé e o entusiasmo, o óleo e o pábulo da lâmpada que alumia as composições do artista" se lhe iam esfriando dentro do peito, depois do casamento deixou-se tomar por um grande desânimo. "Estou cansado, meu Teófilo, declino e creio que bem rapidamente", escrevia ao amigo em junho de 1853. E como este lhe censurasse a esterilidade, respondeu-lhe levando-a, desta vez com *humour*, à conta do casamento:

> Quando os antigos aconselharam o celibato para a vida intelectual, faziam bem. A virgindade do pensamento ou antes, da alma é uma força que se multiplica pelo infinito, quando se encontra com o gênio, com o estudo e com outra virgindade. Foi isto por certo o que pretenderam simbolizar no mito das musas que representam como solteiras, dando a entender que aos filósofos, aos matemáticos, aos astrônomos etc.; e principalmente aos poetas, era sobretudo conveniente viver só. Não quero dizer que me abalançaria a embocar a *tuba canora e belicosa*, não, mas ainda para cantar sabiás e palmeiras! Ora, se as musas são mulheres, ciosas e caprichosas — como todas! — não queriam bígamos, quanto mais *decágamos*, que é palavra escorregadia! Que queres? Divorciei-me das musas e vivo sisudo, grave, e qualquer dia barrigudo como verdadeiro *pater familiæ*. Os versos já não são para mim, agora só se for algum soporífero e pantafaçudo relatório de comissão ou parecer da respectiva seção da minha secretaria.

Desde fevereiro já pensava numa viagem à Europa e falou mesmo nisso ao Imperador.

> Se for, é por dois anos ao menos. Corro a Europa, vejo a exposição de Paris, aprendo o grego, alguma coisa de ciências naturais, um pouco de música plástica, etc.! Escrevo dois outros volumes e volto, se se me não oferecer cousa melhor.

Em julho o desalento é tamanho que já nem gosto tem para a viagem. Pensa na morte e fantasia um "morrer solitário, mas plácido e tranquilo, sem lágrimas, sem gritos, sem companhia também". Um morrer bem romântico, "ao correr da viração da tarde, e sentindo a exalação da terra, o sussurro do mar, o perfume das flores", dizendo um adeus a tudo isso "na melhor de todas as minhas composições". Horrorizava-o pensar que poderia morrer entre os cuidados abafantes de Olímpia,

> tomando caldos à força, coberto de sinapismos dos pés à cabeça, cercado de remédios como uma farmácia em dia de balanço, com caras de choro, com as lágrimas do estilo e uma vela de cera na mão! Eis o que se chama uma boa morte, do que Deus me livre e guarde! Decididamente, morrer assim, mais vale viver por toda a eternidade.

O seu refúgio, nessa preamar de tédio, era o Instituto Histórico, que frequentava assiduamente, lendo trabalhos, dando pareceres, discutindo com a sua habitual vivacidade, e às vezes mordente espírito, como no debate com o eminente conselheiro Duarte da Ponte Ribeiro, a quem aparteava em latim, divertindo-se em ver que o orador não o compreendia.

Foi-lhe afinal proporcionada a viagem e em condições satisfatórias. Deram-lhe uma licença com os vencimentos integrais na Secretaria dos Negócios Estrangeiros, e pela Secretaria do Império a comissão de estudar os métodos de instrução pública em vários países da Europa e coligir nos arquivos estrangeiros documentos relativos à História do Brasil, pelo que lhe seria paga uma gratificação anual de 4:800$000, e mais 1:500$000 por semestre para as despesas com os copistas.

CAPÍTULO VII – VIAGEM À EUROPA – 1854-1858

Embarcou o poeta a 14 de junho de 1854, na companhia da mulher, grávida de quatro meses, e da cunhada Maria Joaquina, irmã mais nova de Olímpia, a qual viria a casar-se com Benjamim Constant. A Nhanhã, como lhe chamavam em casa, era àquele tempo uma menina viva, graciosa, meiga. Afeiçoara-se grandemente a Gonçalves Dias, a quem tratava de "maninho". O poeta sempre tivera um fraco pelas crianças. Já vimos que nos tristes anos da meninice, quando vivera em casa da madrasta, a irmãzinha Joana fora todo o seu enlevo, toda a sua consolação. Para a Nhanhã terá os mesmos cuidados, o mesmo carinho. Achava-a "bem criadinha", com "um rosto que não é feio e um coração que não é mau".

A 10 de julho chegaram os viajantes a Lisboa, onde desembarcaram depois de oito dias de quarentena. Voltava Gonçalves Dias a Portugal em condições bem diversas de quando partira nove anos antes. Então era apenas um rapaz de talento que fazia versos e deixava aos colegas de Coimbra a impressão de que podia vir a ser alguém. Agora tornava glorioso, considerado pelos confrades de lá como o maior poeta do Brasil e por Alexandre Herculano muito superior aos seus contemporâneos portugueses. Todos quiseram conhecê-lo — Herculano, Castilho, Pinheiro Chagas, Camilo, Bulhão Pato, Inocêncio, Mendes Leal —, e a simplicidade do poeta encantou a todos.

Maciel Monteiro, nosso ministro em Portugal, colheu-o com a maior simpatia, logo providenciando para que todas as portas lhe fossem abertas na missão que o levava à Europa. Lisboa seria o centro de suas atividades. Antes, porém, de se empregar a fundo na tarefa em perspectiva, tinha Gonçalves Dias de instalar em Paris a mulher e a cunhadinha. Para ali partiram em outubro, e no mês seguinte, dia 20, Olímpia dava à luz uma menina, que recebeu o nome de Joana.

Recebeu-a o poeta cheio de apreensões. Era novo laço, a tornar mais difícil o desejo e projeto de separação. Além disso, a criança nascera condenada. O doutor Cláudio, que viera ter com as filhas em Paris, com viagem custeada pelo genro, constatou na netinha "um estado mórbido das vias aerianas, cabeça grande, em desproporção com o corpo, peito achatado, grossura na coluna vertebral". Seis meses depois escrevia o poeta a Alexandre Teófilo:

> Imagina tu o que é ter filhos e saber ou suspeitar que têm vício hereditário! Minha mulher sofre do peito. Tenho pois uma filha para que amanhã — daqui a alguns meses, aos sete ou quinze anos de idade se lhe declare a mesma enfermidade, e lá se vá com Deus para os anjos, depois de lhe termos criado amor, e de acostumados à sua companhia. Se passar dessa idade à força de solicitudes e cuidados — é talvez pior. Enfim será o que Deus quiser mas é certo que não posso olhar para essa criatura sem dó.

Deixando a família com o sogro em Paris, voltou Gonçalves Dias a Lisboa em fins de março ou começo de abril de 1855. Pretendia mandá-los vir depois. Todavia, mal tinha iniciado as suas pesquisas nos arquivos de Lisboa, recebeu ordem do nosso Governo para assistir à exposição universal de Paris como comissário por parte do Brasil, em companhia do engenheiro Guilherme Schür Capanema, de quem se fizera amigo no Instituto Histórico desde 1853, e do capitão-tenente naval Giacomo Raja Gabaglia.

Voltou a Paris o poeta profundamente conturbado pelo inesperado encontro de Ana Amélia em Lisboa. A saúde da filhinha, a Bibi, como lhe chamavam, continuava inspirando sérios cuidados. Quem sabe no clima tépido do Rio conseguiria vingar? Olímpia, por maiores que fossem os seus ciúmes, sacrificou-se à filha, aceitando a ideia de embarcar para o Rio, deixando o marido em Paris.

A viagem se fez, como fora planejada, vindo o doutor Cláudio, as filhas e a neta no mesmo navio em que regressava o doutor Capanema ao Brasil.

Contava dona Nhanhã aos seus descendentes que, na ocasião das despedidas no Havre, em 10 de março de 1856, a Bibi, que apesar de enfermiça era uma menina viva, abraçou-se com o pai, deu-lhe um beijo e disse, apontando o céu com o dedinho: "*Au revoir, papa, là-haut*". Chorou o poeta, comovido até o fundo da alma por aquelas palavras de certo vaticínio infantil, e nelas se inspirou para escrever uns versos que intitulou "*Au revoir*", versos escritos por ocasião da morte da menina no Rio, e cujo original possuía o poeta português Gomes de Amorim, segundo ele próprio declarou. Sucumbiu Bibi a uma pneumonia no dia 24 de agosto, depois de quatro dias de doença. Olímpia quase não resiste ao golpe, e o pai descreveu-a ao poeta "pálida e magra como um esqueleto". Apiedou-se o marido, dirigindo à pobre mãe algumas cartas afetuosas:

> Muito tenho para lhe escrever, minha Olímpia, e mais depois da perda que ambos acabamos de sofrer; nisso acharia eu uma triste consolação, que debalde se procura entre pessoas indiferentes. A sua dor é justa, Olímpia; mas receio que seja demais. Não andamos

neste mundo senão para que se faça a vontade de Deus. Ele nos tinha dado uma filha, e tornou a tomá-la para si.

E por uma carta ao sogro, sabemos que Gonçalves Dias julgou por um momento poder voltar a um entendimento com a mulher: "Poderemos recompor a família, e é possível que ainda sejamos felizes".

Mas a despedida no Havre era, praticamente, a separação definitiva de Olímpia. No futuro só conviveria com ela de setembro de 1858, data de sua chegada da Europa, a janeiro de 1859, quando partiu em comissão para o Norte, e de dezembro de 1861 a abril de 1862, os quatro meses que passou no Rio, antes de o deixar novamente e para sempre.

Os trabalhos de observador na exposição de Paris trouxeram-lhe grandes aborrecimentos. Gonçalves Dias, funcionário modelar, sempre exato e pontual no cumprimento de suas tarefas, mesmo através dos piores momentos de seus íntimos infortúnios, viveu infernizado com os relaxamentos e injustiças da burocracia pátria.

Tendo assistido, com Capanema e Gabaglia, à reunião internacional relativa ao sistema métrico decimal, foi ele quem redigiu o parecer onde propunham ao Imperador a adoção do sistema no Brasil. Escreveu mais um extenso relatório sobre os gêneros coloniais e as artes gráficas na Exposição, ocupando-se, com a visão segura de um economista profissional, das questões ligadas ao nosso algodão, fumo, chá, café e borracha, neste último ponto pondo o nosso Governo em guarda contra o perigo de ser transplantada a outras terras a nossa árvore e aconselhando a cultura sistemática; no que respeitava às artes gráficas, expunha minuciosamente os processos modernos de fundição de tipos, encadernação, litografia e galvanoplastia usados em vários países, sugerindo a fundação no Brasil de uma tipografia-modelo para a formação de artífices e impressão dos atos oficiais.

Incansável foi a sua atividade na parte da comissão que se prendia à instrução pública, visitando escolas na França, Bélgica, Alemanha, Áustria, Itália, talvez Suíça. Parece, contudo, que não chegou a apresentar relatório destes seus trabalhos: pretendia fazê-lo no Rio, baseando-se nos seus relatórios sobre a instrução no Norte do Brasil, e teve a decepção de verificar que haviam sido extraviados da Secretaria do Império.

A coleta em Portugal de documentos relativos à História do Brasil foi interrompida em novembro de 1856, porque então recebeu do Governo ordem de passar esse encargo a João Francisco Lisboa. Antes de o fazer, remetera à Secretaria do Império cerca de cinquenta volumes manuscritos in-fólio.

> Quer V. Excia. saber, [queixou-se mais tarde ao Ministro Paranhos] o apreço que deu o Governo a esses trabalhos, e o que foi feito deles? Precisei de alguns desses manuscritos para uma notícia que tencionava apresentar ao Instituto Histórico, e não os encontrei... Tinham saído da Secretaria do Império para as mãos de um homem a quem só conheço pela carência absoluta de boa-fé e de honestidade literária. Parece incrível!

Não se esquecia do Instituto Histórico e para ele remeteu, em cópia de seu próprio punho, muitas páginas da obra de Gregório de Matos.

Se, provavelmente a contragosto, perdia essa comissão, por outro lado ganhava outra, nomeado, que foi em outubro desse mesmo ano de 1856 para chefiar a seção de Etnografia da Comissão Científica de Exploração, organizada pelo Governo para se estudarem os recursos das províncias do Norte, a célebre "Comissão das Borboletas", como seria apodada depois. Gonçalves Dias, encarregado com Gabaglia de comprar na Europa o material necessário, desdobrou-se em esforços pela França, Alemanha e Áustria, à procura e escolha de livros e toda a sorte de aparelhos e apetrechos, defendendo-se dos espertalhões, lutando contra a má vontade de certos elementos da administração, atrasos na remessa das verbas e das listas de encomendas remetidas em cartas de Capanema. Gonçalves Dias indignava-se e vinham-lhe assomos de mandar tudo às favas:

> Essa canalha insigne creio que se persuade de que essa viagem é um pagode, — que para termos seis contos de réis por ano precisamos de sujeitar-nos a privações por que muitos escravos não passam, a incômodos de todo o instante e à perda de saúde e talvez da vida. Felicíssima canalha! e o que não hão de eles gritar com as despesas, porque serão enormes!

Os livros necessários à Comissão Científica foram comprados por intermédio de Brockhaus, por quem tanto se entusiasmou o poeta, que o propôs para livreiro do Instituto Histórico e do Imperador. Com ele ajustou também a impressão dos *Cantos*, cujos originais foram entregues em janeiro de 1857, saindo o livro em abril. A primeira edição de Leipzig foi custeada pelo poeta, com dinheiro emprestado por Capanema, a quem por isso dedicou o volume. Abria-o, à guisa de prólogo, o artigo de Alexandre Herculano, precedido de algumas linhas em que testemunhava o poeta a sua gratidão ao mestre, a quem então já conhecia pessoalmente.

Compunha-se o livro dos *Primeiros*, *Segundos* e *Últimos cantos*, já editados, e de uma parte inédita — os *Novos cantos*, a qual continha dezesseis poemas, sendo quinze originais e uma tradução. Se a eles juntarmos as poesias "A violeta", "Ao casamento da filha do Sr. Norris", "Consente-me escrever aqui meu nome", "No álbum de Dª Luísa Amat", "Tu não queres ligar-te comigo", "As artes são irmãs" e talvez mais duas, todas elas insignificantes, publicadas por Antônio Henriques Leal nas *Obras póstumas*, temos toda a produção poética de Gonçalves Dias durante aqueles seis anos.

A escassez, porém, era compensada pela excelência de quatro composições: as imortais oitavas de "Ainda uma vez, adeus!", os decassílabos de "A sua voz" e "Se se morre de amor!", e essa pequena obra-prima de pensamento, de sentimento e de forma que é o "Não me deixes".

Sentiu-se o poeta muito lisonjeado com as críticas aparecidas na imprensa de Leipzig, Dresda e Berlim: "Depois de me chamarem de *personalitat* em caracteres alemães, fiquei outra casta de gente", publicada no *Magazin für die Litteratur des Auslandes*, de 22 de abril de 1858, e na qual vinham traduzidos em versos as poesias "Seus olhos", "Canção do exílio" e o "Canto do guerreiro".

Sabendo alguns filólogos alemães que o poeta das *Americanas* tinha pronto um dicionário tupi, instaram por sua publicação, ao que se resolveu o autor, imprimindo-o nas oficinas de Brockhaus. Na mesma casa imprimia em outubro os quatro cantos d'*Os Timbiras*, escritos havia dez anos. A Capanema explicou por que se decidira a publicar o poema, incompleto:

> Se a coisa não tem de merecer aceitação, não vale a pena gastar a minha vida preocupado com essa ideia: assim, publico em folheto, para dar continuação depois. Se for aceito, cobrarei alma nova para a continuação; se não, tomo naturalmente outro caminho.

Os *Cantos* tiveram grande saída no Brasil e bastante aceitação no estrangeiro — na Alemanha, na França, na Espanha e em Portugal, tanto que o impressor Brockhaus propôs ao autor uma nova edição, desta vez por conta própria. A edição de 1857 foi de 2 000 exemplares. A Capanema, encarregado de colocá-la aqui, escreveu o poeta:

> O Brockhaus te remeterá os exemplares do meu volume, 1 700 ou 1 800; ficam 200 na Europa e 100 manda para Portugal. Manda dos que te chegarem quatro para minha casa, tira o que quiseres, e dos restantes faz o que quiseres.

O livro encontrou todas as facilidades: por intervenção direta do Imperador, foram-lhe dispensados os direitos da Alfândega, e o *Correio Mercantil* vendia-o a 6$000, sem cobrar comissão. Capanema exultou com o rápido sucesso:

> Só sinto não te ter metido na cachola a lembrança de tirares 4 000 exemplares; os 1 700 estão idos antes de dois anos, apesar que os literatos de taverna acham que o livro ficou feio porque está muito grosso! é o único defeito que lhe acham.

Mas dos 350 exemplares d'*Os Timbiras* (a edição deve ter sido de 500) dava notícias desanimadoras:

> Concordamos em vendê-los por 2$000 e mesmo assim não afluem compradores como aconteceu aos *Cantos*, muitos dizem que não compram por não estar acabado.

Aludindo a isto, queixou-se o poeta ao sogro:

> Conheço a nossa gente, e sei que eles estão procurando pretexto para não lerem. O não estar a cousa completa será para eles boa desculpa. Como eles quiserem, que também não se me dá muito disso.

A verdade é que se lhe dava muito, e deve tê-lo incomodado bastante a dura e injusta crítica de Bernardo Guimarães. Ao contrário de Macedo, de Francisco Otaviano, de Franklin Távora e outros, que louvavam com entusiasmo os quatro primeiros cantos d'*Os Timbiras*, o poeta mineiro escreveu anonimamente em *Atualidade* uma série de artigos, nos quais tentava arrasar com o poema: linguagem quinhentista, sem conformidade com o assunto nem com o tempo, aliás inçada de pleonasmos, de impropriedades, de transgressões do bom gosto e até do bom senso, versificação prosaica e a todo momento claudicante. A crítica deixava mal, não o poeta, mas o crítico. Basta dizer que averbava como "áspero e sem harmonia" o primeiro soberbo verso do poema. "Os ritos semibárbaros dos piagas"; e entre as tais transgressões do bom gosto citava o epíteto "doce" dado a "poeira" nestes dois decassílabos de magistral beleza:

> Doce poeira de aljofradas gotas
> Ou pó sutil, de pérolas desfeitas.

O comentário era tudo que há de mais pastrana: "*Poeira doce* é cousa que nenhum paladar pode tragar! Aqui anda refinado gongorismo ou cousa que o valha."

A esta altura da biografia, já deve o leitor estar bastante inteirado da psicologia do poeta para imaginar que nem o trabalho exaustivo das comissões, nem o peso dos íntimos desgostos ser-lhe-iam entrave ao vezo de namorador impenitente. Aquele homenzinho de um metro e cinquenta, coração agora ulcerado pela paixão de Ana Amélia, continuava o mesmo autêntico devastador de corações femininos, e nesta matéria aproveitou gulosamente as suas folgas de tempo nos quatro anos de Europa. O poeta queixava-se, era um chorão; mas o homem agia, era junto às mulheres como o viu João Francisco Lisboa na festa de Nossa Senhora dos Remédios, sabia falar, tinha lábia inesgotável. Céline, uma de suas namoradas da Europa viu justo: *"Du reste, je sais que quoique poète, vous êtes três positif"*.

Esta Céline foi, aliás, a mais inteligente de todas as mulheres cortejadas por Gonçalves Dias. Amou-o, sem dúvida, mas não a ponto de perder a cabeça. Era solteira, dizia ter dezenove anos e vivia com a família em Bruxelas. O namoro começou em fins de 1856 por ocasião de uma das passagens do poeta pela Bélgica. Em princípios de 1857, estava o poeta em Dresda e Céline escreveu-lhe:

> Tenho um assunto sério, sobre o qual gostaria que me esclarecesse. Fui ontem ouvir um pregador famoso, que disse com muita eloquência provirem todos os nossos infortúnios do fato de amarmos na criatura de Deus não o espírito, mas a matéria, que erigimos em ídolo, depois do que mandou interrogássemos as nossas consciências para constatar a verdade de sua palavra; assim o fiz, mas longe de achar-nos culpadas da acusação, descobri que nunca amei senão os homens de espírito, ou antes, *o espírito dos homens*; depois do que, disse ele ainda: que *a matéria engana e só náusea nos deixa*. Tive vontade de tomar a palavra para dizer-lhe que a recompensa do espírito não era lá muito superior. Disse ele mais: *a voluptuosidade tudo sacrifica à sua avidez egoísta*; mas não acha, como eu, que também o espírito tudo sacrifica à sua vaidade egoísta, conheceu pessoas espirituosas que resistissem à tentação de uma boa piada? — mesmo que com ela pudessem matar o próximo? Eu, que não me gabo de conhecer a sociedade, já vi homens caçoarem de uma mulher por lhes ter concedido uma entrevista à qual tiveram a boa ideia de não comparecer, e escrever-lhe em seguida: comparei-a a um guarda suíço de sentinela, e outras brincadeiras mais ou menos deliciosas. Não acha que semelhantes lições devem corrigir para sempre uma mulher de pedir aos homens os prazeres do espírito, e sobretudo de marcar-lhes entrevistas? Quanto a mim, os sermões que proíbem amar a matéria, e por outro lado os exemplos edificantes, abalam as minhas crenças a tal ponto, que não sei mais o que devemos amar na vida, e recorro às suas luzes para que me ensine, e estou certa que me há de esclarecer.

Inculcam essas linhas que o poeta, mal começado o namoro, queria ir logo às do cabo. Céline, aliás muito vigiada pela mãe e pela irmã, que perceberam o perigo, defendia-se. Via claro no fascinante caboclo do Maranhão:

> Vejo com alegria que a neve alemã lhe faz tanto bem à saúde; que são grandes os seus progressos em filosofia; as suas reflexões sobre a feiura impressionaram-me, tão profundas são; o senhor é o primeiro a achar-lhe uma vantagem irrecusável sobre a precária beleza. E eu disse comigo que para inventar esse grande provérbio, é preciso que a atração do sólido lhe tenha excitado muito vivamente a imaginação; de resto sei bem que, embora poeta, o senhor é muito positivo. Durma dezoito horas por dia para não se deixar invadir pelos maus pensamentos, e consagre as outras seis aos prazeres da mesa e às suas ocupações; é assim que eu passaria o inverno se fosse independente... Conte-me um pouco o que faz do seu tempo nessa Sibéria europeia aonde o levou o destino, e o que faz da sua inesgotável alegria num país onde ninguém ri nunca. Ri-se provavelmente sozinho ao voltar para casa depois da seriedade forçada de um dia inteiro...

As cartas de 1857 e 1858 revelam maior grau de intimidade, Céline já tuteia o poeta, mas esquiva-se à entrega total, e ao cerco do requestante respondia com estas razões:

> Não te satisfez o verdadeiro e único motivo de minhas hesitações, claramente explicado por mim em nosso passeio; fica certo que se ficasses, já não te digo em Bruxelas, mas na Europa, se eu tivesse a esperança de te rever, se eu pudesse escrever-te de vez em quando, enfim se eu fosse alguma coisa na tua vida como tu toda a minha, há muito tempo já te teria dito: vem! Deves, porém, compreender como eu que veneno não estragaria uma ligação que fosse um adeus eterno. Se gostasses um pouco de mim, acharias também que é cedo e tarde demais. Balzac diz que o que fazemos tarde demais perde dois terços do valor. No começo de nossas relações, quando ainda tínhamos dois anos diante de nós para me habituar a uma separação, era mais compreensível do que hoje. O que seria para ti uma distração passageira, seria para mim de uma incomparável vulgaridade, visto que a tua franqueza me tiraria o direito de me considerar uma vítima enganada, o que consola tantas mulheres, permitindo-lhes iludirem-se sobre si próprias. Sinto não ser bastante filósofa para saltar por cima disso tudo.

Essa carta é de abril de 1858. Em agosto embarcava Gonçalves Dias para o Brasil. A ausência de quatro anos não arrefeceu a afeição de Céline. Procurou-a o poeta em Bruxelas, em 1862, de passagem para Marienbad, mas da Alemanha não respondia às cartas da moça. E esta queixava-se:

> Quando cessarás de pôr à prova a minha paciência? Quanto mais penso em tudo isso, mais me convenço que não tornarás nunca. Preferiria saber-te nos cafundós do Brasil, ao menos as criaturas que há por lá têm mais feição de animal do que de mulher, ninguém por mais extravagante que seja, pensa em tomá-las por companheiras para todo o sempre, são postas de lado quando não se tem mais necessidade delas.

Que estranha ideia fazia Céline das mulheres do Brasil! Mal sabia ela que o pesar do poeta vinha precisamente de não ter podido casar-se com uma ingênua brasileirinha que não saberia ler Balzac...

Unhada de gatinha ciumenta, que logo voltou aos carinhos habituais quando soube que o amigo piorara em Marienbad:

> Tenho vivos remorsos de não ter escrito antes, quando penso que estiveste tão doente, querido da minh'alma, longe de toda a tua família, em país estrangeiro; tinhas ao menos alguém para te tratar convenientemente? Pois quase sempre esses cuidados mercenários não bastam. Não quero fazer-te censuras, mas se tivesses ouvido, terias vindo para cá, onde o clima é mais ameno. Deus sabe se não estarias de novo com saúde, pois é impossível que uma planta de estufa como tu seja transportada a uma terra de gelos e de neves sem ressentir-se... Escreve-me um pouco mais, se tiveres ânimo e força, conta-me que doença é a tua e o que dizem os médicos e quando estiveres em condições de poder viajar, vem passar uma temporadazinha aqui. Estou certa de que isso acabará de curar-te.

A carta é de fevereiro de 1863. Gonçalves Dias voltaria a Bruxelas em agosto e lá se demoraria até meados de setembro. Decerto estaria de novo com Céline, mas nenhum vestígio ficou desse encontro, que seria o último.

Ainda em 1857, o mesmo ano em que travara relações com a avisada Céline, conheceu Gonçalves Dias, não se sabe bem onde, se em Paris, em Londres ou em alguma estação de cura, uma brasileirinha de boa família (o pai era funcionário do nosso Tesouro), Amélia R., solteira, então visitando a Europa em companhia da mãe. A moça apaixonou-se pelo poeta, que desta vez parece ter tirado todo o proveito do sentimento que soube despertar. Pelo menos assim se depreende de duas cartas, as únicas existentes de uma correspondência que foi abundante. Amélia R. não escrevia elegantemente como Céline, mas exprimia sem rebuços e com um dengue bem brasileiro, o sentimento que a avassalava. Estava pronta a viver com Gonçalves Dias no Brasil:

> Nós seremos muito felizes e muito principalmente havendo um nhonhozinho lindinho como tu, meu Dias, tu és meu e serás sempre eternamente meu, sim? e eu sou ainda mais tua para sempre, nossos filhinhos aumentarão mais a nossa felicidade, e assim passaremos uma vida deliciosa, nós seremos muito amiguinhos, sim, meu caro filho de minha alma? sim, meu bom e querido Dias? Eu tenho ciúmes, e bastantes, por esse motivo é que não poderei viver descansada senão quando estiveres a meu lado e pensas que no Rio também terei muitos ciúmes, sim, devo tê-los e muito mas com eles não te ei de incomodar, porque quando me sentir aflita decerto não te darei a conhecer para não termos a menor questão um com o outro, quero que sempre nos estejamos a beijar e a brincar, com o nosso interessante e lindo Antoninho. Deus nos abençoou para amarmos e portanto sermos felizes. Tenho sofrido e sabe Deus que sofrerei, isto é, por não poder viver contigo desde muito tempo mas não tardará muito que se realizem nossos desejos, nós seremos muito felizes e os que hoje estão proibindo de me corresponder contigo serão nossos íntimos amigos; digo-te isto porque sei o que se tem passado, se alguém me tem proibido ou me proibiu de te falar, de te ver e até de me corresponder contigo, fica certo, meu Dias, que essa pessoa não te quer mal.

Quando lhe chegava uma carta do seu querido Dias...:

> Olha filho meu, quando tenho uma carta tua não me farto de beijá-la até que não vem outra, as tuas cartas trago-as sempre juntas ao meu peito e juro-te em que é verdade, todas as noites quando me deito e que as que tiro, beijo-as e ponho-as debaixo do colchão muito escundidinhas no outro dia torno a tirá-las beijo-as também e ponho-as logo juntas ao peito; quer esteja em casa, quer saia, sempre andam comigo. Agora só te peço, filho da minha alma, que não te esqueças, não, não, esta que morre por ti, não esqueça a tua Amélia que será com muito prazer mãe dos teus filhos.

Havia, sim, uma Amélia de quem o poeta não se esquecia nunca, mas era outra... E todavia alimentava a paixão da moça, prometia-lhe coisas e ela acreditava nas promessas dele:

> Peço-te que te lembres de mim, que me ames, que não faltes ao teu prometido no dia 8 de julho, talvez te lembres, pois a mim jamais esquecerão tão doces expressões nascidas do coração, lembraste quando eu banhada em lágrimas de dor e de amargura te abracei! e tu me disseste com tanta doçura, como é o teu costume: Não chores Amélia, que te amo e serei sempre teu! lembraste desse dia feliz?!

Como se vê, mentia o poeta ao mesmo tempo à belga e à brasileira, alimentando-lhes a paixão com a mesma leviandade com que se lançava em outras aventuras com várias mulheres — as alemãs Leontina e Natália em Dresda, as francesas Joséphine e Eugénie N. em Paris. Com esta última manteve ligação seguida e o caso complicou-se, porque chegou ao conhecimento de Olímpia, a cujas mãos vieram ter, não sabemos como, cartas de Gonçalves Dias para Eugénie e de Eugénie para Gonçalves Dias. Uma destas exigia mil francos do amante, ameaçando-o, caso não fosse satisfeita, de vir para o Brasil.

Pode parecer antipático que estejamos a insistir na volubilidade frascária do poeta. É necessário que assim o façamos, porque, desconhecido este lado da sua psicologia, só revelado no livro de Lúcia Miguel Pereira, as lamúrias dos *Cantos* levariam à ideia errada de uma constante infelicidade amorosa. Ora, infelicidade no amor, a que verdadeiramente conta, é não ser correspondido. Não há exemplo de tal na vida de Gonçalves Dias. Todas as mulheres por quem se interessou, a sério ou por mero passatempo, lhe deram muito mais do que receberam. A própria Ana Amélia. Não nos deixemos iludir pelos acentos pungentes de "Ainda uma vez, adeus!" O diagnóstico de Lúcia Miguel Pereira é cabal:

> A sua sensibilidade deformada pelo romantismo confundia amor e sofrimento, não podia sentir inteiramente um sem o outro. Esperançoso, feliz, achara a união com Ana Amélia um "casamento razoável", dentro do plano do cotidiano, do normal; aceito, não seria improvável que, uma vez habituado a ela, continuasse a procurar a mulher ideal levado pela fatalidade do temperamento, pela constante insatisfação. Longínqua, ela cresceu, tornou-se a única, a Amada. A simpatia transformou-se em paixão, em louca paixão à qual sacrificaria o seu futuro.

A sua infelicidade estava naquela impotência de amar, pelo menos de amar nas circunstâncias normais, de amar as mulheres como na realidade são. Impotência de amar, de que temos exemplo ainda mais ilustre no grande tédio de Chateaubriand. Afonso Arinos de Melo Franco chamou-me a atenção para as analogias existentes a este aspecto entre as vidas de Gonçalves Dias e Chateaubriand. Ambos casaram-se sem amor e viveram enjoados da mulher, suscitando fora do lar amores e dedicações que logo se lhes tornavam insípidos.

Nenhum de seus amores da Europa lhe arrancou uma só linha de poesia. Parecia esgotado de toda força lírica, bateria descarregada depois do curto-circuito flamejante do "Ainda uma vez, adeus!" Os quatro anos que vão de 1854 a 1858 seriam de absoluta esterilidade poética, se não fossem os trabalhos da tradução da *Noiva de Messina* de Schiller, começada em fins de 1857 ou princípios de 1858. Disso e dos estudos relativos ao *Reinecke Fuchs*, que também pretendia traduzir, dá notícia em cartas de março de 1858 a Capanema e ao Imperador. Ao primeiro informava:

> A minha *Noiva de Messina* me vai agradando. Estou estudando os mil e um poemas da Raposa que se conhecem, e é possível que os traduza no mato [isto é, no interior do Norte do Brasil, nas folgas da Comissão Científica] para o mandar imprimir na Alemanha — ilustrado e bonito, como provavelmente não teremos edição nenhuma neste século próximo. Se eu levar isto a efeito, no que não há impossibilidade absoluta, se além disso traduzo uma meia dúzia de poesias alemãs, de mistura com outras de outras línguas, tu verás como se vai à glória *à bon marché,* sem balões nem caminhos de ferro. Entre outras cousas têm de bom esses alemães o serem reconhecidos; traduzir Schiller ou Goethe, ou qualquer dos seus bons poetas, é a melhor carta de recomendação para com eles. Aqui em Dresda, onde se reúnem os machacazes da literatura e arte alemã, cresci de algumas polegadas desde que souberam que passo as minhas doutas vigílias na companhia da *Noiva de Messina*.

E a Pedro II dizia:

> O que tenho feito ultimamente é adiantar a tradução da *Noiva de Messina* de Schiller, tragédia que sempre tive por cousa excelente no seu gênero, e ocupar-me com estudos sobre *o Reinecke Fuchs*, que também pretendo traduzir. Ao princípio era minha intenção traduzir simplesmente o de Goethe; mas Goethe fez um poema seu, que tem valor por ter vulgarizado uma obra que merece ser lida; mas o original, simples e singelo como é, se acha muito modificado nesta última composição.

Da tradução da *Noiva de Messina* disse Antônio Henriques Leal que era a filha mimosa do poeta. De fato. Trabalhou nela incansavelmente até 1863, quando a deu por concluída.

> Ocupo-me agora, [escrevia em dezembro daquele ano a Leal] — isto é — quando posso trabalhar, com a tua *Noiva de Messina*. Está completa, mas a última parte, como te disse, ficou um tanto hidrópica para se harmonizar com o estado em que me achava, quando a concluí a bordo do *Condé*. Como porém o trabalho em pasta é uma espécie de carcoma ou de rêmora que se apega ao espírito, vou pô-la de fora apenas se me desvanecerem os receios de uma nova camada de reumatismo.

Infelizmente a versão definitiva perdeu-se. A que vem nas *Obras póstumas*, ainda incompleta em várias passagens, reproduz o autógrafo enviado anteriormente a Leal, a quem pretendia o poeta dedicar a tradução. Mesmo assim inacabada e imperfeita, o cotejo com o texto alemão mostra o extremo cuidado com que a fazia, guardando sempre grande fidelidade ao original.

Quanto ao *Reinecke Fuchs*, afirma Leal sumariamente no estudo biográfico do *Pantheon maranhense*, que o poeta acabou de traduzi-lo no Amazonas durante os trabalhos da Comissão Científica. O testemunho de Leal é valioso, mas às vezes o biógrafo incorre em inexatidões, já de boa-fé, por falta de informação, como no caso da tradução da *Noiva de Messina*, que dá como principiada no Ceará, já por devoção ao amigo, para encarecer-lhe os méritos. O mais provável é que Gonçalves Dias houvesse abandonado a ideia, desanimado pelas dificuldades que teria encontrado. Toda a vida, desde os dias de Coimbra, estudou o alemão, mas nunca chegou a dominá-lo de todo. Em 1856, estando em Dresda, hospedado em casa do médico Euzeman, escrevia de Frau Euzeman a Capanema:

> É filha de Hanover e, ou por esta razão, ou porque a pronunciação dela não é tão carregada, como me parece ser geralmente em Dresda, é o único alemão que compreendo correntemente. Não digo três palavras seguidas sem que ela me corrija algumas delas e às vezes todas, acrescentando o infernal estribilho *"Das ist was Sie sagen wollen"* ["É isto o que o sr. quer dizer"]. Ao que lhe respondeu o amigo, filho de pais austríacos e formado em Viena: "Estimo que faças mais progressos em alemão do que aí mostras, pois nas três palavras de que se compõe o estribilho da tua amável hanoveriana cometeste dois erros graves".

O alemão de Gonçalves Dias dava para a *Noiva de Messina*, mas não para o velho alemão do *Reinecke Fuchs*.

Resumindo as atividades de Gonçalves Dias nessa estada na Europa, podemos dizer que foram quatro anos cheios e de molde a satisfazer qualquer homem de psicologia normal: cumprira cabalmente todos os encargos que lhe haviam sido

À vista do exposto, figurasse-me que sou como o negociante em más circunstâncias, que em vésperas de abrir falência, procura o amigo, julgando que ainda assim lhe pode ser útil em alguma cousa.

Digo pois ao sr. conselheiro... para que o sr. ministro dos negócios estrangeiros se lembre, quando lhe parecer conveniente, que o meu lugar na Secretaria d'Estado dos Negócios Estrangeiros está vago desde hoje.

Se nesta comissão continuo, conhecendo aliás que meus trabalhos terão o paradeiro dos antecedentes, é porque me força o que devo a Sua Majestade o Imperador, ao Instituto Histórico e aos meus atuais companheiros. Todavia dentro e fora do Instituto não há falta de quem melhor do que eu possa desempenhar as minhas vezes, e que não desdenhe associar-se à comissão científica, entrando para meu lugar. Sendo assim, eu empenharia todo o valimento qual posso ter para com V. Exª, firmado na amizade que de antes se dignava mostrar-me, a fim de que se realize o mais breve possível alguma pretensão que apareça nesse sentido, asseverando-lhe que eu considerarei como coroa de seus obséquios a notícia dessa demissão, que não seria a primeira, se ma desse, sendo a última, como espero, que carecerei de pedir.

Tenho a honra etc.

Antônio Gonçalves Dias

Capanema achou de bom aviso não entregar a carta, e antes a tivesse entregue, porque a Comissão causou grandes aborrecimentos a Gonçalves Dias e acabou comprometendo-lhe irremediavelmente a saúde.

Um episódio sem maior importância ecoou exageradamente na Corte, lançando sobre o nosso poeta uma ponta de ridículo e, o que sobretudo o incomodava, a suspeita de desidioso. Foi o caso dos camelos que Capanema importara da África para ver se podiam aclimar-se ao Nordeste. Como, por motivo da seca do ano anterior, faltassem à comissão os necessários animais de carga, resolveu Gonçalves Dias valer-se dos camelos, e um belo dia largou-se de Fortaleza à frente de uma caravana rumo a Pacatuba, ele próprio montado num dos exóticos ruminantes. Cinco léguas bastaram a moer o poeta, que abandonou a montada e voltou a Fortaleza. Os camelos foram conduzidos para Baturité, mas um deles quebrou uma perna durante a viagem e morreu. Silveira de Sousa, presidente do Ceará, em informação ao ministro do Império, responsabilizou a Gonçalves Dias pela morte do camelo. A história teve eco no Senado, onde Ângelo da Silva Ferraz comentou jocosamente o episódio. O poeta, que suportava tudo, "menos o que cheirasse a desaforo", desabafou num ofício teso ao ministro.

Nascera a malfadada comissão sob o signo do ridículo. "Das borboletas" lhe chamaram logo, quando ainda estava sendo organizada no Rio. Mais tarde, por causa das aventuras mulherengas de alguns membros da Comissão, e o poeta era um deles, passaram a apodá-la de Comissão Desfloradera... No Ceará diziam-se dela "cobras e lagartos". E tudo isso repercutia no Rio.

Todavia, quando teve afinal à sua disposição os necessários recursos, começou o poeta a trabalhar seriamente. Ainda antes da chegada de Capanema, fez uma breve excursão à serra da Aratanha, demorando-se em Pacatuba para investigações sobre a povoação e a cultura da serra. Capanema chegou a 3 de junho. A 15 de agosto ele e Gonçalves Dias partiam de Fortaleza numa viagem de exploração que duraria até março do ano seguinte. Pacatuba, Acarape, Baturité, Canindé, Quixeramobim,

Icó e Crato foram os principais pousos de trabalho, donde partiam os dois amigos em digressões pelas serras e serrotes vizinhos. Trabalho árduo por terras ingratas em que se arrebentavam os instrumentos e adoeciam uns após outros todos os membros da expedição. No Crato demorou-se bastante o poeta examinando os arquivos da Missão Velha. Antes de regressar a Fortaleza visitou Jardim, Milagres, percorreu parte da Paraíba (Sousa) e do Rio Grande do Norte (Pau dos Ferros), e reentrando no Ceará foi ter a Limoeiro. Desceu então o Jaguaribe até Aracati e rumou pela estrada costeira até a capital, aonde chegou a 10 de março.

A esse tempo a situação e a reputação dos cientistas não eram nada brilhantes. Muito se haviam esforçado, mas os metais não apareceram. A opinião pública estava contra eles, não compreendendo, como se queixou Gonçalves Dias,

> que se tenha feito alguma cousa sem se haver descoberto meia dúzia de minas de ouro ou prata, pelo menos. Os de lá da Corte ainda se contentariam com qualquer Califórnia; os daqui do Ceará, porém, mais ambiciosos ou mais exigentes, querem o ouro já pronto, em barra ou moeda, fechado em caixotes para não haver muito trabalho para ajuntá-lo, com prego torto fincado na árvore, cacos aos montes, e letreiros ininteligíveis, que tudo isso é sinal de ter andado flamengo na terra. Nem ouro nem prata se encontrou, senão indícios pobríssimos de ouro em alguns lugares, como em Baturité, onde alguns já o bateram com pouco proveito, ou em Lavras, onde a extração difícil do metal e o pouco rendimento das minas obrigavam o governo português a desistir da empresa começada...

Os resultados puramente científicos da Comissão — os estudos geológicos de Capanema, as coleções e observações de Freire Alemão e Ferreira Lagos, os trabalhos geográficos e astronômicos de Gabaglia — pouco interessavam aos políticos e ao público em geral. Aliás, sete meses depois que a Comissão partiu do Rio, Abaeté fora substituído na chefia do Gabinete pelo barão de Uruguaiana, que no Senado havia atacado a organização da Comissão e agora nada fazia para ajudá-la e prestigiá-la. No próprio seio da Comissão havia desentendimentos e recriminações lamentáveis. Afinal Freire Alemão, adoentado e desgostoso, voltou ao Rio, de licença, em junho de 1860. Tornaria ao Ceará em janeiro de 1861, mas para desapontar com as novas ordens do Ministério do Império, que suprimiam vários cargos, reduziam os vencimentos de todos e a própria verba para os trabalhos da Comissão. Por cúmulo do azar todo o material da seção Geológica — instrumentos, livros, registros e observações — perdeu-se no naufrágio do iate em que o despachara Capanema. Este, que pouco apreço tinha por Ferreira Lagos e Gabaglia, só de Gonçalves Dias e Freire Alemão esperava alguma cousa que salvasse "a honra científica do Brasil". Em abril de 1861 Freire Alemão e Lagos davam por concluídos os seus estudos. Capanema e Gabaglia estavam sem meios de levar a cabo os das suas funções. E Gonçalves Dias? Não tendo encontrado no interior do Ceará índios puros, senão um diminuto caldeamento de chocós perto de Milagres, resolveu seguir para o Amazonas, onde teria elementos de sobra para cumprir as instruções do programa da seção de Etnografia.

Era natural que antes de se embrenhar nas selvas amazônicas, procurasse refazer o físico e o moral na sua província, de que vivia afastado mas em que nunca deixou de pensar como um refúgio em meio de todos os seus pesares. De fato, ali se demorou alguns meses, de setembro de 1860 a janeiro do ano seguinte, em casa de Antônio Henriques Leal, em São Luís, e no Mearim, no engenho Pixanuçu, de Alexandre Teófilo. Esteve também em Caxias, cerca de mês e meio, não só para rever a mãe, como para ocupar-se de sua candidatura a deputado geral.

Havia o seu nome sido proposto por um irmão numa reunião de saquaremas, que o aceitaram com viva simpatia. Concordou o poeta em apresentar-se candidato, e logo comunicou o fato a Antônio Henriques Leal:

> Tenho algumas relações que não são más em Caxias. Crês tu que eu possa fazer alguma cousa? Escrevi àqueles amigos hipoteticamente. Se a cousa é provável, disse-lhes eu, então apresento-me, ou antes, façam de conta que me apresentei. Do contrário — nem passo nem palavra.

Ao sogro escreveu também esperançado:

> Minha candidatura não encontraria nenhuma dificuldade a se fazerem ainda as eleições por círculos. No de Caxias poderia ter votos dos saquaremas e liberais, em maioria mais que bastante — e votos não de partido mas de afeição ou simpatia.

É verdade que acrescentava adiante:

> Mas aqui entre nós, não se me dá de ser eleito, e quase estou arrependido de me haver metido em semelhante alhada. O Brasil parece-me que se aproxima de uma crise, muito breve, e eu não lhe vejo remédio. Que vou fazer às Câmaras? É certo que até hoje é a Providência que nos tem governado, só ela, apesar do nosso governo.

Parece que o seu propósito de disputar a eleição esfriou um pouco ao saber que em Caxias pensavam em fazer uma combinação saquarema-bem-te-vi. Pelo menos é o que se depreende de uma carta de Capanema, o qual lhe escrevia do Rio:

> Dizes que querem fazer uma combinação saquarema-liberal, e por isso tu esmoreces, deixa-te disso, eu vi cartas de Caxias em que se esperava ansiosamente por ti, tu eras o candidato liberal, e se chegasse a tempo que os Ramalhos não fizessem promessas a Cândido Mendes, ficarias com a votação saquarema que mais queres... Trabalha, pois, como gente, escreve, fala, resmunga, descompõe etc.; é de toda necessidade que saias deputado.

Cândido Mendes era seu concorrente. Havia outros: Joaquim Gomes de Sousa, o famoso Sousinha, matemático e poliglota, Viriato Bandeira Duarte e João Mendes de Almeida, irmão de Cândido.

Conta Antônio Henriques Leal que o poeta "voltou de sua cidade contentíssimo com a brilhante e festiva recepção que seus conterrâneos lhe fizeram". Todavia, desistiu de sua tentativa de colaborar com a Providência no governo do Brasil e retirou a candidatura.

Em meados de janeiro de 1861 estava em São Luís. Embarca naquele mês para Belém, dali para Cametá, e em fins de fevereiro chega a Manaus.

***

GONÇALVES DIAS

A grandeza do rio Amazonas, em sua visão de conjunto, é coisa que só o avião pode descortinar. No tempo de Gonçalves Dias, só com o auxílio da reflexão é que ele se tornava assombroso:

> Navega-se por um imenso lençol d'água, onde o vento levanta tempestades perigosas, — onde a onça e a cobra se afogam por não poder cortar a corrente, e como que o espírito se satisfaz pensando ter já contemplado o Amazonas! — mas o que se vê de um lado e de outro são ilhas — e além destas ilhas outros canais tão volumosos como estes, e além destes novas ilhas. A alma então se abisma não podendo fazer uma ideia perfeita do que é esta imensidade.

> [...]

> Pasmado quando entra no grande leito do Amazonas, perdido nesta imensidade, o viajante pensa consigo: "Lá em cima, estas águas se hão de tornar menos volumosas, hão de estreitar-se estas margens, este colosso há de enfim cair debaixo da ação e compreensão dos sentidos humanos!
> Nesta esperança passa o Xingu, Tapajós, Trombetas, Madeira (gigantes também), e o rio é sempre o mesmo!
> Deixa atrás o imenso cabedal do Rio Negro, com as suas águas que espantam pela cor, — o Japurá semelhante ao Nilo com as suas sete bocas, o Purus, Ucaiale, Ualaga, e entre estes o Coari, Tefé, Javari, Napo, centenas de outros; e o eterno rio, na distância de oitocentas, de novecentas léguas ainda *parece* o mesmo!
> Sem dúvida que as águas diminuíram; mas é que há menos ilhas, menos *paranás*, eis tudo. O que se vê é, com diferença pouco sensível, a mesma coisa.

Tais impressões estão numa carta mandada em 20 de dezembro de 1861 a Antônio Henriques Leal, a primeira de uma série que pretendia escrever para serem publicadas no jornal maranhense *Progresso*, redigido por aquele seu amigo.

Essa carta é a melhor prosa que nos deixou o poeta, e está cheia de descrições admiráveis daquelas terras que se esboroam e se refazem com surpreendente facilidade:

> Nesta paz, neste, ao que parece, remansear das forças da natureza, ouve-se de repente um rugido como se os céus desabassem — árvores colossais oscilam, vergam, tombam como castelos de cartas! — a terra falta, desaparece, — a canoa não desamarra, nem tem tempo, arrebentasse-lhe o cabo, — as águas repelidas pela queda das barreiras e das árvores repelem-na também para o largo; — e antes, que os viajantes possam tornar a si do assombro, — antes que o mestre possa comandar alguma manobra, voltam elas pujantes, furiosas, redemoinhando, e num vórtice — canoa, árvores, ilha, — tudo desaparece e se esvai como por encanto. Boiam somente algumas dessas árvores monstros, que tornam perigosa a navegação do Solimões e do Amazonas, e cujas raízes sobrenadam sobranceiras como ilhas flutuantes sobre a superfície das águas; fogem grasnando algumas aves, lastimando a perda de seus ninhos, — e o rio cobre majestosamente aquele espaço, aqueles destroços, aquele *ubi Troja*, mostrando apenas naquele lugar uma larga mancha cor de terra; porque a ilha se submergiu num abismo tão completo e quase tão instantaneamente como um homem se afoga!
> Mas estes destroços — terra e troncos — mais abaixo se aglomeram, acrescentando noutra parte o continente ou formando alicerce para novas ilhas. Depois a aninga surgirá dentre as águas com as suas folhas em forma de coração e o fruto à semelhança de um ananás inculto, — e mais acima, em terra já mais descoberta, vingará a canarana, pasto do herbívoro peixe-boi, perseguido na terra pelas onças, nos rios pelos jacarés e pelo homem em toda a parte.

Aos seis meses de idade. Recife, 1886.

Francelina Ribeiro de Souza Bandeira, mãe do poeta.

Manuel Carneiro de Souza Bandeira, pai do poeta.

Árvore Genealógica de Manuel Bandeira, organizada pelo seu primo-irmão, Raimundo Bandeira Vaughan.

Da esquerda para a direita: a menina Joanita Blank abraçada por Maria Cândida (irmã do poeta), Monsieur Blank, Manuel Bandeira, Sr. Vasconcelos (amigo da família) e Madame Blank. No primeiro plano: Guita Blank (em pé) e Francelina (sentada). Joanita e Guita são filhas do casal Blank. Rio de Janeiro, bairro de Santa Teresa, 1913.

Na casa dos pais. Rio de Janeiro, bairro de Santa Teresa, 1913.

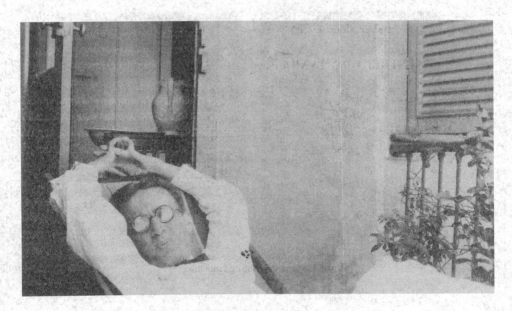
Em casa, década de 1920.

Capa e colofão da primeira edição de *Estrela da manhã*, 1936. Na capa, desenho de Santa Rosa.

Manuel Bandeira em 1942.

Em Petrópolis, 1949.

Lendo o *Correio da Manhã*. Rio de Janeiro, 1954.

Dois manuscritos do poema "Satélite".

Ao lado de seu busto realizado pelo poeta Dante Milano, anos 1950.

Manuel Bandeira e João Condé, jornalista muito próximo ao poeta e autor da célebre coluna "Arquivos implacáveis" da revista *O Cruzeiro*. Anos 1940.

Com Cecília Meireles. Rio de Janeiro, anos 1960.

Com Carlos Drummond de Andrade e Guimarães Rosa, anos 1960.

Com Orígenes Lessa, anos 1950.

Na Rua das Laranjeiras, Rio de Janeiro, anos 1960.

No Largo do Boticário, Rio de Janeiro, anos 1960.

Retrato de Manuel Bandeira por Zina Aita, óleo, 1921.

Caricatura de Manuel Bandeira por Foujita, 1932.

Retrato de Manuel Bandeira por Joanita Blank, grafite, 1935.

Ex-libris de Manuel Bandeira, por Alberto Childe, 1917.

ARIESPHINX
A força da doçura
A força da poesia
A força da música
A força das mulheres e das crianças
A força de Jesus – o cordeiro de Deus.

Rua da União, Recife, 1893-1896. Na primeira foto, em destaque, "a casa de meu avô".

Com a caboclada humilde e bem-humorada, a quem um copinho de aguardente e um pouco de pirarucu assado fazia esquecer as mais rudes fadigas, é que o poeta se sentia sempre bem. Faz-lhe o elogio em palavras enternecedoras:

> Não há gente como a nossa, considerava eu. Soldados bons como eles! Marujos excelentes — remeiros incansáveis e sempre falando, sempre alegres. Dóceis, humildes, ainda assim dóceis e tratáveis. Farinha à discrição, e haverá gente para tudo! Peixe seco já é uma fortuna — carne, isso vem do céu. É o máximo que pedem. E esse máximo não é ainda a mínima parte de qualquer miserável que nos vem da Europa. Se aparece caça — ei-los atrás dela! Peixe frechado, atiram-se aos cururis, a ver se há pior pescam-nos dentro d'água! E estes pobres já tão poucos... tão dizimados, ainda os recrutam, como se não devessem contemplar este Amazonas, para o qual não há colonos, e se diz não poder haver.

Esses homens, habilíssimos na caça e na pesca, é que traziam às vezes à dieta forçada de jabá e farinha alguma variedade que deliciava o paladar do poeta — as tartarugas, os ovos de jurará, um cujubim, "espécie de jacu, porém talvez maior e de melhor gosto".

Uma vez por outra se interrompia o desconforto da jornada em paragens de clima surpreendentemente suave no meio daquele inferno de piuns. Assim nas proximidades da ponta da Minhoca — Xabuíra ou Ciburapecuma, onde os viajantes encontraram "um céu que desafia o de Nápoles, uma atmosfera puríssima, uma temperatura agradável, bem que de 24°C".

Aqui e ali, no diário, entre anotações geográficas acompanhadas às vezes de desenhos, registros de vocábulos indígenas e toda a sorte de curiosidades (sem esquecer as mezinhas do povo, como o cozimento de folhas, tronco e raízes de certa murta "para desarranjo de barriga de mulher" e "para esquentamentos as *titoquinhas* com laranja da terra") aparece uma descrição de paisagem, onde o geógrafo passa a pena ao poeta:

> Poucas vezes me tem Deus concedido presenciar um pôr de sol tão formoso. Em frente à ilha [Jucuruaru], a margem do rio estendendo-se como uma linha baixa no horizonte, o rio dourado pelo sol no ocaso, um céu belíssimo como nos trópicos quando ameaça tempestade, e adornando a cúpula com as cores mais delicadas que a nossa imaginação poderia conceber. A ilha em que estamos, como o mais, olha para o Sul. O sol no ocaso me fica à esquerda. À meia vazante descobrimos bela e pequena praia de fina areia, duas pontas estendendo-se para rio adentro, formando um pequeno porto de 40 a 50 braças de abertura na entrada. As palmeiras elegantes que chamam Caranaí nascem d'água, debruçam-se nela, trepam pela areia e formam como que um bosque de fadas, em cujo pino se elevam as árvores frondosas dos Jacureciba, cujos troncos altíssimos só aparecem de meia altura, encobertos como estão por algumas acácias gigantes!
>
> Quem resiste a uma cena destas? Suicídio? Mas que importa! Quero tomar um banho neste lugar. Ao menos no meu livro de notas quero deixar uma página de lembrança deste mágico panorama.

Chegando a Manaus a 9 de outubro, logo no dia seguinte escreve a Antônio Henriques Leal, dando-lhe algumas impressões da viagem:

> Gostei muito do Rio Negro, apesar que não estava muito em disposição para gostar de cousa alguma... Gente excelente! Não há melhor que o caboclo do Pará, e dentre todos sobressaem os do Uapés: gente pronta para tudo, e sempre alegre, sempre pronta para o

trabalho, contente e satisfeita com qualquer cousa. Acreditas que um índio no Alto Rio Negro, remando como cristãos em galé de mouro, trabalha cinco dias para ganhar uma vara de pano americano? E que destes cinco dias lhes pode resultar trabalho para mais dez ou quinze, como acontece sem que recebam nem salário, nem canoa para o regresso, nem mesmo farinha para seu sustento, como também acontece?

Eu trouxe uma meia dúzia desses marmanjos, que não se fartam de me chamarem entre si "Carinã ecatu", o que vem a dizer em língua de preto "Branco bom mesmo", isto a troco de um pouco de fumo, distribuído com jeito, de condescendência a tempo, e que hoje irão comigo para o fim do mundo! por fim apaixono-me por eles, ponho o *cueio* e vou para o mato, traduzir meus indignos versos em língua de caboclo.

Era sincero o poeta quando dizia pouco se lhe dar de arriscar a vida num banho de rio. Depois que chegara ao Amazonas recebera notícias que lhe causaram sérias apreensões. Uma relacionava-se ao caso de uma menina de Fortaleza, cuja paternidade lhe era atribuída pela mãe, amante de passagem, criatura de condição inferior e procedimento irregular. O poeta aceitou de pronto a responsabilidade e tencionava entregar a filha a dona Mariquinhas, mulher de Alexandre Teófilo, para que esta a criasse e educasse. Eis que em Manaus recebe de amigos do Ceará denúncia de que a menina não era sua filha! Comentou ele jocosamente o caso em carta a Alexandre Teófilo, mas a verdade é que lhe pesou da paternidade frustrada.

O outro caso foi mais grave. Grave na fantasia do poeta, pois na realidade não tinha nenhuma importância, ou melhor, era um fantasma criado pela sua imaginação doentia. Algum desafeto ou amigo urso, algum intrigante mandou-lhe do Rio um número da revista *A Semana Ilustrada*, onde vinha uma caricatura — um cantor de ópera no papel de trovador, de copa em punho, tendo ao lado as palavras *Il segreto per esser felice*, e junto um medalhão com um busto de mulher ridiculamente magra e feia entre as palavras *Phydias epoiei* em caracteres gregos; envolvia por baixo o medalhão a legenda "Medalha representando uma *Traviata Romana* descoberta nas escavações de Herculano".

O autor da caricatura, que assinava C., ou alguém que lhe soprou o grego, não era forte na língua. Fídias em grego é "Pheidías" e não "Phydias". "Epoiei" pertence ao verbo "poieio", que significa fazer, produzir, criar (donde "poietés" o que cria, o que inventa, o poeta). O dicionário de Chassang dá o exemplo *Lysippos epoiei*, traduzindo "Lisipo é o autor desta estátua".

Que havia em tudo isso de relacionado com Gonçalves Dias? Vereis como o diabo as arma. Parece que a mulher apresentada como "traviata" tinha alguma semelhança com dona Olímpia, esposa do poeta, e "Phydias" em carácteres gregos podia ser interpretado por O. G. Dias (Olímpia Gonçalves Dias).

Já anteriormente, por incrível que pareça, suspeitara o poeta da esposa e escrevera a Capanema:

Educação, só de mulheres que se casam inexperientes aos dezesseis anos: as de trinta e dous (posto que ouvirás certamente que ainda hoje não tem essa idade), com hábitos feitos, e educadas livremente em uma sociedade livre e sabidas na arte de fazer maridos: dessas nada se faz. O marido é um *chaperon*, a convivência um pretexto — os filhos um *passe-partout*. A essas, pois, quando ouvires lamúrias, lamentações, ternuras, carinhos, dedicações, que trazem sempre a virtude na boca porque lhes fugiu do coração, — a essas não creias — é tudo mentira, astúcia, fingimento, hipocrisia; mas em algum momento de verdade, na cólera por exemplo — e Deus sabe quanto fel cabe n'alma de uma romântica

— ficarás sabendo que a diferença que há entre uma das tais e uma quintadeira — é que a última teme o chicote e a primeira sabe que o marido, apesar de vil, miserável, indigno, canalha e o mais que ela bem sabe, tem todavia educação bastante para a considerar como inviolável e sagrada.

Capanema, que aliás não gostava de dona Olímpia, interrogado pelo amigo sobre o sentido de certas frases ditas em Paris que pareciam insinuar alguma coisa sobre a conduta da pobre senhora, respondeu de maneira que não podia deixar dúvida num espírito normal:

> De informações eu já conhecia a minha comadre muito antes de vê-la. Mas nunca ouvi a menor cousa que fosse desairoso a ela. Minha mulher, que também sabe alguma cousa da vida privada, cousa alguma sabe que te pudesse ferir... Considera bem se és ou não vítima de algum desses entes que derramam com mão amiga sobre a gente o mais infernal veneno; pesa bem as aparências... Tem cuidado; olha que a aflição em que vives faz-te mal a ti e pode ser uma injustiça, e se vieres algum dia a reconhecê-la ainda mais sofrerás. Sê prudente e examina bem as cousas com sangue frio antes de tomar uma resolução.

Foi nesse estado de espírito, de aversão e suspeita em relação à esposa, que caiu como semente em terreno bem adubado a caricatura da revista carioca. Em vão Capanema, sabedor do caso, informou-lhe que no Rio ninguém dera por aquilo e procurou pô-lo em guarda contra os mexericos: "Atende bem que eu não tenho sabido da menor cousa". E ao próprio sogro ousou Gonçalves Dias tocar no assunto, advertindo: "É bom saber de cousas que, segundo parece, somos os de casa os que só tarde sabemos".

A resposta do doutor Cláudio merece ser transcrita, porque não tendo desvanecido as suspeitas do genro, mostra por isso mesmo o estado de perturbação em que se achava o poeta:

> Rio de Janeiro, 28 d'agosto de 1861
>
> Meu filho
> Recebi a sua carta de 31 de junho do corrente, e tanto esta como a antecedente, só me vieram trazer dissabores, que concentro, porque não as comuniquei à minha filha, nem ela sabe que as recebi.
> Diz-me nesta sua última carta que o desculpe descrever um pouco *às tontas*, e na verdade, semelhante carta só podia ser escrita sob a influência de uma vertigem, em estado mórbido do cérebro. Somente em condições anormais da sua intelectualidade, poderia V. ver nas caricaturas do nº 16 da *Semana Ilustrada*, representando um par de atores de uma companhia italiana que aqui esteve, ridicularizada por essas duas caricaturas e por outros artigos satíricos dos jornais desse tempo, as alusões indignas e diabólicas, que em tais caricaturas deparou.
> Sim Snr.; vi a traviata em letra que está aos pés do que V. chama — trovador —, e que é o ator no costume do teatro em que foi caricaturado: a letra é um C com uma risca. O ator está com um copo na mão direita em ação de fazer um brinde, com as seguintes palavras em italiano — *il segreto per esser felice*; cujo segredo se depreende da caricatura era embriagar-se.
> A medalha em que está a caricatura d'atriz, tem escrito embaixo e em semicírculo — *Medalha representando uma traviata romana descoberta nas ruínas d'Herculanum*. Dentro da medalha, pela frente, — phydias — e do outro lado — epoiei.

Sem que se precise saber grego, pode-se conhecer todas as letras que existem entre alpha e o ômega e combiná-las: V. que sabe grego, se as combinasse poderia ver que a primeira palavra é — Phidias — e a segunda — Fecit —, tanto quanto se pode julgar pela imperfeição dos caracteres.

Que relações têm, pois, essas caricaturas de atores aqui conhecidos, com o trecho de sua carta em que me diz — "É bom saber cousas que, segundo parece, somos os de casa os que só tarde as sabemos".

Esta alusão ou antes ilusão, a não ser, como estou certo que foi, uma fantasia de espírito mórbido, a ser, como estou longe de acreditar, um pretexto nascido de suas antipatias, já por mim conhecidas, e adrede excogitado, revelará um fato abaixo de toda infâmia e perversidade.

Seu pai e am.º
Cláudio

Não obstante a vontade que tinha de tomar a sua desforra, aceitou Gonçalves Dias a comissão no Rio Negro, aceitou ainda nova comissão do presidente Carneiro da Cunha, a de presidir à organização da parte com que a província do Amazonas contribuiria para a Exposição Industrial a realizar-se pouco depois no Rio. Finalmente a 26 de outubro despedia-se pela imprensa dos amigos e conhecidos que ali fizera.

Muito sofrera no corpo e no espírito nesse ano de 1861. Mas os sofrimentos tiveram a força de reacender-lhe a inspiração poética, apagada desde 1855. "Creio que estou em maré de poesia", escreveu então a Antônio Henriques Leal. "Tenho escrito até sátiras!... Lá vai uma."

A sátira enviada a Leal foram os versos "Que cousa é um ministro", certamente dirigidos contra Sérgio Teixeira de Macedo, ministro do Império, aquele mesmo ao qual dirigira o poeta um ofício desaforado a propósito do caso dos camelos. Produção fraquíssima, porque Gonçalves Dias, tão engraçado na conversação e na correspondência, tão delicado na poesia amorosa, tinha a mão pesada e contrafeita no gênero satírico. Nem parece o mesmo poeta o autor quase alvar dessa e de outras produções incluídas por Antônio Henriques Leal nas *Obras póstumas* — "A certa autoridade", os sonetos de 1848 feitos no Rio, as duas sátiras contra Alexandre José de Melo Morais etc.

Não escreveu só sátiras. A lembrança da filha, reavivada pela frustrada paternidade do Ceará, inspirou-lhe várias poesias, "como mo comunicou em mais de uma carta", diz Antônio Henriques Leal, das quais apenas se conservou uma — as "Estâncias":

> E sei que morreste, filha!
> Sei que a dor de te perder,
> Enquanto eu for vivo, nunca,
> Nunca se há de esvaecer!

A propósito desses versos escrevia o poeta a Alexandre Teófilo em maio de 1861:

> No último vapor te mandei uma poesia à morte de minha filha. Mil vezes tinha tentado erguer essa primeira pedra do seu monumento: nunca pude fazer nada. Vinham-

-me logo as lágrimas; e a dor, o sentimento do nada que é o homem neste mundo, me impediam de principiar. Enfim pude vencer-me! Seria acaso um pressentimento da tua dor?

A dor do amigo foi a perda de seu filho Ricardo, para quem o poeta escrevera a poesia "A um menino", que acabava por estes versos:

> Só aquele que da morte
> Sofreu o terrível corte,
> Não tem dores que suporte,
> Nem sonhos o acordarão:
> Gentil infante engraçado,
> Que vives tão sem cuidado,
> Serás homem — mal pecado!
> Findará teu sonho então.

Agora consolando o pai, dizia:

> Não chegou a ser homem, não chegou a conhecer o que há de misérias ocultas, de tormentos ignorados naqueles mesmo que talvez são invejados, eu, tu por exemplo! Deus o quis na sua misericórdia.

Superiores, porém, e dignas de figurar ao lado das melhores dos *Cantos* são as poesias que ainda lhe suscitou a dor de ter perdido a felicidade com Ana Amélia: "Oh! que acordar!", "Se muito sofri", "No jardim", "A baunilha", "Se te amo, não sei" e "Como! és tu", a mais bela de todas.

***

Não veio o poeta diretamente para o Rio: parou alguns dias no Maranhão. "Estava triste", conta Antônio Henriques Leal, "desconcertado, taciturno, visivelmente contrariado e por vezes como que alucinado". Ao chegar ao Rio, em dezembro de 1862, sentia-se "um poço de moléstias — do fígado, dos rins e do coração, de uma, de duas ou das três cousas. O que Deus quiser, e seria muito bom que ele o quisesse *para muito cedo*."

A saúde de Gonçalves Dias nunca fora boa. Quando ainda estudante em Portugal, aos 21 anos, sofrera o primeiro ataque de reumatismo, para o que teve de recorrer, a conselho médico, aos banhos termais de Gerez. Chegando pela primeira vez ao Rio, vinha com dores de dentes, que ele atribuía ao vício do charuto ou à sífilis. Os médicos diagnosticaram a sífilis. Nesse mesmo ano, em setembro, é acometido de uma orquite, que durou quinze dias. Em 1850 adoeceu de febre amarela. Em 1856 apanha em Évora febre terçã. Em agosto, no Ceará, sofre um acesso de malária, com escarros de sangue. No ano seguinte, em Manaus, é operado de escrófulas no pescoço.

A 23 de março de 1862 escrevia do Rio a Antônio Henriques Leal:

> Estou, segundo dizem os médicos, com uma inflamação crônica de fígado, uma lesão incipiente do coração, pernas inchadas em consequência do fígado, donde pode resul-

tar uma anasarca, e a voz rouca e presa em consequência de desordem dos pulmões que se *desordenam* com a *desordem* do supradito fígado. Apesar deste almanaque de cousas ruins, não te dê isso cuidado. Deus me deu vida para cem anos, e a prova é que a esbanjo tola, estúpida e insipidamente como faz da sua fortuna mal adquirida, o herdeiro de casa milionária. Trato de concluir ou antes de atamancar os trabalhos da comissão e depois ponho-me daqui para fora antes que me sobrevenha a máxima de todas as infelicidades, cair de cama no Rio! Quero morrer lá, no meio de meus amigos, no seio de minha família.

Já não considerava Olímpia a sua família. No Rio não se hospedou na casa do doutor Cláudio, onde vivia a mulher. Hospedou-se em hotel. Olímpia deixou a companhia do pai e tomou casa na Rua do Catete e depois na Praia do Flamengo, certamente esperando que o marido viesse morar com ela. Mas Gonçalves Dias não voltou a coabitar com a esposa. Contudo visitava-a. Visitava também o sogro e de uma feita deu-lhe um relógio, "um lindo relógio", para a cunhadinha Nhanhã e setecentos mil-réis, quinhentos destinados à compra de um piano para Olímpia, e duzentos para a Nhanhã comprar um presente para Maria Benedita, a outra cunhada, de quem aliás não gostava.

Tudo isso mostrava que acabara convencido da sem-razão de suas suspeitas e, embora resolvido a não fazer mais vida de casado com Olímpia, procurava viver *pro forma*, "salvando aparências, que de nenhum modo se salvam, com o inconveniente de me pôr num estado de irritação e susceptibilidade difícil de descrever-se".

Esse estado de irritação e susceptibilidade ressuma violentamente de sua carta de 5 de fevereiro a Antônio Henriques Leal: "Achei aqui um infermo..." "Esta atmosfera do Rio pesa-me, e estou vendo a hora em que estalo de dor! e só peço a Deus que isso aconteça bem cedo!"

Via a gravidade de suas condições físicas nas próprias atenções de que era alvo por toda a parte. Sem ter comunicado a sua chegada nem onde morava, era visitado por ministros, conselheiros, senadores, deputados, homens de letras e jornalistas. A imprensa festejava-o "não como a um amante que volta, mas como um amigo que sofre". Nas ruas mesmo, quando passeava desanimado, sentia a cada passo a simpatia dos desconhecidos que o conheciam e o admiravam: "Essa mocidade inteligente e benévola do Rio, que me aprecia muito além do que valho, parece compreender, vendo-me, que há em mim o quer que seja que me alquebra o corpo, depois de me ter acabrunhado o espírito". O próprio Imperador interessou-se vivamente pela saúde do poeta, recomendando a um amigo dele que o metesse num carro e o levasse para fora do Rio. Quando visitado por Gonçalves Dias, falou-lhe muito em versos — "como se eu estivesse de cabeça para os fazer", comentou com mau humor o poeta.

Tomara posse do lugar de primeiro oficial da Secretaria dos Negócios Estrangeiros, mas não reassumira as funções. Obteve, como membro da Comissão Científica, três meses de licença com os vencimentos e logo que concluiu o folheto sobre a história daquela comissão, tratou de embarcar para São Luís. Ali contava, quando melhorasse, redigir o relatório dos trabalhos de sua seção.

***

Embarcou o poeta a 7 de abril de 1862 com destino ao Maranhão. Mas chegando ao Recife e consultando o médico Dr. Sarmento, dissuadiu-o este de prosseguir viagem, aconselhando-o a fugir quanto antes da zona tórrida, a procurar nos climas temperados da Europa meridional possíveis melhoras para a sua saúde. Redigiu mesmo em francês o seguinte diagnóstico para que o doente o mostrasse aos médicos a que recorresse no estrangeiro:

> Consultado pelo sr. XXX, verifiquei sofrer ele duma hepatite subaguda e que o coração, provavelmente pela continuidade da veia porta, se acha comprometido. Era anormal e manifestamente exagerada a sua impulsão, se bem que os ruídos vasculares não me tenham parecido alterados. Em tal estado, aconselhei o sr. XXX a sair quanto antes da zona tórrida, afiançando-lhe que chegado ao trópico de Capricórnio devia, como sucede de ordinário, obter grande melhora do fígado e muito provavelmente, em consequência dessa melhora, um abaixamento da impulsão do coração. Compreendendo o valor desses conselhos, decidiu-se o sr. XXX a não continuar a viagem para o Maranhão; onde, a meu juízo, seria inevitável a sua perda. Parte ele, pois, a todo risco para a Europa.

A Antônio Henriques Leal escreveu o poeta: "Ia tratar de mim no Maranhão; mas o diabo me não dá licença para isso. Partirei talvez para Europa e sem dinheiro."

Não era o diabo, era ele próprio que não lhe dava licença. Porque quando falava em morrer "e quanto mais cedo melhor", não exprimia o seu desejo mais profundo, que era viver — viver apesar de tudo, por isso ou por aquilo, provavelmente para terminar as obras que tinha em mente, e especialmente a sua *História dos jesuítas*. De outro modo, teria continuado viagem para São Luís, a morrer como sonhava, no Maranhão, e assim o dissera a Alexandre Teófilo: "Quero morrer lá no meio de meus amigos, no seio de minha família!"

Não lhe foi fácil conseguir passagem no brigue francês Grand Condé. O comandante receava que Gonçalves Dias não resistisse à travessia, que por causa dele se visse obrigado à quarentena em Marselha, nem lhe convinha tomar mantimentos para um único passageiro. Entretanto todas as dificuldades foram removidas por interferência de várias pessoas qualificadas do Recife, sobretudo o doutor Sarmento e José Vasconcelos, diretor do *Jornal do Recife*.

De bordo do Apa passou-se Gonçalves Dias para o Grand Condé, que largou do Recife em 20 de abril. Olímpia, contra os conselhos do pai, partira do Rio, para juntar-se ao marido no Maranhão. Chegou tarde, porém, quando o poeta já ia longe.

Antônio Henriques Leal e Lúcia Miguel Pereira reproduziram integralmente as páginas do diário escrito por Gonçalves Dias a bordo do Grand Condé. *O mesmo faremos, porque estas notas de viagem ilustram melhor do que quaisquer comentários os sofrimentos do poeta, assim como o seu estoicismo, a sua capacidade de resistência, tão grandes que em tão depauperado estado ainda achava forças para ler o Ariosto e pensar em prosseguir na tradução da *Noiva de Messina*!

> Saída do Apa — *7 de abril*.
> À noite, ao largar da Bahia, chega o paquete inglês e quebra-se uma pá do nosso que torna uma roda de pouca utilidade. Viemos a custo até Maceió e chegamos a Pernambuco no dia 15.
> Grande novidade! Aconselha-me o Dr. Sarmento que parta quanto antes para a Europa. Embarco no dia 18 às 2 da tarde, sexta-feira santa, depois dos arranjos de passagem,

de medicamentos e do farnel de boca, e de vencer as dificuldades do dono do *Grand Condé*, que a instâncias de amigos deixa-me embarcar no seu brigue no estado perigoso em que me achava.

Dia 20. Partimos às 6 horas da manhã, levamos todo o dia navegando à vista de terra. Tenho mais apetite, mais sono, mas a inchação cresce. As partes inferiores muito inchadas.

Dia 21. Calma ou quase, as velas não pendem, mas jogam em vaivém contínuo. Passo as manhãs, as tardes e as noites sentado à porta da câmara, suspirando pelo vento.

Dia 22. Alevantei-me às 2 horas da manhã, adormeci ao relento, retiro-me às 5 para o meu camarote: amanheço com os olhos inchados. Devo ter 23 galinhas ou frangos. Leio *Górgias* e Ariosto.

Dia 23 à noite. Ponho eu mesmo um cáustico, porque os testículos me vão crescendo demasiadamente. Às 5 da manhã, sem ter pregado olho toda a noite, e levando-a sentado, como passo há cerca de quinze dias, não pude mais tolerar o cáustico, e eu mesmo levantei-o. Ficou fresco; todavia supurou muito.

Dia 24. Passei melhor o dia apesar de chuvoso. Continuamos em uma quase calma abominável. Pelo sim, pelo não, escrevi *in articulo mortis* uma carta para Teófilo e outra ao Mota. Recebe 200$000 réis para o Telasco, e o relógio, como foi do Morais, fica para o Teófilo e a cadeia para Inesota. Os livros e papéis, que te forem de Lisboa, guarda-os, e tudo que julgares inútil põe fora.

Dia 25. Continua-a calma: o meu cáustico supura um pouco, porque não tive coragem de o limpar bem. Amanheci com a face e o olho esquerdo inchados, mas essa inchação desapareceu com o dia — aí por volta das 11 horas já não tinha traços disso.

Dia 26 — sábado. O meu cáustico fez-me um mal horrível; tomo três pílulas de calomelanos. As películas do cáustico vêm agarradas ao unguento de basilicão. Ponho novo: depois de três horas de horríveis sofrimentos, tiro-o e ponho azeite doce, em falta de unguento branco. O rosto (face esquerda) parece inchado; mas a inchação torna a desaparecer durante o dia (10 da manhã).

Meio-dia. A calma quase podre, que até aqui nos tem perseguido, parece querer cessar. Estamos a algumas léguas ainda distantes da linha. A esta hora caiu um forte chuveiro acompanhado de grande ventania. Queira Deus que dure. Uma hora depois se tinha desvanecido toda a esperança. A chuva caiu em torrentes, mas o vento tinha amainado. Compro umas calças de enfiar.

Dia 27 d'abril — domingo. Por volta de uma hora caiu vento, que foi refrescando até as 6 da tarde.

Os meus membros inferiores continuam a crescer.

Não dormi a noite, com pesadelos e maus sonhos que tenho agora frequentemente, com qualquer mudança atmosférica ou quando durmo fechado em pequeno espaço.

Dia 28 — segunda-feira. Amanhecemos em calma, as velas batem desesperadamente. Creio que apenas ontem, talvez pela noite, é que passamos a linha!

Ótima navegação para quem confiou a sua salvação à rapidez da viagem! Dou balanço à minha capoeira — tenho só 22 galinhas.

Pescamos dois peixes até as 10 da manhã. Faltam-me dois cantos para concluir *Orlando*, cujos paladinos me andaram apoquentando a noite passada.

Dia 29. Os meus incômodos aumentam, bem que eu esteja persuadido que a ter ficado em terra, eles teriam progredido muito mais rapidamente.

Há dois dias que ando com toda a parte inferior do corpo envolvida em uma coberta, por não ter calças em que caibam os meus testículos, nem mesmo as de enfiar que há cinco dias comprei ao moço de bordo. Calma e chuva.

Dia 30. Pela meia-noite refrescou o vento, mas pouco.

Só hoje é que passaremos a linha, apesar de termos sempre navegado com proa ao norte. É provável que se ao sair de Pernambuco pudéssemos ter caminhado alguns graus para leste não tivéssemos encontrado tão incrível sucessão de calmas.

Estando um pouco pior dos testículos pus emplastro de Vigo sobre o cáustico cicatrizado. Tenho apetite, mas qualquer cousa enche-me o estômago e anseia-me. Durmo, mas sono agitado e interrompido por pesadelos, principalmente até meia-noite.

Dia 1º de maio. Tivemos de anteontem à meia-noite até meia-noite de ontem vento um pouco mais fresco, que sempre dava para 6 milhas e mais. Depois caiu de novo em calma.

Se era condição essencial para o meu restabelecimento a viagem rápida para fora da zona tórrida, como quer o Dr. Sarmento, estou mal.

Os testículos vão a mais a ponto de não me deixarem hoje sentar.

O membro incha-se e recurva-se cada vez mais. Estou vendo que dentro de dois ou três dias cessará de todo a diurese. Um pigarro incômodo se faz ouvir, quando respiro. Quase me está parecendo que o Dr. Sarmento tem razão!...

Dia 2 de maio. Desde o amanhecer o vento se tem tornado fresco. Já é bem tempo disso.

Adoeceram-nos dois marujos ontem: um não quer tomar remédio. Suponho que se vai. Eu que embarquei meio morto, espero em Deus que hei de chegar a Marselha.

Dia 3. Tomei hoje dez pílulas de Holloway. Morreu o marujo que se expôs imprudentemente ao tempo, sofrendo de uma cólica. Coitado!

Dia 8. Restam-me só 14 galinhas!

Desde o dia 2, quando propriamente começamos a navegar com vento de feição, que meu estado de saúde tem melhorado consideravelmente. De dia para dia, as melhoras são visíveis. A inchação das pernas e mais partes inferiores desvaneceu-se.

Nos pés ainda resta alguma coisa; mas depois que desapareceu a inchação, vejo-me em tal estado de magreza que isso me explica a grande debilidade em que me acho.

As calmas reinam na linha e se estendem até 3 e 5 graus além dela, para o norte.

Aos 28° NO é a junção dos ventos gerais (alisados) e dos variáveis.

Aqui por via de regra se encontra um ou dois dias de calma.

Dos Açores a Marselha tem-se ido em quinze dias. No mais, durante o inverno, faz-se a viagem de Pernambuco a Marselha em menos de quarenta. Durante o inverno, dizem, porque nessa quadra se encontram com frequência, na região dos ventos variáveis, grandes e duradouras ventanias do oeste, que ainda são excelentes no Mediterrâneo. Dizem, porém, que são melhores as viagens neste tempo, não porque sejam mais rápidas, mas porque o tempo se conserva quase igual, sem ventanias, nem trovoadas.

Aos 16° norte, neste tempo, e no mar, já às quatro horas da manhã se pode chamar dia. De noite, sobretudo depois das doze horas, a temperatura é tal e o ar tão frio, que se carece de andar vestido como na Europa no tempo de inverno. Por isso é que as minhas pantorrilhas têm desertado.

Hoje, 5ª feira, 8, vou-me ao bacalhau para festejar a minha convalescência, e às pílulas de Holloway. Ou elas ou o uso frequente de chá me tem feito urinar como um desesperado de hora em hora, dia e noite, dois grandes vasos em vinte e quatro horas.

Dia 9 — sexta-feira. O vento amainou um pouco, depois das nove horas da manhã. Devemos ter passado 20° norte.

Vou melhor, ou antes continuam as melhoras. A goiabada tem destruído todo o efeito dos purgantes. É preciso ter cautela com ela.

Dia 10 — sábado. Vento fraco, mas ainda se pode calcular em 5 milhas a marcha do *Grande Condé*, com o balouço, as garrafas de limonada gasosa têm em grande parte estourado. Hoje bebi a última antes que também estourasse.

Pelas três horas da tarde avistamos por barlavento uma galeota-brigue que nos fazia sinal de socorro. O vento era brando. O *Grand Condé* apanhou as velas maiores e as dos mastraréus e pusemo-nos à espera. O diabo do navio, porém, é tão ronceiro que apesar de irmos com poucas velas, e essas mesmas encontradas para neutralizar o efeito de umas com a oposição das outras, ainda assim, íamos avançando e ganhando caminho. Os do brigue às quatro e meia horas da tarde lançaram lancha ao mar, confiando, com razão, mais na força dos remos do que na marcha do seu navio.

Era um brigue norte-americano que há noventa dias justos partira de Santos para as ilhas de Cabo Verde; *Robert Sirrat* ou *Sarah* se chamava. De Santos à altura em que o encontramos, se pode vir muito bem em 25 dias, e este com mais razão, porque os navios chegados ultimamente a Pernambuco, em proveniência do Rio, trouxeram todos excelente viagem.

Mas é o tal brigue, ao que parece, um carro de lama intolerável, porque sem mau tempo, e apenas com pouco vento e algumas calmas pôs três meses em chegar até aqui! É de supor que lá para o fim do ano chegue ao seu destino, se a gente que tripula não morrer antes disso de fome, salvo se tiverem de novo a ventura de encontrar outro *Grand Condé* com alimento bastante para lhe ceder parte dele.

Dia 11 de maio. Passei a noite sofrivelmente, ainda que continuem os maus sonhos e pesadelos quando me acontece pegar no sono antes da meia-noite.

Sono interrompido, duas a três vezes. Já não urino tantas vezes, mas a urina tem bom aspecto. O ventre continua intumescido e embaraçado. As pílulas de Holloway farão talvez o milagre de me livrar deste incômodo. Algumas dores nas articulações dos membros inferiores sobremodo doridas, mas tenho apetite e durmo umas seis horas. Creio que ainda desta feita não me vou. E o coração?! Sinto palpitações, mas não me parece cousa de muito cuidado, e o cansaço diminui. Ontem pude subir ao castelo da popa para ver o brigue americano. Apesar de embarcado há vinte dias, ainda não tinha visto o mar, depois que entrei para o *Grand Condé*.

O nosso capitão é um normando, M. Galland, que, como todos os velhos marujos, está muito aborrecido com a vida do mar, e ansioso por tomar os seus quartéis de inverno. Homem inteligente, com muita prática de navegação, conhece toda a costa da América, no Atlântico e no Pacífico, e tem já grande número de viagens para o Brasil. Pode-se mesmo dizer que está já aclimatado depois que apanhou a febre amarela no Rio.

Daqui lhe resultou uma boa inflamação do fígado que não o pôs, segundo ele diz, no estado em que me vejo, por ter vindo a correr para a França, onde conseguiu restabelecer--se. Lembrado disso, é que lhe devo atenções, como companheiro de infortúnio.

Rifflard ou Buffard, porque cada um chama a seu modo o seu piloto, ânimo jovial, anda contudo acabrunhado e aborrecido com as diárias maçadas do capitão.

A tripulação é completa, como um navio de piratas, de gente de todas as nações. Há muitos catalães.

O navio em si é sofrivelmente velho e cansado. Comprou-o em março deste ano uma casa francesa de comércio estabelecida em Pernambuco, e é esta a primeira viagem que faz com o seu novo proprietário, que é M. Teste. Foi, segundo parece, uma compra por especulação.

As velas rompem-se todos os dias, os cabos não resistem mais do que as velas, e tudo está amarrado, remendado por tal forma que parece se não dever contar muito com a duração do navio; todavia é bastante veleiro.

Dia 12 de maio. O vento continua, posto que fraco, as minhas melhoras também, posto que lentas. Durmo melhor, aí umas oito horas.

A minha *Noiva de Messina* não sei por onde anda, tenho-a procurado por ser ótima ocasião de continuar com a minha tradução, pois que nada tenho que fazer. Não a encontro.

Pelas 11 horas da manhã avistamos um navio de três mastros que passou perto de nós, mas não em distância em que se pudesse ter fala com ele. Levava a direção de ONO, aproximadamente.

Há três dias que temos sargaço, não em muita abundância, mas constante.

O contramestre doente há quatro dias, deu-se por pronto da sua cólica.

O capitão parece mais contente por já não ter que fazer quarto.

As minhas galinhas deram em se fazer guerra umas às outras, dentro da capoeira. Caíram todas em cima de uma coitada, espicaçaram-lhe o rabo, donde lhe resultou a morte. Se continuam, mando cortar o pescoço a todas e conservá-las de sal, como se faz com as marrecas do nosso Maranhão.

Dado o balanço na capoeira, o Mousse trouxe-me a infausta notícia de que existiam onze, incluindo dois franganitos de nonada. Com o oportuno auxílio do bacalhau e uma péssima carne seca do Rio Grande, que me compraram em Pernambuco para o meu farnel, espero em Deus que não morrerei de fome até Marselha. Em caso de dúvida há aí tapioca à *ufa*.

Ao meio-dia, com a observação do sol nós achamos a 28° 30' norte. Porém ainda que o vento não seja propriamente "geral", parece, segundo a opinião de um dos oficiais de bordo, que a região dos ventos variáveis ou então começa depois dos 40° ou é nesta estação em que eles só se encontram para além.

Dia 13. Dia claro, tempo sereno, vento fraco; ainda assim o navio, que parece excelente com pouco vento, dá perto de 5 milhas e às vezes mais.

Pouco depois do meio-dia encontramos um navio de três mastros, que ia na direção de SO. Ao avistar-nos levantou a bandeira francesa: mas quando viu que o *Grand Conde* içava também a mesma bandeira, cobrou coragem e patenteou a sua verdadeira nacionalidade. Era um navio sulista dos Estados Unidos, que nos tomara por navio de guerra, por causa de umas portinholas de luar que tem o *Grand Condé*.

Abro a segunda caixa de vinho de Bordeaux. A primeira tinha uma garrafa quebrada.

Não sei se mencionei que há cousa de três dias foi-se a última botija de limonada gasosa. A água mineral parece, porém, que com o frio vai tomando mais força.

O meu café estragou-se. Vinha embrulhado em papel e tão mal preparado que não era de supor que durasse muito. Não tomei dele nem uma chávena, e assim foi-me preciso dá-lo antes que de todo se acabasse de estragar.

Um cento de charutos do Rio teve o mesmo destino. Também não me é possível tolerar o charuto, com o hábito que vou tomando com o fumo *caporal*. Miséria! Até fumo importamos da França e dos Estados Unidos! Deste Brasil se pode com igual razão dizer o mesmo que disse Byron da Turquia: "Tudo nessa terra é divino, exceto o homem que a habita!" e principalmente aqueles que a governam. Isto é meu!

Dia 14. Continuamos com a nossa navegação para L. NO.; mas corrigindo a variação da agulha, marchamos propriamente para NE, quando o nosso caminho seria muito para L. Ao meio dia 33° 40' norte.

Dia 15 — terça-feira. O vento fraqueja, é talvez a calma que costuma sobrevir entre os ventos gerais e os variáveis. Deus queira que após ela os venha uma boa rajada de O. que nos dure por alguns dias.

Dias 16 e 17. Dois dias de calma podre. Tivemos por companheiros mais três navios que se avistaram a distância, dois para o sul, e um terceiro que parecia levar a mesma direção que nós.

O sargaço desapareceu, em vez dele algumas caravelas que os ingleses chamam *Portuguese men of war*, e os franceses *Galères du roi de Portugal*. Uma tartaruga nos veio fazer negaças. Lançou-se o escaler ao mar; mas quando o arpoador estava quase chegando a tiro, ela mergulhou e foi-se.

Dia 18 — domingo. Por volta do meio-dia começou a soprar um vento favorável, mas sumamente fraco. Bastará que ele nos ponha fora desta zona.

Quis ver se podia continuar com a tradução da *Noiva*, que achei afinal; mas só consegui traduzir alguns versos. Em tendo de novo a mão assentada, é possível que o resto vá mais depressa, ainda que, segundo se diz, seja o rabo o pior de esfolar.

Dia 23. Continua a calma: quando nos acontece andar, é negócio de uma e quando muito de três milhas. O que não será no Mediterrâneo?! Parece que a estação vai adiantada, e então as calmas que ali começam de julho em diante, nos vão abarrotar. Para o meu fígado não é má a demora!...

Infelizmente contei só com a viagem de quarenta dias, o que quer dizer que aos cinquenta estarei comendo pelo amor de Deus se houver quê.

A aparência do céu, esta manhã, segundo diz o capitão, promete mudança de tempo. Se for para bem será muito bom. O vento parece querer refrescar à tarde. O mar está muito agitado. *O Grand Condé* já deita 4 milhas.

Dia 24 — sábado. Deitamos já 5 milhas, e parece que a cousa ainda vai a mais. Entra alguma água pelos escovéns, o que é um grande prazer, e até preferiria a tempestade à calma. O vento é assim-assim — não dos melhores. Como estamos na altura do Estreito, pode bem ser que possamos enfiar por ele adentro.

Continuo a emagrecer. Mas a barriga, os testículos e joanetes não querem ceder de todo. As palpitações continuam também; não muito incômodas, mas continuam. A tossezinha vai e vem. Nos primeiros dias quase havia desaparecido. Como eu tomava então xarope de Labelonge, e a digitális é aconselhada para estas afecções, atribuo a cessação da tosse ao uso desse medicamento. Tendo uns papelitos de digitális, entendi que devia tomar três por dia; mas com um à noite e outro pela manhã, veio-me uma soltura, acompanhada de cólicas e suores frios. Enfim cheguei a desconfiar!... Agora só tomo um papelito.

Dia 25 de maio. Avistamos pela manhã a ilha do Faial, quando com o crescer do sol se foi desfazendo a neblina. O vento era fraco, anoitecemos ainda com ela à vista. Infelizmente tomamos pelo seu lado ocidental, de modo que um ventozinho fresco de oeste que nos faria muita conta, se navegássemos por fora, foi-nos inútil por não poder ser aproveitado senão com risco de irmos sobre a ilha se viesse a amainar.

O Faial tem um aspecto vulcânico; mas tudo quanto se vê está cultivado, ao menos distingue-se a divisão das terras em pequenas propriedades, como nas províncias mais cultivadas de Portugal. Aquela gente, encarapitada no cimo da sua ilha, no meio do oceano, sem medo dos escândalos nem das más línguas, sem se importar muito com a moral, se porventura conhecem os seus princípios, não se ocupam seriamente senão em fazer filhos. Dos 13 em diante, tudo que é fêmea entra na vida sob a proteção do teto paterno. Daí por diante, a que deixa de ter um filho cada ano, enquanto se conserva em serviço efetivo, é declarada anátema pelo cura.

Dia 26 — segunda-feira. Vento quase bonança e pouco de feição. Só tenho 5 galinhas, o que é uma miséria!

Por volta do meio-dia nós achamos em frente da Graciosa, que deixamos à direita, e avistamos, ainda que um pouco encoberta pela neblina, a cidade de Santa Cruz, capital da ilha. Por trás dela nos devia ficar a ilha de S. Jorge, mas um pouco mais para oeste. Esta ilha tem 12 a 15 léguas de comprimento, sobre 1 a 1 e meia de largo. É uma linguiça oceânica. Quase em frente nos deveria ficar a Terceira. Todas elas têm gente como formigas, prova de que os seus habitantes não descuidam da vinha do Senhor.

O vento amainou, de noite fomos deitando 3 milhas.

Dia 27. Refrescou um pouco mais o vento ao amanhecer, mas tão pouco que nem vale a pena se falar nisso. O capitão persegue os marujos com serviço; é uma lida de dia e de noite, alguma impertinência no meio disso, entressachada de sermões (sobretudo desde que lhe emprestei o Górgias). Tudo isso faz com que a maruja esteja desesperada por chegar. Creio que desembarcarão todos, inclusive o Mousse e o Piloto, não ficando a bordo senão ele e um magnífico exemplar de cães da Terra Nova, que possui.

O marujo francês ganha de ordinário 60 francos por mês.

1º de junho. Vento mais ou menos fraco; mas porém favorável há cinco ou seis dias. O capitão, por isso, aproveita a monção para mudar velas. Se o vento continua, hoje à noite poderemos avistar o Cabo de São Vicente.

Ontem e hoje temos encontrado muitos navios. Hoje, e é apenas meio-dia, já vimos uns dez — entre eles dois portugueses. Já tenho só 3 galinhas!

Dia 2 de junho. À meia-noite de anteontem passamos, ao largo, pelo cabo de São Vicente.

Dia 3 — terça-feira. Chegamos à meia-noite à entrada do estreito; mas não havendo o capitão encontrado à venda em Bordeaux um plano do estreito, e não tendo nunca passado por ele, foi-lhe preciso esperar pelo dia.

Começamos a navegar quando removidas as neblinas, e dentro em pouco estávamos em frente de Tânger. Um barco de pesca espanhol veio à bordo vender-nos charutos, papel de cigarros, figos, laranjas, batatas etc., um pouco caro; mas vinham umas seis pessoas no barco e por muitos dias: ou não farão nada, ou muito pouco; porque os navios que vêm de Portugal ou de outras paragens próximas não lhe darão muito gasto.

Comprei 24 ovos e 18 laranjas por um peso.

Vento pouco. Ontem porém parece que houve uma ventania de O. tão rija que os navios não puderam sair.

Dia 7. Vento até hoje pouco favorável, andamos em diversos bordos; mas no fim de 24 horas, como anteontem e ontem, depois de ter andado 50 léguas, não avançamos mais do que 9 a 10 no nosso rumo.

Estamos em frente das montanhas de Granada (perto do porto de Málaga). — É belo ver aqueles cimos branqueando de neve. Chegamos afinal a Marselha; mas estamos sem tir-te nem guarte condenados à quarentena por causa do marujo que morreu há quase dois meses!... O capitão, o piloto, a tripulação dão-se a perros, e já trabalhou o telégrafo para Paris, participando ao consignatário que ficava o Grand Condé impedido por ter sucedido um falecimento a bordo. Estou muito contrariado com semelhante contratempo que me vai atrasar o tratamento. Escrevi em consequência disso a seguinte carta ao nosso ministro em Paris: "Cheguei a 14, e vejo-me desde já forçado a ir importunar a V. Excia.

Sofrendo do fígado e do coração embarquei no Rio de Janeiro a 7 de abril para vir ao Maranhão tratar da minha saúde; porém no mar a minha moléstia se agravou de tal forma, que chegando a Pernambuco tomei o primeiro navio que saía para França. Passei pois de bordo do Apa para o Grand Condé no dia 20 de abril, e aqui chegamos com 55 dias de viagem.

Marcaram-nos ao princípio 5 dias de quarentena, depois 7 que se findariam amanhã, ultimamente ordenam que antes de se conceder prática ao navio proceda ele à sua descarga, negócio de mais vinte dias, e que nesse intervalo fique o passageiro, pois sou único, de quarentena, e isso porque em viagem e há perto de dois meses atrás morreu de cólica um marujo por imprudência de não querer agasalhar-se com o mau tempo que fazia.

Ora em Marselha não há Lazareto, não há uma choupana para receber os passageiros de quarentena e com as comodidades que exige o meu estado. Mandei ao diretor da Saúde o meu passaporte, no qual se dizia que vinha para tratar de minha saúde — e o atestado do médico no qual se diz qual é a enfermidade, que é incompatível com o menor germe de febre amarela, porque já se teria manifestado de modo fatal.

Pedi-lhe que a não ser possível o meu desembarque, me fosse permitido tomar qualquer vapor, que saísse de Marselha para portos estrangeiros.

Vou piorando de dia para dia, e perdendo todo o benefício que me fez a viagem, porque não posso seguir o meu tratamento, sem facultativo nem os medicamentos precisos, nem cômodo a bordo do nosso navio em descarga e cheio de desinfetantes!

Esta minha carta tem pois por fim rogar a V. Excia. se digne dizer duas palavras a meu respeito, ponderando que depois que parti de Pernambuco já saíram dali dois paquetes da Companhia carregados de passageiros que chegaram a Bordeaux, sem que a febre amarela se tenha manifestado. Se há diferença entre os que navegam a vapor ou à vela, deve ser neste caso em favor dos últimos que têm muito mais dias de viagem.

Considerando que tenho quase dois meses de viagem — que a resposta de V. Excia. por breve que seja não me poderá fazer sair com menos de 8 ou 10 dias de quarentena — que não há Lazareto em Marselha, que o passageiro nada tem que ver com porão do navio, se acaso ali existe algum foco de infecção — que não parece humano deixarem-me sem recursos com a moléstia que sofro, eu rogaria a V. Excia. de ver se é possível, ou que se me dê desembarque, ou que se me permita sair de Marselha para ir tratar da saúde fora dela. — Sou de V. Excia. etc."

Consegui por fim safar-me desta prisão, e parto amanhã para Paris.

Capítulo IX – Na Europa – 1862-1864

O Grand Condé chegou a Marselha no dia 14 de junho. Por ter havido falecimento a bordo, esteve uma semana de quarentena, e o consignatário do brigue em Paris, imaginando que o morto não podia ser outro senão o passageiro embarcado quase moribundo, mandou para o Recife ao senhor Teste a falsa notícia do passamento de Gonçalves Dias. Transmitiu-a ao público o *Jornal do Recife* e em poucos dias todo o país tomava conhecimento do fato e lastimava consternado a morte do grande poeta dos *Cantos*. A 24 de julho estava o Instituto Histórico em sessão presidida por Pedro II quando chegou a notícia. Propôs logo o Imperador a suspensão dos trabalhos em homenagem ao poeta e finado consócio. Na Corte e nas províncias celebraram-se ofícios fúnebres e não houve jornal que não fizesse em sentido necrológio o elogio daquele que era considerado o maior poeta do Brasil. Antônio Henriques Leal alista 25 nênias então publicadas, figurando entre os autores delas Joaquim Serra, Juvenal Galeno e Bernardo Guimarães.

Dois meses depois o próprio poeta desmentia a notícia: "É mentira! não morri! nem morro, nem hei de morrer nunca mais — *Non omnis moriar!* como diz o mestre Horácio." Escreveu mesmo uma espirituosa página sobre o assunto para José de Vasconcelos, o diretor do *Jornal do Recife*, e cuja minuta foi encontrada por Leal entre os papéis do espólio de seu amigo:

Li no seu acreditado jornal, em um dos números do mês passado, a infausta notícia do meu prematuro passamento.

Se de qualquer conhecido ou amigo meu me anunciassem tão desgraçado acontecimento, eu me encheria de profunda mágoa, e pronunciaria algumas palavras de comiseração segundo os estilos dessa — não vale, senão propriamente bola de lágrimas. O negócio, porém, é mais sério: não se trata do meu vizinho Ucalegon que arde, sou eu próprio que por um lance caprichoso da fortuna, me vejo reduzido a terra, e pó, e cinza e nada. Posso asseverar a S. S.ª que o meu amor do próximo não é de tal quilate que eu sinta mais a morte de outro qualquer do que a minha própria. Ponho a modéstia à parte, e concordo ingenuamente com todos que isso foi grandíssima perda para o orbe terráqueo em geral, e para a minha pessoa em particular. Diria mesmo — grandíssima, porque a extensão da perda bem pode tolerar uma exageração gramatical de superlativo!

Todavia esse infeliz anúncio não me apanhou de todo desapercebido, tão certo é que as más notícias voam. Ainda o vapor que trouxe as malas do Rio se achava fundeado no Tejo, e já em Paris, quando alguma vez me acontecia sair, olhavam-me todos com curiosidade e admiração, e como que queriam perguntar-me as últimas notícias da *Orizaba* do México ou dos *Campos Elíseos* ou do *Paraíso*. Hoje compreendo o que isso foi! Deveria ter seguramente a minha fisionomia o quer que fosse de extracomum, de sepulcral como a de Dom João de Maraña acompanhando o seu enterramento com desleixo.

Mas Dom João era um réprobo, e eu não fui senão um pecador da espécie comum com o defeito de tratar seriamente das cousas sérias.

Foi esse o motivo por que estando eu convidado para uma reunião, no dia em que me chegaram as malas do *Navarre*, deixei de comparecer por parecer-me desatenção comigo, e carência de dignidade mortuária, o apresentar-me em público no próprio dia em que recebia a notícia do meu falecimento.

Não senhor. — Retirei-me ao meu aposento, tranquei portas e janelas, fiz noite e pus-me de nojo. Vi porém com certo pasmo que não se apressavam a desanojar-me, e isso começou a me enjoar. E de repente... por um movimento maquinal, quis bater com a mão na testa a modo dos vivos! — voltavam-me em charrua as ideias inatas: percebi com os olhos do espírito que eu não podia logicamente ser desanojado, visto que o morto era eu em pessoa!

Ora, à semelhança desta, me tem acontecido uma infinidade de displicências, de sensaborias que tornam a morte tão aborrecida como a própria vida. Já pela terceira vez repetia a minha memória de cabo a rabo os *Elementos de civilidade* que na minha infância me puseram nas mãos, e que por castigo me fizeram copiar, e decorar tantas vezes. Pois nesse livro precioso, nesse código da gente bem-nascida, acabo de descobrir lacuna irreparável — o capítulo de como se hão de portar os finados que se divertem em passar por entre os vivos. Não sei, por exemplo, se como bom cristão devo encomendar alguma capela de missas por minha alma; não sei se devo trazer fumo no chapéu, porque parece que há para isso maioria de razão; não sei enfim se me será permitido fazer versos profanos com a restrição mental de algumas aleluias para a penitência deste pecado venial. Em suma nada sei, estou no reino das sombras. Ainda ontem encontrei-me com D. João de Maraña, que anda cá por cima de Herodes para Pilatos, mas sempre tão endiabrado que o não querem receber em parte alguma.

Perguntei-lhe de que modo se tinha ele saído destes mil e um embaraços, e o nobre *hidalgo*

Responde-me com gesto irado
Como quem da pergunta...

No me hable usted de eso, hombre, que me da fastidio!

Todas estas contrariedades me vão enfastiando por tal modo que eu daria com o basta à própria morte, à inamolgável, à descaroável morte, se para isso me não fosse de absoluta imprudência dar um desmentido a jornais tão conceituados como o seu, e sobretudo se não fosse preciso renunciar aos efeitos da bondade divina que me concedeu a graça especial; com que poucos dos seus eleitos se têm benzido, de ler as minhas necrologias, de admirar-me do grande homem que fui no século, sem me sentir.

Mas a propósito de necrologias é justamente a esse respeito que me dirijo a S. S.ª porque quanto à minha morte, que já passou em julgado, ficariam prejudicadas as reclamações. Permita-me S. S.ª dizer-lhe com a franqueza de quem já não tem contemplações com este mundo, que o seu artigo necrológico foi de uma parcimônia, de uma somiticaria, de uma avareza inqualificável.

Como! pois nem ao menos depois de morto me permite S. S.ª que eu tenha no seu jornal mais espaço do que ocupei no mundo em que vivi?! Então de que serve deixar-se a gente morrer? Por muito pouco exigentes que sejamos nós outros os defuntos, isso só nos bastaria para nos ressuscitar à força de pura indignação.

Tacet indignatio vivos.

Sempre supus menos mesquinheza da sua parte em favor de um colaborador do seu jornal. Supus que generosamente econômico, S. S.ª me concedesse ao menos uma página toda inteira para mim só! — aos lados umas tarjas pretas, no alto um *hodie mihi*, coroado dessas lágrimas que se veem nas cartas de convite a enterro da corte com uma forma tão esquisita quanto parece que cheiram mal. Mas é moda, e os meus restos mortais se enterrariam sem dúvida com essas três lagriminhas de pós de sapatos, arrojadas à feição de pão de açúcar. Mais embaixo um *Ecce pacit!* e no corpo da página nos tipos chamados *Cícero* (invocação simbólica à deusa da eloquência!) muita cousa bonita, verdades de epitáfios e os merecimentos que teve, e os que não chegou a ter por falta de tempo, e que não morreu do fígado, porque foi sempre uma pomba sem fel, mas sufocado por uma súcia de timbiras que se lhe atravessaram na garganta, e outras delicadezas a este modo, todas tocantes, sentimentais, patéticas, de fazer rebentar em água os paralelepípedos da rua do Ouvidor! Bem embaixo um *Domino plaudo*, para avariar esse *requiem eternam* que já fatiga, e no fim (assinado) *Gonçalves Dias*.

Conte-me disso! Assim qualquer cristão se pode deixar morrer, e menos descontente embrulha-se na sua mortalha-cartaz e deita-se no sepulcro à espera do dia do julgamento final.

Se a um coração tão bem formado como o de S. S.ª eu fosse porém citar exemplos desse mundo, eu lhe lembraria o daquele honrado negociante de Marselha, dono ou proprietário, do Grand Condé, que apesar do G e C (tem três metros!) foi posto em quarentena como um simples borda d'água que tivesse na proa a figura de ninfa, alavancada pelo capataz dos carpinteiros da ribeira! Em desrespeito aos grandes homens históricos da França, custou ao pobre diabo nada menos de 20 000 francos, e é bem sabido que um negociante que acaba de sofrer um prejuízo desses é capaz de atos do mais inexplicável desespero, e chega até a lastimar a morte de um poeta!

Assim, matou-me, mas tem desculpa: sem condoer-se dos meus respectivos infortúnios, ele se lembrou de mim, espalhou no meu sepulcro goivos fúnebres, coroou-me a gélida fronte de perpétuas imarcescíveis com lamentos e suspiros arrancados de uma alma pasmada de esvoaçar pela primeira vez sobre campos da poesia. Fi-lo poeta com a minha morte. Pobre negociante! Foi o derradeiro entremês da minha vida. Deus me perdoe! como perdoa também a S. S.ª o seu defunto amigo

Gonçalves Dias

A falsa notícia do falecimento de Gonçalves Dias teve a boa consequência de mover o Governo a aliviar-lhe a situação material, que era precaríssima: saído do Recife com apenas duzentos mil-réis no bolso, só não passou, nos primeiros meses, necessidades na Europa graças ao auxílio de Capanema. Em agosto de 1862 o Ministério dos Negócios Estrangeiros concedeu-lhe licença de seis meses com todos os vencimentos, licença prorrogada em março do ano seguinte, mas só com metade do ordenado.

De saúde melhorara um pouco. Fizeram-lhe bem as águas de Vichy. Quando chegou a Dresda, depois de uma cura de banhos em Marienbad, Porto-Alegre, que desempenhava as funções de cônsul do Brasil, achou que voltara ao poeta "o brilho, a agudeza de engenho, a constante alegria que lhe vimos".

Em Dresda entrou novamente em entendimento com o editor Brockhaus para uma quarta edição dos *Cantos*, que incluiria a tradução da *Noiva de Messina*. Com ele se desentendera em 1860 a propósito da terceira edição, tirada pelo livreiro alemão com autorização do poeta sob a condição de só ser vendida na Europa. Ora, Brockhaus, violando a combinação, introduzira-a no mercado brasileiro, por inter-médio do livreiro francês Moré.

Essa quarta edição, que não chegou a ser feita em vida do poeta, trouxe-lhe grande aborrecimento, porque, anteriormente à proposta de Brockhaus, Joaquim Manuel de Macedo assinara no Rio, em nome de Gonçalves Dias, um contrato com B. L. Garnier para uma edição aumentada dos *Cantos*, contrato que ficaria sujei-to à ratificação das duas partes em Paris. Quando a notícia do entendimento com Brockhaus chegou a Garnier, julgou-se este lesado e escreveu sobre isso ao editor de Leipzig. Brockhaus comunicou o fato a Gonçalves Dias, que, indignado de se ver tratado como um leviano, adoeceu:

> O meu fígado tomou logo o freio nos dentes: ruminava a ideia de uma catilinária impressa de modo que esses francelhos ainda me ficassem devendo alguma cousa. Porém resfrio-me, e o negócio, conquanto nada tenha por ora de sério, parece-me de tão pouca brin-cadeira, que vim com a trouxa para a casa do Porto-Alegre antes que a cousa passasse a mais.

Esfriou um pouco, mas sem abandonar o projeto de revidar à insolência de Garnier:

> Ele que se prepare. Os livreiros têm por ofício de viver à custa dos autores; uma vez, por exceção da regra, se não viver, quero ao menos divertir-me à custa dele. Uma inflama-ção do fígado é excelente para uma descompostura aguda.

Escreveu a Garnier, defendendo-se e acusando-o:

> Um dos meus amigos assinou no Rio, em meu nome, um contrato para a venda de uma edição de minhas poesias. Esse contrato dependia de minha aprovação, e da sua, em Paris. Deu o senhor a sua? Recebeu a minha? Ao contrário, quando eu lhe disse não haver ainda recebido o contrato, o senhor sem querer mostrar-me a cópia do seu, disse-me que, tendo sabido da falsa notícia de minha morte, não quis dar andamento ao negócio sem re-ceber mais informações de seu irmão. Era um pretexto. O motivo era a remessa de algumas centenas de exemplares que a sua casa de Paris ia fazer à sucursal do Rio. Isso foi no começo de agosto e, nós estamos em fins de dezembro. Entretanto, seu irmão sabe tão bem quanto o senhor que não permito a entrada desses livros no Brasil. Eu esclareci ter concedido ao Sr. Brockhaus uma edição *europeia*.

Em seguida ameaçava-o:

Quanto a mim, estou na firme resolução de fazer respeitar os meus direitos; bastar-me-ia para tanto recorrer à justiça de meu país, mas estão em jogo interesses de pessoas iniciando-se agora, ou já iniciadas na carreira das letras; a essas, como ao público brasileiro, eu devo dizer de que estranha maneira sua Casa do Rio compreende e dirige os seus negócios. Previno-o que publicarei alguma cousa sobre as livrarias e a propriedade literária, com vistas ao seu irmão no Brasil; previno-o para que não fique surpreso como fiquei com a proposta que fez ao Sr. Brockhaus na sua carta de... Dentro de três meses minha primeira carta sobre isso estará no Rio.

A Brockhaus comunicou o poeta a sua intenção, pondo-o em guarda contra Garnier:

> Como tenho queixas bastante sérias da casa do Sr. Garnier no Rio, quero dar-lhe uma lição, escrevendo uma brochura sobre os livreiros do Brasil e a propriedade literária. Afirmo-lhe que isso terá grande repercussão no Brasil.

Três meses esteve Gonçalves Dias, quase entrevado, em casa de Porto-Alegre. Quando melhorou, foi convalescer em Teplitz, cujos banhos lhe foram aconselhados para o reumatismo. Em 2 de junho escrevia a Antônio Henriques Leal: "A 12 ou 15 deste devo estar em Carlsbad; lá estarão também Porto-Alegre e Magalhães: é uma reunião do Parnaso brasileiro reumático-hepático". De fato esteve em Carlsbad, que "não lhe fez bem nem mal". Aconselharam-lhe para a garganta as águas de Ems e de Weilbach. "Fico hidrófobo, decerto", comentou.

Agora não era apenas o fígado, sempre "a estremecer-se" com qualquer emoção (e a questão Christie foi uma delas), e o reumatismo que o incomodavam: a laringe preocupava-o, estava quase afônico, e os médicos prescreveram-lhe o clima dos Pirineus. Resolveu consultar em Berlim um especialista da garganta. De Berlim seguiu para Bruxelas, onde lhe foi amputada a campainha. Ali se demorou cerca de um mês, parte de agosto e parte de setembro. Não foi para Ems nem Weilbach: dirigiu-se a Schweizermühle, estação de banhos, tocado por aquela "necessidade urgente de andar por este mundo de Cristo atrás da saúde, a ver se a encontro em alguma parte". Não parou lá muito tempo. Em fins de setembro viajava para Paris a fim de consultar uma celebridade em laringologia, o doutor Fauvel. Iniciou este um tratamento de cauterizações, prevenindo o doente que se no fim de um mês não o pusesse bom, é que não lhe estava nas mãos obter outros resultados.

> Assim [escrevia a Leal] não terei de esperar muito pelo desengano. Concluída essa tentativa, coroada ou não de resultado, ponho-me daqui para fora. Paris não é o meu paraíso, como o da maior parte de nossos patrícios; o clima não me convém, nem o meu reumatismo se acomoda com estes nevoeiros e umidades.

Pecuniariamente a sua situação iria melhorar, porque tendo falecido em abril João Francisco Lisboa, moveram-se no Rio os amigos de Gonçalves Dias para que ele voltasse à comissão de pesquisa de documentos históricos em Portugal. E o conseguiram por ato do Marquês de Olinda, em 5 de setembro. Os vencimentos seriam de quatrocentos mil-réis mensais e mais um conto e quinhentos para as despesas de cópias. Hesitou o poeta em aceitar a nomeação, porque lhe convinha antes de tudo tratar da saúde, por outro lado estava a extinguir-se a licença de seis meses com metade dos vencimentos, concedida em março. Acabou aceitando. Estava melhor, e embora queixando-se sempre da garganta, tornou ao trabalho em Lisboa, para onde seguiu por mar, embarcando em Bordéus a 25 de outubro. Não só iniciou as tarefas da comissão, como retomou a atividade literária, terminando a tradução da *Noiva de Messina* e coligindo documentos que interessavam à *História dos jesuítas*.

Não estava em maré de versos. Tentou fazê-los, mas confessou que se em Dresda lhe saíam "hidrópicos", em Lisboa lhe saíam "mirrados e tísicos". Há nas *Obras póstumas* três poesias datadas de Lisboa: "A D. Emília"; "Musa gentil" em cujos versos o poeta vê "um mimo tal que a pátria nos recorda", as oitavas "É alegre a flor que brota", que parecem inspiradas na mesma dona Emília, e "Seu nome", dada como imitação e cuja última estrofe parece indicar que foi feita para Ana Amélia:

> O seu nome é a luz, o amor, a vida
> A felicidade, o paraíso, o signo
> Do rei que desfazia encantamentos,
> — O signo dos milagres e prodígios
> É o seu nome; pois que a amei, e vivo!

Na sua esterilidade de cantor sem voz, comparava-se a "um frango com gogó que apenas pode chilrear um quiriquiqui desengraçado e ridículo". Sentia-se como "um prédio velho, que fende e desaba por todos os lados, e que só à custa de sacrifícios e de incrível paciência se vai aguentando nos espeques".

À chegada da primavera agravaram-se-lhe os padecimentos, com uma angina e gastrite: perdeu a fala, o sono, o apetite e passou quinze dias a caldos, e estes aliás tomados com extrema dificuldade. Nesse estado embarcou para Paris, aonde chegou em fins de abril, tão afônico que não saía à rua senão para consultar médicos, porque não conseguia dizer os endereços aos cocheiros. Melhorou alguma coisa em Aix-les-Bains, onde se demorou cerca de dois meses, maio e junho. Ali recebeu de José Bonifácio, o Moço, Ministro do Império, comunicação da dispensa dos seus serviços nos arquivos europeus, por medida de economia.

Não é crível que José Bonifácio, poeta e admirador de Gonçalves Dias, procedesse assim, inspirado em tão fraco pretexto administrativo: sem dúvida foi instado de pedidos que não podiam partir senão da pessoa mais interessada na volta de Gonçalves Dias, dona Olímpia, e julgou que faria bem ao doente voltar ao Brasil.

Trataram logo os amigos de acudir ao poeta sem recursos. Porto-Alegre ofereceu-lhe fraternalmente hospedagem. No Rio, Capanema e Macedo procuraram que lhe fosse restabelecida a gratificação de membro da Comissão Científica, mas conseguiram apenas que lhe dessem duzentos mil-réis mensais, e isso mesmo só para o exercício de 1864. O próprio Imperador mexeu-se mandando-lhe auxílio do seu bolso.

Nada disso, porém, dava a Gonçalves Dias uma situação estável. Temendo o inverno já próximo, resolveu ceder aos reiterados convites de Antônio Henriques Leal, que lhe acenava com as doçuras do Maranhão, o clima tépido e igual, o afeto dos amigos do peito. Esperava que a travessia marítima lhe fizesse bem, e que não fizesse: "não seria pequena fortuna acabar a gente como quer e onde quer... legando as últimas palavras, o último riso, as últimas lágrimas a quem amou na vida..."

Pretendia embarcar na companhia de Odorico Mendes. Combinaram os dois amigos a viagem, fixando para o dia 25 de agosto a partida para Lisboa, onde tomariam o vapor rumo ao Maranhão, pelo qual ambos tanto suspiravam. Nem um nem outro, porém, pôde desfrutar o consolo de tornar a pisar o solo da província cara. Odorico Mendes, desejando despedir-se de amigos em Londres, lá faleceu subitamente num trem. Gonçalves Dias, consternado, adiou o embarque, muito para salvar os manuscritos do amigo.

Sabendo que no dia 10 de setembro sairia um navio do Havre para o Maranhão, cuidou de tomar passagem nele. Comunicou-o a Antônio Henriques Leal, reafirmando as suas esperanças de tirar proveito da viagem: "mas mesmo quando me dê mal e muito mal, é ainda mais do que provável que tenha o prazer de te dar um abraço".

Antes de deixar Paris, escreveu os seus últimos versos — "Minha terra!" Uma segunda "Canção do exílio", muito fraca, mas preciosa pela circunstância de resumir as vivências do poeta no estrangeiro:

[...]

Depois de girar no mundo
Como barco em crespo mar,
Amiga praia nos chama
Lá no horizonte a brilhar.

E vendo os males e os montes
E a pátria que Deus nos deu,
Possamos dizer contentes:
Tudo isto que vejo é meu!

Meu este sol que me aclara,
Minha esta brisa, estes céus:
Estas praias, bosques, fontes,
Eu os conheço — são meus!

Mais os amo quando volte,
Pois do que por fora vi,
A mais querer minha terra
E minha gente aprendi.

Capítulo X – A última viagem –
10 de setembro - 3 de novembro de 1864

O navio em que embarcou Gonçalves Dias — *o Ville de Boulogne* — era um velho brigue veleiro, com uma equipagem de doze homens apenas. O poeta seria o único passageiro. Tão precário era o seu estado de saúde, que Vasconcelos Drummond, ex-ministro do Brasil em Roma e em Lisboa, residente havia alguns anos em Paris, e a senhora fizeram questão de o acompanhar até o Havre e recomendar ao comandante do navio cuidados especiais para o doente.

A 9 de setembro já Gonçalves Dias estava a bordo, e o *Ville de Boulogne* largou no dia seguinte para uma travessia que ia durar 53 dias e acabaria pelo naufrágio nos baixos dos Atins, à vista da costa do Maranhão. Morreu o poeta na confusão do naufrágio e nem o seu corpo foi encontrado: provavelmente o devoraram os tubarões, abundantes naquelas paragens.

No inquérito aberto pela polícia de São Luís, foi este o termo do interrogatório e depoimento do comandante:

Aos quinze de novembro de mil oitocentos e sessenta e quatro, nesta cidade do Maranhão, era presente o capitão do navio *Ville de Boulogne*, de nome Étienne Éguidazu, assistido do encarregado do vice-consulado da França William B. Wilson e do intérprete Alfredo Bandeira Hall; ao qual foram feitas as seguintes perguntas: Perguntado em que dia e lugar aconteceu o naufrágio de seu comando, e de que modo, respondeu que o naufrágio teve lugar no dia 3 do corrente, das três para as quatro horas da madrugada, nos baixos, que, segundo lhe dizem, se chamam, se ele bem se recorda, dos Galegos, nas costas de Guimarães, a doze milhas de terra — baixos estes que dizem ser inundáveis, e que quanto ao naufrágio passa-o a expor do modo seguinte: Que no dia dois, das onze horas para meio-dia avistaram o farol de Sant'Ana, e então virando de bordo, navegaram para o oeste até que às seis horas da tarde descobriram o farol de Itaculumim; e de novo fazendo-se ao bordo do mar, assim caminharam até que das três para as quatro horas da madrugada foi ele acordado a chamado do marinheiro do quarto, que lhe dizia haver uma arrebentação próxima, havendo a sonda, momentos antes, dado doze braçadas, e então como se tratava de virar de bordo, não obedecendo o navio à manobra, deu a primeira pancada nos baixos, e lançando-se imediatamente as âncoras, houve a infelicidade de que uma dela se quebrasse já quando o navio parecia obedecer aos esforços que se faziam para virá-lo de bordo, e indo como maior força cair sobre os mesmos baixos, sofreu todo o ímpeto do mar, que em grandes ondas já o inundavam, mormente pelos buracos feitos ao saltar o leme, ficando a câmara de tal modo alagada que tornou-se impossível descer a ela para salvar o passageiro que ali estava. Disse mais que quebrado o navio de proa a popa, e arriada a machado a mastreação, viu-se a chalupa flutuar, então chegado o momento de cuidar na salvação da tripulação, lançou-se ao mar esta que tinha quatro remos, um balde e uma caçarola, faltando-lhe o leme. Disse mais que desconhecendo o lugar em que se achava, buscou terra para o lado donde se avistava o farol do Itaculumim, e que depois de muita fadiga em razão do grande mar que fazia, aproveitaram uma pequena enseada onde o mar os arrojou, passando dois marinheiros a abrir com um machado a chalupa com receio de que alguém se aproveitasse dela, ao que ele não pôde obstar em vista das condições em que se achava ele e sua gente.

Disse que depois de alguns momentos de caminharem por terra, foram a uma choupana de pescadores, os quais depois de darem café e alguma cousa para comer, ensinaram-lhe o caminho de Genipaúba, onde chegaram às quatro horas da tarde pouco mais ou menos, depois de umas três horas de marcha, e que chegados a esse lugar foram ter com o inspetor de quarteirão, que mandou um correio à vila de Guimarães para dar parte do ocorrido ao respectivo delegado de polícia. Perguntado se não trouxe consigo algum passageiro, qual o seu nome, e se foi ou não salvo do naufrágio, respondeu que no Havre, porto de sua procedência, o armador Masurier, por intermédio do seu agente, preveniu-o que ia um passageiro, e nessa ocasião o recomendou, pedindo que tivesse todo o cuidado com ele por causa do seu mau estado de saúde, e que este passageiro era o Dr. Antônio Gonçalves Dias. Que de fato no dia da partida encontrou ele interrogado o passageiro já a bordo, tendo sido recebido pelo imediato, que declarou a ele interrogado que o passageiro se apresentara acompanhado de um amigo. Disse mais que durante a travessia sempre tratara ele e os seus subordinados o melhor que puderam ao Dr. Gonçalves Dias, não lhe faltando cousa *alguma de que ele precisasse;* pois havia posto à sua disposição o chocolate, a marmelada, as ameixas e outras iguarias do seu uso especial do interrogado, que deviam ser agradáveis a um doente nas circunstâncias do Dr. Antônio Gonçalves Dias. Disse mais que este vinha bastante doente do peito, tanto que mal se percebia uma ou outra palavra, quando desejava qualquer cousa, e que esse estado de prostração muito se agravou uns oito dias pouco mais ou menos antes do naufrágio, a ponto de não querer comer absolutamente; de não falar, bebendo apenas um ou outro gole de água com açúcar; mas fumando quatro a cinco charutos por dia, não obstante adverti-lo ele capitão, alegando Dias que não lhe fazia mal algum. Disse mais que quando avistaram terra, o passageiro, tendo sido levado a seu pedido para o tombadilho, sentiu tal comoção com o prazer que teve naquela ocasião, que sobreveio-lhe uma síncope tal, que todos julgaram que falecesse, e que de então até ao momento do naufrágio o seu estado devia ter piorado bastante ao ponto de achar-se talvez morto, quando teve lugar aquele sinistro.

Perguntado se não teve tempo de salvar ao menos o cadáver daquele passageiro no momento em que embarcou com a tripulação na chalupa, respondeu que, apesar da grande confusão que reinava a bordo, perguntou ele a seu imediato e a mais um marinheiro pelo passageiro, e como lhe fosse por eles dito que já se achava morto, o que era muito possível em vista do estado a que se achava reduzido, como acima expusera, continuou no seu posto de honra como capitão do navio, a cuidar deste, sendo o último a embarcar na chalupa, como era de seu dever, e que mesmo quanto à salvação do cadáver daquele homem, que ele considerava como um amigo e de quem muito se condoera pelo seu triste estado de saúde, era impossível em face do estado a que a câmara ficou reduzida pela invasão das ondas, de sorte que não permitia a ninguém entrar nela.

Os depoimentos dos outros homens da tripulação confirmam que muitos dias antes do sinistro o estado de Gonçalves Dias era desesperador: não podia falar nem comer, e para sair do leito precisava ser carregado. Parece que durante toda a viagem teve, da parte de todos, os cuidados de que necessitava. O cozinheiro de bordo esmerava-se em fazer-lhe comida que lhe vencesse o fastio e a dificuldade de deglutir. O moço da câmara assistia-o frequentemente e tinha ordem do comandante para satisfazer a todos os desejos do doente; por mais de uma vez quando lhe servia água com açúcar, ouviu-o dizer que não tinha nenhuma esperança de chegar ao Maranhão.

A respeito do estado de Gonçalves Dias na ocasião do naufrágio é que os depoimentos são muito contraditórios. O imediato disse que, "tendo a cautela de lançar os olhos para o passageiro, viu que este se achava morto, apesar da fraca luz que vinha da bitácula". Mas outro marinheiro declarou que "ao retirar-se do lugar em que se achava ajudando os seus companheiros a fazer o navio virar de bordo, vira fora do leito as mãos do passageiro que moviam-se levemente fechando e abrindo os dedos". Em quatro depoimentos se diz que na ocasião de descerem os náufragos para a chalupa o capitão mandara dois marinheiros buscar o passageiro ou o seu cadáver, ordem que não pôde ser cumprida porque a câmara já estava totalmente inundada e não se podia chegar sem grande risco ao lugar onde estava o passageiro. O que se passou, com certeza, é que, na confusão do sinistro, trataram o comandante e a equipagem de salvar o navio, só se lembrando do poeta quando viram baldados todos os esforços, mas então era tarde.

Em relação à bagagem do poeta, mencionaram alguns tripulantes do *Ville de Boulogne* três malas, uma grande e duas pequenas, que estavam no porão, e uma mala-saco de viagem, guardada na câmara junto ao camarote do passageiro. Outro marinheiro citou ainda uma pequena caixa existente sobre a mesa da câmara, contendo medicamentos e outros objetos. A Antônio Henriques Leal falou o moço da câmara de uma maleta de couro, tão zelada por Gonçalves Dias, que trazia pendurada ao pescoço a chave dela. Havia dentro, informou ainda, alguns objetos de ouro, dinheiro e muita cousa escrita em livros, cadernos e folhas avulsas, o que teve ocasião de ver muitas vezes "por só dele confiar essa chave para abri-la em sua presença e ir-lhe dando um ou outro manuscrito, conforme sua indicação". Recebeu Leal da alfândega dois baús com alguma roupa e muitas cartas de amigos do poeta, mas quando lhe chegou às mãos a tal mala, não encontrou nela senão umas camisas, calças e botinas velhas, cartas e uma dentadura postiça. Conta ainda Leal que o subdelegado de San João de Cortes fizera entrega a um certo Francisco Antônio Martins

> da roupa, cartas, alguns livros, um álbum e muitos manuscritos, quer em folhas avulsas quer em cadernos e livros, um com o título *Noiva de Messina*, cujas páginas do lado esquerdo eram escritas a mão e as do direito tinham grudadas folhas de livro impresso cujos caracteres desconhecia, parecendo-lhe góticos; um dicionário da língua tupi ou geral, impresso e todo emendado às margens e entre as linhas pela mesma letra da precedente obra.

Leal empregou todos os esforços no sentido de obter essas relíquias, mas em vão. Quando residiu em Lisboa, soube por um negociante do Maranhão que ali passou da existência em Alcântara daquele dicionário; e mais, que se vendiam na cidade maranhense fotografias de celebridades europeias, com os respectivos nomes no verso, escritos pela mão de Gonçalves Dias; exibiu-lhe mesmo uma delas, a de Victor Hugo.

Capítulo XI – A poética de Gonçalves Dias

As regras de Gramática e as de Versificação são coisas excelentes, desde que se ressalve aos mestres o direito de as violar, porque, como disse o professor Sousa da Silveira, "o senso natural dos verdadeiros poetas vale mais que todas as regras, sejam da Versificação, sejam da Gramática!"

Nesse espírito é que devemos ler Gonçalves Dias. A sua poética baseia-se nos apoios rítmicos tradicionais da poesia em nosso idioma: o número de sílabas com as suas pausas, a rima consoante e toante, o encadeamento e o paralelismo. De todos esses recursos se serviu, porém dentro da velha tradição peninsular, de que nos afastaram os poetas influenciados pela rígida preceituação malerbiana — os árcades, Castilho, que afinal era um árcade retardatário, e os nossos parnasianos.

Se considerarmos a obra publicada em vida e em livro pelo poeta, mas com exclusão d'*Os Timbiras* e das traduções, verificamos que nos *Primeiros, Segundos* e *Últimos cantos*, primeira edição, e nos *Novos cantos*, há, num total de 142 poemas, 75 em que variam os metros e muitas vezes as estrofes. A variação obedece sempre a uma necessidade de expressão, e é curioso notar que onde há movimento belicoso ou sentimento de orgulho, indignação, revolta, surge frequentemente o ritmo ternário do anapesto, não só nos eneassílabos e hendecassílabos, de que é o elemento característico, mas ainda em outros metros de pausas menos constantes, como o decassílabo e a redondilha maior.

O anapesto é em Gonçalves Dias a célula rítmica de toda a sua poesia de inspiração indianista.

Aparece no "Canto do guerreiro":

> Aqui na floresta
> Dos ventos batida...

No "Canto do Piaga":

> Ó guerreiros da taba sagrada,
> Ó guerreiros da tribo tupi...

Na "Deprecação":

> Tupã, ó Deus grande! cobriste o teu rosto...

No "Gigante de pedra":

> Gigante orgulhoso de fero semblante...

Em "I-Juca-Pirama":

> No meio das tabas de amenos verdores...

Na "Canção do Tamoio":

> Não chores, meu filho,
> Não chores que a vida...

Na "Mãe D'água":

> As águas no entanto de novo se aplacam...

E até, aqui e ali, nos suavíssimos decassílabos brancos do "Leito de folhas verdes". Fora dos poemas indianistas o elemento anapéstico é ainda muito encontradiço e creio poder indicá-lo como a constante rítmica do poeta.

Romain Rolland assinalou a energia e a insistência dos ritmos de marcha e de combate na obra de Beethoven: a mesma observação se pode fazer na de Gonçalves Dias. Sua máscula têmpera de lutador, tão impressionantemente manifesta no diário escrito a bordo do Grand Condé afirma-se também com pujança no ritmo verdadeiramente marcial dos seus anapestos.

Tinha o poeta finíssimo ouvido. Atesta-o a harmonia das suas combinações polimétricas, as mudanças de estrofação e de ritmo. Exemplo disso vamos deparar, entre outros poemas, em "Minha vida e meus amores". Vinha ele versejando em decassílabos acentuados na sexta sílaba ou na quarta e oitava:

> Outra vez que lá fui, que a vi, que a medo
> Terna voz lhe escutei: — Sonhei contigo!
> Inefável prazer banhou meu peito,
> Senti delícias; mas a sós comigo
> Pensei — talvez! — e já não pude crê-la!

De súbito faz cair as pausas na quarta e na sétima sílabas, aproximando o ritmo decassílabo do ritmo do hendecassílabo, que vai aparecer em seguida:

> Ela tão meiga e tão cheia de encantos,
> Ela tão nova, tão pura e tão bela...
> Amar-me! — Eu que sou?
> Meus olhos enxergam, enquanto duvida
> Minha alma sem crença, de força exaurida,
>
> Já farta da vida,
> Que amor não doirou.

O último verso compõe com a palavra "vida" do anterior uma redondilha, formando natural passagem para o calmo ritmo das três quadras finais do poema:

> Malgrado meu crer não posso
> Malgrado meu que assim é...

Revelou Gonçalves Dias marcada preferência pelo decassílabo e pela redondilha maior, aliás os metros dominantes na língua portuguesa, desde o tempo dos cancioneiros.

Examinemos agora a estrutura do seu decassílabo porque neste metro é que vamos encontrar mais frequentemente certos casos de exceção, certas quebras dos cânones, as quais precisam ser explicadas, para que não se caia no engano do organizador da edição Garnier, que se meteu a corrigir os versos do poeta atribuindo provavelmente a erros tipográficos os que estavam fora da medida e podiam ser facilmente repostos dentro dela. Engano em que caiu também Alberto de Oliveira, que à margem do seu exemplar d'*Os Timbiras*, hoje pertencente à biblioteca da Academia Brasileira de Letras, anotou muitos desses versos com as palavras "Errado", "Errado ou pelo menos frouxo", e isso porque os julgava baseado no critério parnasiano, esquecido de que cada escola tem o seu sistema.

Não reparou o organizador da edição Garnier que o poeta corrigiu muita coisa ao preparar a edição de Brockhaus, quase todas as emendas porém no sentido de apurar a linguagem ou melhorar a expressão. É inadmissível supor-se que lhe haviam passado inadvertidas as quebras de medida, a ele que no poema "Quando nas horas" substituiu o verso "De unidos na mansão viver dos justos" por "Viver unidos na mansão dos justos", e percebe-se que o fez só para dar-lhe o ritmo sáfico dos demais decassílabos do poema. Gonçalves Dias percebia muito bem que alterava a medida, fazia-o conscientemente, porque queria "o pensamento dominando em todo o verso, mas que seja menosprezada a metrificação", como ele próprio declarou: porque "o senso natural dos verdadeiros poetas vale mais do que todas as regras, sejam da Versificação, sejam da Gramática", para falar como o professor Sousa da Silveira. Podem-se aplicar ao poeta maranhense as palavras que outro romântico americano, o argentino Echeverría, escreveu a propósito de Coleridge: "*Hasta las faltas de medida en la versificación parecen calculadas, y sus versos son como una música en la cual las reglas de la composición se han violado, pero para hablar con más eficacia al corazón, al sentido y a la fantasía*". Ao lermos um poeta da classe do autor de "I-Juca Pirama", tenhamos em mente o preceito de Montaigne em matéria de poesia: "*A certaine mesure basse, on la peut juger par les préceptes et par l'art; mais la bonne, la suprême, la divine, est au-dessus des règles et de la raison*".

Poucos são os decassílabos de Gonçalves Dias sem as habituais acentuações na sexta sílaba ou na quarta e oitava. Em "À Morte prematura de Ilma. Sra. D..." ocorre um com acentuação na terceira: "Campa! campa! que de terror me incutes!"; ritmo que vamos encontrar ainda em "Saudades": "Os sucessos da minha vida errante". Em "A um poeta exilado" dois versos aparecem acentuados na quinta sílaba: "Benignos me olharam, e aos meus ensaios"; "A vagar com lira — um bem que os homens"; em "Minha vida e meus amores", dois com acentuação na quarta e na sétima sílaba: "Ela tão meiga e tão cheia de encantos, Ela tão nova, tão pura e tão bela..."

Mais frequentes que esses casos de acentuação são os de quebra da medida pela introdução de versos de nove e onze sílabas entre os decassílabos. Quanto aos de nove sílabas, têm todos acentuação não na terceira e sexta sílabas, como praticava sempre o poeta, mas na primeira e quinta, do que resulta um ritmo sensivelmente igual ao dos decassílabos acentuados na segunda e sexta sílabas. Os exemplos são numerosos:

> Rápido rodava; a terra e tudo
> ("Passatempo")

> Tinhas sobre mim poder imenso
> ("Saudades")

> Fácil mas a membros não cansados
> ("Anália")

> Oh! como os cabelos esparzidos
> ("Anália")

(Neste caso é possível ter havido lapso do possessivo "seus" antes de cabelos.)

> Leva-me, por Deus, presa em teus braços
> ("Anália")

> Dize-nos quem és, teus feitos canta
> ("I-Juca-Pirama")

> Morte que ninguém sabe nem chora
> ("A morte é vária")

> Santo! Santo! Santo — teus prodígios
> ("*Te deum*")

> Cheio qual na praia fica a esponja
> ("O soldado espanhol")

N'*Os Timbiras* recolhi os seguintes exemplos:

Máximos do globo: anos da infância
(Canto III, 82)

Descem, quando a terra humores pede
(Canto III, 152)

Turba que t'em torno d'Itapeba
(Canto IV, 202)

Mortos por tributo ao mar volvendo
(Canto IV, 300)

A explicação da irregularidade apresentada acima não cabe ao verso de "Anália":

Que mais se estreita, empina e cresce

Se se lhe fizerem todas as elisões, fica um octossílabo. Se não se lhe fizer nenhuma, dá um decassílabo, com acentuação na quarta e sétima sílabas. Finalmente, se elidirmos apenas a conjunção "e" na vogal anterior, resultará um eneassílabo. Tenho que assim o lia o poeta, com intenção expressiva. Descreve-se no poema a escalada de uma montanha por um mancebo, que leva nos braços a mulher querida, a qual lhe será dada por esposa, se conseguir chegar ao cimo sem descansar uma só vez. Em certo ponto, arquejava o rapaz quase vencido. Parece que nesse passo difícil a moça quis beijá-lo para o reanimar. E ele:

— Um beijo, um beijo!...
Esse macio dos teus lábios causam
Frenesi que transporta, que enlouquece!
Guarda-os por ora, — eles sufocam, roubam
O alento, a razão, — como um cautério
De fogo, inflamam, — o ardor, a vida,
Que prestam — são delírio, raiva insana
E nutrem como a febre.
                    Eis que o mancebo
Os passos multiplica nessa estrada,
Que mais se estreita, empina e cresce.

É possível que tenha havido lapso do advérbio "mais" antes de "empina", e o verso seria "Que mais se estreita, mais empina e cresce", mas o poema, que é da primeira edição dos *Últimos cantos*, não foi incluído na edição Leipzig. Inclino-me a acreditar que houve a intenção de exprimir no eneassílabo de ritmo entrecortado o ofegar do herói no afã da escalada.

Por efeito estilístico talvez se deva explicar também o verso "Coligir, era missão mais alta" (*Os Timbiras*, Canto 111, 137). Fala o poeta dos guerreiros que saíam do sono noturno alegres ou apreensivos, segundo o teor dos sonhos que haviam tido:

Vinham ledos ou tristes na aparência,
Timoratos ou cheios de ardimento,
Como o futuro evento se espelhava

> Nos sonhos, bons ou maus, mas acordá-los
> Disparatados, e o melhor de tantos
> Coligir, era missão mais alta.

Como que o poeta, fazendo o *enjambement*, desprezou o ritmo do decassílabo, guardando apenas a cadência do segundo elemento hexassílabo ("era missão mais alta"), sugerindo assim musicalmente o acordo dos vários sonhos disparatados.

Examinemos agora estes três versos de "O que mais dói na vida":

> Não! o que mais dói não é do mundo
> Não! o que mais dói não é sentir-se
> Não! não são as queixas amargadas.

Têm eles o acento na primeira e na quinta, como os que já assinalamos atrás. Todavia cabem aqui outras explicações. Sousa da Silveira, comentando o verso de Casimiro de Abreu "Vem! a noite é linda, o mar é claro" admite o fato, não raro, de se escrever uma só vez um monossílabo que deve repetir-se. O verso seria "Vem! vem! a noite é linda, o mar é calmo" e do mesmo modo entende se devem ler os versos de Gonçalves Dias. Mas também é possível que o poeta pronunciando com forte ênfase o advérbio "não", o desdobrasse em duas sílabas: "Não! o que mais dói não é do mundo".

No verso "Não! não são as queixas amargas" e neste outro de "Minha vida e meus amores": "Não, nunca o senti somente o viço", ainda cabe uma terceira explicação — a do professor Said Ali no seu trabalho sobre "versificação portuguesa", publicado na *Revista de Cultura*, nº 118: a de uma pausa intencional, preenchendo o lugar de uma sílaba, e desfazendo a colisão desagradável de duas sílabas acentuadas. A observação de Said Ali é feita a respeito de um hendecassílabo do poema "Seus olhos": "Às vezes, oh sim, derramam tão fraco". "Não se pode imaginar", diz o eminente mestre, "maior apuro em compor versos tão formosos. Só de propósito deliberado usaria o poeta a pausa em lugar de uma sílaba. Seguiu Shakespeare e Milton, que frequentemente se servem da pausa nas mesmas condições." A explicação de Said Ali é a única que se pode aplicar ao caso do verso com que abre o poema "O orgulhoso": "Eu o vi, tremendo era no gesto", que tem pausa intencional com valor de sílaba depois de "vi!"

Tão numerosos quanto os versos de nove sílabas são os de onze, que aparecem em Gonçalves Dias interrompendo a sequência dos decassílabos. A maioria deles começam por vogal e entram na medida, se a embebemos na vogal que termina o verso anterior.

> "Dize-nos quem és, teus feitos canta,
> Ou se mais te apraz, defende-te"
> ("I-Juca-Pirama")

> O gigante vulcão borbulha e ferve
> E sulfúrea chama pelos ares lança
> ("O trovador")

> Que entre vós outros me alvejasse a fronte.
> E que eu morresse entre vós! Mas força oculta
> ("Adeus aos meus amigos do Maranhão")

(Note-se que o poeta poderia ter suprimido o segundo "que", mas enfraquecendo o efeito expressivo.)

> Aos sons d'uma Harpa interna ela morria!
> E como o pastor que avista a linda rosa
> ("Sempre ela")

> Forte se levantou! correu fogoso,
> E qual águia que nas asas se equilibra
> (*Miserrimus*")

> Tributária a fará;
> E quando escravos seus filhos, sobre pedra
> ("O vate")

Por brevidade só assinalamos o processo nos decassílabos, mas Gonçalves Dias e os seus companheiros românticos serviam-se dele com frequência, sobretudo na estrofe ronsardiana, de que trataremos adiante. Era aliás tradicional na poesia trovadoresca portuguesa e na castelhana. Assim Rodrigu'Eanes Redondo termina uma cantiga dizendo:

> Por que chorava? negoo,
> mais a mim non o negava
> e por esta soo certa,
> amiga, que por vós chorava.

Nicolás Nuñez em "Canción a nuestra señora":

> *Pues no nascida nasceste*
> *y mereciste*

Frey Gauberte, em "Razonamento":

> *Mas en Dios que es todo vida,*
> *todo se arrea de gloria*
> *y de belleza.*

Jorge Manrique, nas famosas coplas à morte do pai:

> *Que bienes son de Fortuna*
> *que revuelven con su rueda*
> *presurosa,*
> *la cual non puede ser una*
> *ni estar estable ni queda*
> *en una cosa.*

Outros versos há em Gonçalves Dias, como este de "Quadras da minha vida": "Infante e velho! — princípio e fim da vida!", iniciando uma sequência de decassílabos, ou este outro de "O ciúme": "Porque dos zelos o fel mancha minha alma", os

A fronte pálida, pálida,

(Inversão do verso "Pálida, pálida a fronte".)

E o branco véu a ondular!

E há de o mundo inda algum dia
Do olvido o véu tenebroso

(Repete-se a palavra véu, mas com o contraste da cor: "branco véu, véu tenebroso".)

Estender por tanto gozo,
Tanto crer, tanto esperar!
Vai, que te aguardam: já tardas:

(Novo encadeamento: "Sei que te aguardam"; "Vai, que te aguardam".)

Deixa-me aqui a chorar!

(O mesmo verso da terceira estrofe.)

Vai! e que os anjos derramem
Sobre ti flores, venturas,
Floresçam dos passos teus:
Que as alegrias mais puras
E que entres na casa estranha
Como uma bênção dos céus!

Que a fortuna — de veludos
Alcatife os teus caminhos,
Que o orvalho dos teus carinhos

("Caminhos, carinhos", com a mesma consoante inicial.)

A esse façam feliz
Com quem te casas — que te ame

(Longínqua reminiscência, em "ame", de "derrame" da estrofe anterior.)

Como te amei e te quis!
Porém procura esquecer-te,
Das venturas no regaço,
De mim, dos votos que faço,
De quanto pedi aos céus
Ver este dia... mas choro!
Vai! sê feliz! adeus!

"Vai!" pronunciado em duas sílabas, como num gesto de mão, que se desprende devagar, para prolongar a despedida.

Foi, sem dúvida, Gonçalves Dias o poeta brasileiro que mais profundamente e extensamente versou a nossa língua; conhecia-a não das gramáticas mas do trato com os escritores de todas as épocas, desde os poetas dos cancioneiros e dos primeiros cronistas. Nos seus versos aparecem com frequência as dições arcaicas. E no entanto o brasileiro de fala mole se está traindo a cada passo no suarabácti, isto é, a decomposição de um grupo de consoantes pela intercalação de uma vogal, pronunciando às vezes, brasileiríssimamente, "submarinha" ("Os suspiros", segunda estrofe), "obijeto" ("Solidão", última estrofe; "Como eu te amo", penúltima estrofe), "obisserva" ("Tabira", primeira estrofe), "crípita" ("A morte é vária", segunda estrofe), "iguinóbil" ("I-Juca-Pirama", II, quarta estrofe), "sobe" ("A história", quarto verso), "adventício" (*Os Timbiras*, canto IV, verso 257) etc.

É verdade que também pratica elisões violentas. De ordinário, porém, mostrava o gosto do hiato.

O hiato é, na técnica do verso, o hábito fonético que mais extrema os nossos românticos dos mestres parnasianos. Estes só o admitiam no interior das palavras, jamais de uma a outra em caso de vogais fracas, mesmo quando o ponto ou a vírgula introduziam uma pausa natural. Por isso Alberto de Oliveira assinalou como "errados ou pelo menos frouxos" no seu exemplar d'*Os Timbiras* versos deste tipo:

> Tal vinda, a não ser que o audaz Timbira
> Da batalha? ou seja ou não conosco

Neste ponto a sistematização parnasiana brasileira foi empobrecedora. E sem razão, porque hiatos há de extraordinária força expressiva. Basta lembrar o de Antero (Antero e Camões estão cheios deles) no soneto "Consulta":

> Mas elas perturbaram-se — coitadas!
> E empalideceram, contristadas

Quem não sentirá o movimento de angustiado sobrosso no hiato "E empalideceram"?

Ao contrário dos parnasianos brasileiros, os seus mestres franceses lamentavam a esse respeito as restrições malerbianas. *"Que nous ayons perdu un trésor de nuances délicates à la suppression de l'hiatus"*, escreveu Banville, *"cela n'est pas à demontrer: il suffit pour s'en convaincre d'ouvrir les poèmes du XVe et du XVIe siècle."* E Anatole France, a propósito de Moréas: *"Il est pitoyable, quand on y songe, que les poètes français se soient interdit pendant deux cents ans de mettre dans leurs vers tu as ou tu es. Qui ne sent au contraire que certains hiatus plaisent à l'oreille?"*

O estudo da poética de Gonçalves Dias prova que a regulamentação da poesia, se é coisa útil para ajudar os poetas medíocres a fazerem versos passáveis (a sentença é ainda de Banville), nada vale para quem, como era o caso do grande romântico, não precisa de regras de ninguém para criar o seu ritmo e a sua música.

GUIA DE
OURO PRETO

AGRADECIMENTO DO AUTOR

Este *Guia de Ouro Preto* leva o meu nome de autor. Manda, porém, a verdade dizer que tive colaboradores valiosos. Em primeiro lugar, a Diretoria do Patrimônio Histórico e Artístico Nacional, na pessoa do seu devotado diretor, Rodrigo M. F. de Andrade, e nas dos assistentes-técnicos José de Sousa Reis, a quem devo a planta de Mariana, e Epaminondas de Macedo, antigo habitante de Ouro Preto, em cuja Escola de Minas se formou. A este sou reconhecido por um sem-número de informações; foi ele também quem desenhou a planta das estradas de rodagem e forneceu a carta de posteação telegráfica, da qual o arquiteto Ítalo França tirou a planta da cidade.

Esta quarta edição[1] (houve uma segunda em francês, na tradução do escritor Michel Simon) leva numerosas correções e novidades redigidas por Carlos Drummond de Andrade, sobre dados fornecidos à Diretoria do Patrimônio Histórico e Artístico Nacional por Sylvio de Vasconcellos e outros de seus especialistas.

A todos esses colaboradores, e ainda a Vera M. F. de Andrade e a Afonso Arinos de Melo Franco deixo aqui os meus mais vivos agradecimentos.

MANUEL BANDEIRA

---

1 Manuel Bandeira refere-se aqui à quarta edição publicada pela Editora Letras e Artes, no Rio de Janeiro, em 1963, a qual pautou o estabelecimento do texto desta edição do *Guia de Ouro Preto*. (N. E.)

1 – História

Narra Antonil que numa entrada de paulistas de Taubaté ao sertão dos Cataguás um mulato da comitiva desceu das alturas do serro do Tripuí,[2] antigo nome da região de Ouro Preto, às margens do córrego do mesmo nome, hoje chamado de Antônio Dias, meteu a gamela até o fundo, raspando as areias, e quando a retirou viu que vinham com a água uns granitos negros, cuja natureza não reconheceu, embora já tivesse trabalhado nas minas de Paranaguá e Curitiba. Levou-os, de volta, a Taubaté, onde os vendeu a um certo Miguel de Sousa por meia pataca a oitava. Mais tarde, mandados alguns desses granitos ao governador do Rio de Janeiro, Artur de Sá e Meneses, este, trincando-os nos dentes, pôs a descoberto o brilho próprio do metal, que era ouro do mais fino quilate. Aquilo atrás do que as bandeiras sôfregas e sempre desenganadas cortavam o sertão havia século, descobriu-o o mulato naquele gesto humilde de quem apanha uma pouca d'água para matar a sede.

Depois que tornaram a Taubaté os paulistas em cuja expedição tomara parte o mulato anônimo descobridor dos granitos negros, o Itacolomi[3] ficou sendo a baliza que orientava os batedores de ouro para o recinto do Tripuí. As primeiras bandeiras transviaram-se, sem conseguir pôr os olhos no alvissareiro pico.

Antônio Dias de Oliveira foi mais feliz. Em vez de penetrar pela Itaverava, como tinham feito os predecessores, teve a inspiração de entrar por onde os primitivos caçadores de índios haviam saído. Ora, era da saída, e não da entrada do vale do Tripuí, que se podia divisar a famosa pedra na feição assinalada pelos descobridores. Antônio Dias, deixando a serra da Borda do Campo, veio direto ao Rodeio, transpôs a serra do Pires e galgou, do ribeirão da Cachoeira, as alturas que hoje chamam do Campo Grande. Chegados ali quase noite, acamparam, mas nada viram do Itacolomi, bem perto, porém velado pela carapuça de nuvens que tão frequentemente o esconde. Assim dormiram ao clarão protetor dos fogos. Era a véspera de S. João, em 1698. No dia seguinte, ao alvorecer, o céu estava muito limpo, e do outro lado do vale o perfil inconfundível da pedra se recortava nítido na primeira luz da manhã, como um milagre do santo.

No ano seguinte, avisados por Antônio Dias os parentes e amigos de Taubaté, chegou a Campo Grande nova leva de bandeirantes, entre os quais se alistara, com seu altar portátil, o Padre João de Faria Fialho, capelão da bandeira. Na Capela de S. João, simples rancho coberto de palha, disse o padre a primeira missa. E como a palhoça estivesse situada bem no espigão da montanha, o padre, abrindo os braços em frente do altar, abençoava as duas grandes vertentes, a do Rio Doce e a do Rio das Velhas.

Nos dois anos seguintes foi tamanho o afluxo de aventureiros aos descobertos que, à falta de culturas, do que ninguém cuidava, e difíceis como eram os transportes de mantimentos, sobreveio, aniquiladora e dispersiva, a fome de 1700-1701.

---

2   "Tripuí, corr. itira-poi, o morro delgado ou esguio." (Teodoro Sampaio, *O tupi na geografia nacional.*) Afonso de E. Taunay achou na *Nobiliarquia paulistana*, de Pedro Taques, que o topônimo vem da alcunha de um paulista, Antônio Rodrigues Medeiros, estabelecido no lugar. (N. A.)

3   "Itacolomi, corr. ita-murumi, o menino de pedra; alusão ao fato de ser o pico formado por um grande penedo com outro menor ao lado, à guisa de filho." (Teodoro Sampaio, *O tupi na geografia nacional.*) (N. A.)

Muitos dos primeiros bandeirantes abandonaram as suas catas, atirando-se a novas descobertas. Alguns não voltaram nunca mais, entre estes o primeiro descobridor Antônio Dias e o Padre João de Faria, cujos nomes perduram até hoje ligados aos bairros que se desenvolveram nas datas por eles lavradas.

Os paulistas não faziam caso nenhum do ouro da serra de Itatiaia. Era o *ouro branco*, de pouco rendimento, e assim chamado pela sua cor pálida, quase argentina. O ouro bom, o ouro cobiçado, era o *ouro preto*, o ouro fino; chegava a quase 23 quilates, e quando se lhe punha o cunho na fundição, escreve Antonil, fazia fenda na barreta, como se arrebentasse por todas as partes; e por dentro dava tais reflexos que pareciam raios do sol.

Quando em 1704 Pascoal Guimarães, mascate português enriquecido no Rio das Velhas, meteu-se de posse das catas abandonadas pelos Camargos, iniciou a mineração pelo processo de desbancar o terreno por levadas de água. Sucedeu que no flanco da serra por onde hoje passa o caminho das Lajes, deu com um veio riquíssimo. Ali o metal era como terra... Ouro podre! Esse ouro excelente e tão fácil de colher foi que verdadeiramente fundou a futura Vila Rica, povoando-a de forasteiros ávidos. O movimento foi tão rápido e tão intenso que, sete anos depois, em 1711, os primitivos arraiais de catadores eram erigidos em vila – a Vila Rica de Albuquerque, do nome do mestre de campo General Antônio de Albuquerque Coelho de Carvalho, capitão-general da nova capitania de São Paulo e Minas do Ouro. Logo depois esse nome era encurtado para Vila Rica, por haver D. João V desaprovado a denominação dada à sua revelia.

Pela narrativa de Antonil, se pode figurar o que era a Vila Rica daqueles tempos: alguns arraiais dispersos, separados por montes de mataria cerrada. A meia légua um do outro, que em menor distância não outorgava o Regimento título de descobridor, ficavam os arraiais de Padre Faria, Antônio Dias, Paulistas, Bom Sucesso, São João, Ouro Podre, Taquaral, Sant'Ana, Piedade, Ouro Preto, Caquende... Com o correr dos tempos o de Ouro Preto, que, com o de Antônio Dias, formava o núcleo da vila, impôs o nome cuja tradição remontava à era do descobrimento, nome que apesar do outro, de batismo oficial, nunca foi esquecido pelo povo.

Os anos de 1707 a 1709 foram de grande tumulto no distrito das minas. Os paulistas, primeiros devassadores da região, consideravam grande injustiça concederem-se terras e minas aos forasteiros – portugueses, a que os paulistas alcunharam de *emboabas* (de *mbuab*, voz indígena que designava as aves com penas até os pés, porque os reinóis usavam calças compridas ou polainas, ou de *emboaé*, estrangeiro, na acepção menos aceita por Batista Caetano) e brasileiros do Norte, envolvidos no apelativo geral de *baianos*. A rivalidade entre as duas facções degenerou em verdadeira luta, conhecida em nossa história por Guerra dos Emboabas. Os forasteiros aclamaram ditador o português Manuel Nunes Viana, homem de grandes posses e largo prestígio nas Minas. Fortificaram-se os paulistas em Sabará, onde, de Caeté, Nunes Viana saiu a atacá-los. O arraial foi tomado e incendiado. Os vencidos recolheram-se a Cachoeira do Campo, onde novamente foram batidos por Viana, que voltou triunfalmente a Vila Rica. Todavia as expedições que enviou ao Ribeirão do Carmo e Guarapiranga foram repelidas pelos paulistas. A vitória decisiva dos portugueses teve lugar em 1708 no arraial da Ponta do Morro (depois São João del-Rei, hoje Tiradentes).

Diogo de Vasconcelos descreveu na sua memória sobre as obras de arte de Ouro Preto o que era a casaria da fabulosa Vila Rica: "Cochicholos tristes, fechados por quatro paredes de dois a três metros de altura, com uma só porta de frente e, nem sempre, uma estreita janela pregada à trave do teto, sem ar, sem luz..."

Foi assim até 1720, quando começaram a aparecer os primeiros edifícios melhores, como a primitiva Matriz de Ouro Preto, ainda assim de tão precária construção (era toda de taipa e adobes), que dez anos depois ameaçava ruínas e houve que reconstruí-la.

Esse ano de 1720 foi o mais atormentado na crônica das minas. Governava então a capitania Dom Pedro de Almeida, conde de Assumar. Dom João V, pela Lei de 11 de fevereiro de 1719, criara as *casas de fundição* no distrito das Minas. Todo o ouro extraído deveria ser nelas fundido, deduzindo-se dele o quinto para a Coroa, as despesas de fundição e outras taxas, entre as quais uma destinada aos *alfinetes da rainha*. Ficava proibida a circulação do ouro em pó. O novo sistema de cobrança dos quintos provocou a sedição de Vila Rica, abafada pelo conde de Assumar, a princípio pela astúcia, depois pela força. Chefiaram-na o português Pascoal da Silva, o ex-ouvidor Mosqueira da Rosa, Sebastião da Veiga Cabral, ex-governador da Colônia do Sacramento, Frei Vicente Botelho, filho do doutor Mosqueira, Frei Francisco de Monte Alverne, Filipe dos Santos e outros. Filipe dos Santos, o herói da revolta, foi preso em Cachoeira, julgado sumariamente, arrastado pelas ruas em Vila Rica, enforcado e esquartejado. Sua cabeça ficou exposta no pelourinho, e os quartos foram mandados para Cachoeira do Campo, São Bartolomeu, Itabira do Campo e Ribeirão do Carmo. O arraial do Ouro Podre, pertencente a Pascoal da Silva, foi totalmente incendiado, e desde então até hoje ficou chamado o Morro da Queimada. Na encosta da serra são ainda visíveis as ruínas de muros enegrecidos – tudo o que resta do mais próspero arraial da primitiva Vila Rica.

Para se imaginar o que era a Vila Rica de então basta recordar que os conspiradores da revolta contra o conde de Assumar se reuniam no morro de Santa Quitéria, que separa os bairros de Ouro Preto e Antônio Dias, naquele tempo arraiais separados por meia légua de mataria brava.

A época em que a abundância do metal extraído atingiu o máximo ocorreu entre 1725 e 1750. A festa que marca o fastígio da riqueza teve lugar em 1733 e foi a procissão de trasladação do Santíssimo da Capela do Rosário para a Matriz de Nossa Senhora do Pilar. Essa festa ficou conhecida pelo nome de Triunfo Eucarístico, título do folheto em que Simão Ferreira Machado descreveu a solenidade. O cortejo dá bem ideia do luxo incrível que contrastava com o quadro pobre da edificação: danças de Turcos, danças de Romeiros, os quatro Ventos vestidos à trágica, os sete Planetas, precedidos da Fama, a Igreja Matriz, os dois morros que limitam a vila – Ouro Preto e Ouro Fino –, tudo isso personificado, desfilou em cavalos de preço, no meio de uma multidão de figuras secundárias: ninfas, anjos, pajens, trombeteiros. Seria como um dos nossos préstitos carnavalescos atuais, no qual o pechisbeque fosse substituído pelos metais nobres e os vidrilhos por diamantes legítimos. Tome-se ao acaso uma das personagens da procissão – a Fama, por exemplo. Assim a descreve Simão Ferreira: "Cingia-lhe a cabeça um precioso toucado de flores de diamantes, dando por um lado ao vento uma haste de finíssimas plumas brancas: o peito bordado de ouro e vária pedraria, de que sobressaía elevado um broche de diamantes:

o capilar de seda branca de flores de ouro: saíam-lhe das costas duas asas de penas brancas matizadas de folhas de ouro".

Ouro, ouro, ouro... As menores figuras, como romeiros e gaiteiros, iam ricamente vestidas. A mesma pompa era de observar no desfile das irmandades: guiões de damasco franjados de ouro, cruzes, varas e tocheiros de prataria do Porto, andores de talha dourada com imagens recamadas de peças de ouro e diamantes, cobertas de mantos de brocado com bordadura de pedraria... Depois o clero das duas paróquias da vila no esplendor litúrgico das dalmáticas, das sobrepelizes, das casulas, manípulos e estolas, paramentos cuja riqueza e bom gosto são ainda hoje atestados pelas esplêndidas peças que se conservam nos gavetões da sacristia da Matriz de Ouro Preto. Fechando o préstito, o conde das Galveias, governador da capitania, cercado do Nobre Senado da Câmara e de toda a nobreza militar e acompanhado do terço de Dragões. Tudo isso, era, como escreveu o conceituoso Simão Ferreira, "vagaroso empenho da vista, continuada novidade dos olhos, agitada esfera de riqueza, móvel aparato da magnificência..."

Esta cerimônia de singular grandeza, mesmo descontadas as prováveis mentiras do autor do *Triunfo Eucarístico*, erraria muito quem a imaginasse agora no quadro de uma Vila Rica que fosse a Ouro Preto de hoje restituída à vida opulenta e à feição brilhante do tempo da mineração.

Na realidade o quadro era outro e bem pobre. A taipa e o pau a pique ainda não haviam cedido lugar ao belo quartzito do Itacolomi, só aproveitado anos mais tarde, quando começou a construção do Palácio dos Governadores, iniciada em 1747. Nenhum dos grandes templos atuais existia. O próprio frontispício da Matriz do Pilar como se vê hoje, é reconstrução de 1825 e 1848. Da igreja de 1723 o que resta é a parede do lado da epístola e o maravilhoso interior, maravilhoso apesar das borraduras a óleo sob as quais esconderam o ouro magnífico das suas talhas.

Quem aceitaria uma Ouro Preto sem o Carmo, sem São Francisco, sem a Casa dos Contos, sem a Cadeia e o Palácio, sem os fortes sobrados de cunhais de pedra da rua Direita? Pois nada disso existia ainda em 1733. Onde hoje está a praça havia apenas um caminho que subia de Antônio Dias, descia até o córrego do Xavier, galgava o adro da Capela de São José, donde para chegar à matriz carecia fazer a volta pela rua da Ponte Seca.

Só na segunda metade do século XVIII é que Vila Rica principiou a tomar o aspecto atual. A construção do Palácio novo marca o início da boa arquitetura de pedra argamassada. As pontes datam, a de São José ou dos Contos de 1744, a do Rosário de 1753, a de Antônio Dias de 1755. O chafariz do largo dos Contos, embora arrematado em 1745, traz a data de 1760. A Igreja do Carmo foi levantada de 1766 a 1772. São Francisco de Assis em 1772 tinha prontas as paredes e o arco da capela-mor, e só em 1794 se lavrou termo de entrega das obras. O desenho do frontispício e empena da Igreja do Rosário, por Manuel Francisco de Araújo, data de 1783. Deste mesmo ano data também o início das obras da Cadeia. São Francisco de Paula é do século seguinte.

Como se vê, a cidade cujo ar de prestigiosa velhice tanto nos enternece, pode-se dizer que é de ontem. O que lhe deu aquela feição de tão nobre antiguidade foi a decadência rápida e súbita da nossa arquitetura tradicional por todo o Brasil.

No fim do século XVIII, tomando a vila o cunho arquitetônico em que se imobilizou, veio sagrá-la espiritualmente o idealismo da Inconfidência. Os brasileiros que em 1789 sonharam no distrito das Minas libertar a sua pátria do jugo português, fiavam-se no descontentamento geral produzido no povo pela notícia de que o visconde de Barbacena, empossado no governo da capitania em julho de 1788, vinha incumbido de lançar a *derrama*. Pelo alvará de 3 de dezembro de 1750 estabelecera o marquês de Pombal que a cobrança dos quintos se faria nas casas de fundição, e quando eles não atingissem cem arrobas, pelas quais se comprometiam as Câmaras, lançar-se-ia uma finta, a *derrama*, pelo sistema de capitação. Os déficit anuais foram-se acumulando e em 1788 montavam a 528 arrobas.

A ação dos inconfidentes não passou de conversações. Antes de articulado o movimento, eram eles traídos e denunciados ao visconde de Barbacena pelo Coronel Joaquim Silvério dos Reis e outros. Foram colhidos no processo o alferes Joaquim José da Silva Xavier, cognominado o Tiradentes, o ouvidor Tomás Antônio Gonzaga, Cláudio Manuel da Costa, Inácio José de Alvarenga Peixoto, coronel e ex-ouvidor do Rio das Mortes, o Padre Oliveira Rolim, o Padre Carlos Correia de Toledo e Melo, José Álvares Maciel e muitos outros. A desgraça dos inconfidentes foi completa: Tiradentes, enforcado, esquartejado no Rio, e a sua cabeça exposta num poste na atual praça Tiradentes em Ouro Preto; Freire de Andrade, Maciel, Alvarenga Peixoto e mais quatro, degredados para o resto da vida em África; dez companheiros, degredados por dez anos, entre os quais Gonzaga, que faleceu no ano de 1810, em Moçambique; os sacerdotes, que eram cinco, cumpriram sentença em conventos de Lisboa.

O sonho de Tiradentes e seus companheiros tornou-se realidade em 1822. Não sem algum tumulto. O *Fico* provocou uma reação absolutista em Vila Rica, inspirada pelo próprio presidente da Junta Provisória eleita em consequência da revolução constitucional portuguesa (1820), Dom Manuel de Portugal e Castro, apoiado no comandante das forças, o Brigadeiro Pinto Peixoto. O Príncipe Dom Pedro acudiu a Vila Rica, onde serenou os ânimos e obteve a adesão da Junta. Por ato de 13 de abril ordenou se elegesse nova Junta Provisória e seguiu para o Rio a 21. A eleição realizou-se em 20 de maio na Igreja do Carmo. Em 12 de outubro foi Dom Pedro aclamado imperador em Vila Rica.

Em 20 de março de 1823 Vila Rica é elevada à cidade capital da província de Minas Gerais. Os sucessos políticos que acarretaram a impopularidade de Dom Pedro repercutiram em Minas, e para pacificar a província o imperador resolveu visitá-la novamente (1831). Desta vez foi com sua esposa Dona Amélia, mas não lhe correram as coisas como em 1821: a população de Ouro Preto recebeu-o friamente.

No entanto, dois anos depois, irrompia em Ouro Preto uma sedição de caráter restaurador. Aproveitando-se da ausência do presidente Manuel Inácio de Melo e Sousa, os rebeldes cercaram o palácio, prenderam o vice-presidente Bernardo de Vasconcelos e enviaram-no para Queluz acompanhado de uma escolta. Esta, porém, vendo as manifestações de simpatia e apoio com que ali foi recebido o vice--presidente, soltou Vasconcelos e voltou a Ouro Preto. Vasconcelos partiu para São João del-Rei, onde instalou o governo legal, organizou a resistência, e em 9 de maio eram os rebeldes completamente batidos pelas tropas comandadas pelo General Pinto Peixoto, em José Correia, hoje Rodrigo Silva.

Em 1842, já no reinado de Dom Pedro II, Ouro Preto viveu dias de grande agitação, esperando o ataque dos revolucionários liberais comandados pelo Coronel Nunes Galvão, os quais já haviam tomado Queluz. A cidade foi transformada em verdadeira praça de guerra. Os rebeldes, porém, desistiram de atacar a capital e marcharam para Sabará. O combate decisivo travou-se em Santa Luzia, onde os revolucionários foram batidos pelas tropas legais sob o comando de Caxias.

A República, proclamada em 15 de novembro de 1889, manteve em Ouro Preto a capital do Estado de Minas, até 12 de dezembro de 1897. Nesta data foi inaugurada a nova capital em Belo Horizonte, antigo arraial do Curral del-Rei. E última data histórica da velha Vila Rica: em 12 de julho de 1933, pelo decreto federal nº 22.928, foi Ouro Preto declarada monumento nacional.

2 – VILA RICA
IMPRESSÕES DE VIAJANTES ESTRANGEIROS: ANTONIL, MAWE, AUGUSTE DE SAINT-HILAIRE, LUCCOCK, WALSH, GARDNER, CASTELNAU, MILLIET DE SAINT-ADOLPHE, BURTON.

Anteriormente ao século XIX parece que só existe um livro em que se dão impressões mais pormenorizadas sobre Vila Rica, e é o do jesuíta João Antônio Andreoni – *Cultura e opulência do Brasil por suas drogas e minas*, editado em 1711 e assinado Antonil. O jesuíta florentino descreve o distrito das Minas por volta de 1708: não passava de um imenso arraial de 30 mil almas sobre as quais não havia coação ou governo algum bem ordenado, "nem ministros nem justiças que tratassem ou pudessem tratar do castigo dos crimes, que não eram poucos, principalmente de homicídios e furtos". Agrupamento tumultuário de aventureiros que desperdiçavam o ouro em jogo e superfluidades. Foi o tempo em que os homens de cabedal pagavam mil cruzados por um negro trombeteiro e dois mil "por uma mulata de mau trato". No meio dessa população áspera e sôfrega de catadores circulava uma turba de vadios que iam às minas para tirar ouro "não dos ribeiros, mas dos canudos em que o ajuntam e guardam os que trabalham nas catas". Tantos eram os crimes, tão lamentáveis as traições, tão desregrado o viver, que Antonil remata o quadro dos danos causados ao Brasil pela cobiça das minas com estas palavras sinistras como uma praga: "Nem há pessoa prudente que não confesse haver Deus permitido que se descubra nas minas tanto ouro para castigar com ele ao Brasil".

Durante o século XVIII nenhum outro estrangeiro escreveu sobre as minas. O próprio livro de Antonil, apesar de ter passado por todas as censuras civis e eclesiásticas, foi depois perseguido pelo governo português, só tendo divulgação na 2ª edição, de 1838.

John Mawe (*Travels in the interior of Brazil*, Londres, 1812), geólogo inglês, foi o primeiro estrangeiro que no século XIX obteve licença para visitar a zona mineira e o distrito dos diamantes. O primeiro aspecto de Vila Rica decepcionou-o. Ele vinha com a cabeça cheia das tradições do século anterior, que davam a pobre vilazinha de terrenos regurgitantes de ouro como a terra mais rica do mundo. "Apesar de situada em eminência bastante elevada, o seu aspecto não é nem imponente nem notável. Nada na vizinhança corresponde à magnificência do seu nome."

O clima lhe pareceu agradável, "semelhante talvez ao de Nápoles".

Encantaram-no os jardins e pomares da cidade: "Jardins plantados com muito gosto e cuja singularidade de arranjo apresenta espetáculo deveras curioso [falava da disposição em socalcos]. Essas *terrasses* me pareceram o verdadeiro império de Flora. Nunca vira eu tão grande quantidade de belas flores, excelentes hortaliças, alcachofras, aspargos, espinafre, couves..." Cita com entusiasmo um pé de couve de catorze polegadas de diâmetro.

Nada disso vê o viajante de agora. É verdade que sete anos depois Saint-Hilaire, descrevendo os mesmos jardins, caçoa de Mawe. "São esses jardins (Jardinzinhos mal-cuidados... Laranjeiras, cafeeiros, bananeiras plantadas quase sem ordem... A couve, a principal hortaliça... Entre as flores as preferidas, cravos e rosas de Bengala), são esses jardins que um viajante acreditou poder chamar pomposamente o *reino de Flora*."

As casas das pessoas de alta classe pareceram a Mawe muito mais cômodas e mais bem mobiliadas que as do Rio e São Paulo. Os leitos sobretudo mereceram-lhe descrição: "Nunca vi camas tão magníficas como as da gente rica desta capitania, sem excetuar mesmo as da Europa. Os pés de madeira ou guarnecidos de couro, lençóis de linho bordados de renda com nove polegadas de largura. Travesseiros envolvidos em tafetá róseo coberto de bela musselina guarnecida de larga renda. Colcha de damasco amarelo bordado como os lençóis e os travesseiros."

A rua Direita (Bobadela atual) era a mais bonita. Ainda o é, mas já não se vê hoje, como no tempo de Mawe, "nos cantos das ruas grupos de pessoas da baixa classe diante das imagens da Virgem colocadas em nichos".

Havia teatro, com "cenários bonitos e atores passáveis".

Auguste de Saint-Hilaire (*Voyages dans l'intérieur du Brésil*, Paris, 1852) passou por Vila Rica em 1816. Melhor que ninguém fixou o aspecto sombrio, devastado, melancólico da paisagem ouro-pretense. Tanto ele como Mawe falam com interesse da manufatura local de faiança. O francês elogia a forma dos vasos e aponta como defeito o verniz demasiado espesso. Para ele a fábrica de Vila Rica acabaria rivalizando com as da Europa, se os habitantes do país, "escutando a honra e o interesse, quisessem fazer esforços para sustentar aquela manufatura". Parece que os habitantes não escutaram nem honra nem interesse... A manufatura desapareceu. No entanto os mineiros dispõem de uma terra de porcelana que a Mawe se afigurou superior à empregada em Sèvres. Ela provinha do morro de Santo Antônio, perto de Congonhas do Campo. Saint-Hilaire notou com espanto que os mineiros, apesar de orgulhosos de sua pátria, não falavam senão com desprezo da única manufatura que possuíam e cujos defeitos exageravam.

Como todos os estrangeiros, queixou-se o naturalista de não ter avistado as senhoras. Apenas uma vez teve ocasião de observá-las, no Palácio do Governador, em noite de baile. "Ficamos surpresos de não encontrar, a tão grande distância da crosta, diferença mais sensível entre as maneiras das senhoras e as das europeias." Dançou-se. Fez-se música. "Algumas damas cantaram de maneira muito agradável." No meio da festa apareceu uma mulata que dançou o fandango, e aquelas senhoras, às quais apenas lhe fora consentido dirigir a palavra, "permaneceram tranquilas espectadoras de dança tão livre", sem escândalo de ninguém.

Em dias subsequentes visitou Saint-Hilaire os maridos, que eram as principais personagens da vila. Mas ficou desapontado de não pôr os olhos em nenhuma mulher...

As impressões de outros estrangeiros ilustres coincidem. Há sempre um ar de decepção ante a decadência do lugar. Nenhum sentiu a emoção que ele desperta nos nacionais. O pitoresco a que os estrangeiros de agora são tão sensíveis, não podia impressionar muito os viajantes do século passado, pois a arquitetura colonial dava o mesmo caráter às cidades do litoral – Recife, Bahia, Rio.

John Luccock (*Notes on Rio de Janeiro and The Southern Parts of Brazil*, Londres, 1820), que residiu no Brasil de 1808 a 1818, também viajou por Minas e parou em Vila Rica. Só mesmo o amor do ouro, diz ele, poderia ter levantado uma cidade em tal lugar. Materialmente ela agradou-lhe. Um quinto das suas 2 mil casas de então lhe pareceram boas, alguns edifícios públicos apresentando certo ar de grandeza "desconhecido nas outras cidades do Brasil". E notou as fontes "de nobre estrutura". O que lhe desagradou foi a aparência e maneiras dos vila-ricanos em geral. Falava naturalmente da gente que via ordinariamente nas ruas, onde a predominância era de negros e mulatos, a maioria viciados e miseráveis. Observou que as práticas religiosas da Ave-Maria junto aos oratórios e as grandes cerimônias da Igreja deixavam *unaffected* o coração dessa canalha, e cita o caso de um sujeito que tirava a reza aos pés da Virgem e conversava de insignificâncias quando acabava a sua parte.

Outro inglês, o Rev. Walsh (*Notices of Brazil in 1828 and 1829*, Londres, 1830), que passa por ter injuriado o prestígio britânico no Brasil, tais coisas espalhou de nós, todavia falou de Ouro Preto com muita inteligência e simpatia. Não teve o reverendo ânimo de se instalar na hospedaria para onde o levaram – "um grande casarão com frontaria ornamentada, molduras e cornijas nas janelas e tetos, com balcões e varandas de estilo respeitável", mas inteiramente em pedaços. Devia ser a mesma estalagem de que falou mais tarde Francis de Castelnau (*Expédition dans les parties centrales de l'Amérique du Sud*, Paris, 1850) como a pior do mundo, "como talvez nem mesmo na Espanha se pudesse encontrar".

Walsh admirou-se de achar nas lojas toda a sorte de manufaturas inglesas – algodão de Manchester, lãs finas de Yorkshire, meias de Nottingham, chapéus de Londres, cutelaria de Sheffield (Mawe observara o mesmo), "tudo tão abundante e barato como nas cidades em que se manufaturavam". O seu sentimento patriótico inchou tanto que extravasou num hexâmetro da *Eneida*.

A vista do alto da praça lhe pareceu realmente bonita. "Nove igrejas dão à cidade um ar de importância considerável. Com efeito, essas igrejas são uma feição característica do Brasil em toda a parte." De resto, acrescenta, tudo o que feria a vista do estrangeiro lembrava-lhe que a cidade fora outrora um lugar de opulência e importância. Era ainda próspera, embora decadente.

Depois de Walsh veio George Gardner (*Travels in the interior of Brazil*, Londres, 1846), que aqui se demorou entre 1836 e 1841, colhendo material para o Jardim Botânico de Ceilão, do qual era superintendente. Gardner diz pouco de Ouro Preto, cujo aspecto achou menos majestoso que o de Mariana, não por falta de grandes edifícios, mas pela irregularidade do sítio. Das igrejas salientou a do Carmo, que lhe pareceu a mais bela. Fala da existência de quatro jornais, dois governistas e dois oposicionistas, e cuja matéria era toda de natureza política. Pudera! Era o tempo em que a Província estava toda dividida pelas lutas da Regência e da Maioridade, e naturalmente daqueles quatro jornais dois eram "caramurus" e dois "chimangos"... Hoje não se imprime nenhum jornal na cidade.

Castelnau esteve em Ouro Preto no tempo do governo do General Andreia. Foi o que levou vida mais aprazível. Logrou penetrar no salão da senhora Ferraz, onde passou noites bem agradáveis no seio de uma sociedade numerosa e "digna de nota pela elegância e pelas maneiras". Os habitantes de Ouro Preto lhe pareceram mais adiantados que os da maior parte das cidades do Brasil. Talvez pelas boas apresentações que trazia, pôde desfrutar livremente da sociedade feminina, onde conheceu várias senhoras "notáveis pela boa educação que haviam recebido". Ou então os hábitos mouriscos de retraimento e reclusão já tinham cedido lugar à sociabilidade que se manteve até à mudança da capital.

Duas coisas aborreceram Castelnau nos ouro-pretanos: o costume de queimar bombas de estouro e o de *beugler devant les madones*. Os turistas de hoje podem ficar descansados: nada perturba agora o sono dos viajantes senão, uma vez ou outra, alguma rapaziada de estudantes.

Outro francês, Milliet de Saint-Adolphe, que veio para o Brasil no primeiro quartel do século XIX e aqui residiu por espaço de 26 anos (*Dicionário geográfico, histórico e descritivo do Império do Brasil*, tradução de Caetano Lopes de Moura, Paris, 1863) faz uma triste descrição de Ouro Preto "[...] casas edificadas sem simetria em outeiros desiguais, com quintais estreitos, mal cultivados e separados uns dos outros por muros arruinados – eis o aspecto pouco lisonjeiro que oferece a capital de Minas Gerais".

O estrangeiro que mais escreveu sobre Ouro Preto foi o inglês Richard Francis Burton (*Explorations of the highlands of the Brazil*, Londres, 1869), que visitou a cidade em 1867. Hospedou-se na rua de São José, atual Tiradentes. Fez uma volta pelo leste, outra por oeste. Os seus comentários de humanista citador de latim têm bastante sabor.

O latinista não perdoa o mau latim dos chafarizes. Citando os hexâmetros da fonte dos Contos, graceja: "A água é melhor que a latinidade". Aliás, seria difícil encontrar fora do século de Augusto latinidade com a pureza da água de Ouro Preto.

A respeito de Marília consigna que se casou e foi mãe de três filhos, um dos quais era o doutor Anacleto Teixeira de Queiroga. "Talvez agora seja ela mais conhecida como a *mãe do doutor Queiroga.*" A informação do inglês aqui é errada, e parece que no seu erro se fundaram outros escritores que têm tratado da noiva de Tomás Antônio Gonzaga, entre estes Olavo Bilac no seu livro *Crítica e fantasia*. Tomás Brandão restabeleceu a verdade em sua obra *Marília de Dirceu*, provando ter havido confusão de Marília com sua irmã Emerenciana.

Fisicamente, Ouro Preto pareceu a Burton indigna da vasta província que governava. "Mesmo em São Paulo seria apenas uma cidade de segunda ordem." As igrejas, cujo encanto caracteristicamente brasileiro impressionou o seu compatriota Walsh, afiguravam-se-lhe enormes paióis (*huge barns*), destituídos de gosto e apenas vistosos internamente. Mal deu um *handsome* ao exterior de São Francisco, passando sem uma palavra de louvor para as talhas do Aleijadinho – *the ubiquitous little Cripple*.

Burton assinala a feição mourisca de certos hábitos: assim o das mulheres irem de mantilha à missa, o rosto quase todo escondido. Aliás impressionou muito o inglês o recato das mulheres do interior brasileiro. "*Exceptionally pure*", diz ele. Encantaram-no, sobretudo, as mineirinhas de treze a dezesseis anos.

Outra coisa em que se deliciava o inglês era o tutu de feijão, prato que achou muito higiênico, apesar de indigesto se comido todos os dias.

3 – Ouro Preto a cidade que não mudou

Não se pode dizer de Ouro Preto que seja uma cidade morta. Morta é São José del-Rei. Ouro Preto é a cidade que não mudou, e nisso reside o seu incomparável encanto. Passada a época ardente da mineração (em que foi, de resto, um arraial de aventureiros, a sua idade mais bela como fenômeno de vida), e a salvo do progresso demudador, pelas condições ingratas da situação topográfica, Ouro Preto conservou-se tal qual, em virtude mesmo da sua pobreza, aquela pobreza que já por volta de 1809, segundo depoimento de Mawe, fazia trocarem-lhe por escárnio em Vila Pobre o nome de sua fundação em 1711, que era o de Vila Rica de Albuquerque.

Na sua decadência econômica, que remonta às últimas décadas do século XVIII, não houve dinheiro para abrir ruas, alargar becos, restaurar monumentos. Nas reparações dos prédios envelhecidos a economia levou sempre a alterar o menos possível. Em casas novas ninguém pensava. Elas são raríssimas na cidade, que enfeiam pelo contraste chocante com o resto da edificação.

Aqui é que caberia melhor que em qualquer outro sítio o sentimento do poeta:

Je n'aime pas les maisons neuves:
Leur visage est indifférent.

Há em algumas dessas casas novas a intenção de retomar o estilo das velhas. Mas falta a essa arquitetura de arremedo o principal em tudo, que é o caráter. Essa maneira arrebitada e enfeitadinha que batizaram de estilo neocolonial, tomou à velha construção portuguesa uma meia dúzia de detalhes de ornato, desprezando por completo a lição de força, de tranquila dignidade que é a característica do colonial legítimo. As velhas casas do tempo são de uma severidade quase dura. Saint-Hilaire quando viu o Palácio dos Governadores achou até que não parecia palácio. "Esse pretenso palácio", diz ele, "apresenta uma massa de edificações pesadíssimas demais e de mau gosto." Pode ser que eu esteja errado, mas o mau gosto me parece que é do francês. O caráter do palácio convinha até muito bem a uma construção destinada a servir de residência fortificada, e daí o seu aspecto de castelo forte.

Os viajantes estrangeiros são quase sempre insensíveis aos elementos mais profundos ou mais sutis dos costumes e do sentimento artístico dos países que visitam. Um exemplozinho curioso se encontra na estranheza que lhes produz a tradicional disposição da mobília em nossas salas de visitas: o sofá com as duas linhas perpendiculares de cadeiras. A observação superficial atribui logo esse hábito ao gosto primário da simetria, quando em verdade é uma sobrevivência tenaz de costumes árabes herdados por intermédio dos portugueses.

Saint-Hilaire, falando das capelas de Ouro Preto, limita-se a mencionar São Francisco e Nossa Senhora do Carmo, dando a impressão que não penetrou nelas. Entretanto estende-se um pouco sobre Nossa Senhora do Pilar e Conceição de Antônio Dias, certamente por serem as duas matrizes.

Burton, esse então diz bobagens, completamente inconsciente da grandeza criadora do Aleijadinho. Diante da frontaria de São Francisco, da qual se pode repetir o que Anatole France disse do pavilhão central do Louvre – *ciselé comme un joyau d'art* – o seu convencionalismo de humanista ficou muito ofendido porque viu duas colunas jônicas "desgraciosamente convertidas em pilastras". A propósito das colunas e pilastras que sustentam o coro de Nossa Senhora do Carmo, faz pilhéria, chamando-lhes *a kind of "barrigudo" style*. Nem uma palavra para o delicioso lavatório de São Francisco.

O que todos admiraram, porque lhes lembrava o belo bem aprovadinho dos palácios do Renascimento italiano, foi o edifício do antigo Paço Municipal.

Para nós brasileiros, o que tem força de nos comover são justamente esses sobradões pesados, essas frontarias barrocas, onde alguma coisa de nosso começou a se fixar. A desgraça foi que esse fio de tradição se tivesse partido.

Mas os prédios novos são exceção em Ouro Preto. Ela conservou, mercê de sua pobreza, uma admirável unidade. De todas as nossas velhas cidades é ela talvez a única destinada a ficar como relíquia inapreciável do nosso passado. As duas outras que se lhe irmanam nessa feição tradicionalista estão fadadas a uma renovação sem cura: Bahia e Olinda. Em ambas é ainda bem forte a emoção especial ligada aos vestígios dos séculos defuntos. Mas Olinda é cada vez mais arrabalde do Recife. A capital acabará fatalmente por absorvê-la. Quanto à cidade do Salvador, o progresso, que tudo renova, fará com ela o que já fez com o velho Rio e o velho Recife.

4 – As duas grandes sombras de Vila Rica

As duas grandes sombras de Ouro Preto, aquelas em que pensamos invencivelmente a cada volta de rua, são o Tiradentes e o Aleijadinho.

É ainda hoje difícil formar um juízo seguro sobre Joaquim José da Silva Xavier. Alguns dos seus companheiros da Inconfidência falaram dele desdenhosamente nos depoimentos da devassa. Alvarenga diz que ele era "um oficial feio e espantado". O Coronel Domingos Vieira chama-o "malvado". Cláudio Manuel da Costa afirmou que o alferes era homem de tão fraco talento, que nunca serviria para se tentar com ele um levante. Gonzaga, que não gostava dele, chama-o na Lira XXXVIII "um pobre, sem respeito e louco".

A esses depoimentos se contrapõem os serviços de que foi Silva Xavier encarregado pelo Governo: abertura da picada para as matas de leste, em direção aos sertões do Paraíba; patrulhamento da Mantiqueira, onde com grande prudência acabou com os bandidos que a infestavam; e quando o sargento-mor Pedro de São Martinho foi encarregado pelo Governo de examinar e averiguar as Áreas Proibidas dos sertões de leste, Tiradentes foi designado como perito para estudar se as formações desses sertões poderiam dar ouro, tirar a configuração cosmográfica e geográfica da região e indicar as situações mais próprias onde estabelecer Registros, Rondas ou Patrulhas.

A verdade é que Gonzaga, Cláudio Manuel da Costa e Alvarenga eram homens requintados, letrados, a quem a vida corria fácil, ao passo que o alferes sempre lutara pela subsistência: antes de alistar-se na tropa paga vivera da profissão que lhe valeu o apelido. Não obstante, foi ele talvez o único a demonstrar fé, entusiasmo e coragem na aventura de 1889. Descoberta a conspiração, enquanto os outros, entibiados, não procuravam outra coisa senão salvar-se, ele revelou a mais heroica força de ânimo, chamando a si toda a culpa e enfrentando com serenidade a pena última.

O que se sabe da vida do Aleijadinho resume-se aos *Traços biográficos relativos ao finado Antônio Francisco Lisboa*, publicados por Rodrigo José Ferreira Bretas, em 1858, no *Correio de Minas*, números 169 e 170, e posteriormente reimpressos na *Revista do Arquivo Público Mineiro*. Ora, Antônio Francisco faleceu em novembro de 1814. O biógrafo Rodrigo Bretas ainda conheceu muitos contemporâneos do artista, entre os quais a nora Joana, em cuja casa Antônio Francisco passou os últimos dois anos de sua longa e atormentada existência. Os informes de Bretas foram colhidos não somente na tradição oral, como ainda na "memória" do vereador Joaquim José da Silva, escrita em cumprimento de ordem régia, de 1872, que mandava registrar em livro próprio da administração os fatos notáveis. Embora deixem obscuros uma porção de pontos que seria tão curioso conhecer, todavia ilustram suficientemente a personalidade do artista, que naquela curta notícia avulta em toda a força e originalidade da sua prodigiosa figura.

Antônio Francisco Lisboa nasceu em 1738 e era filho natural do mestre de obras português Manuel Francisco Lisboa. Teve vários irmãos paternos. Um deles, o Padre Félix, também trabalhou em talha. A ele cabe a autoria da imagem de São Francisco na capela do mesmo santo, as de São Benedito e Santo Antônio na Igreja do Rosário, além de trabalhos diversos, de certa importância, para outras igrejas.

Antônio Francisco frequentou apenas a classe de primeiras letras. Sabe-se que depois de adulto a sua principal leitura era a Bíblia, alimento de sua arte, toda ela de inspiração religiosa; os livros de Medicina é provável que os lesse em busca de conhecimentos para tratamento e lenitivo de sua medonha enfermidade. No que respeita à instrução técnica, teve-a e da melhor, porquanto se formou nas empreitadas do pai.

Segundo informações colhidas por Bretas, era Antônio Francisco pardo-escuro, de baixa estatura, corpo cheio e mal configurado; tinha entretanto o nariz regular, algum tanto pontiagudo; a testa era larga; o cabelo preto, basto e anelado; a voz, forte; a fala, arrebatada. Até a idade madura gozou de perfeita saúde, de que abusava aliás, sendo grandemente dado aos vinhos, às mulheres e aos folguedos populares. Foi então que a doença terrível o acometeu, deformando-o a ponto de lhe trocar o nome no apelido pelo qual ficou para sempre conhecido.

Que estranha enfermidade seria essa que, pelo menos durante 37 anos afligiu, desfigurou e mutilou aquele físico robusto de mestiço? Rodrigo Bretas insinua, a par da lepra e da zamparina, uma possível "complicação de humor gálico com escorbuto". É de crer fosse a lepra. O médico Renê Laclette, em estudo escrito para o número especial de *O Jornal*, dedicado a Minas Gerais (1929) conclui pela lepra nervosa como diagnóstico "menos improvável", visto que no quadro clínico apresentado por Antônio Francisco se encontram vários sintomas do mal de Hansen: atrofia dos músculos das mãos, que depois curvaram e chegaram a cair; as nevralgias fortíssimas; a atrofia do orbicular das pálpebras com ectrópio ("as pálpebras inflamaram-se e permanecendo nesse estado ofereciam à vista a sua parte inferior"); a paralisia facial; a queda dos dentes.

Carmo

Risco da portada e participação nas esculturas.

Em Catas Altas
Conceição
Imagem do Cristo crucificado.

Em Caeté
Matriz
Altar colateral e imagem de Nossa Senhora do Carmo com o menino Jesus.

Em Santa Rita Durão
Rosário
Altar colateral.

Em Morro Grande
São João
Escultura de São João Batista na portada e da tarja no arco cruzeiro.

5 – Passeios a pé, no centro

A rua mais animada de Ouro Preto é a de Tiradentes. Aí é que estão os Correios e Telégrafos, o Hotel Toffolo, a Associação Comercial (esta em prédio novo mas imitando os sobrados do velho estilo), o único cinema da cidade, os melhores cafés e confeitarias, as principais casas de comércio. No terreno em que se levanta a Associação Comercial é que existia a casa de Tiradentes. Segundo mandava a sentença que o condenou, foi ela arrasada e o terreno salgado; no local ergueu-se um padrão de ignomínia, mandado demolir depois da Independência. Mais tarde levantou-se no local outro prédio que veio a pertencer a Afonso Arinos. Substituiu-o o atual edifício da Associação Comercial. Desde aqui o visitante já poderá começar a notar toda a sorte de curiosos detalhes arquitetônicos nas fachadas – beirais, balanços de sacadas, bandeiras de janelas.

Tomemos então a rua Tiradentes como ponto de partida para alguns passeios de primeira orientação. Se o turista estiver hospedado no Hotel Toffolo, saia pela esquerda: verá quase defronte um dos Passos a que me refiro em capítulo posterior ("Monumentos religiosos"); atravessará a Ponte dos Contos (o córrego é o Ouro Preto), e verá, à esquerda, a Casa dos Contos (hoje Correios e Telégrafos) e o chafariz dos Contos; chegando à esquina, tomará à direita, descendo a rua Paraná, que se continua na do Pilar; no cotovelo que faz esta última há um velho sobradinho restaurado, que é dos mais interessantes da cidade, e quase no começo da ladeira, à direita, um sobrado bem conservado, cujo vestíbulo merece atenção (é fácil observar os

Guia de Ouro Preto

565

vestíbulos das casas de Ouro Preto, pois estão sempre abertos e desertos); no sopé da ladeira, que já se chamou dos Caldeireiros, atravessará a pontezinha sobre o córrego Ouro Preto e tomando à direita, ao lado da Matriz de Nossa Senhora do Pilar, achar-se-á numa praça triangular, hoje praça Américo Lopes; estamos aqui no chamado Fundo de Ouro Preto (Nossa Senhora do Pilar é também a Matriz do Fundo de Ouro Preto); se subirmos então a ladeira das Escadinhas, hoje rua Randolfo Bretas, à direita, sairemos no largo da Alegria, onde começa a rua Tiradentes; melhor será enveredar pela rua da Glória, que faz canto com a de Randolfo Bretas; a observar na rua da Glória: casa nº 4, dois sobradinhos de sacada corrida com urupema e grande balanço,[4] o chafariz e o oratório (ver capítulo "Monumentos religiosos"), ambos à direita; depois do oratório vem a chamada Ponte Seca, passada a qual e tomando à direita se cairá no largo do Rosário; aqui há uma série de velhos sobradinhos que defrontam a fachada da Igreja do Rosário (dois com soteia recuada), todos dignos de atenção; à frente da igreja e contra o muro de sustentação da rua Gabriel Santos, ex-rua de Cima, existe um pequeno chafariz – o chafariz do Rosário; continuando para a direita, entra-se na antiga rua Nova do Sacramento, hoje Getúlio Vargas; nesta há muito que observar: o sobradão de nº 40, de três pavimentos, a casa de nº 26, com as suas ombreiras e vergas, de portas e janelas, soleiras, bacias e balaústres das sacadas, tudo de madeira, todas as molduras retas; o sobrado de nº 17 onde esteve instalado o albergue da Sociedade São Vicente de Paulo: neste as sacadas têm bacias de pedra encurvadas com apuro; o sobrado de nº 12, com as suas sacadas de bacia chanfrada, também de pedra, mas os cunhais só têm um elemento de cantaria que marca a separação dos andares, a fachada lateral desfigurada por uma barra de cimento pintada de escuro, como todo o sobrado pelos caixilhos modernos instalados nas janelas do sobrado: velha casa, como se pode deduzir dos seus beirais de cachorro (os beirais de cachorro, de madeira, precedem as cimalhas perfiladas). O Passo de São José fica à esquina da rua Paracatu. Pela rua Getúlio Vargas, vai-se desembocar no largo da Alegria. Observar neste as casas nºs 1, 3, 5 e 7, especialmente as vergas das portas.

Nesse primeiro passeio teremos percorrido os bairros de Ouro Preto e Rosário. Dediquemos agora o segundo ao bairro de Antônio Dias. Em vez de descermos a rua do Paraná como fizemos da outra vez, subamos a rua Bobadela, que todo o mundo continua a chamar rua Direita. É a de mais nobre aspecto da cidade. A rua em que nasceu Marília. Logo à direita reconhecerá o visitante a casa que foi berço do Visconde de Ouro Preto pela placa memorativa nela colocada. Observe as bandeiras das janelas dos prédios nº 42 e 29, as treliças das sacadas dos sobrados nºs 40, 26 e 22. O sobrado nº 7 é um dos mais bonitos da cidade; sobrado histórico, onde residia o inconfidente Francisco de Paula Freire de Andrade, tenente-coronel comandante dos Dragões; data dos fins do século XVIII; observem a porta principal, mais alta, a sacada central com maior balanço, a cimalha de madeira, os ornatos em forma de abacaxi, que já datam do século XIX. O sobrado nº 5, também com cimalha de madeira, tem soteia recuada. Às vezes, as velhas casas têm na fachada principal cimalha de estuque ou madeira, e nas laterais beirais de cachorro: é o que se pode observar no sobrado que faz canto com a travessa Padre Camilo Veloso, que tem fachada principal sobre a praça.

---

4 Um dos sobradinhos ruiu alguns anos depois de publicada a 1ª edição deste guia.

brado que era a residência do Capitão Valeriano da Costa Reis, casado com dona Ana Ricardo, outra irmã de Marília. À esquerda do largo, sobe a rua Santa Ifigênia, antiga ladeira do Vira-Saia ou do Vira-e-Sai. Suba-se por ela até o canto da rua Barão do Ouro Branco, onde há um nicho e um chafariz, datado de 1761, desça-se por esta e se vai ter à rua Coronel Serafim, antiga das Dores (a cavaleiro, à esquerda, está a Igreja das Dores, a mais pobre de Ouro Preto). A rua das Dores vai morrer na de Antônio Martins, ex da Barra (estamos no bairro da Barra). Tomando à direita, chega-se mais adiante ao largo de Frei Vicente Botelho. À esquerda do largo e à esquerda da rua Domingos de Abreu, está um sobrado notável pela varanda envidraçada em balanço sobre a rua, pela rampa de acesso e pelo perfil dos cachorros. À esquerda, se encontra a ponte da Barra. É da esquerda do largo que sai a rua Xavier da Veiga. Vamos por ela até encontrar, à direita, a ladeira que é a rua das Mercês, a qual passa ao lado da igreja do mesmo nome (Mercês de Baixo), e sairemos no largo de São Francisco, para o qual se abre o adro da Igreja de São Francisco de Assis. Em vez de passarmos pela praça Tomás Gonzaga (que nos poria de novo na rua do Ouvidor), tomemos pela rua Costa Sena, a qual passa pelos fundos do antigo Paço Municipal, e pelo oitão em frente da Igreja do Carmo. Dando para um largozinho aí existente se vê o velho Teatro Municipal de Ouro Preto, prédio modesto, o primeiro teatro que se construiu na América do Sul, diz Diogo de Vasconcelos, que nele ouviu em 1855 a Candiani cantar trechos da *Norma*; ilustrado também pela voz de Rui Barbosa na campanha civilista.

A casa da esquina de Costa Sena com Coronel Alves, antiga do Carmo, merece atenção pelas suas janelas ogivais triangulares, já do século XIX. Na rua Coronel Alves há velhas casas amoráveis, a de nº 5 com uma bonita rótula em losango.[6] Essa rua faz cotovelo para a direita e vai cair na rua do Paraná, que já conhecemos.

Em nosso terceiro passeio subamos pela ladeira que começa entre a Casa dos Contos e o chafariz: é a rua Senador Rocha Lagoa, antiga das Flores. Nos socalcos da esquerda, acha-se o Grande Hotel, construído de 1940 a 1944. Coube à Diretoria do Patrimônio Histórico e Artístico Nacional resolver o difícil problema de dotar a cidade com uma casa onde viajantes e turistas encontrassem agasalho e conforto e que não atentasse contra a fisionomia tradicional de Ouro Preto. A solução, realmente feliz, foi achada no projeto de Oscar Niemeyer, que levou em conta umas tantas características comuns à técnica do concreto armado e à do pau a pique. Seja dito que o arquiteto não quis, absolutamente, imitar a aparência das edificações antigas, sabendo o que há de artificioso e de falso nessa imitação, e temendo, muito acertadamente, que viesse a passar como antigo o que é, afinal, do nosso tempo. Procurou antes fazer com que o hotel, necessariamente moderno, se destacasse o menos possível na paisagem colonial. Fez obra de boa arquitetura atual, e esta, como assinala um entendido, vai sempre bem com a boa arquitetura de qualquer período anterior; o que não combina é a falta de arquitetura. Foi assim resolvido um problema de hoje com o emprego adequado dos processos contemporâneos de construção. A obra fez-se com a cooperação técnica e financeira do governo federal e do governo de Minas Gerais.

A rua das Flores abre-se em cima numa espécie de largo, onde fica o Grupo Escolar Pedro II, feiíssimo, adaptação de um quartel de cavalaria, e a chamada fon-

---

6   Segundo informação de Sylvio de Vasconcellos, já desapareceu a rótula.

te dos Cavalos. São interessantes na sua velhice os portões dos fundos das casas da rua Direita.

A rua das Flores acaba no fundo da praça Tiradentes. Tome-se então à esquerda, pela rua Padre Rolim, que ladeia o Palácio dos Governadores. Aí se veem as ruínas da casa onde residia e morreu Dom Frei Domingos da Incarnação Pontevel, bispo de Mariana. No encontro com a rua Gorceix fica a velha casa onde residiu durante dois anos o Visconde de Ouro Preto. Na quina do muro que a cerca vê-se uma placa memorativa: "Ao grande ministro da Marinha do Império, Afonso Celso de Assis Figueiredo, Visconde de Ouro Preto, 1866-1868, Homenagem da Marinha Brasileira".

Da mureta da rua Padre Rolim avista-se em frente a escadaria que era o antigo acesso para o Carmo, e para a direita, nos longes da paisagem, a igreja do Bom Jesus de Matozinhos e o velho sobrado, última casa do bairro das Cabeças, residência de Bernardo Guimarães.

A rua Padre Rolim passa ao lado da igreja das Mercês de Cima, donde o seu antigo nome de rua das Mercês. Atrás da igreja está o asilo de Santo Antônio, para meninas. Contíguo a este fica o velho prédio, restaurado pela Diretoria do Patrimônio Histórico e Artístico Nacional, onde se instalou, em 12 de outubro de 1876, a Escola de Minas, que posteriormente ocupou também a casa do Asilo. Mais adiante, à direita, ergue-se o vasto edifício da Santa Casa da Misericórdia, remodelação sem interesse da velha chácara do Xavier. Atravessamos em seguida a ponte do Xavier, sobre o córrego Ouro Preto, e saímos nos fundos da Igreja de São Francisco de Paula. Descendo a longa escadaria de acesso, caímos nos fundos da Igreja de São José. Da frente desta desceremos à rua São José por ladeira que tem hoje o nome de rua Teixeira Amaral. Nesta rua é interessante o velho sobrado reformado (nº 8), onde residia o doutor Teixeira Amaral, que exerceu a presidência da Câmara.

6 – Passeios de automóvel

Para visitar os bairros das Cabeças e do Padre Faria, será melhor tomar um automóvel. O das Cabeças começa na rua Alvarenga (assim chamada porque aí residiu José de Alvarenga Peixoto), logo depois da ponte do Rosário, sobre o córrego do Caquende. Nessa rua Alvarenga (antigo caminho das Cabeças, onde ficava a primitiva forca) está a Igreja do Bom Jesus (à esquerda), e há a notar alguns sobrados interessantes, especialmente o de nº 3; o de nº 4, cujo saguão é feito com piso de pedras de ferro, e sua janela de rótulas; e o de nº 9 (os marcos de cantaria estão pintados, e as portas do andar térreo foram transformadas em janelas). Note-se o Passo das Cabeças, à direita, o pequeno chafariz, também à direita, o cruzeiro de pedra e o correr de casas do nº 40 em diante. À esquerda, o adro da Igreja do Bom Jesus, com o chafariz datado de 1763; ao fundo do adro, o colégio diocesano.

Ao fim da rua, à direita, o imenso e solitário casarão de Bernardo Guimarães (nº 96).

Segue-se o bairro do Passa-Dez, onde há a visitar o Instituto Barão de Camargos, antigo Jardim Botânico, onde se iniciou a plantação do chá em Minas, por volta de

1840, sendo diretor do estabelecimento o naturalista Fernando Pereira de Vasconcelos. O edifício atual nada tem a ver com o antigo, de que restam apenas os alicerces.

O bairro do Padre Faria está situado no lado oposto, e para chegar lá sobe-se pela rua Conselheiro Quintiliano, antigo caminho das Lajes (grandes pedreiras de quartzito aurífero exploradas por muito tempo), a qual começa na praça Tiradentes, em frente ao Palácio dos Governadores. No caminho das Lajes note-se o belo sobrado, que foi residência da família Mota. Pertenceu ao Barão do Saramenha e abrigou uma república de estudantes, o "Castelo dos Nobres". A visitar para esses lados, a capelinha de Nossa Senhora do Rosário (Padre Faria) e a Igreja de Nossa Senhora do Rosário (irmandade de Santa Ifigênia). Dois chafarizes a ver – o das Águas Férreas, no caminho das Lajes, e o do Alto da Cruz.

Outros belos passeios, que se podem também fazer a cavalo, são para o morro da Queimada (ver capítulo "História"), para a cascata do Tombadouro, para as minas de ouro da Passagem, para Cachoeira do Campo, cuja igreja matriz (Nossa Senhora de Nazaré) merece visita pelo seu lindo interior, rico em talha dourada, e para Ouro Branco e Itatiaia. A igrejinha sob a invocação de Santo Antônio desta última contém algumas imagens belíssimas.

Para os amantes do alpinismo há a ascensão ao Itacolomi, cuja altura é de 1752 metros. De suas abas manam numerosos filetes de água que avolumam o Tripuí. Este córrego, ao passar pela cidade, toma o nome de Funil; adiante, é chamado Ribeirão da Passagem, e finalmente Ribeirão do Carmo, quando se junta ao rio Gualaxo e vai desaguar no rio Doce. As águas que descem pelo lado do sul vão avolumar o córrego da Dominga, afluente, nas divisas do município de Ouro Preto, do ribeirão do Mainarte.

Mariana

À antiga Vila do Carmo se pode ir de trem ou de automóvel. Indo de trem, entra-se na cidade atravessando o ribeirão do Carmo, mas a estrada de rodagem penetra nela pelo alto de São Pedro,[7] onde está a igreja do mesmo nome, hoje contígua à residência arquiepiscopal.

O risco de São Pedro seria, segundo Diogo de Vasconcelos, de Antônio Pereira de Sousa Calheiros. Nada se pôde apurar, contudo, quer quanto à sua autoria quer quanto à data do início das obras: perderam-se os livros da irmandade. Sabe-se que a iniciativa da construção coube a Dom Frei Manuel da Cruz. Uma pia batismal tem gravado o ano de 1743, dado como sendo o do começo das obras. Pondera entretanto o Cônego Raimundo Trindade que nos dias iniciais não se cogitaria de tal pormenor, e só seria lícito a uma sede de paróquia gozar do privilégio de ter pia batismal, reservado às matrizes. A peça terá, pois, pertencido a uma das muitas capelas filiais disseminadas nos arredores de Mariana. O certo é que as obras da igreja se achavam paralisadas em 1820 e assim ficaram até os nossos dias, quando Dom Silvério conseguiu dar-lhes andamento e conclusão de emergência (1922).

---

7 Hoje a estrada chega à cidade pela parte baixa e não mais por São Pedro.

A fachada principal com as duas torres é recente. Na igreja esteve instalado o Museu Arquidiocesano, fundado por Dom Helvécio Gomes de Oliveira e cujo acervo o mesmo arcebispo doou à União para constituir o núcleo inicial do Museu da Inconfidência.

Do alto de São Pedro se descortina o belo panorama da cidade, estendendo-se até as longínquas Igrejas do Rosário dos Pretos (datando de 1752), à esquerda, e Santa Ana, à direita. Descendo-se para a cidade pela rua Nova, passa-se, à esquerda, diante de um pequeno chafariz (chafariz de São Pedro), muito bonitinho na sua singeleza, pela Igreja de São Francisco da Confraria, a qual data de 1784; veem-se à direita, no vale, os edifícios dos Seminários Maior e Menor; este último, fundado por Dom Frei Manuel da Cruz em 1750, tem uma capela que merece atenção pela riqueza e gosto da talha, imagens antigas e pintura do teto representando a Assunção de Nossa Senhora. A rua Nova leva ao largo de São Francisco, antigo do Paço, onde estão os principais monumentos da cidade: a casa da Câmara, construída por José Pereira Arouca, em frente desta a Igreja São Francisco de Assis.

Foi lenta a construção da Igreja de São Francisco iniciada em 1763: despesas e pleitos diversos retardaram os trabalhos. Entre os dois riscos inicialmente apresentados, uma comissão escolheu o do Padre Doutor José Lopes Ferreira da Rocha, rejeitado logo um mês depois, quando se adotou a planta definitiva, do mestre José Pereira dos Santos, pagando-se ao autor 32 oitavas de ouro. Esta última, porém, sofreu ainda sucessivas alterações, introduzidas por José Pereira Arouca, contratante das obras de pedra e cal, e contra quem a Ordem teve de mover uma ação. Só quatorze anos depois de lançada a pedra fundamental ficava pronta uma parte do templo (capela-mor, sacristia e casa do noviciado). Em 1794, fazia-se a entrega definitiva à Ordem Terceira de São Francisco, muito embora, como assinala o Cônego Trindade, o acabamento completo só se fizesse pelo século XIX adentro. A execução do risco importou em 41 mil cruzados. Miguel Teixeira Guimarães, homem benemérito, e Tomás José de Oliveira foram os irmãos incumbidos pela Mesa de realizar o serviço. Francisco Vieira Servas executou o altar-mor, entregue em 1775.

O medalhão do frontispício de São Francisco traz a data MDCCLXIII. Note-se no adro o guarda-corpo de pedra-sabão (pedra da Passagem). Na sacristia veem-se no teto duas telas (São Francisco em agonia e São Francisco morto), de autoria de Manuel da Costa Ataíde, ao qual se atribui também o quadro que está no canto esquerdo, quando se entra ao lado do coro. Pesquisas feitas nos livros da Ordem, entretanto, permitem assegurar, apenas, que esse artista pintou "o pano da porta da igreja", encarnou as imagens da Paixão e fez o douramento do retábulo do altar-mor e do altar de Santa Isabel (1795). As pinturas do teto da nave principal, representando os quatro Papas que aprovaram a confirmação da Ordem e, no centro, o painel do Dilúvio são provavelmente de autoria de Francisco Xavier Carneiro. Não ficou documentação relativa à pintura dos painéis da sacristia; apenas uma referência de pagamento ao irmão Gonçalo da Silva Lima de despesas que fez nos ajustes "de toda a obra e pintura". Os despojos de Ataíde estão enterrados na campa 86.

A planta da Igreja do Carmo, situada na mesma praça, parece ao senhor Salomão de Vasconcelos ter sido do mestre José Pereira dos Santos. Segundo o Cônego Trindade (*Arquidiocese de Mariana*, 3º vol., p. 1.230, São Paulo, 1920), a construção da Igreja do Carmo foi confiada ao mestre Domingos Moreira de Oliveira, que nela trabalhou dez anos; em seguida, trabalhou o mestre-pedreiro José Antônio Soares de Brito durante seis anos e meio; a esses sucederam Custódio de Freitas Guimarães e José Bernardes de Oliveira. O risco do altar-mor foi de Manuel Dias (1819). O douramento é de Francisco Xavier Carneiro. No altar-mor está a padroeira; nos dois laterais São João da Cruz e o Calvário. O painel do teto representa a Virgem do Carmelo dando o escapulário a São Simão Stoch.

Atrás da Igreja do Carmo fica o Convento das Carmelitas da Divina Providência, nova Congregação criada sob os auspícios de Dom Helvécio.

Os visitantes devem deixar o automóvel no largo e descer pela ladeira de São Francisco, que ladeia a igreja. Atrás desta fica o velho edifício que serviu de palácio ao primeiro bispo de Mariana, Dom Frei Manuel da Cruz. O bispo alugou-o em 1748 por 400 mil-réis anuais e deixou-o em 1753, travando-se então entre o procurador do proprietário e a autoridade eclesiástica um pleito que durou quase dezoito anos e só foi decidido quando já morto Dom Manuel da Cruz. Esse prédio foi dado por Diogo de Vasconcelos como sendo o de residência do conde de Assumar, governador das Minas, porém a extensa e concludente documentação recolhida nos últimos tempos deixa claro que se trata de duas casas distintas. A do bispo, a que nos referimos, foi vendida em 1761 à Ordem Terceira de São Francisco e hoje se chama Casa de São Francisco; servia de consistório e residência dos padres comissários. A dos governadores, na antiga rua Direita, pertencia a Manuel Antunes de Lemos, que em 1715 a vendeu à Câmara, sendo por esta oferecida em 1719 a El-Rei, para servir de palácio do governo das Minas. O oferecimento foi aceito, e ali residiram os governadores até que em 1744, estabelecida a residência deles em Ouro Preto, foi o palácio restituído à Câmara. Dele não há mais vestígios.

A ladeira de São Francisco leva ao largo da Independência, onde junto à casa nº 3 existiu a Casa de Fundição de Mariana. Atravessando o largo, entre-se pela rua Conde da Conceição, onde existe o belo sobrado da Casa Capitular, cujas obras foram arrematadas em 1770 por José Pereira Arouca. Nele se acha hoje instalado o rico arquivo da Cúria de Mariana. A rua Conde da Conceição vai ter à praça da Sé, para a qual dá frente a Matriz de Mariana. No terreno existia primitivamente a Capela da Conceição, de adobe e palha. Em 1709, no governo de Antônio de Albuquerque, iniciou-se a construção da nova igreja, a qual só se completou em tempos de Frei Manuel da Cruz. A autoria do plano pertence a vários, inclusive Jacinto Barbosa Lopes, que ficou incumbido da construção, tendo-se esta prolongado pelo menos até 1760, segundo o Cônego Trindade. Com a elevação a catedral, tendo como titular a Assunção de Nossa Senhora, o templo sofreu adaptações: a tribuna para o órgão e o coro para o cabido foram executados depois de 1748; as pinturas deste último são de 1760, data de uma de suas cadeiras.

Em 1796 foi reconstituído o frontispício na forma que conserva até hoje. O seu interior guarda grandes belezas em talha e em imagens, sobressaindo a da Padroeira (no trono), segundo o senhor Salomão de Vasconcelos uma das mais antigas dos templos de Mariana, pois em documento do arquivo da Câmara verificou ele ser a mesma imagem de Nossa Senhora do Carmo que serviu na fundação da vila, em 1711, e a de São Pedro Arbués; o grande órgão, cujo fole é movido a braço; o tapa--vento; a rica balaustrada de jacarandá da capela-mor e da grande nave; os painéis; os paramentos litúrgicos. O respaldo do cadeirado é revestido de madeira em tábuas juntadas, com pintura de motivos orientais, vendo-se num dos painéis a data 1760. Na Sé estão os despojos de todos os bispos de Mariana. Na praça da Sé existe ainda a casa em que residiu Cláudio Manuel da Costa.

Em seguida siga o visitante a rua Direita, onde admirará o velho sobrado do Barão de Pontal (o Governador Melo e Sousa), com os seus balcões em pedra-sabão recortada como uma renda.

Em Mariana viveu e compôs a maior parte de sua obra o poeta Alphonsus de Guimaraens. Quando faleceu, residia na casa nº 11 dessa rua Direita. Foi sepultado no cemitério da Igreja do Rosário dos Pretos mas recentemente lhe transferiram os despojos para o cemitério de Sant'Ana, onde o governo estadual erigiu o túmulo definitivo do poeta.

Além das igrejas acima nomeadas existem na cidade as de São Gonçalo, Mercês, Sant'Ana de Baixo e Sant'Ana do Morro, Rosário Velho e Rosário Novo, esta com o altar da padroeira pintado e dourado por Manuel da Costa Ataíde, e a capelinha de Nossa Senhora dos Passos, construída em 1793.

O sítio do Ribeirão do Carmo foi descoberto no dia da festa da Virgem, 16 de julho de 1696, pela expedição do Coronel Salvador Fernandes Furtado de Mendonça. Em 8 de abril de 1711 foi o arraial erigido a vila, e em 23 de abril de 1745 a cidade, com o nome de Mariana, em honra de Dona Maria Ana, da Áustria, esposa de Dom João V.

CONGONHAS DO CAMPO

Congonhas do Campo, distante 126 km de Ouro Preto, é famosa pelo seu Santuário, objeto de romaria concorridíssima em certa época do ano.

O Santuário do Senhor Bom Jesus de Matozinhos foi fundado em 1757 pelo português Feliciano Mendes, em cumprimento de uma promessa. Começou o ermitão levantando modesta cruz e nicho, aquela ainda existe no templo atual. Até 1765, ano em que faleceu no povoado de Antônio Pereira, passou a vida de sacola na mão angariando esmolas para a construção do santuário. A construção começou pela nave maior. Em 1773 estava concluída a capela-mor, obra de Francisco de Lima. Os altares laterais foram talhados por Jerônimo Félix. As pinturas da capela-mor são de Bernardo Pires da Silva, começadas em 1774. João Gonçalves Rosa terminou as cortinas do coro e o oratório que se acha sobre o arcaz da sacristia. João de Carvalhais dourou o altar lateral de Santo Antônio, e Bernardo Pires o de São Francisco. Francisco Vieira Servas esculpiu os quatro grandes anjos do altar-mor, recebendo em 1777, por esse trabalho, 85 oitavas de ouro. As pinturas da nave foram executadas em 1779-80 por João Nepomuceno Correia e Castro. Em 1787 foi instalada na frente do altar-mor a bela imagem do Senhor morto, imagem taumaturga, centro da devoção dos fiéis. A âmbula e as sacras de prata foram feitas pelo ourives Felizardo Mendes. Em 1819 as pinturas da capela-mor foram mandadas retocar por Ataíde.

Mas o que faz de Congonhas lugar de peregrinação artística, ao lado da religiosa, são as monumentais esculturas de Antônio Francisco Lisboa, o Aleijadinho: os doze profetas do adro, e os Passos da Paixão – aqueles em pedra-sabão, estes em madeira. Executou-as o genial artista a partir dos 61 anos, quando já deformado pela doença, e nesse trabalho foi ajudado por discípulos, que faziam o primeiro desbaste da matéria. Um deles era o seu escravo Maurício, que lá morreu.

Sant'Ana

De alguns anos mais recente que a de São João. Construção de canga, medindo 7,15 metros de frente, 17,13 metros de comprimento e 5,48 metros de altura. Interior pobre, de madeira; o altar-mor, liso, é moderno; os laterais são mais antigos.

Santa Cruz

Sob essa invocação existem duas pequenas capelas: uma, na rua do Resende (principal do Alto da Cruz), pertencente à irmandade de Nossa Senhora do Rosário de Antônio Dias, e cuja construção é contemporânea, senão mais antiga, da de Santa Ifigênia; outra, na ladeira do Faria, reconstruída em 1903.

Nosso Senhor do Bonfim

Está situada na rua da Glória. Nesta capelinha é que os condenados à morte, a caminho da forca, levantada nas Cabeças em 1791, ouviam missa por sua alma. A fachada sofreu reforma desfiguradora no século XIX.

São João (Batista)

O mais antigo templo de Ouro Preto, ereto, segundo a tradição, pelos descobridores da Serra. Construção de canga. Existe guardada na sacristia uma curiosa imagem do santo, em cedro. Possuía também a capela precioso crucifixo de marfim, que está hoje sob a guarda do vigário da paróquia do Pilar. A pintura da base do retábulo (representa os doze apóstolos) é atribuída por Diogo de Vasconcelos ao mesmo artista que pintou na Capela do Pompeu, em caminho de Caeté, os quadros da vida de Santo Antônio. Reconstruída em 1749.

São Sebastião

Data dos meados do século XVIII. Segundo a tradição, registrada por Diogo de Vasconcelos em *A arte em Ouro Preto*, a primitiva capela foi construída muito mais para baixo na encosta da montanha.

IGREJAS

Nossa Senhora da Conceição de Antônio Dias (Matriz)

A igreja atual levantou-se no sítio onde existia uma Capela de Nossa Senhora da Conceição mandada construir por Antônio Dias em 1699. Tendo o bandeirante enriquecido grandemente, legou-lhe fundos consideráveis, os quais se empregaram na construção, começada em 1727, do novo edifício, cujas obras se prolongaram até a segunda metade do século XVIII. Em 1760 a talha do altar-mor foi contratada com Filipe Vieira. Em 1868, a igreja ameaçava cair, pelo que foi fechada, durante mais de dez anos os trabalhos de reparação.

Diogo de Vasconcelos sugere a autoria de Pedro Gomes Chaves, autor do projeto de Nossa Senhora do Pilar, pelas analogias que nota entre as duas igrejas, mas o vereador Joaquim José da Silva, em 1790, afirmava que o risco foi do próprio construtor Manuel Francisco Lisboa.

Os altares laterais, em número de oito estão sob a invocação de São José, São

Sebastião, Santo Antônio e Nossa Senhora da Conceição de Aparecida (antigo do Coração de Jesus, cuja imagem foi colocada no trono), à esquerda de quem entra; de Nossa Senhora da Boa Morte, São João Batista, São Gonçalo e São Miguel das Almas, à direita.

Exteriormente: sobre o acrotério uma cruz se eleva do centro da meia-lua, emblema da Conceição.

Interiormente: duas pias de pedra-sabão, talvez as mais bonitas de Ouro Preto; no altar de Nossa Senhora da Boa Morte, grupo de belos relevos em madeira; no altar de Nossa Senhora do Rosário há a notar as imagens de São Francisco de Paula e São Roque; no altar-mor veem-se ao alto, de cada lado, duas belas pinturas, e encimando o retábulo, uma alegoria apocalíptica: uma fortaleza de onde surge uma águia e por cima a coroa de rainha, significando o Cristo nascido da Virgem; nos nichos do altar-mor há a imagem de Santa Bárbara à direita, e São João Nepomuceno, à esquerda; a imagem da Conceição que ocupa o alto do trono foi pelo Coronel Cícero Pontes mandada modelar, em 1893, segundo a *Conceição* de Murillo; nas bases das pilastras do fundo do altar-mor notem-se as duas cabeças de índios com cocar estilizado; note-se também a cabeça de anjo, à direita no meio da capela-mor; no corredor da sacristia, um formidável armário ladeado de cômodas, em jacarandá; na sacristia existe mais uma cômoda de jacarandá de nove a dez metros de comprimento, e outro armário embutido na parede, da mesma madeira. Procure-se ver também os suportes dessa com figuras de leões, obra do Aleijadinho.

Os governadores costumavam tomar posse da Capitania na Matriz de Nossa Senhora do Pilar, mas achando-se ela em obras em 1732, foi na Matriz de Antônio Dias que se empossou, em 1º de setembro, Dom André de Melo e Castro, Conde das Galveias.

Nesta igreja sepultaram-se o Aleijadinho e Marília, mas os despojos desta estão hoje no Museu da Inconfidência.

Nossa Senhora do Monte do Carmo

Projeto de Manuel Francisco Lisboa, apresentado e aprovado em 1766 (fl. 107 do Livro 1º da Ordem), mas depois bastante modificado, provavelmente por Antônio Francisco Lisboa. A construção, arrematada pela quantia de 36 mil cruzados por João Álvares Viana (fl. 108 do mesmo livro), iniciou-se ainda em 1766 e concluiu-se em 1772. É administrada pela irmandade da Venerável Ordem Terceira de Nossa Senhora do Monte do Carmo de Ouro Preto. Como observa Rodrigo M. F. de Andrade no prefácio ao livro de Francisco Antônio Lopes (*História da construção da igreja do Carmo de Ouro Preto*, Serviço do Patrimônio Histórico e Artístico Nacional, publicação nº 8, 1942), a Ordem Terceira chamou um conjunto admirável de artistas para decorar o seu templo: o Aleijadinho, seu pai Manuel Francisco Lisboa, José Pereira dos Santos, autor do risco e da planta de São Francisco de Mariana; Francisco de Lima Cerqueira, que construiu o Carmo e São Francisco de São João del-Rei; Manuel Francisco de Araújo, a quem se deve o risco do frontispício e a empena do Rosário de Ouro Preto; Manuel da Costa Ataíde; João Nepomuceno Correia e Castro, autor das pinturas do Santuário de Congonhas; João Luís Pinheiro, entalhador dos retábulos das igrejas de Ordens Terceiras do Rio das Mortes, além de outros, inclusive talvez João Gomes Batista, professor do Aleijadinho. Outra verificação que se encontra no livro citado, cheio de segura documentação: eram os nossos próprios mestres dos ofícios comuns – carpinteiros, pedreiros, pintores etc. que faziam os riscos, não havendo o ofício de mestres do risco; e as obras, ainda as mais finas, eram projetadas aqui mesmo, por artistas nacionais ou radicados à terra, só excepcionalmente se recebendo de Portugal riscos de edificações, como os dos quartéis de Mariana e Vila Rica. O Carmo é notável pelas esculturas em pedra-sabão e talhas em madeira, pelas belas portas interiores, sobretudo as de acesso aos púlpitos, forros dos tetos dos corredores laterais, balaustrada da banca de comunhão e grade de separação da nave central, cômoda e bancos da sacristia. Na capela-mor, painéis de azulejo de legítima faiança pombalina com pinturas alusivas aos episódios sacros da Ordem; as pinturas do teto são do artista Ângelo Clerici (Diogo de Vasconcelos – *A arte em Ouro Preto*). A fonte da sacristia, os ornatos do pórtico em pedra-sabão, e os arcos do coro foram arrematados em 1771 pelo mestre-canteiro Francisco de Lima Cerqueira (fl. 173 do Livro 1º da Ordem), mas a escultura é do Aleijadinho. Os dois altares laterais de São João e Nossa Senhora da Piedade são obras do Aleijadinho (fl. 70 do Livro 2º da Ordem), que as concluiu em 1809 e se queixou "de ter recebido o seu salário em ouro falso" (Rodrigo Bretas). Os púlpitos e dois altares laterais foram contratados com Justino Ferreira de Andrade, discípulo de Antônio Francisco, em 1812 (fl. 79 verso do Livro 2º). Dois outros altares são obras de Manuel Francisco de Araújo (1784 a 1790). O risco desses altares era de João Nepomuceno Correia e Castro. A douradura do altar-mor, dos seis altares laterais e dos filetes da cimalha e frestas do corpo da igreja foi executada pelo pintor alferes Manuel da Costa Ataíde (fls. 116, 122 e 137 do Livro 2º). É também de sua autoria o risco do altar-mor, na sua própria expressão "todo proporcionado em preceito da ordem compósita da arquitetura". "Cuido que em valentia e gosto o não podia eu fazer melhor", acrescenta o artista (1813).

João Luís Pinheiro arrematou em 1797 as obras do consistório; as do camarim da capela-mor, a cimalha exterior do mesmo trono e os nichos de Santo Elias e Santa Teresa foram contratados com Vicente Alves da Silva, em 1827; o douramento do altar do consistório foi feito em 1839 e o do teto, bem como a pintura das paredes, em 1844; as portas principais foram adquiridas em 1847; os balaústres do arco cruzeiro, do coro e do corpo da capela foram contratados por um conto de réis com Miguel Antônio Triguelas em 1888; em 1908 foi contratada nova pintura interna de toda a capela com o pintor Ângelo Clerici; o cemitério foi projetado pelo engenheiro Gerber, e as catacumbas pelo arquiteto Manuel Fernandes da Costa em 1829 (Furtado de Meneses, "A religião em Ouro Preto", no livro do *Bicentenário de Ouro Preto*). O grande sino, a que o povo chama Elias, faz-se notar pelas suas proporções e pelo seu timbre, agradável e possante, que enche o vale de Ouro Preto.

Antes de 1766, existia no sítio uma capelinha erigida por devotos de Santa Quitéria. Quando os irmãos terceiros do Carmo, congregados naquela capela, construíram o novo templo, honraram a santa, tomando-a como padroeira, e colocando-lhe a imagem no meio do trono. O antigo altar de Santa Quitéria é hoje o de Nossa Senhora dos Passos (invocação de São José), o terceiro à esquerda de quem entra na igreja; o primeiro e o segundo são o de Nosso Senhor da Cana Verde (invocação de São Caetano), e o da Varanda de Pilatos (invocação de Nosso Senhor da Piedade). Em frente o primeiro altar é o de Nosso Senhor da Coluna (invocação de São Manuel); o segundo é o de Nosso Senhor na Acusação (invocação de São João); o terceiro é o de Nosso Senhor no Horto (invocação de Santa Luzia).

Nossa Senhora das Dores

Autoria desconhecida. Construção começada em 1788. Está situada num morro entre os bairros de Antônio Dias e Barra. Não tem irmandade, sendo zelada por um irmão devoto. Pertence à freguesia de Antônio Dias. Desprovida de interesse histórico ou artístico. Possui uma torre central, que, arruinada, foi substituída por uma sineira de verga em semicírculo. A primitiva imagem de Nossa Senhora das Dores, de dois palmos, veio de Braga e foi feita pelo Padre Manuel Martinho Pereira; a atual, de seis palmos, veio também de Braga. No consistório existe uma bela imagem antiga de Nossa Senhora da Piedade. No altar-mor, o único, há uma banqueta de seis castiçais de talha dourada e duas belas mesas de estilo Dom João V.

Nossa Senhora das Mercês e Perdões (Mercês de Baixo)

Construção concluída em 1772. Autoria desconhecida. Reconstruída em meados do século XIX. Pertence à freguesia de Antônio Dias e é administrada pela irmandade da Venerável Ordem Terceira de Nossa Senhora das Mercês e Perdões. Na capela-mor, imagem moderna de Nossa Senhora das Mercês (no trono) e imagens de São Pedro Nolasco e São Raimundo Nonato; altares laterais – de um lado Santa Catarina e Santo Antão, do outro São Lourenço e Nossa Senhora da Saúde. As velhas imagens da primitiva capela sob a invocação do Bom Jesus dos Perdões se acham no consistório.

A tradição atribui a fundação da primitiva capela a Dona Branca de Oliveira Leitão, cujo marido, Coronel Antônio de Oliveira Leitão, nobre paulista, apunhalou em 1720 a filha, por suspeitá-la de namorar com um rapaz de origem plebeia, pelo que foi preso, transportado para a Bahia, e lá julgado e decapitado. Sabe-se entretanto, por documentos daquele tempo, que a capela foi construída pelo Padre José Fernandes Leite. Este a doou em 1770 à Irmandade de Nossa Senhora das Mercês e Redenção dos Cativos, com a condição de continuar o doador no cargo de capelão-comissário e sem prejuízo do culto às imagens do Senhor dos Perdões e da Senhora da Saúde.

Não era isenta de pugnas a vida das irmandades. Assim é que a crônica de Mercês de Baixo registra o dissídio entre os crioulos do Pilar e os de Antônio Dias, em torno de uma imagem que estes últimos teriam mandado fabricar e que aqueles, "por vão capricho e bazófia", figurando até a assinatura de crianças de peito nos seus documentos, reivindicavam para si. O pleito foi longo, e por causa dele certo número de crioulos descontentes abandonou a irmandade de Nossa Senhora das Mercês, da freguesia do Pilar, passando-se para Bom Jesus dos Perdões, berço de Mercês de Baixo.

A rivalidade entre Pilar e Antônio Dias chegou em 1845 ao conhecimento do Imperador. As duas ordens terceiras das Mercês se disputavam privilégios e prioridades. Houve necessidade de um aviso da Secretaria da Justiça, para estabelecer que os homens das Mercês de Cima (Pilar) não podiam ser despojados do direito de usar vestes talares, mas que, em compensação, os das Mercês de Baixo (Antônio Dias), organizados pelo menos desde 1823, tinham absoluta prioridade nos atos públicos. A vitória, segundo o Publicador Mineiro daquela época, foi festejada com fogos, rojões e contentamento geral, em Antônio Dias.

O visitante deve procurar conversar com o sacristão Manuel de Paiva, que sucedeu ao pai, de quem ouviu informes curiosos. Assim conta ele que os quatro altares laterais vieram de uma igreja incendiada em Rio de Pedras; os belos castiçais coroados de anjinhos são do tempo da capelinha do Bom Jesus dos Perdões. O altar-mor data de 1890. Sobre a pia em pedra-sabão da sacristia vê-se a tarja de armas de Nossa Senhora das Mercês, primitivamente situada no coroamento do altar-mor.

No Livro de Receita e Despesa da Ordem consta a fl. 71 que, no ano de 1775, foi paga ao Aleijadinho a quantia de seis oitavas de ouro por trabalho executado para a igreja. Trata-se do risco da primitiva capela-mor.

Do mesmo livro consta um pagamento feito a Ataíde por trabalho ainda não identificado.

Mercês e Misericórdia (de Cima)

Pertence à freguesia de Nossa Senhora do Pilar e é administrada pela irmandade das Mercês da Misericórdia.

A atual igreja, começada a construir em 1771, substituiu a que existia no mesmo sítio. A modificação de sua fachada para dar lugar à torre central, confirma, pela mutilação do coro, que essa transformação se operou quando a igreja já estava definitivamente concluída. O risco e as condições dessa obra datam de 1793 e foram de autoria do mestre Manuel Francisco de Araújo.

O medalhão da portada, em pedra-sabão, representando a Virgem com os braços abertos, estendendo o manto de proteção aos cativos dos mouros, segundo o sonho do fundador da Ordem, São Pedro Nolasco, foi executado por Manuel Gonçalves Bragança, que pelo trabalho recebeu 46 oitavas de ouro (doutor Furtado de Meneses).

Notem-se as aldrabas e o espelho da fechadura na porta principal.

Encerra algumas peças de valor: no presbitério, seis cadeiras Dom João V; na sacristia três quadros com as figuras de São Gregório, Santo Ambrósio e Santo Agostinho, semelhantes aos que estão no consistório do Carmo; no consistório duas belas cômodas de jacarandá com primorosas ferragens, e em duas pesadas arcas ricos paramentos.

No altar-mor, ladeando o camarim, há as imagens de São Raimundo Nonato e São Pedro Nolasco; no trono, a primitiva imagem de Nossa Senhora das Mercês. Os altares laterais são quatro, sob a invocação de Santa Catarina de Alexandria, Santo Antão, São Lourenço e Nossa Senhora da Saúde. Nos nichos desses altares abrigam-se velhas imagens de Nossa Senhora dos Remédios, São João Batista, Nossa Senhora do Rosário, Santa Luzia, São José.

Os painéis da sacristia são modernos, obra do pintor Ângelo Clerici.

Nossa Senhora do Pilar (Matriz do Fundo de Ouro Preto)

Planta atribuída ao arquiteto Pedro Gomes Chaves. No mesmo local levantou-se em 1711 uma capela sob a invocação de Nossa Senhora do Pilar; a essa capela de taipa sucedeu a igreja construída pela irmandade do Santíssimo Sacramento. Enquanto se erguia a nova matriz em torno da primitiva capela, prosseguiam nesta os ofícios. Quando a construção, começada pelo corpo do templo primitivo, atingiu a capela-mor, passaram os ofícios a realizar-se no Rosário; desta saiu em 1733 o Santíssimo em solene procissão, conhecida pelo nome de Triunfo Eucarístico, para a nova matriz, ainda não concluída então. Continuaram as obras pelo século XVIII adentro, obedecendo ao plano inicial. Em 1848 concluiu-se a atual fachada.

A carpintaria da nave é de Antônio Francisco Pombal.

Admirável é a banqueta de prata do altar-mor, assim como a custódia de ouro, sacras de prata e outras preciosidades. A obra de talha da capela-mor é do mestre Francisco Xavier de Brito.

Os altares laterais são em número de seis, sendo os mais antigos o primeiro e o terceiro do lado do Evangelho; provavelmente pertenceram à antiga capela. Esses seis altares estão sob a invocação de Santo Antônio, São Miguel, Sant'Ana, Senhor dos Passos, Nossa Senhora das Dores e Nossa Senhora do Rosário. Todos ostentam bela talha dourada. Há velhas pinturas no teto do corpo da igreja e nas paredes da capela-mor. Vale também mencionar os púlpitos esculpidos e o teto em polígonos estrelados.

Na sacristia existe uma enorme cômoda de jacarandá, e sobre esta um oratório da mesma madeira numa só peça; ao fundo, duas outras cômodas. No consistório há outro oratório e outra cômoda de estilo Dom João V.

O visitante não deve deixar de pedir que lhe mostrem os belíssimos paramentos guardados na mesa do consistório. E num pequeno livro da irmandade poderá ver a assinatura do "doutor Gonzaga" (Tomás Antônio Gonzaga).

Nesse templo tomou posse Dom Lourenço de Almeida, primeiro governador das Minas Gerais.

Nossa Senhora do Rosário

Pertence à freguesia de Ouro Preto e é administrada pela irmandade de Nossa Senhora dos Pretos da freguesia de Nossa Senhora do Pilar.

Diz o vereador Joaquim José da Silva que o projeto é de Antônio Pereira de Sousa Calheiros, que, segundo Diogo de Vasconcelos (*A arte em Ouro Preto*), o delineara em 1785. Todavia, apurou-se apenas que o risco do frontispício e da empena foi de Manuel Francisco de Araújo. A igreja é de pedra aparelhada. De itacolomito são os cunhais, quadros das luzes, das sineiras, pináculos, pedestais das pilastras interiores, arco cruzeiro, bacias dos púlpitos e poiais dos corredores. Os balaústres das janelas da frente são de pedra-sabão. Os altares laterais estão sob a invocação de Santa Helena, Santa Ifigênia e Santo Antônio da Núbia, à direita de quem entra, e Nossa Senhora Mãe dos Homens, Santo Elesbão e São Benedito, à esquerda. Segundo informação do zelador, senhor Odorico Neves, as imagens de São Benedito e de Santo Antônio são da autoria do Padre Félix, irmão do Aleijadinho. No presbitério, três cadeiras de respaldo alto em jacarandá; dignos de nota são os dois grandes anjos que sustentam as tochas. O altar-mor é uma peça moderna e destoa do resto da construção. Os bancos da nave são modernos e foram desenhados pelo pintor paulista J. Wasth Rodrigues. Na sacristia, o teto é ornado de seis painéis de cenas evangélicas; enorme cômoda de jacarandá com ferragens preciosas.

O templo atual substituiu a primitiva capela, que datava de 1709, e onde, de 1731 a 1733, esteve guardado o Sacrário Paroquial, por estar sendo então reconstruída a capela-mor da Matriz de Nossa Senhora do Pilar. Dessa extinta capela são remanescentes na igreja atual o frontal do altar-mor, as duas credências que estão no supedâneo, e no oratório da sacristia as pequenas imagens de Nossa Senhora do Rosário, de Santa Ifigênia e de São Benedito.

O visitante deve procurar ver na sacristia[9] o livro do compromisso, rico álbum com lavores de prata e internamente bonitos desenhos e caligrafia. No capítulo I se diz que "toda pessoa preta, ou branca, de hum e outro sexo, forro ou cativo, de qualquer nassão que seja, que quizer ser Irmão desta Irmandade irá à meza, ou à casa do Escrivão da Irmandade pedir-lhe faça assentamento..." No capítulo II: "Haverá nesta Irmandade hu Rey e hua Rainha, ambos pretos de qualquer nassão que sejão, os quais serão eleitos todos os annos em meza a mais votos, e serão obrigados a assistir com o seu estado as festividades de Nossa Senhora, e mais Santos, acompanhando no último dia a Procissão atraz do Pallio, e assim o Rey com a Rainha dará cada hu de sua esmolla dezasseis oytavas de ouro..."

Nossa Senhora do Rosário dos Pretos do Alto da Cruz de Padre Faria (Santa Ifigênia)

Autoria ignorada. Tem inscrita na peanha da imagem da padroeira, no frontispício, a data de 1762. Pertence à freguesia de Antônio Dias e é administrada pela irmandade do Rosário dos Pretos de Antônio Dias.

Na cruz existente no alto da fachada lê-se a data de 1785. O velho relógio foi comprado em 1762 a José da Costa por 290$000: é o mais antigo da cidade. A imagem abrigada no nicho do frontão é da padroeira, Nossa Senhora do Rosário.

Interiormente, o tapa-vento é digno de nota pela sua bela talha, obra de João Paulo Meira, com quem foi contratado em 1892 por 1:500$000. São também modernos os trabalhos de reparo e douramento do teto do altar-mor, e de pintura e douramento dos altares laterais e do resto da capela, contratados, em 1896, com Lourenço Petriza.

Os altares laterais estão sob a invocação de Santa Rita, Santo Antônio Noto, São Benedito e Nossa Senhora do Carmo; no segundo e no terceiro veem-se em nichos pequenas imagens de São Romão, São Francisco de Assis, Sant'Ana e São Domingos.

Na capela-mor há dois painéis a óleo representando São Luís e São Francisco orando aos pés de Jesus crucificado; no teto, em arco de cesta, existe outra pintura; nos nichos do altar-mor, pesadas imagens de Santo Elesbão e São Camilo; domina o dossel um medalhão com o monograma da irmandade, encimado pela coroa da Rainha do Rosário; ao fundo, no camarim, a primitiva imagem de Nossa Senhora do Rosário, e sobre o pedestal do Sacrário uma velha imagem de Santa Ifigênia sustentando na mão a sua igreja.

Na sacristia ostenta-se uma vasta cômoda de jacarandá com magníficas ferragens, duas velhas e pesadas arcas onde se guardam os paramentos do culto, e um banco; pinturas no teto, representando os evangelistas. Note-se a fechadura da porta, à esquerda, ao entrar para a sacristia.

No consistório há três pequenos altares com imagens em roca de Nossa Senhora das Dores, Nossa Senhora das Graças e Santa Quitéria.

Os púlpitos, segundo Diogo de Vasconcelos, são obra de João da Silva Madeira.

Em sua *História antiga das Minas Gerais*, narra Diogo de Vasconcelos a tradição de Chico Rei, recolhida pela primeira vez por Afonso Arinos ("Atalaia Bandeiran-

---

9 Hoje está no Museu da Inconfidência.

te"), à qual está ligada a ereção desta igreja. Francisco, rei africano, foi aprisionado e vendido para escravo com toda a sua tribo. A mulher e todos os filhos, menos um, morreram na travessia do Atlântico. Os sobreviventes foram encaminhados às minas de Ouro Preto. Homem inteligente e enérgico, Chico Rei trabalhou e forrou o filho; em seguida, os dois trabalharam para forrar um patrício; e assim sucessivamente se forrou toda a tribo, que passou a forrar outros vizinhos da mesma nação. Formaram entre si um como que Estado: Francisco era o rei; sua nova mulher, a rainha; seu filho, o príncipe; a nora, a princesa. A coletividade possuía a mina riquíssima da Encardideira. Tomaram como padroeira a Santa Ifigênia, a cuja milagrosa imagem prestavam culto no Alto da Cruz, na capela levantada sob a invocação de Nossa Senhora do Rosário. No dia 6 de janeiro o rei, a rainha e os príncipes, vestidos como tais, eram conduzidos triunfalmente à igreja para assistir à missa cantada; em seguida percorriam as ruas dançando ao som de instrumentos africanos: era o reinado do Rosário, festas imitadas em todos os arraiais de Minas.

Ainda existe à entrada da igreja a pia de pedra onde as negras lavavam os cabelos para nela deixar como donativo o ouro de que estavam empoados.

São Francisco de Assis

Pertence à freguesia de Antônio Dias. O adro da igreja, como o de São Francisco de Paula e o morro do Cruzeiro, é local que se recomenda para a apreciação do panorama de Ouro Preto.

A Ordem Terceira de São Francisco de Assis, a primeira Ordem Terceira criada em Ouro Preto (remonta a 1745), adquiriu os terrenos onde se levantou o templo, em 1765, e já no ano seguinte contratava a construção com o mestre Domingos Moreira de Oliveira. O projeto é de Antônio Francisco Lisboa; em 24 de agosto de 1794 lavrou-se o termo de entrega e aceitação das obras, sendo louvados por parte da Ordem Antônio Francisco Lisboa e José Pereira Arouca.

O coroamento da porta principal é uma composição em pedra-sabão composta de dois medalhões, um com as cinco chagas, outro com os cinco dados, dominados por outro medalhão maior em que se vê a imagem em meio corpo de Nossa Senhora da Conceição encimada por uma coroa de rainha. No alto da fachada, grande medalhão circular, que representa São Francisco de joelhos recebendo os estigmas no Monte Alverne. A fl. 146 verso do Livro I da Ordem se lê que o risco da porta foi do Aleijadinho, e a fl. 147 que José Antônio de Brito foi o arrematante da obra.

As portas principais e laterais custaram 224$000 e foram feitas por Lucas Evangelista de Jesus, mas o risco veio de Lisboa, segundo se lê em documento do arquivo da Ordem.

No interior do templo: o tapa-vento é obra de Manuel Gonçalves, custou 45$000 e foi colocado em 15 de junho de 1806; os altares laterais, em número de seis, executados de 1829 a 1832, e nos quais trabalharam José Pinto de Sousa e outros entalhadores, estão sob a invocação do Coração de Jesus, Santo Ivo e Santa Isabel da Hungria, à esquerda e do Coração de Maria, São Roque e Bem-Casados (Santa Bona e São Lúcio), à direita, mas este último fora feito para a invocação de Santa Rosa, cuja imagem está hoje no nicho do altar do Coração de Maria, e os atuais do Coração de Jesus e Coração de Maria estiveram até 1912 sob a invocação de São Lúcio e de Santa melhor e mais belo exemplar do tipo residencial em Ouro Preto. Tamanha abundância de cantaria não se encontra senão no antigo Palácio dos Governadores, na antiga cadeia ou nos templos das ordens mais ricas. Data ela do último quartel do século XVIII (estava acabada em 1787) e foi mandada construir por João Rodrigues de Macedo, que nela estabeleceu a sua moradia e a administração dos seus negócios de contratos das entradas e dízimos: aquela no sobrado, esta no andar térreo. Como o contratador ficasse em grande alcance com a Real Fazenda, passou a casa a ser ocupada em 1802 pela Junta da Real Fazenda, mediante aluguel, e a partir de 1803 a título definitivo por adjudicação. Posteriormente, serviu ela de sede à Tesouraria da Fazenda da Província, e mais tarde, e até hoje, à Administração dos Correios. Não poucas foram as alterações introduzidas na casa de João Rodrigues de Macedo por esses vários destinos. O que lá se pode ver ainda permite reconstituir a vida do velho solar no templo do contratador: no andar térreo – à esquerda de quem entra, as salas assoalhadas onde se achavam seus escritórios, com, aos fundos, o forno de fundição do ouro, em comunicação com outro enorme forno, este de padaria, construído no primeiro andar – à direita, os aposentos lajeados onde dormia a escravatura; em continuação ao pátio, dominado por ampla varanda de madeira, o quintal calçado de pedrinhas irregulares, com o seu tanque para abeberar as tropas dos que vinham a negócios com o contratador.

Na Casa dos Contos é que foi encontrado enforcado o poeta inconfidente Cláudio Manuel da Costa. Segundo Lúcio dos Santos, o corpo do suicida estava num aposento lajeado, com janela gradeada abrindo para a rua das Flores, e porta por baixo do patamar entre os dois lanços da escadaria nobre. No desvão da escada não caberia o grande armário de que o poeta se serviu para pôr termo à vida.

O visitante da Casa dos Contos deve pôr reparo nos ornatos do pórtico: o engenheiro Epaminondas Macedo observa a semelhança do desenho com o do portal da Casa Capitular em Mariana; no guarda-mão de cantaria da escada nobre, e, a meio do teto, à direita, no jogo de suspensão da lanterna; nos salões do primeiro andar, nos espelhos das fechaduras com as armas do Império. Não deixe de ir ao mirante, de onde se descortina uma vista panorâmica da cidade.

Palácio dos Governadores (hoje Escola de Minas)
Planta do sargento-mor, engenheiro José Fernandes Pinto de Alpoim, assinada em 13 de junho de 1741. Em 14 de junho do mesmo ano a construção foi arrematada por Manuel Francisco Lisboa pela quantia de 46 mil cruzados, e as peças de cantaria por Manuel Ferreira Poças; em 1º de julho seguinte foi o pórtico arrematado por Caetano Silva, o Ruivo, por 450$000; a obra dos baluartes foi contratada em 1749 com Manuel Francisco Lisboa.

Antes de Gomes Freire de Andrade, Conde de Bobadela, os governadores tinham palácio em Mariana. Quando precisavam demorar-se em Vila Rica, hospedavam-se numas casas emprestadas por Henrique Lopes de Araújo, pouco acima da ponte hoje chamada do Palácio Velho. Legadas essas casas pelo seu proprietário para se fundar a Misericórdia, Gomes Freire representou ao Rei para que se edificasse o Palácio, cuja construção foi autorizada pela ordem régia de 16 de março de 1743, quando já começadas as obras.

Primitivamente, o edifício compunha-se de um quadrado tendo nas quinas terraços com caminhos de vigias, guaritas e outros complementos militares. Posteriormente, se levantaram nesses terraços outras construções, deixando-se porém subsistir as guaritas como ornamentos. Hoje, resta apenas uma nesga do que dava para as Mercês: nele se levantou a casa de residência dos governadores, e no que lhe corresponde do outro lado as cozinhas e dependências. Na frente, um ficou para salas de porteiro e espera, outro para a capela. Em 1812, no tempo do Conde de Palma, construiu-se um jardim romano nos fundos, com uma bela fonte de pedra-sabão, ornada de esculturas. Já não existe.

O palácio abrigou os governadores, desde Bobadela, os presidentes da Província Imperial e os presidentes republicanos até 1898, quando a capital se mudou para Belo Horizonte: ao todo 105 governadores efetivos ou substitutos (Diogo de Vasconcelos).

A porta principal do palácio ostenta o único pórtico de mármore existente em Ouro Preto; a ordem das pilastras é toscana, exemplo singular em Minas nas construções do século XVIII. Domina-a uma lápide onde se lê a seguinte inscrição: "A 9-IV-1822 foi dito pelo Príncipe Dom Pedro ao povo de Vila Rica que se quebravam naquele dia os ferros do despotismo nesta Província, em comemoração do que se pôs uma lápide em 9-IV-1922".

Antigo Paço Municipal (hoje Museu da Inconfidência)
Em 1908, Eduardo de Castro e Almeida, publicando um catálogo de mapas, plantas, desenhos, gravuras e aquarelas do Arquivo da Marinha e Ultramar, fez referência à "planta de uma Cadeia de Vila Rica, principiada no ano de 1784" e desenhada por C. Manuel Ribeiro Guimarães. Trata-se da casa histórica, que serviu de paço municipal e cadeia, e que hoje abriga o Museu da Inconfidência.

A construção foi começada em 1784 pela Câmara Municipal, que a contratou por 60 mil cruzados, sob o governo de Luís da Cunha Meneses. Por várias vezes se interromperam as obras, de sorte que o edifício só ficou ultimado em 1846, segundo se lê na inscrição sobreposta ao chafariz que orna a frente da escadaria de acesso.

No andar nobre tinham assento a Câmara e demais serviços municipais; nele estiveram detidos Teófilo Otoni e outros chefes da revolução de 1842. No andar inferior achavam-se as masmorras, escuras e frias, onde ficavam os condenados à pena de galés.

Por volta de 1860, foi a Câmara Municipal transferida para o sobrado que ainda hoje ocupa na mesma praça. Em 1907, foi a velha cadeia transformada em penitenciária, alterando-se a planta interior com o derrubamento de várias paredes. Em 1937 retirou-se do edifício a penitenciária.

As quatro estátuas que encimam os cantos da platibanda representam as virtudes cardiais: Prudência, Justiça, Fortaleza e Temperança; sua autoria é atribuída por Feu de Carvalho a Antônio José da Silva.

Em 1938, pelo Decreto-lei nº 965, de 20 de dezembro, ficou assentado que o governo federal montaria em Ouro Preto, um museu destinado a "colecionar as coisas de várias naturezas relacionadas com os fatos históricos da Inconfidência Mineira e com seus protagonistas e, bem assim, as obras de arte ou de valor histórico que constituam documentos expressivos da formação de Minas Gerais". Para sede desse estabelecimento, o Estado de Minas Gerais doara, dias antes, o edifício do antigo Paço Municipal, e aí se instalou o Museu da Inconfidência, marcando o início de orientação nova adotada pelo Governo da União, no sentido de criar e manter museus nacionais no interior do País, ao contrário do que se fizera até então, quando só o Rio de Janeiro os possuía. A inauguração realizou-se em 11 de agosto de 1944, data do segundo centenário do nascimento de Tomás Antônio Gonzaga, sendo então lembrado que o edifício, antiga cadeia construída com o suor e o sangue de negros fugidos e de sentenciados, inspirara ao poeta inconfidente algumas das apóstrofes mais belas e mais enérgicas contra o despotismo colonial. E assim, esse

> ... soberbo edifício levantado
> Sobre ossos de inocentes, construído
> Com lágrimas dos pobres...

se redimia do labéu inicial para lembrar a todo tempo o sacrifício dos precursores da independência nacional, a tragédia do Tiradentes e as demais circunstâncias do fato exemplar. Já nele repousam, desde 1942, os despojos dos Inconfidentes, entregues à devoção cívica em 21 de abril daquele ano, o 150º depois do suplício de Joaquim José da Silva Xavier, e depositadas em um mausoléu simples e severo, desenhado por José de Sousa Reis. A restauração do edifício foi feita pela Diretoria do Patrimônio Histórico e Artístico Nacional, de acordo com o projeto de Renato Soeiro, sobre o velho risco de C. Manuel Ribeiro Guimarães, copiado em Lisboa, cabendo a Georges Simoni o projeto e arranjo das salas de exposição. O núcleo inicial do Museu constituiu-se com a coleção de peças de arte sacra e profana, doada por Dom Helvécio Gomes de Oliveira, arcebispo de Mariana, e ainda com outras dádivas de particulares. Hoje, está enriquecido com um acervo precioso de aquisições que evocam o ambiente peculiar das Minas e a ação dos conjurados.

É assim que no primeiro pavimento (nove salas de exposição) podem ser vistos elementos de arquitetura religiosa, como um fragmento do retábulo do altar-mor da Matriz de Nossa Senhora do Bom Sucesso da Porteira (norte de Minas); esculturas do retábulo do altar-mor da Matriz de Santo Antônio, cidade de Santa Bárbara; pias de água benta, em madeira; aparelhos de iluminação (lanternas, lâmpadas a óleo); objetos de madeira, inclusive bacias de banhos; meios de transporte: serpentinas de arruar, liteiras, a caleche do Padre João Manuel, armações antigas, arreios, objetos de montaria; elementos de construção, tais como canalizações em pedra, fechaduras, chaves, pregos, utensílios. Salas especiais são consagradas ao Aleijadinho (o altar da capela da fazenda da Serra Negra, o risco da fachada principal de São Francisco de Assis de São João del-Rei, autógrafos do artista, moldagens em gesso de suas obras) e aos Inconfidentes (autógrafos de Tiradentes e de outros conjurados, pedaços da forca em que o supliciaram, um mapa desenhado pelo poeta Cláudio Manuel da Costa, a edição original da *Marília* de Gonzaga). Ainda nesse andar fica o Panteão, lendo-se no frontal do altar a inscrição

IN MEMORIAM
JOAQUIM JOSÉ DA SILVA XAVIER
(O Tiradentes)

e os nomes dos demais Inconfidentes, seguidos destas palavras: "O Governo da República, em 1942, aos Inconfidentes de 1789". Ao longo da sala, de um e outro lado do altar, acham-se dispostos os jazigos de José Álvares Maciel, Francisco de Paula Freire de Andrade, Domingos de Abreu Vieira, Luís Vaz de Toledo Piza, José Aires Gomes, Antônio de Oliveira Lopes, Vicente Vieira da Mota, Inácio José de Alvarenga Peixoto, Tomás Antônio Gonzaga, João da Costa Rodrigues, Francisco Antônio de Oliveira Lopes, Salvador Carvalho do Amaral Gurgel e Vitoriano Gonçalves Veloso. Os despojos foram trazidos de Portugal pelo escritor Augusto de Lima Júnior, graças à iniciativa do Ministério da Educação.

No segundo pavimento, que dispõe de sete salas, o visitante encontrará os retratos de Dom Pedro II e de Dona Teresa Cristina, por Moreau, e a bandeira dos voluntários mineiros que participaram da retirada da Laguna. Nas antigas "casas de audiência" do Senado da Câmara, que são as salas com janelas abertas para a praça Tiradentes, assim como nas demais, poderá apreciar uma coleção valiosa de pinturas, imagens e obras de arte aplicada tradicional, características do patrimônio de Minas Gerais: pinturas religiosas que compreendem desde obras da primeira metade do século XVIII a uma tela amaneirada de Manuel da Costa Ataíde e outras já do século XIX, destacando-se do período colonial os retratos (de feição erudita) de Dom José, Dona Maria I e do Príncipe da Beira, assim como da primeira metade do século passado, paisagens de Ouro Preto, uma atribuída a Pallière e outra de autoria do Tenente Chamberlain; quanto à imaginária, entre numerosas esculturas de artistas tanto de formação apurada como de sabor popular, destaca-se uma grande imagem de Nossa Senhora do Rosário procedente de Paracatu; da mesma origem, frontais de altares de couro repuxado, a par de elementos de talha da região de São Francisco; em matéria de mobiliário civil e religioso, arcazes de sacristia refinados e rústicos; armários pintados e camas de diversos períodos, torneados e recortados (entre as quais uma que pertenceu ao poeta Santa Rita Durão); cadeiras de vários estilos, das quais se destacam as que pertenceram à Câmara Municipal de Sabará e ao Arcebispado de Mariana; oratórios de várias feições; mesas em grande número com as características mais expressivas do mobiliário regional mineiro; obras de ourivesaria antiga religiosa e civil, entre as quais cumpre notar a escrivaninha de prata do Senado da Câmara de Vila Rica, de autoria do ourives Rodrigo de Brum; a urna de tartaruga com ornatos de prata que serviu nas eleições do pelouro à mesma Câmara.

Chafarizes

O da rua da Glória ("Fonte de Ouro Preto" foi o nome que teve nos termos de arrematação). – Os construtores Antônio Fernandes Barros e Antônio da Silva Erdeiro, que arremataram a obra em 1752 por 700$000, deviam obedecer ao risco existente no Senado da Câmara para a fonte do Passo de Antônio Dias, do qual de fato só diverge pelas duas pinhas que ladeiam o frontão. Traz a data de 1753 e a inscrição: "*Curia curat, amat, fabricat, propinat, abhorret, nos ubertatem, staqua, flu... ta sitim*". Recomposto e restaurado em 1937 pela Inspetoria de Monumentos Nacionais.

O do Rosário – Foi promovida, em 1830, a sua mudança para mais perto da Capela do Rosário. Arruinado. Faltam o tanque e as torneiras; uma cruz de cimento substituiu a primitiva de cantaria. Este chafariz é semelhante ao da rua das Flores.

O da Matriz de Antônio Dias – Na rua de Antônio Dias.

O da rua Barão de Ouro Branco – Traz a data de 1761. Em 1936-1937 executaram-se obras idênticas às do anterior.

O da rua das Flores – Também chamado "dos cavalos", porque onde há hoje o grupo escolar era um quartel de cavalaria, e o chafariz servia de bebedouro para os animais. Restaurado em 1937 pela Inspetoria de Monumentos Nacionais.

O do largo de Marília – Data de 1759 o começo de sua construção. Reparado em 1935-1936, com restabelecimento do antigo serviço de abastecimento de água, pela Inspetoria de Monumentos Nacionais.

O do Passo de Antônio Dias – Assim chamado por ficar em frente do Passo. Traz a data de 1752 e a inscrição: *"Gens quanta bibat tot in annos CV regnos aqua suppeditur"*. Em 1936 foram executadas obras de abastecimento de água, obras essas mal inspiradas, mas que puderam ser retificadas mais tarde.

O dos Contos – O mais belo da cidade. Obra arrematada em 1745 por João Domingues Veiga. Deve ter sido reconstruído em 1760, pois traz essa data. Lê-se nele a inscrição: *"Is quæ potatum cole gens pleno ore senatum securi ut sitis nam facit ille sitis."* Restaurado em 1935-1936, com restabelecimento do tanque para cavalos provido de poiais e do antigo calçamento em frente, pela Inspetoria de Monumentos Nacionais.

O do Jardim Botânico (hoje Instituto Barão de Camargo).

O da praça Tiradentes – Restaurado (mas sem restabelecimento do serviço de água) pela Inspetoria de Monumentos Nacionais.

O do alto da Cruz do Padre Faria – Mandado construir em 1757.

O das Águas Férreas – No Caminho das Lajes, data de 1806.

O do largo de Frei Vicente Botelho.

O do Alto das Cabeças – Junto ao muro do adro da Igreja de São Miguel e Almas, obra arrematada em 1763 por Francisco de Lima.

O do Pissarrão – No beco do Areão (Alto da Cruz), cuja construção foi arrematada em 1758 por Manuel Francisco Lisboa.

Há também as seguintes fontes:

A do Alto do Padre Feijó, ou fonte das Moças, que João Domingues Veiga construiu em 1742.

A do Fundo do Padre Faria, arrematada pelo mesmo Veiga, em 1744.

A de Henrique Lopes, na rua da Encardideira, executada por Luís Fernandes Calheiros, em 1739.

PONTES

A do Rosário (também chamada do Caquende, que é o nome do córrego por ela transposto) – Data de 1753. Em *Marília de Dirceu* (parte II, lira 37), Gonzaga dirige-se ao seu passarinho, dizendo-lhe:

> Toma de Minas a estrada,
> Na Igreja Nova, que fica
> Ao direito lado e segue
> Sempre firme a Vila Rica.
>
> Entra nesta grande terra,
> Passa uma formosa ponte,

> Passa a segunda; a terceira
> Tem um palácio defronte.

Igreja Nova era então o nome de Barbacena. A primeira "formosa ponte" a que se referia Gonzaga era esta do Rosário, pois naquele tempo quem vinha do Rio entrava em Vila Rica pelas Cabeças. Mais tarde o caminho passou a ser feito por Itatiaia e não pelo Rodeio, de sorte que penetrava na vila pela ponte do Funil ou pela da Barra. Em 1936-1937 foi restaurada pela Inspetoria de Monumentos Nacionais.

A do Funil – Serve à rua que conduz à estação da estrada de ferro.

A da Barra – Também sobre o ribeirão do Funil. Data de 1806. A praia que se avista de seus parapeitos é, segundo Diogo de Vasconcelos, aquela onde o mulato, a que nos referimos na parte histórica, descobriu os granitos negros. Acha o mesmo autor que a ponte deve estar assentada no terreno das datas concedidas a Antônio Dias em 1700. Reparada em 1936 pela Inspetoria de Monumentos Nacionais.

A dos Contos – É a segunda da quadra de Gonzaga. Começada em 1744 e acabada no ano seguinte. O risco veio de Lisboa e a construção foi executada por Antônio Leite Esquerdo, em 1744. É de pedra argamassada em suas partes inferiores e de cantaria trabalhada à escoda e argamassada a óleo de peixe e cal nas peças do parapeito, assentos e cruz.

No governo do Presidente João Pinheiro retiraram os assentos, a cruz, e substituíram o parapeito por um gradil de ferro.

Restaurada em sua feição primitiva pela Inspetoria de Monumentos Nacionais. O córrego transposto por ela é o Ouro Preto ou do Xavier.

A de Antônio Dias – Também chamada de Marília. A terceira dos versos de Gonzaga. Data de 1755. Transpõe o córrego de Antônio Dias. Única ponte romana existente na cidade.

A do Padre Faria – Data a sua construção de 1750. Transpõe o córrego de Padre Faria. Em 1937 foi recomposta e restaurada pela Inspetoria de Monumentos Nacionais. Estava então inteiramente soterrada. Foi restabelecida a cruz de cantaria que a ornava outrora, e calçaram-se as entradas.

A do Ouro Preto ou do Pilar – Data de 1757. No começo da ladeira do Pilar, próximo à matriz. O córrego que lhe passa por baixo é o Ouro Preto ou do Xavier.

A do Xavier – Primitivamente de madeira. Por ela é que se comunicavam outrora os bairros de Ouro Preto e Antônio Dias. O córrego que lhe passa em baixo é o de José Vieira, mais adiante chamado dos Contos, e afinal de Ouro Preto.

A do Palácio Velho – Sobre o córrego do Sobreira. Leva da praça Antônio Dias à encosta da Encardideira.

Ponte Seca – Dá-se esse nome ao aterro construído acima do trilho primitivo que ligava o largo do Rosário à rua da Glória.

Monumento a Tiradentes

Erigido em virtude do decreto da Constituinte Mineira em 1891 e inaugurado em 21 de abril de 1894. Autoria de Virgílio Cestari, que mandou executar as peças de granito no Rio de Janeiro e as de bronze no estrangeiro. Do projeto aprovado constavam grupos de figuras que deviam encher os oito cunhais do monumento, mas o escultor foi dispensado de executá-los.

9 – A viagem para Ouro Preto

Pode-se ir a Ouro Preto por estrada de ferro ou por estrada de rodagem. Em via férrea, a viagem se faz pela linha-tronco da E. F. Central do Brasil (quem vem de São Paulo baldeia em Barra do Piraí). Há baldeação em Lafayette e Miguel Burnier, hoje São Julião. Desta última estação (km 497,900) parte o ramal de Ouro Preto. Comporta ele um traçado difícil e obras de consolidação notáveis, atingindo o seu ponto culminante na garganta do Alto da Figueira, com a cota 1.363,400 metros acima do nível do mar. Em São Julião há grandes depósitos de manganês e o primeiro alto-forno instalado no país para ferro-gusa; à direita, vê-se num alto a capelinha de São Julião, levantada pelo bandeirante Domingos Lopes, em 1747. A partir de São Julião a linha sobe em rampa de 253 metros até o km 498,280; daí se desenvolve, atravessando a garganta de São Julião, divisa entre as bacias dos rios São Francisco e Doce, no km 503,262, com a altitude de 1.155,443 metros; dirige-se depois para a bacia do Paraopeba, subindo sempre, até a garganta do Desbarrancado, no km 503,016, com a altitude de 1.175,345 metros; demanda em seguida o vale do rio das Velhas até o km 510, atravessa a garganta do Vira-Saia e cai na vertente do rio Doce, que percorre até a garganta da Pedra, donde passa para a bacia do rio das Velhas até a Serra do Ouro Branco.

A estrada de rodagem passa em Queluz, deixa à esquerda a estrada que leva a Congonhas do Campo, e mais adiante se bifurca. O ramo esquerdo acompanha a linha férrea, passando em São Julião, Itabirito (antiga Itabira do Campo), São Gonçalo do Amarante, Cachoeira do Campo e Rodrigo Silva. O ramo direito, a antiga estrada real, por muito tempo abandonada e reconstruída em nossos dias pelo prefeito de Ouro Preto, Washington Dias, é bem mais interessante, por atravessar, já dentro do município de Ouro Preto, regiões de intensa mineração no tempo da colônia. Ao longo da estrada se veem a cada passo restos de lavras, ruínas de velhas casas e capelas. É assim que atravessa Ouro Branco, povoado decadente ao pé da serra do mesmo nome, o qual possui magnífica Capela de Santo Antônio, rica em talha dourada; mais adiante deixa à direita a estrada que vai para Santo Antônio de Itatiaia, arraial decadente no alto da serra do mesmo nome, possuindo boas construções de pedra e uma bonita capela que foi abacial (na fachada se conservam ainda hoje as armas do bispo); desce então a estrada, alcançando o ponto mais baixo na ponte do Calixto, com dois ramos, toda em alvenaria de pedra argamassada. A cerca de treze quilômetros de Ouro Preto, encontram-se os dois ramos da estrada, e esta, depois de atravessar a ponte do Falcão e a do ribeirão da Cachoeira, esta uma bela construção de alvenaria de pedra, datando de 1850, passa em Rancharia, Saramenha e penetra em Ouro Preto pelo bairro da Barra.

10 – Várias informações

Dados geográficos

Latitude: 20° 23' 22" S.

Longitude: 0° 19' 55" O. do meridiano do Rio de Janeiro.

Altitude: na estação, 1.068 metros; na praça Tiradentes, 1.100 metros.

Temperatura: média no inverno, 15°; no verão, 25°. Nos invernos mais rigorosos o termômetro desce a 2° durante a noite; nos verões mais quentes sobe excepcionalmente a 28°. Os meses mais frios são junho e julho; os mais agradáveis, maio, agosto e setembro. Nos meses de maio, junho, julho e agosto o tempo é frio e seco; outubro é úmido. As chuvas são copiosas de dezembro a março.

Distância do Rio de Janeiro em estrada-ferro: 540 km.

A cidade constitui um só distrito, dividido em duas zonas – Ouro Preto e Antônio Dias. À primeira pertencem os bairros de Rosário, Fundo de Ouro Preto, Cabeças, Água Limpa, Passa Dez, Jardim Botânico, Pelúcia, Saramenha e São Sebastião; à segunda, os de Barra, Vira-Saia, Encardideira, Paulistas, Águas Férreas, Alto da Cruz, Padre Faria, Bom Sucesso, São João, Sant'Ana, Piedade, Campo Grande e Taquaral.

Principais datas históricas

24 de junho de 1698 – chegada do bandeirante Antônio Dias de Oliveira ao alto de São João; 9 de novembro de 1709 – criação da capitania de São Paulo e Minas do Ouro; 8 de julho de 1711 – o arraial de Ouro Preto é erigido em vila (Vila Rica de Albuquerque, do nome do primeiro Capitão-General Antônio de Albuquerque); 21 de fevereiro de 1720 – separado de São Paulo o distrito das Minas, que pelo alvará de 2 de dezembro de 1720 passou a constituir a capitania de Minas Gerais, com sede em Ribeirão do Carmo; 30 de novembro de 1822 – Minas Gerais, já província do Reino, passa a província do Império do Brasil; 20 de março de 1823 – elevação de Vila Rica a cidade de Ouro Preto; 15 de novembro de 1889 – Minas Gerais passa de província do Império a Estado da República; 12 de dezembro de 1897 – mudança da capital do Estado para Belo Horizonte; 12 de julho de 1933 – decreto do Governo provisório erigindo a cidade de Ouro Preto em "monumento nacional".

Escolas

Escola Nacional de Minas e Metalurgia. Federal. Integrada na Universidade do Brasil. Prepara engenheiros de minas e civis, industriais, geógrafos e agrimensores; há também um curso de Metalurgia e para prática dos alunos se iniciou, em 1942, a construção de um Parque Metalúrgico, localizado na praça da Estação. Criada por ato de Dom Pedro II e fundada pelo engenheiro H. Gorceix. Rica de coleções geológicas e mineralógicas. Está instalada no antigo Palácio dos Governadores, à praça Tiradentes.

Escola de Farmácia. Federal. Criada em 1839. Está situada na antiga Chácara dos Monges, no morro de Santa Quitéria, atrás e um pouco abaixo do Carmo (rua Manuel Cabral).

Colégio Municipal Alfredo Baeta. Fundado em 1898 por professores da Escola de Farmácia, auxiliados por particulares. Modelado pelo Colégio Pedro II do Rio de Janeiro.

Escola Normal. Fundada em 1873. Situada hoje num prédio novo especialmente construído para ela no local onde existiu a casa de Marília, no largo de Dirceu.

Colégio Arquidiocesano. Fundado em 1934.

Grupos Escolares. Um na rua das Flores (Grupo Escolar Pedro II). Existe uma escola pública estadual nas Cabeças e outra no Alto da Cruz.

ASSOCIAÇÕES

Associação Comercial, rua Tiradentes.

Centro Acadêmico. Escola de Minas. Publica uma revista, único órgão de imprensa da cidade.

Clube 15 de Novembro. Associação Operária.

Sociedade de São Vicente de Paulo, rua de São José.

Associação de São Luís Gonzaga.

Associação de Santa Isabel de Hungria.

Confederação das Associações Católicas.

Pia União das Filhas de Maria, Santa Casa.

Clube dos Lacaios.

União Operária São José.

HOTÉIS

Grande Hotel, rua das Flores.

Hotel Toffolo, rua Tiradentes.

Hotel Rodrigues, praça da Estação.

Pouso do Chico Rei, rua do Carmo, 6.

HORÁRIO DE VISITAÇÕES

Igreja de Nossa Senhora das Dores: diariamente das 7 às 9 horas.

Igreja de Santa Ifigênia: diariamente das 8 às 10 horas.

Igreja do Padre Faria: diariamente das 9 às 11 horas.

Igreja das Mercês do Ouro Preto: diariamente das 8 às 10 horas.

Igreja de São Francisco de Paula: diariamente das 8 às 10 horas.
Igreja de São José: diariamente das 9 às 11 horas.
Igreja do Senhor Bom Jesus: diariamente das 10 às 12 horas.
Igreja matriz do Ouro Preto (Pilar): diariamente das 12 às 15 horas.
Igreja de Nossa Senhora do Rosário: diariamente das 13 às 15 horas.
Igreja de Nossa Senhora do Carmo: diariamente das 14 às 16 horas.
Igreja de São Francisco de Assis: diariamente das 15 às 17 horas.
Igreja das Mercês e Perdões: diariamente das 15 às 17 horas.
Igreja matriz do Antônio Dias: diariamente das 16 às 18 horas.
Museu da Inconfidência: (menos segundas-feiras) das 11 às 17 horas.
Escola de Minas: (menos domingos) aos sábados das 9 às 17 horas.

ENSAIOS LITERÁRIOS

Uma questão de métrica[1]

É coisa muito sabida a influência que sobre as letras brasileiras exercem as francesas. Toda escola nova que aparece à beira do Sena, logo aqui acha os seus entusiastas, os seus imitadores, ou, na melhor hipótese, os seus adaptadores. Causa até estranheza que não tenham ainda estourado por cá os futuristas... A nossa literatura é apenas um reflexo.

Todavia, é curioso notar, na poesia, o pouco caso que os poetas fizeram das inovações em matéria de técnica. Abra-se exceção única para os parnasianos. Esses assimilaram integralmente os processos dos mestres franceses. Os senhores Bilac, Alberto de Oliveira, Emílio de Menezes, João Ribeiro têm sonetos perfeitos e à altura dos melhores modelos franceses.

Os românticos e os simbolistas, por desleixo ou repugnância, não apropriaram as novidades de rima e ritmos. Os românticos são lamentáveis... Lembre-se que Castro Alves nasceu em 1847. Banville tinha então 24 anos. Mas não era precisa a lição de Banville.

Castro Alves, Gonçalves Dias, Casimiro de Abreu, Álvares de Azevedo sabiam de cor Hugo, Musset e Vigny.

E no entanto, nem se davam ao esforço de rimar os primeiros e terceiros versos das quadras, o que só mais tarde Teixeira de Melo e Machado de Assis vieram a fazer regularmente.

Os alexandrinos eram, por via de regra, errados. As rimas paupérrimas e, não raro, defeituosas; é comum vê-los rimar "virgem" e "vertigem". Podem-se admitir essas consonâncias, se queridas, buscadas, por sugestões de estética, como nos versos de Bataille, de Charles Guérin. Não é o caso aqui.

Elas entravam por inadvertência, se não descuido.

Os simbolistas, que no domínio das ideias e sensações trouxeram-nos alguma coisa nova, são, no que respeita à forma, apenas parnasianos.

Quando hoje, na Europa, há um anseio geral por outros ritmos, aqui o alexandrino de cesuras móveis ainda é mal aceito ou repelido. Reputa-se errado todo aquele que foge à elisão mediana. Sei de um poeta que concilia as coisas, dando-lhes o nome de "dodecassílabos", reservando aos elididos o nome de alexandrino. Se tal se passa no mundo das letras, imagine-se fora dele. Ainda mesmo a parte inteligente e culta dos leitores reclama a cadência fácil e embaladora.

Não querem a harmonia; a melodia basta-lhes. São como os nossos amadores de música que não aturam Debussy, porque se habituaram a ouvir o "Romance" do senhor Artur Napoleão. Os tratados de versificação recentes nada adiantaram ao de Castilho.

Auguste Dorchain, que não é suspeito no assunto, porquanto não poupa sarcasmos aos cultores do metro livre, expôs com uma clareza e uma lógica irrefutáveis a feitura do alexandrino. Mostrou como todas as audácias dos rebeldes de hoje se acham em gérmen no mais puro dos clássicos – Racine. Lendo o capítulo de *L'art des vers*, cada um poderá acompanhar a evolução imperiosa que trouxe o alexandrino à abolição facultativa da cesura única e obrigada. Vale resumir os pontos capitais:

---

[1] Publicado em *O Imparcial*, Rio de Janeiro, 25 de dezembro de 1912.

Abramos uma obra clássica e apliquemo-nos a escandir bem os versos segundo a sua construção gramatical, sem outro cuidado que fazer cair as paradas principais da voz nas sílabas em que o próprio pensamento para naturalmente. Quase sempre a voz e o pensamento pararão juntos no hemistíquio segundo o preceito de Boileau, mas não sempre. Aqui e ali, sentiremos alguma resistência a essa concordância, perceberemos uma luta entre dois elementos tornados opostos: de um lado o instinto do ouvido, fortificado pelo hábito, que tende a dissociar as palavras postas no meio do verso, segundo a lei do menor esforço; – de outro lado a lógica do pensamento que pede ao contrário a aproximação dessas palavras que o ouvido queria separar. Mas como o pensamento é, ao cabo, o criador e soberano senhor do ritmo, é mister que o ouvido ceda e se resigne a uma divisão menos simétrica ou mais complexa que a divisão em 6 + 6.

É assim que vemos aparecer nos clássicos mais presos à forma regular, duas formas excepcionais:

1º O alexandrino de cesura única, porém móvel, isto é, variável quanto ao lugar e cortando o verso em partes desiguais: o "dímetro regular";

2º O alexandrino de cesuras móveis, dividindo-o em três partes ora iguais ora desiguais: é o "trímetro" ou "ternário".

Os dímetros irregulares são assaz raros. Eis, no entanto, alguns exemplos de alexandrinos dessa espécie, que não podem ser cortados nem em duas partes iguais, nem em três partes, mas unicamente em duas partes desiguais, como as indico:

> *Le plus honnêtement du monde | avec que moi*
> 8 mais 4 (Molière, *Le Misanthrope*).
> *Je l'écoute longtemps dormir, | et me rendors!*
> 8 mais 4 (Lamartine, *Jocelyn*).
> *Et le noir tremblement de l'ombre | nous contemple.*
> 9 mais 3 (V. Hugo, *Torquemada*).

Nota-se aí um enfraquecimento da tônica fixa, reduzida a não ter senão um acento secundário em consequência da sua não coincidência com a "cesura psicológica", e o transporte da cesura propriamente dita ao lugar onde a parada do sentido trará a tônica mais forte:

> *Et le noir tremblement | de l'ombre | nous contemple.*

Estudaremos mais de perto esse fenômeno no alexandrino de duas cesuras móveis, no trímetro.

O trímetro mais frequente nos clássicos é o que oferece três divisões iguais, em 4 mais 4 mais 4:

> *Tu sentiras | combien pesante | est ma colère*
> (Ronsard, *Les amours*).
> *Toujours aimer | toujours souffrir, | toujours mourir*
> (Corneille, *Suréna*).
> *Il ne finisse | ainsi qu'Auguste | a commencé*
> (Racine, *Britannicus*).
> *Sophocle enfin, | donnant l'essor | à son génie*
> (Boileau, *Art poétique*).

Em que, no abandono de cesura mediana, se funda aqui a segurança do ouvido dando-lhe a sensação imediata do verso? Sobre dois elementos: 1º a dupla cesura móvel, confessando a cesura fixa desaparecida; 2º uma sílaba forte no hemistíquio, lembrando-a.

Note-se que as duas cesuras móveis têm de particular que, contrariamente à regra que rege a cesura mediana, é-lhes permitido ser *enjambantes*.

Com os parnasianos, chegou-se a permitir simples enclíticas na sexta sílaba, com grande indignação de Victor Hugo:

> *Où l'on jouait sous | "la" charrette | abandonné*
> (F. Coppée, *Olivier*).

Depois, essas enclíticas sendo sílabas átonas, não haveria mais razão para exigir que se pusesse no hemistíquio um fim de palavra; podia-se da mesma maneira colocar uma sílaba interior:

> *Serait allé | en Palesti | ne les pieds nus.*
> (Jean Aicard, *Othéllo*).

Outro corolário: desde que não havia mais, na sexta sílaba, essa cesura que não tinha o direito de ser *enjambante*, a sétima podia dora em diante ser uma muda não elidida:

> *Mais n'ayant plus | de branches ver | tes pour grandir.*
> (Charles de Pomairols).

Enfim, a sexta sílaba poderá ser uma muda:

> *Et tout à coup | l'ombre des feui | lies remués.*
> (Jean Moréas).

A evolução do trímetro está terminada pela libertação completa do binário de cesura mediana.

Releiam agora todos esses versos, na mesma ordem, acentuando bem as duas tônicas, formando cesura, e dir-me-ão se não perceberam, sempre, "exatamente o mesmo ritmo", se não ouviram a mesma música:

> *Toujours punir | toujours trembler | dans vos projets.*
> *On s'adorait | d'un bout à l'au | tre de la vie.*
> *Où l'on jouait | sous la charrete | abandonnée.*
> *Serait allée | en Palesti | ne les pieds nus.*
> *Mais n'ayant plus | de branches ver | tes pour grandir.*
> *Et tout à coup | l'ombre des feui | lles remuées*

Em vez de trímetro regular, poderíamos tomar outros, irregulares, 3 mais 5 mais 4, por exemplo:

L'orgueilleu | se m'attend encore | à ses genoux.
(Racine).
Quelque cho | se comme une odeur | qui serait blonde
(Coppée).
Un moulin | qui se désespère et | gesticule.
(H. de Régnier).
Et c'était | comme une musi | que qui se fane.
(A. Samain).

A mesma demonstração se poderia fazer com versos portugueses. Basta citar três versos de um soneto de Artur Azevedo, precisamente um adversário da abolição da cesura mediana:

O inces | to drama em "seis" ac | tos acto primeiro
2 mais 5 mais 5
O mance | bo "descobre" o peito: | uma medalha!
3 mais 5 mais 5
À cena o autor | à cena o autor | à cena o autor
4 mais 4 mais 4

Todos esses guardaram um subacento na cesura mediana. Vou lhes citar agora um, de cesura *enjambante*, do jovem poeta Afonso Lopes de Almeida:

Ser infinitamente bom | ser todo amor...

Dir-me-ão agora, de boa-fé, se é possível maior suavidade em matéria de ritmo.

***

Em português, o mesmo se dá com o octossílabo, para o qual os compêndios de versificação exigem o acento mediano na quarta sílaba:

Porque me vens | com o mesmo riso.
Porque me vens | com a mesma voz...
(Bilac).

Para muitos dos nossos poetas todo o octossílabo a que faltar esse requisito é errado. Os franceses fizeram do seu octossílabo um instrumento de rara e perfeita flexibilidade. Por que lhes não seguimos o exemplo?

Respondem-nos que a índole da nossa índole o não permite. Não percebo o alcance da objeção...

A verdade é que, como no alexandrino, podemos acompanhar no octossílabo a evolução da cesura fixa mediana, para as cesuras móveis com a faculdade do *enjambement*; o ponto de transição, da mesma maneira, a substituição de uma sílaba forte por uma sílaba átona na cesura mediana. Vejamos:

Octossílabos em que o ritmo psicológico coincide com a cesura na quarta sílaba:

> Lá vem nascen | do a lua cheia;
> Vem tão redon | da, tão redonda
> Ouço dizer | que de onda em onda,
> À tua luz | se ouve a sereia...

Octossílabos que, embora conservando uma sílaba forte na quarta sílaba, perdem o ritmo 4 mais 4:

> Das pe | dras "onde" as u | nhas crava.
> 2 mais 4 mais 2
> (A. de Oliveira).
> Que ti | nha "sobre" o co | lo nu.
> 2 mais 4 mais 2
> (Machado de Assis).

Octossílabos em que a quarta sílaba é uma palavra átona:

> Mais pró | xima "e" desde que ao mundo
> 2 mais 6
> E fe | bre "do" desconhecido.
> 2 mais 6
> (A. de Oliveira).

Octossílabos em que a quarta sílaba é uma sílaba interior ou final:

> Com a fri | a "im"passibilidade.
> 2 mais 6
> Rolan | do a "pro"fundez das águas
> 2 mais 6
> Em seu a"po"calip | se o sonho.
> 6 mais 2
> O intér | pre"te" do sentimento.
> 2 mais 6
> (A. de Oliveira).

Todos esses versos do eminente parnasiano fazem parte de uma só poesia – "O hino à lua" – (*Poesias*, 2ª série – editor Garnier, pp. 142 e seguintes).

Propositadamente trouxe por modelo o poeta reputado entre nós mais apurado em matéria de forma. Poderia citar uma vintena de octossílabos de Machado de Assis, cujo gosto era tão seguro. Os interessados releiam a "Mosca azul" e a poesia intitulada "Flor da mocidade", aquela das *Ocidentais*, esta das *Falenas*.

Essas notas que aí ficam têm por fim chamar a atenção dos nossos intelectuais para essas questões do ritmo em poesia. É preciso esclarecer e educar o público na compreensão dos novos ritmos. Será talvez difícil numa terra em que os ouvidos se afeiçoaram à cantilena infinitamente meiga e saudosa, mas pobre, dos sabiás...

À MARGEM DOS POETAS[2]

O senhor Mário Mendes Campos acaba de publicar um volume de versos com o título de *Estalactites*. Esses primeiros poemas não se distinguem nem pela profundeza do sentimento nem pela originalidade das ideias. Do ponto de vista da forma, podem-se-lhe notar também defeitos de expressão, como seja a adjetivação excessiva e muitas vezes imprópria. Porém quanto à técnica da arte do verso, é força reconhecer que o estreante a conhece e sabe praticar. Sente-se nele o sentimento justo do ritmo poético: este não precisará contar um verso pelos dedos para saber se está certo. Não carecerá receber de ninguém quinaus de métrica.

Por isso, imagino o espanto com que terá lido uma crítica recentemente aparecida no *Jornal do Commercio* de Juiz de Fora, na qual se lhe atribui o desconhecimento da sinérese e se lhe censura a medida deste verso: "na cambiante irial das nuvens vão".

Ora, todos os poetas de verdade sabem que quando ocorre o hiato no interior de um vocábulo, a absorção de uma vogal na outra é facultativa. Tudo o que se poderá dizer é que a sinérese dá mais nervo e rijeza ao verso.

Querer torná-la obrigatória é puro arbítrio de sistematizadores apressados ou de estreito sentimento rítmico. Acima dessas mesquinhas regras de pedagogo estão as amplas e misteriosas leis do ritmo, como o sabem em sua divina intuição os poetas de raça.

Aí estão para o provar os poemas dos melhores artistas do verso em nossa língua:

Leia-se o belo soneto "O voador" de Olavo Bilac:

> Em Toledo. Lá fora a vida tumultua
> E canta. A multidão em festa se atropela.
> E o pobre que o *suor* da agonia enregela
> Cuida o seu nome ouvir na aclamação da rua.
>
> Agoniza o *Voador*. *Piedosamente* a lua
> vem velar-lhe a agonia através da janela.
> ....
> E entre as névoas da morte uma visão flutua.
>
> – "*Voar*! Varrer os céus com asas poderosas,
> Sobre as nuvens, galgar o chão das nebulosas,
> Os continentes de ouro e fogo da amplidão!..."
>
> E o pranto do *luar* cai sobre o catre imundo,
> E em farrapos, sozinho, arqueja moribundo
> Padre Bartolomeu Lourenço de Gusmão.

Como se vê, Bilac fez a sinérese em *Voador* e em *piedosamente*; deixou de fazê-la em *suor*, em *voar* e em *luar*.

---

2 Publicado em *Correio de Minas*, Juiz de Fora, 30 de junho de 1917.

Queira o autor da citada crítica enviar o soneto acima ao mestre Alberto de Oliveira para que lhe diga ele se são defeituosos os primeiros versos dos tercetos e o terceiro da primeira quadra...

Envie-lhe também a quadra final do "Plenilúnio" de Raimundo Correia:

> Um *luar* amplo me inunda e eu ando
> Em visionária luz a nadar.
> Por toda a parte, louco, arrastando
> O largo manto do meu *luar*...

Pergunte-lhe se o grande lírico das *Aleluias* cometeu barbarismo contando duas sílabas em *luar*...

Remeta-lhe também uma cópia do "Cântico de amor" do próprio Alberto de Oliveira:

> Creio no bem, creio em ti,
> Quando o teu lábio sorri,
> E falas, e me parece
> Que a tua voz é uma prece!
> ....
> Vissem-te os maus, e duvido
> Que os peitos seus, alquebrados
> Por males *continuados,*
> Tivessem mais um gemido!
>
> Quem te pudera levar
> Para te pôr num altar!...
> ....
> Creio no bem, na *piedade,*
> Pois tudo que é grande e santo
> Te empresta não sei que encanto
> Que graça, que claridade...

Lindo cântico, na verdade, onde a par da sinérese em *piedade* e da rude sinalefa em

> Que a tua voz é uma prece...

vem o hiato no verso:

> Por males continuados

Queira o crítico indagar do impecável artista se houve ignorância ou relaxamento de sua parte neste e em tantos outros versos de sua formosa obra...

***

O crítico quis dar uma lição ao poeta: mas a verdade é que dos dois quem precisa aprender é o crítico...

Por amor de um verso[3]

Por causa de umas poucas linhas em que rebati injusta crítica assacada ao jovem poeta senhor Mário Mendes Campos, o senhor Machado Sobrinho fez gemer os prelos de dois jornais mineiros. Na verdade, para um adversário tão desprezível como se afigura ao crítico este seu criado, – *c'est trop d'honneur*!

Ao seu artigo do *Correio* nada havia que responder. Dizia-me nele que sou um bilontra e um pernóstico: como pilhéria é delicioso, e, com franqueza, nunca pensei que o senhor Machado Sobrinho tivesse tanto espírito; mas, como argumento, vale tanto como aquela pedra que os arruaceiros arremessaram um dia ao gabinete de estudo de Mr. Bergeret. O senhor Machado Sobrinho atribuiu-me intenções cruéis e acabou por me chamar de monstro e antropófago. Confesso que nessas alturas tive medo de mim mesmo...

No artigo do *Jornal do Commercio* o sacerdote da sínérese foi ainda bastante malvado para me reduzir despiedosamente a cinzas. Ociosa tarefa!

Bem sei que não sou senão cinzas. Amanhã não serei mais nem sombra de cinzas. Mas isto só me entristece com pensar que é o destino de todos e de tudo, – dos poetas humildes e dos críticos ignorantes, das civilizações e até dos sistemas planetários. Para todos nós vem o dia em que não seremos nem a lembrança de uma sombra de cinzas...

Que importa? Esta melancólica reflexão aumenta tanto mais em nós o amor de todas as coisas lindas e frágeis da vida. E entre as mais frágeis e lindas estão os bonitos versos. Eles me são caros. Ora, o senhor Machado Sobrinho tentou macular um verso sem defeito. Feio gesto!

Repito que o verso do senhor Mendes Campos é sem defeito. Quer o crítico que lhe conte pelos dedos? Aqui o tem:

> Na-cam-bian-te i-ri-al-das-nu-vens-vão

Estou certo de que assim o contará também o senhor Mendes Campos; fá-lo-á por motivos que escapam ao senhor Machado, mas que ambos nós sentimos e, todavia, mal poderíamos analisar.

Adverte o senhor Machado que em meu livro contei apenas três sílabas em *cambiante*.

É verdade. Mas poderia em outro caso contar diferentemente, como fez Raimundo Correia no seguinte verso da "Missa da Ressurreição":

> E o vivo colorido cambiante...

Pergunta o meu colérico adversário o que entendo por sentimento justo do ritmo. Respondo ser esse dom que diante de um verso como o do senhor Mendes Campos dispensa as muletas da métrica e faz ler certo à primeira vista. Em que critério assento os princípios do ritmo? No ouvido. Que ensinamentos apresento para

---

3 Publicado em *Correio de Minas*, Juiz de Fora, 15 de julho de 1917.

seu uso lógico e racional? Para responder cabalmente a este ponto, careceria escrever todo um tratado de versificação. Em todo o caso posso satisfazer-lhe a vontade, cingindo-me tão só ao objeto da discussão, que é a sinérese. Toda a vez que ocorre hiato no interior de um vocábulo, é facultativo fazer a elisão de uma vogal na outra. Nisto consiste a figura denominada sinérese. Dela fazem largo uso os poetas: não é, contudo, razão bastante para que se invertam as coisas e se queira erigir a licença em regra e a regra em licença.

O ritmo é, nem só em poesia como também em música, uma noção sutil, e cada vez mais se torna sutil à proporção que, de geração em geração, se apuram os ouvidos. O senhor Machado suspira pela fixidez, que é a morte. Como é insensato querer roubar às coisas o encanto da sua mobilidade! Por culpa dessa deplorável tendência sistematizadora, os hiatos *tu as* e *tu es*, tão comuns na linguagem francesa, estiveram por dois séculos banidos da poesia. Cuidará o senhor Machado que assim o lamente um Laforgue ou outro que tal decadista? Não! É o puro parnasiano das "*Noces corinthiennes*" quem o lastima em sua "*Vie littéraire*" (artigo sobre Jean Moréas):

> *Faut-il blâmer les symbolistes de se permettre l'hiatus quand l'oreille le permet? Non pas: ils ne font là que ce que faisait le bon Ronsard. Il est pitoyable, quand on y songe, que les poètes français se soient interdit pendant deux cents ans de mettre dans leurs vers* tu as *ou* tu es. *Qui ne sent au contraire que certains hiatus plaisent à l'oreille?*

E a seguir cita estas sábias palavras de Banville:

> *J'aurais voulu que le poète, délivré de toutes les conventions empiriques, n'eut d'autre maître que son oreille délicate, subtilisée par les plus douces caresses de la musique. En un mot, j'aurais voulu substituer la science, l'inspiration, la vie toujours renouvelée et variée à une loi mécanique et immobile.*

E o senhor Machado quer hoje ganhar a palma de mártir na mesquinha empresa de substituir leis mecânicas e imóveis à vida sempre renovada e variada! Que lhe preste.

O senhor Machado Sobrinho afirma que em exemplos de Alberto de Oliveira, Bilac e Raimundo Correia se encontram milhares de versos com rigoroso emprego de sinérese contra uma meia dúzia de exemplos em contrário, "*raros casos de mera condescendência*". Mas que história é esta de condescendência?

Pois então o que é mera condescendência em Alberto de Oliveira passa a ser defeito grave no senhor Mendes Campos? A verdade é que não há tal condescendência. O que há é arte legítima e da melhor. Não se trata de uma meia dúzia de versos, como falsamente sustenta o senhor Machado. Tome-se, por exemplo, o volume das *Poesias escolhidas* de Raimundo Correia, segunda edição, 1906. Muito de propósito apanho tal livro porque, feita a seleção pelo próprio autor, é natural haja escolhido o que de melhor havia, no fundo e na forma, em sua obra.

Logo no segundo poema vêm vários exemplos, e para desfastio deste longo debate o transcrevo na íntegra:

> Ser moça e bela ser, por que é que lhe não basta?
> Por que tudo o que tem de fresco e virgem gasta
> E destrói? Por que atrás de uma vaga esperança,

Fátua, aérea, fugaz, frenética se lança
A voar, a voar?...
Também a borboleta,
Mal rompe a ninfa, o estojo abrindo ávida e inquieta,
As antenas agita, ensaia o voo, adeja,
O finíssimo pó das asas espaneja;
Pouco habituada à luz, a luz logo a *embriaga;*
Boia do sol na morna e rutilante vaga;
Em grandes doses bebe o azul, tonta, espairece
No éter, voa em redor; vai e vem; sobe e desce;
Torna a subir e torna a descer; e ora gira
Contra as correntes do ar; ora, incauta, se atira
Contra o tojo e os sarçais; nas puas lancinantes
Em pedaços faz logo as asas cintilantes;
Da tênue escama de ouro os resquícios mesquinhos
Presos lhe vão ficando à ponta dos espinhos;
Uma porção de si deixa por onde passa;
E, enquanto há vida ainda, *esvoaça, esvoaça,*
Como um leve papel solto à mercê do vento;
Pousa aqui, voa além, até vir o momento
Em que de todo enfim se rasga e dilacera...
Ó borboleta, para! ó mocidade, espera!

Nessa poesia, tida com razão como uma joia da nossa língua, vem um verso nas mesmíssimas condições do verso inculpado do sr. Mendes Campos:

Pouco *habituada* à luz, a luz logo a *embriaga...*

O senhor Machado Sobrinho e os seus companheiros de desdita ficarão perplexos sem saber como recitar o formoso alexandrino; acoimarão o verso de *frouxo, cambaio* e *confuso*; atirarão aos manes de Raimundo Correia a pecha de *ilógico e disparatado*. Os poetas de verdade, esses lerão sem pestanejar:

Pou-co ha-bi-tua-da à-luz-a-luz-lo-go a em bri-a-ga

Ao correr dos olhos se me depararam mais os seguintes exemplos:

Voltam todas em bando e em *revoada*... (pág. 16)
Extenuando os ventos e nos flancos (pág. 18)
Napoleão que galopando passa (pág. 19)
Do *impaciente* látego os cavalos... (pág. 20)
O *luar* dessas noites vaporosas... (pág. 23)
Ó *sensuais* visões da adolescência... (pág. 33)
Jura então que do *ciúme*... (pág. 24)
De *esbrazeada* arena... (pág. 27)
No *teatro* de Eurípedes rugindo... (pág. 30)
E onde do Himeto a tribo *sequiosa* (pág. 30)
De *Anacreonte* as rosas... (pág. 31)
Da Arábia o incenso e a mirra da *Etiópia*... (pág. 31)
E *buindo* o deserto incandescente... (pág. 31)
Pinta-a *ideando-a* só: o heril recacho (pág. 33)
De *Yonia* em seu profundo e salso leito... (pág. 34)
Como a Banville e a Mendes *gloriosos* (pág. 36)

Ensaios literários

Fuge a *cruenta* pompa... (pág. 37)
No mole coche *triunfal* tirado... (pág. 38)
Penetro o *suntuoso*... (pág. 38)
O filho *incestuoso* de Cíniras... (pág. 38)
Da *embriaguez* divina que há no fundo... (pág. 39)
Nisto o *ciúme*, fera que eu não domo... (pág. 40)
Não foi por falta de *religião*... (pág. 41)
Hirtos nos frouxos véus do *nevoeiro*... (pág. 43)
Cabecear de sono... (pág. 53)
Passava *gazeando, chilreando*... (pág. 44)
Quanto *suave* aroma... (pág. 45)
Onde pavões garridos *pompeavam*... (pág. 45)
E em *triunfo* ostentavam... (pág. 45)
E o vivo colorido *cambiante*... (pág. 45)
Transeuntes brutais nos arredavam... (pág. 47)
Que *chiavam* tirados... (pág. 47)
Era tarde! *Troando* pelo espaço... (pág. 47)
As girândolas rápidas *voavam*... (pág. 47)
Mistérios *nupciais* só vos devassa... (pág. 49)
Todas as *saliências* destacadas... (pág. 51)
Ontem *criança* ainda era Jessica... (pág. 54)
Hauriste a essência, o espírito *suave*... (pág. 57)
Suntuosos, magníficos haréns... (pág. 58)
Nos bazares, *quiosques* e mesquitas... (pág. 59)
Cauda, rainha *triunfal* parece... (pág. 61)
Lanceolados, ríspidos e agudos... (pág. 61)
A par dos lábios *sensuais* que osculam... (pág. 61)
Realçam no marfim da ventarola... (pág. 66)
Musa *aldeã*... (pág. 67)
E *sensuais*... (pág. 69)
Enquanto a chuva cai grossa e *torrencial*... (pág. 75)
Claro como o *luar*... (pág. 75)
Toalha friíssima dos lagos... (pág. 76)

Mas já se me cansa a mão de transcrever tanto verso. O volume tem 203 páginas e estamos apenas à página 76! Não fecharei, porém, a série sem aduzir de quebra meia dúzia de versos de fatura idêntica ao irmão refugado das *Estalactites*:

Sociedade de bobos e de *hienas*... (pág. 164)
Trigo que eu *semeei, apieda-te* de mim! (pág. 180)
De Cleópatra o *diadema*... (pág. 78)
Virgínias *desleais, desleais* Eleonoras... (pág. 101)
O luar enche o *oceano*... (pág. 136)
Intangível *ideal, cruel* desejo... (pág. 154)

***

O senhor Machado tomou por lema os famosos versos:

Le poète est ciseleur
Le ciseleur est poète.

Reclama nos versos a precisão escultural da cinzeladura. Está no seu direito. A mim me seduz de preferência o conceito musical do verso.

De la musique avant toute chose! – como dizia Verlaine.

Creia o senhor Machado Sobrinho que se pode falar destas coisas sem dizer nomes feios, sem fazer alusões a práticas ignóbeis como, apesar de toda a sua castidade, não se pejou de praticar pelas colunas deste jornal. Porque isto levaria a pensar que em matéria de boas maneiras a sua ignorância é tão completa como em assuntos de prosódia poética.

Prefácio da *Antologia dos poetas brasileiros da fase romântica*[4]

Sílvio Romero, em sua *História da literatura brasileira*, nomeia e estuda os seguintes poetas da fase romântica: Maciel Monteiro, Sapucaí, Odorico Mendes, Francisco Moniz Barreto, Barros Falcão, os irmãos Queiroga, Francisco Bernardino Ribeiro, Firmino Rodrigues Silva, Álvaro Teixeira de Macedo, José Maria do Amaral, Magalhães, Porto-Alegre, Teixeira e Sousa, Joaquim Norberto, Dutra e Melo, Francisco Otaviano, Paranapiacaba, Gonçalves Dias, Álvares de Azevedo, Aureliano Lessa, Bernardo Guimarães, José Bonifácio, o Moço, Laurindo Rabelo, Junqueira Freire, Antônio Augusto de Mendonça, Francisco de Sá, Teixeira de Melo, Casimiro de Abreu, Pedro de Calasãs, Bittencourt Sampaio, Gomes de Sousa, Elzeário Pinto, Franklin Dória, Trajano Galvão, Gentil-Homem de Almeida Braga, Bruno Seabra, Joaquim Serra, Joaquim de Sousa Andrade, Juvenal Galeno, Pedro Luís, Fagundes Varela, Luís Gama, Rosendo Moniz Barreto, Tobias Barreto, Castro Alves, Vitoriano Palhares, Melo Morais Filho, Luís Guimarães e Luiz Delfino. Registra ainda os nomes de Joaquim José Teixeira, Manuel Pessoa da Silva, Torres Bandeira, Augusto Colin, Padre Correia de Almeida, Sinfrônio Olímpio Álvares Coelho, Antônio Félix Martins, José Maria Velho, Agrário de Menezes, Castro Lopes, Machado de Assis, Macedo Soares, Santa Helena Magno, Vilhena Alves, Severiano Bezerra, Costa Ribeiro, José Coriolano, Ferreira de Menezes, Macedo, Constantino Gomes de Sousa, Eduardo de Sá, Pires Ferrão, Rodrigues da Costa, Gualberto de Passos, Dias Carneiro, Gomes de Castro, Marques Rodrigues, Benício Fontenelle, Pais de Andrade, Joaquim Esteves, Pedro Moreira, José Jorge, Justiniano de Melo, Eugênio Fontes, Epifânio Bittencourt, Lisboa Serra, Celso de Magalhães, Antônio da Cunha Rabelo, Augusto Raiol, A. Vale de Carvalho, A. César de Berredo, A. A. de Carvalho Oliveira, Aires da Serra Souto Maior, Caetano Catanhede, Sousa Gaioso, Cestino Franco de Sá, Coriolano Rosa, Eduardo de Freitas, Sotero dos Reis, José Jauffert, Belfor Serra, José Pereira da Silva, José Mariano da Costa, J. Emiliano Vale de Carvalho, Silva Maçarona, João Antônio Coqueiro, Jesuína Serra, Vieira da Silva, Vieira Ferreira, Luís Quadros, Maria Firmina dos Reis, Pereira e Sousa, Pedro Catanhede, Raimundo Brito Gomes de Sousa, R. Alexandre Vale de Carvalho, Carvalho Figueira, Raimundo Pereira e Sousa, Ricardo

---

4 3ª edição. *Biblioteca Popular Brasileira*, vol. XXVII. Departamento de Imprensa Nacional, Rio de Janeiro, 1949.

Henriques Leal, Valentiniano Rêgo, Severiano de Azevedo, Pimentel Beleza, Plínio de Lima, Sousa Pinto, Generino dos Santos, Múcio Teixeira, Luís Murat... Não sei se me terá escapado algum.

Na *História da literatura brasileira* o movimento romântico está discriminado em seis fases. Na *Evolução da literatura brasileira* (Campanha, 1905) o crítico não fala mais em seis fases: assinala "momentos", cinco momentos. Primeiro momento (a partir de 1830 ou pouco depois): *Segunda Escola Fluminense*, com o triunvirato inicial de Magalhães, Porto-Alegre e Gonçalves Dias; três divergentes – Moniz Barreto (em torno do qual se grupou a *Segunda Escola Baiana)*, Maciel Monteiro e Laurindo Rabelo. Segundo momento (a partir de 1848 ou pouco antes): *Primeira Escola Paulista*, com o triunvirato byroniano de Álvares de Azevedo, Aureliano Lessa e Bernardo Guimarães. Terceiro momento (a partir de 1855 ou pouco antes): os epígonos de Byron, Musset e Lamartine, com Junqueira Freire, Casimiro de Abreu, Pedro de Calasãs, Constantino Gomes, Antônio Augusto de Mendonça etc., e aos quais se prende, logicamente, Fagundes Varela. Quarto momento (a partir de 1858 ou pouco antes): os sertanistas, tradicionalistas e campesinos (*Escola Maranhense*), com Trajano Galvão, Gentil-Homem, Dias Carneiro, Joaquim Serra etc., aos quais se prendem, logicamente e cronologicamente, Franklin Dória, Bittencourt Sampaio, Juvenal Galeno, Bruno Seabra e Melo Morais Filho. Divergentes do segundo e terceiro momentos imediatamente anteriores – José Bonifácio, o Moço e Luiz Delfino, precursores do hugoanismo condoreiro, e aos quais se prendem Pedro Luís e Gomes de Sousa; Teixeira de Melo, Machado de Assis e Luís Guimarães, precursores do parnasianismo. Quinto momento (de 1862 a 1870 e anos próximos): os condoreiros, com Tobias Barreto, Castro Alves, Vitoriano Palhares, Carlos Ferreira, Quirino dos Santos, Elzeário Pinto etc. Muitos dos poetas citados entre os românticos na *História da literatura brasileira* aparecem na *Evolução da literatura brasileira* filiados aos movimentos de reação contra o Romantismo: assim, Teixeira de Sousa, Celso de Magalhães, Generino dos Santos, Luís Murat, Múcio Teixeira.

José Veríssimo, que escreveu a sua *História da literatura brasileira* depois de 1900 (a introdução traz a data de 4 de dezembro de 1912), foi mais discreto do que Sílvio Romero na fixação dos valores românticos. Estudou Magalhães, Porto-Alegre, Teixeira e Sousa, Pereira da Silva, Joaquim Norberto (estes dois mais como criadores da nossa história literária), Macedo e José Maria do Amaral, nomeando a seguir Joaquim José Teixeira, José Maria Velho da Silva, Antônio Félix Martins, Firmino Rodrigues Silva, Sapucaí, Antônio Augusto Queiroga, Francisco Moniz Barreto e Maciel Monteiro; demora-se em Gonçalves Dias e o grupo maranhense – Gomes de Sousa, Lisboa Serra, Trajano Galvão, Franco de Sá, dedicando a cada um deles algumas linhas, e menciona em seguida os nomes de Gentil-Homem, Celso de Magalhães, Marques Rodrigues, Dias Carneiro, Augusto Colin, Frederico Correia, Frei Custódio Ferrão, Vieira da Silva, Sousa Andrade e Antônio Henriques Leal, – todos classificados na primeira fase romântica. Na segunda fase estuda Veríssimo os seguintes poetas: Bernardo Guimarães, Álvares de Azevedo, Laurindo Rabelo, Junqueira Freire, Casimiro de Abreu, e a seguir, como "poetas menores", Francisco Otaviano, José Bonifácio, o Moço, Pedro Luís, Teixeira de Melo e Aureliano Lessa. Como "últimos românticos" classifica e estuda Tobias Barreto, Castro Alves, Fagundes Varela, Machado de Assis e Luís Guimarães.

Ronald de Carvalho, muito mais moço que Romero e Veríssimo, contemporâneos ainda dos últimos românticos, mais sensível do que os dois à essência e à técnica da poesia, pôde apresentar em sua *Pequena história da literatura brasileira*, escrita por volta de 1920, um balanço mais claro do nosso movimento romântico. Discrimina quatro fases: *a)* Magalhães e a poesia religiosa, onde estuda ainda Porto-Alegre e nomeia Teixeira e Sousa, Pereira da Silva e Norberto; *b)* Gonçalves Dias e a poesia da natureza; *c)* Álvares de Azevedo e a poesia da dúvida, onde estuda também Laurindo Rabelo, Junqueira Freire, Casimiro de Abreu e Fagundes Varela, a quem assinala como figura de transição, com Machado de Assis e Luís Guimarães, entre o Romantismo e o Parnasianismo; *d)* Castro Alves e a poesia social, e neste capítulo estuda também a figura de Tobias Barreto. Nomeia a seguir, com uma ou outra anotação rápida, Francisco Otaviano, Paranapiacaba, Dutra e Melo, Aureliano Lessa, José Bonifácio, o Moço, Bernardo Guimarães, Teixeira de Melo, Pedro Luís, Trajano Galvão, Bittencourt Sampaio, Gentil-Homem, Melo Morais Filho, Vitoriano Palhares, Moniz Barreto (o repentista), Luís Gama, Bruno Seabra e Joaquim Serra, a todos os quais qualifica de "poetas menores".

O critério a que obedeci na organização desta antologia coincide sensivelmente com o juízo de Ronald de Carvalho, que é, creio, o consenso da atualidade. Os nossos grandes poetas da fase romântica são Gonçalves Dias, Castro Alves, Álvares de Azevedo, Junqueira Freire, Casimiro de Abreu e Fagundes Varela; vêm depois Bernardo Guimarães e Laurindo Rabelo. Esses, os que deixaram obra que, em bloco, testemunha forte e decidida vocação poética. Ao lado das suas produções, as dos outros, mesmo as dos que se exprimiram com mais correção de linguagem e de forma, como um Teixeira de Melo, por exemplo, soam fraquíssimas aos nossos ouvidos – poesia de diletantes em suma. Poesia morta e enterrada. No entanto Otaviano, parco versejador, deixou dois pequenos poemas – o soneto "Morrer, dormir..." e as "Ilusões da vida" que resistiram ao tempo; o segundo forneceu mesmo à nossa língua uma frase feita – a "branca nuvem". Maciel Monteiro, talvez o mais diletante de todos, resiste no famoso soneto que vai incluído neste volume. Alguns, como Melo Morais Filho, sobrevivem ainda em uma ou outra modinha.

Machado de Assis, Luís Guimarães e Luiz Delfino soçobraram como puros românticos. As *Ocidentais*, onde se contêm alguns dos mais admiráveis poemas da nossa língua, não devem nada ao Romantismo. Luís Guimarães corrigiu-se e depurou-se com os parnasianos. Luiz Delfino constitui um caso singular em nossa poesia: ao seu rico fundo romântico incorporou o brio parnasiano e mais tarde alguma coisa do nosso simbolismo – há um pouco de tudo isto nos seus mais belos sonetos.

Notar-se-ão neste volume algumas exclusões, que me cumpre justificar. Porto-Alegre, em primeiro lugar. É inegável a influência por ele exercida ao lado de Magalhães. Os temas das *Brasilianas* são todos tomados à natureza e à vida nacional. "Cultivando este gênero de poesia", escreveu o autor do prefácio do *Colombo* (edição do Instituto Histórico, Rio de Janeiro, 1892), "foi seu principal intento despertar o gosto pela poesia americana, e cumpre reconhecer que o realizou, criando imitadores, entre os quais o nosso saudoso poeta Gonçalves Dias, que não ocultava as suas primeiras inspirações às *Brasilianas*". Esse o seu principal mérito. As qualidades melhores de Porto-Alegre não são de poeta, no fundo frio, mas de desenhista e pintor. Pode-se admirar no poema *Colombo* o seu vigor descritivo, o seu domínio da língua e da métrica.

Ensaios literários

Poucos escritores nossos usaram de tão rico vocabulário. Mas essa mesma riqueza está constantemente a prejudicar a clareza dos seus quadros ou a emoção que nos pretende comunicar. Os condoreiros vão aqui escassamente representados. A verdade é que o único verdadeiro condor foi Castro Alves. Os outros eram uns falsos condores. Não me animei a colocar a famosa "*Terribilis dea*", o menos mau dos poemas de Pedro Luís, ao lado do "Navio negreiro", das "Vozes d'África" ou de "O gênio da humanidade". Os falsos condores foram muitos. A abolição e a guerra do Paraguai – sobretudo a guerra do Paraguai – suscitou toda uma literatura de invectivas empoladíssimas: basta correr os olhos no *Correio Mercantil* de 1865. Nabuco – até Nabuco – insultou, patrioticamente, o López (*Correio Mercantil*, número de 30 de janeiro de 1865).

***

Teixeira de Melo era já ao tempo em que Romero escrevia a *História da literatura brasileira* um poeta esquecido. E o crítico sergipano, que, a despeito de seu temperamento combativo, tinha no fundo uma alma boa e generosa, tentou corrigir o que lhe parecia uma injustiça dos seus contemporâneos. A sua apologia, porém, não é convincente. Depois de citar três estrofes medíocres das *Sombras e sonhos*, aponta, como "melhor ainda", estas duas sextilhas:

> Onde haja musgo em que teça
> Um ninho em que eu adormeça
> Com meus amores implumes;
> Onde não vinguem espinhos;
> Onde o sol entre carinhos
> Viva de azul e perfumes!

> Procurei no mundo todo
> Um ponto, perla no lodo,
> Onde o amor fosse verdade!
> Onde a vida fosse um lago!
> Nosso baixel... um afago!
> Nossa brisa... a mocidade!

E comenta: "É o lirismo alado do XIX século". Acrescenta a seguir: "Eis ainda superior:

> A cada riso dela eu via o mundo
> Sumir-se a nossos pés e o céu se abrir!
> Então eu m'esquecia de mim mesmo,
> Do mundo que a esperava e do porvir!

> A tarde era uma aurora mais risonha,
> A *insônia minha* eterna companheira,
> Sílfide o tempo, as ilusões um berço
> Em que pensei dormir a vida inteira..."

2ª parte. Aí estuda o poeta paulista o tema que chamou do amor e medo, mostrando aliás que, salvo em Álvares de Azevedo, ele era "mais assunto poético que realmente sentido". No fundo, a mesma coisa que observou Gilberto Freyre: o sexo "forte" fingindo-se medroso para melhor dominar o sexo "fraco". Fingimento bem transparente em Casimiro.

AUTOCRÍTICA

O Ministro Gustavo Capanema deixará assinalado por duas obras o centenário do nosso Romantismo: esta antologia e a edição crítica, já no prelo, dos *Suspiros poéticos*, confiada ao professor Sousa da Silveira.

Não se pode negar a boa vontade com que o senhor Manuel Bandeira procurou desempenhar-se da tarefa que lhe foi cometida. Vê-se que se esforçou por recorrer às melhores fontes, cotejou edições, assinalou variantes etc... Todavia, quem ler com atenção o seu trabalho, facilmente descobrirá não pequeno número de descuidos e enganos, alguns bem graves. Assim, citando a obra de Mário de Andrade *O Aleijadinho e Álvares de Azevedo*, dá-a como editada pela R. A. Editora, São Paulo. Ora, aquelas duas iniciais pertencem à *Revista Acadêmica*, que se edita no Rio. À página 222 anota sobre o soneto "Luz entre sombras" de Machado de Assis: "Este soneto não foi incluído pelo autor nas *Poesias completas*, edição Garnier". Como não foi?

A edição que possuo é de 1902, e creio que foi a única. Pois lá está, à página 88, o soneto das *Falenas*. Na poesia "Oito anos", de Casimiro de Abreu, falta o quinto verso da quarta estrofe: "Em vez das mágoas de agora". Na nota à página 299 lê-se: "Don'Ana, filha de um rico comerciante português, estabelecido havia muito no Maranhão, Domingos Ferreira do Vale, era irmão do Visconde do Desterro, e veio a ser tio de Teixeira Mendes".

Isto está uma embrulhada. Don'Ana era irmã do Visconde e veio a ser tia de Teixeira Mendes. A nota foi redigida certo por Onestaldo de Pennafort, mas o senhor Manuel Bandeira não reviu com devido cuidado o texto do seu amigo. Sei que o senhor Manuel Bandeira anda dizendo por aí que teve um trabalho danado com esta antologia, e que a reviu mil e vinte e quatro vezes. Pois então devia tê-la revisto mil e vinte e cinco.

Certas exclusões não me parece que estejam suficientemente justificadas. O poema "*Terribilis dea*", apesar dos seus defeitos, marcou a sua geração e merecia, por isso, figurar nesta coletânea. Marcou tanto que inspirou a Castro Alves uma réplica famosa – a "Deusa incruenta".

Parece-me que o senhor Manuel Bandeira deveria ter obedecido a um critério mais objetivo na organização da sua antologia. Fez uma obra talvez demasiadamente pessoal, deixando-se levar pelas suas preferências.

MANUEL BANDEIRA

Prefácio da *Antologia dos poetas brasileiros da fase parnasiana*[7]

A reação contra o Romantismo remonta entre nós aos últimos anos da década de 1860. A chamada "escola coimbrã", a publicação da *Visão dos tempos* e das *Tempestades sonoras*, de Teófilo Braga (1864), e das *Odes modernas*, de Antero de Quental (1865), tiveram aqui o seu eco em poemas onde era manifesta a intenção de fugir às sentimentalidades do lirismo puramente amoroso. A partir de 1870, a reação procura organizar-se doutrinariamente na poesia científica ou filosófica de Sílvio Romero, Martins Júnior, Aníbal Falcão, Prado Sampaio e outros. Logo depois, ao lado dessa corrente, surgida ao norte, em Pernambuco, aparecia ao sul, em São Paulo e no Rio, outra que se pretendia sobretudo realista. Até o momento de se firmar definitivamente o prestígio de mestres, de Alberto de Oliveira com os *Sonetos e poemas* (1886), de Raimundo Correia com os *Versos e versões* (1887) e de Olavo Bilac com as *Poesias* (1888), "realismo" é a palavra de combate mais comum na boca da nova geração, para a qual o Romantismo já era um mundo morto.

Em 1878 se trava pelas colunas do *Diário do Rio de Janeiro* a "Batalha do Parnaso". Não se entenda aqui "Parnaso" como sinônimo de Parnasianismo. A batalha chamou-se do Parnaso porque os golpes se desfechavam em versos (quase sempre incorretos, na gramática e na metrificação, segundo os cânones parnasianos posteriores). Esse termo "parnasiano" não aparece no artigo "A nova geração", publicado em 1879 por Machado de Assis na *Revista Brasileira*; não aparece nem nos prefácios nem nas críticas senão pelos meados da década de 1880. Tive o cuidado de rastreá-lo nas revistas e jornais do tempo, e fui encontrá-lo pela primeira vez numa nota crítica de Alfredo de Sousa sobre um livro de versos de Francisco Lins. "Os românticos", dizia o crítico poeta, "não suportam os parnasianos porque não os entendem. Coitados! pensam que alma humana é só o sentimento e a lágrima, e não falam, porque não ouvem com certeza, da música, da rima, da harmonia do metro, da variação das vogais, da escolha dos vocábulos, de tudo enfim que seria longo dizer e que, dando ao verso som, forma, movimento, cor, vida real mais que humana, cria essa coisa inefável e sublime que se chama – Poesia" (*A Semana*, 6 de fevereiro de 1886). Essa data de 1886 marca, com a publicação dos *Sonetos e poemas*, de Alberto de Oliveira, a cristalização do movimento antirromântico em moldes chamados parnasianos porque os seus orientadores vitoriosos se reclamavam dos parnasianos franceses. Até então não se falava de Parnasianismo: falava-se sempre e muito era de "realismo", "nova ideia", "ciência", "poesia social".

Algumas transcrições da "Batalha do Parnaso" darão ideia do espírito do movimento em 1878:

A GUERRA DO PARNASO

A poesia de hoje, a que chamam realista,
Uma causa defende – a causa da Justiça,

---

7 3ª edição. *Bioblioteca Popular Brasileira*, vol. XXVIII. Departamento de Imprensa Nacional, Rio de Janeiro, 1951.

E no seu combater arvora uma conquista
– É a do direito, sempre impávida na liça.
A poesia de ontem de Abreus e de Varelas,
Coberta com o véu do triste idealismo,
Só fazem-nos do amor as mórbidas querelas
Sem olhar que a nação caminha prum abismo.

O moderno ideal por sol tem as ciências
    Que as sendas lh'iluminam;
O velho só tem flor, extratos e essências,
    Passarinhos que trinam...

É tempo de cairdes, romantismo,
Insosso, frio, lívido lirismo,
Aos do passado imensos boqueirões;
Levantai-vos, Fontoura e Azevedo,
Lins, Patrocínio, sem mostrardes medo,
Para acabar os líricos chorões.

Assim escrevia, muito pouco parnasianamente, Arnaldo Colombo no nº de 16 de maio do *Diário do Rio de Janeiro*. No dia seguinte era Valentim Magalhães que zurzia o Romantismo em nome da Ideia Nova. Em 12 de maio um poeta que se escondia sob o pseudônimo de "Seis Estrelas do Cruzeiro" derramava-se nesta versalhada:

Eu tenho horror à musa amante das Ofélias
À musa que inspirava o *moço* do Farani.
À musa almiscarada, à musa Frangippane,
De cabeleira solta e faces de camélias.
Não posso suportar o terno romantismo,
A estrofe miudinha, o perfumoso ritmo;
Prefiro procurar um gordo logaritmo
A ler depois do chá uns trapos de lirismo.

Se não tenho na estante a triste *Nebulosa*,
Às *Falenas* do Assis...

Bardos, vinde, chegai de ambos os polos
Que nós do realismo – os da moderna ideia
Havemos de, à luz da esplêndida epopeia,
    Encher os nossos colos.

Os ataques eram às vezes ferinos. Assim, este assinado "Erckmann-Chatrian", no nº de 13 de maio:

Viveis desse *ideal* nevrálgico de Onã,
Nós desse amor febril e lúbrico de Pã,
– Sonhais a Virgem Santa, e nós Marion Delorme!

O mesmo escárnio se repete no nº de 18 do mesmo mês, numa sátira intitulada "Romântica":

Não pode ainda casar
Com sua pálida Elvira;

Pois se ele não tem que dar!
Se vive de tocar lira!...

De Artur Barreiros, no nº de 15 de maio:

.... O velho romantismo
Entende inda viver à luz do realismo...
O romantismo é isto: uns astros invisíveis,
Uns anjos ideais... a divindade em Cristo...
Como falavam os românticos?

Em 8 de maio escrevia "Três Estrelas do Cruzeiro":[8]

Poetas da Pauliceia,
A musa da Nova Ideia
Tem tomado surra feia,
    Que praga!
Se lhe não trazeis auxílio:
A escola que fez *Basílio*
E que baniu o idílio
    Naufraga.

"Flor de Lis" verseja em 11 do mesmo mês:

Em vão, ó Musa suavíssima!
As lufadas do realismo
Tentam lançar sobre o abismo
Os teus ideais em flor!
....
Dizem-te anêmica e histérica,
Pífia, vil, sensaborona,
Que és a musa da sanfona
Das reles canções de amor.

Artur de Oliveira, que de volta de Paris, onde frequentou os mestres parnasianos, exerceu enorme fascinação sobre as rodas literárias, para as quais foi sem dúvida o revelador da corrente já dominante em França: Teófilo Dias, Artur Azevedo, Fontoura Xavier, Valentim Magalhães e Alberto de Oliveira tomaram parte na "Batalha do Parnaso", o último sob os pseudônimos de "Lírio Branco" e "Atta Troll", segundo declarou em entrevista concedida a Prudente de Morais Neto (*Terra Roxa e Outras Terras*, nº de setembro de 1926). Alberto de Oliveira enganou-se nessa entrevista quando datou a "Batalha do Parnaso" de 1880 a 1882. As influências da escola coimbrã, a que nos referimos atrás, foram confessadas pelo poeta fluminense, a par da influência do Naturalismo, "cujo verdadeiro introdutor no Brasil" foi o campineiro Tomás Alves Filho, que também formou na "Batalha do Parnaso" sob o pseudônimo de "Hop Frog", e das *Miniaturas*, de Gonçalves Crespo.

---

8   Os dois pseudônimos – "Seis Estrelas do Cruzeiro" e "Três Estrelas do Cruzeiro" – de fato aparecem nas respectivas datas (8 e 12 de maio de 1878, *Diário do Rio de Janeiro*) informadas por Bandeira neste prefácio. (Nota do Organizador)

Em "A nova geração" Machado de Assis estuda a poesia de Carvalho Júnior, Teófilo Dias, Afonso Celso, Fontoura Xavier, Valentim Magalhães, Alberto de Oliveira, Mariano de Oliveira, Sílvio Romero, Lúcio de Mendonça, Francisco de Castro, Ezequiel Freire, Artur Azevedo e Múcio Teixeira, e, embora reconhecendo haver na geração "uma inclinação nova nos espíritos, um sentimento diverso do dos primeiros e segundos românticos", afirma não discernir "uma feição assaz característica e definitiva no movimento poético". Uma crença comum a todos esses novos: o Romantismo era coisa morta. Como disse Machado de Assis, "esta geração não se quer dar ao trabalho de prolongar o ocaso de um dia que verdadeiramente acabou". E o mestre dava-lhes razão: "Eles abriram os olhos ao som de um lirismo pessoal, que, salvas as exceções, era a mais enervadora música possível, a mais trivial e chocha. A poesia subjetiva chegara efetivamente aos derradeiros limites da convenção, descera ao brinco pueril, a uma enfiada de cousas piegas e vulgares". Seu atilado senso crítico soube, no entanto, distinguir o "cheiro a puro leite romântico" que havia nos poetas que em 1879 combatiam a grande moribunda que os gerara.

Na *Revista de Ciências e Letras*, de São Paulo, dirigida pelos acadêmicos de Direito Raimundo Correia, Alexandre Coelho, Randolfo Fabrino e Augusto de Lima, escrevia este último em 11 de agosto de 1880: "Aquela geração pujante de poetas românticos" (falava de Goethe, Byron, Lamartine, Mickiewicz, Victor Hugo, Schiller, Oehlenschläger) "desaparecera sem descendência. A poesia foi-se pouco e pouco degenerando num sentimentalismo exagerado, que não tardou em tornar-se piegas e balofo..." E a essa poesia dessorada opunha o articulista "os *Poemas filosóficos* de Louise Ackermann, a *Epopeia terrestre* de Lefèvre, as *Obras* gigantescas de Leconte de Lisle e as *Odes modernas* de Antero de Quental".

Em 1881, Alberto de Oliveira ainda fazia versos como estes, que apareceram na *Gazetinha* de 1º de fevereiro:

> Tens vinte anos, talvez;
> Mas pelo encarnado lindo
> De rosa que vai-se abrindo,
> Não dão-te mais do que dez.

As *Fanfarras*, de Teófilo Dias, surgiram em 1882, e com esse livro o movimento antirromântico começa a se definir no espírito e na forma dos parnasianos franceses, já esboçados em alguns sonetos de Carvalho Júnior, falecido em 1879. Machado de Assis, criticando as *Fanfarras* pela revista *A Estação*, nº de 15 de junho de 1882, assinala a influência de Baudelaire, mas a palavra "parnasiano" não aparece ainda. Na *Gazetinha* de 24-25 de abril, U. (provavelmente Urbano Duarte) julga os novos versos de Teófilo Dias inspirados em Hugo, Leconte de Lisle, Baudelaire, Banville, Coppée, Musset e Junqueiro.

Nesse ano de 1882 é na *Gazetinha* que vamos encontrar uma como continuação da "Batalha do Parnaso".

> Morto! morto! desgraça! é morto o Romantismo!

exclama em alexandrinos o senhor Tomás Delfino no nº de 11 de janeiro.

No nº de 20-21 de fevereiro Raimundo Correia publica o soneto "No sarau do conde...", incluído neste volume, e no qual se fala de um certo Barreto, bardo romântico, que talvez seja o poeta dos *Voos icários*, Rosendo Moniz Barreto, pois no nº de 4 de março vem uma longa "Epístola ao bardo Moniz", do mesmo Raimundo Correia, toda em redondilhas esdrúxulas:

> Larga essa lira caquética!
> Ouve! e desculpa esta epístola!
> Ó professor de dialética!
> Larga essa lira caquética!
> Por que antes não curas hética,
> Pústula, escrófula e fístula?
> Larga essa lira caquética!
> Ouve! e desculpa esta epístola!

Nesse momento os românticos mais visados pelos partidários da Ideia Nova são Rosendo Moniz e Melo Morais Filho. Deste último diz Silvestre de Lima no nº de 3-4 de fevereiro da *Gazetinha*: "Seus sentimentos fracos são incompatíveis com a alma moderna, ávida de impressões violentas e de expansibilidades nervosas". No nº de 12 de março L. Gonzaga Duque Estrada fala em Realismo atacando Rosendo Moniz.

Nesse longo evolver da Ideia Nova para as formas parnasianas o primeiro marco importante foi, como já dissemos, as *Fanfarras*, de Teófilo Dias. O segundo e o terceiro são as *Meridionais* (1883) e os *Sonetos e poemas* (1886), de Alberto de Oliveira. O quarto são *Versos e versões* (1887), de Raimundo Correia. Bilac, que nessa época tem 22 anos, escreve sobre o livro de Raimundo em *A Semana* de 20 de agosto de 1887: "Raimundo Correia com os *Versos e versões* e Alberto de Oliveira com os *Sonetos e poemas* marcaram definitivamente a nova fase da poesia brasileira e assinalaram a direção que de hoje em diante será seguida por todos os poetas que se lhes sucederem. São dois parnasianos os reformadores..."

Mas é o próprio Bilac que completa em 1888, com a publicação de suas *Poesias*, o triunfo assinalado naquelas suas palavras. Alberto de Oliveira e Raimundo Correia haviam pecado abundantemente contra o rigor parnasiano nos seus primeiros livros: Machado de Assis assinalou-o nos seus prefácios e notas críticas, e é muito provável que na correção gramatical que passou a distinguir os três grandes parnasianos tenha entrado muito a influência de Machado de Assis, gramaticalmente correto desde a sua estreia com as *Crisálidas*.

As *Poesias* de Bilac lograram enorme êxito. Era a vitória da nova técnica, praticada aqui sem uns tantos excessos de rigidez formal (termos peregrinos, *enjambements* e inversões) que apareciam com frequência nos novos poemas de Alberto de Oliveira. Se a primeira parte, "Panóplias", traía na "Profissão de fé" e nos longos poemas descritivos a influência dos parnasianos franceses, a segunda e a terceira, "Via-Láctea" e "Sarças de fogo", revelavam outra fonte de lirismo mais próximo e aparentado ao nosso: a dos grandes mestres portugueses. Em especial Bocage. Pode-se dizer que Bilac e Raimundo Correia, se quebraram o fio romântico da nossa poesia, foi integrando-a no velho lirismo português que vem desde os cancioneiros.

Em 8 de outubro de 1888, R. (talvez Raimundo Correia) escreve na *Gazeta de Notícias*: "Olavo Bilac não é um parnasiano, embora pareça dizê-lo a 'Profissão de fé' com que abre o volume: 'Invejo o ourives quando escrevo...'. Tem a forma fácil e a inspiração ardente, traços que o removem para longe da escola dos *Êmaux et camées*. Seria até um atrasado, se houvesse datas para o talento, porque, como não tem a impassibilidade parnasiana, não tem do mesmo modo a tortura da concepção que caracteriza os modernos sentimentalistas franceses."

Pelo jornal *Novidades*, nº de 10 de outubro, M. A. (decerto Machado de Assis) classifica o poeta entre os parnasianos: "é um parnasiano e parnasiano de uma definida espécie: a sua ambição consiste em exprimir o pensamento por uma forma correta e elegante. A harmonia fica no segundo plano. A correção domina essencialmente. É-lhe preciso o termo justo, a palavra adequada e precisa, que diga perfeita, mas unicamente, o que há de ser dito. Este é o esquema do seu *processus*."

"Parnasiano incontestável", escreve também Araripe Júnior no nº de 18 de outubro do mesmo jornal. "Ao asiático do Romantismo, ele, como todos os seus companheiros de armas, substitui o ático do Realismo..."

A etiqueta de "parnasiano" suscitou controvérsias desde os primeiros momentos, não só aqui como também em França. Os poetas que chamamos parnasianos não se ajustam ao conceito de impassibilidade com que se definiu o vocábulo. O que eles combatiam, era, como disse Leconte de Lisle no discurso de recepção na Academia Francesa, "o uso profissional e imoderado das lágrimas", que "ofende o pudor dos sentimentos mais sagrados".

Como caracterizar a poesia dos nossos parnasianos? Será fácil discerni-la nos poemas escritos em alexandrino. Mas nos outros metros tradicionais na língua portuguesa, e sobretudo nos decassílabos, o que separa um parnasiano de um romântico aproxima-o dos clássicos. Quanto ao fundo mesmo a diferença dos parnasianos em relação aos românticos está na ausência não do sentimentalismo, que sentimentalismo, entendido como afetação de sentimento, também existiu nos parnasianos, mas de uma certa meiguice dengosa e chorona, bem brasileira aliás, e tão indiscretamente sensível no lirismo amoroso dos românticos. Esse tom desapareceu completamente nos parnasianos, cedendo lugar a uma concepção mais realista das relações entre os dois sexos. O lirismo amoroso dos parnasianos foi de resto condicionado pelas transformações sociais. Com a extinção da escravidão, acabou-se também em breve o tipo da "sinhá", que era a musa inspiradora do lirismo romântico, e a moça brasileira foi perdendo rapidamente as características adquiridas em três séculos e meio de civilização patriarcal. Nas imagens também os parnasianos se impuseram uma rígida disciplina de sobriedade, de contiguidade. Repugnava-lhes a aproximação de termos muito distantes, assim como toda expressão de sentido vagamente encantatório, elementos que encontramos na poesia de Luiz Delfino e B. Lopes, os quais, a despeito de sua métrica parnasiana, escandalizavam um pouco, pela presença daqueles elementos, o gosto um tanto estreito de Alberto de Oliveira, Bilac e Raimundo Correia e seus discípulos e epígonos. O hermetismo de um Mallarmé era de todo impenetrável e inaceitável para eles. Em 1888 lia-se em *Novidades*, jornal dirigido por Alcindo Guanabara: "Os senhores sabem o que vem a ser a escola decadente na poesia atual da França?" Seguia-se a transcrição do soneto *"Le tombeau d'Edgard Poe"*, comentado depois nestes termos: "se entre os leitores deste soneto houver quem goste de decifrar enigmas, receberemos com muito gosto a significação dessas palavras que aí ficam numa língua que já não é, ou que ainda não é a bela língua de Racine".

Quanto à forma, doutrinaram e praticaram os mestres parnasianos o mesmo ideal de clareza sintática, de conformismo às gramáticas portuguesas. Essa concepção simplista do idioma levou Bilac a alterar, numa conferência pronunciada na Academia Brasileira, um verso de Gonçalves Dias.

> Possas tu, descendente maldito
> De uma tribo de nobres guerreiros,
> Implorando cruéis forasteiros,
> Seres presa de vis aimorés.

Bilac, julgando errado o "possas tu... seres", emendou o último verso para "Ser o pasto de vis aimorés". (*Conferências literárias*, 2ª edição, Livraria Francisco Alves, Rio de Janeiro, 1930, página 12.)

A métrica dos parnasianos, jamais infiel à sinalefa (nunca disseram "a água", "o ar", contando o artigo como sílaba métrica a exemplo de Camões, que desse hiato tirou muita vez grande efeito) e praticando quase sistematicamente a sinérese, ganhou em firmeza, perdendo em fluidez. Foi esse processo que deu à poesia parnasiana aquele caráter escultural, censurado por Lúcio de Mendonça nos versos dos *Sonetos e poemas*, de Alberto de Oliveira, quando escreveu em *A Semana* de 13 de fevereiro de 1886: "A poesia impassível é a redução da mais rica e poderosa das belas-artes às condições de uma das mais pobres – a estatuária". Nesse ponto pode-se dizer que Raimundo Correia e Vicente de Carvalho foram muito mais artistas que Alberto de Oliveira e Bilac. A métrica daqueles, com ser igualmente precisa, é muito mais rica e sutil, muito mais musical do que a destes. Usaram ambos do hiato interior com fino gosto. Lembrem-se do verso da "Ária noturna": "A toalha friíssima dos lagos...". Em notas no fim deste volume fazemos alguns comentários sobre a técnica dos octossílabos, dos decassílabos e dos alexandrinos nos mestres parnasianos. A estes, porém, não se deve fazer carga de certos defeitos que apareceram mais tarde nos discípulos e acarretaram o descrédito da escola, em especial da rima rica. Os nossos subparnasianos quiseram imitar a riqueza de rimas dos mestres franceses. Mas não havendo entre nós a tradição da rima com consoante de apoio (Goulart de Andrade tentou introduzi-la já no crepúsculo do Parnasianismo), lançaram mão da rima rara. A rima rica francesa não implica o sacrifício da simplicidade vocabular: ela se pode obter com as palavras de uso comum. A rima rara portuguesa é quase sempre um desastre. Não há uma poesia sequer de Emílio de Menezes que não esteja irremediavelmente prejudicada por esse rico ornato de péssimo gosto.

Só incluímos nesta antologia os poetas nascidos até 1874, isto é, os poetas que começaram a versejar mais ou menos parnasianamente antes do advento do Simbolismo (*Broquéis*, de Cruz e Sousa, 1893). A nossa intenção aqui foi fixar a fase realmente renovadora e criadora do Parnaso. Ao lado de Luiz Delfino e Machado de Assis, românticos passados a parnasianos, pusemos, a título de precursor, a figura de Carvalho Júnior, cujos poucos sonetos traem a influência de Baudelaire. Dele disse Machado de Assis que "era poeta de raça. Crus em demasia são os seus quadros; mas não é comum aquele vigor, não é vulgar aquele colorido", embora se mostrasse a sua poesia "sempre violenta, às vezes repulsiva, priapesca, sem interesse".

B. Lopes é classificado na *Pequena história da literatura brasileira*, de Ronald de Carvalho, entre os simbolistas. Pendemos mais para o juízo de Sílvio Romero, no estudo "A literatura", *Livro do centenário*, Imprensa Nacional, Rio de Janeiro, 1900, página 109: "De tudo evidencia-se não dever ser o lugar do poeta dos *Brasões* entre os simbolistas. É apenas transição para eles; seu posto mais exato deverá ser entre os parnasianos." As notas simbolistas são de fato escassas e superficiais em B. Lopes: a grande maioria dos seus poemas revelam indisfarçavelmente o gosto da perfeição formal parnasiana. Mas ele sabia fazer cantar os belos vocábulos num lirismo alumbrado, de que só foi capaz entre os parnasianos Raimundo Correia, e isso mesmo uma vez apenas, no "Plenilúnio". Isso, porém, tanto o aparenta, a ele e a Luiz Delfino, aos simbolistas, como a Castro Alves, o romântico daqueles versos:

> Vem, formosa mulher, camélia pálida
> Que banharam de pranto as alvoradas!

Vai decerto chocar muitos leitores o fato de incluirmos aqui o brasileiro naturalizado Filinto de Almeida e excluirmos o brasileiro nato Gonçalves Crespo. Tenho que este pertence literariamente ao movimento português, ao passo que aquele pertence ao nosso, onde combateu ombro a ombro com os renovadores da nossa poesia.

Difícil é alinhar os nomes dos poetas aqui aparecidos sob o signo parnasiano e por ele influenciados. Os livros da nossa história literária atestam a dificuldade da classificação. Basta dizer que José Veríssimo e Ronald de Carvalho não mencionam sequer o nome de Vicente de Carvalho, grave omissão, pois o poeta paulista merece ficar, e ficará ao lado de Alberto de Oliveira, Raimundo Correia e Bilac. Sílvio Romero, que o menciona apenas no *Livro do centenário*, omitiu-o na *Evolução da literatura brasileira*, que é de 1905. Por outro lado classifica o crítico sergipano a Afonso Celso entre os parnasianos, ao lado de Teófilo Dias, Raimundo Correia, Olavo Bilac, Alberto de Oliveira, Artur Azevedo, João Ribeiro, Adelino Fontoura, Guimaraens Passos, Rodrigo Octavio, Magalhães de Azeredo, Mário de Alencar, Luís Guimarães Filho, Paulo de Arruda e Osório Duque-Estrada, e dá como divergentes mais ou menos pronunciados do Parnasianismo Luís Murat, Múcio Teixeira, Emílio de Menezes (sim, Emílio de Menezes!), Teotônio Freire, França Pereira, João Barreto de Menezes...

Lendo as revistas, jornais e almanaques do tempo (*A Semana, O Besouro, Revista de Ciências e Letras, A Vespa, A Estação, Revista Brasileira, A Gazetinha*, o *Diário do Rio de Janeiro*, a *Gazeta de Notícias*, o *Novidades*, o almanaque da *Gazeta de Notícias*...), encontramos os nomes de Silva Ramos, Jaime Sertório, Soares de Sousa Júnior, Bento Ernesto Júnior, Artur Lobo, Demóstenes de Olinda, Silva Tavares, Luís Rosa, Alcides Flávio, Temístocles Machado, Júlio César da Silva, Ulisses Sarmento, Antônio Sales, Damasceno Vieira, Virgílio Várzea, Ernesto Lodi, Artur Mendes, João Saraiva, João Andreia, Alfredo de Sousa, Henrique de Magalhães, Faria Neves Sobrinho, Narcisa Amália, Plácido Júnior, Paula Ney, Pardal Mallet, Brito Mendes, Zalina Rolim, Júlia Cortines, Gervásio Fioravanti, Lucindo Filho, Sabino Batista, Figueiredo Pimentel, Ramos Arantes, Paulo de Assis, Severiano de Resende, Vítor Silva, Xavier da Silveira Júnior, Oscar Maleagro, Alberto Silva, Castro Rebelo Júnior, Alfredo Leite, Artur Duarte, Leôncio Correia, Afonso Melo, Bernardo de Oliveira, Oscar Rosas, Carlos Coelho, Oliveira e Silva, Medeiros e Albuquerque, Alcindo Guanabara, Eduardo

Ramos, Constâncio Alves, Emiliano Pernetta, Mário Pederneiras, Mário de Alencar... Alguns desses nomes vão figurar com brilho no movimento simbolista; outros se tornaram ilustres em outros domínios que não os da poesia. Haverá entre eles muita figura indecisa entre românticos e parnasianos.

A AUTORIA DAS *CARTAS CHILENAS*

PROVA DE ESTILO FAVORÁVEL A GONZAGA

Em seu trabalho "Critério objetivo para determinar a autoria e a cronologia na dramática espanhola" pondera Sylvanus Griswold Morley, muito acertadamente, que as impressões pessoais ou subjetivas são falíveis no problema de distinguir o produto de um espírito do de outro. O crítico há que apoiar-se em critério puramente objetivo. No caso de um produto poético como as *Cartas chilenas*, os elementos esclarecedores são fornecidos pela poética e pela linguagem: a poética, através do exame da estrofação, das rimas, da estrutura do verso com os seus fenômenos de sinérese, diérese, sinalefa, hiato, *enjambement*, distribuição de acentos etc.; a linguagem, mediante a análise das peculiaridades de vocabulário e de sintaxe.

Infelizmente a estrofação e as rimas faltam nas *Cartas*: a obra foi escrita em decassílabos brancos, tipo de verso muito raramente empregado por Gonzaga e Cláudio Manuel da Costa. O crítico só se pode socorrer da estrutura interna do decassílabo e suas relações com os versos afins. Aqui, por mais que apurasse a atenção e o ouvido, não pude assinalar diferenças sensíveis entre os dois poetas: ambos se valem de hiatos, sinéreses, *enjambements*, e não há ritmo das *Cartas* que não se encontre com maior ou menor frequência num e noutro. Apenas poder-se-á notar que o estribilho só é usado por Cláudio três vezes – na "Despedida de Fileno de Nize", na cantata "O pastor divino" e na cantata "Galateia" –, ao passo que abunda na obra de Gonzaga e três vezes também aparece nas *Cartas*, o que me parece muito característico, dada a natureza da obra, uma na Carta 8 ("Por que, meu Silverino? Por que largas,/ Por que mandas presentes, mais dinheiro?"), outra na Carta 11 ("Jelônio se mudou, Jelônio é outro"), e a terceira na Carta 12 ("Maldita sejas tu, pouca-vergonha,/ Que tanto influxo tens sobre este Leso!").

Mas no domínio da linguagem se sente o crítico mais favorecido pela cópia de material.

Em meu estudo comparativo, servi-me dos seguintes textos: para as *Cartas*, da edição de Luís Francisco da Veiga; para Gonzaga, da edição Sá da Costa; para Cláudio Manuel, da edição Garnier (1903).

Preliminarmente excluí de cotejo algumas produções da terceira parte de *Marília de Dirceu*, cuja autenticidade parece duvidosa. São elas: a Lira 3, a 10, a 27, a 28, sobre as quais o anotador da edição, o erudito crítico português, senhor Rodrigues Lapa, manifesta alguma dúvida, que me parece fundada, e as Liras 25 e 26, dois sonetos que aparecem como de Cláudio na edição Garnier. De fato me sabem a Cláudio não só esses dois sonetos, como o da Lira 16 e a Lira 27. Na lira 16 vejo a preposição "desde" com o sentido de ponto de origem, e a palavra "açucenas", frequentes em

Cláudio e não encontradiças em toda a obra de Gonzaga; na lira 27, a expressão "do meu Jequitinhonha", que o senhor Rodrigues Lapa estranha em Gonzaga e que eu encontrei no Canto VII do poema *Vila Rica*, de Cláudio (página 239, verso 7).

Isto posto, passo a expor os pontos que feriram a minha atenção e me confirmaram na crença de que as *Cartas* são efetivamente de Gonzaga.

1. Lê-se na Carta 1, página 37, v. 8-9:

> Inda que o vento, que d'alheta sopra,
> Lhes inche os soltos, desrinzados panos?

"Alheta" são "os dois madeiros curvos que formam a volta da popa da nau pela parte de fora" (Bluteau). "Rizes" são "ilhós em dois terços das velas de navio por onde havendo muito vento a encolhem, e fazem de menor altura" (Morais). De "rizes" se deriva "enrizar", e deste o antônimo "desenrizar", que os dicionários registram. Nos dicionários que consultei (Morais, Aulete, Constâncio, Viterbo, Cândido de Figueiredo, João de Deus, Simões da Fonseca, Séguier, Dicionário Enciclopédico, Dicionário Ilustrado de Almeida, Brunswick e Pastor) não se encontra a forma "desrinzar", nem mesmo "desrizar".

Abra-se agora a edição Sá da Costa da *Marília de Dirceu*, e à página 176, na terceira estrofe da lira 7 da Parte III, se verá que aparecem as duas expressões "soprar o vento de alheta" e "desrinzar-se":

> Verás ao deus Netuno sossegado,
> Aplainar c'o tridente as crespas ondas;
> Ficar como dormindo o mar salgado;
> Verás, verás *d'alheta*
> *Soprar o* brando *vento*;
> Mover-se o leme, *desrinzar-se* o linho...

As duas expressões não se encontram na obra de Cláudio.

2. Na Carta 11 serve-se Critilo da imagem da dormideira para pintar o sono:

> Estende (o sono) na Cidade as negras asas
> *Em cima dos viventes, espremendo*
> Viçosas *dormideiras*. (pág. 184).

A mesma imagem se nos depara em Gonzaga:

> *Em cima dos viventes* fatigados
> Morfeu as *dormideiras espremia*. (pág. 178).

Não aparece a imagem em Cláudio.

3. Num passo da Carta 11, página 195, alude Critilo à saia de Aquiles:

> Talvez, talvez não fosse tão formosa
> A mesma, que obrigou o forte Aquiles
> A que terno vestisse a mole saia.

Em *Marília de Dirceu* são duas as alusões ao famoso episódio do herói grego:

> Também o grande Aquiles veste a saia (pág. 23).
> Lá tens Aquiles ao lado,
> De uma saia disfarçado. (pág. 162).

Não se encontra a alusão em Cláudio.

4. Luiz Camillo de Oliveira fez, em *O Jornal* de 31 de dezembro de 1939, um cotejo entre alguns trechos das *Cartas* e um ofício de Gonzaga à rainha Dona Maria, mostrando que este compendia as irregularidades atribuídas ao governador Luís da Cunha Meneses e expostas e comentadas naquelas. Dos confrontos de Luiz Camillo de Oliveira, cumpre destacar um em que as expressões são as mesmas:

No ofício: "... enfim, Senhora, ele *não tem outra Lei*, e razão, *mais que* o ditame de sua *vontade*".

Na Carta 9, página 163:

> ... um bruto Chefe,
> Que *não tem outra Lei mais que a vontade?*

5. Na Carta 6, página 122, falando das obras dos maus tiranos, alude Critilo à atrocidade de Mezêncio, rei de Agila:

> Mezêncio ajuntava os corpos vivos
> Aos corpos já corruptos...

Gonzaga, na "Congratulação com o povo português na aclamação de Dona Maria", alude ao mesmo fato, dizendo que entre os lusos não "houve um só Mezêncio, que mandasse/ Que ao morto o vivo corpo se ligasse" (página 213).

Não aparece a alusão em Cláudio.

6. Descrevendo o despertar de um sonho, escreve Critilo na Carta 6:

> ... *então acordo;*
> E vendo-me às escuras sobre a cama,
> *Conheço* que isto tudo foi um sonho. (pág. 113).

Duas vezes se serve Gonzaga das mesmas expressões para igual situação:

> *Acordo* com a bulha... Então *conheço*
> Que estava aqui sonhando. (pág. 146).

> Vou a descer a escada, oh! céus, *acordo!*
> *Conheço* não estar no claro Tejo. (pág. 181).

Não ocorre a situação em Cláudio.

7. Pintando uma noiva no ato do casamento, acentua Critilo na Carta 11 o pejo que lhe enrubesce as faces:

> Ah! formosa Marília, agora, agora
> Se aumentam tuas graças; pois te aviva
> A cor da linda face um novo pejo! (pág. 196).

O mesmo faz Gonzaga na lira em que figura na imaginação a cerimônia do seu casamento com Marília:

> Pintam que entrando vou na grande igreja;
> Pintam que as mãos nos damos, e aqui vejo
> Subir-te à branca face a cor mimosa,
>   A viva cor do pejo. (pág. 145).

Não se depara tal pormenor em Cláudio.

8. A expressão "todos os três" aparece à página 192 das *Cartas*:

> Que em *todos os três* banhos o dispensa.

Aparece em Gonzaga:

> A *todas as três* vencera. (pág. 18).

O professor Sousa da Silveira, a quem li este meu trabalho, advertiu-me que não há perfeita similaridade entre os dois casos, pois num vem o substantivo declarado, e no outro não. É no último caso que se tornou de regra suprimir o artigo, o que dá tanto interesse ao exemplo de Gonzaga. Como quer que seja, a expressão não aparece em Cláudio, nem num nem no outro caso.

9. A expressão "restaurar o acordo" no sentido de "voltar a si do espanto, da admiração, do medo", aparece nas *Cartas* ("Ainda bem o *acordo* não *restauro*", pág. 43) e em Gonzaga ("Mal o *acordo restauro*", pág. 159). Não aparece em Cláudio.

10. Não se depara em Cláudio e é frequente nas *Cartas* e em Gonzaga o emprego de "mais" equivalente à copulativa "e".
Nas *Cartas*:

> Outro despe a casaca, *mais* a veste (pág. 58).
> A porta *mais* a rua deste Chefe (pág. 58).
> Os homens, *mais* as feras (pág. 113).

Nos trate por incultos, *mais* ingratos (pág. 125).
Para dar-lhe o vestido, *mais* a capa (pág. 188).
Da raça dos suevos, *mais* dos godos (pág. 200).
Porém o bom Matúsio, *mais* seu amo (pág. 206).
Por que mandas presentes, *mais* dinheiro? (pág. 139).
As casas, os cativos, *mais* as roças (pág. 142).
Tu vences os pequenos, *mais* os grandes,
Tu vences os estultos, *mais* os sábios. (pág. 174).

Em Gonzaga:

Que fere os Cacos, que destronca as Hidras,
    Mais os leões, que abraça. (pág. 27).
As terras, *mais* os mares. (pág. 57).
Os voos, *mais* os passos. (pág. 58).
A modéstia, *mais* a graça. (pág. 77).

11. Os substantivos "verdade", "direito", "virtude" aparecem nas *Cartas* frequentemente qualificados pelo adjetivo "são".

Um exemplo de amor à *sã* virtude (pág. 61).
Quem ama a *sã* verdade, busca os meios (pág. 81).
E prezas, como eu prezo, a *sã* verdade (pág. 138).
Com as disposições do *são* direito (pág. 141).
Pois se isto nos faculta o *são* direito (pág. 173).
Não zela, Doroteu, a *sã* justiça (pág. 207).

Assim também em Gonzaga:

Ornam seu peito
As *sãs* virtudes (pág. 96).
Tu vences, Barbacena, aos mesmos Titos
Nas *sãs* virtudes (pág. 124).
A *sã* virtude, que enobrece os louros (pág. 205).

Não se depara tal aproximação em Cláudio.

12. Outra aproximação curiosa é a dos adjetivos "sábio" e "oculto", aplicados por Critilo ao seu incógnito ("Por *sábia, oculta* Musa em um Poema!", pág. 192), e por Gonzaga à Providência ("A *sábia, oculta* mão da Providência", pág. 104). Não aparece em Cláudio.

13. Frequentemente deparamos nas *Cartas* com a incidente "que é mais" ou equivalentes, "que ainda é mais", "que vale":

Sem botar, *que inda é mais,* abaixo um livro (pág. 60).
Não se assenta, *que é mais,* a ilustre esposa (pág. 44).
Produzem, *que inda é mais,* sem que os bons Chefes (pág. 133).
E os dinheiros, *que é mais,* de estranhas partes (pág. 146).
Tu vences, *que inda é mais,* as mesmas feras (pág. 174).
E às pobres, *que é mais,* às pobres moças (pág. 203).

Exemplos colhidos em Gonzaga:

> Perdi, *que mais vale,*
> O bem de te ver. (pág. 147).
> Dou leis, *que é mais,* num coração divino. (pág. 149).
> Mas se existem separadas
> Dos inchados, roxos olhos,
> Estão, *que é mais,* retratadas (pág. 103).

A incidente não aparece em Cláudio, mesmo na forma atual "o que é mais".

14. O verbo "bacear", tornar baço, não foi usado por Cláudio. Critilo emprega-o à página 84 ("Amarela-se a cor, *baceia* a vista"), e Gonzaga à página 111 ("E a clara luz dos olhos se *baceia*"), ambos os exemplos referidos ao sentido da vista.

15. Lemos nas *Cartas* as expressões "chegar-se o dia", "chegar-se a noite", "chegarem-se as horas":

> *Chegou-se o dia* da funesta posse (pág. 45).
> *Chegam-se,* enfim *as horas* do festejo (pág. 114).
> *Chega-se* finalmente *a tarde* alegre (pág. 123).
> *Chegou-se,* Doroteu, *a noite* alegre (pág. 203).

A expressão aparece também em Gonzaga:

> *Chegou-se o dia* mais triste (pág. 182).

Não aparece em Cláudio.

16. A expressão "bom Dirceu", que vem nas *Cartas* (pág. 64), encontra-se três vezes em Gonzaga:

> Dança com esta
> *O bom Dirceu?* (pág. 46).
> Não as cantasse
> *O bom Dirceu.* (pág. 70).
> Já morto estava
> *O bom Dirceu.* (pág. 132).

17. Cinco vezes assinalei nas *Cartas* o vocábulo "Augusto" no sentido de soberano, rei:

> Ignora a Lei do Reino que numera
> Entre os direitos próprios dos *Augustos* (pág. 72).
> Só julgam que os decretos dos *Augustos* (pág. 96).
> Não quero, Doroteu, lembrar-me agora
> Das Leis do nosso *Augusto* (pág. 141).
> Tu só queres
> Mostrar ao sábio *Augusto* (pág. 143).
> que a pessoa *do Augusto* representam (pág. 165).

Com igual acepção encontramos o vocábulo duas vezes em Gonzaga:

> Arrasa os edifícios dos *Augustos* (pág. 55).
> E tanto pode ser herói o pobre,
>> Como o maior *Augusto*. (pág. 65).

Há um exemplo de Cláudio, não nas poesias, mas na dedicatória da écloga "Albano" (pág. 204).

18. Nas *Cartas* o vocábulo "congresso" é quatro vezes empregado no sentido de reunião de amigos, reunião de recreio em casa de família:

"E a exemplo destes o *congresso* todo" (isto é, todas as pessoas presentes à recepção de Fanfarrão Minésio em casa do antecessor no governo da Capitania), pág. 44;

"Todo o *congresso* se confunde e pasma" (isto é, todos os presentes à nova recepção em casa daquele antecessor); pág. 47;

> Noutro tempo
> Ninguém se retirava dos amigos
> Sem que dissesse adeus: agora é moda
> Sairmos dos *congressos* em segredo. (pág. 103)

"Que os membros do *congresso* são prudentes" (trata-se de um grupo de amigos que se reuniam ao cair da tarde em certa ponte de Vila Rica), pág. 181.

Em Gonzaga o vocábulo é usado na mesma acepção na Lira 12 da Segunda Parte:

> Quando vires igualmente
> Do caro Glauceste a choça,
> Onde alegres se juntavam
> Os poucos da escolha nossa,
> Pondo os olhos na varanda
> Tu dirás de mágoa cheia:
> *Todo o congresso ali anda,*
> *Só o meu amado não.* (pág. 102).

Cláudio só emprega a palavra uma vez, para designar uma assembleia de chefes, no poema *Vila Rica*, Canto II, pág. 229.

19. A locução "pegar em" aparece nas *Cartas* ("*Pega na* pena, e desta sorte voa", pág. 64) e é também empregada três vezes por Gonzaga:

> *Pega na* lira (pág. 56).
> *Pega na* lira sonora (pág. 76).
> Suspiro, *pego no* pente (pág. 117).

Não aparece em Cláudio.

20. Por outro lado, não vemos uma só vez nas *Cartas* expressões que são verdadeiros chavões de Cláudio: "penha", "aleivosia" e "desde" indicando a relação de origem.

Assinalei 50 exemplares de "penha" na obra de Cláudio: *Obras*, vol. I, págs. 113 (duas vezes), 119, 131 (duas vezes), 132, 151 (duas vezes), 170, 171, 181 (duas vezes), 194, 200, 203, 210, 224, 235, 237, 240, 243, 248 (três vezes), 249 (duas vezes), 252, 261 (duas vezes), 296, 300, 308, 309, 389; vol. II, págs. 10, 14, 54 (duas vezes), 117, 129 (duas vezes), 191, 192, 193, 195, 218, 221, 223, 239, 241. A palavra não aparece em Gonzaga.

"Aleivosia", "aleivoso", que caberiam tão bem no assunto das *Cartas*, não aparecem nelas uma vez sequer, e no entanto, são frequentíssimas em Cláudio: *Obras*, vol. I, págs. 114, 122, 138, 141, 181 (duas vezes), 270, 300, 309, 320, 345; vol. II, págs. 52, 130, 201, 204, 225.

"Desde", na relação assinalada, aparece uma só vez em Gonzaga, num soneto sobre cuja autenticidade tenho as minhas dúvidas (Lira 16 da Terceira Parte):

> Ergue-te, ó pedra, *e desde* a margem fria (pág. 193).

Em Cláudio os exemplos abundam: *Obras*, vol. I, págs. 183, 191, 203 (duas vezes), 237, 299, 341; vol. II, págs. 10, 70, 71, 79, 80 (duas vezes), 217 (duas vezes), 218 (duas vezes), 222, 232, 234, 240, 243, 246, 252; no livro *O inconfidente Cláudio Manuel da Costa*, págs. 72, 78, 104 e 120.

O vocábulo "obséquio" só aparece duas vezes nas *Cartas*, às páginas 104 e 105. No entanto, "obséquio" e "obsequioso" são bordões de Cláudio: *Obras*, vol. I, págs 107, 113, 172, 188, 198, 239 (duas vezes), 285, 320, 326, 334, 339; vol. II, págs 16, 46, 58, 108, 128, 140, 141, 148, 257; em *O inconfidente Cláudio Manuel da Costa*, págs. 72, 78, 82, 101, 124. Uma de suas produções se intitula *O Parnaso obsequioso*. "Obséquio" só aparece duas vezes na obra de Gonzaga, às páginas 118 e 163.

21. Nas *Cartas* aparecem vários casos de infinito pessoal regido de adjetivo ou de outro verbo: "cansados de sofrerem" (pág. 158), "dignos de animarem" (pág. 183), "Vivem de darem" (pág. 109), "não te rias de veres" (pág. 109), "entravam a fazerem" (pág. 171), "carecem de mandarem" (pág. 178).

Em Gonzaga encontrei "és digno de cantares" (pág. 76) e "de o verem se pasmaram" (pág. 216). Em Cláudio assinalei o seguinte exemplo: "Foste tirana em renderes" (*Obras*, vol. I, pág. 135).

22. Há nas *Cartas* uma sintaxe de que não achei exemplo nem em Cláudio nem em Gonzaga: o verbo "haver" seguido diretamente de um infinito: "Haviam pôr os Céus tão grande caco" (pág. 42); "Havia praticar ação tão feia" (pág. 44); "a sua Esposa/ Não havia sentar-se com barbados" (pág. 110).

23. Em seu livro *O inconfidente Cláudio Manuel da Costa*, Rio de Janeiro, 1931, Caio de Melo Franco repete o argumento estilístico de Varnhagen em favor de Cláudio, a saber, que a repetição de um vocábulo no mesmo verso, frequente nas *Cartas*, "existe em todas as obras e em quase cada página" de Cláudio (pág. 190): "é também uma das características de Cláudio, notadas por Varnhagen e constante em quase todas as poesias do fundador da Colônia Ultramarina" (pág. 208).

De fato é vezo característico das *Cartas* repetir no mesmo verso ou de verso a verso um vocábulo ou locução, seguidamente ou pondo-lhe de permeio um vocativo, aposto ou incidente. Mas a leitura atenta da obra poética de Cláudio, se atesta a presença numerosa de tais repetições, não confirma a generalização de que elas "existem em todas as obras e em quase cada página"; de que elas são "constantes em quase todas as poesias" de Cláudio. O cotejo a que neste ponto submeti as *Cartas*, a obra de Cláudio e a de Gonzaga, resulta em percentagem favorável ao último, como passo a demonstrar.

Consideremos em primeiro lugar as *Cartas*, e alinhemos os exemplos nelas colhidos:

Respirai, respirai (pág. 23).
Roma, Roma (pág. 25).
Tu, Severo Catão, *tu repreendes* (pág. 29).
Critilo, o teu *Critilo* é quem te chama (pág. 35).
Que cousas, tu dirás, *que cousas* podes (pág. 35).
Também, prezado amigo, *também* gosto (pág. 36).
Acorda, Doroteu, *acorda, acorda* (pág. 36).
Ah! *tu,* Catão severo, *tu* que estranhas (pág. 39).
Então, então o Chefe (pág. 55).
Aonde, louco Chefe, *aonde* corres (pág. 56).
Ah! *tu,* meu Sancho Pança, *tu* que foste (pág. 60).
Não são, não são morgados (pág. 61).
Esta grande cadeia? *Não, não* sabes (pág. 68).
Assim, prezado amigo, *assim* devia (pág. 65).
　　　　　... sim, *prepara,*
Prepara o branco lenço (pág. 73).
Maldito, Doroteu, *maldito* seja (pág. 77).
A carta, Doroteu, *a* longa *carta* (pág. 78).
Que peito, Doroteu, *que* duro *peito* (pág. 80).
　　　　　... sim, *nós temos,*
Nós temos mil exemplos (pág. 80).
Muitos, muitos (pág. 80).
Ah tu, piedade santa, *agora, agora* (pág. 83).
　　　　　... *aonde* um Nero,
Aonde os seus sequazes (pág. 83).
E nós, indigno Chefe, *e nós* veremos (pág. 92).
Não esperes, amigo, *não esperes* (pág. 93).
Um monstro, um monstro destes (pág. 98).
Que peito, Doroteu, *que peito* pode (pág. 98).
Não podem, Doroteu, *não podem* tanto (pág. 98).
Há dinheiro, senhores, *há dinheiro* (pág. 99).
Só tu, maroto Alberga, *só tu* podes (pág. 100).
Quando as amas lhe dizem: *cala, cala* (pág. 100).
O Bispo, o velho *Bispo* atrás caminha (pág. 102).
Mil cousas, Doroteu, *mil cousas* feias (pág. 110).
Recreia, Doroteu, *recreia* a vista (pág. 110).
A minha, a minha Nize (pág. 111).
Oh quanto, oh quanto é bela (pág. 111).
Não é, não é como ela tão formosa (pág. 111).
Esse teu tratamento *imita, imita* (pág. 112).
Aqui, prezado amigo, *aqui* não lutam (pág. 115).
　　　　　... *o novo dia,*

O dia em que se correm bois e vacas (pág. 121).
Amigo Doroteu, *é tempo, é tempo* (pág. 121).
Indigno, indigno Chefe (pág. 122).
                    ... que ditosa,
Que ditosa violência (pág. 123).
Maldito, Doroteu, *maldito* seja (pág. 128*).*
E como, louco Chefe, *e como* sabes (pág. 129).
Só tu... Porém, amigo, *é tempo, é tempo* (pág. 130).
Não são, não são fazendas (pág. 133).
Talvez, talvez que aflito (pág. 135).
Por que, por que razão o nosso Chefe (pág. 139).
Agora, Fanfarrão, *agora* falo (pág. 142).
Indigno, indigno Chefe (pág. 143).
Talvez, meu Doroteu, *talvez* que entendas (pág. 143).
Eu vou, prezado amigo, *eu vou* mostrar-te (pág. 144).
Agora, Doroteu, *agora* estava (pág. 148).
Castigou, castigou o meu descuido (pág. 149).
Ora, pois, Doroteu, *eu passo, eu passo* (pág. 149).
O meio, Doroteu, *o* forte *meio* (pág. 150).
Não há, não há distúrbio nesta terra (pág. 151).
Prudente Maximino, *não, não* mudes (pág. 153).
Aonde, aonde estão as diligências (pág. 154).
Quais são os teus serviços? *Quais,* Responde (pág. 154).
Mas *não, não* me respondas (pág. 154).
Se algum, se algum consente (pág. 155).
Também tu, digno Irmão, *também* cavalgas (pág. 155).
O santo amor das armas. *Muitos, muitos* (pág. 156).
Eu sei, eu sei, amigo, que alguns destes (pág. 158).
Estão, estão também nos Regimentos (pág. 159).
                    ... de uns pastores,
De uns pastores, incultos (pág. 159).
Que império, Doroteu, *que império* pode (pág. 160).
Não quer, não quer o Chefe (pág. 161).
                    ... que governo,
Que governo nos fazes? (pág. 164).
E tu, e tu trabalhas (pág. 164).
Maldito, Doroteu, *maldito* seja (pág. 165).
Suponho, Doroteu, *suponho* ainda (pág. 169).
Ah, pobre, ah pobre povo (pág. 174).
Qual é, qual é dos homens (pág. 174).
Aqui, meu bom amigo, *aqui* se pensam (pág. 180).
Aqui, aqui de tudo se murmura (pág. 181).
                    ... só a casa,
A casa onde habita (pág. 184).
Lhe diz: *eu pago, eu pago* (pág. 185).
Tu já, tu já batucas (pág. 185).
Neste ponto *também, também* conhece (pág. 189).
Mas ah! meu doce amigo, *quanto, quanto* (pág. 194).
Talvez, talvez não fosse (pág. 195).
Aqui, aqui *só* entram as virtudes (pág. 195).
                    ... sim, são estas,
São estas e não outras (pág. 196).
Ah! formosa Marília, *agora, agora* (pág. 196).
Ainda, ainda mais que o terno Adônis (pág. 197).
Murmuro, Doroteu, mas é *do dote,*

Do dote, sim, *do dote* (pág. 198).
São estes, Doroteu, os grandes cabos,
De quem a triste Pátria fiar deve
A sua salvação? *São estes?* (pág. 199).
Assim, assim também o teu Critilo (pág. 200).
... assopra *a chama,*
A chama ativa (pág. 200).
Então, amigo, *a quem? a quem?* (pág. 203).
E *às pobres,* que é mais, *às pobres* moças (pág. 204).
Eis aqui, eis aqui, amigo, como (pág. 205).
Comeu este dinheiro. *Longe, longe* (pág. 206).
Não pôs, não pôs, amigo (pág. 206).
Em torpe lupanário. *Não, não* sela (pág. 208).
Agora, agora sim, *agora* é tempo (pág. 209).
Devagar, devagar com essas cousas (pág. 209).
Ficar na mancebia? *Já, já* viste (pág. 210).
Então, então o Chefe enfurecido (pág. 211).
Um velho professor, tão bem-aceito,
Um velho professor, além de sábio (pág. 212).
Ainda, caro amigo, *ainda* existem (pág. 213).
Ainda, ainda lemos que elegera (pág. 213).
Também, também sabemos que este sábio (pág. 213).
Mafoma, o vil *Mafoma* astuto segue (pág. 214).

Ao todo 106 casos de repetição em 3 899 versos (descontados os que se repetem em estribilho), ou seja, 2,7%.

Recolhamos agora os casos de repetição na obra de Cláudio. Tomemos o primeiro volume da edição Garnier.

Dos 86 sonetos em português, só em 11 se nos deparam exemplos.

Em XI:

Veja, para desculpa dos que choram,
Veja à Eulina.

Em XIII:

Mostrai, mostrai-me a sua formosura
Nize? Nize? onde estás? *aonde? aonde?*

Em XXXI:

Vinde, olhos belos, *vinde*

Em XLII:

Lize presente vi, *Lize,* que um dia

Em XLV:

A cada instante, Amor, *a cada instante*

Em LI:

> *Adeus,* Ídolo belo, *adeus,* querido

Em LXXI:

> Eu *cantei,* não o nego, em algum dia
> *Cantei* do ingrato Amor

Em LXXXII:

> Vos contei... Mas *calai, calai* embora

Em XCVIII:

> *Temei,* penhas, *temei*

Em XCIX:

> Será *delírio! não, não* é *delírio*

Em C:

> *Musas,* canoras *Musas*

No Epicédio I, que consta de 393 versos, assinalamos 8 casos de repetição:

> *Feliz,* ó Portugal, *feliz* mil vezes (pág. 155).
> *Este* das Minas, *este* o áureo hemisfério (pág. 157).
> E *quem,* ó Céus! *quem* há que não presuma (pág. 161).
> *Tu,* Vila Rica, *tu,* a mais saudosa (pág. 162).
> *O céu* o chora, *o Céu* (pág. 162).
> E *quem sabe* se lá no eterno seio,
> *Quem sabe* (pág. 163).
> *Deva* ao bálsamo, *deva* o benefício (pág. 164).
> *Não pode,* excelso Herói, *não pode* esta ânsia (pág. 164).

No Epicédio II, que contém 134 versos, não há exemplo.
No Epicédio III, constante de 84 versos, aparece uma vez:

> E *em breve instante,* oh dor! *em breve instante* (pág. 170).

No Romance, de 47 quadras, 3 casos:

> Mas *que muito,* Ministro inimitável,
> *Que muito* (pág. 177).
> ... *quanto,*
> *Quanto* ao destino (pág. 179).

> Ah! *cerre* embora,
> *Cerre* a porta o futuro (pág. 179).

Nenhum caso na "Fábula do Ribeirão do Carmo", composta de 198 versos. Na Écloga I, em que os versos somam 404, encontram-se 5 exemplos:

> Ao longe *eu vejo*, espera, meu Montano,
> *Eu vejo* aparecer *(pág. 193)*.
>   *Cheguemos* desde agora,
> Cheguemos a encontrá-las (pág. 195).
> *Deixa,* Pastor amado, *deixa* o pranto (pág. 195).
> *Pronta* me hás de encontrar, *pronta* a servir-te (pág. 195).
> *Adeus,* Montano, *adeus* (pág. 200).

Nenhum caso na Écloga II, composta de 85 versos. Na Écloga III, onde há 514 versos, deparamos 2 exemplos:

> *Não é este* o meu verso, *não é este* (pág. 218).
> *Feliz,* ó Portugal, *feliz* mil vezes (pág. 219).

Nenhum caso na Écloga IV, com 138 versos. Na Écloga V, com 185 versos, dois casos:

> Eu vi, Alcino, *eu vi* que na mudança (pág. 230).
> Que *um voto* lhe consagre o Pastor pobre,
> *Um voto* que se escreva (pág. 233).

Nenhum caso na Écloga VI, que compreende 154 versos, nem na seguinte, com 130 versos. Na Écloga VIII, composta de 49 versos, vê-se 1 exemplo:

> *Tudo, tudo* ofereço *(pág. 246)*.

Na Écloga IX, de 168 versos, aparecem 3 repetições:

> Oh *não* a creias, *não* (pág. 250).
> *Tu só, tu só* estragas com jactância (pág. 251).
> *Quanto, quanto* a lembrança fatigada (pág. 252).

Nenhum caso na Écloga X, constante de 130 versos. Na Écloga XI aparecem 2 casos:

> *Será* de minha dor, *será tão* forte (pág. 261).
> *Não verás,* filho amado...
> Adorado meu bem, caro Salício,
> *Não verás* (pág. 266).

Na Écloga XII são em número de 9 os casos de repetição em 663 versos:

Na Cantata VII, com 55 versos, 4 exemplares:

> *Onde,* ó Nize divina,
> *Onde* te encontrarei? (pág. 57).
> *Nize? Nize?* suspiro (pág. 57).
> *Nize? Nize?* Meu bem (pág. 57).
> *Quantas* vezes, oh Céus, *quantas* (pág. 58).

Nenhum caso no "Epicédio à memória de Frei Gaspar da Encarnação", com 168 versos.

Na "Ode ao sepulcro de Alexandre", com 104 versos, 1 caso:

> Ah *não, não* basta (pág. 70).

Nenhum caso na "Saudação à arcádia ultramarina", com 60 versos.

No "Canto heroico", com 240 versos, aparecem 5 exemplos:

> *Guerra, guerra* publica o eco horrendo (pág. 75).
> *A glória* ilustre, *a glória* vos inflama (pág. 76).
> *Antônio,* o grande *Antônio* é quem segura (pág. 78).
> *Parte,* valente Herói, *parte* (pág. 79).
> *Quem* por teu benefício, *quem* gemia (pág. 81).

Nenhum caso na tradução de uma ode de Voltaire ao rei da Prússia, com 32 versos, nem na "Ode no atentado contra Pombal", com 80 versos, nem na écloga "Títiro e Melibeu", com 82 versos.

Na "Ode num aniversário", com 102 versos, 1 exemplo:

> *Amor,* mísero *Amor* (pág. 99).

Em "Assunto lírico", composto de 91 versos, há 2 casos:

> *Ali* cheias de riso, *ali* gostosas (pág. 101).
> *Confessa,* Amor, *confessa* com vaidade (pág. 102).

No "Canto épico", com 176 versos, 1 caso:

> *Farão chegar* (ah mente o meu desejo:).
> *Farão chegar* (pág. 106).

Na "Cantata epitalâmica", com 141 versos, deparam-se 4 exemplos:

> *Acode* o Deus, *acode* (pág. 113).
> *De Andrada,* oh Deus, *de Andrada* (pág. 114).
> *Tu és,* ditoso Andrada,
> *Tu és* (pág. 114).
> *E o Céu, o* mesmo *Céu* (pág. 114).

Na "Ode no aniversário de um filho de D. Rodrigo José de Meneses", com 132 versos, 1 caso:

> O Céu, o Céu (pág. 120).

Na "Fala a D. Antônio de Noronha", com 122 versos, 1 caso:

> Não é vitória, não (pág. 122).

Na écloga "Saudade de Portugal e alegria de Minas", com 201 versos, aparecem 3 exemplos:

> Quantas vezes, incríveis
> Meus pesares, dizei, oh vezes quantas (pág. 129).
> Levou o Fado ingrato,
> Levou a estranho monte (pág. 129).
> Contente em sua herdade,
> Contente o povo todo (pág. 130).

Nenhum caso nos 12 sonetos.
Examinemos agora o poema Vila Rica.
No 1º Canto, com 204 versos, 3 exemplos:

> Eu vi........
> Eu vi (pág. 183).
> Em vão se cansa,
> Em vão o vosso rei (pág. 184).
> Desde o vizinho monte, – viva! viva! (pág. 185).

No 2º Canto, com 268 versos, 1 caso:

> Eu dos primeiros fui, eu fui, dizia (pág. 194).

Nenhum exemplo no 3º Canto, com 178 versos.
No 4º Canto, com 194 versos, 2 exemplos:

> Sobra ao bom general, sobra a Rodrigo (pág. 204).
> Não posso, diz, não posso (pág. 205).

No 5º Canto, com 265 versos, 4 exemplos:

> Eia, europeus briosos, eia, amigos (pág. 210).
> Torne, torne de nós a ser lembrada (pág. 210).
> Francisco, o vil Francisco (pág. 210).
> Eu vos conheço, ó europeus, conheço (pág. 212).

No 6º Canto, com 272 versos, 5 casos:

> *São* estas, *são* as regiões benignas (pág. 215).
> *Arzão é este, é este,* o temerário (pág. 216).
> *Embora* vós, ninfas do Tejo, *embora* (pág. 216).
> Que *a dita, a* mesma *dita* (pág. 222).
> *Ó vós,* felizes, *vós* (pág. 223).

No 7º Canto, com 272 versos, 4 casos:

> *Apolo,* o ingrato *Apolo* (pág. 225).
>   *Onde* a meus ternos braços,
> *Onde* te escondes (pág. 225).
> *Não* é valente, *não* (pág. 227).
> *O pico, o* grande *pico* de Itamonte (pág. 229).

No 8º Canto, com 322 versos, um caso:

> *Não* é fábula, *não* (pág. 238).

No 9º Canto, com 458 versos, 3 casos:

> *Aquele* (e no primeiro se firmava)
> *Aquele* (pág. 243).
> *Tudo* aos meus olhos, *tudo* pôs notório (pág. 249).
> *Eu,* diz Argante, *eu* devo (pág. 251).

No 10º Canto, com 202 versos, um caso:

> *Viva* o senado! *viva!* repetia (pág. 262).

Procuremos agora os casos de repetição nas poesias contidas no livro *O inconfidente Cláudio Manuel da Costa*, de Caio de Melo Franco.

Em "O Parnaso obsequioso", que consta de 366 versos, aparecem 5 exemplos:

> E *a mim, a mim* envia (pág. 71).
> *O ferro* ameaçador, aquele *ferro* (pág. 74).
> *Tudo,* Musas, *é pouco,*
> *É tudo pouco* (pág. 76).
> *Esta grinalda, esta grinalda* tecem (pág. 82).
> *Não* tem o prado flor, *não,* que o mereça (pág. 82).

Nos nove sonetos só aparece um caso de repetição, e é no que vem à página 96:

> *As Armas* (uma Letra me responde).
> *As Armas* são do Pai.

Nenhum exemplo na Ode às páginas 99-102, composta de 84 versos, nem em "Licença", às páginas 122-124, com 48 versos.

Assim, pondo de parte o poema *Vila Rica*, trazem os dois volumes da edição Garnier e o livro de Caio de Melo Franco 170 produções, das quais só 48 contêm repetições características, ou seja, 20%. Aquelas 170 produções compreendem 10 067 versos (descontados os versos repetidos em estribilho e os em língua estrangeira), e nesses 10 067 versos as repetições são em número de 52, ou seja, 0,5%. No poema *Vila Rica* as repetições são em número de 24 em 2 635 versos, ou seja, 0,9%. Se somarmos os 2 635 versos de *Vila Rica* aos das outras 170 produções, teremos um total de 12 717 versos, onde aparecem 76 casos de repetições, ou seja, 0,6%.

Recolhamos agora as repetições na obra de Gonzaga.

Primeira Parte:

Lira 1:

> *Graças,* Marília, bela,
> *Graças* à minha estrela! (estribilho).
> *É bom,* minha Marília, é *bom* ser dono (pág. 2).
> Ah! *não, não* fez o céu (pág. 3).
> *Acabe, acabe* a peste (pág. 3).
> Nossos corpos *terão, terão a* sorte (pág. 3).

Lira 7:

> Vou retratar *a Marília,*
> *A Marília,* meus amores (pág. 17).
> Ah! *socorre,* Amor, *socorre* (estribilho).
> *Voa* sobre os astros, *voa* (estribilho).
> *Entremos,* Amor, *entremos* (pág. 18).

Lira 9:

> *Eu sou,* gentil Marília, *eu sou* cativo (pág. 21).

Lira 11:

> *Não toques,* minha Musa, *não, não toques* (pág. 26).
> *Eu já, eu já* te sigo (pág. 27).

Lira 14:

> *Façamos,* sim, *façamos,* doce amada (pág. 38).
> *A si,* Marília, *a si* próprio rouba (pág. 38).

Lira 15:

> *Não* é, *não* (pág. 40).

Lira 16:

> Ah! que a tua Eulina *vale,*
> *Vale* um imenso tesouro (estribilho).

Perde, perde o sofrimento (pág. 42).
Evita, Glauceste, *evita* (pág. 42).

Lira 19:

Quando, Marília, *quando* (pág. 50).

Lira 24:

Eu vejo, eu vejo ser a formosura (pág. 59).
Só foi, só foi Lucrécia (pág. 59).

Lira 27:

Ganhei, ganhei um trono (pág. 65).
Eu vivo, minha bela, *eu vivo* (pág. 66).

Lira 30:

Foi fácil, ó mãe formosa.
Foi fácil o engano meu (pág. 70).

Lira 31:

Respeita *a mão,*
a mão discreta (pág. 73).

Lira 32:

E *que importa,* Amor, *que importa* (pág. 75).

Lira 33:

Pega na lira sonora,
Pega, meu caro Glauceste (pág. 76).
Que concurso, meu Glauceste,
Que concurso tão ditoso (pág. 76).
Passa a outros dotes, *passa* (pág. 77).

Parte Segunda:

Lira 1:

Perder as úteis horas *não, não* devo (pág. 80).

Lira 2:

Não hás de ver, Marília, *o medo* escrito,

O medo perturbado (pág. 81).
Podem muito, conheço, *podem muito* (pág. 82).

Lira 4:

Já, já me vai, Marília (pág. 85).

Lira 5:

Corra o sábio piloto, *corra* e venha (pág. 86).
Ah! *não, não* tardes (pág. 87).

Lira 7:

Ah! vem dar-mo *agora,*
Agora, sim, que morro! (pág. 90).
Com menos, meu Glauceste,
Com menos me contento (pág. 90).
Eu sei, eu sei, Glauceste (pág. 91).
Que mais, que mais esperas? (pág. 91).

Lira 8:

Ah! *não, não* sejas louco! (pág. 92).
Alegra, alegra o rosto (pág. 93).
Basta, Fortuna, *basta* (pág. 93).

Lira 11:

Padece, ó minha bela, sim, *padece* (pág. 99).
Estou no inferno, *estou,* Marília bela (pág. 100).

Lira 14:

Não é, não é de herói (pág. 105).

Lira 17:

Inda, Marília, *inda* diz teu nome. (pág. 112).

Lira 18:

Confia-te, ó bela,
Confia-te em Jove (pág. 114).

Lira 20:

Qual seria, ó minha bela,
Qual seria o teu pesar? (pág. 116).

> *Não tenho* valor, *não tenho* (pág. 116).
> Diz-me Cupido: – Já *basta,*
> *Já basta,* Dirceu, de pranto (pág. 117).

Lira 22:

> Mas ah! que *não treme,*
> *Não treme* de susto (estribilho).

Lira 23:

> *Não praguejes,* Marília, *não praguejes* (pág. 123).

Lira 24:

> Eu *vou,* Marília, *vou* brigar co'as feras! (pág. 124).
> *Aqui, aqui* a espero (pág. 124).

Lira 25:

> *Também,* Marília,
> *Também* consome (pág. 127).

Lira 28:

> Traze o negro licor, que tens *nos dentes*
> *Nos dentes* retorcidos (pág. 133).

Lira 29:

> *Já basta* – me diz – ó filho,
> *Já basta* de sentimento (pág. 135).
> *Louva, louva* a tua bela (pág. 135).

Lira 31:

> *Não* é, *não,* ilusão o que te digo (pág. 138).

Lira 32:

> *Já,* meu bem, *já* me parece (pág. 141).

Lira 33:

> *Não foi,* digo, *não foi* a morte feia (pág. 142).
> *Venha* o processo, *venha* (pág. 144).

Lira 35:

> *Virá*, minha bela,
> *Virá* uma idade (pág. 147).

Lira 36:

> *Esta mão, esta mão*, que ré parece (pág. 148).
> Ah! *não foi uma* vez, *não foi só uma* (pág. 148).
> *É certo*, minha amada, sim, *é certo* (pág. 149).

Lira 37:

> Ah! *não cantes* mais, *não cantes* (pág. 150).

Lira 38:

> *Aqui, aqui* a deusa (pág. 154).
> *Aqui, aqui* de todo (pág. 156).
> Ah! *vai-te* – então lhe digo – *vai-te* embora (pág. 156).

Parte Terceira:

Lira 1:

> *O númen*, Dirceu, *o númen* (pág. 164).
> *Não é* como se acredita,
> *Não é* um númen tirano (pág. 164).
> Ah! *ensina*, sim, *ensina* (pág. 165).

Lira 5:

> *Graças*, ó Nize bela,
> *Graças* à minha estrela! (estribilho).

Lira 7:

> *Verás, verás* d'alheta (pág. 176).
> *Verás, verás*, Marília (pág. 176).
> *Não* trago, *não*, comigo (pág. 177).

Lira 8:

> *Eu vou, eu vou* subindo a nau possante (pág. 178).
> *Recreia*, sim, *recreia* (pág. 180).
> *Agora, agora* sim, *agora* espero (pág. 181).

Lira 13:

> *Enganei-me, enganei-me* – paciência! (pág. 191).

Lira 19:

> *Um ramo* nasce, *um ramo* que a memória (pág. 196).

Lira 20:

> *Não, não* vibreis o raio (pág. 197).

Lira 21:

> *Adeus,* cabana, *adeus* (pág. 197).

Deixo de tomar em conta as repetições das liras 9, 10, 17, 25, 27 e 28, porque essas composições são de autoria discutível.

Na "Congratulação":

> *Não são,* lusos, *não são* as falsas glórias (pág. 211).
> Eu *não* consulto, *não,* com falsos ritos (pág. 213).
> *Não, não* terias, Portugal (pág. 214).
> Ah! tais feitos *não são, não são* auspícios (pág. 215).
> *Longe, longe,* ó lusos, do meu peito (pág. 217).
> *Longe, longe* de mim! (pág. 217).
> *Apesar,* lusos, *apesar* do Fado (pág. 217).

A edição Sá da Costa das Liras de Gonzaga contém 100 poesias. Descontadas 6, sobre cuja autenticidade pairam dúvidas, são 94. Em 47 dessas produções aparecem as repetições, ou seja, 50%, contra 20% em Cláudio Manuel da Costa. São 91 casos de repetições em 4 385 versos (descontados os versos repetidos nos estribilhos e os das liras duvidosas), ou seja, 2%, contra 0,6% em Cláudio. A percentagem de Gonzaga está muito mais próxima da das *Cartas*, que é de 2,7.

24. Além desse argumento das repetições, que, como acabamos de ver, favorece mais a Gonzaga do que a Cláudio, apresenta Caio de Melo Franco em seu livro mais três argumentos de natureza estilística que lhe parecem corroborar a tese da autoria de Cláudio.

O primeiro são as adjetivações "brando" e "baixo" dadas ao substantivo "estrondo" nas *Cartas*, adjetivações que se lhe afiguram estranhas e que ele aproxima da adjetivação empregada por Cláudio no discurso "Para terminar a Academia": "Calaram-se as Musas; cessou de todo o *harmonioso estrondo* das vozes..."

Examinemos os dois casos das *Cartas*. À página 36, diz Critilo:

> É doce esse descanso, não to nego.
> Também, prezado Amigo, também gosto
> De estar amadornado, mal ouvindo
> Das águas despenhadas *brando estrondo*.

Estrondo é som forte, como afirma Caio de Melo Franco, citando Frei Domingos Vieira; mas o som forte das cachoeiras, de si grave e rouco, resulta pela sua continuidade em qualquer coisa de branda e *amadornante*. Das cachoeiras. Ora, Critilo não estava ao pé de nenhuma cachoeira: estava em casa, e as águas despenhadas seriam de chuva ou de alguma fonte do pátio. A adjetivação nada tem de estranha, e Gonzaga, em sua Lira 9 da Primeira Parte, diz assim:

> A fonte cristalina
> Que sobre as pedras cai de imensa altura.
> Não forma som tão doce, como forma
> A tua voz divina.

O segundo caso está à página 63 das *Cartas*:

> Rompem os ares colubrinas fachas
> De fogo devorante, e ao longe soa
> De compridos trovões o *baixo estrondo*.

Aqui também não me parece estranha a adjetivação: o som forte do trovão que reboa ao longe é baixo, soturno. Em música o som forte (intensidade) pode ser grave ou agudo (altura).

Quanto ao "harmonioso estrondo das vozes", está referido às peças literárias ouvidas na Academia, e "harmonioso" aqui tem o sentido de elegância de estilo, e "harmonioso estrondo" pode ser aplicado ao clímax da voz de um bom orador ou declamador.

O segundo argumento de Caio de Melo Franco são as imagens de progênie. Cláudio escreveu no *Parnaso obsequioso*:

> De uma águia não se cria
> A pomba humilde e pobre.

E Critilo, à página 45 das *Cartas*:

> Como as pombas, que geram fracas pombas,
> Como os tigres, que geram tigres bravos.

Mas ao tempo em que Caio de Melo Franco escreveu o seu livro, ainda não era conhecida a "Congratulação", que vem às páginas 211-218 da edição Sá da Costa. Nela diz Gonzaga:

> As águias geram águias generosas,
> Não feras nem serpentes horrorosas.

O terceiro argumento são as citações sucessivas de nomes patronímicos. Mas o característico das citações de Cláudio são as enfiadas de nomes que enchem até três versos:

> Em um Nuno, um Bermudes, um Fruela,
> Um Rodrigo, um Forjaz, Peres, Fernandes,

Um Mendes, um Pauzona e outros Grandes
(*Obras*, pág. 156, vol. I)

Os Flávios, os Hermógenes, os Élios,
Os Pérsios, os Papírios, os Mendonças,
Os Pêgas, os Macedos, os Pereiras.
(*Obras*, pág. 178, vol. I)

Vê os Pires, Camargos e Pedrosos,
Alvarengas, Godóis, Cabrais, Cardosos,
Lemos, Toledos, Pais, Guerras, Furtados
(*Obras*, pág. 216, vol. II)

Nas *Cartas* e em Gonzaga os nomes são dois, três, no máximo quatro. Na "Congratulação" Gonzaga fala nos "Titos e Trajanos" (pág. 213).

25. A Epístola que precede as *Cartas* pertence ao autor delas? Se as *Cartas* são de Gonzaga, a Epístola não será de Cláudio? Isto é outro problema, e difícil de resolver pela prova de estilo. Vejo nela uma característica de Gonzaga: o "mais" copulativo: "As fasces, as secures, *mais* as outras" (pág. 25). Mas vejo também "influi" contado como três sílabas ("Só nas obras *influi* destes monstros" (pág. 24), de que há exemplos em Cláudio ("*Influis* nos mortais a dura guerra", *Obras*, vol. II, pág. 75), não se encontrando esse ou outro caso semelhante em Gonzaga.

Discurso de posse na Academia Brasileira de Letras[9]

A comoção com que neste momento vos agradeço a honra de me ver admitido à Casa de Machado de Assis não se inspira somente na simpatia daqueles amigos que a meu favor souberam inclinar os vossos espíritos. Inspira-se também na esfera das sombras benignas, a cujo calor de imortalidade amadurece a vocação literária. A mim estimulava-me particularmente a lembrança de uma sombra familiar, a de meu tio Souza Bandeira, inteligência tão fina e discreta, falecido prematuramente quando realizava a melhor parte de sua obra, evocadora da vida do meu querido Recife nos fins do século passado; meu tio que, sentindo talvez o perigo dos preconceitos parnasianos que tanto seduziam a nossa adolescência, me aconselhava na dedicatória de um tratado de versificação: "A meu sobrinho, para que recorde apenas a técnica do verso, porque quanto à essência o melhor é pedir inspiração à sua própria alma". Conselho que segui sempre e a que devo o que porventura haja de menos mau em meus poemas. Estimulava-me a recordação do gênio tutelar desta Academia, o qual, entre outras advertências de sutil entendimento em matéria de poesia, chamara a minha atenção para a boa qualidade das rimas "ligadas ao assunto". Estimulava-me

---

9 Em 30 de novembro de 1940. A resposta deste discurso a pronunciou o senhor Ribeiro Couto.

a lição, no Externato Pedro II, de alguns mestres que foram vossos confrades e dos mais eminentes: Silva Ramos, que me iniciou em versar como matéria viva e não antigualha didática a linguagem dos velhos clássicos portugueses; José Veríssimo, que me abriu os olhos para ver em nossos poetas românticos os de mais rico e sincero sentimento que já tivemos; Ramiz Galvão, meu primeiro professor de grego; João Ribeiro, com quem posso dizer que aprendi a discernir o verdadeiro conceito da tradição, que jamais foi incompatível com as aventuras fascinantes do espírito. O afeto presente dos amigos vivos, a saudade dos mestres desaparecidos são motivos que nos levam lisonjeiramente à indulgência para conosco. Só depois de eleitos começamos a sofrer o peso da responsabilidade que nos incumbe. Só então sentimos em cheio que esta é verdadeiramente a Casa de Machado de Assis, simbolizado no nome do autor de *Brás Cubas* o que ela representa de tradição gloriosa para o nosso povo. Não se trata de uma conclusão a que cheguemos por avaliação pessoal: ela se impõe aos eleitos diante das manifestações de regozijo e carinho com que os envolvem desde logo os seus parentes, os seus amigos, alguns perdidos de vista desde a infância, simples relações e numerosas simpatias que eles desconheciam. A opinião pública como que sente obscuramente o papel que a esta casa cumpre em nossa vida intelectual. A quem entra nesta companhia não pode tal movimento de confiança deixar de influir as mais severas razões de modéstia.

A essa responsabilidade de ordem geral se me acrescenta outra: a de pronunciar o elogio de um homem – o meu patrono –, a cuja nobreza de inteligência e de coração não se fez ainda toda a justiça. O cinquentenário de sua morte passou quase despercebido. No entanto, na hora atual, em que um sociólogo da clarividência de Gilberto Freyre denuncia com palavras cheias de apreensões o perigo que ameaça a velha cultura luso-brasileira, é de homens ardentes e combativos como Júlio Ribeiro que necessitamos, almas-procelárias com valor e coragem bastantes para enfrentar o tumulto das tempestades.

Da releitura atenta que fiz de suas obras saio envergonhado da minha fraqueza de poeta menor, capaz tão somente de reduzir a ritmos a pobre melancolia de suas emoções pessoais; saio também com o coração pesado das injustiças que envenenaram os dois últimos anos do romancista d'*A carne*. Ao escritor vibrátil e inovador, que tinha até o ridículo a paixão das ideias, não lhe reconheceram os contemporâneos senão a glória de gramático. Grande gramático na verdade. Mas o gramático nunca repontou indiscretamente no escritor ou no homem. E o romancista foi justo consigo mesmo quando de sua pessoa falou indiretamente na famosa carta de sua personagem Lenita: "Júlio Ribeiro, um gramático que se pode parecer com tudo menos com um gramático: não usa simonte nem lenço de Alcobaça, nem *pince-nez*, nem sequer cartola. Gosta de porcelanas, de marfins, de bronzes artísticos, de moedas antigas. Tem, ao que me dizem, uma qualidade adorável, um verdadeiro título de benemerência – nunca fala, nunca disserta sobre cousas de gramática."

Glória de gramático não poderiam negar-lhe. Não foi gramático, como tantos outros gramáticos, para escrever mais uma gramática. Professor de sua língua, sentiu a necessidade de introduzir em nossos estudos linguísticos os métodos adotados pelos mestres alemães, ingleses e franceses. Não era desses caturras que se encastelam na gramática e depois se arriscam em incursões temerárias pela literatura. Não. Já tinha reputação firmada de jornalista intrépido e romancista de *Padre Bel-*

chior de Pontes quando em 1881 deu a lume a sua *Gramática portuguesa*. Era o rompimento com a rotina gramatical dos Soteros dos Reis e dos Soares Barbosas. Desde 1879, em artigos publicados no *Diário de Campinas*, se insurgia Júlio Ribeiro contra a gramática "concebida como uma disciplina árida, autoritária, dogmática, como uma instituição metafísica existente *a parte rei*, como uma *essência universal* do realismo escolástico". Gramática que tinha o desplante de acusar Camões de incorreto no verso "E folgarás de veres a polícia". A gramática, ensinava ele, "não faz leis e regras para a linguagem; expõe os fatos dela". Era o bom e novo conceito. Assim o sentiram os espíritos mais esclarecidos aqui e em Portugal. Teófilo Braga saudou o livro como o melhor do gênero em nosso idioma. Capistrano de Abreu exprimiu-se assim: "Não é só notável, é superior". Claro que o prosseguimento dos estudos da língua dentro dessa mesma orientação aberta por Júlio Ribeiro deveria tornar o seu livro de interesse sobretudo histórico nos dias de hoje. O próprio autor avançaria mais e nas *Cartas sertanejas* haveria de escrever que "o uso popular em matéria de linguagem é autoridade decisiva, *jus et norma loquendi*, quando a massa indouta e sensata do povo, em obediência inconsciente às leis da glótica, que afinal são leis fisiológicas, altera a forma das palavras matrizes". Quero crer fosse, pelo menos em parte, essa inconsciente obediência às leis da glótica que tenha suscitado as formas brasileiras de colocação dos pronomes oblíquos. Nesse ponto manteve-se Júlio Ribeiro, em sua gramática, adstrito ao sistema português. Mas desrespeitou-o muito brasileiramente já não falo em *Padre Belchior de Pontes*, que é de 1876, mas n'*A carne*, onde se encontram construções como "que sente-se", "que dobram-se-lhe".

Mas, falando do patrono de minha cadeira, não quero insistir na questão gramatical, a que foi levado, penso eu, pelo seu amor das palavras, tão vivo nele quanto o das ideias. Tomava-as a todos os domínios da vida – aos vocabulários técnicos, ao linguajar do povo, aos idiomas estrangeiros, às novidades da moda. Valeu-se com abundância de brasileirismos: volta e meia se nos deparam em seus romances a "varanda" (sala de jantar), a "porunga", o "chalo", o "cambuto", a "bifada", e "caraquento" (craquento), "desguaritado", "atabular", "esmurregar", "rostir" (esfregar) etc. Ao lado dessas formas brasileiras, não hesitava todavia em servir-se, e aqui com deslize do bom gosto, de expressões portuguesas pouco usadas, como "hispidar", "asir" (agarrar) e o medonho "adregar" (acontecer por acaso).

Esse amor das palavras, e mais o gosto da precisão, não lhe consentiam limitar-se nas suas descrições ao vago das expressões genéricas tão do hábito dos brasileiros.

O brasileiro nomeia a palmeira, a bananeira, a mangueira, e quase todas as outras espécies são para ele "árvore", ou, como no Norte, "pé de pau". Já anotara Agassiz: *The Brazilians seem to remain in blissful ignorance of systematic nomenclature, to most of them all flowers are 'flores', all animals, from a fly up to a mule or an elephant, 'bichos'".*

Nas descrições, tantas vezes soberbas, de Júlio Ribeiro, as nossas essências florestais comparecem com os seus nomes e, caracterizando a paisagem, as suas fisionomias: "Perovas gigantescas de fronde escura e casca rugosa; jequitibás seculares, esparramando no azul do céu a expansão verde de suas copadas alegres; figueiras brancas de raízes chatas, protraídas, a estender ao longe, horizontalmente, os galhos desconformes, como grandes membros aleijados; cachins de folhas espinhentas, a destilar pelas fibras do córtex vermelho-escuro um leite cáustico, venenoso; guarantãs esbeltos, lisos no tronco, muito elevados; tuiuvas claras; paus-de-alho verde-negros, viçosíssimos, fétidos; guaiapás perigosos, abrolhados em acúleos lancinantes e peçonhentos; mil lianas, mil trepadeiras, mil orquídeas diversas, de flores roxas, amarelas, azuis, escarlates, brancas..."

Enganaram-se aqueles que viram na *Gramática portuguesa* o melhor fundamento da reputação de Júlio Ribeiro. A sua gramática envelheceu, superada entre nós pelos estudos de Said Ali, Mário Barreto, Sousa da Silveira, Antenor Nascentes, Clóvis Monteiro. O Júlio Ribeiro que vive ainda é o romancista de *Padre Belchior de Pontes* e d'*A carne*, o jornalista das *Cartas sertanejas* e d'*A Procelária*.

A carne teve em 1938 a sua décima quinta edição. Erram os que atribuem tal sobrevivência ao tema ousado, aos episódios escabrosos do livro. Não há nada disso em *Padre Belchior de Pontes*, e este foi ainda ultimamente reeditado pela quinta vez. Faz poucos anos também foram republicadas as suas *Cartas sertanejas* e impressos pela primeira vez em livro uma seleção de artigos d'*A Procelária*. Estas duas últimas edições esgotaram-se logo e hoje não se encontra um exemplar delas nem nos alfarrabistas. A biblioteca da Academia não as possui, e para lê-las tive de ir à Biblioteca Nacional.

A verdade é esta: com todos os defeitos, que reconheço grandes, Júlio Ribeiro romancista é lido, quer dizer, vive, e *Padre Belchior de Pontes* e *A carne* estão definitivamente incorporados ao patrimônio da ficção brasileira.

Padre Belchior de Pontes. Sabemos todos pelo prefácio do autor que o prólogo do romance foi começado em Sorocaba, no ano 1872 ou 1873, "sem plano assente, sem seguir escola, sem pretensão de espécie alguma, só e só para encher o espaço de um periódico" cuja finalidade era a propaganda republicana. O prólogo foi tirado em volume, mas o autor queimou a edição de 150 exemplares, ressalvados apenas seis para memória. A continuação do livro apareceu em 1876 e foi escrita, como confessa o romancista, "às furtadelas, em pouquíssimas horas, arrancadas quase às labutações duras da vida". Não lhe parecia "grande cousa". Parecia-lhe sim um romance essencialmente histórico, não obstante alguns anacronismos que achou necessários ao enredo, algumas ficções e uma ou outra personagem de imaginação. É ficção, e ficção sem fundamento nenhum na realidade, a profissão de fé protestante do Padre Belchior. Monstruosa falsificação da verdade histórica, sem dúvida, e que atinge também a verdade psicológica do romance. Porque ainda que se tratasse de um padre inventado e não do Padre Belchior, não se justifica a hipocrisia do sacerdote, hipocrisia por fraqueza, quando ele nos é apresentado como um santo, e portanto de coração limpo e vontade forte, apanágio de todos os santos. O Padre Belchior, tão verídico a ponto de por amor da verdade infringir uma vez, e foi a única, a lei jesuítica da obediência cega; tão bom que só pisava de manso a terra, por ele venerada como a mãe comum a que todos temos de voltar; o Padre Belchior que os índios de Embu chamavam respeitosamente Abaré Tupã (o Padre Santo); o Padre Belchior tido por toda a gente como taumaturgo e profeta, cuja férrea vontade se impunha os mais rudes tratamentos de cilícios e jejuns: o Padre Belchior aparece no romance degradado, simpaticamente na intenção do escritor, ao papel de um fantoche nas mãos dos seus superiores. Aqui o defeito do artista era fruto da paixão do homem. Católico de criação, a leitura da Bíblia fizera-o presbiteriano, como a razão mais tarde o faria ateu. Era protestante ao tempo de *Padre Belchior de Pontes*, e o protestante se sobrepôs ao romancista. Nisso e nas suas objurgatórias à Companhia de Jesus, cujo padre-geral ele conduz puerilmente às terras de Piratininga para a mesquinha tarefa de assanhar o ódio entre Pires e Camargos. Tudo isso não vale nada. O romance amoroso do padre é do pior romantismo e termina por uma cena bem ridícula. O verdadeiro romance, a que o suposto caso passional de Belchior de Pontes se acrescenta desequilibradamente como uma superfetação ociosa na estrutura artística, é o da expedição vingadora dos paulistas. Diz José Veríssimo, na sua *História da literatura brasileira*, que nada no livro nos dá a ilusão da época e do meio romanceado, antes pelo contrário. O julgamento me parece injusto. Júlio Ribeiro inspirou-se na leitura das crônicas de Pedro Taques, de Simão de Vasconcelos, de Frei Gaspar da Madre de Deus, de Machado de Oliveira e outros. Note-se aqui mais uma face da curiosidade intelectual do escritor. Hoje até virou moda ler esses velhos cronistas. Não era assim há setenta anos atrás. Quem cotejar com o romance a narrativa da expedição paulista feita pelo Padre Manuel da Fonseca em sua *Vida do venerável Belchior de Pontes*, verificará a verdade dos sucessos e do espírito do tempo. Os defeitos estão em pormenores, em certos diálogos por exemplo, com efeito despropositados, como assinalou Veríssimo.

Todavia o interesse do leitor é sempre sustentado pelo talento narrativo e descritivo do romancista. Este nunca lhe foi contestado. As descrições de Júlio Ribeiro já não são de romântico. Vede a precisão e sobriedade com que nos evoca o espetáculo da aurora:

> Um clarão tênue aparece no levante, alarga-se, invade o céu: suas tintas suaves passam por todas as gradações da morte-cor, purpurizam-se, animam-se... Segue-o um listão de ouro afogueado que flameja no horizonte como uma pincelada na tela: as estrelas empalidecem e somem-se, a treva dissipa-se, os grupos desfazem-se, as árvores se destacam, a folhagem verdeja...

E descrevendo o jaguar:

> Era uma massa fulva, betada de negro, aveludada, móvel, rojante, informe, sinistra; uma parte mostrava-se na claridade da luz; outra perdia-se no sombrio da lapa. Na extremidade visível havia dois olhos que olhavam.
> Quedou-se por um momento, escutou, observou.
> Depois, soltando um rugido que ecoou pelos montes como o ribombo do trovão, emergiu de um salto e caiu de pé, firmada em quatro valentes patas.
> Foi uma transfiguração: esse vulto que, cosido ao solo, era um montão indistinto, tornou-se, ereto, um soberbo animal.
> Largo de peito, delgado de vazio, robusto de jarretes, tremia de ferocidade e prazer, como se lhe percorrera os membros uma corrente voltaica.
> *Com as pupilas contraídas pela luz do sol*, escancarando as fauces sangrentas, açoutava os ilhais com a longa cauda, e preparava-se para a luta.
> Os paulistas reconheceram *a fêmea do jaguar*.

Sem dúvida, *Padre Belchior de Pontes* é ainda, sobretudo na sentimentalidade dos episódios amorosos do sacerdote e no idílio de Guiomar com Antônio Francisco, uma ruim novela romântica. Mas quando o seu autor adotou mais tarde os processos naturalistas de Zola, não o fez por indiscreto mimetismo, vassalo de novidades festejadas. Se os adotou, foi porque eles correspondiam à verdade profunda do seu temperamento sensual, franco, robusto, à sua inteligência ávida de ciência, ao seu estilo de expressão rude, objetiva, direta. Júlio Ribeiro era em *Padre Belchior de Pontes* um naturalista a que a atmosfera literária do tempo impusera a mentalidade romântica. O naturalista já se trai em centenas de breves anotações, como na cena do esfolar da presa, quando o cão, "repleto de carne, lambia por postres o focinho besuntado de sangueira", como nas passagens numerosas em que abusa dos termos técnicos de guerra, de física, de anatomia. Mais completamente no celebrado trecho em que narra a surra de bacalhau. Permiti que vos leia essa página, digna daquele a quem chamaria no prefácio d'*A carne*, *Tu duca, Tu signore, Tu maestro*:

A um sinal de Amador Bueno o flagelo desceu...

Ouviu-se um rechino tênue, e cinco betas furfuráceas desenharam-se longas na epiderme arroxeada das nádegas do condenado.

O miserável torceu-se como uma serpente ferida: um grito rouco, inarticulado, horripilante, indescritível rompeu-lhe do peito...

– Um! contaram os índios.

Alçou-se e caiu pela segunda vez o instrumento sinistro... a derme fendeu-se e brotaram, como rubis vivos, algumas gotas de sangue...

Nova contorção agitou os membros do desventurado: novo rugido atravessou-lhe por entre os dentes cerrados...

Os açoutes amiudaram-se...

– Dous! três! quatro! cinco! dez! trinta! cinquenta! foram os índios contando.

Já não era sobre pele que silvavam os látegos: era sobre uma chaga, sobre uma pasta amolecida, sorvada, sangrenta...

Troavam os uivos do supliciado; seus dentes batiam como em crescimento de sezões; de todos os poros manava-lhe o suor...

Os pulsos e os tornozelos tinham inchado e também sangravam: com os esforços violentos, com as contrações da dor as correias que os prendiam tinham penetrado nas carnes...

Quando soou o vocábulo duzentos, que anunciava estar cumprida a sentença, satisfeita a lei do deserto, terminado o asqueroso suplício, um dos índios ausentou-se e voltou dentro de pouco trazendo uma cuia com água de sal e uma navalha de barba.

Ajoelhando junto do padecente, que mal respirava, fez-lhe na chaga uma, duas, dez escarificações longitudinais com a navalha, depois, tomando a cuia, irrigou-as com salmoura...

Foi a dor tão pungente, o sofrimento tão atroz, tão incomportável a angústia, que o infeliz deu um estremeção e perdeu os sentidos...

Esta pena do bacalhau era ainda aplicada aos escravos no meado do século passado. Júlio Ribeiro assistiu a uma dessas execuções ignóbeis quando tinha dezenove anos, e a sua impressão de horror foi tão profunda que a descreveu duas vezes, em *Padre Belchior de Pontes* e n'*A carne*. Pois bem, cotejadas as duas versões, é a do primeiro romance que requinta em crueza naturalista. Na do segundo ajuntou apenas o pormenor dos gracejos impiedosos do caboclo executor. Na cena real presenciada pelo romancista esses gracejos da parte de alguns assistentes eram obscenos.

Senhores, bastam essas considerações para absolver Júlio Ribeiro da pecha que lhe lançou Veríssimo de ter seguido a corrente naturalista do romance "menos a caso de inspiração que por enlevo da novidade".

Parece-me que foi o sucesso rumoroso d'*A carne* que provocou a severidade excessiva com que livro e autor passaram a ser julgados. Havia nas críticas alguns pontos acertados. Podia-se exigir de um escritor naturalista maior caracterização de uma fazenda que era uma empresa industrial de cana e de café. O romance fala de cana uma única vez, quando se narra – com grande sabor aliás – uma cena de moagem; ao café se alude de passagem, também uma só vez, a propósito de uma transação comercial. O mais são passeios, caçadas, episódios pitorescos como o do samba e o da iniciação pelo mandingueiro Joaquim Cambinda de um neófito na irmandade de S. Miguel das Almas. Tais episódios apresentam-se como que soltos na contextura do enredo. Outro defeito, e grave, assinalado no livro, grave tanto mais num naturalista, é a intervenção constante da personalidade do autor, com a sua exibição didática a propósito de tudo – de ciências naturais e físicas, de medicina, de porcelanas, de objetos artísticos, de cozinha, de espingardas. O desfecho trágico é introduzido por um rompimento de Lenita sem base na psicologia feminina, porque nenhuma mulher romperá com o amante, sem explicações, pelo simples fato de descobrir algumas relíquias de aventuras amorosas anteriores, completamente acabadas.

A crítica, porém, atacou o romance menos nessas suas falhas essenciais do que no que lhe pareceu, no tema e na maneira de o tratar, propósito deliberado de escândalo. O gosto do escândalo, se existiu foi no público, não no autor. Júlio Ribeiro pagou muito caro a glória relativa de ser o iniciador em nossa ficção daquela coragem de dizer quase tudo. Confundiram-no com os devassos, com o Bocage do sétimo volume. Barbosa e Lenita foram classificados por Alfredo Pujol como seres mesquinhos, sórdidos, infames, "que absolutamente não se conhecem na sociedade". Se dar-se uma mulher numa crise de histerismo ao homem que ela ama, ambos sem crença religiosa nem preconceitos sociais, mais ainda assim não sem resistência de muitos escrúpulos, é ato sórdido e infame, então eles são sórdidos e infames. A arte amatória de Barbosa parece-nos hoje bem ingênua comparada com a do amante de Lady Chatterley. Qual seria no assunto o conhecimento de Pujol, que chama a Barbosa repulsivo, porque "apesar de sua idade e da sua erudição – sim, da sua erudição, diz o crítico – é um devasso"? Esses devassos, esses sórdidos, esses infames, quando se tornaram conscientes do sentimento mútuo que os enleava, retraíram-se. Na véspera da partida de Barbosa para Santos, Lenita, ao jantar, mal lhe respondia às perguntas e contra o seu costume recolheu-se cedo. Barbosa, durante a noite insone, procedeu a um severo exame de consciência. Era quase um velho. Casar com Lenita não podia, era desquitado. Tomá-la por amante? Certo que não. Não tinha preconceitos, mas a sociedade estigmatizava o amor livre, o amor fora do casamento: força era aceitar o decreto antinatural da sociedade. Demais seu pai tivera o pai de Lenita em conta de filho; tinha a Lenita em conta de neta: um escândalo magoa profundamente, matá-lo-ia talvez. Não, aquilo tinha de acabar, havia de acabar. Por isso, ao escrever de Santos à moça, procura ser simplesmente afetuoso, dirige-se a ela chamando-a "Minha prezada companheira de estudos", dá à carta um tom objetivo e fala do noroeste santista – "um tufão dentro de um forno" –, da geologia da costa, do espetáculo pitoresco do cais, da descida da serra do Cubatão e suas obras de engenharia. Tudo isso era natural, tudo isso estava naturalmente indicado como procedimento de homem honesto e prudente. Assim, pois, Veríssimo altera substancialmente os dados do romance quando nos *Estudos brasileiros* ridiculariza:

Barbosa ausente de Lenita, quando acabava de fazer dela sua amante, e que amante! escreve-lhe, em vez de carta, embora tivesse disso a forma, um longo relatório sobre a geologia da região marítima da província, com uma descrição técnica da estrada de ferro de São Paulo a Santos, estudos de engenheiro e sábio.

Estranha inadvertência de um crítico sempre tão probo e cauteloso em seus estudos. Traição da memória que seria perdoável se se tratasse de um ensaio sobre o romance brasileiro em geral, mas bem grave na análise particular de três romances apenas.

Comentando o abandono de Lenita, escreveu Veríssimo: "Cai (Lenita) sem nenhum sentimento que lhe enobreça a queda. Não há luta entre a matéria que impõe e a vontade que resiste." Não é exato: luta houve, e havia em Lenita o sentimento do amor, que não se fundava na matéria – Barbosa era quase um velho, sem grandes atrativos físicos – mas nas qualidades intelectuais e morais do homem. Mas ainda que luta e sentimento não houvesse: diz Veríssimo que segundo os naturalistas o homem é como uma espécie de organismo físico inteiramente dominado por leis fisiológicas iniludíveis – não há resistir à carne; e acrescenta: "Como uma doença, como uma neurose, como na Magdá de *O homem*, será realmente assim, mas na integridade funcional da vida, com certeza não". De novo aqui o crítico esquece os dados fundamentais do romance: Lenita, turbada profundamente em sua sensibilidade pela perda do pai e em sua sexualidade pelo ambiente, novo para ela, da vida na fazenda, ao contato de uma natureza "cortada de relâmpagos sensuais" – magnífica expressão que Veríssimo considera falsa e sem relevo –, não era então um organismo em sua integridade funcional. Passava por uma crise de histeria, que chegou a lhe alterar o natural bondoso, provocando-lhe até sintomas de sadismo; beliscava as crioulinhas, picava com agulhas, feria com canivete os animais que lhe passavam ao alcance, e escondida assistiu num espasmo de prazer e como embriagada de volúpia à surra de bacalhau aplicada ao negro fujão.

Concedemos que os tipos de Barbosa e Lenita são o seu tanto ridículos na sua mania didática, mas tanto o de Barbosa como o de Lenita, salvo no rompimento, apresentam-se, em suas linhas gerais, perfeitamente coerentes e consistentes. Eram ridículas em seu esnobismo científico, o que não os torna menos verdadeiros como exemplares humanos, inventados à semelhança de seu criador. Lenita, sobretudo, exemplar de exceção, mas bem justificado: órfã de mãe, filha única, inteligente e aplicada, instruída pelo pai, que lhe transmitiu tudo que sabia e ainda lhe deu os melhores professores de todas as disciplinas. Nem Lenita, nem Barbosa tiveram a educação convencional dos descendentes de "honestos e laboriosos fazendeiros". Barbosa viajara longos anos na Europa, onde vivia, como um fradique, interessado por tudo quanto era novidade nas ciências e nas artes. Como o próprio Júlio Ribeiro em São Paulo.

Em suma *A carne* está longe de ser, como sentenciou Veríssimo, "o parto monstruoso de um cérebro artisticamente enfermo". Mais justo foi Ronald de Carvalho, que lhe reconheceu muitas qualidades apreciáveis e forte lirismo. É um romance defeituoso, mas que merecia ficar, e de fato ficou, ao lado de tantos outros romances, também defeituosos, do Romantismo e do Naturalismo.

À imprensa foi Júlio Ribeiro levado por motivo de ordem moral. "O homem", escreveu ele, "que sabe servir-se da pena, que pode publicar o que escreve e que não diz a seus compatriotas o que entende ser a verdade, deixa de cumprir um dever, comete o crime de covardia, é mau cidadão". Em matéria política a verdade para Júlio Ribeiro estava na forma republicana. Nascido em Sabará no ano de 1845, criado nas montanhas agrestes de Pouso Alto, por ele decantadas num capítulo de *Padre Belchior de Pontes*, mas desde 1865 integrado na vida paulista como um paulista de 400 anos, filho de republicano, neto de republicano com o nome de família (Vaughan) inscrito no livro de ouro dos fundadores da grande república norte-americana, Júlio Ribeiro, republicano desde que começou a pensar em política, associou-se logo de todo o coração aos pioneiros da propaganda republicana em São Paulo. Em Sorocaba arregimentou partido e por quase dois anos sustentou com grandes sacrifícios uma folha republicana, na qual desde o dia 25 de janeiro de 1872 não se admitiram anúncios sobre escravos fugidos. Nessa folha, como depois n'*A Procelária*, revelou-se Júlio Ribeiro jornalista completo, pois não se limitava aos artigos de doutrinação política: ocupava-se um pouco de tudo. Vimos que o romance *Padre Belchior de Pontes* começou a ser escrito para encher espaço na folha de Sorocaba. N'*A Procelária* o jornalista tratava um dia da cerâmica oriental, outro das armas de fogo, outro ainda de um manuscrito inédito d'*O hissope* que lhe fora parar às mãos. Este último estudo se reveste de grande interesse. Onde parará, aproveitado até hoje, esse manuscrito, que, segundo informava Júlio Ribeiro, além de ter nove cantos, apresentava, só no primeiro 202 versos a mais dos que vêm na edição Ramos Coelho, a mais completa?

O caráter reto, franco e corajoso de Júlio Ribeiro conduziu-o à polêmica com os seus companheiros de credo político quando estes enveredaram por caminho que ao romancista d'*A carne* se afigurava uma quebra do ideal republicano. Júlio Ribeiro foi um dos primeiros desiludidos não da República, mas dos republicanos paulistas. Atacou-os, como disse, "com um gozo forte e viril, gozo calmo de cirurgião impiedoso que, cruamente, imperturbavelmente corta por carnes gangrenosas, por ossos cariados, surdo aos gritos lastimosos do paciente, superior às injustiças inconexas arrancadas pela dor". A adesão dos chefes republicanos paulistas ao projeto Dantas pareceu-lhe "descarado oportunismo", o reconhecimento de Campos Sales e Prudente de Morais como deputados vitória de grupo, vitória eleitoral, não vitória política. Denunciou então no Partido Republicano Paulista a sua origem escravocrata. "Forçado", escreveu nas *Cartas sertanejas*, "a pronunciar-se sobre a questão servil, fê-lo dúbia, tortuosamente, procurando, de maromba em punho, afirmar em teoria e negar na prática, fingindo-se abolicionista e consagrando princípios negreiros, dando ares de ceder à imposição dos tempos e efetivamente resistindo à torrente".

O motivo do dissídio de Júlio Ribeiro estava em lhe faltar aquele dom de acomodação, de composição que tem distinguido as grandes vocações políticas no Brasil. Era um homem inteiriço, que timbrava em não transigir, em não fazer a mínima concessão. Pretendia dirigir-se unicamente pela razão: condenava o abolicionismo ditado por considerações de ordem sentimental, pelo que chamava "filonegrismo ridículo": a abolição para ele era uma imposição dos fatos, uma necessidade social, golpe imprescindível, que aproveitaria muito ao preto, mas que aproveitava infinitamente mais ao branco. "Se é justo", escreveu, "que o escravo se liberte do senhor, é necessário, absolutamente necessário, que as classes livres se libertem do escravo". A abolição imediata poderia ser um mal para a economia de grandes zonas do país;

ENSAIOS LITERÁRIOS

não o seria, e não o foi para São Paulo. Era o que importava a Júlio Ribeiro, decididamente partidário da separação da província.

Rude franqueza, mas sempre bem-intencionada, foi a principal característica de Júlio Ribeiro em toda a sua vida e de que encontramos exemplos no trato cotidiano do homem com os seus amigos. Assim no episódio com Quintino Bocaiuva, contado por Medeiros e Albuquerque em suas *Memórias*. Assim com Valentim Magalhães, que, tendo publicado um artigo sobre filologia, perguntou muito fagueiro ao gramático: – "Que tal, mestre?" Ao que o mestre respondeu desabrido: – "Tudo errado! Tudo bobagem! Escreva a sua literaturazinha, mas não se meta a discutir o que ignora inteiramente: filologia." Assim por ocasião de ser apresentado por Júlio Mesquita a Ramalho Ortigão na redação d'*A Província de São Paulo*. – "Apresento o mestre do português no Brasil ao mestre do português em Portugal", disse Júlio de Mesquita. E o nosso Júlio Ribeiro, secamente: – "Nenhum dos dois é mestre".

Foi assim verídico, intransigente e bravo até o momento de morrer, ao cabo de uma vida de lutas de toda a sorte – contra a saúde precária, contra as dificuldades materiais, contra o que lhe parecia preconceitos religiosos, sociais e literários, repelindo com dignidade em carta à imprensa o auxílio pecuniário que a favor dele promoviam amigos e admiradores, recusando-se à reconciliação com o padre Sena Freitas, que o tentava converter à hora da agonia. Morreu, segundo o depoimento de sua viúva e do médico assistente, fiel ao materialismo que foi sempre, depois que se tornou incrédulo, a sua filosofia: "a minha filosofia, a pedra de escândalo em que se esmigalharam as minhas crenças", como escrevera numa das *Cartas sertanejas*.

Áspero patrono devia parecer esse homem incomodado e lutador aos vossos confrades que me precederam nesta cadeira. Ambos reagiram diante da vida bem diferentemente do romancista d'*A carne* – Garcia Redondo por uma espécie de humorismo bonachão, Luís Guimarães Filho pela aceitação religiosa. O primeiro desejaria como patrono o poeta delicado dos *Noturnos* e das *Miniaturas*; o segundo calou no seu discurso de recepção nesta casa o nome de Júlio Ribeiro, e depois de fazer o elogio do antecessor, passou a ocupar-se da figura do pai, que, este sim, foi o seu verdadeiro patrono, não só na carreira literária como na diplomática.

Luís Guimarães Júnior desapareceu quando o movimento parnasiano se impunha vitoriosamente sobre o estiolamento dos românticos. Ele próprio foi ainda um romântico, mas já temperado pela depuração da nova escola. Todavia os hábitos poéticos são de tal maneira tenazes, que até uma sensibilidade aguda como a de Fialho achou nos versos admiráveis dos *Sonetos e rimas* não sei que dinamizações do sentimento que o levaram a chamar o autor da "Visita à casa paterna" "um lírico da decadência, melhor: um parnasiano". Ao que o filho respondeu: "Não foi parnasiano nem romântico da Decadência: foi simplesmente um Poeta". Parece-me que estava com a razão. Disse Fialho: "Nem sempre nos versos dele a emoção resultará do sentimento afetivo acordado na alma pela ideia dramática do assunto, senão pela convergência de melodias exóticas que a linguagem lhe empresta, já pela rima, já pela estridorosa eufonia do adjetivo e do metro. É uma emoção que vai ao cérebro antes pelo ouvido que pelo coração." Tenho que, ao contrário, os versos de Luís Guimarães Júnior lhe vinham diretamente do coração, e mais ainda: pareciam ter passado pelo coração de toda a gente, sobretudo das criaturas humildes, adotando-lhes até os

lugares-comuns do sentimento, a que ele sabia dar não sei que misteriosa ressonância, como por exemplo à expressão "flor mimosa" no famoso soneto "O esquife".

Luís Guimarães Filho, criado e educado em Portugal, não sofreu desde logo
todo o peso das limitações parnasianas, a que os portugueses sempre foram um
tanto avessos. Poeta desde os quinze anos, os livros que publicou ainda na sua fase
de estudante em Coimbra, *Versos íntimos*, *Livro da minha alma*, *Idílios chineses*, *A
aranha e a mosca* revelam todas as incertezas da adolescência. A sua verdadeira
estreia foi em 1900, quando, tornado à pátria havia três anos, publicou o volume
Ave-Maria. Assim o deveria sentir ele próprio, que nesta coleção reproduziu alguns
poemas dos *Idílios chineses*, retocados aqui e ali para expungir os seus versos de hiatos, de rimas fáceis de particípios passados, de imprecisões ou redundâncias de linguagem. E uma nota melhor soa em alguns sonetos, como n'"O lago e as estrelas":

> Desliza o lago azul de frágua em frágua...
> E os astros dizem, loucos de inocência:
> – Por que motivo a justa Providência
> Fez o teu corpo simplesmente de água?
>
> Ah! Deus não quis que semelhante mágoa
> Nos apagasse a lúcida existência...
> Por isso fez-nos de imortal essência:
> De luz vivemos e tu vives de água! –
>
> O lago escuta a multidão que zomba
> Nas serenas paragens do lirismo,
> E enfim responde ao luminoso coro:
>
> – Mas quando a noite vagarosa tomba,
> É no meu calmo e transparente abismo
> Que vós vindes dormir, estrelas de ouro!

Por volta de 1900 foi o nosso meio literário sacudido pelas emoções de um
romance que aqui chegava precedido de fama universal – o *Quo vadis*. A popularidade do livro entre nós perdura até hoje, atestada em numerosas Lígias e Vinicius
que andam hoje pelos seus trinta anos, e ainda bem que entre tantos Vinicius um se
conta em cuja poesia veio culminar o nome ilustre de Melo Morais. Luís Guimarães
Filho, seduzido como toda a gente pela beleza trágica e plástica do episódio do circo,
condensou-o numa sequência de quinze sonetos em alexandrinos. Era uma forma
que o Poeta só praticara até então cinco vezes, no *Livro de minha alma*.

O soneto em alexandrinos é o reduto do parnasianismo. Só aí, creio, encontraremos alguma coisa de parecido com aquele manequim impassível inventado
pelos que sentiam que "impassível" e "poeta" são termos incompossíveis. Coube
aos mestres parnasianos começar a adaptação do alexandrino ao nosso idioma.
Fizeram-no com uma certa rigidez, que lembra a dos primeiros decassílabos espanhóis de Boscán e portugueses de Sá de Miranda. E nesses alexandrinos é que Alberto de Oliveira, Bilac e Raimundo Correia assumiram atitude – atitude, não alma
– impassível, atitude de escultura, ou antes, para introduzir na imagem algum
frêmito humano, atitude de mulher bela duramente espartilhada em colete *droit*

devant, como era de moda no tempo. Quanto ao soneto, foi ele a fôrma parnasiana por excelência. O soneto é que consagrava, que fixava na memória dos leitores o nome do poeta: Alberto de Oliveira era o poeta do "Vaso grego", Raimundo Correia o d'"As pombas", Bilac o de "Ouvir estrelas", Guimaraens Passos o d'"O lenço".

"Scorn not the Sonnet", disse Wordsworth num soneto também célebre. Nunca fui dos que moveram campanha contra o soneto, fatigados pelo abuso parnasiano dessa forma imortal, que se adapta em sua essência a todas as escolas, a todos os tempos, a todos os povos; que vemos atualmente um grande poeta – Augusto Frederico Schmidt – acomodar ao ritmo largo e sem rimas de sua livre poesia. Abuso menos condenável pela sua abundância do que pelo desvirtuamento da tradição petrarquista. Síntese harmoniosa da quadra, estrofe popular, e do terceto, estrofe culta, forma que lembra em suas duas quadras e seus dois tercetos a estrutura do coração humano com as suas duas aurículas e os seus dois ventrículos, o soneto é nos grandes modelos uma forma eminentemente subjetiva. Quental, que foi grande sonetista, chamava-lhe a forma lírica por excelência: "manto alvo e casto com que têm de se envolver, para ver o dia, aquelas partes mais pudicas, mais melindrosas, mais puras da alma". A transubstanciação do infinito do sentimento humano no finito desse pequeno organismo estrófico perfeito tem qualquer coisa de sobrenatural, como a encarnação do Verbo Divino. Tenho pois como uma deturpação da sua natureza fazer do soneto instrumento de narrativa de pintura e descrição. Não há um só soneto puramente descritivo entre os de Petrarca; nem entre os de Camões; nem entre os de Quental. Sei que os há, belíssimos, em Heredia e em nosso Raimundo Correia. Mas reparai como nos mais comoventes existe sempre no último verso uma espécie de evasão para o infinito. Nos de *Antonine et Cléopâtre*: *"Les deux enfants divins, le Désir et la Mort"*; *"Toute une mer immense où fuyaient les galères"*. Em *Les conquérants*: *"Du fond de l'Océan des étoiles nouvelles"*. E em Raimundo Correia traduzindo Heredia: "Todo o infinito céu sobre o infinito mar"; em "Fascinação": "A imensidade esplêndida que o cinge/ Vê-se ligarem-se mais imensidades"; em "Banzo": "E cresce n'alma o vulto/ De uma tristeza imensa, imensamente".

O abuso maior, porém, residiu em rebaixar o soneto ao valor de estrofe. Fritz Strich assinalou o caráter tão fechado do soneto, donde a sua inadaptabilidade para a repetição estrófica. O abuso é anterior aos parnasianos. O mesmo Wordsworth compôs em 137 sonetos toda uma *História da Igreja*. Não admira que entre nós um poeta pernambucano reduzisse a sonetos a guerra da expulsão dos holandeses, e Emílio de Menezes traduzisse também em sonetos "O corvo" de Poe.

Dentro do sistema parnasiano atingia Luís Guimarães Filho a sua melhor forma nesses sonetos, dos quais se pode destacar como mais representativo do conceito escultural da escola o de número XI:

> Subitamente o circo emudeceu. Na arena
> Passava-se um prodígio. Os augustais tremiam...
> César mesmo se erguera... e os olhos se lhe abriam
> Tornando assustadora a sua face obscena...
>
> Nos peitos dos pagãos os corações tremiam
> A arrebentar... Pudera a queda de uma pena

Ser ouvida no circo... Era espantosa a cena!
Era talvez um sonho o que os romanos viam!

O lígio segurava a fera pelos cornos...
O rosto, a nuca, o peito, os braços e os contornos
Dos ombros colossais de púrpura ficavam...

E numa rigidez de corpos absoluta
– Como um grupo de bronze – aos empuxões da luta
Num rouco resfolgar os bafos misturavam...

À nitidez meticulosa e como que mordente do ritmo, à raridade das rimas que, conforme se exprimiu, "balouçassem no remate de cada verso com a elegância com que se balouçam as flores na extremidade de cada ramo" chegaria Luís Guimarães Filho em seu livro seguinte – *As pedras preciosas*.

Quem ler em ordem cronológica toda a obra do meu antecessor verá que o tema da datilioteca veio cristalizando-se lentamente no espírito do Poeta. As pérolas, as safiras, as turquesas, os rubis, o jade, as esmeraldas já fornecem imagens aos versos dos *Idílios chineses*. No livro *Ave-Maria* as pedras entram a falar durante o sono de Ariana. E ouvimos brandamente, não acordasse a princesa com o estalo indiscreto das rimas ricas, a voz da ametista:

O meu brilho é macio como as flores:
As violetas, as malvas e os lilases
Têm a cor dos meus calmos esplendores...

A voz da esmeralda:

A minha cor palpita em mil lugares;
Arde nos falsos olhos de Dalila,
E nas viçosas plantas dos pomares...

A do topázio:

As claras gemas de Madagascar,
As minas de ouro, o brilho de Diana...
Tudo possui a minha luz solar!

A do brilhante, a da pérola, a da opala, a do rubi.

Mas é no volume das *Pedras preciosas* que as gemas luzem requintadamente parnasianas na faiscação das rimas escolhidas a dedo para ofuscar os olhos e seduzir os ouvidos. Não há nesse livro uma rima pobre, um verso que não seja como que lapidado para coruscar em cada palavra como a pedra em cada faceta. Um cofre de imagens cintilantes: o rubi é sangue que a vista anima; o diamante, a lanterna da tribo Izácar; o olho-de-gato, a fluida pupila elétrica dos trovadores de quatro patas; a esmeralda, a joia ilusória das amizades; o topázio, o louro filho de uma gota de mel e de um raio de sol; a opala, um pedaço de céu destacado do arco-íris, um naufrágio de luz numa gota de leite; a pérola, fumo, névoa e luz... O Poeta sabia que todas essas pedras têm almas humanas:

Sois inconstantes como as pessoas,
Como as pessoas envelheceis!

Sabia ler-lhes nas pupilas frias. Conhecia-lhes todas as virtudes: a água-marinha, medicinal para a melancolia; a opala, governadora dos sexos; a santa ametista, joia católica, com a virtude tradicional de afugentar a embriaguez.

Se eu tivesse de escolher alguma gema entre tantas, daria preferência à de mais recôndito encanto, a hidrófana:

Em certa montanha existe
Uma pedra branca e triste
Que dentre as mais se destaca...
Deu-lhe a imortal Natureza
A extravagante beleza
De ser translúcida e opaca!

No enxuto rosto ninguém
Lhe enxerga as mágoas que tem
Como escondidas num cofre...
Logo se põe transparente
Para mostrar o que sofre!

Lindos olhos de Maria
Quando secos de alegria
Também opacos ficais...
Mas ai! se o pranto vos banha,
Como a joia da montanha
Transparentes vos tornais!

A coleção de *Pedras preciosas* não esgotou a imaginação do Poeta, que anos mais tarde haveria de voltar a celebrá-las em outro livro – *Os cantos de luz* –, aqui como que as confundindo todas no mesmo afeto para adoção da mesma estrofe e do mesmo ritmo embalador, o metro de nove sílabas. E a turquesa ganhou desta vez a mais bela imagem de quantas iluminam essas páginas, que são as melhores de Luís Guimarães Filho:

Celestes pedras de luz vazias,
Sois como os olhos azuis que a morte
Transforma em lindas turquesas frias...

Depois dos *Cantos de luz*, que são de 1919, Luís Guimarães Filho poeta só voltou a público em 1930, com a oração em verso a Santa Teresinha, na qual nada pede para si e pede tudo para o Brasil, não para um Brasil fechado em seu egoísmo, mas para um Brasil:

Que seja a terra-mãe da bem-aventurança!
Terra da caridade e terra da esperança,
Do imigrante sem teto e dos povos sem pão!
Terra do bom trabalho e do labor fecundo,
Capaz de abastecer e de nutrir o mundo,
Terra da Promissão!

Não creio, porém, que o Poeta tivesse emudecido. Havia anos vinha ele anunciando um livro a que dera o título de *Últimos poemas*. Certamente pertencia à coletânea o soneto que nesta casa foi recitado pelo vosso saudoso confrade Paulo Barreto. Esses versos mostram que a técnica de Luís Guimarães Filho se veio apurando sempre, dentro do sistema parnasiano:

Lembro-me ainda dessa esbelta e flava
Carícia de teus braços amorosos..
Por mais que evite o encanto os impiedosos
Perseguem sempre a minha carne escrava!

Eram suaves, cálidos, cheirosos
Como doces damascos!... eu beijava
Aquela morna pele que tentava
O paladar! Oh braços deliciosos,

Como esquecer as núpcias perturbantes,
Os longos desalentos delirantes
Que sem misericórdia vós me dáveis?

Ah! torna Vênus para o sacro Elêusis!
Fui condenado à morte pelos deuses,
E quero-a nos teus braços implacáveis!

Em 1901 iniciou Luís Guimarães Filho a sua carreira diplomática. A diplomacia deixara de ser uma arte, como notou Oliveira Lima, para ser uma profissão. O Poeta, porém, continuou a ver nela uma arte, não "aquela arte das formas polidas, feita de astúcia e estratagemas, onde o pensamento vive mascarado e onde a frivolidade, a futilidade, a gravidade protocolar e a compostura de mostra avultam". A diplomacia era para ele uma função harmonizadora e fecunda nascida do instinto de sociabilidade entre os povos. Onde quer que a exercesse, procurou sempre completá-la com a atividade literária, de que resultaram quatro livros – três publicados, *Samurais e mandarins*, *Holanda*, e *Fra Angélico*, outro ainda inédito, *Mala diplomática*.

Ao escrever as suas crônicas sobre o Japão tinha o Poeta em mente, como confessa, distrair as suas leitoras brasileiras falando dessas mil bagatelas, exóticas de nomes tão saborosos – charões e quimonos, óbis e tatâmis, hibáchis e inrôs; contando-lhes as velhas lendas do império dos Tocugauas; explicando-lhes os símbolos mais amáveis desse país referto de símbolos. Mas o livro saiu curiosamente instrutivo acerca da formidável nação imperialista de hoje. Na história dos 47 ronins, por exemplo. A Inglaterra carrega hoje a dura pensão da vitória obtida em 1855, quando esmagou a ferro e fogo a revolta dos valentes samurais que não queriam aceitar o fato consumado da abertura de porto de Cobe ao comércio internacional. O Japão ocidentalizou-se, industrializou-se. Guardou avaramente os seus caquemonos de Ocusai e Utamaro, as suas velhas porcelanas de Nabéssima, os seus marfins inimitáveis, e inundou o mundo dos bárbaros europeus com a sua arte de exportação. Armou-se até os dentes e começou a devorar muito ocidentalmente a China.

Foi para o Japão ainda pitoresco e poético das ameixeiras e das casas de papel, para o Japão morto dos inrôs de laca, das belas joias de jade que o diplomata-artista deu de preferência a sua atenção. O poeta dos *Cantos de luz* não podia esquecer as suas pedras amadas, e no capítulo "Um passeio em companhia da Senhora Neve" dedica-lhes ainda algumas páginas que formam uma nova datilioteca, a um tempo erudita e poética.

Na Holanda Luís Guimarães Filho viu sobretudo o país dos engenheiros, em perpétua vigilância contra o inimigo mar, afinal menos pérfido que os vizinhos famintos de espaço vital. Relede esse livro, senhores, nesta hora de tremendas provações para o heroico povo holandês, e saireis convencidos do seu futuro reerguimento. "O povo da Holanda", escreveu o nosso patrício, "jamais dobrou a cerviz às implacáveis sentenças do Destino. Mesmo nos mais trágicos momentos respondeu com a soberba de quem se não arreceia do adversário. Os golpes eram aparados e revidados. A igreja de Katwijk, por exemplo, foi duas vezes demolida e duas vezes reconstruída. Arrasava-a o mar, reedificavam-na os habitantes; arrasava-a de novo, de novo a levantavam. E cada vez mais longe da praia, até ficar onde hoje a vedes, ao abrigo de qualquer inundação! Essa capacidade de resistência devem-na os holandeses à fleuma com que assistem às mais espantosas catástrofes e à tenacidade com que se dispõem a remediar infortúnios que parecem irremediáveis."

Mas como errava o diplomata ao imaginar que as tribunas de Haia e de Genebra eram as atalaias da segurança dos povos e representavam a maior vitória da guerra de 1914!

Há uma nota constante nos dois livros de impressões de viagem do Poeta: o amor e saudade da pátria.

"Longe da Pátria, Deus meu, como tudo isso" (falava de suas recordações brasileiras) "parece formoso. À semelhança das montanhas que, sumidas no horizonte, perdem os agros e as ameias para só deixarem à vista o relevo das suas curvas, a Pátria evocada de longe perde também os erros e os defeitos para surgir em todo o esplendor de uma sagrada perfeição!"

"Viajar é, pois, aprender a amar a Pátria acima de todas as coisas e, no cotejo com as demais, a sempre dar-lhe a primazia."

Tudo no estrangeiro trazia a imagem de coisas brasileiras à lembrança do Poeta. No Japão o verde dos momíjis, o das montanhas de Teresópolis; as ramagens dos jardins do Imperador, a sombra das nossas árvores; os templos de madeira e charão, as nossas doces igrejas. Em Honolulu, a paisagem descortinada do monte Páli, assombro dos turistas, fá-lo pensar com orgulho nas quebradas do Garrafão. Em Scheveningen, onde a prefeitura cobrava florim e meio por um simples banho de sol, evoca as praias do Rio de sol pródigo, vivaz e generoso – de sol grátis.

Em carta datada de 5 de fevereiro de 1928 escrevia da Holanda ao senhor Fernando Nery: "Este ano espero ir ao Brasil passar bastante tempo. Tenho já saudades de nossa bela terra, com a qual nenhuma outra se compara. Sinto sobretudo falta do sol. Aqui então é cousa quase desconhecida."

Voltaria o Poeta ao Brasil para se demorar, porém muito mais tarde. Demorar-se para sempre, primeiro em dois anos de confinamento no lar, confortada a aflição de sua cruel enfermidade pela religião e pelos carinhos da esposa, só da esposa, pois até a presença de alguns amigos mais caros lhe provocava abalos perigosos; depois no seio generoso da terra de Petrópolis, entre as hortênsias que lhe faziam lembrar os pintalgados guarda-sóis das gueixas do Símbasse.

Centenário de Júlio Ribeiro[10]

O homem insólito, irrequieto, intrépido, cujo centenário celebramos neste momento, nasceu na cidade mineira de Sabará. Informa ele mesmo em uma nota lançada num caderno do tempo de sua meninice. A nota está redigida parte em inglês, parte em português: "J. C. Vaughan. Born in Sabará/ 16 April 1845/ 10 o'clock in the morning raining. Fui batizado na matriz de Sabará, no dia de Corpo de Deus [22 de maio de 1845], sendo padrinhos Antº Avelino da Silva, e Mariana Ant. da Sª".

Vaughan era o apelido paterno, que, a partir de 1860, ou talvez antes, abandonará, para adotar definitivamente o da mãe, como reconhecendo que a essa admirável Maria Francisca Ribeiro tudo devesse. Do pai só herdará a inquietação andeja e o orgulho de se dizer mais tarde "filho de republicano, neto de republicano, tendo o nome de família inscrito no livro de ouro dos fundadores da grande república norte--americana". Como viera dar no Brasil esse George Washington, natural da Virgínia? Tudo o que sabemos dele é que foi aqui artista de circo – volatim, segundo a tradição – e como tal levando a vida ambulante dos homens de sua profissão, ora na Corte, ora nas cidadezinhas e vilas do interior, hoje em Lorena, amanhã em Juiz de Fora, logo em Águas Virtuosas... De passagem por Sabará casou-se com uma mineirinha de Tamandaré. O casamento não trouxe a felicidade a Maria Francisca: o marido andava sempre por fora, mal dando notícias de suas atividades circenses. Dinheiro não mandava nunca e desculpava-se: a última carta, escrita de Petrópolis, dizia: "Eu há dois meses a esta parte que não tenho ganho nem um vintém por causa das grandes enchentes e grandes chuvas..." Foi isso em janeiro de 1856. Depois dessa data ainda apareceu em Pouso Alto, onde, no ano de 1860, residia a mulher. Parece que já então esta o evitava. Deve ter morrido antes de novembro de 1863, porque uma carta de Maria Francisca ao filho dá a entender que recebera proposta de casamento. Maria Francisca permaneceu viúva.

Júlio Ribeiro encontrou na mãe o apoio material e moral que seu pai nunca soube ou pôde dar-lhe. Pobre professorinha de primeiras letras, ajudando-se ainda com trabalhos de costura, Maria Francisca foi quem iniciou o filho no á-bê-cê e na tabuada. Assistia ela então na cidade de Pouso Alto, evocada mais tarde com funda saudade pelo romancista de *Padre Belchior de Pontes*:

> Salve, região selvática, em que correu veloz a minha infância! Salve, montanhas agrestes, que muito galguei com a fronte rorejada de suor e o coração cheio de crenças! Salve, florestas virgens confidentes de meus primeiros afetos! Salve, cascatas ruidosas, que me desalterastes tanta vez os lábios pulverulentos da jornada! Salve, linfa do riacho, vencida por mim a braço, domada por mim a remo! Salve, céu puríssimo, alentador de minhas esperanças de menino! Salve, ecos que repetistes as minhas primeiras queixas! Salve, terra que bebestes as minhas primeiras lágrimas!
>
> Daqui destas plagas de indústria e trabalho [Sorocaba] onde o vapor tem o trono e a eletricidade um altar, gasto pelo atrito do mundo, sem ter mais no peito uma fibra que possa ressoar em doce acorde, – eu ainda te envio uma saudação:
>
> Salve, Pouso Alto, salve!

---

10 Conferência em sessão pública da Academia Brasileira de Letras, em 16 de abril de 1945.

Essas aventuras juvenis nas florestas virgens e nas cascatas ruidosas deviam encher de susto o coração materno e são de certo as "loucuras" a que alude numa carta escrita do colégio de Baipendi: "Eu quero lá ir a Pouso Alto, não só porque preciso muito lhe falar, como também por ter demasiadas saudades de vosmecê; seria eu um ingrato e um indigno se não tivesse saudades de uma mãe tão carinhosa, que sempre me recebeu com um sorriso nos lábios e o amor no coração, apesar das minhas loucuras".

A casa de Pouso Alto não era uma dessas tristes casas sem livros. Maria Francisca, professorinha da roça, gostava de ler e tinha a sua biblioteca. Nela encontrou Júlio Ribeiro o primeiro alimento à sua fome de saber, os primeiros estímulos ao despertar de sua imaginação. Desde logo viu Maria Francisca na inteligência e viva curiosidade intelectual do filho o penhor seguro de uma carreira brilhante fora do meio acanhado em que vivia. Por isso diligenciou dar-lhe instrução regular em colégio, aceitando sozinha, já que não podia contar com o marido para nada, todos os sacrifícios necessários: pouparia mais em casa, costuraria mais.

Havia por esse tempo em Baipendi um colégio muito acreditado em toda a província, dirigido pelo Cônego Luís Pereira Gonçalves de Araújo. Nele foi Júlio internado em 1860 e ali fez os estudos secundários, única instrução formal que recebeu, porque tudo mais adquiriu por si, ao azar de uma vida sempre eriçada de dificuldades. O levado menino de Pouso Alto correspondeu cabalmente à expectativa: na aula de francês era o primeiro, na de latim um dos bons, no ano seguinte já estava traduzindo o inglês. No arquivo familiar se conserva um documento expedido pelo Colégio Baipendiano, onde se atesta que "o senhor Júlio Ribeiro, tendo sofrido exame em francês, foi aprovado plenamente com louvores". Uma carta de agosto de 1862 informa desvanecidamente a próxima conclusão dos estudos de latim e filosofia:

> Olhe, [dizia à mãe] que muitos outros estudam em cinco anos e não sabem o que eu sei, Deus louvado. A filosofia se estuda em dois anos e eu pretendo acabá-la este ano, por consequência faço o meu curso em um só. No ano seguinte, se Deus quiser, concluo o meu curso preparatoriano, tendo gasto nele quatro anos, enquanto que muitos gastam oito, e nada sabem!

Nem só dava distintamente conta do recado, fazia mais: no Colégio Baipendiano, aos alunos que demonstravam maior aproveitamento investia o Cônego Araújo nas funções de docente. O filho de Maria Francisca era um deles, como se infere de uma carta de 4, escrita pelo padre à mãe do colegial: "O senhor Júlio continua a gozar saúde, e vai regendo bem as cadeiras que estão a seu cargo".

O mesmo informam outras cartas, do filho para a mãe, acrescentando que já dá lições particulares a alguns colegas. É também com orgulho, muito natural em tão verdes anos, orgulho que deve ter ecoado com dobrado alvoroço no coração materno, que o estudante repete a Maria Francisca os elogios feitos pelo Senador Ottoni aos seus versos latinos, à sua ampla testa – "testa que só possuem os grandes homens". Ottoni, de passagem por Baipendi, fora visitado pelo rapaz e lhe retribuíra a visita. Impressionara-o a inteligência e instrução do colegial: a alguém que apontara Júlio Ribeiro como uma das esperanças de Baipendi, respondeu que não o era só de Baipendi, senão também do Brasil.

Todos esses triunfos, porém, não bastavam para capacitar o rapaz a sofrer sem azedume os arranhões abertos em seu orgulho pela condição de pobreza que o punha em inferioridade material junto dos colegas: tinha vergonha de suas cinco camisas rasgadas e muitas vezes chorou por falta de roupa de missa: "Sou obrigado", escrevia à mãe, "a ir com roupas velhas e curtas, no meio dos meus colegas tão bem-vestidos". Em 1862, tinha então dezessete anos, passou mesmo por uma crise de apreensão e desânimo, cuja causa ficou para sempre ignorada. Em setembro daquele ano as bexigas irromperam tanto em Pouso Alto como em Baipendi. Júlio escreve à mãe: "Temo só por vosmecê e pelas meninas e escrava; quanto a mim não as temo porque julgo o mesmo como morrer ou viver". E na carta seguinte responde a Maria Francisca: "vosmecê me diz que não lhe fale em morrer, porém eu lhe digo que a única coisa que me obriga a viver é vosmecê e se não fosse vosmecê, já me tinha suicidado". Três meses depois mandava este misterioso bilhete: "Minha mãe, escreva uma carta ao Mestre Chico em agradecimento de ter ele me salvado a vida em uma circunstância que não lhe posso contar. Me recomende a ele, dizendo que eu sou sem pai; e lhe peça que me sirva de pai. Diga que vosmecê soube que ele me salvou, porque eu lhe contei, mas que não lhe quis contar como foi que se passou o fato: escreva sem falta nenhuma."

Naquele tempo o seu espírito andava longe do ateísmo em que terminou, impenitente, a amargurada vida. Na correspondência do colégio está sempre a invocar a Deus e aos santos; costumava desenhar nos cadernos de aula cruzes de complicados ornatos; pensou mesmo em fazer-se padre e há uma carta sua assinada "Padre Júlio Ribeiro". É que se sentia indeciso quanto à carreira que lhe conviria seguir e sabia que, ordenando-se padre, satisfazia a vontade da mãe.

Júlio Ribeiro não entrou para o seminário. Em 1865 partia para a Corte a ver se conseguia matrícula em alguma escola superior. O momento era de intensa agitação patriótica suscitada pelas notícias que chegavam do Paraguai. Os jornais andavam cheios de apóstrofes convocadoras de voluntários, em verso e em prosa. Tobias Barreto saudava os voluntários do Norte em oitavas inflamadas, que reboavam até o Sul:

> Para estes vultos brilhantes
> Morrer... é não combater;
> É apear-se uns instantes
> Do vale ao fundo descer,
> Fitar a noite estrelada,
> E à espera d'outra alvorada,
> Dormir nos copos da espada,
> Deixando o sangue escorrer!

A pressão do sentimento nacional exacerbado deve ter influído decisivamente para levar o adolescente mineiro a matricular-se como aluno ouvinte na Escola Militar da Praia Vermelha, tanto mais que a matrícula em outra escola apresentava dificuldades, exigiria a proteção de Ottoni; na Praia Vermelha não, visto que os próprios cadetes já tinham sido mandados para o campo da luta.

Quem ficou desolada e medrosíssima foi Maria Francisca. Tudo fez para arrancar o filho ao perigo de partir e morrer na guerra. Júlio procurava tranquilizá-la.

Mas nas férias de fim de ano não iria ficar com a mãe e desculpava-se: "Jurei bandeira, sou militar, daqui não posso sair sem licença do Ministro da Guerra".

Maria Francisca, porém, insistia, usando não só as tocantes súplicas do afeto mas também os fortes argumentos da razão:

> Está da tua parte fazer todas as diligências e os maiores esforços e empenhar-te primeiro com o nosso bom Deus e a Virgem Maria e depois com o Senador Ottoni e o Barão de Caxias, mostrando e alegando as tuas fortes razões e o meu estado de viúva e de estar sem parentes, só no meio de estranhos e só confiada primeiro em Deus e na Virgem Maria e depois em ti, meu único filho; pois põe-te em meu lugar e veja se eu não tenho razão, pois veja se você estivesse velho em casa alheia, sem mais esperanças senão a de um filho único que você o tivesse criado e educado sem mais adjutório que o dos teus braços...

Júlio não pôde resistir às angústias da mãe, defendidas em termos tão razoáveis e patéticos: em junho deu baixa. Esta tem sido explicada pelos biógrafos de Júlio Ribeiro como resultante do exame físico, que o declarara inapto para o serviço militar. Oficialmente a notícia é exata. O patrocínio de Ottoni e Caxias deve ter atuado em favor do filho único de viúva sem amparo. Mas o verdadeiro motivo da baixa derivou exclusivamente da consciência do dever filial.

Não sabemos se Júlio Ribeiro tentou ainda no Rio entrar para alguma escola superior. Decerto terá desistido da ideia em vista das dificuldades materiais. Acabou regressando a São Paulo e agarrando-se, no naufrágio de suas esperanças na Corte, à mesma tábua de salvação que valera à mãe quando se viu praticamente abandonada pelo esposo – o magistério primário. A par disso começa a escrever nos jornais, milita com os liberais e já em 1867 declara-se republicano em artigo para o *Paraíba*, folha de Guaratinguetá. E no ano seguinte, a fim de se habilitar oficialmente como professor primário, vai à capital paulista prestar os exames exigidos. É aprovado em 11 de janeiro. Levado então à presença de Saldanha Marinho, Presidente da Província, este lhe diz que poucos moços como ele tinha visto e que lhe daria emprego em São Paulo, caso quisesse, pois merecia muito mais do que uma simples cadeira de primeiras letras. "Tudo isso", comenta escrevendo à mãe, "são eflúvios da graça que deixa escapar Nossa Senhora Aparecida". Era, pois, ainda católico, embora, como tantos católicos liberais do tempo, se tivesse feito maçom, o que comunica a Maria Francisca nessa mesma carta.

Numa das *Cartas sertanejas* escreveu Júlio Ribeiro: "É verdade: fui católico, fui presbiteriano, sou ateu. A criação fez-me católico; a leitura da Bíblia separou-me de Roma; a razão tornou-me incrédulo." O seu afastamento da Igreja Católica foi provocado pelo contato com os missionários protestantes norte-americanos que desde 1860 percorriam o interior de São Paulo e Minas em propaganda de sua doutrina. Vicente Themudo Lessa dedicou o undécimo capítulo de sua obra *Anais da Primeira Igreja Presbiteriana de São Paulo* à personalidade de Júlio Ribeiro protestante. A iniciação ocorreu por fins daquele mesmo ano de 1868 em que ele ainda atribuía a sua boa sorte aos "eflúvios de Nossa Senhora Aparecida". De Taubaté, para onde veio depois dos exames em São Paulo, escreveu em 11 de dezembro de 1869 uma carta ao pastor Schneider, na qual, agradecendo a remessa de um *Novo Testamento*, em grego, dizia: "Meu pai, a minha fé se robustece de dia em dia. Sinto encher-se de gozo inefável o vácuo que me desconsolava o peito; não sei que voz interna me diz ser eu um dos chamados, e um dos escolhidos". Já era, pois, um convertido. Mas só recebe o novo batismo a 17 de abril de 1870, ano em que se muda para São Paulo. Seis meses depois professava também Maria Francisca, que essa nunca mais abandonará o Evangelho; nesse mesmo dia Júlio Ribeiro faz batizar um seu escravo menor, "o primeiro menino escravo batizado, no registro das atas de São Paulo", informa Vicente Themudo Lessa. Menino que mais tarde é alforriado com a mãe, também convertida à fé presbiteriana.

O presbiterianismo de Júlio Ribeiro parece ter sido já uma espécie de acomodação da sua crença às exigências da razão. Dura menos de um decênio, afirma Orígenes Lessa. As atas de Itapira registraram a passagem ali, em dezembro de 1876, do reverendo Lane e de Júlio Ribeiro. Ambos pregaram. Porque o convertido, se nunca chegou ao ministério, foi pregador e propagandista, com a coragem e paixão que punha em tudo que fazia. E era preciso coragem para ser "bíblia" naqueles tempos em que as ingênuas populações do interior zombavam, insultavam e às vezes mesmo corriam a pau os evangelizadores protestantes, como aconteceu ao aliás admirável padre apóstata José Manuel da Conceição, a quem de outra feita uns capangas procuraram para o matar. Júlio Ribeiro nunca sofreu tais vexames, mas foi preso uma vez em Campinas por motivo de suas atividades heréticas. Estas não se limitaram à pregação em numerosas localidades do litoral e do interior paulista: traduziu o primeiro volume da *História da Reforma*, de D'Aubigné, traduziu e compôs ele próprio vários hinos.

Numa de suas viagens de propaganda religiosa passou Júlio Ribeiro em Sorocaba, onde os fiéis do credo evangélico se reuniam em casa de José Antônio de Sousa Bertoldo. Bertoldo tinha filhas bonitas e por uma delas, Sofia, menina e moça de treze anos, se apaixonou o pregador itinerante. Ficaram noivos. Em 13 de janeiro de 1871 Júlio lhe escreve de São Paulo uma carta, que termina com estas palavras: "Se te disser que te amo, que tu és a minha vida, que sem ti não posso existir, farei um papel de tolo, porque é o mesmo que dizer que o fogo queima, que a água molha e que o ferro é duro. Digo-te apenas que sou sempre o teu noivo e amigo Júlio." O casamento realizou-se no dia 4 do mês seguinte, sendo oficiante o reverendo Chamberlain. Casando-se em Sorocaba, de certo modo se vinculou à terra, tanto quanto se podia vincular em qualquer parte homem de seu natural tão andejo, nesse ponto bem filho do volatim de circo. Ele mesmo declarará nas *Cartas sertanejas* que de 1870 a 1876 residiu alternativamente na capital, em São Roque e em Sorocaba. A esta consagrará durante aqueles anos as suas melhores energias, agremiando o partido republicano, colaborando no *Sorocabano*, em breve assumindo a direção do jornal e adquirindo as oficinas. Em agosto de 1872 as dívidas acumuladas sufocam a folha idealista que não aceitava anúncios de escravos fugidos; mas já em setembro o jornalista lança com Pereira Sales, o editor, outro órgão, *O Sorocaba*. Sobrevêm-lhe as primeiras decepções políticas e o republicano incapaz de transigir arremete contra certos companheiros acomodatícios, aos quais considera desertistas. Quinze dias depois vende a tipografia a Sales, mas continua escrevendo os editoriais. Em outubro anuncia a abertura de classes de Latim, Francês, Inglês, Geografia e Primeiras Letras, inclusive o sistema métrico decimal. Preços: Línguas e Geografia, cinco mil-réis mensais; Primeiras Letras, três; sistema métrico, a convencionar. Mas os candidatos não vinham. O professor falhado pensa num emprego. É nomeado para agente da Fábrica de Ferro de Ipanema em 10 de janeiro de 1873. Não toma posse do cargo. Em outubro de 74 tenta novamente o jornalismo, fundando, com o auxílio de Maylasky a *Gazeta Comercial*. Esse russo Maylasky foi um tipo curiosíssimo de aventureiro. Chegou a Sorocaba mendigando pousada e comida. Mas era homem culto, inventivo, cheio de iniciativa e convincente. Não tardou a dominar na cidade: iniciou o comércio de algodão, casou-se com a filha do capitalista José Joaquim de Andrade, fundou o Gabinete de Leitura Sorocabano, ainda hoje existente, organizou a primeira fábrica de tecidos de algodão e por fim, quando os magnatas da cidade, pleiteando o prolongamento da Ituana até Sorocaba, encontraram a oposição da gente de Itu, lança audaciosamente a ideia da Companhia Estrada de Ferro Sorocabana. Foi então que se aliou a Júlio Ribeiro, pondo-o em condições de abrir o jornal que sustentaria a propaganda do empreendimento. Vêm os dois ao Rio adquirir o material tipográfico, material de primeira ordem, e os vendedores Bouchaud e Aubertie lhes cedem um técnico parisiense, Joseph Auguste Nicolas, que irá a Sorocaba montar a complicada máquina. Não é só. Júlio Ribeiro consegue contratar para a futura oficina João José da Silva, chefe de uma das seções do *Jornal do Commercio*. O negócio anuncia-se esplendidamente. A folha aparece em 7 de outubro e programa-se como jornal apolítico que, não olhando através do prisma das paixões, possa ter calma e lazer bastante para atender às causas verdadeiras do estiolamento da prosperidade pública. O texto inclui informações sobre o mercado de Santos e o da Corte, serviço telegráfico, artigos sobre imigração, agricultura científica etc. Como leitura desinteressada, em folhetim, o romance *A muralha do cáucaso*, de Bestucheff, escritor russo, do qual informa Prampolini que sofreu o exílio na Sibéria, foi influenciado por Walter Scott e compôs "discretas narrativas militares". A tradução era de Júlio Ribeiro, que talvez nela acertasse a mão para escrever, a partir de dezembro, o romance de pretensão histórica *Padre Belchior de Pontes*.

No entanto, apesar do adjutório de Maylasky, apesar das encomendas de trabalhos tipográficos extraordinários, como faturas, guias, rótulos, cartões de visita, a situação financeira do jornal foi-se tornando difícil, de sorte que a 10 de julho de 1877, quando se inaugura a Estrada de Ferro Sorocabana, com um hino da autoria de Júlio Ribeiro, a *Gazeta Comercial* está às portas da falência. O último número sai a 29 de agosto. Júlio Ribeiro liquida o jornal e a tipografia, despede-se da sociedade de Sorocaba em termos patéticos:

> Prezamo-vos, povo sorocabano, como se entre vós tivéramos a dita de nascer; foi de entre vós que escolhemos a companheira de nossos trabalhos, foi dentro de vossos términos que ouvimos o primeiro sorriso do filhinho querido. Em qualquer parte que a fortuna nos arroje, Sorocaba será sempre para nós uma lembrança grata, que não poderá enuviar a recordação do muito que sofremos.

Do muito que sofremos... Sofrimentos de toda ordem. A sua saúde já estava definitivamente comprometida: enxaquecas, acessos de bronquite asmática, retendo-o dias seguidos em casa e acamado. Dificuldades de dinheiro na empresa jornalística. Ataques em prosa e verso de inimigos que o acusavam a esse homem rigorosamente probo e desinteressado, de mercenário. E culminando tanta má sorte o pesar sem consolo de ver definhar e morrer a filhinha estremecida, essa Selomith, pobre flor doentia que não vingou, e a respeito da qual seu pai escreve a Maria Francisca alguns bilhetes angustiados que são como que o seu "Cântico do calvário":

> Selomith continua a sofrer... Espero, porém, em Deus que ma concedeu, que há de sarar... Selomith poucas esperanças dá... Sofia sofreu uma operação no peito e está bastante doente; eu estou bem de saúde, mas com o peito despedaçado, porque sofri o que a Senhora nunca sofreu. Já não tenho filha! No dia 26, às 9 e meia horas da noite morreu Selomith. Deus nos console.

Quatro anos depois, também em Sorocaba, morre a esposa. Além de Selomith, deu-lhe Sofia mais dois filhos: George Washington, logo falecido, e Joel, residente em São Paulo, casado e com filhos.

Até 1875, essa parte tão mal conhecida da vida atribulada de Júlio Ribeiro, podemos avançar em chão seguro porque meu confrade e amigo Orígenes Lessa pôs à minha disposição os dezenove primeiros capítulos do livro de sua autoria, primeiro ensaio biográfico fidedigno e completo sobre o patrono de minha cadeira nesta casa. Ninguém melhor aquinhoado para semelhante tarefa: ademais de seus dotes de escritor, da sua honestidade de pesquisador diligente, tem em mãos o arquivo de família, pois é casado com uma neta de Júlio Ribeiro, a senhora Elsie Lessa. Além de precioso acervo de autógrafos, pôde utilizar as informações que obteve de boca da própria dona Belisária Ribeiro, segunda esposa do romancista de *A carne*. E procurou esclarecer os pontos lacunosos ou incertos procedendo a pesquisas nas cidades onde viveu Júlio Ribeiro, e até em Nova York para lhe rastrear a linha paterna.

Júlio Ribeiro muda-se para Campinas em 1876. Nesse mesmo ano publica em livro o *Padre Belchior de Pontes*. Ainda é presbiteriano: atesta-o o próprio romance. Mas em Campinas perdera a fé, e o último serviço que prestou à causa evangélica foi, conta Vicente Themudo Lessa, ajudar o reverendo Boyle a corrigir o seu hinário. Abre-se para ele um novo rumo de atividade, segundo João Ribeiro a única para que mostrava a mais decidida vocação – o domínio da filologia. Ligava-se ela, de resto, ao seu exclusivo ganha-pão durante aqueles anos, as funções de professor no Colégio Culto à Ciência, dirigido pelo doutor Melquíades Trigueiros.

Narra Júlio Ribeiro nas *Cartas sertanejas* que o plano de escrever uma gramática portuguesa lhe viera por sugestão de um trecho de Garrett, o qual, dizendo não existir em português um só livro de gramática com senso comum, pedia aos mestres e mentores de Portugal que estudassem a gramática do americano Lindley Murray e fizessem para a nossa língua algo de parecido. "Desde esse dia", escreveu Júlio Ribeiro, "foi sempre plano meu fazer aplicação da gramaticologia inglesa à língua portuguesa". Como lhe parecesse já antiquada a obra de Murray, leu dezenas de outras gramáticas inglesas, e por conselho do reverendo Morton acabou tomando por modelo a de Holmes. Primeiro publicou em dezembro de 1879 no *Diário de Campinas* uma série de quatro artigos sobre questões de gramática, no primeiro dos quais afirmava que, à parte os trabalhos de Adolfo Coelho, Teófilo Braga e Pacheco Júnior, "o que vem à luz em português sobre gramática é repetição do que disse Sotero dos Reis, que repetiu o que disse Soares Barbosa, que repetiu o que disse Amaro de Roboredo, que repetiu o que disseram os Afonsinhos, que repetiram o que lhes ensinou Noé, que o aprendeu de Matusalém, que o aprendeu de Henoc, que o aprendeu de Set, que o aprendeu de Adão!"

O doutor Augusto Freire da Silva, que era professor catedrático de Português na Academia de São Paulo e tinha a sua gramática publicada, sentiu-se visado nessas palavras e veio para a imprensa, respondendo ao professor de Campinas pela *Província de São Paulo*. Júlio voltou à carga. Freire da Silva, melindrado pelo tom escarninho do contendor, preferiu calar-se. A polêmica foi editada em 1887 sob o título *Questão gramatical*.

Logo em seguida à polêmica com Freire da Silva, publica Júlio Ribeiro, em março de 1880, os *Traços gerais de linguística*, volumezinho em pequeno formato, que é hoje uma raridade bibliográfica. Nos *Traços linguísticos* já se nos depara o ateu completo que será até a morte em Santos o seu autor: a introdução está calcada em Comte; o capítulo III começa dizendo que "a ciência pelos trabalhos de um Haeckel pode afirmar positivamente que o homem descende dos macacos catarríneos"; o capítulo seguinte expõe o quadro da teoria da evolução e apresenta as línguas como verdadeiros organismos sociológicos, sujeitos à grande lei da luta pela vida, à lei da seleção. À página 96, em nota ao texto, anuncia Júlio já estar pronta para entrar no prelo a sua *Gramática analítica da Língua Portuguesa*. O livro sai em 1881, mas com o título simplificado de *Gramática portuguesa*. Nesta obra assentou a reputação indiscutida de Júlio Ribeiro. O romancista, o jornalista, o polemista teve os seus admiradores e os seus desafetos: o gramático, porém, impôs-se soberanamente. As novas ideias sobre linguística já haviam surgido aqui desde 1869 com um opúsculo do alemão Carlos Hoefer; já as conhecia e utilizava Pacheco Júnior, colocado por Júlio Ribeiro entre os mestres a quem dedica o seu livro, mas a *Gramática histórica da Língua Portuguesa* do catedrático do Pedro II parara na introdução. A de Júlio Ribeiro foi a primeira integral que apareceu entre nós, rompendo com a rotina e aplicando a nova orientação sob a forma de compêndio didático. Está claro que é hoje um livro antiquado, mas no tempo o seu prestígio se estendeu até Portugal. Sabe-se que Teófilo Braga, consultado por Nabuco, lhe respondera: "A melhor gramática da nossa língua é sem dúvida alguma a de um moço do Brasil que se chama Júlio Ribeiro". Da mesma opinião era o francês André Lefèvre. Passados vinte anos, em 1902, Rui Barbosa, na *Réplica*, em alguns pontos se escuda nela, e no parágrafo 192 escreve: "Ninguém terá em mais que eu a valia literária de Júlio Ribeiro. Dado que o não alce, como o senhor José Veríssimo, acima de todos os nossos gramáticos, acredito que nenhum lhe faz vantagem". Em 1886, residindo na capital paulista, publicara uma tradução e adaptação ao português da *Introdução à gramática inglesa*, de Holmes, chamando-a *Holmes brasileiro ou Gramática da Puerícia*. Com a *Nova gramática latina*, que deixou inacabada (editou-a em 1895 Carlos Zanchi, de São Paulo), se encerra a bibliografia gramatical de Júlio Ribeiro. A esta última obra costumava aludir dizendo que seria, a seu ver, a sua coroa de glória.

Em 1881 estava Júlio Ribeiro novamente casado, desta vez com uma moça da melhor sociedade de Capivari, e tão linda, senão mais linda que a primeira esposa. Era dona Belisária Amaral. Ouvi de sua neta, a senhora Elsie Lessa, a história romântica dessa paixão fulminante que deflagrou numa viagem de trem. Dona Belisária ia de São Paulo para Capivari; Júlio voltava a Campinas. A moça soube por uma amiga da presença do escritor, a quem só conhecia de fama. Quis conhecê-lo. Fez-se a apresentação, e o resultado é que Júlio, noivo em Campinas, e Belisária, noiva em Capivari, resolveram ali mesmo desmanchar os respectivos noivados e convolar o mais cedo possível. Era uma aventura. Mas o romantismo às vezes acerta. Foi um lar feliz, malgrado a pobreza, as doenças, os lutos domésticos. Dona Belisária guardou até a morte, em 3 de junho de 1938, o amor e o culto de seu esposo. Dos quatro filhos do casal, Júlio morreu com um ano, envenenado por uma ama negra dada à feitiçaria, Árya com sete, Scintilla com cinco; sobreviveu Maria Francisca, que dona Belisária, depois da morte do esposo, passou a chamar Maria Júlia, a qual se casou em São Paulo com o doutor Albertino Pinheiro.

Em 1882 Júlio Ribeiro abandona Campinas e estabelece-se em Capivari: demitira-se do Colégio Culto à Ciência por não concordar com certa medida tomada pela diretoria. Ia mais uma vez iniciar vida nova. Em 1885 ainda mora em Capivari e de lá é que escreve para o *Diário Mercantil*, de São Paulo, as famosas *Cartas sertanejas*, onde bravamente investe contra os chefes republicanos paulistas, que a seus olhos não passavam de escravocratas ferrenhos, de oportunistas sem escrúpulo de sacrificar a coerência do partido a duas cadeiras na Câmara; polemiza com *A Província de São Paulo*; desanca os bacharéis em Direito, respondendo "a um tal senhor Lúcio de Mendonça", que imprudentemente o chamara "sábio a título negativo, por não ser bacharel"; arrasa com a Academia de Direito, "esse polipeiro de metafísica e pedantismo insolente, onde os Kopkes, os Vieiras e os Leôncios constituem odiadas exceções..." O solitário de Capivari voltava furiosamente à política e à imprensa. Em 1886 muda-se para São Paulo, depois de breve passagem por Santos, onde redige o *Correio de Santos*. Na capital funda *A Procelária* em 1887. Leciona Português na Escola Normal. Concorre à cadeira de Latim no curso anexo à Academia de Direito, triunfa, e por sua iniciativa o ensino daquela matéria passa por completa transformação. Em 88 funda novo jornal, *O Rebate*, em cujo primeiro número, aparecido a 16 de julho, lança o projeto de uma nova bandeira nacional, condenando a velha, baseado em razões de Estética, de História e de Heráldica. Naturalmente a sua ideia fracassa, porém mais tarde adotam-na os paulistas: é o alvinegro pendão cantado pelo nosso confrade Guilherme de Almeida nos versos da Revolução de 32:

> Bandeira de minha terra,
> Bandeira das treze listas,
> São treze listas de guerra,
> Cercando o chão dos paulistas.

Só que no projeto de Júlio Ribeiro tinha ela quinze listas.

O ano de 1888 foi ainda o ano de *A carne*, romance que teve e continua a ter êxito de venda mas que lhe trouxe enormes desgostos. Suportou dignamente os ataques puramente literários, como os de Pujol e Veríssimo. Quando, porém, o padre Sena Freitas ousou aludir à esposa e às filhinhas do romancista, "filhinhas tão encantadoras e tão mimosas e que amanhã saberão ler... para saberem que na sua província de São Paulo há ninfomaníacas da força da filha de Lopes Matoso e que a botânica é uma excelente estrada coimbrã para chegar ao amor livre", Júlio Ribeiro perdeu a cabeça. Travou-se feia descompostura e os artigos do romancista contra o padre visavam menos rebater a pecha de pornografia lançada a *A carne* do que desmoralizar literariamente o adversário: não obstante a fama que alcançaram, são, a meu ver, os únicos escritos do polemista que não lhe fazem honra, mesmo do ponto de vista gramatical.

Depois de proclamada a República foi Júlio Ribeiro nomeado professor de Retórica no Instituto Nacional de Instrução Secundária, em substituição do barão de Loreto. Rui Barbosa, no parágrafo já citado da *Réplica*, diz que sob a sua administração das finanças o chamou espontaneamente a uma situação oficial "que minorava ao homem de letras os embaraços da vida, e desassombrava para os trabalhos do espírito o eminente escritor". A situação oficial devia ter sido o emprego de fiscal das loterias, modesto emprego que o homem de letras desempenhava com zelo misturado de *humour*. A sua saúde estava arruinada. Em abril de 1890, do Rio, escrevia ao filho Joel: "Estou sozinho aqui, porque é preciso ganhar o pão para todos! Triste sorte a de teu pai, meu filho!" E em *nota bene*: "Minha saúde não é boa, fiquei muito doente em São Paulo, e ainda não estou bom".

Por essa ocasião, encontrando-se com Artur Azevedo na rua do Ouvidor, saudou-o este com alegria:

– Viva o eterno moribundo! Então, como vai isso?

E Júlio:

– Vai-se morrendo como Deus é servido.

Contou Júlio aquela anedota de Voltaire, que se despediu do senhor D'Aiguillon dizendo: "Interrompi a minha agonia para vir dar-lhe este abraço. Adeus, vou morrer." E acrescenta Artur Azevedo, "continuou Júlio, com aquele diabólico sorriso que tão bem dizia com a sua cara de cômico:

– Eu de vez em quando faço como Voltaire, mas, na qualidade de moribundo, não entro em férias por tão pouco. Interrompi agora a minha agonia para ser fiscal de loterias."

Esse aspecto da fisionomia moral de Júlio Ribeiro transparece ainda melhor em outro encontro de rua, desta vez com Urbano Duarte, que o narrou em crônica para o *Diário Popular* de São Paulo, número de 17 de novembro:

> A última vez que estive com Júlio Ribeiro foi em um café da rua do Ouvidor. Achava-me em companhia de um médico do meu conhecimento, quando ele sentou-se à mesa. Ao fazer a apresentação, Júlio perguntou-lhe com aquele gesto brusco que lhe era peculiar: – O senhor é médico? – Sim, senhor. – Tem especialidade? – Dedico-me às vias respiratórias.
>
> O semblante de Júlio Ribeiro expandiu-se num sorriso sinistro, meio cômico, meio fúnebre, que frequentemente tremeluzia em suas faces cavadas e macilentas. E pôs-se a fazer uma preleção sobre a moléstia de que sofria, a descrição minuciosa da enfermidade desde o seu começo, todas as fases da marcha, todas as melhorias e agravações, e isto com uma facúndia, uma eloquência, uma exatidão, um luxo de termos técnicos e de cunho científico tal que o doutor, intrigado, perguntou-lhe: – V. Sª é formado em medicina? – Não sou formado em coisa alguma! respondeu o Júlio com gesto despachado. Intervim então, dizendo: – É um distinto filólogo.
>
> O Júlio deu um salto na cadeira e fitando-me com olhar exprobrador: – Se repetes a pilhéria, chamo-te de distinto artilheiro!
>
> Momentos depois perguntei-lhe: – Qual o estudo para que sentes mais vocação? – Numismática!
>
> O médico, curioso por conhecer homem tão instruído, disse: – Está no Rio a passeio? – Não, senhor: sou fiscal de loterias, responde o Júlio, sempre naquele tom rápido e peremptório que caracterizava a sua conversação.

Em setembro de 1889 a *Gazeta de Notícias* anunciava a promessa de colaboração do "eminente escritor e mestre da Língua Portuguesa". Mas só no ano seguinte é que Júlio Ribeiro manda alguma coisa – a tradução de umas cartas do diplomata russo Paulo de Vasili sobre o *high-life* inglês. Saíram elas nos números de 7, 8, 10 e 11 de fevereiro, 4, 23 e 28 de março. No bilhete de remessa, datado de Sorocaba, havia este fecho: "Saúde e... patacas, o que é um pouco mais positivo do que 'fraternidade'".

Parece que a desconfiança contra os correligionários republicanos persistia. A sua admiração e apreço por Quintino Bocaiuva é que nunca sofreram eclipse. Nas *Cartas sertanejas* chama-lhe "o sumo sacerdote da imprensa brasileira". A 12 de março de 1890 escreve-lhe de Sorocaba pleiteando a efetividade do lugar, interinamente ocupado, no Instituto Nacional. "Provas de concurso", justificava-se, "não se fazem mister: eu não sou um estreante nas letras pátrias, e toda a minha vida tem sido um concurso não interrompido". Terminando, subscreve-se "admirador entusiasta e amigo". Aliás toda a carta respira os sentimentos de admiração e amizade. Ela vale por um formal desmentido à anedota repetida por Medeiros e Albuquerque em seu livro *Quando eu era vivo* e à qual aludi em meu discurso de entrada nesta casa: Quintino, então ministro, recebendo a visita de Júlio Ribeiro, teria puxado o relógio, advertido ao amigo só poder dispensar-lhe cinco minutos de atenção; o outro ter-se-ia levantado e partido, depois de proferir uma grosseria. Evidentemente, se a história fosse verdadeira, não teria Júlio Ribeiro escrito uns três meses depois a mencionada carta.

Em meados de 1890 o "eterno moribundo" sentiu agravarem-se os seus padecimentos e buscou refúgio em Santos. Passou os últimos dias de sua vida em casa de um amigo, o cirurgião-dentista Manuel Homem de Bittencourt. As notícias do seu estado de saúde chegaram aos padres de Itu, em cujo colégio estudava o filho de Júlio. O reitor do estabelecimento pensou em enviar um emissário encarregado de reconciliar o ateu com a Igreja. Mas a piedosa ideia não fez senão amargurar o doente, que se queixou a Vicente de Carvalho. O Padre Sena Freitas procurou-o: Júlio Ribeiro virou-lhe o rosto: o lazarista continuava a ser para ele o "urubu Sena Freitas", que em *A carne* só vira carniça. Escreveu o padre depois um artigo em que dava o ex-amigo como tendo expirado arrependido e convertido ao cristianismo. Vicente de Carvalho desmentiu-o publicamente, ajuntando ao seu o depoimento do médico assistente, o doutor Silvério Fontes, pai de Martins Fontes.

Júlio Ribeiro faleceu às 10h30 horas da noite de 1º de novembro. Deixava a família em tal pobreza, que o *Diário de Santos* abriu uma subscrição em favor da viúva. Partindo de Santos, confiou dona Belisária os poucos bens do marido à guarda de um certo Comendador Matos. Entre esses objetos estava um retrato a óleo de Júlio Ribeiro pintado pelo grande Almeida Júnior. Era, dizia a viúva, excelente. O Comendador Matos nunca lhe quis devolver a pintura. Onde parará hoje essa tela duplamente preciosa, como obra de Almeida Júnior e retrato de Júlio Ribeiro?

Minhas senhoras e meus senhores: quando fui recebido nesta Academia, julguei de minha obrigação ocupar-me longamente da obra de Júlio Ribeiro, patrono de minha cadeira, esquecido nos seus discursos de posse pelos meus antecessores. Não quis hoje repetir-me. Tentei rememorar-lhe a vida e fio que, apesar das minhas deficiências de biógrafo em segunda mão, tereis sentido a grandeza da figura evocada.

Oração de paraninfo (1945)[11]

Meus caros bacharéis,

A hora que vivemos é de triunfo e de esperanças para o continente que Martí chamava "nuestra América". De triunfo: na luta em que durante quase seis anos o mundo democrático se defendeu contra a violência nazifascista três foram os elementos da vitória – a firmeza britânica, a tenacidade russa, a riqueza e o otimismo americano. Neste entrou a nossa parte, modesta em sangue, mas inestimável de importância naquele trampolim bélico que foi a base aérea de Natal. De triunfo: o nosso esforço obrigou a Europa, "sempre a Europa, a gloriosa", a voltar os olhos para nós, e até na longe e fria Suécia houve, tarde mas afinal, um pensamento para a poesia da América espanhola, essa poesia magnífica em cujos timbres fulgura a obra excelsa de Rubén Darío: ainda ecoa em todo o mundo o coro de admiração e respeito com que festejamos na pessoa da chilena Gabriela Mistral a vitória intelectual da América. Hora de triunfo, hora também de esperanças. Esperança de nos realizarmos harmoniosamente dentro do espírito de ordem e concórdia, de nos parcializarmos mais profundamente, de tornarmos tangível o belo sonho de Martí, de Hostos, de Varona, de Justo Sierra, de Montalvo, de Sarmiento, de Alberdi, de tantos espíritos nobilíssimos que formaram em terras do Novo Mundo a vanguarda eterna dos que pelejam, sofrem e morrem pelo ideal de paz e de cultura.

Nesta hora viestes buscar para que vos dissesse as palavras de despedida o obscuro professor de uma obscura cadeira – a de literaturas hispano-americanas. Aceitei a vossa escolha como uma honra, imerecida de minha parte, mas justificada pela simpatia que vejo pude despertar em vós quando vos falava dessa pobre e linda gata borralheira que é a literatura da América. Como temos sido injustos para com ela! Como a desconhecemos! E desconhecê-la é, indiferentes ao conselho socrático, desconhecermo-nos a nós mesmos. Ainda há poucos dias, numa banca de exames, tive a prova disso: arguindo um rapaz, pedi-lhe que me nomeasse os grandes autores dramáticos do Século de Ouro; o examinando cantou sem hesitação os nomes de Lope, de Calderón, com alguma demora o de Tirso de Molina. Mas não houve sugestão, pedra, manobra mnemônica, nem o sopro do primeiro apelido, que o fizesse lembrar-se do genial mexicano Juan Ruiz de Alarcón.

Somos assim: conhecemos e celebramos autores europeus de terceira e quarta ordem, relegamos ao esquecimento os gênios do nosso continente. Bem sei que os nossos gênios são raros. Bem sei que cada uma das literaturas hispano-americanas tomada isoladamente não pode apontar senão uns poucos valores universais. Mas em conjunto esses valores já formam um bloco impressionante de originalidade e força. Sem dúvida se tivéssemos de responder ao dilema proposto por Aubrey Bell a propósito da literatura portuguesa: a escolher entre a perda das obras de Homero, ou Dante, ou Shakespeare, e a de toda a literatura portuguesa: a escolher entre a perda de Homero, ou Dante, ou Shakespeare e toda a literatura hispano-americana, haveríamos que nos decidir, com critério universalista ou puramente estético, por Homero, Dante ou Shakespeare. Mas sejamos americanos. Ao diabo o critério uni-

---

11 Proferida em 1945, na cerimônia de grau dos bacharéis da Faculdade de Filosofia da Universidade do Brasil.

versalista ou puramente estético. Digamos com Renan: que nos importa a grandeza de Sírius, se é o nosso Sol que amadurece as nossas searas? Não desprezemos a tradição europeia em que nos formamos. Convenhamos no entanto que é nos pensadores americanos que podemos encontrar resposta aos nossos problemas sociais e políticos, nos poetas americanos a emoção específica da nossa paisagem e da nossa alma, nos romancistas americanos a expressão profunda de nossa vida.

Exageramos, por ignorância, a pobreza do nosso patrimônio de cultura. Vivemos a repetir, inconscientemente, as palavras de desdém de europeus também ignorantes, como essas do Eça quando afirmou que jamais concorremos, os americanos, para a obra da civilização do mundo "com uma ideia nova, nem com uma forma nova". Não tomou conhecimento, o grande romancista português, dos Irvings, dos Emersons, dos Thoreaus, dos Hawthorns, dos Melvilles, dos Martís, dos Bellos, dos Sarmientos. Eça esteve em Havana nos anos de 1873 e 1874. A terceira edição de *Leaves of grass* data de 1860: o gênio profundamente original e renovador de Whitman passou-lhe despercebido. E por desmentir, tão gloriosamente para a América espanhola, o juízo do europeu falacioso, ainda em vida do Eça um pobre mestiço de Nicarágua, sem instrução regular e formado ao acaso de suas leituras de autodidata, ia revolucionar e enriquecer surpreendentemente as fontes da poesia de língua castelhana.

Aliás, esse desdém refletia outro desdém mais grave, o que caiu sobre a Espanha depois do eclipse político de seu belo idioma. Hoje, porém, em todo o mundo as simpatias se voltam para o nobre país que foi no passado a barreira irredutível da cultura cristã e hoje é, desgraçadamente, o pior rebotalho das ditaduras fascistas que levaram o mundo à ruína. Um mestre americano, cidadão da pequena São Domingos, que foi o viveiro da civilização em terras da América, Pedro Henríquez Ureña, consagrou todo um livro à exaltação da Plenitude de Espanha, mostrando objetivamente o que a cultura moderna deve à pátria de Cervantes, tanto nas ciências puras como nas de aplicação e descrição, na filosofia, na mística e na ascética, no pensamento jurídico, na linguística, na teoria da literatura, na literatura, nas artes plásticas, na música. E outro mestre insigne da crítica, este alemão, Karl Vossler, encanecido no estudo das culturas da França e da Itália, confessou-nos que se fosse moço e estivesse de novo nos princípios de suas pesquisas romanísticas, dedicaria a sua melhor energia à história da língua, à poesia popular e artística de Espanha e à elaboração, assimilação, desenvolvimento e ampliação do tesouro cultural romântico na América espanhola. Este, sim, é um mestre europeu que nos convém, porque, como os melhores pensadores americanos, soube ver em nosso doloroso processo de organização "um avanço penoso, duro e terrível em seus reveses, é verdade; mas em sua linha essencial ascensão confiada e magnífica do selvagem ao espírito, das culturas baixas e dispersas à unidade e humanidade mais altas".

Meus caros amigos, aqueles dentre vós que seguiram o meu curso, sabeis que repito aqui o *leitmotiv* de todas as minhas lições, a lição por excelência que é a lição de fé nos destinos da América, herdeira da melhor tradição da Europa, mas utilizando-a com o pleno sentido da realidade americana na solução de todos os nossos problemas, quer se trate de uma constituição, quer se trate de um poema. Aquele que durante um ano foi o vosso professor, e mais do que professor, um amigo que se desvanecia da amizade com que sempre o distinguistes, faz-vos este último pedido: que fora desta casa não esqueçais nunca esse propósito de solidarização continental; que continueis sempre a leitura dos autores americanos em que vos iniciastes nas minhas aulas, tanto pelo gozo em si que tirareis disso, como porque, assim fazendo, ficarão mais habilitados para ensinar, com o entusiasmo de vossa radiosa mocidade, que uma literatura onde se nos deparam obras como as de Garcilaso Inca, Juana Inés de la Cruz, Juan Ruiz de Alarcón, Bello, Martí, Montalvo, Sarmiento; uma literatura onde repontou, forte de seiva nova, a poesia do Modernismo e a poesia gauchesca de *Martin Fierro* merece a atenção do mundo e é para nós, americanos, justo título de orgulho.

Quero agora congratular-me convosco pelo grande acontecimento da quinzena passada – o decreto que deu autonomia administrativa, financeira, didática e disciplinar à Universidade do Brasil. A auspiciosa decisão do governo já foi celebrada nesta mesma sala pelas palavras eloquentes do Magnífico Reitor e do eminente educador a quem em boa hora foram entregues os destinos desta casa. Puseram eles em destaque, com a experiência de consumados pedagogos, como essa medida poderá integrar o nosso ensino superior no verdadeiro sistema universitário, porque até agora a Universidade do Brasil não passava de um conjunto de escolas reduzidas à função burocratizada e quase inerte de transmitir conhecimentos e conceder diplomas. Faltava-lhe quase tudo para cumprir a missão de comunicar com a ciência a capacidade que a produziu, como já foi definida em conceito lapidar a missão das Universidades. Não se compreende uma Universidade sem instrumentos de investigação desinteressada, ou interessada acima de tudo no progresso cultural da coletividade. Não se compreende uma Universidade que não tenha a norteá-la um ideal superior ao horizonte visual de cada indivíduo, por mais justo que seja o seu afã de ganhar um título profissional. A Universidade tem que ser a matriz da vida espiritual de um povo. Desde as primeiras Universidades que apareceram ainda na Idade Média, foram elas o instrumento de um corpo de doutrina, um fermento de renovação da vida do espírito, arquivo do passado, registro do presente, mas também antena do futuro. Para termos ideia da importância, política até, que podem ter as Universidades, basta relembrar alguns fatos que estão nos livros: a Universidade de Caen, fundada pela Inglaterra para consolidar o seu domínio na Normandia; a de Douai, criada pela Espanha como um corolário da conquista de Flandres; a de Königsberg, criada por Alberto de Brandeburgo, quando abraçou a Reforma, para difundir a doutrina nos países bálticos; a de Friburgo, fundada por Frederico Guilherme com o fim de impor às populações uma educação prussiana; a de Strasburgo, reconstruída com o mesmo escopo, em 1870, pela Alemanha. A Universidade é uma das armas com que se duelam os dois partidos tradicionais da Inglaterra, o Whig e o Tory: os liberais criaram em 1828 a Universidade de Londres para combater o espírito conservador de Oxford. Na Bélgica, à Universidade de Lovaina, expoente do catolicismo, se contrapõe a Universidade de Bruxelas, liberalista e anticlerical. De um modo geral, pode-se dizer que as Universidades do século XIX serviram sempre aos ideais da democracia.

Claro que Universidade, segundo nos ensina Fernando de Azevedo, "implica a ideia de universalidade e reclama o livre exame, como obra cujo impulso criador se apoia e se alimenta na liberdade, tomada em sua plenitude, de crítica, e de investigação". A nossa, a Universidade do Brasil, que de Universidade até agora só tinha o nome, Universidade sem centros de pesquisas, sem seminários, sem extensão dos estudos à massa da população, criada numa hora de eclipse do regime democrático, só podia ser o que foi: um dos muitos prisioneiros no campo de concentração do extinto Estado Novo, trabalhando, como os galés, com os pés chumbados às grilhetas burocráticas do Dasp.

Aqui, em nossa Faculdade, com laboratórios deficientes, uma biblioteca pobríssima, era impossível sair do ramerrão da simples ciência transmitida. Certa vez que um grupo de alunas tentou organizar, sob a direção do ex-bibliotecário doutor Otto Maria Carpeaux, uma antologia dos poetas franceses, não encontrou na biblioteca da casa nem nas outras bibliotecas públicas o indispensável material bibliográfico para a sua tarefa; teve de recorrer a particulares. Fez o seu trabalho, mas não conseguiu vencer a inércia burocrática. No entanto um só fato mostra que os brasileiros somos capazes de invenção desde que nos ponham nas mãos os instrumentos de pesquisa: quero referir-me aos notáveis trabalhos sobre o fenômeno termodielétrico, isto é, a produção de eletricidade nas mudanças de estado físico, descoberta do professor Costa Ribeiro e seus assistentes. É que o nosso ilustre colega teve a sorte de herdar da extinta Universidade do Distrito Federal o necessário equipamento de investigação.

Com a autonomia concedida, cabe-nos agora a plena responsabilidade dos nossos destinos. Saberemos honrar a liberdade que nos foi deferida. Afiançam-no as palavras do Magnífico Reitor quando definiu a Universidade como "a consciência e o cérebro da Nação, a mais elevada expressão sistemática da sua vida espiritual"; quando conceituou a missão dela como um verdadeiro sacerdócio. Penhoram-no as conclusões do nosso diretor Carneiro Leão em seu último livro ao afirmar, com pura fé democrática e em escorreita síntese:

> Nenhuma educação que se não fundamente no tríplice objetivo de formar o indivíduo livre, expressão real de sua própria personalidade, a sociedade homogênea e harmoniosa, atenta à felicidade individual, social e nacional, e um universo interdependente, preocupado com o equilíbrio da comunhão entre os homens e entre os povos, corresponderá às aspirações humanas de um mundo melhor.

Meus caros afilhados: o vosso paraninfo quereria corresponder à vossa confiança, regalando-vos com um discurso como, em igual ocasião, fez Eugênio Maria Hostos para os primeiros graduados na Escola Normal de São Domingos, aquela peça que o mexicano Antonio Caso considera "a obra-prima do pensamento ético na América hispânica". Ou como a incomparável oração que Rodó pôs na boca do professor Próspero. Mas Hostos e Rodó eram grandes pensadores, e eu, ai de mim, *je ne m'entends qu'à la métrique*, não passo de um poeta que, quando abandona o verso, se sente sempre como um cavaleiro desmontado. Não passo de um poeta improvisado em professor, – no fundo um estudante encruado, que estudava convosco. Por isso, o que vos aconselho é que sigais as lições do uruguaio e do porto-riquenho: defendei sempre a vossa juventude interior, aspirai sempre a desenvolver, não um só aspecto, mas a plenitude de vosso ser, a consciência da unidade fundamental da natureza humana – lição de *Ariel*; procurai sempre a verdade neste mundo de aparências, e nesta hora de ruínas, lembrai-vos do que disse Hostos:

> Dai-me a verdade e eu vos darei o mundo. Sem a verdade, destruireis o mundo, ao passo que eu, com a verdade, e só com a verdade, reconstruirei o mundo tantas vezes quantas o houverdes destruído. E dar-vos-ei não somente o mundo da matéria, mas também o mundo que o espírito humano perpetuamente constrói acima do mundo material.

Eu não vos aconselharia a verdade só. Digamos a verdade e o amor. O grande Martí, num dos momentos mais duros de sua existência, escreveu à mãe que neste mundo a verdade e a ternura não são coisas inúteis. Ides começar fora desta casa uma tarefa onde não faltarão os embaraços, os dissabores, as decepções. Não vos desejo senão o contrário de tudo isso. Mas, nas horas difíceis e incertas, não vos deixeis abater pelo desânimo, nem transviar no pessimismo: afirmai antes, com mais entusiasmo, em vossa juventude interior preservada, que a verdade e a ternura não são coisas inúteis, e continuai lutando com verdade e ternura.

APRESENTAÇÃO DA POESIA BRASILEIRA

A poesia no Brasil começa com as produções dos catequistas da Companhia de Jesus, autos e poemas avulsos, todos de intenção edificante. A tardia coleta dessas nossas "primeiras letras" fez atribuir quase tudo a José de Anchieta (1534-1597), de todos os padres o mais dotado de sensibilidade poética. E "será possível deslindar, com absoluta certeza, se o conteúdo dos cadernos de Anchieta é exclusivamente seu"? A pergunta é do padre Serafim Leite, o eminente autor da *História da Companhia de Jesus no Brasil*, o qual aponta logo sério fundamento para se admitir a autoria, ou pelo menos a intervenção, do padre Manuel do Couto no *Auto de São Lourenço*. O mais formoso espécime dessa poesia de fundo religioso são as trovas "A Santa Inês na vinda de sua imagem":

Cordeirinha linda,
como folga o povo,
porque vossa vinda
lhe dá lume novo!

Cordeirinha santa,
de Jesus querida,
vossa santa vida
o diabo espanta.

Por isso vos canta,
com prazer, o povo,
porque vossa vinda
lhe dá lume novo.

Figura esse poema nos cadernos de Anchieta, mas o sabor bem português dos versos e a reminiscência do Alentejo na sexta estrofe ("Não é de Alentejo. Este vosso trigo...") suscitam ao sábio historiador jesuíta a suspeita de que o verdadeiro autor seja o alentejano Manuel do Couto.

Em 1601 foi publicada em Lisboa a *Prosopopeia*, poema épico composto de 94 estrofes em oitava rima, que tem por herói o capitão e governador-geral de Pernambuco Jorge de Albuquerque Coelho. Nenhum valor literário apresenta, quer pelo conteúdo, mera sucessão de lisonjas bombásticas ao "sublime Jorge", que o autor, pelos

O sentimento nativista amadurece no decorrer do século XVII, gerando conflitos sangrentos entre os filhos da terra e os portugueses, provocando nas atividades literárias o interesse pela natureza e pela história do Brasil, afirmando-se nos gabos muitas vezes excessivos. Isso e a necessidade do estímulo resultante do trabalho em comum constituíram o principal móvel das sociedades que então se fundaram e que nem por precária que fosse a sua existência e medíocre a produção deixaram de exercer benéfica influência no desenvolvimento de nossas letras.

A primeira dessas academias, a dos Esquecidos, revela desde o nome o propósito de lembrar a Portugal, em cujas academias não tivemos entrada, que havia no Brasil quem se interessasse pelas coisas do espírito. Como escreveu José Veríssimo, "apesar da origem oficial, e de serem um arremedo, havia nelas um sentimento de emulação com a Metrópole, e portanto um primeiro e leve sintoma de espírito local de independência". Fundou-se a Academia dos Esquecidos na Bahia, em 1724, sob o patrocínio do vice-rei Dom Vasco Fernandes César de Meneses, e reuniu-se pela última vez em fevereiro de 1725. Em 1759, por iniciativa de José Mascarenhas, conselheiro do ultramar na Bahia, tentou-se fazer renascer a extinta academia numa nova sociedade literária, e daí o seu nome de Academia dos Renascidos. Teve ela duração ainda mais breve que a primeira, pois nesse mesmo ano se dissolveu, em consequência da prisão de seu fundador e diretor perpétuo, culpado de não ter dado cumprimento às ordens secretas, que trouxera de Lisboa, contra os jesuítas.

No Rio de Janeiro, a academia mais antiga foi a dos Felizes (1736-1740), a que se seguiu a dos Seletos (1752) e finalmente a Sociedade Literária, fundada em 1786 pelo poeta Silva Alvarenga. Tiveram todas vida efêmera, sendo que a dos Seletos apenas celebrou a sessão magna de abertura. Muito citada é ainda uma certa Arcádia Ultramarina; pouco se sabe de positivo sobre ela, senão que já em 1768 o poeta Cláudio Manuel da Costa se dizia "árcade ultramarino". José Veríssimo nega-lhe a existência como sociedade organizada: "Árcade", diz o crítico em sua *História da literatura brasileira*, "valia o mesmo que poeta. 'Árcade ultramarino' não dizia mais que poeta de ultramar, sem de forma alguma indicar a existência no Brasil dessas sociedades, que de fato nunca aqui existiram."

Quem ler a história da Academia Brasílica dos Renascidos, escrita por Alberto Lamego, pode fazer ideia do espírito que animava todas essas sociedades. Espírito que se comprazia em torneios fúteis, como o de saber "qual a empresa de maior glória: celebrar Lisboa a conservação da vida de el-Rei nosso Senhor na sua presença ou celebrá-la a Bahia na sua ausência?" Ou glosar motes como este:

> Oh mil anos viva, amém,
> O nosso único José;
> Assim como único é,
> Eterno seja também.

Competiam os Renascidos em escrever sonetos onde cada verso pertencia a uma das cinco línguas – latina, portuguesa, espanhola, italiana e francesa – ou sonetos anagramáticos etc., tudo jogo de palavras, de que nada se salvou.

Tão mesquinha foi a nossa poesia na primeira metade do século XVIII, que um fraco poeta como Frei Manuel de Santa Maria Itaparica (1704-1768?), por se destacar dos demais, mereceu entrada em todas as nossas histórias literárias. É seu nome lembrado por duas obras: *Eustáquidos*, poema heroico e sacro-tragicômico, em seis cantos de cinquenta oitavas reais cada um, cujo assunto é a vida de Santo Eustáquio, e a *Descrição da Ilha de Itaparica*, em 72 oitavas. Esta é prezada pelo sentimento nativista, que faz lembrar Botelho de Oliveira e a sua *Ilha da Maré*. O frade descreve a natureza da ilha natal, gaba-lhe a fertilidade e pinta a vida dos pescadores, a caça às baleias etc.

No meado do século XVIII Minas Gerais tornou-se, em consequência da exploração do ouro e dos diamantes, a capitania mais rica e mais populosa do Brasil. Com a riqueza desenvolveu-se também a cultura intelectual. Em alguns decênios os humildes arraiais de catadores se transformaram em belas cidades, ainda hoje admiradas pela arquitetura dos seus templos e construções civis. Vila Rica, a atual Ouro Preto, decretada em 1933 monumento nacional, São João del-Rei, Mariana, Diamantina constituíram-se em focos de instrução, onde se estudavam não só as letras clássicas, mas também as literaturas modernas, principalmente a italiana, a espanhola e a portuguesa. Essa civilização do ouro produziu algumas das figuras mais notáveis das nossas artes: na escultura e na arquitetura, Antônio Francisco Lisboa, o Aleijadinho; na pintura, Manuel da Costa Ataíde; na literatura, o grupo de poetas que se costuma chamar, aliás impropriamente, a *Escola Mineira*.

Não há na obra desses poetas nada que a possa extremar do Arcadismo português, mas como na poesia de Bocage e de Anastácio da Cunha já se podem distinguir uma ou outra vez uns como prenúncios do Romantismo, assim em certos dos nossos árcades é de observar alguma coisa que representa, na emoção mais sincera ou no aproveitamento do elemento brasileiro, uma força renovadora ainda sem consciência de si mesma.

Seis são os poetas principais desse grupo: Cláudio Manuel da Costa, Tomás Antônio Gonzaga, Basílio da Gama, Santa Rita Durão, Alvarenga Peixoto e Silva Alvarenga. Cláudio Manuel da Costa, Gonzaga e Alvarenga Peixoto foram grandes amigos, e todos três se viram envolvidos no movimento libertário da Inconfidência (1789). "O número considerável de poetas que figuram entre os chefes da conspiração", escreveu João Ribeiro, "dá-lhe um certo caráter de elevação intelectual e teórica que em outras revoluções práticas fica apenas subentendido; mas mostra que não podiam aspirar a outro papel que o de precursores." A tentativa malogrou-se ainda no período das conversações: presos os conspiradores, Cláudio Manuel da Costa suicidou-se e os outros dois foram desterrados para a África.

Cláudio Manuel da Costa (1729-1789) nasceu nos arredores de Mariana. Fez o curso de letras no Colégio dos Jesuítas do Rio de Janeiro e depois partiu para Portugal, onde se formou em cânones na Universidade de Coimbra. Datam de então as suas primeiras obras poéticas – *O munúsculo métrico*, o *Epicédio* e o *Labirinto do amor* – as quais o próprio Poeta não julgou dignas de figurar na edição de suas *Obras* (1768). Terminado o curso, voltou ao Brasil e entregou-se à profissão de advogado em Vila Rica. Na administração pública exerceu várias vezes o cargo de secretário do governo.

As obras poéticas de Cláudio Manuel compreendem sonetos, cantatas, églogas, epístolas etc. e o poema *Vila Rica*. Foi ele certamente do grupo mineiro o mais preso aos modelos arcádicos; era, por outro lado, o mais culto e o mais correto na metrificação e na linguagem. A parte melhor de sua produção está nos sonetos, em alguns dos quais, renunciando aos artifícios da escola e aproximando-se da tradição camoniana, se exprimiu com sobriedade e vigor. Assim, no soneto que começa pelo verso "Destes penhascos fez a natureza..." No *Vila Rica* não conseguiu o Poeta pôr a emoção que porventura lhe despertava a terra natal. O poema arrasta-se através de narrativas e descrições insípidas, onde é raro um ou outro movimento de verdadeira inspiração.

Tomás Antônio Gonzaga (1744-1810) nasceu na cidade do Porto. O pai era brasileiro; a mãe, portuguesa, filha de inglês. Aos oito anos de idade veio para o Brasil com o pai, que havia sido nomeado ouvidor-geral em Pernambuco e foi depois intendente-geral do ouro na Bahia. Só aos dezesseis anos voltou a Portugal, para estudar na Universidade de Coimbra. Esses nove anos de infância passados no Brasil tiveram influência na formação do Poeta e de certo modo o naturalizaram brasileiro. Bacharel em 1768, exerceu Gonzaga o cargo de juiz de fora em Beja e no ano de 1782 foi despachado para o Brasil como ouvidor e procurador de defuntos e ausentes na comarca de Vila Rica. Esse homem já maduro apaixonou-se então por uma brasileirinha de dezesseis anos, de quem ficou noivo. Era Maria Doroteia Joaquina de Seixas, pertencente a uma das melhores famílias da cidade, a qual ficaria imortalizada nas liras do Poeta sob o nome de Marília. Em 1786 foi Gonzaga nomeado desembargador da Relação da Bahia. No mês de abril requereu licença para o seu casamento, que estava marcado para o fim de maio. Mas denunciado o Poeta como conspirador, foi preso e transportado para a fortaleza da Ilha das Cobras, no Rio de Janeiro, donde só saiu em 1792 para cumprir a sentença de desterro por dez anos em Moçambique. "Minha bela Marília, tudo passa", cantara o Poeta à sua amada nos tempos felizes do noivado. Não terá morrido o sentimento no coração de Marília, pois morreu solteira em avançada idade. Mas Gonzaga, logo afeito à sociedade de Moçambique, onde se tornou a principal figura – era ali o único advogado habilitado e procurador da Coroa e da Fazenda –, casou-se um ano depois com uma senhora "de muita fortuna e poucas letras". Mesmo depois de esgotado o prazo do desterro, deixou-se ficar na África e um ano antes do seu falecimento era nomeado juiz da Alfândega. Não passa pois de pura lenda a velha informação biográfica que dava o Poeta como tendo terminado os seus dias em situação de miséria e loucura, torturado pelas saudades do Brasil e da sua Marília.

Os poetas do grupo mineiro, embora não pertencessem a nenhuma arcádia regularmente organizada, usavam, como os árcades portugueses, pseudônimos poéticos: Cláudio Manuel da Costa era *Glauceste Satúrnio*; Alvarenga Peixoto, *Eureste Fenício*; Silva Alvarenga, *Alcindo Palmireno*; Basílio da Gama, *Termindo Sipílio*. Gonzaga adotou nas suas líricas o nome de *Dirceu*.

O livro *Marília de Dirceu* é a história dos amores do Poeta, cujos sonhos de felicidade foram tão cruelmente cortados pelo processo em que se viu colhido. O crítico português Rodrigues Lapa assinalou com agudeza o ideal burguesmente familiar desses amores, tão bem ilustrados pela Lira 3 da parte III na qual o Poeta se vê no futuro sentado à mesa de estudo, cercado de altos volumes de enredados feitos:

> Enquanto revolver os meus consultos,
> Tu me farás gostosa companhia,

ENSAIOS LITERÁRIOS

> Lendo os fastos da sábia, mestra História,
>   E os cantos da poesia.

> "Lerás em alta voz a imagem bela;"
> Eu, vendo que lhe dás o justo apreço,
> Gostoso tornarei a ler de novo
>   O cansado processo.

Marília de Dirceu tornou-se desde logo a lírica amorosa mais popular da literatura de língua portuguesa e nenhum poema, a não ser *Os Lusíadas*, tem tido tão numerosas edições. Embora sejam encontradiços na maioria de suas liras os recursos estafados da poesia arcádica, como sejam os fingimentos pastoris e as alusões mitológicas, há em muitas delas um tom de ingênua simplicidade que as coloca acima da produção dos árcades da metrópole; e como notou Rodrigues Lapa, "o sentimento vivo da paisagem, que busca o termo exato e concreto e não recua diante do vocábulo técnico". Esta última característica é sobretudo visível nas primeiras estrofes da lira atrás citada, certamente uma das mais belas:

> Tu não verás, Marília, cem cativos
> Tirarem o cascalho e a rica terra,
> Ou dos cercos dos rios caudalosos,
>   Ou da mina da Serra.

> Não verás separar ao hábil negro
> Do pesado esmeril a grossa areia,
> E já brilharem os granetes de ouro
>   No fundo da bateia.

> Não verás derrubar os virgens matos,
> Queimar as capoeiras inda novas,
> Servir de adubo à terra a fértil cinza,
>   Lançar os grãos nas covas.

> Não verás enrolar negros pacotes
> Das secas folhas do cheiroso fumo;
> Nem espremer entre as dentadas rodas
>   Da doce cana o sumo.

Nessa lira esqueceu o Poeta a paisagem e a vida europeias, os pastores, os vinhos, o azeite e as brancas ovelhinhas, esqueceu o travesso deus Cupido, e a sua poesia reflete com formosura a natureza e o ambiente social brasileiro, expressos nos termos da terra – *cercos, bateia, capoeiras* – com um fino gosto que não tiveram em suas tentativas pedestres os precursores Botelho de Oliveira e Santa Maria Itaparica.

Um dos problemas mais debatidos da crítica em nossa literatura é o da autoria das *Cartas chilenas*, poema satírico escrito na segunda metade do século XVIII sob o criptônimo de *Critilo*, nome tomado de uma personagem do *Criticón*, de Baltasar Gracián. As *Cartas chilenas* constituem uma diatribe violentíssima contra a pessoa e a administração do governador Luís da Cunha Meneses e seus favoritos. O governador aparece nelas representado sob os traços do herói burlesco Fanfarrão Minésio. Deriva o título da sátira do fato de ter o poeta usado o disfarce literário de transportar a ação de Vila Rica para Santiago do Chile. Foram impressas pela primeira vez, em número de sete, na revista *Minerva Brasiliense*, no ano de 1845. O promotor dessa primeira edição, o escritor chileno Santiago Nunes Ribeiro, redator da citada revista, estampou como testemunho da autoria de Gonzaga uma declaração assinada por Francisco das Chagas Ribeiro, fornecedor do manuscrito: "Tenho motivos para certificar que o doutor Tomás Antônio Gonzaga é autor das *Cartas chilenas*". Uma segunda edição, mais completa, pois compreendia treze cartas, foi publicada pelo editor Laemmert em 1863; o texto da nova edição se baseava num manuscrito encontrado por Luís Francisco da Veiga entre os papéis de seu avô, Francisco Saturnino da Veiga, que foi contemporâneo do autor das cartas, as quais atribuía a Gonzaga. Ao ler as *Cartas chilenas* nessa edição, o historiador e crítico brasileiro Varnhagen fortaleceu-se na opinião, já expendida em seu *Florilégio da poesia brasileira*, de que a obra não podia ser imputada senão a Cláudio Manuel da Costa. Posteriormente, foi a questão muito discutida e favoráveis a Gonzaga se manifestaram, entre outros, José Veríssimo e Alberto Faria. Em 1940 Afonso Arinos de Melo Franco publicou uma edição das famosas cartas baseada nos três manuscritos que pertenceram a Francisco Saturnino da Veiga e que hoje pertencem ao arquivo do Instituto Histórico e Geográfico Brasileiro. Traz essa edição um longo prefácio que expõe os antecedentes do problema e discute-o, concluindo pela autoria de Gonzaga para as treze cartas e de Cláudio Manuel da Costa para a epístola que as precede.

Veríssimo, em sua *História da literatura brasileira*, assinalara que dos versos 19-30 da Carta IX se pode inferir ser o autor português de nascimento. Esses versos são os seguintes:

> Pois não me deu a veia de Poeta,
> Nem me trouxe por mares empolados
> A Chile, para que, gostoso e mole
> Descanse o corpo na franjada rede.
>
> Nasceu o sábio Homero entre os antigos,
> Para o nome cantar do negro Aquiles;
> Para cantar também ao pio Eneias,
> Teve o povo Romano o seu Virgílio.
> Assim para escrever os grandes feitos,
> Que nosso Fanfarrão obrou em Chile,
> Entendo, Doroteu, que a Providência
> Lançou na culta Espanha o teu Critilo.

Ora, Gonzaga, nascido em Portugal, era o único poeta do grupo mineiro que poderia falar assim.

No Arquivo Histórico e Colonial de Lisboa encontrou o historiador brasileiro Luiz Camillo de Oliveira Netto uma representação de Gonzaga à rainha denunciando as violências do governador Cunha Meneses. Cotejando-a com alguns trechos das cartas verificou ele que o ofício do juiz resume as irregularidades largamente comentadas pelo Poeta. Em certo ponto as expressões são as mesmas. Escreve o juiz: "Enfim, Senhora, ele não tem outra lei e razão mais que o ditame de sua vontade". E o Poeta, na Carta IX:

> [...] um bruto Chefe,
> Que não tem outra Lei mais que a vontade?

A prova estilística também é favorável a Gonzaga. Alberto Faria notara na Carta I as expressões "soprar o vento de alheta" e "desrinzados" em dois versos consecutivos. Essas duas expressões se encontram também numa mesma estrofe da lira VII da terceira parte de *Marília de Dirceu*. A primeira é pouco comum; a segunda não aparece registrada com o *i* nasalado em nenhum dicionário. Elas valem, pois, quase por uma assinatura de Gonzaga. Varnhagen apresentara como argumento estilístico em favor de Cláudio Manuel da Costa as repetições de palavras no mesmo verso, construção frequente em Critilo e em Cláudio. Mas a estatística das palavras repetidas mostra que a percentagem é de 2,7 nas *Cartas*; de 0,6 na obra de Cláudio e de 2 na de Gonzaga. A esse aspecto Gonzaga é dos dois poetas o que mais se aproxima de Critilo.

Ao contrário de Varnhagen, a generalidade dos críticos tem reconhecido o valor literário dessas cartas, inestimáveis aliás como documento de crítica de costumes. Aquela sociedade improvisada em pleno sertão pela cobiça do ouro, com os seus desmandos de prepotência e sensualidade, nos é pintada por Critilo com implacável realismo, de vivo sabor às vezes, como por exemplo na descrição do lundu dançado em palácio tão desenvoltamente quanto

> Nas humildes choupanas, onde as negras,
> Aonde as vis mulatas, apertando
> Por baixo do bandulho a larga cinta
> Te honravam, c'os marotos, e brejeiros,
> Batendo sobre o chão o pé descalço.

Alvarenga Peixoto (1744-1792) nasceu no Rio de Janeiro, fez os estudos secundários no Colégio dos Jesuítas e formou-se em leis pela Universidade de Coimbra. Voltando ao Brasil, foi bem acolhido pelo vice-rei, o marquês do Lavradio, a quem se deveu a fundação da Casa da Ópera, para a qual traduziu o Poeta a *Mérope* de Maffei e escreveu um drama em verso, *Eneias no Lácio*. Alvarenga Peixoto não se fixou no Rio: seguiu para Minas Gerais, estabelecendo-se em São João del-Rei, abandonando a advocacia pela indústria da mineração, que o tornou abastado. Comprometido na Inconfidência (teria sido ele quem propôs para legenda da bandeira revolucionária a frase *Libertas quæ sera tamen*), foi condenado ao desterro em Ambaca (África), onde faleceu. Deixou Alvarenga Peixoto fama de homem eloquente e imaginoso. Incerto é o juízo que se possa formar de sua obra poética, pois dela só nos restam vinte sonetos, umas sextilhas, três odes incompletas, duas liras, uma cantata e um *Canto genetlíaco* em oitava rima, na sua maioria versos de circunstância em louvor de poderosos.

Silva Alvarenga (1749-1814) nasceu em Vila Rica. Era mestiço, filho de um músico pobre, que, graças ao auxílio de amigos, conseguiu fazê-lo educar no Rio. O Poeta herdara do pai facilidade para a música: tocava rabeca e flauta, dotes que, unidos ao seu natural simpático e espirituoso, lhe conquistaram logo a popularidade, não só aqui como em Portugal, para onde se passou em 1768 a fim de estudar na Universidade de Coimbra. Ali, ainda estudante, escreveu um poema herói-cômico, *O desertor das letras*, sátira aos velhos métodos de ensino seguidos na Universidade antes da reforma de Pombal, poema que foi publicado à custa ou por ordem do ministro de Dom José. Depois de formado, regressou ao Brasil e na cidade natal exerceu a advocacia até 1782, quando se transferiu para o Rio, vivendo a partir de então como professor de retórica e poética, cargo para o qual fora nomeado pelo vice-rei Luís de Vasconcelos, seu protetor e amigo. Silva Alvarenga era um estudioso não só das principais literaturas europeias, inclusive a inglesa, como de matemática e ciências físicas e naturais. Deve-se-lhe a iniciativa da fundação de uma sociedade científica, que teve duração efêmera, mas que ele restaurou mais tarde sob o nome de Sociedade Literária. Essa última foi dissolvida pelo vice-rei conde de Resende, o qual, dando ouvidos à denúncia de um desafeto do Poeta, o fez prender como culpado de manter um clube de jacobinos em cujas reuniões se discutia religião e política. Dois anos depois era posto em liberdade, alquebrado e desiludido. Todavia ainda colaborou na revista literária *O Patriota*.

Sua obra principal intitula-se *Glaura* e traz por subtítulo *Poemas eróticos de um americano*. A primeira parte consta toda de poesias em forma de rondó; não o rondó de forma fixa, mas aquele em que um dístico ou uma quadra se repete depois de cada estrofe. A segunda parte compõe-se de madrigais. Há mais variedade de ritmos, e ainda de sentimentos e de tom na *Marília de Dirceu* do que em *Glaura*; mas no livro de Silva Alvarenga a simplicidade é a mesma, senão maior e mais constante; menor também o repertório arcádico. As notas brasileiras são mais frequentes e introduzidas com uma naturalidade que lhes tira todo caráter exótico: a cada passo falam os versos de mangueiras, cajueiros, laranjeiras; uma vez alude ao pico da Gávea. Já em *O desertor das letras* se lembrara enternecidamente do Pão de Açúcar:

> Nem tu, ó Pão de Açúcar, namorado
> Da formosa Cidade, Velho e forte,
> Que dás repouso às nuvens, e te avanças
> Por defendê-la do furor das ondas.

Por essas qualidades merece o poeta de *Glaura* ser colocado entre os prenunciadores do nosso Romantismo.

Basílio da Gama (1741-1795) nasceu nos arredores de São José del-Rei, hoje Tiradentes, de pai português e mãe brasileira. Foi aceito na Companhia de Jesus em 1757. Concluído o noviciado no Colégio do Rio de Janeiro em maio de 1759, deve ter feito os votos perpétuos, e continuou os estudos. Mas nesse mesmo ano é a Ordem expulsa do Brasil. Passou-se então o Poeta a Portugal. Não se demorou ali; seguiu para Roma, onde foi admitido à Arcádia Romana. Em fins de 1766, começos de 1767, veio ao Brasil, aqui ficando pouco tempo, e tornou a Portugal para estudar em Coimbra. Devido à sua condição de ex-jesuíta, foi então preso e condenado ao desterro em Angola. Livrou-se de cumprir a sentença escrevendo um epitalâmio para a filha de Pombal. E em 1769 publicava o poema épico *O Uraguai*, no qual procurou reabilitar-se mais completamente junto aos seus protetores por meio de comentários ferinos contra os jesuítas, aos quais devia a sua educação. Mais tarde foi nomeado oficial da Secretaria do Reino. Faleceu em Lisboa.

O assunto d'*O Uraguai* é a guerra que Portugal, ajudado pela Espanha, moveu aos índios das Missões do Rio Grande do Sul, rebelados contra a execução do tratado de 1750, que os transferia do domínio dos padres jesuítas para o dos portugueses. O poema tem cinco cantos e o seu herói é Gomes Freire de Andrada. O primeiro canto arrasta-se prosaicamente na descrição de uma revista de tropas prestes a iniciar a campanha e na narrativa das causas do conflito, feita por Gomes Freire ao núncio do rei da Espanha. Quase todo o segundo canto é tomado pela entrevista entre o chefe português e Cacambo, o cacique dos tapes. Não se rende o índio às razões do branco, trava-se a luta e Cacambo, vencido, retira-se. Para amenizar a crônica histórica e também polêmica do poema, que no fundo é um verdadeiro panfleto contra os jesuítas, acrescentou-lhe o autor o elemento sentimental sob a forma dos amores de Cacambo. E o canto terceiro nos mostra Lindoia, a esposa do índio, vendo pelas artes mágicas de uma velha feiticeira o terremoto de Lisboa, a reconstrução da cidade por iniciativa de Pombal, e finalmente as naus que a outros climas,

> Longe dos doces ares de Lisboa,
> Transportam a Ignorância, e a magra Inveja,
> E envolta em negros, e compridos panos
> A Discórdia, o Furor. A torpe, e velha
> Hipocrisia vagarosamente
> Atrás deles caminha [...]

Alusão aos padres da Companhia expulsos de Portugal. Envenenado Cacambo pelo Padre Balda, que queria dar a esposa e a sucessão do chefe tape a Baldeta, seu filho natural com uma índia, Lindoia deixa-se picar por uma serpente venenosa e morre: é o único episódio emocionante do poema, terminando pelo verso famoso onde o Poeta sobrepuja em beleza de forma o de Petrarca, de que é tradução: "Tanto era bela no seu rosto a morte!" O último canto consiste numa descrição de imaginadas pinturas na abóbada do templo principal do povo de São Miguel: a Companhia dando leis ao mundo, pretexto para novos ataques contra os jesuítas. E o Poeta remata, falando ao seu poema:

> Serás lido, *Uraguai*. Cubra os meus olhos
> Embora um dia a escura noite eterna.
> Tu vive, e goza a luz serena, e pura.

Não há grandeza de inspiração n'*O Uraguai*: os seus méritos residem na beleza das paisagens, correção e brilho da forma, fino sentimento no episódio da morte de Lindoia. Não se lhe pode negar também a evidente originalidade: cinquenta anos antes de Garrett compôs Basílio da Gama um poema nos moldes que deram ao *Camões* do poeta português o título de iniciador do movimento romântico – pôs de lado a mitologia e a oitava real; fugiu aos recursos gongóricos e arcádicos. Todavia o espírito que anima o poema não nos autoriza a colocá-lo, como querem alguns, entre as obras precursoras do Romantismo.

Santa Rita Durão nasceu em Cata Preta, distrito de Mariana, em 1722. Era filho de um militar português. Fez os estudos de humanidades no Colégio dos Jesuítas do Rio e doutorou-se em Teologia na Universidade de Coimbra, da qual foi mais tarde reitor. Pertenceu à ordem de Santo Agostinho. Por motivo ainda não apurado teve de deixar Portugal, passando-se à Espanha e depois à Itália. Em Roma foi patrocinado pelo papa Clemente XIV, que em 1764 o nomeou bibliotecário da Lancisiana. Nesse cargo esteve Durão nove anos, cercado do respeito dos literatos romanos. Voltou a Portugal para concorrer a uma cadeira na Universidade de Coimbra, sendo satisfeito em sua pretensão. Faleceu em 1784.

Durão ficou em nossa literatura como autor da epopeia *Caramuru*. O poema é mais nosso do que *O Uraguai*, pelo assunto e pela intenção patriótica; mais extenso (dez cantos). Não tem, no entanto, a originalidade do outro. Durão apegou-se em tudo ao modelo camoniano. A obra é escrita em oitava rima e abre com a exposição do argumento na primeira estrofe, a invocação na segunda, o oferecimento a Dom José nas seis seguintes. A invocação é toda cristã:

> Santo Esplendor, que do grão Padre manas
> Ao seio intacto de uma virgem bela;
> Se da enchente de luzes soberanas
> Tudo dispensas pela Mãe donzela;
> Rompendo as sombras de ilusões humanas,
> Tu do grão caso a pura luz revela;
> Faze que em ti comece e em ti conclua
> Esta grande obra, que por fim foi tua.

O oferecimento não se limita a uma simples lisonja: o Poeta recomenda ao príncipe a situação miserável da gente indígena "sempre reduzida a menos terra", rogando-lhe que ponha "aos pés do trono as desgraças do povo miserando". Havia em Durão aquela crença na bondade do homem natural, característica dos humanistas do século XVI e de certos filósofos do século XVIII. Nas reflexões prévias ao poema diz o Poeta que o ordenou "a pôr diante dos olhos dos libertinos o que a natureza inspirou a homens que viviam tão remotos das que eles chamam 'preocupações de espíritos débeis'".

Caramuru foi o nome dado pelos indígenas da costa da Bahia ao português Diogo Álvares Correia, que ali naufragou nos primeiros anos depois do descobrimento. No primeiro canto do poema se conta como o náufrago se impôs ao cacique Gupeva, ao qual depois defende contra o ataque de outro chefe gentio, Sergipe. Ocupa quase todo o canto seguinte uma prática entre Gupeva e o Caramuru, expondo aquele as crenças dos selvagens, ao passo que o português instrui o aliado nos mistérios da religião católica. Nas últimas estrofes aparece a índia Paraguaçu, filha de Taparica, o cacique da ilha do mesmo nome. Durão fá-la:

> De cor tão alva como a branca neve,
> E donde não é neve, era de rosa;
> O nariz natural, boca mui breve,
> Olhos de bela luz, testa espaçosa;

Paraguaçu fora destinada pelo pai para esposa de Gupeva. A índia, porém, não o aceitara. Gupeva cede-a ao Caramuru, que à primeira vista se apaixona pela princesa, no que é logo correspondido. Tão falso e convencional quanto o tipo atribuído pelo Poeta à índia é o caráter desses amores. "Não se imagina", escreveu José Veríssimo, "um rude aventureiro do século XVI, ardente e voluptuoso, na situação singular, descrita por Durão, com uma índia, moça e amorosa, em meio desta natureza excitante e dos fáceis costumes indígenas, e sem nenhum estorvo social, comportando-se qual se comportou o seu, isto é, como um santo ou um lendário cavaleiro cristão, e a reservando, num milagre de continência, para sua esposa segundo a Santa Madre Igreja". No canto terceiro Gupeva volta a falar das lendas dos aborígines (versão do dilúvio, missão de S. Tomé). Os dois cantos seguintes são dedicados a novas lutas, desta vez contra o chefe índio Jararaca, que vinha disputar a Gupeva a posse de Paraguaçu. Vencido e morto Jararaca, partem Diogo Álvares e Paraguaçu do Brasil numa nau francesa, que os leva à corte de França. É o assunto do sexto e sétimo cantos. O par casa-se em Paris, tendo por padrinhos os reis de França. Caramuru descreve o Brasil a Henrique II numa sequência de estrofes pitorescamente prosaicas relativas à flora e à fauna do país. Há na fala do português um bonito detalhe quando se refere ao ananás:

> fruta tão boa,
> Que a mesma natureza namorada
> Quis como a rei cingi-la de coroa:

Na viagem de regresso à Bahia, estando Paraguaçu a orar diante da imagem da Virgem, cai em transe e, recordada, conta as visões que teve durante o desmaio: artifício literário de que se vale o Poeta para narrar sucessos posteriores da história brasileira – lutas contra os franceses e contra os holandeses. Enchem esses episódios os cantos oitavo e nono. Finalmente assistimos no último canto à chegada do primeiro governador-geral Tomé de Sousa. A penúltima estrofe do poema insiste no nobre propósito de proteção ao aborígine:

> Que o indígena seja ali empregado,
> E que à sombra das leis tranquilo esteja;
> Que viva em liberdade conservado,
> Sem que oprimido dos colonos seja:
> Que às expensas do rei seja educado
> O neófito, que abraça a santa igreja,
> E que na santa empresa ao missionário
> Subministre subsídio o régio erário.

Pela correção da linguagem figura Durão entre os clássicos do nosso idioma.

Outros poetas aparecem em nossas histórias literárias ilustrando a segunda metade do século, mas as suas produções estão quase completamente esquecidas. O padre Antônio Pereira de Sousa Caldas (1762-1814) e frei Francisco de São Carlos (1763-1829) escreveram poesias de caráter religioso: o primeiro é conhecido pela sua tradução dos Salmos; o segundo, pelo poema *A assunção da Santíssima Virgem*. Também de inspiração religiosa são a maioria das obras de Elói Otoni, tradutor dos *Provérbios de Salomão* e do *Livro de Jó*. José Bonifácio, o Patriarca da Independência, Francisco de Melo Franco (1757-1823), autor do poema *O reino da estupidez*, sátira aos mestres de Coimbra, e outros são, como os que acabamos de citar, figuras cuja atividade se prolongou ao século XIX (as *Poesias avulsas* de José Bonifácio foram publicadas em 1825 sob o pseudônimo de *Américo Elísio*). A produção de todos atesta fortemente a influência arcádica.

Domingos Caldas Barbosa, ao contrário, tendo falecido no ano de 1800 em Lisboa, onde foi membro da Nova Arcádia, mostra-se quase isento dos artifícios da escola. A sua poesia é toda inspirada nas formas populares, modinhas e lundus, gênero em que adquiriu grande popularidade tanto no Brasil como em Portugal. Caldas Barbosa era filho de português e de africana. Nasceu no Rio de Janeiro em 1740. A sua veia repentista e satírica, exercida contra os portugueses, foi causa de ser recrutado e mandado servir na Colônia do Sacramento. Ao regressar de lá, obteve baixa do exército e passou a Portugal, onde o protegeram os irmãos Conde de Pombeiro e Marquês de Castelo Melhor. Caldas recebeu ordens sacras e foi capelão da Casa da Suplicação. Continuou, porém, a cultivar a viola e as modinhas. É o primeiro brasileiro onde encontramos uma poesia de sabor inteiramente nosso. Algumas peças de seu livro – *Viola de Lereno* (*Lereno Selinuntino* era o seu nome da Arcádia) – parecem poesia popular de hoje:

> Prometeu-me Amor doçuras,
> Contentou-se em prometer;
> E me faz viver morrendo
> Sem acabar de morrer.

> Em mim tome um triste exemplo
> Quem amando quer viver;
> Saiba que é viver morrendo
> Sem acabar de morrer.
>
> ("Sem acabar de morrer")

> Cuidei que o gosto de Amor
> Sempre o mesmo gosto fosse,
> Mas meu Amor Brasileiro
> Eu não sei por que é mais doce.
>
> ("Doçura de amor")

> Eu sei, cruel, que tu gostas,
> Sim, gostas de me matar;
> Morro, e por dar-te mais gosto,
> Vou morrendo devagar.
>
> ("Vou morrendo devagar")

Esses e outros exemplos de poesia simples, de expressão correta e elegante, que se podem colher na *Viola de Lereno*, mostram a injustiça de José Veríssimo ao se ocupar de Caldas em sua *História da literatura brasileira*. Só viu na obra do mestiço os "requebros da musa mulata" a disfarçar a mesquinhez de inspiração e de forma.

Em 1836 publicou Gonçalves de Magalhães no primeiro número da revista *Niterói*, editada em Paris por um grupo de brasileiros, o artigo intitulado "Ensaio sobre a história da literatura do Brasil – estudo preliminar", o qual valeu por um manifesto romântico, embora não aparecesse nele a palavra "romântico". Traçando rápida sinopse da nossa literatura, dizia Magalhães que herdáramos de Portugal a literatura e a poesia: "Com a poesia vieram todos os deuses do paganismo, espalharam-se pelo Brasil, e dos céus, das florestas e dos rios se apoderaram. A Poesia do Brasil não é uma indígena civilizada, é uma grega vestida à francesa e à portuguesa, e climatizada no Brasil; é uma virgem do Hélicon, que sentada à sombra das palmeiras da América toma por um rouxinol o sabiá que gorjeia entre os galhos da laranjeira. Encantada por este nume sedutor, por esta bela estrangeira, os poetas brasileiros se deixaram levar pelos seus cânticos e olvidaram as simples imagens que uma natureza virgem com tanta profusão lhes oferecia. Tão grande foi a influência que sobre o gênio brasileiro exerceu a grega mitologia transportada pelos poetas portugueses, que muitas vezes poetas brasileiros em pastores se metamorfoseiam e vão apascentar seu rebanho nas margens do Tejo e cantar à sombra das faias." Os nossos poetas, continuava Magalhães, deviam abandonar essa poesia estrangeira, fundada na mitologia, e voltar os olhos para a religião, "que é a base da moralidade poética, que empluma as asas ao Gênio, que o abala e o fortifica, e através do mundo físico até Deus o eleva". A meio do artigo perguntava: "Pode o Brasil inspirar a imaginação dos poetas? E os seus indígenas cultivaram por ventura a Poesia?" Concluía pela afirmativa. Se a nossa poesia não tivera até então caráter novo e particular, é que os nossos poetas não tinham tido "bastante força para despojarem-se do jugo dessas leis, as mais das vezes arbitrárias, daqueles que se arrogam o direito de torturar o Gênio, arvorando-se legisladores do Parnaso". Para corrigir essa fraqueza, propunha a lição de Schiller: "O poeta independente não reconhece por lei senão as inspirações de sua alma, e por soberano o seu gênio".

Nesse artigo estavam indicados os principais pontos que iriam constituir a revolução romântica no Brasil: abandono dos artifícios arcádicos, da mitologia, da paisagem europeia, em favor da natureza brasileira e da religião; abandono das regras clássicas, substituídas pela livre iniciativa individual.

Naquele mesmo ano de 1836 juntou Magalhães o exemplo às críticas e conselhos, editando em Paris o volume de poesias intitulado *Suspiros poéticos e saudades*. Artigo e livro tiveram grande repercussão no Brasil, suscitando numerosos entusiastas e discípulos.

A glória de Magalhães, como iniciador, tem sido contestada. Sílvio Romero e outros críticos rastrearam em poetas anteriores, desde o grupo mineiro, certas características do espírito romântico. Elas existem, é fato, mas só com Magalhães as vagas tendências românticas se organizaram em doutrina e movimento, não espontaneamente aliás, porém graças à influência de igual movimento na França e em Portugal. Magalhães foi secundado em sua ação reformadora por Porto-Alegre, cujas *Brasilianas* influenciaram, como os *Suspiros poéticos*, os poetas mais novos.

A poesia romântica enche o século XIX, de 1836 até os primeiros anos da década de 1880, renovando-se através das gerações, não na forma – vocabulário, sintaxe, métrica – a que se manteve sensivelmente fiel, mas nos temas, no sentimento e no tom. Pondo de parte as pequenas diferenciações individuais, pode-se distribuir a evolução romântica em três momentos capitais: o inicial, em que à inspiração religiosa, base da poesia de Magalhães e Porto-Alegre, reflexo da de Lamartine, acrescentou Gonçalves Dias a que buscava assunto na vida dos selvagens americanos; o segundo, representado pela escola paulista de Álvares de Azevedo e seus companheiros, onde predominou o sentimento pessimista, o tom desesperado ou cínico de Byron e Musset; finalmente o terceiro, o da chamada escola condoreira, de inspiração social, a exemplo de Hugo e Quinet.

Domingos José Gonçalves de Magalhães, Visconde de Araguaia (1811-1882) nasceu no Rio de Janeiro, onde fez os estudos secundários e se formou em Medicina. Aos 21 anos publicou uma coleção de poesias, ainda de gosto arcádico, e no ano seguinte partiu para a Europa. A viagem abriu-lhe os olhos para a poesia nova, cuja revolução se processava nos vários países que visitou. Adotou-a com entusiasmo. De volta ao Brasil, serviu como secretário do governo nas províncias do Maranhão e do Rio Grande do Sul, foi eleito para a Câmara dos Deputados e finalmente abraçou a carreira diplomática, falecendo em Roma, onde era nosso ministro. Além dos *Suspiros poéticos*, escreveu *Os mistérios*, canto fúnebre, o poema indianista *A confederação dos Tamoios*, e a tragédia *Antônio José*.

Magalhães estava longe de ser o gênio que julgaram ver alguns dos seus contemporâneos, entre os quais Sales Torres Homem. A religião, a pátria, o amor, os aspectos da velha civilização europeia, temas inspiradores da poesia dos *Suspiros*, nunca lhe arrancaram acentos verdadeiramente profundos. Se disse "adeus às ficções de Homero", não se despediu completamente da velha retórica, e a maioria de seus versos rastejam quase sempre em lugares-comuns, aos quais a ênfase tenta embalde comunicar alguma emoção. Aqueles em que celebrou Roma merecem a expressão de "prosaico escandaloso" com que os definiu José Veríssimo:

> Roma é bela, é sublime, é um tesouro
> De milhões de riquezas; toda a Itália
> É um vasto país de maravilhas.

Só uma vez, no poema "Napoleão em Waterloo", a sua inspiração ganhou altura e calor. Em 1856, um ano antes do aparecimento dos quatro primeiros cantos dos *Timbiras* de Gonçalves Dias, publicou Magalhães a sua *A confederação dos Tamoios*. O prestígio social do autor veio fortalecer a corrente patriótica do indianismo, iniciada, dez anos antes, pelas "Poesias americanas" dos *Primeiros cantos* de Gonçalves Dias. Hoje a leitura dessa epopeia em dez cantos de decassílabos soltos não confirma a estima que a cercou ao tempo de sua publicação. Nem ninguém mais a lê senão quem o faz por obrigação de historiador e crítico literário. Quanto à tragédia, apenas teve o mérito de representar uma tentativa de criar o teatro brasileiro. *Antônio José ou o poeta e a Inquisição* tem por herói o brasileiro Antônio José da Silva, judeu garroteado e queimado em Lisboa em 1739, criador em Portugal de uma obra dramática importante, na qual, sob temas tirados da mitologia, fazia a pintura e sátira da sociedade portuguesa. A tragédia de Magalhães é "obra incolor, sem vida, sem um só tipo verdadeiramente acentuado, sem ação dramática", como disse dela com razão o crítico Sílvio Romero.

Manuel de Araújo Porto-Alegre, Barão de Santo Ângelo (1806-1879), nasceu no Rio Grande do Sul e lá fez os estudos secundários. Vindo para a Corte, matriculou-se na Academia de Belas Artes, onde conquistou os prêmios de pintura e arquitetura. Quando seu mestre Debret, um dos membros da missão artística francesa contratada por Dom João VI, regressou à Europa, Porto-Alegre acompanhou-o. Na Europa completou em viagens pela França, Inglaterra, Suíça e Itália a sua educação artística e como Magalhães sofreu a influência dos mestres românticos. Em Paris fez parte do grupo fundador da revista *Niterói*, na qual publicou o poema "Voz da natureza", escrito em Nápoles no ano de 1835, e um estudo sobre a música no Brasil. Voltando ao Brasil, fundou com outros o Conservatório Dramático, a Academia de Ópera Imperial, e assumiu papel ativo no movimento romântico. Em 1859 entrou para a carreira consular, onde serviu até morrer.

As principais obras poéticas de Porto-Alegre são as *Brasilianas*, coleção de poesias líricas, e o longo poema *Colombo*. Nas *Brasilianas* o Poeta, unindo-se ao exemplo de seu amigo Magalhães, tenta nacionalizar a poesia, realizando poemas como "A destruição das florestas" e "O Corcovado", que tiveram fama no tempo mas para o gosto moderno soam por demais palavrosos e enfáticos. Em todo caso retratam bem a pessoa do autor, de quem escreveu Sílvio Romero: "Porto-Alegre era entusiasta e um pouco fanfarrão na sua conversação; o mesmo em sua poesia: sopra em cima de seu leitor de vez em quando alguns termos empolados, campanudos, capazes de tonteá-lo. Seu lirismo não tem doçuras, delicadezas, mimos de ideia e de forma. Abre perspectivas, tem paisagens, mostra desenhos e algumas belas cores por vezes."

O *Colombo* está escrito em decassílabos brancos e compõe-se de quarenta cantos, precedidos de extenso prólogo. Canta este o ambiente de Granada depois da vitória sobre os mouros, colóquios de Fernando e Isabel com Boabdil e Daraxa, cerimônia de coroação de Fernando e Isabel como reis de Granada, festim de regozijo e finalmente a descrição de um torneio, no qual o Marquês de Cádiz, triunfador várias vezes, já ia receber a palma de invicto, quando entra na liça inesperado adversário, o Cavaleiro Negro, que pretende bater-se por uma dama cujo nome não quer declinar. Cruzam-se as lanças, o marquês é vencido: o Cavaleiro Negro era Colombo; a dama de sua invocação, a própria rainha, à qual Colombo dedica a vitória e pede um navio para a sua sonhada empresa:

> Uma nave, Senhora, o mais já tenho:
> Se uma nave me dás, dar-te-ei um Mundo.

Começa assim a falsificação da figura do descobridor da América, magnificado em paladino excepcionalmente robusto e destro. No introito do Canto I invoca o Poeta o auxílio de Deus "neste arrojo tão grande como esse orbe que tento descrever!" Os nove primeiros cantos narram episódios da viagem – tempestades, desânimos e murmurações da chusma, e a primeira tentação do Demônio sob a forma de um insular que prediz a Colombo a ruína se ele persistir na rota para Oeste. O Nauta, que reconhece o Inimigo, esconjura-o. O Demônio estronda no ar, ganha asas e vai afundir-se na cratera do vulcão de Tenerife, com grande pavor da tripulação, que se volta de armas na mão contra o chefe, exigindo a volta à Espanha. Mas Colombo, como sempre, consegue impor a sua vontade e a viagem continua. No Canto X reaparece o Demônio, desta vez sob a forma de um monstro marinho, que se transforma numa mulher, "abismo de amor e sedução", e esta procura reter o Descobridor numa ilha criada pelas artes mágicas do Inferno. Colombo triunfa da tentação e força o Demônio a revelar o seu nome e aparecer em sua verdadeira figura. O Demônio é Pamórfio, ministro de Satã, *o qual enche quinze cantos com a sua facúndia e as suas diabruras: devassa em prefigurações fantásticas e teatrais o passado, o presente e o futuro da América, evoca as sombras de Montezuma e Manco Cápac (pretexto para declamar sobre as teogonias e civilizações dos astecas e dos incas) e só para quando Colombo, testemunha curiosa, mas sempre invocando a sua crença católica, declara tudo aquilo encantos e ardis do Demônio. Pamórfio então resolve mostrar-lhe a verdade desnuda e evoca o quadro terrível da conquista, faz-lhe ouvir na terra que sonhara um Éden o gemido "de quatorze milhões de desgraçados", dá-lhe a ver

> Sobre um monte de corpos dessangrados,
> O estandarte da Ibéria triunfante,
> Qual cruz funérea memorando um crime!

A esse espetáculo Colombo cai desmaiado, mas definitivamente triunfante dos empecilhos infernais. Pamórfio toma-o nos braços e leva-o à capitânia. Prossegue a viagem e depois de novos trabalhos contra a insubordinação da chusma excitada por Martín Pinzón, que dá um falso rebate de terra, o Descobridor avista finalmente as primeiras plagas da América. Era a ilha de Guananani, onde desembarca e planta o pendão de Isabel. Em seguida se passa à ilha de Saometo e é bem recebido pelo cacique Guacanaguari. Numa tenda real improvisada oferece o índio aos europeus um banquete de frutos da terra, em cuja descrição vemos os nomes americanos hibridamente adjetivados por latinismos de erudito:

> Em suspensos racimos cocleados
> Pendem os pomos da nutriz pacova,
> A banana fluente, grato cibo
> Do ancião, e da infância desleitada.

Contra a verdade histórica condensa o Poeta numa só as quatro viagens de Colombo, com os principais sucessos nelas ocorridos – descoberta de novas ilhas e da costa firme, revolta de Caonabó e Anacaona, luta de Colombo contra Ojeda e Bobadilla. Colombo volta à Espanha na Niña, toca em Lisboa, tem ao passar pelo promontório de Sagres a visão do Infante Dom Henrique e finalmente lança âncora na baía de Palos. Toda a Espanha o festeja no seu caminho para Barcelona, onde o esperam Fernando e Isabel. Faz o Descobridor um resumo dos seus feitos e Isabel promete-lhe navios em que volte à América para completar a sua obra – "Fundar no Novo Mundo um novo império". Mas Isabel morre, e com ela a esperança de Colombo, que não encontrava em Fernando o mesmo entusiasmo e afeto da rainha. E o último canto do poema descreve a agonia do Descobridor "Mártir da inveja e da perfídia humana!" Termina o Poeta despedindo-se do seu poema e mandando um pensamento de amor "às belas plagas da querida pátria".

As qualidades melhores de Porto-Alegre não são de poeta, no fundo frio, mas sim de desenhista e pintor. Pode-se admirar nele o vigor da linguagem, o domínio do idioma e da métrica. Poucos escritores nossos usaram de tão rico vocabulário. Mas essa mesma riqueza está constantemente a prejudicar a clareza dos seus quadros ou a emoção que nos pretende comunicar. O *Colombo* está inçado de descrições eloquentes mas sem força sugestiva, meros exercícios retóricos.

A verdade é que tanto Magalhães como Porto-Alegre não eram românticos de natureza, nem tinham em si a autêntica imaginação e sensibilidade poéticas. Essas quem as possuiu e em grau eminente foi Gonçalves Dias.

ENSAIOS LITERÁRIOS

Nasceu Antônio Gonçalves Dias (1823-1864) numa fazenda dos arredores de Caxias (Maranhão), na qual se refugiara com a amante, brasileira de origem ainda não definitivamente apurada (índia pura ou cafuza?), o pai português, que ali buscara asilo contra as perseguições de nacionalistas exaltados. O primeiro infortúnio do Poeta foi separar-se da mãe aos seis anos, quando o pai a abandonou para casar-se com outra mulher. Esta aliás sempre se mostrou carinhosa com o enteado. Cresceu o menino em Caxias, revelando viva inteligência nas aulas de primeiras letras e ao balcão da casa comercial do pai. Àquele tempo era comum verem-se em Caxias índios mansos que vinham trocar com os habitantes arcos, flechas e potes de barro. "Menino", escreve Lúcia Miguel Pereira em sua excelente *Vida de Gonçalves Dias*, "há de ter brincado com esses instrumentos indígenas, há de ter aprendido muita palavra dos selvagens, que lhe eram familiares. Ouviria certamente falar em Tapuias, em Timbiras, em Tupis, em guerras de índios; saberia povoadas por eles as matas que avistava." A frescura dessas primeiras impressões da infância persistirá na obra indigenista do futuro Poeta. Em 1837 trouxe-o o pai para São Luís, a capital do Maranhão, a fim de embarcarem rumo à Europa. Gonçalves Dias ia completar os estudos secundários e seguir o curso de Direito na Universidade de Coimbra. Mas falecendo o pai em São Luís, regressou o órfão acabrunhado a Caxias. Encontrou apoio na madrasta, que o mandou para Portugal.

Não poucas foram as dificuldades materiais que sofreu o estudante, porque nem sempre a madrasta, premida pelos embaraços de dinheiro, podia enviar-lhe regularmente a mesada. Houve momento em que o Poeta pensou tornar de vez à pátria, e tê-lo-ia feito, se não acudissem companheiros de estudos, algum seus conterrâneos, os quais se cotizaram para garantir-lhe o sustento, nessa e em outras ocasiões de aperto. Em 1845 terminou o curso e voltou ao Brasil.

Os anos de permanência em Portugal tinham-lhe sido de grande proveito. Afora o curso universitário, estudou a língua e literatura da França, Inglaterra, Alemanha, Espanha e Itália; escreveu grande parte das poesias dos *Primeiros*, *Segundos*, *Últimos cantos*, só mais tarde publicadas, o romance autobiográfico *Memórias de Agapito Goiaba*, que ficou inédito e foi queimado pelo Poeta, e os dramas *Patkull* e *Beatriz Cenci*. Era querido e admirado no grupo dos românticos medievistas portugueses, cuja influência sofreu, como atestam várias de suas produções.

Pequena foi a sua demora na província natal. Em 1846 veio para o Rio de Janeiro e nesse mesmo ano publicou os *Primeiros cantos*. Nada definirá melhor o seu conceito da poesia do que as próprias palavras no prólogo:

> Gosto de afastar os olhos de sobre a nossa arena política para ler em minha alma, reduzindo à linguagem harmoniosa e candente o pensamento que me vem de improviso, e as ideias que em mim desperta a vista de uma paisagem ou do oceano – o aspecto enfim da natureza. Casar assim o pensamento com o sentimento, a ideia com a paixão, colorir tudo isto com a imaginação, fundir tudo isto com o sentimento da religião e da divindade, eis a Poesia – a Poesia grande e santa – a Poesia como eu a compreendo sem a poder definir, como eu a sinto sem a poder traduzir.

E é isto o que efetivamente se encontra em toda a lírica de Gonçalves Dias: uma funda nostalgia, a mágoa dos amores contrariados pelo destino, o consolo que tirava do espetáculo da natureza, do afeto dos amigos e da crença religiosa. Em tudo aquele sentimento de insatisfação, onde logo se identifica o famoso *mal du siècle*, por ele bem expresso mais tarde nestas quadras da poesia "Lira quebrada" dos *Últimos cantos*:

> Uma febre, um ardor nunca apagado,
> Um querer sem motivo, um tédio à vida
> Sem motivo também, – caprichos loucos,
> Anelo doutro mundo e doutras coisas;
>
> Desejar coisas vãs, viver de sonhos,
> Correr após um bem logo esquecido,
> Sentir amor e só topar frieza,
> Cismar venturas e encontrar só dores;

Os *Primeiros cantos* foram saudados por Alexandre Herculano como "inspirações de um grande poeta", e a opinião do mestre português resumia a impressão de toda a gente. Sobretudo a primeira parte do livro – as "Poesias americanas" – lhe parecia exemplo da verdadeira poesia nacional do Brasil.

> Quiséramos [dizia ele] que ocupassem maior espaço. Nos poetas transatlânticos há por via de regra demasiadas reminiscências da Europa. Esse Novo Mundo que deu tanta poesia a Saint-Pierre e Chateaubriand é assaz rico para inspirar e nutrir os poetas que crescerem à sombra das suas selvas primitivas.

São em número de cinco apenas as "Poesias americanas" dos *Primeiros cantos*. A primeira é a "Canção do exílio". Não há na poesia brasileira versos que tenham alcançado mais larga popularidade. "De uma simplicidade quase sublime", disse deles Veríssimo. Poderia tê-lo dito sem o quase. Sublime significa alto, elevado: na "Canção do exílio" o sentimento da nostalgia da pátria está expresso com uma serenidade que faz pensar na paz e silêncio dos altos cimos, a mesma que se respira em "*Wanderers Nachtlied Ein Gleiches*" de Goethe. Já notou um jovem crítico, Aurélio Buarque de Holanda, a ausência de qualquer adjetivo qualificativo nessas quatro estâncias, cuja força emotiva repousa na deliciosa musicalidade, em parte resultante do paralelismo, do encadeamento e das rimas de fonemas iniciais (primores, palmeiras) e na segura escolha das palavras-temas (os substantivos "terra", "sabiá", "palmeiras", e os advérbios "cá" e "lá"). Os outros quatro poemas são indianistas, e em dois deles – "Canto do Piaga" e "O morro do Alecrim" – vibra a nota indigenista em defesa dos índios contra a usurpação dos brancos invasores. No "Canto do Piaga":

> Oh! quem foi das entranhas das águas,
> O marinho arcabouço arrancar?
> Nossas terras demanda, fareja...
> Esse monstro... – que vem cá buscar?
>
> Não sabeis o que o monstro procura?
> Não sabeis a que vem – o que quer?
> Vem matar vossos bravos guerreiros,
> Vem roubar-vos a filha, a mulher!

Vem trazer-vos crueza, impiedade –
Dons cruéis do cruel Anhangá;
Vem quebrar-vos a maça valente,
Profanar Manitôs, Maracá.

Vem trazer-vos algemas pesadas,
Com que a tribo Tupi vai gemer,
Hão-de os velhos servirem de escravos
Mesmo o Piaga inda escravo há de ser!

Fugireis procurando um asilo,
Triste asilo por ínvio sertão...

Os dois últimos versos, que ainda hoje representam a condição dos íncolas, reaparecem na forte imprecação do "Morro do Alecrim":

Teus filhos valentes causavam terror,
Teus filhos enchiam as bordas do mar,
As ondas coalhavam de estreitas igaras
De frechas cobrindo os espaços do ar.

Já hoje não caçam nas matas tão suas
A corça ligeira – o trombudo quati.
A morte pousava nas plumas da frecha,
No gume da maça, no arco tupi.

O Piaga nos disse que breve seria,
Manito, dos teus a cruel punição;
E os teus inda vagam por serras, por vales,
Buscando um asilo por ínvio sertão!

Em nota às "Poesias americanas" declarava o Poeta que as publicava "mais para ensaio do que para outro fim". Sem dúvida o aplauso de Alexandre Herculano animou-o a persistir nos temas americanos, compondo o poema "Tabira", incluído nos *Segundos cantos* (1848), os sete poemas dos *Últimos cantos* (1851), entre os quais se destaca a pequenina epopeia de "I-Juca-Pirama" como a mais importante realização da musa indianista no Brasil, e finalmente o grande poema d'*Os Timbiras*, conhecido só nos quatro primeiros cantos, editados em 1857.

Em 1875 escreveu Capistrano de Abreu que o indianismo é

[...] um dos primeiros pródromos visíveis do movimento que enfim culminou na independência: o sentimento de superioridade a Portugal. Efetivamente era necessária grave mudança nas condições da sociedade, para que a inspiração se voltasse para as florestas e íncolas primitivos, que até então evitara, mudança tanto mais grave quanto o indianismo foi muito geral para surgir de causas puramente individuais.

E *descobre-lhe a verdadeira* significação nos contos populares cujos heróis são o "marinheiro" (alcunha dada no Brasil ao português) e o caboclo. Distingue nos contos satíricos três camadas: na primeira o "marinheiro" surge em luta contra a natureza brasileira; na segunda aparece o caboclo em luta contra a civilização; na terceira o herói é ainda o caboclo, mas "o ridículo como que está esfumado, e através sente-se não só a fraternidade como o desvanecimento. É a estes últimos contos que se prende o indianismo, cujo espírito se assemelha ao que levou *Gueux* e *Sans-culotte* a adotarem, vangloriando-se, o nome com que os tentaram estigmatizar."

Como se vê, para Capistrano de Abreu o indianismo, longe de ser a planta exótica mal transplantada pelos românticos, tinha fundas raízes em nossa literatura popular. A idealização do índio correspondia perfeitamente ao sentimento nacional: ela é anterior ao Romantismo e não desapareceu com ele. Será, se quiserem, um erro nacional. O que nos parece inadmissível é querer filiar o nosso indianismo romântico unicamente à mera influência de Chateaubriand e Fenimore Cooper.

Certo, Chateaubriand terá influído no Poeta; a epígrafe das "Poesias americanas" nos *Primeiros cantos* é significativa: "*Les infortunes d'un obscur habitant des bois auraient-elles moins de droits à nos pleurs que celles des autres hommes?*" Mas o indianismo de Gonçalves Dias vinha de fontes mais imediatas, o Poeta trazia-o no sangue, alimentava-o das reminiscências de sua infância em Caxias, dos seus estudos mais tarde concretizados no trabalho *O Brasil e a Oceania*, fortalecera-se do mito nacionalista criado na exaltação diferenciadora da Independência, quando um baiano ilustre mudava o seu nome para Gê Acaiaba de Montezuma e o próprio Pedro I adotava na Loja Maçônica o de Guatemozim.

Não foi Gonçalves Dias o introdutor do índio na poesia brasileira; soube, todavia, como ninguém antes ou depois dele, insuflar vida no tema tão caro ao sentimento nacional da época. Idealizou-o, é verdade, não por desconhecimento da psicologia própria do índio, mas em parte por simpatia, em parte obedecendo aos cânones estéticos do tempo; sem prejuízo da emoção que palpita, bela e convincente, em poemas como "I-Juca-Pirama", "Marabá", "Leito de folhas verdes", "Canto do Piaga", "Canto do Tamoio" e na epopeia d'*Os Timbiras*.

Esta última obra, que seria, na intenção do autor, uma espécie de "Ilíada americana", só ficou conhecida nos quatro primeiros cantos publicados em 1857. Sabe-se, porém, que o Poeta continuou a trabalhar nela e tinha pronta ou quase pronta quando voltava em 1864 da Europa; no naufrágio em que pereceu perderam-se os manuscritos.

A epopeia comportaria ao todo dezesseis cantos. Abre com uma introdução onde anuncia o argumento:

> Os ritos semibárbaros dos Piagas,
> Cultores de Tupã, e a terra virgem
> Donde como dum trono, enfim se abriram
> Da cruz de Cristo os piedosos braços;
> As festas, e batalhas mal sangradas
> Do povo Americano, agora extinto,
> Hei de cantar na lira. [...]

Como cantará?

> – Cantor modesto e humilde,
> A fronte não cingi de mirto e louro,

Antes de verde rama engrinaldei-a,
D'agrestes flores enfeitando a lira;
Não me assentei nos cimos do Parnaso,
Nem vi correr a linfa da Castália.
Cantor das selvas, entre bravas matas
Áspero tronco da palmeira escolho.

O primeiro canto começa apresentando o herói do poema, Itajuba, chefe dos Timbiras. O cacique matou em luta singular o chefe dos Gamelas, a tribo inimiga. Estes, não respeitando a palavra do chefe, segundo a qual haveriam de seguir a Itajuba em caso de derrota, preparam-se para atacar os Timbiras. Itajuba despacha Jurucei a propor paz e aliança aos Gamelas. Entrementes convoca os seus guerreiros. Nota-se a ausência de Jatir, contra quem se levantam murmurações. Defende-o o pai. No segundo canto meditam os guerreiros à noite às portas das tabas. Sai o Piaga de sua caverna e entoa um canto a Tupã, pedindo que sobre a tribo "os sonhos desçam como desce o orvalho". Cala-se o Piaga, todos adormecem. Mas Itajuba vela. Preocupa-o a ausência de Jatir. Pede a Croá que cante. Este faz o elogio de Coema, a falecida esposa de Itajuba. Vela também Ogib, pai de Jatir, ao qual se chega o louco Piaíba, que entra a lastimar-se. O terceiro canto se inicia com uma bela descrição do alvorecer nas selvas.

Lamenta o Poeta a ruína dos povos americanos em versos que terminam por esta apóstrofe:

América infeliz! – que bem sabia,
Quem te criou tão bela e tão sozinha,
Dos teus destinos maus! Grande e sublime
Corres de polo a polo entre os dois mares
Máximos do globo: anos da infância
Contavas tu por séculos! que vida
Não fora a tua na sazão das flores!
Que majestosos frutos na velhice,
Não deras tu, filha melhor do Eterno;
América infeliz, já tão ditosa
Antes que o mar e os ventos não trouxessem
A nós o ferro e os cascavéis da Europa?!
Velho tutor e avaro cobiçou-te,
Desvalida pupila, a herança pingue
E o brilho e os dotes da sem par beleza!

Rompe a aurora e os de Itajuba vêm contar os seus sonhos. Interpreta-os o Piaga, pressagiando a vitória na luta em perspectiva. Só Japeguá, à parte, não participa da alegria geral. Interrogado pelo Piaga, narra o sonho de mau agouro que tivera. É interrompido por Catucaba, que o increpa de covarde. O incidente termina com a intervenção de Itajuba. Mojacá conta também o seu sonho e pede explicação ao Piaga: vira em taba inimiga um guerreiro timbira prestes a ser sacrificado. Ogib acredita que se trata do filho. O Piaga, consultado, queixa-se que o deixam em sua caverna sem dádivas e só se lembram dele nos momentos de aflição. Desculpa-se Itajuba e promete-lhe reparação. O Piaga recolhe-se à sua gruta. No quarto canto assistimos à chegada de Jurucei à taba dos Gamelas. Servem-lhe suculento repasto.

O chefe Gurupema, filho do guerreiro vencido por Itajuba, reúne o seu conselho. Todos se inclinam à guerra. Fala um tapuia, sempre respeitado pelos seus prognósticos, ponderando que a lei da guerra dava ao timbira o direito de proceder como havia feito depois da vitória. Desaconselha a luta. Ouve-se Jurucei. Fala Gurupema e dá o pai como morto em combate desleal. Indigna-se Jurucei. Gurupema quer experimentar pelas armas o valor do mensageiro. Despede uma seta, que prostra um pássaro em pleno voo. Jurucei invectiva-o pela cruel ação. Uma seta partida da turba fere o timbira. Este, depois de exprobrar a deslealdade com que o tratam, parte proferindo ameaças. Gurupema procura apurar quem fora o autor do gesto criminoso, mas sem resultado.

Seria descabido julgar da epopeia apenas pela sua quarta parte publicada. Todavia, o espírito americano que informa os quatro primeiros cantos, os quadros da natureza descritos segundo a realidade local, o sopro épico a animar os episódios da vida selvagem colocam o fragmento d'*Os Timbiras* como a mais inspirada tentativa no gênero dentro da nossa poesia.

A maior parte da lírica de Gonçalves Dias inspira-se ora da natureza, ora da religião, mas sobretudo de suas próprias tristezas. Foram elas atribuídas ao infortúnio amoroso pelos críticos, esquecidos de que a grande paixão do Poeta ocorreu depois da publicação dos *Últimos cantos*. Na dedicatória destes a seu grande amigo e contemporâneo Alexandre Teófilo de Carvalho Leal já se confessa esgotado nas fontes de sua inspiração, perdida a fé e o entusiasmo nas "dores de um espírito enfermo – fictícias, mas nem por isso menos agudas – produzidas pela imaginação, como se a realidade já não fosse por si bastante penosa". O Poeta vencera na corte, fora nomeado professor de Latim e História do Brasil no Colégio Pedro II e depois oficial da Secretaria dos Negócios Estrangeiros. Mas essas ocupações lhe pareciam estéreis, o futuro se lhe representava incerto, e havia aqueles "sofrimentos de todos os dias, de todos os instantes, obscuros, implacáveis, renascentes – ligados a minha existência, reconcentrados em minha alma, devorados comigo..." Seriam certamente os do seu nascimento humilde e fora da lei. Realmente nem os *Últimos cantos* nem os *Segundos cantos* traziam mais a encantadora frescura de inspiração do primeiro livro em composições como a "Canção do exílio", "A leviana", "Seus olhos", "Minha vida e meus amores", "Quadras da minha vida".

Em 1851, recebe o Poeta do governo a comissão de examinar o estado da instrução pública no Norte do país, para onde parte. E em São Luís do Maranhão encontra moça feita a menina que lhe inspirara os versos da "Leviana". Enamoraram-se mutuamente, mas a mãe da moça, influída pelos preconceitos de cor e nascimento, recusou a proposta de casamento. A dor do Poeta foi grande e incurável. Reavivou-lhe no entanto a inspiração, que se elevou aos seus acentos mais sinceros e profundos nos poemas dos *Novos cantos*, especialmente em "A sua voz", "Se se morre de amor!", "Não me deixes" e "Ainda uma vez, adeus!" Procurou o Poeta assentar a sua vida num casamento que não foi feliz: sem paixão de sua parte, de paixão ciumenta da parte da esposa. Em 1855, parte Gonçalves Dias para a Europa, em nova comissão do governo. Regressando à pátria, é indicado em 1859 para fazer parte, como etnógrafo, da comissão científica que devia explorar e catalogar as riquezas do nosso solo. Da sua atividade no extremo norte resultou o seu *Vocabulário da língua geral usada no Alto Amazonas*, no qual se confirmaram os seus conhecimentos da língua indígena, já provados no *Dicionário da língua tupi*, impresso em Leipzig, em 1858. Os trabalhos dessa comissão acabaram de lhe arruinar a saúde, sempre precária. Em viagem de cura partiu novamente para a Europa em 1862. Não conseguiu as melhoras esperadas, e, piorando, embarcou em setembro de 1864 para o Maranhão, onde desejava morrer. Morreu à vista de terra nas trágicas circunstâncias de um naufrágio noturno. O seu estado aliás era desesperador. Deixava inéditas numerosas poesias, que não aumentam a sua glória, uma tradução da *Noiva de Messina* de Schiller, em que trabalhou porfiadamente, não se conhecendo porém a versão definitiva, perdida no naufrágio. E a sua bibliografia se completa com os dramas em prosa *Leonor de Mendonça, Patkull* e *Beatriz Cenci*, e as *Sextilhas de Frei Antão*.

Os poemas narrativos das *Sextilhas*, escritos num português arcaico que não cabe a rigor em nenhuma época delimitada da língua, foram classificados pelo autor de "ensaio filológico". O seu primeiro biógrafo, Antônio Henriques Leal, amigo entusiasta, atribuiu ao Poeta o propósito de provar o seu conhecimento do idioma ao Conservatório Dramático, que não aceitara o drama *Beatriz Cenci* sob a alegação de incorreções de linguagem. Lúcia Miguel Pereira mostrou porém que a peça foi louvada na "invenção, disposição e estilo", mas recusada por imoral. O Poeta escreveu as *Sextilhas* porque aceitava a inspiração "quando e donde quer que ela me venha; da imaginação ou da reflexão"; queria provar "que robustez e concisão havia nessa língua semiculta, que por vezes nos parece dura e malsoante, e estreitar ainda mais, se for possível, as duas literaturas – brasileira e portuguesa – que hão de ser duas, mas semelhantes e parecidas, como irmãs que descendem de um mesmo tronco e que trajam os mesmos vestidos – embora os trajem por diversa maneira, com diverso gosto, com outro porte, e graça diferente". Aliás o apego de Gonçalves Dias às formas arcaicas se trai a cada passo e às vezes com duvidoso gosto, em várias de suas composições poéticas (*mi* por "mim", *al* por "algo, alguma coisa", *imigo* por "inimigo" etc.).

Os versos e a prosa, postumamente publicados, de um rapaz ricamente dotado e falecido em plena adolescência, iriam influir enormemente na mocidade do seu tempo, dando o sentimento geral e o tom à chamada segunda geração romântica.

Manuel Antônio Álvares de Azevedo (1831-1852) nasceu em São Paulo, mas passou a infância no Rio de Janeiro. Aos dezesseis anos terminou o curso de bacharel em ciências e letras no Colégio Pedro II e seguiu para São Paulo, onde se matriculou na Faculdade de Direito. Não chegou, porém, a concluir os estudos, pois adoeceu de tuberculose pulmonar, vindo a morrer no Rio. O tédio de uma cidadezinha provinciana sem divertimentos e onde toda a vida intelectual se concentrava no ambiente liberal da academia, a saudade da família, sobretudo da mãe e de uma irmã ainda criança, que foram os afetos mais profundos de sua existência, a estranha ausência de qualquer sentimento amoroso bem definido e a impressão deixada no Poeta pela leitura dos românticos europeus minados pelo "mal do século" explicam o caráter da sua obra, onde as notas desabusadas, irônicas, a miúdo intencionalmente prosaicas, alternam com outras que lhe eram mais sinceramente pessoais – o seu erotismo entravado pela timidez, as suas afeições familiares, os pressentimentos melancólicos derivados de uma saúde precária, a obsessão da morte. Foi a primeira face que lhe trouxe, a princípio, maior renome, suscitando discípulos, criando em torno de sua figura uma auréola duvidosa de herói romântico. Álvares de Azevedo era em verdade um rapaz estudioso e morigerado a ponto de em São Paulo deixar de frequentar certa casa de família – "pois não é das melhores nem muito louváveis, pelo contrário, é bem nodoada a reputação dessas senhoras, que contudo vão a todos os bailes etc.!!" Mas o que ainda hoje nos encanta em sua obra, o que lhe garantiu um lugar de destaque entre os primeiros líricos inspirados da nossa poesia é a frescura das suas confissões de adolescente naqueles "cantos espontâneos do coração", consolo que foram de uma alma "que depunha fé na poesia e no amor", amor que tardava e nunca chegou a se concretizar numa dessas figuras de virgem tão frequentemente acariciadas em sonho:

> Oh! ter vinte anos sem gozar de leve
> A ventura de uma alma de donzela!
> E sem na vida ter sentido nunca
> Na suave atração de um róseo corpo
> Meus olhos turvos se fechar de gozo!
> Oh! nos meus sonhos, pelas noites minhas
> Passam tantas visões sobre meu peito!
> Palor de febre meu semblante cobre,
> Bate meu coração com tanto fogo!
> Um doce nome os lábios meus suspiram,
> Um nome de mulher... e vejo lânguida
> No véu suave de amorosas sombras
> Seminua, abatida, a mão no seio,
> Perfumada visão romper a nuvem,
> Sentar-se junto a mim, nas minhas pálpebras
> O alento fresco e leve como a vida
> Passar delicioso... Que delírios!
> Acordo palpitante... inda a procuro;
> Embalde a chamo, embalde as minhas lágrimas
> Banham meus olhos, e suspiro e gemo...
> Imploro uma ilusão... tudo é silêncio!
> Só o leito deserto, a sala muda!
> Amorosa visão, mulher dos sonhos,
> Eu sou tão infeliz, eu sofro tanto!
> Nunca virás iluminar meu peito
> Com um raio de luz desses teus olhos?

Esse anelo do coração inexperiente e no entanto ávido de amores é uma nota constante e a mais pura, a mais genuína da sua poesia. A realidade parecia zombar de tantos sonhos delirantes: a pálida donzela, a visão pensativa e lânguida, como ele a desejava, não aparecia. A própria distinção inata do Poeta punha a isso o maior obstáculo. A um amigo escreveu certa vez: "Sinto no meu coração uma necessidade de amar, de dar a uma criatura este amor que me bate no peito. Mas ainda não encontrei aqui [em São Paulo, onde viveu de 1848 a 1851, salvo os breves períodos de férias passadas no Rio] uma mulher – uma só – por quem eu pudesse bater de amores." As moças de São Paulo, mesmo as bonitas, raras na opinião do Poeta, pareciam-lhe com a sua beleza e os seus solecismos "estátuas estúpidas e sem vida". O anseio insatisfeito se resolvia em funda nostalgia, num vago pressentimento de morte prematura, inspirador dos dois mais tristes, mais expressivos poemas de sua lírica – "Lembrança de morrer" e "Se eu morresse amanhã". No primeiro confessa que

Se uma lágrima as pálpebras me inunda,
Se um suspiro nos seios treme ainda
É pela virgem que sonhei... que nunca
Aos lábios me encostou a face linda!

e pede como epitáfio (de fato gravado na lápide do seu túmulo) o verso

— Foi poeta – sonhou – e amou na vida. –

Essa a corda pessoal na *Lira dos vinte anos*, título escolhido pelo Poeta para a sua coleção de líricas, onde, como no *Poema do frade*, em cinco cantos, no *Conde Lopo*, deixado incompleto em seis cantos, no drama *Macário* e nas novelas da *Noite na taberna*, soam outras de empréstimo, que imitam o tom cínico e sarcástico de Byron e seus epígonos europeus. O terceiro canto do *Conde Lopo* abre mesmo com a invocação do nome do autor de *Childe Harold*:

Alma de fogo, coração de lavas,
Misterioso Bretão de ardentes sonhos
Minha musa serás – poeta altivo
Das brumas de Albion, fronte acendida
Em túrbido ferver! – a ti portanto,
Errante trovador d'alma sombria,
Do meu poema os delirantes versos!

Malgrado o que havia assim de artificial na atitude satânica desse rapaz, que ao mesmo tempo dirigia à mãe versos e cartas de uma ternura quase infantil, há que reconhecer nos seus cantos certa força de invenção verbal, de calorosa imaginação que o fadava a criações originais em idade de maior experiência. Malogrou-se com a sua morte a esperança de uma carreira literária possivelmente genial.

Contemporâneos de Álvares de Azevedo, em São Paulo, foram José Bonifácio, o Moço (1827-1886), sobrinho do patriarca da nossa independência, e os mineiros Aureliano Lessa (1828-1861) e Bernardo Guimarães (1825-1884), este o mais importante dos três. Mais conhecido pelos seus romances, nele todavia o poeta é superior ao romancista. O seu poema em versos brancos "O devanear de um cético" é uma das produções mais características do estado de espírito de sua geração. A obra poética de Bernardo Guimarães está contida nos livros *Cantos da solidão*, *Poesias*, *Novas poesias* e *Folhas do outono*.

Laurindo Rabelo (1826-1864), carioca, mestiço, soube elevar-se da sua origem e condição humilde à situação de médico do Exército e professor. O talento satírico e repentista granjeou-lhe grande popularidade no tempo: chamavam-lhe "o poeta Lagartixa" por causa do seu físico magro e desengonçado. A alegria exterior escondia porém uma funda mágoa das dificuldades e desdéns que encontrava na vida, e essa tristeza se reflete em acentos comoventes no poema "Adeus ao mundo". Publicou um volume intitulado *Trovas*, reeditado depois de sua morte com acréscimo de outras produções e sob o título de *Poesias*.

Ao meio carioca pertenceu também Casimiro de Abreu (1839-1860), natural de Barra de São João (estado do Rio), hoje Casimirana, em homenagem ao filho ilustre. Fez os estudos secundários na cidade fluminense de Friburgo e ainda menino começou a trabalhar no comércio, porque tal era a vontade do pai. Este não via com bons olhos o gosto do filho pelas Letras. O Poeta passou quase quatro anos em Portugal, de 1853 a 1857. Lá fez a sua estreia literária, aos dezessete anos, com a representação de uma cena dramática em verso intitulada *Camões e o Jau*. Regressando ao Brasil, voltou ao comércio, sem contudo abandonar a poesia, e até frequentando uma aula de matemática na Escola Militar. Em 59 editou as suas poesias sob o título de *Primaveras*. Atacado de tuberculose pulmonar, faleceu numa fazenda dos arredores de sua cidade natal.

Casimiro de Abreu é seguramente o mais simples, o mais ingênuo dos nossos românticos e isso lhe valeu o primeiro lugar na preferência do povo. A nostalgia da pátria, os primeiros sobressaltos amorosos da adolescência, os encantos da paisagem brasileira foram por ele cantados com um acento de meiguice inconfundível. Ninguém exprimiu melhor do que ele em nossa poesia aquilo que Mário de Andrade num estudo sobre Álvares de Azevedo chamou o "complexo do amor e medo", sentimento comum a todos esses adolescentes da fase romântica. O crítico batizou o complexo precisamente com o título de uma das poesias mais estimadas das *Primaveras*:

> Quando eu te fujo e me desvio cauto
> Da luz de fogo que te cerca, oh! bela,
> Contigo dizes, suspirando amores:
> "– Meu Deus, que gelo, que frieza aquela!"
>
> Como te enganas! meu amor é chama
> Que se alimenta no voraz segredo,
> E se te fujo é que te adoro louco...
> És bela – eu moço; tens amor – eu, medo!...

Ninguém tampouco exprimiu melhor as saudades da infância do que o fez o poeta fluminense nas oitavas dos "Meus oito anos".

Formou-se a respeito de Casimiro de Abreu um juízo de todo injusto, a que infelizmente deu força a opinião de nomes prestigiosos como Carlos de Laet, o qual na sua *Antologia nacional* escreveu: "Não é escritor correto, mas poeta cujos maviosos acordes sabem o caminho do coração". O filólogo Souza da Silveira, em sua excelente edição das obras do Poeta, demonstra minuciosamente que, ao contrário, Casimiro de Abreu é escritor e poeta correto – pelo menos tão correto quanto os outros românticos tidos por corretos; e justifica um por um os pretendidos deslizes de linguagem e métrica apontados pelos críticos nas *Primaveras*.

Na Bahia nasceu e viveu Junqueira Freire (1832-1855), o poeta das *Inspirações do claustro* e das *Contradições poéticas*, livros onde palpita um sentimento fundo e sincero, nascido não da imaginação ou de leituras, mas de sofrimentos reais. Junqueira Freire era de constituição doentia e muito peculiar. Contou ele próprio numas páginas autobiográficas como em certa ocasião de desvario se entregou ao vício da cânfora:

> O primeiro dos meus prazeres era fumar um bom charuto depois de ter enchido a boca de cânfora. Esta resina transparente costuma, como se sabe, deixar um suave frescor

no órgão do paladar. Eu então sentia um gozo esquisito no tomar da fumaça, que parecia lutar, de quente que é, com essa substância ainda na maior parte desconhecida em seus efeitos. Eu gastava muitas horas em desvanecer-me poeticamente nesse sainete agradável, que sempre nos produz o gosto contrastado de fresco e ardente, de uma vez.

Igual sensação contrastada de fresco e ardente vamos encontrar na poesia desse espírito atormentado e contraditório que procurou abrigo no refúgio do claustro. Fez-se frade não por vocação, mas para fortalecer-se contra aquele "pensamento gentil de paz eterna", o pensamento da morte: "Um mosteiro pareceu-me um ermo verdadeiro. Ali eu podia retrair-me tanto, que ninguém soubesse de minha existência. Eu acreditava que uma cela ocultava melhor que o interior da campa." O seu desengano foi cruel, desde os primeiros dias de noviço, e assim no-lo descreve nos versos "À profissão de frei João das Mercês Ramos":

> Mas eu não tive os dias de ventura
>> Dos sonhos que sonhei:
> Mas eu não tive o plácido sossego
>> Que tanto procurei.
>
> Tive mais tarde a reação rebelde
>> Do sentimento interno.
> Tive o tormento dos cruéis remorsos
>> Que me parece eterno.
>
> Tive as paixões que a solidão formava
>> Crescendo-me no peito.
> Tive, em lugar das rosas que esperava,
>> Espinhos no meu leito.
>
> Tive a calúnia tétrica vestida
>> Por mãos a Deus sagradas.
> Tive a calúnia – que mais livre abrange
>> Ó Deus! vossas moradas!
>
> Iludimo-nos todos! – Concebemos
>> Um paraíso eterno:
> E quando nele sôfregos tocamos,
>> Achamos um inferno

O próprio estado monástico afigurou-se-lhe então instituição absurda e anacrônica, "espécie de ócio, no qual ele [o monge] não pode ser mais que mau e desgraçado".

Os seus versos mais fortes, onde outro atormentado poeta, o português Antero de Quental, assinalou acentos geniais, são esses em que o frade sem vocação nos fala de sua revolta, de seu arrependimento, do fogo de uma paixão infeliz não amortecido na cânfora da vida claustral; nesses poemas angustiados que ele costumava subtitular "Horas de delírio": "O monge", "Ao meu natalício", "Ela", "Desejo", "Morte", "Martírio", "Louco", "Não posso".

Deixou Junqueira Freire alguns escritos em prosa que revelam uma precoce capacidade crítica. Teve já naquela época a intuição do verso livre. "Pelo lado da arte", escreveu no prólogo das *Inspirações do claustro*, "meus versos, segundo me parece, aspiram a casar-se com a prosa medida dos antigos". E mais abaixo pergunta: "Chegará um dia a literatura a um tal grau, que distinga a prosa e a poesia tão somente pela nuance dos pensamentos? Nascerá um dia destas duas expressões mais ou menos belas uma forma intermediária, que espose tanto da singeleza da prosa, quanto do artifício da versificação?"

Após três anos de clausura, obteve o Poeta um breve de secularização e voltou ao século. Saía do mosteiro dos beneditinos com uma grave hipertrofia do coração, a que sucumbiu sete meses depois.

À segunda geração romântica pertence ainda Francisco Otaviano de Almeida Rosa (1825-1889), o negociador, como enviado extraordinário e ministro plenipotenciário no Prata, do tratado da Tríplice Aliança do Brasil, Uruguai e Argentina contra o ditador paraguaio Solano López. Escassa foi a produção poética de Otaviano, mas distinta pela fluência e singeleza do verso, tanto nos poemas originais como nas belas traduções de Ossian. De um fato que não despertou atenção de ninguém se diz no Brasil que "passou em branca nuvem". É metáfora tomada de uma graciosa sextilha do Poeta – "Ilusões da vida".

> Quem passou pela vida em branca nuvem
> E em plácido repouso adormeceu;
> Quem não sentiu o frio da desgraça,
> Quem passou pela vida e não sofreu:
> Foi espectro de homem, não foi homem,
> Só passou pela vida, não viveu.

Contemporâneo também da segunda geração romântica, mas vivendo até 1902, foi Joaquim de Sousa Andrade, maranhense, nascido em 1833, autor de *Harpas selvagens*, *Eólias* e de um longo poema, *O Guesa*, não completado mas publicado sob o nome de Joaquim de Sousândrade, como passara a assinar-se o poeta. Sousândrade, cuja obra caíra em total esquecimento mesmo antes de sua morte, foi redescoberto pelos concretistas Augusto e Haroldo de Campos, os quais julgaram encontrar nele invenções que o colocam em posição "precursora de importantes linhas de pesquisa da poesia atual". Tais invenções, porém, frequentemente de duvidoso gosto aliás, pouco ajudam a suportar o fluxo do mais enfadonho estilo discursivo romântico.

Na terceira geração romântica, ou seja, a dos poetas nascidos por volta de 1840, atenuam-se, mas sem desaparecer de todo, as influências de Byron e Musset. Victor Hugo será o ídolo desses rapazes, cuja poesia se caracteriza pelo abuso das antíteses, pelo arrojo das imagens, pelo tom empolado, o que levou Capistrano de Abreu a chamá-los condoreiros, expressão logo adotada em nossa história literária. Sílvio Romero classificou-os como Segunda Escola Pernambucana, porque foi no Recife que surgiu, em torno de Tobias Barreto e Castro Alves, em cerca de 1865, um grupo de poetas que obedeceram a uma intuição geral e tiveram mais ou menos uma só feição literária. A verdade é que antes dele o condoreirismo, vício nacional e até americano, já se revelara em manifestações isoladas de Pedro Luís, José Bonifácio, o Moço, e do próprio Gonçalves de Magalhães na ode "Napoleão em Waterloo". Castro Alves era ainda um menino, quando Fagundes Varela em 1861 dedicava à glória de Bonaparte estrofes como estas:

ENSAIOS LITERÁRIOS

Nos vastos plainos do Egito,
Sobre Titãs de granito,
Eu tenho um poema escrito
Que deslumbra a solidão.
Das Ísis rasguei os véus,
Entre os altares fui Deus,
Fiz povos escravos meus,
Ah! inda sou Napoleão.

Desde onde o crescente brilha
Até onde o Sena trilha,
Tive o mundo por partilha,
Tive imensa adoração;
E de um trono de fulgores
Fiz dos grandes – servidores,
Fiz dos pequenos – senhores,
– E sempre sou Napoleão.

Mas essas notas são esporádicas na obra abundante de Luís Nicolau Fagundes Varela (1841-1875), o qual, em linhas gerais, se nos apresenta como um retardatário da geração anterior, ainda influenciado fortemente por Gonçalves Dias, Álvares de Azevedo e Casimiro de Abreu. As melhores inspirações lhe derivam da sua natureza de hipocondríaco, de inadaptado dentro da civilização das cidades, o que o levava muitas vezes a buscar refúgio no seio das matas, a levar uma vida andarilha de boêmio, munido da inseparável garrafa de cachaça. Frequentou as Faculdades de Direito de São Paulo e Recife, não passando do quarto ano. "Não sirvo para doutor", exclama o herói do seu poema roceiro "Mimosa", que não é outro senão ele próprio. Em verdade não servia para trabalho de espécie alguma salvo o da literatura, que em seu tempo ainda não era profissão remuneradora. Viveu sempre à custa do pai e, depois que abandonou os estudos jurídicos, no lar paterno. Esse sonhador impenitente, dominado pelo vício do álcool, negação absoluta do chefe de família, casou-se duas vezes, da primeira aos vinte anos, com uma pobre moça filha de um empresário de circo, da qual teve um filho, falecido aos três meses de idade. A perda do menino causou-lhe profundo abalo e inspirou-lhe o longo poema "Cântico do Calvário", uma das mais belas e sentidas nênias da poesia em língua portuguesa. Nela, pela força do sentimento sincero, o Poeta atingiu aos vinte anos uma altura que, não igualada depois, permaneceu como um cimo isolado em toda a sua poesia. Figura no seu livro *Cantos e fantasias*, publicado em 1865 (antes editara três outros – *Noturnas*, *Vozes da América* e *O estandarte auriverde*, este de fracas poesias patrióticas inspiradas num incidente diplomático provocado no Brasil pelo ministro inglês William Christie). *Cantos e fantasias* é porventura o seu melhor livro, com os dez poemas da "Juvenília", ressumantes de fresca melodia, na evocação da infância feliz na fazenda natal dos arredores da cidade fluminense de São João Marcos. Depois dele ainda produziu Varela os *Cantos meridionais*, os *Cantos do ermo e da cidade* e dois poemas mais longos – *Anchieta ou o Evangelho nas selvas* e o *Diário de Lázaro*.

O Evangelho nas selvas, em dez cantos de versos brancos, é em suma a narrativa da vida, paixão, morte e ressurreição de Jesus. Soa ela bastante falsa porque o Poeta a pôs na boca de José de Anchieta falando aos selvagens do Brasil numa linguagem difícil que eles jamais entenderiam. Ainda considerada em si, é uma diluição enfática das palavras sóbrias e fortes dos Evangelhos. Bastará um exemplo para justificar o nosso juízo: no episódio da última ceia disse Jesus: "Na verdade, na verdade vos digo que um de vós me há de trair", o que no poema aparece amplificado assim:

> Sentados junto a mim, tratais-me agora
> Com respeitoso amor, vossas palavras
> São da fidelidade a viva cópia...
> E, contudo, um de vós há de trair-me!
> E, contudo, um de vós, pérfido, ingrato,
> Há de entregar-me aos bárbaros verdugos
> Que meu sangue reclamam, como a herança
> De seus perversos pais!

Nesse mesmo episódio nota um dos apóstolos que os discípulos presentes eram doze ainda, apesar de se ter retirado Judas Iscariotes... O duodécimo era Sócrates, que então fala:

> Senhor, em idos tempos,
> Por vossa vinda suspirei debalde!
> Entre rudes pagãos, fui o primeiro
> Que a divina unidade expôs ao mundo,
> Que do Deus uno e trino a glória viu!
> Mártir da fé, baixei à sepultura
> Sem receber as águas do Batismo!...
> Hoje, que dás a salvação e a vida
> À humanidade escrava do pecado,
> Quebrei da morte o fúnebre sigilo,
> Vim o sangue beber, comer a carne,
> A carne e o sangue do Cordeiro eterno!
> Glória! Glória ao Senhor! abertas vejo
> Do Paraíso as portas luminosas! –

Ao que lhe responde o Cristo:

> – Piedoso varão, exímio Sócrates,
> Sábio como Moisés, íntegro e justo
> Como o grande Abraão – Jesus exclama,
> Voa ao seio de Deus! Recebe o prêmio
> De teu sublime, heroico sacrifício! –

Esse enxerto na tradição dos evangelistas é o mais estranho, mas o Poeta permitiu-se outros. A narrativa se desenvolve em vários serões e os intervalos são preenchidos por algumas cenas da vida missioneira – um ataque de índios inimigos, a morte de um sacerdote, um vago romance da índia Naída, que definha e morre tuberculosa na ausência do seu amado Jatir, partido na expedição contra os franceses etc. A cena da tentação forneceu o pretexto para uma descrição, à maneira clássica, do globo terráqueo, com a visão do Novo Mundo a ser descoberto, terra "virgem ainda, ainda soberana, não pelos homens profanada":

Mundo esplêndido e forte, ao longe dorme,
Feliz, desconhecido dos tiranos,
E dos servos de Plutus, cobiçosos,
Entregue à eterna lei da Providência!

Salvam-se no poema algumas invocações em que o Poeta dá largas ao seu fluxo lírico, algumas belas paisagens a que o sentimento da natureza, que era forte em Varela, empresta certo calor, os episódios de caráter mais profano, como a dança de Salomé e o processo perante Pilatos e Herodes, onde há realmente ação com movimento dramático.

Interessará particularmente aos mexicanos saber que Varela por três vezes foi o cantor da independência do México, nos poemas "A sede", "Versos soltos" e "O general Juarez": no primeiro celebra em 507 decassílabos brancos um episódio heroico da revolução de 1810; os outros dois são consagrados à imortal figura de Juarez. Os "Versos soltos" foram escritos durante o reinado de Maximiliano:

Juarez! Juarez! Quando as idades,
Fachos de luz que a tirania espancam,
Passarem desvendando sobre a terra
As verdades que a sombra escurecia;
Quando soar no firmamento esplêndido
    O julgamento eterno;
Então banhado no prestígio santo
Das tradições que as epopeias criam,
Grande como um mistério do passado,
Será teu nome a mágica palavra
Que o mundo falará lembrando as glórias
    Da raça mexicana!

....

Teu nome está gravado nos desertos
Onde pés de mortal jamais pisaram!
Quando pudessem deslembrá-lo os homens,
As selvas despiriam-se de folhas,
Para arrojá-las do tufão nas asas
    Às multidões ingratas!

....

Os pastores de Puebla e de Xalisco,
As morenas donzelas de Bergara,
Cantam teus feitos junto ao lar tranquilo
Nas noites perfumadas e risonhas
Da terra americana. Os viajantes
Que os desertos percorrem, – pensativos
Param no cimo das erguidas serras,
Medem co'a vista o descampado imenso,
E murmuram fitando os horizontes
Vastos, perdidos num lençol de névoas:
Juarez! Juarez! em toda a parte
    Teu espírito vaga!...

....

Deixa que as turbas de terror escravas
Junto do falso trono se ajoelhem!
Os brindes e os folguedos continuam,
Mas a mão invisível do destino

> Na sala do banquete austera escreve
> O aresto irrevogável!

A profecia final cumpriu-se e o segundo poema saúda a volta do campeão:

> Juarez! Juarez! sempre teu nome
> Da liberdade ao lado!
> ....
> Tu a encaraste, Juarez, de perto!
> No mais fundo das matas,
> Onde a mãe natureza te mostrava
> Um código mais puro
> Do que os preceitos da infernal ciência
> Cujas letras malditas
> Queimam do pergaminho a lisa face,
> Aprendeste o segredo
> Que desde a hora prima do universo
> As torrentes murmuram!

Em sua *História da literatura brasileira*, publicada em 1888, escrevia Sílvio Romero a propósito de Álvares de Azevedo:

> É um dos poetas mais lidos e amados no Brasil; ele mais pelos estudantes e Casimiro de Abreu mais pelas moças. Gonçalves Dias, Castro Alves e Fagundes Varela vêm logo após na popularidade. Isto no Brasil em geral; porquanto, no Norte em especial, nenhum é mais lido e mais recitado do que Tobias Barreto, sendo para lembrar que a notoriedade deste tende a aumentar em todo o país, ao passo que a dos outros tem permanecido estacionária.

No presente os românticos brasileiros que continuam vivos no amor do público, os que ainda são comercialmente reeditados são os citados por Romero, com exclusão de Tobias Barreto. Em relação a este o vaticínio do crítico falhou completamente: ninguém mais hoje lê, senão por dever de ofício, o poeta dos *Dias e noites*, e o seu nome, se ficou para a posteridade, foi como introdutor entre nós do germanismo, o renovador dos estudos jurídicos pela concepção evolucionista darwiniana.

O único autêntico condor nesses Andes bombásticos da poesia brasileira foi Castro Alves, criança verdadeiramente sublime, cuja glória se revigora nos dias de hoje pela intenção social que pôs na sua obra. Nasceu Antônio de Castro Alves (1847--1871) na fazenda Cabaceiras, a sete léguas da vila de Curralinho, hoje cidade de Castro Alves. Passou a infância no sertão natal, e em 1854 iniciou os estudos na capital baiana. Aos dezesseis anos foi mandado para o Recife a estudar Direito e ali os seus talentos de poeta e orador, a sua ardente simpatia pela causa abolicionista criaram--lhe desde logo uma auréola de genialidade. Mas quase a meio do curso, em 1867, apaixonado pela atriz portuguesa Eugênia Câmara, parte com ela para a Bahia, onde faz representar um mau drama em prosa – *Gonzaga ou a Revolução de Minas*. Era sua intenção concluir o bacharelato em São Paulo, onde chegou no ano seguinte. A sua passagem pelo Rio assinalou-se pelos mesmos triunfos já alcançados em Pernambuco. Conta Afrânio Peixoto que o Poeta, para distrair as mágoas amorosas que lhe dava a atriz inconstante, cultivava assiduamente o esporte da caça. Em fins de

1868 teve a infelicidade de ferir um pé com um tiro casual, do que resultou longa enfermidade em que teve de se submeter a várias intervenções cirúrgicas e finalmente à amputação. O depauperamento das forças conduziu-o à tuberculose pulmonar. Sem poder terminar o curso, regressa o Poeta, doente e mutilado, à província natal em 1870, a procurar melhoras para a saúde no clima do sertão. Mas a tuberculose progrediu sempre e no ano seguinte faleceu Castro Alves na cidade da Bahia.

Publicara em 1870 o livro das *Espumas flutuantes*, cantos por ele definidos como rebentando por vezes "ao estalar fatídico do látego da desgraça", refletindo por vezes "o prisma fantástico da ventura ou do entusiasmo". Vulgarmente melodramático na desgraça, simples e gracioso na ventura, o que constituía o genuíno clima poético de Castro Alves era o entusiasmo da mocidade apaixonada pelas grandes causas da liberdade e da justiça – as lutas da independência na Bahia, a insurreição dos negros de Palmares, o papel civilizador da imprensa, que ele pinta como uma deusa incruenta, surgindo das brumas da Alemanha, surgindo "alva, grande, ideal, banhada em luz estranha", e acima de todas a campanha contra a escravidão. Mas este último tema não figurava nas *Espumas flutuantes*. As composições em que o tratava deveriam formar o poema *Os escravos*, o qual teria como remate *A cachoeira de Paulo Afonso*, que foi publicada postumamente. E o Poeta deixou ainda outras poesias avulsas que era sua intenção reunir em outro livro intitulado *Hinos do Equador*.

A cachoeira de Paulo Afonso conta a história da escrava Maria, violentada pelo filho do senhor, o qual escapa à vingança do escravo Lucas, noivo da moça, graças à revelação, que faz a mãe deste, de ser ele seu irmão; o desfecho é o suicídio do casal negro, que se precipita num barco à voragem da cachoeira. Serve de fundo ao drama a paisagem sertaneja evocada em várias partes do poema ("A tarde", "A queimada", "Crepúsculo sertanejo", "O Rio São Francisco") com raro vigor de sugestão poética, em que não faltam as notas de vivo realismo pitoresco. Segundo Afrânio Peixoto, autor da edição mais completa do Poeta, ao livro dos *Escravos* pertenceriam "Vozes d'África" e "O navio negreiro", os dois poemas em que o Poeta atingiu a maior altura do seu estro.

As "Vozes d'África" são uma soberba apóstrofe do continente escravizado a implorar justiça de Deus:

> Deus! ó Deus! onde estás que não respondes!
> Em que mundo, em qu'estrela tu t'escondes
>   Embuçado nos céus?
> Há dois mil anos te mandei meu grito,
> Que embalde desde então corre o infinito...
>   Onde estás, Senhor Deus?...

O que indignava o Poeta era ver que o Novo Mundo "talhado para as grandezas, p'ra crescer, criar, subir", a América que conquistara a liberdade com formidável heroísmo, se manchava no mesmo crime da Europa:

> Hoje em meu sangue a América se nutre
> – Condor que transformara-se em abutre,
>   Ave da escravidão,
> Ela juntou-se às mais... irmã traidora

Cuspiu-lhe. E a eterna mácula
Seus louros murchará.

E quando a voz fatídica
Da santa liberdade
Vier em dias prósperos
Clamar à humanidade,
Então revivo o México
Da campa surgirá.

As produções dos dois primeiros livros denotam certa elegância nova no cuidado da forma, tanto na linguagem como na metrificação e nas rimas. Esse apuro torna-se mais acentuado nas *Americanas*, tentativa de revivescência do indianismo, a que devemos o belo poema "Última jornada", onde se sente o leitor assíduo do Dante.

Em 1879 e 1880 aparece na *Revista Brasileira* a maioria dos poemas das *Ocidentais*. Poemas cuja perfeição formal não será excedida pelos parnasianos, e cujo pensamento resume a filosofia amarga e desabusada dos romances e contos da segunda fase, os quais o sagraram a principal figura da nossa ficção. Assim, em "Uma criatura" define o Poeta o gênio da destruição, o que "está em toda a obra: cresta o seio de flor e corrompe-lhe o fruto; e é nesse destruir que as suas forças dobra". Quando pensamos que vai nomear a Morte, diz no último verso que é a Vida. A vida e mais a flor da juventude, a glória, o amor, simboliza-os em outro poema numa mosca azul que um pobre pária capta e leva para casa a fim de examiná-la e explicar o mistério de uma visão de pompa e felicidade que lhe pareceu ver entre as asas do inseto. Examinou-a miudamente, "como um homem que quisesse dissecar a sua ilusão":

Dissecou-a, a tal ponto, e com tal arte, que ela,
Rota, baça, nojenta, vil,
Sucumbiu; e com isto esvaiu-se-lhe aquela
Visão fantástica e sutil.

Luiz Delfino dos Santos (1834-1910) era médico e não cultivou a literatura como carreira. A sua produção, abundantíssima, ficou esparsa em revistas e jornais e só postumamente foi publicada em livros, que montam a treze volumes.

Delfino podia espraiar-se longamente em raptos condoreiros, mas sabia limitar-se num soneto, e foi no soneto que achou a forma mais adequada à sua especial sensibilidade. Nele funde as três estéticas – a romântica, a parnasiana e a simbolista. Romântico ficou ele sempre no fundo. Mas a disciplina do Parnaso aparou-lhe as asas, às vezes desordenadamente tatalantes, e o simbolismo comunicou-lhe aquele vago encantatório, salvando-o do estreito materialismo formal. Escultural, sim, mas uma ou outra vez quebrava sem cerimônia o nariz da sua Galateia. Sensual, também, tremendamente sensual, mas de um sensualismo que se complicava de requintes espirituais. Casava os apuros de forma com audaciosos prosaísmos, de tudo resultando uma poesia bem marcada, bem pessoal, deliciosamente estranha.

A reação contra o Romantismo remonta entre nós aos últimos anos da década de 1860. A chamada "escola coimbrã", a publicação em Portugal da *Visão dos tempos* e das *Tempestades sonoras* (1864), de Teófilo Braga (1843-1924), e das *Odes modernas* (1865), de Antero de Quental (1842-1891), tiveram no Brasil o seu eco em poemas onde era manifesta a intenção de fugir às sentimentalidades do lirismo puramente amoroso. A partir de 1870 a reação procura organizar-se doutrinariamente na poesia científica ou filosófica de Sílvio Romero, Martins Júnior e outros. Logo depois, ao lado dessa corrente, surgida ao Norte, em Pernambuco, aparecia no Sul, em São Paulo e no Rio, outra que se pretendia sobretudo realista. Em 1878 se trava pelas colunas do *Diário do Rio de Janeiro* a "batalha do Parnaso". Não se entenda aqui "Parnaso" como sinônimo de Parnasianismo. A batalha chamou-se do Parnaso porque os golpes se desfechavam em versos, quase sempre incorretos, na gramática e na metrificação, segundo os cânones parnasianos posteriores. Artur de Oliveira, curioso tipo de boêmio, que quase nada produziu, mas tendo residido algum tempo em Paris, exerceu de volta enorme fascinação sobre o meio literário brasileiro, para o qual foi sem dúvida o revelador da corrente parnasiana já dominante em França. Teófilo Dias, Artur Azevedo, Fontoura Xavier, Valentim Magalhães e Alberto de Oliveira tomaram parte na "batalha do Parnaso". O último, já na velhice, confessou as influências da escola coimbrã, a que nos referimos atrás, a par do Naturalismo e das *Miniaturas* de Gonçalves Crespo.

O nome e a obra de Antônio José Gonçalves Crespo (1846-1883) são reivindicados por portugueses e brasileiros; "Chamam-lhe uns ateniense, outros brasileiro", escreveu Camilo Castelo Branco: "eu quero que seja português, porque levo o amor de minha terra até o latrocínio"; ao que contrapõe Afrânio Peixoto:

> Não somos tão ricos em grandes poetas que não devamos reivindicar a Gonçalves Crespo. Que uns o considerem português, outros ateniense, honra é para ele e para nós. Além dos seus versos brasileiros – "A bordo", "A sesta", "Alguém" (a mãe do Poeta, que era brasileira), "Na roça", "Canção", "Ao meio-dia", "A negra", "As velhas-negras" – Gonçalves Crespo tem belos poemas, de correção e gosto parnasiano...

O Poeta, que era homem de cor, partiu para Portugal com quatorze anos de idade e nunca mais tornou ao Brasil. De fato pertence à vida literária portuguesa, mas os seus livros – *Miniaturas*, que é de 1871, e *Noturnos*, de 1882, exerceram grande prestígio sobre os introdutores do Parnasianismo no Brasil.

Escrevendo sobre a nova geração em 1879, declarava Machado de Assis não discernir uma feição assaz característica e definitiva no movimento poético, embora reconhecesse "uma inclinação nova nos espíritos, um sentimento diverso do dos primeiros e segundos românticos". Uma crença comum a todos esses novos: o Romantismo era coisa morta. Como disse Machado de Assis, "esta geração não se quer dar ao trabalho de prolongar o ocaso de um dia que verdadeiramente acabou". E o mestre dava-lhes razão: "Eles abriram os olhos ao som de um lirismo pessoal, que, salvas as exceções, era a mais enervadora música possível, a mais trivial e chocha. A poesia subjetiva chegara efetivamente aos derradeiros limites da convenção, descera ao brinco pueril, a uma enfiada de coisas piegas e vulgares." Seu atilado senso crítico soube, no entanto, distinguir o "cheiro a puro leite romântico" que havia ainda nos poetas que por volta de 1879 combatiam a grande moribunda.

O termo "parnasiano" não aparecia no ensaio de Machado de Assis: não aparece nem nos prefácios nem nas críticas senão pelos meados da década de 1880.

Loureja o ipê com as áureas flores
Late nos grotões fundos, indo ao faro
Da caça, ao buzinar dos caçadores,
   Da fazenda a matilha,

E no ar que sopra dos capões escuros,
Sente-se, de mistura a essências finas
   E ao cheiro das resinas,
Um sabor acre de cajás maduros.

De ordinário, porém, fica nas exterioridades, e a nota mais comum é a da exaltação eloquente. Teve razão José Veríssimo ao assinalar que falta a esse aspecto da poesia de Alberto de Oliveira a beleza superior de uma interpretação artística da nossa natureza: "O poeta descreve e canta admiravelmente os aspectos da sua terra natal, os seus acidentes, a sua natureza, mas a alma mesma das coisas escapa-lhe ainda e o seu sentimento da natureza brasileira, manifestamente intencional, se não intensificou e generalizou perfeitamente até o panteísmo".

De fato parecem errados os que falaram no panteísmo de Alberto de Oliveira. Não era Deus que ele sentia na natureza, mas a ressonância de seus desejos de homem:

Acordo à noite assustado.
Ouço lá fora um lamento...
Quem geme tão tarde? O vento?
Não. É um canto prolongado,
– Hino imenso a envolver toda a montanha;
São em música estranha,
Jamais ouvida,
As árvores ao luar que nasce e as beija,
Em surdina cantando,
Como um bando
De vozes numa igreja:
Margarida! Margarida!

É a natureza humanizada com a própria alma do Poeta. A sua aspiração era "ser palmeira depois de homem ter sido", para gritar, esfolhando-se ao vento nos temporais, que a ama

E pedir que, ou no sol, a cuja luz referves,
Ou no verme do chão ou na flor que sorri,
Mais tarde, em qualquer tempo, a minh'alma conserves,
Para que eternamente eu me lembre de ti!

Raimundo da Mota de Azevedo Correia (1859-1911) nasceu a bordo de um navio em águas do Maranhão. Formou-se em Direito pela Faculdade de São Paulo, onde com Augusto de Lima e outros dirigiu a *Revista de Ciências e Letras*, que se destacou pela sua ação contra a degeneração romântica. Magistrado, interrompeu a carreira para servir como secretário de legação em Lisboa. Abandonando a diplomacia, exerceu o magistério e finalmente tornou à magistratura. Faleceu na Europa, aonde fora em busca de melhoras para a saúde. Exclusivamente poeta, a sua produção foi parca e compreende os livros *Primeiros sonhos*, *Sinfonias*, *Versos e versões* e *Aleluias*. Em 1898 publicou em Lisboa *Poesias*, seleção dos livros anteriores, com o repúdio do primeiro e alguns poemas novos.

Dos *Primeiros sonhos* disse Machado de Assis, prefaciando as *Sinfonias*, que havia neles "o cheiro romântico da decadência, e um certo aspecto flácido". As *Sinfonias* são ainda um livro impuro: a impureza reside nos vestígios daquela flacidez de que nos fala Machado de Assis e na sua parte militante, republicana e revolucionária. Sim, porque esse poeta que com o tempo se alhearia de todo da luta social numa atitude de introvertido, analista das misérias do coração, falava em moço no "estrondo da Comuna", na aclamação "do Império Universal", atacava o Rei e a Igreja. Das oitenta poesias que formam o volume, dezesseis são traduções de Victor Hugo, Théophile Gautier, François Coppée, Zorrilla e outros menores. Os dois sonetos "As pombas" e "Mal secreto", que lhe deram imediata fama, só lhe pertencem na forma, com que de certo modo recriou em beleza imperecível os originais. A ideia do primeiro tomou-o de umas linhas de Gautier em *Mademoiselle Maupin*: "*Mon âme est comme un colombier tout plein de colombes. À toute heure du jour il s'envole quelque désir. Les colombes reviennent au colombier, mais les désirs ne reviennent point au coeur.*" O segundo desenvolve a estrofe de Metastásio:

> *Si a ciascun l'intimo affano*
> *Si legesse in fronte scrito,*
> *Quanti mai che invidia fanno*
> *Ci farebbero pietà!*
> *Si vedria che i lor nemici*
> *Hanno in seno, e se riduce*
> *Nel parere a noi felici*
> *Ogni lor felicità!*

Mas já havia no livro os toques magistrais com que ele soube traduzir melhor que ninguém no Brasil a suave melancolia da paisagem a certas horas:

> Um mundo de vapores no ar flutua...
> Como uma informe nódoa avulta e cresce
> A sombra à proporção que a luz recua...

> A natureza apática esmaece...
> Pouco a pouco entre as árvores, a lua
> Surge trêmula, trêmula... Anoitece.

O tom reflexivo, concentrado e grave, que o vai distinguir entre os seus companheiros de Parnaso, derivava do seu feitio de nascença, melancólico e tímido. Machado de Assis, que o conheceu em 1882, pinta-o assim: "Figura pensativa, que sorri às vezes, ou faz crer que sorri, e não sei se ri nunca". A saúde precária tornou-o num quase valetudinário, de pessimista experiência, todo voltado para dentro de si, para aquele "pélago invisível" da alma, a cuja borda se debruçava aflito, e onde a única doce voz era a da saudade – "sereia misteriosa, que em suas praias infinitas canta". As acusações de plágio que lhe fizeram a propósito dos sonetos apontados atrás foram talvez o principal motivo do seu afastamento das rodas literárias: fechou-se em si mesmo, numa misantropia que o levava a ver nas palavras da turba que rodeia o Jó a mentira de uma falsa piedade. São as estâncias mais amargas e comovidas que compôs, essas em que depois de descrever com um realismo digno do Baudelaire de "*La charogne*", a podridão do leproso, exclama:

> Jó agoniza!
> Embora: isso não é o que horroriza mais.
> – O que mais horroriza
> São a falsa piedade, os fementidos ais;
>
> São os consolos fúteis
> Da turba que o rodeia, e as palavras fingidas,
> Mais baixas, mais inúteis
> Do que a língua dos cães lambendo-lhe as feridas:
>
> Da turba que se, odienta,
> Com a pata brutal do seu orgulho vão
> Não nos magoa, inventa,
> Para nos magoar a sua compaixão!

Cabe neste livrinho escrito especialmente para os mexicanos advertir nas afinidades de sentimento e expressão que tem o nosso poeta com Manuel José Othón: a atitude em face da natureza é a mesma, a estrutura do soneto é idêntica, a adjetivação parece obedecer a igual critério de escolha. Note-se até a predileção pela palavra "imenso" e seus derivados, comum aos dois: nos sonetos do "*Idilio selvaje*" o mexicano emprega-o repetidamente (... *el paisaje árido y triste, inmensamente triste... inmenso llanto... inmensidad abajo, inmensidad arriba... como un airón flotando inmensamente...*); em Raimundo Correia:

> Montanhas... E até onde o olhar atinge,
> À imensidade esplêndida que o cinge,
> Vê ligarem-se mais imensidades...
> (Soneto "Fascinação")
>
> Vai co'a sombra crescendo o vulto enorme
> Do baobá... E cresce n'alma o vulto
> De uma tristeza imensa, imensamente...
> (Soneto "Banzo")

Parece-me que não erraria quem dissesse que Raimundo Correia é o Othón brasileiro.

Olavo Brás Martins dos Guimarães Bilac (1865-1918), natural do Rio de Janeiro, cursou a Faculdade de Medicina até o quinto ano, quando partiu para São Paulo, onde iniciou os estudos de Direito, que também interrompeu. De volta ao Rio, dedicou-se inteiramente às Letras, colaborando assiduamente na imprensa. Consagrou os últimos anos de vida à propaganda do serviço militar obrigatório, realizando uma série de conferências em várias capitais do país. Ao contrário dos seus gloriosos companheiros, que tatearam com indecisões a cidadela da Forma, Bilac, ao estrear com o seu volume de *Poesias*, aos 23 anos, se apresentava no maior rigor

Ensaios literários

da nova escola, e no entanto com uma fluência na linguagem e na métrica, uma sensualidade à flor da pele que o tornavam muito mais acessível ao grande público. O livro dividia-se em três partes – "Panóplias", "Via-Láctea" e "Sarças de fogo", precedidas de uma "Profissão de fé", que sustenta galhardamente o cotejo com a de Gautier nas estrofes de *"L'art"*, nas quais foi evidentemente inspirada.

Para o francês

> *l'oeuvre sort plus belle*
> *D'une forme au travail*
> *Rebelle,*
> *Vers, marbre, onyx, émail.*

Mas acrescentava

> *Lutte avec te carrare,*
> *Avec le paros dur*
> *Et rare,*
> *Gardiens du contour pur.*

A Bilac, mais que o trabalho do estatuário o seduzia o do ourives:

> Invejo o ourives quando escrevo:
> Imito o amor
> Com que ele, em ouro, o alto-relevo
> Faz de uma flor.

> Imito-o. E, pois, nem de Carrara
> A pedra firo:
> O alvo cristal, a pedra rara,
> O ônix prefiro.

As "Panóplias", desde o nome, são tipicamente parnasianas, mesmo no retardado indianismo da "Morte de Tapir" e do soneto a Gonçalves Dias. Afora o soneto em homenagem à rainha dona Amélia de Portugal, acrescentado posteriormente, e as estrofes "A um grande homem", versam temas da antiguidade romana – "A sesta de Nero", "O incêndio de Roma", "O sonho de Marco Antônio", "Messalina" e "Delenda Cartago!" – e um da grega a propósito da *Ilíada*, tudo traindo a influência de Leconte de Lisle, como mais tarde os sonetos das *Virgens* acusarão a de Heredia.

Já a "Via-Láctea" revela outra fonte de lirismo mais próximo e aparentado ao nosso: a dos grandes mestres portugueses, na velha tradição subjetiva que vem desde os poetas dos cancioneiros. Aqui o Poeta esqueceu o fútil ideal de artífice programado na "Profissão de fé", e a salvo dos prejuízos de escola exprimiu com simplicidade as alegrias e os alvoroços de uma paixão purificadora. Havia realmente nesses 35 sonetos um sabor novo em nossa poesia e muito pessoal.

As sensibilidades mais vulgares encontravam melhor satisfação na maioria dos poemas da terceira parte, eloquentemente sensuais, em especial no "triunfo imortal da Carne e da Beleza", do "Julgamento de Frineia" ou no delírio erótico do "Beijo eterno". Mas ainda em meio dessas sarças de fogo aparecia uma ou outra flor de mais fina poesia, como o soneto "*Nel mezzo del camin...*", digno de figurar entre os mais perfeitos da nossa língua.

O sucesso do livro foi imediato. Mas só em 1902 dá o Poeta uma segunda edição da obra, aumentada de novas partes: "Alma inquieta", "As viagens" e "O caçador de esmeraldas". Não se ultrapassou nelas. O esforço mais considerável estava no último poema, episódio da epopeia sertanista do século XVII, que tem como herói a figura de Fernão Dias Paes Leme. Distribui-se em quatro cantos, num total de 46 sextilhas em alexandrinos. Descreve Bilac o sertão pátrio "no virginal pudor das primitivas eras", a chegada dos conquistadores portugueses, o heroico afã dos bandeirantes lançados ao descobrimento do ouro, o sonho das gemas verdes que consumiu em sete anos de marcha pelas selvas a vida de Fernão Dias. Sabe-se que o paulista morreu nas margens do Guaicuí: trazia consigo um saco de pedras que julgava esmeraldas e não passavam de turmalinas. O trecho mais inspirado do poema é o do delírio do sertanista: a febre fá-lo ver a tudo em torno da cor da esmeralda:

> Verdes, os astros no alto abrem-se em verdes chamas:
> Verdes, na verde mata, embalançam-se as ramas;
> E flores verdes no ar brandamente se movem;
> Chispam verdes fuzis riscando o céu sombrio;
> Em esmeraldas flui a água verde do rio,
> E do céu, todo verde, as esmeraldas chovem...

Mas uma voz lhe fala no delírio, consolando-o do desastre com a evocação das futuras cidades que nasceriam no rastro das picadas abertas pela sua bandeira:

> E um dia, povoada a terra em que te deitas,
> Quando, aos beijos do sol, sobrarem as colheitas,
> Quando, aos beijos do amor, crescerem as famílias,
>
> Tu cantarás na voz dos sinos, nas charruas,
> No esto da multidão, no tumultuar das ruas,
> No clamor do trabalho e nos hinos de paz!
> E, subjugando o olvido, através das idades,
> Violador de sertões, plantador de cidades,
> Dentro do coração da Pátria viverás!

O calor da obra resulta mais da abundância e ênfase das palavras, que não das fontes profundas do sentimento, da vocação épica, inexistente em Bilac. Como quer que fosse, o poema é belo e apontava à epopeia uma direção mais nacionalmente verdadeira que a do indianismo.

Faleceu o Poeta quando se imprimia o seu último livro, *Tarde*, uma coleção de sonetos tão diversos dos da "Via-Láctea" quanto um triste crepúsculo o é de uma manhã de sol. A idade dos amores tinha passado; agora chegava a da reflexão:

> Tarde. Messe e esplendor, glória e tributo;
> A árvore maternal levanta o fruto,
> A hóstia da ideia em perfeição... Pensar!

É a hora dos remorsos, das saudades, mas também da resignação e do apaziguamento. "Sou como um vale numa tarde fria", diz num dos mais serenos poemas desse testamento poético:

E num recolhimento a Deus oferto
O cansado labor e o inquieto sono
Das minhas povoações e dos meus campos.

Nota-se na forma desses sonetos uma involução para a rigidez parnasiana, para a lógica da chave de ouro, para a solenidade vocabular. Desejaríamos menos clangor de metais nessa grave sinfonia da tarde.

Vicente Augusto de Carvalho (1866-1924), natural de Santos, bacharel em Direito pela Faculdade de São Paulo, foi deputado à Constituinte republicana do seu estado, secretário do Interior e Justiça, e depois magistrado. Estreou com o livro *Ardentias*. Após a edição do seu segundo volume de versos, *Relicário*, converteu-se à doutrina positivista e cessou durante muitos anos a atividade poética. Estava o seu nome esquecido ao tempo em que se falava de Alberto de Oliveira, Raimundo Correia e Bilac como os únicos poetas de sua geração fadados a sobreviver. Era a "trindade parnasiana" dos mestres, aureolados do mesmo prestígio que marcara em França os nomes de Leconte de Lisle, Gautier e Banville. Mas a publicação em 1902 do poema *Rosa, rosa de amor*, seguida seis anos depois da dos *Poemas e canções* veio revelar um quarto mestre em nada inferior aos outros, e a certos aspectos mesmo superior – mais vário, mais completo, mais natural, mais comovido. Mal se pode aplicar o rótulo de parnasiano a esse poeta, que parece mais nutrido da tradição quinhentista portuguesa e não ficou isento do exemplo simbolista, bastando para provar esta influência a "Última canção":

– E se acaso voltar? Que hei de dizer-lhe, quando
    Me perguntar por ti?
– Dize-lhe que me viste, uma tarde, chorando...
    Nessa tarde parti.

– Se arrependido e ansioso ele indagar: "Para onde?
    Por onde a buscarei?"
– Dize-lhe: "Para além... para longe..." Responde
    Como eu mesma: "Não sei".

Todos reconhecerão nesses versos uma paráfrase da canção de Maeterlinck.

Vicente de Carvalho mostrou evidente preferência pelos metros curtos, de sete e oito sílabas, e quando empregou, raras vezes, o alexandrino, tratou-o com mais desenvoltura, deu-lhe a fluidez de uma linha melódica:

E o mar então... O mar, o velho confidente
De sonhos que a mim mesmo hesito em confessar,
Atrai-me; a sua voz chama-me docemente,
Dá-me uma embriaguez como feita de luar...
O mar é para mim como o Céu para um crente.

Lírico amoroso de emoção requintada em *Rosa, rosa de amor*, e nos admiráveis sonetos do "Velho tema", mostrou força dramática em "Pequenino morto", épica em "Fugindo ao cativeiro". Mas foi acima de tudo um grande pintor do mar, o mais exato, o mais vigoroso, o mais sugestivo que tivemos. Conhecia-o de larga experiência nas pescarias em Santos, paixão que pagou caro, pois certa vez, ferindo-se na mão esquerda, contraiu uma infecção que quase o matou e só pôde ser debelada graças à amputação do braço à altura do ombro. Nem por isso renunciou ao seu desporte favorito e para o praticar nas férias dos seus trabalhos adquiriu um trecho de litoral na Enseada da Bertioga. "Palavras ao mar", "Cantigas praianas", "No mar largo", "A ternura do mar", "Sugestões do crepúsculo" são as confidências desse amor de toda a sua vida, dessa atração que sobre ele exercia o mar: como que se revia nas alternativas de mansidão e cólera desse

> pagão criado às soltas
> Na solidão, e cuja vida
> Corre, agitada e desabrida,
> Em turbilhões de ondas revoltas;

> Cuja ternura assustadora
> Agride a tudo que ama e quer,
> E vai, nas praias onde estoura,
> Tanto beijar como morder...

A essa primeira geração parnasiana pertenceram ainda Luís Guimarães (1845-1898), celebrizado pelo soneto "Visita à casa paterna", Francisca Júlia da Silva, a mais autêntica expressão da objetividade da escola, Guimaraens Passos (1867-1909), B. Lopes (1859-1916), Emílio de Menezes (1866-1918) e outros menores, já esquecidos.

Ainda depois do advento do Simbolismo, floresceu uma geração que poderemos chamar neoparnasiana, com Amadeu Amaral (1875-1929), Goulart de Andrade (1881-1936), Humberto de Campos (1866-1934), Martins Fontes (1884-1937), Hermes Fontes (1888-1930), Da Costa e Silva (1885-1950), Gilka Machado, Raul de Leoni (1895-1926), Américo Facó (1885-1953) etc., os quais, se são diversos já, no espírito, da geração anterior, guardam o mesmo amor da linguagem eloquente, da forma nítida. Todos já falecidos, com exceção de Gilka Machado, nascida em 1893, forte temperamento afirmado numa série de livros – *Cristais partidos*, *Estados de alma*, *Mulher nua*, *Meu glorioso pecado*, *Carne e alma*, *Sublimação*. Dos mortos o que apresenta maiores probabilidades de sobreviver, a julgar pelas reedições de sua obra, é Raul de Leoni, fluminense, bacharel em Direito, autor de um único livro, a *Luz mediterrânea*, título que lhe define bem o espírito amigo das "ideologias claras". A emoção filosófica situa-o em posição quase solitária na poesia brasileira. Mas o curioso, como assinalou Rodrigo M. F. de Andrade, é que esse poeta, cuja sugestão poética derivava das ideias tomadas como entidades absolutas, como seres dotados de vida própria e autônoma, glorificasse o instinto como o verdadeiro meio de encontrar a felicidade:

> Glória ao Instinto, a lógica fatal
> Das cousas, lei eterna da criação,

Mais sábia que o ascetismo de Pascal,
Mais bela do que o sonho de Platão!

Pura sabedoria natural
Que move os seres pelo coração,
Dentro da formidável ilusão,
Da fantasmagoria universal!

És a minha verdade, e a ti entrego,
Ao teu sereno fatalismo cego,
A minha linda e trágica inocência!

Ó soberano intérprete de tudo,
Invencível Édipo, eterno e mudo,
De todas as esfinges da Existência!...

"É que", acrescenta Rodrigo M. F. de Andrade, "glorificando a 'pura sabedoria natural', os poemas da *Luz mediterrânea* celebram menos o instinto em si mesmo do que a ideologia do instinto, ou o sistema que erigiu o instinto em verdade metafísica."

Antes de passar ao Simbolismo temos que dar atenção à figura singular de José de Abreu Albano (1882-1923); singular porque inteiramente fora dos quadros da poesia brasileira. Cearense e educado na Europa, sentiu-se deslocado dentro da nossa incipiente civilização e, num grande desdém pela língua do seu tempo, voltou-se para o português do século de quinhentos. Cantou a Camões, o seu modelo, numa canção; a língua portuguesa, numa ode, e nesta explica os motivos de seu gosto arcaizante:

Sempre e sempre te eu veja meiga e pura
Naquela singeleza primitiva,
Naquela verdadeira formosura
Que farei que no verso meu reviva.
....
Outros andam e teu sublime aspeto
D'ornamentos estranhos encobrindo
Sem saber o que tens de mais secreto,
De mais maravilhoso e de mais lindo:
Em ti já não se nota o mesmo agrado
E eu não te reconheço,
Se o teu valor e preço – é rejeitado

Quanta e quamanha dor me surge e nasce
De nunca ouvir aquele antigo estilo,
Mas eu fiz que ele aqui se renovasse [...]

A Albano, que era dotado de raro talento linguístico e conhecia a fundo vários idiomas modernos e antigos, não foi difícil assimilar inteiramente o "antigo estilo", e o seu "Poeta fui..." nos soa em verdade como um soneto póstumo de Camões. Nos momentos mansos dizia em redondilhas e decassílabos, os seus metros preferidos, coisas tristes e suavíssimas, versos que pareciam cantiga para adormecer a sua loucura:

> Há no meu peito uma porta
> A bater continuamente;
> Dentro a esperança jaz morta
> E o coração jaz doente.
> Em toda a parte onde eu ando,
> Ouço este ruído infindo:
> São as tristezas entrando
> E as alegrias saindo.

Uma crise mais forte no seu psiquismo doentio exigiu o internamento por um ano em casa de saúde. Depois, já convalescente, seguiu para o seio da família no estado natal, e aí compôs a sua obra mais ambiciosa, a *Comédia angélica*, em que (informa o seu grande amigo e crítico Américo Facó) "celebra o amor de Deus e nos apresenta, em visões suaves e rápidas, o nascimento de Adão, a criação de Eva, a aparição de Maria, Lúcifer revoltado e subido, o arcanjo Miguel e outras figuras da teogonia bíblico-cristã".

Voltou o Poeta ainda duas vezes à Europa em plena guerra; da última em 1918 para não mais tornar. Segundo informações de Graça Aranha, que com ele privou em Paris, a crise mística havia passado e Albano voltara à Grécia. De fato o belíssimo poema do "Triunfo" tem todo o caráter dos poemas pagãos do Renascimento. O que lhe diz a Musa, "que ainda acende o meu desejo", remata com estes dois versos:

> Hás de viver contente, conhecendo
> Que Polímnia te inspira e Apolo te ouve.

Contou Américo Facó que o Poeta, escrita a *Comédia angélica*, fez uma seleção dos versos que guardava inéditos, escolhendo apenas dez sonetos, alguns publicados antes e todos destinados talvez a formar um folheto à exemplo das *Redondilhas*, da *Alegoria* e da *Canção a Camões* e *Ode à língua portuguesa*, com a *Comédia* as únicas edições que deu, em tiragens limitadas, tudo subordinado à epígrafe, *Emoí kai Moúsais*. Em 1948 apareceu, sob o título *Rimas de José Albano*, uma edição completa de seus poemas, organizada e prefaciada por Manuel Bandeira.

Afirmou Silveira Neto que o nosso Simbolismo "teve os seus meios de ação propriamente organizados no Rio de Janeiro e no Paraná, sendo que lá, em Curitiba, tomara-se a influência diretamente da corrente europeia, produzindo-se com o do Rio um movimento paralelo". No movimento brasileiro, e pondo de parte o caráter geral de reação espiritualista, encontramos os mesmos expedientes do francês – imprecisão de contornos e de vocabulário, um conceito mais musical do que plástico da forma, os estados crepusculares etc. – e levado ainda mais longe o gosto das expressões do ritual mortuário e litúrgico. A escola foi estudada em exaustiva sondagem por Andrade Muricy no seu *Panorama do movimento simbolista brasileiro*.

A figura central do movimento foi o negro João da Cruz e Sousa (1863-1898), natural de Florianópolis. Os pais do Poeta eram escravos do Marechal Xavier de Sousa, o qual, quando teve de seguir para a Guerra do Paraguai, os alforriou. O menino João era tratado com todo o carinho na família do ex-senhor; recebeu boa instrução secundária, tendo tido entre os seus mestres o naturalista Fritz Müller. Mortos os seus protetores, teve de lutar pela vida, militando na imprensa, organizando em sua província natal a campanha abolicionista, correndo o país de sul a norte como

secretário ou ponto de uma companhia dramática. Em 1890 muda-se definitivamente para o Rio e após um estágio de três anos no jornalismo carioca, obtém um
emprego ínfimo na administração da Estrada de Ferro Central. Em 1893 casa-se com
aquela a quem chamou "meu tenebroso lírio" (era negra como ele) e publica dois
livros, um de prosas líricas – *Missais* – outro de versos – *Broquéis*. Deles costuma-se
datar o início do movimento simbolista brasileiro. À onda de sarcasmo com que foi
recebida essa arte a um tempo espiritual e bárbara num meio dominado pela cautelosa lógica parnasiana contrapôs o Poeta o seu bravo orgulho e a persistência febril
no trabalho noturno. A má sorte o perseguia: a esposa perde durante seis meses a
luz da razão; em 1897 o Poeta contrai uma tuberculose galopante e morre no ano seguinte, deixando por publicar dois livros de versos – os *Faróis* e os *Últimos sonetos*,
e outro livro de prosas líricas – as *Evocações*. A mulher morre três anos depois, do
mesmo mal; quatro filhos do casamento morreram também.

Dos sofrimentos físicos e morais de sua vida, do seu penoso esforço de ascensão na escala social, do seu sonho místico de uma arte que seria uma "eucarística
espiritualização", do fundo indômito do seu ser de "emparedado" dentro da raça
desprezada tirou Cruz e Sousa os acentos patéticos que, a despeito das suas deficiências de artista, garantem a perpetuidade de sua obra na literatura brasileira.
Não há nesta gritos mais dilacerantes, suspiros mais profundos do que os seus. Esse
negro tinha a obsessão da cor branca: branco é o adjetivo que dá sempre ao seu Sonho; e se eram negros os braços da esposa, sentia

> todo o sonho castamente branco
> Da volúpia celeste desses braços.

Roger Bastide, autor de um excelente ensaio sobre a poesia afro-brasileira,
contou na obra do Poeta 169 evocações do branco em seus diversos tons – branco
puro, lunar, de neve, de nuvens, de marfim, de espuma, de pérola. A "Antífona", o
primeiro poema dos *Broquéis*, começa com os versos:

> Ó Formas alvas, brancas, Formas claras
> De luares, de neves, de neblinas!...

O crítico francês interpreta essa preferência como "a expressão de uma imensa nostalgia: a de se tornar ariano". E Cruz e Sousa, ele próprio, compreendeu bem
isso. Antes de simbolista, começou com efeito por ser parnasiano, defendendo os dois
dogmas (que jamais renegou) essenciais do Parnaso: a arte pela arte e a necessidade
de seguir as regras técnicas mais exigentes na elaboração do poema. Ora, ele viu que
esses dogmas significavam um meio de luta contra suas heranças africanas: "Eu trazia como cadáveres todos os empirismos preconceituosos e não sei quanta camada
morta, quanta raça d'África curiosa e desolada. Surgindo de bárbaros, tinha de domar
outros mais bárbaros ainda, cujas plumagens de aborígines alacremente flutuavam
através dos estilos... O temperamento entortava muito para o lado da África: – era
necessário fazê-lo endireitar inteiramente para o lado da Regra, até que o temperamento regulasse a arte como um termômetro." Mas o Simbolismo é alguma coisa
mais; é uma arte preciosa, requintada, difícil, cheia de matizes e de delicadeza, que se

dirige a uma pequena elite e classifica consequentemente o seu adepto no recesso de uma aristocracia da aristocracia. Ora, o autor admite que essa arte sabida o separe de sua mãe, fá-lo romper com suas origens, e se aflige, pois ama ternamente aquela que o deu à luz, mas coloca também o culto da beleza acima de tudo. Assim Cruz e Sousa sentia nitidamente que a arte era um meio de abolir a fronteira que a sociedade colocava entre os filhos de escravos africanos e os filhos dos brancos livres; é por isso que foi logo ao tipo que lhe pareceu "o mais ariano de todos".

Quis, pelo menos, provar à "ditadora ciência de hipóteses" a capacidade do negro para "o Entendimento artístico da palavra escrita", para o Sonho branco, e daí uma série de admiráveis sonetos cujos fechos de ouro o mostram na "imortal atitude":

> Erguer os olhos, levantar os braços
> Para o eterno Silêncio dos Espaços
> E no Silêncio emudecer olhando.
>
> Sorrindo a céus que vão se desvendando,
> A mundos que se vão multiplicando,
> A portas de ouro que se vão abrindo!
>
> É preciso subir ígneas montanhas
> E emudecer, entre visões estranhas,
> Num sentimento mais sutil que a Morte!
>
> Tu que és o deus, o deus invulnerável,
> Resiste a tudo e fica formidável,
> No Silêncio das noites estreladas!
>
> Das ruínas de tudo ergue-te pura
> E eternamente na suprema Altura,
> Suspira, sofre, cisma, sente, sonha!
>
> Quem florestas e mares foi rasgando
> E entre raios, pedradas e metralhas,
> Ficou gemendo, mas ficou sonhando!

Há mesmo um trecho das *Evocações*, o final de "Iniciado", em que ele se nos pinta quase sacrilegamente representado numa espécie de assunção: "Vai sereno! a cabeça elevada na luz, vitalizada e resplandecida na nervosidade mordente da luz e os fatigados olhos sonhadores graves, ascéticos, atraídos pelo mistério da Vida, magnetizados pelo mistério da Morte..."

Mas dentro do sonho branco do Simbolismo a desgraça, a incompreensão, talvez a loucura da esposa faz explodir a alma bárbara sequestrada, "o fundo exótico dessa África sugestiva, gemente, criação dolorosa e sanguinolenta de satãs rebelados, dessa flagelada África, grotesca e triste, melancólica, gênese assombrosa de gemidos, tetricamente fulminada pelo banzo mortal; dessa África dos suplícios, sobre cuja cabeça nirvanizada pelo desprezo do mundo Deus arrojou toda a peste letal e tenebrosa das maldições eternas!"

Assim, o branco e o negro deram batalha nesse coração angustiado, e como era fundamentalmente bom, como veio ao mundo "transbordante de Piedade, so-

luçando de ternura, de compaixão, de misericórdia", pôde dizer antes da morte o
"Assim seja":

> Fecha os olhos e morre calmamente!
> Morre sereno do Dever cumprido!
> Nem o mais leve, nem um só gemido
> Traia, sequer, o teu Sentir latente.
>
> Morre com a alma leal, clarividente
> Da Crença errando no Vergel florido
> E o Pensamento pelos céus brandido
> Como um gládio soberbo e refulgente.
>
> Vai abrindo sacrário por sacrário
> Do teu Sonho no templo imaginário,
> a hora glacial da negra Morte imensa...
>
> Morre com o teu Dever! Na alta confiança
> De quem triunfou e sabe que descansa,
> Desdenhando de toda a Recompensa!

A segunda grande figura do simbolismo brasileiro é Alphonsus de Guimaraens
(1870-1921). Chamava-se Afonso Henriques da Costa Guimarães. A latinização do pre-
nome data de 1894 e talvez indicava, com o desejo de fugir à vulgaridade, uma intenção mística nesse poeta que tinha o gosto dos hinos latinos da Igreja e traduziu em
versos o "*Tantum ergo*" e o "*Magnificat*". Aos dezessete anos o falecimento de uma
prima amada e de quem se considerava noivo encheu-o para sempre da obsessão da
morte. Frequentou durante dois anos a Faculdade de Direito de São Paulo, a que mais
tarde voltará a fim de concluir o último ano do curso, em 1894. Antes de regressar à
província natal, visita o Rio, especialmente para conhecer Cruz e Sousa. Serviu como
promotor de justiça e juiz substituto na comarca de Conceição do Serro e em 1906 foi
nomeado juiz municipal de Mariana. Nessa quase morta cidadezinha mineira que parece dormir "no seio branco das litanias" viveu o Poeta até morrer, e nas dificuldades
de um lar pobre onde os filhos chegaram a ser quatorze, sem outros consolos senão o
carinho da família, a sua fé católica e a realização dos seus poemas, todos impregnados
de unção cristã. Entre os autógrafos encontrados no arquivo do Poeta havia o início de
um poema inacabado que nos faz entrar na intimidade de sua resignada melancolia:

> Na arquiepiscopal cidade de Mariana,
> Onde mais triste ainda é a triste vida humana,
> A contemplar eu passo o dia inteiro, absorto,
> Tudo que na minh'alma está de há muito morto.
> No claro-escuro de uma ideal saudade
> Que como ampla mortalha em treva escura invade
> Os pindáricos sonhos da minh'alma,
> Eu vejo tudo com tristeza e calma...

A obra poética de Alphonsus de Guimaraens não foi publicada dentro da ordem cronológica da sua composição. Em 1899 apareceram num só volume *Setená-*

rio das dores de Nossa Senhora e *Câmara-ardente*. Mas anteriores a esses dois livros são *Kyriale*, editado em 1902, e *Dona Mística*, em 1899.

Kyriale e *Dona Mística* foram escritos de 1891 a 1895 em São Paulo e Ouro Preto. Já naquele tempo era o Poeta um "crente do amor e da morte". Os dois temas andam constantemente associados nos seus versos. E o seu afastamento da rígida cadência parnasiana se trai desde logo no ritmo mais solto dos decassílabos, eneassílabos e octossílabos; os alexandrinos não apresentam muitas vezes cesura mediana; nas rimas o poeta se satisfaz de vez em quando com a assonância. Ambos os livros denotam influências, às vezes indiscretíssimas, de modelos europeus: "Sete damas", as canções XIII e XXI decalcam certas canções de *Serres chaudes*, e a "Ária dos olhos" é um simples pastiche de Verlaine:

> Mágoas de além
> De olhos de quem
>   Pede esmolas:
> Gemidos e ais
> Das autunais
> Barcarolas

É a mesma música, o mesmo outono de

> *Les sanglots longs*
> *Des violons*
>   *De l'automne*
> *Blessent mon coeur*
> *D'une langueur*
> *Monotone.*

Mas o genuíno Alphonsus já aparece na doçura espontânea das quadras de "S. Bom Jesus de Matozinhos":

> S. Bom Jesus de Matozinhos
> Fez a Capela em que adoramos
> No meio de árvores e ramos
> Para ficar perto dos ninhos.
>
> É como a Igreja de uma aldeia,
> Tão sossegada e tão singela...
> As moças, quando a lua é cheia,
> Sentam-se à porta da Capela.
>
> Vai-se pela ladeira acima
> Até chegar no alto do morro.
> Tão longe... mas quem desanima
> Se ele é o Senhor do Bom-Socorro!

A poesia religiosa de *Setenário das dores de Nossa Senhora* era uma completa novidade em nossas letras. Nem os árcades, nem os românticos se tinham aproximado tanto do espírito da poesia litúrgica do catolicismo. Em 49 sonetos distribuídos em sete partes de sete sonetos cada uma pôs o Poeta toda a humildade do seu coração de crente, e certo preciosismo ocasional de expressão não lhes tira a ingenuidade, tão inseparável de sua natureza era aquele preciosismo, revelado desde a escolha do seu nome literário. A publicação de *Setenário* e *Câmara-ardente*, este, sentimentalmente, um complemento de *Dona Mística*, ambos inspirados pela morte de sua prima, impôs o nome do Poeta ao respeito dos meios literários, mesmo daqueles que eram adversos à escola nova.

Depois da publicação de *Kyriale*, em 1902, o Poeta guardou silêncio por muitos anos, embora no livro já anunciasse como a entrar no prelo a *Pastoral aos crentes do amor e da morte* e a tradução da *Nova primavera* de Heine. Quando o Poeta organizava em 1921 a edição de *Pauvre lyre* (chegou a rever as provas), sobreveio a morte. Os seus versos franceses são muitas vezes incorretos na língua e na metrificação; além disso, o que havia de pessoal no Poeta desaparecia para só permanecerem as reminiscências de Verlaine e Maeterlinck.

A calma tristeza de quem contempla no ambiente de uma cidade morta tudo o que de morto traz dentro de si constitui o fundo dos seus versos de publicação póstuma. O tom geral de *Pastoral* é o pessimismo e desânimo, que só na morte vê o descanso. Na edição das Poesias completas publicadas pelo Ministério da Educação em 1938,[12] à *Pastoral* se seguem mais dois livros – *Escada de Jacó* e *Pulvis*. Neste último está a mais pura inspiração do Poeta, em algumas dezenas de sonetos, onde, despido de qualquer influência, amadurecido na desilusão, no sofrimento, o seu canto adquire uma serenidade meditativa, que nem mesmo uma ou outra nota raríssima de desesperança e descrença consegue quebrar. E era preciso, realmente, que fosse às vezes bem cruel o seu desânimo para que exclamasse:

> O silêncio infinito não me aterra,
> Mas a dúvida põe-me alucinado...
> Se encontro o céu deserto como a terra!

O seu estado de espírito quase constante é um desencanto resignado, que se compraz no pensamento da morte. A vida para ele era então viver com os olhos fitos no passado. Sua poesia é como ele entendia que devia ser toda alma:

> uma carícia,
> Mas cheia de tristeza: uma dolência
> Que sempre aspire à celestial delícia...

Esse adjetivo "celestial" aparece mais frequentemente. E há "céu" em quase todos os sonetos. Na véspera de expirar escreveu os seus últimos versos, em louvor de Santa Teresa: versos muito serenos, num ritmo esvoaçante, em que a alma parece já se balançar meio desprendida da matéria.

A primeira geração simbolista desapareceu quase sem deixar livros; os que se publicaram estão esquecidos, salvando-se apenas alguns nomes – Silveira Neto (1872-1945), Emiliano Pernetta (1866-1924), do grupo do Paraná, Pereira da Silva (1877-1944), paraibano.

---

12   Em 1955 houve segunda edição aumentada e revista por Alphonsus de Guimaraens Filho. Os acréscimos foram 19 poemas, 34 notas, uma cronologia do Poeta, uma bibliografia sobre o homem e o artista e ampla documentação fotográfica.

Os primeiros críticos de Augusto dos Anjos notaram logo a completa ausência de poemas de amor em toda a sua obra. Entenda-se o amor carnal, que para ele era uma mentira, não era amor, não passava de "comércio físico nefando":

> Certo, este o amor não é que, em ânsias, amo
> Mas certo, o egoísta amor este é que acinte
> Amas, oposto a mim. Por conseguinte
> Chamas amor aquilo que eu não chamo.

Assim é que devemos entender os versos das "Queixas noturnas":

> Não sou capaz de amar mulher alguma
> Nem há mulher talvez capaz de amar-me.

Para ele o amor

> É espírito, é éter, é substância fluida,
> É assim como o ar que a gente pega e cuida,
> Cuida, entretanto, não o estar pegando!
>
> É a transubstanciação de instintos rudes,
> Imponderabilíssima e impalpável,
> Que anda acima da carne miserável
> Como anda a garça acima dos açudes!

Este amor "amizade verdadeira" encontrou-o o Poeta no casamento e não deu mais atenção ao outro senão para estigmatizá-lo. Deste amor amava os seus – os pais, a mulher, os filhos, e em relação a estes sofria de lhes deixar a herança horrenda da carne, só consolado com pensar que em épocas futuras haveriam de ser "no mundo subjetivo minha continuidade emocional". Amor de todas as criaturas sofredoras – dos doentes, das prostitutas, do pobre Toca, "que carregava canas para o engenho", da sua ama de leite; dos animais – do corrupião, preso em sua gaiola como a alma do homem na podridão da carne, do cão "latindo a esquisitíssima prosódia da angústia hereditária dos seus pais!", do carneiro abatido para satisfazer a fome necrófila dos homens (a fome, "o barulho de mandíbulas e abdômens" enchia-o de desprezo por tudo isso, dava-lhe "uma vontade absurda de ser Cristo, para sacrificar-se pelos homens!"); o amor das árvores da serra, do tamarindo do engenho, a que se refere em vários poemas; o amor até das coisas materiais, detidas "no rudimentarismo do desejo", gemendo "no soluço da forma ainda imprecisa... da transcendência que se não realiza... da luz que não chegou a ser lampejo..."; e acima de tudo o amor das "claridades absolutas", da Verdade, da Soberana Ideia imanente, da Arte, única cidadela contra a Morte, contra "as forças más da Natureza".

Acreditava em Deus? Acreditava e rezava as preces católicas. Mas na sua poesia a concepção do universo não é ortodoxa, tem algo de maniqueísta, opondo ao mundo do espírito, ao mundo de Deus, o mundo da matéria, evoluído segundo a teoria darwinista, o mundo da "força cósmica furiosa". A consciência poética desse duelo terrível é que alimentava a angústia metafísica de Augusto dos Anjos e o fazia delirar em "cismas patológicas insanas". A sua aspiração suprema seria dominar todos os contrastes, resolvê-los na unidade do Grande Todo, que sonhou culminar com a onipotência da divindade.

Tudo isso está dito numa forma duríssima, onde as sináreses parecem acumuladas propositadamente para pintar o esforço das palavras esbarrando no "molambo da língua paralítica". É uma expressão por estampidos. De ordinário só há calma nos primeiros versos do poema. Assim em "As cismas do Destino":

> Recife, Ponte Buarque de Macedo.
> Eu, indo em direção à casa do Agra,
> Assombrado com a minha sombra magra,
> Pensava no Destino e tinha medo!

Logo na segunda estrofe eriça-se a forma em excessos bem característicos do Poeta:

> Na austera abóbada alta o fósforo alvo
> Das estrelas luzia... O calçamento
> Sáxeo, de asfalto rijo, atro e vidrento,
> Copiava a polidez de um crânio calvo.

Augusto dos Anjos morreu aos trinta anos. Não creio, porém, que, se vivesse mais, atenuasse as arestas de sua expressão formal. Esta lhe era congênita e persistiria sem dúvida, como persistiu na maturidade de Euclides da Cunha, em cuja prosa deparamos com o mesmo ímpeto explosivo e indomável.

Depois do Simbolismo nenhum outro movimento ocorreu em nossa poesia até cerca de 1920, quando se inicia em São Paulo, e logo em seguida no Rio, a influência das escolas europeias de vanguarda, gerando entre nós um movimento que se tornou conhecido sob o nome de Modernismo. Cumpre advertir que ele nada tem a ver com o que no mundo do idioma castelhano se designa sob o mesmo nome. À poesia de Darío e seus epígonos corresponde proximamente no Brasil a dos poetas que, aparecidos no intervalo dos dois movimentos, devem tanto ao Parnasianismo quanto ao Simbolismo, com a predominância deste ou daquele elemento: um Olegário Marianno (1889-1958), insistente no tema da saudade, com uma musicalidade muito pessoal, baseada frequentemente na silva de alexandrinos, decassílabos e hexassílabos; Álvaro Moreyra, um cético, exprimindo-se "humoristicamente, docemente"; Onestaldo de Pennafort, exímio tradutor de Shakespeare (*Romeo and Juliet*), de Verlaine (*Fêtes galantes*), e nos seus poemas originais acusando, de mistura com o gosto dos mestres parnasianos e simbolistas franceses, o dos líricos portugueses, de Bernardim Ribeiro a Eugênio de Castro; Eduardo Guimaraens (1892-1928), falecido prematuramente, e numerosos outros – Ronald de Carvalho, Manuel Bandeira, Felipe d'Oliveira, Ribeiro Couto, Tasso da Silveira, Murillo Araújo, Múcio Leão etc. – que posteriormente se definirão mais completamente na corrente modernista.

Nessa música de timbres mais ou menos suaves discrepavam as últimas fanfarras parnasianas: de um Martins Fontes, de um Goulart de Andrade, menos clangorosamente de um Amadeu Amaral, de um Da Costa e Silva; as vozes diferentes e nos transporte pelos sentimentos vagos das formas, das cores, dos sons, dos tatos e dos sabores a nossa gloriosa fusão no Universo.

Enchera-se à cunha o Teatro Municipal, os poetas foram ruidosamente vaiados, mas a sua ação continuou, depois da Semana, nas páginas da revista *Klaxon* e outras que se foram sucedendo. Culminou a ousadia, degenerando em tumulto, quando, no próprio seio da Academia Brasileira e com grande escândalo de seus confrades acadêmicos, Graça Aranha proferiu em 1924 um discurso inflamado, proclamando que a fundação da Academia fora um equívoco e um erro. Mas já que existia, acrescentava,

> que viva e se transforme, [admitisse nela] as coisas desta terra informe, paradoxal, violenta, todas as forças ocultas do nosso caos. São elas que não permitem à língua estratificar-se e que nos afastam do falar português e dão à linguagem brasileira esse maravilhoso encanto da aluvião, do esplendor solar, que a tornam a única expressão verdadeiramente viva e feliz da nossa espiritualidade coletiva. Em vez de tendermos para a unidade literária com Portugal, alarguemos a nossa separação. Não é para perpetuar a vassalagem a Herculano, a Garrett e a Camilo, como foi proclamado ao nascer a Academia, que nos reunimos. Não somos a câmara mortuária de Portugal!

A repercussão extraordinária alcançada por esse discurso e o desconhecimento das verdadeiras origens do Modernismo levaram a um erro de fato, que ainda hoje persiste, de apresentar os iniciadores do movimento como discípulos do autor de *A estética da vida*. A verdade é que não houve influência de Graça Aranha sobre os moços, mas, ao contrário, estes é que influenciaram o confrade mais velho, como está patente no romance *A viagem maravilhosa*, em que o escritor abandona muitas vezes o seu processo de frase ampla e numerosa para adotar as formas breves e elípticas tão do gosto dos inovadores. Graça Aranha não teve discípulos. Não foi um mestre, no sentido estrito da palavra, senão um companheiro mais velho, cuja adesão deu ao movimento o prestígio de sua glória pessoal e o calor do seu generoso entusiasmo.

Difícil é dizer qual das correntes europeias mais influiu nos modernistas brasileiros. É certo, porém, que o Futurismo terá sido a que menos pesou. Os modernistas introduziram em nossa poesia o verso livre, procuraram exprimir-se numa linguagem despojada da eloquência parnasiana e do vago simbolista, menos adstrita ao vocabulário e à sintaxe clássica portuguesa. Ousaram alargar o campo poético, estendendo-o aos aspectos mais prosaicos da vida, como já o tinha feito ao tempo do Romantismo Álvares de Azevedo. Movimento a princípio mais destrutivo e bem caracterizado pelas novidades de forma, assumiu mais tarde cor acentuadamente nacional, buscando interpretar artisticamente o presente e o passado brasileiros, sem esquecer o elemento negro entrado em nossa formação. Foram seus pioneiros e principais porta-vozes Mário de Andrade e Oswald de Andrade, em São Paulo, Ronald de Carvalho e Ribeiro Couto, no Rio de Janeiro.

Mário de Morais Andrade, nascido em São Paulo em 1893 e ali falecido em 1945, não se destinava à literatura: destinava-se à música e nessa intenção cursou o Conservatório Dramático e Musical daquela cidade, passando depois a lecionar piano, história da música e estética musical. Mas em 1917 a comoção da guerra, o horror de ver os homens separados por ódios terríveis inspirou-lhe uma série de poemas de fundo pacifista publicados sob o título *Há uma gota de sangue em cada poema*. Já havia nesse livrinho, de música e sensibilidade simbolistas, uma evidente procura de formas novas e novos elementos de expressão. Não porém tão pronunciada como em *Pauliceia desvairada*, onde o sofrimento de vinte meses de dúvidas e cóleras o fez rebentar em excessos de liberdade estrepitosa. Não tinha o propósito de mandá-lo imprimir, e isso porque não lhe parecia um livro no sentido social da palavra. Mas a celeuma provocada pela publicação de alguns desses poemas no artigo já citado de Oswald de Andrade, a saraivada de remoques com que foram recebidos nas rodas literárias e pelo público em geral, levaram o Poeta a considerar na importância que o livro teria, se publicado, como fermento de renovação e ainda como pedra de escândalo, que iria tornar imediatamente mais aceitáveis os versos de outros poetas igualmente empenhados na prática de novos processos de expressão. Embora desabafo pessoal, uma diretriz bem marcada se afirmava no livro – o interesse brasileiro, ainda que circunscrito àquele orgulho "de ser paulistamente". Começa então, com a publicação de *Pauliceia desvairada*, a sua obra toda em função do momento atual brasileiro. "Só sendo brasileiro, isto é, adquirindo uma personalidade racial e patriótica (sentido físico) brasileira", escrevia-me, "é que nos universalizaremos, pois que assim concorreremos com um contingente novo, novo *assemblage* de caracteres psíquicos para o enriquecimento do universal humano." Não lhe satisfazia a solução regionalista, criando uma espécie de exotismo dentro do Brasil e excluindo ao mesmo tempo a parte progressista com que o Brasil concorre para a civilização do mundo. Uma hábil mistura das duas realidades parecia-lhe a solução capaz de concretizar uma realidade brasileira em marcha. Brasilizar o brasileiro num sentido total, patrializar a pátria ainda tão despatriada, quer dizer, influir para a unificação psicológica do Brasil – tal lhe pareceu que devia ser sempre a finalidade de sua obra, mais exemplo do que criação.

De fato Mário de Andrade viveu e produziu sempre em função desse destino que se impôs como um apostolado, onde quer que tenha exercido a sua atividade intelectual – na poesia, na prosa de ficção, na crítica literária, musical e plástica, no domínio do folclore. Em nenhum desses setores fez ele maiores sacrifícios à verdade e beleza de suas criações do que na questão da língua, e aí se tornou mais irritante e contundente, muito mais inacessível, em suas nobres intenções, aos julgamentos superficiais. E no entanto o problema do abrasileiramento da linguagem literária não passa em sua obra de um detalhe, mais visível, é certo, mas sempre detalhe, do problema mais vasto e mais complexo de aprofundar harmoniosamente o tipo brasileiro.

Numa linguagem brasileira artificial, porque é uma síntese e sistematização literária pessoal de modismos dos quatro cantos do Brasil, passou Mário de Andrade a escrever os seus livros, na poesia desde *O losango cáqui*, publicado em 1924. São impressões de um mês de exercícios militares. São, na veste arlequinal, o losango da cor do uniforme. Não se trata de verdadeiros poemas, senão de anotações líricas desses dias em que o Poeta, "defensor interino do Brasil", se inebriou "de manhã e de imprevistos". O livro tem por isso mesmo uma frescura de sensações e de imagens *sem igual* na obra restante do autor.

Em 1927 e 1930 aparecem *Clã do jabuti* e *Remate de males*. Já no primeiro se apresenta o Poeta em sua feição mais ou menos definitiva, com alguns dos seus poemas mais trabalhados e mais característicos: "O poeta come amendoim", "Carnaval carioca", "Noturno de Belo Horizonte" e outros inspirados nas tradições e no folclore brasileiro – "Toada do Pai do mato", "Lenda do céu", "Coco do major", "Moda da cadeia de Porto-Alegre", "Moda da cama de Gonçalo Pires" etc. No primeiro poema expõe e fundamenta o seu modo de entender e amar o Brasil:

> Brasil amado não porque seja minha pátria,
> Pátria é acaso de migrações e do pão nosso onde Deus der...
> Brasil que eu amo porque é o ritmo do meu braço aventuroso,
> O gosto dos meus descansos,
> O balanço das minhas cantigas amores e danças.
> Brasil que eu sou porque é a minha expressão muito engraçada,
> Porque é o meu sentimento pachorrento,
> Porque é o meu jeito de ganhar dinheiro, de comer e de dormir.

Punha o Poeta nos seus versos e muito intencionalmente aquele "carinho molengo, sensual e pegajoso, um carinho gostoso semitriste, e a ironia de supetão". Poemas dessa feição e estilo vamos ainda encontrar em *Remate de males*, como os do ciclo amoroso de Maria. Mas notamos em outros – "Manhã", "Louvação da tarde" e sobretudo nos "Poemas da negra" e "Poemas da amiga" – uma evolução da poesia para formas mais despojadas. Todos respiram grande calma, uma ardência que não consome, um afeto que não mela nunca; parecem vir de um isolamento enorme, mas de um isolamento em que não se pode falar nem de tristeza nem de alegria. Será de indiferença? "Que indiferença enorme!" diz um verso. Não é indiferença não, é antes sabedoria: é serenidade, conformidade com o destino, em suma felicidade, porque nessa altura "a própria dor é uma felicidade". Não há vestígio de exotismo na sua maneira de tratar o tema da negra; é a mesma suavidade singela e natural das endechas a Bárbara, de Camões:

> Você é tão suave,
> Vossos lábios suaves
> Vagam no meu rosto,
> Fecham meu olhar.
>
> Sol-posto.
>
> É a escureza suave
> Que vem de você,
> Que se dissolve em mim.
>
> Que sono...
>
> Eu imaginava
> Duros vossos lábios,
> Mas você me ensina
> A volta ao bem.

Em 1941 publicou Mário de Andrade o volume *Poesias*, com uma seleção dos livros anteriores e duas partes novas – *A costela do grã cão* e *Livro azul*. Responde o Poeta sarcasticamente aos que o acusam de escritor difícil:

Eu sou um escritor difícil,
Porém culpa de quem é!...

....
Não carece vestir tanga
Pra penetrar meu caçanje!
Você sabe o francês "singe"
Mas não sabe o que é guariba?
– Pois é macaco, seu mano,
Que só sabe o que é da estranja.

O coroamento dessa nobre carreira de poeta estará talvez no poema "Rito do irmão pequeno", em que aquela mesma serenidade dos "Poemas da negra" e dos "Poemas da amiga" se estende a um tema mais geral, desenvolvendo-se com uma majestade de adágio, "grave e natural feito o rolar das águas".[13]

Oswald de Andrade (1890-1954), nascido em São Paulo, deu o melhor de si numa série de romances. O mais audacioso e irrequieto do grupo modernista, fez também poesia, menos por verdadeira inspiração do que para indicar novos caminhos, criando dentro do movimento a corrente primitivista e dando o exemplo em três livros curiosíssimos: *Pau-Brasil* (1925), *Primeiro caderno do aluno de poesia Oswald de Andrade* (1927) e *Cântico dos cânticos para flauta e violão* (1942). O programa dessa poesia era desembaraçá-la do pedantismo da cultura, "dos cipós das metrificações"; exprimir "a alegria da ignorância que se descobre"; voltar ao que é "bárbaro e nosso". Anos depois já não lhe satisfaz o símbolo do pau de tinta e lança uma revista cujo título define mais agressivamente a reação contra "a fatalidade do primeiro branco aportado e dominando diplomaticamente as selvas selvagens" – *Antropofagia*. Em *Pau-Brasil* extrai Oswald de Andrade dos primeiros cronistas – Pero Vaz de Caminha, Gandavo, frei Vicente do Salvador, frei Manuel Calado etc. – pequenos trechos de prosa que ordena em verso livre e apresenta, à maneira de modelos, na primeira parte do livro. Assim faz poemas seus estes dois pequeninos episódios da Carta de Caminha:

OS SELVAGENS

Mostraram-lhes uma gallinha
Quase haviam medo della
E não queriam pôr a mão
E depois a tomaram como espantados.

CHOROGRAFIA

Tem a forma de hua harpa
Confina com as altissimas serras dos Andes
E fraldas do Perú
As quaes são tão soberbas em cima da terra
Que se diz terem as aves trabalho em as passar

---

13 Em 1955 foram editadas num só volume as suas *Poesias completas*, incluindo os livros citados e mais *O carro da miséria*, a *Lira paulistana* e *Café*. (N. A.)

Ou esta observação linguística de J. M. P. S. (da cidade do Porto):

VÍCIO NA FALA

Para dizerem milho dizem mio
Para melhor dizem mió
Para pior pió
Para telha dizem teia
Para telhado dizem teiado
E vão fazendo telhados

Nesta maneira concisa exprime a seguir as suas observações da realidade brasileira, ora comovido, ora e mais frequentemente dando expansão ao seu humor satírico, às vezes profundamente poético em certas notações rápidas da paisagem ou da alma do nosso país. É o caso do "Noturno":

Lá fora o luar continua
E o trem divide o Brasil
Como um meridiano.

Ou desta "Procissão do enterro":

A Verônica estende os braços
E canta
O pálio parou
Todos escutam
A voz da noite
Cheia de ladeiras acesas.

Ou deste fim da festa da Ressurreição em Minas Gerais:

Um atropelo de sinos processionais
No silêncio
Lá fora tudo volta
À espetaculosa tranquilidade de Minas

Tanto os "poemas" de *Pau-Brasil* como os do *Primeiro caderno* e os de *Cântico dos cânticos* são versos de um romancista em férias, de um homem muito preocupado com os problemas de sua terra e do mundo, mas, por avesso à eloquência indignada ou ao sentimentalismo, exprimindo-se ironicamente como se estivesse a brincar.

Ronald de Carvalho (1893-1935), nascido no Rio de Janeiro e formado em Direito antes dos vinte anos, fez logo depois de terminados os estudos uma viagem à Europa, ligando-se em Lisboa ao grupo fundador da revista *Orfeu*, iniciadora do movimento moderno em Portugal. De regresso publicou o livro *Luz gloriosa*. Nada se contém nele que revele o contato com a estranha poesia de Mário de Sá-Carneiro e Fernando Pessoa. Definia-se já o Poeta nas linhas nítidas e tonalidades claras que dão a toda a sua obra a ordenação e o brilho de um jardim, ainda que tropical, bem civilizado. O seu segundo livro, *Poemas e sonetos* (1919), assinala mesmo um retro-

ENSAIOS LITERÁRIOS

cesso ao Parnasianismo, recompensado pela Academia Brasileira com o prêmio de poesia. O rapaz de 25 anos parecia definitivamente conquistado pela disciplina acadêmica, que se manifestava não só nos versos, mas também na *Pequena história da literatura brasileira*, outro livro premiado pela Academia no mesmo ano de 1919, e nas críticas de jornal, onde o futuro rebelado não poupava sarcasmos à poesia de Apollinaire e outros mestres da literatura europeia de vanguarda. Mas em 1921 a mocidade reivindicou os seus direitos: o encontro com o músico Villa-Lobos, com o pintor Di Cavalcanti, com Ribeiro Couto e logo depois com Mário de Andrade e Oswald de Andrade teve sobre o Poeta influência decisiva. Já naquele ano escrevia a propósito do nosso grande compositor:

> A arte é uma aspiração à liberdade. O que nós, poetas, músicos, pintores, escultores e arquitetos desejamos é criar o nosso ritmo pessoal, é transmitir a nossa harmonia interior. Cada um de nós é um instrumento por onde passa a corrente da vida. Não queremos regras nem admitimos preconceitos. Não nos atraem as teorias especiosas. A lógica do artista não cabe nas fronteiras de um teorema, a lógica do artista é um problema cujos dados mudam a cada instante, e cuja solução varia de momento a momento. Para empregar uma simples e admirável imagem de Nietzsche, dançamos acorrentados, dançamos sobre as coisas sem que a elas nos adaptemos, mas, ao revés, tirando do espetáculo do mundo a substância da criação. A obra de arte não repete, mas adivinha e transforma a Natureza. O artista é um transfigurador. Recebe a energia da vida e, em troca, lhe dá a forma.

Era explicar em prosa o que exprimia poeticamente num epigrama:

> Olha a vida primeiro, longamente, enternecidamente,
> Como quem a quer adivinhar...
> Olha a vida, rindo ou chorando, frente a frente,
> Deixa depois o coração falar.

Nessa nova compreensão da arte escreve os seus livros mais característicos – *Epigramas irônicos e sentimentais* (1922) e *Jogos pueris* (1926). Compreensão que depois se alarga aos temas mais vastos das terras americanas que sonhava solidarizadas na mesma

> Alegria de inventar, de descobrir, de correr!

> Alegria de criar o caminho com a planta do pé!

As viagens que fez pelas Américas, a civilização mexicana, de que guardou profunda impressão, a vista dos pampas argentinos, das solidões andinas, despertaram-lhe a vontade de ser no Novo Mundo aquele poeta novo que nos propõe em *Toda América* (1926):

> Teu poeta será ágil e inocente, América!
> a alegria será a sua sabedoria,
> a liberdade será a sua sabedoria,
> e sua poesia será o vagido da tua própria substância, América, da tua própria
>   [substância lírica e numerosa.

Nesse momento esquecia-se Ronald de Carvalho de que essa alegria, essa liberdade, essa substância "lírica e numerosa" já estava expressa e como que esgotada na voz verdadeiramente continental de Walt Whitman. Eis por que as imagens fulgurantes e os ritmos amplos dos seus poemas americanos ressoam aos nossos ouvidos como ecos, talvez mais concertados, porém menos ingênuos, menos "inocentes" do que os acentos mais potentes, os acentos geniais de *Leaves of grass*. Nem podia ser de outro modo, já que por fatalidade de temperamento, pela severa educação e pela sua própria concepção da arte era Ronald de Carvalho aquele "dançarino acorrentado" da imagem de Nietzsche.

Dante Milano (1899-1991), carioca, estreou tarde em livro (*Poemas*, 1948), o que, se por um lado privou o grande público de mais cedo tomar conhecimento de um dos nossos poetas mais fortes e mais perfeitos, deu, por outro lado, ao artista a vantagem de surgir em plena maturidade, sem os cacoetes caducos dos primeiros anos do Modernismo. A sua poesia é grave e meditativa – Mário de Andrade chamá-la-ia de "pensamenteada". Exemplo singularmente raro em nossas letras, parece o Poeta escrever os seus versos naquele indefinível momento em que o pensamento se faz emoção. Em 1953 a publicação de suas traduções de *Três cantos do Inferno* (V, XXV e XXXIII) veio novamente pôr de manifesto a sua extraordinária perícia de artista do verso.

Ribeiro Couto (1898-1963) estreou com o volume *O jardim das confidências*, um livro típico das emoções da adolescência, em que nos conta

> A dor sentimental dos romances perdidos,
> Da mocidade inquieta e de uma espera inútil.

Poesia que o próprio Poeta definirá no livro seguinte, *Poemetos de ternura e melancolia* (1924):

> Minha poesia é toda mansa.
> Não gesticulo, não me exalto...
> Meu tormento sem esperança
> Tem o pudor de falar alto.

Ribeiro Couto pertence à linhagem dos poetas intimistas. Encontramos nele o mesmo gosto do cotidiano, a mesma música de Samain e Francis Jammes. Nas grandes cidades procurava de preferência os seus temas na vida dos arrabaldes e mais tarde, em 1933, consagra todo um volume, *Província*, a fixar os aspectos, a doçura, o encanto como que suburbano das cidadezinhas do interior. Uniu-se aos modernistas no horror da eloquência e na aceitação do verso livre, mas ficou sempre fiel ao tom baixo, aos temas humildes do primeiro livro, ao processo musical de criar uma atmosfera pelas aliterações e refréns. Processo que dá à maioria dos seus poemas o caráter de canções, já tinha notado a propósito de *O jardim das confidências* o crítico Rodrigo M. F. de Andrade.

Em *Um homem na multidão* (1926) mistura-se à suavidade, já menos intencional dos primeiros livros, outra face não menos marcante do Poeta, a ironia, expressa porém com tão deslizante leveza, que pode ainda servir de veículo à ternura sempre presente nesse temperamento fundamentalmente sentimental:

Eu quero que tu gostes de mim, quero...
Mas não me peças nunca para que te leia poemas.
Cada vez que te obedeço e vou buscar poemas
Começo a ler e te espantas logo... – "Mas a métrica?"
E é preciso repetir toda uma explicação monótona.

Mas em Ribeiro Couto, com o sentimental, para quem a poesia seria sempre de preferência o refúgio das horas confidenciais, coexistia um homem de ação, dinâmico, intrépido e sagaz, amante da aventura, curioso de todo o mundo (e para o conhecer se fez diplomata), profundamente interessado nos destinos de sua pátria e da América: este afirmou-se num só livro – *Noroeste e outros poemas do Brasil* (1933). Trata-se do noroeste do seu estado natal, São Paulo, para onde avançava então a "onda verde" do café novo, zona tumultuosa de adventícios cobiçosos e violentos como os do tempo das "entradas", enchendo-se vertiginosamente de uma população misturada, sem antecedentes locais:

Nenhum homem feito, ó Noroeste,
Poderá dizer-te: minha terra natal.

Aqui o Poeta gesticula, exalta-se, fala "na linguagem sonora que inflama as multidões contentes". Em dez poemas celebra a cidade de Santos, escoadouro marítimo do café, onde nasceu e cresceu "junto do porto, vendo a azáfama dos embarques", aprendendo "a poesia do comércio", sentindo no sangue "o instinto da partida".

Mas esse tom é uma exceção na sua obra, e em *Cancioneiro de Dom Afonso* (1939) e *Cancioneiro do ausente* (1943) volta ao seu jardim, onde já agora não soa mais o desejo das terras distantes, enfim satisfeito: soa, com mais pudor ainda e numa forma extremamente depurada, o desencanto de todas as aventuras:

Por mares andei
E terras estranhas
Que tristes achei.

E agora, saudades!
Campos e montanhas,
Praias e cidades
De aqui e de além...

Mas o longe é um bem –
Apagada tinta
Que desperta cores
Na memória extinta...

E a recordação
De não sei que amores,
De não sei que vida
Em não sei que chão...

E uma voz pungente
Nunca mais ouvida,
Nunca mais ausente.

Torto e a fábula e *Arranha-céu de vidro* (1956) –, os quais vieram colocar o seu autor entre os nossos poetas mais importantes da hora atual.

Em seus livros mais recentes, *A montanha-russa* e *Jeremias sem chorar*, voltou o Poeta à linha de pesquisas no sentido do Concretismo e da Poesia-Práxis, movimentos de que trataremos no fim deste ensaio.

Raul Bopp (1898-1984) é natural do Rio Grande do Sul, mas pela sua atividade literária pertence ao meio paulista, tendo colaborado na Semana de Arte Moderna e posteriormente na corrente nacionalista de Menotti del Picchia e Cassiano Ricardo, e na antropofágica de Oswald de Andrade. Não que fosse um caudatário: muito ao contrário, Bopp é uma das figuras mais fortes e originais do movimento modernista. O crítico Andrade Muricy define-o muito bem quando o pinta simpatizado por todos os partidos, divertindo-se com todos, sumindo-se periodicamente para aventuras inverossímeis e distantes. É assim que fez duas vezes a viagem do transiberiano e percorreu de sul a norte todo o Brasil. "A maior volta do mundo que eu dei foi na Amazônia", escreveu Bopp. "Canoa de vela. Pé no chão ouvindo aquelas *Mil e uma noites* tapuias. Febre e cachaça. O mato e as estrelas conversando em voz baixa." Dessa volta do mundo nasceu o poema *Cobra Norato* (1931), do qual disse o próprio autor: "Para mim vale como a tragédia da maleita, cocaína amazônica. *Eu quero é a filha da rainha Luzia*. Obsessão sexual. Druídica. Esotérica. Tem o ar de um livro de criança. Quente e colorido. Mas no fundo representa a minha tragédia das febres." À visão daquele mundo paludial e como que ainda em gestação – *Ué, aqui estão mesmo fabricando terra!* – mistura-se a sugestão da alma selvagem evocada nos mitos do folclore local, tudo expresso numa língua forte e saborosa, síntese muito harmoniosamente organizada da dição culta e da fala popular. Em *Urucungo* (1933) e em alguns dos poemas que acompanham a edição de 1951 de *Cobra Norato* trouxe o Poeta à poesia americana de temas negros uma contribuição que emparelha com as dos mestres cubanos e porto-riquenses.

Sérgio Milliet (1898-1966), nascido em São Paulo, embora revele na sua maneira de exprimir-se a influência de Mário de Andrade e Oswald de Andrade, é, pela sensibilidade e formação, uma figura perfeitamente distinta dentro do grupo paulista. Fez o curso secundário e o superior de ciências econômicas e sociais na Suíça, em Genebra. Ali publicou três livros de poemas em francês – *Par le sentier*, *Le départ sous la pluie* e *En singeant*, este uma coleção de pastiches de escritores suíços. Voltando ao Brasil em 1920, tomou parte na Semana de Arte Moderna, deu em 1923 mais um volume de versos franceses, *Œil de boeuf*, em 1927 *Poemas análogos*, em 1937 *Poemas*. Em 1943 editou *Oh valsa latejante*, abrangendo poemas que vão de 1922 a 1943. Em 1946 editou num só volume – *Poesias* – toda a sua obra poética em língua portuguesa. Sérgio Milliet é por excelência um crítico e no sentido mais amplo da palavra, pois a sua atividade se estende aos setores da literatura, das artes plásticas e dos estudos sociais; o mesmo espírito de análise caracteriza a sua poesia, sempre reflexiva, desenvolvendo-se à maneira de comentário desencantado das vivências de um homem que se sabe sentimental e procura defender-se numa atitude de reserva e de ressalva irônica. Já em 1926 compendiava ele toda uma *ars poetica* em dois versos do poema "*Toi et moi*":

> Arte é amor e alegria
> e o pudor da ironia...

Mas nunca existiu verdadeiro poeta que não violasse a sua arte poética. Mais tarde Milliet dirá:

> O poema que eu hei de escrever
> Será nu e simplesmente rude
> O poema que eu hei de escrever será um palavrão.

E em 1936 e 1937, nos cinco "Poemas da rua", maltrata ele a si mesmo e aos demais poetas de sua terra que não sentem "senão o próprio drama pequenino":

> É um homem
> Tem coração, tem olhos, tem ouvidos
> tem todos os sentidos
> Ele olha o mundo
> Ele ouve o mundo
> Ele sente as pulsações do mundo
> Ele pensa longamente
> volve o olhar para dentro da alma inquieta e pesquisa...
> NADA... Um amorzinho muito sensual...

E concita:

> oh poeta de minha terra
> abre os braços bem abertos para que venha a ti
> a voz profunda do mundo...

Nessa turbulenta geração paulista, Rodrigues de Abreu (1897), falecido em 1927, foi, como assinalou Andrade Muricy, "o irmão deserdado, o irmão doente". Irremediavelmente prostrado pela tuberculose em plena adolescência, não teve tempo de amadurecer em cantos definitivos. Mas em dois livros apenas, *A sala dos passos perdidos* (1924) e *Casa destelhada* (1927), de publicação póstuma, deixa-se entrever o tesouro de sensibilidade que havia nesse rapaz cuja poesia comove como "um gesto carinhoso de despedida", cujos ritmos largos, paralelísticos, e mais o tom augural e grave nos temas da noite, da morte, da religião antecipam a futura mensagem de Augusto Frederico Schmidt:

> em dia vindouro, nevoento,
> porque há de ser sempre de névoa esse dia supremo,
> eu partirei numa galera frágil
> pelo Mar Desconhecido.
> ....
> Mas nos meus olhos brilhará uma chama inquieta.
> Não pensem que será febre.
> Será o Sant'Elmo que brilhou nos mastros altos
> das naves tontas que se foram à Aventura.
>
> Saltarei na galera apodrecida,
> que me espera no meu porto de Sagres,
> no mais áspero cais da vida.
> Saltarei um pouco feliz, um pouco contente,

porque não ouvirei o choro de minha mãe.
O choro das mães é lento e cansado.
E é o único choro capaz de chumbar à terra firme
O mais ousado mareante.

Em fins de 1927 e no correr do ano seguinte, quer dizer, mais ou menos ao tempo em que na capital paulista aparecia o "Manifesto Pau-Brasil", de Oswald de Andrade, e o "Manifesto Verde-Amarelo", de Menotti del Picchia, definia-se na revista *Festa*, do Rio, a corrente que o crítico Tristão de Athayde chamou espiritualista. Dela faziam parte os poetas Tasso da Silveira, Murillo Araújo, Cecília Meireles, os prosadores Andrade Muricy, Adelino Magalhães, Brasílio Itiberê e outros. Em manifestos escritos à maneira de poema, Tasso da Silveira, principal porta-voz do grupo, compendiava-lhe as ideias diretrizes nas quatro palavras – velocidade, totalidade, brasilidade, universalidade. E definia-as. Velocidade: não se trata de só falar em aeroplanos, trens de ferro, automóveis; trata-se de velocidade expressional, isto é, da expressão que condense fortemente a matéria emotiva, e evite, em transposições bruscas e audazes, os terrenos já batidos do espírito, e seja sempre inesperada, surpreendente. Totalidade, quer dizer: o artista assenhoreando-se da realidade integral: das realidades humanas e transcendentes; das realidades materiais e espirituais. Brasilidade: fazer viver, pela arte, mais luminosa do que tudo, a realidade brasileira. Universalidade: exprimir essa realidade brasileira, não como coisa que começa, erro do primitivismo pau-brasil, mas como coisa integrada na realidade universal, coparticipando dessa perene permuta de forças interiores entre os povos.

Mas a verdade é que o caráter individualista da geração, as idiossincrasias de cada um não consentiram jamais o enquadramento dentro da estética dos manifestos, mesmo da parte dos companheiros de grupo, unidos mais pelo que não queriam do que pelo que queriam. No caso dos poetas de *Festa*, o que eles não queriam era o dinamismo "superficial e pueril" dos futuristas, o linguajar do povo, o poema-piada ou a piada no poema. Talvez o que os distinga em comum seja um certo resíduo da sensibilidade simbolista, mas isto também se encontra em outros poetas fora do grupo, como Manuel Bandeira, Álvaro Moreyra, Ribeiro Couto, Ronald de Carvalho etc. Persistência muito natural nos poetas de *Festa*, ligados por laços de parentesco e amizade com o grupo simbolista do Paraná: basta lembrar que Tasso da Silveira (1895-1968), nascido em Curitiba, é filho de Silveira Neto. Se as palavras definidoras de Tasso da Silveira são insuficientes para caracterizar a poesia de Murillo Araújo e Cecília Meireles, uma coisa é certa: elas definem bem as intenções de seus próprios poemas nos livros *A alma heroica dos homens*, *Alegorias do homem novo*, *As imagens acesas*, *O canto absoluto*, *Canto do campo de batalha* e *Contemplação do eterno*. Todavia neste último livro e sobretudo no que se lhe seguiu (*Puro canto*, 1956) o poeta se exprime, como ainda não havia feito, com "fresco, simples, inocente" lirismo.

Mais vários que os temas de Tasso da Silveira são os de Murillo Araújo. Mineiro de nascimento (Serro, 1894), estreou com *Carrilhões*, a que seguiu *Árias de muito longe*. Cantou em *A cidade de ouro* o Rio de Janeiro não como ele é no seu cotidiano descrito nos romances de Manuel Antônio de Almeida, Alencar, Machado de Assis, Lima Barreto e Marques Rebelo, ou ainda nos poemas de Mário Pederneiras, mas um Rio estilizado e rebrilhante como uma iluminura bizantina (de resto esse preciosismo ornamental é uma característica da maneira habitual de Murillo Araújo). Já em *A iluminação da vida* e em *As sete cores do céu*, a par de produções em que persistem os temas subjetivos ou visuais, dá-nos o Poeta alguns poemas de inspiração negra, e aqui o que predomina é, como no *Congo* do norte-americano Vachel Lindsay, o elemento musical imitativo – ritmos batidos, onomatopeias, aliterações e, malgrado os manifestos antiprimitivistas de *Festa*, o aproveitamento artístico do caçanje. Posteriormente editou ainda o Poeta *A estrela azul*, *A escadaria acesa* e *A luz perdida*, nos quais volta ao suave Simbolismo do seu primeiro livro.

Ao tempo de *Festa* era já Cecília Meireles (1901-1964) uma voz distinta entre os nossos poetas. Andrade Muricy definiu-a então como enamorada do Oriente, grave e austera "nesta terra de sol violento e de volúpia". Publicara três livros – *Nunca mais... e Poema dos poemas*, *Criança, meu amor...* e *Baladas para El-Rei*. Mas data do volume *Viagem*, seguido de *Vaga música*, a plenitude de sua força poética, e um crítico português, João Gaspar Simões, classificou-a "talvez a maior poetisa de língua portuguesa". O que logo chama a atenção nos poemas de Cecília Meireles é a extraordinária arte com que estão realizados. Nos seus versos se verifica mais uma vez que nunca o esmero da técnica, entendida como informadora e não simples decoradora da substância, prejudicou a mensagem de um poeta. Sente-se que Cecília Meireles estava sempre empenhada em atingir a perfeição, valendo-se para isso de todos os recursos tradicionais ou novos. Há em *Viagem*, em *Vaga música*, em *Mar absoluto*, em *Retrato natural*, em *Doze noturnos da Holanda*, em *Romanceiro da Inconfidência*, em *Pequeno oratório de Santa Clara*, em *Canções*, em *Poemas escritos na Índia*, em *Metal rosicler* e em *Solombra*, seu último livro, as claridades clássicas, as melhores sutilezas do gongorismo, a nitidez dos metros e dos consoantes parnasianos, os esfumados de sintaxe e as toantes dos simbolistas, as aproximações inesperadas dos super-realistas. Tudo bem assimilado e fundido numa técnica pessoal, segura de si e do que quer dizer. A sua poesia guarda um tom de reserva mesmo nos momentos de extrema amargura:

> Eu não tinha este rosto de hoje,
> assim calmo, assim triste, assim magro,
> nem estes olhos tão vazios,
> nem o lábio amargo.
>
> Eu não tinha estas mãos sem força,
> tão paradas e frias e mortas;
> eu não tinha este coração
> que nem se mostra.
>
> Eu não dei por esta mudança,
> tão simples, tão certa, tão fácil:
> – Em que espelho ficou perdida
> a minha face?

Transcrevi na íntegra esse poema "Retrato" porque caracteriza melhor do que quaisquer outras palavras o fariam, não só a autora como a sua arte. Há não sei que graça aérea nas imagens de Cecília Meireles, cuja poesia se pode definir por aquele pensamento, aquela música a passar na frescura da "Noite" e que era "uma nuvem repleta, entre as estrelas e o vento". Repleta de emoção nunca traduzida em banalidades sentimentais, tomando às estrelas o seu brando lucilar, ao vento a sua versatilidade de direção. De resto o poeta era para Cecília Meireles um irmão do vento e da água, deixando o seu ritmo por onde quer que vá.

O movimento modernista não ficou limitado aos dois centros de mais densa vida intelectual do país, Rio e São Paulo: estendeu-se a outras capitais, e até na pequena cidade mineira de Cataguases teve repercussão no grupo da revista *Verde*, fundada por Rosário Fusco, Guilhermino César (1908) e outros.

Em Belo Horizonte, a capital de Minas Gerais, o órgão da renovação foi *A Revista*, lançada em 1925 por Carlos Drummond de Andrade, Emílio Moura, João Alphonsus, Abgar Renault.

Carlos Drummond de Andrade (1902-1987) é o representante mais típico em poesia do homem de Minas. Os mineiros mais genuínos são dotados daquelas qualidades de reflexão cautelosa, de desconfiança do entusiasmo fácil, de gosto das segundas intenções, de reserva pessimista, elementos todos geradores de *humour*. Toda vez que com esse feitio mineiro coincidirem uma sensibilidade mais rara e o dom da poesia, é de esperar um humorista de grande estilo. Carlos Drummond de Andrade é o primeiro caso dessa feliz conjunção. Sensibilidade comovida e comovente em cada linha que escreve, o Poeta não abandona quase nunca essa atitude de *humour*, mesmo nos momentos de maior ternura. De ordinário, ternura e ironia agem na sua poesia como um jogo automático de alavancas de estabilização: não há manobra falsa nesse admirável aparelho de lirismo. Nos três primeiros volumes que publicou – *Alguma poesia* (1930), *Brejo das almas* (1934) e *Sentimento do mundo* (1940) – assinala-se nitidamente uma evolução que o próprio Poeta marcou nestas linhas de uma informação autobiográfica:

> *Alguma poesia* traduz uma grande inexperiência do sofrimento e uma deleitação ingênua com o próprio indivíduo. Já em *Brejo das almas* há também uma consciência crescente da sua precariedade e uma desaprovação tácita da conduta (ou falta de conduta) espiritual do autor. Penso ter resolvido as contradições elementares da minha poesia num terceiro volume, a sair em breve, e que se chamará *Sentimento do mundo*.

Nos dois primeiros livros o pessimismo sarcástico é a nota dominante. O Poeta não espera grande coisa desta humanidade: "tirante dois ou três, o resto vai para o inferno". Como o Jesus do poema "Romaria", ele devia sonhar, nas horas de cansaço, com "outra humanidade". O juízo que fazia da pátria não podia ser menos amargo: "Quem me fez assim foi minha gente e minha terra"; "é burrice suspirar pela Europa, aqui ao menos a gente sabe que tudo é uma canalha só, lê o seu jornal, mete a língua no Governo, queixa-se da vida e no fim dá certo". O amor? A eterna toada: "briga, perdoa, briga". Afinal um *pis-aller*, porque "se não fosse ele também, que graça teria a vida?". A vida não presta.

Ninguém atentara naquela desaprovação tácita de tal procedimento, já manifesta, como notou o Poeta, em *Brejo das almas*, e daí a surpresa causada pelo terceiro livro, esse *Sentimento do mundo*, no qual Carlos Drummond de Andrade inesperadamente se impôs como o nosso primeiro grande "poeta público do Brasil, o único comparável à moderníssima corrente da poesia inglesa", como o definiu o crítico Otto Maria Carpeaux. Carlos Drummond de Andrade tinha compreendido que "chegou um tempo em que a vida é uma ordem. A vida apenas, sem mistificação". Não será mais o cantor "de uma mulher, de uma história". Não dirá mais "os suspiros ao anoitecer, a paisagem vista da janela":

> não distribuirei entorpecentes ou cartas de suicida,
> não fugirei para as ilhas nem serei raptado por serafins,
> O tempo é a minha matéria, o tempo presente, os homens presentes,
> a vida presente.

Canta neste amanhecer ainda "mais noite do que a noite" a esperança de um mundo melhor, e grita mesmo, com entusiasmo: "ó vida futura! nós te criaremos". Até *A rosa do povo* (1945) exprimiu-se o Poeta em versos livres, mas nos livros seguintes – *Claro enigma* (1951), *Viola de bolso* (1952), *Fazendeiro do ar* (1954) e *Lição de coisas* (1962) – pratica, com grande perícia, também a metrificação rimada.

Emílio Moura (1902-1971) estreou com o livro *Ingenuidade* (1931), a que se seguiram *Canto da hora amarga* (1936), *Cancioneiro* (1945), *O espelho e a musa* (1948), *O instante e o eterno* (1953) e *A casa* (1961). Através de todos esses livros se exprime uma alma que sempre ficou fiel a si mesma e ao seu ideal de paz, de serenidade, de humilde alegria. Num de seus primeiros poemas dizia-nos:

> Eu fiquei só diante da vida
> E todas as coisas me assustaram.

A poesia de Emílio Moura é a confissão desses sustos, feita sempre com um tremor de emoção, mas cheio de pudor. "Poeta quase místico", disse de si próprio. Ao que Drummond de Andrade acrescentou: "Sua mística não é a de Deus, mas a do mistério".

Mineira é também Henriqueta Lisboa (1904-1985), de cuja poesia se pode dizer o que ela diz do morto no poema "O mistério": "é poderosa de indiferença e equilíbrio, completa em si mesma, torre de seduções e amarras". E é na morte que encontra o seu maior tema, a morte "cruel mas limpa", depois da qual "tudo volta a ser como antes da carne e sua desordem".

No Rio Grande do Sul, Augusto Meyer, Ruy Cirne Lima, Vargas Netto, Pedro Vergara e Theodemiro Tostes formaram o primeiro grupo modernista.

Augusto Meyer, nascido em Porto Alegre (1902-1970), editou *Coração verde* (1926), *Giraluz, Duas orações* (1928) e *Poemas de Bilu* (1929). Desde então silenciou, como se no último livro tivesse chegado a um beco sem saída ou houvesse exaurido a sua mensagem de poeta. Mas em 1957 a Livraria São José Editora publicou *Poesias* (1958), onde aos livros já mencionados se acrescentaram *Literatura & poesia*, *Folhas arrancadas* e *Últimos poemas*. Só um elemento mantém nos volumes de versos publicados por Augusto Meyer a unidade da sua obra: a profunda conexão com a terra, cuja paisagem, alma e vocabulário palpitam em cada poema desse rio-grandense--do-sul para quem o minuano que passa gelando as coxilhas é "um batismo de orgulho". O que diferencia violentamente os *Poemas de Bilu* de *Coração verde* e *Giraluz* é que nestes livros a expressão é calma e ingênua, ao passo que naquele, Augusto

Meyer vira Bilu, "o filóis (filósofo) Bilu, malabarista metafísico, grão-tapeador para-bólico", reduzindo tudo a si mesmo, dissolvendo os pensamentos e as emoções em "caretas de sagui". O poema *"Chewing gum"* representa cabalmente o Poeta em sua definitiva atitude diante da vida e na sua expressão irônica e displicente:

> Masco e remasco a minha raiva, *chewing gum.*
>
> Que pílula este mundo!
> Roda roda sem parar.
> Zero zero zero zero,
> é uma falta de imprevisto...
>
> Cotidianissimamente enfastiado,
> engulo a pílula ridícula,
> janto universo e como mosca.
>
> Comi o mio-mio das amarguras.
> A raiva dói como um guasqueaço.
> > Amolado.
> > Paulificado.
> > Angurreado.
>
> Bilu, pensa nas madrugadas que virão,
> aspira a força da terra possante e contente.
> Cada pedra no caminho é trampolim.
> O futuro se conjuga saltando.
> > Depois:
> > indicativo presente –
> > caio em mim.

O poeta Bilu sabe que "os caminhos foram feitos para andar", ouve o mundo que manda: "Entra no coro". Mas recusa-se ao convite da vida, e o seu desgosto amarguento só se tranquiliza "na grande luz, de renunciar". O resíduo último dessa filosofia niilista é "que nós somos a sombra de um sonho numa sombra", inversão do pensamento de Píndaro, que definiu o homem como "o sonho de uma sombra".

A melhor poesia do Nordeste do Brasil está nas trovas dos cantadores popula-res, nos poemas dialetais de Catulo da Paixão Cearense, nos versos dos pernambu-canos Ascenso Ferreira e Joaquim Cardozo, e do alagoano Jorge de Lima.

Ascenso Ferreira (1895-1965) publicou três livros – *Catimbó, Cana-caiana* e *Xenhenhém*. Tem uma estatura gigantesca, que a princípio assusta como a catadu-ra de um campeão de boxe da categoria dos pesados. No entanto, basta ele abrir a boca para dissipar todos os terrores: é um sentimentalão, e sentimentalmente compreendeu e cantou o drama doloroso do matuto, a quem ama ainda quando é o cangaceiro marcado pela fatalidade mesológica com os estigmas do crime. Os seus poemas são verdadeiras rapsódias nordestinas, onde se espelha fielmente a alma ora brincalhona, ora pungentemente nostálgica das populações dos engenhos.

De Joaquim Cardozo (1897-1978), escreveu Carlos Drummond de Andrade que "foi modernista mais ausente do que participante. Um aparelho severo de pu-dor, timidez e autocrítica salvou-o das demasias próprias de todo período de renovação literária". Esse retraimento fez que só em 1947 publicasse o Poeta o seu único livro, *Poemas*,[14] onde há versos que datam de 1925. Em Cardozo, artista tão à vontade na poesia metrificada e rimada quanto no verso livre, vemos a mesma província de Ascenso Ferreira, mas sentida por um temperamento extremamente apurado. Mas não é só a sua província o que interessa a esse pernambucano tão autêntico: há nos *Poemas* assuntos sociais, em "Anjos da paz" por exemplo, a que ele soube comunicar vibração poética igual à dos momentos mais enternecidos de sua lírica amorosa.

Jorge de Lima (1893-1953) estreou verdadeiramente com *O mundo do menino impossível*, que é a expressão poética da sua adesão à terra e ao Modernismo, tanto que ao publicar em 1929 o livro *Novos poemas*, pôs-lhe como epígrafe este fragmento daquele poema: "E o menino impossível quebrou todos os brinquedos que os vovós lhe deram..." Entre esses brinquedos recebidos dos vovós estavam as formas tradicionais em que vazara os *XIV alexandrinos*, seu primeiro livro. Já nos *Poemas* (1927), *Novos poemas* e *Poemas escolhidos* (1933) o Menino Impossível

<blockquote>

que destruiu até
os soldados de chumbo de Moscou
e furou os olhos de um Papá Noel,
brinca com os sabugos de milho,
caixas vazias,
tacos de pau,
pedrinhas brancas do rio...

"Faz de conta que os sabugos
são bois..."
"Faz de conta..."
"Faz de conta..."

E os sabugos de milho
mugem como bois de verdade...
e os tacos que deveriam ser
soldadinhos de chumbo são
cangaceiros de chapéus de couro...

</blockquote>

Eu poderia dizer [escreveu José Lins do Rego] que com esse caderno dos *Poemas* o Nordeste teve o seu primeiro livro de poesia. O Nordeste dos cangaceiros, do rio de São Francisco, de Lampião, do Padre Cícero, da Great Western Brasil Railway, dos engenhos-banguês, das procissões, das bonecas de pano que se vendem nas feiras, de toda a sentimentalidade tão característica de nossa gente.

Alguns dos poemas desse livro e do que se lhe seguiu, *Novos poemas*, garantem ao seu autor um nome duradouro em nossa poesia, porque figuram entre as melhores e mais saborosas interpretações da paisagem e da alma brasileiras. Não se confina o Poeta num estreito nacionalismo. Mas se Ronald de Carvalho cantou toda a América, Jorge de Lima, ainda um tanto rodoísta, celebra o que se chama "a minha América", isto é, a América do Sul, sentimentalmente alterada em sua geografia para

---

14 Em 1948 apareceu a *Pequena antologia pernambucana* de Cardozo, composta e impressa por João Cabral de Melo Neto em Barcelona; em 1960, *Signo estrelado*, e em 1963 *O coronel de Macambira*, onde o Poeta reatualiza um gênero de teatro brasileiro – o Bumba meu boi.

conter também o México. O ciclo da terra parece definitivamente encerrado na poesia de Jorge de Lima. Em *Tempo e eternidade*, livro seu e de Murilo Mendes, o Poeta passa a haurir toda a sua inspiração no fundo religioso, a expressão assume tom e ritmos graves, largos, paralelísticos, de sabor bíblico. "A vida está malograda", mas o Poeta crê "nas mágicas de Deus". O manifesto de Jorge de Lima e Murilo Mendes está dito em cinco palavras: "Restauremos a Poesia em Cristo". *A túnica inconsútil* e *Anunciação e encontro de Mira-Celi* (1938) persistem, com mais abundância e plenitude, nos temas e na técnica do livro anterior.

Em 1949 publicou o Poeta o *Livro de sonetos*, onde já nos aparece diferente, justificando a observação de Otto Maria Carpeaux, que o definiu como um poeta "em caminho". São 78 sonetos, alguns dos quais só têm da genuína forma fixa tradicional a estruturação em dois quartetos e dois tercetos. Neles se compraz o autor em conceitos, metáforas e expressões de surpreendente barroquismo, barroquismo que o Poeta levará à mais desabusada, e às vezes abstrusa, eclosão no seu livro último, *Invenção de Orfeu* (1952), longo poema em dez cantos, de técnicas e faturas extremamente variadas e cujo sentido profundo ainda não foi devidamente esclarecido pela crítica e talvez não o seja nunca, pois é evidente haver nele grande carga de subconsciente a par de certas vivências puramente verbais. Como quer que seja, é obra poderosa, onde deparamos fragmentos de alta beleza, que são em si pequenos poemas completos.

Murilo Mendes (1901-1975) é talvez o mais complexo, o mais estranho e seguramente o mais fecundo poeta desta geração. Já publicou onze livros (*Poemas*, 1930; *História do Brasil*, 1933; *Tempo e eternidade*, 1935; *A poesia em pânico*, 1938; *O visionário*, 1941; *As metamorfoses*, 1944; *Mundo enigma*, 1945; *Poesia liberdade*, 1947; *Contemplação de Ouro Preto*, 1954; *Parábola* e *Siciliana*, 1959; *Tempo espanhol*, 1959) e tem ainda inéditos uma meia dúzia. Mineiro de nascimento (Juiz de Fora), tornou-se famoso por alguns poemas-piadas de sabor caracteristicamente carioca. A verdade é que não lhe escapa nenhum ridículo da vida nacional no presente e no passado. Na sua obra "há brasileirismo tão constante como em nenhum outro poeta do Brasil", escreveu com razão Mário de Andrade. Fornecendo os dados biográficos para uma notícia de antologia, declarou o próprio Poeta que "encara a poesia como fenômeno diário, constante, permanente, eterno e universal". Considera seus poemas como "estudos" que outros poderão desenvolver. Entende que o germe da poesia existe em todos os homens, competindo ao artista "desenvolvê-lo nos outros". Nessa mesma ocasião assinalou como fatos capitais de sua existência a passagem do cometa de Halley em 1910, dois espetáculos de bailados russos (Nijinsky) em 1916 e o conhecimento de Ismael Nery em 1921. O primeiro é talvez muito responsável pela interpenetração dos planos da realidade e da imaginação, do natural e do sobrenatural, pelo ambiente de alumbramento e pânico tão frequente nos momentos graves dessa poesia; o segundo, pelo que a torna, como já notou Vinicius de Moraes, a mais próxima do *ballet*; quanto a Ismael Nery, foi o encontro decisivo na vida do poeta, o acontecimento culminante, que resultou na conversão de Murilo Mendes ao catolicismo.

Nasceu Ismael Nery em Belém do Pará em 1900 e faleceu no Rio em 1934 aos 34 anos de idade. Tinha gosto e talento para todas as artes, mas cultivou de preferência a pintura, tendo deixado neste domínio uma obra importante, ainda não convenientemente estudada. Depois de sua morte viemos a saber que era também poeta, lendo uma série de poemas publicados numa revista por iniciativa de Murilo Mendes. Acompanhavam os versos umas notas e comentários que explicavam a concepção que do mundo e da arte formava o artista. Chamava-lhe ele "essencialismo". Segundo Ismael Nery o homem deve sempre procurar eliminar os supérfluos que prejudicam sempre a essência a conhecer: a essência do homem e das coisas só pode ser atingida mediante a abstração do espaço e do tempo, pois a localização num momento contraria uma das condições da vida, que é o movimento. Um essencialista deve colocar-se na vida como se fosse o centro dela para que possa ter a perfeita relação das ideias e dos fatos. A essa doutrina, escreveu Murilo Mendes, "Ismael Nery imprimiu o caráter de sua fortíssima personalidade, sujeitando-a porém aos eternos princípios do catolicismo".

Sem prejuízo da ingênita originalidade (Murilo Mendes é um dos quatro ou cinco bichos-da-seda da nossa poesia, isto é, os que tiram tudo de si mesmos), as ideias de Ismael Nery exerceram grande influência no amigo, cuja obra se nos apresenta fortemente marcada por essa abstração do tempo e do espaço. Ouçamo-lo no seu ensaio sobre "O eterno nas letras brasileiras modernas":

> Os elementos místicos da alma humana não estão sujeitos ao tempo. Colocado no tempo, o homem tende continuamente a abstraí-lo. A grande ideia da abstração do tempo ainda não chegou a ser organizada ou sistematizada pelo homem, mas é fora de dúvida que ele sofre inconscientemente a pressão da ideia. Na vida diária colhem-se a todo momento exemplos disto, a começar pela pitoresca e fortíssima expressão popular *matar o tempo*. Todo o mundo quer se libertar do tempo. Nós estamos sujeitos ao tempo e contra o tempo. A própria música, uma arte que se desenvolve no tempo, é ouvida por quase toda a gente com a finalidade expressa de arrancar o homem do tempo. Joseph de Maistre diz que a própria ideia da felicidade eterna, junta à do tempo, fatiga e espanta o homem. Eis por que o Apocalipse nos revela que, no fim de tudo, um anjo gritará: "Não haverá mais tempo!" Muitos homens julgam que a ideia de eternidade reside num plano de mito, de ficção, ou que a eternidade é a vida de além-túmulo. Entretanto a vida eterna começa neste mundo mesmo: o homem que distingue o espírito da matéria, a necessidade da liberdade, o bem do mal, e que aceita a revelação de Cristo como solução para o enigma da vida, este homem já incorpora elementos eternos ao patrimônio que lhe foi trazido pelo tempo.

De fato, em toda a poesia de Murilo Mendes assistimos a essa constante incorporação do eterno ao contingente. E por outro lado a abstração do espaço acaba por abolir a perspectiva dos planos, confundidos todos numa super-realidade, com a tangência do invisível pelo visível. Não se trata porém do Super-realismo no sentido da escola francesa: sente-se sempre na poesia de Murilo Mendes a força da inteligência e do coração dominando o tumulto das fontes do subconsciente. Poesia bem de católico, terrivelmente cônscio do pecado original e ao mesmo tempo como que feliz de todas as suas fraquezas pelo que elas implicam de amor – um fulgurante amor não só pelos seus semelhantes como por todas as criaturas e coisas da Criação. Um catolicismo à São Filipe Néri, em que a verdade é concebida em suma e em essência como caridade. O seu culto afronta o ridículo; incorpora-o. E – coisa curiosa – poesia e catolicismo dialéticos. Sente-o o próprio Poeta quando num poema qualifica o seu lirismo de dialético. Com efeito, a cada passo vemos na poesia de Murilo Mendes uma conciliação dos contrários. Certos versos seus poderão até transpirar heresia a espíritos mais estreitos, como aqueles onde exclama: "Amor!

Amor! Palavra que cria e que consome os seres. Fogo, fogo do inferno! melhor que o céu." A verdade é que ele se sente de Deus tanto na boa ação quanto no pecado, e talvez mais no pecado: em Satã, "que não lhe falta nem um instante". Para ele URSS é a irmã transviada, cuja evolução dialética lhe parece imperfeita, e só se completará com a volta ao lar do Pai, onde URSS encontrará o que procura, o que não vê que existe nela "desde o princípio". O próprio Poeta se sente ele mesmo e o seu duplo, "a luta entre um homem acabado e um outro que está andando no ar". O seu maior desejo é voltar para o Princípio, "que nivela a vida e a morte, a construção e a destruição"; a sua maior inveja, Adão, "o único homem que foi ao mesmo tempo mãe, pai, irmão, esposo e amante". Berenice, um dos muitos nomes da amada, é "sólida como a pedra e variável como o mar". A amada assume nos versos de amor do seu poeta um desdobramento cósmico, a despeito da "sua elegância, da sua mentira, da sua vida teatral". Porque ela é "o laço misterioso", diz ainda o Poeta, "que me prende à ideia essencial de Deus". Temos aqui o conceito petrarquiano do amor levado ao extremo limite quase sem um sorriso, antes assiduamente formidável.

Não obstante as intenções construtivistas de Graça Aranha, dos rapazes de *Festa* e do grupo verde-amarelo, não obstante a presença no movimento de um ou outro poeta de sensibilidade e expressão grave como Emílio Moura, pode-se dizer que, encarado no seu conjunto, o Modernismo brasileiro caracterizou-se por uma atitude destruidora. Assim o confessa o próprio Mário de Andrade numa espécie de balanço daqueles anos de agitação: "[...] embora lançando inúmeros processos e ideias novas, o movimento modernista foi essencialmente destruidor. Até destruidor de nós mesmos, porque o pragmatismo das pesquisas sempre enfraqueceu a liberdade de criação." E acrescenta que ele e os seus companheiros viviam então "arrebatados pelos ventos da destruição. E a fazíamos ou preparávamos especialmente pela festa, de que a Semana de Arte Moderna fora a primeira. Todo esse tempo destruidor do movimento modernista foi pra nós tempo de festa, de cultivo imoderado do prazer." Não era movimento destruidor das tradições veneráveis, e nisso afastava-se nitidamente do Futurismo e demais movimentos europeus, dos quais tomava os processos de expressão – o verso livre, as palavras em liberdade etc. – e o tom irônico, *blagueur*, voluntariamente prosaico. Não faltava a nenhum desses nossos poetas, e foi uma acusação injusta que se lhes fez, o sentido grave da vida e do momento social que viviam, mas é certo que havia neles uma desconfiança evidente do sublime, como o viam nas formas *cursis* da literatura consagrada, do satisfeito patriotismo burguês. Que o sequestravam de caso pensado é manifesto num ou noutro momento de abandono à expressão ingenuamente comovida, raro em Oswald de Andrade ("Procissão do enterro", 1925) e em Mário de Andrade ("Improviso do rapaz morto", 1925), mais frequente em Murilo Mendes ("Sertão", "O homem, a luta e a eternidade" etc., anteriores a 1929), em Manuel Bandeira ("Os sinos", "Madrigal melancólico", "Noite morta" etc., anteriores a 1924) e outros. Sem embargo, o clima geral era efetivamente de amargo cotidiano e o patriotismo se revelava sob as formas do pitoresco geográfico e social.

Contra o espírito dessa primeira geração modernista reagiu a poesia de Augusto Frederico Schmidt (1906-1965), a partir do *Canto do brasileiro* e do *Canto do liberto* (1928) seguidos de uma série de livros admiráveis – *Pássaro cego* (1930), *Desaparição da amada* e *Navio perdido* (1931), *Canto da noite* (1934), *Estrela solitária* (1940), *Mar desconhecido* (1942), *A fonte invisível* (1949), todos reunidos em *Poesias completas* (1956) e acrescidos de 49 sonetos, da *Mensagem aos poetas novos, Ladainha do mar, Morelli, Os reis, Novos poemas* e *Meditações sobre o mistério da Ressurreição.* Publicou ainda *Aurora lívida* (1958), *Babilônia* (1959) e *Caminho do frio* (1964). Nascido no Rio, Schmidt passara pela experiência modernista, assimilara-a e, embora sabendo aproveitar-lhe as lições, afastara-se dela, exprimindo-se num tom constantemente sério e grave, quase catastrófico, acometendo-nos a consciência como um eco dos versículos severos dos profetas judeus. As apóstrofes dessa poesia suscitavam ambientes de apreensão, como se estivéssemos, e de fato estávamos, na véspera de calamidades tremendas. É precisamente essa volta ao sublime a qualidade nova trazida à nossa poesia pela voz de Schmidt, logo secundada pela de Vinicius de Moraes em *O caminho para a distância* (1933), *Forma e exegese* (1935) e *Ariana, a mulher* (1936). "Não quero mais o Brasil, não quero mais geografia, nem pitoresco", diziam os versos iniciais do *Canto do brasileiro.* Talvez para marcar a sua oposição ao engraçado, ao anedótico, ao que Octavio de Faria chamou "o espírito de café", buscou a princípio Schmidt retomar o fio partido da tradição romântica, e certos poemas de *Navio perdido* e *Pássaro cego* lembram muitas vezes no sentimento, nos ritmos e até no vocabulário os versos de um Álvares de Azevedo ou de um Casimiro de Abreu. Mais tarde o Poeta abandonou essas muletas românticas e firmou-se em sua feição definitiva, onde é de notar uma certa afinidade com a de Péguy. Os ritmos largos, o paralelismo, o gosto de falar nas formas do futuro, certo ar de iniciar o poema como se já estivesse no meio dele, a indeterminação no tempo e no espaço, a frequente aparição de personagens cuja identidade não se pode de pronto precisar, a insistência nos grandes temas universais, sobretudo a obsessão do mistério, seja o da morte, ou o do mar, ou o da noite, ou o das amadas, enchem a sua poesia de estranhas ressonâncias. Schmidt é dos poucos poetas que já souberam falar a Deus com tranquila dignidade. Talvez proceda isso do seu fundo judaico. O cristão em tal colóquio toma quase sempre uma postura muito sentimental e um tanto pedinchona. Os antigos hebreus não eram assim. Schmidt a esse respeito não tem quem se lhe compare: encontra sempre o tom justo, as palavras mais acertadas de respeito, de fé e de confiança. Confessa-se católico, mas o seu sentimento religioso não é repousado nem repousante: ele mesmo se pergunta num soneto por que não crê em Deus sem se martirizar. Martiriza-se mais assiduamente com a ideia da morte, cujo sentimento nele escapole, como notou Mário de Andrade, da lição cristã:

> Não se percebe na sua obsessão da morte nenhum anseio de vida futura, nenhum grito de Esperança ou de Caridade em transe. A morte que Augusto Frederico Schmidt canta é um fim, um ponto-final, um como que terror paralisante de acabar. E principalmente a visão seca do acabado. É mesmo estranho que um poeta religioso se permita essa profecia do "Nascimento do sono":
>
> > Do fundo do céu virá o sono.
> > O sono virá crescendo pelos espaços,
> > O sono virá pela terra caminhando,
> > E surpreenderá os passarinhos cansados
> > E as flores, os peixes e os velhos homens.

O sono virá do céu e escorregará,
Se encorpando, nos vales abandonados.
O sono virá macio e terrível,
E suas mãos gelarão as águas dos rios
E as pétalas das rosas.
Suas mãos despirão as roupas das árvores
E o corpo dos pequeninos.

Do fundo do céu virá o sono,
E das gargantas de todos partirá um grito sem som,
E tudo adormecerá,
As cabeças voltadas para o abismo.

Há quem lamente uma certa monotonia na obra abundante de Schmidt. Por mim penso que o melhor do Poeta estava precisamente nessa persistência de harmônicos elegíacos, que, como aos velhos profetas, lhe conferem um timbre próprio e o situam numa grandeza solitária como a daquela estrela, "imagem de um desespero sem forma".

O mesmo tom grave, os mesmos ritmos largos de Schmidt vamos encontrar na poesia dos primeiros livros de Vinicius de Moraes (1913-1980), nascido no Rio. Mas o seu drama era outro: o Poeta se debatia entre as solicitações da carne e as do espírito; debatia-se naquele conflito que Octavio de Faria definiu com uma perplexidade entre "a impossível pureza" e "a impureza inaceitável". Ressoava o seu canto como a longa e desesperada queixa de um prisioneiro. Era ainda, creio eu, anseio e insatisfação da adolescência que o fazia dizer:

Eu sou o Incriado de Deus, o que não teve a sua alma e semelhança
Eu sou o que surgiu da terra e a quem não coube outra dor senão a terra
Eu sou a carne louca que freme ante a adolescência impúbere e explode sobre a
[imagem criada
Eu sou o demônio do bem e o destinado do mal mas eu nada sou.

Mais tarde ele dirá em "Elegia quase uma ode": "Meu sonho eu te perdi; tornei-me em homem". A partir de *Novos poemas* (1938) e sobretudo em *Cinco elegias* (1943) e *Poemas, sonetos e baladas* (1946),[15] onde atinge a maior força, a sua poesia virilizou-se, ganhou uma humanidade mais vasta e mais profunda, e embora o Poeta ainda sofra de se sentir "falso, miserável e sórdido", prefere a queixar-se apenas, estalar em "sacrifício, violência e devotamento". Tendo reagido, a exemplo de Schmidt, contra o prosaísmo de expressão, encheu-se de plebeísmos, assim superando numa síntese muito pessoal o espírito da sua geração e o da anterior. Na forma também mudou bastante, enriquecendo-se dos ritmos regulares, servindo-se frequentemente da rima e chegando até ao soneto, de que há exemplares admiráveis desde os *Novos poemas*.

A expressão mais cabal de Lúcio Cardoso (1912-1968), nascido em Minas Gerais, está nos seus romances e contos, aliás de densa atmosfera poética. Todavia,

---

15 Publicou posteriormente uma *Antologia poética*, organizada em 1949, *Orfeu da Conceição*, tragédia em versos (1956), e *Para viver um grande amor* (poemas e crônicas, 1962).

sente-se em seus poemas (*Poesias*, 1941, *Novas poesias*, 1944) a mesma vocação, tão bem definida por ele próprio nos versos de "Mazepa":

Ver – sobretudo ver e ouvir e sentir
O escuro que sobe das trincheiras
Onde a razão humana dardeja ainda
Os fogos trêmulos do entendimento.

Poesia angustiada, que se compraz nos longos espasmos dos versos livres de amplíssimo ritmo.

Alphonsus de Guimaraens Filho (1918-2008), cujo volume *Lume de estrelas* obteve dois prêmios, um da Academia Brasileira de Letras, outro da Fundação Graça Aranha, sempre atenta a estimular os valores de vanguarda. Estreia paradoxal, como assinalou Mário de Andrade, essa em que "se afirma um poeta bastante forte num livro ainda bastante fraco". Justifica o crítico o seu juízo apontando o convencionalismo de umas tantas dições, o abuso de certas imagens-símbolos, os resíduos do Simbolismo de escola. Alphonsus de Guimaraens Filho nasceu em 1918 e publicou o seu livro em 1940; eram versos dos vinte anos e se de fato pecavam pelo conformismo a que se referiu Mário de Andrade, por outro lado revelavam em grau invulgar fina sensibilidade, forte imaginação verbal e técnica segura. Os seus poemas posteriores (*Sonetos da ausência*, *Nostalgia dos anjos*, 1946, *A cidade do sul*, 1948, *O irmão*, 1950, *O mito e o criador*, 1954, *Sonetos com dedicatória*, 1957, *O unigênito*, *Elegia de Guarapari*, *Uma rosa sobre o mármore*, *Cemitério de pescadores* e *Aqui*, 1960) confirmam as promessas do primeiro livro.

Os poetas que, depois desses, vieram surgindo até os anos da Segunda Guerra Mundial não parecem ter sentido necessidade de inovação, e dentro do espírito e da forma de seus predecessores souberam afirmar a própria individualidade: entre outros nomes Mário Quintana (1906-1994), como Augusto Meyer muito de sua terra e muito pessoal, Odylo Costa, filho, Edgard Braga, Odorico Tavares, Fernando Mendes de Almeida, Marcelo de Sena, Adalgisa Nery, Mauro Mota, R. M. Rangel Moreira, Paulo Armando, Sylvio da Cunha, Maria Isabel, Paulo Gomide, Oneyda Alvarenga, Mário Peixoto, estes dois últimos emudecidos após promissora estreia. Emudecido para sempre pela morte prematura, em 1960, Carlos Pena Filho, poeta que podia ser em tantos momentos raro e requintado, mas que soube nos temas da terra natal (Pernambuco) apoiar-se firmemente nos metros e no estilo do povo, escrevendo os deliciosos poemas do *Nordesterro* e o *Guia prático da cidade do Recife*.

Não parece possível caracterizar em conjunto os poetas aparecidos a partir de 1942, alguns dos quais mais tarde a si próprios se chamaram a Geração de 45, embora os mais empenhados em se afirmar como nova geração – Lêdo Ivo (1924-2012), Péricles Eugênio da Silva Ramos (1919-1992), e outros, de sensibilidade e técnica bastante diferenciadas das dos mestres de 22 – João Cabral de Melo Neto (1920-1999), Marcos Konder Reis, José Paulo Moreira da Fonseca, Bueno de Rivera, Paulo Mendes Campos, Thiago de Mello, Geir Campos, Emanuel de Morais, Antônio Rangel Bandeira, Afonso Felix de Sousa etc. – tenham estreado antes ou depois daquela data. De um modo geral, são de expressão pouco acessível, sobretudo pelo insólito de suas imagens, e denotam preferência pelo verso livre curto. Todas essas características podem aliás ser encontradas em poetas anteriores, mas a chamada Geração de 45 como que as sistematizou. A maioria deles está ainda em formação: Cabral de Melo, por exemplo, em seus últimos livros – *Cão sem Plumas*, *O rio* e *Terceira feira* – adotou um realismo socialmente interessado, poesia com mensagem, de linguagem direta e não mais, como dantes, preocupadamente metafórica. Péricles Eugênio e Bueno de Rivera já se apresentam mais amadurecidos, e têm idade para isso.

Como o Cabral de Melo da primeira fase têm poetado José Paulo Moreira da Fonseca e Emanuel de Morais. Outros, porém, talvez mais ricos de seiva lírica, deixam fluir com abundância o canto interior: Lêdo Ivo, já com oito livros publicados, os últimos dos quais – *Um brasileiro em Paris e o rei da Europa* e *Uma lira dos vinte anos* – o situam singularmente entre os de sua geração. De Thiago de Mello e Afonso Felix de Sousa se pode dizer o mesmo: a força de suas sensibilidades fá-los extravasar em verdadeiros discursos poéticos, sobretudo ao primeiro, que se exprime sempre em versos metrificados mas sem rima, produzindo poemas que impressionam pelo que há neles de denso e aluvial (o poeta é natural do Amazonas).

O número de bons poetas entre os novos é considerável: não esgotaremos a lista citando os nomes de Paulo Mendes Campos, Marcos Konder Reis, Antônio Rangel Bandeira, Darcy Damasceno, Stella Leonardos, Nilo Aparecida Pinto, Ciro Pimentel, Paulo Hecker Filho, Paulo Bonfim, José Escobar Faria, Antônio Olinto, Domingos Paolielo, Rui Guilherme Barata, Edson Régis, Hélio Pellegrino, Edmir Domingues da Silva, Fred Pinheiro, Ruth Maria Chaves, Myrtes Riberte, Antônio Pinto de Medeiros, Moniz Bandeira, Reynaldo Jardim, Henrique Simas etc. Entre os nomes femininos alguns aparecem com força às vezes superior à da maioria dos poetas do outro sexo: uma Lucy Teixeira, uma Marly de Oliveira, uma Zila Mamede.

Os mais recentes movimentos em nossa poesia foram o Concretismo, o Neoconcretismo e a Poesia-Práxis. Os dois primeiros se inspiraram nos princípios do Concretismo plástico, ou seja, uma arte que se exprime, como pregou Van Doesburg, por signos concretos e não simbólicos. "O poema concreto aspira a ser: composição de elementos básicos da linguagem, organizados óptico-acusticamente no espaço gráfico por fatores de proximidade e semelhança como uma espécie de ideograma para uma dada emoção, visando à apresentação direta – personificação – do objeto": assim explicou Haroldo de Campos (1929-2003), um dos jovens poetas dessa corrente, entre os quais figuram Décio Pignatari (1927-2012), Augusto de Campos (1931), Wlademir Dias-Pino (1927), Ronaldo Azeredo (1937-2006) e Ferreira Gullar (1930-2016). Este último, por motivo ideológico-político, deu resolutamente as costas aos concretismos, passando a praticar a poesia social com apoio nas formas populares, como o estão mostrando as suas produções mais recentes – *João Boa Morte, cabra marcado p'ra morrer* e *Quem matou Aparecida*.

"Práxis" significa em grego "ação, empreendimento, execução, negócio, situação dos negócios". Linha de pesquisa literária lançada pelo paulista Mário Chamie (1933-2011), nada explica melhor o que é um poema-práxis do que a seguinte análise do seu poema "Migradores", por ele mesmo feita: o tema é a situação do campesino que se vê forçado a emigrar do campo para a cidade. "Seu estímulo é a vida sem programa, o esfalfar-se improdutivo do seu trabalho rural. A questão que se propõe é a de saber se, com a emigração, não transferiria simplesmente o seu improdutivo esfalfar--se. E toda essa questão, antes de ser debatida e solucionada no nível de sua consciência, é debatida e solucionada no nível de sua fala. O poeta-práxis dá testemunho disso. De que maneira? A partir de um desdobramento fenomenológico do verbo *esfalfar*.

Então o poeta defronta-se com o fato prosódico de que a letra *l*, na fala rural brasileira, tem *o som de r*, com o fato morfológico de que o esfalfar na cidade é um esfalfar no asfalto, com o fato léxico de que esfalfar é cansar, *ter falta de ar*, com o fato silábico--estadístico de que a desinência de esfalfar é ar e de que o sufixo de asfalto é *falto*, com o fato prosódico e pragmático de que, tendo a letra a pronúncia de *r*, o elemento radical do verbo esfalfar seria outro verbo, ou seja, *arfar* (composição de ar(f)ar), e, finalmente, se depara o poeta com o fato estadístico e próprio de uma teoria do texto de que esfalfar é uma palavra que tem o seu próprio vocabulário, como uma área de levantamento tem a sua própria fala. Com a *certeza* crítica, portanto, de que uma palavra tem o seu próprio vocabulário, obtive, no poema 'Migradores', uma solução e uma estrutura fono-estilística que é a realidade estética do migrador:

>   esfalfado arfar sobre o asfalto
>   falto de ar [...]"

Para completarmos o quadro da moderna poesia brasileira cumpre-nos fazer uma breve referência àqueles poetas que os seus íntimos chamamos "bissextos" pela escassez da produção. Todos já ultrapassaram os quarenta anos. Desinteressados da nomeada, só de raro em raro publicam alguma coisa. São desconhecidos do grande público mas altamente prezados por quantos vivem atentos aos verdadeiros valores da poesia. "O defunto", de Pedro Nava (1903-1984), "A cachorra", de Pedro Dantas (1904-1977), alguns poemas de Aníbal Machado (1894--1964) vieram enriquecer o nosso patrimônio poético mais do que a abundante produção impressa de numerosos poetas tão frequentemente citados e recitados. Cumpre-me ainda esclarecer que a antologia complementar deste estudo está longe de abranger toda a riqueza do patrimônio poético do Brasil: muitas figuras de primeiro plano a que me referi no texto não figuram nela, o que de modo nenhum significa menosprezo ou esquecimento; a seleção foi feita no sentido de acusar o mais nitidamente possível a evolução do sentimento e da técnica em nossa poesia. E até no próprio texto foram omitidos muitos nomes que num estudo mais amplo poderiam caber sem favor.

NOTÍCIA SOBRE MANUEL BANDEIRA

OTTO MARIA CARPEAUX

O poeta que escreveu este livro exprimiu, certa vez, o desejo de

>   Morrer tão completamente
>   Que um dia ao lerem o teu nome num papel
>   Perguntem: "Quem foi?..."
>
>   Morrer mais completamente ainda,
>   – Sem deixar sequer esse nome.

Fiel a tal decisão, o autor não permitiu ao seu nome entrar neste livro que trata da evolução da poesia brasileira, opondo-se à opinião literária no Brasil, que situa o nome de Manuel Bandeira num momento decisivo da evolução daquela poesia.

Após a rebelião malograda dos simbolistas contra o Parnasianismo reinante, a poesia brasileira se libertou por um ato revolucionário: o Modernismo rompeu com a métrica tradicional e com a solenidade acadêmica; voltou-se para os aspectos trágicos e humorísticos da vida cotidiana, para as realidades sociais e a geografia humana do Brasil; pregou a expressão livre dos sentimentos do homem brasileiro em face da natureza americana e da crise do mundo contemporâneo. Esse movimento modernista abriu o caminho a uma plêiade de poetas, entre os quais Manuel Bandeira se situa.

Bandeira nasceu em 1886; pertence a uma geração de simbolistas e pós-parnasianos. São simbolistas os seus primeiros versos. *A cinza das horas* (1917) revela o sentimentalismo inato, romântico, do poeta; no entanto, a adoção das convenções de expressão simbolistas é sintoma duma inibição do sentimento pessoal. Já em *Carnaval* (1919), os ritmos dançam com certa irregularidade, e a melancolia do "meu Carnaval sem nenhuma alegria" acompanha-se de gritos algo forçados de humorismo destruidor – Modernismo *avant la lettre*. Tem importância histórica o volume seguinte *O ritmo dissoluto* (1924), cujo título confessa a intenção demolidora do

> *Tuércele el cuello al cisne de engañoso plumaje.*

Por um momento, a situação histórica que se chamava Modernismo, e a situação pessoal do poeta Manuel Bandeira estão identificadas. Depois, os caminhos se separam. O autor de *Libertinagem* (1930) é capaz de dar – em poemas como "Evocação do Recife" – um timbre intimamente pessoal, de recordações infantis, aos assuntos geográfico-pitorescos da poesia modernista; é capaz de empregar o seu humorismo meio irônico, meio diabólico para analisar a fundo o seu sentimentalismo inato, transformar o desespero agonizante em elegia.

Desde então, o poeta elegíaco em Manuel Bandeira está livre. Os volumes *Estrela da manhã* (1936) e *Lira dos cinquent'anos* (1940) revelam o *poète mineur*, no sentido alto da palavra: à transfiguração sutilmente humorística dos tristes lugares-comuns da vida cotidiana corresponde a visão dos destinos humanos *in nuce* duma recordação anedótica –

> *To see a World in a grain of Sand*
> *And a Heaven in a Wild Flower,*
> *Hold Infinity in the palm of your hand,*
> *And Eternity in an hour.*

Os versos de Blake serviriam bem de epígrafe para a poesia definitiva de Bandeira. Quando lhe iam demolir a velha casa no bairro sombrio da Lapa, no Rio de Janeiro, o poeta elegíaco escreveu este poema:

Última canção do beco

Beco que cantei num dístico
Cheio de elipses mentais,
Beco das minhas tristezas,
Das minhas perplexidades
(Mas também dos meus amores,
Dos meus beijos, dos meus sonhos),
Adeus para nunca mais!

Vão demolir esta casa.
Mas meu quarto vai ficar,
Não como forma imperfeita
Neste mundo de aparências:
Vai ficar na eternidade,
Com seus livros, com seus quadros,
Intacto, suspenso no ar!

Beco de sarças de fogo,
De paixões sem amanhãs,
Quanta luz mediterrânea
No esplendor da adolescência
Não recolheu nestas pedras
O orvalho das madrugadas,
A pureza das manhãs!

Beco das minhas tristezas.
Não me envergonhei de ti!
Foste rua de mulheres?
Todas são filhas de Deus!
Dantes foram carmelitas...
E eras só de pobres quando,
Pobre, vim morar aqui.

Lapa – Lapa do Deserto –,
Lapa que tanto pecais!
(Mas quando bate seis horas,
Na primeira voz dos sinos,
Como na voz que anunciava
A conceição de Maria,
Que graças angelicais!)

Nossa Senhora do Carmo,
De lá de cima do altar,
Pede esmolas para os pobres,
– Para mulheres tão tristes,
Para mulheres tão negras,
Que vêm nas portas do templo
De noite se agasalhar.

Beco que nasceste à sombra
De paredes conventuais,
És como a vida, que é santa

Pesar de todas as quedas.
Por isso te amei constante
E canto para dizer-te
Adeus para nunca mais!

Parece-me satisfazer este poema à definição wordsworthiana da poesia: *"Emotion recollected in tranquillity"*.

Está assim determinado o lugar histórico do poeta: num momento decisivo, cruzou-se com a evolução da poesia brasileira o caminho que levou o poeta Manuel Bandeira para a realização expressiva da sua experiência pessoal.

Poesia – a definição indica a parte do lirismo em toda arte – é a arte verbal de comunicar experiências inefáveis. A experiência de Manuel Bandeira era a gravíssima doença que lhe destruiu a mocidade, e a que, no entanto, conseguiu dominar. Experiência pessoal e realização poética de Bandeira estão sob o signo das palavras do apóstolo: *"Ubi est, mors, victoria tua? ubi est, mors, stimulus tuus?"*

A adoção de formas convencionalmente simbolistas pelo poeta de *A cinza das horas* corresponde ao desespero de poder sair da sua situação particular, concebida como anedota cruelmente sentimental:

– Eu faço versos como quem morre.

– o caminho para baixo, descemo-lo, todos, sós. A dança macabra de *Carnaval* simboliza a tentativa, desesperadamente exaltada, de sair da solidão da agonia. Mas só em *O ritmo dissoluto*, o poeta adivinha a presença dum símbolo de validade geral no símbolo da sua existência particular:

A voz da noite...

(Não desta noite, mas de outra maior).

A timidez parentética desaparece, depois, substituída pela expressão livre do volume *Libertinagem*; pela primeira vez Bandeira dá o nome à realidade:

PNEUMOTÓRAX

Febre, hemoptise, dispneia e suores noturnos.
A vida inteira que podia ter sido e que não foi.
Tosse, tosse, tosse.

Mandou chamar o médico:
– Diga trinta e três.
– Trinta e três... trinta e três... trinta e três...
– Respire.
....

– O senhor tem uma escavação no pulmão esquerdo e o pulmão direito infiltrado.
– Então, doutor, não é possível tentar o pneumotórax?
– Não. A única coisa a fazer é tocar um tango argentino.

O humor diabólico do fim deste poema é o meio de libertação que torna possível a sutilíssima variação rítmica dos três primeiros versos: entre a marcha fúnebre do primeiro verso, que dá a dura realidade, e os golpes em *staccato* desesperado do terceiro, abaúla-se, em *legato* elegíaco, o arco do segundo verso: "A vida inteira que podia ter sido e que não foi". Eis aí as três emoções fundamentais de Manuel Bandeira, a quem foi dado "recolhê-las em tranquilidade".

Encontra, agora, as metáforas definitivas para exprimir, da maneira mais particular e mais geral ao mesmo tempo, o seu desespero –

A paixão dos suicidas que se matam sem explicação.

E tenta, em "Evocação do Recife", o realismo modernista que logo se lhe transfigura em saudade evocativa da "vida que podia ter sido". E a vida "que não foi" identifica-se-lhe com aquelas outras vidas que se foram, e que ecoam na alma do poeta, profundamente.

PROFUNDAMENTE

Quando ontem adormeci
Na noite de São João
Havia alegria e rumor
Estrondos de bombas luzes de Bengala
Vozes cantigas e risos
Ao pé das fogueiras acesas.

No meio da noite despertei
Não ouvi mais vozes nem risos
Apenas balões
Passavam errantes
Silenciosamente
Apenas de vez em quando
O ruído de um bonde
Cortava o silêncio
Como um túnel
Onde estavam os que há pouco
Dançavam
Cantavam
E riam
Ao pé das fogueiras acesas?

– Estavam todos dormindo
Estavam todos deitados
Dormindo
Profundamente

***

Quando eu tinha seis anos
Não pude ver o fim da festa de São João
Porque adormeci

Hoje não ouço mais as vozes daquele tempo
Minha avó
Meu avô
Totônio Rodrigues
Tomásia
Rosa
Onde estão todos eles?

– Estão todos dormindo
Estão todos deitados
Dormindo
Profundamente.

O símbolo da recordação pessoal serve, ao mesmo tempo, como símbolo da experiência geral do gênero humano. A agonia está transformada em elegia.

Nos últimos poemas de Manuel Bandeira, a morte está presente em toda parte. Mas esconde-se, atrás do símbolo da despedida dum amigo, nos gerúndios suspensos para o infinito, do "Rondó dos cavalinhos":

Os cavalinhos correndo,
E nós, cavalões, comendo...
Alfonso Reyes partindo,
E tanta gente ficando...

ou a Morte está nas agitações inúteis da vida cotidiana, enquanto o enterro se "transforma em marcha triunfal neste

MOMENTO NUM CAFÉ

Quando o enterro passou
Os homens que se achavam no café
Tiraram o chapéu maquinalmente
Saudavam o morto distraídos
Estavam todos voltados para a vida
Absortos na vida.
Confiantes na vida.

Um no entanto se descobriu num gesto largo e demorado
Olhando o esquife longamente
Este sabia que a vida é uma agitação feroz e sem finalidade
Que a vida é traição
E saudava a matéria que passava
Liberta para sempre da alma extinta.

No fim deste poema também, como no fim de "Pneumotórax", a inversão "diabólica" serve para conseguir a libertação; mas já não se trata da transformação duma agonia desesperada em elegia pessoal, e sim da transformação do destino geral da carne em descanso "largo e demorado". Aqui está, Morte, tua vitória.

Manuel Bandeira é um poeta consciente: consciente dos meios técnicos da sua arte, e consciente do resultado atingido. Já não faz "versos como quem morre". Pode dizer, agora:

> O vento varria tudo!
> E a minha vida ficava
> Cada vez mais cheia
> De tudo.

O poeta atingiu a concentração da "vida inteira que podia ter sido" no momento que realmente é e que se exprime como momento de poesia. É um ponto fora do tempo, assim como – em "Última canção do beco" – o quarto demolido do poeta continua como ponto fora do espaço. Essas elegias cantam um mundo platônico de formas perfeitas, mundo "intacto, suspenso no ar", que "vai ficar na Eternidade"; quer dizer, mundo em que não existe Morte. *Ubi est, mors, victoria tua? ubi est, mors, stimulus tuus?*

A última poesia de Bandeira, transfigurando o sentimento em símbolo, realiza a definição wordsworthiana da poesia: *Emotion recollected in tranquillity*.

Assim, o poeta que desejava "morrer completamente", que desejava

> Morrer mais completamente ainda,
> – Sem deixar sequer esse nome

deixa uma poesia, e deixará o nome de Manuel Bandeira.

Vida e trabalhos da Academia Brasileira de Letras[16]

O sentimento de amor à terra, traduzido no desejo de estudar a pátria em sua história e mais aspectos, foi, com a necessidade do estímulo resultante do trabalho em associação, o principal móvel das sociedades que se fundaram no século XVII e que, por precária que fosse a sua existência e medíocre a sua produção, não deixaram de exercer benéfica influência no desenvolvimento de nossas letras.

A primeira Academia constituída no Brasil, a dos Esquecidos, revela desde o nome o propósito de lembrar à Metrópole, em cujas academias não tivemos entrada, que havia aqui quem se interessasse pelas coisas do espírito. Organizada na Bahia, sob o patrocínio do vice-rei Dom Vasco Fernandes César de Meneses, durou até o ano seguinte, e a ela pertenceram, entre outros realmente esquecidos, Sebastião da Rocha Pita e os irmãos Bartolomeu Lourenço e Alexandre de Gusmão.

---

16 Conferência lida na Faculdade Nacional de Filosofia, em sessão comemorativa do Cinquentenário da Academia, na tarde de 12 de dezembro de 1946.

Em 1759, por iniciativa de José Mascarenhas, conselheiro do ultramar na Bahia, fundou-se ali nova sociedade literária, na qual se tentou fazer renascer a extinta Academia, e daí o seu nome de Academia dos Renascidos. O programa era o mesmo: estimular o cultivo das letras e servir ao estudo da história de nossa terra. Teve ela vida ainda mais breve que a primeira, pois naquele mesmo ano se dissolveu. Da Academia dos Renascidos fizeram parte como sócios de número José Mirales e Frei Antônio de Santa Maria Jaboatão, como supranumerários Cláudio Manuel da Costa, Frei Gaspar da Madre de Deus, Borges da Fonseca e Domingos do Loreto Couto.

No Rio de Janeiro, a Academia mais antiga foi a dos Felizes (1736-1740), a que se seguiu a dos Seletos (1752) e finalmente a Sociedade Literária, fundada em 1786 por Silva Alvarenga. Todas tiveram existência efêmera, sendo que a dos Seletos celebrou apenas a sessão magna de abertura. A Sociedade Literária, patrocinada pelo vice-rei Luís de Vasconcelos, foi dissolvida pelo seu sucessor, o Conde de Resende, que, escarmentado com os sucessos recentes da Inconfidência, viu naquela reunião de literatos desígnios de insubmissão.

Muito citada é ainda uma certa Arcádia Ultramarina; pouco se sabe de positivo sobre ela, senão que já em 1768 Cláudio Manuel se dizia "árcade ultramarino". Veríssimo nega-lhe a existência como sociedade organizada: "Árcade", diz ele em sua *História da literatura brasileira*, "valia o mesmo que poeta. 'Árcade ultramarino' não dizia mais que poeta de ultramar, sem de forma alguma indicar a existência no Brasil dessas sociedades, que de fato nunca aqui existiram."

O Instituto Histórico e Geográfico, criado em 1838, tinha finalidade circunscrita pelos epítetos do seu nome. Não obstante, representou, até a fundação da *Academia Brasileira de Letras*, o alto cenáculo literário do país. O seu título de sócio era uma consagração, e os que entravam para ele poderiam dizer desvanecidos: "Esta a glória que fica, eleva, honra e consola".

Foi no seio do Instituto que renasceu a teimosa aspiração do século anterior. Em 1847 alguns sócios propuseram a criação de um Instituto literário, que compreenderia as seguintes seções: literatura propriamente dita, subdividida em prosaica e poética, linguística e literatura dramática. A comissão encarregada de dar parecer a respeito, composta de Joaquim Caetano, frei Rodrigo de S. José, Francisco de Sales Torres Homem, Porto-Alegre e Raposo de Almeida, aprovou a proposta, sugerindo apenas a mudança do nome para Academia Brasileira. Se tivesse vingado a ideia, creio que teria nascido melhor o nosso Instituto, sem decalque do similar francês e com aquela seção especializada de linguística, que lhe teria dado, como à Academia das Ciências, de Lisboa, plena autoridade para decidir em pontos que pertencem à ciência da língua. Sem seção especializada de linguística, sempre me pareceu indébita em tal terreno a intervenção da Academia. Não vai nisso nenhuma desconsideração aos meus ilustres confrades. O bom escritor é um homem que se serve do idioma com propriedade e elegância; pode desconhecer-lhe, e geralmente desconhece, as raízes profundas, a evolução secular, a castidade fundamental. Será como o volante perito na condução do automóvel. O grande volante de corrida leva a seu lado o mecânico, é este que mexe no motor em caso de enguiço. Ainda até alguns anos atrás havia na Academia um grupo notável de escritores versados nos problemas do idioma: Rui Barbosa, Silva Ramos, João Ribeiro, Carlos de Laet, Ramiz Galvão. Hoje estamos sem mecânicos e por isso não há meio de resolver os enguiços da ortografia, do dicionário e da gramática. Seria melhor que abandonássemos definitivamente essas questões, para as quais já agora existe um instituto especializado, a Academia Brasileira de Filologia.

FORA DA TUTELA OFICIAL

Mas a tentativa do Instituto Histórico e Geográfico fracassou em 1847, como fracassaria mais tarde, em 1878. Cinco anos depois, bafejada pelo Imperador, surgiu a Associação dos Homens de Letras do Brasil, que inaugurada com solenidade no Liceu de Artes e Ofícios, sob a presidência do Conselheiro Pereira da Silva, não logrou no entanto manter-se.

Mal se proclamou a República, Medeiros e Albuquerque pensou na fundação oficial de uma Academia Brasileira. Aristides Lobo, ministro do Interior, acolheu com simpatia a ideia de Medeiros. Não concordou, porém, em incluir no orçamento a verba necessária, e deixando Aristides Lobo o Ministério e Medeiros e Albuquerque o seu cargo na Secretaria do Interior, ficou o projeto esquecido.

Ainda bem. Hoje pode-se orgulhar a Academia de ter nascido fora da tutela do governo, de ter nascido do meio das letras, numa casa de letras, a *Revista Brasileira*, que refundada em 1895 por José Veríssimo, continuava o nobre esforço de dar ao nosso meio literário uma revista digna de sua cultura.

A instalação da *Revista* era pobríssima: duas salas acanhadas, onde a luz vinha não do sol mas dos bicos de gás, duas mesas de pinho claudicantes. Contou Coelho Neto que ali se reuniam todas as tardes, para conversar e "chuchurrear um chá chilro", o diretor da revista, José Veríssimo, o secretário Paulo Tavares, Machado de Assis, Joaquim Nabuco, Lúcio de Mendonça, Graça Aranha, Paula Ney, Domício da Gama, Alberto de Oliveira, Rodrigo Octavio, Silva Ramos e Filinto de Almeida. Às vezes apareciam, também, Bilac, Raimundo Correia, Valentim Magalhães, Guimaraens Passos, Pedro Rabelo e outros. Foi numa dessas tertúlias que Lúcio de Mendonça levantou a ideia da fundação da Academia. Segundo Antônio Sales, que estava presente, Nabuco e o Visconde de Taunay apoiaram a iniciativa de Lúcio. Veríssimo, não. Machado de Assis opôs-lhe algumas objeções. Depois todos concordaram. Os monarquistas Nabuco, Laet, Taunay e Afonso Celso contrariaram o projeto de se criar a sociedade sob o amparo oficial.

Constituiu-se assim livremente a Academia e a primeira sessão se realizou aos 15 de dezembro de 1896, aclamados presidente Machado de Assis e secretários Rodrigo Octavio e Pedro Rabelo. Estavam presentes Artur Azevedo, Guimaraens Passos, Inglês de Sousa, que redigiu o projeto de estatutos, Nabuco, Patrocínio, Veríssimo, Filinto, Lúcio de Mendonça, Medeiros e Albuquerque, Bilac, Silva Ramos, Valentim Magalhães e Taunay. Coelho Neto, Murat e Urbano Duarte, ausentes, mandaram a sua adesão ao que fosse resolvido.

Mais duas sessões se efetuaram em dezembro do mesmo ano, e na de 28 foram aprovados os estatutos na forma que subsiste até hoje. O projeto de Inglês de Sousa dava à instituição o nome de Academia do Brasil. Foi de Pedro Rabelo a emenda que a chamava Academia Brasileira de Letras; de Joaquim Nabuco, a emenda ao Regimento, propondo que a cada uma das cadeiras se desse, em homenagem aos principais escritores mortos, o nome de um deles. Era uma novidade, uma disposição que não foi, como as outras, copiada da Academia Francesa, pela qual se modelou a nossa, conforme a declaração expressa de Machado de Assis na sessão inaugural solene em 20 de julho de 1897, celebrada no Pedagogium, à rua do Passeio nº 82.

Trinta foram os sócios fundadores: os já citados e mais Afonso Celso, Alcindo Guanabara, Araripe Júnior, Carlos de Laet, Garcia Redondo, Graça Aranha, Pereira da Silva (João Manuel), Rui Barbosa e Teixeira de Melo. O número de quarenta fixado nos Estatutos foi completado por eleição realizada na sessão de 28 de janeiro de 1897. A escolha recaiu nos nomes de Raimundo Correia, Aluísio Azevedo, Salvador de Mendonça, Domício da Gama, Luís Guimarães Júnior, Eduardo Prado, Franklin Dória, Clóvis Beviláqua, Oliveira Lima e Carlos Magalhães de Azeredo.

Lacunas

Se cotejarmos o quadro atual da Academia com o primitivo, um sentimento de modéstia e contrição impõe-nos o dever de constatar que o jogo fatal das injunções pessoais, das querelas de escola nos empobreceu bastante. Havia, é verdade, no elenco inicial algumas figuras apagadas, com sacrifício de outras mais ilustres. Não se compreende, por exemplo, que o Barão do Rio Branco não fosse admitido. Capistrano de Abreu sabemos que recusou o convite, dizendo que lhe bastava pertencer à sociedade humana, para a qual aliás entrara sem ser convidado. Mas a nata do Brasil intelectual em todos os gêneros estava presente: os maiores poetas – Alberto, Raimundo, Bilac (ficavam de fora Cruz e Sousa, ainda muito discutido e mal aceito, e Alphonsus de Guimaraens, então com 27 anos apenas); os grandes romancistas – Machado, Pompeia, Aluísio; os mestres da crítica – Romero, Veríssimo, Araripe Júnior; da historiografia – Nabuco, Oliveira Lima; do jornalismo, da oratória, da literatura social e política – Rui, Clóvis, Patrocínio, Laet, Medeiros, Alcindo; do teatro – Artur Azevedo. Tenhamos a coragem de dizer que a esse respeito a Academia atual apresenta sensíveis lacunas – na poesia, um Carlos Drummond de Andrade, um Murilo Mendes, um Schmidt, um Augusto Meyer, este não só grande poeta como grande crítico; no romance nem é bom falar, pois como nos dói a ausência dos mais fortes expoentes do gênero – Graciliano Ramos, José Lins do Rego; em outros gêneros, Basílio de Magalhães, Gilberto Freyre, Afonso Pena Júnior, Fernando de Azevedo, Sousa da Silveira, Antenor Nascentes, Afonso Arinos de Melo Franco, Sérgio Milliet e tantos e tantos outros.

Tem grandes culpas no seu passado a nossa casa cinquentona: não acolheu de braços abertos, como devia uma instituição que, segundo se declara no artigo 1º de seus Estatutos, tem por fim a cultura da língua, os eminentes filólogos Mário Barreto e Sousa da Silveira; não sufragou a candidatura de Monteiro Lobato, glorificado excepcionalmente pelo grande Rui; vem impondo ao nosso Jorge de Lima a mesma quarentena a que a sua irmã-modelo sujeitou Victor Hugo.

Se, porém, o quadro atual da Academia não dá toda a medida de nossa cultura, se lhe faltam valores dos mais expressivos no momento, cumpre dizer que a responsabilidade não é sua, ou não é toda sua. Da exclusão de Lobato, estamos absolvidos depois de sua recusa ao convite dos dez acadêmicos, entre os quais me honro de ter figurado. Não sei até que ponto vai o preconceito antiacadêmico de outros. Quando me apresentei candidato, muitos amigos me torceram o nariz com um certo nojo. Anos depois vi a sala das sessões da Casa de Machado de Assis repleta de intelectuais comunistas que acompanhavam o extraordinário poeta de *Residencia en la tierra*, o qual, não obstante tão afastado dos cânones acadêmicos, prestava à Academia a homenagem de sua visita e ali pronunciou um pequeno discurso saudando o recinto espiritual *en que las formas de la creación estética de la vida del lenguaje van decantándose y depurándose como un licor de transparencia substancial y de perfume imperecedero.*

É certo que antes do famoso discurso de Graça Aranha, a Academia estava fechada à corrente moderna. Grande foi a reação da casa às palavras tumultuosas e irreverentes do confrade revolucionário. Não tardou, porém, que ela abrisse as portas aos poetas insubmissos. Primeiro entrou Guilherme de Almeida, depois Ribeiro Couto, depois Cassiano Ricardo. Chegou a vez de Alceu de Amoroso Lima, o grande crítico da geração modernista, um dos rapazes que depois da escandalosa sessão de 1924 carregaram em charola o ensaísta de *O espírito moderno*. E eu mesmo acabei instalando-me no *soi-disant* reduto da reação, com a minha preta Irene, a minha Estrela da Manhã e, *horresco referens!* as minhas três mulheres do sabonete Araxá.

Os prêmios literários

Alegam os adversários da Academia que a grande maioria das obras premiadas por ela estão no nível ou abaixo do nível da mediocridade. É dolorosamente verdade. Contudo não cabe culpa à Academia, mas aos bons escritores, sempre ausentes nos concursos. Não pode a Academia ser acusada de infensa à literatura avançada. Pois não premiou Cecília Meireles, que concorreu com o livro *Viagem*, essa obra-prima da poesia moderna no Brasil?

Mas voltemos ao fio de nossa história. Abrindo a sessão inaugural da Academia, o seu presidente, que era de poucas palavras, foi extremamente conciso.

> O vosso desejo, [disse] é conservar, no meio da federação política, a unidade literária. Tal obra exige, não só a compreensão pública, mas ainda e principalmente a vossa constância. A Academia Francesa, pela qual esta se modelou, sobrevive aos acontecimentos de toda casta, às escolas literárias e às transformações civis. A vossa há de querer ter as mesmas feições de estabilidade e progresso.

Sábias palavras estas de Machado de Assis, porque estabilidade e progresso resumem o eterno jogo das duas forças que regem o mundo. Em seguida falou Nabuco, na qualidade de secretário-geral. Seu discurso não é longo: falava-se pouco nos primeiros anos da Academia. Curtas foram as orações na posse de João Ribeiro e na de Domício da Gama. Bons tempos. Hoje os recipiendários se esfalfam em verdadeiras maratonas orais, como se quisessem provar que na sua eleição não houve equívoco. E às vezes o provam.

O discurso de Nabuco foi uma página deliciosa, aguda e elegantíssima, temperada do mais fino *humour*.

Uma Academia nova é, como disse Nabuco, uma religião sem mistérios; falta-lhe solenidade. Procurou a nossa enobrecer-se com brasão e divisa. Mas não se chegou logo a acordo. Não foi aceito o desenho de Rodolfo Amoedo, proposto por Lúcio de Mendonça: "Uma cabeça de Apolo com auréola grega radiante sobre um livro grosso encadernado, limitada, na parte inferior, por dois ramos cruzados de oliveira e cróton-Independência". Nem foi aceito outro projeto, desenhado por Raul Pederneiras. Quanto à divisa, propôs Veríssimo o camoniano "Mente às Musas dada".

Lúcio de Mendonça, porém, assustou-se: não fossem pensar lá fora que se dava na Academia o conselho detestável de mentir às Musas. Caiu também a proposta de Nabuco, a frase latina *Litterarum vincitur pace*. Antônio Sales, que não pertencia à Academia, mas assistiu a essas discussões na redação da *Revista Brasileira*, lembrou para a divisa o verso de Machado de Assis: "Esta a glória que fica, eleva, honra e consola", o qual foi adotado apenas para as publicações da casa. Só em 1923 é que a Academia resolveu o caso do emblema e da divisa, aprovando a proposta do presidente Afrânio Peixoto: uma coroa de louro, formada de dois ramos presos por um laço de fita (a Academia, não riais, prendeu-se, como o poeta, num laço de fita), contornando o moto *Ad immortalitatem*. Essa imortalidade de brasão não leva ninguém *ad astra*, leva-nos é frequentemente ao pelourinho das chufas irônicas, no gênero fácil da que eu mesmo dirigi a meu tio Souza Bandeira, quando ele entrou para o grêmio:

Podeis dizer, confortado
Pelo sucesso: – Afinal,
Pois que já sou imortal,
Posso morrer descansado.

Treze anos antes, em 4 de junho de 1910, haviam os acadêmicos adotado um trajo de grande gala, o fardão da imortalidade. Não imagineis que tenha responsabilidade nisso nenhum dos nossos mais elegantes confrades atuais – o senhor ministro Ataulfo de Paiva, ou o senhor Gustavo Barroso ou o nosso caro poeta Olegário Marianno. À sessão, presidida por Medeiros, compareceram Veríssimo, João Ribeiro, Silva Ramos, Alberto de Oliveira, Raimundo Correia, Bilac, Filinto, Coelho Neto e Mário de Alencar. Apresentou Medeiros uma indicação assinada por vários membros para que fosse criado um uniforme acadêmico, o qual deveria ser exigido dos novos membros. A indicação foi aprovada contra o voto de Veríssimo. Adotou-se o modelo diplomático de ministro residente, substituídos os emblemas do fumo e do café pela folha de mirto, e a cor preta pela de verde-garrafa. Sabeis que o mirto era, entre os gregos, o emblema da glória.

QUARENTA E OITO HORAS PARA REFLETIR

Quando em 1940 um grupo de amigos acadêmicos me convidou a disputar a sucessão de Luís Guimarães Filho, pedi 48 horas para refletir. É que não me podia habituar à ideia de me ver coberto de tanto mirto rebrilhante. O espadim – na realidade um espadagão – assustava-me. Afrânio Peixoto, que me emprestou o seu, escreveu, animando-me: "Bandeira amigo, aí tem você o espadim, que vai honrar. Que ele não lhe dê impressão igual à de Eugênio Labiche, o comediógrafo francês, em ocasião

Nós somos quarenta [dizia ele] mas não aspiramos a ser os *Quarenta*. Não podemos fazer o mal atribuído às Academias pelos que não querem na literatura sombra da mais leve tutela, do mais insignificante compromisso. É um anacronismo recear hoje para as Academias o papel que elas tiveram em outros tempos, mas se aquele papel fosse ainda possível, nós teríamos sido organizados para não o podermos exercer. Se percorrerdes a nossa lista, vereis nela a reunião de todos os temperamentos literários conhecidos. Em qualquer gênero de cultura somos um México intelectual; temos a *tierra caliente*, *a tierra templada* e a *tierra fria*... Já tivemos a Academia dos Felizes; não seremos a dos Incompatíveis, mas na maior parte das coisas não nos entendemos. Eu conto que sentiremos todo o prazer de concordarmos em discordar; essa desinteligência essencial é a condição de nossa utilidade, o que nos preservará da "uniformidade acadêmica".

E Nabuco apontava como princípio vital literário que se precisava criar por meio da Academia "a responsabilidade do escritor, a consciência dos seus deveres para com a sua inteligência, o dever superior da perfeição, o desprezo da reputação pela obra". No final de sua oração reconhecia que "a principal questão ao fundar-se uma Academia de Letras brasileiras é se vamos tender à unidade literária com Portugal". O seu sentir era que

falando a mesma língua Portugal e Brasil têm de futuro destinos literários tão profundamente divididos como são os seus destinos nacionais. A raça portuguesa, entretanto, como raça pura, tem maior resistência e guarda assim melhor seu idioma; para essa uniformidade de língua escrita devemos tender. Devemos opor um embaraço à deformação, que é mais rápida entre nós; devemos reconhecer que eles são os donos das fontes, que as nossas empobrecem mais depressa e que é preciso renová-las indo a eles. A língua é um instrumento de ideias que pode e deve ter uma fixidez relativa; nesse ponto tudo precisamos empenhar para secundar o esforço e acompanhar os trabalhos dos que se consagram em Portugal à pureza de nosso idioma, a conservar as formas genuínas, características, lapidárias da sua grande época... A língua há de ficar perpetuamente *pro indiviso* entre nós; a literatura, essa tem que seguir lentamente a evolução diversa dos dois países, dos dois hemisférios.

O TESOURO DOS CLÁSSICOS

A citação foi longa, mas tem a sua oportunidade neste momento, e bem interpretada cai dentro do conceito magistral do maior filólogo americano de todos os tempos. Andrés Bello reconhecia às nações hispano-americanas o direito à tolerância de suas acidentais divergências de linguagem quando as patrocina o costume uniforme e autêntico da gente educada, mas julgava importante a conservação da língua de nossos pais em sua possível pureza como um meio providencial de comunicação e um vínculo de fraternidade. Sou pela admissão das diferenciações brasileiras genuínas que criaram não uma língua nova, mas um novo dialeto do português, entendida a palavra dialeto no seu sentido mais nobre – o de variedade local de um idioma. Mas, como poeta, recuso-me de pés juntos a renunciar ao tesouro opulentíssimo das dições clássicas. Poeta tradutor, invoco o testemunho dos dois maiores mestres tradutores de poesia entre nós, Guilherme de Almeida e Onestaldo de Pennafort; estou certo que eles dirão comigo que é impossível traduzir poemas do inglês e do alemão, com fidelidade ao pensamento e à forma, sem utilizar o vocabulário e a sintaxe clássica.

semelhante: – 'É a primeira vez que uso uma arma... E nunca tive tanto medo...' Coragem, Bandeira!"

Lembrais-vos da cena do Cid, em que Dom Sancho traz a Chimène a espada de Dom Rodrigo? Toda a triste situação do amante derrotado se reflete no alexandrino magistral de Corneille, propositadamente homófono e arquejante: "*Obligé d'apporter à vos pieds cette épée...*" Pois assim entrei eu no grande salão da Academia no dia de minha recepção. Devia ter então o ar enfiado de Dom Sancho, como se lhe parodiasse o verso para me desculpar, perante a assistência, de tanta pompa marcial: "*Obligé de porter dévant vous cette épée...*"

Os tempos heroicos

Viveu a Academia até 1904 como o provinciano que desembarca no Rio sem um tostão no bolso: hospedado em casa alheia ou dormindo nos bancos dos jardins. Morou no Pedagogium, no Ginásio Nacional, na Biblioteca Fluminense, no escritório de Rodrigo Octavio, e celebrando as suas sessões de gala no Ministério do Interior ou no Gabinete Português de Leitura. Foram os "tempos heroicos", em que não só não havia *jeton*, mas os acadêmicos tinham que se ratear para acudir às magras despesas da casa. Em favor da sem-teto falou na Câmara o deputado Eduardo Ramos, e em 8 de dezembro de 1900 o presidente Campos Sales sancionou o decreto do Congresso que autorizava o governo a dar ao nosso instituto instalação permanente em prédio público, acrescentando que seriam impressas na Imprensa Nacional as publicações oficiais da Academia e as obras dos escritores brasileiros falecidos que ela houvesse reconhecido de grande valor e cuja propriedade estivesse prescrita. Quatro anos depois instalava-se a Academia numa das alas do Silogeu, o casarão da Lapa, que se não tem outras belezas, parece alguém que abre maternalmente os braços para acolher em seu seio os expostos da nossa cultura.

Depois veio, de 1910 a 1913, a subvenção oficial orçamentária de vinte contos. A Academia passou a distribuir o "cartão de presença". O júbilo foi grande. Não pelo dinheiro, que mal pagava quatro corridas de tílburi até Botafogo ou Laranjeiras, mas porque na Academia Francesa havia *jeton* e portanto imortalidade sem *jeton* soava ainda como meia imortalidade. Depois veio, em 1917, a herança Francisco Alves, fruto da influência de Rodrigo Octavio no espírito do benemérito livreiro-editor. Depois veio, em 1922, o *Petit Trianon*, graças a uma sugestão de Afrânio Peixoto ao embaixador francês Alexandre Conti. A doação foi feita ao governo do Brasil sob a cláusula de servir o pavilhão de sede à Academia Brasileira. Finalmente, sob o governo do senhor Getúlio Vargas, entrou a Academia na posse definitiva do prédio e do terreno.

Eis, minhas senhoras e meus senhores, a história da Casa de Machado de Assis. Eis como se realizou aquele milagre a que aludia Nabuco no seu discurso inaugural: "a estabilidade de uma companhia exposta como esta a tantas causas de desânimo, de dispersão e de indiferentismo". Eis como ficou assegurado o sonho dos Esquecidos, dos Renascidos, dos Felizes e dos Seletos do século XVIII.

TRABALHOS BIBLIOGRÁFICOS

Direis agora: durante os seus cinquenta anos de existência que fez a Academia de bom e de útil em favor de nossas letras? Pelos seus estatutos tinha ela por fim a cultura da língua e da literatura nacional; pelo seu regimento original, a organização de um anuário bibliográfico das publicações brasileiras que aparecessem no país ou no exterior, a coleção de dados biográficos e literários como subsídio para um dicionário bibliográfico nacional, a organização de um vocabulário crítico dos brasileirismos introduzidos na língua portuguesa e em geral das diferenças no modo de falar e escrever dos dois povos, a coleção e impressão das produções de escritores nacionais que estivessem inéditas e auxílio para impressão de obras de valor literário que não encontrassem editor, e finalmente a concessão de prêmios às composições literárias que os merecessem.

Apuremos agora o que foi realizado dentro de tão belo programa.

Relativamente aos trabalhos bibliográficos propôs Mário de Alencar, em 11 de junho de 1910, um plano que foi aprovado, com algumas alterações, na sessão seguinte. Constituiu-se então uma comissão chamada de Lexicografia, composta de Alberto de Oliveira, Artur Orlando, Coelho Neto, Filinto de Almeida, Mário de Alencar, Raimundo Correia, Salvador de Mendonça e Silva Ramos. Durante cerca de dois anos trabalharam esses acadêmicos e nos números de janeiro e julho de 1911 da *Revista da Academia* apareceu um "Ensaio de um repertório bibliográfico pelo sistema decimal", precedido de algumas explicações, onde se dizia: "É um simples ensaio, feito com o pensamento de estimular os competentes e pacientes a empreenderem com perseverança trabalho de maior tomo. Abrange número escasso de obras, mas suficiente para a aplicação do sistema e exemplificação de sua excelência." Seguiam-se umas duzentas fichas bibliográficas. Depois disso, só em 1920 se volta a tratar do assunto. A ata de 8 de abril regista que "continuaram os estudos acerca de um Dicionário de Bibliografia", e a 8 de julho do mesmo ano Alberto de Oliveira comunica que a Comissão de Bibliografia estava empenhada em preparar o Dicionário, já então chamado Biobibliográfico, o qual era pensamento da Academia fazer editar por ocasião do Centenário da Independência. A ideia era aproveitar o Dicionário de Sacramento Blake, completando-o e atualizando-o. Ataulfo de Paiva conseguira da família de Blake dois exemplares da obra, os quais foram reduzidos a fichas pelo secretário da Academia. Mas em outubro já o presidente Ataulfo de Paiva anunciava que infelizmente o Dicionário não poderia aparecer por ocasião do Centenário. E não apareceu. Em julho de 1926 Alberto de Oliveira pede à Mesa informações sobre o Dicionário Biobibliográfico. O presidente, Coelho Neto, promete apresentar na sessão seguinte um sucinto relatório relativo ao assunto. Não o fez nunca. Em junho de 1935 parece que os acadêmicos voltaram a se lembrar do velho projeto: pelo menos na sessão de 27 de junho Rodolfo Garcia inicia uma comunicação com estas palavras: "No momento em que a Academia cogita de organizar e publicar o Dicionário Bibliográfico Brasileiro..." Afrânio Peixoto, em 1937, obteve que se encomendasse ao oficial da Biblioteca senhor Osvaldo Melo Braga um Dicionário Biobibliográfico da Literatura Brasileira. Este trabalho, que durou uns oito meses, foi interrompido no início da presidência de Cláudio de Sousa, no ano seguinte. Nova tentativa partiu de Austregésilo, Levi Carneiro e Pedro Calmon, em 1939, os quais propuseram que se autorizasse a organização de um *Dicionário biobibliográfico da Academia Brasileira de Letras*, abrangendo a indicação de dados relativos aos patronos de todas as cadeiras e aos acadêmicos falecidos e vivos. O Dicionário seria organizado pelo mesmo oficial da Biblioteca da Academia, o senhor Osvaldo Melo Braga. O projeto não vingou. Mas se a Academia não chegou a elaborar o seu Dicionário Biobibliográfico, ao menos concorreu com o seu auxílio – dez contos de réis – para a publicação do Dicionário de Velho Sobrinho, verba votada em 13 de fevereiro de 1936.

Quase cinquenta contos gastos inutilmente

Quanto ao Dicionário de Brasileirismos, em 1910, por iniciativa de Mário de Alencar, começaram os acadêmicos a pesquisa de brasileirismos e dezesseis anos depois a Comissão de Publicações, tendo completado o material assim recolhido com o que já estava registado em vocabulários individuais, iniciou a impressão do Dicionário, cujas provas eram distribuídas aos acadêmicos para a tarefa de correções e acréscimos. No ano de 1927 já estavam impressas 224 páginas, até a letra M. Um belo dia, porém, Humberto de Campos criticou severamente o trabalho feito. Secundou-o João Ribeiro, o qual relembrou que tivera ocasião de aconselhar a não publicação dessa obra, por demasiado falha. Laet, no entanto, opinou que não se podia dizer não fosse boa a parte impressa: "Se tem alguns defeitos, nem tudo é ruim". Afonso Celso, como presidente, ponderou que, segundo as palavras de Afrânio Peixoto, pronunciadas na sessão anterior, não se tratava de obra definitiva, mas apenas uma consolidação do que já existia publicado em vários trabalhos relativos ao assunto e mais as contribuições ministradas à Comissão de Lexicografia. A 31 de março Humberto de Campos volta a tratar do caso. O dicionário, a seu ver, seria obra cara e de venda difícil, no que foi contestado por João Ribeiro, e propôs que a publicação fosse feita na *Revista da Academia*, oferecendo-se então para os trabalhos de revisão. Mas nos sete anos que ainda viveu, apenas reviu vinte páginas. Em 1936 foi contratada com outra tipografia a impressão do Dicionário; a tipografia, insuficientemente aparelhada, rescindiu o contrato depois de impressas dezesseis páginas. Três anos depois fracassa a terceira tentativa quando a impressão já chegara à letra L, com 324 páginas impressas. "Quarenta e cinco contos gastos inutilmente", comenta o senhor Fernando Nery num livro que levantou uma tempestade, foi sequestrado, mas ao qual, no entanto, temos sempre de recorrer, como tenho feito agora, para traçar a história da instituição.

Onde a Academia foi mais feliz

A Academia foi mais feliz no terceiro item do seu programa: a coleção e impressão das produções de escritores nacionais que estivessem inéditas, e auxílio para impressão de obras de valor literário que não encontrassem editor. E isso, em grande parte, graças ao interesse e pertinácia do nosso querido confrade Afrânio Peixoto. Iniciadas essas publicações em 1923, já formam uma valiosa biblioteca que por si só justificaria a existência da Academia. Basta citar entre essas edições ou reedições a *Prosopopeia*, a *Música do parnaso*, os seis volumes de Gregório de Matos, o *Peregrino da América*, o *Tratado da terra do Brasil*, a *Vida de Dom João VI* por Dom Francisco Manuel de Melo, os quatro volumes das *Cartas jesuíticas* e finalmente o *Florilégio* de Varnhagen, que acaba de aparecer em primorosa reedição, enriquecida de comentários desse mestre da crítica histórica e literária que é Rodolfo Garcia.

Como quarto item do seu programa inscreveu a Academia a concessão de prêmios, e em 36 anos, de 1909 a 1945, distribuiu prêmios na importância de 498 500 cruzeiros. Entre os autores premiados estavam alguns que mais tarde vieram a pertencer à Academia, como Rodolfo Garcia, Afonso Taunay, Guilherme de Almeida, Ribeiro Couto; outros que à Academia conviria que lhe pertencessem, como Said Ali, Sousa da Silveira, Antenor Nascentes, Eugênio de Castro, Fernando de Azevedo. Alguns dos livros laureados, longe de obedecer aos preceitos acadêmicos, pareciam, ao contrário, desafiá-los, como *Viagem* de Cecília Meireles, *A iluminação da vida* de Murillo Araújo, os romances *A mulher que fugiu de Sodoma* e *Rola-moça*, respectivamente de José Geraldo Vieira e João Alphonsus, os ensaios *A influência africana no Português do Brasil* e *O Português no Brasil* de Renato Mendonça etc.

O Dicionário da língua portuguesa

Não cogitara a Academia no seu primitivo Regulamento nem de um *Dicionário da Língua Portuguesa* nem de uma Gramática. Um e outro empreendimento tiveram, porém, os seus campeões. O do Dicionário foi Laudelino Freire, que em 1924 propôs à casa um plano, logo aprovado. Nomeou-se uma comissão de cinco acadêmicos, um técnico e cinco auxiliares. Trabalhou-se muito, e em 1928 foi publicado o primeiro fascículo do Dicionário, que chegava até a definição de *Abantes*, o antigo povo da Trácia. Em 1934 foi a comissão dissolvida. Segundo Fernando Nery, gastara a Academia com esses trabalhos cerca de 500 contos. Falecia Laudelino Freire em 1937, mas a sua fracassada iniciativa encontrou novo campeão em Afrânio Peixoto, que se ofereceu para elaborar o anteprojeto de um Dicionário, o qual deveria estar pronto dentro de dois anos e custaria apenas 60 contos. Aprovado o anteprojeto, contratou-se a obra com o professor Antenor Nascentes, que de fato a entregou acabada em 1º de dezembro de 1943. Entregou-a na forma de fichas, e assim permanece o Dicionário até hoje.

A Gramática

A ideia da *Gramática* partiu de Afonso Celso em 10 de janeiro de 1929. Bem acolhida a iniciativa, indicou-se uma comissão, composta em definitivo dos acadêmicos Ramiz Galvão, João Ribeiro, Aloysio de Castro, Humberto de Campos e Gustavo Barroso, e dois secretários – Fernando Nery e Arlindo Leite. Em 14 de fevereiro lia João Ribeiro em plenário as bases do trabalho. A Gramática seria quanto possível um livro prático, destinado ao uso comum. Como consequência seriam excluídas todas as questões de pura erudição filológica, o objeto essencial seria a sintaxe da língua. Aprovadas as bases, parece que a comissão entendeu que se deveria esperar

Saudação a Peregrino Júnior[17]

Senhor Peregrino Júnior:

No vosso conto dos "Cherimbabos do Tuchaua" o velho Florindo explica o segredo da raiz de uirapaçu:

> O pica-pau-da-cabeça-vermelha conhece uma raiz que abre todas as coisas. Quem possui ela, abre tudo que é de porta neste mundo. O diabo é descobrir adonde é que o uirapaçu tem o ninho. O pássaro é arisco e esconde o ninho bem dentro das matas, no bamburral, em riba de um pau seco. Quando o uirapaçu está criando, aproveita-se a hora em que ele sai atrás de comida pros filhos e tapa-se com barro o buraco de entrada do ninho. O pássaro volta, e achando o ninho tapado, voa pra longe e vai buscar a raiz encantada. A gente então acende uma fogueira embaixo do pau e espera que ele volte. Ele traz a raiz no bico e vem doido pra salvar os filhos. Assim que ele chega perto do ninho, a gente atiça o fogo e faz uma labareda grande. O uirapaçu se espanta e deixa cair a raiz no chão. Quem ajunta ela, está com a vida garantida.

Assim, não há porta fechada para quem tem raiz de uirapaçu. Ora, as portas desta Academia permaneceram durante quase dois anos ciosamente fechadas aos que pretendiam ocupar a cadeira nº 18. As eleições se sucediam sem que nenhum candidato alcançasse a necessária maioria absoluta. Parecia coisa-feita, alguma pajelança que o bom caboclo de Araruna houvesse praticado para retardar a transmissão de sua poltrona. Confesso-vos que, ao vê-las abrirem-se tão facilmente para vós, pensei comigo: aqui andou raiz de uirapaçu...

Não que subestimasse os vossos méritos, que são consideráveis. Mas – ai de nossas humanas fraquezas! sabemos todos que os méritos nunca bastaram para dar entrada nem nesta nem nas demais academias do mundo. Títulos excepcionais apresentavam alguns dos muitos candidatos que se inscreveram, em pleitos anteriores, à sucessão de Pereira da Silva: um grande poeta como Jorge de Lima, um grande filólogo como Sousa da Silveira, ambos aliás distinguidos com a maior láurea desta casa – o grande prêmio Machado de Assis.

Tão pouco subestimava a irresistível magia de vossa cordialidade. Ribeiro Couto inventou de uma feita a teoria do "homem cordial". Segundo o nosso amigo, a cordialidade seria a contribuição brasileira à obra da civilização. Essa intuição de poeta mereceu considerada num grave ensaio de pesquisa sociológica de Sérgio Buarque de Holanda. Comentando-a, escreveu o autor de *Raízes do Brasil*: "Seria engano supor que, no caso brasileiro, essas virtudes" (a lhaneza no trato, a hospitalidade, a generosidade) "possam significar 'boas maneiras', civilidade. São antes de tudo expressões legítimas de um fundo emocional extremamente rico e transbordante".

A cordialidade, assim entendida, foi sempre um dos vossos apanágios. A tal ponto, que desde logo associei a vossa pessoa à teoria de Ribeiro Couto, e quem sabe se não foi o principal inspirador dela? É, por excelência, o "homem cordial".

A verdade é que, com ou sem a raiz de uirapaçu, possuís o segredo de abrir todas as portas – a dos corações, a das academias, a das universidades. E certamen-

---

17 Discurso na Academia Brasileira de Letras, em 25 de julho de 1946.

a resolução definitiva da questão ortográfica, outro empreendimento da Academia, cheio de vicissitudes, afinal levado a cabo graças à dedicação e ao tato de José Carlos de Macedo Soares. Entretanto, Afonso Celso não desanimava; em 1930, em 1931, em 1932, interpelava o presidente acerca dos trabalhos da Gramática. A comissão iniciou os trabalhos em 1932 e a 23 de fevereiro de 1933 se achavam quase concluídas as partes relativas à Fonologia, à Lexeologia e à Estilística. Apareceram então para a obra duas propostas de casas editoras – Weizflog Irmãos e Civilização Brasileira.

A moléstia de Humberto de Campos, a morte de João Ribeiro, o afastamento de Arlindo Leite, abrindo claros na comissão, vieram retardar o completamento da Gramática. Passam-se os anos. Apesar do interesse, sempre vigilante, de Afonso Celso, de Austregésilo, de Fernando Magalhães, nada se faz. Em 10 de novembro de 1938, o presidente Cláudio de Sousa nomeia uma comissão para estudar os capítulos já elaborados e dar parecer. Em 1940 Fernando Magalhães e Osvaldo Orico renunciam aos seus lugares na comissão. Os dois outros membros eram Afonso Celso e Austregésilo. Este, em nome da nova comissão, composta de mais dois membros, Clementino Fraga e Múcio Leão, propõe se contratasse um técnico para organizar um projeto de Gramática, dando-se-lhe o prazo de um ano. Aprovada a proposta foi encomendada a Gramática ao professor Clóvis Monteiro. Mas até agora, nada de Gramática.

Não quero deixar de aludir neste resumo à *Revista Brasileira*, brilhantemente ressuscitada como edição da Academia na presidência de Levi Carneiro, autor da ideia.

Qualidades e defeitos

Reconheçamos em todos os empreendimentos malogrados as boas intenções e os bons esforços da Academia. A Academia Brasileira tem cinquenta anos de existência: lembremo-nos de que a francesa, fundada em 1635, só deu a primeira edição do seu Dicionário 59 anos depois. Quanto à Gramática, 78 anos depois da fundação da casa, Fénelon reclamava o cumprimento da disposição que a recomendava, e nada se fez. A Academia Francesa só deu a sua Gramática em 1932, isto é, decorridos 297 anos depois de instituída. Se continuarmos limitando-lhe a remansada atividade, podemos desde já felicitar-nos de ter no ano da graça de 2193 a Gramática da Academia, a qual vaticino será, em que pese a meus confrades Luís Edmundo, Cassiano Ricardo, Múcio Leão e Viriato Correia, da língua portuguesa e não da brasileira.

A Academia Brasileira de Letras tem os seus fãs e os seus detratores, uns e outros exagerados. Terá as suas qualidades e os seus defeitos: eu me enterneço, confesso, com uns e outros, quando considero que são qualidades e defeitos do nosso povo, do nosso meio, os mesmos de todas as nossas instituições. Não se pode negar que, pondo de parte os seus malogros, as suas omissões, ela concorreu para fortalecer no público o prestígio da profissão literária. E penso como Nabuco quando achava um anacronismo recear hoje para a nossa, como para qualquer Academia, o papel de tutela reacionária.

te não foi por sortilégio da raiz amazônica, mas em virtude de provas eruditas e brilhantes que chegastes às cátedras de docente de Clínica Médica na Faculdade Nacional de Medicina e na Faculdade Fluminense de Medicina. Quando, em 1940, fostes nomeado catedrático de Biometria da Universidade do Brasil, recebestes as homenagens de numerosos amigos e admiradores, e a palavra do mestre da famosa 20ª Enfermaria da Santa Casa de Misericórdia, o eminente professor Austregésilo, consagrou o vosso renome científico.

> O espírito de Peregrino Júnior [disse o nosso querido confrade] fez-se no hospital, legítimo "rato" da Santa Casa, pontual e vivíssimo, sequioso de trabalho, discutidor e sorridente, às vezes ironista gracioso. Exame de enfermos, observações, novidades científicas, fatos e doutrinas andavam sempre espoucando daquela cabeça privilegiada de nordestino. O homem de ciência preferiu para as suas cogitações o novo trinômio proposto à sagacidade dos espíritos investigadores – vitaminas, hormônios e sistema holossimpático. Acerca das vitaminas, deu-nos um volume que logo se esgotou nas livrarias, tal a clareza e a precisão com que foi escrito; além disso, no Hospital, no nosso serviço, com Borges Fortes cuidou das questões das carências, da betavitaminose e chegou às mesmas conclusões defendidas pela nossa família da antiga 20ª. Na Policlínica do Rio de Janeiro criou o Serviço de Endocrinologia, o primeiro que se sistematizou entre nós e que apesar das faltas existentes em nossos centros científicos, marcha com a ânsia de aperfeiçoamento que é a fórmula mais encantadora do espírito.

Enriquecestes a literatura médica com uma longa série de monografias que não são simples compilações livrescas, mas o resultado de pesquisas pessoais e de experiências de clínica. A esse aspecto melhor fora que fôsseis aqui recebido por um de vossos irmãos de ciências. Que poderia um poeta lírico dizer das "hipuropatias póticas", da "meralgia parestésica", do *flutter* e fibrilações parciais"? Houve tempo em que me interessei pela biotipologia e andei lendo os vossos trabalhos relativos ao assunto. Devo dizer que me senti perdido entre as classificações de Walter Mills, de Kretschmer, de Viola, de Pende, de Estappé. Dissestes vós mesmo que a biotipologia nos parece ainda muito confusa, porque a sua terminologia se compõe de palavras numerosas, nem sempre exatas e precisas, muitas vezes controversas e até certo ponto incongruentes. Em face de tantas incertezas, acabei preferindo o sistema de Kretschmer pelo fascínio poético de suas denominações, sobretudo por causa da palavra "leptossômico", que resolvi desde então incorporar ao meu vocabulário poético. Essa palavra "leptossômico" foi para mim o gérmen de um poema que até hoje não consegui formular. E tenho grande receio que à heroína dessa minha "Balada da mulher leptossômica" não aconteça a mesma coisa que ocorreu convosco, que de leptossômico passastes a pícnico, evolvendo da elegância longitípica para a braquitipia confortável, de que é símbolo essa poltrona azul em que estais sentado.

Afinal abandonei o sistema de Kretschmer para adotar outro mais novo, que não era de homens de ciência, mas de poetas – Jayme Ovalle e Augusto Frederico Schmidt. Conheceis sem dúvida a estranha classificação que distribui os homens, os bichos, os vegetais e até as coisas inanimadas em cinco categorias, cada qual com o seu tipo-padrão, o seu anjo: os parás, os mozarlescos, os quernianos, os onésimos e os dantas. Os parás são os indivíduos extrovertidos, ágeis, dinâmicos, brilhantes, que onde chegam, vencem. Entre nós a maioria vem do Norte ou do Rio Grande do Sul. Senão, olhai: quase toda a imprensa carioca está nas mãos de nortistas, e há dezesseis anos que os cordéis da política brasileira são manejados pelos gaúchos. Os mozarlescos... O nome não deriva de Mozart e sim do anjo da categoria, nem posso declará-lo aqui, porque sobre ela pesa injustamente uma vaga atmosfera de ridículo. Os mozarlescos são sentimentais, acreditam no esperanto, choram nos cinemas. Os quernianos definem-se facilmente; são os impulsivos. O onésimo é o antípoda do mozarlesco: duvida sempre, sorri quando os outros se entusiasmam, desaponta. Os dantas, mais difíceis de caracterizar, são raros: não se lhes dá do sucesso material, vivem em verdade e pureza, num equilíbrio perfeito da inteligência e da sensibilidade. Dantas cem por cento foi o Cristo; Pedro I, querniano; Pedro II, mozarlesco; Machado de Assis, onésimo. Parás somos todos um pouco. Pará sois também, meu caro Peregrino Júnior, permiti que vô-lo diga. Vejamos como vos retratou mestre Austregésilo: "Talento, sorriso, amabilidade, graça literária, pendor científico, solicitude amistosa, dinamismo, ânsia de subir com esforço e dignidade, tais são os predicados precípuos da personalidade de Peregrino Júnior". Pará e pescoço forte. Pescoço forte? Isto é outra história. O mais simples dos sistemas biotipológicos, obra do vosso colega Pedro Nava. Os homens podem dividir-se em duas classes – os pescoços fortes e os pescoços fracos. Já examinastes numa viagem de ônibus o pescoço dos passageiros que vão à vossa frente? Ou ele é fino, pálido, de tendões salientes e cabelos ralos; ou robusto, sanguíneo ou mate, bem plantado e piloso. Transportai a observação para o domínio moral, e tereis ali, como no domínio físico, o pescoço forte e o pescoço fraco.

Assim que, desde a adolescência vos revelastes pescoço forte, abandonando o ambiente familiar de vossa província natal, tão enternecidamente evocada em vosso discurso, para ganhar as esporas de cavaleiro do exército do Pará na dura terra amazônica.

Já dissestes, como Raul Bopp: "A maior volta do mundo que eu dei foi na Amazônia". Ambos vós ficastes marcados para sempre pela visão formidável daquele mundo paludial e como que ainda em gestação. O poeta cantou no grande poema-delírio da *Cobra Norato* as assombrações daquelas terras do Sem-Fim:

Aqui é a floresta subterrânea de hálito podre parindo cobras
Rios magros obrigados a trabalhar
As raízes inflamadas estão mastigando lodo
Batem martelos ao fundo
Soldando serrando serrando
Estão fabricando terra...
Ué! Aqui estão mesmo fabricando terra!

A vossa atitude foi diferente. Sois mais um observador, um analista do que um poeta. Viajastes na Amazônia recolhendo em cadernos vasto material paisagístico e humano que mais tarde iríeis tramar na urdidura dos vossos contos. Não sei se naquele tempo – éreis ainda adolescente – já pensáveis na medicina. Como quer que fosse, a Amazônia foi para vós um caso clínico. Não se sente em vossas descrições o homem deslumbrado, senão o homem atento e lúcido. Amiúdo vos servis de imagens-diagnósticos: "Ali bem perto daqueles seringais hidrópicos e abandonados, onde cochilam de papo no chão, sem ter o que fazer, dezenas de desgraçados, é o vilório triste, que os 'do sítio' convencionaram chamar – 'a cidade'. Meia dúzia de casas miseráveis: uma rua. No fim da rua, num largo iluminado de sol, a capela. E eis tudo. O resto são becos de palhoças, diluindo-se, na anasarca dos pauis de tijuco." Inferno verde? Qual o quê! protestastes. "Literatura..."

> Inferno de terra podre, de águas envenenadas, de aspectos miseráveis e tristes. No ventre encharcado daquela terra empapada d'água, onde o pelo hirsuto da floresta é povoado de bichos feios, os igarapés lentos e turvos deslizam como negras jiboias de morno lombo oleoso. O rebotalho humano que ali agoniza, é a borra dos seringais abandonados, o resíduo imprestável da prosperidade que morreu com a borracha.

E fizeste no conto do "Paroara" a impressionante diagnose física e social do seringueiro:

> Seringueiro é assim mesmo. Vive e morre dentro da mata – e não conquista nem possui a terra. A terra aniquila-o, inexorável. Porém ele não a ama nem a odeia. É, diante dela, um indiferente e um vencido. A Natureza não o fascina, mas também não o assombra: esmaga-o. Exilado e intruso naquele mundo, guarda consigo um desejo permanente de fuga. Enquanto não pode fugir com os próprios pés, evade-se com o pensamento. As evasões da sua imaginação têm disfarces líricos: saudades do sertão, recordações sentimentais, desafios à viola, histórias... No entanto, fatalista incurável, ali vive e ali morre, entre as paredes esburacadas da barraca solitária, sem ter sequer a coragem de capinar o matagal da vereda. – Pra quê? A terra não é da gente... Atonia total dos músculos e do espírito. Sendo o protagonista épico de uma formidável tragédia, não sabe avaliar a grandeza heroica do papel que inconscientemente desempenha... Estranho ao drama cósmico da terra que habita, permanece também estranho ao drama humano da sua própria alma. E dessa pungente inconsciência vai nascendo a tragédia brutal da conquista daquele mundo apocalíptico da Amazônia... O triunfador sucumbe, apagado e triste, com um travo amargo de derrota nos lábios...

Eis aí em escorço magistral o quadro terrível pintado pelo colombiano José Eustasio Rivera nas páginas sombrias do seu romance: o homem prisioneiro da selva, devorado por ela; a selva sádica e alucinatória, onde, como diz o autor de *La vorágine*, "os sentidos humanos equivocam as suas faculdades: o olho sente, a espádua vê, o nariz explora, as pernas calculam e o sangue clama: fujamos, fujamos!"

Mas Rivera, temperamento hiperestático, só tinha olhos para a tragédia, ao passo que os tendes também, fora da selva, nas cidades e nos vilórios, para a comédia e para a farsa. Mesmo em vossos contos de assunto trágico, vemos as personagens como que refratárias à tragédia. Júlio Assunção labuta durante anos no seringal, sempre com o pensamento de enricar só para Ritinha gostar mais dele. Quando pede o saldo no barracão, em vez de dinheiro lhe dão borracha. Júlio não protesta nem se lastima. É valente e nunca deu o seu direito a ninguém. Sabe, porém, bom realista, que naqueles cafundós do seringal não há direito para os pobres. "Bote pra cá o diabo dessa borracha, homem dos trezentos!" É tudo o que diz. Parte, perde a borracha numa corredeira, chega a Belém já ciente de que Ritinha o enganara. Mata-a a facadas e entrega-se à prisão, com a mesma alma leve com que partira para a selva. Só o perturba uma pequena dúvida: "O diacho é se seu Cosme levantou um falso à defunta!" Em "Feitiço", como Ritinha outro exemplar típico da vossa galeria de caboclas inzoneiras, as tragédias deslizam como a água nas folhas da taioba. Nessa história a verdadeira tragédia está no exame de Anatomia Patológica com o professor Leitão da Cunha. Dais aí um retrato inesquecível do reprovador manso e polido, de "doce voz quinhentista", com o seu vagamente macabro tratamento na segunda pessoa do plural, esse anacrônico "vós", que é um segundo fardão imposto aos recipiendários pela praxe acadêmica.

Se em "Feitiço" e em outros dos vossos contos a tragédia se dissimula em comédia, na anedota da "Frente única", a realidade política brasileira assume proporções de farsa, tão verídica para todo o Brasil, que a vossa história da Tujucupaua amazônica foi coincidir com a história paulista das "Cinco panelas de ouro" do saudoso António de Alcântara Machado. Por toda a parte encontraremos os coronéis Antunes e Anastácio, irreconciliáveis na politicalha municipal, mas solidários na subserviência ao governo estadual: o primeiro, prefeito, valendo-se do obituário do município para engrossar o seu eleitorado; o segundo, coletor federal, amigo do vigário, servindo-se para o mesmo efeito, da lista do batistério. Na eleição de 1930 apostavam-se os dois a ver qual daria mais votos ao governo. Contais então o que aconteceu:

> Na seção do coronel Antunes houve um fato muito desagradável: ao fazer-se a apuração, havia um voto para o dr. Getúlio!
> – Um voto para o dr. Getúlio!
> – Sim, coronel, um voto para o dr. Getúlio!
> – Que desaforo! Era só o que faltava! E o senhor, seu Escrivão, não viu quem foi o bandido que deu esse voto?
> – Não senhor, Coronel. Como todos os que votaram aqui eram amigos, não prestei atenção.
> – Bandido! Apunhalar-me pelas costas numa eleição como esta! Mas eu hei de descobrir quem foi o Judas que me atraiçoou!
> O delegado fez uma insinuação maliciosa:
> – Isso deve ter sido arte do Manduca Sacristão... Eu vi outro dia ele conversando na bodega do Sernambi com o Chico Tuíra...
> – Foi mesmo. Nem tinha pensado nisso. Cabra safado! E eu mandei dar a ele um par de sapato e uma roupa nova... Mas não faz mal não: é p'ra eu não me fiar em espoleta de padre... Bandido, atraiçoar-me, num pleito como este!
> Após um momento angustiado de concentração gravíssima – Eureca! – o coronel Antunes achou uma solução para o impasse:
> – Seu escrivão, isso não tem importância, não; rasgue o diabo do voto! E para compensar, ponha na ata mais trinta votos na candidatura nacional do dr. Júlio Prestes. É assim que eu respondo às misérias dos meus adversários!
> – Mas isto não pode ficar assim, obtemperou, muito sério, o delegado, que tinha velhas contas a ajustar com o sacristão, por causa da filha do Zé Sernambi.
> – É mesmo. Você tem razão, seu delegado. É preciso dar um ensino nesse tipo. Meta o sacristão na cadeia por minha conta, – dê-lhe uma pisa das boas! Ouviu? Não tenha pena dele, não!

Gostaria de reler todo o conto, para o qual, como para "Ritinha" e para "Putirum de fantasmas" vai a minha predileção na vossa obra de contista. Quero, porém, testemunhar-vos de público a minha admiração pelo sóbrio patético que pusestes no relato da compra de uma mulher em "Putirum de fantasmas":

> Assim que teve um saldozinho, Severino cuidou de arranjar uma mulher.
> O tapuio Remígio, que andava com umas febres brabas, era casado.
> Severino procurou-o para propor negócio.
> – Seu Remígio, você quer fazer um negócio?

O tapuio balançou com a cabeça – que sim.

– Você está por pouco... não é, seu Remígio?

O tapuio confirmou de novo com a cabeça.

– E a sua mulher, sinhá Virgolina, vai ficar sozinha neste mundão de seringal, sem ter ninguém que puna por ela.

O tapuio arregalou os olhos, espantado mas sem revolta.

Severino falou mais claro:

– Você quer me vender sinhá Virgolina, seu Remígio?

– !? (uns olhos compridos de dor furaram o silêncio).

– Negócio é negócio. Eu pago a sua conta no barracão e inda lhe dou por cima duas peles de borracha fina.

O tapuio não disse nada. Mas seus olhos sem esperança buscaram no quarto os olhos da mulher.

Severino, sem hesitar, atirou duas peles no meio da barraca, com estrondo, e completou com uma frieza cruel o seu pensamento sinistro:

– Mas porém eu levo logo sinhá Virgolina lá pra casa!

O tapuio, compreendendo o irremediável da situação, envolveu-o num olhar resignado de fatalismo, cheio de uma tristeza que não sabia e não podia protestar.

D. Virgolina concordou sem piedade:

– É mesmo. Eu vou logo. Remígio está morrendo aos tiquinhos...

Todas essas histórias, ou trágicas ou cômicas, recolhidas nos vossos livros *Pussanga*, *Matupá* e *Histórias da Amazônia*, não as escrevestes no Pará. Ali éreis apenas o estudante. E o jornalista que sustentava o estudante. A vossa vocação para o jornalismo vinha da meninice. Quando ainda cursáveis em Natal o Ateneu Norte-Rio-Grandense, fundastes dois jornais. Em Belém, repórter policial da *Folha do Norte*, editastes duas revistas ilustradas. O rapaz que em 1920 saltou no Rio era um jornalista feito e, vós mesmo o contastes numa entrevista em 1939, "um jovem literato da cabeça aos pés, compenetradíssimo do meu papel, devorador dos simbolistas franceses, de Camilo (era preciso conhecer a língua), de Eça de Queirós, e principalmente de Machado de Assis".

Entrastes na imprensa carioca pela mão de um grande jornalista, esse Cândido Campos, veterano descobridor e formador de vocações jornalísticas. Na redação da *Notícia* conhecestes Ribeiro Couto, a quem ficastes para sempre ligado por uma amizade verdadeiramente fraternal. Ele é que devia estar hoje aqui para celebrar a vossa vinda, para dizer dos vossos méritos, para evocar naquele estilo deslizante de que possui o segredo, a quadra em que juntos iniciastes a arrancada que ao cabo vos trouxe até esta casa. Permiti, meu caro Peregrino, a indiscrição de ler neste recinto um trecho da carta que em março me escreveu o nosso amigo a propósito de vossa eleição: dar-vos-ei assim por um momento a grata ilusão de sua presença.

Estou muito contente por ser você quem vai receber o Peregrino. Está claro que eu me pelaria por recebê-lo. Estimulado pelo tema, faria um panorama da nossa boêmia difícil, entre 1918 e 1920 e tal. A nossa sinuca de bico. Com muita literatura e muita ambição de casar com moça rica... que afinal preterimos pelas pobres, naturalmente. Até hoje estou gozando a eleição do Peregrino. Parece mentira! Que longa viagem – afinal felizmente acabada! Dizer-se que nós todos, ainda no outro dia, estávamos à cata do vale de vinte mil-réis no *Rio-Jornal*...

A essas palavras posso acrescentar, agora sem indiscrição, as que ele pronunciou no almoço público de 1940:

Há vinte anos que admiro e estimo Peregrino Júnior. Começamos a vida como "rapazes de jornal", neste mesmo Rio de Janeiro em que éramos provincianos, românticos e um pouco espantados. Ele andava sempre com livros debaixo do braço. Estudava uma coisa misteriosa. Depois vim a saber: era medicina. Como podia conciliar as horas de estudo e de laboratório com as horas absorventes da redação? É que, desde mocinho, Peregrino Júnior sempre surpreendeu os seus companheiros com a atividade prodigiosa de que é capaz. Tempos difíceis aqueles nossos. Naquele ano de 1920, para nós a vida era bem dura. Ainda assim, que bom! Que maravilhosa esperança! Tínhamos a certeza de que havíamos de acabar fazendo "alguma coisa". Ninguém, do nosso grupo, fez mais e melhor do que ele. Do repórter saiu o escritor: aí estão os seus fortes livros, portadores das paisagens e dos tipos amazônicos. Do escritor saiu o médico: e sei de muitas casas onde a simples presença de Peregrino Júnior já é remédio. Do médico saiu o professor universitário, que hoje festejamos. Professor, de resto, ele sempre foi: professor de entusiasmo. Toda a sua vida é uma afirmação viril de otimismo e confiança. Tudo isso, sem perder um certo ar de candura, não sei quê de adolescente que subsiste nele e é consolo para os que envelhecem mais depressa.

Ribeiro Couto relembrou os vales do *Rio-Jornal*. Foi no vespertino de João do Rio e Georgino Avelino que contraístes, em 1922, o vosso único vício, o vício de que nunca mais vos libertastes, talvez *pour faire enrager les gens graves*, o vício da crônica mundana. Não sejamos demasiado severos para essa arte fútil mas difícil de dar um sorriso para todas e a perfídia para algumas. Podeis autorizar-vos de um exemplo ilustre: Proust também começou pela crônica mundana. *Les gens graves* da primeira década do século tomavam então por um *snob* inofensivo o homem que anos depois iniciaria com *Du côté de chez Swann* a mais profunda sondagem da quarta dimensão do tempo. Escrevendo bagatelas amáveis sobre os salões das princesas Matilde e Edmond de Polignac, das condessas d'Haussonville, Potocka e Guerne, de Mme. Madeleine Lemaire, ensaiava-se ele para a prova definitiva do salão de Mme. de Guermantes. Como fazíeis na "Vida fútil" do *Rio-Jornal*, como fazem hoje o nosso Jacinto de Tormes ou Gilberto Trompowski, alinhava nomes enlaçados, na guirlanda fácil dos adjetivos jornalísticos. "*M. Anatole France, le duc et la duchesse de Brissac, la comtesse de Briey, M. M. Robert de Flers et Gaston de Caillavet, les brillants auteurs du triomphal Vergy et leurs femmes exquises...*" Um sorriso para todos e para todas... De sopetão, no meio dos sorrisos, a fina perfídia:

> *Près du piano, un homme de lettres encore jeune et fort snob, cause familièrement avec le duc de Luynes. S'il était enchanté de causer avec le duc de Luynes, qui est un homme fin et charmant, rien ne serait plus naturel. Mais il paraît surtout ravi qu'on le voie causer avec un duc. De sorte que je ne puis m'empêcher de dire à mon voisin: des deux, c'est lui qui a l'air d'être "honoré".*

É claro que a crônica mundana do Rio de 1922 não podia ter esse brilho. Não havia ainda entre nós príncipes autênticos nem reis exilados em terras da América. Era o Rio do centenário da Independência, governado pelo presidente Epitácio Pessoa, o Rio dos "almofadinhas" e das "melindrosas", o Rio que se ria com as farsas do Chico Boia e achava ainda vertiginosas as janelas do Palace-Hotel. Gago Coutinho e Sacadura Cabral sobrevoavam pela primeira vez o Atlântico. Ângela Vargas, em sua casa da *praia de Botafogo*, reunia os poetas e as discípulas e os amigos nas "horas de inverno", onde Adelmar Tavares falava sobre "A alma feiticeira da trova", onde Olegário Marianno era sempre reclamado para dizer "Água corrente" ou "As duas sombras..."

Vida fútil... Mas quem sabe se um Gilberto Freyre do futuro, que digo? se o próprio Gilberto Freyre de hoje não encontrará nas páginas do vosso livro o pormenor que o ajudará a interpretar sociologicamente a nossa terra e a nossa gente? Nada é fútil, ou tudo será fútil aos olhos de Deus e dos sociólogos.

Não vos poupei, meu caro confrade, no comentário do vosso vício. Não vos pouparei tão pouco em falta mais grave. Dissestes a certa altura das memórias que estais escrevendo: "Sem nunca ter perpetrado versos, eu sempre senti em mim a vocação da poesia". Não é verdade que nunca tenhais perpetrado versos. Esquecestes que no conto "Caboré" destes sortida à vocação poética, descrevendo em versos onomatopaicos uma dança de negros nos mocambos do Trombetas. Vou dizer aqui esse poema, que me dará o prazer de vos incluir na minha antologia dos poetas bissextos, porque ele pode ser posto ao lado dos poemas negros de Raul Bopp e de Jorge de Lima:

> A atabaque no batuque bate-boca
> Qui-tim-bum-bum... quitimbum...
> Os negros dançam, o corpo mole, batendo os pés no chão duro,
> Qui-tim-bum-bum... qui-tim-bum...
> Tronco cavado, couro esticado, bem retesado,
> Qui-tim-bum...
> O tocador, com as mãos abertas, marca o compasso,
> Bum-bum-qui-tim-bum-bum...
> No ritmo do carimbo, dançando a dança negra, os negros recordam as velhas
> [senzalas tristes.
> Ouvem o grito longínquo da África, o grito dos que ficaram lá longe chorando, e dos
> [que partiram humilhados
> Qui-tim-bum... qui-tim-bum-bum...
> A melancolia sem revolta das levas mansas no porão do negreiro...
> E o grito fino do chicote do feitor zebrando de riscas o lombo envernizado de suor.
> Qui-bum-bum... qui-tim-bum-bum...
> Ouvem tudo... a fuga... o chuá das águas do Trombetas... a voz de libertação dos
> [quilombos de Óbidos.
> Qui-bum-bum... qui-tim-bum-bum...
> E o carimbó cantando geme soturno na noite negra, no compasso grave do
> [bate-boca do batuque...

Aos que vos conhecemos mais intimamente não poderiam causar estranheza esses versos. Porque sabemos como em vossa atividade espiritual se conjugam harmoniosamente as três forças da imprensa, da literatura e da medicina. Nem há trabalho que melhor e mais completamente vos represente do que o vosso estudo sobre a *Doença e constituição de Machado de Assis*. Nesse livro, se o médico firma com segurança o seu diagnóstico, o homem de letras, o crítico revela-se cabalmente na documentação literária sacada da obra do romancista. E o ensaio, que podemos considerar definitivo, resultou da ampliação de um simples artigo do jornalista que sempre fostes e continuais sendo. Particularmente incisivo e esclarecedor é o vosso capítulo sobre a ambivalência de pensamento e sentimento, não só na vida, como na obra de Machado de Assis. Augusto Meyer já havia notado que "esse homem era uma colônia de almas contraditórias, como toda personagem complexa: o niilista feroz foi um funcionário exemplar, o céptico fundou a Academia de Letras, o cínico deliciava--se mentalmente na companhia da pérfida Capitu, porém amou a meiga Carolina".

Ensaios literários

Sentindo em si próprio tamanhas contradições, não queria o desenganado espectador da vida deixar-se lograr pelas falsas aparências dos móveis inconfessáveis. Estava sempre em guarda contra as boas ações ou contra o humorismo alheio. Assim lhe explico a reação de enfado no caso da aquarelinha de meu pai. Era uma vistazinha do posto semafórico do Morro do Castelo. Talvez por lhe lembrar os dias da infância, Machado de Assis agradou-se muito da paisagem pintada em papel-almaço. Pediu-a, e no dia seguinte contou que a tinha mandado encaixilhar. Meu pai, extremamente envaidecido com esse seu único triunfo de aquarelista amador, saiu do Ministério rufando caixa. Dias depois o engenheiro Antonino Fialho se encontra com o romancista na rua do Ouvidor e lhe fala do caso da aquarela. Machado de Assis, gaguejando com raiva, diz-lhe: "Já é a... a... a terceira pessoa que me vem falar nisso!" Ao que Antonino Fialho respondeu com aniquiladora polidez: "Sinto muito ter sido a terceira..." Devo acrescentar que nem por isso deixou Machado de Assis de aparecer assiduamente na sala de meu pai toda vez que o serviço oficial dava alguma folga. Ali gostava de conversar com o engenheiro Abel Ferreira de Matos, ao qual, no conto "Um incêndio" se refere, encarecendo "o pico, a alma própria que este Abel põe a tudo o que exprime, seja uma ideia dele, seja, como no caso, uma história de outro". Os dois engenheiros, quando se juntavam, eram como duas crianças: falavam em língua de preto velho ou com sotaque de português ou de italiano, faziam toda a sorte de jogos verbais improvisados, praticavam uma espécie de surrealismo *avant la lettre*, nem se vexavam da presença do romancista a quem tanto admiravam e respeitavam. Quando apareceu o romance *Dom Casmurro*, Abel de Matos, leitor sempre atento, descobriu no livro um errozinho de cálculo elementar nas contas de uma personagem. Escreveu logo a Machado de Assis uma carta, em que estranhava o cochilo, se não do romancista, ao menos "do Chefe da Contabilidade do Ministério". Muito se tem falado do caráter retraído e desconfiado do Mestre. Sabe-se que detestava os indivíduos indiscretos e derramados. Gostava, porém, de conversar com as mocinhas e os rapazolas. A esse respeito posso dar o meu depoimento. Conservo entre as minhas melhores lembranças certa viagem de bonde que fiz do largo do Machado até a minha casa em Laranjeiras. Tinha eu os meus quinze anos. Aconteceu sentar-me no carro ao lado de Machado de Assis, que vinha lendo *A Notícia*. Reconhecendo-me apertou-me a mão, dobrou a folha e, para minha delícia, entrou a conversar. Contou-me um passeio de lancha que fizera na baía com um grupo de poetas, entre os quais estava Bilac. Eugênio Marques de Holanda recitara uma estrofe do segundo canto dos *Lusíadas*. Quis o Mestre repetir os versos, não se lembrava. Eu, que sabia o meu Camões de cor, balbuciei timidamente: "Com um delgado cendal as partes cobre..." O Mestre interrompeu-me: "A anterior... a anterior..." Mas a memória traiu-me, e eu me recordo bem que entrei em casa mortificado dessa traição.

Conto esse caso para apoiar as vossas palavras, quando dissestes que "Machado de Assis, ao contrário do que se tem pensado e dito, não era um coração seco e estéril: era um amigo afetuoso, cuja alma escondia as mais generosas reservas de ternura e cordialidade". Conto-o também para contradizer-vos, e explico por quê. Falastes em vosso livro no "interesse muito relativo que ele (Machado de Assis) tinha *pelo mundo exterior e pela natureza*" e mais adiante escrevestes: "Sem amar propriamente a Natureza..." Será admissível esse desinteresse de Machado de Assis pela Natureza? É verdade que nos seus romances não há paisagens. Mas elas abundam na sua obra poética. Não amaria a Natureza quem escolheu para residência definitiva a encosta do Cosme Velho, um dos trechos mais amoráveis da paisagem carioca? Quando o Mestre me falou do passeio na baía, fez uma descrição do crepúsculo onde era evidente o sentimento da Natureza, a capacidade de íntima comunhão com ela. Tudo o que se pode dizer é que, embora sentindo e amando o mundo exterior, interessava-se mais pelo mundo interior do homem. A sua atitude está claríssima no soneto "Mundo interior":

> Ouço que a natureza é uma lauda eterna
> De pompa, de fulgor, de movimento e lida,
> Uma escala de luz, uma escala de vida
>   Do sol à ínfima luzerna.

> Ouço que a natureza, – a natureza externa, –
> Tem o olhar que namora, e o gesto que intimida,
> Feiticeira que ceva uma hidra de Lerna
>   Entre as flores da bela Armida.

> E contudo, se fecho os olhos, e mergulho
> Dentro em mim, vejo à luz de outro sol, outro abismo,
> Em que um mundo mais vasto, armado de outro orgulho,

> Rola a vida imortal e o eterno cataclismo,
> E, como o outro, guarda em seu âmbito enorme,
> Um segredo que atrai, que desafia – e dorme.

Nesse poema, que é das *Ocidentais*, me parece que está inteiro o pessimista que no mundo exterior da natureza e no mundo interior do homem via sempre "o eterno cataclismo", e pior que isso, a famosa "contração cadavérica", a destruição que se afirma sob as aparências de perpétua recriação, enfim a criatura "antiga e formidável".

A essas páginas de crítica tão fina e tão lúcida que escrevestes acerca do romancista das *Memórias póstumas de Brás Cubas*, juntais agora as que acabais de pronunciar sobre o poeta das *Solitudes*. Nelas a figura, a vida e a obra do vosso antecessor ressurgem palpitantes de vida no ambiente da escola em que ele iniciou a sua carreira literária. Perguntastes, em dúvida: "Terá sido Pereira da Silva realmente um simbolista?" E concluístes, com Andrade Muricy e Tasso da Silveira, que o poeta paraibano pertenceria mais à estirpe dos últimos românticos. De fato, ressalvada a atitude espiritualista, a repugnância ao "triunfo imortal da carne e da beleza", o Simbolismo em Pereira da Silva se revelou apenas no primeiro livro e por certos cacoetes da escola. Deles zombou João Ribeiro dizendo que "a escola novíssima de poetas pôs a saco o pecúlio sagrado das igrejas, roubando-lhes os cimélios de ouro e as ladainhas sonoras". Esses poetas que não sabiam latim gostavam de gastar latim. *Vae Soli!* chamou Pereira da Silva ao seu livro de estreia, onde citava em latim as *Lamentações de Jeremias*. E assinava-se Da-Silva, com D maiúsculo e hífen unindo a partícula ao apelido. Esses poetas pretendiam encher de misterioso sentido certos substantivos, grafando-os com maiúscula inicial. "Tristeza" não seria bastante triste se não levasse maiúscula, e personalizavam-na em Dona Tristeza. Certas letras punham-nos em estado de transe: o "y", o digrama "th" (Castro Meneses intitulou o seu livro *Mythos*, porque essa privilegiada palavra ostentava ainda o duplo timbre da linguagem grega). As datas não podiam ser em algarismos árabes, banalizados pelo emprego cotidiano, senão no aristocrático sistema romano. Com todas essas exterioridades, que irritavam grandemente os velhos críticos, disfarçava Pereira da Silva o seu romantismo inato para se exprimir na tonalidade da escola. Ele, que era tão simples e modesto, filho de um fabricante não de alaúdes, mas de violas sertanejas, semeou os seus primeiros poemas de complicados vocábulos como "aureolais", "resplandorada", "sugestional", sobrecarregou-os dos cimélios tomados à Igreja, trivializou a sua funda e rara melancolia de solitário com os lugares-comuns da grei, chamando-a Santa Tristeza, Dona Palidez, Soror Mágoa. Com a idade, e à proporção que o poeta tomava consciência do seu destino, esses alambicamentos foram sendo postos de lado e ele pôde chegar à pureza de poemas como o soneto "Nihil", onde se exprime com tanta simplicidade aquilo que chamastes a sua mística da tristeza:

> Dia parado entre nevoento e enxuto.
> A natureza como semimorta.
> Quanto aos vencidos, Musa, desconforta
> Essa infinita sugestão de luto!
>
> Quanto a mim, de minuto por minuto,
> Ouço alguém... Alguém bate à minha porta...
> Quem é? Quem sabe? Uma saudade morta,
> Coisas tão d'alma que eu somente escuto.
>
> Nesta indecisa solidão sombria
> Sem cor, sem som, meio entre a noite e o dia,
> Como que a Morte a tudo, a tudo assiste...
>
> Como que pela Terra desolada
> A consciência universal do Nada
> Deixa um silêncio cada vez mais triste...

De resto, foi na forma soneto que o poeta deu o melhor de si, como se o seu temperamento romântico necessitasse dessa disciplina de contenções e limitações para se despojar das superfluidades. Outra forma sua predileta, e onde creio é exemplo melhor se não único em nossa poesia, foi a dos decassílabos emparelhados, como os da "Loa da vagabunda", álveo natural dessa veia poética, definível por uma imagem desse mesmo poema:

> ... uma levada
> Que ia correr tumultuosamente
> Para dar água para a toda a gente...

Senhor Peregrino Júnior: sois agora dos nossos. Não creiais porém seja esta "a glória que fica". A glória que fica nas Academias é a que se traz de fora delas. Basta ler a lista dos nomes daqueles por quem Victor Hugo foi preterido na Academia Francesa em várias eleições, para nos convencermos da falácia com que aqui nos prometem a imortalidade. A glória que consola é a do trabalho. Sois um grande trabalhador. E eu quero terminar estas minhas palavras de admiração e afeto numa festa em que tanto falastes do Simbolismo, repetindo-vos o incitamento de Antônio Nobre:

> Vamos semear o pão, podar as uvas,
> Pegai na enxada, descalçai as luvas...

No caso, despi o uniforme:

> Tendes bom corpo, irmão! Vamos cavar!

Oração de paraninfo (1949)[18]

Pela segunda vez recebo nesta Faculdade a honra do paraninfado, sempre grata aos que apreciam o afeto da mocidade, mas bem difícil para mim, que me julgo tão de todo indigno dela.

E como da passada ocasião, a mim mesmo me pergunto agora se a homenagem dos filhos desta casa se dirige ao poeta ou ao professor. Endereçada ao poeta, acarretar-vos-á, senhores bacharéis, uma grossa decepção, porque não saberei dar maior calor a esta vossa festa com os meus possíveis estos de poeta. À perspectiva do auditório, entra-me logo a desertar o meu mofino vocabulário, batem voo as imagens como pombas alvejadas, seca em mim a própria fonte das ideias. É que sou, perdoai-me, um poeta que só funciona dentro do poema. Mas se é ao professor que distinguis, então não entendo mais nada, porque me sinto, na verdade, tão pouco professor no meio de meus eminentes colegas, que mais colega me julgo de meus próprios alunos do que dos membros desta colenda congregação. A incompletação dos meus estudos superiores me deixou no grau de estudante vitalício, por isso talvez mais perto de vós.

Traz-me esta cerimônia aos olhos da imaginação outra semelhante, ocorrida há 47 anos no salão nobre do Externato Pedro II. O orador da turma que então se bacharelava em ciências e letras tem hoje assento nesta Faculdade e é o meu querido amigo e mestre Sousa da Silveira, uma das mais puras glórias do magistério nacional. Havia uma espécie de profissão de fé positivista no discurso do rapaz que sonhava entregar-se de corpo e alma ao estudo e ensino da matemática elementar. A vida, porém, encarregou-se de encaminhar aquela vocação para Deus e para o vernáculo. Como torceria a minha da arquitetura, em que comecei a enveredar no ano seguinte, para a literatura, onde nunca me achei completamente em casa, e para o magistério, pouso que tenho como ainda mais de empréstimo para mim.

Aludo a estas reminiscências, meus caros afilhados, para vos fazer sentir que os caminhos da vida são muitos e às vezes imprevisíveis. Se tendes ânimo de trabalhar, parti confiantes, não no diploma que levareis hoje, mas no esforço que despender-

---

18   Proferida em 1949 na Faculdade de Filosofia da Universidade do Brasil.

des. O diploma... Paul Valéry chamou a esse passaporte para o fim imediato o inimigo mortal da cultura. A verdadeira, a nobre educação é antes a que visa a fins mediatos, a que se cultiva desinteressadamente. A que se devera programar para esta Faculdade.

Acreditais que em três ou quatro anos possa alguém estudar cinco línguas e cinco literaturas o bastante para delas vir a ser professor? Pois o curso de letras neolatinas de nossa Universidade vos habilita a essa áfrica e vos atribui diploma para ensinar latim, português, francês, italiano, espanhol, e ainda vos dá de prêmio uma vertiginosa excursão aérea por sobre dezenove literaturas, que em tal consiste a cadeira de Literaturas Hispano-Americanas, de que sou o estupefato e mísero ocupante. O resultado é que tudo se estuda pela rama, ou seja, pelo brasileiríssimo sistema do "gato por brasa" ou do "fogo, viste linguiça?"

Imagino com que prazer os meus prezados colegas Madame Manuel, a senhora Bianchini, Alceu de Amoroso Lima, Thiers Martins Moreira, Ernesto de Faria, José Carlos Lisboa e Roberto Alvim Corrêa dedicariam todo um ano letivo a devassar em profundidade a obra de, respectivamente, um Montaigne, um Dante, um Machado de Assis, um Gil Vicente, um Virgílio, um Cervantes, um Racine. Mas não: o diploma de professor, que é mister conceder a quem precisa ganhar a sua vida, não o permite. E o que vemos é o venerando mestre Sousa da Silveira obrigado a relembrar flexões de conjugação irregular em vez de proporcionar às suas classes uma dessas luminosas interpretações como foi há anos a do *Auto da alma*.

Para agravação do mal aí está o inelutável problema econômico. A grande maioria da mocidade de hoje estuda nas horas de folga do trabalho. Aqui como no Colégio Pedro II, de que fui docente, tive alunos menores de vinte anos já com encargo de família. Eis por que costumo ser indulgente na minha classe. Não leveis a mal que vos conte a fraqueza de um meu aluno, adormecido discretamente enquanto eu me esbofava sobre certo ponto menos ameno do programa: não me escandalizei, não o repreendi, antes baixei a voz, não fosse acordar o nobre rapaz exausto das canseiras fora da Faculdade e de quatro horas de atenção dentro dela!

Mas erros de estruturação, má organização social podem ser debelados com o tempo e

> *Dios ha de permitir*
> *que esto llegue a mejorar,*

como cantou o grande poeta de *Martin Fierro*. À morte é que não se debela, e este ano andou ela a abrir claros muito sensíveis nesta escola. Apagou-se de súbito em pleno refulgir de sua operosa maturidade o autor de *Introdução à antropologia brasileira*, de *O negro brasileiro*, de *O folclore negro do Brasil*, de *As culturas negras no Novo Mundo*, obras admiráveis, que valeram ao professor Artur Ramos nomeada universal. Outro luto dolorosíssimo foi o que nos infligiu o triste caso dos alunos Giordana Cohen e Gerald Martynes. Jovens, belos, inteligentes, aplicados, tudo pareciam ter para fruir a existência nos seus mais sedutores aspectos. Preferiram, porém, voltar as costas para todo o sempre a este mundo agora tão feio, levando consigo o segredo de sua resolução, deixando-nos saudosos e perplexos. E o bom Palmeira, sempre bem-humorado, sempre pronto a prestar-nos um pequeno favor, figura inseparável desta casa, mesmo na morte, pois a sua sombra como que ainda se demora nesta outra presença que é a lembrança dos amigos.

Meus jovens afilhados, sois os bacharéis do ano da graça de 1949, isto é, do ano que baliza o decênio da fundação desta Faculdade, grande ano, em verdade, que passou todo ressonante dos festejos com que comemoramos o centenário do nascimento de dois dos maiores entre os brasileiros que já ilustraram a cultura em terras do Novo Mundo.

Nabuco e Rui! Tão iguais na sua esplêndida vocação de servir ao Brasil, ao continente e ao mundo, tão diversos em sua compleição física, intelectual e moral. Em Nabuco a aparência exterior espelhava o mundo interior. Testemunham quantos o viram que foi um dos homens mais virilmente belos que já produziu a nossa terra. Era uma beleza que provocava admiração mesmo nos centros mais aristocráticos da velha civilização da Europa. Lembra-me ter ouvido certa vez o diplomata e escritor Tomás Lopes contar a aparição de Nabuco na sala de refeições de um dos mais elegantes hotéis de Londres. Chegou o nosso ministro à porta do salão, parou e relanceou a vista pelas mesas repletas. Toda a gente cessou de comer, todos os olhos se volveram fascinados para aquela soberba figura de 1,85 metro de altura, aprumado mas sem afetação, respirando nos olhos francos e dominadores a inteligência e a bondade. Em Rui, nada disso; era pequeno, raquítico, reconcentrado. Precisava exteriozar-se em palavras, faladas ou escritas, para nos dar a medida de sua alma. Mas então, como se agigantava!

Grandes escritores, grandes oradores ambos, Rui era um Vieira redivivo, a mesma máquina raciocinadora e trituradora de adversários, com a mesma força, variedade e pompa do vocabulário, o mesmo gosto das velhas dições incontaminadas, como cioso sempre de ostentar a cada passo os mais genuínos timbres de nobreza da língua: Nabuco, sem embargo de admirar a robusta fibra dos clássicos portugueses, homem todo do seu tempo, tão influenciado pela França que a ele próprio a sua frase se afigurava uma tradução livre do francês, mas sabendo tão habilmente ajustar, como grande artista que era, os mais amoráveis matizes e fios vernáculos ao seu tear importado, que logrou inventar um dos estilos mais pessoais, mais claros, mais transparentes, mais elegantes – mais nossos na literatura da língua portuguesa.

Soberanamente dotados um e outro para a carreira das letras, compreenderam ambos, como os seus irmãos hispano-americanos Sarmiento, Hostos, Martí, Varona, que era forçoso sacrificá-la a outra, mais generosa e muito mais áspera e arriscada, – ao apostolado da liberdade, da justiça, da razão e do bem. O pernambucano, que tudo tinha para desfrutar voluptuosamente a vida no ramerrão diplomático, viveu em voto perpétuo de servir a grandes causas nacionais – a abolição, a federação, a defesa dos nossos limites com a Guiana Inglesa, a definição do sistema monroísta. Rui, a quem, se egoísta, deveria bastar a fortuna que lhe poderia render a sua banca de príncipe dos advogados e jurisconsultos, faz-se o paladino da ordem jurídica, o campeão dos pequenos e humildes, indivíduos ou nações, o mais eloquente alertador dos perigos que nos conduziram à ditadura e à confusão.

Em nenhum dos dois morreu o escritor, mas em ambos o escritor não se afirmava senão em função da coisa pública.

Senhores bacharéis, tomai exemplo nesses dois grandes vultos tutelares da nossa pátria. Certo só a raríssimos será dado poder ombrear com eles nos primores do gênio. A todos, porém, é lícito tentar imitá-los no amor do trabalho, no calor da fé, na constância e na coragem. Tomai de Rui a lição de honrar a verdade republicana, de Nabuco a de realizar na vida ao menos uma parcela de beleza.

SILVA RAMOS[19]

Quando entrei para o Externato do Ginásio Nacional, que era como se chamava em 1897 o Colégio Pedro II, a minha turma teve para professor de Português o homem admirável cujo centenário estamos hoje festejando. Já naquele tempo Silva Ramos não parecia moço à nossa meninice. Tinha o busto acurvado e a fisionomia cansada. No entanto, mal passara dos quarent'anos. O espírito, esse guardava ainda todo o calor da mocidade. E de fato, bastava que um aluno, mau leitor, estropiasse em aula a dição de uma bela página da *Antologia nacional*, de Fausto Barreto e Carlos de Laet, para que a sensibilidade do mestre, ferida em suas fibras mais finas, estremecesse e buscasse evadir-se conosco da sombria sala da classe: de todo esquecido da gramática, Silva Ramos interrompia o aluno para lhe fazer sentir a beleza do trecho, que passava a ler com entusiasmo vibrante e comunicativo. E ficávamos todos fascinadamente presos à sua palavra, em que havia um leve sabor de pronúncia portuguesa, aquela pronúncia que lhe permitia colocar certo os pronomes sem que pensasse nisso, porque, como certa vez nos disse em aula e depois escreveu em carta a Mário Barreto, "não sou eu quem coloca os pronomes, eles é que se colocam por si mesmos, e onde caem, aí ficam".

Ainda hoje recordo com saudade a maravilhosa lição que foi a leitura que fez da "Última corrida real de touros em Salvaterra": não só tenho bem presente na memória o quadro objetivo da sala de aula, a atitude dos colegas, a figura subitamente remoçada do mestre, a voz com todas as suas inflexões mais peculiares, como também todas as imagens interiores evocadas pelo surto eloquente da leitura: o garbo e esplendor da ilustre Casa de Marialva ficou para sempre dentro de mim como um painel brilhante. Na verdade em um ponto da minha consciência quedou armado um redondel definitivo para essa última corrida de touros em Salvaterra, a qual nunca deixou de ser uma das festas preferidas da minha imaginação. A tal ponto, que longe de ser a última, passou a ser a eterna corrida de touros, eterna e única, pois foi a primeira que vi – porque positivamente a vi! – e me fez achar insípidas, mesquinhas, labregamente plebeias as verdadeiras touradas a que assisti depois com os olhos do corpo e não com os da imaginação excitada pelo gosto literário do mestre.

Silva Ramos era um espírito de formação clássica portuguesa. Conhecera Castilho, convivera com João de Deus, Guerra Junqueiro, Cesário Verde. Aprendera o seu bom português da boca dos grandes poetas portugueses do tempo. Assim, de tal modo tomou consciência do verdadeiro gênio do idioma, que jamais tomou entre nós atitudes de policial da língua diante das diferenciações brasileiras. Era a mesma posição de Andrés Bello em face do castelhano da América espanhola, quando

---

19 Discurso na Academia Brasileira de Letras, em 1953.

ensinava que o Chile e a Venezuela tinham tanto direito quanto Aragão e Andaluzia a que se lhes tolerassem as acidentais divergências, desde que patrocinadas pelo costume uniforme e autêntico da gente bem educada. Para Silva Ramos o papel dos mestres de português em nossa terra é

> ir legitimando, pouco a pouco, com a autoridade das nossas gramáticas, as diferenciações que se vão operando entre nós, das quais a mais sensível é a das formas casuais dos pronomes pessoais regidos por verbos de significação transitiva e que nem sempre coincidem lá e cá; além da fatalidade fonética que origina necessariamente a deslocação dos pronomes átonos na frase, o que tanto horripila o ouvido afeiçoado à modulação de além-mar.

Não ficou o mestre na pregação: quis passar à prática e uma vez alvitrou, contra o que lhe pedia o ouvido, que se tolerasse, nas provas de exame, a deslocação dos pronomes átonos. Mas logo lhe gritaram: *Não pode!* E ele conta que nada mais tentou. Sim, mas continuou a ensinar que para ganhar beijo de uma brasileira, é preciso dizer: "Me dá um beijo". Senão não se ganha o beijo. Confessou o mestre que se sentia sem autoridade para sancionar certas regências brasileiras. "E contudo" acrescentou, "o que nem um de nós, professores, teria coragem de fazer, hão de consegui-lo os anos que se vão dobrando lentamente". É que para o mestre não lhe restava a mínima dúvida que o idioma brasileiro, de dialeto português que ainda é, chegará a ser um dia a língua própria do Brasil.

Detestava o mestre as consultas do tipo: "Qual a sua opinião sobre a função do pronome *se*?" ou "Que me diz do sujeito do verbo *haver*?" Fenômenos que lhe pareciam essenciais e como tais independentes do que sobre eles pudesse pensar o professor A ou o professor B.

> Quantas vezes [escreveu Silva Ramos prefaciando os *Novos estudos da língua portuguesa*] não ocorre à pena do escritor completamente possuidor de sua língua a contextura de uma frase que, se houvera de ser submetida ao acanhado molde em que nos comprime a análise convencional, embaraçaria grandemente a quem tentasse fazê-lo, e de cuja vernaculidade ele não pode, entretanto, duvidar, ou porque lhe esteja cantando no cérebro por a ter encontrado nos clássicos ou porque lhe ficasse gravada no coração de havê-la colhido da boca do povo, que sempre reveste os seus conceitos de graça simples e nativa.

Era assim esse mestre admirável, que desdenhava da chamada análise lógica, "que de lógica muitas vezes nada tem", e sabia recolher a lição na graça simples e nativa da boca do povo.

Nem era só de fatos da língua que esse homem tão sábio e tão modesto podia falar tão bem. Há numa de suas crônicas, a que se intitula "Pessimismo", um comentário sobre a expressão "a vida é um sonho", que é das coisas mais bem pensadas e mais bem expressas que já li em qualquer literatura. "Adormecemos", escreveu o mestre, "como entramos na vida, inconscientemente, e inconscientemente saímos dela, como despertamos. Quem dorme não sabe o que é o sono, quem vive não sabe o que é a vida; é preciso acordar, é preciso morrer." Tão poético era o pensamento do mestre que o seu período se rematou na cadência perfeita de um alexandrino clássico.

Mas Silva Ramos viveu toda a vida como se soubesse, como se acreditasse que a vida nos foi dada para o exercício do amor e da compreensão. Foi um santo homem. O bem que ele nos fez, aos seus alunos e de um modo geral a todos quantos dele se aproximaram, nos confirma na verdade daquilo que o grande cubano José Martí escreveu a sua mãe num bilhete de despedida, e é que nesta vida *no son inútiles la verdad y la ternura*.

JUVENTUD, DIVINO TESORO...[20]

De todo o coração acedi ao convite para esta festa, de todo o coração a agradeço. Recuso-me todavia a ver nele uma homenagem que não mereço. Aceito-a tão somente como um sinal eloquente da aprovação e do afeto da mocidade. Quando somos chegados à velhice, meus caros amigos, nada mais reconfortante do que o interesse dos moços. Isso quer dizer afinal que não morremos em vida, a pior das mortes, quer dizer que alguma coisa ainda palpita em nós daquele calor, daquela esperança, daquela coragem que são o vosso apanágio. *"Juventud, divino tesoro..."*, cantou Rubén Darío. Se algum conselho vos posso dar, será para que preserveis esse tesouro, para que preserveis aquele menino que cada um traz dentro de si. Foi essa a grande lição que recebi da poesia.

Sabei que embora eu fizesse versos desde os dez anos de idade, meu pai não me criou para poeta: criava-me para arquiteto. A poesia era apenas uma distração da minha adolescência. Quando eu fazia o meu curso de bacharel em letras no Colégio Pedro II, a minha ambição literária não chegava ao livro. Por volta de 1902, tinha eu dezesseis anos, o *Correio da Manhã* costumava publicar diariamente, na primeira página um soneto envolvido em cercadura *art nouveau*. Pois toda a minha aspiração poética se reduzia a ver um soneto meu na primeira página do jornal de Edmundo Bittencourt. Manipulei então laboriosamente quatorze alexandrinos tremendos e mandei-os ao bom Antônio Sales que era redator influente do jornal. Todos os dias, às primeiras horas da manhã, comprava eu o *Correio* com o coração palpitante de emoção. Quinze dias se passaram e nada do meu soneto. Murchei e deixei de comprar o jornal, não por despeito, mas porque não podia arcar com aquela despesa diária de cem réis. Um belo dia, ó surpresa, ó maravilha! lá estava o meu soneto na primeira página com a cercadura *art nouveau*. Antônio Sales nunca soube que deu essa esplêndida alegria a um rapazola de dezesseis anos. Alegria toda pessoal, toda íntima, privadíssima, porque não ousei falar dela em casa e o soneto estava assinado com um pseudônimo.

Não sonhei com mais triunfos nas letras. Terminado o meu currículo do Pedro II, fui para São Paulo matricular-me na Escola Politécnica. Não me julgava destinado à poesia, tomava a minha veia versificadora com uma simples habilidade. O que eu queria era ser arquiteto, construir casas, remodelar cidades, encher o Rio ou o Recife de edifícios bonitos, como Ramos de Azevedo fizera em São Paulo. Tudo isso foi por água abaixo com a doença que me prostrou nas férias do primeiro para o segundo ano. Interrompi para sempre os estudos, andei pelo interior verificando a verdade *daquele paradoxo do João da Ega*: "Não há nada mais reles do que um bom clima".

---

20 Palavras proferidas no Colégio Santo Inácio, em agradecimento à homenagem que lhe foi prestada pela Academia de Letras Santo Inácio, associação literária estudantil.

Viu uma coisa estranha,
Uma figura má.

Então, volvendo o olhar ao sutil, ao celeste,
Ao gracioso Ariel, que de baixo o acompanha,
Num tom medroso e agreste
Pergunta o que será.

Como se perde no ar um som festivo e doce,
Ou bem como se fosse
Um pensamento vão.

Ariel se desfez sem lhe dar mais resposta.
Para descer a encosta
O outro estendeu-lhe a mão.

A mim sucedeu o contrário. Subi a encosta de leste acompanhado de perto, não por Ariel, mas pelo outro. E eis que chegado ao alto da montanha, é Ariel que me vem receber, encarnado em vossa bela e radiante mocidade.

A RIMA[21]

A época parnasiana marcou o auge do prestígio da rima. Banville chegou a dizer que era ela a única harmonia do verso: *Elle est tout le vers*. O nosso Bilac, no tratado de versificação que escreveu em colaboração com Guimarães Passos, escreveu que "em composição alguma de versos se deve prescindir da rima. Ela é indispensável." Sem se lembrar que em "Satânia", poema das *Sarças de fogo*, prescindira da rima e escrevera 109 melodiosíssimos e harmoniosíssimos versos brancos.

Antônio Feliciano de Castilho é que não tinha lá grande amor às rimas: pareciam-lhe um postiço e um enfeite. "As línguas de si formosas", escreveu, "dispensam-nas; as menos belas têm razão para as tomar; as feias, necessidade." Tinha especial ojeriza às rimas toantes, moda que diz introduzida em Portugal no tempo dos Filipes (mas as *cantigas de amigo* estão cheias de toantes) e que qualificou de "não das mais guapas".

Os modernistas brasileiros não desprezaram propriamente a rima. Mas praticando o verso livre, em que dificilmente cabe a rima, passaram alguns anos sem ela. Todavia quando voltaram ao verso medido, voltaram também às rimas, servindo-se porém tanto das toantes como das consoantes.

Três sortes de rimas há que nunca foram cultivadas entre nós. Uma é a de sílabas finais átonas; outra é a de final de palavra esdrúxula com a tônica de palavra aguda; a terceira é a de fonemas ou sílabas iniciais.

A primeira espécie foi muito usada nas prosas da Igreja. Temos ótimo exemplo no belo hino *Veni, Sancte Spiritus*:

---

21   In: *Miscelânia de estudos em honra de Antenor Nascentes*. Rio de Janeiro, 1941.

Então, na maior desesperança, a poesia voltou como um anjo e veio sentar-se ao pé de mim. Desforrei-me das minhas arquiteturas malogradas reconstruindo uma cidade da Pérsia antiga – Pasárgada. Pasárgada era, como tantos outros temas da minha obra, uma reminiscência da minha vida de menino. Quando, na classe de grego, traduzíamos a *Ciropédia*, fiquei encantado com esse nome de uma cidadezinha construída por Ciro, o Antigo, nas montanhas do sul da Pérsia para lá passar os verões. Trinta anos depois, num dia de profundo abatimento, saltou-me repentinamente da alma como um grito de evasão este verso: "Vou-me embora pr'a Pasárgada!" E atrás dele vieram os outros.

Muita gente pensa que o poeta é como aquele trapezista do conto de Kafka, um homem diferente dos outros, um sujeito que vive nas nuvens e almoça e janta sublime. Essa gente não admite que o poeta brinque. Daí a incompreensão com que leem certos poemas em que o autor não faz mais do que voltar a certos *moods* da infância. Tenho sido alvo dessas incompreensões. Quando publiquei o meu segundo livro, *Carnaval*, o crítico de uma revista importante, a *Revista do Brasil*, na fase dirigida por Monteiro Lobato, limitou-se a transcrever o primeiro verso da coleção, o qual não passava de outro grito de evasão de um doente recluso e perfeitamente abstêmio: "Quero beber, cantar asneiras", acrescentando apenas este comentário ferino: "O senhor Manuel Bandeira conseguiu plenamente o que queria".

O remoque não me doeu nem me fez mossa. Tive para reconfortar-me o juízo honrosíssimo de João Ribeiro. Tive para reconfortar-me a simpatia e o apreço de moços pouco mais velhos do que sois agora, os rapazes que alguns anos depois iniciavam o movimento de renovação literária conhecido em nossas letras pelo nome de Modernismo. O meu primeiro livro, *A cinza das horas*, não tivera aliás a intenção de começar uma carreira poética. Se o publiquei, foi apenas para me dar a ilusão de não ser completamente ocioso. E era esse o sentido da epígrafe, que tomei a uma canção de Maeterlinck:

> *Mon âme en est triste à la fin.*
> *Elle est triste enfin d'être lasse.*
> *Elle est lasse enfin d'être en vain.*

A simpatia acordada nos rapazes me abriu os olhos, mostrando-me que na expressão genuína de minhas tristes experiências eu podia levar a outros uma mensagem de fraternidade humana. Depois dessa primeira prova fui recebendo novos testemunhos, fui fazendo em todo o Brasil numerosos amigos, a maioria dos quais não conheço pessoalmente. Desde então senti que podia ficar em paz com o meu destino, já que passara aquele cansaço de existir em vão, o mais pungente dos cansaços.

A vossa festa de hoje, meus caros amigos do Santo Inácio, é a mais recente gota desse bálsamo cicatrizado das minhas velhas feridas. Dura, muito dura em verdade foi a minha vida. Mas se faço as minhas contas, encontro um saldo que me ressarce de todas as agruras. Um dos mais belos e mais tristes poemas de Machado de Assis diz assim:

> O poeta chegara ao alto da montanha,
> E quando ia descer a vertente do oeste,

Veni, Sancte Spiritus,
Et emitte coelitus
Lucis tuae radium.

Veni, Pater pauperum,
Veni, dator munerum,
Veni, lumen cordium.

Consolator optime,
Dulcis hospes animae,
Dulce refrigerium.

In labore requies,
In aestu temperies,
In fletum solatium.

Usam-na também os poetas de língua inglesa. Shakespeare no soneto que é o prólogo de *Romeu e Julieta*, rima *dignity* com *mutiny*:

Two households, both alike in dignity.
In fair Verona, where we lay our scene.
From ancient grudge break to new mutiny...

Aliás, Chaucer já rimara assim:

... That boldely dide execucioun
In punisshinge of fornicacioun,
Of wicchecraft, and eek bauderye,
Of diffamacioun, and avoutrye,
Of chirche-reves, and of testaments,
Of contractes, and of lakke of sacraments...

("The Friar's Tale" in Canterbury Tales)

Lemos em Milton, soneto *"On Shakespeare"*:

Thou in our wonder and astonishment
Hast built thyself a livelong monument.

E na *"Ode on a Grecian Urn"* de Keats vemos "Arcady" rimando com "ecstasy".

Às vezes encontramos nos poetas de língua inglesa uma sílaba tônica rimando com uma átona. Assim em Chaucer:

On which ther was first writ a crowned A,
And after, Amor vincit omnia.

(Op. cit., "A Prioress")

Em Milton:

And fancies fond with gaudy shapes possess
  As thick and numberless...
                                    ("Il Penseroso")

And in thy right hand lead with thee
The moutain-nymph, sweet Liberty;
                                    ("L'Allegro")

Uma e outra variedade de rimas, isto é, de sílabas átonas ou de tônica com átona se nos deparam no alemão. Alguns exemplos de Heine:

Doch wenn da sprichst. "Ich liebe dich!"
So muss ich weinen bitterlich.
                          (*Lyrisches Intermezzo*, 4)

Erlöschen wir das Himmelslicht
Das aus den frommen Augen bricht.
                          (*Lyrisches Intermezzo*, 5)

Ich, ein tolles Kind, ich singe
Jetzo in der Dunkelheit;
Klingt das Lied auch nicht ergötzlich
Hat's mich doch von Agnst befreit.
                          (*Die Heimkehr*, 1)

No meu *Carnaval* fiz algumas tentativas de rimar sílaba tônica com átona:

Era desejo? – Credo! De tísicos?
Por história... quem sabe lá?...
A Dama tinha caprichos físicos:
Era uma estranha vulgívaga.
....
Ao pobre amante que lhe queria,
Se lhe furtava sarcástica.
Com uns perjura, com outros fria.
Com outros má...

A rima de fonemas ou sílabas iniciais pode ser um recurso rítmico de belo efeito, como provam certas aliterações, cujo exemplo mais indiscreto nos dá Cruz e Sousa:

Vozes veladas, veludosas vozes,
Volúpia dos violões, vozes veladas...

Mas há um exemplo que, introduzido instintivamente pelo poeta, é no poema um dos elementos sensíveis da sua sutil musicalidade. Está na segunda e na terceira estrofes da "Canção do exílio" de Gonçalves Dias. Na segunda, rimando *primores* com *palmeiras*. Mas a terceira e última estrofe é a esse aspecto mais notável:

Não permita Deus que eu morra,
Sem que volte para lá;

> Sem que desfrute os primores
> Que não desfruto por cá;
> Sem que inda aviste as palmeiras,
> Onde canta o sabiá.

Acho, como o grande mestre que reverenciamos nesta coleção de escritos, meu mestre e amigo de quase meio século, o professor Nascentes, que a rima "não é elemento essencial do verso, nem antigo nem moderno". Mas ela tem muitas vezes os seus encantos, mesmo quando não passa de *bijou d'un sou*.

Volta ao Nordeste

Outro dia entrei na Confeitaria Colombo para almoçar e vi uma coisa que é rara ali: uma comprida mesa cheia de alegres convivas. Quase todos eles eram cabeças-chatas na flor da idade. Imediatamente palpitei: o *scratch* cearense de futebol! E era mesmo. Enquanto almoçava, fiquei observando-os. E o tipo físico dos jogadores, o plano braquicéfalo, o ar "permanentemente fatigado" de que falou Euclides, uma ou outra inflexão cantada que me chegava aos ouvidos me foram enchendo de uma estranha emoção, em que ao cabo reconheci o velho sentimento de pátria, despertado assim mais fortemente do que por manifestações oficiais ou de encomenda. Senti-me então torrencialmente submergido naquela "onda viril de fraterno afeto" a que fiz alusão no meu poema do "Marinheiro triste".

Muito bem: a mesma aura de emoção, o mesmo amor da pátria total identificada numa expressão regional me salteou desde as primeiras páginas do novo romance de José Lins do Rego. Com *Fogo morto* volta o menino de engenho aos seus banguês da Paraíba. Volta Zé Lins ao Nordeste, donde nunca devera ter saído, porque só ali é que está em casa. Não quero dizer com isso que *Água mãe* seja um mau romance. Não tivesse o romancista escrito nada mais, e o livro, por si só, lhe daria um lugar de destaque entre os nossos ficcionistas. Mas a história de Cabo Frio foi tirada da cabeça, ao passo que os romances do Nordeste o autor os saca do coração: paisagens, tipos, cenas, o menor detalhe, o mínimo fragmento de diálogo vêm na força das primeiras impressões da infância, reproduzidos com tal ingenuidade que, para um nordestino como eu, saudoso do seu Nordeste, desautorizam o senso crítico e até certos defeitos de linguagem se nos impõem afinal como fatalidades saborosas. Mostra-nos o romancista o mestre José Amaro chorando, como um menino, debaixo da pitombeira. Que aconteceu? "O bode manso chegou-se para perto dele e lambeu as suas mãos." Qualquer de nós diria "lambeu-lhe as mãos". Mas isso não seria mais Zé Lins. Zé Lins está todinho naquele bode que lambe as suas mãos...

Andou-se dizendo que Zé Lins só era bom mesmo na psicologia dos fracassados, dos indivíduos de vontade fraca, do tipo de Carlos de Melo: o mestre José Amaro e sobretudo Vitorino Carneiro da Cunha – Vitorino Carneiro da Cunha, não! Capitão Vitorino Carneiro da Cunha, o homem pagou patente e a defendia no campo da honra!

– vieram mostrar que Zé Lins traz todo o Nordeste no sangue. E justamente o capitão Vitorino me parece de longe a criação mais acabada, mais viva, mais inteiriça de toda a sua galeria de tipos. Aquele Quixote do Nordeste não precisou de novelas de cavalaria para esquentar a imaginação e criar fibra de herói andante, defensor dos pobres e paladino da justiça. Não tinha sequer um Sancho Pança a acompanhá-lo, não queria auxílio de ninguém e toda a sua fortuna era o punhal de Pasmado e uma burra velha caindo aos pedaços pelas estradas. Mentiroso sem baixeza, vadio sem preguiça, valentão sem muque, desacatado até pelos garotos que o enfureciam ao gritarem de longe a alcunha indecente. Vitorino – dobro a língua, o Capitão Vitorino, – mal escondia debaixo dos seus despropósitos uma pureza de criança. E só mesmo os demônios como os cangaceiros de Antônio Silvino ou os "macacos" da volante do Tenente Maurício ousavam bater-lhe. Mas Vitorino Carneiro da Cunha jamais foi moralmente vencido. As cenas em que o romancista descreve a intrepidez desbocada do velho em face da crueldade dos bandidos do cangaço ou da polícia estadual são verdadeiramente épicas e se colocam, como a da surra terapêutica do mestre José Amaro na filha doida, entre as mais fortes de sua obra, se não ainda de toda a ficção brasileira.

O engenho de Zé Lins está de fogo morto como do Coronel Lula de Holanda. A nova "botada" foi magnífica. Paraninfou-a o novo brasileiro Otto Maria Carpeaux, que, se veio aumentar o nosso pessimismo (oh homem pessimista), também anda apurando o nosso gosto crítico, ensinando a ver as obras em profundidade. O seu prefácio diz de José Lins do Rego as coisas essenciais: "Todas as virtudes e todos os defeitos do escritor residem na sua espontaneidade fabulosa, na sua riqueza vital, na sua força instintiva. A obra de José Lins do Rego é ele mesmo. É uma epopeia da tristeza, da tristeza da sua terra e da sua gente, da tristeza do Brasil. É grande literatura."

PREFÁCIO[22]
[A *VERSIFICAÇÃO PORTUGUESA*]

O compêndio *Versificação portuguesa*, ora editado pelo Instituto do Livro, parece-me, não obstante a sua brevidade e concisão, o mais inteligente e incisivo que sobre a matéria já se escreveu no Brasil, senão também em Portugal. O eminente professor Said Ali, de quem tive a honra de ser aluno de alemão no Colégio Pedro II, medíocre aluno de uma turma cujos ases eram Sousa da Silveira, Antenor Nascentes, Artur Moses e Lopes da Costa, o professor Said Ali, a quem devemos tantas contribuições magistrais ao estudo do mesmo idioma, não é um poeta. Mas o seu íntimo conhecimento da poesia latina e da poesia das grandes literaturas ocidentais dá-lhe competência para versar o assunto com uma autoridade que não terá talvez atualmente nenhum poeta de língua portuguesa.

No Brasil os compêndios anteriores a este não passavam de um decalque, com pequenas variantes, do *Tratado de metrificação portuguesa*, de A. F. de Castilho. A sistematização de Castilho, como a de Malherbe na França, se por um lado prestou grandes serviços no sentido de policiar a técnica poética, por outro lado teve como consequência um empobrecimento da expressão. Os nossos parnasianos ainda agravaram

---

22 A *Versificação portuguesa*, de M. Said Ali. Rio de Janeiro, Imprensa Nacional, 1949.

o defeito. No caso dos hiatos, por exemplo. Atidos com demasiado rigor ao conceito escultural da forma, renunciaram a um elemento musical que estava tão dentro da tradição portuguesa e do qual os grandes poetas da nossa língua tiraram tantas vezes efeitos admiráveis. Ainda que não apresentasse outros altos méritos, teria o presente trabalho este de defender o hiato, sacrificado durante várias décadas pela "usual e mecanizada contagem das sílabas". O mestre vai mais longe e admite, fundado nos exemplos de Shakespeare e Milton, as pausas intencionais, independentes de vogais em contato e preenchendo o lugar de uma sílaba. Há vários casos desta espécie no nosso Gonçalves Dias. Para os que não sentem na estrutura do verso o valor do silêncio intencional está errado aquele da poesia "Seus olhos":

> Às vezes, oh, sim, derramam tão fraco

Comenta o professor Said Ali:

> Consta a poesia de 49 versos dodecassílabos sendo o segundo e o último de cada estrofe reduzido a um só hemistíquio: o ritmo é rigorosamente formado com o metro anfíbraco, quadruplicado em cada verso completo. O mesmo metro nos versos curtos, que vão até a sílaba quinta (anfíbraco completo + anfíbraco inacabado). Não se pode imaginar maior apuro em compor versos tão formosos. Só de propósito deliberado usaria o poeta a pausa em lugar de uma sílaba.

Ao verso citado de Gonçalves Dias chama Said Ali dodecassílabo. É uma das novidades deste precioso livrinho voltar ao uso antigo de tomar o verso grave como critério para a especificação e denominação dos versos. Castilho abandonou pela tradição francesa a das outras línguas românicas. Assim o verso que era chamado hendecassílabo passou a denominar-se decassílabo. A lição do mestre português foi aceita pelos parnasianos e pelas escolas que lhes sucederam. Haverá vantagem no retrocesso? É um caso por discutir e naturalmente provocará debates. Pessoalmente prefiro o critério de Castilho, isto é, a contagem até a última sílaba tônica. As sílabas átonas dos versos graves e esdrúxulos não influem na estrutura dos mesmos: podem influir na do verso seguinte. Assim na poesia "Valsa", de Casimiro de Abreu:

> Pensavas,
> Cismavas,
> E estavas
> Tão pálida
> Então;
> Qual pálida
> Rosa
> Mimosa,
> No vale,
> Do vento
> Cruento
> Batida...

No sexto verso a última sílaba de "pálida" pertence na realidade ao verso seguinte "Rosa", que tem uma sílaba a menos, como era de necessidade, sem o que se quebraria o ritmo uniforme do poema.

Basta esse único exemplo para mostrar que o número de sílabas, como a rima, a aliteração, o paralelismo, o encadeamento etc., não são mais do que elementos organizadores do ritmo, finalidade soberana na estrutura formal do poema. O ritmo como o entende muito justamente o professor Said Ali, observado tanto na sua forma positiva como na negativa – silêncio, pausas, interrupções. Qualquer dos elementos acima mencionados pode faltar no poema sem prejuízo do ritmo. É por isso que ousamos discordar do sábio mestre quando afirma que o ouvido moderno "reclama a rima como beleza natural e essencial da poesia". Natural, sim; essencial, de modo nenhum. O próprio mestre dissera dois parágrafos atrás que "a poesia não rimada requer elevação de ideias, vigor de expressão, inversões e outros artifícios que permitem realçar bem certas sílabas acentuadas, sem o que os versos mal se distinguirão da prosa chata". Logo, a rima não é essencial.

A especificação e exemplificação dos metros é feita neste compêndio com evidente superioridade sobre os demais já escritos em língua portuguesa.

É de desejar que em futura edição dê o professor Said Ali maior desenvolvimento à sua obra, contemplando nela as formas fixas, o verso livre moderno, e a este respeito tomamos a liberdade de lhe chamar a atenção para o notável ensaio de Pedro Henríquez Ureña *En busca del verso puro*. Deus conceda ao provecto mestre bastante vida e saúde para completar este e outros trabalhos.

Prefácio às cartas
de Mário de Andrade a Manuel Bandeira

Tive com Mário de Andrade uma correspondência epistolar que se iniciou em 1922 e se prolongou sem interrupção até a sua morte. Mário escreveu milhares de cartas. Nunca deixou carta sem resposta. Creio, no entanto, que as da nossa correspondência têm importância especial, porque comigo ele se abria em toda a confiança, de sorte que estas cartas valem por um retrato de corpo inteiro, absolutamente fiel. Nelas, está todo o Mário, com as suas qualidades, que eram muitas e algumas de natureza excepcional, e os seus defeitos, jamais de origem mesquinha. Certos aspectos de sua personalidade poderosa são mesmo difíceis de classificar: como qualidade ou como defeito? O seu orgulho, por exemplo, que era imenso, mas frequentemente se exprimia em formas de aparente humildade, que a ele próprio intrigavam.

Além de retratarem com tanta verdade o seu autor, são estas cartas do maior interesse para a compreensão de sua obra, sobretudo de sua poesia, porque o meu saudoso amigo costumava expor-me a motivação, gênese e trabalhos de construção de suas produções, quer se tratasse de um romance, de um ensaio, de um livro didático, ou de um simples poema. Pedia-me a opinião e crítica. Eu dava-as. Ele redarguia. Discutíamos. Eram longas missivas "pensamenteadas", como certa vez ele as qualificou. Mesmo sem se ter conhecimento de minhas respostas, percebe-se claramente todas as minhas contraditas e reservas, tal a ordem que Mário punha na exposição do nosso debate. A discussão provocada pela "Carta às Icamiabas", do livro *Macunaíma*, mostra o mundo de intenções que Mário insinuava nas invenções aparentemente mais ingênuas. A evolução de sua poesia, desde os poemas de *Pauliceia desvairada*, feitos para serem gritados, cantados, até os *Poemas da negra* e os *Poemas da amiga*, que nem para ser ditos foram feitos e sim para ser lidos, está minuciosamente revelada, quase poema a poema.

Outra coisa que vemos largamente esclarecida nesta correspondência é o caso da língua. Sempre fui partidário do abrasileiramento do nosso português literário, de sorte que aceitava em princípio a iniciativa de Mário. Mas discordava dele profundamente na sua sistematização, que me parecia indiscretamente pessoal, resultando numa construção cerebrina, que não era língua de ninguém. Eu não podia compreender como alguém, cujo fito principal era "funcionar socialmente dentro de uma nacionalidade", se deixava levar, por espírito de sistema, a escrever numa linguagem artificialíssima que repugnava à quase totalidade de seus patrícios. Mário, que se prezava de psicólogo, escrevia-me, para justificar-se de seus exageros, que era preciso forçar a nota: "exigir muito dos homens pra que eles cedam um poucadinho". O reformador não se limitava a aproveitar-se do tesouro das dições populares, algumas tão saborosas como esse "poucadinho", nascido por contaminação de "pouco" e "bocado". Ia abusivamente além, procedendo por "dedução lógica, filosófica e psicológica".

Outro aspecto anárquico de sua escrita foi o ortográfico. Pretendemos, o editor Simões e eu, respeitar a ortografia dos originais, o que dificultou enormemente os trabalhos desta edição, sem que tenhamos obtido a perfeita fidelidade. As contradições são estarrecentes. Mário grafava quase sempre *porêm*, mas não acentuava *ninguem, tambem, Belem*. Podia-se imaginar que acentuava *porêm* para distingui-lo de *porem* verbo, que ele não acentuava. Mas então por que escrevia o infinitivo *pôr* sem o acento que o distinguisse da preposição? Certa vez estranhei que ele escrevesse *obsecado*. Escrevi-lhe sobre isso e ele me saiu com uma explicação, justificando a forma por uma contaminação ("obsessão" com "obcecado") de origem jornalística, e até propondo para o caso o neologismo "jornalistismo". E os suarabáctis, que ora ele grafava, ora não (*admirar* etc.)? Um ponto em que punha muita atenção era grafar *ŭa* quando a palavra seguinte começava por *m*. É possível que nesta edição tenha escapado o artigo grafado em tais casos *uma* ou *u'a*: entenda-se que devia estar *ŭa*. Os títulos de obras ou poemas estão quase sempre sem grifo nem aspas; apenas com iniciais maiúsculas. "Ruim" vem sempre pronunciado e grafado *rúim*.

Mas tornemos ao fundo das cartas. Muita gente ignora que as opiniões sustentadas por Mário decorriam frequentemente não de convicção, mas de pragmatismo ocasional. Houve ocasião em que deu para atacar Beethoven, que era compositor muito de sua admiração, só porque no momento convinha combater a mania de Beethoven. Também combateu a Europa, e explicou-me: "não porquê [acentuava sempre o porquê] deixe de reconhecê-la ou admirá-la mas para destruir o europeísmo do brasileiro educado". E acrescentava satisfeito: "Sou o maior chicanista da literatura brasileira!" Estas cartas, escritas em toda a pureza de coração, ensinarão a ler a obra de Mário com as necessárias cautelas.

Tudo o que acabo de dizer será também para me absolver de não ter obedecido à vontade do amigo, que mais de uma vez me recomendou a não divulgação desta correspondência. "As cartas que mando pra você são suas. Si eu morrer amanhã não quero que você as publique. Essas coisas podem ser importantes, não duvido, quando se trata dum Wagner ou dum Liszt, que fizeram também arte pra se eterni-zarem. Eu amo a morte que acaba tudo. O que não acaba é a alma e essa que vá viver contemplando Deus."

Para um homem como Mário de Andrade não pode haver a morte "que aca-ba tudo". Porque a sua obra é imperecível, e por dois motivos: pelo seu valor in-trínseco e pelo que há nela de interesse social. Mário foi o brasileiro que mais se esforçou na tarefa de "patrializar" a nossa terra. Tal esforço está sempre nas cartas que dele recebi.

Quando me apertam as saudades de Mário, é a elas que recorro. Não escolho: tiro uma qualquer, ao acaso, porque em todas estou certo de encontrar a mesma rica substância humana, e todas me restituem de golpe o amigo desaparecido.

Possuo cartas de Mário indevassáveis devido à intimidade das confidências (é o caso das duas cartas em que ele me relatou a breve ligação com a mulher que lhe inspirou o *Girassol da madrugada*) ou à rudeza de certos juízos pessoais, fruto muitas vezes de irritações momentâneas. Todos fizemos isso e, arrependidos que estamos, pensamos com inquietação numa possível leviandade dos destinatários.

Nas que aqui se vão ler, cartas tão esclarecedoras da obra de Mário, da sua maneira de trabalhar, da sua visão, tão pessoal, da vida e da literatura, da música e das artes plásticas, uma ou outra passagem seria indiscreto revelar sem a cautela de alguns cortes. Assim procedendo, atendo à confiança com que o grande poeta es-creveu e me mandou tantas páginas admiráveis, muitas não inferiores às melhores que publicou em livro.

Impressões literárias[23]

I[24]

Ribeiro Couto estreou nas letras fazendo confidências num jardim onde havia os bustos de Samain e Verlaine e onde chovia muito. Chovia melancolia. Sua poesia era "toda mansa". Tinha o pudor de falar alto. Detestava a eloquência. Mas o homem de ação que dormitava nele sabia muito bem que a eloquência "inflama as multidões contentes". Hoje Ribeiro Couto sabe falar em todos os registros segundo as ocasiões. *Noroeste* é um poema eloquente. Nem podia ser de outro modo, já que ele narra a formidável arrancada dos paulistas para as fronteiras de Mato Grosso. E quando o poeta vai passando as estações longínquas, Miriguri, General Glicério, Capituva, Albuquerque Lins, "mistura de instinto caboclo e homenagens pessoais", Guaicara, Miguel Calmon, Avaí, Toledo Pisa, o que se lhe oferece aos ouvidos é toda "a intuição deleitosa da epopeia rural". Criação de ontem:

---

23 Em 1933 e 1934, Manuel Bandeira manteve uma seção de crítica literária no *Diário de Notícias* do Rio de Janeiro, sob o título "Impressões literárias". Recolhem-se nas páginas seguintes algumas amostras dessa atividade do escritor.

24 Sobre Ribeiro Couto. *Noroeste e outros poemas*.

Nenhum homem feito, ó Noroeste,
Poderá dizer-te: minha terra natal.

Um dos trechos mais belos do poema é o que se refere aos mineiros de roupa de chita, com o dinheirinho amarrado na ponta do lenço, que vêm colaborar com os paulistas nas bandeiras do café:

Não sabem que são bandeirantes de torna-viagem.
Não sabem que são descendentes daqueles ousados do século XVII
Que deixavam em casa as mulheres fiando na roca
E subindo a Mantiqueira nunca dantes pisada pelos brancos
Iam pelo curso dos rios procurar esmeraldas e ouro
Fundando pelo caminho no mato violado os Baipendis.
Ó raça misteriosa

Raça incendiada de ambições construtoras
Nasceu dela esta gente que regressa agora
Tem na alma adormecida por três séculos
A mesma audácia persistente e sem juízo
Que outrora fez o espanto da burocracia colonial.

O poema acaba com a apoteose de São Paulo, muito oportuna neste momento de vitória da frente única; São Paulo "acima de todos os desastres".

Os outros poemas do Brasil falam mais baixo. E a cidade natal, a Santos das recordações de infância, com as suas sombras angélicas – Chiquita, Bilu, Das Dores e Senhorinha, Sinhá Maria do Bolo – a cidade que o poeta encontra por todos os climas, porque basta o cheiro do café para lhe dar a presença dela; é a Bahia "de todos os santos, de todas as glórias"; Rio, São Vicente e Recife. No poema do Recife há dois versos que têm a virtude de pôr *upset down* todo coração de pernambucano da gema. É quando ele fala dos mocambos de Afogados e do Pina:

Indo à tardinha ver o folguedo dos bairros pobres
Em que os mocambos, pobres negrinhos, têm os pés na água...

É dessas imagens que fazem a gente gritar: *Mouche!* (11 junho 1933).

II[25]

Os amigos de Bopp fizeram mal em publicar à guisa de prefácio de *Urucungo* uma carta que tudo está indicando não ter sido escrita para o público. Mesmo como carta particular é documento tão ruim que parece apócrifa. Era preciso que Bopp andasse quando a escreveu pelo rabo da África equatorial para errar tanto e num tom tão abestalhado. Não é de Bopp. Bopp é o homem moderno que corre o mundo inteiro, a pé, de trem, de auto, de avião (da Aeropostale) e donde passa, manda recadinhos

---

25 Sobre Raul Bopp. *Urucungo*.

breves e quase ilegíveis acompanhando presentes de quimonos autênticos, charpas de seda oriental, Utamaros obscenos, gris-gris do Congo, a legítima vodca etc. Não tem tempo para se lastimar, com falsa modéstia, porque *soi-disant* ninguém fez caso da *Cobra Norato*. Ora, pouca gente escreveu nos jornais sobre *Cobra Norato* (eu não escrevi), mas o que todo o mundo que entende de *poesia* entre nós repete, sempre naquilo que João Ribeiro chamou a crítica consuetudinária, é que a *Cobra Norato* é um grande poema, uma obra-prima da poesia em língua portuguesa, a melhor *réussite* do poema regional brasileiro. Não se escreveu dele pela própria excelência dele: é dessas coisas que nos obliteram o senso crítico, a inteligência, abismada na assombração formidável do ambiente poético criado.

Eu disse que a carta de Bopp não presta. Mas tem que se salvar um pedaço, que é ótimo. O prefácio de *Urucungo* devia ser só este pedaço:

> A *Cobra Norato* representa a tragédia das minhas febres. *A maior volta do mundo que eu dei foi no Amazonas.* Canoa de vela. Pé no chão ouvindo aquelas mil e uma noites tapuias. Febre e cachaça. O mato e as estrelas conversando em voz baixa. Este outro de negro (o *Urucungo*) é um livro fácil. Fracionado. Consciente. O outro não fui eu que fiz. Instinto puro. Bruto. Subsexual. Místico quase.

O Bopp destas linhas é o que nós todos admiramos e a que queremos bem. Elas dispensam mais crítica. A autocrítica de Bopp está exata. Mas convém dizer que na facilidade de *Urucungo* aparece aqui e ali o mesmo instinto bruto da *Cobra*, como nesta entrada, de uma grandeza cósmica, do poema "Casos de negra":

> A floresta inchou
> Uma árvore disse:
> Eu quero ser elefante
> E saiu caminhando no meio do silêncio.

Essa é a ressonância mais grave e mais bela de *Urucungo* (18 junho 1933).

III[26]

Há uma linhagem de contistas cariocas remontando a Manuel Antônio de Almeida com as *Memórias de um sargento de milícias*. Manuel Antônio de Almeida, Machado de Assis, Lima Barreto, Ribeiro Couto (santista de nascimento, mas isto não tem a menor importância) e Marques Rebelo. Cinco ao todo: uma linha de *forwards* que combinam bem, perigosa, agilíssima. Me vali da terminologia do *football* para os caracterizar, porque de fato todos eles se assinalam pelas qualidades que distinguem no campo os jogadores de linha, – a presteza, a malícia, a presença de espírito, o passe curto e baixo.

Marques Rebelo estreou com um volume de contos, *Oscarina*. Entrou logo para o *scratch*. O seu novo livro confirma definitivamente o juízo geral. São três

---

26 / Sobre Marques Rebelo. *Três caminhos.*

contos de uma arte admirável em todos os seus detalhes: "Vejo a lua no céu", "Circo de coelhinhos" e "Namorada". No primeiro há que notar aquele dom de criar o ambiente da história pela notação sutil de pequeninos episódios, um gesto, uma frase, escolhidos com a mais fina intuição dos efeitos e apresentados com a sobriedade e a precisão de um passe impecável. "Circo de coelhinhos" ainda me parece melhor pelo interesse psicológico da narrativa. É o caso de um menino que recebe o presente de uns coelhinhos. Começou então um amor que virou paixão com todos os matadores. Porque havia na casa um moleque que disputou ao pequeno o amor dos bichinhos. O trecho em que o autor conta o tormento que o menino passava nas horas de escola, imaginando o que estaria fazendo o moleque em casa ("Estará carinhando-os, coçando-os, levando-os para pastar no quintal?...") pinta ao vivo o sofrimento do ciúme, como ele é de verdade no coração das crianças: e dos adultos. Isto faz a delícia maliciosa do conto. Psicologia exata da infância, serve para todas as idades. Os leitores vão ver como acaba. O moleque é apanhado um dia pelo caminhão do gelo. Sofre muito, agoniza demoradamente, morre. O menino branco se sente agora único no amor dos seus coelhinhos. Vai ficar feliz? Que esperança! A falta de concorrência lhe tirou o apaixonado estímulo, diz o narrador. O amor tinha sido devorado pela paixão absorvente e dissolvente do ciúme: eu não disse que era psicologia para todas as idades? O terceiro conto, "Namorada", é dessas coisas bem-feitas, que não se sabe como são feitas.

Três caminhos é um livro ótimo. Dá vontade de rematar a crítica como o fazia o falecido Osório Duque-Estrada quando gostava do autor: felicitando-o, mandando parabéns à família etc. (16 julho 1933).

IV[27]

Em *Garimpos* Herman Lima estreia no romance. Mas no romance ele ainda não acertou a mão, como nos contos. E é ainda o contista traquejado que aparece aqui e ali na trama fraca do romance, relatando episódios da vida rude dos garimpeiros da zona de Lençóis. O livro, afinal, vale é pela reportagem fidedigna que faz das lavras diamantinas do interior da Bahia. O talento descritivo do autor leva-nos ao labirinto sombrio e pérfido das grunas, onde assistimos ao heroísmo cotidiano dos camaradas e dos meias-praças, tipos do sertanejo euclidiano, a que Herman Lima tece em prefácio o comovido elogio.

Falei no talento descritivo do romancista. Para ser inteiramente franco devo dizer que ele é um tanto prejudicado pela própria virtuosidade em que se compraz, e como a principal qualidade de sua prosa é ser numerosa e bem balançada, ao cabo a atenção do leitor se sente como que anestesiada e acaba não reagindo mais: não vê mais nada e passa a ouvir tão somente a música das palavras. E ainda é preciso dizer que Herman Lima escolhe demais as palavras. As suas imagens são deficientes de realidade, porque estão sempre a amplificar em sentido heroico a realidade. Disso resulta um efeito de ênfase cansativo. É uma imaginação que está sempre vendo cata-

---

27 Sobre Herman Lima. *Garimpos*.

clismos nos trabalhos, nas emoções humanas. Eis como descreve a sensação da principal personagem da história ao rever a antiga namorada, já então casada com outro:

> Os olhos da moça, batidos pelo clarão violento, como luz de ribalta, coruscaram um segundo sobre o rapaz, num resplendor de imensos diamantes tocados do sol. Ele desceu as pálpebras, de súbito, guardando o relâmpago estonteante. Duas estrelas, apagando todo o brilho de redor...

Se fala de diamantes, é para lembrar que irão depois "acender os pequeninos sóis maravilhosos para ornamento das mãos e dos colos opulentos". Porque necessariamente opulentos esses colos? Descrevendo a paisagem das lavras: "Em roda, pompeava um cenário de terremoto. O solo erguia-se e descia, como oceano petrificado, revolvido e escancarado em faces negras..." Mais adiante: "Pairava um silêncio religioso na convulsão daquela cenografia shakespeareana...". O Sebastião do romance sente a vista turva e cambaleia: "Mentalmente ele todo oscilava, como um mastro de navio em tempestade". Na gramatiquinha imbecil em que estudei o primeiro ano de português, creio que se chamava a isso estilo "oriental". A prosa de Herman Lima ganharia muito se renunciasse a essas pompas. Apesar da maneira guindada com que nos conta o episódio capital do livro – o tifo brabo de Guida, a luta do médico para salvá-la, as emoções de vária sorte dos dois homens rivais, o marido e o médico, um momento irmanados sob a ameaça de morte da moça, essas páginas revelam em Herman Lima um romancista. Em *Garimpos* o que faz o romance está servindo apenas para dar alguma cor sentimental às longas páginas de informação, excelente informação muito interessante do ponto de vista do léxico brasileiro, sobre as Lavras baianas, aquela "terra rica, de gente pobre" (6 agosto 1933).

V[28]

É o terceiro volume da série "Cartas jesuíticas", cuja organização está confiada a Afrânio Peixoto. Faz parte dessa "Biblioteca de Cultura Nacional" que a Academia de Letras vem editando, com tão grande benefício para os nossos estudos de história e literatura. Tarefa que a honra sobremodo e já agora a impõe ao respeito de todos. Ainda bem que nem tudo ali são cabalas indecentes para preenchimento de vagas e distribuição de prêmios. Certo que a Academia tem que ser uma força renovadora, mas essa missão, no alto sentido, deve cumprir-se em conservar, estudando-as, explicando-as, completando-as, reanimando-as enfim, as grandes obras onde nos podemos nutrir da seiva forte do nosso passado, do passado útil e que afinal não é passado e só conosco morrerá.

Grande figura e grande obra desse passado medular é o Padre Anchieta. Desde meninos aprendemos a amar a doçura formidável do canarino que se tornou tão brasileiro quando ainda o Brasil estava nos limbos. Na Introdução a este vo-

---

28 Sobre *Cartas, informações, fragmentos históricos e sermões* do padre José de Anchieta.

lume propõe Afrânio Peixoto que se considere Anchieta, com os sermões de 1567 e 1568, o iniciador da literatura brasileira em prosa. É justo. Leiam-se os dois sermões, faça-se o cotejo com a melhor literatura do tempo em Portugal. É a época de Camões, de João de Barros, de Gil Vicente, de Heitor Pinto, de Francisco de Morais, para só citar os maiores. A língua dos sermões parece levar vantagem à de todos os prosadores quinhentistas em sua naturalidade verdadeiramente adorável: obra de santo, que tanto sofreu e trabalhou por nós, e assim ficou mais perto de nós e da língua que falamos hoje. A elevação do pensamento desses sermões, a beleza e sobriedade clássica da sua linguagem de modo nenhum obstaram a que o santo padre se servisse de expressões de deliciosa cotidianidade. É que em sua alma angélica o sublime e o trivial tudo se funde numa só harmonia divina. O latim que cita sai sem o menor ressabio de pedantismo. Ele diz *ubi nulla est redemptio* e logo traduz foríssima da letra, encantadoramente, *onde não há mezinha nem remédio*. A transubstanciação do Verbo na carne está expressa nesta maravilha de poesia e ternura franciscana: "...Jesus Cristo, que se fez bichinho por amor de mim". No sermão de 1567 o desenvolvimento do tema *incipiebam mori* está feito de maneira magistral e pode-se dizer que nele a eloquência sagrada atingiu as suas maiores alturas em língua portuguesa. E assim sem nenhuma afetação de sublime. Antes valendo-se de imagens bem próximas da vida de todos os dias ("quando me achei em tal tormento ou perigo do mar, em que já estava com a alma no papo e tudo dava já por acabado...").

Entre os trechos que apontei como preparo a esta notícia destaco este ao acaso:

> Quantas vezes acontece a uma alma temente a Deus... descuidar-se de Deus e fazer pouco caso das coisas pequenas, senão quando se acha quase nas grandes. Exemplo: começa a tomar conversação com uma mulher ainda que seja com mui boa intenção e sem nenhum mal; senão quando ele por descuido e pouco caso que fez disso, começa a sentir em si maus pensamentos, começa já a olhá-la ou ela para ele com olhos pouco castos, começa a desmandar-se em risos e palavras; e o diabo atiça por sua parte quanto pode; a carne pela sua. Todavia como ele traz o tento de sua alma posto em não fazer nenhum pecado mortal, torna em si pela bondade do Salvador e larga a tal conversação, dizendo consigo *incipiebam mori*, eu já começava a morrer, perto estava de fazer algum grande mal ou pelo menos consentir num pecado mortal e dar escândalo com minha muita conversação. *Nisi quia Dominus adiuvit me paulo minus habitasset in inferno anima mea. Incipiebam mori!*

Toda a matéria deste volume está minuciosamente comentada em mais de 700 notas por António de Alcântara Machado, – anchietano já de quarta geração, como lhe chama Afrânio Peixoto, pois o pai, Alcântara Machado, o avô, Brasílio Machado, e o bisavô, J. J. Machado d'Oliveira, amaram e estudaram a figura de Anchieta. Essas notas que representam um trabalho inestimável, magistralmente realizado, vão de certo provocar debates apaixonados entre os eruditos. Porque há pontos que malgrado a autoridade do comentador ainda me parece que ficam duvidosos. Serão de fato de Anchieta a *Informação do Brasil e de suas capitanias*, a *Informação dos primeiros aldeamentos*, a *Informação da Província do Brasil*? Coitado de mim para me meter entre Capistrano, Rodolfo Garcia e António de Alcântara Machado. Todavia talvez haja aqui um lugarzinho para a intuição inteiramente aérea de um poeta: eu não reconheci no tom dessas memórias o tom de Anchieta. A respeito da última memória o único testemunho que posso apresentar é o do tatu. Na X carta, de São Vicente, Anchieta descreve-o como "quase semelhante aos lagartos pela cauda e cabeça"; na *Informação* se diz que "os tais animalejos que chamam tatus parecem-se com leitões". Parecem informações de duas pessoas. O tom literário desta memória é de resto bem diferente do tom das outras, que é mais massudo, menos interessante. Na *Informação da província* aparece muitas vezes a expressão "de bom prospecto para o mar" nunca empregada alhures por Anchieta. Na *Informação dos primeiros aldeamentos* há pronomes oblíquos antepostos aos sujeitos, construção que não é usada por Anchieta: "Foi causa isso com o mais que lhe os portugueses fizeram de se levantarem..."; "acabado de eles ditos padres soltarem"; "que não cressem o que lhes o padre dizia". Talvez se possa dizer desses trabalhos o que António de Alcântara Machado diz da *Informação dos primeiros aldeamentos* que "em todo o caso, se não é ele o autor, certamente a seu mandado e sob suas vistas" foram escritos.

Este livro tem apresentação de edição erudita, como de fato é. Nada impede, porém, que interesse ao grande público de São José de Anchieta (13 agosto 1933).

VI[29]

Murillo Araújo surgiu em *Carrilhões* com uma personalidade que se tem mantido sempre igual a si mesma através dos seus livros posteriores – *A cidade de ouro, A iluminação da vida* e agora *As sete cores do céu*. Em *Carrilhões* ressoava ainda a nota dos desassossegos e melancolias da adolescência. Hoje Murillo é o poeta mais cheio de sol desta terra de soalheira. Mas na sua poesia o sol não reluz como na natureza: ela o refrange à maneira dos prismas de cristal com que todos gostamos de brincar em meninos. Assim nunca há luz branca nos poemas de Murillo: há sempre as sete cores do céu.

Neste livro Murillo fala de sua Vovó Eva,

> Minha bisavozinha que nem em retratos conheci,
> E a sua mãe, bugre aimoré
> Pegada a laço pelo Emboaba nua e ingênua no mato...

Eis aí o que explica o ar espantado e deslumbrado do poeta, o seu gosto pelos tons brilhantes. É uma poesia a sua que lembra sempre os cocares e enduapes de cores dos nossos índios. O próprio Murillo assim a define:

> Toda ela é claridade
> Arde em seu sangue o sol da América;
> E erram em seu sonho arás, saíras e tucanos
> Duma floresta alta e feérica.

> Em cada pobre seixo de amargura
> Encontra um jogo
> Para brincar.

---

29   Sobre Murillo Araújo. *As sete cores do céu.*

E até nas ruas da cidade em flor de luzes
Costuma ver Mapinguaris de fogo
E Bois-tatás de chama a se desenrolar.

Deixem, pois, que ela salte, que ria inocente
Que até nas próprias lágrimas do mundo
Vê miçangas de estrelas e de gema...

Não se poderia dizer melhor e esses versos são um retrato fiel, onde nada falta, desde o brilho dos olhos até o vinco das rugas.

VII[30]

O primeiro romance de Jorge Amado – *O país do carnaval* – revelava, com evidentes dons para o gênero, muita puerilidade. O amadurecimento do espírito do primeiro para este segundo livro salta à vista. No entanto dir-se-ia haver em *Cacau* um retrocesso na técnica mesma do romance, se não fossem conhecidas as ideias do seu autor sobre o que ele entende ser o romance proletário. Ora, escrevendo na revista *Ariel* sobre *Os corumbas*, de Amando Fontes, assim definiu ele a literatura proletária: "... é uma literatura de luta e de revolta. E de movimento de massa. Sem heróis nem heróis de primeiro plano. Sem enredo e sem senso de imoralidade. Fixando vidas miseráveis sem piedade mas com revolta. É mais crônica e panfleto (ver *Judeus sem dinheiro*, *Passageiros de terceira*, *O cimento*) do que romance no sentido burguês." Confesso não ver por que o romance proletário tenha que ser crônica e panfleto, sem enredo nem senso de imoralidade. Parece-me que o romance proletário será o romance para proletários, e se ele conseguir, comovendo-os, revoltá-los, dar-lhes o sentimento de classe, o sentimento da força de sua classe e a compreensão da ideia marxista da luta de classes, então será um bom romance proletário... do ponto de vista comunista. Pode-se admitir até certo limite que estará mais de acordo com a ideologia marxista o romance sem heróis individuais, o romance de massas. Mas a ideologia marxista precisa ser entendida segundo o oportunismo político que a caracteriza. Não creio que Marx julgasse possível o nivelamento do indivíduo na massa e a extinção dos heróis. O que ele via como necessário era combater na massa proletária os heróis burgueses, quase sempre aproveitadores cínicos. E o que se está vendo é que para implantar o comunismo na Rússia foram necessárias personalidades gigantescas, como Lenin, como atualmente Stalin. Foram decerto os modelos citados por Jorge Amado que o levaram a essa concepção, que me parece não só estreita, mas de todo falsa, do romance proletário. E proletário ou não, *Cacau* como romance é muito defeituoso. Mal colocado no seu primeiro arcabouço, porque aquele rapaz pequeno-burguês que vira trabalhador de enxada e mais tarde vem escrever o romance é de todo inaceitável. Não viraria trabalhador de enxada, e se por ventura o fizesse não escreveria na maneira requintada, apesar de todos os palavrões, em que se exprime Jorge Amado. Quem escreve a gente sente que é sempre Jorge Amado, que passou algum tempo em Ilhéus para observar,

---

30 Sobre Jorge Amado. *Cacau*.

como de fato observou muito bem, a vida dos pobres cacaueiros. Esse o vício fundamental do livro. Há outro que nasce do *parti pris* de propaganda socialista: todos os proletários são bons, ou pelo menos desculpáveis, e o resto da humanidade que passa no romance, umas pestes. Ninguém melhor que Jorge Amado sabe que a vida não é tão simples assim. Num romancista essa vista grossa desumaniza inteiramente as suas personagens. Elas cessam logo de interessar, e adeus a própria propaganda. Mais inteligente será mostrar que misérias e maldades de todos, ricos ou pobres, decorrem da organização social defeituosa no regime sob que vivemos.

Cacau ainda não é o romance que todos esperamos do talento de Jorge Amado.

VIII[31]

Os corumbas é um romance indigesto.

Preciso explicar-me. Geralmente se diz da má literatura, dos livros malfeitos que são indigestos. A expressão me parece imprópria. A má literatura é intragável, isso é o que ela é. Agora o bom livro, o livro rico de substância humana, rico de ensinamentos ou de poesia, esse a gente o fecha pensando que acabou e o danado continua a remexer dentro da gente, coisa viva e imperecível que nunca pode ser inteiramente assimilada em nossa própria substância. Assim *Os corumbas*. À proporção que me afastava da primeira impressão da leitura, as suas personagens passaram a me preocupar como gente que conheci de fato, cujo destino me abalou profundamente e de cuja lembrança nunca mais me libertei. E agora mesmo, virando-lhe as páginas em procura de notas que risquei à margem, senti as pontadas de emoção reavivarem-se aqui e ali, como a gente costuma sentir com elementos da própria experiência. Sobretudo com o caso de Caçulinha, a mais nova das corumbas, talvez a figura feminina mais tocante de todos os romances brasileiros, criação admirável que por si só revela um grande romancista.

E é de fato um grande romancista Amando Fontes, quaisquer que sejam as restrições que se entenda fazer ao escritor. O tipo de Caçulinha não é singular e todos os outros tipos do romance estão traçados com a mesma verdade, a mesma coerência. Os seus gestos, como os conflitos de sentimento em que são arrastados, são descritos de tal sorte que nada parece invenção do romancista, senão narrativa de testemunha do drama. A arte de Amando Fontes como escritor parece até negação da arte, tal a ausência de artifícios, – a naturalidade do mau escritor, tenho mesmo vontade de dizer, mas será melhor dizer do escritor despretensioso, indiferente às qualidades elegantes da expressão e só atento ao que é essencial ao romance, ao movimento do romance, às suas exigências de construção e de verossimilhança psicológica. Tudo nele está bem disposto, resultando numa expressão de solidez e de ordem. A ação progride sempre para obter o máximo de emoção no episódio em que Caçulinha perdida grita para a mãe: "Mãe! Mãe! Não presto mais." Então o drama daquela pobre família, que resume tantas famílias, – toda uma classe de deserdados e explorados, sufoca-nos. Geraldo e Sá Josefa vieram para Aracaju fugindo à seca e para melhorar. Todos

---

31 Sobre Amando Fontes. *Os corumbas.*

os filhos se perdem. E o casal de velhos regressa derrotado para o interior. "Era noite fechada. Todas as luzes estavam acesas. Na estação um apito estridente deu a ordem de partida. A locomotiva resfolegou, silvou forte, e o trem começou a deslocar-se, em marcha lenta." Eis a maneira de escrever de Amando Fontes. Alguém notou que lhe falta ao estilo o que chamou o ouro essencial das imagens. Falta o ouro das imagens e ainda bem. Não é essencial. É curioso notar como Amando Fontes atinge a força do estilo pelo sentido da situação. Descrevendo uma paisagem ou o tipo físico de uma personagem, não é o mesmo que em certas cenas do drama, nas quais, pela escolha do detalhe ou justeza do diálogo, acerta sempre e por vezes excelentemente. A morte de Bela, por exemplo, é uma grande página.

Amando Fontes deve continuar na mesma linha em que compôs *Os corumbas*, indiferente aos conselhos dos estilistas, dos amadores de dissertações ideológicas e dos puristas. Ele escreve na linguagem brasileira desafetada, como fazia Lima Barreto. Às vezes vem um "lhe" empregado como objeto direto (página 11). Está muito certo em nossa fala, embora errado na língua atual de Portugal. Não será nosso o dizer: "Não houve quem 'na' pudesse contar" (página 162). Quem escreveu *Os corumbas* pode dar--nos outros romances, e fio que muito é de esperar do autor (3 setembro 1933).

IX[32]

É tudo literatura infantil, e vem a tempo para as festas de Natal e Ano-Bom. Só o primeiro livro é propriamente do autor de *Urupês*; os demais são traduções ou arranjos. Mas todos trazem a marca pessoal do senhor Monteiro Lobato.

Eis um escritor feliz, que começou agradando a Rui Barbosa e acabou agradando às crianças. Esta última felicidade, sobretudo, é invejável. E não há a menor dúvida a esse respeito: o senhor Monteiro Lobato sabe falar às menininhas de nariz arrebitado ou não. Se a sua linguagem é às vezes por demais de gente grande, por demais gramaticalmente certa, o mesmo não há que dizer da imaginação e do espírito, sempre bem perto do adorável lirismo da infância.

O senhor Monteiro Lobato vai criando um mundozinho de personagens em que a gente já se sente como em família: Narizinho, Pedrinho, o marquês de Rabicó, que não é senão o leitão do sítio de dona Benta, o visconde de Sabugosa, que não passa de um sabugo de milho... Este visconde de Sabugosa já é criação rica de maravilhoso e digna de figurar nos países em que Alice andou pela mão de Lewis Carroll. Mas a personagem mais divertida desse mundozinho, a de mais vida, a que está sempre saltando das páginas do livro, é Emília. As suas espevitices, os seus palpites, a sua ciganagem fazem dela o centro da ação e do interesse toda vez que aparece. No entanto Emília é... uma boneca – a boneca de Narizinho.

Na *História do mundo para as crianças*, adaptação do livro de Hillyer, introduziu o senhor Monteiro Lobato toda essa gentinha já nossa conhecida. Quem conta a história é dona Benta. De vez em quando a bonequinha terrível interrompe-a, decerto a tempo de evitar um possível bocejo da criançada. Às vezes os seus palpites são bem

---

32 Sobre Monteiro Lobato. *As caçadas de Pedrinho, História do mundo para crianças, Alice no País das Maravilhas, Alice no País do Espelho, Pinóquio e Aventuras do Barão de Munchausen.*

engraçados: nisto o senhor Monteiro Lobato é mestre e não se pode desejar maior espevitamento. Assim, quando dona Benta falou aos meninos nas Colunas de Hércules...

"Sabem como se chamava o estreito de Gibraltar naquele tempo?" perguntou-lhes a boa senhora.

"Eu sei, eu sei, vovó!" exclamou Pedrinho. E gaguejou:

"Chamava-se Coluna... Colunas..."

Aqui a Emília saiu-se muito lampeira com esta:

"Colunas de mármore cor-de-rosa, com veios azuis, vermelhos e amarelos!"

Isso me fez lembrar a resposta de uma certa Silvinha que conheci e que tinha a mesma espevitice da bonequinha. Era a filha de nossa cozinheira. Uma manhã chegou de casa com um embrulho na mão – "Que é esse embrulhinho, Sílvia?" E ela sem pestanejar: – "Roupa de boneca". Fui ver a roupa de boneca: eram dois botões de osso, um vidro de homeopatia e uns pedacinhos sujos de linha... Roupa de boneca!

Esta *História do mundo* foi escrita para crianças, mas aposto que a gente grande toda vai lê-la também. Por mim, li-a com grande deleite. Queria era mais coisa sobre o Brasil. Só tem algumas linhas sobre a independência, um juízo um tanto exagerado sobre Pedro II ("um dos grandes monarcas que existiram") – enfim na boca de dona Benta passa, e alguns períodos sobre a escravidão e a princesa Isabel e sobre Santos Dumont. Mas provavelmente Monteiro Lobato irá escrever no mesmo estilo a *História do Brasil para crianças*. O diabo é que não está prometido, como estão neste livro as *Memórias da Marquesa de Rabicó* e a tradução das viagens de Marco Polo.

Sobre a moralidade desta *História do mundo* haverá o que dizer. Às vezes acerta em cheio:

"Que quer dizer Grandes Potências?" pergunta Pedrinho ou Narizinho.

E dona Benta – "Grandes Potências são os países que dispõem de grandes exércitos e grandes esquadras e portanto, podem provocar grandes guerras..."

Mas outras vezes Hillyer ou Monteiro Lobato – deve ser o Hillyer, pois o nosso Monteiro Lobato só não é pessimista em matéria de petróleo – lá vem com uma daquelas tiradas que o senhor Gilberto Freyre chama, não sei por quê, *mozarlescas*, como ao se referir à frase de Pershing junto ao túmulo de Lafayette.

A iniciativa do senhor Monteiro Lobato e da Companhia Editora Nacional é tão louvável que vale a pena chicanar um pouco a respeito das imperfeições dessa edição. Coisas que num livro qualquer não tem importância, devem estar bem direitinhas e certas num compêndio para meninos. A ortografia, por exemplo. A deste livro, que devia ser adotado pelo governo, vem inçada de erros. Toda vez que Hillyer ou Monteiro Lobato – deve ser Monteiro Lobato – se mete em latim, sai o livro errado: *Tu quoque, Brutus, Annus Dominum*. As palavras de todas as línguas vão mudando sempre. No tempo dos romanos nariz era *nasus* e Pedro era *Petrus*. Mudaram ou foram mudando lentamente. Aqui era preciso tomar por exemplo outra palavra que não nariz, que não é transformação de *nasus*, mas de *naricae*.

À página 157 Jerusalém é dada como ainda pertencente à Turquia e no entanto mais adiante, à página 197 vem certo.

A distância a correr na Maratona era igual à que ia desta localidade a Atenas, cerca de 40 quilômetros. Por inadvertência saiu à página 182 entre Atenas e Esparta.

À página 146 limita-se a Idade Média aos anos que vão de 500 a 1000. Todavia à página 198 diz-se que foi a derradeira cruzada que marcou o fim daquela era.

À página 224 escreve-se que o Cabo das Tormentas passou a ser chamado da Boa Esperança depois que Vasco da Gama o dobrou. Não é bem isso. O nome do cabo foi mudado por Dom João II quando Bartolomeu Dias o descobriu. Diz mais Monteiro Lobato – ou deixou passar no Hillyer, que *Vasco da Gama dobrou o cabo, não viu Adamastor nenhum* etc. Quem viu foi precisamente Vasco, isto é, o Vasco de *Os Lusíadas*, pois o Adamastor é criação alegórica de Camões. Tudo isso é um pouco chicanagem repito mas não é verdade que convém redigir com mais cuidado os livros para meninos? A *História do mundo para as crianças* merece-o, pois descontados pequenos senões fáceis de corrigir, é excelente; faz sentir o que diz Narizinho – "que não há tão grande diferença entre a História e os contos de fadas".

E Hillyer, ou Monteiro Lobato – os dois certamente – sabem contar uma e outra coisa (12 novembro 1933).

X[33]

Foram bem mal revistos estes versos do autor de *Juca Mulato*. Para só citar dois exemplos: "Teu lirismo é a nostalgia tristeza" (página 50). Mas aí todos sentem que está nostalgia por nostálgica; à página 15 vem este verso defeituoso, que não poderia ter saído da pena de Menotti del Picchia no meio dos decassílabos tão brunidos da "Vingança das montanhas": "E os dentes febris das picaretas". É verdade que o poeta utiliza uma ou outra vez o hiato: "Mas sinistra desperta. O ar perscruta", o hiato aliás tradicional na poesia portuguesa e muito encontradiço em Camões.

Nestas *Poesias*, que foram escolhidas pelo próprio autor, quis este dar ao leitor uma "visão panorâmica do seu já largo esforço no setor da poesia". Me parece no entanto que falhou a visão panorâmica. Esta seleção não dá a medida do poeta. Há aqui elementos demais do plano mais recente. Vou ser franco, embora Menotti del Picchia diga em breve prefácio que pouco se lhe dá do que pense a crítica sobre a feição vanguardista ou passadista dos seus trabalhos. Gosto menos da sua feição vanguardista do que da outra, que não chamo passadista, porque é preciso acabar com isso de chamar passadismo o verso regular, o soneto e outras formas rígidas. Este mesmo livro me justifica: trata-se do começo ao fim do mesmo Menotti em essência. A diferença que noto é somente esta que havendo muita vivacidade de imaginação neste poeta, as formas rígidas e os ritmos regulares o obrigam a uma certa escolha, de resultado proveitoso para o poema, como construção e como expressão. Também é verdade que deve entrar como motivo de minha preferência o meu pouco gosto pelo imagismo, tão exagerado em certos modernistas de todos os países. Não é só em Menotti del Picchia que ele me desagrada: a deliciosa Amy Lowell também muitas vezes me enfada e cansa (3 dezembro 1933).

---

33 Sobre Menotti del Picchia. *Poesias.*

XI[34]

No Brasil que escreve é comum o vezo de simular profundidade. Mas a profundidade só pode vir de pensamento ou sensibilidade forte, ou então de sólida cultura. Na falta de uma e outra coisa, os nossos simuladores se valem da sintaxe embatida e da terminologia braba: turvam assim as águas, a que o lodo raso dá aparências de profundidade.

É por isso um regalo quando se encontra um livro como este do professor Roquette-Pinto, precisamente o contrário daquela espécie detestável! Obra de um cientista em quem desde logo se tem a certeza boa de poder confiar e onde se aprendem coisas que não foram tiradas de livros alheios mas sim de observações e conclusões próprias, representando uma contribuição de primeira mão, os *Ensaios de antropologia brasiliana* estão escritos na linguagem mais simples, quase de conversa ou de carta, sem sombra de pedantismo. Eis aqui a verdadeira profundidade, a profundidade límpida em que a areia pura do fundo tão fundo parece tão perto da tona e ao alcance da mão.

Através de capítulos curtos e leves como crônicas, o senhor Roquette-Pinto fala aqui do concurso das *misses*, ensinando-nos o verdadeiro critério estético da beleza, ali corrige juízos menos justos sobre Malthus e Gall, mais adiante comenta a ideia de Alberto Torres, que condenava a imigração estrangeira, mostrando a necessidade da *imigração nacional*... A cada passo se tem uma surpresa como esta do trecho de uma carta de Fritz Müller ao irmão:

> Entre os meus discípulos deste ano, o melhor é um preto de puro sangue africano; compreende facilmente e tem ânsia de aprender como nunca encontrei, raro mesmo no vosso clima tão frio. Esse negro representa para mim mais um esforço da minha velha opinião, contrária ao ponto de vista dominante, que vê no negro um ramo por toda a parte inferior e incapaz de desenvolvimento racional por suas próprias forças...

Sabem quem era esse negro? Cruz e Sousa!

Creio ser Roquette-Pinto o primeiro a retificar o cálculo da nossa densidade de população. Levando em conta os oito milhões e meio de quilômetros quadrados, teríamos a densidade de quatro habitantes por quilômetro. Mas descontadas as imensas planícies arenosas inabitáveis, fica o ecúmeno brasileiro reduzido a cinco milhões de quilômetros, com a densidade real de sete habitantes por quilômetro.

Outro capítulo muito interessante é o que diz respeito ao caso da língua. "Há pelo menos uma diferença essencial entre os idiomas falados oficialmente em Portugal e no Brasil: a pronúncia." E mais adiante tira Roquette-Pinto a consequência lógica e bem manifesta na questão da colocação dos pronomes oblíquos: "A pronúncia brasiliana conduz a outra sintaxe!" Para o autor dos *Ensaios de antropologia brasiliana* é fatal a constituição do brasiliano em idioma ou dialeto (aliás, embora assim pense, não faz força, como o Mário de Andrade: fica na posição de torcedor, a exemplo do grande mestre da prosa de sabor clássico – João Ribeiro). Oh, que caso difícil este da nossa língua! Confesso não acreditar muito que o idioma brasileiro saia do português como este saiu do latim. Chegamos a um estado de comunicação e cultura em que se tornou impossível o esfacelamento de uma língua, como aconteceu ao latim na

---

34   Sobre E. Roquette-Pinto. *Ensaios de antropologia brasiliana*.

boca dos bárbaros. É certo que falaremos cada vez mais diferente de Portugal; há de se nos conceder "o direito de estragar o português". Mas essas diferenças não bastam a extremar um idioma. "A língua que escreve um Mário de Andrade difere menos da de um Eça de Queirós do que a deste de *A lenda de Santo Eloi*." Vai assim nos levando o professor Roquette-Pinto nessa espécie de conversa sobre um assunto e outro até o que constitui o cerne do livro – o estudo das características antropológicas dos tipos de nossa gente. "Vejamos", diz Roquette-Pinto, "se é gente *fisicamente degenerada*." E fundando-se nos dados antropométricos que há vinte anos vem coligindo, examina os quatro tipos de leucodermos (brancos), faiodermos (branco com preto), xantodermos (branco com índio), melanodermos (negros) que formam a nossa população. As suas conclusões são de molde a suscitar o mais fagueiro otimismo:

> À vista de todos os dados condensados nesta monografia, pode-se concluir que nenhum dos tipos da população brasiliana apresenta qualquer estigma de degeneração antropológica. Ao contrário. As características de todos eles são as melhores que se poderiam desejar. Fica também provado mais uma vez que o cruzamento longe de ser uma *fusão* ou *caldeamento*, seguiu aqui leis biológicas já conhecidas e de nenhum modo – documentadamente – pode ser considerado fator disgênico. A grande maioria de indivíduos somaticamente deficientes corre por conta de causas sociais removíveis: questão de polícia sanitária e educativa.

Inútil encarecer a importância dessas conclusões, partindo de um homem da probidade científica e da excepcional inteligência do professor Roquette-Pinto (10 dezembro 1933).

DE POETAS
E DE POESIA

Mário de Andrade e a questão da língua

Não se pode compreender bem a atitude e procedimento de Mário de Andrade em relação à questão da língua sem o situar dentro de sua atitude e procedimento como homem, como brasileiro e como artista.

O poeta começou a fazer versos quando tinha os seus treze ou quatorze anos. Como teriam sido essas primeiras tentativas? Não o sabemos, mas sei eu que foram acolhidas em casa com gargalhadas, salvo da parte do pai, que não lhe fez outro comentário senão um muxoxo. Pai que escrevia o português corretamente, sabia o francês e o italiano, conhecia a fundo as matemáticas, era lido nos realistas franceses e amador da música italiana. Emudeceu o poeta até aos vinte anos, idade em que, por excessos de estudo de piano e pelo abalo que lhe causou a morte de um irmão muito querido, caiu em grave neurastenia, de que lhe foi penosíssimo arribar. Mas arribou. E coincidiu que, arribando, voltou a fazer versos, parece que mais exercícios de metrificação, em que se inspirava de parnasianos e simbolistas. Escarmentado pela primeira experiência, não os mostrava a ninguém. Já repontava nesse sigilo a desconfiança, depois fortalecida em certeza que irá nortear toda a sua atividade intelectual: a de jamais vir a ser um grande artista criador. Desses cujo destino é a permanência depois da morte. Tudo a que poderia aspirar seria o papel de artista transitório, suscitador de inquietações e pesquisas, agenciador de movimentos, sacrificando a possível beleza de suas criações egoístas ao arriscado convite de criação para os outros. Sacrifício em que, muito orgulhosamente, encontrou a felicidade.

Adotado o princípio de só escrever, ou pelo menos de só aparecer para agir socialmente, nunca publicou esses primeiros versos, até que, em 1917, a comoção da guerra, o horror de ver os homens separados por ódios terríveis, inspirou-lhe uma série de poemas pacifistas, que editou sob o título *Há uma gota de sangue em cada poema*.

Já havia nesse livro uma evidente procura de formas novas e novos elementos de expressão. Não porém tão pronunciados como no livro seguinte, *Pauliceia desvairada*, onde o sofrimento de vinte meses de dúvidas e cóleras fê-lo explodir em excessos de liberdade estrepitosa. Não tinha o propósito de mandar imprimi-lo, e isso porque não lhe parecia um livro no sentido social da palavra. Era uma... bomba. Mas a celeuma provocada pela publicação de um desses poemas em artigo laudatório de Oswald de Andrade para um jornal de São Paulo, a saraivada de remoques com que esses versos foram recebidos nas rodas literárias e pelo público em geral, levaram o poeta a considerar na importância que o livro teria, se publicado, como fermento de renovação e ainda como pedra de escândalo que iria tornar imediatamente mais aceitáveis os versos de outros poetas igualmente empenhados na prática de novos processos de expressão.

Embora desabafo pessoal, uma diretriz bem definida se afirma no livro: o interesse brasileiro, ainda que circunscrito àquele "orgulho de ser paulistamente". Principia com *Pauliceia* a obra de Mário de Andrade em função do momento atual brasileiro. "Só sendo brasileiro", escrevia-me então o poeta, "é que nos universalizaremos, pois assim concorreremos com um contingente novo, novo *assemblage* de caracteres psíquicos pro enriquecimento do universal humano."

Não lhe satisfazia a solução regionalista, criando uma espécie de exotismo dentro do Brasil e excluindo ao mesmo tempo a parte progressista com que o Brasil concorre para a civilização do mundo. Uma hábil mistura das duas realidades parecia-lhe a solução capaz de concretizar uma realidade brasileira "em marcha". Abrasileirar o brasileiro num sentido total, patrializar a pátria ainda tão despatriada, quer dizer, concorrer para a unificação psicológica do Brasil – tal lhe pareceu que devia ser sempre a finalidade de sua obra, mais exemplo do que criação. Nesse sentido Rui Barbosa se lhe afigurava a certos aspectos (não certamente o linguístico!) como tendo mais valor para o Brasil do que cem anos de vida independente e unida, porque foi um ideal humano brasileiro e concorreu para a nossa solidarização psicológica muito mais do que todas as nossas necessidades comuns; porque foi um ídolo, não mais baiano, mas brasileiro. Como homem e como artista, Mário de Andrade viveu e produziu sempre em função desse destino, que se impôs como um apostolado, onde quer que exercesse a sua atividade intelectual – na poesia, na prosa de ficção, na crítica literária, musical e plástica, no domínio do folclore. Em nenhum desses setores fez ele maiores sacrifícios à verdade e beleza de suas criações do que na questão da língua, e aí se tornou muito mais irritante e contundente, muito mais inacessível, em suas nobres intenções, aos julgamentos superficiais. A verdade é que a questão do abrasileiramento da linguagem literária não passa de um detalhe em sua obra, detalhe mais visível, é certo, mas sempre detalhe do problema mais vasto e mais completo de aprofundar harmonicamente o tipo brasileiro.

No princípio de *Pauliceia*, escrito em 1921, dizia o autor: "Pronomes? Escrevo brasileiro". Escrevia mesmo, mas espontaneamente, como toda a gente que no Brasil escreve com naturalidade. A advertência em relação aos pronomes era desnecessária. Todos estão colocados segundo a disciplina aprendida ao tempo nas gramáticas, e só se percebe o hábito do brasileiro falando num caso em que antepõe o pronome ao particípio presente (*Rápidas se desenrolando*, "Paisagem nº 4"). As liberdades, às vezes excessivas, do livro são de outra ordem: neologismos fabricados por necessidade ocasional de expressão, sem nenhum propósito de diferenciação brasileira, como "luscofuscolares", "suaviloquências", "jocotoam" etc; um gosto de substantivar advérbios, autorizado na tradição da língua mas estendendo-se aos advérbios em "mente" (*Sentimentos em mim do asperamente*, "O trovador"; *E os perenemente da ligação mensal*, "As enfibraturas do Ipiranga"). Todavia a frase do prefácio mostra que já havia latente no escritor a vontade de abrasileirar a dição. Começou ela a se concretizar em sistema depois de ele tomar conhecimento das *Memórias sentimentais de João Miramar*, de Oswald de Andrade. Lembro-me bem do alvoroço do poeta diante das sabotagens gramaticais saborosíssimas do companheiro. O seu espírito construtivo principiou logo a organizar em corpo de doutrina o que no outro era apenas escaramuça de agente provocador.

A sistematização lhe parecia absolutamente necessária, porque sem ela o escritor ficaria sentimentalmente popular, e ele queria ser um escritor culto. Escrever brasileiro sem cair no caipirismo. A tentativa não significava, aliás, reação contra Portugal. Esquecer Portugal, isto sim. Certa vez João Ribeiro ponderou que, por mais que os novos escritores se esforçassem na diferenciação, estariam sempre escrevendo português. Isso dizia um João Ribeiro ou diria um Sousa da Silveira. Já o Rui chamava ao dialeto brasileiro "rótulo americano daquilo que o grande escritor lusitano tratara por um nome angolês". Retrucou Mário de Andrade que não tinha a mínima importância discutir critério de línguas e dialetos para saber se falamos português ou brasileiro. Achava que João Ribeiro e Roquette-Pinto estavam, como quase todos, colocando errado o problema. Tratava-se simplesmente de uma questão pragmática.

> Pouco me incomoda [escrevia-me ele] que eu esteja escrevendo igualzinho ou não com Portugal: o que escrevo é língua brasileira pelo simples fato de ser a língua minha, a língua do meu país, a língua que hoje representa no mundo mais o Brasil que Portugal: enfim a língua do Brasil. O resto: maior ou menor sintaxização brasileira dos nossos escritores, isto é a contribuição pessoal, não tem importância pragmática nem distingue fala dum e outro.

E em 1927, escrevendo para o *Diário de Notícias*, frisava:

> Nenhum de nós não tem a pretensão de criar uma língua que um português não possa entender. Não se trata de inventar uma fala de origem brasílica e inconfundivelmente original, não. Se trata apenas duma libertação das leis portugas, as quais, sendo leis legítimas em Portugal, se tornaram preconceitos eruditos no Brasil por não corresponderem a nenhuma realidade e a nenhuma constância da entidade brasileira.

O primeiro escrito impresso em que Mário de Andrade empregava literariamente a fala brasileira data de 1924 e foi um estudo sobre a minha poesia, aparecida na fase paulista da *Revista do Brasil*. A linguagem do artigo suscitou naturalmente numerosas reservas, mesmo da parte de amigos que, como eu, simpatizavam de todo o coração com a tentativa no seu sentido de aproximar a língua literária da fala dos brasileiros cultos (afinal de contas aplicação ao Brasil do são princípio de Vaugelas, o qual sempre valeu em todas as literaturas da Europa). Acusei meu amigo de, querendo escrever brasileiro, estar escrevendo paulista. "Injustiça grave", defendeu-se ele.

> Me tenho preocupado muito com não escrever paulista, e é por isso que certos italianismos pitorescos que eu empregava dantes por pândega, eu comecei por retirar todos eles da minha crítica de agora. Mais tarde vamos ver o que a gente pode aproveitar deles. Por enquanto o problema é brasileiro e nacional. Não estou escrevendo paulista não, ao contrário. Tanto que fundo na minha linguagem brasileira de agora termos do Norte e do Sul. Mas, e vem outra injustiça, vocês não viram senão a parte mínima do que eu já fiz nesse sentido. Viram um artigo ou dois e já fazem crítica como se fosse uma obra inteira. Mais calma. Esperem por um livro ao menos.

O livro veio, e foi *A escrava que não é Isaura*, publicado em 1925 e preterindo cronologicamente os poemas do *Losango cáqui*, editados no ano seguinte mas escritos em 1922 e "traduzidos" para o linguajar brasileiro desde 1924. Neste último livro começa o poeta a anunciar entre as suas futuras publicações uma *Gramatiquinha da fala brasileira*. Na realidade não chegou a escrever uma só linha que fosse. Nunca teve mesmo intenção de escrevê-la. Por que a anunciava então? Explica-o em carta a Sousa da Silveira:

Eu anunciava o livro apenas pra indicar a todos que o que eu estava tentando não era tentado assim ao atá das recordações, mas uma coisa séria, sistemática e bem pensada. Nem isso valeu aliás. Até amigos íntimos imaginavam que eu estava orgulhosamente querendo... inventar a língua do Brasil! Mas eu previa, em principal, o perigo dos moços se lançarem em toda a sorte de facilidades, sem sequer pensar que fugir do erro português por muitas partes era ou podia ser cair no erro brasileiro. Não se contentaram de que eu caísse sozinho neste erro brasileiro, ficava tão fácil escrever (pra eles)... E caíram também, com a volúpia da incompetência, com a estupidez da facilidade, num mimetismo de desesperar. E a mim tudo isso doeu bastante, acredite, sofri muito. Tanto mais que eu não pretendia ficar em tantos exageros, que não passavam outra vez de novos exercícios de estilo. Estava dando um rebate, não podia gritar que esse rebate era falso! Estava forçando a nota...

Esse forçar a nota para chamar a atenção sobre o problema (ressalvada mentalmente a intenção de, no futuro, quando o problema estivesse bem em marcha, voltar a uma menos ofensiva verdade), esse forçar a nota para irritar, fundado na psicologia dos homens, aos quais é preciso exigir muito para que eles cedam um pouquinho, sempre me pareceu um erro na atitude do meu amigo – erro em si, erro em sua obra de criação literária, que por ele se tornava afetada, erro em suas consequências, como aquela de que se lastimou na carta a Sousa da Silveira. Aliás erro desnecessário numa terra em que até a elegantíssima sobriedade de um Alencar levantou verdadeira atoarda; em que até o "cochilar" de Machado de Assis já vi repelir como africanismo indigno da língua branca do rei Dom Dinis.

A afetação a que aludi acima era sensível ao próprio escritor, que a justificava deste modo:

> Não posso escapar dela por enquanto, porque essa afetação é psicológica. A minha naturalidade agora é afetação porque o problema está me preocupando a todo o instante e por isso me desvirtua o modo natural. Mas também não foi afetação que fez a gente policiar a sua escrita e pôr o pronome aqui porque Camões botara aqui? Foi. Foi a afetação que fez você escrever policiadamente com o jeito de Portugal uma infinidade de escritos seus. E eu também. E toda a gente. Depois e por isso a afetação ficou geral e mudou de nome.

Em princípio estava certo. Mas cedendo frequentemente em artigos e cartas ao uso de exageros de pândega, para rir, ou ainda em artigos e livros ao de ousadias para irritar, expunha-se ao risco de transformar também em naturalidade essa afetação de brincadeira ou com segunda intenção. Sem dúvida todo escritor tem o direito de brincar, sobretudo em cartas espontâneas aos amigos, mas a importância da causa em que o meu amigo se empenhara, a sua atitude sistematizadora exigiam o sacrificiozinho a mais de não brincar. Pelo menos nos artigos, e Mário sempre fez distinção entre escrever para o público e escrever para amigos. Mas brincou também nos artigos.

Façamos-lhe, porém, justiça. Quando viu que o problema estava notória e suficientemente proposto, isto é, quando os seus erros já não podiam ser atribuídos à ignorância e sim a um propósito sistematizador de introduzir no estilo literário os modismos da fala corrente, sobretudo os bem representativos da psicologia brasileira, procurou despojar-se dos excessos, de que é documento a segunda edição do *Compêndio da história da música*. Pôde assim chegar à forma brasileiramente pura dos admiráveis *Poemas da negra* e dos *Poemas da amiga*. Sobretudo os primeiros mostram o que poderia ter sido toda a sua obra de criação se ele a tivesse escrito mais livremente, isto é, sem a subordinar ao critério de sublimação do romantismo brasileiro. Romantismo que se lhe afigurava traduzir-se "num carinho molengo muito sensual e pegajoso, num carinho gostoso semitriste. E a ironia de supetão". Estas suas palavras definem exatamente o sentimento e a maneira a que por demais se entregou e que atingiu a mais esparramada realização na "Lenda das mulheres de peito chato". Ora, o tema dos *Poemas da negra* era mais que nenhum outro propício a estadear aquele gosto, que cumpria aqui policiar rigorosamente para banir da poesia todo exotismo. E conseguiu o que queria. Nem por isso os *Poemas da negra* são menos brasileiros, no sentimento e na língua do que a "Lenda" e outros versos em que o poeta se aproximou deliberadamente, por intenção pragmática de exercício e exemplo, de Catulo da Paixão Cearense e dos cantadores populares.

Se passarmos agora ao exame das diferenciações fixadas na sistematização linguística do escritor, veremos que elas se estendem aos domínios do vocabulário, da morfologia e da sintaxe. Não tenho presentemente lazer, nem aqui haveria espaço, para uma análise a fundo da linguagem do escritor em cada um desses aspectos. Assinalaremos apenas alguns pontos mais característicos.

Quanto ao vocabulário, salta logo à vista a enorme cópia de termos regionais, usados baralhadamente, dições de toda a rosa dos ventos do Brasil. Essa mistura, que era uma novidade, é que concorreu mais visivelmente para artificializar a linguagem do autor de *Macunaíma*. Neste sentido, que afinal não é língua de ninguém senão do próprio poeta. Pretendeu ele o quê? Escapar ao regionalismo pela fusão das características regionais. Ligar o gaúcho ao pernambucano, o paulista ao paraense, o mineiro ao carioca, e, como em outros domínios de seu convite à verdade total brasileira, "fusionar linguisticamente a desigual, desmantelada, despatriada entidade nacional". À arguição de ser um escritor difícil, mesmo para brasileiros, e o é de fato, e aqui pôs de lado o critério pragmatista, respondeu em 1928 com o "Lundu do escritor difícil", que termina por este remoque:

> Você sabe o francês *singe*
> Mas não sabe o que é "guariba"?
> – Pois é macaco, seu mano
> Que só sabe o que é da estranja.

Fora dos regionalismos, em muitas dições acentuou o jeito brasileiro, usando as formas protéticas (o molengão "abasta")', a pronúncia suarabáctica ("adquirir", "ignorar"), o diminutivo "inho" (que achava mais brasileiro do que "zinho"); o superlativo analítico construído com "muito" ou "por demais", o adjetivo qualificativo posposto ao substantivo, o verbo "ter" usado impessoalmente, os lugares-comuns da prática familiar brasileira etc. Não esqueceu certos casos curiosos de sincretismo, como o fino, o delicado, o caricioso "poucadinho", e o "obsecar", a propósito do qual me escreveu:

> Os galiciparlas dos jornais, querendo *obséder,* mas lembrando o luso "obcecar" (cuja grafia naturalmente não lembravam), fizeram "obsecar", verbo novo com o sentido tão necessário de *obséder.* Sustento o "jornalistismo", palavra que ainda não foi lembrada pra classificar certos vícios de linguagem.

O caso do "pra"... Ah, esse deu pano para mangas! Se o meu amigo continuasse escrevendo "pra", como sempre se fez, ninguém implicaria com a sua preferência (preferência apenas, porque não renunciou ao "para"). Mas a supressão do apóstrofo, e sobretudo a adoção literária das combinações da preposição com os artigos definidos suscitaram viva repugnância. No entanto creio que nesse ponto se trata tão somente de uma idiossincrasia de artista: o "para" lhe parecia quilométrico e mais tipográfico do que outra coisa. Os românticos também preferiam a forma apocopada: louvando a linguagem saborosa de Castro Alves ("de excelente libertação nacional"), aponta-o Mário de Andrade como o primeiro sistematizador do "pra", que "troca oitenta vezes sobre cem ao lerdo e tipográfico 'para'".

Em matéria de vocabulário, julgava-se o poeta suficientemente rico para não fazer fincapé nesta ou naquela forma, o "sube" (soube) por exemplo, que considerava legítimo e empregou até em livro.

Fincapé brabo fez foi, em sintaxe, no caso do pronome pessoal oblíquo iniciando o período. De fato, não se pode negar que é de uso corrente no Brasil, não só entre o povo, mas também na fala habitual da gente culta, mesmo da parte de escritores de sabor arcaico, como Carlos de Laet e João Ribeiro, aos quais ouvi dizer "Me dê". Todavia o uso brasileiro não abrange indistintamente todas as variações pronominais. É geral para a forma oblíqua da primeira pessoa, porém já não tanto para as outras. Mário de Andrade sistematizou o emprego e me parece que aqui incorreu no mesmo erro que os gramáticos da segunda metade do século XIX quando começaram a impor como leis inflexíveis o que era apenas tendência, sujeita aliás a toda sorte de exceções determinadas por necessidades de expressão ou de ritmo. É verdade que o meu amigo não impunha nada, nem tinha a pretensão de criar uma língua. A esse respeito escreveu-me:

> Não sei qual será num século a língua brasileira. Sou um fenômeno individual, trago a minha contribuição pessoal pra um fenômeno que só pode ser coletivíssimo. A principal função minha não está nas minhas "invenções", pois que sei lealmente quanto elas são minhas, mas no trazer o problema, pros que me leem, como uma realidade permanente. Nada mais.

Considero perfeitamente legítimo o emprego da variação "me" no princípio de qualquer período. Considero perfeitamente legítimo o emprego das outras variações em começo de período, quando continuam nele a mesma construção usada em período anterior (é o caso literário do "Te vejo, te procuro" de Gonçalves Dias, esclarecido por Sousa da Silveira na *Ordem*, número de junho de 1942), e ainda em qualquer caso, por necessidade psicológica, das variações "te", "lhe", "nos". Considero, porém, erro iniciar o período pelas formas oblíquas "o", "a", "os", "as", ou "se" com o futuro e o condicional, por não se basearem estes casos em fatos da língua falada, popular ou culta: o povo não diz "O vi", diz (e muita gente boa também) "Vi ele", forma que Mário só admitiu quando o pronome é sujeito de um infinito seguinte ("Vi ele fazer"); ninguém, nem povo nem pessoa culta, diz "Se diria". Discuti muito esses dois pontos com o meu amigo, sem que nenhum de nós lograsse convencer o outro. As suas razões eram de ordem lógica:

> Se emprego flexões pronominais iniciando o período, coisa que literariamente é erro ("Me parece" etc.), devo empregar literariamente "O desespera", porque o caso é ab-

solutamente o mesmo. Se trata duma ilação, é verdade, mas ilação absolutamente lógica do ponto de vista filosófico, e tirada da índole brasileira de falar, o que a torna, além de filosoficamente certa, psicologicamente admissível. Diz você que não se trata dum fato de linguagem brasileira. Poderia estar de acordo. Mas isso se dá simplesmente porque o povo, pelo menos o povo rural, que é a grande e pura fonte, ignora o "o" pronominal e diz por exemplo "Ele se desesperava", "Desesperava ele". Você tem o argumento dos alfabetizados da cidade: se estes dizem "Me parece", por que então não dizem "O desespera"? Não dizem? Veja Leonardo Mota, *Sertão alegre*. Diz o cantador popular: "O padre disse: – O projeto..." E caso análogo vejo na "Peleja de Antônio Batista e Manuel Cabeceira", da autoria do famoso rapsodo nordestino Leandro Gomes de Barros:

> Fiz Romano atropelar-se
> E fiz Germano correr,
> Abocanhei Ugolino
> Porém não pude morder.

São os dois únicos exemplos que eu encontrei na minha papelada, sem levantar da cadeira. O primeiro, porém, é categórico. Você não dirá mais que não é fato de linguagem. Porém no caso o que me leva mais a sustentar o meu jeito não é a existência desta prova, mas sim a dedução lógica, filosófica e psicológica. É incontestável que nem sempre essa dedução lógica tem me dirigido os passos, mas convenhamos que a lógica é terrível e às vezes um homem se fatiga dela e busca viver com as suas afeições. Assim, se a lógica me leva pra escrever "pruns" como falo "pros", nunca cheguei a tamanho atrevimento, por, meu Deus, por amor de mim!

Isso me escrevia em 1933. Depois Mário se levantou da cadeira, mas só dois anos depois comparecia com outro exemplo, que aliás não interessa ao caso brasileiro porque foi colhido num cantador açoriano alfabetizado, como era também o rapsodo nordestino. Tanto o meu amigo sentiu a falta de base nos fatos da linguagem, a única em que se pode assentar qualquer regra, que se declarou apoiado sobretudo na dedução lógica. Mas o critério lógico em matéria de linguagem tem sido sempre o responsável por tantas regrinhas cerebrinas que afinal acabaram criando este abusivo regime gramatical contra o qual reagimos. Está claro que um escritor e um grande escritor como Mário de Andrade, tem o direito de ir, por necessidade psicológica, contra o uso geral, mas o caso dele era todo especial, e ele estava agindo como sistematizador justamente do uso geral brasileiro, e nessa qualidade violando a sua espontaneidade de poeta criador, sacrificando o que chamou "a lógica liberdade de mim mesmo".

Outro ponto em que Mário de Andrade forçou a nota para focalizar o problema foi o do emprego da preposição "em" com os verbos de movimento. Em princípio tinha razão. Era em Portugal legítima sintaxe literária como se prova com textos clássicos, inclusive de Camões, mas arcaizou-se, mantendo-se todavia em numerosas locuções ("ir de casa em casa", "voar de flor em flor" etc.). Conservou-se porém na fala brasileira, e não vejo também motivo para que não a admitamos em linguagem literária. Às vezes, no entanto, a construção com "a" evita a ambiguidade, ou dá mais vigor ou movimento à expressão. No poema "Arraiada" escreveu o poeta:

> Manhãzinha
> A italiana vem na praia do ribeirão

Interpreto que o que se quis dizer no poema é que a italiana veio à praia do ribeirão para lavar roupa. Podemos dizer "na praia" ou "à praia", mas imagino que se Mário não andasse preocupado com a sistematização, teria escrito naturalmente "à praia", construção que imediatamente excluía a possível interpretação de que a italiana vinha pela praia, ao longo da praia. Confusões dessas também se podem evitar não usando sistematicamente o verbo "ter" por "haver" impessoal.

O que aí fica são breves notas e informações colhidas quase todas na correspondência do escritor e reproduzindo mesmo, tanto quanto possível, as suas próprias palavras. Leve-se em conta que o meu amigo escrevia sempre desabaladamente, como em conversação íntima, e às vezes nem relia as cartas depois de escritas. Leve-se em conta também que o sistematizador, o revolucionário, se moderou bastante nos últimos anos, salvo uma ou outra estropolia que já pode correr por conta de sua liberdade de artista, escreve páginas e páginas onde nada nos choca e são exemplos admiráveis de boa linguagem literária brasileira. De resto um exame profundo de sua resolução do problema de abrasileiramento do estilo literário reclamaria a análise de *Macunaíma*, coroamento dessa nobilíssima busca de Brasil, definição da entidade nacional, que é o sentido geral de toda a obra do escritor e do homem.

Não posso concluir estas linhas apressadas sem contestar formalmente a ideia que o poeta fazia de si, segundo o que expus no começo deste ensaio: o de não poder vir a ser um grande artista criador. Foi e dos mais bem dotados que já teve o nosso país. E não me estendo mais em elogios porque li na sua correspondência esta frase, que podia servir de epígrafe a estas notas: "Para mim a melhor homenagem que se pode prestar a um artista é discutir-lhe as realizações, procurar penetrar nelas, e dizer francamente o que se pensa".

O centenário de Stéphane Mallarmé[1]

Não foi sem grandes perplexidades que recebi do presidente desta Casa o encargo de celebrar a passagem do centenário de Mallarmé. Como fazê-lo? A homenagem mais cara ao mestre seria esculpir em soneto um túmulo à maneira dos que ele próprio levantou, em versos imperecíveis, à memória de Poe, de Baudelaire e de Verlaine. Seria para mim demasiada ambição: *le pitre serait châtié*. Os versos de Mallarmé são daqueles que nos introduzem de golpe na cidadela mesma da poesia. Temi o desastre numa tentativa de interpretação depois das palavras magistrais de Valéry e Claudel, para só citar dois críticos que são dois grandes poetas. Relembrar-lhe a vida exemplar? "*Ordonner*, disse ele, *en fragments intelligibles et probables, pour la traduire, la vie d'autrui, est tout juste impertinent*". Mas já que o fez a propósito de Rimbaud, julguei-me autorizado *à ce genre de méfait*.

Singular momento este, de universal convulsão, para falar de um homem que no seu tempo deu resolutamente as costas à vida, considerando a época em que viveu, como um interregno para o poeta, um interregno de efervescência preparatória,

---

1 Conferência pronunciada na Academia Brasileira de Letras.

em que o seu papel não deveria ser outro senão trabalhar com mistério *en vue de plus tard ou jamais*. Trabalhar em quê? Na interpretação do universo, pois exprimir pela humana linguagem, reconduzida ao seu ritmo essencial, o sentido secreto das aparências do mundo era para ele a única tarefa que autenticava a existência terrestre do verdadeiro artista. A poesia foi o seu culto, e a sua iniciação literária na adolescência assumiu o aspecto de uma clausura religiosa. Mal saído do liceu de Sens, onde terminou os estudos, e tendo aprendido o inglês para ler Poe no original, partiu para a Inglaterra, a fim de fugir principalmente (toda a sua vida e obra foi sobretudo uma evasão do *"vomissement impur de la bêtise"*), mas também para aprender a falar o inglês e ensiná-lo num curso, sem outro ganha-pão obrigado, conquistando assim a independência literária. Tinha então vinte anos e já se havia casado. Um ano depois de regressar à França, evocava ao calor do seu cachimbo a Londres onde viveu pobremente de lições de francês, muito só, porque a esposa não pudera acompanhá-lo e visitava-o de raro em raro. Mallarmé amava os nevoeiros monumentais *"qui emmitoufflent nos cervelles et ont, là-bas, une odeur à eux, quand ils pénètrent sous la croisée"*. Essa página em que ele revive os seus dias na Inglaterra é das mais simples e das mais comovidas que escreveu:

> *Mon tabac sentait une chambre sombre aux meubles de cuir saupoudrés par la poussière du charbon sur lesquels se roulait le maigre chat noir; les grands feux! et la bonne aux bras rouges versant les charbons, et le bruit de ces charbons tombant du seau de tôle dans la corbeille de fer, le matin – alors que le facteur frappait le double coup solennel, qui me faisait vivre! J'ai revu par les fenêtres ces arbres malades du square désert – fai vu le large, si souvent traversé cet hiver-là, grelottant sur le pont du steamer mouillé de bruine et noirci de fumée – avec ma pauvre bien-aimée errante, en habits de voyageuse, une longue robe terne de couleur de la poussière des routes, un manteau qui collait humide à ses épaules froides, un de ces chapeaux de paille sans plume et presque sans rubans, que les riches dames jettent en arrivant, tant ils sont déchiquetés par l'air de la mer et les pauvres bien-áimées regarnissent pour bien des saisons encore...*

Cito o trecho para mostrar aos que só conhecem Mallarmé pela sua fama de hermetismo, a funda ternura existente nesse homem que poderia, se quisesse, ter conquistado o grande público, mas preferiu isolar-se, quase inacessível, no seu altivo sonho de absoluto. Onde, em qualquer literatura, alguma coisa de mais tocante que esse triste chapéu batido *"que les pauvres bien-aimées regarnissent pour bien des saisons encore"*?

Em setembro de 1863 obtinha Mallarmé o certificado de habilitação ao ensino, e dois meses depois era nomeado professor no colégio de Tournon, com 1 700 francos anuais. Começa então seu martírio. Era a independência literária que desejara, mas a que preço! o ramerrão das classes em face de alunos desatentos que o chamavam *le bonhomme* Mallarmé e chegaram muitas vezes ao desplante dos apupos e das pedradas, as manhãs e as tardes perdidas no ofício insulso e fatigante, o extenuamento *aussitôt que s'allume la lampe du soir, ô dérision!*

Entretanto, os seus primeiros poemas – *"Les fenêtres"*, *"Les fleurs"*, *"Azur"*, *"Brise marine"*, – publicados em *L'artiste* ou no primeiro *Parnasse* começavam a despertar a atenção e a estima das rodas literárias parisienses. Eram versos onde se traía ainda a influência absorvente de Baudelaire, mas aqui e ali já repontavam as "deliciosas, pudicas metáforas" mallarmeanas. Assim em *"Soupir"*, jogo d'água com a sua parábola perfeita e aquele sortilégio de dissolver em imagens os elementos esparsos da beleza para reordená-los em seus valores essenciais:

> Mon âme vens ton front où rêve, ô calme soeur,
> Un automne jonché de taches de rousseur,
> Et vers le ciel errant de ton oeil angélique
> Monte, comme dans un jardin mélancolique,
> Fidèle, un blanc jet d'eau soupire vers l'Azur!
> – Vers l'Azur attendri d'Octobre pâle et pur
> Qui mire aux grands bassins sa langueur infinie
> Et laisse, sur l'eau morte où la fauve agonie
> Des feuilles erre au vent et creuse un froid sillon,
> Se traîner le soleil jaune d'un long rayon.

Bastaria a Mallarmé persistir a meio de sua personalidade para se revelar, como disse Valéry, o que de fato era – o primeiro poeta de seu tempo. Mas ele não nascera senão para tentar o desastre obscuro, para realizar o Livro a que converge toda a vida, para escrever a versão condensada e definitiva do único assunto: *l'antagonisme du rêve chez l'homme avec les fatalités à son existence départies par le malheur*, o drama da impotência criadora, da ação consciente do artista – o lance de dados – em luta com o acidental, com o acaso. Foi em Tournon, aos 24 anos, que Mallarmé teve o que chamou "a visão horrível de uma obra pura", cometeu o pecado "de ver o Sonho em sua nudez ideal". Dessa noite de vigília, dessa iluminação fulminante e dolorosa resultou *Igitur*, que Mallarmé só leu para alguns raros amigos e nunca publicou, que Claudel classifica como um drama, "o mais belo, o mais comovente produzido no século XIX". Trinta anos depois a vitória do herói-criança – *le hasard vaincu mot par mot* – se converte na catástrofe do velho náufrago: *non, un coup de dés, jamais, quand bien même lancé dans des circonstances éternelles, n'abolira le hasard*.

Todavia a visão da obra pura apontou ao poeta o seu caminho, e desde aquela noite de Tournon ele poderia dizer o que exprimirá mais tarde na *"Prose pour des esseintes"*:

> Gloire du long désir, Idées
> Tout en moi s'exaltait de voir
> La famille des iridées
> Surgir à ce nouveau devoir.

Em 1865, nascimento de sua filha Geneviève, a que devemos os quatorze versos de *"Don du poème"* com o seu maravilhoso alexandrino inicial:

> Je t'apporte l'enfant d'une nuit d'Idumée!

Já aqui vemos aplicado o conceito orquestral de poesia desenvolvido em prosa nas *Divagations*: através dos véus da ficção, desprender o assunto de sua estagnação acumulada ou dissolvida com arte – começar por uma afirmação como um pórtico de acordes triunfais convidando a que se componha, em retardos liberados pelo eco, a surpresa; ou o inverso: atestar um estado de espírito em certo ponto por um sussurro de dúvidas para que delas saia um esplendor definitivo simples. O primeiro processo, empregado em "*Don du poème*" como em "*L'après-midi d'un faune*" (*Ces nymphes, je les veux perpétuer*!); o segundo mais frequente, em vários sonetos, rematados por um verso que se diria organizar todo o poema numa constelação de que ele fica sendo a estrela alfa:

> *Ainsi qu'une joyeuse et tutélaire torche...*
> *De scintillations sitôt le septuor...*
> *Une rose dans les ténèbres...*

Em 1866 as manobras, junto à administração, de alguns pais de alunos escandalizados com os versos do professor-poeta conseguem, se não a demissão, ao menos a remoção do funcionário para Besançon, onde a vida se lhe tornou ainda mais dura, longe dos seus caros felibres, Mistral, Aubanel, Roumanille, Gras, Roumieux. Felizmente um ano depois volta ele ao Sul e até 1872 assiste em Avignon. No mês de outubro, graças ao historiador Seignobos, seu ex-aluno de Tournon, que aliás o considerava uma espécie de degenerado inofensivo, Mallarmé obtém a nomeação para o Liceu Fontanes, depois Condorcet, em Paris. A vinda para a capital encheu-o de grandes esperanças, e houve um momento mesmo que aquele Hamlet-professor, como lhe chamou Remy de Gourmont, teve a ilusão de poder evadir-se do ingrato ofício de ensinar inglês em liceus, lançando uma revista – *La Dernière Mode*, na qual, desde o título até os anúncios, tudo, salvo algumas colaborações literárias, era da própria mão de Mallarmé. A revistazinha definia-se como uma gazeta do mundo e da família, onde se promulgavam as leis e verdadeiros princípios da vida estética, com o exame dos menores detalhes: *toilettes*, joias, mobiliário e até espetáculos e *menus* de jantares. Oito páginas de pequeno formato infólio, capa azul-turquesa, e no texto, aqui e ali, vinhetas desenhadas por Morin. Durante nove números Mallarmé despendeu em benefício de suas caras leitoras desconhecidas, *de ses três vraies chères abonnées*, os tesouros de suas delicadezas de poeta. As descrições de vestidos na *Dernière Mode* têm o sabor de poemas compostos especialmente para lisonjear a imaginação feminina. As senhoras aqui presentes gostarão de ouvir, estou certo, um ou dois exemplos dessa literatura de modas introduzida no domínio da grande arte de um grande poeta.

> *Toilette de dîner (en cachemire, je l'ai vue rose, comme vous pouvez la voir bleue): le tablier de la première jupe est garni de maint bouillon horizontal, froncé à deux fils avec têtes étroites de chaque côté...*

Continua a descrição e acaba com estas palavras que esclarecem a origem do costume atual dos Worth e das Schiapparelli, de dar nome aos vestidos-modelos:

> *À celle d'entre vous, Mesdames, qui la première portera cette toilette, l'honneur de l'appeler, car un joli usage, datant de quelques jours [a revista é de 1874] veut qu'une robe se nomme de la femme qui, par son port, charme et distinction, lui a, dans le monde, acquis la célébrité et le prestige!*

Outro vestido, este *bleu-rêve*, é assim descrito:

On n'a qu'à le vouloir, pour se figurer une longue jupe à traine de reps de soie, du bleu le plus idéal, ce bleu si pàle, à reflets d'opale, qui enguirlande quelquefois les nuages argentés...

Não tardou a se desfazer a ilusão do cronista estético: Mallarmé foi roubado de sua iniciativa e do seu trabalho.

Je ne sais au juste entre les mains de qui va tomber cette feuille, mais tout me fait croire qu'elle va servir à de vagues chantages, à des mariages et à d'autres combinaisons.

De fato, a gazeta caiu nas mãos de uma mulher que fez dela uma revista banal.

Foi nesse mesmo ano de 1875 que Mallarmé se instalou no famoso apartamento da *rue de Rome*, e alugou em Valvins, à beira do Sena e à vista da floresta de Fontainebleau, uma casinha onde passava as férias. A sua vida era a mais discreta possível: não ia a parte alguma, salvo os concertos dominicais e a visita diária, de volta do liceu, ao pintor Manet; não dava colaboração literária senão às pequenas revistas de novos e gratuitamente. Ia algumas vezes à casa de Hugo, que gostava de o chamar, beliscando-lhe afetuosamente a orelha, "*mon cher poète impressioniste*"; avistava-se frequentemente com Banville, que, com Villiers de l'Isle Adam, tinham a preferência entre todos os confrades que admirava, e Mallarmé, não obstante os seus pontos de vista e gosto tão requintadamente pessoais, possuía o raro dom generoso da admiração, distinguindo prontamente em cada um o que era digno de apreço e assinalando-o com tato impecável. Teve verdadeiramente o gênio da amizade, exercido sem derramamentos, antes com uma discrição que deixava encantados os que dele recebiam uma palavra ou uma linha de louvor. Nunca disse mal de ninguém nem jamais revidou à campanha de ridículo que lhe moviam na imprensa os que não lhe compreendiam a poesia.

Em 1875 estava concluído "*L'après-midi d'un faune*", o qual, na falta do grande Livro sonhado na memorável noite de Tournon, de que *Igitur* permaneceu esboço e *Un coup de dés* um capítulo que a ele próprio deixava em estado vertiginoso, representa a sua realização mais perfeita. O poema deveria ser dito por Coquelin *aîné*, pois o poeta imaginara-o absolutamente cênico, não possível no teatro mas exigindo o teatro. O alexandrino de "*L'après-midi*" marca o rompimento com a técnica oficial parnasiana. Não que Mallarmé aborrecesse o alexandrino clássico, o alexandrino *en grande tenue*, grande voz da tradição, cara a quem não aceitava o banimento de nada que tivesse sido belo no passado; mas ao lado do órgão venerável queria ele também a maliciosa siringe, instrumento das fugas; queria, ao lado do alexandrino bem ortodoxo na sua cesura regular, uma espécie de *jeu courant pianoté autour*, como um acompanhamento musical feito pelo próprio poeta e não permitindo ao verso oficial comparecer senão nas grandes ocasiões.

Muitos são os poemas de Mallarmé de interpretação difícil se não impossível. São assim a sua estética e a sua técnica, de que podemos colher quase toda a teoria nas páginas de prosa das *Divagations*.

Não me parece a poesia mallarmeana tão pura quanto se tem afigurado aos seus críticos. Certo purificou-a o poeta de todo elemento estranho ao sentido poético essencial, da humana paixão que chora (porque não se assoa também? perguntou de uma feita), e daquilo a que chamou o dom elocutório, e mesmo da mera realidade dos materiais naturais. A este último aspecto é a sua poesia de natureza platônica, no esforço de subir dos acidentes à noção pura, espécie de metafísica poética em que a flor, por exemplo, se transcendentaliza em *l'absente de tous bouquets*. A divina transposição, obra por excelência do poeta, devia ir do fato ao ideal. Mas se o conceito de poesia pura exige a autonomia dela em relação às outras artes, não se pode falar de pureza em Mallarmé, porque a sua poesia está referta de elementos plásticos, e nisto ela é ainda bem parnasiana, e musicais, no que consuma, com o seu caráter espiritual, o Simbolismo.

A poesia mallarmeana é essencialmente musical, ele mesmo o declarou. Musical não no sentido puramente sonoro ou melodioso, mas no sentido definido por Boris de Schloezer, ou seja na imanência do conteúdo com a forma. Neste sentido diz o crítico russo, que é autoridade em música, um texto pode ser musical apesar de duro aos ouvidos, e a esse ângulo a música nos parece como o limite da poesia. Mallarmé foi sobretudo sensível ao lado orquestral da música. A sua técnica de poeta é uma orquestração da linguagem, e o alexandrino foi principalmente para ele uma combinação de doze timbres. Toda vez que define a poesia, Mallarmé se reporta à música. Alguns fragmentos: A Poesia não é senão a expressão musical, superaguda, emocionante, de um estado de alma; as palavras se iluminam de reflexos recíprocos como um virtual rastilho de luzes sobre pedrarias... Esse caráter aproxima-se da espontaneidade da orquestra; buscar diante de uma ruptura dos grandes ritmos literários e sua dispersão em frêmitos articulados, próximos da instrumentação, uma arte de rematar a transposição para o livro da sinfonia ou simplesmente retomar-lhe o que nos pertence: pois não é das sonoridades elementares dos metais, das cordas e das madeiras inegavelmente mas da intelectual palavra em seu apogeu, que deve, com plenitude e evidência, resultar, como o conjunto das relações em tudo existentes, a Música. Poderia prolongar as citações mas essas bastam. Quem não percebe a face orquestral na poesia de Mallarmé, não poderá compreendê-la; não poderá sentir a beleza do alexandrino *Hilare or de cimbale à des poings irrité* e só verá nela a ousadia insólita da imagem. Mas na infinidade dos idiomas nem sempre o timbre da palavra corresponde à imagem por ela evocada: Mallarmé confessou a sua decepção em face da perversidade que confere a *jour* timbre escuro, a *nuit* timbre claro. Precisamente para remediar essas contradições das línguas existe o verso, complemento superior de cada uma delas na falta do idioma supremo em que as palavras figurassem materialmente a verdade. A Poesia é que dá o verdadeiro timbre às coisas por meio das imagens. E aqui entramos em outro domínio, onde o leitor mal dotado de instinto poético se perde na incompreensão do poeta. Mallarmé jogava com as analogias numa espécie de contraponto, instituía entre as imagens (e raramente exprimia o primeiro termo delas) uma certa relação donde se destacava um terceiro aspecto fusível e encantatório apresentado à adivinhação. Nomear o objeto seria a seu ver suprimir três quartas partes do gozo do poema, gozo que nasce da felicidade de adivinhar. A poesia é um sortilégio, uma força de sugestão. No poema feito para sua filha Geneviève a palavra "leque" só aparece no título e seria dispensável:

> O rêveuse, pour que je plonge
> Au pur délice sans chemin,

Sache, par un subtil mensonge,
Garder mon aile dans ta main.

Une fraîcheur de crépuscule
Te vient à chaque battement
Dont le coup prisonnier recule
L'horizon délicatement.

Vertige! voici que frissonne
L'espace comme un grand baiser
Qui fou de naître pour personne,
Ne peut jaillir ni s'apaiser.

Sens-tu le paradis farouche
Ainsi qu'un rire enseveli
Se couler du coin de ta bouche
Au fond de l'unanime pli!

Le sceptre des rivages roses
Stagnants sur les soirs d'or, ce l'est,
Ce blanc vol fermé que tu poses
Contre le feu d'un bracelet.

Essa incomparável joia de poesia está cheia de imagens audaciosas em sua extrema delicadeza. Assim ampliar o vaivém do leque no gesto de aproximar e recuar o horizonte. Imagens que repugnam a tantos, cuja incompreensão se assemelha à de certos meus alunos de literatura, adolescentes mal iniciados à verdade superior da poesia e que riem quando lhes cito a comparação do *Cântico dos cânticos*: "O teu cabelo é como o rebanho de cabras que pastam no monte de Gilead". A mesma incompreensão dos discípulos de Jesus que, ouvindo-o dizer: "Eu sou o pão que desceu do céu", se puseram a murmurar perplexos: "Duro é este discurso: quem o pode ouvir?"

Conta Valéry que certa vez o pintor Degas se queixou a Mallarmé de ter perdido o dia na vã tentativa de escrever um soneto. "No entanto", acrescentou, "não são as ideias que me faltam... Tenho-as até demais." Ao que o mestre respondeu: "Mas, Degas, não é com ideias que se fazem versos: é com palavras". Para Mallarmé, como para todo verdadeiro poeta, a poesia se confunde com a linguagem, e, como explicou Valéry, é linguagem em estado nascente.

Todos esses aspectos, pontos capitais da técnica de Mallarmé, e aquele perpétuo desígnio de transmudar a realidade em sonho, motivo de todos os seus devaneios, ou nas noites de vigília no gabinete da *rue de Rome*, junto à *fulgurante console*, ou em suas horas solitárias na iole de Valvins, estão presentes nesse poema do fauno, em que renovou magistralmente o gênero antigo da égloga. Por isso Thibaudet classificou-o na obra do poeta como *le morceau des connaisseurs*.

Pois bem, essa obra-prima, transparente em seu tema e tão límpida de forma, foi recusada pelo leitor de Lemerre para o terceiro fascículo do *Parnasse Contemporain*. E sabeis quem era esse leitor? Anatole France: O voto de France foi secundado por Coppée e venceu apesar do protesto de Banville. – *Non*, ponderou France, *on se moquerait de nous*! O mesmo júri condenou um soneto de Verlaine. Que soneto? Aquele incluído depois em *Sagesse*, que começa pelo verso famoso: *Beauté des femmes, leur faiblesse et ces mains pâles...* A sentença de France: *Non, l'auteur est indigne et les vers sont des plus mauvais qu'on ait vus*. Cabe lembrar aqui a diferença de tratamento dispensada a Verlaine por France e por Mallarmé. France, cuja libertinagem de autor e de homem todos conhecemos, puritaníssimo diante dos erros de seu desgraçado confrade; Mallarmé, tão puro em sua arte e na sua vida, salvo o leve pecadilho com Méry Laurent, mais tema de luminosos sonetos do que evasão na sensualidade, compreendendo fraternalmente a atitude do homem e até exaltando-a como a única numa época em que o poeta está fora da lei: a de aceitar todas as dores e todas as misérias com uma tão soberba *crânerie*. Mallarmé e Verlaine foram excluídos do *Parnasse*, onde tiveram entrada D'Artois, Delthil, Dujolier, Marc, Marrot, Grandmoujin, Pigeon e Popelin. Já ouvistes falar nesses nomes? Não, decerto. Então *moquons-nous d'Anatole France*.

O poeta, tão atormentado na sua ingrata labuta de professor que todas as tardes ao voltar do liceu nunca atravessava a ponte sem que o assaltasse a vontade de acabar com a vida atirando-se ao Sena, viveu desconhecido e solitário até que o retrato entusiástico de Verlaine em *Les poètes maudits* e as páginas de Huysmans em *À rebours* vieram revelá-lo ao grande público. Se a compreensão não chegou, todavia a partir de então, em 1884, Mallarmé começa a sentir em torno de si a veneração de um grupo de moços que o afeiçoam como um ídolo. O mestre recebia-os às terças-feiras. Quem quiser sentir o encanto dessas noites de intimidade intelectual com o poeta não tem mais que ler as páginas de Camille Mauclair no seu livro *Mallarmé chez lui*. O próprio Mallarmé vinha abrir a porta aos visitantes e introduzia-os num aposento que era ao mesmo tempo salão e sala de jantar: um fogão de faiança a um canto, alguns móveis de nogueira e ao centro uma mesa onde pousava um vaso da China cheio de tabaco; nas paredes uma paisagem de rio de Monet, um desenho de Manet representando Hamlet, uma água-forte de Whistler, o retrato de Mallarmé por Manet, uma aquarela de Berthe Morissot e um pastel de flores pintado por Odilon Redon; sobre o guarda-louça um gesso de Rodin, ninfa nua agarrada por um fauno, e uma esculturazinha em madeira de Gauguin. Às 10 horas, Geneviève, a filha do poeta, entrava, grande, silenciosa e sorridente, trazendo o *grog* para os visitantes, e se retirava logo. Só então começava a conversação ou antes o monólogo, porque os amigos e admiradores do poeta se limitavam a lançar-lhe alguma deixa para ouvi-lo discorrer. Quando Mauclair principiou a frequentar as terças-feiras do mestre, tinha Mallarmé 48 anos, mas parecia mais velho. Estatura mediana, barba e cabelos grisalhos, bigode espesso, olhos penetrantes, muito afastados, orelhas de fauno, voz melodiosa, de um timbre raro, com súbitas notas agudas talvez já sintoma da moléstia de laringe que o vitimaria. Sorriso de extraordinário encanto. Vestia sempre roupa preta, comprada pronta, *lavallière* preta e nos ombros, porque era muito friorento, um *plaid*. Na atitude em que o representa o famoso retrato de Whistler, encostava-se ao fogão e ficava em pé todo o tempo, fumando o seu inseparável cachimbo. Quem eram os visitantes? Henri de Régnier, que Remy de Gourmont conta ter visto corar ao receber o primeiro discreto elogio de Mallarmé, Gide, que acabara de publicar *Les cahiers d'André Walter*, Pierre Louys, André Fontainas, Odilon Redon, Albert Mockel, Vielé-Griffin, Stuart Merril, Edouard Dujardin, o médico Edouard

Bonniot, que depois veio a casar com Geneviève, Valéry, que confessou ter sentido diante da obra e da figura do mestre "a progressão fulminante de uma conquista espiritual definitiva". E outros. Às vezes apareciam estrangeiros de passagem por Paris: o inglês Symonds, o alemão Stefan George, o dinamarquês Brandes. Oscar Wilde anunciou-se uma noite, o que provocou um *petit-bleu* do malicioso Whistler com a recomendação cautelosa ao mestre: *"Wilde viendra chez vous. Serrez l'argenterie."*

"Mallarmé", conta Mauclair, "não nos ensinava. Mas fazia melhor que isso: pelo encanto de sua palavra e de sua pessoa punha cada um de nós em estado de poesia". Foi essa mocidade que, em 1897, elevou Mallarmé ao posto de Príncipe dos Poetas, vago com a morte de Verlaine.

Nada, porém, desarmava a incompreensão. É verdade que o poeta, por seu lado, nada fazia para desarmá-la. Ao contrário, cada vez se envolvia em névoas mais densas, ironicamente satisfeito de afastar de sua obra os espíritos superficiais, encantados de ver num escrito que nada lhes concerne à primeira vista. Diante da agressão de ininteligibilidade, preferia retorquir que a maioria dos contemporâneos não sabem ler senão os jornais.

Às obscuridades naturais resultantes de seu conceito de poesia, juntou as de uma sintaxe própria, substancial e concentrada como uma fórmula algébrica. O que ele escrevia não parece produto do pensamento, mas o próprio pensar em sua origem e evolução dialética, fecundo em incidentes atentos em se organizar num sistema indeformável *à balancement prévu d'inversions*. Despojava-se por elipse, o mais possível, dos termos de relação. Gostava de separar, às vezes, o adjetivo qualificativo de seu substantivo por algumas palavras ou uma simples vírgula como para marcar entre os dois um instante de reflexão, de escolha. *Ainsi, par ce midi, l'autre dimanche, automnal... le pauvre trumeau, suranné... avec le rien de mystère, indispensable... plutôt que tendre le nuage, précieux...* Escrever para ele era mobilizar toda a sorte de sugestões fugitivas em torno da ideia e nessa mobilização a sua disposição habitual era refugar a solução imediata com a sua luz crua, a solução vulgar, pois *vulgaire l'est ce à quoi on décerne, pas plus, un caractère immédiat*. Eis um bom exemplo da sua sintaxe. Falando da Academia Francesa, prezada tão alto que o ato de a nivelar às outras classes do Instituto lhe parecia de mão política e sacrílega, começou com estas palavras: *La plus haute institution puisque la royauté finie et les empires, grave, superbe, rituelle est, n'attendez la Chambre représentative, directe, du pays si une autre dure que tarder à nommer parait irrespectuex, l'Académie.* Esse curto período resume todo o processo mallarmeano de composição, de organização de um sistema de incidentes em torno de uma ideia e tendendo não à cadência redonda, mas a um remate agudo como o bico da pena pingando o ponto final. Este último processo, tão inabitual na prosa francesa desde a reforma de Guez de Balzac, é frequentíssimo em Mallarmé. A análise do segredo é aliás fácil: um substantivo, de uma ou duas sílabas, separado de sua regência por uma longa incidente, termina bruscamente o período: *A côté de l'Amérique que vous et moi portons haut dans notre estime (il est, hélas! comme un pays dans un pays), j'en sais une à jamais offusquée par cet état trop vil, Poe...* Outro exemplo: *Constater que la notation de vérités ou de sentiments pratiquée avec une justesse presque abstraite, ou simplement littéraire dans le vieux seus du mot, trouve, à la rampe, la vie.*

Todos esses traços pessoais de sintaxe dificultam a leitura de Mallarmé, mas essa espécie de obscuridade se dissipa depressa com alguma prática do autor. Afinal a sintaxe é um hábito, e como condenar por ininteligíveis as singularidades do poeta em nome de uma sintaxe oficial que admite o anacoluto? A sintaxe de Mallarmé reagiu contra a sintaxe corrente do século XIX para acentuar os mil cambiantes do ato de pensar, aos quais correspondiam nos séculos anteriores outras tantas formas de construção, ricas de expressividade, e infelizmente banidas da linguagem escrita em nome de uma clareza tão empobrecedora do mistério poético da palavra.

O austero conceito de arte a que o poeta sacrificou materialmente a sua vida, não admitiu nunca outra diversão senão aquelas deliciosas bagatelas por ele chamadas *vers de circonstance*: para celebrar festas e aniversários, para enviar um presente – flores ou frutas, ovos de páscoa, um livro, um leque, um retrato, Mallarmé fazia-o sempre acompanhar de alguns versos onde punha a dupla delicadeza do seu afeto e da sua arte. A imagem do horizonte no leque de Mlle. Mallarmé reaparece com uma nova graça nesta quadra:

> *Jadis frôlant avec émoi*
> *Ton dos de licorne ou de fée.*
> *Aile ancienne, donne-moi*
> *L'horííon dans une bouffée.*

Algumas dessas quadras são madrigais de uma sutileza jamais excedida:

> *Avec mon souhait le plus tendre,*
> *Comme il sied entre vieux amis,*
> *Dans cette main qu'on aime à tendre*
> *Je dépose le fruit permis.*

> *Ces vers qui se ressembleront!*
> *Prêtez-leur la voix spontanée*
> *De dire, moins que votre front,*
> *Le mensonge de toute année.*

Um copo de água lhe suscita este cristal do mais puro brilho mallarmeano:

> *Ta lèvre contre le cristal*
> *Gorgée à gorgée y compose*
> *Le souvenir pourpre et vital*
> *De la moins éphémère rose.*

Nesses momentos de *détente* no seu árduo esforço para o livre ideal, o poeta se permite até o sorriso de um trocadilho:

> *Ici même l'humble greffier*
> *Atteste la mélancolie*
> *Qui le prend d'orthographier*
> *Julie autrement que Jolie.*

Às vezes lhe bastam apenas dois versos de oito sílabas para captar o infinito da aurora ou de um rosto feminino:

> Tends-nous aujourd'hui comme joue
> Cette rose où l'aube se joue.

E enviando uma redezinha de pesca:

> Je vous rends, Claire de Paris,
> Le fillet, mais j'y reste pris.

Um dia a relação evidente entre o formato dos envelopes e a disposição de uma quadra levou Mallarmé, por puro sentimento estético, a escrever em versos os endereços das cartas que mandava aos amigos. E convém que se diga, para honra dos Correios de França, que nenhuma deixou de chegar ao destinatário, por mais mallarmeano que fosse o endereço, o que sem dúvida deve ter consolado um pouco o poeta da agressão de obscuridade.

Alguns exemplos:

> Courez, les facteurs, demandez
> Afin qu'il foule ma pelouse
> Monsieur François Coppée, un des
> Quarante, rue Oudinot, douze.

> Je te lance mon pied vers l'aine,
> Facteur, si tu ne vas où c'est
> Que rêve mon ami Verlaine,
> Ru'Didot, Hôpital Broussais.

> L'âge aidant à m'appesantir,
> Il faut que toi, ma pensée, ailles
> Seule rue, 11, de Traktir,
> Chez l'aimable Monsieur Séailles.

> Leur rire avec la même gamme
> Sonnera si tu te rendis
> Chez Monsieur Whistler et Madame,
> Rue antique du Bac 110.

Até aqui temos apenas o jogo verbal, que não exclui o *balancement d'inventions* habitual na sua grande arte. Mas os dois endereços seguintes, feitos para pintores queridos, já são autênticos poemas:

> Ville des Arts, près l'Avenue
> De Clichy, peint Monsieur Renoir
> Qui devant une épaule nue
> Broie autre chose que du noir.

> *Au cinquante-cinq, avenue*
> *Bugeaud, ce gracieux Helleu*
> *Peint d'une couleur inconnue*
> *Entre le délice et le bleu.*

A casa nº 9 do *boulevard Lannes* ficou imortalizada em várias quadras, tanto quanto em vários sonetos, fulgurantes e sibilinos, a sua locatária, por quem o coração do poeta ardeu numa chama, de que fez confidente a administração dos Correios. Pois não é confidência dizer?:

> *Facteur qui de l'état émanes*
> *C'est au neuf que nous nous plaisons*
> *De te lancer, Boulevard Lannes,*
> *À la seule entre les maisons.*

Estes últimos endereços não levavam o nome da destinatária, só escrito num, impessoal e irônico:

> *Paris, chez Madame Méry*
> *Laurent, qui vit loin des profanes*
> *Dans sa maisonnette* very
> *Select du 9 Boulevard Lannes.*

Por mais óbvio que seja nessas bagatelas o desejo de brincar, há sempre nelas aquela intenção que Mallarmé pôs em seus poemas mais ambiciosos, isto é, a de traduzir o fugaz e o súbito em ideia, de isolar para os olhos um sinal da esparsa beleza geral. Pode-se dizer que depois de *Hérodiade* e de *L'après-midi d'un faune*, e excetuados o soneto do Cisne e o que começa pelo verso *Quand l'ombre menaça de la fatale loi*, e o poema tipográfico do *Coup de dés*, toda a obra poética de Mallarmé são versos de circunstância, em que no fundo ele como que descansava da sua eterna meditação sobre o grande tema único.

Em 1885, depois de passar pelo liceu Janson de Sailly, foi o professor de inglês transferido para o Collège Rollin, onde permaneceu até à sua jubilação em 1893. O seu pedido de aposentadoria é um documento comovente em sua digna simplicidade:

> *Aprés trente ans de service, je me trouve à cause d'un état maladif que détermine la fatigue de l'enseignement, arrêté dans mes fonctions et incapable de continuer, quoique je n'aie que cinquante et un ans et demi d'âge...*

Mas o cansaço de Mallarmé não o incapacitava tão somente para o ensino: incapacitava-o também para a obra sonhada na vigília de Tournon. O poeta foge de Paris e se recolhe à solidão da casinha de Valvins. Foi lá que concluiu, em 97, *Un coup de dés*, tão estranho, a todos os aspectos, que o próprio Mallarmé, lendo-o para um amigo, perguntou-lhe depois: – *Est-ce que cela ne vous paraît tout à fait insensé? N'est-ce pas un acte de démence?*

É de fato um ato de demência, mas o amigo poderia responder-lhe com as palavras de Novalis: "O poeta é verdadeiramente insensato, e é por isso que tudo acontece realmente nele. O poeta representa, no sentido próprio da palavra, o sujeito-objeto: a alma deste mundo."

No dia 9 de setembro de 1898 o Mestre morria quase subitamente num espasmo da laringe. Morria sem realizar o sonho da juventude, mas deixando à posteridade uma obra da natureza daquelas que lhe mereciam, sobre todas, a simpatia: obra restrita e perfeita, onde há uma arte que encanta *par une fidélité à tout ce qui fut une simple et superbe tradition et ni gêne ni ne masque l'avenir.*

Minhas Senhoras e meus Senhores, chegando ao fim destas pobres palavras, dom obscuro à glória do grande artista de França, sinto que o meu caro amigo, o ilustre presidente desta Casa, fiou demais da minha qualidade de poeta. Reli o mestre muitas vezes, li tudo o que pude achar sobre ele. Mas de toda essa aplicação não pude tirar senão o conforto de viver durante algumas semanas na sombra do morto inesquecível. Guardo a impressão de ter frequentado um pouco o salãozinho da *rue de Rome*, de ter ouvido o mestre dizer através das fumaças do seu cachimbo as palavras que nos confirmam na dignidade do labor poético. E vejo mais claro do que antes aquela plumazinha que se salvou da catástrofe do *Coup de dés*, pluma certamente caída da gorra de Hamlet, *frémissement vers l'idée*, pousar, misteriosa e eterna, no céu da mais alta poesia.

O centenário de Antero de Quental[2]

Destino de poeta

A esposa de um seu amigo, vendo-o certo dia brincar muito com as crianças, exclamou para o marido, enternecidamente: Santo Antero! Santo Antero!

Eça de Queirós chamou-lhe "um gênio que era um santo". Guerra Junqueiro escreveu "que nele havia em germe um santo, um filósofo e um herói".

Todos adivinharam em Antero de Quental o filósofo, o santo, o poeta. Mas todos sentiram que o verdadeiro destino dele era a poesia.

Todos, menos ele. Quando perdeu aquilo a que chamou "os seus cristais de Poeta", – os cristais eram a fé, a crença, a confiança – julgou encontrar na ideia da Revolução o que o seu temperamento místico pedia. A desilusão, porém, não tardou. Deixou de ser revolucionário? Não. Mas a bela imagem da justiça social entrevista na sua idealidade, transportou-a ele a regiões mais altas, altas demais para não serem serenas. Isto é, transportou-a para os domínios da poesia:

> Lá por onde se perde a fantasia
> No sonho da beleza; lá, aonde
> A noite tem mais luz que o nosso dia;

Na crise de consciência, em que, diante de um mundo deserto de deuses, só via a ilusão e o vazio universais, aquela pequenina voz que protestava e afirmava o Bem, inclinou-o, cada vez mais de modo absorvente, a meditar sobre o destino do homem e o fim do Universo.

---

2   Oração pronunciada na sessão inicial das comemorações do centenário do poeta em 18 de abril de 1952.

A meditação foi uma longa luta, e o combatente só descansou ao se considerar senhor de um sistema.

Esse poeta, que confessou por escrito nunca ter pretendido ser poeta; que, nos últimos anos de existência, verdadeiramente só prezava meia dúzia de sonetos, dos últimos, os únicos que lhe pareciam ter "a nota exata e sã"; esse poeta, esse imenso poeta julgava-se, candidamente porque era um puro, julgava-se um filósofo, e que filósofo! o que teria divisado "a direção definitiva do pensamento europeu, o Norte para onde se inclina a divina bússola do espírito humano". E estava certo de que o progresso das ciências físicas, qualquer que ele fosse, havia de se fazer dentro do quadro do seu sistema e não viria senão confirmar, cada vez mais, a solidez indestrutível da sua construção!

Foi a única ilusão com que desceu do encantado Palácio.

Não queria ser poeta, quando tudo nele gritava que o era, e com que grandeza!

"Não pretendi fazer uma obra literária, mas outra coisa a que dou mais valor", escreveu a um amigo, a propósito dos *Sonetos completos*. "Meti neles" (falava dos sonetos da última fase) "o melhor da minha filosofia, à espera do dia em que a possa desenvolver largamente e em boa prosa."

Ora, a Antero se pode aplicar o que recentemente um crítico francês disse de Valéry, a saber, num e outro encontramos no mais alto grau a característica mesma dos poetas, que é pensar por imagens, antítese da faculdade filosófica. Na imaginação de Antero, aquela imaginação que ele dizia, repetindo um verso de João de Deus, ser o seu tormento (ao que nós podemos acrescentar que foi também a sua glória), na sua imaginação soberanamente plástica as ideias mais abstratas se transmudavam, como por encanto, ao toque da emoção, em radiosas visões arquiteturais; plasmavam-se de súbito os fantasmas em matéria palpitante, cujas

> lágrimas ardentes
> Caíam lentamente sobre o mundo...

E o próprio Não-ser assumiu, no final de um soneto, a eternidade granítica do "Ser único absoluto".

Debalde a razão do filósofo tentava como que aniquilar o mundo natural. Ou pela negação pura e simples, na fase pessimista, em que

> ... volvendo em redor olhos absortos,
> O mundo pareceu-me uma visão,
> Um grande mar de névoas, de ilusão,
> E a luz do sol como um luar de mortos...
>
> Como o espectro dum mundo já defunto,
> Um farrapo de mundo, nevoento,
> Ruína aérea que sacode o vento,
> Sem cor, sem consistência, sem conjunto...

ou, na fase final de serenidade, pelo que ele mesmo chamou de "pampsiquismo", processo de evolução segundo o qual o Universo gravitaria obscuramente, inconscientemente, para um estado psicológico puro.

Mas atrás do filósofo estava sempre o poeta. O poeta que, maior que o filósofo, dominando o filósofo, ia recriando o mundo natural, assim destruído, ia-o recriando em formas imperecíveis; o poeta que, por aquela atitude de humorismo transcendente (para me servir da expressão de Oliveira Martins) fazia falar os deuses, negados pelo filósofo, e bendizia a Razão "de hálito mortal mais do que a peste", e se quedava a sonhar aos pés da Virgem Santíssima, cheia de graça, Mãe de Misericórdia...

De sorte que, no momento preciso em que as Formas, filhas da Ilusão, caíam desfeitas aos olhos do filósofo, nesse mesmo momento o poeta as recompunha na consciência para a vida da eternidade.

E não foi só isso. Na verdade, o filósofo só sabia falar pela boca do poeta. Falar, que digo eu? pensar. A obra de Antero de Quental, mais que nenhuma outra talvez, testemunha que a poesia, como toda arte, é em suma instrumento e meio de conhecer intuitivamente o homem e o Universo. Donde partiu Quental para chegar à solução que o deixou liberto e adormecido na mão de Deus – na sua mão direita? Não foi da razão do filósofo; foi, sim, daquela voz interior – "não sei que voz que eu mesmo desconheço", assim se exprimiu em verso, e em carta a seu amigo Fernando Leal: "No fundo do coração há uma voz humilde mas que nada faz calar, a protestar, a dizer-lhe que há alguma coisa por que existe e por que vale a pena viver".

Voz do subconsciente, voz da poesia nesse homem que, conscientemente, procurava evadir-se da poesia, nesse poeta genial que tantas vezes julgou erradamente de poesia porque, mesmo em arte, punha o valor moral acima de todos os outros valores. Mas tão fundamentalmente poeta, que, depois de escrever o maravilhoso soneto *Mors-amor*, confessava: "Não sei bem o que quer dizer, francamente, mas a execução agrada-me".

Ainda quando tentou esboçar em prosa o sistema de suas ideias, como em *Tendências gerais da Filosofia na segunda metade do século XIX* ou em cartas aos amigos, fê-lo por meio de comovidas afirmações de poeta, por meio de imagens de poeta. Já o notara Adolfo Coelho ao escrever que "a exposição do escritor não seguia de modo nenhum o teor da demonstração: é um credo que se enuncia e esse credo tem em parte o aspecto de poesia em linguagem de prosa."

A filosofia de Antero é a de um ser moral por excelência, muito bem definido por Oliveira Martins como "um poeta arrebatado pela visão inextinguível do Bem".

O homem não tinha consciência do seu destino de poeta, apesar de em todo o curso de sua evolução intelectual e moral ter encontrado sempre a poesia a seu lado, – "não sei como", diz com adorável candura a dona Carolina Michaelis de Vasconcelos, e acrescenta: "Espontaneamente, quase involuntariamente, têm revestido a forma poética o meu pensar e o meu sentir, coisas que em mim andam sempre juntas..."

De suas cartas aos amigos se percebe como a sua alma atormentada se dilatava com serenidade toda vez que o espírito conseguia formular em verso as soluções intelectuais, morais e sentimentais a que ia chegando. Assim, na carta em que enviava a João Lobo de Moura, "Os cativos", um dos poemas mais desalentados da série das "lúgubres": "Acho esses cativos bastante poéticos e não pouco filosóficos, que lhe parece?" E todo o resto da carta respira tranquilidade.

Em outra carta para o mesmo amigo, e que deve ser de 1876, remetendo-lhe o soneto "Transcendentalismo", onde se exprime tão contritamente aquele misticismo em que sossegou afinal (começa pelos versos: "Já sossega depois de tanta luta. Já me descansa em paz o coração"), diz com grande serenidade: "Posso chamar-lhe um salmo, uma efusão religiosa, porque está ali com efeito a minha religião, o meu culto da existência suprassensível, sem o qual não sei o que seria desta minha pobre existência sensível".

A mesma nota de apaziguamento intelectual e sentimental se observa nas palavras com que manda a amigos outros versos, às vezes denunciadores de lutas bem lôbregas, como o soneto "*Inania regna*".

Formulando em imagens nos sonetos da última fase o seu pampsiquismo, o seu misticismo, o seu budismo, a sua chamada teoria da santidade, o poeta calou-se. Calou-se porque compreendeu que já dera a expressão exata do seu íntimo e definitivo sentir. A poesia já se podia retirar daquele ser doente, e de fato se retirou.

O filósofo ainda pensou em pôr por escrito o seu sistema. Muitas vezes falou em tal, mas no íntimo sentindo a impossibilidade de se exprimir por outras vozes que não as da poesia. Lamentando-se disso, é certo, mas sem grande convicção.

O corpo doente ainda sofreu muito, e tanto que procurou remédio na morte voluntária. Mas a alma essa estava apaziguada, porque já havia cumprido o destino com que viera marcada do berço – destino de grande poeta, intérprete dos anseios humanos mais fundos e mais puros.

ANTERO DE QUENTAL[3]

Antero Tarquínio de Quental nasceu em 18 de abril de 1842 na cidade de Ponta Delgada, capital da Ilha de São Miguel, cuja paisagem descreverá um dia a dona Carolina Michaelis como "de montes vulcânicos de formação monótona, demasiadas vezes envolvidos num tênue véu de vapor quente, que tornando baixa a abóbada do céu e pesada a atmosfera, lhe entristecia a alma, sedenta de sol já quando criança".

Pertencia a uma família aristocrática, entroncada nos primeiros colonizadores da ilha, e foram seus pais Fernando de Quental e Ana Guilhermina da Maia. Nome ilustre esse de Quental, na religião, nas letras, nas armas e na carreira marítima. Seu tio-bisavô, o venerável Padre Bartolomeu de Quental, foi o fundador da ordem da Congregação do Oratório em Portugal, orador sacro colocado pelos contemporâneos a par de Vieira, escritor místico das *Meditações* (*Meditações da infância de Cristo Senhor Nosso, Meditações da Santíssima Paixão e Morte de Cristo S. N., Meditações da gloriosa ressurreição de Cristo S. N.*). Seu avô paterno, André da Ponte Quental, distinguiu-se como poeta e tomou parte na revolução liberal de 1821, sendo depois deputado às Côrtes; mas nos últimos vinte anos de vida dera em misantropo, recolheu-se à ilha natal e queimou todos os seus versos. Segundo Joaquim de Araújo, havia muitas afinidades entre o caráter de Antero e o de seu avô André.

O pai, Fernando de Quental, tomou parte na expedição dos 7 500 homens do exército de Dom Pedro; entusiasta da revolução liberal, mandou picar o brasão de sua

---

3 Prefácio aos *Sonetos completos* e *Poemas escolhidos* de Antero de Quental, Livros de Portugal Ltda., Rio, 1942.

casa, ajudando os operários com as próprias mãos. Era homem vivo, original e espirituoso, um *charmeur*, testemunha C. Andrade Albuquerque, que atribui à herança dos pais o talento da conversação, insigne no poeta, segundo depõem todos os seus amigos.

Mais longinquamente, o sangue de Antero se aparentava, pelos Coutinho, ao do mais puro e suave prosador do século XVII, Frei Luís de Sousa.

Tudo isso representava para o poeta ricos legados espirituais, mas contrabalançados, ai dele, por taras nervosas acumuladas, e reforçadas pelo endogamismo insular.

Mas o menino teve uma vida feliz, no ambiente católico da família, e aos dez anos entrava para o Colégio do Pórtico de Ponta Delgada, fundado e dirigido por Antônio Feliciano de Castilho, a cuja paciência confessa, na famosa carta "Bom senso e bom gosto", dever "o pouco francês que ainda sabia".

Data dessa idade a primeira revelação que teve da poesia como "dum mundo novo e superior". Foi ao ler a ode da *Harpa do crente* intitulada "Deus". Trinta e um anos depois, após tanta luta interior, tanto pessimismo e tanta negação, rememora o poeta com vivo enternecimento a emoção da meninice: "Pelo tom geral de sublimidade, pela tensão constante dum sentimento grande e simples, aqueles versos revolviam-me, traziam-me lágrimas aos olhos, como se me introduzissem, embalado numa onda de poderosa harmonia, na região das coisas transcendentes..." Emoção que chegou a inspirar-lhe por largo tempo o desejo de abraçar a vida de sacerdote. Emoção que determinou a influência de Herculano em toda a poesia de fundo religioso da primeira fase, manifestando-se às vezes até no modelo da estrofe.

Em 1856 partiu Antero para Lisboa, onde terminaria os estudos preparatórios à entrada na Universidade de Coimbra, em que se matriculou dois anos depois.

Sabemos por numerosos testemunhos o que era a vida da mocidade mais avançada na velha cidade do Mondego. "Parecia a primavera do mais opulento dos séculos a refletir-se na juventude do mais desditoso dos povos." (Manuel Arriaga). "Coimbra vivia então numa grande atividade, ou antes num grande tumulto mental. Cada manhã trazia a sua revelação, como um sol que fosse novo." (Eça de Queirós). "A Coimbra de 1856! Com a sua boêmia, com a sua tradição escolástica... Vida capaz de derrancar o próprio Hércules! Noites em claro, dias dormidos, refeições caprichosas." (Sousa Martins). E o próprio Antero:

> Um sopro romântico, cálido mas balsâmico, fazia rebentar tumultuariamente as nossas primaveras em borbotões de flores; flores exóticas, estranhas, que a ciência impassível bania inexoravelmente das suas corretas classificações, mas a que dava um indizível encanto, um atrativo particular uma coisa: a mocidade.

No meio dessa mocidade Quental era a todos os aspectos uma figura dominadora. Fisicamente alto, airoso e leve, nobre de porte; vasta cabeleira crespa loura-avermelhada, barba frisada, de um ruivo mais escuro; "testa curta de Hércules Farnésio", diz Junqueiro; nariz um pouco aquilino, olhos azuis, ora alegres e intrépidos, ora perdidos em cisma ou afogados em ternura. As vestes de estudante – capa e batina – dissimulavam-lhe certos defeitos – os pés enormes, o andar de marítimo. Em conjunto a aparência física era mais de um escandinavo. Ao que correspondia caráter e inteligência, mais de homem do Norte do que de português. João Machado de

Faria e Maia afirma que em quase todas as famílias nobres dos Açores se encontram ascendentes ingleses, belgas, flamengos. O atavismo nórdico de Antero provinha de Bittencourts, de quem o poeta julgava descender pelos reis das Canárias.

À beleza física juntava Antero força e destreza: andava léguas nos seus passeios; "com a mão seca e fina de velha raça" (Eça), podia levantar grandes pesos; nos exercícios simulados de sabre vencia facilmente os colegas; e tinha o murro fulminante nas vias de fato inevitáveis. No Garrano e nas Camelas, conta ainda o Eça, "um prato com três dúzias de sardinhas, e uma canada de tinto não o assustavam nem lhe pesavam". (Pesariam mais tarde, causa talvez que foram, tais excessos, da terrível dispepsia, que iria agravar tão funestamente a sua nevrose de fundo hereditário.)

Moralmente, era Quental uma criatura cheia de contradições. Nele podiam alternar momentos de meiguice infantil e repentes de rudeza que faziam pasmar os amigos mais íntimos. Exercendo extraordinária influência sobre os companheiros, quer pela inteligência quer pelo caráter, altivo sem gabolice, fácil era dominá-lo pelo sentimento, pois com os amigos mostrou sempre a mais larga condescendência. Possuía o dom de falar às crianças e aos humildes. Indiferente por completo ao conforto, não tolerava todavia o desarranjo, e certa vez deixou o Eça estupefato pela ordem que punha na destruição de cartas e papéis. – "O ritmo", explicou ao amigo, "é necessário mesmo no delírio."

Quanto ao seu talento de conversa e improvisação, diz-se que foi um dos encantos dessa Coimbra "quase fantástica" do seu tempo. Tinha a palavra quente, sem ser enfática, e era às vezes finamente irônico. "Em sua companhia as noites passavam como instantes." (Oliveira Martins). Nas discussões nunca punha a menor vaidade pessoal, as objeções não o irritavam, antes revidava sempre em voz quase baixa, articulando cuidadosamente as palavras.

Mas esse "Príncipe da mocidade", que comandava os colegas nas campanhas liberais (Sociedade do Raio, com as suas manifestações políticas e revoltas acadêmicas) ou em simples estudantadas no Vale de Santo Antônio, vivia no fundo em grande desorientação interior e não sabia como se conduzir em relação ao problema maior para um homem de tendências metafísicas como era ele – o problema do destino humano e do sentido do Universo. Desviado da religião, caíra em estado de dúvida e incerteza, o que coincidiu com o despertar das primeiras paixões amorosas da adolescência.

Os amores de Antero... Quase nada se sabe deles. Três ou quatro amigos mais íntimos sabiam, e assim deram a entender. Mas foram discretos demais. Em matéria de amor Quental era reservadíssimo. "Pudico como um elefante." (João Machado de Faria e Maia). Este transcreve no *In memoriam* uma carta do poeta, datada de 1865, hermética para nós, mas reveladora para o amigo por "saber o bastante sobre o caso" a que se fazia alusão nela. Segundo Maia, a carta "dava o segredo e a chave da '*Beatrice*' e dos versos anteriores a 1868, assim como um afeto posterior dá a chave, talvez ignorada, dos versos amorosos, datados de 186... e daqueles que, primitivamente, foram publicados sob o pseudônimo de Carlos Fradique Mendes". É certo, porém, que nem todos os versos de amor anteriores a 1868 teriam sido inspirados pela mesma mulher; nos sonetos de 1861 há quatro oferecidos a uma certa M. C., bem diferente da "pequenina" Pepa. Além disso, sente-se que Beatrice não é Maria.

Teófilo Braga, "com plausíveis mas vagos indícios que não vencem o leitor" (Fidelino de Figueiredo), localizou em Tomar o romance da "pequenina". Batalha Reis diz ter conhecido por muitos anos os mais íntimos incidentes do sentir do coração do amigo, mas apenas para acrescentar que Antero se apaixonava violentamente, porém com passageiras vibrações: o seu profundo interesse tendo sido sempre a solução do problema transcendente. Conta ainda que em 1877, Antero em Paris, comunicara-lhe este o seu último "romance".

Mais do que todos sabia, porém mais do que todos calou, o dileto Oliveira Martins. Este fala dos soluços que lhe ouviu, "nascido do seu culto pela mulher, que era para ele a suprema obra d'arte da criação".

O médico Sousa Martins apresenta o poeta como um cerebral-anterior, isto é, que amava a mulher em pensamento, sem intenção de posse. Diz sabê-lo "de testemunhos autênticos", que não menciona. No entanto, Oliveira Martins afirma que Antero sabia enfeixar no amor "como instinto fundamental da conservação da espécie" etc. Mas reconhece que nunca o amigo pôde consolidar as suas paixões, e, mais que as revoluções falhadas e sistemas derruídos, atribui a amores infelizes (alude a um "ceifado pela morte", a outros acabados "pela mesquinhez mulheril") os motivos que "lhe arrastaram a vida, cortada de paixões várias, para a sombra do tédio, e daí para a solução frígida do nada".

Meditando sobre esses depoimentos, somos levados a crer que Antero não seria simplesmente o cerebral-anterior da diagnose apressada de Sousa Martins, mas apenas um homem a quem os atos instintivos do amor não apeteciam senão quando acompanhados dos mais nobres impulsos da alma. E como estes lhe foram sempre burlados, ter-se-ia decidido pela abstinência sexual, provavelmente mais um elemento de insatisfação nervosa para quem já os tinha de sobra na dispepsia, na falta de ambiente familiar, na ausência de uma função definida na sociedade.

Como quer que seja, Batalha Reis é que parece ter visto melhor esse lado do amigo. O amor em Antero, por isso, ou por aquilo, era um dos muitos "fogachos" em que ardia passageiramente sua alma, doente da vontade. E assim se explica não ter deixado Antero nenhum poema verdadeiramente forte e original no gênero amoroso. Ele mesmo sentia nesse ponto a sua deficiência. "As produções da minha musa erótica não têm verdadeiramente nada de original ou picante." Às suas *Primaveras românticas* chamou "Heine de segunda qualidade". Melhor seria que dissesse, em vez de Heine, João de Deus. A influência do grande lírico português é evidente em "*Beatrice*", em "Maria", em "Pepa", mas Antero nunca atingiu na poesia amorosa a incomparável ingenuidade do modelo. Até em 1864, no soneto "*Despondency*", já uma obra-prima, se sente ainda a maneira do mestre; o tema não é claramente erótico, mas o soneto devia ter resultado de alguma mágoa de amor. No entanto em sonetos filosóficos da mesma época, como "Tormento do ideal", "*Ad amicos*", "Noturnos", o tom e a maneira já são inconfundivelmente anterianos. Tom e maneira que se foram acentuando aos poucos na obra poética de Antero e só a partir da fase "lúgubre" se apresentariam definitivamente fixados.

Mas antes disso ia ainda o poeta extraviar-se na poesia de ação social, representada pelas *Odes modernas*. Mais tarde reconheceria o gênero como falso: desagradava-lhe o tom declamatório e quanto ao fundo não lhe pareciam aqueles versos definir bem e tipicamente o estado de espírito que os tinha produzido. Contudo achava o livro uma boa ação: era "uma voz sincera que pedia justiça". O poeta ainda acreditava em si e ainda acreditava na ação revolucionária imediata. Há belos decassílabos que soam como fanfarras de esperança nesses poemas quase sempre enfáticos: as "imensas florestas do porvir" se deixam entrever à luz das "imensas auroras do Futuro".

Não pertence às *Odes modernas* mas é do mesmo tempo o poema "Ibéria", a mostrar que já em 1864 sonhava Antero com a união peninsular, e até como um marco na comunhão de todos os povos:

> O grande céu! o céu da humanidade!
> Onde os povos serão constelações,
> E, destilando a luz da liberdade,
> Serão astros e estrelas as nações!

Antero concluiu o curso jurídico em 1864. Não foi, porém, o estudo do Direito que o ocupou em Coimbra, senão as questões filosóficas e sociais. Em 1865, formado e pronto para reformar o mundo, era um rapaz inconsequente que adotava Hegel em filosofia, Proudhon e Marx em sociologia.

O seu temperamento revolucionário explode pela primeira vez a propósito de uma questão literária, o escandaloso levante contra o velho Castilho. Costuma-se apontar o Eça como o modernizador da prosa portuguesa. Basta, porém, a carta "Bom senso e bom gosto" para provar que se houve uma reforma da prosa portuguesa, ela já estava evidente no famoso escrito de Antero.

O que interessava a este no caso não era a questão literária, que em si lhe parecia mesquinha, mas a questão moral. "V. Excia. diz tudo quanto se pode dizer sem ideias – boa, excelente receita para não cair nas nebulosidades do ideal." Assim escrevia a Castilho.

Ora, o ideal era tudo quanto importava a Antero. E foi para pôr a sua vida em coerência com o seu ideal que partiu em dezembro de 1866 rumo de Paris, onde ia viver como operário tipógrafo. Mais tarde, desiludido consigo mesmo, com a sua natureza delicada que não aturou o trabalho moderno "forçado, pálido e dividido, desnatural e injusto", diria que tinha ido a Paris "para comprar o direito formidável da desesperação com plena consciência". Não admira que tivesse fracassado: o seu estado de saúde era péssimo antes de partir. Em cartas a Germano de Meireles, queixava-se de insônias, palpitações e tremuras – uma agitação de espírito que o fazia por momentos recear disparasse em loucura. Tentou ainda refazer-se durante três meses em Guimarães para voltar a Paris. Inutilmente. Antes do fim do verão de 1867 estava em São Miguel. Em novembro de 1868 torna ao continente. Estoura a revolução republicana espanhola, e o poeta esteve a pique de se fixar em Madri, para defender na imprensa o sonho da união ibérica. Em vez disso, partiu em 1869 para a América do Norte no patacho de seu amigo Negrão, figura curiosa, meio artista, aventureiro, negociante, capitão de navios e grande pescador de atum.

A viagem fez-lhe bem e o regresso a Lisboa é assinalado por uma nova fase de atividade socialista, com a fundação de sociedades operárias (foi, com José Fontana, o introdutor da *Internacional* em sua pátria), e em 1871 a organização da série de conferências culturais no Cassino Lisbonense.

O fim destas conferências era produzir uma agitação intelectual na massa amodorrada da sociedade portuguesa. Os seus promotores apresentaram um programa, mas guardaram-se de apresentar uma doutrina, a não ser a diretriz muito geral de espírito racionalista, de humanização das questões morais. Antero falou duas vezes, a primeira pronunciando o discurso de abertura, a segunda discorrendo sobre as *Causas da decadência dos povos peninsulares nos três últimos séculos*. Mais tarde, na autobiografia, criticará no discurso a influência de ideias políticas preconcebidas, da crítica histórica com tendências. Todo o movimento aliás lhe aparecerá como "uma aurora à qual não se seguiu dia, ou só um dia fusco".

A interrupção da série das conferências, medida governamental, provocou do poeta uma carta aberta ao Marquês de Ávila e Bolama, ministro do Reino, obra--prima de sarcasmo, a qual confirma o que dissemos atrás a respeito da carta a Castilho e justifica plenamente as palavras da autobiografia, tão mesquinhamente acoimadas por Teófilo Braga de "vesânia mental" quando Antero reconhece que a natureza lhe concedera "o dom da prosa portuguesa, não da prosa de convenção, arremedando o estilo dos séculos XVI e XVII, mas de uma prosa que tem o seu tipo na língua viva e falada de hoje, analítica já nos movimentos da frase, mas na linguagem ainda e sempre portuguesa". Antero passou a ser citado como modelo da prosa moderna. E com razão. Leia-se isto, por exemplo:

> Portugal, dizia-se há anos, é o país mais liberal da Europa! A Europa, diziam os correspondentes dos jornais provincianos, inveja a nossa sorte, e acha-a única. A Europa, diziam no Grêmio os jogadores de bilhar, estuda com afinco as nossas instituições, e dúvida se chegará a imitá-las! A Europa quase que não compreende a nossa fenomenal liberdade de pensamento! Somente, meus senhores, ninguém se lembrava de pensar. Um dia decidiu-se alguém a pensar livremente. O Sr. Marquês d'Ávila pôs logo o seu chapéu ensebado em cima da liberdade de pensamento!

Temos aí, antes do Eça, tudo o que nos surpreende e fascina no Eça. A diferença entre a prosa de Antero e a prosa do Eça, é que este ficará sempre no riso sarcástico. Ora, para Antero o riso "era um dissolvente e não um remédio, arma perigosa de dois gumes, que amolece e relaxa". Antero achava que "uma certa dose de seriedade, ainda quando seja um pouco hirta, um pouco pedantesca na sua gravidade convicta, e por conseguinte um pouco ridícula, é condição essencial da vitalidade e da sanidade do espírito público". E a gravidade convicta foi uma constante do espírito de Antero.

Interromperam-se as conferências do Cassino, mas não se interrompeu a ação renovadora de Antero. Recolhendo-se a São Miguel em 1873, volta a meditar num novo livro que deveria chamar-se *Programa para os trabalhos da geração nova*. Numa carta a seu amigo Oliveira Martins, datada de 26 de novembro desse ano, declara-se Antero em "estado de parto", às voltas que andava com um trabalho sobre *O cosmos e a evolução*.

> Sinto mover-se no fundo mais íntimo do meu *eu* pensante, naquele fundo que já não é *eu* mas o espírito humano, uma ideia imensa, toda uma Filosofia, que não é um sistema, mas a mesma ideia histórica da humanidade, perseguida, entrevista, esquivada, pressentida através de todos os sistemas, de todas as religiões, de todas as revoluções... Depois trevas! Olho para as páginas em que pretendo condensar essa ideia, e só encontro verbalismo, abstrações, eloquências às vezes, mas em tudo aquilo um não sei quê de hirto, de estéril!

Estranha instabilidade, que o fazia definir-se "doente e apaixonado, cheio de contrastes e fraquezas, ardente e ao mesmo tempo mórbido, reto e juntamente sutil, uma criação tão artificial na ordem da inteligência quanto o é na ordem fisiológica uma condessinha espiritualista e pálida do *faubourg Saint-Germann*".

O clima de São Miguel, que sempre lhe foi adverso, os trabalhos e canseiras da meditação metafísica reduziram-no a um estado lamentável. Em 1874 queixava-se a Germano de Meireles de uma inércia "verdadeiramente invencível". Passava a maior parte dos dias deitado de costas, incapaz de qualquer esforço. Aceitaria de bom grado a morte, "mas a natureza não me faz essa fineza", escreveu a Germano, "e o suicídio repugna a certos meus sentimentos morais".

A morte foi então o grande tema de suas reflexões. Fala dela em várias cartas. A João Lobo de Moura:

> A morte, meu caro, é quanto a mim toda uma filosofia e relendo ultimamente o famoso capítulo de Proudhon sobre o assunto acudiram-me ideias bastantes para compor com ela uma Filosofia da Morte no gosto daqueles tratados de Sêneca e de Cícero, mas com mais profundidade. Enquanto porém não o faço (se chegar a fazê-lo), tenho ido depositando em sonetos aspectos mais frisantes daquela grande realidade.

Era, como sempre, o filósofo exprimindo-se na voz do poeta, e este procurando pela lei do menor esforço o soneto, para ele a forma lírica por excelência no seu poder de concentração, de unidade e de simplicidade.

E Antero foi, na verdade, um dos grandes poetas da morte. Mas da morte concebida sempre como libertadora, como a irmã do Amor e da Verdade, Beatriz funérea e de mão gelada sim, mas única Beatriz consoladora...

"Só confio na morte, como a única solução satisfatória, radical, definitiva", escreveu a João Lobo de Moura; "e, para dizer-lhe tudo, chego a desejá-la, como diz Shakespeare, *desejá-la devotadamente*".

Oliveira Martins, vindo visitá-lo na ilha, ficou tão alarmado com a saúde do amigo, que decidiu voltar com ele para o continente. Antero entrava na fase aguda da doença nervosa de que nunca pôde restabelecer-se. Os sofrimentos da nevrose puseram-no de novo e mais despoticamente do que nunca em face do problema da existência. Um pessimismo negro fazia-o olhar a vida como coisa vã e incompreensível, todo o Universo como um colossal disparate. Mas ao mesmo tempo que o homem afundava na descrença e no desespero, o poeta se erguia soberanamente à sua expressão mais forte, mais pura, ao que ele próprio chamou a sua maneira definitiva. É a fase das "lúgubres", que dá em "A fada negra", a nota mais pungente dessa crise espiritual, dos sonetos *"Anima mea"*, "Divina comédia", "Espectros", "Nirvana", "Consulta", "Visão" e alguns outros não menos admiráveis.

Camões, num soneto célebre, bradou, gritou que era o homem "mais desgraçado que jamais se viu". Grito épico de uma natureza viril e sadia, – feliz em suma. Sentiu-o bem Quental quando escreveu a Maxime Formont que *"tout bien pesé, Camões a été un homme heureux plutôt qu'un homme malheureux"*. Um grito como o do soneto "No circo" ("É assim que rujo entre leões agora") é raro em Antero. Nos momentos de maior desesperação o queixume lhe sai mansamente balbuciado do mais fundo da alma transida e como que moribunda. A descrença, a incapacidade de crer quando se tem a necessidade de crer, eis a grande, a verdadeira infelicidade, e Antero, este sim, foi durante os seis anos de completo pessimismo o homem "mais desgraçado que jamais se viu" (não conheço nada mais triste do que as palavras do soneto "Consulta").

O poeta prezava mais os seus sonetos da última fase; era um julgamento de critério moral, julgamento de quem punha "as ideias acima dos fatos e o valor moral acima de todos os valores". Estou, porém, com dona Carolina Michaelis, para quem Antero ficaria na história como Poeta do Desespero e da Morte, cujos cantos mais típicos são o "Elogio da morte", o "Hino da manhã", *"Oceano nox"*, "Luta", *"Lacrimáe rerum"*. Na extrema infelicidade, como que se despojou Antero de todas as linhas mortas, de todos os ritmos precários da sua técnica de poeta. "Decididamente se me renovou o estro e descobri a minha maneira definitiva", escreveu a João Lobo de Moura. Até ali o poeta só atingira a perfeição, "a nota exata", em alguns sonetos. Mas as "lúgubres", a "Serenata", "Na sepultura de Zara" mostram que o amadurecimento artístico de Antero, começado no soneto, forma de sua predileção, se estendera, a partir de 1874, a tudo quanto escrevia.

Em junho de 1876, triste bastante na casa de Ponta Delgada onde *viera ao mundo não sabia para quê*, escreve a Oliveira Martins uma carta em que assinala uma etapa importante de sua ruminação metafísica. Procurava uma espécie de religião individual mas sentia que uma religião individual "nunca pode equivaler em firmeza, confiança, serenidade, aquela ampla comunhão espiritual, ideia-sentimento, em que a franqueza do indivíduo se ampara na potência da coletividade". O Cristianismo católico lhe parecia ainda o melhor e maior sistema. Por quê? Explica:

> Há ali abismos de gênio, uma visão prodigiosa dos mais largos horizontes ideais, e ao lado disto um senso prático, uma prudência admirável, um profundo sentimento da estranha combinação de grandeza e miséria que é a natureza humana, de tal sorte que quem não conhece e compreende o Cristianismo, não pode dizer que conhece e compreende a humanidade.

Mas via na ignorância da Natureza o lado fraco, a lacuna dessa criação incomparável como sistema metafísico e moral. E a ideia que lhe germina então é de completar o Cristianismo com a ciência do real: um misticismo dentro da realidade, considerada esta como um meio e instrumento adequado para a ascensão espiritual, "a grande coisa, a nova redenção". Não julgava ainda necessário procurar o Budismo.

Em 1877 e em 1878 fez Antero duas viagens a Paris para consultar o grande Charcot. Os médicos portugueses tinham-lhe diagnosticado uma doença da espinha, e em 1875 o doutor Curry Cabral lhe aplicara pontas de fogo. Charcot foi franco e positivo: *"On s'est trompé; vous n'avez rien à l'épine, vous avez une maladie de femme, transportée dans un corps d'homme, c'est l'hystérisme"*. E receitou-lhe hidroterapia. Batalha Reis, que o viu em Paris, achou-o transformado: "Estava alegre, animado, expansivo, cheio de planos". Assim voltou para Lisboa, onde foi morar com a irmã Ana (a mãe morrera no ano anterior). Mas o novo fogacho não tardou a amortecer. Voltaram as insônias, as dores, as fobias, as astenias musculares, o tédio com o seu "plúmbeo capacete" – todo o cortejo implacável da nevrose. O poeta passava os dias largado na cama, a cismar. "Sobre a mesa da cabeceira", escreve Batalha Reis, "havia sempre um livro marcado de sinais simetricamente cortados, um pequeno pedaço de papel com alguns versos, – às vezes apenas um ou dois, nos tercetos finais do futuro soneto, cujas quadras estavam ainda em branco."

Tal era o seu estado físico em 1878. E a "terrível Metafísica"? Já reconhecia que o Universo não podia ser um disparate, mas "que somos", dizia, "para pretender penetrar o absoluto? Há que aceitá-lo humildemente no seu mistério, o que praticamente se traduz por resignação." E acrescentava: "Se isto é *o fundo do fundo* do Cristianismo, ainda hoje sou cristão, ou melhor, sou-o cada vez mais".

Já aludimos à falta que fez na vida do poeta a ausência de uma função definida na sociedade, de deveres impostos pela necessidade de um ganha-pão. Antero herdara terras em São Miguel, as quais, embora arrendadas a mínimo preço por escrúpulo socialista, lhe davam o bastante para viver. A sua única experiência de trabalho profissional regular foi a de tipógrafo em Paris. Nem o meio nem o ofício podiam convir à sua natureza. O fracasso parece que o desencorajou para qualquer outra tentativa, e quando da sua viagem aos Estados Unidos recusou o oferecimento de uma boa situação de professor de português. Já quanto à falta de uma vida de família, se não teve a experiência completa de marido e pai, teve, a partir de 79, um sucedâneo salutar quando passou a viver com às filhinhas de Germano de Meireles, por ele adotadas. Considero enorme a influência dessas meninas na pacificação espiritual de Antero. Pacificação que se foi acentuando, com as melhoras da saúde, depois que o poeta se instalou no tranquilo casarão de Vila do Conde, "terrazinha antiga, plácida e campestre, muito ao sabor dos meus humores de solitário", escreve a J. M. de Faria e Maia.

Ali é que começa a ouvir mais forte a humilde voz, "não sei que voz", que "em segredo protesta e afirma o Bem". O comentário desse verso do soneto "Voz interior" encontramo-lo numa carta a Fernando Leal:

> No fundo do coração há uma voz humilde mas que nada faz calar, a protestar, a dizer-lhe que há alguma coisa por que se existe e por que vale a pena viver. Essa é a verdadeira revelação, o Evangelho *eterno*, porque é a expressão da essência pura e última do homem, e até de todas as coisas, mas só no homem tornada consciente e dotada de voz.

A carta é de 1886. O filósofo já está de posse do seu sistema. Já penetrou o sentido daquele suspiro das coisas tenebrosas". Dissipara-se afinal o nevoeiro schopenhaueriano do pessimismo, "redução ao absurdo do naturalismo e das mil ilusões filhas dele", deixando transparecer no Universo já claro "aquilo que no homem é já filho da natureza, mas superior a ela e autônomo: a vida da consciência e a sua mais alta expressão, o sentimento moral". O suspiro das coisas tenebrosas é a ânsia de espiritualização, é a matéria cativa aspirando a acordar um dia, já puro pensamento, na consciência do santo. Porque o fim último do Universo é a liberdade, e só a perfeita virtude, a renúncia a todo o egoísmo, define completamente a liberdade. Sejamos santos para que o nosso *eu* se possa unir com o seu tipo de perfeição, para que o nosso ser se dissolva budicamente no Não-Ser que é o Ser único absoluto, ou numa palavra – Deus.

No político essas ideias se refletiam na subordinação do problema do aperfeiçoamento das instituições da vida material do homem na sociedade à da criação da ordem nas consciências, à remodelação do homem interior. Foi com esse ideal que em 1891 aderiu à quimera generosa da Liga Patriótica do Norte, pois, segundo informa Luís de Magalhães Lima, seu companheiro na iniciativa, a questão inglesa preocupava-o pouco. O que o interessava era aproveitar aquele incidente, fácil de compor diplomaticamente e em suma providencial, para organizar o renascimento moral da pátria.

Em Vila do Conde entregara-se Antero com amorosa solicitude a duas tarefas, uma inspirada na educação de suas pupilas, outra no desejo de rememorar toda a sua evolução intelectual e sentimental desde 1860.

A primeira foi o *Tesouro poético da infância*, coleção de poesias colhidas nos romances e cancioneiros populares portugueses ou nos poetas do século XIX. O livrinho saiu a lume em 1883 e seria o primeiro de uma série intitulada "Biblioteca da infância e adolescência", a qual conteria mais dois volumes – um de contos de fadas, encantamentos etc., outro de rasgos morais e tocantes, espécie de *Tesouro de exemplos*. Vencendo as dificuldades que ele, "poeta apocalíptico", sentiu no gênero, escreveu para o livro o poema "As fadas" e uma restituição do romance de Goesto Ansures em linguagem moderna.

A segunda foi a coleção dos *Sonetos completos*, reunidos e dispostos de modo que formassem como que as memórias de uma consciência, uma espécie de autobiografia (tanto neste poeta, que desdenhava em si do poeta, tudo acabava por se organizar sob forma poética).

"Será", escreveu a Santos Valente quando em 1882 lhe veio a ideia do livro, "a autobiografia dum sonhador, dum crente? – crente em quê? – no invisível, no insondável, no que não é esta miserável existência real, que evidentemente não pode ser o que parece, porque então o Universo seria absurdo." O projeto amadureceu lentamente. Depois daquela data o pensamento do poeta se desembaraçara dos últimos travos de pessimismo e ele compusera mais uns quinze ou vinte sonetos, onde (explicou em carta a F. M. de Faria e Maia) "o fundo do meu pensar e sentir se revela nítido e puro, e onde cheguei a dar expressão poética ao misticismo moderno, misticismo científico e positivo, se assim se pode dizer".

Os sonetos vêm no livro seriados em períodos cronológicos. Antero, porém, numa intenção de unidade talvez, nem sempre foi exato nas datas. Assim, por exemplo, está colocado no último período (1880-1884) o segundo soneto do "Elogio da morte", o qual é seguramente anterior a 1877, porque foi remetido pelo poeta a seu amigo João Lobo de Moura em carta sem data precisa, mas falando de Germano de Meireles ("O Germano está em Lisboa"). Ora, Germano morreu em dezembro, de 1877.

Ao organizar a coleção, não pretendeu Antero "fazer obra literária, mas outra coisa a que dava mais valor". Era em forma poética – na forma fixa do soneto, de que dera na pequena coletânea de 1861 a sua concepção e teoria – uma ação moral: a *proposição*, debate e resolução de um problema psicológico através de uma vida. Se a coleção de 1886 tinha algum valor literário para Antero, era por anunciar nos poucos sonetos da última fase uma poesia nova onde se deixava entrever o que ele firmemente acreditava ser "a direção definitiva de pensamento europeu, o Norte para onde se inclina a divina bússola do espírito humano".

Dois desses sonetos – a invocação "À Virgem Santíssima" e "Na mão de Deus" – foram muito discutidos, até na Alemanha: uns os tomaram como um regresso, como os primeiros passos no caminho da conversão; outros os encararam como "simples reminiscências, antigas, meio inconscientes" (Carolina Michaelis de Vasconcelos). É preciso, a propósito desta segunda opinião, advertir que Antero, por mais conscientemente que procurasse escrever, não escapava, como todo grande poeta, ao prestígio do subconsciente, e uma vez mesmo, no caso do soneto *"Mors-amor"*, escreveu sem saber bem o que estava escrevendo, e enviando o soneto a João Lobo de Moura confessava: "Comunico-lhe um soneto feito já aqui (em Paris no ano de 1877). Não sei bem o que quer dizer, francamente; mas a execução agrada-me."

A propósito do soneto "À Virgem Santíssima" há um esclarecimento precioso numa carta do poeta a Lobo de Moura, a mesma carta em que fala de Germano de Meireles. Os versos são pois anteriores a 1877. Enviando esse e outro soneto, diz do primeiro "... foi composto por um monge da Idade Média (aí pelo século XIII), na solidão *soave-austera* do Monte Cassino, um contemporâneo talvez do autor misterioso da Imitação de Cristo, e é redigido à Virgem cheia de graça do sentimento cristão, a que mais tarde um pagão ilustre deu o nome de Eterno Feminino". Estas palavras mostram que o formoso salmo não deve ser tomado ao pé da letra, e que a Virgem se afigurava ao poeta como um símbolo – o mesmo símbolo de Goethe.

Quanto ao soneto "Na mão de Deus", foi enviado a João de Deus em carta de 20 de julho de 82 com estas palavras: "O meu pessimismo tem-se desvanecido com esta vida contemplativa no meio da boa natureza. Reconheci que andar por toda a parte a proclamar, com voz lúgubre, que o mundo é vão era ainda uma última vaidade..."

Aproximem-se agora essas palavras das que escreveu a Anselmo de Andrade:

> Ou o Universo é o delírio dum demônio, ébrio de sua maldade, ou para além do extremo arco da ponte da vida nos espera o seio vasto duma Bondade, a quem não esquece um ai, um suspiro só... Sem este equilíbrio de além-túmulo o mundo moral inclina-se sob o peso de suas ruínas acumuladas de séculos, e tomba e rola desamparado nos abismos do nada! Quando num prato da balança eterna se lança toda essa massa espantosa das desgraças humanas, tamanho peso só se compensa, pondo no outro o amor infinito – Deus. Sim, Deus! Espírito, Força, Princípio, Essência, Jeová ou Brama, que me importa um nome? Eu chamo a Deus justiça! Na queda e triste ruína das ilusões antigas, das velhas crenças das gerações, fica-nos eterna essa grande palavra. – E que está gravada no coração. Só arrancando-o a poderão tirar de lá. E nem assim. No deserto das alturas a águia que o empolgasse leria *justiça* nas carnes palpitantes... e cairia assombrada!

O gesto do doente em Ponta Delgada, junto ao muro da cerca do Convento da Esperança, pelas 8 horas da noite de 11 de setembro de 1891, terá tido a virtude de recolocar aquela alma dolorida na mão direita de Deus, isto é, na paz da justiça, na paz "de quem encontrou na Liberdade moral e no Bem a lei da existência, a chave dos seus mais tenebrosos enigmas e aquela consolação mística que não só sossega o coração e acalma os desvarios da imaginação, mas ainda fortalece e enrijece a vontade para as lutas da vida..."

> Eras tu – liberdade peregrina!
> Esposa do porvir – noiva do sol!

Se era esposa do porvir, não podia a liberdade ser ao mesmo tempo a noiva do sol. Mas que auroras há nesses dois versos! Duas palavras totais, novas e estranhas à língua.

Pedro Luís falando da guerra escreveu:

> Quando ela apareceu no escuro do horizonte,
> O cabelo revolto... a palidez na fronte...

É belo, sem dúvida. Mas na sua réplica da "Deusa incruenta" o poeta baiano descreve assim a invenção da Imprensa:

> Quando ela se alteou das brumas da Alemanha,
> Alva, grande, ideal, lavada em luz estranha...

"Alva, grande, ideal..." Três adjetivos, três simples adjetivos de uso cotidiano. Mas eles nunca tinham sido aproximados para se refazer a palavra total onde muito mais impressivamente do que nos versos de Pedro Luís avulta a personagem de corpo inteiro, e transfigurada, e verdadeiramente "lavada em luz estranha". Aqui há a centelha do gênio, ali não. Esse o "prisma fantástico", o valor irredutível no domínio da poesia dessa criança que em seu tempo encarnou e exprimiu o sentimento do seu povo.

A correção do sexto verso acarretou, por causa da rima, a do oitavo e "Das asas o pó d'ouro à luz do sol" passou a ser "O pó das asas lúcidas, douradas..." Neste verso há o voo de Ariel, no outro a queda de Ícaro. Neste o ritmo ascende no vocábulo esdrúxulo "lúcidas" e plana no grave "douradas"; no outro cai com o agudo "sol".

Na segunda estrofe não houve alteração. Na terceira escrevera o poeta:

> Trocar os astros pela luz dos círios,
> Leito macio por esquife imundo,
> Trocar os beijos da inocente esposa
> Pelo sepulcro solitário e fundo.

Na versão definitiva ficou:

> Ai! morrer é trocar astros por círios,
> Leito macio por esquife imundo,
> Trocar os beijos da mulher – no visco
> Da larva errante no sepulcro fundo.

Mais patético com o seu "Ai", mais pungentemente realista com a menção da larva "errante no sepulcro fundo".

Na oitava seguinte o verso "Só tenho os braços de uma cruz erguida" foi mudado para "Só tem por braços uma cruz erguida". Aqui, provavelmente num injustificado escrúpulo gramatical, o poeta, pela única vez nesse poema, piorou a expressão, que era clara e se tornou ambígua, pois o que ele queria dizer é que "triste Ahasverus, só teria para o receber no fim da estrada os braços de uma cruz".

A sexta estrofe de "Mocidade e morte" não existia em "O tísico" e é importante como confissão das experiências derrisórias da mocidade – "Levei aos lábios o dourado pomo. Mordi no fruto podre de Asfaltita" – como lamentação da morte prematura: "E eu morro, oh Deus, na aurora da existência. Quando a sede e o desejo em nós palpita..."

Finalmente na última estrofe aparecem várias substituições, que, embora de pouca monta, aperfeiçoam sensivelmente o sentido e a música do poema. Em lugar de "Adeus, amante filha dos meus sonhos": "Adeus! pálida amante dos meus sonhos!" Os versos "Ó minha irmã, com teus cabelos soltos, / De nosso velho Pai enxuga os prantos" foram mudados para melhor: "Escuta, minha irmã, cuidosa enxuga / Os prantos de meu pai nos teus cabelos", o que, por exigência da rima, trouxe no segundo verso a substituição de "encantos" por "anelos".

Para que todos os versos terminassem em palavra paroxítona, o poeta, assim como emendou na segunda oitava os versos "Adornada com os prantos do arrebol" e "Das asas o pó d'ouro à luz do sol", alterou também a última oitava a partir do sexto verso. O que era:

> Fora louco tentar contra o impossível,
> Da vida a um sopro se m'extingue a luz.
> Resta-me agora por amante – a terra,
> Futuro – o nada? – proteção – a cruz?

tornou-se, com mais forte efeito:

> Fora louco esperar! fria rajada
> Sinto que do viver me extingue a lampa...
> Resta-me agora por futuro – a terra,
> Por glória – o nada, por amor – a campa

E o último verso do dístico final, que era uma interrogação suspensiva: "Terei o sono sob a lájea fria?" se transforma na grave resolução de uma cadência perfeita:

> Adeus... arrasta-me uma voz sombria,
> Já me foge a razão na noite fria...

O pressentimento tão ingenuamente expresso nesse extraordinário poema só em parte se cumpriu. O poeta adivinhou que trazia no organismo o germe da moléstia "que não perdoa"... que não perdoava ou raramente perdoava então – porque hoje o pneumotórax, a toracoplastia e os antibióticos a obrigam a perdoar. Morreria cedo, "na aurora da existência", mas não sem satisfazer em muito "dourado pomo" a sede e o desejo, não sem conhecer o carinho de muitas mulheres, cujos fantasmas amoráveis evocou numa formosa galeria de sonetos, não sem ter o nome escrito no Panteon da História como soberbo cantor da natureza de sua terra, como excelso poeta paladino das mais nobres causas do seu tempo. Não podia profetizar que o seu nome se tornaria para todo o sempre em sua pátria o símbolo da mocidade generosa, do imorredouro anseio de liberdade e de justiça.

Saudação a Nicolas Guillén[4]

MEU CARO POETA. – A simpatia que me inspira o vosso belo país vem dos dias de minha infância, quando ele ainda lutava por alcançar a sua independência. De norte a sul todo o Brasil se interessou profundamente pela sorte da revolução cubana e eu tenho bem vivo na lembrança o espetáculo de um bando precatório em que os estudantes brasileiros levavam pelas ruas da cidade grandes bandeiras do Brasil pejadas do dinheiro que o povo ia atirando na intenção de auxiliar a causa dos patriotas em armas sob o comando de Máximo Gómez. Maceo, que já havia tombado, tornara-se para nós a figura simbólica do herói da liberdade. Cantavam-na os nossos poetas, e eu mesmo costumava recitar um poema em que o autor propunha a

> Cuba altaneira
> Como sagrada bandeira
> Desfraldada heroicamente,
> Bela, impoluta, imponente,
> A mortalha de Maceo!

Foi assim que recebi na meninice a primeira impressionante lição de que acima da vida está, deve estar um ideal que seja a razão de viver.

Se menino comecei a amar a terra que tanto havia sofrido para conseguir tão depois de suas irmãs americanas o direito de viver livre, mais tarde vim a amá-la por outro motivo – pela forte e nova emoção de seus poetas.

Desde aquela tarde de dezembro de 1820 em que, no mesmo ano da publicação das *Méditations* de Lamartine, uma criança de gênio escrevia a patética meditação, de sabor já tão americano, tão novo, *"En el Teocali de Cholula"*, Cuba tem sido uma pátria de poetas, de bons poetas. Já o velho Menéndez y Pelayo dizia que em Cuba todo o mundo fazia versos, justificando esse pendor poético pela ardente fantasia dos seus naturais, a veemência de seus afetos, a viveza e rapidez de compreensão, própria da mente dos *criollos*, a mobilidade de suas impressões, o ouvido harmônico de que a natureza parece tê-los dotado e que os faz em extremo sensíveis aos prestígios da música.

> *Quien considere [escreveu ainda o grande mestre da crítica espanhola] por una parte los versos de Heredia, la Avellaneda, Luaces, Milanés, Plácido, Zenea y Mendive y por otra parte este fárrago de execrable barbarie, se sentirá tentado a creer que la Gran Antilla tiene el privilegio de producir la mejor y la peor poesia del mundo americano.*

A melhor poesia, não só em seu sentido absoluto, mas ainda no sentido de fazer progredir aquilo que Pedro Henríquez Ureña chamou a nossa luta pela expressão. Se Heredia em alguns poemas, se Concepción Valdés e Zenea haviam logrado desembaraçar-se do aparato retórico pseudoclássico para exprimir com deliciosa ingenuidade a paisagem e a alma de seu país, mais tarde outro filho privilegiado de Cuba, José Martí, lançava num pequenino livro de poesia doméstica, o *Ismaelillo*, as

---

4   Pronunciada na Academia Brasileira de Letras.

sementes da grande revolução literária que iria renovar as fontes da lírica castelhana, esgotadas desde os tempos de Gustavo Adolfo Bécquer. Todos os críticos reconhecem nele e em Julián del Casal dois dos precursores do movimento que Darío e Herrera y Reissig levariam ao seu apogeu. Depois quando o Modernismo se exauriu em preciosismos de cisne *de enganoso plumaje* e um grande poeta do México lançou o famoso conselho: *Tuercele el cuello al cisne*, em Cuba uma geração nova voltou à simplicidade que foi a lição de Martí, acreditando, como ele, *en la necesidad de poner el sentimiento en formas llanas y sinceras.*

Mariano Brull, Emilio Ballagas, Eugenio Florit são os grandes nomes dessa geração, hoje em plena maturidade. A ela pertenceis, como sua figura mais completa na sua expressão mais original – a poesia negra. A grande novidade dessa poesia é que nela o negro não entra mais apenas como curiosidade folclórica, como elemento de pitoresco, e sim como realidade racial, social e política, como fator essencial no processo da vida cubana, como irmão degradado e escravizado que urge redimir. Em vossa poesia não vos limitastes a aproveitar-lhe a prodigiosa riqueza rítmica elevando-a, como jamais se fizera, à dignidade das formas cultas dos brancos. Compreendestes que o negro escravizado é um caso particular do pobre – negro, amarelo, vermelho ou branco – escravizado. Desde que principiastes a fazer versos dissestes, como Martí já havia dito:

> Con los pobres de la tierra
> Quiero yo mi suerte echar.

Da cor cubana chegastes, por alargamento dessa funda simpatia de raiz, à cor humana, universal ou integral, a que se referiu Unamuno.

Hoje, que nos dais a honra e o prazer de vossa visita, podemos verificar a exatidão daquele vosso autorretrato:

> Yo,
> hijo de América,
> hijo de ti y de África,
> esclavo ayer de mayorales blancos dueños de látigos coléricos;
> hoy esclavo de roios yanquis azucareros y voraces;
> yo chapoteando en la oscura sangre en que se mojan mis Antillas;
> ahogado en el humo agriverde de los cañaverales;
> sepultado en el fango de todas las cárceles,
> cercado día y noche por insaciables bayonetas;
> perdido en las florestas ululantes de las islas crucificadas en la cruz del Trópico;
>
> yo, hijo de América,
> corro hacia ti, muero por ti.
> Yo, que amo la libertad con sencillez,
> como se ama a un niñó, al sol, o al árbol plantado frente a nuestra casa;
> qué tengo la voz coronada de ásperas selvas milenarias,
> y el corazón trepidante de tambores,
> y los ojos perdidos en el horizonte,
> y los dientes blancos, fuertes y sencillos para tronchar raíces
> y morder frutos elementales;
> y los labios carnosos y ardorosos
> para beber el agua de los ríos que me vieron nacer...

Assim sois, assim viajais pelas repúblicas irmãs da nossa América, escoltado pelas sombras de vossos dois avós:

> Lanza con punta de hueso,
> tambor de cuero y madera:
> mi abuelo negro.
> Gorguera en el cuello ancho,
> gris armadura guerrera:
> mi abuelo blanco.

A esses dois avós juntastes pelo sortilégio de vossa poesia e

> los dos se abrazan.
> Los dos suspiran. Los dos
> las fuertes cabezas alzan;
> los dos del mismo tamaño
> bajo las estrellas altas;
> los dos del mismo tamaño
> ansia negra y ansia blanca,
> los dos del mismo tamaño
> gritan, sueñan, lloran, cantan.
> Sueñan, lloran, cantan.
> Lloran, cantan.
> Cantan!

Sim, cantam no vosso canto, que hoje paira tão alto entre as estrelas altas de todos os céus da América.

Meu caro poeta, não ousei confiar ao azar da improvisação as palavras cordiais que desejava dizer-vos em nome desta Academia. Quis meditá-las, quis escrevê-las para que as pudésseis guardar convosco. Por pobres e pálidas que elas vos pareçam, ficai certo que quiseram exprimir, tentaram exprimir o amor de vossa poesia, o amor de vossa grande Antilha, o amor da poesia cubana e do que sempre foi insepa-rável dela: o amor da liberdade e da justiça social.

RAUL DE LEONI[5]

Sr. Presidente. Meus caros Confrades. Estive no dia de ontem relendo um dos mais belos livros de poesia de nossa literatura: a *Luz mediterrânea*. Prestava assim mais uma vez a homenagem da minha admiração e da minha saudade ao poeta e amigo desaparecido há 25 anos. Pois foi a 21 de novembro de 1926 que Raul de Leoni expirou serenamente em sua casa de Itaipava. Tinha 31 anos apenas. Deixava apenas aquele livro, editado quatro anos antes.

Ninguém poderia suspeitar que esse autor de um só volume, que esse poeta tão requintado no fundo e na forma: no fundo pela qualidade de sua inspiração,

---

5   Oração pronunciada na Academia Brasileira de Letras.

aristocraticamente filosófica, na forma, pela elegância de sua dição poética, se tornaria um favorito do grande público; que as suas edições se sucederiam a curtos intervalos, o que é certamente o sinal mais seguro da consagração *post mortem*. Depois dos românticos, nenhum poeta, a não ser Bilac e Augusto dos Anjos, teve tão grande aceitação. Mas Bilac é autor acessível a toda a gente na sua sensibilidade cálida e sem complicações, na sua forma limpidamente cantante. Augusto dos Anjos e Raul de Leoni não. Raul não chegava à extravagância, ao mau gosto quase genial do outro, mas apresentava certas asperezas, certas peculiaridades, que me pareceram, a esta minha releitura de ontem, clara influência do poeta paraibano. O frequente emprego dos superlativos, por exemplo: "Deitando profundíssimas raízes...", "Foste como um tristíssimo Sansão..."; o vezo de encher com duas palavras todo um decassílabo: "Espiritualidades comoventes...", "Da fantasmagoria universal..." Não vos parece do *Eu* esta estrofe derradeira do poema "Um fantasma"?:

> E da matéria cósmica que tem
> Tantos e variadíssimos estados
> Eu sou o estado-alma, quer dizer
> O último estado rarefeito, o estado ideal:
> Alma, o estado divino da matéria!...

Todavia existe nesses versos alguma coisa que é profundamente do poeta da *Luz mediterrânea*: a conjugação do humano e do divino. Na "Ode a um poeta morto" já ele dissera que

> ... o sentido da Vida e o seu arcano
> É a imensa aspiração de ser divino,
> No supremo prazer de ser humano!

E se amava tanto Florença, era porque a achava

> A mais humana das cidades vivas!
> A mais divina das cidades mortas!...

E quando em outro poema redige a folha de serviços do poeta, o que lhe põe na boca, para fecho de sua ação nesta vida, é isto:

> Passei humanizando as coisas pelo mundo,
> Para divinizar os homens sobre a Terra!

Muito curioso em Raul de Leoni é que, vivendo para "o prazer sutil do pensamento" e para "a serena elegância das ideias", tanto glorificasse o instinto como o verdadeiro meio de encontrar a felicidade. "És a minha verdade e a ti me entrego", disse num soneto. Comentou com acerto Rodrigo M. F. de Andrade, prefaciador da segunda edição da *Luz mediterrânea*, que os poemas de Leoni celebravam menos o instinto do que a ideologia do instinto, ou o sistema que erigiu o instinto em verdade metafísica.

De resto a verdade é sempre coisa metafísica em Leoni. Se não sabia a Vida o que é nem por que é, amava-a porque a achava bela, achava-a louca e bela, e sabia que "a beleza é a mais generosa das verdades".

Era alegre e feliz no seu delicado ceticismo, dizia não se enganar com coisa alguma dentro deste mundo. Entretanto...

> Entretanto, não sei... cada manhã que nasce,
> Cheia de virgindade e adolescência,
> Eu saio para a Vida,
> Levando uma alma nova e um sorriso na face,
> Sentindo vagamente que esse dia
> É o meu primeiro dia de existência...

Versos que o definem maravilhosamente: foi sempre assim que vi aquele belo rapaz, tão inteligente, tão fino, tão generoso, tão profundamente poeta, e cuja morte prematura quis hoje prantear nesta Casa ainda que com tão pobres palavras.

Prefácio às *Poesias completas* de Ascenso Ferreira

Não me lembro se antes de me avistar pela primeira vez com Ascenso Ferreira (foi, se não me engano, em 1928, no Recife) eu já tinha conhecimento dos seus versos. Como quer que fosse, eles foram para mim, na voz do poeta, uma revelação. Pois quem não ouviu Ascenso dizer, cantar, declamar, rezar, cuspir, dançar, arrotar os seus poemas, não pode fazer ideia das virtualidades verbais neles contidas, do movimento lírico que lhes imprime o autor. Assim, em "Sertão", quando ele começa:

> Sertão! Jatobá!
> Sertão! Cabrobó!
> – Cabrobó!
> – Ouricuri!
> – Exu!
> – Exu!

a palavra "sertão" é pronunciada em voz de cabeça, como um prolongado grito de aboio, ao passo que "Jatobá" e "Cabrobó" caem pesadamente do peito, sinistramente escandidas, evocando, desde logo, a desolada caatinga. E o resto vem vindo quase sussurrado, num recolhimento quase religioso. Essas seis linhas *de Catimbó* são uma maravilha de sortilégio evocativo, tanto pelo ritmo da estrofe como pela musicalidade dos topônimos Jatobá, Cabrobó, Ouricuri, Exu.

De repente, eis que o bardo abandona o verso livre, o vozeirão catastrófico, e assume o tom dançarino, a saltatriz cadência de quem vai pastoreando reses mansas:

> Lá vem o vaqueiro, pelos atalhos,
> Tangendo as reses para os currais...
> Blem... blem... blem... cantam os chocalhos
> Dos tristes bodes patriarcais.

Versos de dez, nove e oito sílabas, funcionando dentro do mesmo ritmo, bem marcado e batido. Essa passagem, sem preparação, do verso livre para os versos metrificados e rimados, de cadência acentuadíssima, no extremo limite em que o verso já é quase música, constitui a virtude mais característica da forma tão pessoal de Ascenso Ferreira. Poeta de inspiração popular, a sua técnica do verso é, no entanto, sutil e requintadíssima. Costuma-se falar de verso metrificado e verso livre, como se algum abismo os separasse. Ascenso é o melhor exemplo com que se possa provar que não existe esse tal abismo. Nos seus poemas, mistura ele os versos do ritmo mais martelado, os que por isso mesmo os cantadores nordestinos chamam "martelo", com os versos livres mais ondulosos e soltos, com frases de conversa e música pelo meio. É o que precisamente acontece nesse admirável "Sertão", admirável, do princípio ao fim, e onde, depois das notas pastoris, irrompe a toada guerreira do cangaço:

> É Lamp... é Lamp ... é Lamp...
> É Virgulino Lampião...

A seguir, reverte o poeta ao verso sem metro e sem rima, num poderoso efeito de reboo:

> E o urro do boi, no alto da serra,
> Para os horizontes cada vez mais limpos
> Tem qualquer coisa de sinistro como as vozes
> Dos profetas anunciadores de desgraças...

Depois é a resolução em cadência perfeita:

> – O sol é vermelho como um tição!
> Sertão!...
> Sertão!...

A análise de outros poemas de *Catimbó* e de *Cana-caiana*, como "Cavalhada", "Minha terra", "Branquinha", "A mula de padre", "Graf Zeppelin", "Os engenhos de minha terra", revelaria a mesma agilidade e versatilidade rítmica. Verso metrificado, verso livre, rima, toada musical, frases soltas – todos esses elementos do discurso poético se fundem pela mão de Ascenso numa coisa só, peça inteiriça, onde não se nota a menor emenda, a menor fenda. Não conheço, na poesia brasileira culta, na poesia culta de nenhum outro país, poeta que, a esse respeito, supere o pernambucano.

A essa originalidade de forma se acrescenta outra, mais valiosa, a maneira de sentir e exprimir a terra na sua paisagem e na sua gente. Só nas pinturas de Cícero Dias – do Cícero que ainda não conhecia Paris – encontramos algo de correspondente. Embora Ascenso se sirva muitas vezes do vocabulário e da sintaxe popular (há trechos de poemas seus que são puras transcrições de coisas ouvidas da boca do povo), nunca ele pratica o decalque, a paródia ao jeito de Catulo e outros, nunca aproveita o folclore como simples fator de pitoresco. Diga-se também que, por outro lado, não há na obra de Ascenso nenhuma intenção social de reivindicação, de reabilitação. Na sua poesia, como na pintura de Cícero, o que há é apenas a compreensão total e o amor mais fundo da vida nordestina. Na interpretação de um e de outro encontramos uma qualidade, um sabor sem precedentes, e inimitáveis.

Ler, e sobretudo ouvir Ascenso, é viver intensamente no mundo dos mangues do Recife, do massapê e das caatingas, mundo do bambo-do-bambu-bambeiro, das cavalhadas, dos pastoris, dos reisados, dos bumbas, dos maracatus, das vaquejadas. Mundo onde "as aragens são mansas e as chuvas esperadas: chuvas de janeiro... chuvas de caju... chuvas de Santa Luzia..." Os poemas de Ascenso são verdadeiras rapsódias do Nordeste, nas quais se espelha amoravelmente a alma ora brincalhona, ora pungentemente nostálgica das populações dos engenhos e do sertão. Ascenso identificou-se de corpo e coração com o homem do povo de sua terra, mesmo quando este é cangaceiro que a fatalidade mesológica marcou com os estigmas do crime.

Mais de um crítico já assinalou o que há de genuíno na inspiração popular de Ascenso. "É autêntico", escreveu Andrade Muricy. "Não andou se informando. Não fez reportagens de fatos étnicos nem lambiscou o exotismo dos costumes bárbaros do Brasil de ontem com a gula apressada e a ânsia de temas que tanta gente nem sabe esconder." Sérgio Milliet, assinalando como os elementos folclóricos se apresentam perfeitamente "digeridos" nos versos de Ascenso, concluiu: "Na realidade, Ascenso é um poeta e não um sociólogo, muito menos um pesquisador. Mas é um poeta que tem o sertão no sangue, que é representativo de uma coletividade no que ela revela de mais original." O mesmo crítico declara a contribuição de Ascenso Ferreira para o Modernismo brasileiro "das mais originais".

Caberia aqui indagar qual teria sido, inversamente, a contribuição do Modernismo para a formação dessa forte originalidade do poeta. O Ascenso de *Catimbó* e *Cana-caiana* poderia manifestar-se sem as influências do Modernismo?

Vejamos um pouco o que foi a vida do poeta até o "estalo". Ascenso nasceu na rua dos Tocos, em Palmares, cidadezinha do interior de Pernambuco. Aos sete anos perdeu o pai num acidente dessas cavalhadas que ele cantou num de seus melhores poemas. Mas o orfãozinho tinha uma mãe admirável, abolicionista que adotava os discursos de Nabuco para modelos de análise lógica no colégio em que era professora. Foi ela a sua primeira e única mestra. Aos treze anos começou Ascenso a trabalhar no comércio. Há que transcrever o que sobre isso escreveu, porque as suas palavras explicam como se foi formando o seu mundo poético ao contato da vida que levava então:

> Entrei para o comércio. Estabelecimento de ponta de rua, cujo dono era meu padrinho, homem de coração largo e barriga cheia, mas intransigentíssimo com os empregados de seu balcão. A *Fronteira*, nome da casa em que eu trabalhava, está mesmo indicando a sua posição entre a cidade e a zona rural. Passavam os comboios rumo à estação da estrada de ferro e de volta faziam pouso para as compras, lavar os cavalos, dormir no "Rancho" e, de madrugada, abalar. Foi o "Rancho" o grande principal cenário de meu mundo folclórico: toadas de engenho! toadas do sertão! cocos! sapateados! ponteios de viola! histórias de mal-assombrados! caçadas, pescarias, viagens, narrações...

Por esse tempo Ascenso não era ainda, como é hoje, grande em três dimensões. Até os 24 anos foi tão magro que lhe puseram o apelido de "tabica de senhor de engenho". Depois é que principiou a botar corpo. Meteu-se na política e por causa dela teve de deixar a cidade natal. No Recife, onde se fixou, entrou a recitar nas ruas e em casas de amigos os seus primeiros versos.

Que versos eram esses? Sonetos, baladas, madrigais... A julgar pelos poemas de inspiração amorosa de *Xenhenhém*, não deviam ser grande coisa. Ascenso é bom mas é na poesia extrovertida, onde, como anotou Sérgio Milliet, alcança por vezes acentos épicos. Pois não é verdade que planejou e começou a escrever um longo poema, cujo tema era uma nova revolta dos anjos? Revolta em que ele enfileirava "todos os que representavam conquistas do pensamento, sem falar em mim, que ia na frente da turba braço a braço com Satanás, derrocando mundos e produzindo cataclismos de estrelas..." O poema abria com uma descrição do quadro das secas nordestinas. Parece que nada subsiste do poema gorado. É pena, porque Ascenso a competir com Milton e Guerra Junqueiro devia ser de arromba.

Não sei quando o movimento modernista se propagou ao Recife. Lembro-me que Joaquim Inojosa foi o agente de ligação com os rapazes de São Paulo. Ascenso a princípio não quis saber da novidade. Mas quando Guilherme de Almeida passou em Pernambuco e declamou o seu poema "Raça" no Teatro Santa Isabel, o futuro autor de *Catimbó* entregou os pontos.

> Formava-se o grupo da *Revista do Norte* [contou ele próprio]. Aproximara-me eu de seus componentes mais como boêmio do que como poeta... Benedito Monteiro foi quem maior influência exerceu na minha transformação. Contudo, é preciso não esquecer José Maria de Albuquerque Melo e Joaquim Cardozo. Do grupo fazia parte também Gilberto Freyre, recentemente chegado dos Estados Unidos, cujos artigos, despertando o amor pelas coisas da nossa tradição rural, tão vivas no subconsciente, calaram fundo no meu espírito. Outra personalidade marcante a quem muito devo é Luís da Câmara Cascudo. Foi ele quem me aproximou de Mário de Andrade e Manuel Bandeira.

O Modernismo no Recife, não sei se de si próprio, pela força e originalidade de seus poetas, um Joaquim Cardozo, um Ascenso, não sei se pela ação corretiva de Gilberto Freyre, provavelmente por uma e outra coisa, não caiu nos cacoetes de escola, não aderiu tão indiscretamente quanto o mesmo movimento no Sul, sobretudo o de São Paulo, aos modelos franceses e italianos. Tirou todo o proveito da lição, sem sacrifício de suas virtudes próprias. Cardozo e Ascenso, tão eles mesmos e tão diversos, são ambos deliciosamente provincianos, no melhor sentido da palavra (no sentido em que a entende Gilberto Freyre), deliciosamente pernambucanos e, no entanto, sem nenhum ranço regionalista. O que Ascenso aproveitou do Modernismo terá sido, com o verso livre, a versatilidade de tom, as surpresas do *humour*, a poesia profunda de certos momentos da vida e da linguagem cotidianas. Quando a crítica andou celebrando Augusto Frederico Schmidt como o poeta que, em reação ao gosto do tempo, repusera os ritmos ímpares românticos na poesia nova brasileira, Mário de Andrade escreveu-me indignado: "Basta a gente lembrar o Ascenso pra dar risada disso". De fato, uma das constantes rítmicas de Ascenso são os metros ímpares – de cinco sílabas em "Maracatu", "A pega do boi", "Toré", "Xangô", "Senhor S. João", "Noturno", "Martelo", "77", "Trem de Alagoas"; de onze sílabas em "Misticismo", "História pátria", de cinco a onze em "Folha verde", "A mula de padre", "A cabra cabriola"; de nove sílabas em "Sertão", "Reisado", "Arco-íris", "Ano-Bom"... Pode-se mesmo dizer que o esquema rítmico de Ascenso é este: sequência de ímpares, verso livre (uma ou mais frases soltas), sequência de ímpares, verso livre (uma ou mais frases soltas), sequência de ímpares:

> Papel picadinho,
> três quilos de massa,
> seis limas de cheiro,
> três em cada mão...
>
> – Chiquinha danou-se porque eu
> quebrei uma nos peitos dela!
> (Passear a cavalo era a sedução).
>
> Agora o cavalo corria... corria...
> chegando na porta de minha Maria,
> riscava o cavalo, saltava no chão.
>
> ("Meu carnaval")

Mas para que insistir nesses aspectos formais? Aquele "papel picadinho", aquelas "limas de cheiro" me restituíram agora, de chofre, o Recife de minha infância, o Recife que viverá para sempre, capibaribemente, nos versos de Ascenso. Porque o poeta soube escolher, soube pôr nos seus poemas o detalhe certeiro que evoca e fixa para sempre...

POESIA E VERSO[6]

Um dia, ao começar a escrever um livro didático sobre literatura, tive que dar uma definição da poesia e embatuquei. Eu, que desde os dez anos de idade faço versos; eu, que tantas vezes sentira a poesia passar em mim como uma corrente elétrica e afluir aos meus olhos sob a forma de misteriosas lágrimas de alegria: não soube no momento forjar já não digo uma definição racional, dessas que, segundo a regra da lógica devem convir a todo o definido e só ao definido, mas uma definição puramente empírica, artística, literária. No aperto me socorri de Schiller, em quem o crítico era tão grande quanto o poeta, e disse com ele: "Poesia é a força que atua de maneira divina e inapreendida, além e acima da consciência".

Sabeis o que é atuar de maneira divina? Confesso lisamente que não sei. Mas conheço da poesia, por experiência própria, essa maneira inapreendida de ação; nunca pude explicar, em muitos casos, a emoção que me assaltava ao ouvir ou ao ler certos versos, certas combinações de palavras. A propósito, vou contar-vos uma anedota. Havia na avenida Marechal Floriano um hotel que se chamava Hotel Península Fernandes. Toda vez que eu passava por ali e via na tabuleta aquele nome Hotel Península Fernandes, sentia não sei que pequenino alvoroço – alvoroço em suma de qualidade poética. E ficava intrigadíssimo. Por que aquele hotel se chamava Península Fernandes? Uma tarde meu primo Antônio Bandeira, igualmente

---

6 Conferência pronunciada na Casa do Estudante do Brasil.

invocado pelo estranho nome, não se conteve, subiu as escadas e foi falar ao proprietário, que era um português terra a terra e sem nenhuma fumaça de literatura.

– O senhor me desculpe a curiosidade, mas por que é que o seu hotel se chama Península Fernandes?

– Muito simples, respondeu o homem. F'rnandes porque é o meu nome, e P'nínsula porque é bonito!

O nome estava realmente explicado, mas a emoção poética não: atuava de maneira inapreendida.

É assim que muitos fatos de rua atuam sobre a nossa sensibilidade. Dois automóveis colidem, ou uma senhora desmaia, ou um homem é assassinado, ou uma estrangeira em trânsito para Buenos Aires desembarca na praça Mauá em trajes pouco mais que menores: forma-se logo um ajuntamento e os que vão chegando e aderindo ao grupo e os que olham de longe não sabem ainda o que se passou. Paira no ar um certo tumulto emocional, criando uma como que atmosfera de poesia. Pois bem, o poeta suscita a mesma coisa, só que mediante apenas uma colisão de palavras.

Quando Schiller disse que a poesia é uma força que atua além e acima da consciência, parece que queria referir-se àquele mundo do subconsciente que todos trazemos dentro de nós. A poesia seria então a ponte entre o subconsciente do poeta e o subconsciente do leitor. Se adotei no meu livro a definição de Schiller, foi porque ela esclarece, a meu ver, a poesia menos acessível, a que não ocorre no foco da consciência. Mas é evidente que a poesia pode nascer também em pleno foco da consciência, e portanto atuar de maneira claramente apreensível. Em meu poema "Palinódia" a estrofe central é perfeitamente inteligível. Mas eu mesmo não saberia explicar as estrofes inicial e final. Elas pertencem a um poema que fiz durante um sono. Ao despertar tentei recompô-lo e não me foi possível fazê-lo senão parcialmente. A estrofe inteligível resultou de um trabalho mental em pleno foco da consciência; as outras duas foram elaboradas de maneira inapreendida na franja da consciência. Tenho a minha interpretação delas, mas não vo-la comunicarei: é segredo profissional.

Nas mesmas condições de "Palinódia" está o meu soneto "O lutador", também elaborado em sonho.

Nele a intervenção posterior em estado de vigília foi mínima. O soneto, com título e tudo, é fielmente o do sonho. Tive de o interpretar como se eu fosse um estranho a mim mesmo, como qualquer um de vós o poderia interpretar segundo as sugestões do seu subconsciente estimulado. Para mim – mensagem do meu subconsciente à minha consciência, mensagem muito vagamente apreendida por esta e de novo refrangida para o seu mundo original.

Assentado que a poesia pode atuar dentro ou fora, acima ou abaixo da consciência, comecei a registrar todas as definições de poesia que fui encontrando ao acaso de minhas leituras. Organizei assim uma pequena antologia do assunto. São numerosíssimas e o poeta Carlos Drummond de Andrade depois de mim ainda assinalou numa crônica uma porção delas que eu não conhecia. Mas é possível reduzi-las a uma meia dúzia de tipos, que lhes facilitam o exame. Senão vejamos:

Certos autores definem a poesia como ficção: "Poeta", escreveu Jonson, grande dramaturgo inglês, contemporâneo de Shakespeare e um dos homens mais cultos do seu tempo, "é, não aquele que escreve com métrica, mas o que finge e forma uma fábula, pois fábula e ficção são, por assim dizer, a forma e a alma de toda obra poética ou poema." É o mesmo conceito de dois outros grandíssimos poetas ingleses seiscentistas: Donne, que disse "a poesia é como uma simili-Criação e faz coisas que não existem, como se existissem", e Dryden, para quem "a ficção é a essência da poesia".

Pergunto eu agora: não haverá poesia quando realizo em palavras uma transposição da realidade, sem inventar nada, sem "fingir" nada? Como neste poema:

> O arranha-céu sobe no ar puro que foi lavado pela chuva
> E desce refletido na poça de lama do pátio.
> Entre a realidade e a imagem, no chão seco que as separa,
> Quatro pombas passeiam.

Poema que é uma simples reprodução por imitação, para empregar as velhas palavras de Aristóteles.

Já o Dante acrescenta ao elemento ficção um novo elemento – a música, e diz: "Poesia é ficção retórica posta em música". O elemento música vai aparecer em numerosas outras definições. "À poesia", escreveu Carlyle, "chamaremos pensamento musical." E Ruskin, moralista, ensina que ela é "a apresentação, em forma musical, à imaginação, de nobres fundamentos às nobres emoções".

Não se pode negar que a música seja um elemento da velha poesia, da poesia ao tempo em que ela foi assim definida. Hoje sabemos que pode haver poesia sem música, e poesia da melhor. Sem música, bem entendido, no sentido de não procurar o poeta fazer o verso cantar no poema.

Outro poeta, e que poeta! o grande romântico Coleridge, definiu o poema "aquela espécie de composição que se opõe às obras de ciência por visar como objeto imediato o prazer e não a verdade". O objeto imediato, porque em profundidade ele é "a identidade de todos os outros conhecimentos, a flor e o perfume de todo o humano conhecimento".

E aqui entramos no conceito de poesia-conhecimento. Muitos são os que o afirmam. Para Lautréamont, ela anuncia as relações existentes entre os primeiros princípios e as verdades secundárias da vida. Novalis já dissera que "a poesia é o real absoluto". E o moderno Maritain precisa:

> Poesia é o conhecimento, incomparavelmente: conhecimento-experiência, conhecimento-emoção, conhecimento existencial. Ela é o fruto do contato do espírito com a realidade em si mesma inefável e com a sua fonte, que acreditamos ser Deus.

O epíteto "inefável" leva-nos a um grupo de definições onde culmina o conceito na definição de Edwin Arlington Robinson, grande poeta norte-americano:

> Poesia é a linguagem que nos diz, em virtude duma reação mais ou menos emocional, alguma coisa que não pode ser dita.

Devo esclarecer que todas essas definições e muitas outras que coligi, aparecem em contextos onde se procura apreender a essência do fenômeno poético: não foram apresentadas isoladamente como definição no sentido lógico da palavra, e de isolá-las, como fiz, resulta uma certa mutilação do pensamento de seus autores. Nada obstante, cada uma contém uma parcela de verdade, ilumina um ângulo do problema, que é talvez insolúvel. Todas me parecem falar em termos de poesia, com o seu vago, o seu mistério. Nenhuma se refere ao que é a matéria--prima da poesia na arte literária – as palavras, e tanto se podem aplicar à arte literária como à música e às artes plásticas. Paul Valéry menciona-as numa definição que é um pequenino poema:

> Poesia é a tentativa de representar ou de restituir por meio da linguagem articulada aquelas coisas ou aquela coisa que os gestos, as lágrimas, as carícias, os beijos, os suspiros procuram obscuramente exprimir.

E André Gide foi desenterrar de um prefácio esquecido de Banville esta definição, que espanta tenha saído da cabeça de um daqueles mestres que Thibaudet chamou os Tetrarcas do Parnaso:

> Poesia... essa magia que consiste em despertar sensações por meio de uma combinação de sons... esse sortilégio graças ao qual ideias nos são necessariamente comunicadas, de uma maneira certa, por meio de palavras que todavia não as exprimem.

Comentando largamente a definição de Banville, começa Gide pelos vocábulos "magia" e "sortilégio" (*sorcellerie*):

> Valéry, de maneira voluntariamente ambígua, dirá *charme*... O verdadeiro poeta é um mago. Não se trata tanto para ele de ser comovido, mas de induzir o leitor a comover--se: "por meio de uma combinação de sons", que são palavras. Que a significação dessas palavras importa, não será preciso dizer; não, porém, independentemente da sonoridade delas. O verso delicioso de Racine, tão frequentemente citado como exemplo de encantação harmoniosa: *Vous mourûtes au bord où vous fûtes laissée.* Mudai as palavras, dizei: *Vous êtes morte sur le rivage où Thésée vous avait abandonnée.* O significado continua o mesmo, mas o "encanto" desaparece.

Mallarmé tinha razão: "Não é com ideias que se fazem versos: é com palavras". Não que o sentido delas não importe. Importa, mas não, como advertiu Gide, independentemente da sonoridade delas. Naturalmente o sentimento está subentendido, é ele que faz achar as combinações de palavras suscitadoras da emoção poética.

A grande dificuldade, porém, está em que uns se comovem diante de certos versos e outros não. Há pessoas que acham intensa poesia nos versos de Murilo Mendes; outras não a acham nenhuma, encontram-na é nos sonetos de Emílio de Menezes, onde os admiradores de Murilo não veem sequer a sombra dela. E há as que não suportam nem um nem outro: gostam é da suave música de Olegário Marianno. Afinal em poesia tudo é relativo: a poesia não existe em si: será uma relação entre o mundo interior do poeta, com a sua sensibilidade, a sua cultura, as suas vivências, e o mundo interior daquele que o lê.

Se passamos da definição de poesia para a definição do verso, as dificuldades diminuem, mas não desaparecem. Abri um tratado de versificação qualquer, o de Bilac e Guimarães Passos, por exemplo, e ali vereis definido o verso como o ajuntamento de palavras, ou ainda uma só palavra, com pausas obrigadas e determinado número de sílabas, que redundam em música.

Em nota traduzem os dois autores o francês Quitard:

> A etimologia latina das palavras "prosa" e "verso" claramente indica a diferença essencial da sua significação: "prosa" vem do adjetivo latino *prosa* (subentendendo-se o substantivo *oratio*, discurso, oração) – *oratio prosa*, discurso contínuo, seguido, e respeitando a ordem gramatical direta: "verso" é derivado de *versus*, do verbo *vertere*, tornar ou voltar, – porque, uma vez esgotado um certo número de sílabas, a oração se interrompe e volta de novo ao ponto de partida, a fim de começar outra evolução silábica.

A definição de Bilac e Guimarães Passos, que é mais ou menos a de todos os outros tratadistas, podia servir para a nossa língua e mais algumas outras mas só até o advento do verso livre. Que definição se pode dar do verso, de modo que ela se aplique a qualquer idioma, vivo ou morto, e em qualquer tempo? Pedro Henríquez Ureña, o grande mestre dominicano, há pouco falecido, tentou, a meu ver com êxito, essa definição mínima. Poesia, poesia no sentido formal, ensinou ele, é linguagem dividida em unidades rítmicas; prosa é linguagem continuada. Sem dúvida, na linguagem continuada da prosa há parágrafos. Mas o corte da prosa em parágrafos atende tão somente à necessidade de ordenação das ideias. O verso é a unidade rítmica do poema. Ritmo, em uma fórmula elementar, é repetição. O verso, em sua essência, é unidade rítmica porque se repete e forma séries. Para formar séries podem as unidades ser semelhantes ou dessemelhantes. Podem ser unidades flutuantes. Mas é necessário que cada verso seja uma como que entidade, ou como disse Valéry "uma palavra total, vasta, nativa, perfeita, nova e estranha à língua".

O que diferencia os diversos tipos de versificação através de todos os idiomas e de todos os tempos são os expedientes de que se valeram os poetas para pôr em maior evidência o ritmo. Expedientes como: valores de sílabas (quantidade), acentos de intensidade bem marcados, regulação dos tons ou diferenças de altura musical entre as sílabas, número fixo de sílabas, rima, aliteração, encadeamento, paralelismo, acróstico. Na versificação portuguesa os apoios rítmicos de que temos exemplos são o número fixo de sílabas, a cesura, a rima, a aliteração, o encadeamento, o paralelismo e o acróstico. Talvez muitos de meus ouvintes não estejam a par do significado de todas essas palavras. Do encadeamento e do paralelismo, por exemplo. O encadeamento consiste em repetir de verso a verso, ou de estrofe a estrofe, fonemas, palavras e frases. Foi, como o paralelismo, muito usado na poesia hebraica, e dele se serve quase infalivelmente em seus poemas o nosso algo bíblico Augusto Frederico Schmidt:

> Por que chorar se o céu está róseo,
> Se as flores estão nas trepadeiras balançando, ao sopro leve do vento.
> Por que chorar se há felicidade nos caminhos,
> Se há sinos batendo nas aldeias de Portugal?

Nesse poema do *Canto da noite* o poeta só abandona a interrogação "por que chorar" para passar à locução encadeadora "feliz como":

> Por que chorar – meu Deus, se estou feliz e pobre,
> Feliz como os pobres desconhecidos dos hospitais,
> Feliz como os cegos para quem a luz é mais bela do que a luz,
> Feliz como [...]

O paralelismo é a repetição ideológica. Encadeamento e paralelismo tiveram a sua fase de ouro em língua portuguesa no tempo dos cancioneiros. O que chamaram "cossante" era uma cantiga paralelística e encadeada. Assim, esta "barcarola" de Martim Codax:

> Ondas do mar de Vigo,
> Se vistes meu amigo!
> E ai, Deus, se verrá cedo!
>
> Ondas do mar levado,
> Se vistes meu amado!
> E ai, Deus, se verrá cedo!
>
> Se vistes meu amigo,
> O por que eu suspiro!
> E ai, Deus, se verrá cedo!
>
> Se vistes meu amado,
> O por que ei gran cuidado!
> E ai, Deus, se verrá cedo!

Essa cantiga é paralelística porque as estrofes pares repetem a ideia das estrofes ímpares com ligeiras alterações de palavras para variar o timbre da vogal tônica das rimas (*i* e *a*); é encadeada, porque o segundo verso de cada estrofe ímpar se repete como primeiro verso da estrofe ímpar seguinte.

Já a rima é apoio rítmico muito conhecido, mas só como igualdade de sons no fim das palavras a partir da vogal tônica – a chamada rima consoante. Muita gente ainda não sabe das rimas toantes, isto é, aquelas em que só são iguais as vogais a partir da tônica, como em "ara" e "cada", "velho" e "quero". Raros sabem que no latim eclesiástico, na poesia inglesa e na alemã basta, para haver rima, a repetição da última sílaba átona e até da última vogal átona. Lembrai-vos de *Veni, Sancte Spiritus*:

> *Veni, Sancte Spiritus,*
> *Et emitte coelitus*
> *Lucis tuae radium.*

Lembrai-vos de Shakespeare, que no soneto prefaciador de *Romeu e Julieta* rima *dignity* com *mutiny*, de Milton que no soneto *"On Shakespeare"* escreveu:

> *Thou in our wonder and astonishment*
> *Has built thyself a livelong monument,*

rimando *astonishment* com *monument*. Lembrai-vos de Heine, que rima *Ich liebe dich* com *bitterlich*.

Doch wenn du sprichst. "Ich liebe dich!"
So muss ich weinen bitterlich.

Finalmente pouca gente já terá refletido que a aliteração é, no fim de contas, uma rima ao contrário, ou seja, uma rima dos começos das palavras. Sei bem que não houve intenção, pelo menos consciente, da parte de Gonçalves Dias em rimar por aliteração na segunda e terceira estrofe da "Canção do exílio", mas a verdade é que essas rimas ao contrário dão à pequena obra-prima não sei que inefável musicalidade:

Não permita Deus que eu morra
Sem que volte para lá;
Sem que desfrute os primores
Que não desfruto por cá;
Sem que inda aviste as palmeiras,
Onde canta o sabiá.

O número fixo de sílabas, com pausas obrigadas, é sem dúvida o mais imperioso metrônomo do ritmo. Todavia não é preciso ficar-se no mesmo metro para manter o mesmo ritmo. No poema de Gonçalves Dias intitulado "Minha vida e meus amores" ocorre uma mudança de metro muito interessante. O poeta vinha versejando em decassílabos acentuados na sexta sílaba ou na quarta e oitava:

Outra vez que lá fui, que a vi, que a medo
Terna voz lhe escutei: – Sonhei contigo! –
Inefável prazer banhou meu peito,
Senti delícias; mas a sós comigo
Pensei – talvez! – e já não pude crê-lo.

De súbito, nos versos 67 e 68, faz cair as pausas na quarta e sétima sílabas, aproximando o ritmo decassílabo do ritmo do verso de onze sílabas, que vai aparecer nos versos 70 e 71:

Ela tão meiga e tão cheia de encanto,
Ela tão nova, tão pura e tão bela...
Amar-me! – Eu que sou?
Meus olhos enxergam, enquanto duvida
Minh'alma sem crença, de força exaurida,
Já farta da vida,
Que amor não doirou.

O movimento rítmico de um verso pode sofrer a influência do verso anterior ou do seguinte. É sabido que na poesia espanhola e na portuguesa antiga a vogal inicial de um verso podia embeber-se no verso precedente. Gonçalves Dias, tão lido numa e noutra, também versejou assim. O que admira é que até Alberto de Oliveira, mestre de uma escola de rigorosa métrica, haja procedido da mesma maneira, talvez inadvertidamente, quando em "O exame de Hercília" escreveu:

Subiu ao Atlas de um salto
E ao Kilimanjaro; logo

> De tão alto,
> Ao Barh-al-Abiah de água clara
> Baixou e ao saibro de fogo
> Do Sahara.

O quarto verso ("Ao Barh-al-Abiah de água clara") tem oito sílabas, mas a primeira ("ao") se embebe na última sílaba do verso anterior, de sorte que no contexto da estrofe se mantém o ritmo do heptassílabo.

Há casos até em que é forçoso quebrar o verso para manter o ritmo. Como fez Casimiro de Abreu na célebre "Valsa". O poema está distribuído em versos de duas sílabas:

> Tu, ontem
> Na dança
> Que cansa,
> Voavas
> Co'as faces
> Em rosas
> Formosas
> De vivo,
> Lascivo
> Carmim.

Mas na última estrofe pôs o poeta a palavra "pálida" no fim de dois versos:

> Na valsa
> Cansaste;
> Ficaste
> Prostrada,
> Turbada!
> Pensavas,
> Cismavas,
> E estavas
> Tão pálida
> Então;
> Qual pálida
> Rosa
> Mimosa,
> No vale
> Do vento
> Cruento
> Batida,
> Caída,
> Sem vida
> No chão!

O vocábulo proparoxítono obrigava o poeta a abrir o verso seguinte por uma palavra começando por vogal ou a quebrar o metro de duas sílabas para uma. Casimiro valeu-se de um e outro recurso, um da primeira vez, o outro da segunda. Se ele não tivesse atendido à interrelação dos versos e em lugar de "então" dissesse "no instante" e em vez de "rosa" escrevesse "camélia", o ritmo seria sacrificado:

Pensavas,
Cismavas,
E estavas
Tão pálida .
No instante;
Qual pálida
Camélia
Mimosa...

Foi em observação a esse jogo de ressonâncias de um verso em outro que eu no poema "Boi morto", escrito em octossílabos, quebrei a medida no terceiro verso da última estrofe.

Disse atrás que o encadeamento é o principal apoio rítmico de que se serve Augusto Frederico Schmidt nos seus poemas. Adalgisa Nery, que também emprega, ainda que menos assiduamente que Schmidt, o encadeamento, começou a usar da rima em versos não metrificados, a partir, creio que do seu livro *Ar do deserto*, que é de 1943:

À medida que o vazio no meu corpo ecoa,
Cresce no meu espírito o sentido das vidas acontecidas,
Balanço nos meus ouvidos o pensamento que apregoa
Os soluços e a solidão das almas inutilmente pertencidas.

Mas verso livre cem por cento é aquele que não se socorre de nenhum sinal exterior senão o da volta ao ponto de partida à esquerda da folha do papel: *verso* derivado de *vertere*, voltar. À primeira vista, parece mais fácil de fazer do que o verso metrificado. Mas é engano. Basta dizer que no verso livre o poeta tem de criar o seu ritmo sem auxílio de fora. É como o sujeito que solto no recesso da floresta deva achar o seu caminho e sem bússola, sem vozes que de longe o orientem, sem os grãozinhos de feijão da história de João e Maria. Sem dúvida não custa nada escrever um trecho de prosa e depois distribuí-lo em linhas irregulares, obedecendo tão somente às pausas do pensamento. Mas isso nunca foi verso livre. Se fosse, qualquer pessoa poderia pôr em verso até o último relatório do Ministro da Fazenda. Essa enganosa facilidade é causa da superpopulação de poetas que infestam agora as nossas letras. O Modernismo teve isso de catastrófico: trazendo para a nossa língua o verso livre, deu a todo o mundo a ilusão de que uma série de linhas desiguais é poema. Resultado: hoje qualquer subescriturário de autarquia em crise de dor de cotovelo, qualquer brotinho desiludido do namorado, qualquer balzaquiana desajustada no seu ambiente familiar se julgam habilitados a concorrer com Joaquim Cardozo ou Cecília Meireles.

Por isso era sempre com delícia que eu lia as críticas de Elói Pontes no *Globo* e é sempre com prazer que leio as de Berilo Neves no *Jornal do Commercio*, críticos sem contemplação para com a poesia que não se exprime em versos medidos e rimados. O que me entristece é ver que eles nunca tenham tido influência bastante para pôr um paradeiro nesse "babaréu de medíocres", como costumava dizer o primeiro no seu curioso estilo.

Por isso tenho às vezes uma grande tentação de esquecer tudo o que aprendi com mestre Ureña e dizer e jurar para toda a gente que "verso é o ajuntamento de palavras, ou ainda uma só palavra, com pausas obrigadas e determinado número de sílabas", como ensinavam Bilac e Guimarães Passos. Isto é, talvez substituísse a palavra "ajuntamento", que me soa vagamente a coisa ilícita, e acrescentasse a obrigação da rima e do duplo acróstico! Concordais?

CINCO ELEGIAS

Naturalmente estas cinco elegias vão escandalizar muita gente (a ausência de poesia em certas pessoas dá pena). Vai haver choro e ranger de dentes. Não são elegias aliás: são elégias. Coisa alóvena, ebaente.

Um dia, na Cinelândia, às seis horas da tarde, meu primo apareceu vestido de sunga de banho com uma rosa vermelha na mão. Os transeuntes olhavam estarrecidos. Os que o sabiam de boa família, comentavam compassivos: – Um rapaz tão bem-educado!

Pois nestas cinco elegias, uma quase ode, outra lírica, outra desesperada, outra não sei como diga, outra que é Cafarnaum, meu Deus quando e a confusão das línguas, o poeta surge nu, inteiramente nu, nu na rua Lopes Quintas sobre os telhados de Chelsea e na última grimpa do Itatiaia.

Vai escandalizar todo o mundo. A começar pela mãe e pela avó. A mãe, a quem o poeta quereria dizer coisas simples, que não lhe ferissem os ouvidos. A avó, cuja esperança gostaria de acalentar falando em Deus, falando docemente em Deus.

Ele, que aspirava sentir-se apenas homem e não poeta, "ser apenas Moraes sem ser Vinicius!", é aqui mais do que nunca Vinicius sem mais nada, um monstro de delicadeza, que, como certos santos, distribuiu todas as suas roupas entre os pobres e saiu nu de casa, que loucura!

Que loucura! O eminente psiquiatra diagnosticou, preciso, uma intoxicação. Mas não alcançou que se tratava de intoxicação de amor, daquela forma tão rara que, mesmo entre homem e mulher, só pede "um secreto acordo, uma promessa de socorro, de compreensão e de fidelidade para a vida".

O poeta está nu e sente que está nu. Nudez, de resto, semelhante à do casal expulso do Éden. Nudez onde há a nostalgia da agora e para todo o sempre impossível pureza, ao mesmo tempo que o gosto da inaceitável impureza.

Vinicius de Moraes anuncia para breve a publicação de um livro dos seus últimos poemas em edição que será ilustrada por Carlos Leão. Era, porém, de toda a conveniência que aparecessem antes estas cinco elegias, em que vinha trabalhando desde 1937. Só a última lhe saiu de jato, como explica em prefácio, quando numa noite de 1939 viu, do seu apartamento em Londres, viu a manhã nascer sobre os telhados novos do bairro de Chelsea. A esta chama "a maior aventura lírica de sua vida". Fala de amor, fala de "intoxicado" (o eminente psiquiatra tinha razão), que achou espontaneamente a sua linguagem, mistura de português e inglês, referta de palavras inventadas, de corpo inteiro ou por distorções à la Joyce.

Desde *O caminho para a distância*, através de *Forma e exegese*, *Ariana, a mulher* e *Novos poemas*, a evolução do poeta se vem processando com uma abundância e variedade que nos deixa a nós, seus admiradores e amigos, convencidos de estarmos diante de uma força criadora de natureza sem precedentes em nossa literatura. Porque ele tem o fôlego dos românticos, a espiritualidade dos simbolistas, a perícia dos parnasianos (sem refugar, como estes, as sutilezas barrocas) e finalmente, homem bem do seu tempo, a liberdade, a licença, o esplêndido cinismo dos modernos. Os seus versos ora fluem *à même* dos puros mananciais, à maneira da poesia de Augusto Frederico Schmidt, ora se disciplinam em condutos de seção rigorosamente geométrica, ver coisa de Valéry: poesia a granel, às soltas, ao léu, *à la ballade n'importe où ou ailleurs*, e poesia em comprimido, medida e rimada, onde tudo está no seu lugar, com os seus valores e os seus contrastes.

Esse rapaz, que não tolera palavras no cinema, é um invocado delas na poesia: governa-as com a destreza de um apache de tango, arranca-as das sarjetas para vesti-las em *toilette* de baile, e eis que elas nos envutam, menstruosamente belas (esse advérbio é um exemplo desse poder encantatório com que o poeta, quando é apenas Vinicius sem ser Moraes, sabe contagiar de lirismo as misérias da carne).

Nestas cinco elegias o poeta procedeu como o jogador que chega à mesa da roleta e joga tudo no pleno, e ganha, e quatro vezes deixa ficar o monte no mesmo número e acerta sempre, e estoura a banca. Sai, e que deslumbramento! o dia amanhecendo sobre os telhados de Chelsea...

Sim, era de toda a conveniência que estes poemas aparecessem quanto antes para nos lavar o peito e os olhos dos contatos impuros: para nos arrancar à trivialidade do cotidiano; para nos levar, como leva, Poesia, desgraçadamente Poesia, "à borda de abismos irreais que depois serão abismos verdadeiros". Abismos verdadeiros, que é, porém, onde se encontra inesperadamente a Graça, acudindo radiosa como a manhã sobre os telhados de Chelsea.

O *HUMOUR* NA MODERNA POESIA BRASILEIRA

O *humour*, ou seja, a disposição para rir, ou pelo menos sorrir, de coisas ou situações que encaradas a sério seriam demasiado penosas ou revoltantes – *die lachende Thraene im Auge*, como o definiu Jean Paul Richter – instalou-se na poesia brasileira com a geração de 1922, subversiva dos cânones e valores então em voga. Antes disso raras são as notas de autêntico *humour* a apontar neste ou naquele poeta – um Álvaro Moreyra, um Ronald de Carvalho, um Ribeiro Couto, todos aliás imediatamente anteriores ao movimento de 22 e a ele incorporados depois.

"Humoristicamente" é o advérbio que Álvaro Moreyra, o mais congenialmente irônico de todos os nossos poetas, põe como adjunto ao verbo sorrir no seu soneto "Para a noite":

> Depois o mundo... o amor... filosofias...
> Senti na treva a dor que tu sofrias,
> Dor de abandono, pobre dor silente.

Junto de ti fiquei. Fiquei sorrindo
Para o céu, noite triste, o céu tão lindo,
Humoristicamente, docemente...

Em *Lenda das rosas*, o seu segundo livro (1916), há mais de um poema de pronunciado sabor humorístico. Assim, de certa dor passada, "uma dor fina, decorativa", feita "especialmente para eu sofrer", diz ele:

Durou cinco anos. Durante bastante:
Uma alegria não dura assim...

E o "Epitáfio" resume toda uma existência neste dístico:

Acreditei na vida. E a vida em mim. Depois
Desandamos a rir de nós mesmos os dois...

Ronald de Carvalho, num de seus *Epigramas irônicos e sentimentais*, aconselha, muito omar-khayyamescamente: "Enche o teu copo, bebe o teu vinho, enquanto a taça não cai das tuas mãos..." Mas a seguir adverte (e na advertência foi visceralmente ele mesmo):

Há salteadores amáveis pelo teu caminho.
Repara como é doce o teu vizinho,
Repara como é suave o olhar do teu vizinho,
E como são longas, discretas, as suas mãos...

O jardim das confidências, de Ribeiro Couto (1921), é um livro de tonalidade continuamente sentimental, mas no poema "Mascarada" não há uma sutil intenção de *humour* quando o poeta, vendo passar as "frívolas Colombinas", pergunta, de olhos molhados: "Seria Momo o deus do amor?"

Igual atitude de *humour* há no "Rondó de Colombina", de Manuel Bandeira (*Carnaval*, 1919), ao dizer o poeta, a Pierrot:

Que são teus amores?... Ingenuidade
E o gosto de buscar a própria dor.
Ela é de dois?... Pois aceita a metade!
Que essa metade é talvez todo o amor
　　De Colombina...

Todavia, foi com o advento do Modernismo (o qual tem, em nossa literatura, sentido bem diverso do que tem na de língua espanhola, pois operou uma revolução contra o Parnasianismo e o Simbolismo retardatários) que o *humour* entrou com alarde em nossa poesia. Os principais chefes de fila da geração – Mário de Andrade e Oswald de Andrade – exprimem-se quase sempre com repentes de *humour*.

Mário de Andrade (1893-1945) explicou que a *Pauliceia desvairada*, o seu segundo livro (1921), nasceu do sofrimento de vinte meses de dúvidas e cóleras. Nele o poema mais importante, pela extensão e significado, é o intitulado oratório profano "As enfibraturas do Ipiranga", onde campeia livremente o mais pungitivo *hu-*

mour no bate-boca entre as "Juvenilidades auriverdes", os "Orientalismos convencionais", as "Senectudes tremulinas" (milionários e burgueses) e os "Sandapilários indiferentes" (operariado, gente pobre), soando a espaços os recitativos de "Minha loucura", única personagem solista. Enquanto as "Juvenilidades auriverdes" pedem "Cravos! mais cravos para a nossa cruz", respondem-lhes os "Orientalistas convencionais": "Para que cravos? Para que cruzes? Universalizai-vos no senso comum!" As "Senectudes tremulinas" aplaudem: "Bravíssimo! Bem dito!" Só a "Minha loucura" exprime sem ironia a indignação e a revolta do poeta, e a última palavra é dela.

Outro poema de profunda insatisfação de Mário de Andrade são as "Danças". No entanto a primeira abre com este verso: "Quem dirá que não vivo satisfeito! Eu danço!" Dança de ombro, que é a dança da indiferença (mas ninguém nunca foi menos indiferente do que Mário de Andrade):

> "Oh, como passas?"
> "Bravo! enfim voltas."
>
> São inimigos,
> São morfinômanos,
> Crápulas vis.
>
> Saúdo a todos,
> Ninguém me estima,
> Dançam meus ombros,
> Eu sou feliz!

Na dança nº 4 a moça dança porque tosse:

> Teu corpo todo se enrodilha
> estremece
> sacode
> bate
> late
> seco
> ... heque! heque!...
> quebra
> queima
> reina
> dança
> sangue
> gosma
> Filha, tu danças para dormir!
> Tosses até que não podes mais!
> Devo esconder-te o meu sorriso?

No fim o poeta, como que exausto da atitude contrafeita, confessa que dança "porque não sabe mais chorar!"

Já Oswald de Andrade é cem por cento dessentimentalizado no seu permanente, ou quase permanente *persiflage*. Toda a gente sabe no Brasil que ele foi o incendiário do movimento de 22. Ele quem, num artigo publicado no *Jornal do Comércio* de São Paulo, revelou ao público, em 1920, alguns poemas do livro *Pauliceia desvairada*, de Mário de Andrade. O seu verdadeiro instrumento de expressão é a prosa, no romance ou na nota jornalística. Mas nem por isso deixou de fazer algumas excursões arrasadoras no terreno da poesia, com uma inabilidade técnica de que soube fazer um dos elementos mais cativantes da sua poesia: a esse respeito foi um excelente achado o título da sua segunda coletânea de poemas – *Primeiro caderno do aluno de poesia Oswald de Andrade*. Parece não tomar nada a sério (e não é verdade), de tal modo policia a sua ternura, quer se trate de um carinho amoroso, quer nos fale da gostosa sensação de repatriamento. À mulher amada, com quem se casou "em últimas núpcias", foi assim que falou:

> Toma conta do céu
> Toma conta da terra
> Toma conta do mar
> Toma conta de mim
> Maria Antonieta d'Alkmin.

De regresso ao Brasil, vindo da Europa, escreveu ao ver o Cruzeiro do Sul:

> Primeiro farol de minha terra
> Tão alto que parece construído no céu
> Cruz imperfeita
> Que marcas o calor das florestas
> E os discursos de 22 câmaras de deputados
> Silêncio sobre o mar do Equador
> Perto de Alpha e de Beta
> Perdão dos analfabetos que contam casos
> Acaso.

E em onze versos traçou a evolução do Brasil desde a primeira caravela até a bagunça do Carnaval:

> O Zé Pereira chegou de caravela
> E preguntou pro guarani da mata-virgem
> – Sois cristão?
> – Não. Sou bravo, sou forte, sou filho da Morte
> Teterê tetê Quizá Quizá Quecê!
> Lá longe a onça resmungava Uu! ua! uu!
> O negro zonzo saído da fornalha
> Tomou a palavra e respondeu
> – Sim pela graça de Deus
> Canhem Babá Canhem Babá Cum Cum!
> E fizeram o Carnaval.

A geração de 1922 exerceu sensível influência em mim próprio, alguns anos mais velho do que ela. Minha natureza irônica, represada pela formação clássica, parnasiana e simbolista, expandiu-se livremente a partir do livro *Libertinagem* (1930). Um dos poemas mais característicos, do ponto de vista deste estudo, é o "Pneumotórax". Nele um médico examina um tuberculoso, e, terminada a ausculação, sentencia: "O senhor tem uma escavação no pulmão esquerdo e o pulmão direito infiltrado". O doente ouve apavorado e pergunta medroso: "Então, doutor, não é possível tentar o pneumotórax?" Ao que o clínico responde, preciso e duro: "Não. A única coisa a fazer é tocar um tango argentino."

Murilo Mendes é talvez o mais complexo, o mais original dos poetas da sua geração. Antes de se tornar famoso pela sua poesia de fundo religioso, já o era por alguns poemas-piadas de sabor tipicamente carioca (embora o poeta seja natural de Minas Gerais). Como a Oswald de Andrade, não lhe escapa nenhum ridículo da vida nacional, no presente e no passado. Na sua obra "há brasileirismo tão constante como em nenhum outro poeta do Brasil", escreveu Mário de Andrade. O seu livro *Poemas* (1930) abre com uma deformação humorística da "Canção do exílio" de Gonçalves Dias. O romântico dissera: "Minha terra tem palmeiras, onde canta o sabiá" e "Nosso céu tem mais estrelas, nossas várzeas têm mais flores". Murilo Mendes caçoa: "Minha terra tem macieiras da Califórnia, onde cantam gaturamos de Veneza" e "Nossas flores são mais bonitas, nossas frutas são mais gostosas mas custam cem mil-réis a dúzia". A revolução republicana de 15 de novembro de 1889 é sumariamente narrada desta maneira:

> Deodoro todo nos trinques
> Bate na porta de Dão Pedro Segundo.
> "Seu imperador, dê o fora,
> Que nós queremos tomar conta desta bugiganga.
> Mande vir os músicos."
> O imperador bocejando responde:
> "Pois não, meus filhos. Não se vexem.
> Me deixem calçar as chinelas.
> Podem entrar à vontade.
> Só peço que não bulam nas obras completas de Vítor Hugo."

Em *Mundo enigma* há este poema:

> Ele acredita que o chão é duro
> Que todos os homens estão presos
> Que há limites para a poesia
> Que não há sorrisos nas crianças
> Nem amor nas mulheres
> Que só de pão vive o homem
> Que não há um outro mundo.

E esse poema se intitula surpreendentemente "O utopista".

Augusto Meyer, natural do Rio Grande do Sul, é autor de três livros de poemas – *Coração verde*, *Giraluz* e *Poemas de Bilu*. Nos dois primeiros a expressão é calma, ingênua, ao passo que no último Meyer vira Bilu, "o filóis (filósofo) Bilu, malabarista metafísico, grão-tapeador parabólico", reduzindo tudo a si mesmo, dissolvendo os pensamentos e as emoções em "caretas de saguim". O poema *"Chewing gum"* representa cabalmente o poeta em sua definitiva atitude diante da vida e na sua expressão irônica e displicente:

Masco e remasco a minha raiva, *chewing gum*.
Que pílula este mundo!
Roda roda sem parar.
Zero zero zero zero,
É uma falta de imprevisto...

Cotidianissimamente enfastiado,
Engulo a pílula ridícula,
Janto universo e como mosca.

Comi o mio-mio das amarguras.
A raiva dói como um guasqueaço.
Amolado.
Paulificado.
Angurreado.

Bilu, pensa nas madrugadas que virão,
Aspira a força da terra possante e contente.
Cada pedra no caminho é trampolim.
O futuro se conjuga saltando.
Depois:
Indicativo presente –
Caio em mim.

O filóis Bilu sabe que os caminhos foram feitos para andar, ouve o mundo que manda: "Entra na roda", mas recusa-se ao convite, e o seu gosto amarguento só se tranquiliza "na grande luz de renunciar". O resíduo último dessa filosofia niilista é "que nós somos a sombra de um sonho numa sombra", inversão do pensamento de Píndaro, que definiu o homem como "o sonho de uma sombra". Eis a definição do amor dada pelo poeta em "Grinfa":

Como a gente se completa...
O corpo-duplo tem alma.
Um mais um igual a Um.

Mas não fales no AMOR.

Repara:
É uma palavra desgraçada.
É uma palavra que separa.

Em uma carta de amor pede à amada: "Me dá o teu corpo, me dá o teu corpo!" Mas ajunta o P.S.: "A alma não quero: me sobra uma." Deliciosa brincadeira foi a que fez no poema "Rimance", que não é rimance nada, e sim uma cantiga de amor num arremedo de português arcaico como só pode fazer quem está familiarizado com o autêntico (o *humour* reside precisamente na macarronização):

Senhora minha, quo vadis?
Que me enchedes de soidades.
A esta façon me faredes

Deperecer por my fé
De vossas blandas beldades.

A esta façon me deixades?

Carlos Drummond de Andrade é o representante mais típico em poesia do homem de Minas Gerais. Os homens de Minas mais genuínos são dotados daquelas qualidades de reflexão cautelosa, de desconfiança do entusiasmo fácil, de gosto das segundas intenções, de reserva pessimista, elementos todos esses geradores de *humour*. Toda vez que com esse feitio mineiro coincidirem uma sensibilidade mais rara e o dom da poesia, é de esperar um humorista de grande estilo. Carlos Drummond de Andrade é o caso mais notável dessa feliz conjunção. Sensibilidade comovida e comovente em cada linha que escreve, o poeta não abandona quase nunca essa atitude de *humour*, mesmo nos momentos de maior ternura. De ordinário ternura e ironia agem na sua poesia como um jogo automático de alavancas de estabilização: não há manobra falsa nesse admirável aparelho de lirismo. O poeta não espera grande coisa desta humanidade: "Tirante dois ou três, o resto vai para o inferno". Como o Jesus do poema "Romaria", ele deve sonhar, nas horas de cansaço, com "outra humanidade". O juízo que faz da pátria não podia ser mais amargo: "Quem me fez assim foi minha gente e minha terra"; "É burrice suspirar pela Europa, aqui ao menos a gente sabe que tudo é uma canalha só, lê o seu jornal, mete a língua no Governo, queixa-se da vida e no fim dá certo". O amor? A eterna toada: "Briga, perdoa, briga". Afinal um *pis-aller*, porque "se não fosse ele também, que graça teria a vida?" A vida não presta. A vida cheia de quadrilhas. Uma quadrilha:

João amava Teresa que amava Raimundo
Que amava Maria que amava Joaquim que amava Lili
Que não amava ninguém.
João foi para os Estados Unidos, Teresa para o convento,
Raimundo morreu de desastre, Maria ficou para tia,
Joaquim suicidou-se e Lili casou-se com J. Pinto Fernandes,
Que não tinha entrado na história.

A vida... Eis como o poeta a viu numa manhã de Ano-Novo:

As coisas estão limpas, ordenadas.
O corpo gasto renova-se em espuma.
Todos os sentidos alerta funcionam.
A boca está comendo a vida.
A boca está entupida de vida.
A vida escorre da boca,
Lambuza as mãos, a calçada.
A vida é gorda, oleosa, mortal, sub-reptícia.

O poeta espera a hora da morte e só aspira a que ela "não seja vil, manchada de medo, submissão ou cálculo". De si mesmo se despedirá dizendo:

Adeus, composição
Que um dia se chamou Carlos Drummond de Andrade.

Adeus, minha presença, meu olhar, minha sombra no muro,
Sinal meu no rosto, olhos míopes, objetos de uso pessoal, ideia de justiça,
                                                    [revolta e sono, adeus,
Adeus, vida aos outros legada.

Entre os poetas brasileiros que chamei "bissextos" (defini como poeta bissexto aquele em cuja vida o poema acontece como o dia 29 de fevereiro no ano civil, ou seja, o poeta que só entra em estado de graça de raro em raro) há um – Pedro Nava – médico de profissão, mas autor de um poema onde, de começo ao fim, passa um calafrio de *humour*, que é talvez o mais sinistro de toda a poesia em língua portuguesa. Esse poema exprime as últimas vontades do poeta para o seu corpo defunto, e intitula-se "O defunto". E que quer ele? *A morte com mau gosto!*

Deem-me coroas de pano.
Deem-me as flores de roxo pano,
Angustiosas flores de pano,
Enormes coroas maciças,
Como enormes salva-vidas,
Com fitas negras pendentes.
[...]
Eu quero a morte nua e crua
Terrífica e habitual,
Com o seu velório habitual.
Ah! o seu velório habitual!
Não me envolvam num lençol:
A franciscana humildade
Bem sabeis que não se casa
Com meu amor pela Carne,
Com meu apego ao Mundo.
E quero ir de casimira:
De jaquetão com debrum,
Calça listrada, *plastron*...
E os mais altos colarinhos.
Deem-me um terno de ministro
Ou roupa nova de noivo...
E assim solene e sinistro,
Quero ser um tal defunto,
Um morto tão acabado,
Tão afligido e pungente,
Que sua lembrança envenene
O que restar aos amigos
De vida sem minha vida.
[...]
Meus amigos, tenham pena
Se não do morto, ao menos
Dos dois sapatos do morto!
Dos seus incríveis, patéticos
Sapatos pretos de verniz.
Olhem bem estes sapatos
E olhai os vossos também.

Na geração de 1930 e nas posteriores o *humour* vai desaparecendo. Os novos poetas censuram aos velhos os seus poemas-piadas e, como galinhas compenetradas, desovam o poema com a maior seriedade, "como quem reassume a velha honestidade", para citar um verso do cronista Rubem Braga (outro bom poeta bissexto) num poema que eu gostaria de transcrever aqui e em que ele graceja dos amigos de bar, que na Semana Santa se recolhem ao convento beneditino em retiro espiritual e depois da Páscoa regressam, "numa ressaca de virtude que os empalidece um pouco", ao "consabido botequim". Em Rubem Braga, em Vinicius de Moraes, ainda há o gosto agridoce do *humour*. Assim, Vinicius, falando de sua "delicadeza":

Mato com delicadeza. Faço chorar delicadamente:
E me deleito. Inventei o carinho dos pés; minha palma
De menino de ilha pousa com delicadeza sobre um corpo de adúltera.
Na verdade sou um homem de muitas mulheres, e com todas delicado e atento.
Se me entediam, abandono-as delicadamente, desprendendo-me delas com
[uma doçura de água.
Se as quero, sou delicadíssimo; tudo em mim
Desprende esse fluido que as envolve de maneira irremissível.
Sou um meigo energúmeno. Até hoje só bati numa mulher,
Mas com singular delicadeza. Não sou bom
Nem mau: sou delicado. Preciso ser delicado
Porque dentro de mim mora um ser feroz e fratricida
Como um lobo. Se não fosse delicado
Já não seria mais. Ninguém me injuria
Porque sou delicado; também não conheço o dom da injúria.
Meu comércio com os homens é leal e delicado; prezo ao absurdo
A liberdade alheia; não existe
Ser mais delicado que eu; sou um místico da delicadeza:
Sou um mártir da delicadeza; sou
Um monstro de delicadeza.

Naturalmente esse "monstro de delicadeza" não podia deixar de falar de sua pátria com a maior delicadeza. Fá-lo no poema "Pátria minha":

Vontade de beijar os olhos de minha pátria,
De niná-la, de passar-lhe a mão pelos cabelos...
Vontade de mudar as cores do vestido (auriverde!) tão feias
De minha pátria, de minha pátria sem sapatos
E sem meias, pátria minha
Tão pobrinha!
[...]
Não te direi o nome, pátria minha.
Teu nome é pátria amada, é patriazinha.
Não rima com mãe gentil.
Vives em mim como uma filha, que és
Uma ilha de ternura; a Ilha
Brasil, talvez.
Agora chamarei a cotovia
E pedirei que peça ao rouxinol do dia
Que peça ao sabiá
Para levar-te presto este avigrama:
"Pátria minha, saudades de quem te amas...
Vinicius de Moraes."

Haveria muitos outros poetas em que respigar notas de *humour*. Todavia os que aí vão representam de maneira mais original a atitude irônica na moderna poesia brasileira.

POETAS BISSEXTOS

I

Não procurem a expressão nos dicionários, porque não a encontram. Pelo dicionário, bissexto só há ano, e é o que tem um dia a mais, o que ocorre de quatro em quatro anos. Poeta bissexto deve, pois, chamar-se aquele em cuja vida o poema acontece como o dia 29 de fevereiro no ano civil. Esquematização grosseira. Em suma, poeta bissexto é todo aquele que só de raro em raro entra em estado de graça.

Parece que não deveria surgir nenhuma dúvida quanto aos caracteres distintivos do poeta bissexto. No entanto outro dia conversávamos eu, Vinicius de Moraes e Pedro Nava a respeito de poesia bissexta e de repente, com grande pasmo meu e do Nava, o Vinicius colocou o romancista Lúcio Cardoso na classe dos poetas bissextos. Um sujeito que tem um livro de poemas publicado e outro em via de publicação não pode absolutamente pertencer à classe. É o caso do Lúcio Cardoso. Um poeta pode publicar um livro e depois virar bissexto, e até deixar de ser poeta. Aliás verifiquei dias depois que o Vinicius estava em contradição com o que escreveu no número de setembro de 1942 da revista argentina *Sur*. Falando da poesia brasileira contemporânea escreveu o campeão do cinema silencioso: "... poetas que nós, seus íntimos, chamamos cordialmente de bissextos – poetas sem livros de versos –, bissextos pela escassez de sua produção, cuja excelência sem embargo os coloca ao lado dos mais citados". Poetas sem livros de versos, bissextos pela escassez de sua produção: essa é a boa doutrina. E a exemplificação de Vinicius em *Sur* foi excelente. Vou transcrevê-la, porque ela esclarecerá imediatamente o leitor sobre a questão:

> Bissexto é um Pedro Dantas, cujo poema "A cachorra" passou a ser uma obra-prima da literatura brasileira. O mesmo se pode dizer de "O defunto", de Pedro Nava, uma das peças mais belas e mais sinistras da poesia. Bissexto é um Aníbal Machado, escritor esporádico, em quem o verso é uma espécie de estado de graça que assoma entre largos períodos de sombra; é um Dante Milano, notável pela unidade de sua forma poética, de grande pureza; um Joaquim Cardozo, cuja produção se recusa à intimidade dos que lhe são mais chegados, tão íntima quer ser; um José Auto, poeta que se tem dez poemas terá muito, mais em quem a poesia é uma fatalidade de condição. Bons poetas que futuramente figurarão, estou certo, ao lado da melhor poesia brasileira.

De acordo, e divirjo apenas quanto à inclusão de Dante Milano. Milano escreve muito. Só que não publica os seus poemas, porque é "durinho", como o chama o Ovalle. Mas eu nego que a circunstância de não publicar os poemas em livro ou em revistas e jornais seja característica essencial do bissexto. O essencial é a produção rara. Lembro ainda que Vinicius deixou de citar o mais bissexto dos nossos poetas

– Rodrigo M. F. de Andrade, autor de um único poema, a famosa "Ode pessimista", que tanta discussão suscitou na roda dos colaboradores da *Revista do Brasil* (1926), onde foi publicada.

Uma coisa que tenho observado nos poetas bissextos é a pobreza dos temas, quase sempre reduzidos a dois apenas: o de certa dor nos acidentes passionais e o que Mário de Andrade chamou, com tanta felicidade, "tema da vida besta". O bissexto quando se embeiça por uma mulher que não pode ser dele faz verso na certa. Ou quando é lusco-fusco na rua de Santa Rita e ele espera na fila o ônibus de Grajaú.

Outro problema de difícil solução é saber se o poeta bissexto tem pescoço forte ou fraco. Isso só o Nava pode decidir: Nava é o bissexto em estado de pureza absoluta, e tem pescoço fraco. Mas o Pedro Dantas é outro bissexto não menos irredutível, e no entanto tem pescoço fortíssimo. Talvez não haja nenhuma ligação entre os dois domínios, hipótese que aventuro timidamente e entrego à meditação dos eruditos no assunto.

Quando um poeta bissexto faz um poema e acerta no pleno, deixa muitas vezes de assinar a obra, que então, pela sua excelência, passa a ser atribuída a um nome glorioso. Na poesia castelhana a célebre "Epístola moral a Fábio" tem sido atribuída a vários poetas – Argensola, Francisco de Rioja Medrano etc. Pode muito bem ter sido obra de algum bissexto. Talvez seja também o caso do famoso soneto "A Cristo Crucificado", maravilha que já foi atribuída a Santa Teresa, a Frei Pedro de los Reyes, a São Francisco Xavier, e até a Santo Inácio de Loiola. Foulché-Delbosc opôs objeções muito bem fundadas a todas essas hipóteses. Para mim, anda aí mão de bissexto.

Quando comecei a examinar o caso das *Cartas chilenas*, foi com a ideia preconcebida de que podia ser obra de algum bissexto. Nunca aceitei o argumento de certos críticos, a saber: em Minas, no fim do século XVIII, não havia quem pudesse escrever os versos da sátira, fora do grupo de Cláudio, Gonzaga e Alvarenga Peixoto. Por que não? Essa gente não sabe de que é capaz um bissexto em boa forma... Só me convenci de que as cartas não eram de nenhum bissexto e sim de Gonzaga, diante das peculiaridades estilo-métricas e das provas de outra natureza apresentadas por Luís Camilo de Oliveira e Afonso Arinos de Melo Franco. Este último, também bissexto, diga-se de passagem.

II

Torno ao assunto dos poetas bissextos, porque a minha crônica da semana passada suscitou várias objeções a que preciso responder para maior esclarecimento dos leitores.

Assim, Vinicius de Moraes disse-me que na conversa que tivemos, ele se referira não a Lúcio Cardoso, mas a Joaquim Cardozo. Pedro Dantas sentiu-se roubado quando atribuí à *Revista do Brasil* a publicação da "Ode pessimista" de Rodrigo M. F. de Andrade. Ora, a ode saiu foi na revista *Estética*, dirigida por eles e por Sérgio Buarque de Holanda.

Mas Pedro Dantas não se limitou a essa retificação de fato, e entrou no terreno doutrinário, opugnando a classificação de Afonso Arinos de Melo Franco entre os bissextos.

– Um poeta que escreve uma obra como *Marília de Dirceu* não pode ser considerado bissexto. Arinos estava estudando a Inconfidência Mineira e de repente viu – manjou, como se diz em gíria – o tema do seu poema dramático. Este é fruto de uma elaboração mental bastante complexa; é uma construção, coisa de que um verdadeiro bissexto não será capaz. Você teve razão ao assinalar como característica do bissexto a redução dos temas a tão somente dois – o do acidente passional e o da vida besta. Note que são os temas líricos por excelência. O do amor é também o mais frequente mesmo nos poetas contumazes, e gerador até de epopeias, porque afinal de contas *A ilíada* o que é senão a dor de Menelau com todas as suas consequências? O mais ilustre caso da famosa dor, pois arrastou à luta todos os príncipes da Grécia, solidarizados com o marido de Helena? O poeta contumaz é aquele que sabe extrair matéria lírica de qualquer acidente da vida. Como o Carlos Drummond de Andrade, por exemplo, que a saca tanto de um acontecimento social como a resistência espantosa de Stalingrado, quanto de uma simples pedra encontrada no caminho. Há aí qualquer coisa como a ação de um transformador num circuito elétrico. O bissexto não transforma, não elabora nada. Nos temas da vida besta e da dor de Menelau a matéria lírica já se apresenta elaborada e pronta. O bissexto não faz mais que captá-la.

Foi essa, mais ou menos, a argumentação de Pedro Dantas. Fiquei bastante abalado com ela, sentindo todavia que colocar Arinos na categoria dos contumazes é tirar-lhe um pouco do vago encanto que encontro nos bissextos. O bissexto, na sua relativa impotência criadora, tem às vezes achados que enchem de inveja todo o *genus irritabile*. Na minha primeira crônica sobre os bissextos procurei debalde o epíteto antônimo de bissexto. Pedro Dantas saiu-me com esse "contumaz", que é perfeito, singular, raro e elegantíssimo. E saiu-me ainda com essa "dor de Menelau", que nos deixa inteiramente limpos no seio das famílias.

O bissexto Pedro Nava telefonou-me para dizer que a certa altura da minha crônica eu entrei a falar em pescoços fortes e pescoços fracos, como se fossem coisas muito sabidas de toda a gente. Tem toda a razão. Isso Nava poderia explicar melhor que eu, porque foi o criador das categorias. Em poucas palavras: quem viaja nos bondes e nos ônibus deve ter reparado que há umas pessoas de pescoço delicado com os tendões visíveis e alguns ralos cabelos, ao passo que em outras o pescoço é musculoso ou pelo menos enxuto, de cabelo rijo e bem implantado. O primeiro é o pescoço fraco; o segundo, forte. Até aí, nada demais. Mas Nava transportou a observação para o domínio da psicologia. Moralmente o pescoço fraco corresponde aos que fraquejam em face do menor obstáculo. O pescoço fraco, por exemplo, entra num ônibus em que há lugar e fica em pé, porque na sua timidez não vê o único assento vago. É preciso que um pescoço forte lho mostre. Se o pescoço fraco se apaixona por uma mulher, fica no que se chama no Norte "namoro de caboclo" em vez de pedir logo "o que fez para dar-se a natureza", como ensinou aquele pescoço fortíssimo que foi o Camões.

– Depois, disse o Nava, você nada falou sobre a classificação dos bissextos na Nova Gnomonia... Os bissextos são parás, dantas, onésimos, mozarlescos ou quernianos?

Isto pede algumas explicações preliminares, embora a teoria já tenha sido exposta por mim nas minhas *Crônicas da província do Brasil*. A Nova Gnomonia é uma invenção de Jayme Ovalle e Augusto Frederico Schmidt, no tempo em que ainda não se odiavam. Verdadeiramente é um complemento da Biotipologia. Quem tomou conhecimento daquelas cinco categorias não pode mais dispensá-las na linguagem consuetudinária. Em resumo: os parás são como aqueles homenzinhos terríveis que vêm do Norte para vencer na capital da República (dinâmicos, audaciosos, tudo sacrificam ao sucesso da ideia de que estão possuídos); os Dantas, são os bons, os equilibrados, indiferentes ao êxito, cordatos e modestos ainda quando conscientes do valor próprio; os mozarlescos são os sentimentais (a lua é mozarlesco; Casimiro de Abreu é mozarlesco); os onésimos são os sujeitos que duvidam, sorriem e desapontam (ninguém tem coragem de chorar diante de um onésimo, razão por que os onésimos são o terror dos mozarlescos); finalmente querniano é o impulsivo, tanto para o bem como para o mal. Para maiores informações leiam as minhas *Crônicas da província do Brasil* e mais *Categorias gnomônicas*, de Pedro Dantas, *Do caráter querniano de Judas*, de Gilberto Freyre (aguda análise a respeito das cinco categorias em geral) e *Da gravitação dos anjos para a categoria Pará*, de Sérgio Buarque de Holanda (Sérgio descobriu a única lei da nova ciência).

Bem, agora pergunto: os poetas bissextos a que categoria gnomônica pertencem? Quando lancei a questão ao Pedro Dantas, ele franziu a testa (ficou parecidíssimo com o avô: Dantas é neto de Prudente de Moraes) e após alguns segundos de reflexão disse que os bissextos são mozarlescos. Serão mesmo? A questão está em aberto.

Novos poemas de Vinicius de Moraes

Quando Vinicius de Moraes estreou com o livro *O caminho para a distância*, eu, que fazia a crítica literária no *Diário de Notícias*, louvei-o com uma certa secura. Quatro anos depois, em 1935, o poeta dava-nos um segundo livro – *Forma e exegese*, com o qual conquistou o prêmio Sociedade Filipe D'Oliveira. E me conquistou também. Por essa ocasião tive ensejo de declarar a minha admiração, já sem prudências, pelo autor de "O escravo", "Alba", "Agonia", "A mulher na noite", "Três respostas em face de Deus", "Ilha do Governador" etc. Sobretudo me senti levado da máscula força poética do poema "A legião dos Urias". Em 1936 apareceu *Ariana, a mulher*, um dos grandes poemas de amor da nossa literatura.

Uma coisa porém me deixava insatisfeito em *Forma e exegese*: a persistência do poeta no tom sublime e no ritmo inumerável. "Bicho da terra tão pequeno", eu queria ver outro bicho nesse rapaz que pairava continuamente nas regiões irrespiráveis da estratosfera poética. O vasto planejamento rítmico dos seus poemas dava-me de repente uma saudade irreprimível de metros curtos. Eu, que num dia de aborrecimento gritara: "Todos os ritmos, sobretudo os inumeráveis!"... Vinicius de Moraes fez-me a vontade: este seu novo livro traz vários poemas metrificados, sonetos, redondilhas, e o bichinho da terra desceu dos Itatiaias, desceu, desceu, firmou os pés no solo, saiu andando naturalmente, entrou nos currais e confraternizou em festas de espuma com o gado bovino, respirando "o cheiro bom do estrume". Me parece que a sua poesia ganhou com isso uma humanidade mais vasta e mais profunda.

O livro abre com uma "Ária para assovio", cuja primeira quadra é uma primeira estrela sozinha no céu:

> Inelutavelmente tu
> Rosa sobre o passeio
> Branca! e a melancolia
> Na tarde do seio.

Mas esses quatro versos puríssimos podem parecer uma charada aos olhos de muita gente. Por isso me apresso em transcrever alguma coisa inteligível, regular, e será o lindo e perfeito "Soneto à lua":

> Por que tens, por que tens olhos escuros
> E mãos lânguidas, loucas, e sem fim?
> Quem és, que és tu, não eu, e estás em mim
> Impuro, como o bem que está nos puros?
>
> Que paixão fez-te os lábios tão maduros
> Num rosto como o teu criança assim?
> Quem te criou tão boa para o ruim
> E tão fatal para os meus versos duros?
>
> Fugaz, com que direito tens-me presa
> A alma, que por ti soluça nua
> E não és Tatiana e nem Teresa:
>
> E és tão pouco a mulher que anda na rua,
> Vagabunda, patética e indefesa,
> Ó minha branca e pequenina lua!

Há outros sonetos no livro: "Soneto de agosto", "Soneto de contrição", "Soneto de devoção", "Soneto de inspiração". Todos eles são bons e vêm mostrar como andavam errados certos sujeitos quando imaginavam que ser moderno era dizer mal do soneto. Quiseram matar o soneto. Não foi a primeira vez. Mas o que sempre se tem visto é a renovação dessa admirável forma fixa, que, abandonada durante algum tempo, acaba reaparecendo rutilante todas as vezes que a tocam as mãos de um verdadeiro poeta.

Ainda neste livro vemos o poeta a se debater entre as solicitações da carne e do espírito: a se debater naquele drama que Octavio de Faria definiu como uma perplexidade entre a "impossível pureza" e a "impureza inaceitável". Quer me parecer no entanto que o crítico exagerou um tanto a gravidade do drama. Não levou em bastante conta a versatilidade, estou quase a dizer a leviandade do poeta. Não creio que para Vinicius de Moraes seja a pureza tão impossível nem a impureza tão inaceitável. O seu tédio da carne resulta antes do cansaço e da saciedade; a dor, da violência da posse. O último poema do livro resume bem não só o atual estado de alma do seu autor como também o seu atual processo poético: num tédio enorme da vida a vontade de escrever uma grande poesia; misturando na linguagem o sublime e o rasteiro. E que ideia deseja para essa grande poesia? – Uma ideia bem inocente pedida pelo telefone à sua vovó Neném. O tédio é tão grande, que o poeta pede à mãe: "Se o aneurisma de Dona Ângela arrebentar, me avisa."

Que pensará a mãe deste filho que se diz "falso, miserável e sórdido", e ao mesmo tempo "estala em força, sacrifício, violência, devotamento?"

Dirá sem dúvida o que todos nós dizemos: que seu rapaz nasceu marcado para a poesia. Mas dirá com o mais doce daquela carícia eterna que nenhuma mulher dá senão a seu filho.

Os 25 poemas da triste alegria

Quando Carlos Drummond de Andrade publicou o seu livro *Alguma poesia*, escrevi não sei mais para que jornal uma crítica, reproduzida depois no meu volume *Crônicas da província do Brasil*. Reli-a agora e sinto-me sem força para acrescentar mais nada, senão que a minha admiração pelo poeta e o meu afeto pelo amigo vieram acrescendo sempre através dos livros – *Brejo das almas, Sentimento do mundo* – e das provas de carinho com que me tem confortado.

Naquela minha crônica o essencial é que eu punha Carlos Drummond entre os três ou quatro maiores poetas do Brasil e o primeiro grande humorista da nossa poesia, tomado o humorismo no grande sentido que é o de Heine e Laforgue. "De ordinário, – escrevi – ironia e ternura agem na poesia de Carlos Drummond de Andrade como um jogo automático de alavancas de estabilização. Não há manobra falsa nesse aparelho admirável de lirismo."

Como chegou ele a tamanha destreza? Conheço um pouco o segredo dela pela leitura de um livro seu que nunca foi publicado – *Os 25 poemas da triste alegria*, – cujo manuscrito, anotado do próprio punho do poeta, constitui uma das preciosidades da coleção de autógrafos de Rodrigo M. F. de Andrade. O livro trazia uma epígrafe que não poderei transcrever porque seria uma traição. O estilo sabe àquela sutileza própria do setor Ronald-Guilherme no Modernismo incipiente. Nisso posso falar de cadeira, porque também fui "sutil". Fui?... Sutil, sutil, a verdade é que havia verdade na epígrafe onde o poeta dizia que a sua poesia era muito simples, ao contrário do seu espírito que era muito complicado.

A rigor a forma é que é simples. Não em *Os 25 poemas da triste alegria*, mas na sua verdadeira obra, que veio depois, e na qual o poeta lavou a acetona todo o verniz das suas tristes e felinas garras. É preciso realmente ser profundamente complicado de espírito para maquinar um assalto à sensibilidade alheia por meio de um comprimido que condensa toda a tristeza individual e da espécie numa simples fórmula de cansaço mental como é aquela famosa pedra onde tem tropeçado a burrice maciça de tanta gente.

Só é destro o poeta quando agudo crítico... Em 1927 o crítico Drummond de Andrade dominava e conduzia soberanamente o poeta Carlos, sabendo fazê-lo tirar partido de todas as suas ingênuas riquezas e alijar o peso morto de todos os postiços, sutilezas e flautas ou frautas farautas.

O que há de deplorável nestes versos – escreveu o crítico Drummond de Andrade comentando *Os 25 poemas da triste alegria*, – é que eles são autênticos.

Salvo um poema, que resultou de um movimento da sensibilidade, os demais podiam deixar de ser escritos. São exercícios à moda do tempo, tímidos e mecânicos. Não deram evasão a nenhuma necessidade íntima, não transpuseram nenhuma aventura ou experiência intelectual ou física.

Transcrevi esse trecho para definir pelos contrários a poesia de Carlos a partir de *Alguma poesia*. Tudo nela resulta de um movimento da sensibilidade, da evasão a alguma necessidade íntima, transpõe alguma aventura intelectual ou supera alguma experiência física.

O crítico Drummond de Andrade catou num d'*Os 25 poemas da triste alegria* os termos "silêncio", "crepúsculo", "humildade", "malícia", "repuxo", "doçura da hora", "arrabalde", "noturno", e comentou à margem: – "instrumental poético da época".

Desse instrumental fazia parte o terminar o poema "com uma breve reflexão melancólica, entre parênteses e rematada por uma reticência, o substituto da chave de ouro parnasiana na técnica modernista". O poeta, ainda filhote, aplicou a receita em 1924, mas, adulto, zombou de si mesmo em 1937: – "O verso acima constitui modesta aplicação dessa fórmula".

Não posso deixar de transcrever toda a nota relativa ao poema *Longe do asfalto* (quero justificar o que disse atrás, isto é, que descobri o segredo da destreza do poeta pela leitura de *Os 25 poemas da triste alegria* comentados):

A esse tempo, eu já compreendia que não era honesto falar nos canais de Bruges. Entretanto, introduzi neste poema a iluminação a gás, que jamais me foi dado conhecer, – salvo uma tímida e remota experiência no teatro de Itabira, antes da introdução da luz elétrica. Considero essa falta mais grave do que pode parecer. Evidentemente, o poeta tem direito de falar da China, das mulheres e dos rios da China, sem ter visitado a matéria descrita. Mas a fixação de um quadro urbano, popular, como o deste poema, parecendo ser alguma coisa de familiar ao poeta, quando na realidade lhe é absolutamente estranho – me parece agora um tanto indecente.

Houve entre os tais 25 poemas um que valeu ao poeta alguns sucessos mundanos. Todavia algumas pessoas, estimando embora os versos, lamentavam que o conterrâneo "perpetrasse já certas coisas menos confessáveis no terreno poético". Acrescenta o comentário: – "esperavam que eu me corrigisse, o que desgraçadamente não foi possível".

E foi assim que Carlos Drummond de Andrade chegou à sua poesia de hoje, inconfessável como toda poesia verdadeiramente perturbadora.

ANTÔNIO NOBRE

Em "Soneto a Antônio Nobre" disse um dia o nosso Alphonsus de Guimaraens Filho: "Que doce, Antônio, é te chamar irmão!" E Alberto de Serpa abre o seu ensaio *Vida, poesia e males de Antônio Nobre* com estas palavras: "O poeta de *Só* é uma pessoa da minha vida". Posso dizer também: Antônio Nobre é pessoa da minha vida. Gosto de chamá-lo irmão. Irmão em Clavadel. Que é Clavadel? Um recanto do vale de Davos, generosamente aberto para o sul e protegido ao norte pelas altas cadeias do Jacobshorn e do Jaxhorn, lugar de perfeita tranquilidade, onde, nos arredores, vastas pastagens alpestres alternam durante horas com densos bosques de pinheiros. "Altos pinheiros setuagenários", em cuja "estranha legação" fomos, a certa altura da vida, eu e Nobre despachados, ele em 1895, e lá se demorou pouco menos de dois meses, eu em 1913, e ali vivi um ano e quatro meses. Eis como o poeta descreve aquela estância de tísicos: "Clavadel é admirável, fica numa montanha de pinheiros, onde, além das três pensões e uma outra casa, há apenas choupanas de aldeões e vacas que, toda a hora, estão a tocar clocha, porque, segundo o costume suíço, trazem um sino ao pescoço que toca ao menor movimento que façam". Nobre hospedou-se na Villa Bellevue, donde é datada a carta ao irmão Augusto, da qual extraímos o trecho transcrito. No meu tempo a paisagem era a mesma – umas quatro casas, as choupanas dos aldeões e as boas vacas de clocha ao pescoço. Só que havia a mais o sanatório onde estive. Quero crer que Villa Bellevue era a bonita casa que ficava atrás e acima do sanatório.

Assim, ali Antônio Nobre teria escrito em outubro de 1895 o soneto "Ao cair das folhas":

> Pudessem suas mãos cobrir meu rosto,
> Fechar-me os olhos e compor-me o leito,
> Quando, sequinho, as mãos em cruz no peito,
> Eu me for viajar para o Sol-posto.
>
> De modo que me faça bom encosto,
> O travesseiro comporá com jeito.
> E eu tão feliz! por não estar afeito,
> Hei de sorrir, Senhor, quase com gosto.
>
> Até com gosto, sim! que faz quem vive
> Órfão de mimos, viúvo de esperanças,
> Solteiro de venturas, que não tive?
>
> Assim, irei dormir com as crianças
> Quase como elas, quase sem pecados...
> E acabarão enfim os meus cuidados.

A tristeza desses versos tem um acento bem diferente da tristeza quase *dandy* dos poemas do *Só*. O próprio poeta foi o primeiro a reconhecê-lo quando mais tarde escreveu: "Deus castigou-me. Quando era feliz e apenas tinha arranhaduras dos dezenove anos, escrevia os 'Males de Anto', exagerando tudo. Agora é que os sinto, depois de os ter expresso em literatura."

Quando digo "tristeza quase *dandy*" não estou a desfazer do poeta. Nobre era como poeta um exagerado; como poeta e como homem, um *dandy*. *Dandy* no sentido baudelairiano da palavra. Pois ele não disse na "Balada do caixão":

> Ó meus amigos! salvo erro,
> Juro-o pela alma, pelo céu:
> Nenhum de vós, ao meu enterro,
> Irá mais *dandy*, olhai! do que eu!

O soneto "Ao cair das folhas", sem nenhum dandismo, foi escrito no mesmo mês em que o poeta, já às voltas com o seu poema "O Desejado", compunha no mesmo *mood* dos seus mais característicos poemas do *Só*, como "Lusitânia no bairro latino", "Purinha", "Carta a Manuel", "Na estrada da Beira", e "Males de Anto", as oitavas reais "A Lisboa das naus, cheia de glória". O verdadeiro poeta Antônio Nobre, com a sua presença inconfundível, com a sua mistura de preciosidade e plebeísmo, este sempre intencional, com as suas enumerações caóticas, os seus exageros, o seu jeito desabusado de introduzir o tom prosaico na ordenação canônica do decassílabo, aparece e creio que pela última vez na magnífica abertura do poema.

Em Clavadel tivemos ambos, Antônio Nobre e eu, a revelação brutal do nosso verdadeiro estado. Eu sabia bem que era um doente, mas ignorava a extensão de minhas lesões. Nobre, não. O boletim do bacteriologista denunciando a presença insuspeitada de bacilos deixou-o sucumbido. E em Clavadel teve ele as primeiras hemoptises. "Nunca supus", escreveu ao irmão, "ter uma tísica declarada; imaginei sempre, fiando-me nos médicos e pelo que eu sentia, que tinha uma ameaça dela, – e assim ia nessa ilusão." E ele que em tantos poemas do *Só* e sobretudo em "Males de Anto" como que se comprazia em se dar por doente ("Estou aqui, estou ido. Só tenho pele. Nada me salva, nada"), embora advertisse "o que eu tenho é apenas uma tísica d'Alma" (mas todo o livro dá impressão de ser obra de um pré-tuberculoso, romântico deleitado no seu tédio consuntivo), na mesma carta em que comunicava ao irmão a notícia dos bacilos, recomendava-lhe instantemente: "O que eu te peço é que a ninguém diga que tenho a tuberculose, aos estranhos, a não ser Eduardo de Sousa, Cardoso Ferreira e Agostinho. Eu não desejo, nem me convém que se espalhe que o meu estado é assim grave. Não me farás isso? Diga a toda a gente que vim aqui para robustecer-me, prevenir, mas não curar. Eu logo sei o que tu fizeres e um desgosto assim faz-me muito pior, disse-me o médico, que se me deitassem a rebolar por uma destas montanhas." Tinha razão o poeta: hoje a tuberculose pouco mais é do que uma gripe; mas naquele tempo, em que não havia antibióticos nem pneumotórax nem toracoplastia, em que os únicos recursos de defesa eram o bom clima (o Eça dizia que "não há nada mais reles do que um bom clima"), a superalimentação, que arruinava o estômago e o fígado, e o repouso absoluto, que arruinava a alma, entisicar era quase sempre marcar o *rendez-vous* com a morte no prazo médio de três anos. Era dizer adeus ao emprego, ao casamento e até à hospedagem em qualquer hotel ou pensão decente. E foi o que aconteceu a Nobre, apesar de todas as suas precauções. Clavadel, que ele preferira a Davos, precisamente por ter pouca gente e permitir poder "viver selvagem, sem ninguém", agora lhe parecia de um aborrecimento mortal; entristecia-o imenso "a perpétua solidão [são palavras suas] daquelas montanhas sem gente, cobertas de neve". A partida de Clavadel inicia a aflita peregrinação do poeta em busca da cura ilusória: volta a Portugal, viagem aos Estados Unidos (acreditava-se nas longas travessias marítimas como meio de cura), nova volta a Portugal, Ilha da Madeira, novamente Portugal, outra tentativa na Suíça, primeiro em Arosa, depois em Davos, e afinal Monte Estoril e o Seixo, onde lhe morrera o pai e onde ele vai morrer a 16 de março de 1900. Morreu bem, contou o irmão, sem que se lhe notasse qualquer sintoma de agonia. "Estava sentado na cama recostado em almofadas, inclinou-se para mim, abraçou-me, e assim ficou."

Antônio Nobre nasceu no Porto a 16 de agosto de 1867. Seu pai foi um daqueles portugueses que vinham para o Brasil com dez anos a trabalhar no comércio e vinte anos depois voltavam ricos a Portugal. Teve o poeta uma infância mimada (era o predileto do pai), mas teve a infelicidade de perder muito cedo a mãe. Serpa fala-nos das primeiras atividades poéticas de Nobre no Porto, ainda quando preparatoriano, colaborando em revistas de estudantes e planejando um livro, que intitularia *Vespertinos* e depois *Alicerces*. Primeiros poemas, em que se nota a influência de Junqueiro, de Cesário Verde, de João de Deus. Mesmo do nosso Raimundo Correia, como no primeiro verso de "Dezesseis anos": "Raia sanguínea e fresca a madrugada clara". Neles mal reponta, aqui e ali, algum traço característico do futuro grande poeta.

Em 1888 parte para Coimbra. A vida universitária foi a sua primeira grande decepção. "Coimbra, sonhada a distância", confidenciou ele a seu amigo Alfredo de Campos, "vista por entre a gaze da legenda, é porventura deliciosa, pelo que tem de estranho e bizarro, como de resto são muitas coisas, vistas e sonhadas daquela maneira; – entretanto observada, experimentada, apalpada, como o é todos os dias por nós, só deixa, quando à noite vamos dormir –, uma impressão de tédio imenso." Na realidade dos olhos acordados era "o vale das Sebentas". A geração do Eça ainda tinha, para passar as noites, a taberna das Camelas. "Mas", escreveu o poeta na mesma carta a Alfredo de Campos, "as tias Camelas morreram e só ficou a camelice..." Impressões que ele repetirá mais tarde em versos na "Carta a Manuel":

> Era a distância, o "além", o que me impressionava:
> Tinha o mistério do Sol-pôr, duma esperança.
> Mas mal cheguei (que espanto! eu era uma criança),
> Tudo ruiu no solo! a "Tasca das Camelas"
> Para mim era um sonho, o Céu cheio de estrelas:
> Nossa Senhora a dar de cear aos estudantes
> Por "6 e 5!" Mas ah! foi-se a Virgem dantes
> Tia Camela... só ficou a camelice.

A vida em Coimbra era "claustral, bacharelática, funesta", cheirando "por toda a parte, desde a Alta à Baixa, a lente!" Os seus colegas lhe pareceram magros, tristes, boçais, de cabeça derreada "sob o olhar pardo dos lentes". Os poetinhas da universidade tinham "uma alma mesquinha, a par duma inferioridade que os torna verdadeiramente sórdidos". Não perdoavam ao poeta o seu ar *soi-disant* orgulhoso de tímido, as suas esquisitices e o seu dandismo, a capa de seda, os colarinhos voltados, o Waldeck encadernado em bíblia, o patacão de Dom João VI usado no alfinete de gravatas. Defendeu-se o poeta da vulgaridade e ambiente refugiando-se na casa que batizou de "Torre de Anto". Informa João Gaspar Simões que "era uma torre medieval de construção, pois, se não me engano, está encravada nas muralhas de Coimbra e foi talvez um dos seus torreões". E sobre ela contou o poeta:

Certamente morro com uma "torrite". Tem sido tal a minha adoração por ela, nestes dias, que chego a ter uma verdadeira obsessão, andando a escrever a lápis por todas as ogivas, por todas as portas, por todos os cantos: "Anto", "Anto", "Torre de Anto"! Roço-me pelas paredes, como para lhes transmitir um pouco de mim; assento-me no chão, lanço-me ao comprido para que todo o meu corpo se infle de Torre – tal é o meu amor por ela. Nem a Torre de Davi se lhe pode comparar, nem o torreão de que eu fui o engenheiro ideal e que, um dia, sonhei edificar na Boa Nova...

Se encontrou entre os estudantes alguns companheiros que afinavam com o seu temperamento e a sua formação moral, junto aos lentes não alcançou compreensão nem simpatia, e em dois anos consecutivos foi reprovado nos exames. O poeta precisava do diploma de bacharel para entrar na carreira consular. Por isso vai estudar em Paris. E em Paris amadurece o grande poeta no único livro que publicou, – o *Só*, editado em 1892 por Vannier, o editor dos simbolistas franceses. Aprovado em 1895, no concurso para cônsul, adoece e parte para Clavadel...

Dois anos depois da morte do poeta editava-se o volume das *Despedidas*, e em 1921 os *Primeiros versos*. Comecemos por este último o estudo dos livros de Nobre.

Primeiros Versos contém poemas escritos entre 1882 e 1889. Quer dizer que há na coletânea poemas contemporâneos de outros incluídos no *Só* e apenas quatro – "Intermezzo ocidental", "Dezesseis anos", "Quintilhas" e "Quadro de sangue" – anteriores a 1884, data do soneto quinto de *Só*. O poeta revelou boa autocrítica na exclusão. Os *Primeiros versos* valem apenas como documentos para estudo da personalidade do autor. Todavia alguns versos ou alguns fragmentos de versos, células de poesia, serão aproveitados em poemas elaborados mais tarde. Assim, o poema "A escuna Spes", de 1888, acaba com o verso "Ó minha Nau Catarineta! Adeus!", e o primeiro terceto do soneto 14 de *Só* é:

> Ó Lusitânia que te vais à vela!
> Adeus, que eu parto (rezarei por ela)
> Na minha "Nau Catarineta", adeus!

A imagem que está nos dois versos finais do excerto "Ode aos rapazes novos", sem data em *Primeiros versos*:

> E um dia enfim virá, no ocaso da Existência,
> Nesse lutuoso ocaso em lágrimas banhado,
> Que o nosso coração, rosa de pura essência,
> Evolará, sorrindo, o aroma do passado...
> Há de subir da infância às luminosas fráguas,
> Há de volver à infância e rejuvenescer,
> Como quem vê o sol sumir-se sob as águas
> E sobe aos alcantis para o tornar a ver!

reaparece no soneto-dedicatória do *Só*:

> Lede-o e vereis surgir do poente as idas mágoas,
> Como quem vê o sol sumir-se, pelas águas,
> E sobe aos alcantis para o tornar a ver!

E os "grandes olhos outonais" do poema "A vida", os "grandes olhos outonais, cheios de Graça" já estavam no fragmento "Olhar", sem data em *Primeiros versos*, mas estavam lá "cheios de azul". Não seriam os de Purinha, que eram negros, mas de alguma das inglesinhas que o poeta namorava na praia de Leça, talvez a que lhe abreviou o nome para Anto, pois Anto não foi criação do poeta.

O que nestes *Primeiros versos* já prenuncia o Nobre do *Só*, mas ainda insatis-fatoriamente expresso, é *o spleen* profundo, a obsessão da morte, e uma ou outra vez a graça de uma imagem perfeitamente realizada como aquela de "Ave, Maria":

> Ave, Maria das Dores!
> Ó nuvem do sol, no oeste,
> Latina de Pescadores!

O *Só* não era, como declarava o poeta no poema de abertura, "o livro mais triste que há em Portugal". Era talvez, porém, o mais novo, o mais pessoal, o mais original. Não havia exemplo na poesia portuguesa de uma explosão de lirismo como aquela, vinda de tão fundo e informada em linguagem mais natural, mais ingênua, mais livre, mais corajosa e tão poderosamente versátil. Ao mesmo tempo tão racialmente português, que muitos anos depois outro grande poeta, Fernando Pessoa, pôde dizer que "de Antônio Nobre partem todas as palavras com sentido lusitano que de então para cá têm sido pronunciadas" e que ele "foi o primeiro a pôr em europeu este sentimento português das almas e das coisas, que tem pena de que umas não sejam corpos, para lhes poder fazer festas, e de que outras não sejam gente, para poder falar com elas". O exílio de estudante em Paris, a distância e con-sequente nostalgia fizeram aquela natureza de homem ainda menino e bastante fe-minina, narcisicamente egotista, sentir tão profundamente a pátria ausente que José Régio, outra voz atual e extraordinária da poesia lusa, assinala, com justeza, que "bem raros romances portugueses igualarão na criação duma atmosfera" o mundo fantasmático do *Só*: "mundo em que vivem os ventos e os horizontes, os animais e as árvores, os mortos como vivos e os vivos como espíritos..."

Conta-se que Teixeira de Pascoais, certa vez em que se conversava de poeti-sas portuguesas, dissera: "A melhor poetisa portuguesa é... Antônio Nobre". Maneira muito exagerada de apontar o que havia de feminino em Nobre. Havia mesmo e não só na sua poesia como em sua pessoa. O Eça, a quem o poeta frequentou em Paris, escreveu em 1892 "o Nobre, do *Só*, que é simpático e ultralangoroso". Sem embargo de reações lusitanamente viris, como na véspera de partir para a Suíça, e portanto bem doente, aquela ida a Leça, debaixo de chuva, a ver se encontrava certo sujeito para lhe dar quatro bofetadas. Muito mais considerável do que a componente femi-nina é, na pessoa e na poesia de Nobre, a sobrevivência do menino. Reconheceu-o ele próprio nesta frase de sua correspondência: "Já não sou uma criança e fui-o até tão tarde!" Mas quando escrevia os imortais poemas do *Só*, apegava-se deliciada-mente ao que ainda lhe restava de infância, o meninão está sempre presente, nem sei se será demasiado dizer que toda a poesia de Nobre resulta do desengano do menino ao se sentir ficar adulto. Também o nosso Vinicius de Moraes exprimiu o mesmo sentimento no verso inicial de sua "Elegia quase uma ode": "Meu sonho, eu te perdi; tornei-me em homem". Mas no *Só* o tema volta a cada instante. A nostalgia da infância é o clima habitual do livro: "Ah pudesse eu voltar à minha infância!" exclama no soneto 16.

Releiamos o soneto "Menino e moço":

Tombou da haste a flor da minha infância alada.
Murchou na jarra de ouro o pudico jasmim:
Voou aos altos Céus a pomba enamorada
Que dantes estendia as asas sobre mim.

Julguei que fosse eterna a luz dessa alvorada,
E que era sempre dia, e nunca tinha fim
Essa visão de luar que vivia encantada,
Num castelo ideal com torres de marfim!

Mas hoje as pombas de oiro, aves da minha infância,
Que me enchiam de Lua o coração outrora,
Partiram e no Céu evolam-se, à distância!

Debalde clamo e choro, erguendo aos Céus meus ais;
Voltam na asa do Vento os ais que a alma chora:
Elas, porém, Senhor! elas não voltam mais...

Só na exterioridade formal e sobretudo na imagem das pombas lembra esse soneto o outro famoso de Raimundo Correia. Aqui a mágoa é a da infância perempta e que o poeta buscava desesperadamente prolongar no seu mundo de poesia.

O comportamento do poeta em relação às mulheres é, intencionalmente, de menino. No sonho do seu casamento com a Purinha, vem a Purinha e

pela mão me levará, como uma criança.
E eu pálido! e eu tremendo! e o Anjo pelo caminho,
"Não te aflijas..." dirá baixinho...

Purinha será

a Mamã que me há de vir criar,
Admirável Joaninha d'Arc,
Meu novo berço duma Vida nova!

À própria Morte, que é que Anto pede?

Ó velha Morte, minha outra ama!
Para eu dormir, vem dar-me de mamar...

Não era só para a Carlota que Anto era "o menino". Raul de Caldevilla, que foi seu companheiro em Leça, onde com ele costumava passear entre os barcos da praia e os pescadores, contou que as mulheres chamavam ao poeta: "Nosso menino" e mais que "ao ouvi-las, na brandura do seu olhar havia emoção".

Nobre gostava de se deixar como que embalar nessa onda de maternidade que a sua presença despertava. A esse aspecto nada mais revelador do que esta passagem de "Males de Anto", em que o poeta evoca os mimos da velha Carlota para com ele:

E trata-me tão bem, tão bem! como se eu fosse
Seu filho. Dá-me, olhai, pratinhos de arroz doce
Com as iniciais do meu nome em canela,
E traz-me o caldo, como exijo, na tigela
Por onde come o seu. E dá-me o vinho fino,
Onde me molha o pão de ló "p'r'o seu menino",
Que é assim que eu gosto pelo Calix do Senhor,
Que pertenceu, outrora, ao meu Tio Reitor.
Carlota é um beijo. Faz-me todas as vontades.
Quando me sinto pior, ao bater das "Trindades",
E me apetece comer terra, algumas vezes
(Assim são nossas Mães perto dos nove meses),
Sai a buscar uma mão cheia. Vem molhada:
Foi ela que chorou... mas diz que "é da orvalhada..."
E quando, enfim, sombrio, agoniado, farto,
Me vou deitar, a santa acompanha-me ao quarto:
Ajuda-me a despir e mete-me na cama.
E com um mimo que só sabe ter uma ama
Cobre-me bem, "durma, não cisme", dá-me um beijo,
E sai. Finge que sai, cuida ela que eu não vejo,
Mas fica à porta, à escuta, a ouvir-me falar só,
E não se vai deitar...
                                    Onde há, assim, uma Avó?

E dos arredores da aldeia toda a gente – o senhor abade, e o senhor Dom Sebastião de Vila-Meã, e o senhor Doutor de Linhares, e o senhor Miguel das Alminhas de Pulpa, e as fidalgas de Raimonda e de Tuias, e até o Zé dos Lodos e o Astrônomo, o velho caseiro do Abade de São Mamede de Recezinjos, mandam-lhe coisas, e todos mandam saber "como vai o Menino..." O Menino com M maiúsculo.

Em Nobre (ele mesmo o reconheceu) a sensibilidade era tudo. E essa sensibilidade exagerada podia levar a sua poesia ao pieguismo, se não fosse o senso de humour, o gosto de súbitos repentes realistas com que ele corrigia a cada passo a sua tendência habitual à *self-pity*. As histórias literárias colocam Antônio Nobre entre os simbolistas. Mas quem tem razão é José Régio definindo-o como, no fundo, um romântico, se não um ultrarromântico, que, adotando as inovações rítmicas do Simbolismo e certos tons vivos e crus do Realismo, criou uma maneira nova e única e, com o *Só*, ficou verdadeiramente só na poesia de Portugal e de todo o mundo. Régio fala na "naturalíssima artificialidade" de Nobre: a naturalidade do poeta nasce do seu coloquialismo, da sem-cerimônia com que ele desarticulava e, às vezes, quebrava o metro, da graça com que interrompia o patos poético por uma familiaridade inesperada. Assim, quando fala dos despojos de Camões: ossos "prováveis"; quando evoca a praia da Memória, "onde o Sr. Dom Pedro, Rei-soldado, atracou, diz a História, no dia... não estou lembrado".

Tenho que foi por amor desse tom familiar que Antônio Nobre tão frequentemente desarticulou o ritmo dos versos padrões, sobretudo no alexandrino, por ele quase sempre escolhido para os poemas de feitio narrativo. Os alexandrinos dos *Primeiros versos* ainda são ortodoxamente cesurados. Só nos poemas "A tentação", "Ao violão" e "A Nossa Senhora", que são de 1887, 1888 e 1889, aparecem alguns alexandrinos trímetros, sem cesura mediana ou com ela mas *despojada de função rítmica*: "Grita: façamos acordar os cemitérios!"; "Manhã de junho. O céu é rubro. A lua tonta"; "Monte de jaspe! Rosa mística! Alvo pão!" Já no *Só* as liberdades são enormes. Na "Carta a Manuel", por exemplo, os pés rítmicos são os mais variados, os mais aberrantes das pausas do alexandrino clássico: 2 + 6 + 4 ("Meu Curso de Psicologia com o Mar"), 4 + 3 + 5 ("Por 6 e 5! Mas, ah! foi-se a Virgem dantes"), 2 + 3 + 3 + 4 ("De casa. Ao pé deles é sempre meio-dia"), 3 + 5 + 4 ("Ai de vós! ai das vossas águas, pobres velhos!"), 5 + 3 + 4 ("Que ele terá dentro um bilhete, isto sonhei:"). E um verso ortodoxo seguido de outro com acentuação apenas na quarta e na duodécima sílabas dão a impressão de uma longa linha de prosa: "Ao vê-los, quem dirá que são os descendentes dos Navegantes do século XVI?" Apontando o que há de romântico e até ultrarromântico em Antônio Nobre, frisa José Régio que o poeta foi buscar nos românticos portugueses algumas das suas cadências preferidas – versos de oito, de nove e de onze sílabas. Renovando-as genialmente, acrescenta Régio. Os românticos guardavam sempre a pausa na quarta sílaba dos octossílabos. Nobre, como fez com os alexandrinos, tumultua também o ritmo dos octossílabos. Sem dúvida por influência do octossílabo francês. Em "Viagens na minha terra" há versos de 3 + 5 ("Olhos fitos nestas braseiras"), 3 + 3 + 2 ("Que bom era, meu Deus! que bom!"), 2 + 3 + 3 ("No arame oscilante do fio"), 5 + 3 ("Tira com respeito o chapéu"). Graças a essa instabilidade rítmica acontece mesmo que, uma ou outra vez, um verso de outra medida se insinue no verso e passe despercebido, como na penúltima estrofe de "Viagens na minha terra":

> E continuava, lendo, lendo...
> O dia já vinha rompendo,
> De novo: – Já dormes, diz?

em que este último verso é um heptassílabo. Ou na "Carta a Manuel" o hendecassílabo "Uma colônia de tísicos, a ares" atuando, entre dois alexandrinos classicamente cesurados, como um dodecassílabo libertino. São liberdades que Nobre assume quando quer dar ao poema o tom íntimo da conversa. Elas são raríssimas nos sonetos decassílabos. Parece que a severa forma fixa impunha-lhe certo respeito, a que ele só faltou, e aqui a liberdade soa quase escandalosamente, no terceto final do soneto VI:

> Pois tenho (que o Céu tudo aponta e marca)
> Um processo a correr nessa comarca,
> Cujo delegado é Nosso Senhor...

Há que assinalar na técnica de Nobre um processo que não sei se não se possa chamar de dramático, pois consiste em compor o poema a duas ou mais vozes. A segunda voz, em metro diverso, aparece impressa em tipo menor. O exemplo mais antigo é o de "Os figos pretos", datado de 1889 em Coimbra. É claramente um poema a duas vozes, uma masculina, outra feminina. Embora se entrelacem, embora às vezes dialoguem, as vozes desse e de outros poemas da mesma estrutura se podem separar e cada uma forma um poema em si. Em "Os figos pretos" diz a primeira em alexandrinos quase sempre trímetros:

> Verdes figueiras soluçantes nos caminhos!
> Vós sois odiadas desde os séculos avós:
> Em vossos galhos nunca as aves fazem ninhos,
> Os Noivos fogem de se amar ao pé de vós!

A segunda voz contracanta em versos de onze e cinco sílabas:

> – Ó verdes figueiras, ó verdes figueiras,
>   Deixai-o falar!
> A vossa sombrinha, nas tardes fagueiras,
>   Que bom que é amar!

E assim continua, uniformemente, o poema, a voz masculina sempre sinistra, a feminina rematando alegremente:

> Ó minhas figueiras, ó minhas figueiras,
>   Deixai-o falar!
> Ó vinde de hi ver-nos, a arder nas fogueiras,
>   Cantar e bailar...

Três outros exemplos são de 1891 em Paris. Em "Antônio" as duas vozes são do mesmo poeta. A primeira fala do desconforto do presente e se transporta pela lembrança ao passado feliz:

> Que noite de inverno! Que frio, que frio!
>   Gelou meu coração:
> Mas boto-o à lareira, tal qual pelo estio,
>   Faz sol de verão!

> Ó velha Carlota! tivesse-te ao lado,
>   Contavas-me histórias:
> Assim... desenterro do Val do Passado
>   As minhas memórias.

A segunda voz é autobiográfica:

> Nasci, num Reino d'Ouro e amores,
>   À beira-mar.
> Sou neto de Navegadores,
> Heróis, Lobos d'água, Senhores
> Da Índia, d'Aquém e d'Além-mar!

> Ao mundo vim em terça-feira,
> Um sino ouvia-se dobrar!

Vim a subir pela ladeira
E numa certa terça-feira,
Estive já p'ra me matar...

Entretanto, a segunda voz permanece simplesmente rememorativa: abandona de vez em quando a narrativa e geme com a primeira voz ao frio de uma noite de inverno em Paris:

Que noite! ó minha Irmã Maria,
Acende um círio à Virgem Pia,
Pelos que andam no alto Mar...

Passam na rua os estudantes
    A vadrulhar...
Assim como eles era eu dantes.
Meus camaradas! estudantes!
Deixai o Poeta trabalhar.

E a neve cai, como farinha,
Lá desse moinho a moer, no Ar:
Ó bom Moleiro, cautelinha!
Não desperdices a farinha
Que tanto custa a germinar...

Com o seu tom predominantemente narrativo e a constante rima em "ar", filia-se o poema da segunda voz à forma romance.

A segunda parte dos "Males de Anto", intitulada "Meses depois num cemitério" é um diálogo entre Anto e o Coveiro, mas entre as falas de um e outro se interpõem numerosas vozes, que conversam:

O POVO
O luar verte as orvalhadas sobre a rua.
Jesus, que lindo...

SRª JÚLIA
São as Janeiras da Lua

JOSÉ DOS LODOS
A Lua é a nossa vaca, ó Maria!
Mugindo...

O DR. DELEGADO
A Noite parece dia!

O SR. ABADE
E esta? Em vez de trazer a opa, que é de lugar,
Trouxe a d'anjinho!

A MULHER DO MOLEIRO
É o luar, Sr. Abade, é o luar!

O ASTRÔNOMO
Isto lunar assim! Isto é o verão
De São Martinho!

O CEGO DO CASAL
Faz solzinho, que horas são?

CARLOTA
Ó luar, anda mais devagarinho!
Deixa dormir o meu menino... Coitadinho!

A MÃE DE ANTO
Aqui espero-te, há que tempo enorme!
Tens o lugar quentinho...

DEUS
Dorme, dorme.

Como veem, as interpolações ao diálogo de Anto com o Coveiro formam um poema autônomo. Aliás todo o poema constitui um verdadeiro texto de oratório, que está a pedir música de um grande compositor português. Ou de compositor brasileiro que conheça a paisagem e a alma portuguesa como a conhece o sociólogo Gilberto Freyre, por exemplo.

Duas vezes emprega Nobre o processo nas *Despedidas*, na parte que começa pelo verso "Quatorze luas já foram passadas", e mais adiante no diálogo de Teresa com o "humilde Sr. Manuel dos Sofrimentos, por graça de Deus poeta de Portugal".

Falei nas *Despedidas*: foram versos deixados pelo Poeta sem a última demão, do mesmo modo que o longo poema "O Desejado", este ainda longe do seu completo acabamento. Em *Despedidas* há alguns sonetos que estão entre os mais "nobremente" perfeitos de toda a sua obra, como "Lógica", "Ao cair das folhas", "Mamã", "Aparição" e "Ao mar" e o de número 25; e a "Ladainha da Suíça", "Afirmações religiosas", "Contas de rezar". Quanto ao "Desejado", mal se percebe, através dos fragmentos deixados, que seria a história de um certo moço Anrique, que saiu um dia a barra à procura de glória, muito padeceu em terras estranhas, perdeu a fé nos homens, em verdade perdeu tudo, e por fim veio a tosse, e foi a queda do Império do Ocidente, e foi o desastre de Alcácer-Quibir. Anrique volta a Portugal com o coração morto, bem morto: a glória falhara, falhara o amor ("Dei-te o meu coração a ti, bela entre todas, Chego do mar, venho assistir às tuas bodas...") ... Como se vê, a história de Anrique lembra muito a do próprio Anto. E lembra muito também a do moço Sebastião, que partiu um dia de um Portugal decaído, que partiu um dia à procura de glória nos campos de África. Nobre identifica o seu destino com o destino da pátria, mas como poeta reagiu à "vil tristeza" buscando apoio no instinto profundo do povo. A Anrique batido aconselha o Poeta que vá dizer a esse povo que não fraqueje, "que espere em pé o seu D. Sebastião", que um dia virá o Sempre Desejado, "Que ele há de vir! há de vir! há de vir!"

Para o povo português o Desejado foi no fim do século XVI e começo do século XVII o símbolo da redenção do cativeiro espanhol. Para Nobre era o símbolo da redenção da mediocridade em que lhe parecia que rastejava o Portugal do seu tempo. "Que pátria grande! como está pequena!" O símbolo do soerguimento das "flores já tão quebradas". O Sempre Desejado viria. Talvez já estivesse lá:

> Procura bem, Anrique, em Portugal;
> Procura-o na flor das primaveras;
> Procura-o na sombra do olival;
> Procura à luz de todas as quimeras...

Ficou o poema em estado ainda bastante informe. As partes mais acabadas são aquelas em que o Poeta canta muito liricamente a "Lisboa das naus, cheia de glória". A Lisboa

> Com oiros tão constantes
> Pelas serras e céus e pelo rio! Com seus
> Jerônimos dos Poetas e Mareantes!
> Lisboa branca de João de Deus!

E aquela formidável ode amorosa ("Ó senhora d'altas esferas!"), em que o Poeta desafia céus e terra, as armadas de Inglaterra e o exército de Guilherme da Alemanha, e os troveiros de toda a parte, inclusive o "Luís de Camões e da Esperança", e até "o vento cantante do Norte".

Lograria o Poeta pôr finalmente ordem no caos do seu poema? Na desarrumação em que no-lo deixou encontramos de tudo o que faz as delícias do *Só*: frescura de sensações e de emoções, versatilidade surpreendente de ritmos, rica imaginação criadora de imagens, aquela funda comunhão com seres e coisas, certa mistura de inocência, capricho e fanfarronada, como nas crianças, a volúpia do sofrimento, a *self-pity*, o seu nacionalismo e religiosidade tão próximos do sentimento popular.

CASTRO ALVES

Um dia, na pequenina cidade mineira de Pouso Alto, em casa de Ribeiro Couto, então promotor da comarca, conversávamos com um bom velhinho de grandes barbas brancas sobre os seus companheiros de geração na Faculdade de Direito de São Paulo. Falou ele de Rodrigues Alves, de Campos Sales, em suma de todos os seus colegas acadêmicos que depois se tornariam os grandes políticos da República. Senão quando, com grande pasmo de nossa parte, minha e do Ribeiro Couto, o velhinho rematou as suas reminiscências com estas palavras, que pareciam uma coda insignificante:

– Tinha também um moço muito inteligente que fazia versos. Como é que se chamava mesmo?... Esse moço, numa caçada, deu um tiro no pé, voltou para a Bahia e morreu por lá...

– Castro Alves?

– Castro Alves, isso mesmo!

Assim, para o contemporâneo sobrevivente do poeta, Castro Alves era apenas um moço que fazia versos, levou um tiro no pé e voltou para a sua província, onde morreu...

Esse tiro no pé está registrado numa carta que é talvez o documento mais impressionante que figurará na próxima exposição comemorativa do nascimento do autor das *Espumas flutuantes*. Principia a carta com estas palavras: "Há vinte dias estou de cama por causa de um tiro que dei no pé por acaso".

Os padecimentos de Castro Alves se foram sempre agravando, o pé foi amputado e depois sobreveio a tuberculose... Mas quem sabe se, como disse Augusto Meyer, não teve o poeta "morte oportuna"? Imagino o cantor dos escravos terminando o seu curso, metendo-se na política, eleito deputado, depois senador, chamado talvez para ministro...

Perdemos talvez, com a sua morte, alguns poemas como "O navio negreiro" e as "Vozes d'África", mas ganhamos em compensação um símbolo de genialidade nesse adolescente identificado com os mais vibrantes ideais de sua época. O vulto excepcional que vai adquirindo a comemoração do seu nascimento (nenhum poeta a teve igual no Brasil) está mostrando quanto a sua memória está enraizada no coração do nosso povo.

Dos grandes românticos não há dúvida que os mais populares, os mais vivos são Castro Alves e Casimiro de Abreu. Os outros desfrutam de uma glória particular a este ou aquele aspecto. Gonçalves Dias foi o verdadeiro iniciador do Romantismo, já que as tentativas de Magalhães e Porto-Alegre ficaram na boa intenção: a obra de ambos está definitivamente enterrada, servindo apenas às abonações do bom vernáculo. Álvares de Azevedo ficou como o porta-estandarte nacional de um byronismo provinciano. Junqueira Freire tem que se contentar, e não é pouco, com a predileção de Antero de Quental e a edição, aliás excelente, do senhor Homero Pires. Fagundes Varela viverá sempre no "Cântico do calvário". Mas Casimiro de Abreu continua lido e relido pela gente simples. Castro Alves por toda a gente. Há uns três anos fiz parte de uma comissão julgadora de um concurso de poesia entre os estudantes de Direito. Pois quase todos revelavam a influência do Condor.

E Castro Alves beneficia agora de um desses retornos da intenção social na obra literária e artística. De fato, vulgarmente melodramático na desgraça ("Foi desgraça, meu Deus! Não foi loucura..."), simples e gracioso nos galanteios, o que entretanto constituía o seu genuíno clima poético era o entusiasmo da mocidade apaixonada pelas grandes causas da liberdade e da justiça – as lutas da Independência da Bahia, a insurreição dos negros de Palmares, o papel civilizador da Imprensa, e acima de todas a campanha contra a escravidão.

Há que levar em conta esse caráter socialmente ativo dos seus poemas para os absolver das demasias bombásticas. Temos de recordar, os contemporâneos de Gide e Valéry, que "O livro e a América", "Quem dá aos pobres empresta a Deus", as duas odes "Ao Dois de Julho", a "Deusa incruenta" e tantos outros, são poemas comiciais, escritos para serem gritados pelo próprio poeta na praça pública, em teatros e grandes salas, verdadeiros discursos de tribuno. E há que reconhecer neles, malgrado todos os excessos e todo o mau gosto, a sua grande força verbal e a inspiração mais generosa de toda a poesia brasileira.

O que mais aprecio nos versos do baiano é, aqui e ali, o sortilégio musical das palavras:

> Vem, formosa mulher, camélia pálida.
> Que banharam de pranto as alvoradas!

Mesmo quando as imagens raiam pelo ridículo, salva-se o brilho sonoro encantatório.

> Eras tu – liberdade peregrina!
> Esposa do porvir – noiva do sol!

Claro que chamar à liberdade ao mesmo tempo "esposa do porvir" e "noiva do sol" é absurdo. Mas que auroras há nesses dois versos!

Quem quiser ver a diferença que existe entre o homem inteligente que sabe fazer versos e um poeta genuíno, compare as estrofes iniciais de *"Terribilis dea"* e de "Deusa incruenta". Pedro Luís começa:

> Quando ela apareceu no escuro do horizonte,
> O cabelo revolto... a palidez na fronte...

Agora o baiano:

> Quando ela se alteou das brumas da Alemanha,
> Alva, grande, ideal, lavada em luz estranha...

"Alva, grande, ideal..." Três adjetivos, três simples adjetivos. Mas é a personagem de corpo inteiro, e transfigurada, e verdadeiramente "lavada em luz estranha". Esse o "prisma fantástico", o valor irredutível no domínio da poesia dessa criança de gênio, que em seu tempo encarnou e exprimiu o sentimento de seu povo.

A FACE PERDIDA

O meu querido confrade Cassiano Ricardo tornou-se um "caso" na literatura do Brasil. Quando escrevi a *Apresentação da poesia brasileira*, andava ele beirando os cinquenta e já havia publicado cinco volumes de versos – *Dentro da noite*, *A frauta de Pã*, *Vamos caçar papagaios*, *Deixa estar*, *Jacaré*, *Martim Cererê* e *O sangue das horas*. Nas poucas linhas que lhe dediquei julgava eu expender um juízo definitivo, classificando-o como um imagista, cujos melhores poemas nos davam a impressão de instantâneos fotográficos apanhados à luz crua meridiana. Anotava ainda o forte aroma da terra brasileira que havia neles. O que eu não disse, porque não queria ferir o amigo nem parecer regatear a glória de um nome ilustre, é que a sua poesia não me agradava; que aquele seu verde-amarelo me soava de péssimo gosto; que aquele mesmo aroma me enjoava como o fartum de certos cafés. É verdade que em *O sangue das horas* já apareciam indícios de descobrimentos próximos. Bem que atentei neles, mas não ousei gritar "Terra à vista!". Eis que em 1947, aos 52 anos, lança o poeta o livro *Um dia depois do outro*, que tamanha surpresa causou aos que como eu não suspeitavam que em Cassiano Ricardo houvesse um grande poeta encadeado. Tive então ideia de desabafar a minha admiração em artigo que pretendia intitular "Uma estreia". Porque efetivamente o livro era uma estreia. O velho Cassiano, que não nasceu inocente e custou a conquistar a sua inocência, ficava nos carrascais onde se vai caçar papagaios, aves polêmicas, meu Deus, de cores tão irritantemente brasileiras, ai o nosso amado auriverde pendão, pobrezinho! Em 1947 nascia, desta vez para sempre, o poeta como ele é autenticamente, "meio anjo, meio bicho". Guilherme de Almeida, aliás admirador até do primeiro Cassiano, destacava a "Sonata patética" como "um dos mais superiormente sofridos poemas em toda a poesia que eu conheço"; Oswald de Andrade, que abominava Cassiano, saiu-se com um punhado de suas imagens rutilantes e inesperadas, dando o livro como "tão forte e significativo, que desloca a partida de xadrez da poesia brasileira"; Sérgio Buarque de Holanda, autor de um fácil trocadilho sobre o bardo verde-amarelo, confessou-se surpreendido; Otto Maria Carpeaux, homem em cujo ritmo de viver só se enquadram habitualmente os poemas dos Hölderlin e dos Fernando Pessoa, declara ter enriquecido a sua antologia pessoal com "Epigrama", "No circo", "Pose p'ra retrato" e "Elegia'; Álvaro Lins encontra em "A orquídea" a evidência de ter Cassiano chegado ao seu verdadeiro território poético. Todos esses poemas assinalados como admiráveis por críticos sabidamente difíceis de contentar, esses e tantos outros, provocaram em mim também funda impressão. Que se terá passado com o nosso Cassiano? Como foi esse "estalo"? Para Álvaro Lins "os desencantos e desilusões de sua [de Cassiano] participação direta na vida política explicam possivelmente o novo tom com que agora se apresenta [o poeta], numa outra face mais pessoal, subjetiva e íntima". É possível que tenha sido assim. Prefiro, porém, acreditar que no "caso" Cassiano andou o dedo do Saci.

O Saci turvara as fontes em cujas águas o poeta adolescente buscava identificar a sua verdadeira face. A imagem era uma carantonha: em vez do sorriso, o esgar. O patriotismo, a política, a polêmica, tomaram conta do homem triste. Ora, o poeta não nascera para a política. Os seus anos de residência no Rio, se o elevaram no conceito dos homens de letras seus amigos, perderam-no aos olhos dos chefões cuja politicalha (grande pecado!) ele defendia sem esperança nem de proveito próprio nem, no fim, de qualquer vantagem para o país. É que o diretor de *A Manhã* se batia pelo Estado Novo, mas ao mesmo tempo chamava para o seu jornal grandes colaboradores adversários da situação – Gilberto Freyre, Afonso Arinos de Melo Franco, Vinicius de Moraes etc. Na Academia mantinha o poeta a mesma nobre atitude de não misturar a literatura com a política.

Cassiano maneja com rara destreza as armas da polêmica se a faz em prosa; em verso o seu inato lirismo o prejudica. Esse lirismo que também o inutiliza para a época. Hoje ele reconhece ("2ª balada do fuzileiro naval") que o seu coração é apenas lírico.

Súbito, não sei como, talvez por ter encontrado afinal o "pequeno barco de papel da sua infância", certamente por haver arrancado ao corpo todas as condecorações, porque se automutilou, um pouco também por ter compreendido esse grande amigo de nós todos que é Fernando Pessoa, Cassiano cai em si mesmo, torna-se tão natural, que, como nos diz: "faço sol, chovo, aconteço", e com as palavras mais simples a modo que nos segreda coisas profundas e definitivas:

Não foram, não, os anos
que me envelheceram,
longos, lentos, sem frutos.
Foram alguns minutos.

Quanta emoção na queixa resignada de "Ressentido":

A própria rosa orvalhada
de tão recente ou futura
também floriu atrasada:
é rosa de sepultura.

Diz o poeta em "A imagem da terra":

O que hoje sinto
é uma grande saudade perpendicular.
A lei da gravidade nunca foi tão minha
e tão grave.
Uma subterrânea aurora
me convida a cair, a bater com o meu corpo
na terra dura,
e a encostar o meu rosto ao seu,
amorosamente.

Nesses versos, e em tantos outros (leiam-se os poemas "Noturnidade", "Canção muito clara", "A sétima queda") está a verdadeira face do poeta, a face perdida no tumulto da mocidade mas felizmente achada no limiar da velhice. Ela guarda toda a frescura da infância, toda a elasticidade de músculos e de nervos, capaz de *records*, como o de, em "O marujo e dona Sanja", glosar olhos verdes depois de Camões.

Se alguma coisa devo dizer a Cassiano, além da minha comovida admiração, é que tome ele cuidado com o Saci. O meu querido amigo conseguiu estrangulá-lo. Mas o bicho tem fôlego de gato. Uma ou outra vez ainda está mexendo. Pau nele!

A VERSIFICAÇÃO EM LÍNGUA PORTUGUESA

O VERSO E SEUS APOIOS RÍTMICOS

O verso é a unidade rítmica do discurso poético. Para salientar o ritmo se têm valido os poetas, nos vários idiomas, de recursos formais como sejam os *acentos de intensidade*, os *valores de sílabas* (quantidade), as *rimas*, a *aliteração*, o *encadeamento*, o *paralelismo*, o *acróstico*, o *número fixo de sílabas*. Estudaremos aqui os que têm sido utilizados em nosso idioma, a começar pela rima.

A RIMA

Rima é a igualdade ou semelhança de sons na terminação das palavras: *asa, casa*; *asa, cada*. Na rima *asa, casa* há paridade completa de sons a partir da vogal tônica; na rima *asa, cada* a paridade é só das vogais: as rimas do primeiro tipo se chamam *consoantes*, as do segundo *toantes*.

Na língua francesa costumavam os poetas rimar também a consoante anterior à vogal tônica: é a chamada *rima com consoante de apoio*. Houve um poeta brasileiro que empregou intencionalmente esse tipo de rima – Goulart de Andrade. Seu exemplo não foi seguido.

Admite-se entre as rimas consoantes a de vogal aberta com vogal fechada: *bela, estrela*. Tanto poetas brasileiros como portugueses rimam como consoantes duas palavras que têm na sílaba tônica um ditongo, outra uma vogal fechada ou aberta: *beijo, desejo*; *beijo, Tejo* (Florbela Espanca). Poetas brasileiros têm praticado tal rima com palavras agudas: *azuis, luz* (Alberto de Oliveira, *Poesias*, 1ª série, Garnier, 1912, pág. 209). Poetas portugueses rimam os ditongos nasais *ãe* e *em*: *cães, alguéns* (Antônio Nobre, "Males de Anto", *Só*).

Artur Azevedo rimou, para efeito jocoso, a palavra *lâmpada* com a palavra *estampa*, completando a rima com a palavra átona *da*, que começa o verso seguinte, para cuja medida concorre:

> Mandou-me o senhor vigário
> Que lhe comprasse uma *lâmpada*
> Para alumiar a *estampa*
> *Da* senhora do Rosário.

Manuel Bandeira utilizou-se desse tipo de rima em "Vulgívaga" e "A canção das lágrimas de Pierrot" (*Carnaval*). Poetas brasileiros contemporâneos (Geir Campos, Cassiano Ricardo e outros), sem dúvida por influência de Louis Aragon, que foi o primeiro a usá-lo na poesia francesa, têm-no introduzido nos seus poemas, mas fazendo a ou as vogais átonas pertencer ao verso da rima e não ao seguinte:

> ... seu campanário
> de ideal ladrilho,
> entre o azul do ar e o
> chão que palmilho.
> ("O sino", *Arquipélago*, Geir Campos)

Pode a rima ser feita entre a palavra final de um verso e a palavra onde cai a primeira pausa do verso seguinte. É a rima interior, que foi muito praticada pelos românticos em quadras de versos decassílabos:

> Dorme, que eu velo, sedutora *imagem*,
> Grata *miragem* que no ermo vi;
> Dorme – Impossível – que encontrei na *vida*!
> Dorme, *querida*, que eu não volto aqui!

("A judia", de Tomás Ribeiro)

Há outros exemplos esporádicos de *rima interior*, assim, da palavra final de um verso com palavra anterior do mesmo verso: "*Maravilha de milhares de* brilhos vidrilhos" ("Noturno de Belo Horizonte", de Mário de Andrade); "*Único* e certo *é apenas o* deserto/ *Que é* fruto *do monólogo* absoluto" ("O rio da dúvida", *O arranha-céu de vidro*, de Cassiano Ricardo).

São chamadas pobres, e devem ser evitadas, as rimas de palavras da mesma categoria gramatical: advérbio com advérbio, adjetivo com adjetivo, substantivo com substantivo etc., sobretudo nas formas demasiado abundantes, como os advérbios em *mente*, os advérbios em *ante* ou *ente*, os substantivos em *ia* ou *eza*, os verbos no infinitivo, no particípio passado, nos pretéritos imperfeitos e perfeitos etc. Todavia, podem tais rimas admitir-se quando de palavras que emprestam força de expressão ao contexto, como se dá nas duas primeiras oitavas de *Os lusíadas*. Não procede, pois, a crítica de Antônio Feliciano de Castilho classificando de "imperdoáveis desares" as rimas *assinalados, navegados, esforçados, edificaram, sublimaram, gloriosas, viciosas, valorosas, dilatando, devastando, libertan*do daquelas magistrais estrofes. Também são de usar com grande cautela as rimas chamadas ricas ou raras, o oposto das rimas pobres ou triviais, e que soam às vezes tão afetadamente.

Os versos que não rimam são chamados *brancos* ou *soltos*; os que estão fora da medida, *quebrados*.

Há quatro modos principais de dispor as rimas: *emparelhadas, cruzadas, enlaçadas* e *misturadas*. *Rimas emparelhadas* são as que se sucedem duas a duas, como no "Minuete" de Gonçalves Crespo:

> Espaçoso é o salão: jarras a cada canto
> Admira-se o lavor do teto de pau-santo.
> Cadeiras de espaldar com fulvas pregarias;
> Um enorme sofá; largas tapeçarias.

Rimas cruzadas são as que, em vez de se sucederem em parelhas, se alternam. Numa quadra, por exemplo, o primeiro verso rima com o terceiro, e o segundo com o quarto:

> Na rua, à direita, porque és a minha dama,
> A minha musa e o meu pendão.
> Mas à minha esquerda na cama,
> Do lado do meu coração.

("Heráldica", de Onestaldo de Pennafort)

A VERSIFICAÇÃO EM LÍNGUA PORTUGUESA

Nas *rimas enlaçadas*, rimam em parelha dois versos entre dois outros também rimados:

> Vai-se a primeira pomba despertada.
> Vai-se outra mais... Mais outra... E enfim dezenas
> De pombas vão-se dos pombais apenas
> Raia, sanguínea e fresca, a madrugada.

("As pombas", de Raimundo Correia)

Rimas misturadas são aquelas em que a sucessão é livre, como nestes versos de "Alma em flor" de Alberto de Oliveira:

> Foi... nem lembro bem que idade eu tinha,
> Se quinze anos ou mais;
> Creio que só quinze anos... Foi aí fora
> Numa fazenda antiga,
> Com o seu engenho e as alas
> De rústicas senzalas,
> Seu extenso terreiro,
> Seu campo verde e verdes canaviais.
> Era... Também o mês esquece agora
> A infiel memória minha!
> Maio... junho... não sei se julho diga,
> Julho ou agosto. Sei que havia o cheiro
> Do sassafrás em flor;

A *notação das rimas* se faz com letras minúsculas, sendo os versos que rimam representados pela mesma letra. Assim, o esquema de duas rimas emparelhadas é *aa*; de uma quadra com rimas cruzadas, *abab*; de outra com rimas enlaçadas, *abba*; dos versos de Alberto de Oliveira citados atrás, *abcdeefbcadfg*.

A ALITERAÇÃO

No seu sentido global, consiste a *aliteração* em repetir um fonema em palavras seguidas, próximas, ou distantes mas simetricamente dispostas. Em sentido restrito, é, na poesia, a identidade da consoante inicial, ou da sílaba inicial, de duas ou mais palavras num verso. Neste sentido definiu-a Pedro Henríquez Ureña como "rima ao contrário – rima dos começos das palavras, em que basta a igualdade dos *sonidos* iniciais ou, em certas ocasiões, o regulado contraste entre eles". A aliteração tem quase sempre efeito de harmonia imitativa:

> E, as curvas harpas de ouro acompanhando,
> Tíbios *flautins finíssimos* gritavam;
> *Crótalos claros* de metal *cantavam*.

("A tentação de Xenócrates", de
Olavo Bilac)

O mais longo exemplo de aliteração em língua portuguesa é o de Cruz e Souza em "Violões que choram..." (*Faróis*):

Vozes veladas, veludosas vozes,
Volúpias dos violões, vozes veladas,
Vagam nos velhos vórtices velozes
Dos ventos, vivas, vãs, vulcanizadas.

A aliteração da vogal tônica tem o nome de *eco*: a aliteração de Bilac, citada atrás, é um bom exemplo de eco das vogais tônicas *i* e *a*.

O ENCADEAMENTO

Consiste o *encadeamento* em repetir de verso a verso fonemas, palavras, frases e até um verso inteiro. Foi recurso rítmico muitíssimo usado na poesia medieval e é frequente na poesia moderna em versos livres. Exemplos colhidos em Augusto Frederico Schmidt:

No entanto este motivo escondido existe.
Não veio, esta tristeza, da saudade da que é sempre a Ausente
Nem da sua graça desaparecida...
(repetição de fonema)

Pensei em mortos que morreram entre indiferentes.
Pensei nas velhas mulheres...
(repetição de palavra)

Olho o céu e enfim *descanso.*
Olho o céu e as estrelas frias.
[...]
Olho o céu alto e enorme e *descanso.*
Olho o céu frio e simples...
(repetição de frase)

No princípio foi um balanço contínuo e vagaroso.
Depois foi descendo uma sombra indistinta,
Um grande leito surgiu e lençóis brancos como espuma.
[...]
No princípio foi um balanço contínuo e vagaroso.
Depois tudo cessou.
(repetição de verso)

Os dois primeiros exemplos são do poema "Tristeza desconhecida"; o terceiro, do poema "Descanso"; o quarto, do poema "Gênese I" (*Canto da noite*).

O PARALELISMO

Paralelismo é repetição de ideias, sinonímia de vocábulos. Cantiga de amigo de Pero Gonçalves de Porto Carreiro, trovador português do tempo de Afonso III:

O anel do meu amigo
Perdi-o so lo verde pinho
E chor'eu, bela!

O anel do meu amado
Perdi-o so lo verde ramo
E chor'eu, bela!

Perdi-o so lo verde pinho;
Por en chor'eu, dona virgo,
E chor'eu, bela!

Perdi-o so lo verde ramo;
Por en chor'eu dona d'algo,
E chor'eu, bela!

Nessa cantiga há, de estrofe a estrofe, repetição de ideia, sinonímia de vocá-bulos (*amigo, amado; pinho, ramo; dona virgo, dona d'algo*). A par desse paralelis-mo, ocorre também o encadeamento pela repetição dos versos "Perdi-o so lo verde pinho" e "Perdi-o so lo verde ramo", razão por que receberam as cantigas medievais desse tipo o nome de *paralelísticas encadeadas*.

O ACRÓSTICO

No *acróstico* as letras iniciais dos versos formam um nome de pessoa ou coisa: resi-de na escrita e não é percebido pelo ouvido. Exemplo:

Maria, tens no teu vulto
A graça da ave e da flor.
Rendo-te mais do que amor
Imenso: rendo-te culto.
Ah! como à mãe do Senhor.

O NÚMERO FIXO DE SÍLABAS

A contagem das sílabas no verso (*metro*) difere da contagem gramatical: o poeta pode elidir uma vogal na vogal seguinte dentro de uma palavra, ou da sílaba final de uma palavra para a sílaba inicial da palavra seguinte. À primeira figura se chama *sinérese*; à segunda, *sinalefa*. Assim, em "piedade" as sílabas gramaticais são quatro; mas o metrificador, elidindo a vogal *i* na vogal *e*, pode reduzir as sílabas da palavra a três: *pie-da-de*. No membro de frase "entre estas" conta o gramático quatro síla-bas; o poeta, porém, elide o *e* final de "entre" no *e* inicial de "estas" e conta só três sílabas. A elisão pode atingir mais de duas vogais, como na frase "quero a estrela", cujas sílabas métricas são quatro: *que-roaes-tre-la*. Umas vogais são mais duras de elidir que outras: as elisões violentas como *a-tèa-go-ra* (até agora), *a-tèeu* (até eu) comunicam ao verso certa força escultural, ao passo que os hiatos, isto é, a não elisão das vogais, lhes confere certa suavidade musical melódica. A escolha da elisão ou do hiato depende da natureza do verso e do gosto do poeta. Não se admitem, porém, as sinalefas de duas vogais átonas, o que tornará o verso demasiado frouxo: no poema póstumo de Gonçalves Dias intitulado "No jardim" o verso "De Inglaterra a princesa" é um septissílabo frouxo, porque obriga ao hiato do *e* no *i*, ou do *a* no *a*.

Se a última palavra do verso for paroxítona, *grave* se chama ele; se oxítona, *agudo*; se proparoxítona, *esdrúxulo*. Contam-se as sílabas métricas até a última vogal tônica do verso. Damos abaixo quatro versos de Artur Azevedo, grafando em itálico as sílabas contadas:

> *Cos-tu-mam-a-go-ra os-lí*-ricos
> *Ver-sos-fa-zer-nes-te es-ti*-lo:
> "*Tu-és-is-to eu-sou-a-qui*-lo,
> *Tu-és-as-sa-da eu-as-sim.*

Tal sistema de contagem, também usado no idioma francês, foi introduzido em nossa língua por Antônio Feliciano de Castilho no seu *Tratado de metrificação portuguesa*. Antes dele, contavam-se todas as sílabas do verso grave, não se contava a última do verso esdrúxulo, e considerava-se incompleto o verso agudo, pelo que contava como duas a última sílaba métrica. Destarte, os versos de Artur Azevedo citados acima são chamados *heptassílabos* (de sete sílabas) segundo o sistema de Castilho, hoje prevalecente, e *octossílabos* (de oito sílabas) segundo o sistema antigo, que ainda prevalece na língua espanhola, e que em nosso idioma pretendeu restaurar o professor M. Said Ali. Advirta-se que se trata de mera questão de nome, que não afeta a estrutura do verso.

Chama-se *cesura* a pausa intencional praticada no interior do verso. Às duas partes, nem sempre iguais, em que fica o verso dividido pela cesura se dá o nome de *hemistíquios*. A cesura funciona como apoio rítmico na estrutura do verso longo. Exemplos em decassílabo, hendecassílabo e dodecassílabo:

> Sete anos de pastor | Jacó servia (Camões)
> Tange o sino, tan | ge numa voz de choro (Vicente de Carvalho)
> As mãos da minha Mãe | sobre a minha cabeça (Olegário Marianno)

A pausa final do verso pode recair em palavra que deixa incompleto o sentido da frase, o qual se vai completar na primeira ou primeiras palavras do verso seguinte. Para a primeira sílaba tônica deste é então transferida a pausa, e a esse efeito rítmico se dá em francês o nome *enjambement*, para tradução do qual propôs Said Ali o vocábulo *cavalgamento*. Na estrofe 60 do Canto V de *Os lusíadas* ocorrem três belos exemplos de *enjambement*:

> Desfez-se a nuvem negra e cum *sonoro*
> *Bramido* muito longe o mar soou,
> Eu, levantando as mãos ao santo *coro*
> *Dos Anjos*, que tão longe nos guiou,
> A Deus pedi que removesse os *duros*
> *Casos* que Adamastor contou futuros.

A nomenclatura dos versos regulares, como foram praticados em nossa língua até o advento da poesia modernista, se faz mediante prefixos gregos, designativos dos numerais de 1 até 12: *monossílabos, dissílabos, trissílabos, tetrassílabos* (também se diz *quadrissílabos*), *pentassílabos* (*redondilha menor*), *hexassílabo* (*redondilha menor* ou *heroico quebrado*), *heptassílabo* (*redondilha maior* ou simplesmente *redondilha*), *octossílabo, eneassílabo* e *dodecassílabo* (*alexandrino*). Foram raros os exemplos de metros mais longos (Bilac escreveu em versos de quatorze sílabas o seu soneto "Cantilena").

Os metros de uma, duas ou três sílabas não comportam senão uma pausa. Mário de Andrade usou com frequência o primeiro no poema "Danças":

> quebra
> queima
>   reina
>   dança
> sangue
> gosma...

Exemplo notável de dissílabos é o poema "A valsa" de Casimiro de Abreu:

> Tu, ontem,
> Na dança,
> Que cansa,
> Voavas...

Na sátira de Gonçalves Dias "A certa autoridade" (*Obras póstumas*) os últimos dezenove versos são trissílabos:

> Realmente,
> Coronel,
> Tens uma alma
> Bem cruel...

Os metros de quatro sílabas podem levar pausa interior na primeira ("*Mur*cham-se as flores"), na segunda ("En*tão* brincando") ou na terceira ("Salo*mé* vinha").

A redondilha menor (cinco sílabas) pode levar pausa interior em qualquer das quatro primeiras sílabas:

> *Tré*pida batia
> A *go*ta no vidro,
> Escor*ren*do logo,
> E sem ca*ir*, trêmula.

Pode ainda levar mais de uma pausa interior ("Não *sei*, nem *vi*, era").

O mesmo se passa com os hexassílabos e os heptassílabos. Estes, redondilhas maiores, são o metro da preferência popular. Exemplos de uns e de outros:

inicial do segundo hemistíquio; e como errado o verso "Dava-lhe a custo a sombra fraca e pequenina", por não haver elisão. No entanto a maneira natural de ler ambos os versos é fazendo duas pausas interiores, a primeira em *custo*, a segunda em *escassa* e *fraca*. Esse ritmo ternário, sem atenção à cesura mediana, e outros, como o quaternário (3 + 3 + 3) e os de corte irregular são correntes na moderna poesia da língua portuguesa. Exemplos de Ribeiro Couto:

> O olhar nevoento... o passo lento... sonolento...
> E em meio àquele desalinho pitoresco...
> Pelos caminhos levando folhas de cores...
> As carícias delicadíssimas da essência...

Neles não há a elisão mediana, mas o ritmo é o mesmo que resulta da leitura natural dos versos seguintes de Francisca Júlia, onde existe a elisão:

> São esqueletos que de braços levantados...
> E senta-se. Compõe as roupas. Olha em torno...
> Ó Natureza, ó Mãe pérfida! tu, que crias...
> Tanto aborto, que se transforma e se renova...

Dá-se o nome de versificação *polimétrica* àquela em que se misturam dois ou mais metros. À mistura de decassílabos com hexassílabos se dá a denominação de *silva*.

A ESTROFAÇÃO

O discurso poético ora se apresenta em forma corrida, ora distribuído em grupos de versos, que se denominam *estrofes*, *estâncias*, *cobra* ou *talho* (poesia trovadoresca) e *copla* (canções populares). Composições há em que um certo número de versos são repetidos depois de cada estrofe: é o *refrão*, *refrém* ou *estribilho*.

As estrofes podem ser *simples*, isto é, formadas de versos da mesma medida; *compostas*, onde certos versos maiores se compõem com outros menores; e *livres*, onde se admitem versos de qualquer medida.

Nas estrofes compostas o verso maior é normativo, e o seu número de sílabas impõe o do verso menor. Assim, ao heptassílabo se associa o de três ou quatro sílabas; ao decassílabo, o hexassílabo; ao hendecassílabo, o pentassílabo; ao alexandrino, os de oito, seis ou quatro sílabas.

Segundo as estrofes se compõem de dois, três, quatro, cinco, seis, oito ou dez versos, recebem respectivamente as denominações de *dísticos*, *tercetos* ou *trísticos*, *quadras* ou *quartetos*, *quintilhas*, *sextilhas*, *oitavas* e *décimas*. As estrofes de sete e nove versos não têm nome especial. O poema de um só verso se denomina *monóstico*.

O *dístico* é muito empregado pelo povo nos seus adágios ("Água mole em pedra dura / Tanto bate até que fura"). Exemplos famosos são os de Guerra Junqueiro em "A lágrima" e o de Castro Alves em "O tonel das danaides". O esquema das rimas é *aa*, *bb*, *cc* etc.

No poema em *tercetos* o esquema é *aba*, *bcb*, *cdc*, *ded*, e assim por diante, sendo *ad libitum* o número deles, mas a última estrofe deve ser uma quadra. Se, por exemplo, o último terceto houver sido *ded*, a quadra obedecerá ao esquema *efef*. Tal é o tipo clássico de tercetos, que era muito empregado para as elegias, epístolas e éclogas. Os tercetos dos sonetos apresentam diversas disposições de rimas: *aba*, *bab*; *aab*, *ccb*; *abc*, *abc*; e outras.

Nas *quadras* as rimas se dispõem das seguintes maneiras: *abcb*, *abab*, *abba*. Os versos podem ter todos a mesma medida, ou os ímpares uma e os pares outra, ou ainda os três primeiros uma e o quarto outra. Exemplo do primeiro tipo, a quadra popular. Do segundo:

> Debruçada nas águas de um regato
> A flor dizia em vão
> À corrente, onde bela se mirava...
> "Ai, não me deixes, não!"
> ("Não me deixes!", de G. Dias)

Exemplo do terceiro tipo:

> No ar sossegado um sino canta,
> Um sino canta no ar sombrio.
> Pálida, Vênus se levanta...
> Que frio!

A *quintilha* clássica, como foi praticada por Sá de Miranda, obedece a um dos dois esquemas *abaab* e *abbab*:

> Os santos de longas terras
> Sempre foram mais buscados,
> Os da nossa estão cansados.
> Busquemos santos das serras
> Que estão mais desocupados.
> Escrever com louvaminhas,
> Não é minha profissão;
> Tirar unhas ao leão
> Para pô-las nas galinhas,
> Outros o façam, que eu não.

Outros esquemas: *ababa*, *abbaa*, *aabab*. E ainda, deixando o primeiro verso solto: *abcbc* ou *abccb*.

A *sextilha* antiga era de uma só rima nos segundo, quarto e sexto versos (*abcbdb*). Assim compôs Gonçalves Dias as suas *Sextilhas de frei Antão*. A sextilha moderna usa outros esquemas, com duas rimas (*ababab*, *abbaab*, *abbaba*) ou três (*aabccb*, podendo os versos em *b* ser de metro menor que os versos em *a*, e sendo de ordinário *a* grave e *b* agudo). Os românticos cultivaram muito a sextilha do tipo desta de Casimiro de Abreu:

> Eu nasci além dos mares
> Os meus lares,

Quando o sol queima as estradas,
E nas várzeas abrasadas
Do vento as quentes lufadas
Erguem novelos de pó:
Como é doce em meio às canas
Sob um teto de lianas,
Das ondas nas espadanas
Banhar-se despida e só!...

("Na fonte", de Castro Alves)

Exemplo do quarto:

Então repeti ao povo:
– Desperta do sono teu!
Sansão! derroca as colunas!
Quebra os ferros, Prometeu!
Vesúvio curvo – não pares,
Ígnea coma solta aos ares,
Em lavas inunda os mares,
Mergulha o gládio no céu!

("Pedro Ivo", de Castro Alves)

Tipo especial de oitava é o *triolé*, forma medieval, hoje só empregada na poesia ligeira, e na qual o primeiro verso se repete como quarto, e o primeiro e o segundo como sétimo e oitavo.

Exemplo:

Às cantigas que tu cantas
Fogem-me as mágoas antigas...
São tão alegres e tantas
As cantigas que tu cantas!
Minhas tristezas espantas
Com tuas velhas cantigas:
Às cantigas que tu cantas
Fogem-me as mágoas antigas.

(Valentim Magalhães)

A estrofe de nove versos, pouco usada, pode ser definida como uma quadra e uma quintilha justaposta. Na cantiga de amor de Airas Nunes que começa pelo verso "Amor faz a mim amar tal senhor" a distribuição das rimas é *ababcddcd*. No poema "Visio" emprega Machado de Assis o esquema *aabcdbcdb*.

A estrofe de dez versos, a *décima*, é a justaposição de uma quadra e uma sextilha, ou de duas quintilhas. Exemplo da primeira é a seguinte esparsa de Sá de Miranda:

A vossa bula de amor
Não é pera toda a gente:
Perdoa a culpa somente,
A pena não, nem a dor.
E assi faz amor com ela,
Qué com esperança incerta
Traz ó mar e morte certa

Meus amores ficam lá!
– Onde canta nos retiros
Seus suspiros,
Seus suspiros o sabiá!

A estrofe de sete versos foi muito usada na poesia trovadoresca e a distribuição das rimas era habitualmente *abbacca*.

"Pedro Ivo" de Álvares de Azevedo está escrito em decassílabos, salvo o sétimo verso, que é heroico quebrado, rimando segundo o esquema *aabcbbc*. Em "Pequenino morto" de Vicente de Carvalho os versos são hendecassílabos, salvo o último, que é pentassílabo, e rimam *abacbac*.

Na "Última canção do beco" de Manuel Bandeira, escrita em redondilhas, rimam apenas o segundo e o sétimo verso.

A *oitava* apresenta um tipo invariável, a chamada *heroica*, e outro variável, a *lírica*.

A oitava heroica, assim denominada por ser a usual nos poemas épicos, compõe-se de decassílabos, que obedecem ao seguinte esquema de rimas: *abababcc*, como se pode verificar em qualquer estrofe de *Os lusíadas*.

A oitava lírica admite grande variedade. Pode ser a simples justaposição de duas quadras: *ababcdcd* ou *abbacddc*. Tem, porém, mais unidade nos esquemas *abbcaddc, aaabcccb, abcbdddb*.

Exemplo do primeiro tipo:

A velhice tem vigílias,
Luta em graves pensamentos;
A mocidade tem sonhos,
A infância, pressentimentos.
Leva a morte a cada instante
Uma esperança perdida.
Sonhar, pressentir, pensar...
E nisto se esvai a vida.

("Infância, mocidade, velhice", de Francisco Otaviano)

Exemplo do segundo:

Uma tarde cor-de-rosa...
Uma vila assim modesta,
Assim tristonha como esta...
De pescadores, também...
Sobre a planície arenosa
Por onde o Jordão deriva,
Pousa a sombra evocativa
Das montanhas de Siquém...

(Vicente de Carvalho)

Os românticos cultivaram esse tipo de oitava, mas deixando sem rima o primeiro e o quinto verso (Casimiro de Abreu, "Meus oito anos").

Exemplo do terceiro:

Leandro, e Hero à janela.
Assi que de amor e dela
Mais se abraça que se aperta.

Exemplo da segunda, do mesmo autor:

Assi me têm repartido
Extremos que não entendo;
De toda parte corrido,
De todas desacorrido,
De nenhuma me defendo.
A vida está malsegura,
Eu tenho outro mor cuidado:
Que mal em tanto estimado
Que nesta desaventura
Me faz desaventurado!

OS POEMAS DE FORMA FIXA

Os principais poemas de forma fixa cultivados em nossa língua são o *soneto*, o *rondó*, o *rondel*, a *balada*, o *canto real*, o *vilancete*, a *vilanela*, a *sextina*, o *pantum* e o *haicai*.

O *soneto* apresenta duas variedades: o *soneto italiano* e o *soneto inglês*.

O *soneto italiano* compõe-se de dois quartetos e dois tercetos. A distribuição das rimas é muito variável. No soneto clássico os quartetos são construídos sobre duas rimas; os tercetos, sobre duas ou três. Eis os esquemas para os quartetos: *abba | abba; abab | abab*. Para os tercetos: *cdc | dcd; cde | cde; ccd | eed; cdd | dcd; cdc | dcd; cde | ede*. É considerado irregularidade misturar os dois esquemas de quarteto; por exemplo, rimar num quarteto *abba* e no outro *baab* ou *abab* ou *baba*. Mais irregular ainda é não rimar os versos do segundo quarteto com os do primeiro (*abab | cdcd*). O esquema que parece comunicar ao soneto maior unidade e harmonia formais é *abba | abba | cdc | dcd*.

Exemplo de Bocage:

Sobre estas duras, cavernosas fragas,
Que o marinho furor vai carcomendo,
Me estão negras paixões n'alma fervendo,
Como fervem no pego as crespas vagas.
Razão feroz, o coração me indagas,
De meus erros a sombra esclarecendo.
E vás nele (ai de mim!) palpando e vendo
De agudas ânsias venenosas chagas.
Cego a meus males, surdo a teu reclamo,
Mil objetos de horror co a ideia eu corro,
Solto gemidos, lágrimas derramo.
Razão, de que me serve o teu socorro?
Mandas-me não amar: eu ardo, eu amo;
Dizes-me que sossegue: eu peno, eu morro.

Dá-se o nome de *coroa de sonetos* a uma série de quinze, em que, a partir do segundo, cada um tem como verso inicial o último verso do soneto anterior, e o décimo quinto se compõe dos versos repetidos, os quais devem formar um sentido. Geir Campos renovou entre nós essa façanha virtuosística, mas fugindo ao esquema ortodoxo das rimas, quer dizer, rimando livremente e às vezes não rimando.

Os poetas modernos, aliás, têm tomado em relação à construção do soneto italiano toda sorte de liberdades. Jorge de Lima, em seu *Livro de sonetos*, rima às vezes apenas dois versos quaisquer ou não rima nenhum ou rima os quartetos segundo o esquema *abcd | abcd* etc. Cassiano Ricardo rima, no soneto "O herói triste", apenas os últimos versos dos quartetos e tercetos (*luas*, *ruas*, *duas*, *suas*); em outro soneto ("Eva matutina") sustenta uma rima única nos versos pares dos quartetos, no segundo verso do primeiro terceto e no primeiro verso do segundo quarteto. Outros poetas vão ao ponto de não guardar da forma do soneto italiano senão a distribuição em dois quartetos e dois tercetos: sonetos (se ainda se podem chamar assim) em versos livres.

O *soneto inglês*, só muito recentemente introduzido em nossa língua, compõe-se de três quartetos e um dístico. Obedece ao esquema *abab | cdcd | efef | gg* ou *abba | cddc | effe | gg*, fixado por Surrey ao tempo de Elisabeth. Só tem pois de comum com o soneto italiano o número de versos. No último dos "Quatro sonetos de meditação", de Vinicius de Moraes, os versos estão agrupados como o são os de um soneto italiano, mas na realidade constituem um soneto inglês: três quartetos, com rimas independentes, e um dístico. Como tal vamos transcrevê-lo:

> Apavorado acordo em treva. O luar
> É como o espectro do meu sonho em mim
> E sem destino, e louco, sou o mar
> Patético, sonâmbulo e sem fim.
>
> Desço da noite, envolto em sono; e os braços
> Como ímãs, atraio o firmamento
> Enquanto os bruxos, velhos e devassos,
> Assoviam de mim na voz do vento.
>
> Sou o mar! sou o mar! meu corpo informe
> Sem dimensão e sem razão me leva
> Para o silêncio onde o Silêncio dorme
> Enorme. E como o mar dentro da treva
>
> Num constante arremesso largo e aflito
> Eu me espedaço em vão contra o infinito.

O *rondó*, forma francesa, é um poema de quinze versos, distribuídos em três estrofes, segundo o esquema *aabba | aabC | aabbaC*, a maiúscula *C* representando as palavras iniciais da primeira estrofe repetidas como estribilho e último verso da segunda e da terceira estrofe. Exemplo de Goulart de Andrade:

> Lá, longe, entre árvores eu vejo,
> Tão vário como o teu desejo...

Saindo branco de um casal,
O fumo, em lânguida espiral,
Macio como um leve adejo.

Dize, será em vão que almejo,
Ouvindo a música do beijo,
Viver contigo um sonho real,
   Lá, longe?

Se ardes por mim, se eu te desejo
(Vê tu que esplêndido bosquejo!)
Foge do mundo ao torvo mal,
Rosa, vem para o meu rosal,
Que da invernia eu te protejo,
   Lá, longe...

A palavra *rondó* designa também um gênero de poemas, com estribilho, e de número de versos e estrofação variáveis. As 59 primeiras composições da *Glaura* de Silva Alvarenga são rondós desse tipo.

O *rondel* é um poema de treze versos, distribuídos em três estrofes, segundo o esquema *ABba | abAB | abbaA*, as maiúsculas representando os versos que são repetidos como estribilho. Exemplo de Bilac, com ligeira variante (*ABab | baaB | ababA*):

Sobre as ondas oscila o batel docemente...
Sopra o vento a gemer... Treme enfunada a vela...
Na água clara do mar, passam tremulamente
Áureos traços de luz, brilhando esparsos nela.

Lá desponta o luar... Tu, palpitante e bela,
Canta! chega-te a mim! dá-me essa boca ardente!
Sobre as ondas oscila o batel docemente...
Sopra o vento a gemer... Treme enfunada a vela...

Vagas azuis, parai! Curvo céu transparente,
Nuvens de prata, ouvi!... Ouça do espaço a estrela,
Ouça de baixo o oceano, ouça o luar albente:
Ela canta... e, embalado ao som do canto dela,
Sobre as ondas oscila o batel docemente...

A *balada*, forma francesa, é um poema de 28 versos, distribuídos segundo o esquema *ababaaC | ababacaC | ababaC | acaC*, a maiúscula *C* representando o estribilho. A quadra final tem muitas vezes o sentido de dedicatória e leva o título *oferta* ou *envio*. Eis um exemplo, de Filinto de Almeida, com ligeira variante no último verso das estrofes, o qual, em vez de ser o mesmo verso repetido, estribilha apenas a palavra da rima:

Por noite velha, no castelo,
Vasto solar dos meus avós,
Foi que eu ouvi, num ritornelo,
Do pajem loiro a doce voz.

Corri à ogiva para vê-lo,
Vitrais de par em par abri,
E, ao ver brilhar o meu cabelo,
Ele sorriu-me, eu lhe sorri.

Venceu-me logo um vivo anelo,
Queimou-me logo um fogo atroz;
E toda a longa noite velo,
Pensando em vê-lo e ouvi-lo a sós.
Triste, sentada no escabelo,
Só com a aurora adormeci...
Sonho, e no sonho, haveis de crê-lo?
Inda o meu pajem me sorri!

Seguindo a amá-lo com desvelo,
Por noite velha, um ano após,
Termina enfim o meu flagelo,
Felizes fomos ambos nós...
Como isto foi, nem sei dizê-lo!
No colo seu desfaleci...
E, alta manhã, no seu murzelo,
O pajem foge, e ainda sorri...

Dias depois, do pajem belo,
Junto ao solar onde eu o ouvi,
Ao golpe horrível do cutelo
Rola a cabeça, e inda sorri...

A palavra *balada* designa ainda outro gênero de composição sem forma fixa e onde se narram sucessos tradicionais ou lendários (leia-se para exemplo a admirável "Simples balada" de João Ribeiro).

O *canto real* é um poema composto de sessenta versos, distribuídos segundo o esquema *ababccddedE | ababccddedE | ababccddedE | ababccddedE | ababccddedE | ddedE*, a maiúscula *E* representando o estribilho. A última estrofe denomina-se *oferta* ou *envio*. Exemplo da autoria de Goulart de Andrade, intitulado "Canto real da noite":

Da espádua de marfim, magnífica e cheirosa,
Onde coleia a curva, e a harmonia pagã,
Vibra na mocidade eterna e cor de rosa,
Como as nuvens do poente e as névoas da manhã;
Da espádua, de onde emerge, a torre alabastrina
De um colo escultural – hóstia que se ilumina
Com o ridente clarão de um sangue a borbulhar,
Cai, de estranha sibila, imóvel, fito o olhar
No mistério sem fim do amplo espaço deserto,
Pesado e de veludo, a refulgir pelo ar,
O largo manto real, suntuosamente aberto!

E o zainfe estelar fulgura! A misteriosa
Cifra, em linhas de luz, benéfica ou malsã,
O destino desvenda. – É cada nebulosa
O horóscopo de um pária, a vida de um titã!
Em signos o futuro ali se vaticina:

Guerra ou paz, riso ou dor; glória excelsa e divina
No amor e na conquista, eterno soluçar,
Luta penosa, anseio, e o martírio sem par,
Sem o alento de um beijo e um coração bem perto...
Isso tudo nos mostra, esplendoroso, a aflar,
O largo manto real suntuosamente aberto!

E pela vastidão, escura e veludosa,
Se desparze triunfal todo o escrínio de Pã:
Ora em régia Coroa, ardendo vitoriosa,
E onde a Pérola fulge, entre sárdios, louçã;
Ora em Lira dolente a luzir na surdina
Do roxo da ametista; ou na Águia, em que domina
Altair, entre opala e berilo, a brilhar;
Ou em Sírio, rubim, carbúnculo, Aquernar...
Luz que irrora, que inunda e estonteia decerto
O sonhador audaz que tente decifrar
O largo manto real suntuosamente aberto!

É o delírio da cor! A bacanal faustosa
Do brilho! Lividez de lança e de iatagã!
Palor de luar, orquestração maravilhosa
De lincúrio, Castor, safira e Aldebarã!
Sorrisos de turquesa, hidrófana e olivina,
Rubros ais de granada e piropo! A argentina
Flor de Arcturus a rir! Glauco reverberar
De esmeralda e Capela e Régulus! Um mar
Fulgurante de fogo! Almo tesouro oferto
À humana vista, que se perde em contemplar
O largo manto real suntuosamente aberto!

Homem, tu correrás numa ânsia dolorosa
Em pós de uma fugaz, treda esperança, irmã
Da inquietante incerteza, e inda mais enganosa:
Eterno é o teu sofrer, e a tua angústia é vã!
Terás sempre contigo a dúvida ferina,
Que te beija e te punge, e te afaga e assassina!
Nunca verás consolo ao teu fundo penar,
Bálsamo à tua dor, sossego ao teu lutar,
E, imoto, jazerás de joelhos, descoberto,
No êxtase de um faquir, mudo, vendo a ondular
– O largo manto real, suntuosamente aberto!

Oferta

Noite, deusa da treva e do fulgor! Altar
Para onde o sonho via, num suavíssimo voar,
Do ergástulo da Terra, erma e triste, liberto,
Semelhas-te à Mulher, bela e fria, a passar,
O largo manto real suntuosamente aberto!

O *vilancete* é um tipo especial da *glosa*, a qual consiste no desdobramento de um *mote* em tantas estrofes *voltas* quantos são os versos do mote. No vilancete o mote é um terceto, em que rimam o segundo e o terceiro versos; as voltas são duas e repetem esses versos. Exemplo de Camões:

> Ó meus altos pensamentos,
> Quão altos que vos pusestes
> E quão grande queda destes!
>
> Como de mim vos não vinha
> Serdes firme num estado
> (Pois o viver enganado
> Era o maior bem que tinha),
> Castelo desta alma minha,
> Quão alto que vos pusestes
> E quão grande queda destes!
>
> Sabia que éreis de vento,
> Como quem vos viu fazer;
> Inda assim vos qu'ria ter
> Como éreis, sem fundamento.
> Quem vos desfez num momento?
> Ai! quão alto vos pusestes
> E quão grande queda destes!

A *vilanela*, forma francesa, é uma variedade da composição em tercetos. Constrói-se sobre duas rimas. O primeiro e o terceiro são, alternadamente, o último verso dos demais tercetos, e ambos juntos os dois últimos versos do quarteto final. Como se pode ver em "Chama e fumo", de Manuel Bandeira:

> Amor – chama, e, depois, fumaça...
> Medita no que vais fazer:
> O fumo vem, a chama passa...
>
> Gozo cruel, ventura escassa,
> Dono do meu e do teu ser,
> Amor – chama, e, depois, fumaça...
>
> Tanto ele queima! E, por desgraça,
> Queimado o que melhor houver,
> O fumo vem, a chama passa...
>
> Paixão puríssima ou devassa,
> Triste ou feliz, pena ou prazer,
> Amor – chama, e, depois, fumaça...
>
> A cada par que a aurora enlaça,
> Como é pungente o entardecer!
> O fumo vem, a chama passa...
>
> Antes, todo ele é gosto e graça.
> Amor, fogueira linda a arder!
> Amor – chama, e, depois, fumaça...

Porquanto, mal se satisfaça,
(Como te poderei dizer?...)
O fumo vem, a chama passa...

A chama queima. O fumo embaça.
Tão triste que é! Mas... tem de ser...
Amor?... – chama, e, depois, fumaça:
O fumo vem, a chama passa...

A *sextina* compõe-se de seis sextilhas e um terceto (*envio* ou *remate*), todos sem rima, mas a palavra final de cada verso da primeira estrofe se repete como palavra final de cada verso das demais estrofes e na seguinte ordem:

```
Estrofes:  A B C D E F
           F A E B D C
           C F D A B E
           E C B F A D
           D E A C F B
           B D F E C A
Envio:     B D F ou A C E
```

Exemplo de Camões:

Foge-me pouco e pouco a curta vida,
Vai-se-me o breve tempo de ante os olhos,
E do viver me vai levando o gosto;
Choro pelo passado, mas os dias
Não se detêm por isso de seu curso;
Passa-se, enfim, a idade e fica a pena.

Que maneira tão áspera de pena,
Que nunca um passo deu tão longa vida
Fora de trabalhoso e triste curso!
Se no processo meu estando os olhos,
Tão cheios de trabalho vejo os dias
Que já não gosto nem do mesmo gosto.

Os prazeres, o canto, o riso e o gosto,
A continuação da grave pena
Mos levou, que não ponho, culpa aos dias:
A culpa é do destino, porque a vida
Sempre celebrará os belos olhos,
Por mais que do viver se alongue o curso.

Sigam os céus o seu natural curso,
A toda gente deem tristeza ou gosto;
Façam, enfim, mudanças; que meus olhos
Nunca verão no mundo senão pena.
Nem descanso terei já nesta vida
Para poder em paz passar os dias.

Vão sucedendo os dias a outros dias;
Não perde o tempo nada do seu curso,
Perde somente a curta e breve vida.
Foge-lhe como sombra a idade e o gosto;
Vai-se-lhe acrescentando mágoa e pena,
De que são testemunhas os meus olhos.

Mas nunca da minha alma, claros olhos,
Vos poderão tirar os longos dias,
Cresça quanto quiser trabalho e pena;
Que, pois para detrás não torna o curso
Dos anos, isto só terei por gosto,
Para poder passar o mais da vida.

Canção, já tive vida, já meus olhos
Me deram algum gosto; mas os dias,
Com seu ligeiro curso, mágoa e pena.

Belo exemplo moderno da forma, mas sem envio, é a "Sextina da véspera", de Américo Facó, em *Poesia perdida*.

O *pantum*, forma malaia, é uma cadeia de quadras, número *ad libitum*, rimadas segundo o esquema *abab*, sendo o segundo e quarto versos de cada estrofe repetidos como primeiro e terceiro da estrofe seguinte; na última estrofe o segundo e o quarto versos são o terceiro e o primeiro da primeira estrofe, terminando pois o poema com seu verso inicial. Em nossa poesia existe um exemplo de pantum nas *Sarças de fogo*, de Bilac, com ligeira variante: na estrofe final o seu segundo verso é um verso novo e não o terceiro da primeira estrofe:

Quando passaste ao declinar do dia,
Soava na altura indefinido arpejo:
Pálido, o sol do céu se despedia,
Enviando à terra o derradeiro beijo.

Soava na altura indefinido arpejo...
Cantava perto um pássaro, em segredo;
E, enviando à terra o derradeiro beijo,
Esbatia-se a luz pelo arvoredo.

[...]

Clarearam a extensão dos largos campos...
Vinha, entre nuvens, o luar nascendo...
Fosforeavam na relva os pirilampos...
E eu inda estava a tua imagem vendo.

Vinha, entre nuvens, o luar nascendo;
A terra toda em derredor dormia...
E eu inda estava a tua imagem vendo,
Quando passaste ao declinar do dia!

O *haicai*, forma japonesa, é um poema de apenas três versos, o primeiro e o terceiro de cinco sílabas, o segundo de sete; não há rima. Todavia, Guilherme de Almeida os tem feito rimando os versos extremos, e no segundo, a palavra final com a primeira pausa interior. Para exemplo, esta sua definição poética do haicai:

> Lava, escorre, agita
> A areia. E enfim, na bateia,
> Fica uma pepita.

O VERSO LIVRE

Desde que o poeta prescinde do apoio rítmico fornecido pelo número fixo de sílabas, penetra no domínio do verso livre, o qual, em sua extrema liberação, isto é, quando não se socorre de nenhum apoio rítmico, poderia confundir-se com a prosa rítmica, se não houvesse nele a unidade formal interior, aquilo que de certo modo o isola no contexto poético. Tal liberação existe, por exemplo, neste poema ("Mulher') de Murilo Mendes:

> Mulher, o mais terrível e vivo dos espectros!
> Por que te alimentas de mim desde o princípio?
> Em ti encontro todas as imagens da criação:
> És pássaro e flor, som e onda variável...
>
> E, mais que tudo, a nuvem que foge eternamente.
> Dormir, sonhar – que adianta, se tu existes?
> Se fosses somente forma! És também ideia.
> Ah! quando descerá sobre mim a grande paz em cruz...

Todavia, raro é o poema em versos livres onde o poeta não lance mão do encadeamento para marcar o ritmo. Quase toda a poesia de Augusto Frederico Schmidt é ritmada pela repetição de palavras ou frases de verso a verso:

> Ouvimos os sinos encherem a madrugada
> Ouvimos o mar bater embaixo nas pedras
> Ouvimos a voz que nos arrancara do sono...
>
> Olho o céu e enfim descanso!
> Olho o céu e as estrelas frias...
> [...]
> Olho o céu alto e enorme e descanso...
> [...]
> Olho o céu frio e simples e descanso.

Alguns poetas se servem não só do encadeamento e da aliteração, mas também da rima para acentuar o ritmo da versificação livre. É o caso de Adalgisa Nery:

Com olhos cor do ar,
Atirada na praia, coberta de conchas e espumas do mar,
Cirandei com as estrelas e ouvi os caramujos,
Chamei com os braços
Gaivotas que em meu corpo vieram pousar.

Bibliografia – Antônio Feliciano de Castilho, *Tratado de versificação portuguesa.* – Olavo Bilac e Guimarães Passos, *Tratado de versificação.* – Osório Duque Estrada, *A arte de fazer versos.* – Mário de Alencar, *Dicionário das rimas portuguesas.* – Costa Lima, *Dicionário de rimas para uso de portugueses e brasileiros.* – M. Said Ali, *Versificação portuguesa.* – Murilo Araújo, *A arte do poeta.*

CRÍTICA
DE ARTES

Artes plásticas no Brasil

Ninguém houve no Brasil mais apto do que Capistrano de Abreu para escrever minuciosamente, depois de Southey e Varnhagen, a história da nossa evolução social e política. Nunca o fez, porém, convencido que estava da necessidade preliminar de estudos particulares na massa ainda informe dos materiais.

A mesma dificuldade encontram os que tentam dar uma visão de conjunto da nossa atividade no domínio das artes plásticas. Os maiores conhecedores do assunto sabem que é ainda tarefa prematura e preferem entregar-se pacientemente e modestamente a estudos parciais, preparatórios de ulteriores sínteses.

Sirvam estas linhas de desculpa ao mal alinhavado das notas que se vão seguir, onde apenas procurei coligir o que tem aparecido ultimamente de novo e bem fundado na literatura especializada das artes plásticas.

Arte pré-cabraliana

Os aborígenes aqui encontrados pelos colonizadores portugueses não tinham ultrapassado ainda a idade da pedra polida. Conheciam o fogo, por eles aplicado em vários misteres, inclusive, por algumas tribos, no da cerâmica, mas desconheciam os metais e abrigavam-se em miseráveis palhoças.

Todavia não eram desprovidos de instinto plástico, como o provam em numerosos objetos de arte aplicada – armas, utensílios e ornatos – tão harmoniosos de linhas e de colorido. Pode-se dizer que as melhores manifestações de aptidão artística dos índios do Brasil antes da chegada dos europeus estão na cerâmica de Marajó, tão bem estudada por dona Heloísa Alberto Torres na conferência *Cerâmica de Marajó* e no álbum prefaciado e comentado *Arte indígena da Amazônia*. A beleza e originalidade da arte marajoara levou até à hipótese de que os homens de Marajó tivessem alcançado um nível de civilização superior aos dos demais selvagens do Brasil, suposição desnecessária e que não encontra aliás comprovação fora da cerâmica. O estudo das peças marajoaras mostra as relações entre a cerâmica e a arte do trançado, e como, por exemplo, as decorações *au champ levé*, isto é, em que o campo negativo do desenho é raspado, imitam os desenhos geométricos dos cesteiros.

De resto a aptidão dos índios brasileiros para as artes plásticas está provada em esculturas cujo caráter bárbaro se apresenta bem acusado. A intuição artística do senhor Lúcio Costa viu a mão do índio nos púlpitos arrojados da igreja de Santo Alexandre em Belém do Pará, intuição confirmada por documento descoberto pelo sábio Padre Serafim Leite.

Arquitetura jesuítica

A aguda observação do senhor Lúcio Costa, a que nos acabamos de referir, vem num ensaio muito substancial em que mostra quão erradamente andavam os críticos que englobavam na denominação de "arte jesuítica" todas as manifestações de arte religiosa dos séculos XVII e XVIII, em que assinala que "para nós, no Brasil, onde a atividade dos padres, já atenuada na primeira metade do século, foi definitivamente interrompida em 1759, as obras dos jesuítas, ou pelo menos grande parte delas, representam o que temos de mais 'antigo'. Consequentemente, quando se fala aqui em 'estilo jesuítico', o que se quer significar, de preferência, são as composições mais renascentistas, mas moderadas, regulares e frias, ainda imbuídas do espírito severo da Contrarreforma".

O senhor Lúcio Costa estudou a arquitetura jesuítica no Brasil no seu programa, na sua técnica, no seu partido e finalmente na sua comodulação e modenatura.

O programa das construções compreendia o culto (a igreja com o coro e a sacristia), o trabalho (salas de aula e oficinas) e a residência (cubículos, enfermaria e outras dependências). Quanto à técnica, já desde o século do descobrimento as primeiras estruturas provisórias foram substituídas por construções de taipa de pilão ou de pedra e cal. A primeira técnica impôs aos edifícios certos traços característicos, como o aspecto acaçapado e os grandes beirais. Na segunda metade do século XVI – ao contrário do que tem sido categoricamente afirmado, frisa o senhor Lúcio Costa – as edificações em alvenaria de pedra, tanto religiosas como civis, eram muito comuns. Uma delas é a igreja de Nossa Senhora da Graça, do Colégio de Olinda, a qual tem sido dada como incendiada pelos holandeses mas que as pesquisas realizadas pelo Serviço do Patrimônio Histórico e Artístico Nacional provaram ser a mesma que lá está; projetada pelo arquiteto jesuíta Francisco Dias.

Em referência ao partido, adotaram os jesuítas a construção em quadra, ocupando a igreja um dos "quartos" da quadra, e na planta baixa uma só nave, com exceção das igrejas de São Pedro da Aldeia (Cabo Frio) e de Anchieta (antiga Reritiba, Espírito Santo), que têm três naves. O partido geral de uma só nave inclui plantas de quatro tipos diferentes: um mais singelo, em que a capela-mor e a nave constituem um só corpo, dividido convencionalmente em duas partes por um arco cruzeiro; um segundo, com diferenciação bem marcada das duas partes, ficando a capela--mor com largura e pé-direito menores, tipo que se desenvolve em Minas; outro, em que se acomoda essa forma ao partido mais complexo das igrejas mais vastas do século XVII, criando-se para os três altares colaterais pequenas capelas de maior ou menor profundidade; finalmente o tipo das grandes igrejas seiscentistas, de planta influenciada pela da igreja jesuítica romana de Gesu (numerosas capelas colaterais, sendo mais altas e mais profundas as duas primeiras).

Em relação às características plásticas e modenatura das igrejas jesuíticas do Brasil, assinala o arquiteto Lúcio Costa o estilo sóbrio e de formas geométricas bem definidas, estilo de Herrera em Madri e de Terzi em Lisboa, trazido para aqui por Francisco Dias, colaborador de Terzi na construção de São Roque. Essa simplicidade de traçado mantém-se até a primeira metade do século XVIII; só então as linhas se curvam em ondulamentos caracteristicamente barrocos – perfis bulbosos de curvamentos de torres e volutas rampantes sobrepostas ao frontão clássico primitivo.

No que diz respeito à arquitetura interior, constatamos até os primeiros decênios do século XVII – a nossa "antiguidade", como chama a esse período o senhor Lúcio Costa – a justaposição de traços renascentistas e barrocos. O barroco predomina, ainda severo, no meado do século, com os seus retábulos de colunas torsas em planos reentrantes e arquivoltas concêntricas, mas para os fins do século XVII e princípios do século XVIII afastam-se as colunas dando lugar às imagens, abrem-se os arcos para receber o dossel que encima o trono, quase que desaparecem as linhas mestras na profusão dos ornamentos-volutas, florões, anjos. É o estilo das grandes matrizes mineiras. Na segunda metade do século XVIII, fora já da influência dos jesuítas, expulsos em 1759, dá-se a volta a uma composição de linhas mais simples e mais nítidas.

PINTORES HOLANDESES NO BRASIL

Em 1679 Maurício de Nassau presenteou Luís XIV com quarenta pinturas de assuntos brasileiros, declarando na carta de oferecimento ter a seu serviço em Pernambuco seis artistas pintores. Segundo o senhor Joaquim de Sousa Leão Filho (*The Burlington Magazine for Connoisseurs*, nº de março de 1942), dois teriam sido certamente Albert Eckhout e Frans Post; há dúvidas quanto aos outros quatro, que talvez fossem Zacharias Wagener, Jorge Marcgraf, Piso e Abraão Willaerts. Do primeiro destes quatro se conhece um álbum de aquarelas, de interesse sobretudo etnológico; os outros eram homens de ciência, que sabiam ilustrar com desenhos e aquarelas os seus trabalhos, mas que não poderiam ser chamados pintores senão por um encarecimento de Nassau, que, como sugeriu o senhor Ribeiro Couto (Prefácio ao Catálogo da Exposição Frans Post promovida em julho de 1942 pelo Serviço do Patrimônio Histórico e Artístico Nacional), queria "dar mais relevo às preocupações artísticas do seu governo no norte do Brasil."

Como quer que seja, o único paisagista e o mais notável desses pintores foi Frans Post, a quem devemos, os brasileiros, as primeiras pinturas em que se fixaram os nossos aspectos naturais, obras tanto mais interessantes, quando nelas a paisagem se enriquece de cenas e tipos da vida brasileira, ali colocados pelo artista, seja para animar a natureza com a nota humana exótica, tão apreciada pelos seus compatriotas, seja para fixar na tela o que a saudade guardara no fundo das retinas. O fato é que, tendo estado no Brasil sete anos apenas, de 1637 a 1644, Frans Post, estabelecendo-se em Harlem, de regresso à Holanda dedicou-se exclusivamente à composição de paisagens brasileiras em mais de quarenta anos de atividade artística. Os poucos quadros que pintou diretamente da observação da natureza do Brasil apresentam um colorido mais fresco e mais realista. Depois, na Europa, adotará um verde sombrio, que a mistura de betume fez enegrecer bastante com o tempo. Guardam contudo uma poesia penetrante: aquelas paisagens – escapadas de vale enquadradas entre árvores, coqueiros quase sempre, com a luz caindo a meia distância – e as figuras que as animam – escravos, senhores de engenho, sinhás – e as construções – casas-grandes de engenho, senzalas, capelinhas – já estão cheias, como notou Ribeiro Couto, do mistério da nossa nacionalidade.

Quanto a Eckhout, conhecem-se dele 24 quadros de assuntos brasileiros, legados por Nassau a Frederico III da Dinamarca. Estão no Museu daquele país e representam vários tipos de índios e mestiços do Brasil, ou naturezas-mortas, ou ainda estudos de animais.

PINTURA RELIGIOSA

A pintura no Brasil começou nas capelas, e a esse aspecto as nossas igrejas podem ser discriminadas em dois grupos, conforme notou o arquiteto Lúcio Costa: aquelas em que os tetos, divididos em caixotões emoldurados, se cobrem de arabescos florais dispostos simetricamente em volta de um núcleo central ou apresentam desenhos mais livres de gosto indo-persa, pinturas essas executadas a têmpera ou a gesso e cola, e independentes dos painéis a óleo sobre tábua para completação arquitetônica de retábulos, altares-capelas e sacristias; e igrejas de tetos, em tabuado corrido sobre os quais se aplicava uma pintura de elementos arquitetônicos vistos em perspectiva e dando a impressão de uma aberta para o céu, onde se mostra o espetáculo de uma assunção, de Jesus ou da Virgem. A técnica dos caixotões vem das primeiras igrejas e dura até os princípios do século XVIII; a outra surgiu nos meados do século e "evoluiu do tratamento pesado e opressivo onde prevaleciam a representação de formas arquitetônicas e o colorido sombrio, até as igrejas claras, de aparência alegre – quase feliz – dos últimos decênios do século XVIII em Minas Gerais, nas quais Manuel da Costa Ataíde revelou-se mestre consumado" (Lúcio Costa).

Nos pintores que trabalharam para as igrejas de Pernambuco entre os séculos XVII e XVIII notou Joaquim Cardozo influência, umas vezes da técnica dos artistas flamengos dos séculos XVI e XVII, outras vezes da pintura espanhola, em especial de Ribera e Murillo, ou de quadros portugueses saídos das oficinas de Gregório Lopes e seus continuadores. O crítico pernambucano classifica como a mais rica de nossas coleções de quadros religiosos a galeria de pinturas que ornam as paredes da Capela Dourada da Ordem Terceira de São Francisco em Recife. Infelizmente quase nada se conhece em relação à autoria dessas e de outras pinturas de igrejas de Recife e Olinda. Sabe-se que na igreja de São Pedro dos Clérigos (Recife) o teto da nave foi pintado por João de Deus Sepúlveda, e o forro do coro por Luís Alves Pinto.

Na Bahia, Eusébio de Matos Guerra, irmão de Gregório de Matos, sacerdote jesuíta e depois carmelita, passa por ter pintado numerosos quadros de devoção, mas até hoje nada se conhece como provadamente dele. Só no meado do século XVIII é que o mineiro José Joaquim da Rocha abre em Salvador a sua escola de pintura, donde saíram os seus discípulos José Teófilo de Jesus e Franco Velasco, os mais notáveis, e mais Lopes Marques, Antônio Dias, Antônio Pinto, Ramos Nunes da Mota, Sousa Coutinho, José Veríssimo, Lourenço Machado... A José Joaquim da Rocha pertencem as pinturas dos tetos das igrejas Conceição da Praia, Nossa Senhora da Palma, São Pedro Velho, Rosário da Baixa dos Sapateiros e Ordem Terceira de São Domingos. José Teófilo de Jesus, mestiço baiano que a expensas de seu mestre Rocha esteve estudando em Portugal e na Itália, deixou muitos retratos e painéis religiosos em várias igrejas de Salvador. Joaquim Franco Velasco pintou o teto da igreja do Bonfim (*Passos da Paixão*) e deixou fama também como retratista, recebendo encomendas até de Portugal. Entre os discípulos de Velasco citam-se José Rodrigues Nunes, o seu predileto, e Bento Capinam, este, autor de duas largas composições na igreja do Bonfim. Depois deles a pintura baiana decai e só contemporaneamente apareceu um pintor de talento, Presciliano Silva, que se assinalou fixando com poética emoção interiores de velhas igrejas de Salvador.

No meado do século XVIII Minas Gerais tornou-se em consequência da exploração do ouro e dos diamantes a capitania mais rica e mais populosa. Com a riqueza desenvolveu-se também a cultura, e em algumas décadas os humildes arraiais de catadores se transformaram em belas cidades, ainda hoje admiradas pela arquitetura dos seus solares e sobretudo de suas igrejas, embelezadas interiormente por notáveis obras de escultura e pintura. Entre os pintores que mais se distinguiram em Minas no século XVIII está Manuel da Costa Ataíde, cujas formosas composições ultrapassaram as de tantos pintores portugueses que decoraram as igrejas de Vila Rica, Mariana, Sabará e Diamantina, e que se chamaram Manuel Rabelo de Sousa, o guarda-mor José Soares de Araújo e João Gonçalves da Rocha. Ataíde era alferes de milícia e nasceu em Mariana no ano de 1762. Entre as pinturas mais louvadas de Ataíde apontam-se os tetos da nave e da igreja de São Francisco de Assis em Ouro Preto, o teto da capela-mor da matriz de Santo Antônio em Santa Bárbara, o teto e altares da igreja do Rosário em Mariana, os tetos das igrejas de Nossa Senhora de Nazaré e do Rosário na vila do Inficionado, a tela da Conceição do altar-mor da Sé de Mariana, e uma ceia conservada no salão nobre do Colégio do Caraça e que é uma das obras mais importantes do artista marianense. Nos tetos de Ataíde, como notou Luís Jardim a propósito da composição da matriz de Santo Antônio em Santa Bárbara, se realiza com pujança aquela impressão de grandeza e riqueza fantásticas que o conjunto barroco consegue dar, graças ao ilusionismo decorativo. Podem-se aplicar-lhes as palavras com que o artista definia em proposta feita à irmandade do Carmo de Ouro Preto o que deviam ser tais decorações: "... uma bonita, valente e espaçosa pintura de Perspectivas, organizada de corpos de Arquitetura, ornatos, varandas, festões e figurado." Segundo Luís Jardim, Ataíde ali apresenta, mediante certas misturas de cores, umas tonalidades que não se veem em nenhuma outra igreja de Minas – amarelo de Nápoles, verde Veronese, azul-cobalto, ultramar, sépias. Depois de Ataíde, citem-se ainda seu irmão Domingos da Costa Ataíde, João Lopes Maciel, Francisco Xavier Carneiro, Joaquim José do Couto (estes três últimos trabalharam na decoração de São Francisco de Mariana), o guarda-mor João Nepomuceno Correia de Castro, autor das pinturas do Santuário de Congonhas do Campo, Antônio Vieira Servas, Antônio Caldas, Manuel Pereira de Carvalho, autor das pinturas da sacristia de São Francisco de Assis de Ouro Preto...

O Mosteiro de São Bento foi o berço da pintura a óleo no Rio de Janeiro, afirmou Porto-Alegre. Um frade nascido em Colônia, Frei Ricardo do Pilar, viveu perto de trinta anos no convento da Ordem Beneditina no Rio, onde faleceu em 1700. Acredita-se que tenha estudado pintura em sua terra natal. O seu melhor trabalho é o painel *O Salvador*, que está no altar-mor da sacristia do mosteiro. É apontado como seu discípulo o fluminense José de Oliveira ou José de Oliveira Rosa, que se presume ter vivido entre 1690 e 1770. A ele se atribuía a grande composição que orna o teto da nave de São Francisco da Penitência (retocada em 1895 pelo pintor Tomás Driendl) e a pintura do teto da capela-mor da mesma igreja, obras que se verificou pertencerem a Caetano da Costa Coelho. A Oliveira se deve é a pintura do teto da capela-mor da Catedral Metropolitana, assim como os painéis da Capela das Relíquias no Mosteiro de São Bento. Foi discípulo de Oliveira o pintor João de Sousa, autor de quase todos os quadros que ornam o claustro dos carmelitas da Lapa. Com este aprenderam Manuel da Cunha e Leandro Joaquim. Manuel da Cunha, escravo da família do cônego Januário da Cunha Barbosa, aperfeiçoou-se na sua arte em Portugal e de regresso ao Brasil abriu aula de pintura com doze alunos. São deles os seis painéis laterais da capela do Noviciado em São Francisco de Paula e o painel do teto da capela-mor da Catedral Metropolitana. Leandro Joaquim, falecido em 1798, pintou painéis (Nossa Senhora de Belém, São João e São Januário) para a igreja do Castelo, os quais se acham atualmente na igreja capucha de São Sebastião à rua Haddock Lobo, e o painel da Boa Morte para a igreja de Nossa Senhora da Conceição e Boa Morte. Os últimos pintores dessa linha de artistas que vinha, através das relações de mestre e discípulo, desde Frei Ricardo do Pilar, linha interrompida pelas novas diretrizes introduzidas com a Missão Artística Francesa, foram Raimundo da Costa e Silva, Frei Francisco Solano Benjamin, Manuel Dias de Oliveira Brasiliense ("o Romano", como era apelidado, por ter estudado na Academia de São Lucas em Roma) e José Leandro de Carvalho.

Depois da vinda dos franceses, a pintura religiosa decai. Todavia algumas obras isoladas aparecem de vez em quando, a mais forte das quais será talvez a *Primeira missa no Brasil* de Victor Meirelles, e como grande conjunto os painéis de Zeferino da Costa, natural de São Paulo, na Candelária do Rio. Ultimamente Portinari tem produzido alguns painéis religiosos, em afresco, têmpera e óleo (capela da família em Brodowski, São Paulo): são quase sempre pinturas de estilo repousado, ao contrário da *Ceia* (Coleção Gustavo Capanema) e de um *São Pedro com o galo* (Coleção Assis Chateaubriand), trabalhados na sua habitual deformação expressionista.

A ESCULTURA NO BRASIL COLONIAL

Grande número de igrejas, do Recife, de Olinda, de Salvador, do Rio de Janeiro, de Ouro Preto, Mariana, São João del-Rei, Tiradentes, Diamantina, Sabará etc., são verdadeiros museus, a cujas riquezas em estatuária, ourivesaria e mobiliária faz fundo a maravilhosa talha dourada das naves das sacristias. Grande parte de todo esse lavor artístico permanece ainda anônimo, porque os livros das irmandades não tinham sido até hoje sujeitos a um exame sistemático. Os poucos que já foram estudados revelaram não pequenas surpresas. Muita coisa, porém, ficará para sempre desconhecida, a propósito, por exemplo, de santeiros. Muitas imagens de santos, grandes e pequenas, vinham de Portugal; sabe-se contudo, que tivemos santeiros exímios. Já na primeira metade do século XVII se distinguiu como escultor-santeiro (e era também pintor) o beneditino Frei Agostinho de Jesus, natural do Rio de Janeiro, o qual deixou entre muitas outras obras em barro cozido um famoso *São Pedro Arrependido* existente no Mosteiro de Monte Serrat em Salvador da Bahia.

Dos artistas escultores e entalhadores que viveram no tempo colonial o mais notável foi Antônio Francisco Lisboa, dotado de autêntico gênio plástico, revelado não só na escultura mas também na arquitetura. Nasceu Antônio Francisco em Vila Rica no ano de 1730 e faleceu em 1814. Era filho de uma escrava e do português Manuel Francisco Lisboa, o arquiteto de Nossa Senhora do Carmo de Ouro Preto. Depois dos 47 anos foi atacado de uma doença que o deformou de tal maneira, que passou a ser conhecido pelo nome de Aleijadinho. Todavia nem o aleijão nem as dores, que eram às vezes intensíssimas, lhe quebraram a atividade, e a parte mais rude e também mais exasperadamente expressionista de sua obra – os Profetas e as figuras dos Passos de Congonhas do Campo – pertence à última fase de sua vida.

A glória de Antônio Francisco tem estado exposta ultimamente a ataques de críticos apressados, que, a pretexto de reagir contra as facilidades dos panegiristas que em tudo queriam ver a mão do Aleijadinho, passaram a negar-lhe a autoria de obras que a tradição lhe atribui e nada autoriza a atribuir a outros: críticos que fecham os olhos aos recibos das irmandades ou tentam interpretá-los ao sabor das conveniências de suas fantasias.

Pelo que tem apurado o Serviço do Patrimônio Histórico e Artístico Nacional, devem-se atribuir a Antônio Francisco os púlpitos, balaustradas, as figuras dos Atlantes e outras obras na igreja do Carmo de Sabará; os altares de São João e de Nossa Senhora da Piedade no Carmo de Ouro Preto; as estátuas dos profetas e as figuras dos Passos de Congonhas do Campo (Antônio Francisco trabalhou também a caixa do órgão, obra importante, a julgar pela remuneração recebida, e que infelizmente desapareceu); risco da igreja de São Francisco de Assis em Ouro Preto e nessa mesma igreja a fatura dos púlpitos, risco da portada e da tribuna do altar-mor, o retábulo da capela-mor; risco e talha dos dois primeiros altares colaterais; risco da igreja de São Francisco de Ouro Preto, que se prova com documentos. Mas vem dos contemporâneos do artista a tradição de que lhe pertencem ainda as seguintes obras: escultura da fonte da sacristia; risco das capelas-mores das igrejas de São José e Mercês de Baixo em Ouro Preto.

Na escultura Antônio Francisco foi um deformador; não por ignorância da anatomia, mas por exuberância de força e necessidade expressiva. "A sua deformação", escreveu o senhor Mário de Andrade, "é duma riqueza, duma liberdade de invenção absolutamente extraordinárias". Na torêutica, ao contrário, apresenta sempre uma composição equilibrada e calma. Rastreiam-se-lhe na obra de escultor influências que lhe terão chegado através de reproduções em estampas; bizantina como notou o senhor Mário de Andrade no leão de Congonhas, gótica (púlpitos de São Francisco de Assis de Ouro Preto) e ainda transcrevendo as palavras do crítico citado, "renascente às vezes, frequentemente expressionista à alemã, evocando Cranach, Baldung, Klaus Sluter; e mais raro realista, dum realismo mais espanhol que português".

Na Bahia o escultor que deixou mais fama foi Chagas, o Cabra, cujas obras principais estão na igreja da Ordem Terceira do Carmo (Nossa Senhora das Dores, São João e Madalena, a Virgem, o Menino Jesus, Nossa Senhora do Carmo) e na matriz de Sant'Ana (São Benedito). Os franciscanos mostram com especial ufania na igreja da Ordem em Salvador uma bela imagem de São Pedro de Alcântara, trabalho do escultor baiano Manuel Inácio da Costa, autor também das imagens da Conceição, de Sant'Ana e de Santo Antônio. Nessa mesma igreja a imagem de Nossa Senhora da Piedade é obra de outro escultor baiano Antônio de Sousa Paranhos.

Mineiro, mestiço e contemporâneo de Antônio Francisco Lisboa foi Valentim da Fonseca e Silva, falecido em 1812, o "Mestre Valentim", como ficou conhecido. Segundo Porto-Alegre, foi seu mestre o artista Luís da Fonseca Rosa. As pesquisas da senhora Nair Batista revelaram que Mestre Valentim trabalhou durante quase vinte anos para a Ordem Terceira do Carmo no Rio de Janeiro, pertencendo-lhe a autoria das seguintes obras: altar-mor da Capela do Noviciado e provavelmente, segundo dona Nair, toda a talha da aludida capela; toda a obra do trono e sua talha, assim como o último Passo da Paixão, no altar-mor da igreja do Carmo, grade e o molde das duas lâmpadas da capela-mor, cadeira para o trono e uma urna (não tem fundamento a atribuição ao Mestre Valentim da portada nobre e do medalhão em mármore da igreja do Carmo, conforme explicou a senhora Nair Batista); talha da capela-mor de São Francisco de Paula, (dona Nair acha provável a autoria da talha da capela de Nossa Senhora das Vitórias, afirmada por Moreira de Azevedo); o desenho do primitivo ajardinamento do Passeio Público, para o qual executou as estátuas de Diana e Níobe, em ferro fundido, os jacarés de chumbo do chafariz, os medalhões do portão; o chafariz da praça Quinze de Novembro; o risco dos lampadários de São Bento e provavelmente a talha do altar-mor dessa igreja. Valentim formou alguns discípulos: Antônio de Pádua, que concluiu no Carmo os trabalhos do mestre deixados incompletos, Simeão de Nazaré, decorador da igreja de São José, Simão da Cunha e José da Conceição, autores das decorações douradas da nave de S. Bento, e outros.

No Mosteiro de São Bento há talhas, crucifixos e imagens de santos da autoria de Frei Domingos da Conceição Silva. Cite-se ainda o popular Xavier das Conchas, que viveu na segunda metade do século XVIII.

A Missão Francesa

Teve o Conde da Barca a ideia de fundar no Brasil uma Academia de Belas-Artes, e bem-aceita a iniciativa pelo príncipe, escreveu o ministro ao Marquês de Marialva, embaixador português em Paris, ordenando-lhe que contratasse ali uma missão de artistas e mestres de ofícios que viessem iniciar no Rio o ensino em instituto especialmente criado para isso. Recorreu Marialva às luzes de Alexandre de Humboldt, que o pôs em contato com o pintor Lebreton, do que resultou ficar este encarregado de aliciar os demais professores. Integravam a missão os irmãos Taunay (Nicolau Antônio, pintor, e Augusto, escultor), Debret, pintor do gênero histórico, que trabalhara para Jerônimo Bonaparte, o arquiteto Grandjean de Montigny, que havia sido discípulo de Percier e Fontaine, o gravador genebrês Pradier (Carlos Simão), discípulo de Desnoyers e o músico-compositor Neukomm, discípulo predileto de Haydn, além de outras figuras menores, inclusive mestres de vários ofícios.

Causas várias retardaram a abertura definitiva da Academia, o que só teve lugar em 1827, quando ficaram ultimadas as obras de adaptação do prédio contíguo ao Tesouro Nacional, obra de Grandjean de Montigny. Dois anos depois já se realizava a primeira exposição de pintura dos alunos da Academia.

A história das artes plásticas no Brasil pode ser dividida em duas fases – antes e depois da Missão Francesa. Antes, desenvolvia-se aqui uma pintura que se fundava na tradição dos mestres particulares. A Academia, com os seus professores, de grande talento, é certo, mas muito atados aos cânones acadêmicos, acabou com a ingenuidade de boa marca, sempre sensível em nossos artistas anteriores ao ensino da Missão, artistas que passaram a ser ridicularizados em críticas mais ou menos no tom em que ainda no ano de 1911 o ilustre mestre senhor Afonso Taunay falou deles em estudo sobre a Missão Francesa publicado na *Revista do Instituto Histórico e Geográfico*:

> [...] os horrendos painéis do teto de alguns templos, os retratos de benfeitores e fundadores de irmandades, traçados segundo um cânon inclassificável, monstruosos quase todos, quanto ao desenho e colorido, como as séries de quadros representando episódios do agiológio em que santos personagens, de aspecto simiesco, confabulavam com monges-quasímodos, em que o colorido revela o mais intenso daltonismo dos artistas e o desenho a incompreensão absoluta da perspectiva.

A Missão implantou o academismo, e o academismo se foi agravando quando o ensino passou das mãos dos mestres franceses para as mãos dos novos mestres brasileiros por eles formados.

Estão muito esquecidos os nomes dos primeiros laureados desse ensino de desenho correto e colorido exato – Nerys, Moreaux e Grandjeans Ferreiras, ao passo que os nomes dos Ataídes, Teófilos de Jesus e outros cabras que desenhavam segundo "cânones inclassificáveis", vão crescendo em nossa admiração... Essa arte acadêmica tem os seus melhores padrões nas telas de Victor Meirelles (*Primeira missa no Brasil, Batalha dos Guararapes, Passagem de Humaitá*), de Pedro Américo (*Batalha do Avaí, Batalha de Campo Grande, O grito do Ipiranga*), de Almeida Júnior (*Partida da Monção, Fuga para o Egito, Descanso do modelo*), de Rodolfo Amoedo (*A partida de Jacó, Narração de Filetas,* o nu *Estudo de mulher*), de Aurélio de Figueiredo, de Henrique Bernardelli, de Rosalvo Ribeiro, de Oscar Pereira da Silva, figuristas, de Pedro Alexandrino, um mestre em naturezas-mortas, de Antônio Parreiras e de Batista da Costa, paisagistas. Parreiras foi discípulo do alemão Grimm, que viveu entre nós, e com este estudou também o italiano Castagneto, cujas marinhas, de tons neutros e baixos, adquiriram grande nomeada e valor comercial. Mais tarde o pontilhismo influenciará a pintura de Eliseu Visconti (decorações do Teatro Municipal), o nosso melhor impressionista, corrente de que também se aproximaram Lucílio e Georgina de Albuquerque, Marques Júnior, Manoel Santiago, Eugênio Latour... Um pintor à parte é Décio Villares, muito caro aos nossos simbolistas pela graça espiritual de suas cabeças femininas; à parte igualmente Telles Júnior, vigoroso intérprete da paisagem pernambucana, ao qual não se fez ainda aqui no Brasil a devida justiça. Alguns pintores formaram-se fora do Brasil, como Carlos Oswald, também notável na água-forte.

Dos primeiros escultores saídos da Academia de Belas Artes o mais notável foi Chaves Pinheiro, discípulo de Marc Ferrez, um dos membros da Missão. Chaves Pinheiro, que perdeu o prêmio de viagem para Francisco Elídio Panfiro, totalmente esquecido como tantos outros prêmios de viagem, é autor dos doze apóstolos de madeira da igreja de São Francisco de Paula, da estátua de João Caetano que está na praça Tiradentes, de um baixo-relevo da igreja da Glória, representando a Assunção da Virgem, e de muitos outros trabalhos. Segundo Araújo Viana, foi o nosso escultor que mais produziu no século XIX. Mas o mestre foi superado pelos seus discípulos Caetano de Almeida Reis e Rodolfo Bernardelli. Este é, sem dúvida, o mais forte representante dessa escultura oficial; a ele devemos as melhores estátuas da nossa capital – Osório, Caxias, o grupo comemorativo do Descobrimento, José de Alencar e, melhor que todas do ponto de vista plástico, a estátua de Teixeira de Freitas; o Museu de Belas Artes possui os dois trabalhos que lhe deram a celebridade – o grupo em mármore *Cristo e a mulher adúltera* e o bronze *Faceira*. O seu discípulo de maior talento, Corrêa Lima, ganhou justo renome com a bela estátua de Barroso na praia do Russel. Leão Veloso é outro escultor que se formou na escola de Bernardelli; dele é a estátua de Tamandaré, na praia de Botafogo.

Com a vinda da Missão Francesa interrompe-se a tradição dos mestres de risco portugueses, e o prestígio de Grandjean de Montigny impõe o Neoclássico, nascido na Europa da reação contra a degenerescência do Barroco. Foi exagerado Araújo Viana quando disse dos projetos do francês que eles "não passavam de corretíssimas composições arqueológicas greco-romanas". Alguns o foram, como o do edifício da Academia de Belas-Artes, citado pelo crítico; outros, porém, como o solar da Gávea, mostram uma feliz acomodação à paisagem, ao clima e ao sistema de vida nos trópicos. Grandjean dotou a cidade de alguns edifícios que no seu traçado de linhas simples e severas não brigavam com o que havia aqui. Os discípulos é que não souberam acompanhar o mestre na sua discrição. Esses é que merecem em cheio a crítica de Araújo Viana. Alguns se salvaram em construções tão bem equilibradas quanto as do francês: Teodoro de Oliveira, autor do projeto da Casa da Moeda; Porto-Alegre, arquiteto do edifício (depois alterado) em que hoje funciona o Arquivo Público, do prédio, já demolido, que foi sede do Banco do Brasil, à esquina de Rosário com Candelária, e da casa do Automóvel Clube, também adulterada depois; Bethencourt da Silva, arquiteto da antiga sede da Caixa Econômica, à rua Dom Manuel; o major José Maria Jacinto Rebelo que concluiu o Itamaraty e projetou as fachadas da Santa Casa e do Hospício de Alienados, colaborando também com Koeler e Guillobel na arquitetura do Palácio Imperial de Petrópolis.

Convém lembrar que ao lado de Grandjean outros concorreram para a introdução do Neoclássico entre nós: o português João da Silva Moniz, aqui chegado antes da Missão, e outro francês, o arquiteto Pezerat. Este remodelou o palácio da Quinta de Boa Vista, construindo o segundo corpo e iniciando o traçado dos jardins (V. Morales de los Rios Filho em *Grandjean de Montigny*). Projetou o edifício da atual Escola Politécnica (muito alterado depois), e atribui-se-lhe também o projeto do solar da Marquesa de Santos.

A arquitetura da nossa capital piorou sensivelmente quando ao neoclássico, afinal de contas bem simpático em sua severidade, quiseram substituir um Renascimento pretensioso, de que é exemplo típico a Escola José de Alencar no largo do Machado. Movimento encabeçado por Bethencourt da Silva e Francisco Caminhoá.

O MOVIMENTO MODERNISTA

O movimento brasileiro começou pelas artes plásticas. Em janeiro de 1916 a pintora paulista Anita Malfatti realizou em São Paulo uma exposição de pintura, na qual, além dos seus quadros, influenciados pelo Expressionismo alemão, apresentava algumas telas cubistas de estrangeiros. A exposição produziu escândalo e o escritor Monteiro Lobato escreveu a propósito dela um artigo cujo título era "Paranoia ou mistificação?" Mas os quadros expostos suscitaram o interesse entusiástico de um grupo de rapazes escritores, entre os quais estavam os senhores Mário de Andrade e Oswald de Andrade. Este conheceu em 1920 o escultor Victor Brecheret, paulista de ascendência francesa e italiana, que estudara em Roma, onde fora discípulo de Meštrović. Por esse tempo ou pouco depois estabelecia-se em São Paulo e se naturalizava brasileiro o grande pintor Lasar Segall. Finalmente as casas projetadas por Warchavchik vieram revelar-nos uma arquitetura nítida e clara, jogo sábio de volumes e superfícies determinados pelo plano, em relação com os materiais de hoje e servindo às necessidades da vida atual, esquecida de todo das mentiras dos estilos. Esse movimento modernista teve dois estouros que o impuseram à atenção e aos sarcasmos do grande público conservador: a Semana de Arte Moderna, realizada em São Paulo em fevereiro de 1922, com exposições de pintura e escultura, com leituras e concertos, e a conferência de Graça Aranha na Academia Brasileira de Letras em 1924.

O maior benefício que o movimento prestou às nossas artes foi muito bem formulado por estas palavras de Mário de Andrade:

> Hoje o artista brasileiro tem diante de si uma verdade social, uma liberdade (infelizmente só estética), uma independência, um direito às suas inquietações e pesquisas que, não tendo passado pelo que passaram os modernistas da Semana de Arte Moderna, ele nem pode imaginar que conquista representa. Quem se revolta mais, quem briga mais contra o politonalismo de um Lourenço Fernandes, contra a arquitetura do Ministério da Educação, contra os versos "incompreensíveis" de um Murilo Mendes, contra o personalismo de um Guignard?... Tudo isso são hoje manifestações normais, discutíveis sempre, mas que não causam o menor escândalo público. Pelo contrário, são os próprios elementos governamentais que aceitam a realidade de um Lins do Rego, de um Villa-Lobos, de um Almir de Andrade, pondo-os em xeque e no perigo das predestinações. Por esse movimento vanguardista o Brasil atualizava-se artisticamente, como depois por vários ajustamentos revolucionários se atualizaria politicamente.

Os artistas plásticos que mais assinalaram os primeiros anos da renovação foram, além dos já citados, Tarsila do Amaral, Di Cavalcanti, Guignard, os irmãos Rego Monteiro, Ismael Nery na pintura, Celso Antonio, na escultura. Uns formados aqui mesmo, como Di Cavalcanti e Ismael Nery; outros que receberam lições de mestres europeus, como Tarsila do Amaral, discípula de Léger, Celso Antonio, discípulo de Bourdelle. Mais tarde chegou ao Rio o pernambucano Cícero Dias, pintando espontaneamente com a fantasia de um Chagall o mundo da sua infância em sua província.

Na arquitetura o acontecimento mais considerável foi a influência exercida sobre um grupo de jovens arquitetos pelo senhor Lúcio Costa, que, abandonando as seduções fáceis do neocolonial, com que andou namoriscando algum tempo, tornou-se um mestre da arquitetura fatal da nossa época. Entre as obras mais perfeitas e representativas da nova concepção arquitetônica podem citar-se o novo edifício do Ministério da Educação, ainda por concluir, em cujo projeto colaboraram os senhores Lúcio Costa, Oscar Niemeyer, Carlos de Azevedo Leão, Jorge Moreira, Affonso Reidy e Ernani de Vasconcellos, o Cassino, Baile Popular e Iate-Clube de Belo Horizonte, da autoria do senhor Oscar Niemeyer, o aeroporto do Rio, projeto do senhor Attílio Corrêa Lima, e o edifício da Associação Brasileira de Imprensa, da autoria do senhor Marcelo Roberto.

Enquanto os revolucionários da Semana de Arte Moderna batalhavam contra a rotina acadêmica em todos os setores, um matuto de Brodowski, filho de italianos, enganava os membros do júri do Salão Oficial do Rio e, pintando à maneira de Zuloaga, oh que ousadia! o retrato de Olegário Marianno, obteve o prêmio de viagem à Europa. Passou lá dois anos sem pintar quase nada, mas vendo, vendo... Voltou, fez uma exposição e todo o mundo adivinhou a força nascente de um grande pintor naquelas telas ainda medrosas onde se traía a influência de Modigliani. Portinari... Portinari que hoje muitos americanos do Norte já chamam o maior pintor da América, elogio que lhe deve parecer bastante antipático, porque a América é apenas uma das cinco partes do mundo. Não me interessa muito saber a posição de um Portinari, um Cícero, um Villa-Lobos em relação ao estrangeiro: importa-me o que eles representam para nós – intérpretes das forças mais profundas da nossa alma coletiva. Mas, para ficar estritamente dentro dos limites plásticos, direi apenas de Portinari que nunca no Brasil ninguém atingiu a ciência do desenho, da cor e da composição que ele revela em sua abundante produção.

De ano para ano cresce mais o número de estreantes que dão as costas ao ensino retrógrado da Escola de Belas-Artes: dá-se nas artes plásticas o mesmo que na poesia e na música: quem tem real vocação e força criadora tenta achar por si mesmo o seu caminho. Os nomes são muitos e seria imprudência minha iniciar a enumeração. Paremos, portanto, na trindade dos mestres desta nova geração tão promissora: Lúcio Costa, Portinari, Celso Antonio.

Portinari

Na arte de Portinari palpita sob as formas de modernidades as mais óbvias o espírito da pintura em suas grandes épocas, já que em suma os seus elementos são os da melhor tradição: desenho seguro e gracioso, mesmo quando deforma; composição equilibrada e estrutura robusta; palheta generosa; o sentimento infalível dos valores. Tudo o que a Europa dos mestres imperecíveis pode ensinar, aplicado à interpretação da realidade brasileira, mais digna de estudo, de meditação e de ternura. Portinari é filho de italianos – João Batista Portinari, florentino, vindo para o Brasil aos treze anos de idade, e Dominga Torquato, natural de Vicência, no Brasil desde os cinco ou seis anos. Brodowski, a longínqua cidadezinha do interior paulista, onde se fixou o casal e onde nasceram os seus doze filhos, foi bastante forte para impor ao menino que viria a ser um grande artista a personalidade caipira, não só no jeito e na fala, mas também, e principalmente, nas melhores virtudes que caracterizam o nosso homem do sertão. A Brodowski, tão brasileira apesar do seu nome polonês, devemos o sentimento brasileiro intenso que informa toda a obra de Portinari, tão intenso que provocou de Assis Chateaubriand a famosa *boutade*: "É preciso ter nascido de pais florentinos para descobrir pictoricamente o Brasil".

Candido Portinari viveu em Brodowski até os quinze anos. Lá frequentou a escola primária, única instrução regular que recebeu, empinou papagaios, armou arapucas aos passarinhos, jogou *football* na praça da matriz... Não conseguiu crescer muito, mas ganhou músculo. Numa partida do jogo destroncou a coxa direita, acidente que talvez explique o seu teimoso sedentarismo, inquietante para a saúde, mas fecundo para a pintura. O artista quase não sai de casa, nem para o jardim. Desta circunstância poderia resultar uma obra desligada do mundo exterior. Nada disso com Portinari. A verdade é que a voluntária clausura do pintor como que lhe refaz a virgindade da visão diante da vida; aos seus olhos tudo o que é cotidiano para nós – um galo, uma porunga, um baú de lata, uma perna de pau, o entregador de tinturaria que passa em bicicleta – assume logo a importância de um símbolo rico de significados, e o artista explora cada um desses temas até as últimas possibilidades plásticas. Tomemos, por exemplo, o tema do espantalho, porque nenhum marcou tão fortemente a sensibilidade do pintor. Portinari pintou uma grande quantidade de espantalhos sem nunca se repetir: cada um tem o seu caráter. O mais curioso, porém, é que o patético do fantoche passou a humanizar-se em numerosas figuras de suas telas, todas de braços abertos para o ar, lamentáveis criaturas desamparadas no mundo como as cruzes de trapos perdidas na solidão dos campos, e não obstante ferindo-nos a imaginação como sinistras advertências.

Aquele menino lourinho e de olhos azuis, grande rabiscador de paredes e de papéis, sentiu os primeiros apelos da vocação quando passou por Brodowski um pintor a quem confiaram a decoração da matriz. De mirone do artista, passou a ajudante e pela primeira vez mexeu com os pincéis. No fim de algumas semanas, pronta a pintura do templo, ganhou o seu primeiro salário – mil e quinhentos réis. Mas ganhou além disso outra coisa e esta sem preço; a certeza da vocação, a confiança no destino.

Em 1918, sozinho e com a única proteção daquela certeza, vem para o Rio e inicia uma vida de duro aprendizado e necessidades materiais. Inscreve-se no concurso para entrar na classe de modelo vivo da Academia de Belas-Artes, mas é reprovado. Esteve até 1921 na classe de desenho figurado do professor Lucílio de Albuquerque. Naquele ano fez concurso para a classe de pintura e, aprovado, escolheu como mestre o professor Rodolfo Amoedo. No ano seguinte pediu transferência para a classe do professor Batista da Costa. Em 1922, com dezenove anos, estreia no Salão com um retrato, que passou despercebido. Mas em 1923 obtém a medalha de bronze, um prêmio de animação, de Cr$ 500,00, e o prêmio da Galeria Jorge. Já no ano seguinte o júri do Salão, aceitando-lhe alguns retratos, recusa o quadro *Baile na roça*. Em 1925 consegue a pequena medalha de prata, em 1927 a grande. Estavam galgadas as etapas indispensáveis para chegar ao prêmio de viagem à Europa, o qual conquista no ano seguinte com o retrato do poeta Olegário Marianno. Portinari parte, visita a França, a Itália, a Inglaterra e a Espanha. Pouco trabalhou no estrangeiro: todo o tempo era escasso para ver, observar, refletir, discutir. Toma o primeiro contato com as correntes de vanguarda, mas o que o atrai primeiramente é, não Picasso, que virá a ser mais tarde a sua maior admiração entre os modernos, e sim o gracioso, o terno, o melancólico Modigliani, cuja influência vamos encontrar nas primeiras pinturas que fez depois do regresso ao Brasil. Esquecendo as receitas do tirocínio acadêmico, entrou Portinari a construir a sua técnica, fruto de um labor pertinaz de todos os momentos, porque o artista, quando não está de pincéis nas mãos, não para de meditar no que já fez ou no que irá fazer. Amor tão absorvente pela sua arte, que muitas vezes o pintor rola insone na cama, ansioso porque desponte o dia para poder pintar.

Em 1935 obtém valiosa consagração no estrangeiro, levantando com o quadro *Café* a segunda menção honrosa na Exposição de Arte Moderna do Instituto Carnegie. O crítico do *New York World-Telegram* qualificou a tela de Portinari como *"one of the finest works in the 265 in the show"*. No ano seguinte executa o seu primeiro mural, para o Monumento Rodoviário. Em 1938 o seu quadro Morro, enviado para Nova York, é adquirido pelo Museu de Arte Moderna daquela cidade, e aqui o ministro Capanema encomenda-lhe uma série de afrescos para o novo edifício do Ministério da Educação. A iniciativa do ministro teve importância decisiva na evolução do pintor. Portinari entrega-se então de corpo e alma a um labor gigantesco de estudos para os murais, e não será exagero dizer que foi nesses anos de 1938 e 1939 que atingiu o soberano domínio de sua potencialidade técnica, ganhando aquela segurança que lhe permitiu depois dar livre expansão aos monstros desconcertantes de sua imaginação deformadora.

Cabem aqui algumas considerações sobre o processo deformador de Portinari. Advirta-se que há na sua obra deformação e deformação: deformação por necessidade expressionista, para acentuar a força ou a dramaticidade das figuras; deformação como recurso puramente plástico, para jogo de construção; finalmente a deformação mais comum, a dos seres subnutridos e raquíticos, deformação que já não corre sob a responsabilidade do artista, porque é apenas "a humilde verdade", a humilhante verdade, transposta para a tela singelamente. Ah, para tomar conhecimento destas deformações, não é preciso ir aos hospitais nem aos morros nem às baixadas paludosas de nossa terra. Basta, como já assinalou o poeta Murilo Mendes, andar nas ruas e observar.

Trinta e oito foi o ano em que Portinari trouxe para o mundo da plástica o tema dos espantalhos, talvez inspirado nos terrores da infância, fonte do que há de mais pessoal na sua pintura, de uma porção de outros temas, ora fagueiros, como os balões de São João, os piões, as arapucas, o circo; ora sinistros, como a perna de pau do acidentado, os urubus, as caveiras bovinas, os tristes enterros sem acompanhamento onde quatro caipiras passam na campina desolada carregando em marcha batida um caixão de anjinho. E a grande exposição de 1939 promovida pelo Ministério da Educação marca, para a alegria e a estupefação dos admiradores e amigos, para a surpresa das almas generosas, no vasto público desconhecido, sensíveis ao esforço honesto da expressão sincera em arte, a genialidade amadurecida de Portinari.

Em 1940 o artista leva pessoalmente aos Estados Unidos três murais encomendados pelo governo brasileiro para o nosso pavilhão na Exposição Universal de Nova York. Valeram-lhe essas pinturas o convite do diretor do Museu de Arte Moderna de Detroit, Mr. Valentine, para fazer uma exposição individual naquela cidade. O sucesso obtido está testemunhado na luxuosa edição do álbum *Portinari, his life and art*, publicado por iniciativa da Universidade de Chicago.

No ano seguinte volta Portinari à América do Norte, comissionado pelo presidente Vargas para, a convite do diretor da Biblioteca do Congresso, o poeta Archibald MacLeish, decorar uma sala da seção hispânica daquela biblioteca.

Regressando ao Brasil, foi o pintor descansar em sua cidadezinha natal. Ali, onde em 1934 e 1937 realizara os primeiros ensaios de afresco, executando na sala de jantar paterna uma cópia bastante livre da *Fuga para o Egito* de Fra Angelico, e no banheiro um busto de mulher, pinta Portinari uma admirável série de retábulos para uma capelinha que mandou construir parede-meia com a residência da avozinha, impossibilitada de frequentar a igreja. A esse movimento de inspiração se prendem outras obras de fundo religioso pintadas então e posteriormente, as últimas para a capela da floresta da Tijuca.

Em 1942, Assis Chateaubriand, grande admirador do artista, encomenda-lhe uma série de painéis para a nova instalação da Rádio Tupi. Nela deu Portinari largas ao que há nele de sentimento popular, tão manifesto em toda a sua obra, e talvez fatigado um pouco das experiências de cor, ou influenciado pela sombria atmosfera de guerra, iniciou depois uma formidável série cinzenta de assuntos bíblicos, dentro de cuja maneira picassiana, mas de um Picasso menos abstrato, menos cerebral, entrou também a sua concepção mais humana e dolorosa, – *A ira das mães*. Nunca o artista trabalhou com maior liberdade de ação. As deformações de sua fantasia, aparentemente livre, na realidade severamente sujeita à lógica da construção, atingem aqui os limites da audácia, mas também o auge da expressão patética. Portinari pintou esses painéis sem atender a outra coisa senão ao desejo, parece, de traduzir a sua visão de alguns dos grandes episódios bíblicos. A mais desinteressada de suas obras, pois nunca esperou achar comprador para aquelas tremendas figuras de força sobre-humana. Assis Chateaubriand comprou toda a série, a qual orna hoje paradoxalmente a sede da Rádio Tupi de São Paulo. O último trabalho de Portinari é o grande mural do Ministério da Educação, obra ingratíssima pelas dimensões da sala, pela incidência da luz; mas o pintor conseguiu superar todas as dificuldades nessa composição grandiosa, em que evoca o mundo da infância na livre expansão lírica dos seus mais caros folguedos. Aos que condenam em nome da arte clássica os processos deformadores de Portinari recomendaríamos a meditação daquelas palavras de Leonardo da Vinci, postas pelo artista como epígrafe do catálogo da sua exposição do ano passado! "O pintor deseja ver uma beleza que o encante; está na sua vontade criá-la, e se lhe apraz a evocação de monstros terríveis, de cenas grotescas e ridículas, ou comoventes, é senhor disso."

MÁRIO DE ANDRADE, ANIMADOR DA CULTURA MUSICAL BRASILEIRA[1]

O homem cujo busto inauguramos hoje neste teatro foi um grande poeta. Escreveu um grande romance, dos mais originais em nossa e em qualquer literatura: a história de Macunaíma. Escreveu ainda alguns contos admiráveis. Foi um crítico de literatura, de música e de artes plásticas, um crítico diferente de todos os outros pela fremente paixão com que sabia analisar lucidamente uma obra. Era artista da cabeça aos pés. No entanto, nas últimas linhas de seu *Ensaio sobre a música brasileira* se queixa assim: "Todos os meus trabalhos jamais não foram vistos com visão exata, porque toda a gente se esforça em ver em mim um artista. Não sou. A minha obra, desde *Pauliceia desvairada*, é uma obra interessada, uma obra de ação."

---

1 Conferência proferida no *foyer* do Teatro Municipal, como parte do programa do Festival do Rio de Janeiro, de 1954.

Realmente quase toda a obra de Mário de Andrade foi realizada em função do momento social brasileiro, e o seu pragmatismo muitas vezes prejudicou não só a sua criação artística como até a sua crítica de certos valores universais. Quando ele achava, por exemplo, que a influência de um grande mestre, fosse mesmo um Beethoven, podia ser, em dada hora, indesejável para os brasileiros, não hesitava em abdicar de sua admiração pessoal para abrir campanha contra o mestre.

Não estamos, porém, aqui para fazer a apologia de Mário de Andrade como artista e grande artista que foi. Nem seria preciso defender uma verdade que está na consciência de todo brasileiro culto. Estamos aqui para lembrar o homem que foi um dos animadores mais dinâmicos, mais fecundos, mais revolucionadores que já tivemos. E em música ainda não tínhamos tido nenhum outro de sua classe.

Enquanto que na literatura e na crítica de artes plásticas foi Mário de Andrade um autodidata, na música teve educação no Conservatório paulista. Pouca gente sabe que, antes de se revelar poeta, pensou ele em estudar para pianista. Mas ainda antes de terminar o curso do Conservatório já a sua autocrítica o tinha convencido de que não nascera para intérprete executante: seria intérprete de outro gênero. Fez-se professor. No mesmo Conservatório, professor de História da Música e de Estética Musical; em aulas particulares, professor de piano.

Professor de piano? Talvez eu não esteja dizendo bem. Diria melhor: professor de música a propósito de ensinar a tocar piano. Começava aqui o pragmatismo patriótico de Mário de Andrade. O Brasil, raciocinava ele, podia deixar para mais tarde a formação de virtuoses deste ou daquele instrumento. O mais urgente era criar-se uma consciência musical. Conta-nos ele, na oração de paraninfo pronunciada em 1935, que durante quatorze anos iniciava sempre a sua primeira aula perguntando aos alunos o que vinham estudar no Conservatório. E as respostas eram: vim estudar piano, ou vim estudar violino, ou vim estudar canto. Nunca nenhum aluno lhe apareceu que dissesse vir ali para estudar música. A anedota, concluía Mário, é o símbolo da situação precaríssima de nossa cultura. Degeneração da música em comércio: o freguês pede virtuose, então o nosso ensino musical só se ocupa em formar virtuoses. "Não se ensina música no Brasil, vende-se virtuosidade." Mário de Andrade nunca vendeu virtuosidade: ensinava música. O professor do Conservatório não se orgulhava de que daquela casa tivesse saído um Francisco Mignone, por exemplo, porque "na formação de um grande artista entra um sem-número de contingências e condições, todas de decisório valor". O de que se orgulhava era da diplomada que ia ser "a professorinha anônima do Bexiga ou da Mooca, a mulher de Taquaratinga ou de Sorocaba, que ensina seu Beethoven ou, dormidos os filhos, inda soletra aos ouvidos da rua algum noturno de Chopin".

Uma das coisas que irritavam Mário de Andrade era o que ele chamava a nossa pianolatria. Sem dúvida reconhecia como benéfico o papel que teve o piano na burguesia do Império, sem dúvida admirava a escola de Chiaffarelli e reconhecia com desvanecimento o gênio de Antonieta Rudge e o de Guiomar Novaes. Mas a floração pianística de São Paulo lhe parecia uma excrescência social e ele não aprovara que se sacrificasse assim a cultura musical à virtuosidade pianística.

Tinha a cultura musical como a mais intensa força socializante, e porque via em Francisco Manuel da Silva, criador do Conservatório e da Academia Imperial da Ópera, o grande coordenador, o grande sistematizador, da nossa atividade musical incipiente, considerava-o a maior figura musical que já tivera o Brasil.

Em 1931, naquele clima enganador de esperanças que foram os primeiros meses da revolução vencedora, Mário de Andrade foi convidado a organizar um plano de reforma do nosso Instituto Nacional de Música. O que era essa reforma? Mário definiu-a muito bem:

> Era uma criação quase lunática em sua energia, em sua severidade, na elevação imediata de nível de cultura que exigia dos candidatos à música. E principalmente aberrava de todas as nossas péssimas tradições musicais e das nossas condições do momento em seu ideal socializador de fazer do músico brasileiro uma normalidade culta, uma classe fortemente dotada de sua técnica – desatendendo por completo a essa superstição do talento individual, que é a nossa mística de país sem cultura. A reforma ignorava os gênios, num país em que somos todos gênios.

Assim, Mário de Andrade, grande individualista, viveu lutando contra si próprio e contra a superstição do talento numa terra em que o necessário, o indispensável lhe parecia ser, no terreno da música, a formação da coletividade musical, – coletividade de intérpretes e coletividade de ouvintes. Em conferência sobre a música nos Estados Unidos mostrou com entusiasmo o quanto lhe veio a ela do caráter comunal, socializador de sua polifonia religiosa e em seguida popular. E concluiu com estas palavras:

> Os refinados da grandeza humana poderão segredar que não pronunciei o nome de um novo Beethoven ou de um João Sebastião Bach novo. Ao que posso redarguir que *ainda* não pronunciei, é que antes dos povos da Europa dizerem esses nomes inefáveis, tiveram por vários séculos que denunciar apenas movimentos culturais e sociais idênticos ao que apresentei hoje. Mas principalmente: *arte não consiste só em criar obras de arte*. Arte não se resume a altares raros de criadores genialíssimos. Não o foi no Egito, não o foi na Idade Média, não o foi na Índia Novíssima que se anuncia. A arte é mais larga, humana e generosa do que idolatria dos gênios incondicionais. Ela é principalmente comum.

Tal conceito coletivista da arte musical norteou sempre a atividade de Mário de Andrade, quer como professor, quer como crítico, quer ainda como amigo de músicos compositores.

Neste último caráter o seu papel de animador foi extraordinário. De dois pelo menos de nossos grandes compositores se pode dizer que não seriam o que são hoje se não fosse a influência que sobre eles exerceram as críticas, os conselhos, as ideias de Mário de Andrade. Quero referir-me a Mignone e a Camargo Guarnieri.

Conta Luiz Heitor que em 1939 passou Mignone por uma crise de consciência artística, assustado o compositor com a facilidade de sua produção. A essa espécie de ceticismo duvidador conseguiu escapar o artista, e para isso muito terá concorrido a ação de seu amigo Mário. De fato, o Mário reticente dos tempos da ópera *O contratador de diamantes*, tornara-se íntimo de Francisco e Liddy Mignone. Luiz Heitor falou dos debates acalorados sobre questões de arte no apartamento da Esplanada do Castelo e depois no do Flamengo. A estes assisti muitas vezes. Mário discutia admiravelmente: tenho de voltar à mesma expressão que já empreguei no começo desta palestra: *Mário encantava e convencia porque era a um tempo apaixonado e lúcido.*

Quanto a Camargo Guarnieri, a influência do mestre data do mesmo início da carreira do compositor, quando este era ainda uma promessa. O crítico falava ao rapaz com simpatia e apreço, mas falava franco e duro. Comentando a *Sonatina*, que é de 1929, dizia: "Não se trata duma obra-prima intangível (e minha convicção e esperança é que Camargo Guarnieri as fará)". Nesta sonatina a influência de Mário de Andrade é visível na expressão com que o compositor recomenda o andamento, que deve ser executado "molengamente". Quem não verá neste advérbio uma gostosura aprendida com o autor de "O poeta come amendoim"? Na observação final, ao dizer que a *Sonatina* "já escapole dos valores individuais que um artista ajunta, para mais tarde produzir obra de todos" se sente a mão do mestre encaminhando o compositor na direção que ele desejava para todo artista.

Essa crítica, breve mas modelar, está no livro *Música, doce música*, em que nem tudo aliás é doçura, pois em três partes está dividido e a terceira intitula-se, muito significativamente, "Música de pancadaria". Pancadaria contra os comerciantes da música que, por intermédio de certa associação, tolhiam a disseminação da cultura musical no país; pancadaria contra o amadorismo profissional, cuja arte nunca pode ir além de "um brinquedo inocentinho de aniversário" (se Mário pudesse ter adivinhado que o brinquedinho viria um dia a instalar-se com armas e bagagens na própria Escola Nacional de Música!); pancadaria contra o *Bolero* de Ravel, que considerava "uma obra-prima monstruosa", "um mundo de perfeições" nas "perfeições inativas, perversas e falsificadoras", pura virtuosidade "sem o lado simpático da virtuosidade, que é o abuso diante do perigo". E permita-se-me falar de corda na casa de enforcado: pancadaria contra as temporadas líricas oficiais.

Mário de Andrade era decididamente contra as temporadas líricas subvencionadas. Não que fosse contra a ópera ou a considerasse gênero perempto. Achava, porém, que subvencionar temporadas de rouxinóis caríssimos para representar a *Manon*, a *Tosca* e outras traviatas era desviar dinheiro que, aplicado de outra maneira, poderia ser artisticamente muito mais útil.

> Não carecemos de óperas estrangeiras, [escrevia]. Nós não carecemos de cantadores estrangeiros. Não carecemos porque não possuímos isso. E essa manifestação a que chamam de Temporada Lírica Oficial, não beneficia a ninguém. Os nossos estudantes de música ficam em casa batucando o pianinho. Não podem ir no teatro porque é caro. O povo fica em casa imaginando um jeito de pagar o imposto da semana. Não pode ir no teatro porque é caro. E a nacionalidade também fica em casa, errando português e sentindo preguiça.

E Mário de Andrade formulava a certa altura uma temporada ideal, toda construída com ótimos cantores e óperas de primeira ordem.

> Imaginemos, [dizia] seis óperas que sejam a *Coroação de Popeia* de Monteverdi, o *Alceste* de Gluck, o *Don Juan* de Mozart, *Pelléas et Mélisande* de Debussy, *Mayra* de Stravinsky e *Judith* de Honegger. Seria uma coisa admirável, não discuto. Tão admirável quanto impossível. Mas suponhamos. Pois bem: o povo não irá. Uma entrada de galinheiro custa caro demais, e a não ser com *Traviata*, Leoncavallo & Cia. galinheiro não enche. É dessa forma que nosso povo está educado em arte dramática pelos mesmos senhores W. M. & Cia., que nos têm desgraçado musicalmente. A burguesia, essa irá uma vez, se for, pouco se lhe dando de conhecer o *Don Juan* de Mozart. A aristocracia (financeira) da cidade, se fizerem boa propaganda de chiquismo em torno da temporada, essa irá, dirá uma porção de bobagens, vestirá lindos vestidos e mastigará com delicadeza, boca fechada, e perfeito conhecimento do uso do garfo, caras e bem regadas ceias depois do espetáculo. Haverá, eu

sei, um ou outro, uns quinze desgraçados de artistas, que vivem sonhando escutar essas coisas. Esses, nem que suprimam um mês de janta, irão ouvir as óperas. E haverá finalmente os professores de orquestra, arrebanhados aqui, os quais pela rapidez dos ensaios, pela heterogeneidade do ajuntamento, etc. não poderão nos dar execuções boas.

E Mário de Andrade rematava: "Protejamos nossa música e nossos músicos". Fiel à sua pragmática nacionalista, sempre se bateu pela ópera nacional, inclusive escrevendo libretos, pelas nossas sociedades sinfônicas, pelas nossas organizações quartetísticas. Não era nacionalismo vesgo, pois sabia quanto em matéria pedagógica necessitávamos do auxílio estrangeiro. A propósito da fracassada reforma de 1931 na Escola Nacional de Música, aconselhava:

> O que primordialmente se exige é que os professores sejam bons. E carece ter a coragem de reconhecer que com auriverdes patriotadas não se conserta coisíssima nenhuma. Há que chamar professores estrangeiros: há que radicá-los à terra por meio de contratos severos, mas generosos. Há que trazer para a docência musical do país homens tradicionalizados em civilizações mais experimentadas, onde ao menos já esteja essa verdade primeira que para praticar honestamente um ofício é preciso aprendê-lo bem.

Mário de Andrade gostava de repetir que era um homem feliz. Feliz daquela felicidade em que a própria dor é um elemento dela. Mas houve três anos de sua vida em que essa felicidade como que transbordou. Foi de 1935 a 1938, o tempo em que dirigiu o Departamento de Cultura, ideia de Paulo Duarte, aceita pelo prefeito Fábio Prado e realizada por Mário de Andrade. Narrou Paulo Duarte que ao expor ao amigo a adesão do prefeito ao sonho de ambos, prestes a se tornar realidade, Mário exclamou transportado: "Mas isso é felicidade demais!" Era de fato a oportunidade da ação, a oportunidade de pôr em obra tudo o que constituía matéria de suas pregações de professor, de jornalista em favor da cultura paulista, mas realizada com tão ampla visão que vinha a redundar em fomento de toda a cultura brasileira. E com efeito, o Departamento de Cultura da Municipalidade de São Paulo era, devia ser, no pensamento dos seus criadores principais, Paulo Duarte e Mário de Andrade, o germe de um futuro Instituto Brasileiro de Cultura. O trabalho de Mário naqueles três anos foi de uma espantosa fecundidade: parques infantis (num deles vi representado por meninos um espetáculo delicioso – *A nau catarineta*), biblioteca infantil, discoteca pública, construção do novo edifício da Biblioteca Municipal, compra de grandes bibliotecas particulares, a de Félix Pacheco e a de Alberto Lamego, o coral paulistano, levantamentos democráticos, restauração de documentos do século XVI, pesquisas folclóricas, museu da palavra, descobertas de velhas relíquias a serem salvadas pelo Patrimônio Histórico e Artístico Nacional, M'Boy, o fortinho de Bertioga, Carapicuíba, e até o sitiozinho de Santo Antônio em São Roque, este comprado por Mário, que ali pretendia descansar de sua carreira de musicólogo, escrevendo o *Na pancada do ganzá*, para o qual recolhera em suas viagens ao Nordeste centenas de temas populares... A essa felicidade por demais tive ocasião de presenciar quando vi Mário desdobrar-se em providências na direção do Congresso de Língua Nacional Cantada, uma de suas grandes realizações no Departamento de Cultura. Quanta coisa! Que irresistível animador na ação, como sempre fora antes e sempre foi depois nos seus livros, nos seus artigos, nas suas conferências, nas suas conversas íntimas, se revelou naqueles três anos! Celebrando o primeiro aniversário da morte de Mário, escreveu Paulo Duarte umas páginas comovidas cujo título era "Departamento de Cultura: vida e morte de Mário de Andrade". Sim, vida durante três anos, agonia e morte nos sete anos que ainda deveria viver. Porque Mário nunca se refez completamente do desgosto de ter que abandonar, por uma reviravolta da política estadual, a direção do Departamento. Desgosto tão cruel que aceitou mudar-se para o Rio, separar-se de sua mãe, ele que certa vez me disse não viajar à Europa só por não querer afastar-se da boa velhinha...

Mas não desejo entregar-me a reflexões que repugnavam, bem sei, à natureza nobilíssima de meu amigo. Meditai que estamos fazendo coisas que repugnavam a Mário: chorar defuntos, inaugurar estátuas, fazer discursos. Prometamos a nós mesmos que o cultuaremos também de outra maneira, a que ele preferia: prosseguindo na sua campanha em prol de nossa cultura, nacionalisticamente entendida, na luta pelo que ele chamava patrializar a nossa terra.

FRANCISCO MIGNONE[2]

Quem eu queria falando aqui, em meu lugar, era aquele que, se estivesse vivo, teria completado ontem 62 anos de idade: Mário de Andrade. Esse conhecia Mignone como ninguém, salvo, bem entendido, nossa amiga Liddy Mignone. Mário compreendia, sentia, admirava Mignone com alma e carinho, mas também com lúcida isenção. Por isso desejo começar estas palavras de celebração da vida e glória de Mignone repetindo o que Mário escreveu certa vez:

> Francisco Mignone é hoje uma das figuras mais importantes da música americana, não só pelo valor independente das suas obras principais, como pelo que ele revela, no ponto em que está, do drama da nossa cultura. Deste ponto de vista Francisco Mignone será talvez o compositor mais representativo que temos atualmente.
>
> Muitos compositores americanos, principalmente brasileiros, têm passado por mim, e de todas as castas: jamais encontrei entre eles quem demonstrasse, como Francisco Mignone, um conhecimento mais íntimo, mais profundo e mais vasto da música.
>
> Com exceção de Carlos Gomes, e porventura mesmo incluindo o grande cantor do passado, não sei de quem melhor escreva para voz, no Brasil.
>
> Desde os primeiros maxixes para piano que, sob o pseudônimo de Chico Bororó, lançava no mercado, percebia-se em Francisco Mignone uma perfeita identificação nacional.

Depois desses quatro períodos de Mário de Andrade sinto-me como que em bancarrota de expressões para falar de Mignone. De uma feita numa de suas cartas de tão gostosa familiaridade, falou Mário assim de palestras literárias:

> Coisa leve, rápida, divertida, em que as verdades passem sorrindo, entre brincadeiras. O ouvinte de conferências literárias é uma espécie patológica que sofre de idiotia de primeiro grau.

---

2 Palestra realizada no Teatro Municipal, como parte do programa do Festival Francisco Mignone, promovida pela Comissão Artística e Cultural, durante o Festival do Rio de Janeiro, de 1955.

Não é este auditório o dos ouvintes definidos tão cruelmente por Mário: a espécie patológica se encontra frequentemente, e eu tenho experiência dela, em outros locais e ocasiões. Se lembro aqui o remoque de Mário, é para observar que ele foi omisso. Porque muitas vezes é o próprio conferencista que sofre de idiotia de primeiro grau. Perdoem-me a desfaçatez, mas em matéria de música declaro que pertenço à espécie patológica.

Mas então, direis, por que aceitou o imprudente convite de Murilo Miranda para vir em público e raso ocupar-se da música de Mignone? Quando aí estavam Muricy, Massarani, Bevilacqua, Ayres de Andrade, Nogueira França, Mário Cabral, que poderiam discorrer sobre a obra do compositor com a autoridade que você não possui?

Ninguém nesta sala está mais consciente disso do que eu. Caiam em cima de Murilo Miranda. Eu é que não podia perder a ocasião de me desempenhar junto ao amigo que tanto estimo, o músico que tanto admiro, dos meus deveres de gratidão. Mignone deu à voz de meia dúzia de meus poemas um timbre de eternidade que eles não tinham: pôs toda a noite dentro da minha noite, igualou em doçura a mão amada naquele carinho em minha testa, reduplicou as graças e sortilégios de Dona Janaína, ungiu de grave religiosidade, ele que se confessa não católico, o texto das *Alegrias de Nossa Senhora*.

Voltaremos adiante a essas alegrias para contar como vim ser nelas o colaborador literário de Mignone. Comecemos a falar dele pelo princípio. Relembremos os tempos de sua infância e primeira juventude. Nasceu o compositor, em São Paulo no dia 3 de setembro de 1897. Quer isto dizer que ele não tem ainda o direito de ostentar, como ostenta, e com tanta elegância, tantos cabelos brancos. Filho de músico, do flautista italiano Alferio Mignone, que em 1896 chegara à Pauliceia e ali se instalou como professor de seu instrumento, vindo mais tarde a incorporar-se à orquestra do Teatro Municipal, iniciou Francisco Mignone os seus estudos musicais aprendendo flauta com o pai e piano com o professor Sílvio Motto. Três anos depois já principiava a sua atividade profissional, tocando em orquestrinhas como pianista-regente. Os estudos de harmonia começaram aos quinze anos, primeiro com Savino de Benedictis, depois com Agostinho Cantu. Nasce então o compositor. Ainda não é Francisco Mignone: é Chico Bororó, seresteiro da cidade desvairada de Mário, dismilinguindo-se em valsinhas de esquina nas garoas noturnas, armazenando ao contato da alma popular aquela musicalidade tão brasileira que vai alimentar mais tarde a sua robusta inspiração melódica. Naqueles choros por Brás, Bexiga e Barra Funda, Chico Bororó era o flautista, e certamente a ele deve muito a flauta endiabrada do Saci dos *Quadros amazônicos*.

Liddy Mignone escreveu na sua biografia do marido que essas serestas de Mignone rapazola devem ter influído para que mais tarde ele compusesse a série de valsas denominadas "de esquina".

E acrescenta:

> O maior cuidado de Mignone hoje é dar a essas composições o caráter mais natural possível, fugindo o quanto possível a influências estrangeiras. Mignone, compondo hoje as suas "valsas de esquina" [e ajunto, eu – transcrevendo valsas populares como aquela insuperável *Cascata de lágrimas* do paulista Moacir Braga], além de obedecer a um prepotente

desejo de dar vida nova às músicas que lhe viviam na alma e no espírito desde a juventude, o faz certamente para que não desapareça, como estava acontecendo, uma significativa e genuína expressão da música brasileira.

Por outro lado Luiz Heitor em *Si alza la testa* informa que foi Mário de Andrade quem incutiu em Mignone a necessidade de fixar os ritmos, as cadências melódicas dos vários tipos de valsa popular brasileira. Mignone levantou algumas das arquiteturas musicais mais altas e mais nobres da arte de nossa terra, mas nunca terá sido tão brasileiro do que nesses deliciosos nadas em que todos nós parece que nos derretemos literalmente em gostosura brasileira: é de fazer chorar, sim! chorar de puro brasileirismo. É o Brasil, como pintou o poeta, mastigado no amendoim quentinho, Brasil que amamos porque é a nossa "expressão muito engraçada", o nosso "sentimento pachorrento", o nosso "jeito de ganhar dinheiro, de comer e de dormir". O nosso jeito, tão bobinho, de votar nas eleições presidenciais, valha-nos Deus!

Sabemos por Liddy Mignone que Francisco Mignone tirou a máscara de Chico Bororó pela primeira vez em 1913, tinha então quinze anos, vencendo em segundo lugar num concurso de música de carnaval com a valsa *Manon* e o tango *Não se impressione*. No ano seguinte, em outro concurso, este de música séria, consegue um primeiro prêmio com o *Romance em lá maior*. Os primeiros prêmios de concurso público vão suceder-se: em 1923 é o da Sociedade de Concertos Sinfônicos de São Paulo, levantado com as *Cenas da roça*. Note-se o paralelismo de Mignone com Portinari: este, também de origem italiana, também influenciado por italianos e franceses, concorria, mais ou menos por essa época, ao Salão da Escola de Belas-Artes, com uma cena de roça. Em 1926 vence duas vezes, conquistando em concurso da mesma sociedade paulista o primeiro e o segundo prêmios com a *Festa dionisíaca* e *No sertão*. O bailado *Iara* alcançou a medalha de ouro conferida pela Associação dos Críticos Brasileiros ao melhor trabalho apresentado em 1946. As distinções que valeram a Mignone renome internacional são numerosas, como o convite para reger em 1937 a Orquestra Filarmônica de Berlim num concerto de músicas brasileiras; o do governo italiano, no ano seguinte, para dirigir em Roma a orquestra do Augusteo; o do Departamento de Estado norte-americano em 1946 para apresentar com a National Broadcasting Corporation Orchestra a *Festa das igrejas*. Mais do que tudo isso terá valido para Mignone a regência daquele poema sinfônico pelo grande Toscanini.

Retomemos, porém, o fio da educação de Mignone. Matriculado aos quinze anos no Conservatório Dramático e Musical de São Paulo, frequentou as classes de piano, flauta e composição, diplomando-se em 1917. Nesse mesmo ano compõe o poema *Caramuru*, que será executado no ano seguinte, juntamente com a *Suite campestre*, uma *Sonata para violino e piano*, e outras peças. Foi a verdadeira estreia de Mignone compositor, que nesse mesmo concerto de 16 de setembro de 1918 atuou como pianista interpretando a primeira parte do concerto de Grieg. O êxito obtido resultou numa bolsa de estudos concedida pelo governo paulista. Aos 23 anos parte Mignone para a Europa. Antes de o fazer, despede-se de sua terra com um concerto em que dirige uma nova peça sinfônica – *Paráfrase sobre o hino dos cavalheiros da Kyrial*. Nem Liddy nem Luiz Heitor comentam o aparatoso título. Trata-se, sem dúvida, da Villa Kyrial, residência de Freitas Valle em Vila Mariana, famosa desde os tempos do Simbolismo, cujos adeptos – Alphonsus de Guimaraens, Severiano de Resende, Alberto Ramos e outros – ali se reuniam (conta João Alphonsus) "em tertúlias regadas a generosos vinhos de uma adega preciosa". Como artista Freitas Valle era o poeta Jacques d'Avray, que nunca poetou senão em francês. Freitas Valle senador estadual foi sempre um estimulador das artes e dos artistas. A Villa Kyrial tinha os seus Cavalheiros e o seu hino. Visitei-a na aurora do Modernismo. O anfitrião sabia misturar ao preciosismo simbolista o senso de humor, sem o que tudo aquilo melaria em ridículo. Lembro-me que na noite em que fui lá, estava presente o doutor Washington Luís, então governador do estado: estava também um brotinho-poetisa, acompanhada de um tio, e este homem, a horas tantas, refestelou-se numa poltrona que desde o começo da reunião tinha permanecido desocupada, uma grandiosa poltrona de espaldar alto, que parecia um trono. Era de fato o trono do amável rei daquelas tertúlias. Freitas Valle aproximou-se de mim e disse-me ao ouvido, apontando o sacrílego:

– Coitadinho, ele não sabe que só eu aqui tenho o direito de me sentar naquela cadeira. O próprio governador do estado não se senta nela!

Era assim, não sei se ainda é, a Villa Kyrial e a sua engraçada pragmática. Nunca ouvi a *Paráfrase sobre o hino dos cavalheiros da Kyrial*, em que todavia imagino que Mignone terá posto o afeto e a admiração que tem despertado em gerações sucessivas aquele homem extraordinário que é Freitas Valle, artista protetor de artistas, a cuja influência deveu Mignone a sua primeira viagem à Europa.

Filho de italianos e nascido em São Paulo, ao tempo tão italianizado (a jafetização não se iniciara ainda), era natural que Mignone escolhesse Milão para sede de seus estudos. E durante dois anos foi seu professor o mesmo homem com quem aprendera outro brasileiro ilustre – Alexandre Levy, de quem havia sido colega na classe de Massenet em Paris o nosso Francisco Braga – o maestro Vincenzo Ferroni, primeiro prêmio no concurso de fuga do Conservatório de Paris em 1885 e professor que adotava no seu ensino os mesmos métodos e tratados franceses em que se formara. O mestre explica a formação ítalo-francesa do discípulo.

Foi a esse tempo que Mignone escreveu a sua primeira ópera – *O contratador de diamantes*, com libreto tirado por Girolamo Bottoni do drama de Afonso Arinos, no qual, quando representado em São Paulo, Mignone, com apenas vinte anos, tomou parte encarnando a figura do Maestro Plácido a reger um minueto. A ópera foi levada no Rio em 1924 e logo depois em São Paulo. As emoções dessas duas noites, inclusive a da gravata preta com que o jovem compositor encasacado teve que aparecer em cena aberta para agradecer as ovações da plateia do Teatro Municipal carioca, foram contadas deleitosa e deleitadamente pelo próprio compositor 21 anos depois.

Que valia essa primeira ópera? O autor julgou-a sumariamente no mesmo artigo:

> A música do meu *Contratador de diamantes* era alentadamente fraca e, de todo, só consegui salvar a conhecida "Congada". Três, quatro páginas, se tanto!

Corrijamos a severidade do compositor maduro com o juízo do crítico Mário de Andrade, igualmente, já maduro: "A 'Congada', com ser obra de mocidade, não deixa de ser já uma notável afirmação de valor". E continuemos com o crítico:

"Abre-se então para o paulista a fase de formação, em que ele se cultiva, percorre ambiciosamente todas as Europas musicais, adquire técnica, mas divaga tanto em sua funcionalidade que quase se naturaliza franco-espanhol com a *Suite asturiana*."

A *Suite asturiana*, acrescento eu, e não sei se estarei sendo indiscreto, talvez se explique por algum incidente passional. Mas o grande pecado da mocidade de Mignone foi o drama lírico *L'innocente*, que eu nunca ouvi mas tenho impressão que devia ser um Puccini disfarçado. Estarei errado? Desejo o depoimento do mesmo Mignone – do Mignone maduro, muito orgulhoso mas nada vaidoso. A ópera foi bem-sucedida quando subiu à cena deste teatro em 1928 e Luiz Heitor salienta "a densidade sinfônica da partitura, a perfeita ambientação do drama, o seu vigor".

Depois de *L'innocente* Mignone arrepiou caminho. Tomou o atalho da "Congada", que o levou à estrada real da música negra. Como foi possível que Mignone, de sangue italiano, "com a serenata napolitana a ressoar nas cordas das veias", como disse Mário, nascido e criado na São Paulo de tão poucos negros, formado com mestre ítalo-francês, viesse a dar, mais do que qualquer outro músico brasileiro, tamanha plenitude às vozes negras da nossa música? Porque afinal, se é verdade que, como afirmou o poeta, a música brasileira é a "flor amorosa de três raças tristes", nessa música Villa-Lobos é predominantemente o índio, Camargo Guarnieri o branco, Mignone o negro. De novo pergunto: estarei errado? Estou pensando no *Batucajé*, no *Babaloxá*, poemas sinfônicos, no *Leilão*, bailado; estou pensando sobretudo no formidável *Maracatu de Chico Rei*, também bailado.

Todavia, nem por ser negro, deixou Mignone de ser também índio, e o índio está nos *Quadros amazônicos* e no bailado Iara como o caipira está, com esse outro caipira Candido Portinari, no bailado *O espantalho*, como o não católico indivíduo Mignone se catolicizou musicalmente para estar como brasileiro total em *Festa das igrejas* e *Alegrias de Nossa Senhora*.

A respeito desta última obra, quero contar que havia muito tempo Mignone vinha me pedindo um texto para oratório. Sua ideia era fazer um oratório com assunto brasileiro. Bem que eu queria também. Mas a bossa não ajudava. Os anos iam se passando. De vez em quando Mignone falava no oratório. E eu nada! Eis que um belo dia – foi evidentemente milagre de Nossa Senhora! – recebo de Madre Maria José, carmelita, um longo poema de sua autoria e com aquele título, – lindo, como, aliás, todo o poema. Senti, de relance, que dali se poderia tirar um texto de oratório. Mignone, não católico, toparia a parada? Topou. Não foi difícil o meu trabalho. O difícil era conseguir que a boa monja consentisse em associar o seu nome ao meu. No texto que resultou do seu poema a ideia lhe pertencia, na verdade quase tudo era dela. Mas eu modifiquei-lhe o desenvolvimento, tirei algumas coisas, acrescentei outras. O texto final já não era mais só dela e ainda não era só meu. Colaboração autêntica. Madre Maria José, porém, não permitiu que o seu nome figurasse como autora. A solução em que anuiu foi eu mencionar que a letra do oratório havia sido extraída do poema, de igual nome, de uma monja carmelita. O Mignone não católico, convalescente de uma operação, estava em estado de espírito propício ao sentimento religioso. O oratório saiu a beleza que sabemos e ouvimos neste teatro, as palavras de Maria cantando na grande voz de Violeta Coelho Netto de Freitas.

Tornemos à carreira do compositor. Mignone regressou definitivamente ao Brasil em 1928, fixando-se a princípio em São Paulo, onde lecionava no Conservatório, e transferindo-se em fins de 1933 para esta cidade. No ano seguinte é contratado para professor da cadeira de regência de orquestra na Escola Nacional de Música, e nela prestou concurso em 1939, sendo estão provido efetivamente na cátedra. A sua maturidade esplêndida foi-se afirmando em obras que atestavam a forte versatilidade de sua inspiração. Aos títulos já mencionados citemos ainda como pontos altos de sua produção as *Fantasias brasileiras*, a *Sonata para piano*, a *Sinfonia do trabalho*, de intenção nitidamente socializante, e o preciosíssimo cancioneiro, de tão pura e comovente vocalidade: canções para versos de Carlos Drummond de Andrade, Oneyda Alvarenga e outros poetas, canções para quadrinhas populares, como a *Folhinha de pimenta* e a *Dolorida*. Só para versos de seu grande amigo Mário de Andrade não pôde Mignone compor música. E até hoje está engasgado com a tragédia coral do Café. Compreende-se o engasgo. A obra do poeta é, como as *Enfibraturas do Ipiranga*, de sua mocidade, como *Macunaíma*, de sua maturidade, uma admirável moxinifada polêmica, a meu ver duríssima de pôr em música. Seria preciso que o músico fosse um segundo Mário. Enquanto Mário estava vivo, a coisa foi andando, porque o músico, ao contato do poeta, ia resolvendo as suas dificuldades. Depois...

Todos sentimos até hoje (sentiremos até o fim da vida) a falta de Mário. Imagino como não a sentirá Mignone! É preciso ter visto os dois conversarem, discutirem, brigarem, como eu vi no apartamento da praia do Flamengo (ah noitadas do Flamengo, em que Mignone e Terán improvisavam a dois pianos pastiches de Beethoven, Mozart, Brahms, Stravinsky), para avaliar a familiaridade fecunda que unia os dois amigos. Um esclarecia o outro, a cada momento. Um detalhe desses está fixado por Mário na sua *História da música*, Mignone explicando ao amigo a impossibilidade de terminar o segundo tempo da *Sonata para piano* com a tríade tonal. Mostrou o compositor ao poeta que o acorde de tônica resultaria "aberrante e mesmo repulsivo", pelo que resolveu o caso com uma concatenação acordal, em que a dominante não aparece, mas em compensação a quarta foi agregada ao acorde, mas alterada, processo frequente, observa Mário, da concepção harmônica de Mignone e que parece, embora aqui em modo menor, ressonância no artista, da quarta aumentada, bastante comum no folclore musical brasileiro. Naturalmente este último pormenor deixava Mário encantado. Devo dizer que tenho fé que um dia, apesar de todos os pesares, Mignone ainda acabará desembuchando o *Café*. Demos tempo ao tempo e a Mignone.

Sinto que já falei muito e não logrei dar a volta a Mignone músico. Paciência, deixo isso aos músicos. Quero ocupar-me agora, e para terminar, de Mignone autocrítico. De Mignone autor daquele saboroso depoimento intitulado *A parte do anjo*. Há nele uma parte fraca. Fraquíssima. É quando ele fala de sua organização filosófica. Ali Mignone *bafouille*. Mas o resto é, como dizia Mário, uma gostosura. E como está certo!

"A minha música", começa ele, "deverá ser, dia a dia, mais refinada como técnica, mas clara, franca, facilmente compreensível para a maioria". Excelente princípio, que ele vai cumprindo. De fato, Mignone cada dia se torna mais depurado e ao mesmo tempo mais claro, mais acessível ao homem comum. E Mignone faz a apologia do plágio, mas plágio bem entendido, quer dizer, do plágio que é apenas assimilação e aproveitação dos elementos fecundos da criação alheia. Como ele procedeu empregando em *Maracatu de Chico Rei* e em algumas das *Fantasias* o processo das obsessões rítmicas de Stravinsky e Falla. E pode-se perguntar: são essas obsessões rítmicas invenção de Stravinsky e Falla? No momento me lembro pelo menos de um caso anterior a eles: o de Beethoven, em cujo "Quarteto op. 135" o violoncelo repete cinquenta vezes, obstinadamente, obsessivamente o mesmo grupo rítmico no Trio do Scherzo. Nem são as pesquisas puramente formais que mais interessam ao compositor. A sua grande pesquisa, a pesquisa que deve ser a de todo artista brasileiro em qualquer arte é o que Mignone chama a expressividade psicológica brasileira. Não está ela no assunto, nem nas peculiaridades formais, senão *Le boeuf sur le toit* de Milhaud seria música brasileira e a *Phèdre* de Racine não seria teatro francês. Mignone quer pois ser claro, tecnicamente requintado, inflexivelmente nacionalista, não só exteriormente mas em profundidade, e determinadamente socializante, isto é, escrevendo música para a comunidade, porque isso concorda com o que ele considera as suas qualidade pessoais: abundância, claridade, visualismo, gosto do brilho e do esplendor. Assim tem sido Mignone depois que voltou ao Brasil. Escreveu ele em *A parte do anjo*:

> A vaidade me faz marcar uma corrida de cem metros, que eu já sei de antemão que posso correr, corro, venço e a vaidade se satisfaz, pequenina. O orgulho não, é audacioso e me faz marcar uma corrida de quilômetro, que eu ainda não sei se poderei correr corro e só consigo alcançar 600 metros. Torno a correr e faço 620. Corro outra vez e espantadamente faço 720! E continuarei correndo. Se conseguir o quilômetro, imediatamente o meu orgulho ficará muito descontente e dirá que foi pouco, e transporá a meta para 2 quilômetros. E hei de morrer um dia tendo apenas (apenas!) conseguido um quilômetro e meio.

Minhas senhoras e meus senhores, rejubilemos com o artista: Mignone está longe de morrer, Deus o conserve em forma, e já ultrapassou os dois quilômetros marcados pelo seu orgulho: orgulhemo-nos dele!

CORRESPON

DÊNCIA

1. Ao seu pai

[Aos sete anos de idade.]

Papai, mamãe ficou muito contente por o proffessor Sette[1] disse que eu podia fazer exame para o anno e disse que eu só fassia se caprichar no ditado e quando foi de noite Tudo me deu uma vaia mamãe tambem e todo mundo. Eu tenho estudado muito. Quando foçe vier para cá traga um presente d'esses pesente grande. Sim? Já sabe que seu Antonico[2] é meu padrinho. Me chrismei no dia de natal. A uzina está moendo bem. Papai pagou outro dia o profesor Sette. Alonsinho fez exame de portuguez e tirou nota reprovado me escreva no primeiro vapor e mande dentro da carta uns 250 sellos e mande 50 para dêdê porque elle tem mais sim.

Nenê

2. A Antenor Nascentes

São Paulo, 13 [de] janeiro [de] 1904.

A tua última carta, recebida ontem, deixou-me muito triste.

Eu absolutamente não sabia da morte de teu bom pai. Pretendia ir ao Rio no dia primeiro e demorar-me até 15. Se tivesse ido, far-te-ia um pouco de companhia, que é tão necessária nestes momentos. Não pude. Fui para uma fazenda no interior do estado e só anteontem voltei. Lá não vi jornal. Por isso nada soube.

Toda a minha família sentiu bastante o que te sucedeu e pede-me que transmita a tua mãe e a teus irmãos os nossos sentimentos. Estamos ao teu dispor no que te pudermos servir. Se quiseres te distrair um pouco, vem ver São Paulo e passar alguns dias comigo. É um convite sincero que te faço e estimaria muito que o aceitasses.

Adeus. Aceite um abraço muito apertado do amigo verdadeiro

Bandeira

---

1 Professor Sette: pai do escritor pernambucano Mário Sette.
2 Antônio José da Costa Ribeiro, padrinho de crisma de Bandeira.

3. Ao mesmo

Campanha, 23 de setembro de 1905.

Você ainda se lembra daquele quadro admirável de Velásquez – o Menippo – da coleção do Museu do Prado? Creio que lhe mostrei num álbum, nas Laranjeiras. Pois eu tive uma impressão profunda dessa figura em que há um sorriso de desdém supremo, um sorriso que é uma obra-prima. O Menippo não podia deixar de ser assim. Quis fazer um soneto e lembrei-me logo do espirituoso diálogo de Luciano, do Luciano a quem tanto estropiava o Noronha. Por isso mandei pedir-lho. Aí tem você satisfeita a curiosidade. Como esse soneto te deu mais trabalho talvez que a mim, ofereci-o você – ele lhe pertence. Talvez você o veja publicado num jornaleco daí – o *Rio Pequeno*. O irmão do redator-chefe mora aqui e pediu-mo. Vou passando sem novidade.

Abraça-o o amigo

Bandeira

4. A Raimundo Bandeira

Teresópolis, 19 de janeiro de 1910.

Tio Raymundo, muita satisfação me causou a leitura da sua deliciosa carta de 13. Satisfação e também vergonha de não lhe ter escrito até agora. A verdade é que hoje estou escrevendo muito menos. Realmente tenho passado bem este verão. Nem quero falar muito, porque a minha regra é passar bem os invernos e mal os verões... Não tenho mais dúvida que o lugar que melhor me convém é este. Outros poderá haver mais secos, de temperatura mais constante – como Campanha e Ceará – mas são feios, tristes, deprimentes e todos disputam a honra de se terem neles perdido as botas de Judas, que provavelmente não usava botas... Teresópolis tem, a par de um clima ameno, esta incomparável natureza, que é um consolo para quem se criou no amor dela.

Li com interesse o que me disse sobre as tuberculinas. Não conheço a anafilaxia. A sua descrença fez-me lembrar a convicção, a segurança com que o pobre Almeida Magalhães me afirmou: "A tuberculina não faz mal a ninguém!" Pois sim!

A passagem relativa a "ter lugar" está não no primeiro trabalho do Rui sobre o Código, mas na *Réplica* ao professor Carneiro da Bahia.

Agora falemos dos meus versos. À primeira vista todo o mundo vê logo que eu não aprendi a fazer o alexandrino nos clássicos.

O alexandrino clássico não me satisfaz. Ao cabo de algum tempo tenho sempre uma impressão de monotonia, até em Racine, que é o mais perfeito dos versificadores da escola. Só Molière – no alexandrino cômico – me agrada sem restrições. E ele, com Musset, Rostand e Haraucourt são, a respeito, os meus modelos. Como o alex. depois de Corneille mudou de feição e feitio! V. Hugo foi o primeiro a *desarticulá-lo*. Vieram depois os parnasianos, vieram os simbolistas, e veio esse espantoso Richepin que chega à insolência no seu desprezo do velho ritmo, e que às vezes me encontra também em deficiência de *training*... Quantos ritmos novos, quantos desenhos imprevistos! O alexandrino hoje é mais rico, mais dúctil, mais acerado, diz tudo, do hipersublime ao ultrapulha! Concordo que é de leitura muito difícil e talvez só os leia bem quem os saiba fazer. Mas não foi por falta de *training* que o sr. não descobriu as belezas dos meus. É que de fato, então, não as havia. Eu mesmo não tenho confiança na minha vocação e só faço versos para me dar a ilusão de que não sou um tipo completamente ocioso...

O Childe,[3] com quem estou me correspondendo, está traduzindo o soneto sobre César Borgia. Quando ele me enviar a tradução, mando-lhe cópia.

Espero que repita de vez em quando a palestra, e quando puder dê um pulo cá para alegria do sobrinho e amigo

NENÊ

5. AO MESMO

TERESÓPOLIS, SÁBADO [JANEIRO DE 1910?].

Esta vai a lápis, que a tinta está péssima. O lápis para mim é muito cômodo porque não preciso abancar à mesa. Se não lhe for desagradável, servir-me-ei dele sempre. Eu tinha acabado de jantar quando me veio ter às mãos a sua resposta. A tarde já vinha caindo, mas como não havia vento e não fazia frio, sentei-me ao ar livre, e foi à sombra de dois pequenos cedros-do-líbano (fazendo lembrar paisagens da Terra Santa) que li a sua carta. Já vê que o ambiente e a hora eram bastante propícios para me enternecer com o final dela.

Foi o que se deu. Não, não me esqueci das freiras que estão rezando por mim na Inglaterra. Não me esqueci sobretudo de uma,[4] que me deixou (como a todos nós) uma saudade inconsolável. Essas rezas estão valendo, como as de outros que me querem bem e cuja afeição são o maior conforto da minha doença.

Nunca tinha ouvido falar em anafilaxia. Penso ter aprendido bem a sua exposição, muito simples, muito clara. É uma teoria muito aceitável. Que luz projeta sobre casos até hoje inexplicados, como os a que se reporta a sua carta! Só tem para mim um ponto obscuro e é este: como conciliar com a provada intolerância do organismo à repetição da mesma antitoxina os poucos exemplos de cura radical pela tuberculina? Senão apenas aparentes, ilusórias ou *mentirosas*? Ou organismos haverá que aceitem novas inoculações? Pode dizer-me o que sabe de profilaxia. A sua dissertação nada tinha de pedantesca ou indigesta, porque a sua ciência soube se pôr ao alcance do meu não preparo (termo da moda). Gosto destas coisas. O que não leio mais são os métodos de cura. O otimismo deles me irrita, a lista dos testemunhos me entristece porque eu leio nas entrelinhas os insucessos lamentáveis que os causadores calam criminosamente. Se o X. publicar mais alguma memória sobre as próprias experiências, passará em silêncio o caso da Sarita, e se lhe fizerem, a respeito, alguma objeção, ele alegará a imprudência e indocilidade da paciente...

---

3 Albert Childe, egiptologista, poeta e pintor, já falecido.
4 Refere-se a sua prima Cristina Bandeira, freira carmelita, filha do doutor Raimundo Bandeira.

A parte de literatura da sua carta buliu em vários pontos que têm suscitado centenas de páginas de estética! A definição do que é *clássico*, por exemplo. Estou inteiramente de acordo: *clássico* é o *bom* e *sadio*. Eu acrescentaria: e *harmonioso*. O sr. não teve panos quentes e foi logo à etimologia... Mas ao lado dessa acepção primeira, há a outra, a restrita, com que se designa o gosto dominante nas literaturas ao tempo em que surgiu o romantismo. A propósito do alexandrino de Corneille, pergunta-me se porventura acho monótono o metro de Virgílio, Dante e Camões. De modo nenhum! O caso é diferente. Virgílio escreveu em hexâmetros, os outros dois em decassílabos (endecassílabos, pela velha métrica). São medidas de muitos recursos, que eles variaram com infinita arte. E veja como são as coisas! É no Dante que me falta o *training* às vezes, acostumado que estou ao decassílabo camoniano! Tais metros nunca sofreram o feiticismo da cesura. "É preciso não exagerar a forma, tornando difícil de entender o pensamento." Mas então a forma não é boa. Não é forma o que deforma. Só é bela a forma que exprime bem o pensamento e sugere o estado d'alma. Exatamente por demasiado amor à correção da forma é que a chamada escola clássica resvalava, nos alexandrinos, à monotonia. Eles não admitiam a menor liberdade de ritmo. A cesura tinha que acentuar distintamente os dois hemistíquios: era aquela martelada impecável! Convenha que lidos uns duzentos versos desesperadoramente iguais no desenho, por irrepreensíveis que sejam, fazem a gente suspirar, como o Ulisses do Eça, pela "delícia das coisas imperfeitas"! Os poetas compreenderam isso. Desapertaram o colete da cesura e a forma cantou em ritmos novos, como um corpo desoprimido que se espreguiça... Ninguém sente a monotonia dos alexandrinos nas cenas capitais do *Cid* ou de *Cinna*, mas um drama não se compõe exclusivamente de cenas capitais, e é nas *menores* que os cabras se arrastam...

Outra questão preta é a da universalidade da arte: "A arte deve ser universal". Tomada a palavra "universal" ao pé da letra, a frase é absurda. Ao alcance de todos só estão as poesias de sentimento muito simples, como a linda "Canção do exílio". Nem toda a gente pode gostar da *Divina comédia* ou do *Fausto*. Há por aí muito bacharel formado que não pode compreender a beleza de uma tragédia de Sófocles – que os gregos todos sentiam... Onde está então a universalidade da arte? Mesmo na natureza: a muitos olhos escapa a beleza de certos aspectos dela. Agora o que é demais são os "poetas só lidos por poetas". Poetas não sejam lidos só por poetas, mas por todos os que forem sensíveis à beleza do verso. Como o sr., por exemplo.

As suas cartas são como a sua conversa, amenas, variadas, instrutivas. Dê-me as suas impressões da luta das candidaturas. Leu os discursos do Rui? Para mim o melhor foi o da *Rôtisserie* em São Paulo. Aquela peroração em que ele compara a convicção da verdade à força das cachoeiras é uma das imagens mais belas que já li. Aquele sim, é um trecho de antologia, verdadeiramente *clássico*. Por falar nisso, a *Réplica* ao professor Carneiro é um grosso volume, impresso creio que na Imprensa Nacional e deve haver à venda. Li-a emprestada.

Para fechar: mande a correspondência para o Hotel Bessa – Alto de Teresópolis. Vim para aqui pensando ser recusado ou expulso (*profilaxia agressiva*, não?) mas vou ficando praí com uns ares de quem tem *fraqueza pulmonar*...

Saudades a tia Helena. Um abraço de

NENÊ

6. A Antenor Nascentes

[Rio de Janeiro, 1916] Hotel Bellevue – Curvelo.

Muito obrigado pela sua afetuosa carta de pêsame. Minha mãe expirou no dia 7, às 2.45 da madrugada. A sua morte foi muito serena, como uma luz que se apaga... A respiração foi enfraquecendo, enfraquecendo até parar. Ela passou em torpor inconsciente a véspera toda do dia em que faleceu, mas a penúltima noite foi de uma tortura atroz; ela teve sufocações terríveis. Descansou, coitada!

Nós deixamos a casa do Leme e viemos repousar no Hotel Bellevue, no Curvelo. É um bom hotel, velha casa, em frente de uma linda vista sobre a barra, recanto sossegado cheio de ingleses.

Espero que você me escreva e distraia com a sua linguística, sempre tão apreciada por mim. Quando tiver tempo apareça, para conversar e conhecer este recanto de Sta. Teresa.

Um abraço do amigo muito grato

BANDEIRA

7. Ao mesmo

Petrópolis, 7 [de janeiro de] 1924.

Muito prazer me deu saber que as minhas cartas e cartões lhe dão algum contentamento. Cada vez escrevo menos, pois me sinto incapaz de interessar os outros.

Mas a amizade de amigos como você supre a esterilidade de um coração que cada vez mais se desseca.

Dia de Natal ainda eu estava no Rio; subi no dia seguinte.

Estou naquela mesma sala onde você me visitou há quatro anos, lembra-se?

A rua foi calçada, de sorte que faz menos poeira agora. O rio sempre com a mesma tranquila perspectiva. Há ainda como novidade as hortênsias.

No dia seguinte a aquele em que recebi a sua carta, o Honório[5] escreveu-me. Uma carta desanimadora. Ele vai sempre a pior moralmente. E receio muito que um dia o martírio seja forte demais e o Honório dê cabo de si.

Ele tem, no caráter, pontos de contato com você; mas falta-lhe inteiramente a sua ciência de viver. A experiência só traz a ele amargura e revolta. Houve tempo em que procurei incutir-lhe pela minha convivência a minha maneira de aceitar a vida... Hoje vejo que de nada serviu e que ele tem de sair do abismo de tristezas a que resvalou pelas próprias forças. Eu já saí uma vez de uma perambeira dessas.

Tive anteontem a visita do Sousa, também desgostoso com os exames da Escola Normal.

Como vai o "Barbeiro de Sevilha"? Conte-me (que estou curioso) os oito dias subjetivos de Ouro Preto.

---

5 Honório Bicalho, já falecido, filho do engenheiro Francisco de Paula Bicalho. Foi um dos grandes amigos de Bandeira.

Parabéns pelo aparecimento da Gramática Espanhola.

Foi à Exposição Retrospectiva do Club dos Diários? Vá e mande-me as suas impressões.

Receba, com os votos da praxe burguesa, um abraço do velho amigo

BANDEIRA

8. A Carlos Drummond de Andrade

Rio [de Janeiro], 4 [de] agosto [de 1924?].

Você não imagina o sucesso que tem feito a sua "Cantiga do viúvo". Todo o mundo que lê aquilo fica logo em transe.

O Villa, que anda numa fase folclórica interessantíssima, está escrevendo uma série de "Serestas" sobre versos nossos. Já musicou o meu "Anjo da guarda", o "Desejo" do Guilherme, a "Iara" do Mário, "Abril" e "Canção de um crepúsculo carioca" do Ribeiro Couto etc.

Pois a "Cantiga do viúvo" também está feita e ficou deliciosa. Sobretudo o "me beijou, me consolou" e o final "acabou" que acaba da maneira mais acabada que já acabou neste mundo.

Um abração do

MANUEL

9. Ao mesmo

Rio [de Janeiro], 3 de setembro [de 1924?].

Impossível mandar a seresta da "Cantiga do viúvo". O Villa já entregou o original à casa Artur Napoleão. Seria preciso mandar tirar cópia do borrão do Villa. A 3$000 por página, seriam uns 9$000. Ando numa miséria tão safada que preciso defender os tostões pra comer!

A Germaninha Bittencourt cantora vai dar no próximo dia 16 um concerto de música brasileira, uma parte do qual é constituída por seis das serestas, entre elas a dos teus versos.

Nada tenho feito.

Um abraço, e os melhores votos para tua Senhora.

M.

10. Ao mesmo

Rio [de Janeiro], 21 [de] outubro [de] 1924.

Fico-lhe muito obrigado pela gentileza de me ter enviado os artigos que publicou em jornais de Minas acerca da poesia moderna. Eles revelam uma inteligência ágil e o claro conhecimento do assunto. Você tocou em mais de um ponto a respeito dos quais aqui se conversa muito. Assim, por exemplo, o problema do nacionalismo na arte brasileira. O Graça Aranha condena o primitivismo e bate-se pelo universalismo. Esse universalismo, entretanto, não exclui os temas nacionais, como ele próprio se encarregou de mostrar no *Malasarte*. O Oswald de Andrade defende o primitivismo, mas o primitivismo dele é civilizadíssimo: creio que há mal-entendido na rotulação: o que ele quer é acabar com a imaginária livresca, fazer olhar para a vida com olhos de criança ou de selvagem, virgens de literatura. Conheço alguns poemas Pau-Brasil, onde há coisas assim: "A lua nasceu, com licença da Câmara Municipal". É ingênuo, mas ingenuidade de civilizado. Sucede o mesmo com as músicas negras de Villa-Lobos. Em suma, não se trata de falar ou cantar como crianças negras ou selvagens, mas de se exprimir com o mesmo lirismo ingênuo. Pensando bem creio que no fundo estão todos de acordo e o problema é enquadrar, situar a vida nacional no ambiente universal, procurando o equilíbrio entre os dois elementos. O Mário de Andrade, que me parece ser o nosso maior poeta atual e o segundo grande poeta brasileiro (o primeiro foi Castro Alves) parece ter resolvido o problema nos seus últimos poemas, sobretudo no "Noturno de Belo Horizonte", que é todo o Brasil, ou pelo menos, um pedaço enorme de Brasil, sentido com larga emoção por um espírito de alcance e de cultura universais.

Obrigado pelo que diz de mim. Mostrou ter-me compreendido, o que sempre é tão reconfortante. Você já deve ter parado nas estradas para ver o quadrinho malicioso dos sapos em *symposium* ao redor de um poste de iluminação...

A sua admiração nada tem de provinciana e lisonjeou-me grandemente.

Aliás sou provinciano também – um provinciano, de Pernambuco, que vive desde menino na corte, com uma burra saudade dos engenhos, onde aspirou aquele cheiro das tachas de açúcar, das quais disse Nabuco, e com razão, que nos embriaga para toda a vida.

Receba um abraço e disponha do amigo e admirador

Manuel Bandeira

11. Ao mesmo

Rio [de Janeiro], 5 [de] fev[ereiro de] 1925.

Só agora respondo à sua cartinha de boas-festas. Demorei tanto porque pensei retribuí-las pessoalmente, pois andei armando uma viagem até aí na companhia de

Gilberto Freyre, que, como eu, ainda não viu as velhas cidadinhas mineiras do tempo em que o *reyno* era mais *christão*. As combinações falharam.

Agora o Rodrigo me acena com a possibilidade de dar um jeito quando for para aí. Tomara! Ando com a necessidade inadiável de ver Ouro Preto, Mariana, São João Del Rei, Congonhas e Sabará.

Tenho lido os seus poemas ultimamente publicados, todos excelentes – "Quadrilha", "Social", "Papai Noel às avessas".

Muito obrigado pela remessa do *Diário* que eu percorro sempre com prazer.

Até breve ou então até um dia!

Recomende-me aos poetas daí, João Alphonsus etc.

Um abraço do

MANUEL

12. A MARTINS DE ALMEIDA

RIO [DE JANEIRO], 23 [DE MAIO DE 1925].

Eu acho que você gosta de mim. Pra teimar em escrever assim pra um ingrato, só gostando mesmo. Pois fez muito bem e pode gostar: 1º porque eu preciso de ser gostado e 2º porque eu também gosto de você.

Sim, recebi tudo: carta felicitando pela primeira crônica de *A Noite*, revistas e agora cartãozinho. Eu não estava imbuído de nenhuma ideia a seu respeito que mesmo de longe fosse pejorativa. Imagino você gordo, cara redonda, pacatão, preguiçoso de físico, muito guloso e bom à beça. Isso tudo por causa da sua letra esparramada. É assim mesmo? Se você não for assim, não sei como vai ser! Eu não aceito você de outra maneira!!

JÁ SEI DANÇAR

Mas não fiquei o maior poeta do Brasil não. Em poesia, Martins, continuo a ser coiozinho. Pra que me torcer, Martins? Eu sou coiozinho mesmo. Só que às vezes me dá dor de corno e eu fico safado e faço a "Vulgívaga".

Agora ando muito coiozinho. Prova este.

MADRIGAL TÃO ENGRAÇADINHO

Teresa você é a coisa mais bonitinha que eu vi até hoje na minha vida; inclusive o porquinho da índia que me deram quando eu tinha seis anos.

Abração do

MANUEL

13. A Joanita Blank

Rio [de Janeiro], 8 de julho de 1925.

Como você não tem aí grandes divertimentos, venho lhe contar umas lérias. Em primeiro lugar, divirta-se com as bobagens de X. no *Jornal*. As fotografias são dois borrões, mas eu tenho cópia, que comprei do fotógrafo, o qual veio procurar-me aqui no meu quarto. Magu ficou muito encabulada com essa notícia, e andava tão impressionada (julgando que a festa foi um fracasso, uma bagunça etc.) que tomou nojo da *mansion* e aproveitou a ida de Zé Cláudio a São Paulo para ir com ele. Não há razão para ela estar assim: todo o mundo achou a festa ótima. Imagine que duas pessoas perderam joias – a Maria Barroso, uma esmeralda, e Cecília Pereira um brilhante; pois foram achados no jardim! Até nisso houve sorte.

A outra léria engraçada é a história de uma conferência feita em Havana por um diplomata brasileiro sobre literatura brasileira. Falou muito sobre mim e contou que eu passei quase toda a minha vida na Europa, encerrado numa clínica de Leysin, vendo morrer dia a dia os meus companheiros. Depois regressei ao Brasil, "carregado de amargura e sofrimento". Está claro que morri. A minha morte parece que foi uma cena muito tocante. Eu tinha pedido que tocassem a "Sonata ao luar". Assim fizeram e eu exalei o último suspiro, dizendo as seguintes palavras: – *Mon Dieu, comme il est dur de mouir quando je pourrais créer tant de beautés!*

Mais gozado do que isso, não é possível. Ontem jantei com Mário[6] no Cristal (*grappe-fruit*, deliciosa pescadinha cozida e *mille-feuilles*) e depois fomos ouvir os americaninhos do Yale Glee Club, um coral magnífico. Cantaram "Negro Spirituals", canções de estudantes, cânticos religiosos e três coisas muito bonitas de Villa-Lobos. Grande sucesso. O instituto cheio à cunha. Americano que não acabava mais. No fim do concerto cantaram o nosso hino, o que provocou grande entusiasmo. Aliás as músicas do Villa também foram cantadas em português com boa pronúncia ("Na Baía tem" etc.).

Por hoje só. Um abraço de

Mané

14. A Carlos Drummond de Andrade

Rio [de Janeiro], 31 [de] agosto [de] 1925.

Viva! A *Revista* está muito boa. Só tem de provinciano aquele destaque tipográfico dado aos versos do Pereira e do Onestaldo. Mando-lhe uns versos, mas exijo que saia no corpo comum do resto do texto.

C. que assina a nota crítica sobre o livro de Crémieux é você? Achei admirável e concordo em gênero, número e caso com o que diz do Proust.

---

6   Mário de Andrade.

Gostei dos seus versos, dos do Nava, do João Alphonsus (gostei também muito da "Pesca da baleia"), das notas críticas do Martins de Almeida e de Emílio Moura. O Mário diz de vocês que é o grupo de modernistas mais fortes que o Brasil tem. Aconselho diplomacia nas relações com o passadismo mineiro. Aproximação e sova por meio da prosa raciocinadora.

Porrada só com revide.

Um abraço do

MANUEL BANDEIRA

15. A JOANITA BLANK

RIO [DE JANEIRO], 10 DE OUTUBRO DE 1925.

Joanita, quando você voltar vou te ensinar comer melado de Campos. É bom! Guita, quando você voltar vou te ensinar comer melado de Campos. É gochtoso, memo! Pra dizer isso é preciso demorar bastante no "goch..." e depois pronunciar bem depressinha o "toso, memo". Para ficar completo tem que se fazer um jeitinho ridículo com as mãos, dando um pulinho e ficando com a cara de Juca Castro Silva quando acaba de se rir. Digo tudo isso porque a rainha[7] pode querer aprendê, não é? Pra Mami[8] o melado é puxa-puxa demais, Mami é mulhé pra mel de abelha.

Proporção
   Melado: Joki : : mel de abelha : Mami.
Donde
   Mel de abelha = Mami melada por cima de Joanita.
FÊCÔLÔCO! FÊCÔLÔCO![9]

Mário de Andrade me mandou um caderno de versos antigos dele, passadistas, e no meio tinha esta quadrinha

O amor deixa na alma louca
Uma lembrança amargosa.
Caju, que é fruta gostosa,
Deixa um aperto na boca.

Por isso Mami não gosta de caju.

Bom, basta de lezera. Adeus.

MANÉ

---

7   Rainha Guilhermina, da Holanda, onde se encontrava a destinatária da carta.
8   Mami: a mãe de Joanita Blank.
9   Fêcôlôco: Ficou louco.

16. A Carlos Drummond de Andrade

Rio [de Janeiro], 26 [de] outubro [de] 1925.

Recebida a sua de 7.

Vou ver então se do nº 4 em diante posso mandar à *Revista* umas cartas do Rio. Não me confinarei, porém, no rincão musical, onde não passo de tapeador intruso. E será só por afeto a vocês, pois nenhuma vontade tenho de escrever. É que vocês, sem parolagens nem lembranças, têm uma força de simpatia cativante. Por aqui quando se fala no "grupo mineiro" é com admiração, respeito e uma enorme esperança. E de fora também recebo testemunhos iguais: do Ribeiro Couto, por ex. Se você escrever a ele (endereço: Pouso Alto, E. de Minas), receberá colaboração na certa.

Se lhes for possível, mandem-me de novo o 1º e 2º nºs da *Revista*. Dei os meus. O 2º ao crítico da *Vanguarda*, José Vieira, que gostou muito de vocês e vai escrever sobre a *Revista*. Para que livraria daqui mandam vocês a *Revista*? Procurei no Garnier, no Leite Ribeiro, no Boffoni e não achei. Convém mandar para essas três livrarias.

O Guilherme de Almeida embarcou esta manhã para o Recife. Foi muito feliz no sul. Descobriu uns dois ou três rapazes que são poetas de verdade e inteligentes: terreno virgem onde a semente caiu e grelou imediatamente. Augusto Meyer, 21 anos, escreveu uma coisa chamada "Boi-Tatá" que é definitiva. A firma Prudente & Sérgio já a confiscou para a "Estética". O Brasil é a província, Carlos Drummond.

O que faltava à província era a informação. Mas olhe agora São Paulo! Olhe Minas! Olhe o Rio Grande!

Receba, com o Almeida[10] e o Moura[11] um abraço apertado do

Manuel

17. Ao mesmo

Pouso Alto, 3 de fevereiro, [de 1926].

"Ouro Preto", "Cantiga de viúvo" e "Infância" são os poemas mais gostosos que já li de você. Mas me diga: que quer dizer o verso "Procuro na valise os Alpes tiritando"? Nem eu nem o Couto entendemos. Tanto o cu do pato como o cu do pinto estão lindos e me encantaram. A paisagem burguesa não me interessou. A cantiga do viúvo é absolutamente perfeita: dá dor de corno. Também absolutamente perfeita ficará para o meu gosto a "Infância" se você tirar o verso "Comprida história que não acaba mais". É um verso morto que destoa no poema onde cada palavra parece afundar no passado.

D r u m m o n d v o c ê é d e f a c t o

---

10   Martins de Almeida.
11   Emílio Moura.

(quis fazer um bonito underwoodico e remingtônico em sua honra mas me borrei todo; foi o Couto que botou azar)

O *Losango cáqui* já foi gozado aqui. Aliás já era meu conhecido em manuscrito. Novos pra mim só os poemas "Jorobabel", guai estupendo, "Toada sem álcool" e "Toada da esquina" quebrando, deliciosamente de resto a unidade reservista e teuto-coió do livrinho. Mário é o bicho e faz a gente (inclusive Couto deblaterador) sentir o P E S O.

Se você não fosse pau e tivesse querido ficar pra dormir no dia em que jantou aqui com uma pressa tão grande que nem o vinho acabou de beber, eu teria lido pra você (era meu intento) a "Evocação do Recife", coisa que fiz por pedido e sugestão do Gilberto Freyre. Eu quando digo aquilo mato o auditório na cabeça, ainda quando o passadismo circunstante se complica de matronas multíparas. É preciso corrigir dois erros de composição: "Depois do jantar a gente *grande* tomava a calçada etc." e lá pro fim "O mundo com uma porção de coisas que não se entendia bem", o mundo não, a vida. "A vida com uma porção de coisas que não se entendia bem".

Gilberto Freyre é um rapaz de 24 anos, creio. Informaram-me que já esteve 4 anos nos Estados Unidos. É inteligentíssimo. Não é modernista mas gosta muito de nós. Está fazendo no Norte uma campanha em favor das boas tradições brasileiras. Parece que foi ele quem descobriu aquele desenhista meu xará e o Joaquim Cardozo que também é pintor. Esses três passadistas me parecem muitíssimo mais interessantes do que os "modernistas" de lá, todos muito fraquinhos.

Bem. Como o Ribeiro Couto continua a botar azar,

Vou acabar.

    ... acabar...

        ... acabar...

Um abraço ao Martins de Almeida (a quem devo resposta) e outro pra você do

BANDEIRA

18. A JOANITA BLANK

RIO [DE JANEIRO, FEVEREIRO? DE] 1926.

Já fui visitar o Oiticica, que foi solto, e levar o meu livro. Fui com o Sérgio Buarque. Oiticica estava um pouco adoentado e nos fez subir para o quarto. Uma bruta sala caiada, uma cama de casal e três caminhas de criança, uma baita mesa de trabalho no centro da sala. Três menininhas a-do-rá-veis se preparavam pra dormir. Uma delas deitou-se e ficou da cama com os olhinhos muito espertos olhando pra mim. Eu disse assim: tu parece um coelhinho!

O Oiticica contou coisas fantásticas da Ilha Rasa! Vocês naturalmente pensam, como eu pensava, que é um rochedo com o farol em cima e mais nada, não é? Pois fiquem sabendo que é uma ilha maior que Paquetá, com florestas, plantações de coqueiros, cana-de-açúcar, batatas etc., com muita cabra, pássaros, gatos selvagens (gatos domésticos levados pra lá e que ficaram selvagens). Enfim, incrível.

A revista que Mami mandou é muito interessante. Naturalmente, como é modernista, Sérgio Buarque conhecia e assina! Aquela Parisys sobre quem vinha uma crônica está aqui agora com a companhia do Cassino de Paris. Ainda não fui ver. A censura obrigou o pessoal a se vestir mais, mas apesar disso um grupo de sujeitos da Liga pela Moralidade vaiou lá uma artista que eles acharam indecente. Houve protestos, palmas, o charivari do costume. As mulherezinhas devem se divertir com isso.

Vou traduzir para a *Vida Doméstica* a história do alemão que andou o mundo a pé. Tudo que cai nesta rede é peixe.

Joanita se lembra de uma professorinha morena, bonitinha, que tem uma voz muito esganiçada (da Escola do Curvelo)? Uma que eu dizia que era irmã do tal jornalista que almoçava no Heim com o Ribeiro Couto no tempo em que este pensava que para ficar rico bastava andar de automóvel e comer no Heim? Pois Costinha principiou um *flirt* com ela. No outro dia de noite eles estavam conversando no telefone e junto da mesa estava o meu livro de versos. Por falta de assunto, Costinha disse: – "Vou dizer uns versos pra você". Abriu o meu livro e leu uma poesia. A professorinha não quis acreditar que eram meus. Costinha leu outra coisa. Eu acho que ela pensava que eram do próprio Costinha. Pediu então que no dia seguinte mandasse o meu livro. Costinha mandou. O resultado vocês já imaginaram: veio o álbum para autógrafo. Mas com a recomendação que devia ser coisa feita de propósito para o álbum. Na primeira página retrato da dona com o nome assim: "Maria Bomfim Lima (Bihi)". "Bihi" é o apelido. Então escrevi:

TUDO EM I

Por mais rara que for (como eu queria)
É ruim
A rima
– Já vi –
Para eu a pôr neste álbum de Maria
Bomfim
Lima
(Bihi).

Soube depois pelo Costa que ela achou "muito gracioso".

Bem, o resto vai depois. Dia 12 tem vapor. Dia 13 tem vapor. Dia 14 tem vapor. Holandês, inglês e alemão.

Muitas e muitas saudades de

MANÉ

19. À MESMA

RIO [DE JANEIRO], 11 DE FEVEREIRO DE 1926.

Estou na minha casinha! Sinal que estou contente, na baita da sala de trás com o bruto sol e o bruto mar todos dois entrando pela alma da gente adentro! Encontrei Costinha correto e aumentado. Comprou um terno Maple e uma gueba vitrola de armário, onde o prelúdio de Pugnani e a "Ave-Maria" de Schubert ficam um assombro.

Brasil. Onde tenho gostado menos de você é nas entrevistas e artiguinhos: não vale mais a pena brigar nem bancar o desprezo. Nem é bom falar mais em modernismo. Preferia que você trabalhasse em algum ensaio: medite que nunca se escreveu inteligentemente sobre os nossos poetas mortos: não há um estudo bom sobre os românticos! Os críticos anteriores à sua geração não tomavam de poesia, e os poetas eram ou burros ou ignorantes quando não uma e outra coisa... Você é poeta e inteligente.

Os melhores votos pela saúde de sua mulher. Abraço do

M.

21. A António de Alcântara Machado

Rio [de Janeiro], 13 [de] out[ubro de] 1926.

Já enviei o meu livro ao Jean Duriau. Ao seu outro pedido é mais difícil atender: não que eu guarde ressentimento de *Terra Roxa*. De fato não tenho nada senão isto:

Noturno na fazenda

Saparia no brejo?
Não: são os quatro cãezinhos policiais bebendo água.

A bica secou há mais de quatro meses. Sou assim. Tem vezes que levo mais de um ano sem fazer um verso. Quando já me esqueci de ter sido poeta, um belo dia, na ocasião menos própria às vezes, vem a graça de Deus de repente... Então geralmente faço três, quatro coisas a seguir.

Quanto à minha prosa, não dou a ela a menor importância: me sinto como um cavaleiro desmontado. Ainda ultimamente no 2º nº da *Revista do Brasil* tive essa impressão comparando, envergonhado, as minhas notas à prosa tão ágil, tão moça! de você – sempre admirável na argumentação – do Prudentico, do Ribeiro Couto, do Gilberto Freyre. Como vocês escrevem bem! Me dá dor de corno, palavra! Ora numa revista de vanguarda, como *Terra Roxa* importa que demos sempre o melhor de nós mesmos. Porque quando se cai na vanguarda, o resto da tropa passa por cima...

Um abraço afetuoso do

Manuel

É gozado aí por volta das 5h ficar no quartinho, afundado no Maple, ouvindo um *fox--trot* bem triste!! Encontrei aqui cartas de vocês que foi um regalo.

Mas vamos tratar da vida. Pretendia, como disse em carta anterior, sair de Pouso Alto no dia 9 de manhã, parar em Resende e continuar viagem no dia seguinte. Mas a Rede Sul-Mineira está muito escangalhada com as chuvas, os trens andam com um atraso danado e como o Couto precisava estar infalivelmente em Resende no dia 9, resolvemos antecipar a partida para o dia 8. Desceríamos para Resende no misto que passa em Pouso Alto às 7,30 da noite. Pois, minha gente, foi uma expedição! Primeiro pra começar, a estrada de Pouso Alto para a estação estava se consertando, de sorte que não passava nem automóvel nem charrete. À vista do que tivemos que ir... de carro de boi! Dois caixões com uma manta por cima e nos instalamos eu, a Menina[12] e o Couto e levamos uma hora pra chegar – uma coisa que o automóvel faz em 10 minutos. Com os balanços do carro a Menina, xentes! embruiou o estômago e quando chegou à estação gumitou, gumitou que não foi vida. O carro ia cantando, o crepúsculo estava estupendo e o Couto (que raspou a cabeça à máquina! está agora completo!) me disse: "Você, Manuelzinho, nunca pensou que havia de ter a honra de viajar em cima de um órgão!"

Chegados na estação soubemos que o trenzinho vinha com um atraso de 2 horas. Apenas. Ficamos lá como almas penadas, a Menina, xentes! com o estômago pendurado na boca e eu safado da vida. Resolvi logo vir direto ao Rio, aproveitando a correspondência com o noturno. Chegamos a Cruzeiro à meia-noite. Como a Menina estava derreada, xentes! com a gumitação e o Couto com dor nos rins, eles resolveram pernoitar em Cruzeiro. Instaram muito comigo pra ficar. Mas eu estava *plus que jamais* o gafanhoto noturno que quer acabar de uma vez com a maçada. Ficar em Cruzeiro, para estranhar a cama, não dormir e no dia seguinte viajar de dia, que me cansa tanto? Pois sim! Comprei passagem no noturno, sem cama. Chegou o trem com meia hora de atraso COMPLETAMENTE CHEIO. O Couto quis me reter. Eu arrisquei viajar em pé. Tive sorte. Logo que o trem partiu, passou o chefe do trem e eu, com o meu arzinho mais corruptor, perguntei se não podia se dar um jeito pra me arranjar cama. Não tinha, mas em Queluz (1/2 hora depois) ia vagar um leito. Nem foi preciso corrupção. Bati os 13$200 e me espichei no *matelas*. Não dormi mas fiz melhor: ouvi durante toda a noite o poema futurista "Petreque-petreque! Petreque-petreque! Túnel! Petreque-petreque. Pontilhão! Petreque-petreque – fiiiiiiiiiiii...u! Parada. A lanterninha do vigia. Uma voz no meio da noite. Etc."

Dag!

MANÉ

20. A CARLOS DRUMMOND DE ANDRADE

RIO [DE JANEIRO], 21 [DE] 9[SETEMBRO DE 19]26.

Estou à espera dos versos prometidos. Concordo em falar franco. Aliás você já sabe o juízo que faço dos seus versos: poesia da melhor que se faz atualmente no

---

12 Menina: Senhora Ribeiro Couto.

22. Ao mesmo

[Sem data. Outubro de 1926?]

Convite aos Antropófagos

Vocês não estão cumprindo bem os seus deveres de antropófagos. É verdade que você engoliu num ápice o Dr. Fernando de Magalhães, e que o nosso querido Mário, no espaço de uma só manhã, deglutiu perfeitamente Gandi, Lenin e Luís Carlos Prestes (com grande nojo do Graça Aranha, que viu nesse *petit déjeuner* canibal uma escandalosa confusão de valores). Mas para a sanha de quem via vindo a nossa comida pulando, confesse que é pouca a aferração mental dos companheiros.

O jovem Antônio de Santa Engrácia,[13] redator de *sueltos* no *Jornal do Brasil*, tem razão: os antropófagos estão abusando da goiabada. O Brasil corre, neste momento de brasilidade modernista, o risco de degenerar em República de Pesqueira. Ora eu, apesar de pernambucano, não gosto muito da goiabada de Pesqueira: prefiro a de Campos, que tem cascão. Admito a goiabada (como sobremesa), mas exijo o cascão.

Convém, outrossim, chamar a atenção para a dispepsia precoce de alguns curumins antropófagos. O Rosário Fusco, por exemplo, meteu-se a devorar o Mário, não digeriu e revessou aquele

O meu amor, rapazes,

que me embrulhou o estômago de uma vez. Assim não se pode comer!

Mas o principal assunto desta carta não é nada disso. Eu queria era apresentar aos antropófagos o Dr. Artur Imbassahy, autor deste pedaço de prosa estampado no *Jornal do Brasil* de 28 de junho:

Carlo Zecchi é um pianista de tão diamantina têmpera que chega a fazer suportar sem enfado e até mesmo a se ouvir com certo interesse aquelas duas extravagâncias de Ravel: – "Alvorada del Gracioso" e o "Jeux d'Eau". Lamentara eu, entretanto, que o programa estivesse mesclado com aqueles produtos de uma inspiração enfezada, nascidos exclusivamente do cálculo, sem que por eles passassem os eflúvios do coração, e cujo valor único depende somente de um executante de brilho, dotado de uma técnica como a do temido virtuose, sob cujos dedos aquelas páginas alcançaram um colorido que até este momento eu desconhecia.

O Dr. Imbassahy é crítico musical do *Jornal do Brasil*. Há dez anos se bate pela aspiração de ver levantada a tampa dos pianos nos números de acompanhamento. Tem, como se vê, incontestável competência em assuntos musicais. Antropófagos, eu proponho a deglutição imediata do Dr. Imbassahy!

Verdade que a carne é dura. Mas pode-se entregar o pior pedaço ao empresário Felício Mastrangelo, que tem bons dentes, ar feroz e excelente estômago.

Seu, muito cordialmente,

Manuel Bandeira

---

13 Pseudônimo de Ribeiro Couto.

23. A CARLOS DRUMMOND DE ANDRADE

RIO [DE JANEIRO], 17 [DE] DEZ[EMBRO DE 19]26.

Bons Anos! Quase um mês que recebi sua carta. Desculpe a demora, que é devida à incerteza e aborrecimentos de vida. Parece que por toda a semana que entra largarei do Rio para uma viagem escalada até Belém do Pará. Terei que descer em Bahia, Recife (não a Mauritstad dos armadores das Índias Ocidentais!...), Paraíba, Natal, Fortaleza, S. Luís. Estarei de volta dentro de dois meses. Vou a serviço da Agência Brasileira S. A. de fins jornalísticos.

Gostei muito da "Elegia do Rei de Sião", salvo o último verso, que acho dispensável. *Gostei extraordinariamente* de uns outros versos seus que vi em mãos do Sérgio Buarque (No meio do caminho tinha uma pedra etc.). Frisei a minha gostação porque pelo Sérgio soube que o Mário lhe desaconselhara a publicação do poema, por julgá-lo o melhor exemplo de cansaço cerebral. De fato assim é. Mas que é que se procura num poema, – é poesia, sim ou não? Há ocasiões em que no cansaço cerebral só fica uma célula lírica aporrinhando com uma baita força emotiva!

Agradeço-lhe a remessa do *Diário*. Tenho lido o que V. lá tem publicado sob pseudônimo. Li o artigo do menino. O guri promete, mesmo. Mandei o meu livro a ele com uma dedicatória de agradecimento. Creio que ficou satisfeito.

Por aqui nada de novo, literariamente. No próximo nº da *R. do Brasil* vai uma nota minha debochando os discursos da recepção do João Carlos, João não, Luís Carlos. Escrevi também uma entrevista pro *Jornal*. Aparecerá no próximo domingo ou no seguinte.

Adeus, Carlos Drummond de Andrade.

Um abraço e muita saudade.

M.

24. A GILBERTO FREYRE

RIO [DE JANEIRO], 4 DE JUNHO [DE 1927].

Recebidos os cinco exemplares do teu poema. Villa-Lobos está na Europa. Já entreguei os exemplares do Rodrigo e do X. A este fiz sentir a nuance das dedicatórias, sem falar na minha. Quando ele estava todo fagueiro por ter ganhado o "caro", eu mostrei que o meu pedaço era maior porque era "querido". Ficou safado. Disse que não aceitava o "caro", que também queria o "querido". Que eu ganhei o "querido" porque fui a Pernambuco, mas que ele também havia de ir a Recife. Esse ano ele está estudando alguma coisa *et pour se délasser* toma de vez em quando um daqueles monumentais porres da série um milhão.

Agora descobrimos um joguinho de bar chamado "cavalinhos", que é o tipo do *fine*.

Explicação do joguinho de bar chamado cavalinhos:

Quando já se tomaram uns sete ou oito chopes, acavalam-se os papelões como se vê na gravura nº 1.

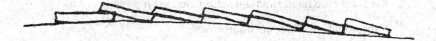

É a pista.
Cada um dos parceiros tira à sorte numa figura do dado: é o seu cavalo (ou égua se for a rainha, dama ou p., como queira chamar a mulher do rei e amante do Jack).
Não esquecer que os nomes de Dinazarda e Queen Elizabeth dão sorte.
Alinham-se então os cavalos segundo se vê na gravura nº 2

e o que tem maior figura (o ás é a maior, a que se seguem rei, dama, valete etc.), deita um dado. Se sai a sua, ele empurra o cavalinho para cima do primeiro papelão e tem direito a deitar novamente o dado. Se se f., passa o copo adiante. Quando sai a figura correspondente ao cavalinho de outro parceiro, empurra-se o cavalinho do outro parceiro e passa-se o copo adiante.
Geralmente se joga a 200 réis o páreo, mas há grandes prêmios de 400 réis (Criação Nacional ou Animação), 500 réis (Paulo de Frontin, Dr. Zózimo Barroso, grande poeta Manuel Bandeira etc.), raramente 1.000 réis (Araci Côrtes).
O joguinho é muito excitante e quando menos se espera está tudo no porre.
Teu poema, Gilberto, será a minha eterna dor de corno. Não posso me conformar com aquela galinhagem tão gozada, tão sem-vergonhamente lírica, trescalando a baunilha de mulata asseada. S.!
Tua antologia já está comigo. Vou ficar com ela mais alguns dias para travar relações com os irmãozinhos de língua inglesa. Quanta mulher batuta. Felizmente as nossas Rosalinas não têm a poesia das Alice Corbin, das Mary Carolyn Davies, das Hildegarde Flamer. Senão, que seria do amarelo?

I am going to die too, flower, in a little while do not be so proud.

P. que a pariu! P. que o pariu também, Orrick Johns *that glories in his parasites*. Que poeta estupendo! que mocidade insolente!
E o tal de Ford Madox Hueffer do poema *Antwerp*, e o Kreymborg e o Xará Emanuel Carnevali, que achou expressão lírica para a observação do meu médico do sanatório da Suíça. (Ele me disse um dia que os meus pulmões apresentavam lesões "teoricamente incompatíveis com a vida".)

O delicioso Carnevali diz:

I do not understand the cosmic humour
That lets foolish impossibilities, like ine, live.

E mais abaixo na mesma "*Invocation to Death*":

If she would only come quietly like a lady.
The first lady and the last.

Quanta vez pensei isto! Mas só em inglês é possível dizer

"*If she world only come quietly*".

Um abraço, Gilberto.

MANUEL

25. A ASCENSO FERREIRA

RIO [DE JANEIRO], 15 DE AGOSTO DE 1927.

O La Greca entregou-me a sua carta. Antes eu tinha recebido a outra em que você me falava na passagem do Mário.

Fiz o que podia pelo La Greca: levei-o a jornais e ao único crítico de arte da imprensa do Rio: o Flexa Ribeiro. Estive na inauguração do *Salon* (empreguei a palavra francesa pra ficar mais besta). Nesse dia jantei com o La Greca uma macarronada regada por um litro de Chianti Rufino e fiquei meio de porrinho. Sentia-me *of side* com o pintor. Dias antes eu contara a ele a impressão de um jornalista (aliás passadista burro) e ele achou o homem pretensioso e metido a original por ter achado a exposição "mto. fraquinha". Ora, a minha impressão foi muito pior que a do outro... Não posso suportar essas exposições. Que arte mais coisa nenhuma! Que enfaro me deixou tudo aquilo!

O La Greca estava aborrecido por ter ficado mal colocado no salão. Puseram-no em frente dos trabalhos de Oswaldo Teixeira, prêmio de viagem recém-chegado da Europa, cujos quadros tomavam toda uma vasta parede. Uma pintura violenta sem força, vulgarmente sensual, aparatosa sem fantasia, medíocre em si mas matando os vizinhos de sala por todas essas qualidades negativas. A paisagem e os dois retratos do La Greca foram além disso colocados alto demais sobre o "botijão" dos Fanáticos. O que consolou La Greca foi ter sido procurado pelo Visconti e ouvir dele palavras de animação e louvor com alguns conselhos sobre técnica.

Ontem chegou e partiu à noite para São Paulo o nosso Mário, de capote marrom e chapéu de Chile, com um impressionante ar de imperador de Iquitos (deposto).

Juntou-se uma roda grande de amigos no "bar Simpatia" ouvindo peripécias e impressões de viagens. O Mário trouxe do Amazonas uma coisa notável: um cipó baita, de forma curiosíssima, por onde diz – que a lua subiu pro céu... Todos acharam Mário esplêndido. Ele mesmo se declarou bem-disposto, descansado, dormindo nove horas com qualquer barulho.

Agora cabe a sua vez de vir por cá. Toda a gente está curiosa de o conhecer. Mas quando vier não se esqueça da bengala e da barriga: ambas são indispensáveis! Não posso dizer o que pensam Ronald e o Graça da sua poesia. Não tenho contato com eles. O resto do pessoal ficou entusiasmado com a "Cavalhada", o "Sertão" e "Minha terra não tem terremotos". Os últimos a quem li foram Oswald de Andrade e Tarsila. Ambos gozaram. Imagino quando essa gente vir você com essa boca molenga e esses olhinhos de chim libidinoso sapecar o miudinho do "martelo"

Que bela manhã
Tem [...]¹⁴ louçã
Tatatatatata
Tatatatatá!

Vai ser uma novidade! Só tenho pena que a Stella não venha pra nós se ri junto de ocê! Ô louco!

Gostei muito dos versos que recomendou: Toré e o outro. Zé Maria ainda não aprontou o *Catimbó*. Que demora!

Adeus, bichão. Receba com Stella um bandão de saudades do

MANUEL

26. A JORGE DE LIMA

Rio [DE JANEIRO], 9 DE JANEIRO DE [19]30.

Recebi a sua cartinha e os dois ensaios. Muito obrigado. Li-os com vivo prazer. Não tão grande quanto o que me dão os seus poemas. A respeito do Proust nada sei senão o pouco que tenho lido em alguns críticos. Confesso o meu aleijão: ainda não pude meter o dente no Proust. Quando ele ainda não estava em moda tentei lê-lo e desanimava achando-o monstruosamente cacete. Fiz várias investidas bem fracassadas. Se abria o livro ao acaso e lia um pedaço gostava bem, parecia-me tudo interessante, substancial e embastido. Continuando a leitura voltava sempre a impressão de cacetada. Mas agora tenho de tomar providências sérias porque não é mais possível continuar desconhecendo Proust. Vou "estudar" Proust. Como se faz com o primeiro romance que se lê numa língua que ainda se está aprendendo: lerei 20 páginas por dia como uma obrigação. Pode ser *que l'appétit vienne en mangeant*. Atribuo uma parte dos meus fracassos proustianos ao tipo ou antes formato da edição que acho antipaticíssimo: naquelas páginas largas a análise implacavelmente minuciosa do Proust ainda parece mais comprida, mais *délayée*. Sei que estou empregando mal o adjetivo, Proust não é *délayé*, todavia é a impressão que dá à minha impotência de atenção.

---

14 Palavra não identificada no original.

Tenho ido frequentemente às quintas-feiras à casa do Álvaro. A Eugênia esteve em São Paulo, onde deu um recital com programa ótimo. De você disse o "Inverno", que agradou muito. Ela está ensaiando para ir ao Recife.

Seu nome aqui continua na berra. Ainda há poucos dias vi uma referência a você do Tristão de Athayde. Está se formando a impressão de que a sua "Negra Fulô" é uma das coisas mais reussidas do modernismo. A mesma opinião tenho do "Inverno", que acho perfeito e delicioso como lirismo e como composição.

Adeus. Receba um apertado abraço do amigo

MANUEL BANDEIRA

27. A ANTÓNIO DE ALCÂNTARA MACHADO

RIO [DE JANEIRO], 20 DE JANEIRO DE [19]30.

Alcântara, Infelizmente
infelizmente não posso
aceitar o seu a sua
"Invitation au Voyage"
pra ir nadar na Riviera
fumar dormir fazer versos
colher florinhas nos bosques
onde não tem sabiás
e dançar nos hotéis-palaces.
Bateu a crise no açúcar
mais braba que no café
Província mandou dizer
que não paga mais
         Pois é.

Adoeceu seu Castilhos
e se mudou faz um mês
De sorte que Manuelzinho
ficou de tanga outra vez
Vai raramente ao cinema
voltou a comer no Reis
anda de bonde e em matéria
de charutos já não fuma
nem mau charuto holandês
Não posso ir mais pra Pasárgada
Houve revolução lá
proclamaram a república
Depois a mulher que eu quero
não está lá mesmo
         Pra quê?
Melhor é ficar pr'aqui
Na véspera de Finados

estava tão aporrinhado
que escrevi de aporrinhado
este "Poema de Finados".[15]

28. A CARLOS DRUMMOND DE ANDRADE

RIO, 8 DE MAIO DE [19]30.

Muito obrigado pela remessa de *Alguma poesia* e da dedicatória do delicioso poeminha da "Política literária". O seu livro é dos mais puros da nossa poesia. V. com mais três ou quatro são os poetas que me satisfazem: gosto desse seu lirismo de aporrinhado e quanto à forma, à expressão não tenho nenhuma restrição: nenhuma falta de gosto, nenhuma descaída, nenhuma palavra dessas que a gente acha pau ou besta nos outros. Nenhum poema insignificante, tudo medular. Por aqui a impressão geral (geral entre os nossos) é ótima: impressão de raro e de sólido.

Mas não lhe escrevo agora para lhe dar as minhas impressões e sim para lhe comunicar os endereços pedidos. O de Prudentinho, 11, 2º andar, Rua da Alfândega – Rio. O de Ribeiro Couto, Consulat du Brésil – Marseille.

Mande também para o Recife ao Gilberto Freyre com dedicatória seca (A. G. F. of. o autor). O Gilberto é diretor da *A Província*, Av. Marquês de Olinda, 273, e eu vou dar notícia do livro na seção crítica do jornal.

Escreverei também um artigo para o *Diário Nacional* de São Paulo, onde comecei a colaborar semanalmente, aos sábados. Provavelmente o artigo sobre o seu livro virá no número de sábado 10. Mas não espere grande coisa, pois não sou crítico: será apenas uma declaração de amor, naturalmente bem *gôche* (como as mulheres gostam).

Grande abraço do amigo e *admireur*, como diz meu primo Antoninho Bandeira,

MANUEL BANDEIRA

29. A ANTÓNIO DE ALCÂNTARA MACHADO

RIO [DE JANEIRO], 21 DE JUNHO DE [19]30.

Recebi duas cartinhas suas e os retalhos de jornais. O grande libertino da sensibilidade agradece os seus cuidados. Por aqui se manifestou o Cartier, o Múcio Leão, creio que só. A *Província* de 10 de junho embandeirou em arco com um retrato deste tamanho e na seção dos Livros Novos notícia-crítica do Gilberto sob pseudônimo. Sobre Pasárgada, uma observação interessante: que os desejos ali manifestados (montar a cavalo, andar de bicicleta, subir no pau de sebo, tomar banho de mar, ouvir histórias

---

15 Seguia-se a transcrição do poema.

de Rosa) são tudo sonhos de menino doente. Por outro lado o Ovalle descobriu que Pasárgada tem um sentido místico (eu acabo Rimbaud!): Pasárgada é o céu, o rei é Nosso Senhor, a mulher que eu quero na cama que escolherei é o supremo amor no supremo bem etc. Provavelmente as prostitutas bonitas são as onze mil virgens!

Mário voltou ontem sem ter podido fazer nada do que pretendia. Brincou muito, não sei se no sentido macunaimaico, comeu em todo o caso algumas peixadas boas na "Cabaça Grande", disse algumas dezenas de vezes o *leitmotiv "É-ma-ra-vì-lho-so!"* e acabou acompanhado à plataforma da Central por um grupo selecionado de amigos, entre os quais se contavam os compositores Gallet e Fernandez, o aduaneiro Ovalle, Ciceródias, Gordoschmidt etc.

As coisas pelo *Jornal* não andam boas. Seu Assis foragiu há três dias. Foi um custo danado (de seu Guimarães, não meu) para receber dois vales seus e já tem mais três a haver. Tenho pois em minhas mãos uma pele de duzentão sua. Em caso de urgência é só apitar. Ainda tenho comigo um artigo (o sobre o *Byron* de Maurois) que deverá sair domingo, 29.

Vi prego recomendar-me a Lolita. Abraços do amigo

Manuel

30. A Carlos Drummond de Andrade

Rio, 25 de junho de [19]30.

Duas cartas suas a responder, a última enviando-me a notícia sobre o meu livrinho no Minas Gerais. Muito obrigado por tudo. Quando eu lia os seus poemas avulsos não senti nunca o que senti agora relendo-os em livro, isto é, uma grande afinidade entre os nossos lirismos, não sei se é bem isso ou se é uma aproximação de técnica no sentido de depuração lírica. Eu não era assim, mas cada vez fico mais. É uma técnica de aporrinhado, de quem não quer fazer as coisas, mas é obrigado a fazê-las e então faz com uma má vontade exata e sincera. O Mário diz que há um perigo horrível nisso. Não acho não, se afinal tanta gente gosta, e se tanta gente gosta, e eu sinto que gostam de nós com uma certa paixão, está preenchida, para os que são como o Mário, aquela condição de arte social, arte que ajunta, que une. Como quer que seja, é a única espécie de arte que posso fazer agora. E no passado as coisas boas que fiz foram as que vieram desse jeito.

Mário voltou a São Paulo no dia 19. Não estava safado com V. Por quê?

Ah, então a quadrinha do brinde foi tirada da minha crônica no *Para Todos*? Achei-a no Burton, um inglês que li quando tive de escrever o artigo sobre Ouro Preto para o nº mineiro do *O Jornal*.

Adeus, Carlos. Receba um abraço apertado do seu amigo

Manuel

31. A António de Alcântara Machado

RIO [DE JANEIRO], 5 DE JULHO DE [19]30.

As nossas últimas cartas se cruzaram. O empregado do escritório do Rodrigo, Seu Guimarães, está de posse de três vales para haver o cobre do *O Jornal*. Suponho que até agora não terá recebido, apesar da comissão prometida. Me contaram que Seu Assis reduziu de um conto o ordenado do M. F. de Andrade. Não sei se é verdade. Os boatos de revolução passaram. O consorcista desforagiu, mas andou com um medo danado que dinamitassem as novas maquinarias da Rua 13 de Maio.

A propósito dos seus vales, deu-se uma coisa pau que não sei como consertar com elegância. De uma vez que marquei encontro com o Guimarães na Livraria Católica, ele custou a dar as caras e como eu tivesse encontro combinado em outro lugar, deixei o vale com o Schmidt. Pois o excomungado perdeu-o! E agora eu não sei a que artigo corresponde! Você, traquejado em coisas de jornal, me mande dizer como se faz agora. Rodrigo só volta no meado do mês.

Passei dois dias em Teresópolis com Bigodão (irmão do Gilberto Freyre), que chegou do Recife inesperadamente casado com uma menina de 18 anos. Havia 18 anos justos que eu não voltava a Teresópolis. Fiquei reencantado e sem compreender como passei tanto tempo sem ir lá. Você precisa conhecer aquilo. É uma maravilha, com pronúncia do Mário: MA-RA-VI-LHA.

Hoje de manhã dei de cara à entrada do elevador do Nicolas fotógrafo com Filipe e Teresa. A gloriosa chispou, o glorioso deteve-se e trocou algumas palavras amáveis comigo. Teve agora uma crise terrível, quase morre e a minha *Libertinagem* foi uma companheira deliciosa de convalescença. O pobre do Graça estava com um arzinho bom. Apesar da brabura da doença, não tinha aspecto abatido.

Ovalle é agora secretário de revista literária e tem se revelado homem de negócios solerte, na opinião do Gordinho.

Sinto dizer-lhe que o rapaz que lhe propus para copista não pode ocupar-se mais da tarefa, anda desmanivando em coisas de fotografia e com o tempo todo tomado.

Adeus. Abraços do

MANUEL

P.S. Seu Guimarães acaba de telefonar dizendo que recebeu o dinheiro esta manhã. Recebeu trezentão. Descontados cinquenta de comissão (vinte dos duzentos, trinta dos trezentos), tem V. em minha mão 450$000. Mande as suas ordens, meu caro capitalista.

M.

32. Ao mesmo

Rio [de Janeiro], 2 de agosto de [19]30.

Chegou o artigo "Praga", como já tinha chegado anteriormente o vale que veio para substituir o que o Schmidt perdeu. Já está tudo nas mãos do Rodrigo.

V. conhece, decerto conhece, o Bragaglia? O Viggiani não fala agora senão no Bragaglia. No outro dia fiz o Viggiani confessar que não tinha achado graça nenhuma nas suas anedotas fascistas (de mau puxei conversa sobre o assunto).

O Cícero Dias anda muito interessado em saber quanto valerá um livro velho que comprou agora: *Mundo subterrâneo* do padre Atanásio Kircher, creio que é a primeira edição (1662). Veja se o Yan pode dar alguma informação. O diabo é que o Yan há de querer que se diga o ano exato, a qualidade do papel, o número dos buraquinhos de traça e, quem sabe lá, talvez também o sexo das traças que fizeram os buracos. Em todo caso, tente.

As novidades schmidtianas e ovallescas continuam a aparecer com pontualidade. Reclamam a sua colaboração. Dei um poema com desenho de Cícero para o próximo número.

Ciao.

Manuel

33. A Ascenso Ferreira

Rio [de Janeiro], 1º de agosto de [19]31.

Em que pé te deixou a revolução, companheiro? Pelo que vai por aqui calculo que você já deve estar vivendo, por consignação em folha, dos vencimentos do ano 2000! Um abraço e saudades a v. e à Stella.

Retirei do Boffoni os seus "Catimbós"! Não se tinha vendido nenhum, naturalmente vingança de Mestre Carlos. Ando dando-os criteriosamente. Um dos exemplares levou-o o Alberto Guillén, simpático amigo e poeta peruano, entusiasta da nossa poesia. Acabo de receber dele a excelente revista chilena *Atenea*, nº 73-74, ano 8º (lá a coisa pega!), onde vem uma notícia da poesia brasileira, com uma seleção de poemas modernos traduzidos pelo Guillén. Seu nome está seguido da nota abaixo:

Ascensio Ferreira, dicen que recoge sus cantos en las fuzarcas de los negros. Su canción tiene sabor de cantiga, de arrulo de vieja nodriza, de musica popular de maxixa barullenta y dengosa. Hay paisaje y olor, todos los olores del mato. Ha publicado un libro Catimbó en que el negro se expressa por primeira vez en su saudade y su volupia. Esta poesia es negra de verdad y no de receta.

Segue-se a tradução de "Mula de Padre":

*Un dia en el ingenio
ya tarde de la noche
que estaba tan negra*

como carbon
la gente hablaba de aparecidos:

– El tio de Pinga-Fogo aparecío muerto en el bosque con el pecho roto
                                [por la canilla de Pe-de-Espeto
– El Perro de Bravo – Manso llevó al viernes una zurra de las Caiporas!
– La Mula-de-Padre quiso beber la sangue de la mujer de Chico Lolao.

En la noche tan negra como carbon
la gente hablaba de aparecidos.
Allá abajo la almanjarra
gemia que el ingenio Alegria
era buen moledor.
– Eh golondrina!
– Eh moza blanca!
– Eh Picaflor!

Por la bagacera
los bueyes rumiaban
y las eguas pastaban
esperando la vez
de entrar a trabajar...

La gente hablaba de aparecidos.
Fué quando se dió la cosa extraña:
Mordiendo, ululando, dando saltos,
poniendose de pié como un pierro,
surgió una Bestia que no era de alli...

– Ataja la bicha, Barauna!
– No le largues el lazo, Maracuná!

Y la bestia agarrada
entró en la almanjarra,
la zurramos tanto
hasta de mañana...

Después que fué solta se escabulló en un hueco del mundo.
En un abrir y cerrar de ojos la maldita se encantó!
De tardecita, gente venida de la ciudad
trajo la nueva de que la Ama e su padre Serrador
amaneció tan zurrada que causaba compassion.

Os outros poetas traduzidos foram o Mário, o Bopp, o Jorge Fernandes ("Amanhecer" e "Meu poema parnasiano nº 4"), Carlos Drummond de Andrade e Murilo
Mendes.

Parabéns à família.

MANUEL

34. A Carlos Drummond de Andrade

Rio [de Janeiro], 14 de dezembro de 1931.

Tenho o prazer de lhe apresentar o meu amigo Godofredo Filho, o melhor poeta da Bahia de hoje. Vai conhecer vocês, a quem deve ser caro, pois cantou em versos formosíssimos a melancolia teimosa de Ouro Preto.

Como vai você? Tenho muitas saudades daquele almoço em sua casa: quando matarei de novo esta fome especial? Não vejo jeito. Ando agora numas tentativas de trabalho, bulindo devagarzinho com o pulmão como se faz com cachorro que não se sabe se morde. Na United Press, traduzindo telegrama. É divertido gozar em primeira mão o cinismo fascista: todo discurso é "importantíssimo" e o Duce não dá um peido que os balilas não cantem o *Giovinezza*. De vez em quando dana-se a haver interferências (as ondas, irritadas com tanta mentira farreando nos ares) e então é xth y ka macdonawt smaif fs sif commons rnw que não se entende nada e o argentino Fusone, que eu e o Sérgio Buarque de Holanda chamamos Al Fusone, diz – *Es inutilizable*. E a gente vai fumar um cigarro no balcão do 19º andar da *A Noite*. A Praça Mauá lá embaixo sussurra *"L'invitation au suicide"* e como há um refúgio cercado de automóveis por todos os lados, o Sérgio pergunta o que é um refúgio cercado de automóveis por todos os lados, e as luzes da ilha das Cobras, de Niterói, dos subúrbios estão tão bonitas que a gente dá uma banana para as estrelas:

> *Constellations*
> *Maitresses vraiment*
> *Trop insouciantes!...*

Abraços do

Manuel

34-bis. A Sybley Derham

Rio [de Janeiro], 26 [de] maio [de] 1932.

Agradeço a atenção de sua amável cartinha de agradecimentos por eu lhe ter emprestado o meu *cut-away*.

Embora satisfeito que ele não tenha podido servir, visto indicar isto que meu jovem amigo prospera em musculatura, lamento ter perdido a oportunidade de lhe ser útil.

Aproveito a ocasião para informá-lo que o tal *cut-away* é um veterano com as mais gloriosas tradições, pois já vestiu meu pai, falecido em 1920, ano em que foi reformado para meu uso por um dos menos hábeis alfaiates do Rio, falido há alguns anos. Serviu-me em dois casamentos e um enterro. Passou e voltou e tornou a passar de moda várias vezes. Tem, enfim, o senso da eternidade. Se eu acrescentar ainda que foi originariamente confeccionado em Paris e viajou a Londres, onde possivelmente se terá avistado com o Lord Mayor e outras personalidades gradas, terei feito sentir o orgulho com que o torno a pôr à sua disposição... Caso o amigo emagreça novamente.

Sempre seu,

Manuel Bandeira

35. A Carlos Drummond de Andrade

Rio [de Janeiro], 27 de julho de [19]33.

Sossega, *Literatura* é isso que você está vendo: hoje dá poemas de Pedro Nava, amanhã de Carlos Drummond de Andrade e depois de amanhã ninguém sabe o que será. Venho pedir-lhe autorização para os poemas de amanhã. Li em casa do Rodrigo o *Brejo das almas*, que achei uma delícia. Mandei pedir ao Afonsinho que lhe falasse sobre isso, mas refleti que precisava comunicar a minha nova residência que é à Rua Morais e Vale nº 57, apartamento 54. Fica essa rua na Lapa, a Lapa dos Carmelitas e das prostitutas. Na verdade não é rua, senão beco, e nela vem morrer o outro beco, o Beco dos Carmelitas, o beco famoso, onde não há homem no Rio que não tivesse pago o tributo à Vênus Vulgívaga. Enfim – o "Beco".

Faço o pedido dos poemas. Não lhe peço mais nada porque não vejo dinheiro na revista e não tenho a desfaçatez gorda do Schmidt para solicitar colaboração não remunerada. Todavia fica você sabendo que a *Literatura* é papelucho onde você manda e que está inteiramente ao seu dispor. Peço-lhe dizer a mesma coisa aos amigos daí (João Alphonsus e demais), aos quais não escrevo, porque ando cheio de trabalhos e a saúde é muito pouca.

Grande abraço do amigo velho

Manuel

P.S. Falei agora com o Rodrigo que me disse haver vários poemas do *Brejo* que já foram publicados. Diga-me quais, obrigado.

36. Ao mesmo

Rio [de Janeiro], 30 de outubro de [19]33.

Recebi a sua carta com o retalho de jornal e os versos do novo poeta. Muito obrigado por tudo. Achei ótimo o que você escreveu sobre a sua Itabira. O novo poema também me agradou muito.

A respeito, porém, de *Literatura*, dá-se o seguinte: aquilo não tinha jeito. Aceitei dirigi-la porque fui convidado para isso pelo imbaixadoiri e acreditei que a culónia compareceria com a publicidade, de molde a permitir arranjar boa colaboração paga. Tudo falhou e deu em água de barrela, ou melhor, em .... do Schmidt ....

.... Mas fui aguentando, porque é dificílimo romper com o Schmidt. Ele encosta a cara no rosto da gente, beija, e como tem visgo o danado, a gente continua mesmo. Mas o sô Maia, o português da livraria, entendeu de me tomar satisfação de um anúncio do *Ariel*, que inseri no nº 6 para tapar um buraco da paginação, eu me queimei, dei um estouro e larguei a m. a tempo, porque tinha que me tratar seriamente de uma crise de insuficiência hepática. Agora sou, além de tísico, hepático. Me sinto elegantíssimo, precisando tomar sal de Karlsbad e fazer dietas caras.

Mas sim. Não tenho mais nada com *Literatura*, que nem olho mais. Se, porém, você e o poeta quiserem aparecer no quinzenário, mandarei a colaboração ao Schmidt. Se preferirem *Ariel*, dá-la-ei ao Cruls. Se o poeta preferir o *Rio-Magazine*, onde os poemas poderão levar uma ilustração de Santa Rosa, também o posso obter. Digam-me o que preferem.

Parei a colaboração no *Estado* por causa da bílis e por enquanto não penso em recomeçar.

Adeus, Carlos. Um grande abraço do

Manuel

37. A Paulo Ribeiro de Magalhães

Rio [de Janeiro], 9 de novembro de 1933.

Não babão, só hoje é que recebi na redação do *Diário de Notícias* as suas cartas de 20 e 30 do mês passado. Portanto suspenda a sua cólera de paulista bravo. *Desejo saber com precisão o seu endereço*, pois em tempos escrevi uma carta para a tal sociedade de artistas modernos e você não a recebeu.

Já tinha sabido pelo professor das suas novas atividades como crítico musical. Preciso conhecer o estilo do crítico e por isso lhe peço remeter-me de vez em quando um número do *Estado* em que venha alguma coisa sua.

Então já soube que andei bambo, e bem bambo, com doença de fígado? Uma retenção de bílis que me deixou num desânimo de morte. Perdi 4 quilos e fiquei amarelo feito chim. A coisa durou mais de mês. Entrei na dieta e agora estou melhor. No mais feio da crise não me lembrei que contava entre os amigos um hepático de fama como você. Foi aquele vizinho fronteiro médico que me encontrando um dia disse: por que você não toma aquele remédio que eu dei uma vez a seu amigo que morava com você? Aí me lembrei do empregadinho da Víctor que acordava todas as manhãs de boca amarga e olho amarelo.

Agora venha a história dos três pastéis.

Abraços do amigo velho e co-hepático

Manuel

38. A Gilberto Freyre

Rio [de Janeiro], 10 de janeiro de [19]34.

As nossas cartas se cruzaram. Não há, pois, motivo para as lamuriazinhas irônicas do sociólogo.

O sociólogo está na ordem do dia com a publicação da grande *Casa-grande*. Ficou um bichão de bom aspecto que já está ficando conhecido como o *Ulisses* pernambucano... A piada deve ser invenção do Murilo Mendes. O que ficou bem safadinho foram os clichês das fotografias.

As informações dos livreiros é que o livro está tendo muita saída. O Cruls não esperou o exemplar dele e comprou e leu logo e ficou estarrecido de admiração pelo sociólogo. Disse que apesar de esperar muita coisa, nunca pensou que fosse assim! que pensava "que fosse mais literário"...

O Roquette também está no auge da admiração. Recebeu o livro há três dias e ontem à noite, na hora educativa da Rádio-Sociedade, encheu todo o tempo falando do livro, classificando-o de obra monumental. Eu e o Rodrigo ficamos inconsoláveis de ter perdido isso. Quem nos informou foi o Cruls. Disse o Roquette que à parte qualquer outro valor da obra, só a bibliografia que você reuniu representa uma contribuição inestimável. Fez grandes elogios às suas opiniões sobre miscigenação. Não esqueceu a linguagem e leu trechos inteiros do livro.

Por enquanto é o que sei. Mas à proporção que for sabendo mais, irei fazendo a reportagem.

O calor aqui está brabo. Anteontem jantei em casa do nosso Rodrigo, que continua ainda nas dores do parto da *Casa-grande*, num grande paraísmo de amizade, interessadíssimo pelo sucesso do livro. O Joaquim Pedro está cada vez mais bonito, calmo, acho que vai dar um *scholar*.

E por falar em criança, eis a última de Sacha (netinha de Mme. Blank): viu um cartão de festas muito mozarlesco, desses com flores estufadas e desse azul e cor-de-rosa bem lambido; ficou extasiada, *so pretty*, e não sabendo mais como exprimir a admiração e a ternura: *May I sleep with it?* Tudo que ela gosta muito, quer dormir com. De noite, mete o dedão na boca, se atraca com o brinquedo predileto e cai no sono.

Adeus, sociólogo. Um grande abraço do

Flag

39. A João Alphonsus de Guimaraens

Rio [de Janeiro], 1º de agosto de 1934.

Abraço-o. O filólogo Sousa da Silveira, meu amigo, está preparando uma segunda edição de uma antologia, onde deseja incluir o soneto de seu pai que começa por aquele verso "Como se moço e não bem velho eu fosse". Sei esse soneto de cor (me foi dado a conhecer por um comissário do Lóide que em moço tinha dirigido uma revista literária). Creio que nunca apareceu em livro. Como o Sousa da Silveira é homem escrupulosíssimo, eu venho, para servir a ele, perguntar a você se de fato o soneto não figura em algum livro de seu pai, no qual caso lhe peço que me mande uma cópia com a possível urgência.

O meu endereço é Rua Morais e Vale, 57, Ap. 54 – Rio de Janeiro.

Muito grato lhe ficará por isso o amigo

MANUEL BANDEIRA

40. A JOANITA BLANK

CAMBUQUIRA, 21 [DE] 1 [JANEIRO DE] 1935.

Que tinta mais branca! Tenho a impressão que se apagará na viagem. Mandem dizer se conseguem ler bem o que vai escrito.

Ontem foi dia de festa de S. Sebastião. Vocês não sabem o que é dia de um santo no interior. Na véspera solta-se foguete a noite inteira. E logo às 5 da manhã rompe um charivari danado, foguetório, repique de sino *à tout casser*. E o dia inteiro é nesse mesmo conseguinte. Ao cair da tarde a procissão.

Tenho passado muito bem.

Cambuquira é mesmo *de fato*. Para o futuro, convém Mami pensar numa estaçãozinha. De janeiro a abril a diária no Hotel Silva é de 18$. Mas de maio a dezembro é de 15$. Vou me candidatar para a estação de setembro.

Tenho gostado bem do hotel. Felizmente aqui o banheiro e o resto são muito aceitáveis. E tem bom banho de chuveiro frio e quente.

Não fiz relações com ninguém, embora o hotel esteja cheio. Como veem, a cura é completa, pois nem falo. Resmungo uns dez "bom-dia", e é tudo. Me esqueci de trazer dois livros que pretendia ler aqui, de sorte que só leio jornais.

Estou com vontade de passar uma noite em Campanha, onde faz agora 30 anos que cheguei tão doente. Se houver por lá algum conhecido daquele tempo, vai me tomar por um fantasma.

Há um trem misto que sai daqui nas 2as, 4as e 6as às 2 1/2 da tarde e chega às 3 1/4, voltando no dia seguinte às 9 da manhã. Assim posso passear na cidade ao cair da tarde.

Tinha muita vontade de fazer isso. Muitas vezes sonhei que estava fazendo isso. Acho que vou depois de amanhã.

Adio, mio bene, como dizia Napoleão a Maria Luísa.

Saudades de

MANUEL

41. A Gilberto Freyre

Rio [de Janeiro], 22 de setembro de 1936.

Por intermédio do Rodrigo recebi a sua carta de Lisboa. Respondi para lá por via aérea, mas três ou quatro dias depois o Gastão (o Crâls, como chama Mme. Blank) me deu a notícia que você já estava de volta. Vou, pois, repetir o que disse na carta anterior.

Mme. Blank ficou toda contente com a ideia de traduzir os panfletos holandeses e manda dizer-lhe que está esperando as suas instruções.

Ela recebeu resposta da amiga da Holanda, a quem consultou, a seu pedido, sobre literatura nassoviana. A amiga indagou e soube da existência dos trabalhos seguintes:

P. M. Netscher – *Les Hollandais au Brésil*, 1853. Escrito em francês por um holandês. Preço – 20 florins.

A. N. J. Fabins, editor – *Johan Maurits, de Braziliaan* (João Maurício, o brasileiro) – Utrecht, 1914. Preço 2 ou 3 florins.

W. Arni – *Das Eindringen des Niederlandischen Elementen in der Kolonization Brasiliens* (A penetração do elemento holandês na colonização do Brasil) – 1600-1674 – Biel, 1918.

Além desses citou um trabalho já conhecido seu, o de Hermann Watzen – *Das hollandische Kolonialreich in Brasilien*, dizendo que tinha visto o seu nome mencionado lá.

Tenho tido muito trabalho com a tal antologia dos românticos. Talvez eu devesse fazer a coisa com um critério mais objetivo. Fiz uma antologia para mim; que desse bem a ideia dos temas, da sensibilidade, dos processos românticos, mas que não fosse uma versalhada pau: em vez da *Terribilis Dea*, por ex., três estrofezinhas mozarlescas de Vitoriano Palhares, cuja última é:

Foste a serpente, e eu, vil, inda te adoro!
Que vertigens meu cérebro percorrem!
Mente mais uma vez, para que eu possa
Morrer sonhando como os doidos morrem!

Os amigos vão bem. Zé Lins – sofrendo muito, por se julgar "arrepunado" pelo mestre. Para entrar de novo nas suas graças tem insultado o Z. em letra de forma, chamando-o "israelita voraz" etc.

Flag

42. A Paulo Ribeiro de Magalhães

Rio [de Janeiro], 8 de dezembro de 1936.

O Luís Jardim, pernambucano dos bons, vai fazer uma exposição aí. Venho, pois, apresentá-lo a você para que o ajude nesse meio de jornalistas. Por ele mando também o seu exemplar da *Estrela da manhã* (veja como o pitozinho dela vermelho está bonito!).

Como vai a esposa? E a menina? Mande notícias.

Lá para o fim do mês estou com vontade de ir passar uns quinze dias em Pernambuco, pois me sinto cansado dos trabalhos deste ano. Breve você receberá a minha *Antologia dos poetas brasileiros da fase romântica*, obra que me deu grandes canseiras nas bibliotecas e na máquina de escrever e a que me dediquei com muito carinho. Estou na esperança que tenha saído boazinha.

A Civilização Brasileira vai editar as minhas crônicas com o título *Crônicas da província do Brasil*. Já está no prelo.

E você quando se resolve a vir à corte? É preciso! As saudades são muitas.

Receba com os seus muitas lembranças do amigo velho

Manu

43. A Carlos Drummond de Andrade

São Lourenço, 15 de janeiro de 1938.

Tive ontem grande alegria ao saber, por um telegrama do Onestaldo, que você já está em casa e quase restabelecido de todo. Tinha vindo para cá apreensivo com o seu estado. Mas o poeta mostrou que tem a cabeça dura e à prova de ônibus. Ele está nos devendo agora uma "balada do atropelado".

Fez ontem uma semana que ando me encharcando de água magnesiana. Creio que a vesícula já se aliviou do excesso de bílis. Tenho procurado dormir e descansar o mais possível. Ontem de tarde e hoje de manhã, como não havia sol, dei umas remadas no lago, o que achei bem agradável.

Tive aqui uma visita tocante: um rapaz – adjunto de 5ª classe dos telégrafos, 18 anos – copiou o telegrama em que a diretoria da Sociedade Felipe D'Oliveira me comunicava a concessão do prêmio e me procurou no hotel para me mostrar uma coleção de versinhos dele: *Musa enferma*.

Com uma grande tristeza de ter 18 anos, veja você! Iniciei-o imediatamente na teoria da atracação. Se ele encontrar dificuldades na prática, mando-o a você.

Tenho ouvido com pesar os boatos de saída de nosso ministro. É uma pena, embora isto me livre de uma antologia do simbolismo. E falam no João do Norte...

Mas eu não devia ter tocado nestes assuntos: você está pedindo uma convalescença longe de todos esses aborrecimentos: não pode vir remar comigo neste lago sem Lamartines?

Um abraço do cinquentão

MANUEL

44. A João Alphonsus de Guimaraens

RIO [DE JANEIRO], 11 DE MAIO DE [19]38.

Recebi as notas. Falta agora você mandar-me a notícia biográfica.

Saiba que os homens do Serviço Gráfico perderam as 1ªs provas já corrigidas por mim! Todo o trabalho perdido! Agora deram-me novas provas e a minha revisão já vai adiantada.

Tenho as seguintes dúvidas que lhe peço esclarecer:

Estância XII de *Pastoral*:

Sol, ó sol! astro-rei dos espaços
Rubra tulipa imperial,
Iluminai no ocaso os meus cansados braços
Com toda a vossa luz de púrpura real!
Para que eles possam,
Cheios dos clarões dos olhos teus
(São beijos que pelos meus lábios roçam),
Erguer-se a Deus!

A quem se refere esse *teus*? Ao sol, que o poeta tratou antes por *vós*? Nesse caso, deixar como está ou corrigir para "Ilumina com toda a tua luz..."

Ou o poeta, embora dirigindo-se ao sol, refere-se com o *teus* à amada?

Canção IV ("Olhos"), 2ª estrofe:

"Olhos de poente" ou "Olhos dementes"?

Repare que todas as estrofes começam por *olhos* seguido de um adjetivo – *sublimes, viúvos, pungentes, profundos...*

Canção XXIV (Tercetos de amor):

Ora o vosso olhar me diz
Que nem por sombras me quer
Com seus olhares sutis,

Ora que não, que, mulher
Sendo, amar inda podeis,
Se o vosso peito quiser.

Me parece que na 2ª estrofe deve ser "Ora que sim", não acha?

Em "Os sonetos" (XXXIII):

Das tuas mãos unindo as róseas palmas,
De joelhos sobre a suave e branda alfombra,
Hão de abençoar-te aquelas horas calmas,
Todo o bem celestial da eterna sombra!

"Hão de abençoar-te" ou "Há de abençoar-te"?

Hoje, 13, entreguei as provas corrigidas ao Serviço Gráfico. Convém que V. me responda ao que aí fica, para meu governo nas futuras provas.

Mande-me também esses versos que começam por "Mãos de finada, mãos de neve".

Abraço do

M.

45. Ao mesmo

Rio [de Janeiro], 20 de junho de [19]38.

Recebi hoje a biografia. Está muito boa. Proponho só a exclusão dos versos franceses à França: basta, parece-me, assinalar o fato.

Concorda?

Mas você não me mandou os originais datilografados, de que estou precisando para a revisão, pois os homens do Serviço Gráfico do Ministério não me mandaram as 1ªs provas a partir da pg. 130 – perderam! Assim, fiquei sem elementos para verificar as correções feitas nas 1ªs provas. Além disso fiz em cartas várias consultas a que você não me respondeu. Mande-me tudo isso com urgência. Com urgência, mineiro descansado!

Abraço do

M.

46. Ao mesmo

Rio [de Janeiro], 10 de agosto de [19]38.

Retirei da máquina uma folha da tradução que estou fazendo de uma *Vida de d'Annunzio* para a Editora Nacional, para responder à sua carta de 8, recebida neste instante. Não, não foi para revidar aos seus métodos de correspondência que deixei de acusar a sua última carta: o tempo é que anda escasso; seria escasso para quem possui dois pulmões intactos, quanto mais para mim, que só tenho a metade avariada de um.

Fique sossegado: tudo o que você mandou foi introduzido antes da paginação definitiva. Pedi ao Sousa que só me desse agora as provas completas para eu poder numerar as notas no texto e fazer o índice. A coisa anda numas quatrocentas páginas... Por essa ocasião examinarei o caso da *Escada de Jacó*. Acho porém que a sua nota está clara, ao que me lembra; eu é que na pressa com que redigi o estudo da *Revista do Brasil* terei sido inexato. Em relação àqueles sonetos da sua última carta, tendo eu a mesma opinião que você (são bons mas não aumentam nem diminuem etc.), e não querendo alterar mais a paginação e não sabendo onde os incluir, resolvi acrescentá-los numa última nota.

Quanto à inclusão do meu estudo na edição, insisto que não convém por vários motivos: primeiro, quebra a bela unidade editorial do livro e o reduziria a essas horrendas edições Garnier de Casimiro de Abreu, Álvares de Azevedo etc. em que vem de um tudo. Como está, vai bonito: retrato, notícia biográfica, texto e notas. Alinhado. Mais alguma coisa, seria laçarote. Segundo, creio que o Tarquínio tem ideia de publicar em volume esses estudos de revisão de valores, iniciados com o meu estudo.

Gostei da sua segunda impressão sobre o estudo. Aqui agradou muito geralmente. O grupo dos poetas em Cristo é que ficou meio abafado com o trechinho que lhes dizia respeito: o Murilo me falou nisso, sorriu e mostrou-me o anelão que traz no dedo (com a imagem de Cristo). Não tive impressão, ao acabar, de ter feito coisa à altura da obra de seu pai, mas o Rodrigo achou ótimo, o que me animou. Tenho impressão que fui apressado, muito esquemático. Uma coisa porém é certa: falei com toda a franqueza, sem levar em conta que se tratava de seu pai, nem também a minha simpatia, mais, a minha ternura pelo poeta. Aliás é o meu costume: só sacrifico hoje a minha sinceridade quando se trata de fraquinhos, com os bambas digo a verdade na cara.

Acho que não há necessidade de sua presença aqui por agora. Mas ela é sempre útil e agradável. Por isso, o papel é tirar o passe...

Vou arranjar com o Sousa uma prova da notícia biográfica para entregá-la ao Tarquínio. E por aqui me cerro, como diziam os clássicos. Um abraço do amigo velho.

MANUEL

Sábado, 13. Estive esta manhã com o Sousa. Disse-me que dentro de 2 ou 3 dias dá provas paginadas: sobem a umas 450!

B.

47. AO MESMO

RIO [DE JANEIRO], 20 DE AGOSTO DE [19]38.

Acabo de rever a *Nova primavera*, onde encontrei várias dúvidas que venho submeter ao seu juízo de poeta e filho de poeta.

No poema VII a 1ª estrofe é:

> Vaga a abelha em derredor
>   Da rosa pura;
> O raio de luz, como amor,
>   Sobre si fulgura

Não entendi o sentido dos dois últimos versos, e por isso fui consultar o original de Heine. É assim:

> *Der Schmetterling ist in die Rose verliebt,*
> *Umflattert sie tausendmal,*
> *Ihn selber aber goldig zart*
> *Umflattert der liebende Sonnenstrahl.*

Tradução literal:

> A borboleta está apaixonada pela rosa,
> Adeja em torno dela mil vezes;
> Mas em torno dela (borboleta), dourado, terno
> Adeja o amoroso raio de sol.

Creio que houve erro de cópia e o terceiro verso devia ser "O raio de luz, com amor", e não "como amor".

Resta o "sobre si" do verso seguinte: aqui não se pode pensar em erro de cópia. O sentido ficaria de acordo com o original se se substituísse *si* por *ela*:

> O raio de luz, com amor,
> Sobre ela fulgura.

Ainda assim ficaria duvidoso o sentido, porque *ela* tanto pode referir-se à abelha como à rosa. Em alemão não, porque "borboleta" em alemão é palavra masculina. Deixar como está?...

No poema XIII, *todo em octossílabos*, aparece a redondilha "Meus pensamentos tranquilos". Parece-me que Alphonsus deve ter escrito "Os meus pensamentos tranquilos". A quadra ficaria assim:

> Quanto a mim, eu colho-as rimando;
> Os meus pensamentos, tranquilos
> Voos que sinto em mim, gorgeando,
> O rouxinol vem exprimi-los. No poema XVI a primeira estrofe está assim:

> Se é bem dócil o teu olhar, amigo,
> Olha, por um momento, este livro de versos:
> Moça formosa aí poderá ver comigo,
> Indo e vindo nos meus diversos cantos.

O poema tem três estrofes, em todas as quais rima o primeiro verso com o terceiro, e o segundo com o quarto. Parece-me, pois, que houve erro de cópia e que a estrofe deve ter sido escrita assim:

Se é bem dócil o teu olhar, amigo,
Olha por um momento este livro de versos:
Moça formosa aí poderá ver comigo,
Indo e vindo nos cantos meus diversos.

No poema XXV os três últimos versos estão assim:

Era em maio: o sol sorriu; doce canção
Disse o melro; *do perfume o solo*,
A suave rosa ergueu o colo.

Não entendo o que sublinhei: não dá sentido e não é o verso a que pertence octossílabo, como devia ser para que a estrofe fique nas medidas da estrofe anterior. Parece-me que houve erro de cópia e devia ser assim:

Disse o melro; perfume do solo,
A suave rosa ergueu o colo.

O poema XXXI começa:

Flores de tília, ébrias de luz,
O vosso odor pelo ar se libra...

O poema tem seis estrofes e em todas o primeiro verso é um octossílabo, salvo na terceira, onde vem este verso:

Não vês que a folha da tília tanto

Me parece evidente o erro de cópia e deve ser:

Não vês que a flor de tília tanto.

Pois na primeira estrofe Alphonsus falou em flor e não folha de tília. E com "flor" fica o verso octossílabo.
No poema XXXIII, *todo em octossílabos*, o primeiro verso da terceira estrofe está assim:

– Imitai-nos, doce pomba:

Acho que devia ser "Imitai-nos, ó doce pomba".
No poema XXXIV, *todo em octossílabos*, está assim:

A carta que ela a rir me escreve
Foi por mim dez vezes lida

Parece-me evidente que deve ser "Foi por mim dez vezes relida".
No poema XLI, *todo em octossílabos*, o último verso é "Morre o beijo sobre a boca". Não seria "E morre..."? Ficaria a quadra assim:

Se olha para a terra inquieta,
Da flor a seiva, que se apouca,
Vai-se: altera-se a voz do poeta...
E morre o beijo sobre a boca.

Mando-lhe o projeto da capa. Mande-me a sua opinião para que se faça a enco-
menda do desenho ao Santa Rosa.
Não demore a resposta, mineiro querido.
Um abraço do velho amigo

MANUEL

P.S. Outra dúvida, desta vez da *Pastoral*. No poema "O amor" (poesia anônima
chinesa), a última estrofe é:

Se a flor tem um senhor, será fremente,
Da primavera o sopro, andando em queixa...
Pois se o perfume, alma da flor, se queixa
Levar nas asas desse sopro ardente!
Não será "Pois *só* o perfume..." em vez de "Pois *se*..."?

M.

48. AO MESMO

RIO [DE JANEIRO], SETEMBRO DE [19]38.

Da última vez que revi os versos de seu pai, estranhei neste soneto que lhe
mando aqui o quarto verso do segundo quarteto:

Mas como são, eu não os bendissera!

O que vem antes e o que vem depois, levou-me a supor ter havido engano de
cópia. Não lhe parece que deve ser "maldissera"? Pois logo a seguir o Poeta diz:

E nem posso, decerto, maldizê-los.

Entreguei as provas com a correção "Maldissera", mas se você, depois de meditar sobre o caso, achar que se deva conservar o "bendissera", me escreva imediatamente uma palavra para eu restabelecer o texto primitivo.
Tive boa impressão das últimas provas, sobretudo na notícia biográfica, onde
nas provas anteriores havia umas versais nos títulos dos livros que davam um aspecto
muito pouco elegante.
Um abraço do

M.

49. Ao mesmo

Rio [de Janeiro], 3 de outubro de [19]38.

Concordo com a sua interpretação do soneto. Já tornei a corrigir para "bendissera". Hoje entreguei o índice. As provas estão limpas.

Disse-me o Sousa que o volume deve estar pronto dentro de um mês, embora entre na máquina amanhã mesmo: é que existe uma coisa chamada *Revista do Serviço Público* que pretere e açambarca tudo no Serviço Gráfico...

Um abraço do

Manuel

50. A Lúcio Cardoso

Petrópolis, 17 de janeiro de 1939.

Recebi *Mãos vazias* e neste momento acabo de lê-lo. E senti logo o desejo de lhe falar com toda a franqueza.

Não li *Maleita* nem *Salgueiro*. De você só conheço a *Luz no subsolo* e agora *Mãos vazias*. Ambos me deram a mesma impressão de mal-estar (não é bem mal-estar, mas não acho outra palavra melhor). Reconheço nos dois livros a força de criar atmosfera dramática, mas sinto como que uma incapacidade ou *parti pris* de colocar os sentimentos em personagens que não os comportam e a ação em meios que não a comportam também.

As suas personagens são como você que é um homem de sensibilidade aguda e torturada. Mas então não se compreendem que elas sejam apresentadas por você como medíocres. Não entendo por que você foi colocar este drama de ação toda interior numa cidadezinha do interior – São José das Almas. Por intenção simbólica? Mas isso cria um disparate que chega a ser cômico. A maioria dos pequenos episódios não podia passar-se num lugarejo daqueles: por exemplo a cena da estação. Aquele guarda logo saberia quem era Ida etc. Não são possíveis aquelas atitudes de Ana com Ida etc. Isso não me parece de minha parte apego às puras exterioridades da vida. Há uma realidade que o romancista não pode afastar deliberadamente, e você parece assim proceder. Os seus romances nada perderiam de sua rica interioridade, respeitando a verossimilhança essencial das aparências. Você, que evidentemente é uma criatura tão diferente das outras, as criaturas mais estranhas que tenho encontrado na minha vida nunca me deram essa impressão absurda que me dão todas as personagens de seu romance nos seus *gestos* e *palavras*. Só Ida me parece ter verdade. E essa mesma diz de repente para Felipe: – Mesmo que se queira, algo está destruído para sempre.

Ora, eu ando pelos meus 52 anos, quase 53 e *nunca* ouvi ninguém, nem você dizer em conversa a palavra *algo*.

Que você é romancista e tem pulso se reconhece no fato do drama de Ida resistir em meio à atmosfera falsa em que ele se desenvolve. Não me parece possível que seja deficiência de sua parte para construir. Só posso atribuir portanto a um *parti pris* para não se confundir com os descrevedores das meras exterioridades, com os naturalistas vazios de toda introspecção profunda essa falha de seus romances. No dia em que você harmonizar os dois lados da vida, o exterior e o interior, aí sim, tenho certeza que escreverá uma obra-prima.

Meu caro Lúcio, conheço a sua sensibilidade (nunca me esqueci de um encontro nosso na avenida) e tenho medo que essas minhas palavras o machuquem. Creia que elas são inspiradas na mais viva simpatia e interesse pelas suas criações. A outro poderia dizer um cumprimento banal. O seu valor e o afeto meu por você me impuseram a obrigação de falar com toda a sinceridade. E ponho tudo num grande abraço.

Manuel

51. A Gilberto Freyre

Rio [de Janeiro], 23 de março de [19]39.

Recebi carta e conferências. Levei estas imediatamente ao Capanema, a quem li as suas recomendações. Ele pediu-me que lhe agradecesse em nome dele e fez-lhe uma porção de elogios. Agora vou ficar atento para que a impressão marche depressa e fique a seu contento.

De volta de S. Lourenço e Petrópolis, vi-me de novo envolvido numa porção de trabalhos: revisão de provas da *Antologia dos parnasianos*, revisão de provas das *Poesias completas de Alphonsus de Guimaraens* (edição do Ministério) e – o *Guia de Ouro Preto*. Eu tinha vindo adiando o início desse guia, porque não sabia em que parariam as coisas na política. Afinal todo o trabalho preparatório estava pronto – 20 desenhos ótimos do Jardim, planta de Ouro Preto etc. Tive que vencer a preguiça e começar. O meu plano é dar primeiro os dados geográficos, em seguida um histórico, depois impressões de viajantes estrangeiros; passo então às minhas impressões de Ouro Preto atual, passeios a pé pela cidade, chamando aqui e ali a atenção do turista distraído para um detalhe interessante; depois lista dos monumentos, com informações precisas. Penso também juntar uma bibliografia. Creio que ficará um livrinho útil para quem for viajar por lá.

A novidade que tenho para lhe dar de mim é que fui convidado pelo Gabaglia, diretor do Pedro II, para reger interinamente a cadeira de Literatura Geral. Hesitei um pouco, mas acabei aceitando. Rende 1:900$, seis horas por semana, mas posso faltar duas horas. Vamos ver se dou para a coisa. O que concorreu para me fazer aceitar foi que no Departamento de Ensino apertaram as funções de inspetor de ensino e eu tinha que me cansar muito mais. Cansar por cansar, prefiro que seja em tarefa mais interessante. E se tiver que arriar, tanto faz num como noutro lugar.

Ontem jantei com Manuel Leão em casa de Zé Cláudio. Ele esteve dando notícias do grupo daí.

Cícero me escreveu um cartãozinho encantado com a Holanda: "Nunca vi tanta canoa, tanta menina de trança!" As Blank vão bem e sempre perguntam por você e mandam lembranças.

O místico telefonando sempre de manhã cedo. Não se desembaraçou ainda de Guinguinha...

Até. Um grande abraço do

FLAG

52. A FERNANDO MENDES DE ALMEIDA

RIO [DE JANEIRO], 11 DE DEZ[EMBRO DE] 1939.

A onça vem beber água. Disseram-me que o último número da *Revista do Arquivo* trazia a tradução do trabalho do Ackerman sobre o nosso prezado Dias, corri às livrarias, nada, afinal me informaram que só o J. Leite recebia a preciosa publicação, corro para a Rua S. José e só encontrei um último exemplar em mau estado. A onça quer um exemplar perfeito. Mas as onças são duas, eu e o Sousa da Silveira, portanto dois exemplares da *Revista*. Mas o Fidelino de Figueiredo contou ao Silveira que em número anterior, não sei qual, tinha aparecido um trabalho interessante sobre o Casimiro Abreu (você sabia que o "de" do poeta foi chiquê?) e o editor do maltratado romântico ficou logo assanhado, correu ao J. Leite, mas o último exemplar já fora vendido!... Portanto também dois exemplares do número da *Revista* com o artigo sobre o mancebo fluminense. E desde já muito obrigado.

Este fim de ano ando numa virada Pintacuda. No meio de toda a atrapalhação surge o monstro russo Ismailovitch querendo fazer o meu retrato (do que há três anos ando fugindo como um leão); mas desta feita não foi possível tirar o corpo fora, porque se trata de um painel com seis caras tamanho *trois fois plus grand que nature* – eu, o Gilberto, o Villa, o Zé Lins, o Jardim e o próprio pintor. Resultado, estas manhãs perdidas, sentado numa cadeira sério como um tamanco novo...

Estou doido para me ver em Petrópolis, arrancando batatinhas dos canteiros, brincando com Sacha e o *basset* Jani, comendo os bons quitutes da Guita, bestando sob as magnólias que beiram os riozinhos vadios da antiga fazenda imperial. Note que estou quase fazendo literatura...

Receba com os dois anjos muitas saudades do amigo de sempre

MANUEL

53. A Alphonsus de Guimaraens Filho

Rio [de Janeiro], 2 [de] junho [de] 1940.

Venho agradecer-lhe a oferta do seu livro *Lume de estrelas* e a dedicatória da parte III.

Você entrou na poesia com uma responsabilidade tremenda – o nome de seu pai! Mas está se saindo galhardamente. Este *Lume de estrelas* atesta um grande poeta, não é reflexo da poesia paterna, mas brilho de estrela com luz própria.

Posso dizer-lhe que os elogios de Tristão de Athayde e do Mário de Andrade traduzem o sentimento geral: você está classificado pela melhor gente no *scratch*.

Receba um grande abraço e os parabéns do seu amigo e admirador

Manuel Bandeira

54. Ao mesmo

Rio [de Janeiro], 10 de outubro de 1940.

Muito obrigado lhe fico por ter escrito logo avisando-me da chegada dos meus livros.

Estou com os seus poemas aqui, emprestados pelo Mário. Gostei de todos, mas as minhas preferências vão para o soneto "Momento" e para o "Poema íntimo".

Se o soneto fosse meu, eu diria no 4º verso do 2º quarteto "Dizendo a minha mãe por que parti". Acho "Mamãe" a palavra mais do fundo da ternura mais íntima que trazemos em nós. Pode e deve ser empregado em ocasiões muito raras – quando nos sentimos de novo criancinhas – nos momentos em que feridos pelos outros voltamos para as nossas mamães. Não é o caso de soneto, em que o poeta está numa atitude viril. Creio que aqui "minha mãe" ficará melhor.

No outro soneto estou de acordo com o Mário acerca da frase "que os bons e os santos gera". Acho a rima indiscreta e "santos gera" muito desagradável como som. Me parece possível consertar abandonando a ideia e buscando outra.

Creio, meu caro Alphonsus, que, sem abandonar outras esferas da poesia, você pode dar no gênero coloquial coisas definitivas, como já são "Momento" e "Poema íntimo", que reputo de primeira ordem.

Grande abraço do

Manuel

P.S. No soneto gostaria de outro adjetivo para mundo, em vez de "traiçoeiro". Qualquer coisa como "mundo formidável": "Formidável" tem o defeito de ter na tônica a mesma vogal de "tarde".

M.

55. Ao mesmo

Petrópolis, Hotel Orleans, 9 de fev[ereiro de] 1941.

Descendo ao Rio no dia 23 do mês passado, recebi sua carta do dia 21. Não lhe pude responder, porque no dia seguinte caí de cama com uma gripe de todos os diabos. Quinze dias de molho. Só anteontem pude fugir ao forno do Rio. Naturalmente a fraqueza em que fiquei me impediu de providenciar sobre o assunto da sua carta.

Mas é fácil a você obter todas as informações com o Múcio Leão, cujo endereço é Rua Fernando Mendes, 7, ap. 122. Escreva-lhe sem cerimônia, pois sei que é seu grande admirador.

Receba um abraço do amigo

Manuel

56. A João Alphonsus de Guimaraens

Rio [de Janeiro], 5 [de] set[embro de] [19]41.

Você não poderia dar-me melhor lembrança do que o autógrafo daquele soneto de seu pai, pois é um dos poemas a que mais quero bem. Fiquei realmente comovido com o presente. Mas repare que a diferença não está só na pontuação. Está também "floria" e não "floriu": "Em minh'alma floria um novo carme". Vê-se pelo autógrafo como era seguro o gosto do velho Alphonsus nas correções: sempre para muito melhor. Mandei fotografar o autógrafo.

Seu conto não sei se sairá na tal *Revista do Brasil*. A comissão parece que não gostou. Você está enganado se me imagina revolucionando a Academia. Aquilo é irrevolucionável. A turma da revolução é o Couto, o Cassiano e o Múcio.

Grande abraço do

Manuel

57. A Alphonsus de Guimaraens Filho

Rio [de Janeiro], 7 de outubro de [19]41.

Recebi os sonetos. Para que a minha opinião? Você é desses poetas visceralmente poetas, que interessam sempre à gente, façam o que fizerem. Os sonetos estão todos muito bonitos, nem me parece indiscreta a influência que possa haver de seu pai.

A propósito de metrificação, desejava saber se na sua pronúncia normal você faz elisão da vogal nasal ou ditongo nasal finais com a vogal seguinte. Nos seus versos você costuma fazer a elisão ("à minha solidão chegam as cantigas"). Os quinhentistas (Ferreira sobretudo) faziam muito isso. Você elide mesmo em "As nossas mãos em adeus se desfolham". No entanto não faz em "me desfazer em asas na distância" e "Loura Suzana que não tem amantes". Pergunto se isso é querido, porque seria facílimo pronunciar normalmente "Nossas mãos em adeuses se desfolham".

Não pense que vai censura nisto. Ao contrário, acho que essas pequeninas licenças dão um certo "jogo" pessoal aos seus versos e se harmonizam com outras fluidezas da sua metrificação. Certos hiatos como "de Ti aceito" etc.

Estou falando destas elisões porque me interessa saber a sua pronúncia habitual.

No soneto "Asas" está escrito "Que amo os céus e os rios transparentes". Aqui creio que você se esqueceu de escrever o pronome, porque evidentemente fica melhor dizer "Que eu amo os céus e os rios transparentes".

E quando vem o livro?

Um grande abraço do

MANUEL

58. AO MESMO

RIO [DE JANEIRO], 19 DE OUT[UBRO DE 19]41.

Tenho um mundo de coisas por fazer, mas não posso deixar de responder imediatamente à sua carta de 16, recebida neste momento. Quando um poeta da sua força me pede conselhos, fico cheio de dedos, com medo de desviá-lo para o meu caminho, quando quem tem força anda sozinho. Mas desde que o sujeito tem bastante força para decidir por si sobre as sugestões alheias, então tudo está muito bem. Sua última carta mostra que você é dos tais. Já agora não tenho mais escrúpulos de lhe falar. No caso das elisões de vozes nasais, prefiro não as fazer (salvo o caso velho do *com o*), mas não me repugna absolutamente ver a elisão num bom poeta como você, no qual a elisão não é licença, e ao contrário é elemento de força. Você tem toda a razão, e eu entrego a mão à palmatória: "As nossas mãos em adeuses se desfolham" é muito melhor, como força expressiva e como ritmo, que "Nossas mãos em adeuses se desfolham". Nas observações que fiz, quis ver até que ponto eram conscientes e justificáveis as suas elisões dessa espécie. Mais uma vez você provou que *nasceu feito*. Não fale de mim como sonetista. "Um sorriso" faz também os encantos do gramatical e parnasiano Oiticica. Por isso até desconfiava do bicho. O seu voto altera a situação. A verdade, Alphonsus, é que soneto é poema de decassílabos. Mas... Só ultimamente é que fiz uns dois ou três bons sonetos, porque me pus na escola de Quental, que é a escola de Camões, que é a escola de Petrarca, que é a escola de Dante... e paremos aí que estamos no sétimo céu. É, a "Renúncia" foi o meu melhor sonetinho até 1929 ou 1930, quando traduzi os três sonetos da Browning e peguei o jeito. Saiu melhorzinho porque o fiz num subdelírio da minha tuberculose (41 graus de febre).

(o que espero seja daqui a uns sessenta e tantos anos) e se fizer uma edição crítica de suas obras poéticas há de aparecer um Sousa da Silveira para o interpretar e defender das possíveis cavalgaduras do fim do século XX...

Um grande abraço do

MANUEL

62. AO MESMO

RIO [DE JANEIRO], PRAIA DO FLAMENGO 122, AP. 415. [1942?]

Só hoje respondo à sua boa carta de 7 de abril.

Mas dou-lhe ideia da minha agitação dizendo-lhe que tenho de responder muito às pressas: são 9 1/2 da manhã, tenho de sair às 10 e ainda não tomei o banho! (O telefone já me interrompeu três vezes depois que comecei estas "mal traçadas linhas"!)

Não sei como os outros vivem, se eu, simples e pobríssimo poeta lírico, não tenho tempo para um bom papo com os amigos!

Obrigado pelo que me diz do "Último poema do beco". Tive muito prazer fazendo esses versos, pois havia mais de um ano que a inspiração não vinha. Mas devendo mudar-me, desci de Petrópolis para ver um apartamento, vi, gostei, fui à Light tratar da transferência de gás, luz e telefone, fui ao proprietário, fechei o contrato... Quando voltei ao quartinho da Rua Morais e Vale, caí na cama estrompado e me bateu uma bruta dor de corno de deixar aquele cantinho onde fui feliz. Fiquei assim umas duas horas, e na ocasião em que tinha de sair para um jantar, começou a vir o poema... Garatujei as duas primeiras estrofes, certo que a torneira secaria. Saí sem papel nem lápis. Pois no bonde a coisa continuou vindo. Quando cheguei ao meu destino, pedi lápis e papel, rabisquei as minhas notas e só então pude jantar sossegado. Voltando a casa à meia-noite, bati tudo à máquina.

E com surpresa verifiquei que tinha feito um poema de sete estrofes, cada estrofe de sete versos, cada verso de sete sílabas! Tudo perfeitamente regular! Hão de pensar que foi de caso pensado. Pois não houve a menor intenção.

E como sei que você me quer muito bem, mando-lhe o corpo de delito, para que você o guarde como lembrança do seu velho amigo

MANUEL

P.S. Um grande abraço pelos dois contos do prêmio da Academia! Depois escreverei sobre o caso. Mando-lhe o meu *ex-libris*.

63. A Fernando Mendes de Almeida

Rio [de Janeiro], 24 de maio de 1942.

Deu-me grande prazer a sua carta de 11, só ontem recebida.

É verdade, mudei-me para a Praia do Flamengo, 122, ap. 415 (Edifício Maximus) pelas razões que dei no "Último poema do beco", publicado n'*A Manhã*. Tenho aqui mais praça para os livros: pude meter em casa mais duas estantes. Tenho uma saleta, quarto de dormir, sala de banho e *kitchenette* (que é como se chama agora um metro quadrado de cozinha). Estou muito contente, porque é a primeira vez que moro em casa novinha em folha; e porque sendo meu apartamento no fundo do edifício, à noite o silêncio é absoluto.

Tenho trabalhado por demais. Preparei uma edição de Quental (os sonetos e poemas escolhidos, com prefácio), a qual deve aparecer nestes dois meses.

Os amigos, de cuja saúde V. indaga, vão bem – Silveira, Nascentes (muito abafado ainda com o caso do vocabulário), Sacha etc. Um grande abraço para o quarteto e os meus melhores votos de um concurso vencedor.

Manu

64. A Carlos Drummond de Andrade

[...] 5 [de] VIII [agosto de] 1942.

Poema onomástico

Itabira, Itabira,
Itabira de Mato Dentro!
Em verdade o teu nome
Só poderia ser mudado para
Itabira de Carlos Drummond de Andrade.

Manuel Bandeira

65. A Alphonsus de Guimaraens Filho

Petrópolis, 14 de março de 1943.

Respondo à sua carta de 13 de fevereiro, de Petrópolis, onde ficarei até o fim deste mês. O meu endereço é Hotel Suíço, R. Benjamin Constant, 280.

Achei deliciosa a sua "Surdina". Você conhece o segredo do refrão, e estes versos são mais uma prova disto (em muitos poetas o refrão não passa de uma repetição ociosa, já reparou?). Isso me deu o tema para um poema onomástico em seu louvor e no de seu pai. Assim:

Refrão de Glória, eis vem, no trilho
Do pai – dois mestres em refrães –
Trás Alphonsus de Guimaraens
Alphonsus de Guimaraens Filho.

Pretendo fazer imprimir no Recife essa minha coleção de poemas onomásticos, simples brincadeiras ou palavras de afeto aos amigos e às amadas. Fiz vários aqui neste repouso de Petrópolis, em que a inspiração se sentiu estimulada pela profunda ociosidade e por um livro encantador de Juan Ramón Jiménez (conhece...? Que poeta!) – *Canción* – emprestado pela Gabriela Mistral.

Outro dia fui rever um recanto de Petrópolis onde morei um verão com meu pai. No próprio ônibus rabisquei num recibo do correio esta

PEREGRINAÇÃO

O córrego é o mesmo.
Mesma aquela árvore,
A casa, o jardim.
Meus passos a esmo
(Os passos e o espírito)
Vão pelo passado,
Ai! tão devastado,
Recolhendo triste
Tudo quanto existe
Ainda em mim de mim,
– Mim daqueles tempos!

A *Revista Brasileira* com os seus sonetos sai este mês ou em abril.

Não se esqueça de me mandar dizer quando pretende pôr em letra de forma os sonetos. Você não está esperando para isso o meu prefácio? Escrevê-lo-ei em cima da hora (habituei-me a só escrever em cima da hora...)

Espero abraçá-lo no Rio em maio, *im wunderschönen Monatmai!* Um grande abraço em Heine, meu caro poeta.

Muito seu,

MANUEL

66. A Francisco de Assis Barbosa

Rio [de Janeiro], 27 [de] dez[embro de 19]43.

Chico, aproveito esta folha de papel rabiscada por mim numa das sessões da Academia, para lhe mandar um grande abraço de Natal e Ano-Bom, desejando que 1944 corra para você, Eunice, Isabel, Cristina, *sur des roulettes*.

Tive um fim de ano trabalhosíssimo, devendo substituir o Sousa da Silveira (que há mais de um mês está doente) em 14 bancas de exame na Faculdade de Filosofia.

Então, quando é a mudança para cá?

Muitas saudades do

Manuel

67. A Alphonsus de Guimaraens Filho

Petrópolis, 6 [de] [janeiro de 19]44.

Aqui está o prefácio prometido para os *Sonetos da ausência*. É também um soneto, – porque afinal me pareceu que não ficava bem nenhuma explicação preliminar a livro que se explica tão bem por si mesmo na sua emoção tão fina e nos seus ritmos tão raros.

Pago os juros de mora mandando-lhe os *Sonetos espirituales* de Juan Ramón Jiménez.

Agora, diga-me uma coisa: você leu n'*A Manhã* um artiguete que escrevi dia do aniversário de seu pai?

Estou descansando em Petrópolis até fim de fevereiro. Endereço: Hotel D. Pedro, Praça D. Pedro, 26.

Muitos bons Anos a você, a Hymirene e todos os seus.
Grande abraço do velho amigo

Manuel

68. A Carlos Drummond de Andrade

Petrópolis, 18 de janeiro de [19]44.

Breno de Sousa Leite, inspetor secundário, atualmente servindo no Ginásio de Entre Rios, Estado do Rio, deseja ser transferido para Petrópolis ou para o Rio ou para Niterói. Desempenha o cargo desde 1934 e já esteve em Lorena, São Paulo, e cidades do estado do Rio.

Esse pedido me foi feito pelo Cláudio de Sousa, parente do homem.

Estou descansando em Petrópolis e meio foragido porque há duas vagas na Academia. Meu endereço (reservado, portanto) é Hotel D. Pedro II, Praça D. Pedro II, 26.

Parabéns pela "Procura da poesia", que li domingo no *Correio da Manhã*. Está ótima.

Trouxe para cá muitos autores hispano-americanos e velhos cronistas espanhóis que se ocuparam da América. Num destes encontrei uma frase, dita a propósito de índios invertidos, que é muito boa de aplicar a certa gente de hoje: *Son asimismo grandísimos putos, que mucho se usa...* O autor é o Padre Gómara, Capelán de Cortés.

Grande abraço de

Manuel

69. A Alphonsus de Guimaraens Filho

Rio [de Janeiro], 11 de março de 1944.

O editor Martins, de São Paulo, publicou agora uma antologia – *Obras-primas da lírica brasileira* – seleção minha e notas biobibliográficas do Edgard Cavalheiro. Seu nome não está nela e o nome de seu pai saiu estropiado: Afonso de Guimaraens. Fiquei muito aborrecido com isso. Quero dar-lhe uma satisfação particularmente e depois darei outra pública.

Se há alguém que não deve duvidar da minha admiração e estima é você: considero-o desde já como um dos grandes poetas definitivos do Brasil. Como então escapou o seu nome? O caso se explica assim: eu fazia a escolha dos poemas e comunicava ao Cavalheiro, que em São Paulo os fazia copiar das fontes por mim indicadas. Uma carta perdeu-se e na revisão apressada que fiz do livro antes de subir para Petrópolis não atentei na sua falta. Você estava na tal carta, onde também estava o Adelmar

Tavares, a quem quero bem e desejava incluir na coleção. Espero que o volume tenha novas edições e então remediarei essa falha enorme de uma antologia da lírica brasileira sem o meu querido Alphonsus de Guimaraens Filho!

Perdoe a este miserável antologista que se confessa corrido de vergonha.

MANUEL

70. A FERNANDO MENDES DE ALMEIDA

RIO [DE JANEIRO], 3 [DE] MAIO [DE 19]44.

Gostei de saber notícias suas pelo bilhete de 4 do mês passado. Quando alguém volta de São Paulo (como agora o Vinicius), indago logo se esteve com você. Mas parece que você mergulhou para sempre na exclusiva felicidade do lar. Deus o conserve assim. A literatura hoje é um campo de batalha e até os velhos amigos andam se engalfinhando.

Não tenho escrito a você porque vivo numa dobadoura, no verdadeiro carrussel fantasma.[16] Saiba, porém, que frequentemente penso em você com o mesmo fiel afeto.

Receba com Nair e derivados um abraço muito saudoso do

MANU

71. AO MESMO

RIO [DE JANEIRO], 7 DE JUNHO DE 1944.

Respondo à sua carta de 1.

Agradeço a você e ao Paulo a ideia da homenagem, mas isso eu não aceitaria, ainda que fosse fácil viajar. Tenho sido convidado pelos rapazes da Faculdade de Direito para ir a São Paulo fazer uma conferência e recuso sempre.

Agora o caso do seu "Itinerário" é outra coisa, e dar-me-ia vivo prazer e deixar-me-ia muito lisonjeado.

Ando agora trabalhando firme numa *Apresentação da poesia brasileira* encomendada por uma editorial do México. Já escrevi umas setenta páginas datilografadas e cheguei ao Augusto dos Anjos. Mas que trabalho de releitura! Imagine que tive de reler pela segunda vez o soporífero *Colombo*!

---

16 *Carrussel fantasma*: título de um volume de poemas de Fernando Mendes de Almeida.

Se lhe interessarem as literaturas hispano-americanas, leia aos domingos no suplemento d'*O Jornal* os artigos de Francelino Ribeiro. É este seu criado (Francelino era o nome de minha mãe e de minha avó; Ribeiro, o nome de família de meu avô). Não passam de notas rabiscadas às pressas para os meus alunos da Faculdade de Filosofia: terão coisas minhas, resumos de coisas alheias, trechos inteiros copiados literalmente: no fim acabei sem saber o que era meu, o que era dos outros. Impossível portanto assinar o meu nome. Consenti na publicação porque prestava com isso um serviço, creio, não só aos meus alunos como ao público em geral.

O Fischer (*Americ-Edit.*) está imprimindo uma segunda edição aumentada das *Poesias completas* e do *Guia de Ouro Preto*. E o Murilo Miranda vai dar uma edição de luxo (com desenhos do Guignard) das minhas traduções de poetas estrangeiros – uns setenta poemas. Eis aí a verídica enumeração das últimas audaciosas atividades do bardo.

Receba com os seus um grande abraço e as saudades do velho amigo

Mané

72. A Alphonsus de Guimaraens Filho

Rio [de Janeiro], 23 [de] julho [de] 1944.

Foi com grande alegria que recebi a sua carta de 6, onde vinha a notícia do nascimento de Afonso Henriques de Guimaraens Neto. Receba e transmita a Hymirene o meu abraço de congratulação. Logo providenciei para saudar num jogo onomástico o novo Alphonsus, e saiu-me a coisa assim:

De Alphonsus Pai e Alphonsus Filho,
Grandes poetas do meu afeto,
Herde, com a mesma força e brilho,
O místico dom Alphonsus Neto.

Agradeço-lhe de coração as palavras tão afetuosas de sua crônica.

Participo-lhe que sou agora aviador: fui a São Paulo assistir às festas comemorativas do cinquentenário do município de Rio Preto, boca do sertão do oeste paulista, e fiz a viagem de ida e volta num avião da Vasp. Senti-me inteiramente à vontade e gozei extraordinariamente do voo. Uma beleza!

Passei quatro dias em São Paulo. Voltei anteontem e já remergulhei no trabalho. Tenho de acabar até o fim do mês o livro que estou escrevendo para o Fondo de Cultura Economica do México: uma *Apresentação da poesia brasileira* com pequena antologia, onde você terá o seu lugar de honra.

Muitas saudades de seu velho amigo

Manuel

73. A Fernando Mendes de Almeida

Rio [de Janeiro], 7 [de] janeiro [de] 1945.

Muitos bons anos a vocês!

Tenho o grande prazer de comunicar-lhe que lá para o fim do mês irei a São Paulo tomar parte no Congresso de Escritores. Será coisa de uma semana.

Pretendo trabalhar fora do Congresso, pois estou encarregado de fazer na Academia em abril o discurso do centenário do nascimento de meu patrono Júlio Ribeiro.

Quero pedir-lhe um favor. Tome informações a respeito de possíveis parentes de Júlio Ribeiro: sei que quando ele morreu em Santos (1890), deixou filhos menores do segundo casamento. Ainda viverão? Preciso descobrir dados biográficos do homem além dos escassos que andam em antologias.

Até breve. Um afetuoso abraço do

Manu

74. A Alphonsus de Guimaraens Filho

Rio [de Janeiro], 11 de janeiro de [19]45.

Venho agradecer e retribuir os votos de Ano-Bom que vocês me mandaram. Passei bem as festas, salvo o dissabor de ter partido um dente ao comer um ... *chou à la crème*!

Tinha esperança de lhes mandar como presente de Natal a segunda edição das *Poesias completas* e os *Poemas traduzidos*. Mas até hoje não se acabaram de imprimir. Estão na bica.

Outro dia, fazendo pesquisas na *Gazeta de Notícias* de 1893 para um estudo que tenho de escrever sobre o Eça, tive o prazer de encontrar um soneto de seu pai, assinado Alphonsus de Guymar. Creio que ainda não tinha sido recolhido. Mando-lhe uma cópia. Diga-me se o conhecia já.

Adeus, poeta. Receba, com Hymirene e o menor Alphonsus, muitos pensamentos afetuosos do

Manuel

75. A Clarice Lispector

Rio[de Janeiro], 20 de março de [19]45.

Que surpresa encantadora a do seu bilhete e carta! Só não gostei que você me tratasse de senhor: pelas chagas do Cristo lhe peço que se esqueça dos malditos quarent'anos que separam as nossas idades!

Mando-lhe duas lembrancinhas: a última edição das *Poesias completas* e os *Poemas traduzidos*. Mando-lhe também cópias de três poemas políticos que escrevi, inspirado na comoção democrática que agora sacode o Brasil – inspirado sobretudo pela figura do Eduardo Gomes. O poema "O brigadeiro" foi lido pelo Chico Barbosa (já está inteiramente bom da perna e mais serelepe do que nunca) num grande comício realizado em Belo Horizonte. Todos os meus amigos estão verdadeiramente estarrecidos com essa novidade de minha demagogia poética! Eu, que nunca tive jeito senão para choramingar umas dorezinhas de corno. Quero saber a sua opinião a respeito.

Muito obrigado pela "Donzela pudica". Muito obrigado por tudo, inclusive isto que lhe vou pedir: fazer chegar estes dois livros às mãos da Giovanna Aita e do Magalhães de Azeredo, meu confrade naquela casa mal-assombrada da avenida Presidente Wilson, que tem o nome de Machado de Assis.

Receba as minhas saudades e recomende-me ao cônsul, feliz companheiro dessa joia que é você.

Muito seu,

Manuel Bandeira

76. A Públio Dias

Rio [de Janeiro], 23 [de] abril de 1945.

Acuso recebimentos de suas cartas de 3 e 20 do corrente. Ainda não estou certo de ir ao Congresso de Poesia. Ontem recebi um telegrama da Subcomissão Organizadora anunciando a abertura do Congresso em 29, mas sem *explicar-se*. Eu que pago para não sair dos meus cômodos...

Recebi as poesias de Dona Else Traumann.

Só hoje recebi o meu exemplar do livro de Joaquim Cardozo. Ficou muito bonito: bom papel e lindas ilustrações do Jardim. Que poeta admirável! e como nos dá a sentir o encanto do velho Recife!

Providenciarei para a remessa de mais 2 exemplares do poema de Rilke e outros 2 do livro do Cardozo. Vi aqui uma edição muito fina das *Elegias de Duíno*, com o texto original e tradução em espanhol. Custa 130, creio. Se interessar a V. ou ao Décourt, mande-me as suas distintas ordens.

Receba um abraço do

Bandeira

77. A CLARICE LISPECTOR

RIO [DE JANEIRO], 23 DE NOVEMBRO DE [19]45.

Um dia que eu estava me caceteando no Lido num desses almoços-homenagens, lembrei-me de você e as minhas saudades se traduziram numa quadrinha que escrevi no menu e passei ao Chico, que estava sentado em frente de mim. Agora quis relembrá-la e não consegui. Só me recordo que fazia uma brincadeira verbal com o seu nome e o último verso era

Clara... Clarinha... Clarice.

Vou ver se o Chico guardou o papelzinho ou se lembra dos outros versos para lhe mandar. Conto-lhe isso só para dizer que tenho sempre muitas saudades de você, Clarice. Sobretudo do seu olhar e da sua voz, ambos tão pessoais. Quando é que vocês pensam vir ao Brasil?

Demorei em responder a carta que você me escreveu porque contava que saísse em princípios de novembro a minha *Apresentação da poesia brasileira* – queria escrever ao lhe mandar um exemplar do livro. Mas a impressão demorou mais do que o editor contava. Irá depois.

Estou esperando com grande curiosidade o seu segundo romance. Primeiro, porque tudo que vem de você me interessa. Segundo, porque ouvi dizer que o Alceu Amoroso Lima anda dizendo que o novo romance ainda é melhor que o primeiro.

Sabe que vou dar em livro, editado pelo Zélio Valverde, a minha antologia dos poetas bissextos? Sai a matéria já aparecida em *Autores & Livros* mais outros bissextos (Chico, Joel Silveira, Guilherme Figueiredo etc.). Se tivesse comigo aqueles poemas seus que você me mostrou um dia, incluiria você também. Ficará para uma segunda edição. Quer me mandar algumas coisas? Você é poeta, Clarice querida. Até hoje tenho remorso do que disse a respeito dos versos que você me mostrou. Você interpretou mal as minhas palavras. Você tem peixinhos nos olhos: você é bissexta: faça versos, Clarice, e se lembre de mim.

Sua carta de julho deu uma grande alegria. Você nunca é falante, barulhenta. O que você escreve nunca dói nem fere os ouvidos. Você sabe escrever baixo. E sua assinatura, Clarice, é você inteirinha:

Clara... Clarinha... Clarice...

Receba um grande abraço do velho amigo

MANUEL

P.S.: Peço-lhe o favor de fazer chegar às mãos de Nella Aita a carta inclusa e este pacote de livros. De antemão, muito obrigado.

78. A Antonio Candido

Petrópolis, 11 de março de 1946.

Você tocou de leve o problema das antologias: aí está um bom assunto para um ou dois rodapés. Lembra-me de ter lido boas páginas sobre isso no Alfonso Reyes e no prefácio do Dudley Fitts à *Antologia da poesia latino-americana*. Uma antologia, ainda adotando de saída um critério único e rígido, resulta sempre imperfeita. A verdadeira solução são muitas antologias. A sua ideia é muito interessante: por que não a realiza? Sou autor de várias antologias e afinal ainda não fiz uma que fosse verdadeiramente a *minha* antologia, uma antologia que fosse ferozmente individual, e que eu faria para levar à clássica ilha. Esta seria em grande parte formada de estrofes de poemas e até de versos isolados. Mas esse gênero de antologia só tem importância quando o autor é um grande poeta e eu nunca me senti grande poeta, por mais que vocês o digam. O melhor que posso pensar de mim é que sou um bom poeta menor. Mais de uma vez sugeri ao Mário que ele organizasse uma antologia de poetas brasileiros, e tenho grande pena que nunca o fizesse. A propósito da escolha dos poemas de Mário devo dizer-lhe que a fiz consultando o próprio poeta. Aceitei o que ele me indicou, tanto mais que combinava com o critério geral: assuntos brasileiros e evolução de fundo e forma em cada poeta marcante. Na minha seleção para as *Obras-primas da lírica brasileira* fiz uma coisa que não confessei no prefácio: procurei conciliar o grande público com os poetas modernos considerados difíceis e por isso tão atacados – Carlos Drummond, Murilo Mendes etc.; assim, em vez de escolher na obra deles as coisas mais fortes, busquei as mais acessíveis. As coisas fortes modernas fui tirá-las dos bissextos, que não perderiam nada em ser desentendidos e maltratados. Com isso a antologia ficou imprestável para o estrangeiro no sentido de "apresentar" a nossa poesia. Um Neruda, por exemplo, tomou-se de grande admiração pelo "Defunto" e poderá ter imaginado que o excelente bissexto Nava é mais importante que o Mário, o Carlos, o Schmidt, o Murilo, o Vinicius.

Num ponto eu discordo resolutamente de você: parece-me injustificável excluir de uma antologia todo poema que na essência e na expressão seja uma obra-prima, por mais conhecida que seja de toda a gente: na poesia espanhola, por exemplo, as trovas de Jorge Manrique, na portuguesa o "Sôbolos rios" de Camões, na hispano-americana o soneto "Tuercele el cuelo al cisne" de González Martínez etc. etc. É verdade que na poesia brasileira há poucas coisas assim, e o seu critério é mais praticável.

Como disse atrás, em toda literatura é preciso que haja muitas antologias, organizadas por sujeitos de gosto diverso. Tenho viva curiosidade de conhecer a sua seleção e teria igual curiosidade de ver como escolheriam também o Carpeaux, o Carlos, o Prudente – sobretudo esses.

Desço para o Rio sábado, 16. Meu endereço lá é Avenida Beira-Mar 406, ap. 409.

Manuel Bandeira

79. A Alphonsus de Guimaraens Filho

Rio [de Janeiro], 27 de abril de [19]46.

Meu caro afilhado,[17] recebi a carta, as traduções e o artigo. Anteriormente recebera outra carta com os poemas, que, como tudo que vem de você, foram muito apreciados. Posso vendê-los à *Revista Brasileira*?

Então você também entrou no coro dos amigos da onça que andam trombeteando a minha condição degradada de sexagenário? Leia o suplemento de amanhã no *Diário Carioca*, onde agradeço o carinho dos fãs. Tome a parte que lhe cabe e receba ainda aqui o meu abraço mais afetuoso.

Quanto às traduções, vamos conversar. O Charles Eaton mandou-me uns poemas de Emily Dickinson, pedindo-me que os traduzisse. Fiz as traduções, que já foram publicadas não me lembro mais onde, e ele voltou à carga, querendo outras traduções, entre elas as desses dois poemas que você me mandou. Eu estava no momento, como estou ainda agora, abarbado de trabalho. Passando os olhos nos poemas, vi que a tarefa era dura. Em todo o caso, fiz umas tentativas e fracassei. Vejo que a coisa foi parar em suas mãos. Menino, você se meteu em camisa de onze varas! Mas não se saiu de todo mal. Evidentemente as suas traduções estão carecendo de maior fervura para chegar ao ponto, mas para o que o Eaton pretende serve.

Em "Pão e música" talvez seja melhor pôr "segurando cristais", em vez de "apertando". O final é que é um cravo. O *beautiful and wise* é muito bonito em inglês, mas como traduzir isso? "Bela" não serve: os românticos brasileiros abusaram tanto da exclamação "ó bela!" que hoje ela não pode ser empregada senão com um certo sal humorístico; e "singular" não substitui absolutamente *wise*. Talvez se pudesse dizer "ó formosa e discreta", o que não é nem tão bonito nem exatamente a mesma coisa (não há palavra em português – falo com trinta anos de experiência em traduções de verso e prosa – para *wise*).

Mas aqui peço licença para lhe dar uma lição: sempre que você quiser traduzir um poema, faça um estudo preliminar no sentido de apurar o que é essencial nele e o que foi introduzido por exigência técnica, sobretudo, de rima e métrica. Isto feito, se aparecerem dificuldades que digam respeito ao último elemento (o que não é essencial e pode ser alijado), resolva-as alijando o supérfluo, mesmo que seja bonito. É o caso desse *beautiful and wise*. Lindo sem dúvida, mas dispensável, já que intraduzível. E arranje um verso bonito para o fim com um verbo da primeira conjugação.

Quanto ao "Canto fúnebre" tenho algumas sugestões que o podem melhorar.

Assim é e assim será, como sempre foi etc.

Para as trevas lá vão os sábios e os belos. Coroados
De lírios ou de louros, lá vão;

Contigo, dentro da terra, amantes e pensadores
A resposta aguda e pronta, o riso, o amor, o olhar, o gesto
Foram-se para alimentar os lírios. Belo e jucundo

---

17 Bandeira foi padrinho de casamento de Alphonsus.

É o lírio. Cheiroso é o lírio. Bem sei, mas protesto.
Mais preciosa era a luz em teus olhos do que todos os lírios do mundo.

Justificação: "*honest*" não significa "honesto" e sim "franco, sincero". O adjetivo não me parece essencial e estou certo que a Edna Saint Vincent Millay (nome fabuloso Edna Saint Vincent Millay: é um verso, é uma maravilha! Quantas vezes me tenho surpreendido a repetir Edna Saint Vincent Millay, Edna Saint Vincent Millay, Edna Saint Vincent Millay, como repito um verso de Villon ou de Racine ou de Mallarmé!) Edna Saint Vincent Millay se escrevesse em português tiraria o adjetivo e acrescentaria um substantivo para a rima.

As rosas podem ser substituídas por lírios. Não importa que seja esta ou aquela flor, e era preciso uma flor de nome masculino por causa da rima, já que neste ponto a sua tradução era verdadeira traição: "*blossom*" é flor e não florescimento.

Dentro, lá dentro no fundo das trevas da morte
Vão ter o belo, o meigo, o bom. No silêncio do nada
Vão desaparecer o inteligente, o gracioso, o forte.

Salvo melhor juízo.
Um grande e saudoso abraço para você, Hymirene e o Neto.
O jovem sexagenário

MANUEL

80. A PÚBLIO DIAS

RIO [DE JANEIRO], 10 DE MAIO DE 1946.

Desculpe a um estimado bardo sexagenário a demora em responder aos seus estimados favores. Os fãs continuam agitados: ontem recebi uma homenagem da Rádio Globo e tive de bater as falas ao microfone. Não sei se você teve oportunidade de ouvir essa meia hora de canções e poemas, com uma saraivada intermédia de Manuel Bandeira para lá e Manuel Bandeira pra cá, nas vozes alternadas do locutor e da locutora. Por sinal que esta era uma moça que conheci menina no Curvelo (morava no andar inferior ao meu).

Nunca mais ouvi novas nem mandados da beata radio-cardiogramista sua protegida. Se é verdade o que diz o provérbio francês – *Pas de nouvelles, bonnes nouvelles* – as novelas da beata devem ser ótimas. Assim deseja, para conforto dela e seu, o amimo bravamente sexagenário,

MANUEL
ainda com micose e atualmente em tratamento de raios ultravioleta.

81. A CLARICE LISPECTOR

RIO [DE JANEIRO], 13 DE AGOSTO DE 1946.

Muito obrigado pelo seu cartão-postal de Berna. Espero que vocês se tenham dado bem aí: que não lhes aconteça o mesmo que ao Ribeiro Couto, de quem acabo de receber uma carta melancólica – tão melancólica e desanimada que me espantou. Parece que o poeta anda abafado com as sombras do Jura. Até voltou a poetar no estilo adolescente do *Jardim das confidências*.

Não me venha denegrir aquela viagem de ônibus para Copacabana. Você falou de si mesma e de literatura, mas fui eu que provoquei, porque me interessava conhecer o mecanismo de suas criações. Seu nome aparece frequentemente nas críticas e crônicas literárias, citado a propósito de outros autores.

O mês passado tive que funcionar na Academia para fazer o discurso de saudação ao Peregrino Júnior. O imprudente falou durante uma hora e quarenta minutos, entregando-me um auditório sovado e sonolento. Mas o meu discurso foi uma brincadeira do princípio ao fim. A propósito dos trabalhos de biotipologia do Peregrino lancei em plena Academia a Nova Gnomonia com os seus parás, mozarlescos, kernianos, onésimos e dantas. Zombei do fardão e do lema "Ad immortalitatem", com tanto jeito que fui depois sorridentemente felicitado até pelos acadêmicos mais enfatuados da glória acadêmica.

Escreva-me, Clarice. Escreva carta. Um cartãozinho seu já é uma delícia. Mas eu quero a delícia maior das cartas. E fale de você. Fale muito de você. Nunca tenha medo de falar de você para mim.

Receba um abraço e as saudades de

MANUEL

82. A FRANCISCO DE ASSIS BARBOSA

PETRÓPOLIS, 2 [DE] FEV[EREIRO DE 19]47.

Aqui vai a tradução do poema do tcheco.[18] A morta parece ser a segunda mulher de Éluard: o Cícero disse alguma coisa a esse respeito? O poema é lindo. Mas havia lá uma palavra difícil de traduzir: *bienveillante*. Depois de pensar um dia inteiro pus "amorável". Para achar coisa melhor e fazer tradução de todo o poema com mais precisão seria preciso conhecer o original tcheco.

O Cícero, com esse grupo em que aparece ao lado de Picasso, está mas é torpedeando o Senador Portinari...

Um abraço para você e Eunice, beijos nas gêmeas do velho compadre e amigo

MANUEL

---

18 O poema "Em memória da morta" de Vitezlav Nezval. A tradução está em *Poemas traduzidos*.

83. A Alphonsus de Guimaraens Filho

Rio [de Janeiro], 8 [de] maio [de] 1947.

Acabo de receber a sua carta com os poemas. *Well, well, well,* a influência do Mário é sensível em ambos, mas pode passar porque a sua percentagem é grande. Com certos retoques a coisa pode ser bastante disfarçada e então não tem importância: ficará como está em certos poemas meus ("Não sei dançar", por exemplo, que no entanto todo o mundo acha muito bandeiriano).

Proponho a supressão da 2ª estrofe na "Seresta": a composição ficará mais homogênea com o estribilho "campanulando", "campanulava" ou o meio-estribilho "lunava". Influência à parte, proponho também alterar a 1ª estrofe para meter o 1º verso na medida e desfazer a dupla "península, ínsula". Qualquer coisa como

A campânula da ínsula
o (adjetivo) íncola (fazendo como no verso anterior)
    Campanulando

Na "Vertigem" eu preferiria outra coisa depois de "constelações" em vez de "auroras".

No 14º verso "já ninguém me escuta" em vez de "ouve".

No penúltimo verso acho que não pode ficar o "ó mano". O Mário começou com isso e a gente pode, é claro, empregar o "mano" também, mas será preciso que o resto do poema não tenha nada, nadíssima do Mário: percebeu a nuance?

O "mano" não é indispensável, não faz falta. Ficará até mais *soothing* com um adjetivo ou um advérbio como "de manso".

Quem foi que as acordou? De manso a madrugada
Desce toda de branco, e já não há refúgio...

Nestes dois poemas a influência do Mário não anula o fundo simbolista irredutível, que é em você, como em mim, marca da fábrica (o Mário despregou-se inteiramente dele e pôde fazê-lo porque era elemento adquirido).

Muito obrigado por todos os carinhos de sua carta. Se houver mesmo Congresso, espero poder ir a Belo. Até lá, grande abraço e saudades do velho amigo

Manuel

84. A PÚBLIO DIAS

RIO [DE JANEIRO], 30 DE JULHO DE 1947.

Sinto muito, mas a vida tornou-se tão cheia e tão complicada, que não há mais tempo para a epistolografia... Quantas vezes dei com remorsos uma espiada à sua carta de "último de maio" e dizia comigo mesmo: amanhã respondo. Não adiantam os seus envelopes já subscritados, selados (agora com taxa de registro) e até com meu endereço de remetente...

O soneto de Rilke é muito bonito; a sua tradução, muito péssima. Não disponho agora nem de tempo nem de "fúria sonorosa" para fazer coisa melhor. Prefiro copiar para você as duas últimas produções da fábrica.

Um abraço do

BANDEIRA

85. A JOÃO CABRAL DE MELO NETO

RIO [DE JANEIRO], 30 DE JULHO DE 1947.

Que belo presente você me fez com esta antologia de González Ruano! Muito e muito obrigado por se ter lembrado de mim. Mando com esta um cartão para ser entregue ao Osório Dutra.

Mas se agradeço, muito penhorado, o presente, reclamo contra a falta de cartas. Escreva-me uma, contando-me a sua vida em Barcelona. Tem gostado? Tem tido contato com os poetas da terra? Na última edição das minhas *Noções de história das literaturas* incluí, por sugestão do Carpeaux, umas 28 linhas sobre a literatura catalã, mencionando os nomes de López-Picó, Joseph Carner, Guerau de Liost e, entre os mais novos, Sagarra, Arús, Garsol, Folguera, Salvat-Papasseit, Millás-Raurell e Tomás Garcés. Você conhece essa gente? Que tais são?

Aqui a vida voltou à velha confusão geral. Desapareceu a euforia posterior ao golpe de outubro. Tanto os comunistas como os reacionários metem nojo. O mesmo nojo que me inspira a lama do famoso pátio que o Hildebrando de Góis não mandou calçar, apesar do meu requerimento em verso. Mas no outro dia, chegando ao balcãozinho do meu quarto de dormir, tive o meu momento de poesia e procurei fixá-lo nestas quatro linhas que talvez agradem ao poeta-engenheiro:

A REALIDADE E A IMAGEM

O arranha-céu sobe no ar puro lavado pela chuva
E desce refletido na poça de lama do pátio.

Entre a realidade e a imagem, no chão seco que as espera,
Quatro pombas passeiam.

Receba um abraço do sempre seu amigo e admirador

MANUEL BANDEIRA

86. AO MESMO

RIO [DE JANEIRO], 25 DE OUTUBRO DE 1947.

Há alguns anos o Murilo Miranda vem insistindo comigo para fazer uma edição de luxo dos "Jogos onomásticos" como a dos *Poemas traduzidos*. Prometi que lhos daria, mas depois entrei a hesitar. É que só me agradaria uma edição limitada, só para os amigos. O nosso querido Boca Mole se ofereceu para fazê-la e de novo fiquei hesitante. Agora recebo a sua boa carta e estou decidido a pôr a coisa na rua. Fiquei mesmo entusiasmado e imediatamente comecei a datilografar em papel fino para o correio aéreo toda a versalhada. Espero que ela chegue a salvo em suas mãos.

O livro compõe-se de três partes: "Jogos onomásticos", "Lira do brigadeiro" e "Outros poemas". Não sei bem como deva intitulá-lo. Pensei em dois títulos, que deixo à sua escolha. Um é *Mafuá do malungo*, que me agrada porque se trata mesmo de um mafuá; o outro é, mais distintamente – mallarmeanamente – *Versos de circunstância*. Claro que cem exemplares bastam. Pode pôr na primeira página a dedicatória: A João Cabral de Melo Neto.

A livraria da Casa do Estudante vai lançar no fim do ano uma nova edição das minhas *Completas* (com uns vinte poemas novos). A capa é do Leskoschek. Não me lembro se quando você saiu daqui já tinham aparecido a *Apresentação da poesia brasileira* e *Antologia dos bissextos*, nem se você recebeu um exemplar de cada. Mande dizer.

O Gustavo Barroso e o Peregrino estiveram em Madri para as festas cervantinas. Ao primeiro encomendei o *Cântico* de Jorge Guillén. Ele voltou dizendo que não o tinha encontrado. Já que você me faz tantos oferecimentos, veja se me arranja o livro do Guillén.

Por hoje, só. Um grande abraço e os melhores agradecimentos deste seu velho amigo e admirador

MANUEL BANDEIRA

Veja se me arranja também aí o livro em que o Alonso faz a exegese das *Soledades* do Góngora. Não pude encontrá-lo nem aqui, nem em Buenos Aires nem nos Estados Unidos.

87. Ao mesmo

Rio [de Janeiro], 25 de novembro de 1947.

Recebi a sua carta de 5, com o projeto de portada do nosso livro. Achei-o muito bonito. Se você quiser encher mais a portada para lhe dar ar mais antigo, pode acrescentar depois de "Jogos onomásticos" outro título – "Lira do brigadeiro". Ficaria então assim

Mafuá do malungo
Jogos onomásticos
Lira do brigadeiro
e outros
versos de circunstância

Não acha bom? Quanto à dedicatória mantenho-a. Sempre tive a ideia de dedicar o livro a quem o imprimisse. Fiz até uma quadrinha para o Boca Mole. Agora, depois de sua carta, rabisquei logo esta, que deve ir em página especial:

A João Cabral de Melo Neto,
Impressor deste livro e magro
Poeta, como eu gosto, arquiteto,
Oferto, dedico e consagro.

Outro dia me encontrei na rua com o Joaquim Cardozo, que me disse terem os versos dele sido mandados a você para as suas edições. Com os poemas do Cardozo e os da Clarice Lispector a sua coleção adquire de saída uma grande classe. Estou interessadíssimo no seu empreendimento. Sugiro para depois o Prudente, o Nava e o Aníbal Machado, enfim os grandes bissextos. Digo bissextos bem abusivamente, porque o Prudente e o Cardozo não são bissextos senão na atitude esquiva e se os pus na minha antologia foi porque se não o fizesse ninguém poderia ler os poemas deles.

Fico por aqui. Estou com as mãos ainda doídas de uma desidrose eczematosa bestial. Grande abraço do

Manuel

88. Ao mesmo

Rio [de Janeiro], 16 [de] dez[embro de] 1947.

Respondo à pressa à sua carta de... sem data. Dou-lhe carta branca para tudo que respeita ao livro. O que fiz foi uma simples sugestão provocada pela sua ideia de encher a portada.

Quanto ao oferecimento do nosso amigo, não aceite. Ainda que não houvesse outro motivo, gosto de dever a edição exclusivamente a você. Você não permite que eu contribua pagando o papel? Não seria nenhum sacrifício para mim.

O nosso amigo não andou bem comigo. Quando o Temístocles esteve à testa da Cooperação Intelectual, propôs o meu nome para uma embaixada a Buenos Aires. E eu tinha aceitado, a contragosto, só por causa da insistência do Temístocles. Mas este deixou o cargo e o sucessor, despeitado porque não votei nele para a Academia, vetou a indicação de meu nome, alegando a minha falta de traquejo social, e substituiu-me pelo... Elói Pontes! Mas ele não sabe que eu soube do caso, e continuou a me fazer rapapés... porque continua de olho na Academia. Não que eu guarde rancor, porque sei que no fundo é bom sujeito.

Prefiro, no entanto, não lhe dever nada.

A nova edição das *Completas* está na bica, talvez saia por estes dias. Irá logo um exemplar para você.

Um abraço e os melhores votos de Natal e Ano-Bom.

Muito seu,

Manuel

89. Ao mesmo

Petrópolis, 29 [de] 2 [fevereiro de 19]48.

Acuso recebimento de sua carta de 17 e da *Psicologia da composição*. Estou encantado, encantado. Com o poeta e com o impressor. Você sabe bem o que quer e realiza bem o que quer: *riguroso horizonte*! O Vinicius escreveu-me de Hollywood: "Acabei de receber o livrinho do João Cabral que achei de primeira. Está longe o melhor de todos esses novos."

O impressor ainda não chegou ao *riguroso horizonte*. Não importa: lá chegará um dia e muito breve. A mim as pequeninas imperfeições deste "Opus 1" não desagradam, antes aumentam o meu prazer: dão ao trabalho da matéria aquele calor de mão humana, não sei que estremecimento de emoção, aquela delícia das coisas imperfeitas de que falou o Eça. Está comovedoramente lindo. E gostarei que o meu *Mafuá* saia com esta inefável imperfeição, que é a mesma do brilho vacilante do Setestrelo. Como vê, estou até ficando lírico...

Não precisa pois mandar um exemplar do meu livro por via aérea para eu dar o meu *placet* à edição. Isto é, mande um por via aérea, porque eu estou assanhadíssimo para ver como ficou, mas envie os outros por via marítima. A fim de evitar demoras de remessa e possíveis extravios nos correios brasileiros, peço-lhe que remeta o livro aos seguintes amigos que estão no estrangeiro: Escorel, Vinicius e Ovalle (por intermédio do Escorel), Ribeiro Couto, que está em Belgrado como nosso ministro, Cícero Dias, Vanina Ombredane (27, Ile de Beauté, Nogent/ Marne, Seine), Clarice Lispector (Legação do Brasil, Berne, Suíça, Luisenstrasse 46), Adolfo Casais Monteiro (Rua Pinheiro Chagas, 62, 1º, Lisboa).

Estou com vontade de vender uns vinte exemplares aqui por intermédio do Murilo Miranda para cobrir as despesas que você fez com a edição.

Soube por carta do Escorel da projetada revista. Achei ótima a ideia e colaborarei de *grand coeur*. Darei o meu depoimento sobre os meus processos de fabricação.

Já saiu a nova edição das *Completas* e está para sair a nova edição das *Poesias escolhidas*. Quando eu descer de Petrópolis, tratarei logo de mandar a você um exemplar de cada.

Há dias, tive um sonho engraçadíssimo, verdadeiramente gongorino, ou melhor, conceptista. Pareceu-me um poema completo.

La vida es sueno

Sonhei esta noite
Que estava me lembrando
De ter sonhado
Que estava sonhando.

Acha aproveitável? Responda, *riguroso horizonte*!

Volto para o Rio no dia 9 de março. Escrevi aqui 70 e tantas páginas da biografia de Gonçalves Dias para a editora Ipê de São Paulo. Uma biografia linear, para o grande público, decalcada do livro da Lúcia.

Adeus, grande poeta e grande impressor!

Muito seu,

Manuel

90. A Frèdy Blank

Rio [de Janeiro], 12 de março de 1948.

Moussie liefke, esta manhã depois que falei com você, tomei o meu banho e fui para a cidade. Como lhe disse, o Ribeiro Couto e o Peregrino Júnior (o que eu recebi na Academia) fazem anos, cinquenta anos. Então uns amigos resolveram homenagear os dois. Não sei o que fizeram para o Couto. Para o Peregrino houve uma missa às 10 e meia na igreja do Carmo e esta noite vamos à casa dele levar um presente, um quadro do Portinari. A comissão até ontem estava hesitando entre uma paisagem de Brodowski, umas flores e um espantalho. Quem me contou este último detalhe foi Olguinha, que ontem apareceu com Teófilo em casa de Magu depois do jantar. O jantar de ontem estava *gezellig*. Apreciei muito a volta de *jeep*. Pensei que fosse muito incômodo, mas não. Tem-se um pouco a impressão de estar na guerra, isto sim.

Hoje, dia dos cinquenta anos do Couto, recebi uma carta dele, de Belgrado. Disse que esteve uns dias em Paris no mês de janeiro. Eu tinha mandado a ele o "Poema para Santa Rosa". Vou transcrever as palavras dele: "Achei admirável. Tenho vergonha de haver escrito aquele antigo 'A minha mão é leve'. Neste, pelo sarcasmo dissimulando o pudor da ternura, é que está o verdadeiro poema da mão. Um grande poema, bem Manuel Bandeira, sem nenhuma debilidade de construção, com um domínio absoluto da expressão poética, domínio que de repente 'se rasga todo', estrila, chora e rompe numa longa 'explicação monótona'. Enfim tive um alegrão com este seu poema, que me mostra você no tempo culminante da nossa vida – um daqueles anos 'bem nossos', entre 1920 e 1928."

Depois ele diz que tem feito muito verso ultimamente. Está contente com o trabalho diplomático. "Só me falta agora ser ministro na Holanda e depois embaixador em Lisboa – onde provavelmente morrerei (sinto que morrerei em Lisboa)."

Joanita lhe leva a carta que recebi de Van Ittersum. Sobre o escritor holandês que quer vir ao Brasil me falou hoje na missa o De Clercq.

Ontem fiquei uns minutos parado no largo da Carioca hipnotizado pela figura do Afonso, que vi passar de braço com Isaura. Que transformação! O Afonso romântico, de grande cabeleira, esquelético, substituído depois pelo *snob* diplomata elegantíssimo, cedeu lugar agora a um Afonso caipira de Passa Quatro. Estava vestido com umas calças de casimira azul-marinho e um paletó de brim cinzento azulado, paletó curtinho batendo no meio da bunda, ele gordíssimo, com uma cara mais de português do que a de seu Filinto. Fiquei horrorizado.

Hoje depois do almoço fui à Biblioteca Nacional para copiar uma longa carta de Gonçalves Dias. Tive sorte! O novo diretor quer me agradar a todo o pano (é um possível futuro candidato à Academia) *et s'est mis en quatre* para me facilitar a tarefa. Quando eu me ia sentando para copiar a carta, veio para mim e disse: "Eu mando copiar à máquina para você". Foi uma mão na roda...

Ontem fiz sorvete. Estava um calor danado: como no Tribobó. Com o Rodrigo só estive no escritório. Há uma grande novidade, que ainda é segredo. Portanto não fale a ninguém. O Milton Campos mandou oferecer a ele um lugar ótimo e vitalício em Belo Horizonte: uma solução definitiva para todos. Amanhã ou depois vou jantar com ele para conversarmos sobre o caso.

Acho que ele não deve hesitar. Graciema, que me telefonou ontem, pediu-me que eu procurasse influir no Rodrigo no sentido de ele aceitar o convite.

Creio que já contei todas as novidades. Ah! mais uma: o livro das *Poesias escolhidas* deve ficar pronto na próxima segunda-feira.

Então domingo você fará a sua *rentrée* triunfal no Rio! Vamos fazer tudo para que você sinta o menos possível a falta da guje Getje e dos netinhos – John o mozarlesco, Tontje, o malandro: almoços pantagruélicos no Sul-Americano, cinemas, automóvel à beça etc. etc.

Até lá um grande beijo de

MANEKE

91. A PÚBLIO DIAS

RIO [DE JANEIRO], 13 DE MARÇO DE 1948.

Acuso recebimento de seu prezado favor de 27 do mês passado.

Recebi também pelo correio os cem mil-réis, que não dão para comprar nem um exemplar do livro de Rilke. O preço é 150. Já me entendi com o Murilo Miranda, editor da obra, e ele ficou de arranjar com a Cecília os autógrafos pedidos. Vamos fazer um encontro de contas: preciso de dois exemplares do livro do Vinicius *Poemas, sonetos e baladas*, editado aí (editorial Gaveta). No fim vamos a ver quem fica devendo ao outro.

Então você não conhece ainda o Kafka? Pois saiba que é um sujeito de encomenda para você. Estranhíssimo! Um dia ele foi à casa de um amigo e ao entrar ficou muito encabulado de despertar o pai do rapaz, que estava dormindo numa boa poltrona. Em vez de pedir desculpas, atravessou a sala com o dedo levantado e disse: faça de conta que eu sou um sonho!

Vou remeter-lhe um exemplar da nova edição das *Completas*.

Um abraço do velho amigo

BANDEIRA

92. A João Cabral de Melo Neto

Rio [de Janeiro], 27 de abril de 1948.

Ontem tive a grande alegria de receber o exemplar do *Mafuá*. Está uma beleza. Os pequeníssimos defeitos de impressão podem ser notados pelos técnicos como você, não pelo comum dos leitores. Quanto a mim, fique sabendo que eles me são caros. Gosto da ideia que os meus versos tenham sido para você ocasião de exercitar-se na arte de Coster – *coeur plein de poésie*... Insisto na imagem do Sete-estrelo – minha constelação predileta – a única que me inspira carinho, porque muito próxima de mim, mais humana – as outras têm um ar tão *aloof*, são umas Greta Garbo – *maîtresses vraiment trop insouciantes*!

Achei elegantíssima a declaração da tiragem. Cumprirei com o maior carinho as suas recomendações de remessa do livro a seu pai, ao José Antônio; e sem o menor carinho ao seu chefe. Falarei ao Santa Rosa, ao Jardim, ao Joaquim Cardozo e outros requintados no brilho do Sete-estrelo...

Não sei como lhe agradecer todo o trabalho que você teve com o meu livrinho, senão dizendo-lhe que ele saiu como eu o sonhava e me deixou encantado. Vou mandar-lhe por via marítima os exemplares das *Completas* e das *Escolhidas*. Depois de pronta esta última edição, lembrei-me de mandar imprimir o poema "Infância" para os amigos o incluírem por ocasião da encadernação. Um certo pudor *vis-à-vis* das meninas minhas fãs levou-me a não admiti-lo na edição para toda a gente.

Com esta lhe remeto a crítica do Sérgio Milliet sobre o seu livro. Não há motivo para você calar-se, poeta. Depois desta *Psicologia da composição* seria uma traição a si próprio, aos seus amigos e admiradores, entre os quais – na primeira linha – coloque este muito, muito grato

MANUEL

93. A ALPHONSUS DE GUIMARAENS FILHO

RIO [DE JANEIRO], 9 [DE] MAIO [DE] 1948.

Tenho três cartas suas a responder: duas do mês passado e uma do corrente.

A canção do Beco dos Carmelitas saiu "fácil", não tem nada de mais, ainda que os seus versos, por mais fáceis que sejam, se leem sempre com prazer. "Lua verde", porém, é vinho de outra pipa. Uma coisa deliciosa, tanto pelo sentimento poético como pelas graças da original estrofação.

Estou à espera do *Mafuá*, que deve chegar ao Rio no dia 13 ou 14. Mandar-lhe-ei logo o seu exemplar.

Muito obrigado pelo abraço do dia 19 de abril.

Parabéns pela robustez e tranquilidade do Luís Alphonsus a quem mando um beijo. Outro beijo no Alphonsinho. Para você e Hymirene um abraço e as fundas saudades do

MANUEL

94. A PÚBLIO DIAS

RIO [DE JANEIRO], 26 [DE] MAIO [DE] 1948.

Respondo à sua de 12. Achei graça de você ficar abafado com a opinião do Corbisier sobre a minha poesia. Não há motivo para isso. O homem está no seu direito de não gostar dos meus versos. De meu lado passo muito bem sem a admiração dele. Digo-lhe mais: quando ouvir dessas, mande-me contar, porque elas me divertem.

Mandei já um exemplar do livro de Rilke para o Décourt. Quanto aos do Joaquim Cardozo, não tenho cara para pedir mais exemplares: vocês escrevam diretamente ao Cardozo, que estou certo ele enviará os livros. O endereço dele é... Fui procurar o endereço e não achei. Mandarei depois. As suas contas estão erradas. Nós estávamos quites, pois não estávamos? Portanto, fica me devendo os 150 do livro do Rilke (a tradução de Cecília) e os 10. Ao todo 160. Vou enviar-lhe o exemplar das *Escolhidas* pedido.

Não me fale em conferência em S. Paulo neste momento. Impossível arredar pé do Rio. Agradeça ao pessoal daí que se lembra de mim e desculpe-me junto deles.

Ainda não recebi os livros de Gil Vicente.

Ontem assisti na Academia a cena dramática da morte súbita do Simonsen. Ele estava falando alto e claro. De repente deixou pender a cabeça sobre a mesa: estava morto. Peregrino tentou debalde uma sangria. Foi um lufa-lufa danado. Adeus. Um abraço do

BANDEIRA

95. A Sousa Barros

Rio [de Janeiro], 3 [de] novembro de 1948.

Grande prazer me deu você enviando-me pelo Waldemar Lopes a fotografia do quadro do Cícero. Não o conhecia (o quadro) e achei-o ótimo. Devo dizer-lhe que esse é o Cícero que eu prefiro. As coisas que ele faz agora são muito bonitas, sim senhor, mas em todas as terras, por esse mundo afora, há dezenas de sujeitos que as fazem também e tão bem. Mas o Cícero de antes de Paris era único: só no Chagall se encontrava algo de parecido e o Cícero não se inspirava de Chagall; se inspirava do nosso Pernambuco e de sua infância cheia de assombrações. Tenho esperança que esta fase abstracionista passe, depois de lhe ter servido de escola, de disciplina, e ele volte à velha mina, para extrair o velho ouro com técnica aperfeiçoada. Se lhe for possível, mande-me, por favor, mais uma cópia fotográfica da pintura. Ascenso escreveu-me mas sem mandar endereço. Escrevi uma carta a ele e endereçei-a para o Tesouro. Pergunte se ele a recebeu. Estou pronto a escrever para o livro dele, com o maior prazer. Diga-lhe que, independente dessa edição de luxo, ele precisa dar uma edição comum. A Livraria da Casa do Estudante quer fazê-la na coleção em que já saíram as minhas *Poesias completas*.

Receba um abraço do amigo velho

Manuel Bandeira

96. A Carlos Drummond de Andrade

Petrópolis, 5 de janeiro de 1949.

Antes de subir tive pelo Rodrigo notícia do falecimento de sua mãe. Inútil dizer-lhe como o acompanho carinhosamente no sentimento dessa perda.

Fugi a tempo do calor que está fazendo aí. Aqui os dias são quentes, mas as manhãs e as noites, muito frescas. E é uma delícia a ausência de telefonadas, de repórteres, de poetinhas incipientes, de fãs e outras calamidades.

Trouxe alguns livros de hispano-americanos, um livro do Nabuco e só.

Com o Rodrigo deixei para você um exemplar dos *Poemas traduzidos*, edição da Globo.

Receba, meu velho, um apertado abraço do amigo certo

Manuel

97. A Públio Dias

Rio [de Janeiro], 2 de abril de 1949.

Você tirou-me um susto da alma com a sua carta de 26 de março. Andei imaginando que você tinha morrido! Longe vá o agouro. Em vez de morrer, comprou um automóvel inglês... Parabéns. Faço votos que tudo lhe corra às mil maravilhas na Rua Conselheiro Crispiniano.

Não recebi o último número de *Colégio*. Com esta vou remeter-lhe sob registro dois exemplares dos *Poemas traduzidos*, um para você, outro para o Luciano.

Já comprou os discos com os meus poemas ditos por mim, edição da fábrica Continental? 16 poemas ("Evocação", "Pasárgada", "Profundamente" etc.). Faça propaganda aí, pois se os meus discos se venderem bem, a empresa lançará outros poetas.

Peço-lhe o favor de entregar a carta junto ao magoado poeta Tavares de Miranda.

Lembranças aos seus e um abraço do velho amigo

Bandeira

98. A Alphonsus de Guimaraens Filho

Rio [de Janeiro], 9 de maio de 1949.

Muito obrigado a vocês pelo telegrama do dia 19 de abril. Não tenho podido escrever-lhe, tão atarefado ando. O afeto, porém, nada sofre com esse silêncio, antes se fortalece nas saudades.

A semana passada nos reunimos eu, o Jorge Lacerda, o João Condé e o Augusto Meyer para conversarmos sobre a reedição dos livros de seu pai. Ficou assentado que você seria o editor literário. Eu e o Carlos Drummond o ajudaremos na revisão. Surgiu logo a preliminar: deve a nova edição ser das obras completas (com *Pauvre Lyre* e a prosa) ou simplesmente reedição da de 1938? Bem entendido, acrescentando-se alguns inéditos, que, a seu critério, mereçam incluídos. Eu e o Meyer somos por esta última solução, na qual me parece que nada da glória do velho Alphonsus será sacrificado. Mas está claro que você, como filho e grande poeta que é, tem a última palavra. Outra coisa sobre a qual o Jorge quer a sua opinião é se convém incluir a edição na coleção Biblioteca Popular Brasileira, em que já saíram a *Viola de Lereno*, *Glaura* e as poesias completas de Cruz e Sousa. Outra coisa que nos pareceu melhor a todos é, nesta coleção ou fora dela, fazer a edição em dois volumes.

A respeito da herma, pediu-me o Jorge o ano passado que sondasse o Celso Antônio sobre o preço que ele cobraria pelo trabalho. Depois falou-me que o João conversara em tempos com o Pedrosa e até fornecera a este retratos de seu pai. Que sabe você de tudo isso? Há algum compromisso de vocês com o Pedrosa? Preferem que a escultura seja do Pedrosa? Nisto, como em tudo o mais, quer o Jorge, e queremos nós, que se faça a vontade da família. Dê pois as suas ordens, que eu as transmitirei ao Jorge.

Receba, meu caro, com Hymirene e os meninos, as mais afetuosas lembranças do

Manuel

99. A João Cabral de Melo Neto

Rio [de Janeiro], 20 de setembro de 1949.

Há alguns dias recebi devolvida da Espanha uma carta que lhe escrevi faz meses: eu tinha me esquecido de pôr o endereço. Passeia-a para novo envelope depois de acrescentar umas três linhas. Assim se explica o silêncio em que você reparou na sua última carta, recebida ontem.

Já tinha tido notícia da *Antologia*, que vi em casa do Murilo Mendes. Achei um primor, como tudo o que você vem fazendo. Muito obrigado pelo exemplar que me destina do livro sobre o Miró. Era aliás minha intenção subscrever. Vou falar aos meus amigos. Certamente o de São Paulo, o Públio Dias, e um amigo dele, um certo Dr. Luciano Decourt, vão querer, pois ambos são bibliófilos e vivem me fazendo pedidos. Ficaram assanhados com as suas edições mas eu nem lhe falei nisso, apenas ao Públio dei o *Mafuá*. Quanto às pessoas a quem V. deve enviar o Miró, lembro o Flávio de Aquino, que está substituindo o R. Navarra no *Diário de Notícias*, o Mário Barata, que esteve três anos com bolsa em Paris e está trabalhando no Patrimônio, Mário Pedrosa, crítico do *Correio da Manhã*, Antônio Bento, crítico do *Diário Carioca*, Lúcio Rangel, diretor da *Sombra*. Sujeitos inteligentes e interessados no assunto: Rodrigo, Murilo, José Paulo Moreira da Fonseca... São os nomes que me acodem ao primeiro apelo da memória, decida pelas suas simpatias, sem esquecer naturalmente o Santa Rosa, já mencionado por você.

Desde que V. começou com as suas edições estou interessado que se imprimam os versos do Nava e do Prudente. Mais de uma vez já falei a eles. Gostam da ideia, dizem que sim, mas não se mexem: os bichos são bissextos mesmo, isto é, o Prudente não, mas comporta-se como tal. Vou dar em cima deles agora. Já desentocamos o Cardozo, agora temos que desentocar esses dois, não acha?

Li as suas traduções de poemas catalães na *Revista de Poesia*, e muito as e os apreciei. É incrível que não lhe tenham mandado o número da revista. Vou fazê-lo. E com a revista lhe remeterei um exemplar da minha *Literatura hispano-americana*, acabada de sair. Um compendiozinho sem importância, uma papinha preparada especialmente para os meus alunos da Faculdade, rapazes e moças, sobretudo moças, geralmente com mais de vinte anos, mas com mentalidade de 13.

Pelo próprio Alberto de Serpa soube do projeto da revista *O Cavalo de Todas as Cores*, título que achei muito bonito.

Não conheço os tais versos do Natividade Saldanha.

O Vinicius mandou-me um grande catatau para ser editado sob as minhas vistas. Toda a poesia dele até agora, excluídos os poemas que ele hoje renega (quase todos de *O caminho para a distância* e muitos de *Forma e exegese*). Será o segundo volume da série da Livraria da Casa do Estudante iniciada pelas minhas *Poesias completas*.

Bem, está na hora de eu me vestir para a sessão da Academia. Por falar nisso, há dias me contaram uma muito boa do Conde Afonso Celso. Um sujeito foi pedir-lhe o voto para uma futura vaga. Ao que o nosso Conde respondeu não poder empenhar a sua palavra: 1º porque o voto era secreto; 2º porque não havia vaga; e 3º porque a futura vaga podia ser a dele, o que o poria na posição de não poder cumprir com a sua palavra, coisa a que jamais faltara em sua vida.

Um abraço e as saudades do

MANUEL

100. A Público Dias

Rio [de Janeiro], 19 [de] dez[embro de] 1949.

Boas-festas. Feliz ano santo! Sob registro estou lhe enviando um exemplar da *Apresentação* [da poesia brasileira]. Com esta lhe remeto 36 selos, com valor filatélico, sem valor postal, valendo cada um um cruzeiro, 36 cruzeiros que você deve levar com a *Apresentação* ao crédito de minha conta com V. Sª.

Recebi carta de João Cabral de Melo dizendo-me "seu amigo de S. Paulo ainda não me escreveu". Acho, pois, melhor V. fazer a encomenda diretamente a ele. Endereço: Consulado General del Brasil, Rambla de Cataluña, España.

Estou lhe escrevendo às pressas. Tenho um mundo de coisas para fazer hoje (amanhã subo para Petrópolis, onde vou descansar os meses de férias – janeiro e fevereiro. Meu endereço lá: Hotel D. Pedro II, Praça D. Pedro II).

Me deseje que entre e fique no ano sem aftas. Estou sofrendo de azia e vivo com a boca arrebentada. É de amargar!

Grande abraço do

Bandeira

101. A Alphonsus de Guimaraens Filho

Rio [de Janeiro], 29 [de] 3 [março de] 1950.

Estou muito envergonhado de só agora lhe escrever estas linhas de agradecimento pela oferta de *O irmão*. Estive três meses em Petrópolis; e voltei de lá nos primeiros dias deste mês. Não tentarei explicar este longo silêncio. Na verdade ele não tem explicação senão em certas dificuldades de vida, em certa aporrinhação que tira à gente o gosto de comunicar por carta com os amigos. Faço questão de não me desculpar, faço questão de reconhecer que mereço grau o em comportamento para com o poeta e amigo tão do meu carinho. Seus versos, naturalmente, me agradaram muitíssimo: tudo que você faz me agrada. Lendo-o, tenho sempre a impressão de o estar olhando bem nos olhos. Receba, pois, o meu grande abraço de "irmão".

E com Hymirene e os meninos as saudades do velho

Manuel

102. A João Cabral de Melo Neto

Rio [de Janeiro], 1º de abril de 1950.

Mexendo na minha correspondência depois de voltar de Petrópolis, encontrei uma carta sua que não sei se já respondi. Tenho uma vaga ideia que respondi de Petrópolis. Mas como nela você me fala de um poema que estava escrevendo, um poema sobre o Capibaribe, venho lhe perguntar se você tem trabalhado nele. Achei engraçado que o José Antônio Gonçalves de Melo Neto também está inspirado pelo nosso rio, e até quer que eu escreva o prefácio do livro, o que me honra muito e me assusta ainda mais. Logo que o seu poema estiver pronto, mande-me uma cópia. Estou cheio de curiosidade, tanto mais que você anuncia uma virada de pé com cabeça na sua maneira de encarar a poesia. A respeito de retórica, tenho grande admiração pelo Neruda (agora preciso fazer força, porque ando com muito nojo dos comunas), mas sempre o achei muito retórico, muito palavroso. Sinto que ele é o poeta de mais seiva na Hispano-América, mas francamente gosto mais do Jorge Carrera Andrade, que justamente agora acaba de publicar uma pequena coleção de poemas notáveis: *Aquí yace la espuma*. Conheço o Prévert (a Gabrielle Mineur me deu *Paroles*). Ainda não tive um vagar para o ler mais atentamente.

Em Petrópolis, no dia 2 de janeiro, fiz estes versos que lhe estou mandando. Fiquei bem contente, pois havia muito tempo que a Musa não dava um ar de sua graça. Fora disso, só uma tradução de... *La cigale et la fourmi* e mais versinhos onomásticos.

Um abraço e as saudades do

Manuel

P.S. E as operações continuam?

103. A Públio Dias

Rio [de Janeiro], 31 [de] julho [de] 1950.

Quando recebi sua carta penúltima estava de cama com uma gripe, que passou mas me deixou quase completamente surdo. Completamente quase, e definitivamente sem quase (trata-se de uma nevrite, e como tem por causa o micróbio da gripe, irregressível). Já me muni de um Telex 200, a última palavra em matéria de aparelhos ortofônicos.

Satisfazendo ao seu pedido mando-lhe um cartão para o Temístocles Graça Aranha (o endereço da legação no Cairo é "Brazilian Legation – 14 Sharia El Guezirah – Zamalek – Cairo – Egito". Fique bem entendido que o número é 14).

Recebi a revista ou jornal com a tradução da sua balada: em alemão ficou melhor. Não tome como deboche: o meu "Mozart no céu" também me parece que ficou muito melhor em inglês.

Nas eleições vou votar com o meu partido que é o P.S.B. Brigadeiro com Plínio "sob a mesma bandeira" não é mais brigadeiro 100%. Mais uma desilusão. Enfim, pior é ficar surdo...

Um abraço do abafado

M. B.

104. A João Cabral de Melo Neto

Rio [de Janeiro], 24 de agosto de 1950.

Fiquei muito contente hoje ao ler no *Correio da Manhã* sua remoção para Londres, não só porque o posto é ótimo, como porque lá V. terá a companhia de Zaide e Jim. Estou em grande falta com V., mas é que andei doente. Caí de gripe em fins de maio, uma gripe que parecia coisa à toa e no entanto teve a desastrada consequência de me deixar quase completamente surdo. Uma grande maçada, que me pôs até hoje abafadíssimo. A princípio parecia tratar-se de catarro nas trompas. Não era catarro não; era, sim, uma boa nevrite e das que não regridem. Resultado: tive de recorrer a um desses aparelhos ortofônicos, que remedeiam, mas não substituem completamente o "dom divino". Depois, eu pensava que ser surdo era simplesmente não ouvir, o que em certas ocasiões (para trabalhar ou para dormir, por exemplo) é negócio. A minha surdez, talvez por ser causada por nevrite, é acompanhada de uma sensação pau, que não sei definir bem, parece um peso ou melhor, aquilo que a gente sente quando entra água nos ouvidos. Às vezes tenho a impressão de estar vivendo uma vida subterrânea. E V. como vai nesse capítulo de saúde?

Um grupo de rapazes, entre os quais o Fernando Sabino e o Paulo Mendes Campos, vão lançar em setembro uma revista intitulada *Literária*. Instaram muito comigo para que eu escrevesse as minhas memórias relativas à poesia. Pelo meu gosto jamais faria isso, não tenho jeito para memórias, mas o Fernando insistiu tanto que tive de lhe satisfazer a vontade. A coisa levará o título de *Itinerário de Pasárgada*. Nada mais tenho escrito. De verso, neca, salvo uma peça de circunstância – "Poema em louvor da aeromoça", vou ver se tenho cópia para V.

Saiba, meu caro, que sou candidato a deputado!!! V. me vê, já não digo deputado, mas candidato a deputado? Do meu partido (o socialista) me telefonaram pedindo-me autorização para incluir o meu nome na chapa. Respondi que não tinha jeito para a política, que não os podia auxiliar em nada. – Você já auxilia muito dando o seu nome. Que é que eu havia de opor? Pois então que levassem o nome! Claro (felizmente) que não há a menor mínima possibilidade de eu ser eleito.

Muito obrigado pelo catálogo da exposição dos três pintores catalães. E obrigado também pelo que fez ao meu amigo Públio Dias, o colecionador de Quixotes. Por sinal que ele não recebeu mais notícias suas e está muito receoso de ter cometido alguma burrada com você. Foi mesmo?

Repito que estou cheio de curiosidades em relação ao seu *Cão sem plumas*. Logo que V. possa, mande-me uma cópia do bicho. Por falar nisso, fique tranquilo: não é verdade que haja aqui o gosto de desancar o primo. Pelo contrário, ando sempre lendo referências amáveis a V., e o Sérgio Buarque de Holanda é seu admirador, segundo conversas que tenho tido com ele. Mas ele tem o gosto de discutir. Achei muito interessante o que a propósito da sua reviravolta V. diz a propósito de minha poesia. Gostaria que a esse respeito V. escrevesse qualquer coisa, precisando a maneira por que V. agora a vê. Que é do 2º número do *Cavalo*? O primeiro está uma beleza. Recebi do Vinicius o livrinho com o "Pátria minha". V. deve ter sabido que ele perdeu o pai e uns quatro dias depois morreu a avozinha, de quem ele tanto gostava. A morte do pai parece que foi devida à barberagem do médico. Dias antes eu falara com ele na cidade. Estava forte e bem-disposto. Teve que ser operado da vesícula e aí é que se passou qualquer coisa, porque a operação correu muito bem e dias depois, já em casa, ele teve uma hemorragia interna e morreu.

Adeus, meu velho. Escreva ao primo, seu muito amigo e admirador,

MANUEL

105. AO MESMO

PETRÓPOLIS, 1º DE JANEIRO DE 1951.

Antes de mais nada os meus mais afetuosos votos de felicidades no ano que hoje começa. É a você que escrevo a primeira carta em 51, porque me sinto muito em falta, muito envergonhado de não lhe ter dito logo a excelente impressão que me causou a leitura do *Cão sem plumas*. Nunca me pareceu onanista o intelectualismo dos seus livros anteriores. Parecia-me, sim, uma espécie de exercício, mas exercício que não excluía a categoria altamente poética. Exercícios, estudos como são em música os de Chopin, Debussy e outros, só que você os fazia para si mesmo, como querendo apurar o ponto (misturo aqui poesia, música e técnica doceira... mas não é tudo a mesma coisa?). No *Cão sem plumas* você já se sentiu habilitado a fazer a técnica servir ao seu sentimento e não, como antes, pôr o seu sentimento no aperfeiçoar a técnica. Neste poema, grande poema de verdade, só me produziu estranheza a concorrência de duas imagens tão dessemelhantes e até opostas em relação ao rio: cão sem plumas e espada cortante. Gostaria que você me explicasse isso.

Estou aqui desde o meado de dezembro. A semana passada, descendo ao Rio, encontrei lá os primeiros exemplares da nova edição (a 5ª) das minhas *Completas*. O Arquimedes, da Livraria da Casa do Estudante, quis fazer uma edição barata (a 35 cruzeiros, a anterior era de 50) e pediu-me licença para usar a composição corrida, como eu já tinha praticado na edição de 1940. Anuí. Ficou bem, com a mesma capa de Leskoschek mas em cores diversas – cinzento e verde. Nesta edição a última parte *Belo belo* vem acrescida de uma meia dúzia de poemas novos, entre os quais o "Bicho", que se sente muito ancho de ter sido tratado por você com as honras de estrela polar. Pois fique sabendo que muita gente boa, entre outros o Oswald de Andrade, esculhambou o bichinho.

Há tempos veio numa de suas cartas uma espécie de queixa contra o que lhe pareceu ataque do Sérgio Buarque de Holanda. Não sei se lhe respondi na ocasião alguma coisa. Para mostrar a você que o Sérgio gosta de sua poesia mando-lhe um fragmento de uma crítica dele aparecida ontem no *Diário Carioca*. Remeto-lhe também uma minha resposta a uma enquete do *Correio da Manhã* de ontem.

Não sei se você já estará a estas horas em Londres. É pois com receio de se extraviarem estas notícias que lhe estou escrevendo. Por isso não serei mais extenso.

Dê um sinal de vida.

Grandes saudades do amigo velho

MANUEL

106. A Públio Dias

PETRÓPOLIS, 12 [DE] 1 [JANEIRO DE 19]51.

Reina nesta imperial cidade de Petrópolis, onde vim passar as férias, uma epidemia de pulgas. Pulgas, entendeu? Me lembra que você há anos, quando eu morei num apartamento infestado delas na Rua Morais e Vale, me deu uma receita que era coisa batata (dizia você). Não foi batata. Mas também o caso ali não tinha solução. Pode ser que em Petrópolis dê certo. Mande, pois, a receita.

Estou até o pescoço na bibliografia do Aleijadinho. Até o fim do mês tenho de entregar um trabalho sobre o mineiro e sua obra como estatuário e escultor.

Como se foi de Ano-novo? Desejo a você e aos seus saúde e muita alegria.

Um abraço do

BANDEIRA

107. A Dora Vasconcellos

[?] 15 DE FEVEREIRO DE 1951.

O meu procedimento para com você me envergonha. Guita me falou de sua telefonada e eu fiquei alarmado de poder o meu silêncio receber de sua parte interpretação errada. A verdade é que não queria escrever-lhe uma carta de banal lisonja, por exemplo assim: "Li encantado os seus versos, ainda que sentindo muita falta e saudade do timbre e inflexões de sua enamorada voz etc. etc." Eu queria dizer que disto gostei, daquilo não e por que não gostei. Enfim bater um papo a propósito dos segredos profissionais da poesia. Mas cadê tempo? Ando de tal modo afundado num estudo sobre o Aleijadinho, que até receio acabar aleijadinho também.

Hoje meti-me em brios e resolvi limpar-me aos seus olhos. Ainda que mal e mal, vou resumir numas poucas linhas as minhas impertinências.

Você evoca os dias de sua infância com emoção e sabe comunicá-la. Nem sempre, porém, consegue distinguir o que interessa sentimentalmente a você e aos que conheceram as coisas evocadas (suas irmãs, Guita) do que pode interessar poeticamente a toda a gente. Mistura com elementos fortemente expressivos, como "o porão escuro", "o mistério da concepção do ovo" ou "o mistério terrível no segundo lance da escada", outros, que podem ser expressivos para você mas inexpressivos para a generalidade dos leitores. Aquele papagaio da vizinha, por exemplo, é um chato. Chamava por Luísa. Talvez pudesse interessar se repetisse o verso de Mário de Andrade: "Boi, eclipse, cataclisma!"

Em "Debussy" você fala que "um grilo tocava a sua flauta". Onde que você viu isso? Aqui tem muito grilo. Outro dia puxei conversa com um deles:

– Grilo, toca aí, um solo de flauta.

– De flauta? Você me acha com cara de flautista?

– A flauta é um belo instrumento. Não gosta?

– *Troppo dolce!*

E desandou num cri-cri danado...

Às vezes as linhas em que você reparte o seu discurso poético não são versos (o verso precisa ter autonomia, precisa ser uma coisa que pode viver por si no seu esplêndido isolamento). "A noite despertada com a", por ex. O melhor seria escrever os seus poemas à maneira do que eles realmente são – poemas em prosa. Como você fez com "Maternidade", aliás o que me causou mais pura impressão, porque nele percebo uma vivência sua, que é coisa muito pessoal (o tema é privativo dos poetas-mulheres, mas estes pouco o frequentam, parece que a maioria só vê na gravidez o horror de "ficar de barriga"). Você sentiu no estado burguesmente chamado "interessante" a sua palpitante e grave beleza. Me fez pensar naquelas palavras do Evangelho de S. João: "A mulher, quando está para dar à luz, sente tristeza, porque é chegada a sua hora; mas depois de ter dado à luz a criança, já não se lembra da aflição pelo prazer de haver nascido um homem no mundo."

Estou certo que os seus poemas, com as ilustrações de seu amigo uruguaio, darão um bonito livro.

Receba um abraço do amigo velho

Manuel

108. A João Cabral de Melo Neto

Rio [de Janeiro], 5 de julho de 1951.

Acabo de receber a sua carta de 18 de junho. A respeito do seu oferecimento de fazer um conjunto dos livros posteriores à *Libertinagem*, trago a você uma contraproposta: seria interessante você imprimir apenas os livros que não apareceram em edição autônoma e são os seguintes: *O ritmo dissoluto*, *Lira dos cinquent'anos* e *Belo belo*. Se lhe dá prazer, estão às suas ordens.

Os hipocampos (é assim que chamo o Geir Campos e o Thiago de Mello, que nas suas pegadas estão editando uns livrinhos bonitos imitados dos seus e sob o nome de edições *Hipocampo*; já editaram três, o último é uma *Ode equatorial* do Lêdo Ivo) estavam muito assanhados para editarem alguma coisa minha. Dei-lhes então uns poemas, quase todos de circunstância, escritos depois da última edição das *Completas*. O título será *Opus 10*.

Há dias mandei a você por via marítima um exemplar da última edição das *Completas* envolto em dois números do *Jornal de Letras* onde saíram as minhas memórias. Depois o Condé me disse que lhas enviou por via aérea. No fim das *Completas* escrevi a minha última produção – "Boi morto", coisa que está ameaçando desbancar a pedra do Carlos como escândalo nacional da poesia. Só que ao passo que os meus velhos confrades da Academia e fora dela a consideram insensata, os comunistas (meus inimigos agora, vivem a insultar-me) coisa que é bem "a consciência podre e contaminante dos letrados que tentam dizer-se marginais, como árvores à beira do caminho".

Adeus, poeta. Ative o choco do "Juízo final do mineiro".

Grande abraço do

MANUEL

109. AO MESMO

RIO [DE JANEIRO], 25 DE NOVEMBRO DE 1951.

[...]

E já que estamos falando em versos, saiba que a geração de 45 continua ávida de afirmar-se, e da parte de alguns mais impacientes de glória com muito má vontade para com os velhos de 22 e até para com os maduros de 30. Pela parte que me toca não acho mau: já tem gente demais que gosta demais de mim, e os novos que não gostam têm para mim uma vantagem – não me chateiam, não me fatigam mandando poemas para que eu dê a minha opinião.

Está-se dando nessa geração nova uma coisa engraçada: meia dúzia deles, menos citados do que outra meia dúzia, encheram-se de despeito e estão disputando a primeira colocação a força de golpes baixos, por exemplo xingando de puxa-saco aos que nos querem bem. É visível que a sua situação (sua de você) os põe doentes: você está longe daqui, fora completamente da *mêlée* e no entanto o seu nome não sai das seções literárias dos jornais e é opinião quase geral que você foi o abridor de caminho. Ao passo que eles para serem falados têm que dar entrevistas solicitadas, fundar revistas etc.

Numa coisa eles estão muitos certos: é que eu estou ficando velho. Ando neste sentido recebendo sérias advertências da próstata e outras vísceras. Na rua toda a gente me saúda invariavelmente com um "Como você está bem! Cada vez mais moço!", só porque eu emagreci quatro quilos e não tenho senão uns poucos cabelos brancos aos 65 anos de idade. Mas eu é que sei o que me vai cá por dentro. Outra coisa que me está assustando é a minha incompreensão da corrente abstracionista nas artes plásticas. Não a rejeito, mas acho absurdo o desdém que ela mostra ou afeta pelo que agora começaram a chamar o "conteudismo".

Bem, vou parar aqui porque preciso ainda escrever uma carta ao Ribeiro Couto. Um grande abraço do

MANUEL

P.S. O Virgínio Marques não foi meu professor. O colégio era dele mas o professor de primeiras letras era o irmão Manuel Marques. O Virgínio tinha um ar muito simpático, quando anos depois conheci o José Veríssimo, achei-o parecido com ele. Não sei que tal era o Manuel. A mim me parecia um demônio e eu tinha medo dele que me pelava. Era magro, meio vermelho e de gestos estabanados. O Virgínio, não: mesmo a um menino de nove anos como eu, já me dava uma impressão de distinção. Creio mesmo que foi a primeira pessoa que me impressionou por essa qualidade. Era suave e sóbrio.

110. A Alphonsus de Guimaraens Filho

Petrópolis, 12 de fevereiro de 1953.

Acuso alegre recebimento de sua carta de Guarapari. Não posso responder a todas as suas consultas convenientemente porque estou fora dos meus livros. Mas em princípio, posso lhe assegurar que ninguém melhor do que você, como grande poeta que é e filho extremoso, está melhor qualificado para decidir em tudo sobre a nova edição das poesias de seu pai. Dos quatro sonetos remetidos o que me parece mais interessante é o dos "Olhos meigos da esperança", pela novidade e beleza das rimas toantes. No quarto verso deve haver um erro de cópia. Não pode ser "E ouve quem aspirasse...", confirmado pelo verso seguinte "Houve, pois..." No soneto LVI o verso "Qual seja o espaço por onde voa, eu sei" não está na medida, a menos que se faça uma elisão violentíssima, de que não há exemplo em toda a obra de seu pai. Acho que o verso devia ser "Qual seja o espaço onde ela voa, eu sei" (ela, a nossa alma). A repetição de "sempiterno" não me parece defeito, pois está claro que foi intencional. Quanto ao soneto XXIX, a "pobre máscara avulso" não me incomoda.

Você deve incluir a nota "Corrigiram-se os lapsos etc." Receba com Hymirene e os meninos um grande abraço do velho amigo

Manuel

Até o fim do mês estou no Pálace Hotel, Petrópolis, E. do Rio.

111. A Carlos Drummond de Andrade

Rio, 12 [de] 10 [outubro de 19]53.

Perdoe que eu venha interromper o idílio com o neto (ou já os netos?). Mas não posso deixar passar a oportunidade para o professor de Literaturas Hispano-Americanas na Faculdade Nacional de Filosofia de arranjar por seu intermédio alguns livros indispensáveis à cátedra. Quer me fazer o grande favor de os procurar aí? Um é fácil obter, pois se trata de edição recente.

tes – Carlos Chagas, um médico argentino, o Henrique Aragão. Contou uma história muito engraçada, autêntica:

Veio ao Rio um padre, não sei se dominicano, fazer conferências. Sabia português, falava em português. Falou em português. Falou bem. Só que em vez de dizer o Papa, dizia sempre "a Papa". Aí um outro padre estrangeiro, que estava junto do Miguel, desculpou o colega. "Ele está falando muito bem. É pena que em lugar de dizer 'o Papo', esteja dizendo 'a Papa'."

Eu gostava de conversar com o Miguel na Academia. Era dos melhores lá. Apreciava as anedotas pornográficas, sobretudo as de português. Mais de uma vez ouvi-o fazer profissão de fé... a expressão que me ia saindo é absurda... eu ia escrever profissão de fé ateísta. Ontem soube pelo Rui Coutinho que o Miguel pediu padre, conversou com ele e recebeu absolvição.

O Jorge,[19] meu velho, é que sofreu muito. Sofreu horrorosamente. Mas aguentou o tranco com a maior coragem, sem gemer ou se lastimar. Exemplarmente.

O *Guia de Ouro Preto* vai ser reeditado em português pela Livraria da Casa do Estudante. Aliás a editora agora está estabelecida aí em S. Paulo. O *Itinerário de Pasárgada* sairá por estes dias: você terá o seu exemplar.

Ainda não li o romance do Merton (Thomas Merton). Li as *Memórias do cárcere*, que lhe recomendo. A obra-prima do Graciliano. Fez-me ler *S. Bernardo* e *Infância*, que tinha na minha biblioteca e nunca lera. *Infância* é inferior a *Memórias do cárcere* e *S. Bernardo* inferior a *Angústia*. Em *Memórias do cárcere* o escritor encontrou o assunto para o seu temperamento e o seu estilo magistral.

Um abraço do

BANDEIRA

116. A ZILA MAMEDE

RIO [DE JANEIRO], 1º [DE] 1 [JANEIRO DE 19]54 – BONS ANOS!

Não me lembro da ilustração do seu poema do Capibaribe. Deve ser do Santa Rosa, que é o ilustrador habitual do suplemento. Sim, a *Rosa de pedra* merece ficar nas estantes ao lado dos melhores livros de versos brasileiros: você é poeta até debaixo da água do Capibaribe. Mas olhe, deixe de bobagem e trate de estudar bem latim. Não se importe muito com a gramática, rosa, rosae, amo, amas, amat etc. Compre os livros de tradução justalinear que chamam "burro" e leia os poetas latinos. Comece pelo Catulo, que é uma delícia:

> *Da mi basia mille, deinde centum;*
> *Dein mille altera, dein secunda centum;*
> *Dein usque altera mille, deinde centum;*
> *Dein, quum millia multa facerimus,*
> *Conturbabimus illa, ne sciamus,*

---

19   Jorge de Lima.

Aut ne quis malus invidere possit,
Quum tantum sciat esse basiorum.

Depois de tanto beijo, mais um para você do amigo

M. B.

117. A Lêdo Ivo

Rio de Janeiro, 24 de janeiro de 1954.

quando a paródia de "Muié rendera" apareceu na seção de José Condé no *Correio da Manhã*, eu pensei que ela fosse invenção dele ou de algum outro amigo meu. Mas indaguei de minhas alunas e soube que era obra de uma delas. O professor ficou muito ancho e concho. Não era para menos: quer dizer que a sua conduta é tão austera com as meninas suas alunas, que elas até pensam que ele não sabe namorar! Também, depois que elas deixam de ser minhas alunas, eu vou logo avisando: agora é tão bom como tão bom, defendam-se!

Se você gosta tanto de "Água-forte", deve ter gostado também do "Cântico dos cânticos", que saiu recentemente no Suplemento do *Diário Carioca*. Teve oportunidade de lê-lo? Criaram uma teia tão grande de espiritualidade em torno do poema bíblico, que eu tive a ideia de reduzir a coisa à sua expressão mais simples e não menos bela (por que é que a gente há de considerar vergonhoso um ato que a mãe da gente fazia e gostava de fazer, e cuja única desagradável consequência foi a gente nascer?). Pois um desses rapazes que andam pontificando nos suplementos sobre poesia escreveu no outro dia umas considerações *soi-disant* profundas a respeito de Eliot e no fim desfechou-me esta à queima-roupa: "No entanto o poeta Manuel Bandeira outro dia, muito despreocupadamente, publicou um poema em que noticia o acontecimento de uma relação sexual. Eis a poesia brasileira."

O único comentário a frase seria: "Eis a crítica brasileira!"

Bem, a propósito de "Água-forte": quando falei nas fontes da vida a sangrar inúteis nas duas feridas, pensei nos ovários. O pente você deve saber que está por pentelho (o Cândido de Figueiredo ensina: "nome que alguns anatômicos dão ao púbis"). A concha bivalve é que sai os grandes lábios. Os grandes não, perdão!, os pequenos; por isso é que digo "Concha, rosa ou tâmara?" O mar de escarlate é o mênstruo (cora, meu poeta!). Em resumo: uma moça de pele muito branca, de cabelos muito pretos, no segundo ou terceiro dia de paquera (cora, poeta! é a última vez... desta feita).

Ousarei falar agora no nome da Lêda para mandar a vocês dois um abraço e as minhas saudades?

Até março, não é?

Muito seu

Manuel

118. A Alphonsus de Guimaraens Filho

Rio [de Janeiro], 7 [de] 4 [abril de] 1954.

Peço-lhe desculpas de ter demorado tanto em lhe escrever as minhas impressões sobre o poema. A verdade é que fiz a leitura imediatamente anotando o que me ia parecendo menos bem. Gostei muito: ele transcende o sentimento pessoal – todo filho que perdeu seu pai, sobretudo que o perdeu antes de o conhecer em carne e osso, se sentirá comovido – e enriquecido – lendo o seu poema: é do melhor Alphonsus Filho. Mas!... – aguente as impertinências do velho irmão! – o último soneto não está à altura dos demais. Aquele "Singelo ramalhete de sonetos" lembra por demais o lugar-comum do ramo ou ramalhete de saudades com que acabam de ordinário os necrológios (depois que entrei na Academia tenho ouvido dizer isso tantas vezes que tomei horror à imagem). Se eu fosse você, suprimia esse soneto, o que teria ainda a vantagem de não dar à coleção um número redondo, como se de saída você tivesse resolvido escrever 30 sonetos. Além disso o soneto anterior acabaria a série magistralmente com aquela "clara, incomparável primavera" e no primeiro verso voltando ao *leit-motiv* "Em Sant'Ana repousas" (de grande beleza) e desta última vez completado ou desenvolvido pelo que se segue: "Em Sant'Ana? No Rosário? Em Mercês? Antes eu diga: no silêncio de Deus..."

Você sobe muito alto nesse soneto. Sobe ao "cimo eterno da montanha". Tudo, depois disso, parecerá fraco.

Agora umas miuçalhas:

Não me agradam no Soneto XII as palavras "angélicas" e "translúcidas" contadas como três sílabas. Se você pusesse, digamos,

> Mundo, todo ele feito de suspiros,
> de angélicas visões, todo ele feito
> de asas translúcidas, diáfano véu...

Uma coisa assim e você poderá achar melhor.

Também não gostei em Soneto XVI da sinalefa "jovem agora". Sobre esse recurso já conversamos de viva voz: aceito-o em muitas coisas, ainda que torcendo o nariz. Aqui me repugna, não sei se por causa da palavra "jovem", que nunca me foi simpática – não sei por quê. Eu preferiria dizer

> Em Sant'Ana repousas. Tange um sino
> qualquer. Sino da Sé? Um sino canta
> e outra vez o teu vulto se levanta,
> és novo agora, agora és um menino.

No Soneto XIX o verso "de flores espirituais, da rosa alada" ficaria m.to bem num poeta português, não num brasileiro... e de Minas, pois para sair com as dez sílabas é preciso dizer "flor's espirituais". "Celestiais" servirá?

No Soneto XX acho que deve ser mudado o verso de 11 sílabas "e agasalhando-te para sempre, em mansa". Ficará com 10, mas com ritmo tropeçante ou melhor cambaleante, lendo "pra" em vez de "para". O conteúdo pede doçura de cantilena na forma, qualquer coisa como e te envolvendo para sempre, em mansa.

No Soneto XXIII o 1º verso está fora da medida e não sei como se possa fazer. O 1º do segundo quarteto, também: tem 12 sílabas, mas terá dez dizendo-se "Inundado no mesmo luar... E há em nós". E é só.

Diga-me: eu lhe dei o *De poetas e de poesia*?

Acho que o *Itinerário de Pasárgada* não tinha saído ainda quando você esteve aqui, não é? Quero saber isso para lhe mandar uns exemplares a mineiros amigos – Emílio Moura e mais um ou dois.

Um grande abraço para você, Hymirene e os meninos.

Saúde boa?

M.

119. A GILBERTO AMADO

RIO [DE JANEIRO], 31 DE MAIO DE 1954.

O seu nome continua celebrado nas folhas a propósito da *História da minha infância*. Anteontem saiu no *O Globo* esta crônica do Thiago de Mello. Como vê, a admiração por você lavra desde os mais velhos até a geração novíssima. Agora você é realmente Gilberto amado. Amado porque aumentou enormemente o nosso patrimônio intelectual com uma obra-prima autêntica. Que delícia o seu livro! A escola de Sá Fina, o engenho de seu Alexandre – capítulos magistrais. Na *Minha formação* de Nabuco há uma Massangana; na *História da minha infância* há uma Massangana quase em cada página. A negra de seu Alexandre, como está nas suas memórias, é a melhor escultura da arte brasileira. Parabéns, bichão.

Obrigado pelas páginas de *The European*. A evolução da poesia, desde 1919, é uma vertigem: para diante e para trás, aos trancos, parece manobra de *chauffeur* de ônibus no Rio: vote!

Um abraço do

BANDEIRA.

120. A FRÈDY BLANK

[RIO DE JANEIRO, 24 DE AGOSTO DE 1954.]
TERÇA 24.

Lieve Moessie, acabamos de viver uma noite histórica, como dizem os locutores de rádio. São 6 horas da manhã e estou acordado desde as 3,30 da madrugada, hora em que fui despertado por um amigo que me disse rápido: "Ligue o rádio que o Getúlio está sendo deposto!" Liguei o rádio e fiquei ouvindo. Na realidade não estava havendo deposição. O ministério estava reunido no Catete para se tomar uma decisão. O ministro da Guerra nos últimos dias parecia estar ao lado do Getúlio, achando que só poderia haver mudança de governo se o Getúlio renunciasse. Mas Getúlio dizia que não renunciava. Afinal resolveu licenciar-se por 90 dias, e o governo passaria ao vice-presidente, Café Filho. Foi o que se fez. Agora vou sair para comprar leite e jornais.

Às 8,30. A vaca leiteira não apareceu hoje. Comprei os jornais e fui tomar café com leite no Sul Americano. Os jornais não adiantam nada ao que ouvi pelo rádio. Voltei a ouvir o rádio e eram só discurseiras de figurões presentes na casa do Café Filho, agora Presidente da República.

Liefke, que tragédia! Eu estava escrevendo essas linhas com o rádio ligado. De repente interromperam um discurso e o locutor anunciou: "Alô, alô, temos uma grave notícia a anunciar: acaba de suicidar-se com um tiro no coração em seu quarto do palácio do Catete o sr. Getúlio Vargas!"

Minutos depois comunicava que a primeira pessoa que ouviu o tiro, o general Caiado de Castro, chefe da Casa Militar, deu alguns passos em direção ao quarto e caiu sem sentidos. As estações de rádio continuam a fornecer detalhes entremeados com trechos de marchas fúnebres. Agora mesmo estão irradiando a de Chopin. Vou à cidade pôr esta no Correio para que vocês tenham logo estas notícias frescas, embora o telégrafo já deva ter informado tudo. Grande abraço de

M.

121. A Edgard Cavalheiro

[Rio de Janeiro, 6 de novembro de 1955.]

Venho agradecer-lhe o seu *Monteiro Lobato, vida* e *obra*, que vou ler metodicamente. Metodicamente comecei procurando o meu nome no índice, o que me levou à página 711, onde V. diz que cometi clamorosas injustiças contra Lobato, e como exemplo delas dá não tê-lo eu sequer mencionado em *Noções de história das literaturas* (Cia. Editora Nacional, São Paulo, 1942). "Lobato", escreve V., "*conteur* ou cronista não existe nas *Noções*".

É inexato. Na edição do meu livro citado por V. o nome do Lobato se encontra à página 324, no mesmo período em que menciono os de Simões Lopes Neto e Valdomiro Silveira. Em todas quatro edições das *Noções* figura o nome de Lobato: na primeira está no último período do último capítulo, página 338; a partir da segunda edição transferi-o para o capítulo "A ficção realista", pág. 370 na terceira edição e pág. 116 do segundo volume na quarta. Nas três primeiras edições apenas mencionei-lhe o nome, como procedi de modo geral em relação aos autores vivos; na quarta, morto Lobato, consagrei-lhe quatro linhas e meia. É pouco, mas o caráter sumário das *Noções* me impunha a brevidade: a outros grandes escritores dei menos que isso: Afonso Arinos, Simões Lopes e Alcides Maya, citados por V. Falando do início do modernismo entre nós, sempre citei o artigo de Lobato sobre a exposição de Anita Malfatti, mas sem aduzir o mínimo comentário: não poderia ser mais discreto na reprovação. Não me lembro de jamais ter escrito uma linha contra Lobato escritor, ao qual sempre admirei, tanto que, não gostando pessoalmente dele, fui um dos dez que assinaram a proposta de sua candidatura à Academia.

Dessa "clamorosa injustiça" de que V. me acusou estou inteiramente inocente, como acabo de provar. Mas V. falou no plural: "clamorosas injustiças". Gostaria que V. me apontasse as outras. Gostaria, também, que V. se retratasse publicamente do cochilo em que incorreu, fazendo-me – Você, sim! – involuntariamente, uma injustiça.

Muito seu, e *sans rancune...*

Manuel Bandeira

122. A Zila Mamede

Rio [de Janeiro], 20 [de] janeiro [de] 1956.

Ótimas as castanhas! Vou comendo-as devagarinho feito menino que quer meter inveja aos outros...

Recebi uma telefonada de uma sua amiga de voz simpática, perguntando se eu tinha recebido as castanhas. Demorei em agradecer-lhas porque ando numa roda-viva, a começar pelas canseiras que me dá o casal Macbeth, de sinistra memória. Estou em meio do 4º ato. Além disso um calor h ô r r ô r ô s o. Mas de meio-dia às 6 tenho a minha prezada brisinha da barra. Viva o Castelo!

Saiu agora a nova edição dos *Poemas traduzidos*. Guardo o seu exemplar para a sua volta.

Adeus, poeta. Recomende-me ao governador. Não me recomende ao Antônio Pinto Medeiros. E um beijo, brotinho.

M.

123. A Públio Dias

Rio [de Janeiro], 16 [de] 2 [fevereiro de 19]56.

Uma vez vi numa revista uma vista panorâmica de Ubatuba, tirada de avião. Me deu uma vontade danada de largar tudo e ir morar definitivamente em Ubatuba.

Por aí você vê como lhe tive inveja lendo a narrativa de sua vilegiatura em cidade "Ocian". É paradisíaco.

Não, não quero ler *Deus e os homens*, mas vou providenciar para lhe arranjar a edição holandesa do livro.

O Carnaval este ano foi chocho. O baile do Municipal parece que foi bom. Como membro que fui do júri que julgou dos projetos de decoração, tive convite para o baile, mas não fui lá: preferi fazer a felicidade de um jovem que não tinha um conto e duzentos para comprar a entrada.

Um abraço do

BANDEIRA

124. AO MESMO

RIO [DE JANEIRO], 26 [DE] 3 [MARÇO DE 19]56.

Estou precisando do número de janeiro de uma revistinha de palavras cruzadas *Coleção* de *A Recreativa*.

Procurei-o em todas as bancas e não encontrei. Tudo por causa de um logogrifo que não consegui decifrar!

Recebi um artigo da Alemanha sobre a minha poesia e suas relações com a poesia alemã, acompanhado de algumas traduções ("Balada do rei das sereias", "Os sapos", "Vou-me embora pra Pasárgada"). O refrão deste último poema fica notável em alemão:

"Ich setze mich ab nach Pasargada!" Esse *ab* soa esplêndido, não acha? Mas o resto é borocochô.

Um abraço do

BANDEIRA

125. A LUCY TEIXEIRA

RIO [DE JANEIRO], 25 [DE] NOVEMBRO [DE] 1956.

Esta manhã me lembrei muito de você. É que andei mexendo numas velhas fotografias e dei, no meio delas, com uma do pobre portozinho de Caxias, não a Caxias do bravo Tenório Cavalcanti, mas a sua doce Caxias do Maranhão. Doce hoje, mas já foi valente como as armas ao tempo da Independência, quando obrigou o portuga pai de Gonçalves Dias a se refugiar no sítio Boa Vista, em terras do Jatobá, onde nasceria o Poeta. Grande Caxias, que deu ao Brasil dois grandes poetas – Dias e você, Lucy, um grande prosador – Coelho Neto, e um grande escultor – Celso Antônio: nem precisa dar mais nada!

Bem, Lucy, isso foi, me parece, adivinhação de carta sua que estava chegando, e de fato chegou, algumas horas depois. Nela você me fala de suas saudades do Brasil, "saudades curtidas", me anuncia que o seu coração começa a ser "um poço de desconexões absolutas", enquanto em torno já ticiana o outono "com todo o seu carregamento dourado" e "as folhas deliram num vermelho absurdo". Me anuncia, ainda, que escreveu uns contos venezianos e uns trinta *divertimenti*, dos quais me manda dois: *"Canto per dopo"* e *"Carolina Romana"*. Será que você decidiu ser grande em dois idiomas?

Não *capisco* bastante o italiano para dizer que sim, mas fiquei vagamente maravilhado, como quando, na escuridão do quarto pela manhã, se abre a janela para o sol – "*il sole che arriva come um gran signore*". Pois o seu "*Canto per dopo*" é realmente uma pequenina maravilha com o seu estribilho "*Ricordatelo*":

> *Ricordatelo.*
> *Come caminavamo e come tu eri una musica esaltata ed io qualcuno a cui il volo pur essendo fatale non è ancora una realta; e come il vento ci spiava fra gli alberi.*
> *Ricordatelo.*

Depois de ler a sua carta, pus na minha vitrola (ganhei um *High Fidelity*, Lucy!) o *Concerto em ré menor*, o "madrigalesco", de Vivaldi, em homenagem a você. Adoro essa música: o seu grave introito, o inefável adágio, os dois trepidantes alegros, cheios de alegria, de coragem, de esperança. Que homem fascinante era o genial "padre rosso", tão admirado de Bach! Foi um desafogar de todas as tristezas do meu peito. Porque, Lucy, nós brasileiros que não estamos longe daqui como você, andamos muito precisados de alegria, de coragem e de esperança! *Ciao!*

126. A Lêdo Ivo

Londres, 11 de setembro de 1957.

No arquivo desta sala foi encontrada uma ficha de Rimbaud pedindo um livro. O poeta português Alberto de Lacerda, que é uma flor, tem sido o meu cicerone aqui, poupando-me muita canseira, pois ele conhece Londres como a palma da mão (está aqui há 6 anos).

Contou-me ele que um francês descobriu por acaso a casa em que viveram em Londres Rimbaud e Verlaine. A insistência no nome de Rimbaud é uma homenagem ao tradutor de *Une saison en enfer*. Recebam Lêdo, Lêda e Ledinhos as minhas saudades.

M. B.

127. A João Cabral de Melo Neto

Haia, 11 [de] outubro [de 19]57.

Grande prazer me deu a sua carta, só há três dias recebida, porque chegou a Londres depois de minha partida e lá não sabiam do meu endereço. Por acaso me encontrei em Paris com o Gilberto Chateaubriand e foi este que mandou ao Silos o meu endereço em Haia, que é Hotel de Zolm – Molen Straat 49.

Estive quase um mês em Londres, voltei a Haia e fui passar uma semana em Paris – semana cheia, fui até a Versailles, graças ao abstrato Cícero.

Infelizmente não me será possível ir nem à Espanha, nem a Portugal, nem à Itália. Aliás eu teria medo de me indigestar: vi coisa demais em muito pouco tempo. Agora tudo o que eu quero é me ver de novo no meu apartamentozinho da av. Beira-Mar, "*qui n'est une province et bien plus davantage*". Portugal, Espanha e Itália ficarão para daqui a uns dois anos, se Deus me der vista e saúde.

Hoje recebi comunicação da companhia holandesa, dizendo-me que o Aldabi partirá de Rotterdam a 29. É nele que vou.

Receba, com os seus, as minhas afetuosas lembranças.

MANUEL

128. AO MESMO

RIO [DE JANEIRO], 21 [DE] FEVEREIRO [DE 19]58.

Obrigado pelos seus votos de felicidade. Que 1958 corra alegre para vocês.

Desde janeiro estamos curtindo um verão seco e quentíssimo. Não saí para Petrópolis (há três anos que não saio).

Não sei se você soube que o Aguilar veio trabalhar aqui e vai lançar uma grande coleção luso-brasileira de obras completas num só volume de papel-bíblia. Fiz contrato com ele para as minhas *Completas*, prosa e verso, excluídas apenas as obras didáticas (*Noções de história das literaturas* e *Literatura hispano-americana*). É para este ano. Até cartas leva. Venho perguntar-lhe se você conserva algumas ou algumas cartas minhas que valha a pena publicar. Há urgência.

Receba com os seus, um abraço e saudades.

MANUEL

129. AO MESMO

RIO [DE JANEIRO], 4 [DE] JUNHO [DE 19]58.

A toda a pressa estou lhe escrevendo estas linhas, devolvendo-lhe, com os meus mais vivos agradecimentos, as cartas que você enviou com tanta presteza. Aproveitei uma boa porção delas. Afinal o epistolário, que parecia ter que ser magro e insignificante, vai figurar bem na prosa rala do 2º volume (porque a edição Aguilar sairá em dois volumes de 1 200 páginas cada. Que trabalho corrigir essa joça!).

Um grande abraço do

BANDEIRA

130. A Alphonsus de Guimaraens Filho

Rio [de Janeiro], 7 de dezembro [de] [19]61.

Muito obrigado pela sua carta de 16 do corrente.

Fiquei muito contente com a notícia de que V. está escrevendo uma *Vida de João Alphonsus*. Infelizmente não possuo o artigo dele que provocou a minha carta. Deve ter saído (tenho quase certeza) na *Manhã* do Mário Rodrigues. Veja se em Brasília... Não, em Brasília não há nada senão um bom clima que – já dizia o João da Ega – é a coisa mais reles deste mundo. Aqui na Biblioteca Nacional poderá ser encontrado o número da *Manhã* em que o artigo saiu. Mas eu não tenho no momento nem tempo nem força para essa expedição.

Bravo pela fecundidade! Quando vejo esses exemplos, fico envergonhado de minha esterilidade: sou a figueira da Escritura...

Recebi a encomenda de traduzir *Mireille*. Em verso. Mas vou pôr de lado as rimas para ficar mais fiel ao sentido do original. Conservarei a estrofe e os metros: já é música bastante para esse poema cujo defeito para mim está precisamente na sua excessiva musicalidade, ou melhor, melodiosidade. O esquema é aa bccc b: acho esses ccc cacetes.

O 1o verso do poema é "Cante uno chato de Provenço". (Canto uma moça da Provença.) Moça em provençal é "chato"! Que língua! Quase desisti da tradução!

Bom Natal, bons anos para os meus afilhados e sua galharda prole!

Um grande abraço do

Manuel

131. Ao mesmo

Rio [de Janeiro], 3 de junho de 1963.

Venho trazer-lhe o meu abraço pela data de hoje. Depois de amanhã Nava faz 60 anos e anda muito derrotado pela efeméride. Você não sei quantos anos faz. Esses meninotes de ontem já estão ficando velhos, puxa! Como o tempo corre. E como me disse o Menotti quinta-feira na Academia, a metralhadora anda pipocando em volta da gente. Disse isso a propósito da morte súbita ou quase do Couto. Imagine que ontem recebi uma carta dele datada de 26 de maio: dois dias depois ele caiu com enfarto e no dia 30 morreu. Nunca tinha sentido nada para as bandas do coração. Toda a carta respira bem-estar, contentamentos, atividade de preparativos para o *"retour à la normalité"*, a "integração no ano de 1943".

Eu tinha que falar nisso. Mas escrevi só para o abraço, que é forte, o mais afetuoso, e deve ser repartido com Hymirene e filhotada.

Muito seu,

Manuel

132. Ao mesmo

Rio [de Janeiro], 20 [de] agosto [de 19]63.

Pego da sua palavra e digo-lhe que é com amizade só comparável à admiração que lhe voto que li a sua antologia poética, reexperimentando o prazer estético senti-do à leitura dos seus poemas nas edições anteriores. Pareceu-me bastante feliz a sua escolha, e a parte nova está à altura do que havia de melhor na velha. Parabéns!

A peça de Brecht que traduzi está sendo representada. Os "donos" de Brecht crí-ticos teatrais meteram o pau em tudo, mas a meu ver a encenação foi bem resolvida e o espetáculo agradou-me.

Agora me encomendaram de S. Paulo a tradução de uma peça de John Ford, contemporâneo de Shakespeare. As dificuldades começam desde o título, que é – ima-gine! – *'Tis pity she's a whore*. Bons tempos em que Gil de [sic] Vicente, em que se dizia "fi-de-puta ruim" diante do rei D. Manuel!

Abraços para você, Hymirene e prole.

Manuel

133. A Ariano Suassuna

Rio [de Janeiro], 11 [de] setembro [de 19]64.

Venho agradecer-lhe a oferta de *O santo e a porca*, feita com palavras tão des-vanecedoras.

Não sei se você terá lido uma crônica que escrevi em março de 58 quando a peça foi levada aqui. Até então eu não tinha tido oportunidade de ver *A compadecida*. Depois vi-a e fiquei encantado: uma autêntica obra-prima.

Receba o meu abraço de admiração, com os votos para que em breve eu tenha ocasião de vê-lo.

Muito seu

Manuel Bandeira

134. A Alphonsus de Guimaraens Filho

Rio [de Janeiro], 13 [de] outubro [de 19]64.

Respondo à sua carta de 12 de agosto. Dois meses! Dois meses em que tenho andado bem triste com a separação da minha querida Moussy – Mme. Blank –, separação agora tornada definitiva, pois ela faleceu no dia 2 do corrente em Amsterdã. A filha Joanita escreveu-me que estava ao lado dela com a irmã Guita por ocasião do passamento. Ela vinha "se apagando devagarinho", sem sofrimento físico ou moral, sem consciência das realidades. Acabou "num suspirozinho".

Ainda não me conformei – não me conformarei nunca – de não a ver mais. Tenho que viver – e que morrer – desta saudade.

Aceite, meu querido, com a Hymirene o afetuoso abraço do seu velho

Manuel

135. Ao mesmo

Rio [de Janeiro], 24 [de] novembro [de 19]64.

Muito me sensibilizou a sua carinhosa carta de 20 do mês passado.

Vou passando sem maior novidade, sempre com o pensamento voltado para as lembranças de minha grande querida. Às vezes as saudades doem-me demais. Procuro consolar-me com o pensamento de que ela não sofreu como a nossa grande Cecília, cuja sorte foi tão cruel, ela, uma criatura tão bela e tão fina. Mas que força de espiritualidade ela demonstrou sempre! Nunca se dobrou à doença, nunca se entregou. O marido, o Heitor Grillo, foi um anjo para ela: com que absoluta dedicação a tratou!

A careta que ilustra este papel é a redução de um desenho do Jardim. O Daniel, irmão do José Olympio, fez-me presente do carimbo. Depois de amanhã é a festa de inauguração oficial da nova sede em Botafogo. É pena que vocês não estejam presentes para comparecer.

Receba, com Hymirene, os meus agradecimentos e um afetuoso abraço

Manuel

136. Ao mesmo

Rio [de Janeiro], 8 [de] janeiro [de 19]65.

Muito obrigado pelas carinhosas palavras de sua carta de 2 de dezembro. A passagem do ano foi, naturalmente, bem triste para mim, sem a companhia habitual desse dia.

Às quartas-feiras costumo almoçar na Editora José Olympio, onde sempre aparecem amigos para saborear o trivial da casa. A semana passada estavam lá a Maria Julieta, filha do Drummond, com o marido. Não sei se já lhe contei que o José Olympio vai lançar este ano uma nova edição das minhas *Poesias completas*, desta vez completas mesmo, pois incluirão os versos de circunstância e os poemas que traduzi. Pediram-me um título geral, à maneira do que fez o Drummond (*A vida passada a limpo*). Pensei no título *Estrela de toda a vida*, mas me acudiu que a estrela da manhã poderia imaginar tratar-se dela, o que não me convinha, e procurei outro. Carpeaux lembrou *Estrela da vida inteira*, título onde há reminiscência do meu verso "a vida inteira que podia ter sido e que não foi". Como ainda nele permaneceria o equívoco, aventei que ele fizesse a orelha do livro explicando, assinalando a reminiscência. Ou então escreveria uma epígrafe. Uma manhã achei uma boa epígrafe, o que resolveu em definitivo o caso. É assim:

Estrela da vida inteira.
Da vida que poderia
Ter sido e não foi. Poesia,
Minha amiga verdadeira.

Drummond, Meyer, Odylo, Rodrigo aprovaram título e epígrafe.

Por falar em Odylo: ele perdeu a filhinha paralítica em dezembro. Apesar da tristeza que representava a vida da doentinha, eles (Odylo e Nazareth) sentiram muito. Os médicos acham que Nazareth precisa de um bom repouso. O próprio Odylo. Parece que ele vai ser por dois anos nosso adido cultural em Lisboa. Irá em março.

Venha *O estuário*, meu velho. Se um dia houver uma edição Aguilar de suas completas (a do Drummond saiu agora, está bonita), será o volume mais grosso da coleção.

Fico esperando a sua visita em 65. Sendo o ano do IV centenário da cidade, vocês não podiam deixar de comparecer.

Recebam você, Hymirene e querida prole grandes abraços e saudades do

Manuel

137. Ao mesmo

Rio [de janeiro], 31 de maio de [19]65.

Desde hoje estou pensando no seu aniversário e venho escrever-lhe na esperança de que este papel lhe chegue às mãos no dia 3, com o meu grande abraço e os melhores votos de felicidade.

Dia 21 houve o lançamento do álbum *Preparação para a morte*. A edição ficou linda e você a verá quando vier ao Rio. Infelizmente saiu caríssima – coisa para milionários bibliófilos (ainda bem que os há!): 200 contos o exemplar (a edição foi de 100 apenas). Os amigos do poeta são pobres, não podem [sic] o livro; o poeta é pobre, não pode oferecê-lo aos amigos. Fiz para o álbum alguns desenhos no gênero do que ilustra este convite, que lhe envio como lembrança e homenagem.

Hoje vou jantar com o Rodrigo. Ele tem sofrido muito com um dente cariado que o pôs de cara inchada. Agora está melhor. Beberemos à sua saúde.

Pelo Correio terrestre vou mandar-lhe a antologia saída agora. Ficou magrinha, por minha culpa, que errei no cálculo. Preciso remediar o defeito incluindo mais poemas dos poucos bons simbolistas, sobretudo aumentando o contingente do único verdadeiramente impecável artista entre os da primeira hora – Alphonsus pai.

De novo grande abraço e os mais afetuosos votos.

Manuel

138. Ao mesmo

Rio [de Janeiro], 18 de julho de [19]65.

Não pensem você e Hymirene que eu me esqueci de vocês na data de ontem em que os caros afilhados completaram 22 anos de casados. Pensei muito e muito, sem precisar pedir que vocês continuem a se amar pelo resto da vida, pois sei que vocês persistem na mesma ternura da primeira lua – a de mel.

Estou lhe devendo resposta a duas cartas, uma de 4, outra de 18 de junho. Os poeminhas do neto e da neta do grande Alphonsus me encantaram. O Afonso Henriques já mostra, em tão verdes anos, a contensão, o apuro formal de um verdadeiro poeta, digno da linhagem a que pertence; a Dinah Tereza se exprime como deve ser na idade: com deliciosa ingenuidade. Muito obrigado lhe fico por me ter enviado esses versos.

Como tenho que sair já (para uma entrevista conjunta com Alceu e Agrippino na *Manchete*!) vou pôr ponto-final nesta carta, que escrevo muito especialmente para mandar a você e a Hymirene a minha bênção do padrinho.

Manuel

(Escrita numa fotografia onde vem a seguinte nota: "Minha fotografia mais recente, tomado no Jardim das Laranjeiras, perto da casa onde residi dos 10 aos 16 anos. M.)

139. Ao mesmo

9 [DE] DEZEMBRO [DE 19]65.

Só agora posso responder à sua carta de 23 de outubro! Desculpe a demora. Passei por um rude golpe: perdi uma amiga, que era um amor de amiga (ela figura na antologia dos bissextos sob o amor de Lucila Godoy, mas seu verdadeiro nome era Dulce Ferreira Pontes). Tenho andado de moral muito baixo por causa dessa perda. Foi uma terrível fatalidade, pois ela teve uma colite ulcerativa gravíssima, mas curou-se. A fatalidade é que pelas transfusões de plasma e sangue ela contraiu uma hepatite a vírus que a matou em 5 dias.

Recebam vocês todos os meus votos de feliz Natal e Ano-Novo.

Grande abraço de

MANUEL

140. A Gilberto Freyre

RIO DE JANEIRO, 23 DE DEZEMBRO DE 1965.

Receba com Madalena os meus agradecimentos pelo cartão de Natal e Ano-Bom. A todos vocês desejo saúde e alegrias em 66.

Você me deu um alegrão. Eram as palavras que escreveu para a nova edição de minhas *Poesias completas*. O Daniel mostrou-me ontem (almocei lá). Achado ótimo e bem dos seus melhores aquela aproximação do oito e do oitenta. Estou desvanecidíssimo.

Como vão vocês de calor aí? Aqui está uma coisa tremenda! Há 68 anos que moro no Rio e nunca senti calor maior. Mas fisicamente vou resistindo bem. O moral é que anda muito baixo: depois da perda de Mme. Blank, amiga incomparável, perdi o mês passado outra muito querida e que era um refúgio nas horas de tempestade – a Dulce Pontes (a que figura na minha *Antologia dos bissextos* sob o pseudônimo Lucila Godoy).

Grande abraço do velho amigo

MANUEL

141. Ao mesmo

Teresópolis, 20 de março de 1966.

Estou lhe escrevendo de Teresópolis, aonde vim recuperar as forças perdidas durante o verão, o mais arrasador e prolongado que vi no Rio nos setenta anos que vivo lá. Os médicos me aconselharam ir para a montanha por duas ou três semanas – Petrópolis ou Teresópolis. Vera, irmã do Rodrigo, pôs à minha disposição a casinha dela no alto de Teresópolis e eu subi com a Lourdes no fim de fevereiro e desceremos no fim de março. Tenho apreciado enormemente a estada aqui: há que tempo eu não me via cercado de verde, há que tempo eu não desfrutava o prazer de avistar um cavalo solto pastando na rua!

Assim estou me fortalecendo para enfrentar as maçadas do próximo 19 de abril. A duas solenidades não poderei furtar-me: sessão da Academia e almoço na José Olympio. Haverá nas proximidades de data lançamento de várias reedições e uma edição do livro novo; este é de prosa escrita depois da edição Aguilar (1958); a reedição das *Poesias completas*, incluindo traduções e o *Mafuá do malungo* aumentado –, ambos os volumes sairão da José Olympio e que também lançará um livro biográfico do Stefan Baciu. A Editora do Autor reeditará *Antologia poética*, o *Itinerário de Pasárgada* e uma seleção de crônicas sob o título *Os reis vagabundos* com a declaração "Seleção de Rubem Braga aprovada pelo autor". As Edições de Ouro (livros de bolso) também lançarão uma pequena antologia poética (umas cento e dez poesias) sob o título *Meus poemas preferidos*. Com os direitos autorais que vou receber poderei completar o pagamento de uma casinha que comprei aqui para passar os possíveis verões que ainda viverei.

Subi para aqui às pressas, sem trazer meus papéis, de sorte que, sem o meu *birthday book*, deixei passar o dia 15 sem lhe mandar o meu abraço pelo seu aniversário. Aqui lhe mando ele com os melhores votos de felicidades e alegrias. Gostei muito de almoçar na José Olympio com a Sonia Maria e o marido, que me pareceu muito simpático. Quem me lembrou o seu aniversário foi o João Condé, que subiu a Teresópolis para colher dados destinados a uma página do *Cruzeiro* relativa ao meu octogésimo.

Adeus, meu velho. Receba com Madalena um afetuoso abraço e as grandes saudades do

Flag

142. A Alphonsus de Guimaraens Filho

Rio [de Janeiro], 31 de maio de [19]66.

Espero que estas linhas lhe cheguem às mãos dia 3, levando-lhe o meu mais afetuoso abraço pela data. O abraço e os votos de saúde e alegrias.

Fiquei muito sensibilizado com os sonetos em honra dos meus oitenta. Você deve ter sabido que tudo correu bem, apesar das maçadas, sobretudo no cocktail monstro na Editora José Olympio com mais de quinhentas pessoas a me beijarem, a me abraçarem e dizerem longas amabilidades. Aguentei firme, mas dois dias depois num almocinho besta em que comi pouco, ingeri uma linguiça que me causou a pior gastrite que tive na minha vida. Tive que passar 5 dias numa casa de saúde, onde padeci muito e gastei meio milhão (sem honorários de médicos, que eram meus amigos).

O sofrimento foi duro mas cedeu depressa e eu vim convalescer na casa de Lourdes, em Copacabana. Agora já estou de volta ao regímen quase normal, recuperei três quilos do peso perdido. Ainda não pude porém voltar a Teresópolis ultimar a instalação na casinha de veraneio, para a qual já recebi alguns bons presentes, inclusive uma geladeira mirim, presente do Rubem Braga.

Renovando o abraço e os votos, mando a Hymirene e filhos as minhas carinhosas e grandes saudades.

MANUEL

143. A LÊDO IVO

RIO DE JANEIRO, [1966?].

recebi o seu recado pelo Amando Fontes. Aqui vai o soneto "O crucifixo".

Comprei *Manchete*, *Fatos e Fotos* e *Joia* relativos ao meu octogésimo, mas tive que me desfazer dos exemplares. Será possível arranjar-me dois exemplares de cada e ainda 1/2 dúzia daquela formidável foto da *Manchete* onde eu apareço de capacete de palha como um daqueles ingleses que atravessaram pela primeira vez a África de leste a oeste? Em tamanho pequeno (metade dessa página, por exemplo – mais ou menos)? Eu lhe ficaria imensamente grato.

Os 60 mil que as duas colaborações vão me render chegarão em boa hora. Imagine que os 5 dias que fiquei na clínica me saíram por meio milhão (sem pagar médico!)!

Você não me contou que a *nossa* rua Cel. Antonio Santiago, em Teresópolis, já se chamou (e o povo ainda a chama) rua Capiberibe! Coisa que soou muito grata aos curiosos e à sensibilidade do pernambucano recifense.

Aceite, com a Lêda e os filhos, as saudades e grande abraço do

BANDEIRA

144. A Alphonsus de Guimaraens Filho

Rio [de Janeiro], 25 de maio [de] 1967.

Muito obrigado pelo seu carinho na carta de 22, recebida ontem. Ainda não estive com o Odylo depois que ele voltou de Brasília. Ontem ele ficou de aparecer, mas não deve ter podido. Parece que ele está com muitas possibilidades de ser eleito na Academia. Eu temo ainda um pouco a concorrência do Joracy Camargo, em favor do qual há uma corrente considerável na Casa de Machado de Assis. Acham esses partidários que a Academia tem dado pouca atenção ao teatro. Só havia Viriato como teatrólogo. Morto este, seria a vez do Joracy. Eu também pensava assim, mas surgiu a candidatura do Odylo, levantada pelo Montello, e eu naturalmente tenho que votar nele.

Afinal fiz a radiografia do estômago e do duodeno, a qual não revelou nada de grave. Vou um pouco melhor agora, comendo mais e com apetite coisas mais dentro do regímen habitual. Inclusive o feijão.

Esta cartinha curta é apenas um sinal de que o afeto que me prende a você, – a vocês, continua mais forte e fiel do que nunca.

Grande abraço a todos.

M.

BIBLIOGRAFIA

BIBLIOGRAFIA DO AUTOR

POESIA

A cinza das horas. Rio de Janeiro: Typ. do *Jornal do Commercio*, 1917. São Paulo: Global, 2013.

Carnaval. Rio de Janeiro: Typ. do *Jornal do Commercio*, 1919. São Paulo: Global, 2014.

Poesias. Rio de Janeiro: Revista de Língua Portuguesa, 1924.

Libertinagem. Rio de Janeiro: Paulo, Pongetti & C., 1930. São Paulo: Global, 2013.

Estrela da manhã. Rio de Janeiro: Ministério da Educação e Saúde, 1936. São Paulo: Global, 2012.

Poesias escolhidas. Rio de Janeiro: Civilização Brasileira, 1937.

Poesias completas. Rio de Janeiro: Civilização Brasileira, 1940.

Poesias completas. Rio de Janeiro: Americ-Edit., 1944.

Poesias escolhidas. Rio de Janeiro: Irmãos Pongetti, 1948.

Poesias completas. Rio de Janeiro: Casa do Estudante do Brasil, 1948.

Mafuá do malungo: jogos onomásticos e outros versos de circunstância. Barcelona: O Livro Inconsútil, 1948.

Poesias completas. Rio de Janeiro: Casa do Estudante do Brasil, 1951.

Opus 10. Niterói: Hipocampo, 1952. São Paulo: Global, 2015.

Poesias. Rio de Janeiro: José Olympio, 1955 (indicada como 6. ed. e datada de 1954 no colofão); 2. ed. 1955 (indicada como 7. ed.).

Mafuá do malungo: versos de circunstância. Rio de Janeiro: São José, 1955 (1954 no colofão). São Paulo: Global, 2015.

50 poemas escolhidos pelo autor. Rio de Janeiro: Ministério da Educação e Cultura/Serviço de Documentação, 1955. 2. ed. 1959.

O melhor soneto. Rio de Janeiro: Philobiblion, 1955.

Acalanto para as mães que perderam o seu menino – um poema. Rio de Janeiro: Philobiblion, 1956.

Pasárgada. Rio de Janeiro: Cem Bibliófilos do Brasil, 1960.

Estrela da tarde. Salvador: Dinamene, 1960.

Alumbramentos. Salvador: Dinamene, 1960.

Antologia poética. Rio de Janeiro: Editora do Autor, 1961; 2. ed. aumentada [1963]; 3. ed. 1965; 7. ed. Rio de Janeiro: José Olympio, 1974. (sucessivas reedições e reimpressões por Jose Olympio, Nova Fronteira e Global)

Estrela da tarde. Rio de Janeiro: José Olympio, 1963. São Paulo: Global, 2012.

A morte. Rio de Janeiro: André Willième e Antonio Grosso, 1965.

Meus poemas preferidos. Rio de Janeiro: Edições de Ouro, 1966. São Paulo: Global, 2014. (sucessivas reedições e reimpressões pela Ediouro)

Estrela da vida inteira. Rio de Janeiro: José Olympio, 1966; 2. ed. 1970 (Coleção Sagarana); 3. ed. 1978; 4. ed. Rio de Janeiro: Nova Fronteira, 1993; 5. ed. 2009. (sucessivas reimpressões por José Olympio e Nova Fronteira; coleção Record/Altaya, 1998)

Poesia. Rio de Janeiro: Agir, 1970. 2. ed. 1983. Org. Alceu Amoroso Lima.

Estrela da manhã e outros poemas: antologia poética. São Paulo: Círculo do Livro, [198-]. Org. Emanuel de Moraes.

Alumbramentos. Rio de Janeiro: Alumbramento, 1979.

O melhor da poesia brasileira. Rio de Janeiro: José Olympio, 1979. Coautoria com Carlos Drummond de Andrade, João Cabral de Melo Neto, Vinicius de Moraes. (sucessivas reedições e reimpressões)

Testamento de Pasárgada: antologia poética. Rio de Janeiro: Nova Fronteira, 1980. 2. ed. revista, Rio de Janeiro: Nova Fronteira/Academia Brasileira de Letras, 2003. 3. ed. revista, São Paulo: Global, 2014. Org. Ivan Junqueira.

Melhores poemas. São Paulo: Global, 1984. Org. Francisco de Assis Barbosa. (sucessivas reedições e reimpressões)

Poemas de Manuel Bandeira com motivos religiosos. Rio de Janeiro: Philobiblion, 1985. Org. Edson Nery da Fonseca.

Bandeira: a vida inteira. Rio de Janeiro: Alumbramento/Livroart, 1986. (fotobiografia, com reedições em 1998 e 2000)

Berimbau e outros poemas. Rio de Janeiro: José Olympio, 1986; Rio de Janeiro: Nova Fronteira, 1994; São Paulo: Global, 2013. Org. Elias José.

Vou-me embora pra Pasárgada: poemas escolhidos. Rio de Janeiro: José Olympio, 1986. 2. ed. 2007. Org. Emanuel de Moraes.

Libertinagem & Estrela da manhã. Rio de Janeiro: Nova Fronteira, 1993; São Paulo: MEDIAfashion/*Folha de S.Paulo*, 2008. (sucessivas reedições e reimpressões pela Nova Fronteira)

Poemas eróticos de Manuel Bandeira. Recife: Fundarpe, 1994. Org. Núcleo de Pesquisa Literária Pasárgada.

Manuel Bandeira n'A Manhã. São Paulo: Giordano, 1995.

Vou-me embora pra Pasárgada e outros poemas. Rio de Janeiro: Ediouro, 1997. Org. Maura Sardinha. (sucessivas reimpressões)

Meus primeiros versos. Rio de Janeiro: Nova Fronteira, 2001. Coautoria com Cecília Meireles e Roseana Murray. (edição especial para o Ministério da Educação/FNDE/Biblioteca da Escola)

Mafuá do malungo: poemas selecionados. Recife: Mafuá do Malungo/Bandepe, 2002.

100 vezes Bandeira: uma antologia de poemas. Brasília: Confraria dos Bibliófilos do Brasil, 2003.

Na rua do Sabão. São Paulo: Global, 2004.

Trem de ferro. São Paulo: Global, 2004.

Para querer bem: antologia poética de Manuel Bandeira. São Paulo: Moderna, 2005. São Paulo: Global, 2013. Org. Bartolomeu Campos de Queirós.

A aranha e outros bichos. Rio de Janeiro: Nova Fronteira, 2006. São Paulo: Global, 2013. Org. Carlito Azevedo.

50 poemas escolhidos pelo autor. São Paulo: Cosac Naify, 2006. Org. Augusto Massi e Paulo Werneck.

Poemas religiosos e alguns libertinos. São Paulo: Cosac Naify, 2007. Org. Edson Nery da Fonseca (indicada como 2. ed. de *Poemas de Manuel Bandeira com motivos religiosos*).

Belo belo e outros poemas. Rio de Janeiro: José Olympio, 2008.

Bandeira de bolso: uma antologia poética. Porto Alegre: L&PM Pocket, 2008. Org. Mara Jardim.

As cidades e as musas. Rio de Janeiro: Desiderata, 2008. Org. Antonio Carlos Secchin.

As meninas e o poeta. Rio de Janeiro: Nova Fronteira, 2008. São Paulo: Global, 2015. Org. Elias José.

Os sinos. São Paulo: Global, 2012.

A cidade por Bandeira. Rio de Janeiro: Batel, 2013.

Lira dos cinquent'anos. São Paulo: Global, 2013.

Belo belo. São Paulo: Global, 2014.

O ritmo dissoluto. São Paulo: Global, 2014.

Teadorar. São Paulo: Global, 2015.

Melhores poemas. São Paulo: Global pocket, 2016. Org. Francisco de Assis Barbosa.

Pra brincar. São Paulo: Global, 2016.

EDIÇÕES CRÍTICAS DA POESIA

Carnaval. Rio de Janeiro: Nova Fronteira/Fundação Casa de Rui Barbosa, 1986. Org. Júlio Castañon Guimarães e Rachel Teixeira Valença.

A cinza das horas, Carnaval e O ritmo dissoluto. Rio de Janeiro: Nova Fronteira/Fundação Casa de Rui Barbosa, 1994. Org. Júlio Castañon Guimarães e Rachel Teixeira Valença.

Libertinagem-Estrela da manhã. Madri: ALLCA XX; São Paulo: Scipione Cultural, 1998. Org. Giulia Lanciani.

PROSA

Crônicas da província do Brasil. Rio de Janeiro: Civilização Brasileira, 1937.

Guia de Ouro Preto. Rio de Janeiro: Ministério da Educação e Saúde, 1938; 2. ed., em francês, Rio de Janeiro: Ministério das Relações Exteriores/Serviço de Publicações, 1948; 3. ed. revista e atualizada, Rio de Janeiro: Casa do Estudante do Brasil, 1957; 4. ed. Rio de Janeiro: Letras e Artes, 1963; Rio de Janeiro: Ediouro, 1967; 8. ed. São Paulo: Global, 2015. (sucessivas edições e reimpressões pela Ediouro)

A autoria das "Cartas chilenas". Rio de Janeiro: *Revista do Brasil*, 1940. (separata)

Noções de história das literaturas. São Paulo: Cia. Editora Nacional, 1940; 2. ed. 1942; 3. ed. revista e aumentada, 1946; 4. ed. 1954; 5. ed. Rio de Janeiro: Fundo de Cultura, 1960.

Discurso de posse de Manuel Bandeira. Resposta de Ribeiro Couto. Rio de Janeiro: Academia Brasileira de Letras, 1941.

Apresentação da poesia brasileira. Rio de Janeiro: Casa do Estudante do Brasil, 1946; 2. ed. aumentada, 1954; 3. ed. 1957; Rio de Janeiro: Edições de Ouro, 1965; São Paulo: Cosac Naify, 2009. (sucessivas edições e reimpressões pela Ediouro)

Oração de paraninfo. Rio de Janeiro: Irmãos Pongetti, 1946. 2. ed. São Paulo: Giordano, 1995.

Recepção do sr. Peregrino Júnior na Academia Brasileira de Letras: discursos dos srs. Peregrino Júnior e Manuel Bandeira. Rio de Janeiro: Academia Brasileira de Letras, 1947.

Literatura hispano-americana. Rio de Janeiro: Pongetti, 1949; 2. ed. Rio de Janeiro: Fundo de Cultura, 1960.

Gonçalves Dias: esboço biográfico. Rio de Janeiro: Pongetti, 1952.

Itinerário de Pasárgada. Rio de Janeiro: Jornal de Letras, 1954; 2. ed. Rio de Janeiro: São José, 1957; 3. ed. Rio de Janeiro: Editora do Autor, 1966; 6. ed. Rio de Janeiro: Nova Fronteira, 1984; Rio de Janeiro: Record/Altaya, 1997; 7. ed. São Paulo: Global, 2012. (sucessivas reimpressões pela Nova Fronteira)

Mário de Andrade, animador da cultura musical brasileira. Rio de Janeiro: Teatro Municipal, 1954.

De poetas e de poesia. Rio de Janeiro: Ministério da Educação e Cultura/Serviço de Documentação, 1954. (2. ed. em *Itinerário de Pasárgada*, 1957; 3. ed. em *Poesia e Prosa*, 1958)

A versificação em língua portuguesa. Rio de Janeiro: Delta, [1956]. (separata da *Enciclopédia Delta-Larousse*)

Francisco Mignone. Rio de Janeiro: Teatro Municipal, 1956.

Flauta de papel. São Paulo: Alvorada Edições de Arte, 1957. São Paulo: Global, 2014.

Itinerário de Pasárgada/De poetas e de poesia. Rio de Janeiro: São José, 1957.

3 conferências sobre cultura hispano-americana. Rio de Janeiro: Instituto Nacional do Livro/Serviço de Documentação, 1959. Coautoria com Augusto Tamayo Vargas e Cecília Meireles.

Poesia e vida de Gonçalves Dias. São Paulo: Editora das Américas, 1962.

Quadrante 1. Rio de Janeiro: Editora do Autor, 1962. Coautoria com Carlos Drummond de Andrade, Cecília Meireles, Dinah Silveira de Queiroz, Fernando Sabino, Paulo Mendes Campos, Rubem Braga. (sucessivas reedições)

Gonçalves Dias, Álvares de Azevedo, Casimiro de Abreu, Junqueira Freire, Castro Alves. Rio de Janeiro: El Ateneo, 1963.

Quadrante 2. Rio de Janeiro: Editora do Autor, 1963. Coautoria com Carlos Drummond de Andrade, Cecília Meireles, Dinah Silveira de Queiroz, Fernando Sabino, Paulo Mendes Campos, Rubem Braga. (sucessivas reedições)

Vozes da cidade. Rio de Janeiro: Record, 1965. Coautoria com Carlos Drummond de Andrade, Cecília Meireles, Genolino Amado, Henrique Pongetti, Maluh de Ouro Preto, Rachel de Queiroz. (sucessivas reedições)

Andorinha, andorinha. Rio de Janeiro: José Olympio, 1966. São Paulo: Círculo do Livro, [198-]. São Paulo: Global, 2015. Org. Carlos Drummond de Andrade. (sucessivas reedições pela José Olympio)

Os reis vagabundos e mais 50 crônicas. Rio de Janeiro: Editora do Autor, 1966. Org. Rubem Braga.

Colóquio unilateralmente sentimental. Rio de Janeiro: Record, 1968.

Elenco de cronistas modernos. Rio de Janeiro: Sabiá, 1971. Coautoria com Carlos Drummond de Andrade, Clarice Lispector, Fernando Sabino, Paulo Mendes Campos, Rachel de Queiroz, Rubem Braga. (sucessivas reedições e reimpressões pela Sabiá e José Olympio)

Prosa. Rio de Janeiro: Agir, 1983. Org. Antonio Carlos Villaça.

Quatro vozes. Rio de Janeiro: Record, 1984. Coautoria com Carlos Drummond de Andrade, Cecília Meireles, Rachel de Queiroz. (sucessivas reedições e reimpressões)

Seleta de prosa. Rio de Janeiro: Nova Fronteira, 1997. Org. Júlio Castañon Guimarães. (sucessivas reimpressões)

Manuel Bandeira: melhores crônicas. São Paulo: Global, 2003. Org. Eduardo Coelho.

Crônicas da província do Brasil. 2. ed. São Paulo: Cosac Naify, 2006. Org. Júlio Castañon Guimarães.

Crônicas inéditas I: 1920-1931. São Paulo: Cosac Naify, 2008. Org. Júlio Castañon Guimarães.

30 crônicas escolhidas. São Paulo: Cosac Naify, 2008. Edição especial para o Ministério da Educação/FNDE/PNBE/2009.

Crônicas inéditas II: 1930-1944. São Paulo: Cosac Naify, 2009. Org. Júlio Castañon Guimarães.

Crônicas para jovens. São Paulo: Global, 2012. Org. Antonieta Cunha.

Ensaios literários. São Paulo: Global, 2016.

Crítica de artes. São Paulo: Global, 2016.

ANTOLOGIAS DE POESIA E PROSA

Poesia e prosa. Rio de Janeiro: José Aguilar, 1958. 2 v.

Poesia completa e prosa. Rio de Janeiro: José Aguilar, 1967.

Seleta em prosa e verso. Rio de Janeiro: José Olympio; Brasília: Instituto Nacional do Livro, 1971; 2. ed. 1975; 3. ed. 1979; 4. ed. 1986; 6. ed. Rio de Janeiro: José Olympio, 2007. Org. Emanuel de Moraes.

Poesia completa e prosa. Rio de Janeiro: José Aguilar, 1974.

Poesia completa e prosa. Rio de Janeiro: José Aguilar, 1977. (sucessivas reimpressões)

Manuel Bandeira: literatura comentada. São Paulo: Abril Cultural, 1981. Org. Salete de Almeida Cara. (sucessivas reedições e reimpressões)

Poesia completa e prosa. Rio de Janeiro: Nova Aguilar, 2009. Org. André Seffrin.

CORRESPONDÊNCIA

Cartas de Mário de Andrade a Manuel Bandeira. Rio de Janeiro: Organização Simões, 1958; Rio de Janeiro: Edições de Ouro, 1967. Org. Manuel Bandeira.

Itinerários: Mário de Andrade e Manuel Bandeira: cartas a Alphonsus de Guimaraens Filho. São Paulo: Duas Cidades, 1974. Org. Alphonsus de Guimaraens Filho.

Correspondência Mário de Andrade & Manuel Bandeira. São Paulo: Instituto de Estudos Brasileiros/Edusp, 2000. Org. Marcos Antonio de Moraes.

Correspondência de Cabral com Bandeira e Drummond. Rio de Janeiro: Nova Fronteira/Fundação Casa de Rui Barbosa, 2001. Org. Flora Süssekind.

Clarice Lispector: correspondências. Rio de Janeiro: Rocco, 2002. Org. Teresa Montero.

E agora adeus: correspondência para Lêdo Ivo. São Paulo: Instituto Moreira Salles, 2007.

Cartas provincianas: correspondência entre Gilberto Freyre e Manuel Bandeira. São Paulo: Global, 2017. Org. Silvana Moreli Vicente Dias.

ANTOLOGIAS ORGANIZADAS POR M. B.

Antologia dos poetas brasileiros da fase romântica. Rio de Janeiro: Ministério da Educação e Saúde/Imprensa Nacional, 1937; 2. ed. 1937; 3. ed. 1951; Rio de Janeiro: Edições de Ouro, 1967; Rio de Janeiro: Nova Fronteira, 1996.

Antologia dos poetas brasileiros da fase parnasiana. Rio de Janeiro: Ministério da Educação e Saúde/Imprensa Nacional, 1938; 2. ed. 1940; 3. ed. 1951; Rio de Janeiro: Edições de Ouro, 1965 e 1967. Rio de Janeiro: Nova Fronteira, 1996.

Poesias, de Alphonsus de Guimaraens. Rio de Janeiro: Ministério da Educação e Saúde, 1938.

Sonetos completos e poemas escolhidos de Antero de Quental. Rio de Janeiro: Livros de Portugal, 1942. Edição *fac-similar*, Rio de Janeiro: Edições de Ouro, 1969.

Obras-primas da lírica brasileira. São Paulo: Martins, [1943]. Coautoria com Edgar Cavalheiro.

Obras poéticas de Gonçalves Dias: edição crítica e comentada. São Paulo: Companhia Editora Nacional, 1944. (sucessivas edições e reimpressões pela Ediouro)

Antologia dos poetas brasileiros bissextos contemporâneos. Rio de Janeiro: Zélio Valverde, 1946; 2. ed. revista e aumentada, Rio de Janeiro: Organização Simões, 1964; Rio de Janeiro: Edições de Ouro, 1966; Rio de Janeiro: Nova Fronteira, 1996.

Rimas, de José Albano. Rio de Janeiro: Pongetti, 1948; 2. ed. Fortaleza: Imprensa Universitária do Ceará, 1966; 3. ed. Rio de Janeiro: Graphia, 1993.

Gonçalves Dias: poesia. Rio de Janeiro: Agir, 1958. (sucessivas reedições)

Poesia do Brasil. Rio de Janeiro: Editora do Autor, 1963. Coautoria com José Guilherme Merquior.

Rio de Janeiro em prosa & verso. Rio de Janeiro: José Olympio, 1965. Coautoria com Carlos Drummond de Andrade.

Antologia dos poetas brasileiros da fase simbolista. Rio de Janeiro: Edições de Ouro, 1965. 2. ed. 1967. Rio de Janeiro: Nova Fronteira, 1996.

Antologia dos poetas brasileiros: fase moderna. Rio de Janeiro: Edições de Ouro, 1967. 2. ed. Rio de Janeiro: Nova Fronteira, 1996. 2 v. Coautoria com Walmir Ayala.

TRADUÇÕES REALIZADAS POR M. B.

A. POESIA E TEATRO POÉTICO

Poemas traduzidos. Rio de Janeiro: Revista Acadêmica, 1945; 2. ed. aumentada, Porto Alegre: Livraria Globo, 1948; 3. ed. revista e aumentada, Rio de Janeiro: José Olympio, 1956; 4. ed. 1976; Rio de Janeiro: Edições de Ouro, 1966; São Paulo: Global, 2016. (sucessivas reedições e reimpressões pela Ediouro)

Um único pensamento, de Paul Éluard. In: MAGALHÃES JÚNIOR, R. (Org.). *Antologia de poetas franceses:* do século XV ao século XX. Rio de Janeiro: Gráfica Tupy, 1950. 2. ed. Rio de Janeiro: Edições de Ouro, 1966. Coautoria com Carlos Drummond de Andrade.

Maria Stuart, de Schiller. Rio de Janeiro: Civilização Brasileira, 1955; Rio de Janeiro: Tecnoprint, [197-]; São Paulo: Abril Cultural, 1983. (In: BANDEIRA, Manuel. *Poesia e prosa*. Rio de Janeiro: José Aguilar, 1958, v. 1; reedições pela Civilização Brasileira e pela Tecnoprint.)

Torso arcaico de Apolo, de Rainer Maria Rilke. Salvador: Dinamene, [195-].

D. João Tenório, de José Zorrilla. Rio de Janeiro: Revista dos Tribunais, 1960.

Auto sacramental do Divino Narciso, de Soror Juana Inés de la Cruz. In: BANDEIRA, Manuel. *Poesia e prosa*, José Aguilar, 1958, v. 1; *Estrela da tarde*, José Olympio, 1963.

Macbeth, de Shakespeare. Rio de Janeiro: José Olympio, 1961. São Paulo: Brasiliense, 1989. São Paulo: Cosac Naify, 2009. (In: *Poesia e prosa*. Rio de Janeiro: José Aguilar, 1958, v. 1; sucessivas reedições pela Brasiliense.)

Mireia, de Frédéric Mistral. Rio de Janeiro: Delta, 1962.

Rubaiyat, de Omar Khayyan. Rio de Janeiro: Edições de Ouro, 1965. (sucessivas reedições e reimpressões)

Poesias, de Juan Ramón Jiménez. In: JIMÉNEZ, Juan Ramón. *Platero e eu*. Rio de Janeiro: Delta, 1969.

O círculo de giz caucasiano, de Bertolt Brecht. São Paulo: Cosac Naif, 2002. 2. ed. 2010.

Alguns poemas traduzidos. Rio de Janeiro: José Olympio, 2007.

B. EPOPEIA EM PROSA

Prometeu e Epimeteu, de Carl Spitteler. Rio de Janeiro: Delta, 1963. 2. ed. Rio de Janeiro: Ópera Mundi, 1971.

C. TEATRO

O fazedor de chuva, de N. Richard Nash. (1957, inédita em livro)

Colóquio-Sinfonieta, de Jean Tardieu. (1958, inédita em livro)

A casamenteira, de Thornton Wilder. (1959, inédita em livro)

Pena ela ser o que é, de John Ford. (1964, inédita em livro)

O advogado do diabo, de Morris West. (1964, inédita em livro)

Juno e o pavão, de Sean O'Casey. São Paulo: Brasiliense, 1965.

Os verdes campos do éden, de Antonio Gala. Petrópolis: Vozes, 1965.

A fogueira feliz, de J. N. Descalzo. Petrópolis: Vozes, 1965.

Edith Stein na câmara de gás, de Gabriel Cacho. Petrópolis: Vozes, 1965.

A máquina infernal, de Jean Cocteau. Petrópolis: Vozes, 1967.

D. ROMANCE

O calendário, de Edgard Wallace. São Paulo: Nacional, 1934.

O tesouro de Tarzan, de Edgard Rice Borroughs. São Paulo: Nacional, 1934. (sucessivas reedições)

Nômades do norte, de James Oliver Curwood. São Paulo: Nacional, 1935. (sucessivas reedições)

Tudo se paga, de Elinor Glyn. Rio de Janeiro: Civilização Brasileira, 1935. (sucessivas reedições)

Mulher de brio, de Michael Arlen. Rio de Janeiro: Civilização Brasileira, [19--].

Minha cama não foi de rosas: diário de uma mulher perdida, de O. W. [Marjorie Erskine Smith]. Rio de Janeiro: Civilização Brasileira, 1936.

Aventuras maravilhosas do capitão Corcoran, de Alfred Assolant. São Paulo: Nacional, 1936. (sucessivas reedições)

Gengis-Khan: romance do século XXI, de Hans Dominick. São Paulo: Nacional, 1936.

O túnel transatlântico, de Bernhard Kellermann. São Paulo: Nacional, 1938.

Seu único amor, de Elinor Glyn. São Paulo: Nacional, 1948. (sucessivas reedições)

A prisioneira, de Marcel Proust. Porto Alegre: Globo, 1951. Coautoria com Lourdes Sousa de Alencar. (sucessivas reedições)

O século do cirurgião, de Jürgen Thorwald. Rio de Janeiro: Ypiranga, 1959 (versão condensada, Biblioteca de Seleções do Reader's Digest).

E. Biografiia e ensaio

A educação do caráter, de Jean des Vignes Rouges. São Paulo: Nacional, 1936.

A vida de Shelley, de André Maurois. São Paulo: Nacional, 1936. (sucessivas reedições e reimpressões; posterior edição pela Record com o título *Ariel ou a vida de Shelley*)

A vida secreta de D'Annunzio, de Tom Antongini. São Paulo: Nacional, 1939.

As grandes cartas da História, desde a Antiguidade até os nossos dias, de M. Lincoln Schuster. São Paulo: Nacional, 1942.

Um espírito que se achou a si mesmo, de Clifford Whittingham Beers. São Paulo: Nacional, 1942. (sucessivas reedições e reimpressões)

A aversão sexual no casamento, de Theodoor H. Van de Velde. Rio de Janeiro: Civilização Brasileira, 1953.

Reflexões sobre os Estados Unidos, de Jacques Maritain. Rio de Janeiro: Fundo de Cultura, 1959.

Obras publicadas no exterior

Alemanha

Der Weg nach Pasárgada: gedichte und prosa. Frankfurt: Vervuert, 1985. Trad. Karin von Schweder-Schreiner.

Argentina

Momento en un café y otros poemas. Buenos Aires: Calicanto, 1979. Trad. Estela dos Santos, org. Santiago Kovadloff.

Estrella de la vida entera: antología poética (edición bilíngüe). Buenos Aires: Adriana Hidalgo, 2003. Trad. e org. Rodolfo Alonso.

Chile

Castro Alves. Santiago: Centro Brasileiro de Cultura da Embaixada do Brasil, 1962.

Poemas. Santiago, Chile: Embajada del Brasil, [199-]. Trad. Renato Sandoval et al. (poemas de Carlos Drummond de Andrade, Cecília Meireles, Manuel Bandeira, Vinícius de Moraes)

Vicente Huidobro & Manuel Bandeira. Rio de Janeiro: Academia Brasileira de Letras; Santiago: Academia Chilena de la Lengua, 2007. Trad. Patricia Tejeda Naranjo, coord. Antonio Carlos Secchin.

Espanha

Tres poetas del Brasil. Madri: Estaees. Artes Gráficas, 1950. Trad. Leonidas Sobrino Porto, Pilar Vazquez Cuesta e Vicente Sobrino Porto. (poemas de Manuel Bandeira, Carlos Drummond de Andrade e Augusto Frederico Schmidt)

Poemas de Manuel Bandeira. Madri: Separata da Revista de Cultura Brasileña, 1962. Trad. Damaso Alonso e Ángel Crespo.

Estados Unidos

Brief history of Brazilian literature. Washington: Pan American Union, 1958. Trad. Ralph Edward Dimmick.

Brief history of Brazilian literature. Nova York: Charles Frank, 1964. Trad. e org. Ralph Edward Dimmick.

This earth, that sky. Berkeley: University of California Press, 1989. Trad. Candace Slater.

Selected poems. Nova York: The Sheep Meadow Press, [2002?]. Trad. David R. Slavitt.

FRANÇA

Guide d'Ouro Preto. Rio de Janeiro: Ministério das Relações Exteriores/Serviço de Publicações, 1948. Trad. e org. Michel Simon.

Poèmes. Paris: Pierre Seghers, 1960. Trad. Luís Annibal Falcão, F. H. Blank-Simon e Manuel Bandeira.

Manuel Bandeira. Paris: Pierre Seghers, 1965. Trad. e org. Michel Simon.

HOLANDA

Gedichten. Leiden: Uitgeverij De Lantaarn, 1982; 2. ed. 1983; 3. ed. [198-]; 4. ed. 1984. Trad. August Willemsen.

INGLATERRA

Recife. Londres/Bradford: Rivelin Grapheme Press, 1984. Trad. Eddie Flintoff.

ITÁLIA

Poesia di Manuel Bandeira. Roma: Dell'Arco, [196-]. Trad. e org. Anton Angelo Chiocchio.

Poesia: antologia. Spinea: Fonéma, 2000. Trad. Vera Lúcia de Oliveira.

MÉXICO

Panorama de la poesía brasileña: acompañado de una breve antología. México: Fondo de Cultura Económica, 1946. 2. ed. 1951. Trad. Ernestina de Champourcín.

Evocación a Recife y otros poemas. México: Premia, 1982. Trad. e org. José Martinez Torres.

PERU

Poemas. Lima: Centro de Estudios Brasileños, 1978. Trad. Washington Delgado.

PORTUGAL

Glória de Antero. Lisboa: Gráfica Lisbonense, 1943. Coautoria com Jaime Cortesão.

Obras poéticas. Lisboa: Minerva, 1956.

A máquina infernal, de Jean Cocteau. Lisboa: Presença, 1956. Trad. M. B.

Macbeth, de Shakespeare. Lisboa: Presença, 1964. Trad. M. B.

Poesias de Manuel Bandeira. Lisboa: Portugália, 1968. Org. Adolfo Casais Monteiro.

Antologia. Lisboa: Relógio D'Água, 2006.

POEMAS MUSICADOS

Almeida Prado: "Trem de ferro".

Ari Barroso: "Portugal, meu avozinho".

Arícia Mess: "Madrigal".

Breno Blauth: "Belo belo" (coro a capela).

Camargo Guarnieri: "Nas ondas da praia" (corinho à moda paulista), "O impossível carinho", "Irene no céu" (coro misto), "Vai, azulão", "Pai Zusé", "Oração a Terezinha do Menino Jesus", "Rosalina" (coro misto a quatro vozes), "Madrigal muito fácil".

Capiba: "Alumbramento", "Arte de amar", "Cotovia", "Desafio", "Ingênuo enleio", "D. Janaína", "Poema de quarta-feira de cinzas" (em ritmo de rancho), "Trem de ferro", "Tu que me deste o teu cuidado" (seresta).

Carlos Alberto Pinto Fonseca: "Os sinos" (coro misto a capela).

César Guerra-Peixe: "Vou-me embora pra Pasárgada" (canto e piano).

Coral do Departamento de Música da ECA-USP: "Manduca Piá".

Coro da Camerata Antiqua de Curitiba: "Acalanto", "Na rua do sabão", "Os sinos".

Domenico Barbieri: "André" (coro infantil).

Dori Caymmi: "Versos escritos n'água".

Dorival Caymmi: "Balada do rei das sereias".

Edino Krieger: "Desafio" (canto e piano), "3 cantos de amor e paz" (coro e orquestra de câmara).

Eduardo Camenietzki e Wagner Campos: "Valsa romântica".

Emmanuel Coelho Maciel: "Os sapos" (coro infantil a três vozes).

Ernest Mahle: "Tema e variações", "Cantiga", "A realidade e a imagem", "Lenda brasileira", "A onda", "Menino doente".

Evaldo Gouveia e Jair Amorim: "Terra azul" (paráfrase de "Vou-me embora pra Pasárgada").

Francis Hime: "Alumbramento", "Canção do vento e da minha vida", "Desencanto", "O rio", "Palinódia", "Sapo cururu".

Francisco Mignone: "Dentro da noite", "D. Janaína", "O menino doente", "Pousa a mão na minha testa", "Alegrias de Nossa Senhora" (oratório para solistas cantores, coro e orquestra), "A estrela", "Desafio", "Berimbau", "Cantiga" (canto e piano), "Embolada do brigadeiro", "Enquanto morrem as rosas" (coro a quatro vozes femininas), "Hino da P.R.D.", "Hino da Rádio MEC", "Hino do quarto centenário da cidade do Rio de Janeiro", "Imagem", "Quatro líricas" (canto e piano), "O anjo da guarda", "O impossível carinho" (canto e violão), "Outro improviso", "Poema para Manuel Bandeira" (canto e piano), "Solau do desamado", "Trem de ferro" (para vozes femininas).

Frederico Richter: "Je suis seul".

Fructuoso Vianna: "Canção da Jamaica", "Desencanto".

Garoto (Aníbal Augusto Sardinha): "Tema e variações".

Gilberto Gil: "Vou-me embora pra Pasárgada".

Guilherme Leanza: "A tarde cai", "Desencanto" (coro para três vozes iguais a capela), "Madrigal".

Harte Vocal: "Os sinos".

Heckel Tavares: "O Brasil", "Canção da bandeira", "Nana Nanana", "O sorteado", "Princesa D. Izabel" (em *6 canções infantis sobre temas de roda*).

Heitor Alimonda: "Cantiga", "A estrela".

Heitor Villa-Lobos: "O anjo da guarda", "O novelozinho de linha", "Modinha" (seresta n. 5, letra assinada com o pseudônimo Manduca Piá), "Canto de Natal" (coro a três vozes), "Irerê meu passarinho" ("Martelo", das *Baquianas brasileiras n. 5)*, "Jurupari", "Danças" ("Quadrilha", "Marchinha das três Marias"), "Canções de cordialidade" ("Feliz aniversário", "Boas-festas", "Feliz Natal", "Feliz Ano-Novo" e "Boas-vindas").

Helza Cameu: "Desencanto", "Madrigal", "Crepúsculo de outono", "A estrela", "Dentro da noite", "Confidência", "Ao crepúsculo", "Madrugada".

Ivan Lins: "O impossível carinho".

Jayme Ovalle: "Azulão", "Modinha", "Berimbau".

João Nunes: "Trem de ferro".

João Pedro de Lima Júnior, Luis Felipe Ribeiro Pinho Rodarte e Tatiana Dauster Carvalho e Silva Garcia: "Dona Janaína", "Trem de ferro".

João Ricardo (Secos & Molhados): "Rondó do capitão".

João Ricardo Carneiro Teixeira Pinto: "Rondó do capitão", "Vou-me embora pra Pasárgada".

José Siqueira: "Trem de ferro", "Na rua do Sabão", "Boca de forno", "Macumba de Pai Zusé", "Madrigal" (canto e piano), "Andorinha", "Debussy", "Acalanto", "Irene no céu", "O impossível carinho", "Primeira coletânea" (canto e piano), "Segunda coletânea" (canto e piano).

José Vieira Brandão: "Coração incerto", "Cussaruim em 2 tempos" (coro a capela), "Paráfrase de Ronsard".

Joyce: "Berimbau".

Lena Verani e Luiz Flávio Alcofra: "Porquinho-da-índia".

Letícia de Figueiredo: "Trem de ferro".

Lino Costa: "Valsa romântica".

Lorenzo Fernández: "Cantiga", "Canção do mar" (canto e piano), "Chanson de la mer", "La canzone del mare".

Lucila Azevedo de Freitas: "Canto de Natal".

Marcelo Delacroix Cury: "Desencanto".

Marcelo Tupinambá: "Madrigal".

Marlos Nobre: "Três canções" (canto e piano, Ascenso Ferreira e Manuel Bandeira).

Milton Nascimento: "Testamento".

Moacyr Luz: "Elegia inútil".

Moraes Moreira: "Azulão", "Portugal, meu avozinho".

Nenia Carvalho Fernandes: "Madrigal", "Trem de ferro".

Olívia Hime: "Estrela da vida inteira".

Orestes Farinello: "Canto de Natal".

Oswaldo Lacerda: "O menino doente" (canto e piano), "Cantiga", "Mandaste a sombra de um beijo" (canto e piano), "Poemeto erótico" (canto e piano), "Mozart no céu" (canto e piano), "Poema tirado de uma notícia de jornal", "Cantiga II" (canto e piano).

Paquito: "Bacanal".

Paulo Libânio: "Sacha".

Pedro Luis e a Parede: "Cantiga".

Pedro Luis e Roberta Sá: "Cantiga".

Quarteto Colonial: "Canção de muitas Marias".

Radamés Gnatalli: "Azulão", "Valsa romântica", "Modinha" (canto e piano), "Tema e voltas".

Renzo Massarani: "Azulão", "Porquinho-da-índia" (a duas vozes iguais, piano *ad libitum*).

Ricardo Tacuchian: "A estrela", "Cantata de Natal", "Nas ondas do mar", "Berimbau" (canto e piano), "Cantiga" (voz média e piano), "Evocando Manuel Bandeira" (guitarra).

Richard Serraria: "Desencanto".

Ronaldo Miranda: "Belo belo" (coro misto a capela), "Canto de Natal" (coro infantil), "Santa Clara clareai".

Sérgio Vasconcelos Correia: "Louvação".

Soraia Ravenle e Camerata de Cordas: "Teu nome".

Tom Jobim: "Trem de ferro".

Toninho Horta: "Baladilha arcaica".

Vieira Brandão: "Trem de ferro".

Wagner Tiso: "Belo belo".

Waldemar Henrique: "Cantiga".

Discografia selecionada

Poesias (Lado A: "Canção do vento e da minha vida", "Noite morta", "Rondó dos cavalinhos", "Água forte", "Piscina"; Lado B: "O rio", "Mascarada", "Boi morto", "Satélite", "Maísa" – interpretação de Manuel Bandeira). Rio de Janeiro: Festa, 1955.

Poesia: Sérgio Milliet e Manuel Bandeira (Lado B: "A chave do poema" (crônica), "Berimbau", "O cacto", "Pneumotórax", "Namorados", "Estrela da manhã", "Piscina", "A ninfa" – interpretação de Manuel Bandeira; Sérgio Milliet, lado A). Rio de Janeiro: Festa, [195-].

Maria Lúcia Godoy canta poemas de Manuel Bandeira (Lado A: "Dança do martelo", "Modinha", "O anjo da guarda", "Azulão"; Lado B: "D. Janaína", "Pousa a mão na minha testa", "O menino dorme", "O impossível carinho", "Canção do mar", "Madrigal", "Desafio"). Rio de Janeiro: Museu da Imagem e do Som, [1966].

Poemas de Manuel Bandeira, ditos por ele próprio (Lado A: "Evocação do Recife"; Lado B: "Vou-me embora pra Pasárgada", "Profundamente", "Última canção do beco"). Rio de Janeiro: Continental, [196-].

Poemas de Manuel Bandeira, ditos por ele próprio (Lado A: "A morte absoluta", "Rondó dos cavalinhos", "Andorinha", "Momento num café", "O rio", "Canção da parada do Lucas", "Piscina"; Lado B: "Pneumotórax", "Estrela da manhã", "O último poema", "Tema e voltas", "Canção do vento e da minha vida"). Rio de Janeiro: Continental, [196-].

O Rio na voz dos nossos poetas, seleção e comentários de Manuel Bandeira (interpretação de Paulo Autran, Ítalo Rossi, Tônia Carrero, Riva Blanche, Benedito Corsi e Delmar Mancuso, solo de violão de Roberto Nascimento). Rio de Janeiro: Conselho Nacional de Cultura/CBS, [196-].

Poesias: Manuel Bandeira e Carlos Drummond de Andrade (Lado A: "Evocação do Recife", "Profundamente", "Noturno do morro do Encanto", "Vulgívaga", "O último poema", "Vou-me embora pra Pasárgada", "Poema só para Jayme Ovalle", "Arte de amar", "Última canção do beco", "Momento num café", "Tema e voltas", "Consoada" – interpretação de Manuel Bandeira; Carlos Drummond de Andrade, lado B). Rio de Janeiro: Festa, [196-].

Poesia de Manuel Bandeira (Lado A: "Cartas do meu avô", "A dama de branco", "O homem e a morte"; Lado B: "Cotovia", "Mal sem mudança", "Elegia de Londres", "Preparação para a morte" – interpretação de Manuel Bandeira e Paulo Autran). Rio de Janeiro: Gravadora do Autor, [196-].

Manuel Bandeira: in memoriam (Lado A: Manuel Bandeira por ele mesmo. "A chave do poema" (crônica), "Berimbau", "Pneumotórax", "Estrela da manhã", "Canção do vento e da minha vida", "Rondó dos cavalinhos", "Boi morto", "Profundamente", "Noturno do morro do Encanto", "O último poema", "Vou-me embora pra Pasárgada", "Consoada"; Lado B: Manuel Bandeira interpretado. "Evocação do Recife", jograis de São Paulo; "Última canção do beco", João Villaret; "Os sinos", Margarida Lopes de Almeida; "Modinha", música de Jayme Ovalle cantada por Lenita Bruno). Rio de Janeiro: Festa, 1968.

Bandeira a vida inteira (Lado A: "Evocação do Recife"; Lado B: "Pneumotórax", "Vou-me embora pra Pasárgada", "Canção do vento e da minha vida", "Consoada" – interpretação de Manuel Bandeira). Edições Alumbramento, 1986. (acompanha edição de *Manuel Bandeira: fotobiografia*)

Manuel Bandeira (Lado A: 1. "Autorretrato"/"Evocação do Recife", 2. "Porquinho-da-índia"/"Madrigal tão engraçadinho"/"Estrela da manhã", 3. "Balada das três mulheres do sabonete Araxá"/"Vou-me embora pra Pasárgada", 4. "A estrada", 5. "Última canção do beco"; Lado B: 6. "Poética"/"Camelôs"/"Meninos carvoeiros", 7. "O bicho"/"Momento num café", 8. "Arlequinada", 9. "Nu"/"Dois anúncios", 10. "Testamento", 11. "A morte absoluta", 12. "O último poema" – interpretação Pedro Paulo Colin Gill). Rio de Janeiro: Universidade Federal do Rio de Janeiro, 1986.

Estrela da vida inteira ("Vou-me embora para Pasárgada", "Desencanto", "Trem de ferro", "Testamento", "Belo belo", "Portugal, meu avozinho", "O impossível carinho", "Balada do rei das sereias", "Baladilha arcaica", "Berimbau", "Tema e voltas", "Versos escritos n'água", "Estrela da vida inteira" – interpretação de Olivia Hime). Rio de Janeiro: Continental, 1986.

Manuel Bandeira: poemas lidos pelo autor (CD: "Noite morta", "Berimbau", "O cacto", "Pneumotórax", "Evocação do Recife", "Profundamente", "Namorados", "Vou-me embora pra Pasárgada", "O último poema", "Estrela da manhã", "Momento num café", "Rondó dos cavalinhos", "O martelo", "Água forte", "Canção do vento e da minha vida", "Última canção do beco", "Belo belo", "Piscina", "Temas e voltas", "O rio", "Arte de amar", "Boi morto", "Satélite", "Noturno do morro do Encanto", "Consoada", "Poema só para Jayme Ovalle", "A ninfa", "Mascarada", "Maísa" – interpretação de Manuel Bandeira). Cosac Naify, 2006. (acompanha edição de 50 poemas escolhidos pelo autor)

FILMOGRAFIA

Manuel Bandeira, o poeta do Castelo. Argumento e direção de Joaquim Pedro de Andrade, 1959. (curta-metragem)

Manuel Bandeira, o habitante de Pasárgada. Direção de Fernando Sabino e David Neves, 1974. (curta-metragem)

SOBRE M. B. EM LIVRO

ABDALA Junior, Benjamin. *Literatura, história e política:* literaturas de língua portuguesa no século XX. São Paulo: Ática, 1989.

ABDALA Junior, Benjamin; CAMPEDELLI, Samira Youssef. Manuel Bandeira. In:_____. *Tempos da literatura brasileira.* 2. ed. São Paulo: Ática, 1986.

AITA, Giovanna. *Un poeta brasiliano di oggi:* poesia di Manuel Bandeira. Modena: Societá Modenese, 1942.

_____. *Due poeti brasiliani contemporanei:* Manuel Bandeira e Ribeiro Couto. Nápoles: Scientifica, 1953.

ALBERGARIA, Consuelo. O simbolismo francês em *A cinza das horas.* In: XAVIER, Elódia F. (Org.). *Manuel Bandeira:* 1886-1986. Rio de Janeiro: UFRJ/Antares, 1986.

ALMEIDA, Guilherme de. Balada das rimas em "il" para um dezenove de abril que glorificou o Brasil. In: BANDEIRA, Manuel. *Estrela da vida inteira:* poesias reunidas. Rio de Janeiro: José Olympio, 1966.

ALMEIDA, Lilian Pestre de. Manuel Bandeira e o universo das correspondências. In: SILVA, Maximiano de Carvalho e (Org.). *Homenagem a Manuel Bandeira:* 1986-1988. Niterói: Sociedade Sousa da Silveira; Rio de Janeiro: Monteiro Aranha/Presença, 1989.

ALMEIDA, Paulo Mendes de. Dois poetas. In: LOPEZ, Telê Porto Ancona (Org.). *Manuel Bandeira:* verso e reverso. São Paulo: T. A. Queiroz, 1987.

ALONSO, Rodolfo. Bandeira do Brasil. In: BANDEIRA, Manuel. *Estrella de la vida entera:* antología poética (edición bilíngüe). Buenos Aires: Adriana Hidalgo, 2003.

ALVARENGA, Octavio Mello. "Itinerário de Pasárgada". In: _____. *Mitos e valores.* Rio de Janeiro: Instituto Nacional do Livro, 1956.

_____. "Água" na poesia de Manuel Bandeira. In: _____. *Mitos e valores.* Rio de Janeiro: Instituto Nacional do Livro, 1956.

ANDRADE, Carlos Drummond de. Ode ao cinquentenário do poeta brasileiro. In: _____ et al. *Homenagem a Manuel Bandeira.* Rio de Janeiro: Typ. do *Jornal do Commercio,* 1936. 2. ed., fac--similar, São Paulo: Metal Leve, 1986.

_____. Manuel Bandeira. In: _____. *Passeios na ilha:* divagações sobre a vida literária e outras matérias. Rio de Janeiro: Organização Simões, 1952.

_____. Mafuá do malungo: nota preliminar. In: BANDEIRA, Manuel. *Poesia e prosa.* Rio de Janeiro: José Aguilar, 1958. v. 1.

_____. No aniversário do poeta. In: BANDEIRA, Manuel. *Estrela da vida inteira:* poesias reunidas. Rio de Janeiro: José Olympio, 1966.

_____. Mafuá do malungo: nota preliminar. In: BANDEIRA, Manuel. *Poesia completa e prosa.* Rio de Janeiro: José Aguilar, 1967.

_____. Manuel, ou a morte menina. In: _____. *O poder ultrajovem e mais 79 textos em prosa e verso.* Rio de Janeiro: José Olympio, 1972.

_____. Nota preliminar. In: BANDEIRA, Manuel. *Poesia completa e prosa.* Rio de Janeiro: José Aguilar, 1974.

_____. Manuel Bandeira faz novent'anos. In: _____. *Discurso de primavera e algumas sombras.* Rio de Janeiro: José Olympio, 1977.

_____. Manuel Bandeira faz novent'anos. In: BANDEIRA, Manuel. *Poesia completa e prosa.* Rio de Janeiro: Nova Aguilar, 1977.

_____. Manuel Bandeira. In: BRAYNER, Sônia (Org.). *Manuel Bandeira.* Rio de Janeiro: Civilização Brasileira/Brasília: Instituto Nacional do Livro, 1980.

_____. Manuel Bandeira enfermo. In: _____. *O observador no escritório.* Rio de Janeiro: Record, 1985.

_____. Entre Bandeira e Oswald de Andrade. In: _____. *Tempo vida poesia:* confissões no rádio. Rio de Janeiro: Record, 1986.

_____. Mosaico de Manuel Bandeira. In: _____. Bandeira, a vida inteira. Brasília: Instituto Nacional do Livro/Rio de Janeiro: Alumbramento, 1986. 2. ed. Rio de Janeiro: Alumbramento/Livroarte, 1998.

_____. Manuel Bandeira: lembranças e impressões. In: SILVA, Maximiano de Carvalho e (Org.). *Homenagem a Manuel Bandeira:* 1986-1988. Niterói: Sociedade Sousa da Silveira; Rio de Janeiro: Monteiro Aranha/Presença, 1989.

_____. Nota do organizador à primeira edição. In: BANDEIRA, Manuel. *Andorinha, andorinha.* São Paulo: Global, 2015.

ANDRADE, Joaquim Pedro de. O poeta filmado. In: SILVA, Maximiano de Carvalho e (Org.). *Homenagem a Manuel Bandeira:* 1986-1988. Niterói: Sociedade Sousa da Silveira; Rio de Janeiro: Monteiro Aranha/Presença, 1989.

ANDRADE, Mário de. Carta aos organizadores da homenagem. In: ANDRADE, Carlos Drummond de et al. *Homenagem a Manuel Bandeira.* Rio de Janeiro: Typ. do *Jornal do Commercio,* 1936. 2. ed., fac-similar, São Paulo: Metal Leve, 1986.

_____. Rito do irmão pequeno. In: ANDRADE, Carlos Drummond de et al. *Homenagem a Manuel Bandeira.* Rio de Janeiro: Typ. do *Jornal do Commercio,* 1936. 2. ed., fac-similar, São Paulo: Metal Leve, 1986.

_____. Parnasianismo. In: _____. *O empalhador de passarinho.* São Paulo: Martins, [1946].

_____. Poemas traduzidos: nota preliminar. In: BANDEIRA, Manuel. *Poesia e prosa.* Rio de Janeiro: José Aguilar, 1958. v. 1.

_____. *Libertinagem:* nota preliminar. In: BANDEIRA, Manuel. *Poesia e prosa.* Rio de Janeiro: José Aguilar, 1958. v. 1.

_____. *Libertinagem:* nota preliminar. In: BANDEIRA, Manuel. *Poesia completa e prosa.* Rio de Janeiro: José Aguilar, 1967.

_____. A poesia em 1930. In: _____. *Aspectos da literatura brasileira.* 5. ed. São Paulo: Martins, 1974.

_____. *Libertinagem.* In: BRAYNER, Sônia (Org.). *Manuel Bandeira.* Rio de Janeiro: Civilização Brasileira/Brasília: Instituto Nacional do Livro, 1980.

_____. *Cartas a Murilo Miranda:* 1934-1945. Rio de Janeiro: Nova Fronteira, 1981.

_____. Manuel Bandeira. In: LOPEZ, Telê Porto Ancona (Org.). *Manuel Bandeira:* verso e reverso. São Paulo: T. A. Queiroz, 1987.

_____. Da modesta grandeza. In: LOPEZ, Telê Porto Ancona (Org.). *Manuel Bandeira:* verso e reverso. São Paulo: T. A. Queiroz, 1987.

_____. *Libertinagem.* In: BANDEIRA, Manuel. *Libertinagem-Estrela da manhã.* Org. Giulia Lanciani. Madri: ALLCA XX; São Paulo: Scipione Cultural, 1998.

ANDRADE, Rodrigo M. F. de. Tentativa de aproximação. In: ANDRADE, Carlos Drummond de et al. *Homenagem a Manuel Bandeira.* Rio de Janeiro: Typ. do *Jornal do Commercio,* 1936. 2. ed., fac-similar, São Paulo: Metal Leve, 1986.

ANDRESEN, Sophia de Mello Breyner. Manuel Bandeira. In: _____. *Geografia.* Lisboa: Ática, 1967.

ANJOS, Cyro dos. Manuel Bandeira: o homem e o poeta. In: SILVA, Maximiano de Carvalho e (Org.). *Homenagem a Manuel Bandeira:* 1986-1988. Niterói: Sociedade Sousa da Silveira; Rio de Janeiro: Monteiro Aranha/Presença, 1989.

_____; ANDRADE, Carlos Drummond de. *Cyro & Drummond:* correspondência de Cyro dos Anjos e Carlos Drummond de Andrade. São Paulo: Globo, 2012. Org. Wander Melo Miranda e Roberto Said.

ANSELMO, Manuel. A Poesia psicológica de Manuel Bandeira. In: _____. *Família literária luso-brasileira.* Rio de Janeiro: José Olympio, 1943.

ANTONIO CANDIDO de Mello e Souza. Ensaios literários: nota preliminar. In: BANDEIRA, Manuel. *Poesia e prosa.* Rio de Janeiro: José Aguilar, 1958. v. 2

_____; SOUZA, Gilda de Mello e. Introdução. In: BANDEIRA, Manuel. *Estrela da vida inteira:* poesias reunidas. Rio de Janeiro: José Olympio, 1966.

_____; CASTELLO, José Aderaldo (Orgs.). Manuel Bandeira. *Presença da literatura brasileira 3:* Modernismo. 2. ed. São Paulo: Difusão Européia do Livro, 1967.

_____. Antologias. In: SILVA, Maximiano de Carvalho e (Org.). *Homenagem a Manuel Bandeira:* 1986-1988. Niterói: Sociedade Sousa da Silveira; Rio de Janeiro: Monteiro Aranha/Presença, 1989.

_____. Carrossel. In: _____. *Na sala de aula:* caderno de análise literária. São Paulo: Ática, 1985.

_____. *Iniciação à literatura brasileira:* resumo para principiantes. São Paulo: Humanitas, 1997.

_____; SOUZA, Gilda de Mello e. Introdução. In: BANDEIRA, Manuel. *Libertinagem-Estrela da manhã.* Org. Giulia Lanciani. Madri: ALLCA XX; São Paulo: Scipione Cultural, 1998.

ARRIGUCCI JR., Davi. Achados e perdidos. In: _____. *Achados e perdidos:* ensaios de crítica. São Paulo: Polis, 1979.

_____. O humilde cotidiano de Manuel Bandeira. In: SCHWARZ, Roberto (Org.). *Os pobres na literatura brasileira.* São Paulo: Brasiliense, 1983.

_____. O humilde cotidiano de Manuel Bandeira. In: _____. *Enigma e comentário:* ensaios sobre literatura e experiência. São Paulo: Companhia das Letras, 1987.

_____. *Humildade, paixão e morte:* a poesia de Manuel Bandeira. São Paulo: Companhia das Letras, 1990.

_____. A beleza humilde e áspera. In: BANDEIRA, Manuel. *Libertinagem-Estrela da manhã.* Org. Giulia Lanciani. Madri: ALLCA XX; São Paulo: Scipione Cultural, 1998.

_____. Poema desentranhado. In: BANDEIRA, Manuel. *Libertinagem-Estrela da manhã.* Org. Giulia Lanciani. Madri: ALLCA XX; São Paulo: Scipione Cultural, 1998.

_____. Achados e perdidos. In: _____. *Outros achados e perdidos.* São Paulo: Companhia das Letras, 1999.

_____. A beleza humilde e áspera. In: _____. *O cacto e as ruínas:* a poesia entre outras artes. 2. ed. São Paulo: Duas Cidades/Editora 34, 2000.

_____. Por fim, mais luz. In: BANDEIRA, Manuel. *Estrela da tarde.* São Paulo: Global, 2012.

ARSILLO, Vincenzo. *La fantasia della memória:* saggio su Manuel Bandeira. Roma: Sallustiana, 2000.

ATAIDE, Vicente. Poesias de Manuel Bandeira. In: _____. *A poesia:* textos para o estudo teórico da poesia: formas líricas. Curitiba: Escola Construtural, 1970.

_____. Manuel Bandeira. In: _____. *Literatura:* uma abordagem didática. Curitiba: Imprensa Universitária/Universidade Católica do Paraná, 1980.

_____. Manuel Bandeira. In: _____. *Modernismo.* Curitiba: HDV, 1983.

ATHAYDE, Austregésilo de. Duas homenagens ao poeta. In: SILVA, Maximiano de Carvalho e (Org.). *Homenagem a Manuel Bandeira:* 1986-1988. Niterói: Sociedade Sousa da Silveira; Rio de Janeiro: Monteiro Aranha/Presença, 1989.

ATHAYDE, Tristão de (Alceu Amoroso Lima). Nota sobre o poeta. In: ANDRADE, Carlos Drummond de et al. *Homenagem a Manuel Bandeira*. Rio de Janeiro: Typ. do *Jornal do Commercio*, 1936. 2. ed., fac-similar, São Paulo: Metal Leve, 1986.

_____. Carnaval: nota preliminar. In: BANDEIRA, Manuel. *Poesia e prosa*. Rio de Janeiro: José Aguilar, 1958. v. 1.

_____. Um precursor. In: _____. *Estudos literários*. Rio de Janeiro: José Aguilar, 1966.

_____. Carnaval: nota preliminar. In: BANDEIRA, Manuel. *Poesia completa e prosa*. Rio de Janeiro: José Aguilar, 1967.

_____. Poesia e técnica. In: _____. *Meio século de presença literária*: 1919-1969. Rio de Janeiro: José Olympio, 1969.

_____. O jovem octogenário. In: _____. *Meio século de presença literária:* 1919-1969. Rio de Janeiro: José Olympio, 1969.

_____. Apresentação. In: BANDEIRA, Manuel. Poesia. Rio de Janeiro: Agir, 1970.

_____. Um precursor. In: BRAYNER, Sônia (Org.). *Manuel Bandeira*. Rio de Janeiro: Civilização Brasileira/Brasília: Instituto Nacional do Livro, 1980.

_____. Vida literária: vozes de perto. In: LOPEZ, Telê Porto Ancona (Org.). *Manuel Bandeira: verso e reverso*. São Paulo: T. A. Queiroz, 1987.

ÁVILA, Affonso (Org.). *O Modernismo*. São Paulo: Perspectiva/Secretaria da Cultura, Ciência e Tecnologia, 1975.

AYALA, Walmir. Estrela da tarde. In: BRAYNER, Sônia (Org.). *Manuel Bandeira*. Rio de Janeiro: Civilização Brasileira/Brasília: Instituto Nacional do Livro, 1980.

_____. Eu, Manuel Bandeira e dois inéditos. In: SILVA, Maximiano de Carvalho e (Org.). *Homenagem a Manuel Bandeira:* 1986-1988. Niterói: Sociedade Sousa da Silveira; Rio de Janeiro: Monteiro Aranha/Presença, 1989.

_____. A poesia do Natal. In:_____. *O desenho da vida*. Rio de Janeiro: Calibán, 2009.

AZEVEDO, Carlito. Apresentação. In: BANDEIRA, Manuel. *A aranha e outros bichos*. Rio de Janeiro: Nova Fronteira, 2006; São Paulo, Global, 2013.

AZEVEDO, Sânzio de. Um poema cearense de Manuel Bandeira. In: SILVA, Maximiano de Carvalho e (Org.). *Homenagem a Manuel Bandeira:* 1986-1988. Niterói: Sociedade Sousa da Silveira; Rio de Janeiro: Monteiro Aranha/Presença, 1989.

BACIU, Stefan. Manuel Bandeira e George Sion. In: _____. *Servindo à poesia*. Rio de Janeiro: Ministério da Educação e Saúde/Serviço de Documentação, 1953.

_____. *Manuel Bandeira de corpo inteiro*. Rio de Janeiro: José Olympio, 1966.

_____. Manuel Bandeira. In: _____ (Org.). *Antología de la poesia latinoamericana:* 1950--1970. Nova York: State University, 1974. 2 v.

BARBADINHO NETO, Raimundo. *Antologia de textos do Modernismo*. Rio de Janeiro: Ao Livro Técnico, 1982.

BARBOSA, Dom Marcos. Na missa de Manuel Bandeira. In: SILVA, Maximiano de Carvalho e (Org.). *Homenagem a Manuel Bandeira:* 1986-1988. Niterói: Sociedade Sousa da Silveira; Rio de Janeiro: Monteiro Aranha/Presença, 1989.

BARBOSA, Francisco de Assis. Manuel Bandeira, estudante do Colégio Pedro II. In: _____. *Achados do vento*. Rio de Janeiro: Ministério da Educação e Cultura/Instituto Nacional do Livro, 1958.

_____. Milagre de uma vida. In: BANDEIRA, Manuel. *Poesia e prosa*. Rio de Janeiro: José Aguilar, 1958. (v. I, poesia)

_____. Cronologia da vida e da obra. In: BANDEIRA, Manuel. *Poesia completa e prosa*. Rio de Janeiro: José Aguilar, 1967.

_____. *Manuel Bandeira, 100 anos de poesia:* síntese da vida e obra do poeta maior do Modernismo. Recife: Pool, 1988.

_____. Manuel Bandeira, estudante do Colégio Pedro II. In: SILVA, Maximiano de Carvalho e (Org.). *Homenagem a Manuel Bandeira:* 1986-1988. Niterói: Sociedade Sousa da Silveira; Rio de Janeiro: Monteiro Aranha/Presença, 1989.

_____. "João Condé obrigou-me a escrever as memórias". In: CONDÉ, João. *Recordações de Manuel Bandeira nos "Arquivos implacáveis" de João Condé.* Lisboa: Embaixada do Brasil, 1990.

_____. Toda a vida de Manuel Bandeira... In: BANDEIRA, Manuel. *Melhores poemas.* São Paulo: Global, 2016.

BARBOSA, Sônia Monnerat. Bandeira: da poesia como luto-melancólico a uma poética-libertação. In: SILVA, Maximiano de Carvalho e (Org.). *Homenagem a Manuel Bandeira:* 1986-1988. Niterói: Sociedade Sousa da Silveira; Rio de Janeiro: Monteiro Aranha/Presença, 1989.

BARCELLOS, José Carlos. Bandeira e a poesia portuguesa de entre-séculos. In: SILVA, Maximiano de Carvalho e (Org.). *Homenagem a Manuel Bandeira:* 1986-1988. Niterói: Sociedade Sousa da Silveira; Rio de Janeiro: Monteiro Aranha/Presença, 1989.

BARROS, A. C. Couto de. Divagação em torno de Manuel Bandeira. In: ANDRADE, Carlos Drummond de et al. *Homenagem a Manuel Bandeira.* Rio de Janeiro: Typ. do *Jornal do Commercio*, 1936. 2. ed., fac-similar, São Paulo: Metal Leve, 1986.

BARROS, Jayme de. *Espelho dos livros.* Rio de Janeiro: José Olympio, 1936. v. 1.

_____. Os modernistas. In: _____. *Poetas do Brasil.* Rio de Janeiro: José Olympio, 1944.

BASTIDE, Roger. Manuel Bandeira. In: _____. *Poetas do Brasil.* 2. ed. São Paulo: Edusp, 1997.

BECHARA, Evanildo. Manuel Bandeira e a língua portuguesa. In: SILVA, Maximiano de Carvalho e (Org.). *Homenagem a Manuel Bandeira:* 1986-1988. Niterói: Sociedade Sousa da Silveira; Rio de Janeiro: Monteiro Aranha/Presença, 1989.

BERABA, Ana Luiza. *América aracnídea:* teias culturais interamericanas. Rio de Janeiro: Civilização Brasileira, 2008.

BERARDINELLI, Cleonice. Carta a Manuel Bandeira. In: XAVIER, Elódia F. (Org.). *Manuel Bandeira:* 1886-1986. Rio de Janeiro: UFRJ/Antares, 1986.

_____. Presença de autores portugueses em Manuel Bandeira. In: SILVA, Maximiano de Carvalho e (Org.). *Homenagem a Manuel Bandeira:* 1986-1988. Niterói: Sociedade Sousa da Silveira; Rio de Janeiro: Monteiro Aranha/Presença, 1989.

BERRINI, Beatriz. *Utopia, utopias:* visitando poemas de Gonçalves Dias e Manuel Bandeira. São Paulo: Educ, 1997.

BESOUCHET, Lídia; FREITAS, Newton de. *Literatura del Brasil.* Buenos Aires: Sudamericana, 1946.

BEZERRA, Elvia. *A trinca do Curvelo:* Manuel Bandeira, Ribeiro Couto e Nise da Silveira. Rio de Janeiro: Topbooks, 1995.

_____. *Meu diário de Lya.* Rio de Janeiro: Topbooks, 2002.

BINES, Rosana Kohl. O Bandeira o que é? É poeta ou não é? In: BANDEIRA, Manuel. *Mafuá do malungo:* versos de circunstância. São Paulo: Global, 2015.

BISHOP, Elizabeth. *Uma arte:* as cartas de Elizabeth Bishop. São Paulo: Companhia das Letras, 1995.

BLOCH, Pedro. Manuel Bandeira. *Entrevista:* vida, pensamento e obra de grandes vultos da cultura brasileira. Rio de Janeiro: Bloch, 1989.

BORBA, Osório. A Nova Gnomonia. In: _____. *A comédia literária.* 2. ed. Rio de Janeiro: Civilização Brasileira, 1959.

BOSI, Alfredo. Manuel Bandeira. In: _____. *História concisa da literatura brasileira.* Ed. revista e aumentada, São Paulo: Cultrix, 1994.

BOTELHO, Maria Antônia dos Santos. Carnaval e paixão na poesia de Manuel Bandeira. In: SILVA, Maximiano de Carvalho e (Org.). *Homenagem a Manuel Bandeira:* 1986-1988. Niterói: Sociedade Sousa da Silveira; Rio de Janeiro: Monteiro Aranha/Presença, 1989.

BRAGA, Rubem. Lembrança de Manuel Bandeira. In: _____. *As boas coisas da vida*. Rio de Janeiro: Record, 1988.

_____. O poeta e a pintura. In: _____. *Os segredos todos de Djanira & outras crônicas sobre arte e artistas*. Org. André Seffrin. Belo Horizonte: Autêntica, 2016.

_____. Meu professor Bandeira. In: _____. *O poeta e outras crônicas de literatura e vida*. Org. Gustavo Henrique Tuna. São Paulo: Global, 2017.

BRANCO, Wilson Castelo. Lira dos cinquent'anos. In: BANDEIRA, Manuel. *Poesia e prosa*. Rio de Janeiro: José Aguilar, 1958. v. 1.

_____. Lira dos cinquent'anos: nota preliminar. In: BANDEIRA, Manuel. *Poesia completa e prosa*. Rio de Janeiro: José Aguilar, 1967.

_____. Três fases da poesia de Manuel Bandeira. In: LOPEZ, Telê Porto Ancona (Org.). *Manuel Bandeira:* verso e reverso. São Paulo: T. A. Queiroz, 1987.

BRANDÃO, Roberto de Oliveira. Poética e vida em Bandeira. In: LOPEZ, Telê Porto Ancona (Org.). *Manuel Bandeira:* verso e reverso. São Paulo: T. A. Queiroz, 1987.

_____. Poesia e consciência em Bandeira. In: BANDEIRA, Manuel. *Libertinagem-Estrela da manhã*. Org. Giulia Lanciani. Madri: ALLCA XX; São Paulo: Scipione Cultural, 1998.

BRASIL, Assis. Posição de Manuel Bandeira. In: _____. *História crítica da literatura brasileira:* o Modernismo. Rio de Janeiro: Pallas; Brasília: Instituto Nacional do Livro, 1976.

_____. Manuel Bandeira. In: _____. *Dicionário prático de literatura brasileira*. Rio de Janeiro: Tecnoprint, 1979.

_____. Manuel Bandeira. In: _____. *O livro de ouro da literatura brasileira:* 400 anos de história literária. Rio de Janeiro: Ediouro, 1980.

_____. *Manuel e João:* dois poetas pernambucanos. Rio de Janeiro. Imago, 1990.

BRAYNER, Sônia (Org.). *Manuel Bandeira*. Rio de Janeiro: Civilização Brasileira/Brasília: Instituto Nacional do Livro, 1980.

_____. Uma vida transferida. In: XAVIER, Elódia F. (Org.). *Manuel Bandeira:* 1886-1986. Rio de Janeiro: UFRJ/Antares, 1986.

_____. O "humour" bandeiriano ou as histórias de um sabonete. In: LOPEZ, Telê Porto Ancona (Org.). *Manuel Bandeira:* verso e reverso. São Paulo: T. A. Queiroz, 1987.

_____. Um encontro poético de gerações. In: SILVA, Maximiano de Carvalho e (Org.). *Homenagem a Manuel Bandeira:* 1986-1988. Niterói: Sociedade Sousa da Silveira; Rio de Janeiro: Monteiro Aranha/Presença, 1989.

_____. O "humour" bandeiriano ou as histórias de um sabonete. In: BANDEIRA, Manuel. *Libertinagem-Estrela da manhã*. Org. Giulia Lanciani. Madri: ALLCA XX; São Paulo: Scipione Cultural, 1998.

BRITO, Mário da Silva. *Panorama da poesia brasileira:* o Modernismo. Rio de Janeiro: Civilização Brasileira, 1959. v. 6.

_____. *História do Modernismo brasileiro:* I – antecedentes da Semana de Arte Moderna. 2. ed. revista, Rio de Janeiro: Civilização Brasileira, 1964.

_____. Manuel Bandeira. In: _____. *Poesia do Modernismo*. Rio de Janeiro: Civilização Brasileira, 1968.

BRITTO, Paulo Henriques. Manuel Bandeira tradutor de poesia. In: BANDEIRA, Manuel. *Poemas traduzidos*. São Paulo: Global, 2016.

BROCA, Brito. *Memórias*. Rio de Janeiro: José Olympio, 1968.

_____. Recriação artística. In: _____. *Papéis de Alceste*. Campinas: Unicamp, 1991.

_____. Explicações a Manuel Bandeira. In: _____. *Escrita e vivência*. Campinas: Unicamp, 1993.

BUENO, Alexei. *Antologia pornográfica:* de Gregório de Mattos a Glauco Mattoso. Rio de Janeiro: Nova Fronteira, 2004.

_____. A festa modernista. In: _____. *Uma história da poesia brasileira*. Rio de Janeiro: G. Ermakoff, 2007.

BUENO, Antônio Sérgio. *O Modernismo em Belo Horizonte*: década de vinte. Belo Horizonte: UFMG/PROED, 1982.

BUENO, Luís. *Capas de Santa Rosa*. Cotia: Ateliê; São Paulo: Sesc, 2015.

CABRAL, Mário. "Portugal, meu avozinho". In: CONDÉ, João. *Recordações de Manuel Bandeira nos "Arquivos implacáveis" de João Condé*. Lisboa: Embaixada do Brasil, 1990.

CACASO (Antonio Carlos de Brito). O parceiro Bandeira. In: _____. *Não quero prosa*. Org. Vilma Arêas. Rio de Janeiro: UFRJ; Campinas: Unicamp, 1997.

_____. Drummond e Bandeira. In: _____. *Não quero prosa*. Org. Vilma Arêas. Rio de Janeiro: UFRJ; Campinas: Unicamp, 1997.

_____. A poesia malcriada. In: _____. *Não quero prosa*. Rio de Janeiro: UFRJ; Campinas: Unicamp, 1997. Org. Vilma Arêas.

CÂMARA, Leônidas. A poesia de Manuel Bandeira: seu revestimento ideológico e formal. In: BRAYNER, Sônia (Org.). *Manuel Bandeira*. Rio de Janeiro: Civilização Brasileira/Brasília: Instituto Nacional do Livro, 1980.

CAMPOS, Haroldo de. Bandeira, o desconstelizador. In: _____. *Metalinguagem*: ensaios de teoria e crítica literária. 2. ed. Petrópolis: Vozes, 1970.

_____. Bandeira, o desconstelizador. In: BRAYNER, Sônia (Org.). *Manuel Bandeira*. Rio de Janeiro: Civilização Brasileira/Brasília: Instituto Nacional do Livro, 1980.

_____. Bandeira, o desconstelizador. In: BANDEIRA, Manuel. *Libertinagem-Estrela da manhã*. Org. Giulia Lanciani. Madri: ALLCA XX; São Paulo: Scipione Cultural, 1998.

CAMPOS, Paulo Mendes. Reportagem literária. In: BANDEIRA, Manuel. *Poesia e prosa*. Rio de Janeiro: José Aguilar, 1958. v. 1.

_____. Reportagem literária. In: BRAYNER, Sônia (Org.). *Manuel Bandeira*. Rio de Janeiro: Civilização Brasileira/Brasília: Instituto Nacional do Livro, 1980.

_____. O cronista Manuel Bandeira. In: SILVA, Maximiano de Carvalho e (Org.). *Homenagem a Manuel Bandeira*: 1986-1988. Niterói: Sociedade Sousa da Silveira; Rio de Janeiro: Monteiro Aranha/Presença, 1989.

CAPANEMA, Gustavo. Um homem. In: ANDRADE, Carlos Drummond de et al. *Homenagem a Manuel Bandeira*. Rio de Janeiro: Typ. do *Jornal do Commercio*, 1936. 2. ed., fac-similar, São Paulo: Metal Leve, 1986.

CARDOSO, Antônio Manoel Bandeira. Apresentação. In: BANDEIRA, Manuel. *100 vezes Bandeira*: uma antologia de poemas. Brasília: Confraria dos Bibliófilos do Brasil, 2003.

CARDOSO, Helena Bandeira. Manuel Bandeira em família. In: SILVA, Maximiano de Carvalho e (Org.). *Homenagem a Manuel Bandeira*: 1986-1988. Niterói: Sociedade Sousa da Silveira; Rio de Janeiro: Monteiro Aranha/Presença, 1989.

CARDOZO, Joaquim. Um poeta pernambucano: Manuel Bandeira. In: FREYRE, Gilberto et al. *Livro do Nordeste*. Ed. fac-similar. Recife: Arquivo Público Estadual, 1979.

CARNEIRO, Luiz Orlando. (Auto)retrato de Manuel Bandeira. In: BRAYNER, Sônia (Org.). *Manuel Bandeira*. Rio de Janeiro: Civilização Brasileira/Brasília: Instituto Nacional do Livro, 1980.

CARPEAUX, Otto Maria. Última canção – vasto mundo. In: _____. *Origens e fins*. Rio de Janeiro: Casa do Estudante do Brasil, 1943.

_____. Notícia sobre Manuel Bandeira. In: BANDEIRA, Manuel. *Apresentação da poesia brasileira*. Rio de Janeiro: Casa do Estudante do Brasil, 1946.

_____. Manuel Bandeira. In: _____. *Pequena bibliografia crítica da literatura brasileira*. Rio de Janeiro: Ministério da Educação e Cultura/Serviço de Documentação, 1955.

_____. Poesia intemporal. In: BANDEIRA, Manuel. *Estrela da vida inteira*: poesias reunidas. Rio de Janeiro: José Olympio, 1966.

_____. Ensaio de exegese de um poema de Manuel Bandeira. In: BRAYNER, Sônia (Org.). *Manuel Bandeira*. Rio de Janeiro: Civilização Brasileira/Brasília: Instituto Nacional do Livro, 1980.

_____. Bandeira. In: _____. *Ensaios reunidos:* 1942-1968. Rio de Janeiro: UniverCidade/Topbooks, 1999.

CASSES, Niel Aquino. Manuel Bandeira – meu professor de literatura. In: SILVA, Maximiano de Carvalho e (Org.). *Homenagem a Manuel Bandeira:* 1986-1988. Niterói: Sociedade Sousa da Silveira; Rio de Janeiro: Monteiro Aranha/Presença, 1989.

CASTELLO, José. A delícia da manhã. In: _____. *As feridas de um leitor.* Rio de Janeiro: Bertrand Brasil, 2012.

CASTELLO, José Aderaldo. Aspectos da poesia de Manuel Bandeira. In: _____. *Homens e intenções:* cinco escritores modernistas. São Paulo: Conselho Estadual de Cultura/Comissão de Literatura, 1959.

_____. Aspectos da poesia de Manuel Bandeira. In: SILVA, Maximiano de Carvalho e (Org.). *Homenagem a Manuel Bandeira:* 1986-1988. Niterói: Sociedade Sousa da Silveira; Rio de Janeiro: Monteiro Aranha/Presença, 1989.

_____. Manuel Bandeira – sob o signo da infância. In: _____. *A literatura brasileira:* origens e unidade. São Paulo: Edusp, 1999. v. 2.

CASTRO, Marcos de. Bandeira, Drummond, Cecília, os contemporâneos. In: _____. *Caminho para a leitura.* Rio de Janeiro: Record, 2005.

CASTRO, Silvio. A poesia de Manuel Bandeira. In: _____. *A revolução da palavra:* origens e estrutura da literatura brasileira moderna. Petrópolis: Vozes, 1976.

_____. O Modernismo em poesia. In: _____ (Org.). *História da literatura brasileira.* Lisboa: Alfa, 2000. v. 3.

CAVALCANTI, Gilberto. *Encontros.* Maceió: Gráfica São Pedro, 1967.

CERVINSKIS, André. *Manuel Bandeira, poeta até o fim.* Olinda: Livro Rápido, 1994.

CHAVES, Vania Pinheiro. Referências a *Libertinagem* e *Estrela da manhã.* In: BANDEIRA, Manuel. *Libertinagem-Estrela da manhã.* Org. Giulia Lanciani. Madri: ALLCA XX; São Paulo: Scipione Cultural, 1998.

CIDADE, Hernani. *O conceito de poesia como expressão de cultura:* sua evolução através das literaturas portuguesa e brasileira. São Paulo: Saraiva, 1946.

COELHO, Eduardo. Máquina de tudo. In: _____ (Org.). *Manuel Bandeira:* melhores crônicas. São Paulo: Global, 2003.

COELHO, Joaquim-Francisco. Manuel Bandeira e a história dos "Gosmilhos". In: _____. *Minerações:* ensaios de crítica e vida literária. Belém: Universidade do Pará, 1975.

_____. Três livros de Manuel Bandeira. In: BRAYNER, Sônia (Org.). *Manuel Bandeira.* Rio de Janeiro: Civilização Brasileira/Brasília: Instituto Nacional do Livro, 1980.

_____. *Biopoética de Manuel Bandeira.* Recife: Massangana, 1981.

_____. *Manuel Bandeira pré-modernista.* Rio de Janeiro: José Olympio/Brasília: Instituto Nacional do Livro, 1982.

_____. Forma e sentido da "Evocação do Recife". In: SILVA, Maximiano de Carvalho e (Org.). *Homenagem a Manuel Bandeira:* 1986-1988. Niterói: Sociedade Sousa da Silveira; Rio de Janeiro: Monteiro Aranha/Presença, 1989.

CONDÉ, Elysio. Manuel Bandeira no Recife. In: SILVA, Maximiano de Carvalho e (Org.). *Homenagem a Manuel Bandeira:* 1986-1988. Niterói: Sociedade Sousa da Silveira; Rio de Janeiro: Monteiro Aranha/Presença, 1989.

CONDÉ, João. Evocação de Manuel Bandeira. In: SILVA, Maximiano de Carvalho e (Org.). *Homenagem a Manuel Bandeira:* 1986-1988. Niterói: Sociedade Sousa da Silveira; Rio de Janeiro: Monteiro Aranha/Presença, 1989.

_____ et al. *Recordações de Manuel Bandeira nos "Arquivos implacáveis" de João Condé*. Lisboa: Embaixada do Brasil, 1990.

_____. *Flash autobiográfico*. In: BANDEIRA, Manuel. *Antologia poética*. 12. ed. Rio de Janeiro: Nova Fronteira, 2001.

CORRÊA, Roberto Alvim. Notas sobre a poesia de Manuel Bandeira. In: _____. *Anteu e a crítica*: ensaios literários. Rio de Janeiro: José Olympio, 1948.

_____. 1959, 1 de novembro. In: _____. *Diário*: 1950-1960. Rio de Janeiro: Agir, 1960.

CORREIA, Marlene de Castro. Apresentação de Manuel Bandeira. In: SANT'ANNA, Afonso Romano de et al. *Autores para vestibular*: estrutura e interpretação de textos. Petrópolis: Vozes, 1973.

_____. A poética da rosa. In: XAVIER, Elódia F. (Org.). *Manuel Bandeira*: 1886-1986. Rio de Janeiro: UFRJ/Antares, 1986.

_____. A poética da rosa. In: BANDEIRA, Manuel. *Libertinagem-Estrela da manhã*. Org. Giulia Lanciani. Madri: ALLCA XX; São Paulo: Scipione Cultural, 1998.

COSTA, L. A. Severo da. Castro Nunes e Lopes da Costa, colegas de Manuel Bandeira no Ginásio Nacional. In: SILVA, Maximiano de Carvalho e (Org.). *Homenagem a Manuel Bandeira*: 1986-1988. Niterói: Sociedade Sousa da Silveira; Rio de Janeiro: Monteiro Aranha/Presença, 1989.

COSTA, filho, Odylo. Gonçalves Dias – esboço biográfico: nota preliminar. In: BANDEIRA, Manuel. *Poesia e prosa*. Rio de Janeiro: José Aguilar, 1958. v. 2

_____. Soneto de Manuel Bandeira. In: BANDEIRA, Manuel. *Estrela da vida inteira*: poesias reunidas. Rio de Janeiro: José Olympio, 1966.

_____. A morte, a poesia e o menino. In: _____. *Meus meninos, os outros meninos*. Rio de Janeiro: Record, 1981.

COUTINHO, Afrânio. Nota editorial. In: BANDEIRA, Manuel. *Poesia e prosa*. Rio de Janeiro: José Aguilar, 1958. v. 1.

_____. *Introdução à literatura no Brasil*. Rio de Janeiro: São José, 1959.

_____. Nota editorial. In: BANDEIRA, Manuel. *Poesia completa e prosa*. Rio de Janeiro: José Aguilar, 1974.

_____. Manuel Bandeira. In: _____; SOUSA, J. Galante de (Org.). *Enciclopédia de literatura brasileira*. Rio de Janeiro: Ministério da Educação/Fundação de Assistência ao Estudante, 1990. v. 1.

COUTINHO, Edilberto. *Presença poética do Recife*: crítica e antologia poética. 3. ed. revista e aumentada, Rio de Janeiro: José Olympio; Recife: Fundarpe, 1983.

_____. *Três conceitos de tempo na poética bandeiriana*. Recife: Fundarpe, 1989.

COUTO, Ribeiro. De menino doente a rei de Pasárgada. In: ANDRADE, Carlos Drummond de et al. *Homenagem a Manuel Bandeira*. Rio de Janeiro: Typ. do *Jornal do Commercio*, 1936. 2. ed., fac-similar, São Paulo: Metal Leve, 1986.

_____. *Dois retratos de Manuel Bandeira*. Rio de Janeiro: São José, 1960.

_____. De menino doente a rei de Pasárgada. In: BRAYNER, Sônia (Org.). *Manuel Bandeira*. Rio de Janeiro: Civilização Brasileira/Brasília: Instituto Nacional do Livro, 1980.

_____. *Três retratos de Manuel Bandeira*. Org. Elvia Bezerra. Rio de Janeiro: Academia Brasileira de Letras, 2004.

_____. De menino doente a rei de Pasárgada. In: BANDEIRA, Manuel. *Libertinagem-Estrela da manhã*. Org. Giulia Lanciani. Madri: ALLCA XX; São Paulo: Scipione Cultural, 1998.

CRENI, Gisela. *Editores artesanais brasileiros*. Belo Horizonte: Autêntica; Rio de Janeiro: Fundação Biblioteca Nacional, 2013.

CRESPO, Ángel. *Antología de la poesía brasileña*: desde el Romanticismo a la Generación del cuarenta y cinco. Madri: Seix Barral, 1973.

CRULS, Gastão. Rumos. In: ANDRADE, Carlos Drummond de et al. *Homenagem a Manuel Bandeira*. Rio de Janeiro: Typ. do *Jornal do Commercio*, 1936. 2. ed., fac-similar, São Paulo: Metal Leve, 1986.

CUNHA, Antonieta. Manuel Bandeira, o que driblou a morte até se tornar imortal. In: BANDEIRA, Manuel. *Crônicas para jovens*. São Paulo: Global, 2012.

CUNHA, Betina Ribeiro Rodrigues da. *A poética da natureza na obra de Éluard e Bandeira*. São Paulo: Annablume, [2000].

CUNHA, Fausto. Para um novo conceito de modernidade. In: _____. *Romantismo e modernidade na poesia*. Rio de Janeiro: Cátedra, 1988.

DANTAS, José Lívio. O tradutor sacramentado. In: _____. *Romaneio:* mini ensaios e maxi crônicas. Rio de Janeiro: Pallas, 1991.

DANTAS, Luiz. Pequeninos nadas, graças aéreas e certas coisas. In: LOPEZ, Telê Porto Ancona (Org.). *Manuel Bandeira:* verso e reverso. São Paulo: T. A. Queiroz, 1987.

DANTAS, Pedro. Acre sabor. In: ANDRADE, Carlos Drummond de et al. *Homenagem a Manuel Bandeira*. Rio de Janeiro: Typ. do *Jornal do Commercio*, 1936. 2. ed., fac-similar, São Paulo: Metal Leve, 1986.

_____. Acre sabor. In: BANDEIRA, Manuel. *Meus poemas preferidos*. Rio de Janeiro: Edições de Ouro, 1966.

DOYLE, Plínio. Minhas lembranças de Manuel Bandeira. In: SILVA, Maximiano de Carvalho e (Org.). *Homenagem a Manuel Bandeira:* 1986-1988. Niterói: Sociedade Sousa da Silveira; Rio de Janeiro: Monteiro Aranha/Presença, 1989.

ELIA, Silvio. O prosador Manuel Bandeira. In: SILVA, Maximiano de Carvalho e (Org.). *Homenagem a Manuel Bandeira:* 1986-1988. Niterói: Sociedade Sousa da Silveira; Rio de Janeiro: Monteiro Aranha/Presença, 1989.

ELIAS JOSÉ. Manuel Bandeira: o carinhoso poeta. In: BANDEIRA, Manuel. *As meninas e o poeta*. Rio de Janeiro: Nova Fronteira, 2008; São Paulo: Global, 2015.

ESPINHEIRA FILHO, Ruy. *Forma e alumbramento:* poética e poesia em Manuel Bandeira. Rio de Janeiro: José Olympio/Academia Brasileira de Letras, 2004.

_____. *Lira dos cinquent'anos:* maturidade e juventude. In: BANDEIRA, Manuel. *Lira dos cinquent'anos*. São Paulo: Global, 2013.

EULALIO, Alexandre. *Livro involuntário:* literatura, história, matéria & modernidade. Org. Carlos Augusto Calil e Maria Eugenia Boaventura. Rio de Janeiro: UFRJ, 1983.

_____. *A aventura brasileira de Blaise Cendrars*. 2. ed. revista e ampliada por Carlos Augusto Calil, São Paulo: Imprensa Oficial/Edusp/Fapesp, 2001.

FARIA, Octavio de. *Dois poetas*. Rio de Janeiro: Ariel, 1935.

_____. Estudo sobre Manuel Bandeira. In: ANDRADE, Carlos Drummond de et al. *Homenagem a Manuel Bandeira*. Rio de Janeiro: Typ. do *Jornal do Commercio*, 1936. 2. ed., fac-similar, São Paulo: Metal Leve, 1986.

_____. Estudo sobre Manuel Bandeira. In: BRAYNER, Sônia (Org.). *Manuel Bandeira*. Rio de Janeiro: Civilização Brasileira/Brasília: Instituto Nacional do Livro, 1980.

_____. Crônica literária. In: LOPEZ, Telê Porto Ancona (Org.). *Manuel Bandeira:* verso e reverso. São Paulo: T. A. Queiroz, 1987.

_____. Estudo sobre Manuel Bandeira. In: BANDEIRA, Manuel. *Libertinagem-Estrela da manhã*. Org. Giulia Lanciani. Madri: ALLCA XX; São Paulo: Scipione Cultural, 1998.

FAUSTINO, Mário. A poesia "concreta" e o momento poético brasileiro. In: _____. *Poesia-experiência*. São Paulo: Perspectiva, 1977.

_____. *De Anchieta aos concretos:* poesia brasileira no jornal. São Paulo: Companhia das Letras, 2003.

FERREIRA, João. Sobre a essência da poesia em Manuel Bandeira. In: BRAYNER, Sônia (Org.). *Manuel Bandeira*. Rio de Janeiro: Civilização Brasileira/Brasília: Instituto Nacional do Livro, 1980.

FIGUEIREDO, Guilherme. Manu, ou a solidão amorosa. In: SILVA, Maximiano de Carvalho e (Org.). *Homenagem a Manuel Bandeira:* 1986-1988. Niterói: Sociedade Sousa da Silveira; Rio de Janeiro: Monteiro Aranha/Presença, 1989.

_____. A tia de Manu. In: _____. *Presente de grego e outros presentes:* crônicas. Rio de Janeiro: Atheneu Cultura, 1990.

_____. Manu, ou a solidão amorosa. In: _____. *Presente de grego e outros presentes:* crônicas. Rio de Janeiro: Atheneu Cultura, 1990.

FINAZZI-AGRÒ, Ettore. O poeta inoperante: uma leitura de Manuel Bandeira. In: BANDEIRA, Manuel. *Libertinagem-Estrela da manhã.* Org. Giulia Lanciani. Madri: ALLCA XX; São Paulo: Scipione Cultural, 1998.

FONSECA, Aleilton. A vida fluindo na voz do poeta. In: BANDEIRA, Manuel. *Belo belo*. São Paulo: Global, 2014.

FONSECA, Edson Nery da. *O Recife de Manuel Bandeira*. Recife: Pool, 1986.

_____. *Três conceitos de tempo na poética bandeiriana*. Recife: Fundarpe, 1989.

_____. Como e quando Manuel Bandeira descobriu o Brasil. In: SILVA, Maximiano de Carvalho e (Org.). *Homenagem a Manuel Bandeira:* 1986-1988. Niterói: Sociedade Sousa da Silveira; Rio de Janeiro: Monteiro Aranha/Presença, 1989.

_____. Com Arraes e muito arroz. In: BARBOSA, Francisco de Assis. *Manuel Bandeira, 100 anos de poesia:* síntese da vida e obra do poeta maior do Modernismo. Recife: Pool, 1988.

_____. *Alumbramentos e perplexidades:* vivências bandeirianas. São Paulo: Arx, 2002.

_____. Posfácio. In: BANDEIRA, Manuel. *Poemas religiosos e alguns libertinos*. São Paulo: Cosac Naify, 2007.

FORTUNA, Felipe. O moderno paradoxo. In: _____. *A escola da sedução:* ensaios sobre poesia brasileira. Porto Alegre: Artes e Ofícios, 1991.

FRANÇA, Eurico Nogueira. Rítmica e poesia. In: _____. *Do lado da música*. Rio de Janeiro: Ministério da Educação e Cultura/Serviço de Documentação, 1957.

_____. Centenário de Manuel Bandeira: poesia e música. In: SILVA, Maximiano de Carvalho e (Org.). *Homenagem a Manuel Bandeira:* 1986-1988. Niterói: Sociedade Sousa da Silveira; Rio de Janeiro: Monteiro Aranha/Presença, 1989.

FRANCO, Afonso Arinos de Melo. Manuel Bandeira ou o homem contra a poesia. In: ANDRADE, Carlos Drummond de et al. *Homenagem a Manuel Bandeira.* Rio de Janeiro: Typ. do *Jornal do Commercio*, 1936. 2. ed., fac-similar, São Paulo: Metal Leve, 1986.

_____. *Espelho de três faces*. São Paulo: Ed. Brasil, 1937.

FREITAS JÚNIOR, Otávio de. *Ensaios de crítica de poesia*. Recife: Norte, 1941.

FREIXIEIRO, Fábio. Manuel Carneiro de Sousa Bandeira. In: _____. *Iniciação à análise literária (literatura brasileira).* 3. ed. revista, São Paulo: Nacional, 1968.

FREYRE, Gilberto. Manuel Bandeira e o Recife. In: ANDRADE, Carlos Drummond de et al. *Homenagem a Manuel Bandeira.* Rio de Janeiro: Typ. do *Jornal do Commercio*, 1936. 2. ed., fac-similar, São Paulo: Metal Leve, 1986.

_____. Dos oito aos oitenta. In: BANDEIRA, Manuel. *Estrela da vida inteira:* poesias reunidas. Rio de Janeiro: José Olympio, 1966.

_____. Dos oito aos oitenta. In: _____. *Prefácios desgarrados*. Rio de Janeiro: Cátedra; Brasília: Instituto Nacional do Livro, 1978. v. 2.

_____. A propósito de Manuel Bandeira. In: _____. *Tempo de aprendiz*. São Paulo: IBRASA/Brasília: Instituto Nacional do Livro, 1979.

_____. Manuel Bandeira, recifense. In: BRAYNER, Sônia (Org.). *Manuel Bandeira*. Rio de Janeiro: Civilização Brasileira/Brasília: Instituto Nacional do Livro, 1980.

_____. Prefácio. In: COELHO, Joaquim-Francisco. *Manuel Bandeira pré-modernista*. Rio de Janeiro: José Olympio/Brasília: Instituto Nacional do Livro, 1982.

_____. Manuel Bandeira em três tempos. In: _____. *Perfil de Euclides e outros perfis*. 2. ed. aumentada Rio de Janeiro: Record, 1987.

_____. A propósito de Manuel Bandeira. In: SILVA, Maximiano de Carvalho e (Org.). *Homenagem a Manuel Bandeira*: 1986-1988. Niterói: Sociedade Sousa da Silveira; Rio de Janeiro: Monteiro Aranha/Presença, 1989.

_____. Prefácio à primeira edição. In: BANDEIRA, Manuel. *Poemas religiosos e alguns libertinos*. Org. Edson Nery da Fonseca. São Paulo: Cosac Naify, 2007.

_____. Manuel Bandeira. In: _____. *De menino a homem*: de mais de trinta e de quarenta, de sessenta e mais anos – diário íntimo seguido de recordações pessoais em tom confidencial semelhante ao de diários. São Paulo: Global, 2010.

FRÓES, Leonardo. Apresentação: traduzindo sentimentos. In: BANDEIRA, Manuel. *Alguns poemas traduzidos*. Rio de Janeiro: José Olympio, 2007.

FROTA, Lélia Coelho. Manuel Bandeira e a crítica de arte. In: LOPEZ, Telê Porto Ancona (Org.). *Manuel Bandeira*: verso e reverso. São Paulo: T. A. Queiroz, 1987.

_____. Manuel Bandeira e a crítica de arte. In: SILVA, Maximiano de Carvalho e (Org.). *Homenagem a Manuel Bandeira*: 1986-1988. Niterói: Sociedade Sousa da Silveira; Rio de Janeiro: Monteiro Aranha/Presença, 1989.

FUSCO, Rosário. *Vida literária*. São Paulo: Panorama, 1940.

GALEÃO, Celeste Aída. Manuel Bandeira, tradutor de poetas alemães. In: SILVA, Maximiano de Carvalho e (Org.). *Homenagem a Manuel Bandeira*: 1986-1988. Niterói: Sociedade Sousa da Silveira; Rio de Janeiro: Monteiro Aranha/Presença, 1989.

GALVÃO, Walnice Nogueira (Org.). *Roteiro da poesia brasileira*: Modernismo. São Paulo: Global, 2008.

GARBUGLIO, José Carlos. Lirismo e coerção social. In: LOPEZ, Telê Porto Ancona (Org.). *Manuel Bandeira*: verso e reverso. São Paulo: T. A. Queiroz, 1987.

_____. *Roteiro de leitura*: poesia de Manuel Bandeira. São Paulo: Ática, 1998.

GARDEL, André. *O encontro entre Bandeira e Sinhô*. Rio de Janeiro: Secretaria Municipal de Cultura/Departamento Geral de Documentação e Informação Cultural/Divisão de Editoração, 1996.

GEBARA, Ana Elvira Luciano. *Libertinagem* – espaço e tempo, a ocupação banderiana. In: GOLDSTEIN, Norma Seltzer (Org.). *Traços marcantes no percurso poético de Manuel Bandeira*. São Paulo: Humanitas, 2005.

_____; TAMBELLI, Mônica Simões Francisco de Sales. A intuição na tradução banderiana: som sem suor? In: GOLDSTEIN, Norma Seltzer (Org.). *Traços marcantes no percurso poético de Manuel Bandeira*. São Paulo: Humanitas, 2005.

GENS, Rosa Maria de Carvalho. Por uma janela aberta: cenas da poesia de Manuel Bandeira. In: XAVIER, Elódia F. (Org.). *Manuel Bandeira*: 1886-1986. Rio de Janeiro: UFRJ/Antares, 1986.

GÓES, Fernando. *Opus 10*: nota preliminar. In: BANDEIRA, Manuel. *Poesia e prosa*. Rio de Janeiro: José Aguilar, 1958. v. 1.

_____. *Panorama da poesia brasileira*: o pré-modernismo. Rio de Janeiro: Civilização Brasileira, 1960. v. 5.

_____. *Opus 10*: nota preliminar. In: BANDEIRA, Manuel. *Poesia completa e prosa*. Rio de Janeiro: José Aguilar, 1967.

GOLDSTEIN, Norma Seltzer. *Do penumbrismo ao Modernismo*: o primeiro Bandeira e outros poetas significativos. São Paulo: Ática, 1983.

_____. O primeiro Bandeira e sua permanência. In: LOPEZ, Telê Porto Ancona (Org.). *Manuel Bandeira*: verso e reverso. São Paulo: T. A. Queiroz, 1987.

_____. O primeiro Bandeira e sua permanência. In: BANDEIRA, Manuel. *Libertinagem-Estrela da manhã*. Org. Giulia Lanciani. Madri: ALLCA XX; São Paulo: Scipione Cultural, 1998.

_____. Os três primeiros livros de poemas. In: _____ (Org.). *Traços marcantes no percurso poético de Manuel Bandeira*. São Paulo: Humanitas, 2005.

GOMES, Aíla de Oliveira. Traduções adaptadas de cinco poemas de Manuel Bandeira. In: SILVA, Maximiano de Carvalho e (Org.). *Homenagem a Manuel Bandeira:* 1986-1988. Niterói: Sociedade Sousa da Silveira; Rio de Janeiro: Monteiro Aranha/Presença, 1989.

GOMES, Eugênio. *Manuel Bandeira poeta-xexéu*. Salvador: A Nova Graphica, 1927.

GOMES, Frederico. Bandeira, Manuel. In: ERMAKOFF, George (Org.). *Dicionário biográfico ilustrado de personalidades da História do Brasil*. Rio de Janeiro: G. Ermakoff, 2012.

GONÇALVES, Marcos Augusto. *1922:* a semana que não terminou. São Paulo: Companhia das Letras, 2012.

GONZAGA, Sergius. *Guia de leitura de* Estrela da vida inteira. Porto Alegre: Leitura XXI, 2008.

GOUVÊA, Carolina Maia. Manuel Bandeira e *O mês modernista*. In: SILVA, Maximiano de Carvalho e (Org.). *Homenagem a Manuel Bandeira:* 1986-1988. Niterói: Sociedade Sousa da Silveira; Rio de Janeiro: Monteiro Aranha/Presença, 1989.

GOYANNA, Flávia Jardim Ferraz. *O lirismo antirromântico em Manuel Bandeira*. Recife: Fundarpe, 1994.

GREGORI, Henrique Sérgio. Nossas comemorações do centenário de Manuel Bandeira. In: SILVA, Maximiano de Carvalho e (Org.). *Homenagem a Manuel Bandeira:* 1986-1988. Niterói: Sociedade Sousa da Silveira; Rio de Janeiro: Monteiro Aranha/Presença, 1989.

GRIECO, Agrippino. Manuel Bandeira. *Evolução da poesia brasileira*. 3. ed. revista. Rio de Janeiro: José Olympio, 1947.

_____. Bandeira. In: _____. *Amigos e inimigos do Brasil*. Rio de Janeiro: José Olympio, 1954.

_____. Manuel Bandeira. In: _____. *Poetas e prosadores do Brasil:* de Gregório de Matos a Guimarães Rosa. Rio de Janeiro: Conquista, 1968.

_____. *Disparates de todos nós*. Rio de Janeiro: Conquista, 1968. 2 v.

_____. Manuel Bandeira. In: _____. *Gralhas e pavões*. Rio de Janeiro: Record, 1988.

GUIMARAENS FILHO, Alphonsus de. Canção para Manuel Bandeira. In: _____. *A cidade do sul*. Belo Horizonte: Panorama, 1948.

_____. Manuel Bandeira. In: _____. *Sonetos com dedicatória*. Rio de Janeiro: Instituto Nacional do Livro/Serviço de Documentação, 1956.

_____. Estas cartas. In: _____ (Org.). *Itinerários:* Mário de Andrade e Manuel Bandeira: cartas a Alphonsus de Guimaraens Filho. São Paulo: Duas Cidades, 1974.

_____. Manuel Bandeira visita a viúva de um poeta. In: _____. *Nó*. Rio de Janeiro: Record, 1984.

_____. Dois poemas para Manuel Bandeira. In: SILVA, Maximiano de Carvalho e (Org.). *Homenagem a Manuel Bandeira:* 1986-1988. Niterói: Sociedade Sousa da Silveira; Rio de Janeiro: Monteiro Aranha/Presença, 1989.

_____. Dois poemas para Manuel Bandeira. In: _____. *Luz de agora*. Rio de Janeiro: Cátedra, 1991.

GUIMARÃES, Júlio Castañon. *Manuel Bandeira:* beco e alumbramento. São Paulo: Brasiliense, 1984.

_____; VALENÇA, Rachel Teixeira. Introdução. In: BANDEIRA, Manuel. *Carnaval*. Rio de Janeiro: Nova Fronteira/Fundação Casa de Rui Barbosa, 1986.

_____; ALVIM, Marco Paulo (Orgs.). *A tinta das letras:* 30 escritores nas artes plásticas. Rio de Janeiro: Fundação Casa de Rui Barbosa, 1987.

_____. O tradutor Manuel Bandeira. In: SILVA, Maximiano de Carvalho e (Org.). *Homenagem a Manuel Bandeira:* 1986-1988. Niterói: Sociedade Sousa da Silveira; Rio de Janeiro: Monteiro Aranha/Presença, 1989.

_____; VALENÇA, Rachel Teixeira. Introdução crítico-filológica. In: BANDEIRA, Manuel. *A cinza das horas, Carnaval e O ritmo dissoluto*. Rio de Janeiro: Nova Fronteira/Fundação Casa de Rui Barbosa, 1994.

_____. Prefácio. In: BANDEIRA, Manuel. *Seleta de prosa*. Rio de Janeiro: Nova Fronteira, 1997.

_____. Manuel Bandeira: aprendizagem modernista. In: BANDEIRA, Manuel. *Libertinagem-Estrela da manhã*. Org. Giulia Lanciani. Madri: ALLCA XX; São Paulo: Scipione Cultural, 1998.

_____. Crônica das *Crônicas da província do Brasil*. In: BANDEIRA, Manuel. *Crônicas da província do Brasil*. 2. ed. São Paulo: Cosac Naify, 2006.

_____. Uns dedos de prosa sobre a prosa esparsa de Manuel Bandeira. In: BANDEIRA, Manuel. *Crônicas inéditas I*: 1920-1931. São Paulo: Cosac Naify, 2008.

_____. *Por que ler Manuel Bandeira*. São Paulo: Globo, 2008.

_____. Apontamentos sobre a sequência da prosa esparsa de Manuel Bandeira. In: BANDEIRA, Manuel. *Crônicas inéditas II*: 1930-1944. São Paulo: Cosac Naify, 2009.

GULLAR, Ferreira. O poeta da transição. In: BANDEIRA, Manuel. *Estrela da manhã*. São Paulo: Global, 2012.

HOHLFELDT, Antonio; MUNARI, Ana Cláudia. Ensaios exemplares de um poeta sobre a Poesia. In: BANDEIRA, Manuel. *Ensaios literários*. São Paulo: Global, 2016.

HOLANDA, Sérgio Buarque de. Notas sobre Manuel Bandeira. In: ANDRADE, Carlos Drummond de et al. *Homenagem a Manuel Bandeira*. Rio de Janeiro: Typ. do *Jornal do Commercio*, 1936. 2. ed., fac-similar, São Paulo: Metal Leve, 1986.

_____. O Mundo de um poeta. In: _____. *Cobra de vidro*. São Paulo: Martins, 1944.

_____. Trajetória de uma poesia. In: BANDEIRA, Manuel. *Poesia e prosa*. Rio de Janeiro: José Aguilar, 1958.

_____. Trajetória de uma poesia. In: BANDEIRA, Manuel. *Poesia completa e prosa*. Rio de Janeiro: José Aguilar, 1967.

_____. Trajetória de uma poesia. In: BRAYNER, Sônia (Org.). *Manuel Bandeira*. Rio de Janeiro: Civilização Brasileira/Brasília: Instituto Nacional do Livro, 1980.

_____. Poesias completas de Manuel Bandeira. In: LOPEZ, Telê Porto Ancona (Org.). *Manuel Bandeira*: verso e reverso. São Paulo: T. A. Queiroz, 1987. _____. *Raízes de Sérgio Buarque de Holanda*. Org. Francisco de Assis Barbosa. Rio de Janeiro: Rocco, 1989.

_____. *O espírito e a letra*: estudos de crítica literária. São Paulo: Companhia das Letras, 1996. 2 v.

_____. Trajetória de uma poesia. In: BANDEIRA, Manuel. *Libertinagem-Estrela da manhã*. Org. Giulia Lanciani. Madri: ALLCA XX; São Paulo: Scipione Cultural, 1998.

HOLANDA FERREIRA, Aurélio Buarque de. *Território lírico*. Rio de Janeiro: *O Cruzeiro*, 1958.

_____. Andorinha. In: _____. *Seleta em prosa e verso*. Rio de Janeiro: José Olympio; Brasília: Instituto Nacional do Livro, 1979.

HOMEM, Homero. Manuel Bandeira na casa dos 80. In: SILVA, Maximiano de Carvalho e (Org.). *Homenagem a Manuel Bandeira*: 1986-1988. Niterói: Sociedade Sousa da Silveira; Rio de Janeiro: Monteiro Aranha/Presença, 1989.

INOJOSA, Joaquim. *O Movimento Modernista em Pernambuco*. Rio de Janeiro: Guanabara, 1969. v. 3.

_____. *Os Andrades e outros aspectos do Modernismo*. Rio de Janeiro: Civilização Brasileira, 1975.

IVO, Lêdo. *O preto no branco*: exegese de um poema de Manuel Bandeira. Rio de Janeiro: São José, 1955.

_____. Passaporte para Pasárgada. In: _____. *Paraísos de papel*. São Paulo: Conselho Estadual de Cultura/Comissão de Literatura, 1961.

_____. Em *Estrela da tarde*... In: BANDEIRA, Manuel. *Estrela da tarde*. Rio de Janeiro: José Olympio, 1963.

_____. Estrela da tarde: nota preliminar. In: BANDEIRA, Manuel. *Poesia completa e prosa*. Rio de Janeiro: José Aguilar, 1967.

_____. A lira dos 80 anos. In: _____. *Modernismo e modernidade*. Rio de Janeiro: São José, 1972.

_____. Lembrança de Manuel Bandeira. In: _____. *Teoria e celebração*: ensaios. São Paulo: Duas Cidades/Secretaria da Cultura, Ciência e Tecnologia, 1976.

_____. Estrela de Manuel. In: _____. *Poesia observada*: ensaios sobre a criação poética e matérias afins. 2. ed. São Paulo: Duas Cidades, 1978.

_____. Passaporte para Pasárgada. In: _____. *Poesia observada*: ensaios sobre a criação poética e matérias afins. 2. ed. São Paulo: Duas Cidades, 1978.

_____. A toca intocável. In: _____. *Confissões de um poeta*. 2. ed. São Paulo: Global, 1985.

_____. Estrela da vida inteira. In: SILVA, Maximiano de Carvalho e (Org.). *Homenagem a Manuel Bandeira*: 1986-1988. Niterói: Sociedade Sousa da Silveira; Rio de Janeiro: Monteiro Aranha/Presença, 1989.

_____. A lição do outono. In: _____. *A república da desilusão*: ensaios. Rio de Janeiro: Topbooks, 1994.

_____. O mundo de Manuel Bandeira. In: _____. *A república da desilusão*: ensaios. Rio de Janeiro: Topbooks, 1994.

_____. Estrela esplêndida. In: _____. *A república da desilusão*: ensaios. Rio de Janeiro: Topbooks, 1994.

_____. Manuel Bandeira. In: _____. *E agora adeus*: correspondência para Lêdo Ivo. São Paulo: Instituto Moreira Salles, 2007.

JANNINI, P. A. *Le più belle pagine della letteratura brasiliana*. Milão: Nuova Accademia, 1957.

JARDIM, Mara. Apresentação. In: BANDEIRA, Manuel. *Bandeira de bolso*: uma antologia poética. Porto Alegre: L&PM Pocket, 2008.

JOÃO ALPHONSUS. O telefone na obra de Manuel Bandeira. In: ANDRADE, Carlos Drummond de et al. *Homenagem a Manuel Bandeira*. Rio de Janeiro: Typ. do *Jornal do Commercio*, 1936. 2. ed., fac-similar, São Paulo: Metal Leve, 1986.

JORGE MIGUEL. *Manuel Bandeira*. São Paulo: Harbra, 1988.

JOSEF, Bella. Manuel Bandeira. In: AZEVEDO FILHO, Leodegário de (Org.). *Poetas do Modernismo*: antologia crítica. Brasília: Instituto Nacional do Livro, 1972. v. 2.

_____. Saudades de Manuel Bandeira. In: XAVIER, Elódia F. (Org.). *Manuel Bandeira*: 1886--1986. Rio de Janeiro: UFRJ/Antares, 1986.

_____. Manuel Bandeira: lirismo e espaço mítico. In: SILVA, Maximiano de Carvalho e (Org.). *Homenagem a Manuel Bandeira*: 1986-1988. Niterói: Sociedade Sousa da Silveira; Rio de Janeiro: Monteiro Aranha/Presença, 1989.

JUNQUEIRA, Ivan (Org.). *Testamento de Pasárgada*: antologia poética. Rio de Janeiro: Nova Fronteira, 1980. 3. ed. revista, São Paulo: Global, 2014.

_____. Consciência poética. In: SILVA, Maximiano de Carvalho e (Org.). *Homenagem a Manuel Bandeira*: 1986-1988. Niterói: Sociedade Sousa da Silveira; Rio de Janeiro: Monteiro Aranha/Presença, 1989.

_____. Humildade, paixão e morte. In: _____. *Prosa dispersa*: ensaios. Rio de Janeiro: Topbooks, 1991.

_____. Do cacto às ruínas. In: _____. *O fio de Dédalo*: ensaios. Rio de Janeiro: Record, 1998.

_____. Extenso e minucioso trabalho. In: ESPINHEIRA FILHO, Ruy. *Forma e alumbramento*: poética e poesia em Manuel Bandeira. Rio de Janeiro: José Olympio/Academia Brasileira de Letras, 2004.

_____. *Cinzas do espólio*: ensaios. Rio de Janeiro: Record, 2009.

_____. O papel do Rio na poesia de Manuel Bandeira. In: _____. *Reflexos do sol-posto*: ensaios. Rio de Janeiro: Rocco, 2014.

KNYCHALA, Catarina Helena. *O livro de arte brasileiro I*: teoria, história, descrição 1808-1980. Rio de Janeiro: Presença, 1983.

_____. *O livro de arte brasileiro II*: bibliografia descritiva de 50 livros de arte. Rio de Janeiro: Presença, 1984.

KOPKE, Carlos Burlamaqui. Notas sobre Manuel Bandeira. In: _____. *Faces descobertas*. São Paulo: Martins, 1944.

_____(Org.). *Antologia da poesia brasileira moderna (1922-1947)*. São Paulo: Clube de Poesia/ Secretaria de Educação e Cultura no Município, 1953.

KOSHIYAMA, Jorge. O lirismo em si mesmo: leitura de "Poética" de Manuel Bandeira. In: BOSI, Alfredo (Org.). *Leitura de poesia*. São Paulo: Ática, 1996.

KOVADLOFF, Santiago. Manuel Bandeira: el poeta de los alumbramientos. In: _____. *Los poderes del poeta:* poesia y conocimiento em el Brasil del siglo XX. Madri: Cultura Hispánica, 1991.

LAFETÁ, João Luiz. *1930:* a crítica e o Modernismo. 2. ed. São Paulo: Editora 34/Duas Cidades, 2000.

LANCIANI, Giulia. Para um roteiro entre as estrelas: a recepção crítica da obra de Manuel Bandeira. In: BANDEIRA, Manuel. *Libertinagem-Estrela da manhã*. Madri: ALLCA XX; São Paulo: Scipione Cultural, 1998.

LEAL, César. Manuel Bandeira: moderno e pós-moderno. In: _____. *Dimensões temporais na poesia e outros ensaios*. Rio de Janeiro: Imago, 2005. v. 1.

_____. Excurso: lirismo antirromântico. In: _____. *Dimensões temporais na poesia e outros ensaios*. Rio de Janeiro: Imago, 2005. v. 2.

LEÃO, Múcio. A natureza e a mulher nos versos de Manuel Bandeira. In: ANDRADE, Carlos Drummond de et al. *Homenagem a Manuel Bandeira*. Rio de Janeiro: Typ. do *Jornal do Commercio*, 1936. 2. ed., fac-similar, São Paulo: Metal Leve, 1986.

_____. Estrela da manhã: nota preliminar. In: BANDEIRA, Manuel. *Poesia e prosa*. Rio de Janeiro: José Aguilar, 1958. v. 1.

_____. Estrela da manhã: nota preliminar. In: BANDEIRA, Manuel. *Poesia completa e prosa*. Rio de Janeiro: José Aguilar, 1967.

LEITE, Ascendino. *Passado indefinido, os dias duvidosos, o lucro de Deus*. Belo Horizonte: Itatiaia, 1966.

_____. *As coisas feitas:* jornal literário. Rio de Janeiro: EdA, 1980.

_____. *O vigia da tarde:* jornal literário. Rio de Janeiro: EdA, 1982.

_____. *O velho do Leblon ou novo retrato do artista quando velho:* jornal literário. Rio de Janeiro: Cátedra, 1988.

LEITE, Luísa Barreto. Manuel Bandeira, homem de teatro. In: BRAYNER, Sônia (Org.). *Manuel Bandeira*. Rio de Janeiro: Civilização Brasileira/Brasília: Instituto Nacional do Livro, 1980.

LEITE, Sebastião Uchoa. O Modernismo: a geração de 22. In: _____. *Participação da palavra poética*. Petrópolis: Vozes, 1966.

LEONARDOS, Stella. Carta a Manuel Bandeira. In: SILVA, Maximiano de Carvalho e (Org.). *Homenagem a Manuel Bandeira:* 1986-1988. Niterói: Sociedade Sousa da Silveira; Rio de Janeiro: Monteiro Aranha/Presença, 1989.

LESSA, Luiz Carlos. A linguagem de Manuel Bandeira. In: BRAYNER, Sônia (Org.). *Manuel Bandeira*. Rio de Janeiro: Civilização Brasileira/Brasília: Instituto Nacional do Livro, 1980.

_____. A linguagem de Manuel Bandeira. In: BANDEIRA, Manuel. *Libertinagem-Estrela da manhã*. Org. Giulia Lanciani. Madri: ALLCA XX; São Paulo: Scipione Cultural, 1998.

LEVIN, Orna Messer. Apresentação. In: MARQUES, Pedro. *Manuel Bandeira e a música:* com três poemas visitados. Cotia: Ateliê/Fapesp, 2008.

LIMA, Jorge de. Minha conversão. In: ANDRADE, Carlos Drummond de et al. *Homenagem a Manuel Bandeira*. Rio de Janeiro: Typ. do *Jornal do Commercio*, 1936. 2. ed., fac-similar, São Paulo: Metal Leve, 1986.

LIMA, Luiz Costa. Realismo e temporalidade em Manuel Bandeira. In: _____. *Lira e antilira:* Mário, Drummond, Cabral. 2. ed. revista Rio de Janeiro: Topbooks, 1995.

_____. Sobre Bandeira e Cabral. In: _____. *Intervenções*. São Paulo: Edusp, 2002.

LIMA, Roberto Sarmento. *Manuel Bandeira:* o mito revisitado. Rio de Janeiro: Tempo Brasileiro/Instituto Nacional do Livro, 1987.

LIMA, Rocha. A "Canção de muitas Marias" de Manuel Bandeira. In: SILVA, Maximiano de Carvalho e (Org.). *Homenagem a Manuel Bandeira:* 1986-1988. Niterói: Sociedade Sousa da Silveira; Rio de Janeiro: Monteiro Aranha/Presença, 1989.

_____. *Dois momentos da poesia de Manuel Bandeira*. Rio de Janeiro: José Olympio, 1992.

LINHARES, Temístocles. *Diálogos sobre a poesia brasileira*. São Paulo: Melhoramentos, 1976.

_____. *Diário de um crítico*. Curitiba: Imprensa Oficial, 2001. v. 2 e 3.

LINS, Álvaro. Uma poesia e um nome. In: _____. *Jornal de crítica:* 5. série. Rio de Janeiro: José Olympio, 1947.

_____. Poesia, 1940. In: _____. *Jornal de crítica:* 1. série. Rio de Janeiro: José Olympio, 1962.

_____. Crítica literária – poesia. In: LOPEZ, Telê Porto Ancona (Org.). *Manuel Bandeira:* verso e reverso. São Paulo: T. A. Queiroz, 1987.

_____. Crítica literária – poesia. In: BANDEIRA, Manuel. *Libertinagem-Estrela da manhã*. Org. Giulia Lanciani. Madri: ALLCA XX; São Paulo: Scipione Cultural, 1998.

LISBOA, J. Carlos. Evocação de Manuel Bandeira. In: XAVIER, Elódia F. (Org.). *Manuel Bandeira:* 1886-1986. Rio de Janeiro: UFRJ/Antares, 1986.

LOBO, Fernando. Lembrança do poeta eterno. In: CONDÉ, João. *Recordações de Manuel Bandeira nos "Arquivos implacáveis" de João Condé*. Lisboa: Embaixada do Brasil, 1990.

LOPES, Waldemar. Presença de Teresópolis na vida e na obra de Manuel Bandeira. In: SILVA, Maximiano de Carvalho e (Org.). *Homenagem a Manuel Bandeira:* 1986-1988. Niterói: Sociedade Sousa da Silveira; Rio de Janeiro: Monteiro Aranha/Presença, 1989.

_____. *Bandeira:* estrela permanente no céu de Pasárgada. Recife: Comunicarte, 1996.

LOPEZ, Telê Porto Ancona (Org.). *Manuel Bandeira:* verso e reverso. São Paulo: T. A. Queiroz, 1987.

LOUNDO, Dilip. *Tropical rhymes, topical reasons:* an anthology of modern Brazilian literature. Nova Delhi: National Book Trust, 2001.

LOUSADA, Wilson. Manuel Bandeira. In: BANDEIRA, Manuel. *Poesias*. Rio de Janeiro: José Olympio, 1955.

LUCAS, Fábio. *Fronteiras imaginárias:* crítica. Rio de Janeiro: Cátedra/Instituto Nacional do Livro, [1970].

_____. Poesia traduzida. In: _____. *A face visível:* crítica. Rio de Janeiro: José Olympio; São Paulo: Conselho Estadual de Cultura, 1973.

_____. Manuel Bandeira, poeta menor? In: LOPEZ, Telê Porto Ancona (Org.). *Manuel Bandeira:* verso e reverso. São Paulo: T. A. Queiroz, 1987.

_____. Cem anos de Manuel Bandeira. In: SILVA, Maximiano de Carvalho e (Org.). *Homenagem a Manuel Bandeira:* 1986-1988. Niterói: Sociedade Sousa da Silveira; Rio de Janeiro: Monteiro Aranha/Presença, 1989.

LUFT, Celso Pedro. *Dicionário de literatura portuguesa e brasileira*. Porto Alegre: Globo, 1967.

LUSTOSA, Isabel. *Lapa do desterro e do desvario:* uma antologia. Rio de Janeiro: Casa da Palavra, 2001.

LYRA, Maria Therezinha Arêas. Lembrando o poeta-professor. In: SILVA, Maximiano de Carvalho e (Org.). *Homenagem a Manuel Bandeira:* 1986-1988. Niterói: Sociedade Sousa da Silveira; Rio de Janeiro: Monteiro Aranha/Presença, 1989.

MACHADO, Aníbal M. Um poeta na noite. In: ANDRADE, Carlos Drummond de et al. *Homenagem a Manuel Bandeira*. Rio de Janeiro: Typ. do *Jornal do Commercio*, 1936. 2. ed., fac-similar, São Paulo: Metal Leve, 1986.

MADEIRA, Marcos Almir. *Modernidade e psicanálise na obra de Raul Pompeia/Manuel Bandeira, poeta das coisas simples*. Rio de Janeiro: Razão Cultural, 1999.

MAGALDI, Sábato; IVO, Lêdo. *As luzes da ilusão*. São Paulo: Global, 1995.

MAIA, Pedro Moacir. As mais belas ou mais raras edições de Manuel Bandeira. In: SILVA, Maximiano de Carvalho e (Org.). *Homenagem a Manuel Bandeira*: 1986-1988. Niterói: Sociedade Sousa da Silveira; Rio de Janeiro: Monteiro Aranha/Presença, 1989.

MALARD, Letícia. Universos temáticos de Manuel Bandeira. In: _____. *Escritos de literatura brasileira*. Belo Horizonte: Comunicação, 1981.

MALEVAL, Maria do Amparo Tavares. Manuel Bandeira. In:_____. *Poesia medieval no Brasil*. Rio de Janeiro: Ágora da Ilha, 2002.

MANFIO, Diléa Zanotto. Fichas de recepção crítica. In: BANDEIRA, Manuel. *Libertinagem-Estrela da manhã*. Org. Giulia Lanciani. Madri: ALLCA XX; São Paulo: Scipione Cultural, 1998.

MARGUTTI, Mário. Melodia noturna. In: _____. *Quaglia*: 50 anos de arte. Rio de Janeiro: Paper Mill, 2002.

MARIA JULIETA. Manuel Bandeira em Pasárgada. In: SILVA, Maximiano de Carvalho e (Org.). *Homenagem a Manuel Bandeira*: 1986-1988. Niterói: Sociedade Sousa da Silveira; Rio de Janeiro: Monteiro Aranha/Presença, 1989.

MÁRIO HÉLIO. Allegro tristíssimo. In: SILVA, Maximiano de Carvalho e (Org.). *Homenagem a Manuel Bandeira*: 1986-1988. Niterói: Sociedade Sousa da Silveira; Rio de Janeiro: Monteiro Aranha/Presença, 1989.

MARIZ, Vasco. Poesia e música. In: _____. *A canção brasileira*: popular e erudita. 5. ed. Rio de Janeiro: Nova Fronteira/Brasília: Instituto Nacional do Livro, 1985.

_____. Manuel Bandeira, o poeta e a música. In: LOPEZ, Telê Porto Ancona (Org.). *Manuel Bandeira*: verso e reverso. São Paulo: T. A. Queiroz, 1987.

_____. Manuel Bandeira, o poeta e a música. In: SILVA, Maximiano de Carvalho e (Org.). *Homenagem a Manuel Bandeira*: 1986-1988. Niterói: Sociedade Sousa da Silveira; Rio de Janeiro: Monteiro Aranha/Presença, 1989.

_____. Manuel Bandeira e a música. In: _____. *Vida musical*. Rio de Janeiro: Civilização Brasileira, 1997.

_____. *A canção brasileira de câmara*. Rio de Janeiro: Francisco Alves, 2002.

_____. Manuel Bandeira em Clavadel. In: _____. *Ensaios históricos*. Rio de Janeiro: Francisco Alves, 2004.

MARQUES, Ivan. Lições de partir. In: BANDEIRA, Manuel. *Opus 10*. São Paulo: Global, 2015.

MARQUES, Pedro. *Manuel Bandeira e a música*: com três poemas visitados. Cotia: Ateliê/Fapesp, 2008.

MARTINI, Maria de Lourdes. Bandeira, tradutor do espanhol. In: SILVA, Maximiano de Carvalho e (Org.). *Homenagem a Manuel Bandeira*: 1986-1988. Niterói: Sociedade Sousa da Silveira; Rio de Janeiro: Monteiro Aranha/Presença, 1989.

MARTINS, Wilson. Manuel Bandeira. In: _____. *A literatura brasileira v. 6*: O Modernismo. São Paulo: Cultrix, 1965.

_____. *História da inteligência brasileira*. São Paulo: Cultrix/Edusp, 1976-1979. 7 v.

_____. Sobre Manuel Bandeira. In: SILVA, Maximiano de Carvalho e (Org.). *Homenagem a Manuel Bandeira*: 1986-1988. Niterói: Sociedade Sousa da Silveira; Rio de Janeiro: Monteiro Aranha/Presença, 1989.

_____. Bandeira e Drummond... In: _____. *Pontos de vista*: crítica literária 1954-1955. São Paulo: T. A. Queiroz, 1991. v. 1.

_____. As confissões do poeta. In: _____. *Pontos de vista*: crítica literária 1956-1957. São Paulo: T. A. Queiroz, 1991. v. 2.

_____. Um tísico profissional. In: _____. *Pontos de vista*: crítica literária 1958-1959. São Paulo: T. A. Queiroz, 1992. v. 3.

_____. Fronteiras poéticas. In: _____. *Pontos de vista*: crítica literária 1962-1963. São Paulo: T. A. Queiroz, 1993. v. 5.

_____. Poeta contemporâneo. In: _____. *Pontos de vista*: crítica literária 1966-1967. São Paulo: T. A. Queiroz, 1994. v. 7.

_____. Crítica maior. In: _____. *Pontos de vista*: crítica literária 1978-1981. São Paulo: T. A. Queiroz, 1995. v. 10.

_____. *Tel qu'en lui-même...* In: _____. *Pontos de vista*: crítica literária 1982-1985. São Paulo: T. A. Queiroz, 1995. v. 11.

_____. Sobre Manuel Bandeira. In: _____. *Pontos de vista*: crítica literária 1986-1990. São Paulo: T. A. Queiroz, 1996. v. 12.

_____. Manuel Bandeira: as três artes poéticas. In: _____. *Pontos de vista*: crítica literária 1986-1990. São Paulo: T. A. Queiroz, 1996. v. 12.

_____. Bandeira no purgatório. In: _____. *Pontos de vista*: crítica literária 1986-1990. São Paulo: T. A. Queiroz, 1996. v. 12.

_____. O purgatório das letras. In: _____. *Pontos de vista*: crítica literária 1995-1997. São Paulo: T. A. Queiroz, 2002. v. 14.

_____. Manuel Bandeira. In: _____. *A ideia modernista*. Rio de Janeiro: Topbooks/Academia Brasileira de Letras, 2002.

_____. Antes do *e-mail*. In: _____. *O ano literário*: 2000-2001. Rio de Janeiro: Topbooks; Curitiba: Imprensa Oficial, 2005.

_____. Divisão de águas. In: _____. *O ano literário*: 2000-2001. Rio de Janeiro: Topbooks; Curitiba: Imprensa Oficial, 2005.

_____. Enfim nele mesmo. In: _____. *O ano literário*: 2002-2003. Rio de Janeiro: Topbooks, 2007.

MASSI, Augusto; AZEVEDO, Carlito. Manuel Bandeira, intérprete de si mesmo. In: BANDEIRA, Manuel. *50 poemas escolhidos pelo autor*. São Paulo: Cosac Naify, 2006.

MASSONE, Juan Antonio. Manuel Bandeira. In: SECCHIN, Antonio Carlos (Coord.). *Vicente Huidobro & Manuel Bandeira*. Rio de Janeiro: Academia Brasileira de Letras; Santiago: Academia Chilena de la Lengua, 2007.

MEIRELES, Cecília. Manuel em pelote domingueiro. In: _____. *Poesias completas*. 2. ed. Rio de Janeiro: Civilização Brasileira, 1976. v. 7.

MELLO, Thiago de. A estrela da manhã. In: BRAYNER, Sônia (Org.). *Manuel Bandeira*. Rio de Janeiro: Civilização Brasileira/Brasília: Instituto Nacional do Livro, 1980.

MELO, Ana Cecília Água de. Jogo de espelhos – estudo de *Opus 10*. In: GOLDSTEIN, Norma Seltzer (Org.). *Traços marcantes no percurso poético de Manuel Bandeira*. São Paulo: Humanitas, 2005.

MELO, Gladstone Chaves de. Como vi e como vejo Manuel Bandeira. In: SILVA, Maximiano de Carvalho e (Org.). *Homenagem a Manuel Bandeira*: 1986-1988. Niterói: Sociedade Sousa da Silveira; Rio de Janeiro: Monteiro Aranha/Presença, 1989.

MELO NETO, João Cabral de. *A educação pela pedra*. Rio de Janeiro: Editora do Autor, 1966.

_____. O pernambucano Manuel Bandeira. In: _____. *Museu de tudo*. Rio de Janeiro: José Olympio, 1975.

MENDES, Marlene Gomes. Cinco poemas de Bandeira. In: LOPEZ, Telê Porto Ancona (Org.). *Manuel Bandeira*: verso e reverso. São Paulo: T. A. Queiroz, 1987.

MENDES, Murilo. O nosso caro Manuel Bandeira. In: ANDRADE, Carlos Drummond de et al. *Homenagem a Manuel Bandeira*. Rio de Janeiro: Typ. do *Jornal do Commercio*, 1936. 2. ed., fac-similar, São Paulo: Metal Leve, 1986.

_____. Crítica de artes: nota preliminar. In: BANDEIRA, Manuel. *Poesia e prosa*. Rio de Janeiro: José Aguilar, 1958. v. 2.

_____. Murilograma para Manuel Bandeira. In: BANDEIRA, Manuel. *Estrela da vida inteira*: poesias reunidas. Rio de Janeiro: José Olympio, 1966.

_____. Murilograma para Manuel Bandeira. In: _____. *Convergência*. São Paulo: Livraria Duas Cidades, 1970.

MENDES, Oscar. *A alma dos livros*. Belo Horizonte: Os Amigos dos Livros, 1932.

MERQUIOR, José Guilherme. A poesia modernista. In: _____. *Razão do poema*: ensaios de crítica e de estética. Rio de Janeiro: Civilização Brasileira, 1965.

_____. O Modernismo e três dos seus poetas. In: _____. *O elixir do apocalipse*. Rio de Janeiro: Nova Fronteira, 1983.

_____. Manuel Bandeira: a fonte de todos. In: SILVA, Maximiano de Carvalho e (Org.). *Homenagem a Manuel Bandeira*: 1986-1988. Niterói: Sociedade Sousa da Silveira; Rio de Janeiro: Monteiro Aranha/Presença, 1989.

_____. O Modernismo e três dos seus poetas. In: _____. *Crítica 1964-1989*: ensaios sobre arte e literatura. Rio de Janeiro: Nova Fronteira, 1990.

MESQUITA, Samira Nahid de. Por falar em Bandeira. In: XAVIER, Elódia F. (Org.). *Manuel Bandeira*: 1886-1986. Rio de Janeiro: UFRJ/Antares, 1986.

MEYER, Augusto. Bilhete dos cataventos. In: _____. *A forma secreta*. Rio de Janeiro: Lidador, 1965.

_____. Pergunta sem resposta. In: _____. *Ensaios escolhidos*. Org. Alberto da Costa e Silva. Rio de Janeiro: José Olympio/Academia Brasileira de Letras, 2007.

MICELI, Sergio. *Intelectuais à brasileira*. São Paulo: Companhia das Letras, 2001.

MILANO, Dante. Manuel Bandeira e a vida. In: ANDRADE, Carlos Drummond de et al. *Homenagem a Manuel Bandeira*. Rio de Janeiro: Typ. do *Jornal do Commercio*, 1936. 2. ed., fac-similar, São Paulo: Metal Leve, 1986.

MILLIET, Sergio. *Panorama da moderna poesia brasileira*. Rio de Janeiro: Ministério da Educação e Saúde/Serviço de Documentação, 1952.

_____. *De ontem, de hoje, de sempre*. São Paulo: Martins, 1960.

_____. *Diário crítico*. 2. ed. São Paulo: Martins/Edusp, 1981. 10 v.

_____. *Belo belo*: nota preliminar. In: BANDEIRA, Manuel. *Poesia e prosa*. Rio de Janeiro: José Aguilar, 1958. v. 1.

_____. *Belo belo*: nota preliminar. In: BANDEIRA, Manuel. *Poesia completa e prosa*. Rio de Janeiro: José Aguilar, 1967.

_____. Belo belo. In: BRAYNER, Sônia (Org.). *Manuel Bandeira*. Rio de Janeiro: Civilização Brasileira/Brasília: Instituto Nacional do Livro, 1980.

MINDLIN, José E. Manuel Bandeira – um simples depoimento. In: SILVA, Maximiano de Carvalho e (Org.). *Homenagem a Manuel Bandeira*: 1986-1988. Niterói: Sociedade Sousa da Silveira; Rio de Janeiro: Monteiro Aranha/Presença, 1989.

MOISÉS, Carlos Felipe. A morte absoluta. In: _____. *Poesia não é difícil*: introdução à análise de texto poético. Porto Alegre: Artes e Ofícios, 1996.

MOISÉS, Massaud. A trajetória poética de Manuel Bandeira. In: SILVA, Maximiano de Carvalho e (Org.). *Homenagem a Manuel Bandeira*: 1986-1988. Niterói: Sociedade Sousa da Silveira; Rio de Janeiro: Monteiro Aranha/Presença, 1989.

_____. Manuel Bandeira. In: _____. *História da literatura brasileira*: Modernismo. São Paulo: Cultrix, 1989.

MONTEIRO, Adolfo Casais. *Manuel Bandeira:* estudo da sua obra poética, seguido de uma antologia. Lisboa: Inquérito, 1943.

_____. *Manuel Bandeira*. Rio de Janeiro: Ministério da Educação e Cultura/Serviço de Documentação, 1958.

_____. *A poesia da "Presença":* estudo e antologia. Rio de Janeiro: Ministério da Educação e Cultura/Serviço de Documentação, 1959.

_____. A poesia brasileira contemporânea. In:_____. *Figuras e problemas da literatura brasileira contemporânea*. São Paulo: Instituto de Estudos Brasileiros, 1972.

MONTEIRO, Salvador; KAZ, Leonel (Org.). *Mário de Andrade, Manuel Bandeira, Carlos Drummond:* fotobiografias. Rio de Janeiro: Alumbramento, 2000.

MONTELLO, Josué. Lembranças de Manuel Bandeira. In:_____. *Uma palavra depois de outra:* notas e estudos de literatura. Rio de Janeiro: Ministério da Educação e Cultura/Instituto Nacional do Livro, 1969.

_____. No centenário de Manuel Bandeira. In: SILVA, Maximiano de Carvalho e (Org.). *Homenagem a Manuel Bandeira:* 1986-1988. Niterói: Sociedade Sousa da Silveira; Rio de Janeiro: Monteiro Aranha/Presença, 1989.

_____. *Reencontro com meus mestres:* poetas e prosadores. Rio de Janeiro: Academia Brasileira de Letras, 2003.

_____. No centenário de Manuel Bandeira. In: AMPARO, Flávia (Org.). *Josué Montello:* melhores crônicas. São Paulo: Global; Rio de Janeiro: Academia Brasileira de Letras, 2009.

MONTENEGRO, Francisco. *O sofrimento na vida e na poesia de Manuel Bandeira*. Recife: Gráfica Vitória, 1973.

MONTENEGRO, Olívio. A poesia de Manuel Bandeira. In: ANDRADE, Carlos Drummond de et al. *Homenagem a Manuel Bandeira*. Rio de Janeiro: Typ. do *Jornal do Commercio*, 1936. 2. ed., fac-similar, São Paulo: Metal Leve, 1986.

_____. Manuel Bandeira. In:_____. *Retratos e outros ensaios*. Rio de Janeiro: José Olympio, 1959.

MONTENEGRO, Tulo Hostílio. *Tuberculose e literatura:* notas de pesquisa. 2. ed. revista e aumentada. Rio de Janeiro: A Casa do Livro, 1971.

MORAES, Carlos Dante de. A poesia de Manuel Bandeira e a morte. In:_____. *Alguns estudos e um fragmento de autobiografia*. Porto Alegre: Metrópole/Instituto Estadual do Livro, 1975.

MORAES, Emanuel de. *Manuel Bandeira:* análise e interpretação literária. Rio de Janeiro: José Olympio, 1962.

_____. Uma vida só para a poesia. In: BANDEIRA, Manuel. *Seleta em prosa e verso*. Rio de Janeiro: José Olympio; Brasília: Instituto Nacional do Livro, 1971.

_____. O poeta acima da guerra e do ódio entre os homens. In: BANDEIRA, Manuel. *Seleta em prosa e verso*. Rio de Janeiro: José Olympio; Brasília: Instituto Nacional do Livro, 1971.

_____. Uma vida cada vez mais cheia de tudo. In: BANDEIRA, Manuel. *Vou-me embora pra Pasárgada*. Rio de Janeiro: José Olympio, 1986.

_____. Aspectos da arte poética. In: SILVA, Maximiano de Carvalho e (Org.). *Homenagem a Manuel Bandeira:* 1986-1988. Niterói: Sociedade Sousa da Silveira; Rio de Janeiro: Monteiro Aranha/Presença, 1989.

_____. Aspectos da arte poética. In: BANDEIRA, Manuel. *Libertinagem-Estrela da manhã*. Org. Giulia Lanciani. Madri: ALLCA XX; São Paulo: Scipione Cultural, 1998.

MORAES, Marcos Antonio de. Poesia a quatro mãos. In: BANDEIRA, Manuel. *Libertinagem-Estrela da manhã*. Org. Giulia Lanciani. Madri: ALLCA XX; São Paulo: Scipione Cultural, 1998.

_____. Afinidades eletivas. In:_____ (Org.). *Correspondência Mário de Andrade & Manuel Bandeira*. São Paulo: Instituto de Estudos Brasileiros/Edusp, 2000.

MORAES, Vinicius de. O poeta Manuel Bandeira. In: ANDRADE, Carlos Drummond de et al. *Homenagem a Manuel Bandeira*. Rio de Janeiro: Typ. do *Jornal do Commercio*, 1936. 2. ed., fac-similar, São Paulo: Metal Leve, 1986.

_____. Saudade de Manuel Bandeira. In: BANDEIRA, Manuel. *Estrela da vida inteira*: poesias reunidas. Rio de Janeiro: José Olympio, 1966.

_____. Saudade de Manuel Bandeira. In: _____. *Poesia completa e prosa*. Rio de Janeiro: Nova Aguilar, 1986.

_____. Encontros. In: _____. *Poesia completa e prosa*. Rio de Janeiro: Nova Aguilar, 1986.

MORAIS, Frederico. *Cronologia das artes plásticas no Rio de Janeiro*: 1816-1994. Rio de Janeiro: Topbooks, 1995.

MOREYRA, Álvaro. Desses amigos para sempre. In: ANDRADE, Carlos Drummond de et al. *Homenagem a Manuel Bandeira*. Rio de Janeiro: Typ. do *Jornal do Commercio*, 1936. 2. ed., fac--similar, São Paulo: Metal Leve, 1986.

MOTA, Mauro. Manuel Bandeira ou algumas variações em torno de "Evocação do Recife" e "Profundamente". In: _____. *A estrela de pedra e outros ensaios nordestinos*. Recife: Assembleia Legislativa do Estado de Pernambuco, 1981.

MOURA, Murilo Marcondes de. *Manuel Bandeira*. São Paulo: Publifolha, 2001.

MOURÃO, Gerardo Mello. Centenário de Manuel Bandeira. In: SILVA, Maximiano de Carvalho e (Org.). *Homenagem a Manuel Bandeira*: 1986-1988. Niterói: Sociedade Sousa da Silveira; Rio de Janeiro: Monteiro Aranha/Presença, 1989.

MOUTINHO, José Geraldo Nogueira. Estrela da tarde. In: _____. *A procura do número*. São Paulo: Conselho Estadual de Cultura/Comissão de Literatura, 1967.

_____. Manuel Bandeira. In: _____. *A fonte e a forma*: 50 ensaios sobre literatura brasileira contemporânea. Rio de Janeiro: Imago, 1977.

MOUTINHO, Stella Rodrigo Octavio. Reinvenção fina de textos brasileiros: a Sociedade dos Cem Bibliófilos do Brasil. In: _____ et al. *Castro Maya bibliófilo*. Rio de Janeiro: Nova Fronteira, 2002.

MOYA, Fernanda Nunes. *A Discoteca Municipal de São Paulo*: um projeto modernista para a música nacional. São Paulo: Cultura Acadêmica, 2011.

MURICY, Andrade. Manuel Bandeira. In: _____. *A nova literatura brasileira*: crítica e antologia. Porto Alegre: Globo, 1936.

_____. Manuel Bandeira. In: _____. *Panorama do movimento simbolista brasileiro*. 2. ed. Brasília: Conselho Federal de Cultura/Instituto Nacional do Livro, 1973. v. 2.

NASCENTES, Antenor. Quarenta anos de amizade. In: ANDRADE, Carlos Drummond de et al. *Homenagem a Manuel Bandeira*. Rio de Janeiro: Typ. do *Jornal do Commercio*, 1936. 2. ed., fac--similar, São Paulo: Metal Leve, 1986.

NASCIMENTO, Dalma. Mito, memória e arte em Manuel Bandeira. In: XAVIER, Elódia F. (Org.). *Manuel Bandeira*: 1886-1986. Rio de Janeiro: UFRJ/Antares, 1986.

NAVA, Pedro. Itinerário para a rua da Aurora. In: ANDRADE, Carlos Drummond de et al. *Homenagem a Manuel Bandeira*. Rio de Janeiro: Typ. do *Jornal do Commercio*, 1936. 2. ed., fac--similar, São Paulo: Metal Leve, 1986.

NEGRÃO, Maria José da Trindade. A vida como princípio estruturante da obra de Manuel Bandeira. In: XAVIER, Elódia F. (Org.). *Manuel Bandeira*: 1886-1986. Rio de Janeiro: UFRJ/Antares, 1986.

NEJAR, Carlos. Manuel Bandeira e a permanência da água. In: _____. *História da literatura brasileira*: da carta de Caminha aos contemporâneos. São Paulo: Leya, 2011.

NERY, Adalgisa. Irmão poeta. In: BANDEIRA, Manuel. *Estrela da vida inteira*: poesias reunidas. Rio de Janeiro: José Olympio, 1966.

NEVES, Cláudio. Como nasce um clássico. In: BANDEIRA, Manuel. *A cinza das horas*. São Paulo: Global, 2013.

NEVES, Fernão. *A Academia Brasileira de Letras*: notas e documentos para a sua história (1896-1940). Ed. fac-similar. Rio de Janeiro: Academia Brasileira de Letras, 2008.

NEWTON JÚNIOR, Carlos. A "Vida nova" de Manuel Bandeira. In: BANDEIRA, Manuel. *Itinerário de Pasárgada*. São Paulo: Global, 2012.

_____. Manuel Bandeira, crítico de arte. In: BANDEIRA, Manuel. *Crítica de artes*. São Paulo: Global, 2016.

OLINTO, Antonio. O ritmo dissoluto. In: BANDEIRA, Manuel. *Poesia e prosa*. Rio de Janeiro: José Aguilar, 1958. v. 1.

_____. O ritmo dissoluto: nota preliminar. In: BANDEIRA, Manuel. *Poesia completa e prosa*. Rio de Janeiro: José Aguilar, 1967.

_____. *Breve história da literatura brasileira:* 1500 a 1994. São Paulo: Lisa, 1994.

_____. Bandeira e Éluard. In: ALBUQUERQUE, João Lins de. *Antonio Olinto:* memórias póstumas de um imortal. São Paulo: Cultura, 2009.

OLIVEIRA, Franklin de. Itinerário de Pasárgada: nota preliminar. In: BANDEIRA, Manuel. *Poesia e prosa*. Rio de Janeiro: José Aguilar, 1958. v. 2

_____. Itinerário de Pasárgada: nota preliminar. In: BANDEIRA, Manuel. *Poesia completa e prosa*. Rio de Janeiro: José Aguilar, 1967.

_____. O medievalismo de Bandeira: a eterna elegia. In: BRAYNER, Sônia (Org.). *Manuel Bandeira*. Rio de Janeiro: Civilização Brasileira/Brasília: Instituto Nacional do Livro, 1980.

_____. Manuel Bandeira. In: _____. *A dança das letras:* antologia crítica. Rio de Janeiro: Topbooks, 1991.

OLIVEIRA, José Osório de. A libertação pelo Modernismo. In: _____. *História breve da literatura brasileira*. São Paulo: Martins, 1956.

OLIVEIRA NETO, Godofredo de. Bandeira, modernista brasileiro. In: BANDEIRA, Manuel. *Libertinagem & Estrela da manhã*. Rio de Janeiro: Nova Fronteira, 2005.

PADILHA, Laura Cavalcante. Bandeira e a poesia africana de língua portuguesa. In: SILVA, Maximiano de Carvalho e (Org.). *Homenagem a Manuel Bandeira:* 1986-1988. Niterói: Sociedade Sousa da Silveira; Rio de Janeiro: Monteiro Aranha/Presença, 1989.

PAES, José Paulo. Pulmões feitos coração. In: _____. *Os perigos da poesia e outros ensaios*. Rio de Janeiro: Topbooks, 1997.

_____. Bandeira tradutor ou o esquizofrênico incompleto. In: _____. *Armazém literário*: ensaios. Org. Vilma Arêas. São Paulo: Companhia das Letras, 2008.

PASSONI, Célia A. N. (Org.). *Manuel Bandeira:* antologia/*José Lins do Rego: Fogo morto*. São Paulo: Núcleo, 1989.

PAULA, Aloysio de. A doença de Manuel Bandeira. In: SILVA, Maximiano de Carvalho e (Org.). *Homenagem a Manuel Bandeira:* 1986-1988. Niterói: Sociedade Sousa da Silveira; Rio de Janeiro: Monteiro Aranha/Presença, 1989.

PAULA, Júlio Cesar Machado de. Estrela da tarde: um círculo que se fecha. In: GOLDSTEIN, Norma Seltzer (Org.). *Traços marcantes no percurso poético de Manuel Bandeira*. São Paulo: Humanitas, 2005.

_____; TAMBELLI, Mônica Simões Francisco de Sales. Bodas de Bandeira: *Lira dos cinquent'anos* "nel mezzo del cammin". In: GOLDSTEIN, Norma Seltzer (Org.). *Traços marcantes no percurso poético de Manuel Bandeira*. São Paulo: Humanitas, 2005.

PEDRINHA, Alvacyr. Estudo das variantes em "Não sei dançar" de Manuel Bandeira. In: SILVA, Maximiano de Carvalho e (Org.). *Homenagem a Manuel Bandeira:* 1986-1988. Niterói: Sociedade Sousa da Silveira; Rio de Janeiro: Monteiro Aranha/Presença, 1989.

PENNAFORT, Onestaldo de. Marginália à poética de Manuel Bandeira. In: ANDRADE, Carlos Drummond de et al. *Homenagem a Manuel Bandeira*. Rio de Janeiro: Typ. do *Jornal do Commercio*, 1936. 2. ed., fac-similar, São Paulo: Metal Leve, 1986.

_____. Marginália à poética de Manuel Bandeira. In: BANDEIRA, Manuel. *Poesia e prosa*. Rio de Janeiro: José Aguilar, 1958. v. 1.

_____. Marginália à poética de Manuel Bandeira. In: BRAYNER, Sônia (Org.). *Manuel Bandeira*. Rio de Janeiro: Civilização Brasileira/Brasília: Instituto Nacional do Livro, 1980.

_____. Marginália à poética de Manuel Bandeira. In: BANDEIRA, Manuel. *Libertinagem-Estrela da manhã*. Org. Giulia Lanciani. Madri: ALLCA XX; São Paulo: Scipione Cultural, 1998.

PEREGRINO JÚNIOR. *O movimento modernista*. Rio de Janeiro: Ministério da Educação e Cultura/Serviço de Documentação, 1954.

_____. *Três ensaios:* Modernismo, Graciliano, Amazônia. Rio de Janeiro: São José, 1969.

PEREIRA, Lúcia Miguel. Simplicidade. In: ANDRADE, Carlos Drummond de et al. *Homenagem a Manuel Bandeira*. Rio de Janeiro: Typ. do *Jornal do Commercio*, 1936. 2. ed., fac-similar, São Paulo: Metal Leve, 1986.

_____. A simplicidade em Manuel Bandeira. In: _____. *A leitora e seus personagens*. Rio de Janeiro: Graphia, 1992.

PEREIRA, Nilo. Entrevista (imaginária) com Manuel Bandeira. In: SILVA, Maximiano de Carvalho e (Org.). *Homenagem a Manuel Bandeira:* 1986-1988. Niterói: Sociedade Sousa da Silveira; Rio de Janeiro: Monteiro Aranha/Presença, 1989.

PEREZ, Renard. Manuel Bandeira. In: _____. *Escritores brasileiros contemporâneos:* 27 biografias, seguidas de antologia. Rio de Janeiro: Civilização Brasileira, 1960.

PICCHIO, Luciana Stegagno. Manuel Bandeira. In: _____. *La letteratura brasiliana*. Florença: Sansoni; Milão: Accademia, 1972.

_____. O Modernismo como resultado: Manuel Bandeira. In: _____. *Literatura brasileira:* das origens a 1945. São Paulo: Martins Fontes, 1988.

_____. Manuel Bandeira. In: _____. *História da literatura brasileira*. Rio de Janeiro: Nova Aguilar, 1997.

PIRES, Ézio. Mestre Bandeira em 3 tempos de poesia. In: _____. *Depoimento literário*. Brasília: Senado Federal, 1978.

PIZA, Daniel. Manuel Bandeira: o simples e o fácil. In: _____. *Questão de gosto:* ensaios e resenhas. Rio de Janeiro: Record, 2000.

PLACER, Xavier. *O poema em prosa*. Rio de Janeiro: Ministério da Educação e Cultura/Serviço de Documentação, 1962.

_____ (Org.). *Modernismo brasileiro*. Rio de Janeiro: Biblioteca Nacional/Divisão de Publicações e Divulgação, 1972.

PONTIERO, Giovanni. A expressão da ironia em *Libertinagem*, de Manuel Bandeira. In: BRAYNER, Sônia (Org.). *Manuel Bandeira*. Rio de Janeiro: Civilização Brasileira/Brasília: Instituto Nacional do Livro, 1980.

_____. *Manuel Bandeira:* visão geral de sua obra. Trad. de Terezinha Prado Galante. Rio de Janeiro: José Olympio, 1986.

PORTELLA, Eduardo. A expressão poética de Manuel Bandeira. In: _____. *Dimensões II:* crítica literária. Rio de Janeiro: Agir, 1959.

PORTO, Sérgio. "Portugal, meu avozinho". In: CONDÉ, João. *Recordações de Manuel Bandeira nos "Arquivos implacáveis" de João Condé*. Lisboa: Embaixada do Brasil, 1990.

PROENÇA FILHO, Domício. *Estilos de época na literatura:* através de textos comentados. 3. ed. revista e ampliada. Rio de Janeiro: Liceu, 1972.

QUEIRÓS, Bartolomeu Campos de. Apresentação. In: BANDEIRA, Manuel. *Para querer bem*. 2. ed. São Paulo: Global, 2013.

QUEIROZ, Maria José de. Manuel Bandeira e Minas Gerais: itinerário de um bem-querer. In: SILVA, Maximiano de Carvalho e (Org.). *Homenagem a Manuel Bandeira:* 1986-1988. Niterói: Sociedade Sousa da Silveira; Rio de Janeiro: Monteiro Aranha/Presença, 1989.

QUEIROZ, Rachel de. Manuel. In: BANDEIRA, Manuel. *Estrela da vida inteira:* poesias reunidas. Rio de Janeiro: José Olympio, 1966.

_____. Manuel. In: SILVA, Maximiano de Carvalho e (Org.). *Homenagem a Manuel Bandeira*: 1986-1988. Niterói: Sociedade Sousa da Silveira; Rio de Janeiro: Monteiro Aranha/Presença, 1989.

RAMOS, Péricles Eugênio da Silva. O Modernismo na poesia. In: COUTINHO, Afrânio (Org.). *A literatura no Brasil:* Modernismo. 2. ed. Rio de Janeiro: Sul Americana, 1970. v. 5.

_____. Manuel Bandeira. In: _____. *Poesia moderna*. São Paulo: Melhoramentos, 1967.

_____. A poesia de Manuel Bandeira. In: BRAYNER, Sônia (Org.). *Manuel Bandeira*. Rio de Janeiro: Civilização Brasileira/Brasília: Instituto Nacional do Livro, 1980.

REBELO, Marques. Depoimento um pouco simplório, talvez. In: ANDRADE, Carlos Drummond de et al. *Homenagem a Manuel Bandeira*. Rio de Janeiro: Typ. do *Jornal do Commercio*, 1936. 2. ed., fac-similar, São Paulo: Metal Leve, 1986.

REGIS, Maria Helena Camargo. *O coloquial na poética de Manuel Bandeira*. Florianópolis: Universidade Federal de Santa Catarina, 1986.

REGO, José Lins do. Manuel Bandeira, um mestre da vida. In: ANDRADE, Carlos Drummond de et al. *Homenagem a Manuel Bandeira*. Rio de Janeiro: Typ. do *Jornal do Commercio*, 1936. 2. ed., fac-similar, São Paulo: Metal Leve, 1986.

_____. Manuel Bandeira, um mestre da vida. *Gordos e magros*. Rio de Janeiro: Casa do Estudante do Brasil, 1942.

_____. Manuel Bandeira. In: LOPEZ, Telê Porto Ancona (Org.). *Manuel Bandeira:* verso e reverso. São Paulo: T. A. Queiroz, 1987.

RENAULT, Abgar. Notas à margem de algumas traduções de Manuel Bandeira. In: ANDRADE, Carlos Drummond de et al. *Homenagem a Manuel Bandeira*. Rio de Janeiro: Typ. do *Jornal do Commercio*, 1936. 2. ed., fac-similar, São Paulo: Metal Leve, 1986.

_____. Notas à margem de algumas traduções de Manuel Bandeira. In: SILVA, Maximiano de Carvalho e (Org.). *Homenagem a Manuel Bandeira:* 1986-1988. Niterói: Sociedade Sousa da Silveira; Rio de Janeiro: Monteiro Aranha/Presença, 1989.

RESENDE, Otto Lara. Bandeira do Brasil. In: SILVA, Maximiano de Carvalho e (Org.). *Homenagem a Manuel Bandeira:* 1986-1988. Niterói: Sociedade Sousa da Silveira; Rio de Janeiro: Monteiro Aranha/Presença, 1989.

_____. Manuel Bandeira e Augusto Frederico Schmidt – Brasil: anti-Pasárgada. In: _____. *O príncipe e o sabiá e outros perfis*. Org. Ana Miranda. São Paulo: Companhia das Letras, 1994.

_____. Manuel Bandeira e Octavio Paz – O Brasil precisa de paz. In: _____. *O príncipe e o sabiá e outros perfis*. Org. Ana Miranda. São Paulo: Companhia das Letras, 1994.

REYES, Alfonso. Acto de presencia. In: ANDRADE, Carlos Drummond de et al. *Homenagem a Manuel Bandeira*. Rio de Janeiro: Typ. do *Jornal do Commercio*, 1936. 2. ed., fac-similar, São Paulo: Metal Leve, 1986.

RIBEIRO, João. A cinza das horas. In: _____. *Crítica:* os modernos. Rio de Janeiro: Academia Brasileira de Letras, 1952.

_____. Carnaval. In: _____. *Crítica:* os modernos. Rio de Janeiro: Academia Brasileira de Letras, 1952.

_____. *A cinza das horas*: nota preliminar. In: BANDEIRA, Manuel. *Poesia e prosa*. Rio de Janeiro: José Aguilar, 1958. v. 1.

_____. *A cinza das horas*: nota preliminar. In: BANDEIRA, Manuel. *Poesia completa e prosa*. Rio de Janeiro: José Aguilar, 1967.

_____. A cinza das horas. In: BRAYNER, Sônia (Org.). *Manuel Bandeira*. Rio de Janeiro: Civilização Brasileira/Brasília: Instituto Nacional do Livro, 1980.

RICARDO, Cassiano. Pequeno poema para Manuel Bandeira. In: BANDEIRA, Manuel. *Estrela da vida inteira:* poesias reunidas. Rio de Janeiro: José Olympio, 1966.

_____. *Viagem no tempo e no espaço*: memórias. Rio de Janeiro: José Olympio, 1970.

RIO BRANCO, Miguel do. *Etapas da poesia brasileira*. Lisboa: Livros do Brasil, 1955.

ROCHA, Hildon. Pasárgada: onde é, o que é? In: SILVA, Maximiano de Carvalho e (Org.). *Homenagem a Manuel Bandeira:* 1986-1988. Niterói: Sociedade Sousa da Silveira; Rio de Janeiro: Monteiro Aranha/Presença, 1989.

ROCHA, Diva Vasconcellos da. Bandeira, conciliador de contrários. In: SILVA, Maximiano de Carvalho e (Org.). *Homenagem a Manuel Bandeira:* 1986-1988. Niterói: Sociedade Sousa da Silveira; Rio de Janeiro: Monteiro Aranha/Presença, 1989.

ROCHA, Sousa. Para um "Museu Manuel Bandeira". In: BANDEIRA, Manuel. *Poesia e prosa*. Rio de Janeiro: José Aguilar, 1958. v. 1.

RODRIGUES, Claufe; MAIA, Alexandra. Manuel Bandeira. In: _____. *100 anos de poesia:* um panorama da poesia brasileira no século XX. Rio de Janeiro: O Verso, 2001. v. 1.

RODRIGUES, Danúbio. *Andorinha, andorinha*: nota preliminar. In: BANDEIRA, Manuel. *Poesia completa e prosa*. Rio de Janeiro: José Aguilar, 1974.

RODRIGUES, Maria Rute Bianco. *Manuel Bandeira:* poeta da vida inteira. Coimbra: S. l., 1967.

ROIG, Adrien. *Modernismo e Realismo:* Mário de Andrade, Manuel Bandeira e Raul Pompeia. Rio de Janeiro: Presença, 1981.

RÓNAI, Paulo. *A tradução vivida*. 2. ed. revista e aumentada Rio de Janeiro: Nova Fronteira, 1981.

ROSENBAUM, Yudith. *Manuel Bandeira:* uma poesia da ausência. São Paulo: Edusp; Rio de Janeiro: Imago, 1993.

SÁ, Jorge de. Manuel Bandeira leitor do Romantismo. In: SILVA, Maximiano de Carvalho e (Org.). *Homenagem a Manuel Bandeira:* 1986-1988. Niterói: Sociedade Sousa da Silveira; Rio de Janeiro: Monteiro Aranha/Presença, 1989.

SÁ, Xico. O puxa-puxa e o lero-lero do cronista. In: BANDEIRA, Manuel. *Flauta de papel*. São Paulo: Global, 2014.

SABINO, Fernando. Evocação no aniversário do poeta. In: _____. *Gente*. Rio de Janeiro: Record, 1975. v. 2.

_____. *O tabuleiro de damas*. Rio de Janeiro: Record, 1988.

_____. Evocação no aniversário do poeta. In: SILVA, Maximiano de Carvalho e (Org.). *Homenagem a Manuel Bandeira:* 1986-1988. Niterói: Sociedade Sousa da Silveira; Rio de Janeiro: Monteiro Aranha/Presença, 1989.

_____. Azul. In: _____. *Livro aberto:* páginas soltas ao longo do tempo. 2. ed. Rio de Janeiro: Record, 2001.

_____. *Cartas na mesa:* aos três parceiros, meus amigos para sempre. Rio de Janeiro: Record, 2002.

SÁFADY, Naief. Bandeira e o conceito de lirismo. In: BRAYNER, Sônia (Org.). *Manuel Bandeira*. Rio de Janeiro: Civilização Brasileira/Brasília: Instituto Nacional do Livro, 1980.

_____. Bandeira e o conceito de lirismo. In: BANDEIRA, Manuel. *Libertinagem-Estrela da manhã*. Org. Giulia Lanciani. Madri: ALLCA XX; São Paulo: Scipione Cultural, 1998.

SALLES, Jorge de (Coord.). *Manuel Bandeira:* centenário de nascimento. Rio de Janeiro: Centro Cultural Itaipava, 1986.

SANT'ANNA, Afonso Romano de. Manuel Bandeira: do amor místico e perverso pela santa e a prostituta à família mítica permissiva e incestuosa. In: _____. *O canibalismo amoroso:* o desejo e a interdição em nossa cultura através da poesia. São Paulo: Brasiliense, 1984.

_____. Encontro com Bandeira. In: SILVA, Maximiano de Carvalho e (Org.). *Homenagem a Manuel Bandeira:* 1986-1988. Niterói: Sociedade Sousa da Silveira; Rio de Janeiro: Monteiro Aranha/Presença, 1989.

_____. O carnaval de Bandeira. In: BANDEIRA, Manuel. *Carnaval*. São Paulo: Global, 2014.

SANTIAGO, Silviano. Um poeta trágico. In: BANDEIRA, Manuel. *Libertinagem-Estrela da manhã*. Org. Giulia Lanciani. Madri: ALLCA XX; São Paulo: Scipione Cultural, 1998.

_____ (Org.). *A república das letras:* de Gonçalves Dias a Ana Cristina César: cartas de escritores brasileiros 1857-1995. Rio de Janeiro: Snel, 2003.

SANTORO, Eliane de Abreu Maturano. Onde está a estrela da manhã? In: GOLDSTEIN, Norma Seltzer (Org.). *Traços marcantes no percurso poético de Manuel Bandeira.* São Paulo: Humanitas, 2005.

_____. *Mafuá do malungo* – a poesia de circunstância de Manuel Bandeira. In: GOLDSTEIN, Norma Seltzer (Org.). *Traços marcantes no percurso poético de Manuel Bandeira.* São Paulo: Humanitas, 2005.

SANTOS, Angelo Oswaldo de Araújo. Ouro Preto nos passos do poeta. In: BANDEIRA, Manuel. *Guia de Ouro Preto.* São Paulo: Global, 2015.

SANTOS, Erline Tuma Vieira dos. Do porão ao sótão: estudo de *Belo belo* de Manuel Bandeira. In: GOLDSTEIN, Norma Seltzer (Org.). *Traços marcantes no percurso poético de Manuel Bandeira.* São Paulo: Humanitas, 2005.

SANTOS, Wellington de Almeida Santos. Manuel Bandeira e a infância. In: XAVIER, Elódia F. (Org.). *Manuel Bandeira:* 1886-1986. Rio de Janeiro: UFRJ/Antares, 1986.

SARAIVA, Arnaldo. *Modernismo brasileiro e Modernismo português:* subsídios para o seu estudo e para a história das suas relações. Campinas: Unicamp, 2004.

_____. Manuel Bandeira. In: _____. *Conversas com escritores brasileiros.* Porto: Congresso Portugal-Brasil, 2000.

SCALZO, Nilo. Bandeira, o poeta do alumbramento. In: SILVA, Maximiano de Carvalho e (Org.). *Homenagem a Manuel Bandeira:* 1986-1988. Niterói: Sociedade Sousa da Silveira; Rio de Janeiro: Monteiro Aranha/Presença, 1989.

SCHMIDT, Augusto Frederico. Algumas palavras sobre Manuel Bandeira. In: ANDRADE, Carlos Drummond de et al. *Homenagem a Manuel Bandeira.* Rio de Janeiro: Typ. do *Jornal do Commercio,* 1936. 2. ed., fac-similar, São Paulo: Metal Leve, 1986.

SECCHIN, Antonio Carlos. Apresentação: a cidade e as musas. In: BANDEIRA, Manuel. *As cidades e as musas.* Rio de Janeiro: Desiderata, 2008.

_____. Sob vários aspectos... In: BANDEIRA, Manuel. *Testamento de Pasárgada:* antologia poética. Org. Ivan Junqueira. 2. ed. revista, Rio de Janeiro: Nova Fronteira/Academia Brasileira de Letras, 2003.

_____. A poesia, na fumaça do tempo (Revista *Souza Cruz*). In: _____. *Papéis de poesia:* Drummond & mais. Goiânia: Martelo, 2014.

SEFFRIN, André. Os poetas conversam. In: ESPINHEIRA FILHO, Ruy. *Forma e alumbramento:* poética e poesia em Manuel Bandeira. Rio de Janeiro: José Olympio/Academia Brasileira de Letras, 2004.

_____. Nota editorial. In: BANDEIRA, Manuel. *Poesia completa e prosa.* Rio de Janeiro: Nova Aguilar, 2009.

_____. Prefácio: Itinerário de um poeta. In: BANDEIRA, Manuel. *Poesia completa e prosa.* Rio de Janeiro: Nova Aguilar, 2009.

_____. *Andorinha, andorinha* é um delicioso passeio... In: BANDEIRA, Manuel. *Andorinha, andorinha.* São Paulo: Global, 2015.

SENA, Jorge de. Sobre Manuel Bandeira. In: _____. *Estudos de cultura e literatura brasileira.* Lisboa: Edições 70, 1988.

_____. Da poesia maior e menor: a propósito de Manuel Bandeira. In: BANDEIRA, Manuel. *Libertinagem-Estrela da manhã.* Org. Giulia Lanciani. Madri: ALLCA XX; São Paulo: Scipione Cultural, 1998.

SENNA, Homero. Viagem a Pasárgada. In: _____. *República das letras:* 20 entrevistas com escritores. 2. ed. revista e ampliada. Rio de Janeiro: Gráfica Olímpica, 1968.

_____. Viagem a Pasárgada. In: BRAYNER, Sônia (Org.). *Manuel Bandeira.* Rio de Janeiro: Civilização Brasileira/Brasília: Instituto Nacional do Livro, 1980.

_____. Manuel Bandeira e uma festa dos anos 40. In: SILVA, Maximiano de Carvalho e (Org.). *Homenagem a Manuel Bandeira*: 1986-1988. Niterói: Sociedade Sousa da Silveira; Rio de Janeiro: Monteiro Aranha/Presença, 1989.

_____ (Org.). *O mês modernista*: Carlos Drummond, Sergio Milliet, Manuel Bandeira, Martins de Almeida, Mário de Andrade, Prudente de Morais Neto. Rio de Janeiro: Fundação Casa de Rui Barbosa, 1994.

SILVA, Alberto da Costa e. Lembrança de um encontro. In: SILVA, Maximiano de Carvalho e (Org.). *Homenagem a Manuel Bandeira*: 1986-1988. Niterói: Sociedade Sousa da Silveira; Rio de Janeiro: Monteiro Aranha/Presença, 1989.

_____. Manuel Bandeira reclamava... In: CONDÉ, João. *Recordações de Manuel Bandeira nos "Arquivos implacáveis" de João Condé*. Lisboa: Embaixada do Brasil, 1990.

_____. Lembranças de um encontro. In: _____. *O pardal na janela*. Rio de Janeiro: Academia Brasileira de Letras, 2002.

SILVA, Álvaro Costa e. A prosa eterna de Manuel Bandeira. In: BANDEIRA, Manuel. *Andorinha, andorinha*. São Paulo: Global, 2015.

SILVA, Beatriz Folly e; LEITÃO, Eliane Vasconcellos (Coord.). *Manuel Bandeira – um novo itinerário*: exposição comemorativa do centenário do seu nascimento. Rio de Janeiro: Fundação Casa de Rui Barbosa, 1986.

_____; LESSA, Maria Eduarda de Almeida Vianna. *Inventário do arquivo Manuel Bandeira*. Rio de Janeiro: Fundação Casa de Rui Barbosa, 1989.

SILVA, Maximiano de Carvalho e. O significado da homenagem a Manuel Bandeira em 1936. In: ANDRADE, Carlos Drummond de et al. *Homenagem a Manuel Bandeira*. 2. ed., fac-similar, São Paulo: Metal Leve, 1986.

_____. Manuel Bandeira – defensor e divulgador do patrimônio histórico e artístico brasileiro. In: _____ (Org.). *Homenagem a Manuel Bandeira*: 1986-1988. Niterói: Sociedade Sousa da Silveira; Rio de Janeiro: Monteiro Aranha/Presença, 1989.

SILVEIRA, Alcântara. Bandeira e a poesia do cotidiano. In: _____. *Telefone para surdos*. São Paulo: Conselho Estadual de Cultura/Comissão de Literatura, 1962.

SILVEIRA, Joel. Manuel Bandeira. In: _____. *Vinte horas de abril*. Rio de Janeiro: Saga, 1969.

_____. Manuel Bandeira, 13 de março de 1966, em Teresópolis: "Venham ver! A vaca está comendo as flores do Rodriguinho. Não vai sobrar uma. Que beleza!" In: _____. *Tempo de contar*. Rio de Janeiro: Record, 1985.

_____. Último encontro com Manuel Bandeira. In: SILVA, Maximiano de Carvalho e (Org.). *Homenagem a Manuel Bandeira*: 1986-1988. Niterói: Sociedade Sousa da Silveira; Rio de Janeiro: Monteiro Aranha/Presença, 1989.

_____. Manuel Bandeira, 13 de março de 1966, em Teresópolis: "Venham ver! A vaca está comendo as flores do Rodriguinho. Não vai sobrar uma. Que beleza!" In: _____. *A milésima segunda noite da avenida Paulista e outras reportagens*. São Paulo: Companhia das Letras, 2003.

SILVEIRA, Sousa da. *Animae dimidium meae*. In: ANDRADE, Carlos Drummond de et al. *Homenagem a Manuel Bandeira*. Rio de Janeiro: Typ. do *Jornal do Commercio*, 1936. 2. ed., fac--similar, São Paulo: Metal Leve, 1986.

SIMÕES, João Gaspar. Da falsa naturalidade em poesia e o exemplo de Manuel Bandeira. In: _____. *Liberdade de espírito*. Porto: Portugália, 1948.

_____. Manuel Bandeira, poeta barroco. In: _____. *Literatura, literatura, literatura...*: de Sá de Miranda ao Concretismo brasileiro. Lisboa: Portugália, 1964.

SOUSA, Otávio Tarquínio de. *Crônicas da província do Brasil*: nota preliminar. In: BANDEIRA, Manuel. *Poesia e prosa*. Rio de Janeiro: José Aguilar, 1958. v. 2.

SOUZA, Sebastião de. *Discografia da literatura brasileira*. Rio de Janeiro: Cátedra; Brasília: Instituto Nacional do Livro, 1977.

SÜSSEKIND, Flora. A geleia e o engenho: em torno de uma carta-poema de Elizabeth Bishop a Manuel Bandeira. In: _____. *Papéis colados*. Rio de Janeiro: UFRJ, 1993.

_____. Cabral-Bandeira-Drummond. In: _____. *A voz e a série*. Rio de Janeiro: SetteLetras; Belo Horizonte: UFMG, 1998.

_____. Apresentação. In: _____ (Org.). *Correspondência de Cabral com Bandeira e Drummond*. Rio de Janeiro: Nova Fronteira/Fundação Casa de Rui Barbosa, 2001.

TAVARES, Braulio. *Contando histórias em versos:* poesia e romanceiro popular no Brasil. São Paulo: Editora 34, 2005.

_____. Bandeira: a poesia da fala. In: BANDEIRA, Manuel. *Libertinagem*. São Paulo: Global, 2013.

TAVARES-BASTOS, A. D. Manuel Bandeira. In: _____. *Anthologie de la poésie brésilienne contemporaine*. Paris: Pierre Tisné, 1954.

TELES, Gilberto Mendonça. Manuel Bandeira. In: _____. *La poesia brasileña en la actualidad*. Montevidéu: Letras, 1969.

_____. *Camões e a poesia brasileira*. 2. ed. São Paulo: Quíron/Brasília: Instituto Nacional do Livro, 1976.

_____. A bandeira de Bandeira. In: BRAYNER, Sônia (Org.). *Manuel Bandeira*. Rio de Janeiro: Civilização Brasileira/Brasília: Instituto Nacional do Livro, 1980.

_____. Manuel Bandeira. In: _____. *Estudos de poesia brasileira*. Coimbra: Almedina, 1985.

_____. A experimentação poética de Bandeira. In: XAVIER, Elódia F. (Org.). *Manuel Bandeira:* 1886-1986. Rio de Janeiro: UFRJ/Antares, 1986.

_____. Um novo itinerário. In: SILVA, Beatriz Folly e; LEITÃO, Eliane Vasconcellos (Coord.). *Manuel Bandeira – um novo itinerário:* exposição comemorativa do centenário do seu nascimento. Rio de Janeiro: Fundação Casa de Rui Barbosa, 1986.

_____. Um depoimento e um estudo sobre Manuel Bandeira. In: SILVA, Maximiano de Carvalho e (Org.). *Homenagem a Manuel Bandeira:* 1986-1988. Niterói: Sociedade Sousa da Silveira; Rio de Janeiro: Monteiro Aranha/Presença, 1989.

_____. *Retórica do silêncio I:* teoria e prática do texto literário. 2. ed. Rio de Janeiro: José Olympio, 1989.

_____. A utopia poética de Manuel Bandeira. In: _____. *A escrituração da escrita*. Petrópolis: Vozes, 1996.

_____. A experimentação poética de Bandeira em *Libertinagem* e *Estrela da manhã*. In: BANDEIRA, Manuel. *Libertinagem-Estrela da manhã*. Org. Giulia Lanciani. Madri: ALLCA XX; São Paulo: Scipione Cultural, 1998.

_____. A poesia de Manuel Bandeira e a nova tendência lírica. In: CASTRO, Silvio (Org.). *História da literatura brasileira*. Lisboa: Alfa, 2000. v. 3.

VECCHI, Roberto. Aliança na poeira: (re)leitura de alguns poemas de Manuel Bandeira à luz ardente do crepúsculo italiano. In: BANDEIRA, Manuel. *Libertinagem-Estrela da manhã*. Org. Giulia Lanciani. Madri: ALLCA XX; São Paulo: Scipione Cultural, 1998.

VERISSIMO, Erico. *Brazilian literature:* an outline. Nova York: Macmillan, 1945.

_____. *Breve história da literatura brasileira*. São Paulo: Globo, 1995.

VILLAÇA, Alcides. O resgate íntimo de Manuel Bandeira. In: LOPEZ, Telê Porto Ancona (Org.). *Manuel Bandeira:* verso e reverso. São Paulo: T. A. Queiroz, 1987.

_____. Um lirismo verdadeiramente vivo. In: BANDEIRA, Manuel. *O ritmo dissoluto*. São Paulo: Global, 2014.

VILLAÇA, Antonio Carlos. *O nariz do morto*. Rio de Janeiro: JCM, 1970.

_____. M. B. In: _____. *Encontros*. Rio de Janeiro/Brasília: Editora Brasília, 1974.

_____. Apresentação. In: BANDEIRA, Manuel. *Prosa*. Rio de Janeiro: Agir, 1983.

_____. Basta o prefácio... In: PONTIERO, Giovanni. *Manuel Bandeira:* visão geral de sua obra. Rio de Janeiro: José Olympio, 1986.

_____. Manuel Bandeira: nossos encontros. In: SILVA, Maximiano de Carvalho e (Org.). *Homenagem a Manuel Bandeira:* 1986-1988. Niterói: Sociedade Sousa da Silveira; Rio de Janeiro: Monteiro Aranha/Presença, 1989.

_____. Manuel, Manu. In: _____. *Diário de Faxinal do Céu*. Rio de Janeiro: Lacerda, 1998.

_____. *O livro dos fragmentos*. Rio de Janeiro: Civilização Brasileira, 2005.

VÍTOR, Nestor. A cinza das horas. In: _____. *Cartas à gente nova*. Rio de Janeiro: Anuário do Brasil, 1924.

VITUREIRA, Cipriano S. *Manuel Bandeira, Cecília Meireles, Carlos Drummond de Andrade: tres edades en la poesia brasileña actual:* estudio y antologia. Montevidéu: Associacion Cultural Estudantil Brasil-Uruguai, 1952.

WERNECK, Humberto. *O santo sujo:* a vida de Jayme Ovalle. São Paulo: Cosac Naify, 2008.

XAVIER, Elódia F. O símbolo estelar na poesia de Manuel Bandeira. In: _____ (Org.). *Manuel Bandeira:* 1886-1986. Rio de Janeiro: UFRJ/Antares, 1986.

_____. O símbolo estelar na poesia de Manuel Bandeira. In: BANDEIRA, Manuel. *Libertinagem-Estrela da manhã*. Org. Giulia Lanciani. Madri: ALLCA XX; São Paulo: Scipione Cultural, 1998.

XAVIER, Jairo José. *Camões e Manuel Bandeira*. Rio de Janeiro: Ministério da educação e Cultura/Departamento de Assuntos Culturais, 1973.

ÍNDICES

ÍNDICE ONOMÁSTICO DA *Prosa seleta*
ÍNDICE GERAL

ÍNDICE ONOMÁSTICO DA *PROSA SELETA*

A

ABAETÉ (visconde),   506
ABREU, Capistrano de,   79, 136, 396, 397, 615, 616, 653, 702, 703, 711, 777, 817, 940
ABREU, Casimiro de,   48, 123, 166, 245, 541, 543, 600, 611, 612, 613, 615, 617, 708-709, 712, 715, 764, 809, 880, 895, 911, 922, 926, 927, 1003, 1009, 1014
ABREU, Honorina de – ver MARIA JOSÉ de Jesus (madre)
ABREU, José Joaquim de,   433, 441
ABREU, Rodrigues de,   754-755
ACKERMAN,   1009
ACKERMANN, Louise,   621
ADAM, Villiers de l'Isle,   839
AFFONSO, Ruy,   249
AFJES, Bertus,   256
AFONSO III,   919
AFONSO HENRIQUES (rei),   194
AFONSO HENRIQUES NETO (Afonso Henriques de Guimaraens Neto),   1021, 1027, 1037, 1064
AGASSIZ,   324, 653
AGOSTINHO (amigo de Antônio Nobre),   900
AGUADO,   204, 205
AGUILAR, José,   1059
AICARD, Jean,   602
AIMÉE, Mlle.,   223
AISLÁN, Eduardo Ritter,   288
AITA, Giovanna,   1023
AITA, Nella,   1024
AITA, Zina,   389
ALARCÓN, Juan Ruiz de,   678, 680
ALBANO, José (de Abreu),   15, 18, 81, 172, 263-265, 398, 730-731
ALBÉNIZ, 206
ALBERDI, 294, 678
ALBERICO (*seu*),   316
ALBUQUERQUE, C. Andrade,   851
ALBUQUERQUE, Demétrio,   244
ALBUQUERQUE, Etelvino Lins de,   222
ALBUQUERQUE, Georgina de,   349, 948
ALBUQUERQUE, Jorge de,   683
ALBUQUERQUE, José Maria de,   116
ALBUQUERQUE, Lucílio de,   948, 952
ALBUQUERQUE, Medeiros e,   37, 44, 78, 79, 402, 625, 660, 677, 776, 777, 780

ALCIDES FLÁVIO,   625
ALCINA,   294
ALCOFORADO (*seu*),   118
ALEIJADINHO (Antônio Francisco Lisboa – dito O ALEIJADINHO),   19, 23, 24, 25, 111, 153, 154, 212, 248, 343, 365, 559, 560, 561, 562-563, 568, 574, 575, 578, 579, 581, 582, 584, 585, 586, 587, 591, 616, 617, 686, 945, 946, 1045
ALEMÃO, Francisco Freire,   152, 506, 510
ALENCAR, José de,   97, 98, 106, 147, 148, 392, 413, 513, 755, 831, 948
ALENCAR, Mário de,   197, 224, 625, 626, 780, 782, 783, 938
ALI, M. Said,   121, 541, 654, 784, 808, 809, 810, 921, 938
ALIGHIERI, Dante,   23, 74, 83, 164, 252, 422-423, 456, 506, 678, 719, 798, 875, 924, 971, 1012
ALMEIDA, Adelaide Ramos de,   433, 441, 443, 445, 446, 457
ALMEIDA, Afonso Lopes de,   42, 43, 53, 56, 87, 392, 603
ALMEIDA, Américo Joaquim de,   235
ALMEIDA, Cândido Mendes de,   511
ALMEIDA, Correia de (padre),   611
ALMEIDA, Eduardo de Castro e,   590
ALMEIDA, Fernando Mendes de,   766, 1009, 1014, 1016, 1020, 1022
ALMEIDA, Fialho de,   660
ALMEIDA, Filinto de,   44, 625, 776, 780, 782, 931
ALMEIDA, Guilherme de,   56, 59, 60, 62, 77, 125-126, 148, 314, 675, 742, 751, 778, 779, 784, 872, 897, 913, 937, 973, 978
ALMEIDA, João Mendes de,   511
ALMEIDA, Lourenço de (dom),   582
ALMEIDA, Manuel Antônio de,   755, 814
ALMEIDA, Martins de,   69, 975, 977-979
ALMEIDA, Pedro de (dom),   553, 568
ALMEIDA, Raposo de,   775
ALMEIDA, Renato,   122, 742
ALMEIDA, Tácito de,   59
ALMEIDA JÚNIOR, José Ferraz de,   208, 677, 948
ALONSO, Dámaso,   1031
ALPOIM, José Fernandes Pinto de,   589
ALVARENGA, Oneyda,   766, 964
ALVARENGA, Silva,   685, 686, 687, 690-691, 775, 931
ÁLVARES, Diogo,   95
ALVERNE, Francisco de Monte (frei),   553

ALVES, Castro, 19, 39, 40, 63, 74, 166, 209, 229, 245, 247, 289, 331, 420, 600, 611, 612, 613, 614, 615, 617, 625, 711, 715-718, 833, 861-864, 910-912, 924, 925, 928, 974
ALVES, Constâncio, 626
ALVES, Rodrigues, 426, 910
ALVES, Vilhena, 611
ALVES Filho, Tomás, 620
AMADO, Genolino, 242, 243
AMADO, Gilberto, 233, 243, 277, 293, 324, 327, 394, 741, 1054
AMADO, Jorge, 819-820
AMÁLIA, Narcisa, 625
AMARAL, Amadeu, 136, 729, 740
AMARAL, Belisária, 674
AMARAL, Crispim do, 377
AMARAL, Geraldo Barrozo do, 69
AMARAL, José Maria do, 611, 612
AMARO, Austen, 262
AMÉLIA (rainha dona Amélia de Portugal), 726
AMÉLIA Augusta Eugênia Napoleona (dona), 555
AMÉLIA R., 502
AMOEDO, Rodolfo, 780, 948, 952
AMORIM, Gomes de, 496
ANA AMÉLIA – ver VALE, Ana Amélia Ferreira do
ANA CLÁUDIA (dona), 567
ANA RICARDO (dona), 569
ANACLETO, Bartolomeu, 206
ANCHIETA, José de, 138, 682, 712, 816-818
ANDRADE, Almir, 950
ANDRADE, Anselmo de, 860
ANDRADE, Ayres de, 63, 64, 365, 960
ANDRADE, Carlos Drummond de, 15, 17, 18, 21, 24, 60, 69, 71, 74, 80, 85, 177, 183, 231-232, 236, 244, 249, 262, 266, 267, 268, 276, 280, 284, 286, 295, 327, 335, 342, 346, 347, 358, 360, 425, 550, 757-758, 759, 777, 874, 889, 894, 897-898, 964, 973-975, 976-977, 978-979, 981-982, 984, 989, 990, 992, 994, 995-996, 1000-1001, 1013, 1016, 1019, 1025, 1038, 1039, 1047, 1048-1049, 1063
ANDRADE, Francisco de Paula Freire de, 555, 566, 592
ANDRADE, Gomes Freire de, 589
ANDRADE, Goulart de, 43, 55, 61, 392, 624, 721, 729, 740, 916, 930, 932
ANDRADE, Jacinto Freire de, 442

ANDRADE, Joaquim de Sousa – ver SOUSÂNDRADE
ANDRADE, Joaquim Pedro de, 323, 362-363, 997
ANDRADE, Jorge Carrera, 417, 418, 1042
ANDRADE, José Joaquim de, 672
ANDRADE, Justino Ferreira de, 579
ANDRADE, Maria Julieta Drummond de, 1063
ANDRADE, Mário de, 14, 19, 21, 24, 56, 57, 59, 60, 64, 66, 69, 71, 75, 97, 98, 126-127, 130, 197, 210, 236, 245, 246, 247, 248, 249, 266, 275, 278, 280, 302, 329, 355, 359-360, 362, 367, 369, 375, 392, 403, 412, 414, 419, 616, 617, 709, 741, 742, 743-746, 748, 749, 753, 761, 763, 764, 766, 810- 812, 824, 825, 828-835, 872, 884-885, 886, 887, 893, 917, 922, 946, 950, 954-959, 960, 961,962, 963, 964, 973, 974, 976, 977, 979, 983, 984, 986, 987, 990, 991, 993, 1010, 1013, 1025, 1029, 1046
ANDRADE, Oswald de, 24, 57, 59, 60, 69, 71, 127, 151, 152, 202, 246, 248, 281-282, 353, 372, 373, 375, 376, 392, 414, 421, 575, 741, 742, 743, 744, 746-747, 748, 751, 753, 755, 763, 828, 829, 884, 885, 886, 887, 913, 950, 974, 987, 1044
ANDRADE, Pais de, 611
ANDRADE, Rodrigo Melo Franco de, 17, 18, 20, 24, 60, 75, 77, 122, 128, 154-155, 247, 266, 267, 349, 362, 392, 550, 578, 585, 729, 730, 749, 868, 893, 897, 975, 984, 991, 992, 995, 997, 999, 1003, 1035, 1038, 1040, 1063, 1064, 1066
ANDRADE, Vera Melo Franco de, 550, 1066
ANDREIA (general), 558
ANDREIA, João, 625
ANDREONI, João Antônio, 556
ÂNGELO, Miguel, 244
ANJOS, Augusto dos, 15, 128, 260, 331, 738-740, 868, 1020
ANJOS, Cyro dos, 273, 296
ANSURES, Goesto, 859
ANTENOR (jovem), 133, 211
ANTONGINI, 75
ANTONIL, André João, 150, 369, 551, 552, 556
ANTÔNIO BENTO, 1040
ANTONIO CANDIDO de Mello e Souza, 15, 16, 1025
ANTÔNIO MARIA, 285

APOLLINAIRE, Guillaume, 14, 42
AQUINO, Flávio de, 1040
ARAGÃO, Henrique, 1051
ARAGON, Louis, 177, 916
ARANHA, Graça, 60, 77, 79, 122-123, 250, 251, 264, 285, 393, 731, 742-743, 751, 763, 776, 777, 778, 950, 974, 983, 987, 991
ARANHA, Luís, 59
ARANHA, Oswaldo, 416
ARANHA, Temístocles Graça, 86, 250-251, 1033, 1042
ARANTES, Ramos, 625
ARARIPE JÚNIOR, 623, 777
ARAÚJO, Henrique Lopes de, 589
ARAÚJO, Joaquim de, 850
ARAÚJO, José Soares de, 944
ARAÚJO, Luís Pereira Gonçalves de (cônego), 668
ARAÚJO, Manuel Francisco de, 554, 578, 579, 581, 582
ARAÚJO, Murillo, 740, 755-756, 784, 818, 938
ARAÚJO, Nabuco de, 209, 614
AREAL, Inácio, 185
ARGENSOLA, 893
ARINOS, Afonso, 19, 79, 565, 583, 1055
ARIOSTO, 111, 521, 522
ARISTÓTELES, 875
ARLEN, Michael, 75
ARMANDO, Paulo, 185, 766
AROUCA, José Pereira, 572, 573, 584
ARRIAGA, Manuel, 851
ARRIANO, 72
ARRUDA, Paulo de, 625
ARÚS, 1030
ÁRYA (filha de Júlio Ribeiro), 675
ASCHOF, Tilda, 114
ASSIS, Machado de, 11, 17, 35, 37, 43, 44, 101, 140, 146, 147, 155, 195, 217, 224, 225, 245, 384, 412, 600, 604, 611, 612, 613, 615, 617, 618, 621, 622, 623, 624, 718-719, 720, 724, 755, 776, 777, 778, 780, 788, 791, 793, 794, 798, 803, 814, 831, 923, 928, 1023, 1068
ASSIS, Paulo de, 625
ASSIS, São Francisco de, 130, 136
ASSOLANT, A., 75
ASSUMAR, Conde de, 117, 553, 573
ATAÍDE, Domingos da Costa, 944
ATAÍDE, Manuel da Costa, 572, 574, 575, 578, 579, 581, 585, 587, 592, 686, 943, 944, 948

ATHAYDE, Austregésilo de, 206, 286, 298, 299, 364, 416
ATHAYDE, Tristão de – ver LIMA, Alceu Amoroso
AUGUSTO (irmão de Antônio Nobre), 899
AUGUSTO, Armindo (frei), 227
AUGUSTO, Pedro (príncipe dom), 586
AUSTREGÉSILO, Antônio, 87, 365, 782, 785, 787, 788
AUTO, José, 892
AUTRAN, Paulo, 320
AVELINO, Georgino, 792
AVELLANEDA, 865
ÁVILA, Teresa de (santa), 398, 893
AYALA, Walmir, 383, 384
AYRES, Emílio Cardoso, 377
AYRES, Lula Cardoso, 178
AZEREDO, Carlos Magalhães de, 625, 777, 1023
AZEREDO, Ronaldo, 290, 767
AZEVEDO, Aluísio, 142, 777
AZEVEDO, Álvares de, 166, 289, 600, 611, 612, 613, 615, 617, 696, 706-708, 709, 712, 715, 743, 764, 911, 927, 1003
AZEVEDO, Artur, 105, 119, 603, 620, 621, 625, 676, 720, 776, 777, 916, 921, 1050
AZEVEDO, Fernando de, 680, 777, 784
AZEVEDO, Moreira de, 190, 947
AZEVEDO, Ramos de, 802
AZEVEDO, Severiano de, 612

B

BABITS, Miguel, 384
BABO, Bernardo, 588
BACH, João Sebastião, 144, 205, 311, 357, 359, 956, 1058
BACIU, Stefan, 417, 1066
BACKEUSER, Everardo, 137
BAKST, 239
BALDESSARINI, 279
BALDUNG, 946
BALLAGAS, Emilio, 866
BALZAC, Honoré de, 167, 501
BALZAC, Jean-Louis Guez de, 843
BANDEIRA, Antonio (pintor), 350, 414
BANDEIRA, Antônio (primo Antoninho), 157, 873, 989
BANDEIRA, Antônio Herculano de Souza (avô paterno), 861
BANDEIRA, Antônio Rangel, 766, 767

BANDEIRA, Cristina,   970
BANDEIRA, Francelina Ribeiro de Souza,
   209
BANDEIRA, Helena V. (dona),   210
BANDEIRA, Manuel (pintor),   115-117
BANDEIRA, Manuel (poeta),   11, 14-25,
   30-32, 33, 34, 36, 44, 45, 49, 55, 59, 60,
   61, 64, 65, 66, 75, 78, 81, 133, 173, 201,
   210, 212, 216, 239, 247-248, 260, 272, 281,
   282, 296, 328, 331, 335, 336, 378, 394,
   400, 412, 420, 617, 620, 731, 740, 755,
   763, 768-774, 780, 781, 803, 810-812, 872,
   884, 916, 924, 927, 934, 972, 981, 985,
   1013, 1026, 1027, 1034, 1052
BANDEIRA, Moniz,   767
BANDEIRA, Raimundo (de Souza),   210,
   277, 969-971
BANDEIRA, Souza (tio),   251, 651, 780
BANDEIRA, Torres,   611
BANVILLE,   77, 543, 548, 600, 608, 609,
   621, 728, 804, 839, 841, 876
BARATA, Gaspar (dom),   683
BARATA, Mário,   1040
BARATA, Rui Guilherme,   767
BARBACENA (visconde),   555
BARBOSA, Domingos Caldas,   695
BARBOSA, Francisco de Assis (Chico
   Barbosa),   271, 272, 320, 334, 1018,
   1028, 1023, 1024, 1028
BARBOSA, Januário da Cunha (cônego),
   945
BARBOSA, Lourenço da Fonseca – ver
   CAPIBA
BARBOSA, Orestes,   252-253
BARBOSA, Rui,   78, 172, 345, 391, 569, 674,
   676, 775, 777, 799, 800, 821, 829, 969,
   971
BARBOSA, Soares,   653, 673
BARCA, Conde da,   947
BARREIROS, Antônio (dom),   91
BARREIROS, Artur,   620
BARREIROS, Rosa Montúfar,   194
BARRETO, Dantas,   365
BARRETO, Fausto,   35, 800
BARRETO, Francisco Moniz,   611, 612, 613
BARRETO, LIMA (Afonso Henriques de
   LIMA BARRETO),   97, 98, 272, 755, 814,
   821
BARRETO, Mário,   78, 654, 777, 800
BARRETO, Paulo (João do Rio),   277, 365,
   665, 792
BARRETO, Rosendo Moniz,   611, 615, 622

BARRETO, Tobias,   96, 611, 612, 613, 669,
   711, 715
BARRETT, Edward,   163, 165
BARRIOS, Agostinho,   204
BARROS, Antônio Couto de,   59, 137, 179,
   246, 414
BARROS, Antônio Fernandes,   592
BARROS, João de,   227, 817
BARROS, Leandro Gomes de,   834
BARROS, Sousa,   1038
BARROSO (almirante),   122, 949
BARROSO, Gustavo,   250, 576, 780, 784,
   1031
BARROSO, Maria,   976
BARROSO, Zózimo (doutor),   985
BARRYMORE, Lionel,   189
BASTIDE, Roger,   732
BASTOS, A. D. Tavares,   398-399
BASTOS, Oliveira,   291
BATAILLE,   600
BATISTA, João Gomes,   578
BATISTA, Nair,   947
BATISTA, Paulo Nunes,   334
BATISTA, Sabino,   625
BATISTA, Sebastião,   381
BAUDELAIRE, Charles,   36, 72, 74, 76, 203,
   209, 280, 621, 624, 725, 835, 836
BAYRÃO, Reynaldo,   185, 186
BECKER, Cacilda,   327, 360
BECKER, João (dom),   266
BÉCQUER, Gustavo Adolfo,   866
BEERS, Clifford,   75
BEETHOVEN,   63, 85, 205, 356, 359, 537,
   811, 955, 956, 964, 965
BEIJA-FLOR, Albino,   337
BELEZA, Pimentel,   612
BELL, Aubrey,   678
BELLO, Andrés,   417, 679, 680, 779, 800
BELO, Júlio,   99
BELTRÃO, Mariquinhas (dona),   242
BENEDICTIS, Savino de,   960
BENITEZ, Justo Pastor,   417
BENJAMIN, Francisco Solano (frei),   945
BERGE, Damião (frei),   72
BERGER, Leopoldo,   333
BERGERET, Mr.,   607
BERGMANN, Ingrid,   188
BERGSON,   17
BERLIOZ,   205
BERMÚDEZ, Ricardo,   288
BERNARDELLI, Henrique,   948
BERNARDELLI, Rodolfo,   271, 948, 949

BERNARDES, Artur, 241
BERNARDES, Manuel (padre), 683
BERNARDES, Sérgio, 339
BERNAY, Alexandre de, 924
BERREDO, A. Cesar de, 611
BERTINI, Francesca, 363, 364
BERTOLDO, José Antônio de Sousa, 671
BERTRAND, Louis, 42
BESTUCHEFF, 672
BEVILACQUA, Clóvis, 777
BEVILACQUA, Octávio, 960
BEZERRA, Severiano, 611
BIANCHINI (senhora), 798
BICALHO, Francisco de Paula, 972
BICALHO, Honório (Rufino Fialho), 260,
    332-333, 389-392, 972
BICALHO, Isabel, 358
BICALHO, Madalena, 193, 358
BIGODÃO (irmão de Gilberto Freyre),
    991
BILAC, Olavo, 31, 35, 37, 40, 41, 43, 53, 55,
    74, 78, 80, 156, 197, 245, 260, 331, 355,
    365, 393, 405, 454, 559, 600, 603, 605,
    608, 618, 622, 623, 624, 625, 661, 662,
    721, 722, 725-728, 751, 776, 777, 780, 794,
    804, 868, 876, 877, 882, 918, 919, 922,
    923, 924, 931, 936, 938
BILU – ver MEYER, Augusto
BINATI, Lia, 111
BISHOP, Elizabeth, 244
BITTENCOURT, Edmundo, 802
BITTENCOURT, Epifânio, 611
BITTENCOURT, Germana – (Germaninha),
    70, 213-215, 235, 973
BITTENCOURT, Manuel Homem de, 677
BIVAR, Diogo Soares da Silva de, 465
BLAKE, Sacramento, 769, 782
BLANCO, José Maria, 68
BLANK, Frèdy (Mme. BLANK ou Moussy),
    34, 977, 997, 999, 1009, 1034-1035,
    1054-1055, 1062, 1065
BLANK, Guita, 977, 1009, 1062
BLANK, Joanita, 388-389, 976, 977, 979-
    981, 998, 1009, 1035, 1062
BOBADELA (conde), 589, 590
BOCAGE, 70, 622, 657, 686, 929
BOCAIUVA, Quintino, 660, 677
BOCCHINO, Alceo, 356
BODMER (doutor), 87
BOGGARTH, Humphrey, 188
BOIA, Chico, 363, 792
BOILEAU, 601

BOLAMA, Marquês de Ávila e, 855
BONAPARTE, Jerônimo, 947
BONAPARTE, Napoleão, 321, 711
BONFIM, Paulo, 767
BONNIOT, Edouard, 842, 843
BOPP, Raul, 130, 751, 753, 788, 793, 813-
    814, 993
BORBA, Osório, 399-400
BORBA FILHO, Hermilo, 178
BORGIA, César, 970
BORORÓ, Chico (pseudônimo) – ver
    MIGNONE, Francisco
BOSCÁN 661
BOSWORTH, Fred, 409
BOTELHO, José, 356
BOTELHO, Vicente (frei), 553
BOTTO, Antonio, 303, 307, 418-419
BOTTONI, Girolamo, 962
BOURCE, Henrique, 586
BOURDELLE, 238, 950
BOYLE (reverendo), 673
BRAGA, Edgard, 766
BRAGA, Francisco, 534, 962
BRAGA, Gentil-Homem de Almeida, 611,
    612, 613
BRAGA, Moacir, 960
BRAGA, Osvaldo Melo, 782, 783
BRAGA, Rubem, 15, 177, 217, 221, 261, 334,
    335, 365, 370, 371, 379, 395-396, 406, 414,
    891, 1066, 1067
BRAGA, Teófilo, 618, 653, 673, 674, 719,
    853, 855
BRAGAGLIA, 992
BRAGANÇA, Manuel Gonçalves, 581
BRAHMS, 964
BRANCO, Alves, 469, 470
BRANCO, Carlos Castello, 326
BRANDÃO, Otávio, 133, 145
BRANDÃO, Tomás, 559, 567
BRANDÃO, Vieira, 65
BRANDES, 843
BRASILIENSE, Manuel Dias de Oliveira (O
    Romano), 945
BRAVO FILHO, 337
BRECHERET, Victor, 248-249, 741, 950
BRECHT, Bertolt, 1061
BRETAS, Rodrigo, 562, 579, 587
BRETON, André, 34
BRITO, F. de Paula, 472
BRITO, Francisco Xavier de, 582
BRITO, José Antônio de, 584
BRITO, José Antônio Soares de, 573

BRITO, Mário da Silva, 375-376
BROCA, Brito, 413
BROWNING, Elizabeth Barrett, 71, 162-165, 386-387, 1012
BROWNING, Robert, 163, 165
BRULL, Mariano, 866
BRUM, Rodrigo de, 592
BUENO, Lucilo, 36
BULHÕES, Antônio, 327, 365
BURNSHAW, Stanley, 385, 386
BURROUGHS, E. R., 75
BURTON, Richard Francis, 111, 556, 559, 560, 990
BUSONI, Ferruccio, 357
BYRON, Lord, 137, 461, 488, 492, 525, 612, 621, 696, 708, 711, 990

C

CABANEL, 199
CABRAL, Costa, 194
CABRAL, Curry, 857
CABRAL, Mário, 236, 960
CABRAL, Pedro Álvares, 148, 271, 194
CABRAL, Sacadura, 792
CABRAL, Sebastião da Veiga, 553
CABRITA, 121
CACHO, Gabriel, 18
CADET, Coquelin (Ernest Coquelin), 223
CAETANO, Batista, 552
CAETANO, Joaquim, 775
CAFÉ FILHO, 222, 1055
CAL, Ernesto Guerra da, 335, 384, 386
CALADO, Manuel (frei), 746
CALASÃS, Pedro de, 611, 612
CALDAS, Antônio (pintor), 944
CALDAS, Antônio Pereira de SOUSA, 398, 694
CALDAS, Sebastião de Castro, 100
CALDERÓN, 678
CALDEVILLA, Raul de, 904
CALHEIROS, Antônio Ferreira de Sousa, 588
CALHEIROS, Antônio Pereira de Sousa, 571, 582
CALHEIROS, Luís Fernandes, 593
CALIXTO Cordeiro, 377
CALMON, Pedro, 285, 445, 782, 861
CALOCA – ver LEÃO, Carlos
CALÓGERAS, Pandiá, 283
CÂMARA, Eugênia, 715, 861
CAMARGO, Joracy, 1068

CAMARINHA, Mário, 417
CAMEU, Helza, 65
CAMILO Castelo Branco, 195, 495, 720, 743, 791
CAMINHA, Pero Vaz de, 271, 746
CAMINHOÁ, Francisco, 949
CAMÕES, Luís Vaz de, 22, 35, 42, 43, 52, 53, 68, 81, 121, 194, 367, 379, 548, 624, 653, 662, 721, 730, 745, 794, 817, 823, 831, 834, 856, 894, 905, 914, 921, 924, 934, 935, 971, 1012, 1025
CAMPOS, Alfredo de, 901
CAMPOS, Antônio, 446, 475
CAMPOS, Augusto de, 289, 290, 295, 711, 767
CAMPOS, Cândido, 791
CAMPOS, Geir, 87, 183-185, 252, 281, 766, 916, 930, 1046
CAMPOS, Haroldo de, 290, 291, 295, 711, 767
CAMPOS, Humberto de, 97, 729, 783, 784, 785
CAMPOS, Mário Mendes, 43, 605-606, 607-611
CAMPOS, Martinho, 119
CAMPOS, Milton, 276, 415, 1035
CAMPOS, Paulo Mendes, 15, 16, 22, 29, 31, 38, 84, 184, 334, 335, 766, 767, 1043
CAMPOS, Teresa de Sousa, 327
CAMUS, Albert, 11, 421-422
CANAVARRO, Antônio David de Vasconcelos, 514
CANDIANI, CALDAS, Antônio Pereira 569
CANDU, seu, 135
CANTU, Agostinho, 960
CAPANEMA, Guilherme Schür de, 435, 436, 496, 497, 498, 499, 503, 504, 505, 506, 507, 508, 509, 510, 511, 516, 517, 530, 532
CAPANEMA, Gustavo, 18, 24, 76, 80, 176, 196, 266, 276, 358, 617, 945, 953, 1008
CAPIBA (Lourenço da Fonseca Barbosa), 177-178
CAPINAM, Bento, 943
CARBALLO, González, 330
CARDOSO, Adauto, 279
CARDOSO, Lúcio, 377-378, 765-766, 892, 893, 1007-1008
CARDOZO, Joaquim, 87, 182, 183, 407, 408, 759-760, 872, 881, 892, 893, 943, 979, 1023, 1032, 1036, 1037, 1040
CARLOS, Francisco de São (frei), 694

CARLYLE,CALDAS, Antônio Pereira54, 875

CARNEIRO (professor), 969, 971

CARNEIRO, Dias (poeta), 611, 612

CARNEIRO, Francisco Xavier, 572, 573, 575, 944

CARNEIRO, João Paulo Dias (coronel), 443, 445

CARNEIRO, Levi, 79, 216, 416, 782, 785

CARNEIRO, Pereira (condessa), 345

CARNER, Joseph, 1030

CARNEVALI, Emanuel, 985, 986

CAROLINA Xavier de Novaes (senhora Machado de Assis), 718, 793

CARON, Hipólito Boaventura, 119

CARPEAUX, Otto Maria, 15, 37, 75, 82, 87, 216, 224, 247, 248, 358-359, 379, 481, 681, 738, 758, 761, 808, 913, 1025, 1030, 1063

CARREIRO, Pero Gonçalves de Porto, 919

CARRERO, Tônia, 327, 334, 423

CARRIÓN, Benjamin, 287

CARTIER, 989

CARUSO, 245

CARVALHAIS, João de, 574

CARVALHO, A. Vale de, 611

CARVALHO, Antônio de Albuquerque Coelho de (general), 552, 573, 596

CARVALHO, Bernardo Joaquim Simões de (padre), 443

CARVALHO, Costa, 474

CARVALHO, Eleazar de, 356

CARVALHO, Feu de, 590

CARVALHO, Flávio de, 283

CARVALHO, J. Emiliano Vale de, 611

CARVALHO, Joaquim de, 227

CARVALHO, José Leandro de, 945

CARVALHO, José Ribeiro de, 585

CARVALHO, Manuel Pereira de, 944

CARVALHO, R. Alexandre Vale de, 611

CARVALHO, Ronald de, 56, 57, 59, 228, 255, 302, 353, 375, 392, 613, 625, 658, 737, 740, 742, 743, 747-749, 755, 760, 883, 884, 897, 987

CARVALHO, Vicente de, 15, 43, 79, 260, 331, 624, 625, 677, 721, 722, 728-729, 921, 927

CARVALHO JÚNIOR, 621, 624, 721

CASAL, Julián del, 866

CASANOVA, Giacomo, 158-160

CASATI, 307

CASCUDO, Luís da Câmara, 403, 872

CASELLA, 203

CASO, Antonio, 681

CASTAGNETO, Giovanni Battista, 318, 948

CASTELLIANO, 389

CASTELNAU, Francis de, 556, 558, 559

CASTELNUOVO-TEDESCO, Mario, 203

CASTELO, Viana do, 294

CASTERA, Suzanne, 223

CASTILHO, Antônio Feliciano de, 36, 43, 251, 413, 453, 495, 536, 600, 800, 804, 808, 809, 851, 854, 855, 917, 921, 923, 924, 938

CASTILHO, Francisca Josefa del, 398

CASTRO, Aloysio de (séc. XIX), 16, 429

CASTRO, Aloysio de (séc. XX), 243, 399, 784

CASTRO, André de Melo e (dom), 578

CASTRO, Armando de, 133

CASTRO, Caiado de (general), 1055

CASTRO, Eugênio de, 22, 36, 41, 43, 52, 53, 74, 740, 784

CASTRO, Fernanda de, 227

CASTRO, Fidel, 330

CASTRO, Francisco de, 621

CASTRO, Gomes de, 611

CASTRO, João Nepomuceno Correia e, 574, 578, 579, 944

CASTRO, Luís de, 365

CASTRO, Manuel de Portugal e (dom), 555, 567

CATÁ (mlle.), 346

CATANHEDE, Caetano, 611

CATANHEDE, Pedro, 611

CATULO, Caio Valério, 1051

CATULO DA PAIXÃO CEARENSE, 111, 112, 113, 130, 235, 237, 355, 741, 759, 832, 870

CAVALCANTI, Carlos, 337

CAVALCANTI, Manuel, 185

CAVALCANTI, Tenório, 1057

CAVALHEIRO, Edgard, 325, 1019, 1055-1056

CAVIEDES, Juan de, 684

CAXIAS (Luís Alves de Lima e Silva, dito Duque de), 670, 948

CELANO, Tomás de, 227

CELI, Adolfo, 423

CÉLINE (namorada de Gonçalves Dias), 500-502

CELSO, Afonso (conde), 44, 621, 625, 776, 777, 783, 784, 785, 1040

CELSO, Maria Eugênia, 280

CELSO ANTONIO de Menezes, 19, 198, 243-244, 322, 348, 950, 951, 1039, 1057

CENDRARS, Blaise, 24, 420-421
CERQUEIRA, Francisco de Lima, 578, 579
CERVANTES, Miguel de, 679, 798
CÉSAR, Guilhermino, 757
CESTARI, Virgílio, 594
CETINA, Gutierre de, 307
CÉZANNE, Paul, 244, 341
CHAGALL, Marc, 151, 407, 950, 1038
CHAGAS, Carlos, 1051
CHAGAS, Vicente das (frei), 92
CHAGAS, O CABRA, 946
CHAMBERLAIN (reverendo), 671
CHAMBERLAIN (tenente), 592
CHAMIE, Mário, 767
CHAPLIN, Charles (Carlito), 160-162, 363
CHARCOT, 857
CHARMA, Antoine, 861
CHASE, Charley, 363
CHATEAUBRIAND, Assis, 297, 406, 945, 951, 954
CHATEAUBRIAND, François René de, 37, 186, 466, 503, 616, 701, 703
CHATEAUBRIAND, Gilberto, 1058
CHAUCER, 805
CHAVES, Pedro Gomes, 577, 581
CHAVES, Ruth Maria, 259-260, 767
CHIAFFARELLI, Luigi, 275-276, 955
CHIARA, Sorella, 227
CHICO (mestre), 669
CHICO DA BAIANA, 114
CHILDE, Alberto, 67-69, 970
CHOPIN, 357, 955, 1044, 1055
CHRISTIE, William, 712
CHURCHILL, 176
CÍCERO, Marco Túlio, 174
CÍCERO Romão Batista (padre), 760
CIDADE, Hernani, 227
CIRO, o Antigo, 32, 72, 803
CLARK, Lygia, 302, 344, 349
CLAUDEL, Paul, 51, 287, 420, 835, 837
CLAUDINO, Antônio, 587
CLEMENTE XIV (papa), 693
CLERICI, Ângelo, 579, 581, 587
COARACY, Vivaldo, 245
COCTEAU, Jean, 14, 18
CODAX, Martim, 878
COELHO, A., 321
COELHO, Adolfo, 673, 849
COELHO, Alexandre, 621
COELHO, Caetano da Costa, 944
COELHO, Carlos, 625
COELHO, Duarte, 150

COELHO, Elisa, 427
COELHO, Joaquim Leovigildo de Sousa, 514
COELHO, Jorge de Albuquerque, 682
COELHO, Latino, 261
COELHO, Sinfrônio Olímpio Álvares, 611
COELHO NETO, 148, 156, 197, 257, 352, 413, 426, 776, 780, 782, 1057
COHEN, Giordana, 798
COLERIDGE, 85, 538, 875
COLIN, Augusto, 611, 612
COLOMBO, Arnaldo, 619
COLOMBO, Cristóvão, 148
COMTE, Augusto, 674
CONCEIÇÃO, Inácio Ferreira da, 588
CONCEIÇÃO, José da (dourador), 947
CONCEIÇÃO, José Manuel da (padre), 671
CONDÉ, João, 16, 29, 38, 206, 207, 243, 328, 330, 1039, 1047, 1066
CONDÉ, José, 1052
CONSTANT, Benjamim, 495
CONTI, Alexandre, 781
COOPER, Fenimore, 616, 703
COOPER, Gary, 188
COPPÉE, François, 36, 602, 603, 621, 724, 841, 845
COQUEIRO, João Antônio, 611
COQUELIN *ainé* (Benoit-Constant Coquelin), 839
CORAZZINI, Sérgio, 58, 368
CORBIN, Alice, 985
CORBISIER, Roland, 1037
CORBUSIER, Le, 24, 108, 122
CORÇÃO, Gustavo, 295, 325-326
CORDEIRO, Antônio Xavier Rodrigues, 445
CORIOLANO, José, 611
CORNEILLE, 601, 781, 969, 971
CORRÊA, Roberto Alvim, 15, 798
CORREIA, Aquino (dom), 224, 365
CORREIA, Diogo Álvares, 693
CORREIA, Frederico, 612
CORREIA, Leôncio, 625
CORREIA, Raimundo, 19, 37, 40, 42, 43, 114, 245, 260, 308, 316, 349, 382, 384, 606, 607, 608, 609, 618, 621, 622, 623, 624, 625, 661, 662, 721, 722, 723-725, 728, 776, 777, 780, 782, 901, 904, 918, 923
CORREIA, Sampaio, 158
CORREIA, Viriato, 69, 785, 1068
CORTÉS, 206

CÔRTES, Araci, 985
CORTESÃO, Jaime, 201, 420
CORTESÃO, Maria da Saudade, 400, 419-420, 422
CORTINES, Júlia, 625
COSTA, Amoroso, 158
COSTA, Artidoro da, 206
COSTA, Batista da, 349, 948, 952
COSTA, Cláudio Luís da (doutor), 435, 487, 488, 496, 517-518, 520
COSTA, Cláudio Manuel da, 24, 555, 561, 568, 574, 585, 589, 591, 626-651, 685, 686-687, 689, 690, 775, 893
COSTA, Gregório de Tavares Osório Maciel da, 457, 458
COSTA, João José S., 350
COSTA, José da, 583
COSTA, José Mariano da, 611
COSTA, José Pereira da, 381-382
COSTA, Lopes da, 808
COSTA, Lúcio, 108, 230, 349, 940, 941, 943, 950, 951
COSTA, Manuel Fernandes da, 579, 585
COSTA, Manuel Inácio da, 93, 946
COSTA, Maria Joaquina da (Nhanhã), 435, 495, 496, 520
COSTA, Olímpia Coriolana da, 435, 487, 488, 495, 496, 497, 502, 505, 516, 517, 520, 521, 532
COSTA, Osvaldo, 60, 69, 70, 235
COSTA, Rodrigues da, 611
COSTA, Zeferino da, 945
COSTA, filho, Odylo, 16, 247, 329, 405-406, 766, 1063, 1068
COSTALLAT, Benjamim, 247
COSTINHA, 980
COUTINHO, Afrânio, 16, 173-174
COUTINHO, Gago, 792
COUTINHO, Rui, 1051
COUTINHO, Sousa, 943
COUTO, Domingos do Loreto, 775
COUTO, Joaquim José do, 944
COUTO, Manuel do (padre), 682
COUTO, Ribeiro, 21, 56-59, 60, 75, 77, 79, 87, 130, 137, 146, 180, 255, 267, 290, 294, 305, 315, 330, 367-369, 392-395, 402, 421, 422, 651, 740, 742, 743, 748, 749-751, 755, 778, 784, 786, 791, 792, 812-813, 814, 883, 884, 910, 925, 942, 973, 978, 979, 980, 981, 982, 983, 989, 1011, 1013, 1028, 1033, 1034, 1047, 1060
CRANACH, 946

CRÉMIEUX, 976
CRESPO, Gonçalves, 620, 625, 720, 917
CRESTON, Dormer, 163, 164
CRISTINA (filha de Francisco de Assis Barbosa), 1018
CRISTINA, Teresa (dona), 592
CROCE, 174, 385
CROS, Guy-Charles, 42, 44, 45, 46
CRULS, Gastão, 399, 996, 997, 999
CRUZ, Manuel da (dom frei), 571, 573
CRUZ, Francisco Machado da, 586
CRUZ, Juana Inés de la, 18, 86, 232, 296, 680, 1049
CUNHA, Anastácio da, 686
CUNHA, Euclides da, 79, 98, 513, 740
CUNHA, Manuel da, 944
CUNHA, Manuel Clementino Carneiro da, 436, 513, 518
CUNHA, Simão da, 947
CUNHA, Sylvio da, 280, 766
CURWOOD, J. O., 75

D

D´ACHE, Caran, 376
D´AIGUILLON, 676
D´AMBRÓSIO, Paulina (mlle.), 352, 353
D´ANNUNZIO, 543
D´ARCOS, Anrique Paço, 227
D´ARTOIS, 842
D´AUBIGNÉ, 671
D´AUREVILLY, Barbey, 341
D´AVRAY, Jacques (pseudônimo) – ver VALLE, Freitas
D´INDY, Vincent, 49, 204, 205
D´OLIVEIRA, Felipe, 738, 740
D´OLIVEIRA, J. J. Machado, 817
D´OSNY, Marie, 158
DA COSTA E SILVA, 729, 740
DACOSTA, Milton, 349
DALÍ, Salvador, 51
DAM, van (professor), 312
DAMASCENO, Darcy, 184, 185, 767
DANTAS, Júlio (doutor), 336
DANTAS, Orlando, 241
DANTAS, Pedro (pseudônimo) – ver MORAES NETO, Prudente de
DANTAS, Raimundo Sousa, 407
DANTAS, San Tiago (Francisco Clementino San Tiago Dantas), 15, 136, 276, 404

DARÍO, Rubén (pseudônimo de Félix Rubén García Sarmiento), 19, 83, 86, 232, 258, 678, 740, 802, 866
DARMESTETER, 97, 98
DAVIES, Mary Carolyn, 985
DE AMICIS, 34, 186
DE CHIRICO, 151
DE CLERCQ, 1035
DE GARO, 122
DE MAX, 251
DEBRET, 100, 106, 697, 947
DEBUSSY, 64, 66, 115, 600, 957, 1044
DÉCOURT, Luciano (Dr.), 1023, 1037, 1040
DEGAS, 82, 841, 862
DELFINO (dos Santos), Luiz, 63, 74, 611, 612, 613, 623, 624, 625, 718, 719, 721
DELFINO, Tomás, 621
DELMARY, 223
DELTHIL, 842
DENIS, Ferdinand, 431, 435, 456, 488
DEODATO, Alberto, 294, 295
DERÊME, Tristan, 228
DERHAM, Anthony Robert, 34
DERHAM, Sybley, 994-995
DESNOYERS, 947
DESPIAUX, 238
DESPRÈS, Suzanne, 250
DESTERRO, Barão do, 617
DEUBEL, Léon, 46
DEUS, Gaspar da Madre de (frei), 655, 775
DEUS, João de, 627, 800, 848, 853, 860, 901, 910
DI CAVALCANTI, Emiliano, 19, 57, 59, 122, 303, 365, 742, 748, 950
DIAGHILEV, 239
DIAKONOVA, Elena Ivanovna (GALA), 51
DIAS, Antônio (bandeirante) – ver OLIVEIRA, Antônio Dias de
DIAS, Antônio (pintor), 943
DIAS, Bartolomeu, 823
DIAS, Cícero, 19, 122, 131, 132, 137, 174-176, 236, 272, 337, 343, 378, 406-407, 870, 950, 951, 990, 992, 1008, 1009, 1028, 1033, 1038, 1058
DIAS, Francisco, 941
DIAS, Gonçalves, 16, 18, 43, 47, 77, 78, 209, 236, 245, 289, 331, 429-548, 600, 611, 612, 613, 615, 624, 696, 697, 699, 700-706, 712, 715, 726, 806, 809, 833, 879, 887, 911, 921, 922, 923, 924, 926, 1034, 1035, 1057

DIAS, João Manuel Gonçalves, 433, 438, 440, 441, 442, 456
DIAS, Manuel, 573
DIAS, Públio, 1023, 1027, 1030, 1035-1036, 1037, 1039, 1040, 1041, 1042-1043, 1045, 1050-1051, 1056-1057
DIAS, Teófilo, 620, 621, 622, 625, 720, 721
DIAS, Washington, 595
DIAS-PINO, Wlademir, 290, 767
DICKINSON, Emily, 304, 1026
DINAH TEREZA – ver GUIMARAENS, Dinah Tereza de
DINIS, Dom (rei), 831
DINIS, Júlio, 147
DIOGO, César, 153
DJANIRA da Motta e Silva, 343
DOESBURG, Van, 767
DOMINGUES, Afonso, 121
DOMINICK, Hans, 75
DONGA, 135
DONNE, John, 182, 875
DORCHAIN, Auguste, 41, 600
DÓRIA, Franklin, 285, 611, 612, 777
DREYFUS (madame), 156
DRIENDL, Tomás, 944
DRUMMOND, Vasconcelos, 553
DRYDEN, 875
DUARTE, Artur, 625
DUARTE, Paulo, 186, 958, 959
DUARTE, Urbano, 621, 676, 776
DUARTE, Viriato Bandeira, 511
DUCRACY-DUMINIL, 442
DUJARDIN, Edouard, 842
DUJOLIER, 842
DUMONT, Santos, 365, 822
DUQUE-ESTRADA, Osório, 79, 625, 815, 938
DURÃO, Santa Rita, 592, 686, 692-694
DURIAU, Jean, 982
DUTRA, Osório, 1030
DUVIVIER, Edgard, 251
DUVIVIER, Eduarda, 251-252

E

EATON, Charles, 1026
ECHEVERRÍA, 538
ECKHOUT, Albert, 942
EDMUNDO, Luís, 197, 402-403, 785
EGGERTH, Marta, 189
ÉGUIDAZU, Étienne, 534
ELIOT, T. S., 74, 185, 244, 245, 287, 384, 1052

ELÍSIO, Filinto, 37, 431, 461

ELSKAMP, Max, 392

ÉLUARD, Paul (pseudônimo de Paul Eugène Grindel), 51, 52, 177, 244, 407, 1028

EMERSON, 679

ENEIDA, 259, 334

ENGRÁCIA (namorada de Gonçalves Dias), 433, 449, 450, 451, 452

ENGRÁCIA, Antônio de Santa (pseudônimo) – ver COUTO, Ribeiro

ENGRÁCIA, Júlio (padre), 575

ERCKMANN-CHATRIAN, 619

ERDEIRO, Antônio da Silva, 592

ERNESTO JÚNIOR, Bento, 625

ESCOREL, Lauro (Lauro Escorel Rodrigues de Morais), 1033

ESPANCA, Florbela, 304, 916

ESQUERDO, Antônio Leite, 594

ESTAPPÉ, 787

ESTEVES, Joaquim, 611

ESTRABÃO, 72

ESTRADA, Martínez, 417

ETIENNE FILHO, João, 185

EUGÉNIE N. (namorada de Gonçalves Dias), 502, 503

EUNICE (senhora Francisco de Assis Barbosa), 1018, 1028

EUZEMAN, 504

EXPERT, Henri, 205

EYTHE, William, 188

F

FABRINO, Raldolfo, 621

FACÓ, Américo, 53, 87, 264, 391, 729, 731, 936

FALCÃO, Barros, 611

FALCÃO, Luís Aníbal, 76, 216, 263, 264, 618

FALCÃO, Marino, 380

FALCO, Rubens de, 249

FALLA, Manuel de, 203, 965

FARGUE, Léon-Paul, 471

FARIA, Alberto, 689, 690

FARIA, Ernesto de, 798

FARIA, Jose Escobar, 767

FARIA, Octavio de, 61-62, 173, 374-375, 764, 765, 896

FAURÉ, 115

FAUVEL (doutor), 531

FÉLIX (padre), 562, 582

FÉLIX, Jerônimo, 574

FELS, Florent, 161

FÉNELON, 785

FERNANDES, Jorge, 993

FERNANDES JÚNIOR, Antônio (doutor), 443

FERNANDEZ, Lorenzo, 63, 64, 65, 950, 990

FERRÃO, Custódio (frei), 612

FERRÃO, Pires, 611

FERRAZ, Ângelo da Silva, 509

FERREIRA, Antônio, 924

FERREIRA, Ascenso, 19, 130, 178, 182, 249, 343, 403, 407, 408, 759, 760, 869-873, 986-987, 992-993, 1038

FERREIRA, Cardoso, 900

FERREIRA, Carlos, 612

FERREIRA, Luís Inácio, 433

FERREIRA, Manuel Francisco dos Anjos, 445

FERREIRA, Pires (marechal), 35

FERREIRA, Vicência Mendes, 433, 438, 439, 440, 441, 456, 475, 478

FERREIRA, Vieira, 611

FERREZ, Marc, 948

FERRONI, Vincenzo, 355, 962

FIALHO, Antonino, 794

FIALHO, João de Faria (padre), 551, 552

FIALHO, Rufino (pseudônimo) – ver BICALHO, Honório

FIGNER, Helena, 288

FIGUEIRA, Carvalho, 611

FIGUEIREDO, Afonso Celso de Assis (Visconde de Ouro Preto), 570

FIGUEIREDO, Aurélio de, 948

FIGUEIREDO, Fidelino de, 194, 448, 853, 1009

FIGUEIREDO, Guilherme, 1024

FIGUEIREDO, Hugo de (pseudônimo de Carlos Drummond de Andrade), 260

FIGUEIREDO, João Maximiano, 270

FIGUEIREDO, Wilson, 185

FILGUEIRAS, Pereira, 438

FIORAVANTI, Gervásio, 625

FISCHER, Max, 81, 83, 1021

FITTS, Dudley, 1025

FLAES (embaixador), 308

FLAMER, Hildegarde, 985

FLORIAN, 442

FLORIT, Eugenio, 417, 866

FOCILLON, 344

FOLGUERA, 1030

FONSECA, Borges da, 775
FONSECA, Gondin da, 216
FONSECA, Hermes da, 391
FONSECA, José Paulo Moreira da, 185, 287, 766, 767, 1040
FONSECA, Manuel da (padre), 655
FONSECA, Olímpio Monat da, 185
FONTAINAS, André, 51, 842
FONTAINE (arquiteto), 947
FONTAINE, Joan, 188
FONTANA, José, 854
FONTENELLE, Benício, 611
FONTES, Amando, 819, 820-821, 1067
FONTES, Eugênio, 611
FONTES, Hermes, 44, 55, 63, 729, 741
FONTES, Martins, 677, 729, 740
FONTES, Silvério, 677
FONTOURA, Adelino, 625
FONTOURA, João Neves da, 79, 273, 416
FORD, John, 1061
FORMONT, Maxime, 856
FOUJITA, 151
FOULCHÉ-DELBOSC, 893
FRA ANGELICO, 953
FRADIQUE, Mendes, 137
FRAGA, Clementino, 785
FRANÇA, Carlos, 36, 37
FRANCA, Leonel, 138
FRANÇA, Ernesto Ferreira, 505
FRANÇA, Eurico Nogueira, 365, 960
FRANÇA, Ítalo, 550
FRANÇA JÚNIOR, Joaquim José da, 118-120
FRANCE, Anatole, 97, 98, 146, 324, 333, 421, 548, 561, 841, 842
FRANCISCA JÚLIA da Silva, 729, 925
FRANCISCO de São Carlos (frei), 694
FRANCO, Afonso Arinos de Melo, 18, 80, 166, 233, 358, 404, 406, 503, 550, 689, 777, 893, 894, 913, 962
FRANCO, Afrânio de Melo, 233, 416
FRANCO, Caio de Melo, 633, 643, 649, 650
FRANCO, Francisco de Melo, 694
FREDERICA (dona), 296, 297
FREDERICO GUILHERME, 680
FREDERICO III da Dinamarca, 942
FREIRE, Annibal, 221
FREIRE, Ezequiel, 621
FREIRE, Junqueira, 15, 285, 611, 612, 613, 615, 709-711, 911
FREIRE, Laudelino, 61, 422, 784

FREIRE, Teotônio, 625
FREITAS, Eduardo de, 611
FREITAS, Sena (padre), 660, 675, 677
FREITAS, Teixeira de, 949
FREITAS, Violeta Coelho Netto de, 963
FREYRE, Gilberto, 24, 60, 116, 137, 138, 207, 221, 331, 362, 439, 472, 616, 617, 652, 683, 777, 793, 822, 872, 895, 909, 913, 975, 979, 982, 984-986, 989, 991, 997, 999, 1008-1009, 1065-1066
FROMM, 325
FRONTIN, Paulo de, 985
FUENTE, Rafael de la, 330
FUSCO, Rosário, 757, 983

G

GABAGLIA (diretor Colégio Pedro II), 358, 1008
GABAGLIA, Giacomo Raja (tenente naval), 496, 498, 506, 508, 510
GABLE, Clark, 305
GAIOSO, Sousa, 611
GALENO, Juvenal, 527, 611, 612, 615
GALL, 824
GALLAND, M., 524
GALLET, Luciano, 220, 354, 990
GALVÃO, Dilza, 227
GALVÃO, Henrique, 336
GALVÃO, Nunes, 555
GALVÃO, Ramiz, 78, 172, 652, 775, 784
GALVÃO, Trajano, 611, 612, 613
GALVEIAS (conde), 554
GAMA, Basílio da, 686, 687, 691-692
GAMA, Domício da, 776, 777, 778
GAMA, Luís, 611, 613, 615
GAMA, Marcelo, 737
GAMA, Vasco da, 823
GANDAVO, 746
GANDHI, Mahatma, 983
GANTE, Pedro de, 417
GARBO, Greta, 137, 188, 378, 1036
GARÇÃO, 35, 41
GARCÉS, Tomás, 1030
GARCIA, Irineu, 244, 245, 333
GARCÍA, Manuel, 258
GARCIA, Rodolfo, 79, 364, 683, 782, 784, 817
GARCIA Y VASQUEZ, Domingos, 119
GARDNER, Ava, 305
GARDNER, George, 556, 558
GARNETT, Tay, 189

GARNIER, B. L.,   530
GARRETT,   193-195, 448, 543, 673, 692, 743
GARSOL,   1030
GARSON, Greer,   188, 189
GAUBERTE, Frey,   542
GAUGUIN,   340, 341, 842
GAUTIER, Théophile,   724, 726, 728
GAZZEROLI, Violeta,   447
GENEVIÈVE (filha de Mallarmé),   837, 840, 842, 843
GENTIL-HOMEM – ver BRAGA, Gentil-Homem de Almeida
GEOFFROY,   152
GEORGE, Stefan,   843
GEORGE, Waldemar,   152
GEORGE WASHINGTON (pai de Júlio Ribeiro),   667
GEORGE WASHINGTON (filho de Júlio Ribeiro),   673
GERMANINHA – ver BITTENCOURT, Germana
GERÔME,   199
GIDE, André,   419, 752, 842, 876, 911
GIL, S. Frei,   194
GIORGI, Bruno,   302
GIORGI, Myra,   302
GLUCK,   957
GLYN, Elinor,   75
GNATTALI, Radamés,   63, 64, 65, 66, 254
GODOFREDO FILHO,   91, 94, 306, 994
GODOY, Lucila (pseudônimo) – ver PONTES, Dulce Ferreira
GODOY, Maria Lúcia,   1080
GOELDI, Oswaldo,   11, 19, 340-343
GOETHE,   50, 111, 163, 503, 504, 621, 701, 860
GÓIS, Fernando,   14
GÓIS, Hildebrando de,   1030
GÓMARA (padre),   1019
GOMES, Alfredo,   97
GOMES, Carlos,   108, 109, 110, 257, 426, 959
GOMES, Eduardo,   1023
GOMES, Hélio,   227
GOMES, José Aires,   592
GOMES, Roberto,   226
GÓMEZ, Máximo,   417, 865
GOMIDE, Paulo,   265, 279-280, 766
GONÇALVES, Maria – ver CORTESÃO, Maria da Saudade
GONÇALVES, Martim,   306
GONDIM (doutor),   567

GÓNGORA,   83, 86, 182, 232, 299, 684, 1031
GONZAGA, Tomás Antônio,   18, 24, 555, 559, 561, 567, 582, 587, 591, 592, 593, 594, 626-651, 686, 687-690, 893
GONZAGA DUQUE (Luiz Gonzaga Duque Estrada),   622
GONZÁLEZ, Natalicio,   1049
GORCEIX, H.,   596
GOROSTIZA, José   417
GOULART, João,   315
GOURMONT, Rémy de,   392, 838, 842
GOUVEIA, Agostinho,   354
GOUVEIA, Nerval de,   121
GOVONI,   57
GRACIÁN, Baltasar,   688
GRACIEMA (senhora Rodrigo Melo Franco de Andrade),   1035
GRAHAM, Maria,   103-105
GRANADOS,   206
GRANDMOUJIN,   842
GREIFF, Léon de,   240
GRIECO, Agrippino,   15, 331, 1064
GRILLO, Heitor,   1062
GRIMM, George,   119, 948
GUANABARA, Alcindo,   623, 625, 777
GUANABARINO,   365
GUARDIA, Pablo Rojas,   330
GUARNIERI, Camargo,   63, 64, 65, 178, 254, 355, 956, 957, 963
GUEDES, Mário,   137
GUÉRIN, Charles,   36, 41, 600
GUERRA, Eusébio de Matos,   943
GUERRA PEIXE,   178
GUIDO Y SPANO, Carlos,   462, 615
GUIGNARD, Alberto da Veiga,   19, 82, 337-340, 387, 950, 1021
GUILLÉN, Alberto,   992
GUILLÉN, Jorge,   1031
GUILLÉN, Nicolas,   19, 865-867
GUILLOBEL,   949
GUIMARAENS, Alphonsus de (Afonso Henriques da Costa Guimarães),   79, 196-198, 230-231, 260, 325, 331, 398, 401, 402, 574, 734-736, 777, 961, 1004, 1005, 1011, 1017, 1019, 1021, 1022, 1039, 1064
GUIMARAENS, Arcângelus de,   1013
GUIMARAENS, Dinah Tereza de,   1064
GUIMARAENS, Eduardo,   130, 740
GUIMARAENS FILHO, Alphonsus de,   230, 325, 367, 736, 766, 898, 1010-1013, 1014-1015, 1016-1022, 1026-1027, 1029,

1037, 1039, 1041, 1048, 1053-1054, 1060-1061, 1062-1065, 1066-1067, 1068

GUIMARÃES, Bernardo, 499, 527, 570, 587, 611, 612, 613, 615, 708

GUIMARÃES, C. Manuel Ribeiro, 590, 591

GUIMARÃES, Custódio de Freitas, 573

GUIMARÃES, Miguel, 293

GUIMARÃES, Miguel Teixeira, 572

GUIMARÃES, Pascoal, 552

GUIMARÃES, Rogério, 427

GUIMARÃES FILHO, Luís, 18, 77, 625, 660-666, 780

GUIMARÃES JÚNIOR, Luís, 78, 611, 612, 613, 660-661, 729, 777

GÜIRALDES, Ricardo, 137

GULLAR, Ferreira, 185, 288, 289, 290, 291, 293-294, 295, 344, 351, 370-371, 767

GURGEL, Salvador Carvalho do Amaral, 254, 592

GUSMÃO, Alexandre de, 774

GUSMÃO, Bartolomeu Lourenço de (padre), 605, 774

H

HAECKEL, 674

HALL, Alfredo Bandeira, 534

HANDEL, 359

HARAUCOURT, 969

HASSO, Signe, 188

HATHAWAY, Henry, 188

HAWTHORN, 679

HAYDN, 359, 947

HECKER Filho, Paulo, 767

HEGEL, 854

HEINE, 41, 50, 100, 137, 736, 806, 853, 878, 897, 1004, 1017

HELENA, Heloísa, 320

HENRIQUE II, 694

HEPBURN, Audrey, 305

HEPBURN, Catherine, 188

HERCULANO, Alexandre, 121, 431, 434, 435, 454, 466, 470, 495, 498, 506, 701, 702, 743, 851

HEREDIA, 36, 662, 726, 865

HERRERA, 941

HERRERA, Demetrio, 288

HERRERA Y REISSIG, 866

HILLYER, 821, 823

HINDEMITH, 351

HOBBEMA, 310

HODLER, Ferdinand, 341

HOEFER, Carlos, 674

HOLANDA, Aurélio Buarque de, 75, 454, 701

HOLANDA, Eugênio Marques de, 794

HOLANDA, Lourival, 31

HOLANDA, Sérgio Buarque de, 15, 60, 76, 217-218, 298, 404, 786, 893, 895, 913, 978, 979, 984, 994, 1044

HÖLDERLIN, 82, 913

HOLMES, 673, 674

HOMEM, Francisco de Sales Torres, 697, 775

HOMERO, 111, 163, 274, 678, 689, 697, 741

HONEGGER, 351, 957

HORÁCIO, 194, 456, 488, 490, 528

HOSTOS, Eugênio Maria, 174, 417, 678, 681, 799

HOUSTON, Elsie, 220

HOZ, Martínez de (senhora), 193

HUDSON, W. H., 1049

HUEFFER, Ford Madox, 985

HUGO, Victor, 51, 130, 173, 258, 291-292, 536, 600, 601, 602, 615, 621, 696, 711, 724, 777, 796, 839, 887, 969

HUIDOBRO, 420

HUMBOLDT, Alexandre de, 947

HUXLEY, Aldous, 162

HUYSMANS, 842

HYMIRENE (senhora Alphonsus de Guimaraens Filho), 1019, 1021, 1022, 1027, 1037, 1039, 1041, 1048, 1054, 1060-1067

I

IMBASSAHY, Artur (dr.), 983

INCA, Garcilaso, 680

IRENE, 257-258, 778

IRVING, 679

ISABEL (filha de Francisco de Assis Barbosa), 1018

ISABEL, Princesa, 586, 822

ISMAILOVITCH, 122, 348, 1009

ITAPARICA, Santa Maria, 316, 685-686, 688

ITARARÉ, Barão de (ou Aporelli – pseudônimos de Aparício Torelly), 137, 272

ITIBERÊ, Brasílio, 755

ITTERSUM, Van, 389, 1035

IVO, Lêdo, 80, 183, 184, 216, 247, 256-257, 280, 281, 326, 331, 766, 767, 1046, 1052, 1058, 1067

J

J. CARLOS, 376, 377
JABOATÃO, Antônio de Santa Maria (frei), 91, 93, 775
JACEGUAY, 365
JALOUX, Edmond, 167
JAMMES, Francis, 59, 737, 749
JANGO – ver GOULART, João
JARDIM, Luís, 25, 944, 1000, 1009, 1036
JARDIM, Reynaldo, 291, 767
JAUFFERT, José, 611
JESUS, Agostinho de (frei), 945
JESUS, José Teófilo de, 943, 948
JESUS, Lucas Evangelista de, 584
JESUS, Luís de (frei), 92
JIMÉNEZ, Juan Ramón, 387-388, 1017, 1018
JOÃO ALPHONSUS de Guimaraens, 197, 757, 784, 962, 975, 977, 995, 997-998, 1001-1007, 1011, 1013
JOÃO CAETANO, 466, 469, 948
JOÃO DO RIO (pseudônimo) – ver BARRETO, Paulo
JOÃO FRANCISCO (general), 348
JOÃO MAURÍCIO – ver NASSAU, João Maurício de
JOÃO V (dom), 93, 94, 552, 553, 574
JOÃO VI (dom), 25, 103, 697
JOAQUIM NORBERTO, 611, 612, 613, 615
JOEL (filho de Júlio Ribeiro), 676
JOHNS, Orrick, 985
JOHNSON, Al, 114
JONSON, Ben (Benjamin Jonson, dito), 874
JORGE, Araújo, 279
JORGE, José, 611
JOSÉ, Fausto, 227
JOSÉ BONIFÁCIO, o MOÇO – ver SILVA, José Bonifácio de Andrada e
JOSÉ CARLOS, 200-202
JOSEF, Bella, 417
JOSÉPHINE (namorada de Gonçalves Dias), 502
JOSETTI, Dila, 272
JOSQUIN, 359
JOYCE, James, 131, 142
JULIETA BÁRBARA (senhora Oswald de Andrade), 372
JÚLIO, Sílvio, 417
JUNQUEIRA, José Francisco Carneiro, 447
JUNQUEIRO, Guerra, 621, 800, 847, 851, 872, 901, 925

K

KAFKA, Franz, 296, 297, 803, 1036
KARSÁVINA, 239
KEATON, Buster, 363
KEATS, 805
KELLERMANN, Bernard, 75
KELLY, Grace, 305
KERNER, Ari, 137
KIRCHER, Atanásio (padre), 992
KLEBER, 350
KLEIN, Jacques, 356
KLINGER (general), 172
KOELER, 949
KOPKE, 675
KOSTER, 150
KOVACH, Nora, 239
KRETSCHMER, 787
KREYMBORG, 985
KRIEGER, Edino, 356
KRIGE, Uys, 401
KUBIN, Alfred, 341, 342
KUBITSCHEK, Juscelino, 222, 272, 273, 276, 296, 297, 312, 336, 356

L

LA GRECA, Murillo, 986
LABICHE, Eugênio, 780
LABRA, Carilda Oliver, 240
LACERDA, Alberto de, 311, 1058
LACERDA, Carlos, 247, 276, 278-279, 282, 389, 406
LACERDA, Jorge, 1039
LACLEDE, 442
LACLETTE, Renê, 562
LAET, Carlos de, 35, 78, 120, 365, 709, 775, 776, 777, 783, 800, 833
LAFAYETTE, 822
LAFORGUE, 46, 78, 608, 897
LAGE, Alfredo, 340
LAGE, João Rodrigues, 588
LAGOS, Manuel Ferreira, 505, 506, 510
LAMARCK, 152
LAMARTINE, 130, 431, 601, 612, 621, 696, 865
LAMEGO, Alberto, 685, 958
LAMPIÃO (Virgulino Ferreira da Silva, dito), 408, 760, 870
LANDUCCI, 339
LANE (reverendo), 671
LAPA, Joaquim Pereira, 445
LAPA, Rodrigues, 626, 627, 687, 688

LARANJEIRAS, Quincas, 206
LATOUR, Eugênio, 948
LAU, Percy, 178, 339
LAURENT, Méri, 231, 842
LAURENZA, Roque Javier, 288
LAUTRÉAMONT, 875
LEAL, Alexandre Teófilo de Carvalho, 433, 434, 435, 445, 446, 448, 449, 453, 455, 457, 458, 459, 460, 463, 465, 466, 468, 469, 470, 472, 473, 474, 475, 478, 480, 483, 488, 489, 491, 494, 496, 505, 511, 516, 518, 521, 522, 705
LEAL, Antônio Henriques, 430, 439, 441, 442, 443, 445, 446, 447, 448, 451, 453, 454, 456, 466, 467, 468, 469, 475, 480, 481, 483, 486, 498, 504, 505, 506, 510, 511, 512, 515, 518, 519, 520, 521, 527, 528, 531, 532, 533, 535, 536, 612, 706
LEAL, Fernando, 849, 858
LEAL, Mendes, 530
LEAL, Pedro Nunes, 447
LEAL, Ricardo Henriques, 612
LEANDRO JOAQUIM, 944, 945
LEÃO, Carlos (Caloca), 271, 270, 882, 950
LEÃO, Josias, 309
LEÃO, Manuel, 1008
LEÃO, Múcio, 77, 79, 248, 289, 339, 382, 740, 785, 989, 1011
LEÃO, Virgínio Marques Carneiro, 34, 186, 681
LEÃO FILHO, Joaquim de Sousa, 942
LEBRETON, 947
LÊDA (senhora Lêdo Ivo), 1052, 1058, 1067
LEFÈVRE,André, 621, 674
LÉGER, 950
LEHMAN, 422
LEITÃO, Antônio de Oliveira (coronel), 580
LEITÃO, Branca de Oliveira (dona), 580
LEITE, Alfredo, 625
LEITE, Arlindo, 784, 785
LEITE, Breno de Sousa, 1019
LEITE, José Fernandes (padre), 580
LEITE, José Roberto Teixeira, 349
LEITE, Serafim (padre), 682, 940
LEITE Filho, Barreto, 407
LEME, Fernão Dias Paes, 727
LEMOS, Hermelinda Flora dos Santos, 266
LEMOS, João de, 433, 448
LEMOS, Manuel Antunes de, 573

LENAU, 41, 50
LENIN, 983
LEOD, Mac-Fiona, 44, 45
LEONARDOS, Stella, 767
LEONI, Raul de, 19, 81, 128-130, 142, 282, 392, 729-730, 867-869
LEONTINA (namorada de Gonçalves Dias), 502
LESEUR, Elisabeth, 19, 124, 136
LESKOSCHEK, Axl, 1031, 1044
LESSA, Aureliano, 611, 612, 613, 708
LESSA, Elsie, 673, 674
LESSA, Orígenes, 671, 673
LESSA, Vicente Themudo, 670, 671, 673
LEUZINGER, 110
LEVY, Alexandre, 962
LICORS, Lambert, 924
LIMA, Albino, 586
LIMA, Alceu Amoroso (Tristão de Athayde), 15, 17, 77, 79, 174, 248, 254, 364, 416, 755, 778, 798, 988, 1010, 1024, 1064
LIMA, Attílio Corrêa, 950
LIMA, Augusto de, 44, 621, 723
LIMA, Corrêa (José Otávio Corrêa Lima), 949
LIMA, Costa, 938
LIMA, Francisco de, 574, 593
LIMA, Francisco Negrão de, 425
LIMA, Gonçalo da Silva, 572
LIMA, Heitor, 45
LIMA, Herman, 376-377, 815-816
LIMA, Jorge de, 248, 362, 398, 759, 760-761, 777, 786, 793, 930, 987-988, 1049, 1051
LIMA, Luís de Magalhães, 859
LIMA, Maria Bomfim (Bihi), 980
LIMA, Oliveira, 103, 665, 777
LIMA, Plínio de, 612
LIMA, Ruy Cirne, 758
LIMA, Silvestre de, 622
LIMA, Souza, 275
LIMA JÚNIOR, Augusto de, 592
LIMA SOBRINHO, Barbosa, 79, 289
LINDSAY, Vachel, 130, 756
LINHARES, Augusto, 336-337
LINS, Álvaro, 15, 30, 174, 206, 272, 278, 285, 913
LINS, Francisco, 618
LINS, Ivan, 17
LIOST, Guerau de, 1030
LIPSCHITZ, 271

LISBOA, Almeida, 68, 226
LISBOA, Antônio Francisco – ver ALEIJADINHO
LISBOA, Henriqueta, 758
LISBOA, João Francisco, 436, 437, 475, 497, 500, 508, 531
LISBOA, José Carlos, 798
LISBOA, Manuel Francisco, 562, 577, 578, 589, 593, 945
LISIEUX, Teresinha de (santa), 19
LISLE, Leconte de, 36, 621, 623, 726, 728
LISPECTOR, Clarice, 261, 1023, 1024, 1028, 1032, 1033
LISZT, 812
LOANDA, Fernando Ferreira de, 185
LOBATO, (José Bento) Monteiro, 55, 98, 375, 391, 741, 777, 803, 821-823, 949, 1055, 1056
LOBEIRA, Vasco de, 442
LOBO, Aristides, 776
LOBO, Artur, 625
LOBO, Hélio, 364
LOBO, Luís Paulino Costa, 443
LOBO, Manuel (dom), 246
LODI, Ernesto, 625
LOIOLA, Inácio de (santo), 138, 893
LONDOÑO, Víctor, 330
LOPES, Antônio de Oliveira, 592
LOPES, B., 382-383, 623, 625, 721, 729
LOPES, Castro, 611
LOPES, Domingos, 595
LOPES, Francisco Antônio, 578, 592
LOPES, Gregório, 943
LOPES, Henrique, 568
LOPES, Jacinto Barbosa, 573
LOPES, Paula, 19, 121
LOPES, Raimundo, 472, 506
LOPES, Tomás, 324, 799
LOPES, Waldemar, 1038
LOPES NETO, Simões, 1055
LÓPEZ, Luís Carlos, 71
LÓPEZ, Solano, 307, 614, 711
LÓPEZ-PICÓ, 1030
LORCA, Federico García, 232, 419
LORENA, Bernardo de (capitão-general), 563
LORETO, Barão de, 35, 676
LOTT, Teixeira (general), 261, 279, 315, 360
LOUYS, Pierre, 842
LOWELL, Amy, 823
LUACES, 865

LÜBECK, Schmidt von, 63
LUCCOCK, John, 153, 556, 558
LUCINDO FILHO, 625
LUCRÉCIO, 37
LUGONES, Leopoldo, 1049
LUÍS XIV, 942
LUÍS EDMUNDO, 197, 402-403, 785
LUIZ ALPHONSUS de Guimaraens, 1037
LUIZ HEITOR, 956, 961, 963
LUSO, João, 50
LUZ (viscondessa), 194
LUZARDO, Batista, 424

M

MAÇARONA, Silva, 611
MACEDO, Álvaro Teixeira de, 611
MACEDO, Epaminondas de, 550, 576, 589
MACEDO, João Rodrigues de, 589
MACEDO, Joaquim Manuel de, 435, 471, 499, 530, 532, 611, 612, 615
MACEDO, Sérgio Teixeira de, 518
MACHADO, Alcântara, 817
MACHADO, Aníbal, 255, 335, 338, 340, 768, 892, 1032
MACHADO, Antonio, 302, 419
MACHADO, António de Alcântara, 118-119, 790, 817-818, 982-983, 988-990, 991-992
MACHADO, Brasílio, 817
MACHADO, Domingos Desidério, 475
MACHADO, Gilka, 729, 741
MACHADO, Julião, 377
MACHADO, Lourenço, 943
MACHADO, Nunes, 326
MACHADO, Pinheiro, 277, 282, 391
MACHADO, Simão Ferreira, 553, 554
MACHADO, Temístocles, 625
MACHADO SOBRINHO, 43, 607-611
MACIEL, João Lopes, 944
MACIEL, José Álvares, 555, 592
MACLEISH, Archibald, 953
MADALENA (senhora Gilberto Freyre), 1065-1066
MADEIRA, João da Silva, 576, 583
MADEIRA, Marcos, 365
MAETERLINCK, 45, 50, 53, 728, 736, 803
MAFFEI, 690
MAGALHÃES, Adelino, 755
MAGALHÃES, Almeida, 969
MAGALHÃES, Basílio de, 777

MAGALHÃES, Celso de, 611, 612
MAGALHÃES, Fernando de (doutor), 785, 983
MAGALHÃES, Gonçalves de (Visconde de Araguaia), 437, 531, 611, 612, 613, 695-697, 698, 699, 711, 911
MAGALHÃES, Henrique de, 625
MAGALHÃES, Paulo Ribeiro, 137, 996, 1000
MAGALHÃES, Valentim, 619, 620, 621, 660, 720, 776, 928
MAGALHÃES JÚNIOR, Raimundo, 65, 222, 224, 351, 412, 413
MAGNO, Santa Helena, 611
MAIA, Alfredo (ministro), 224
MAIA, Ana Guilhermina da, 850
MAIA, F. M. de Faria e, 859
MAIA, João Machado de Faria e, 851, 852, 858
MAIA JÚNIOR, Alfredo, 80
MAILLOL, Aristides, 198-199
MAIOR, Aires da Serra Souto, 611
MAÍSA, 327
MALEAGRO, Oscar, 625
MALFATTI, Anita, 19, 248, 375, 741, 949, 1055
MALHERBE, 808
MALIPIERO, 351
MALLARMÉ, Stéphane, 18, 36, 39, 46, 64, 82, 86, 202, 229, 231, 232, 289, 294, 309, 386, 407, 411, 623, 721, 835-847, 862, 876, 1027
MALLET, Pardal, 625
MALLON, Mary, 193
MALTHUS, 824
MAMEDE, Zila, 767, 1049-1050, 1051-1052, 1056
MANDUCA, Rotílio, 294-295
MANET, 839, 842
MANRIQUE, Jorge, 542, 1025
MANUEL, D. (rei), 1061
MANUEL, João (padre), 591
MANUEL, Madame, 798
MANZONI, 136
MARANHÃO, Raul, 261
MARC, 842
MARCELO ROBERTO, 950
MARCGRAF, Jorge, 942
MARCIAL, 86, 232
MARCIER, Emeric, 343
MARIA ANA, da Áustria (dona), 574
MARIA CRISTINA (filha de Francisco de Assis Barbosa), 334

MARIA DO CARMO do Cristo Rei, 85, 396, 397
MARIA FRANCISCA (filha de Júlio Ribeiro), 675
MARIA ISABEL (filha de Francisco de Assis Barbosa), 334
MARIA ISABEL (poetisa), 200-201, 766
MARIA JOSÉ de Jesus (madre), 396-398, 963
MARIA JULIETA – ver ANDRADE, Maria Julieta Drummond de
MARIA TÂNIA (senhora Carlos Pena Filho), 407
MARIALVA, Marquês de, 121, 947
MARIANNO, Olegário, 57, 79, 80, 244, 260, 405, 740, 780, 792, 876, 921, 951, 952
MARIANNO FILHO, José, 98, 99, 108
MARINETTI, 283, 741
MARINHO, José Antônio Bento, 133
MARINHO, Saldanha, 670
MARIQUINHAS (senhora Alexandre Teófilo de Carvalho Leal), 478, 480, 516
MARITAIN, 18, 752, 875
MARLETTE, Germaine-Marie, 163
MARMONTEL, 442
MAROT, 314
MARQUES, Lopes, 943
MARQUES, Manuel, 1048
MARQUES, Virgínio, 1048
MARQUES JÚNIOR, 948
MARROT, 842
MARTÍ, José, 417, 679, 680, 682, 799, 802, 865, 866
MARTÍNEZ, González, 1025
MARTINHO, Pedro de São (sargento-mor), 561
MARTINS (editor), 1019
MARTINS, Antônio Felix, 611, 612
MARTINS, Cacilda, 338
MARTINS, Cyro, 372
MARTINS, Francisco Antônio, 536
MARTINS, Hélcio, 185, 417
MARTINS, Luiz, 14
MARTINS, Oliveira, 849, 852, 853, 855, 856, 857
MARTINS, Sousa, 851, 853
MARTINS JÚNIOR, 618, 720
MARTIUS, 152, 440, 441
MARTYNES, Gerald, 798
MARX, Karl, 819, 854

MASCARENHAS, José, 685, 775
MASSARANI, Renzo, 236, 356, 960
MASSENA, Nelson, 176
MASSENET, 205, 962
MASTRANGELO, Felício, 76, 983
MASURIER, 534
MATOS (comendador), 677
MATOS, Abel Ferreira de, 224, 225, 794
MATOS, Gregório de, 95, 497, 683-684, 784, 943
MATOSO, Lopes, 675
MATTOS, Eurycles de, 45
MAUÁ, Barão de, 190
MAUCLAIR, Camille, 842, 843
MAURÍCIO (tenente), 808
MAUROIS, André, 75, 990
MAWE, John, 556, 557, 558, 560
MAYA, Alcides, 1055
MAYLASKY, 672
MAYRINK, Baltazar João, 567
MEDEIROS, Antonio Pinto de, 767, 1056
MEDEIROS, Antônio Rodrigues, 551
MEDEIROS, Maurício, 273
MEDRANO, Francisco de Rioja, 893
MEIRA, João Paulo, 583
MEIRELES, Cecília, 73, 77, 173, 200-201, 207, 227, 358, 369-370, 386, 755, 756-757, 778, 784, 881, 1035, 1037, 1062
MEIRELES, Germano de, 854, 856, 858, 859, 860
MEIRELLES, Victor, 208-209, 349, 945, 948
MELHOR, Marquês de Castelo, 695
MELLO, Ayla Thiago, 334
MELLO, Thiago de, 87, 183-185, 252, 258, 281, 334, 766, 767, 1046, 1050, 1054
MELO, Afonso, 625
MELO, Alexandre Manuel Tiago de, 258
MELO, Carlos Correia de Toledo e (padre), 555
MELO, Carlos de, 567
MELO, Custódio José de, 156
MELO, Dutra e, 611, 613
MELO, Francisco Manuel de (dom), 784
MELO, Gladstone Chaves de, 65
MELO, José Maria de Albuquerque, 872
MELO, Justiniano de, 611
MELO, Mário, 244
MELO, Teixeira de, 600, 611, 612, 613, 614, 777
MELO NETO, Arquimedes de, 83, 178

MELO NETO, João Cabral de, 86, 281, 284, 407, 408, 760, 766, 767, 1030-1034, 1036, 1040-1043, 1046-1048, 1058-1059
MELO NETO, José Antônio Gonçalves de, 1042
MELVILLE, 679
MENDES, Artur, 625
MENDES, Brito, 625
MENDES, Feliciano, 574
MENDES, Felizardo, 574
MENDES, Francisco Leandro, 447
MENDES, Murilo, 19, 71, 272, 337, 340, 343, 398, 400-401, 421, 761-763, 777, 876, 887, 937, 950, 953, 993, 997, 1003, 1013, 1025, 1040
MENDES, Odorico, 434, 437, 463, 533, 611
MENDES, Teixeira, 617
MENDIVE, 865
MENDONÇA, Antônio Augusto de, 611, 612, 862
MENDONÇA, Lúcio de, 621, 624, 675, 776, 780
MENDONÇA, Renato de, 309, 784
MENDONÇA, Salvador de (poeta), 44, 777, 782
MENDONÇA, Salvador Fernandes Furtado de (coronel), 574
MENÉNDEZ Y PELAYO, 865
MENESES, Artur de Sá e, 551
MENESES, Castro, 36, 53, 54, 795
MENESES, Furtado de, 579, 581, 586, 587, 588
MENESES, Luís César de, 92
MENESES, Luís da Cunha (governador), 590, 628, 688, 689
MENESES, Raimundo de, 412
MENESES, Teles de (mme.), 352, 353
MENESES, Vasco Fernandes César de, 685, 774
MENEZES, Agrário de, 611
MENEZES, Emílio de, 115, 141, 142, 156, 600, 624, 625, 662, 721, 729, 729, 876
MENEZES, Ferreira de, 611
MENEZES, João Barreto de, 625
MENINA (senhora Ribeiro Couto), 981
MERQUIOR, José Guilherme, 383, 384
MERRIL, Stuart, 842
MERTON, Thomas, 1051
MÉRYSS, Rose, 222-223
MESQUITA, Henrique Alves de, 110
MESQUITA, Henrique de, 309
MESQUITA, Júlio, 660

MEŠTROVIĊ, Ivan, 248, 950

MEYER, Augusto, 80, 236, 301- 302, 364, 379, 758-759, 766, 777, 793, 887-889, 911, 978, 1039, 1063

MICHAELIS de Vasconcelos, Carolina, 849, 850, 857, 860

MICHAUD, 469

MICKIEWICZ, Adan, 621

MIGNONE, Alferio, 960

MIGNONE, Francisco, 19, 63, 65, 66, 254, 334, 355-356, 396, 955, 956, 959-965

MIGNONE, Liddy, 956, 959, 960, 961

MIGUEIS, Justino, 337

MIJARES, Augusto, 417

MILANÉS, 865

MILANO, Dante, 60, 69, 70, 87, 281, 749, 892

MILHAUD, 965

MILLÁS-RAURELL, 1030

MILLAY, Edna Saint Vincent, 1027

MILLER, Antonieta Rudge, 275, 357, 955

MILLIET, Paulo Sérgio, 186-187

MILLIET, Sergio (Sergio Milliet da Costa e Silva), 15, 69, 82, 83, 86, 186-187, 246-247, 280, 414-415, 753-754, 777, 871, 872, 1036

MILLS, Walter, 787

MILTON, John, 541, 805, 809, 872, 878

MINDLIN, José, 21

MINEUR, Gabrielle, 1042

MIRABEAU, 199

MIRALES, José, 775

MIRANDA, Carmen, 427

MIRANDA, Murilo, 82, 387, 960, 1021, 1031, 1033, 1035

MIRANDA, Sá de, 661, 923, 924, 926, 928

MIRANDA, Tavares de, 1039

MIRÓ, Juan, 1040

MIRÓ, Rodrigo, 288

MISTRAL, Gabriela (pseudônimo de Lucila de María del Perpetuo Socorro Godoy Alcayaga), 286-287, 346, 678, 1017

MOCKEL, Albert, 842

MODIGLIANI, 151, 951, 952

MOLIÈRE, 360, 601, 616, 969

MOLINA, Tirso de, 678

MONAT, Henrique Alexandre, 226

MONET, 842

MONIZ, Ângelo, 434

MONIZ, João da Silva, 949

MONTAIGNE, 155, 539, 798

MONTALVÃO, Justino de, 300, 301

MONTALVO, 174, 678, 680

MONTEIRO, Adolfo Casais, 61, 75, 303-304, 311, 379, 1033

MONTEIRO, Alice, 146

MONTEIRO, Clóvis, 654, 785

MONTEIRO, Fédora do Rego, 950

MONTEIRO, Joaquim do Rego, 950

MONTEIRO, José de Freitas, 469

MONTEIRO, Maciel, 495, 611, 612, 613

MONTEIRO, Mozart, 378

MONTEIRO, Tobias, 154

MONTEIRO, Vicente do Rego, 950

MONTELLO, Josué, 272, 273, 278, 430, 1068

MONTENEGRO, Olívio, 155

MONTEVERDI, Claudio, 957

MONTEZUMA, (Francisco) Gê Acaiaba de, 703

MONTIGNY, Grandjean de, 947, 949

MONTOLIEU, 442

MOOG, Vianna, 416

MOORE, Marianne, 244

MORAES, Vinicius de, 74, 177, 189, 191, 249, 280, 327, 334, 335, 337, 340, 396, 661, 761, 764, 765, 882-883, 891, 892, 893, 895-897, 903, 913, 930, 1013, 1020, 1025, 1033, 1036, 1040, 1044

MORAES NETO, Prudente de (ou Pedro Dantas), 55, 60, 69, 74, 118, 119, 120, 136, 138, 173, 184, 187, 198, 235, 241, 298, 620, 768, 892, 893, 894, 895, 978, 982, 989, 1025, 1032, 1040

MORAIS, Alexandre José de Melo, 518

MORAIS, Emanuel de, 184, 766, 767

MORAIS, Francisco de, 817

MORAIS, José Hermenegildo Xavier de, 445, 446, 463

MORAIS, José Raul de, 425

MORAIS, Prudente de, 136, 659

MORAIS, Rubens Borba de, 60

MORAIS FILHO, Melo, 193, 611, 612, 613, 622

MORÉ, 530

MORÉAS, Jean, 602, 608

MOREAU (mme.), 463

MOREAU, 592

MOREAUX, 948

MOREIRA, Aníbal, 172

MOREIRA, Carlos, 407, 408

MOREIRA, Jorge, 950

MOREIRA, Juliano, 174

MOREIRA, Pedro, 611
MOREIRA, Rodolfo Maria de Rangel, 182-183, 185, 766
MOREIRA, Thiers Martins, 798
MOREYRA, Álvaro, 54, 57, 113, 134, 392, 413, 738, 740, 755, 883, 987
MOREYRA, Eugênia Álvaro, 122, 987
MORIN, 838
MORISSOT, Berthe, 842
MORLEY, Sylvanus Griswold, 626
MORTON (reverendo), 673
MOSCOSO, Tobias, 146
MOSES, Artur, 808
MOSQUEIRA (doutor), 553
MOTA, Dantas, 184, 277-278
MOTA, Leonardo, 834
MOTA, Mauro, 185, 407, 408, 766
MOTA, Ramos Nunes da, 943
MOTA, Vicente Vieira da, 592
MOTTO, Silvio, 960
MOURA, Caetano Lopes de, 559
MOURA, Emílio, 757, 758, 763, 977, 978, 1054
MOURA, João Lobo de, 849, 856, 857, 859, 860
MOURA, Júlio, 425
MOURA, Marcolino de, 862
MOUSSY – ver BLANK, Mme.
MOZART, Wolfgang Amadeus, 137, 275, 359, 788, 957, 964
MÜLLER, Fritz, 731, 824
MÜLLER, Wilhelm, 63
MUNI, Paul, 188
MUNIZ, Ângelo Carlos, 460
MURAT, Luís, 36, 612, 625, 776
MURICY, Andrade, 63, 64, 76, 731, 753, 754, 755, 756, 795, 871, 960
MURILLO, Bartolomeu Estevão, 578, 943
MURRAY, Lindley, 673
MUSSET, 41, 600, 612, 621, 696, 711, 969
MUSSORGSKY, Modest, 352
MUYDEN, Henry Van, 341

N

NABUCO, Joaquim, 79, 122, 149, 150, 233, 416, 674, 776, 777, 778, 779, 780, 781, 785, 799, 800, 871, 974, 1038, 1054
NAIR (senhora Fernando Mendes de Almeida), 1020
NAPOLEÃO, Artur, 600
NASCENTES, Antenor, 37, 96-98, 121, 154, 243, 321, 654, 777, 784, 804, 807, 808, 968-969, 972-973, 1016
NASCIMENTO FILHO, Frederico (Pequenino), 114-115, 352, 353
NASSAU, João Maurício de, 315, 942, 999
NATÁLIA (namorada de Gonçalves Dias), 502
NAVA, Pedro (da Silva), 21, 198, 262, 768, 788, 890, 892, 893, 894, 977, 995, 1025, 1032, 1040, 1060
NAVARRA, Ruben, 1040
NAZARÉ (dona), 132
NAZARÉ, Ernesto, 363
NAZARÉ, Simeão de, 947
NAZARENO, Eduardo, 44
NAZARETH (senhora Odylo Costa, filho), 1063
NEMÉSIO, Vitorino, 227
NÉRI, Filipe (são), 762
NERUDA, Pablo, 177, 240, 262, 307, 1025, 1042
NERVAL, Gérard de, 341
NERY, Adalgisa, 327, 766, 881, 937
NERY, Fernando, 666, 783, 784
NERY, Ismael, 19, 761-762, 950
NEUKOMM, 947
NEVES, Berilo, 881
NEVES, Odorico (zelador), 582
NEVES SOBRINHO, Faria, 625
NEY, Paula, 109, 110, 156, 412-413, 427, 625, 776
NEZVAL, Vitezlav, 1028
NHANHÃ – ver COSTA, Maria Joaquina da
NICOLAS, Joseph Auguste, 672
NIEMEYER, Oscar, 76, 271, 569, 950
NIETZSCHE, 749
NIJINSKY, 239, 240, 761
NIMS, John Frederick, 385
NOAILLES, Ana de, 166-167
NOBRE, Antônio, 19, 36, 43, 50, 53, 300, 301, 737, 797, 898-910, 916
NOLAN, Lloyd, 188
NOVAES, Faustino Xavier de, 718
NOVAES, Guiomar, 275, 276, 955
NOVALIS, 846, 875
NUNES, Airas, 928
NUNES, José Rodrigues, 943
NUÑEZ, Nicolás, 542

O

OCTAVIO, Rodrigo,   44, 625, 776, 781
OCTAVIO FILHO, Rodrigo,   228, 416, 738
OEHLENSCHLÄGER,   621
OHNET, George,   146
OITICICA, José,   44, 53, 55, 172, 979, 1012
OLINDA, Demóstenes de,   625
OLINDA, Marquês de,   506, 531
OLINTO, Antônio,   185, 767
OLIVEIRA, A. A. de Carvalho,   611
OLIVEIRA, Alberto de,   42, 43, 44, 47, 79,
    216, 245, 260, 298-299, 301, 331, 405,
    538, 548, 600, 604, 606, 608, 618, 620,
    621, 622, 623, 624, 625, 661, 720, 721,
    722-723, 728, 776, 777, 780, 782, 879, 916,
    918
OLIVEIRA, Alexandre de,   390
OLIVEIRA, Antônio Dias de,   551, 552, 577,
    596
OLIVEIRA, Artur de,   37, 412, 620, 720
OLIVEIRA, Bernardo de,   625
OLIVEIRA, Domingos Moreira de,   572,
    584
OLIVEIRA, Estêvão de,   391
OLIVEIRA, Helvécio Gomes de (dom),
    572, 573, 591
OLIVEIRA, José de,   944
OLIVEIRA, José Bernardes de,   573
OLIVEIRA, José Joaquim de (alferes),   588
OLIVEIRA, Machado de,   655
OLIVEIRA, Manuel Botelho de,   684, 686,
    688
OLIVEIRA, Mariano de,   621
OLIVEIRA, Marly de,   767
OLIVEIRA, Teodoro de,   949
OLIVEIRA, Tomás José de,   572
OLIVEIRA NETO, Luiz Camilo de,   74,
    628, 689, 893
OLYMPIO, José,   376, 1062, 1063
OMBREDANE, Vanina,   1033
ONIS, Federico de,   387
ORICO, Osvaldo,   336, 785
ORLANDO, Artur,   285, 782
ORTIGÃO, Ramalho,   281, 660
OSÓRIO, Manuel Luis (Marechal),   948
OSÓRIO, Miguel,   1050, 1051
OSSIAN,   711
OSWALD, Carlos,   948
OSWALD, Henrique,   354
OTAVIANO, Francisco,   101, 364, 384,
    499, 611, 612, 613, 615, 711, 927
OTHÓN, Manuel José,   725

OTONI, Elói,   694
OTONI, Teófilo,   590
OTTONI (senador),   668, 669, 670
OVALLE, Jayme,   60, 62, 64, 65, 66, 69,
    70, 84, 111, 136, 138, 191, 214, 220, 235-
    238, 242, 271, 306, 378, 404, 407, 412,
    787, 892, 894, 989, 990, 991, 992, 1033

P

PACHECO, Félix,   44, 958
PACHECO JÚNIOR,   673, 674
PÁDUA, Antônio de,   947
PAGANINI,   203
PAHNKE, Serge,   341
PAINLEVÉ, Jean,   183
PAIVA, Ataulfo de,   285, 780, 782
PAIVA, Manuel de,   581
PALAZZESCHI, Aldo,   57, 58
PALHARES, Vitoriano,   611, 612, 613, 999
PALLIÈRE,   592
PALMA, Conde de,   590
PALMEIRA,   798
PANCETTI, José,   317-318, 343
PANFIRO, Francisco Elídio,   948
PAOLIELO, Domingos,   185, 767
PARAGUAÇU, Catarina Álvares,   95
PARANAPIACABA, Barão de,   35, 611, 613
PARANHOS (ministro),   497, 507
PARANHOS, Antônio de Sousa,   93, 946
PARREIRAS, Antônio,   119, 365, 948
PASCAL,   112, 730
PASCIN,   161
PASCOAIS, Teixeira de,   903
PASCOLI,   543
PASSOS, Gualberto de,   611
PASSOS, Guimarães,   156, 804, 876, 877,
    882, 924, 938
PASSOS, Vital Pacífico,   413-414
PATO, Bulhão,   439, 471, 495
PATROCÍNIO, José do,   109, 112, 156, 776, 777
PATROCÍNIO FILHO, José do (Zeca),   111-
    112, 115, 155, 412-413
PÁVLOVA,   239
PAYER,   154
PECK, Gregory,   189
PEDERNEIRAS, Mário,   260, 626, 737-738,
    755
PEDERNEIRAS, Raul,   137, 142, 377, 780
PEDRO I (dom),   100, 217, 703, 788
PEDRO II (dom),   93, 106, 137, 304, 504,
    527, 555, 586, 592, 596, 788, 822

PEDRO ALEXANDRINO Borges, 948
PEDRO AMÉRICO de Figueiredo e Melo, 208-209, 365, 948
PEDRO LUÍS, 611, 612, 613, 614, 615, 711, 863, 912
PEDROSA, J. B. Ferreira, 390
PEDROSA, José, 1039
PEDROSA, Mário, 81, 302, 343, 344-345, 350, 1040
PÉGUY, 764
PEISINO, Moema, 31
PEIXOTO, Afrânio, 77, 79, 715, 716, 720, 780, 781, 782, 783, 784, 816, 817
PEIXOTO, Inácio José de ALVARENGA, 555, 561, 570, 592, 686, 687, 690, 893
PEIXOTO, Luís, 137
PEIXOTO, Mário, 766
PEIXOTO, Pinto, 555
PELÉ, 327
PELLEGRINO, Hélio, 767
PENA FILHO, Carlos, 407-409, 766
PENA JÚNIOR, Afonso, 777
PENDE, 787
PENNA, Cornélio, 317-318
PENNAFORT, Onestaldo de, 81, 228, 253, 363, 364, 367, 486, 617, 740, 779, 917, 976, 1000
PENTAGNA (senhora), 346
PENTAGNA, Vito, 346, 347
PERCIER, 947
PEREGRINO JÚNIOR, 19, 327, 414, 786-797, 1028, 1031, 1034, 1037
PEREIRA, Abel, 305
PEREIRA, Cecília, 976
PEREIRA, Daniel, 1062, 1065
PEREIRA, França, 625
PEREIRA, José Clemente, 111
PEREIRA, José Renato Santos, 362
PEREIRA, Lafayette Rodrigues, 79
PEREIRA, Lúcia Miguel, 16, 224, 399, 430, 438, 440, 441, 442, 446, 450, 455, 465, 467, 469, 471, 475, 486, 488, 503, 521, 700, 706, 1034
PEREIRA, Manuel Martinho (padre), 580
PÉRET, Benjamin, 220
PÉREZ RUBIO, Timóteo, 346-347
PERNAMBUCO, João, 111, 206
PERNETTA, Emiliano, 626, 736
PERSHING, 822
PESSOA, Epitácio, 792
PESSOA, Fernando, 256, 303, 320, 386, 405, 419, 747, 903, 913

PETRARCA, 662, 692, 1012
PETRIZA, Lourenço, 583
PEZERAT, 949
PICASSO, Pablo, 204, 207, 317, 952, 954, 1028
PICCHIA, Menotti del, 59, 248, 375, 742, 751, 752, 753, 755, 823, 1060
PICKER, Charles, 51-52
PICÓN-SALAS, Mariano, 417, 418
PIGEON, 842
PIGNATARI, Décio, 288, 290, 295, 767
PILAR, Ricardo do (frei), 944, 945
PIMENTA, M. Lopes, 390
PIMENTEL, Ciro, 767
PIMENTEL, Figueiredo, 625
PIMENTEL, José Freire de Serpa, 447, 448
PÍNDARO, 759, 888
PINHEIRO, Albertino, 675
PINHEIRO, Chaves, 948
PINHEIRO, Fred, 185, 767
PINHEIRO, João (presidente), 594
PINHEIRO, João Luís, 578, 579
PINHEIRO, José Antônio Fernandes, 453
PINTO, Antônio, 943
PINTO, Edmundo Luz, 158
PINTO, Elzeário, 611, 612
PINTO, H. Sobral, 137
PINTO, Heitor, 817
PINTO, Luís Alves, 943
PINTO, Nilo Aparecida, 767
PINTO, Sousa, 612
PINZÓN, Martín, 699
PIPA, Tomás, 453
PIRANDELLO, Luigi, 180, 419
PIRES, Áurea, 34
PIRES, Bernardo, 574
PIRES, Homero, 911
PIRES, Sá (doutor), 339
PIRES DO RIO, 289
PISO, 942
PITA, Sebastião da Rocha, 774
PIZA, Luís Vaz de Toledo, 592
PLÁCIDO, 865
PLÁCIDO (maestro), 962
PLÁCIDO JÚNIOR, 625
PLAUTO, 360
POÇAS, Manuel Ferreira, 589
POE, Edgar Allan, 46, 164, 165, 341, 384, 835, 836
POLÍTIS, Pomona, 258, 364
POLO, Marco, 822

POMAIROLS, Charles de, 602
POMBAL, Antônio Francisco, 582
POMBAL, Marquês de, 691
POMBEIRO, Conde de, 695
POMPEIA, Raul, 777
PONCE, Manuel, 203
PONGETTI, Henrique, 207
PONTES, Cícero (coronel), 578
PONTES, Dulce Ferreira, 1065
PONTES, Elói, 881, 1033
PONTEVEL, Domingos da Incarnação (dom frei), 570
POORE, Dudley, 67
POPELIN, 842
PORTELLA, Eduardo, 395
PORTINARI, Candido, 19, 76, 150-151, 207, 208, 262, 266, 284, 302, 303, 317, 318, 337, 340, 343, 344, 349, 355, 358, 365, 389, 945, 951-954, 961, 963, 1028, 1034
PORTINARI, João Batista, 951
PORTO, Domingos da Silva, 482
PORTO, Gonçalo da Silva, 443
PORTO, Leônidas, 417
PORTO-ALEGRE, Manuel de Araújo (Barão de Santo Ângelo), 107, 208, 434, 435, 437, 467, 471, 488, 506, 530, 531, 532, 611, 612, 613, 615, 696, 697-699, 775, 911, 944, 946, 949
POST, Frans, 942
POUND, Ezra, 384
PRADIER, Carlos Simão, 947
PRADO, Eduardo, 777
PRADO, Fábio, 958
PRADO, Paulo, 59, 60, 103, 421, 742
PRADO, Yan de Almeida, 60
PRAMPOLINI, 672
PRAZERES, Oto, 282
PRESTES, Luís Carlos, 983
PRÉVERT, 1042
PROUDHON, 854
PROUST, Marcel, 142, 167-169, 223, 310, 419, 792, 976, 987
PRUDHOMME, Sully, 41
PUCCINI, 355, 963
PUDOVKIN, 189
PUGNANI, Gaetano, 980
PUJOL, Alfredo, 657, 675

Q

QUADROS, Jânio, 349, 406
QUADROS, Luís, 611

QUEIROGA, Anacleto Teixeira de, 559
QUEIROGA, Antônio Augusto, 612
QUEIRÓS, Eça de, 37, 147, 194, 281, 333, 679, 791, 825, 847, 851, 852, 854, 855, 900, 901, 903, 971, 1022, 1033
QUEIRÓS, Eusébio de, 209
QUEIROZ, Dinah Silveira de, 15
QUEIROZ, Rachel de, 15, 73, 87, 176, 341
QUENTAL, André da Ponte, 850
QUENTAL, Antero de, 19, 379, 548, 618, 621, 662, 710, 720, 847-860, 911, 1012, 1016
QUENTAL, Bartolomeu de (padre), 850
QUENTAL, Fernando de, 850
QUEVEDO, 684
QUINET, 696
QUINTANA, Mário, 320, 766
QUINTANILHA, Dirceu, 185
QUIROGA, Vasco de, 417
QUITARD, 877

R

RABELO, Antônio da Cunha, 611
RABELO, Laurindo, 611, 612, 613, 708
RABELO, Pedro, 776
RABOWSKY, Istvan, 239-240
RACHMANINOFF, 356
RACINE, 600, 601, 603, 623, 798, 876, 965, 969, 1027
RADIGUET, 147
RAIOL, Augusto, 611
RAMALHETE, Clóvis, 334
RAMOS, Alberto, 44, 962
RAMOS, Artur, 798
RAMOS, Batista, 247
RAMOS, Carvalho, 365
RAMOS, Eduardo, 625, 781
RAMOS, Graciliano, 777, 1051
RAMOS, Nereu, 273
RAMOS, Péricles Eugênio da Silva, 184, 766, 767
RAMOS, Silva, 35, 78, 120-121, 625, 652, 775, 776, 780, 782, 800-802
RANGEL, Lúcio, 1040
RAVEL, 357, 957, 983
REBELO, José Maria Jacinto (major), 949
REBELO, Marques, 75, 755, 814-815
REBELO JÚNIOR, Castro, 625
REDON, Odilon, 842
REDONDO, Garcia, 660, 777
REDONDO, Rodrigu'Eanes, 542

RÉGIO, José, 201, 227, 268, 303, 419, 903, 905, 906

RÉGIS, Edson, 767

RÉGNIER, Henri de, 251, 603, 842

REGO, Antonio do, 446, 447

REGO, José Lins do, 75, 80, 174, 256, 284, 285-286, 321, 362, 377, 407, 760, 777, 807-808, 950, 999, 1009

REGO, Luís do, 103, 105

REGO, Madame Luís do, 103, 104

REGO, Valentiniano, 612

REGONDI, 206

REIDY, Affonso, 950

REINACH, 91

REIS, Batalha, 853, 857, 858

REIS, Caetano de Almeida, 948

REIS, Joaquim Silvério dos, 555

REIS, José de Sousa, 550, 591

REIS, Marcos Konder, 185, 766, 767

REIS, Maria Firmina dos, 611

REIS, Sotero dos, 97, 458, 611, 653, 673

REIS, Valeriano da Costa (capitão), 569

RELLSTAB, 63

REMBRANDT, 310-311

RENAN, 679

RENAULT, Abgar, 81, 82, 415, 757

RENOIR, 244, 341

RESENDE, Conde de, 691, 775

RESENDE, Otto Lara, 15, 296, 309

RESENDE, Severiano de, 625, 962

REYES, Alfonso, 86, 232, 235, 399, 417, 418, 773, 1025

REYES, Pedro de los (frei), 893

RIBEIRO, Alves, 272

RIBEIRO, Antônio José da Costa (tio materno e padrinho de crisma), 968

RIBEIRO, Barata, 101, 142

RIBEIRO, Belisária, 673, 675

RIBEIRO, Bernardim, 740

RIBEIRO, Carlos, 243, 244, 245, 333, 414

RIBEIRO, Cláudio da Costa (tio materno), 36

RIBEIRO, Costa (avô), 34, 323

RIBEIRO, Costa (poeta), 611

RIBEIRO, Costa (professor), 681

RIBEIRO, Duarte da Ponte, 495

RIBEIRO, Flexa, 53, 986

RIBEIRO, Francelino, 1021

RIBEIRO, Francisco Bernardino, 611

RIBEIRO, Francisco das Chagas, 689

RIBEIRO, Francisco Joaquim Gomes, 119

RIBEIRO, João, 11, 34, 37, 53, 54, 55, 78, 79, 96, 121, 137, 217, 228, 262, 263, 364, 392, 394, 600, 625, 652, 673, 686, 775, 778, 780, 783, 784, 785, 795, 803, 814, 824, 829, 830, 833, 932

RIBEIRO, Júlio, 18, 78, 97, 652-660, 667-677, 1022

RIBEIRO, Manuel Joaquim (padre), 588

RIBEIRO, Maria Francisca, 667, 668, 669, 670, 671, 673

RIBEIRO, Rosalvo, 119, 948

RIBEIRO, Santiago Nunes, 689

RIBEIRO, Sofia, 671, 673

RIBEIRO, Tomás, 917

RIBERA, 943

RIBERTE, Myrtes, 767

RICARDO, Cassiano, 19, 76, 77, 79, 87, 751, 752-753, 778, 785, 912-914, 916, 917, 930, 1011

RICHEPIN, 969

RICHTER, Jean Paul, 883

RILKE, Rainer Maria, 14, 187, 240, 370, 1023, 1030, 1035, 1037

RIMBAUD, 215, 229, 268, 287, 321, 420, 835, 990, 1058

RIMSKY-KORSAKOV, 356

RIO BRANCO, Barão do, 426, 777

RIOS FILHO, Morales de los, 949

RIOSECO, Torres, 83

RIVERA, Bueno de, 184, 766, 767

RIVERA, José Eustasio, 789

ROBINSON, Edwin Arlington, 875

ROBLEDO, Josefina, 204, 205, 206

ROBOREDO, Amaro de, 673

ROCHA, Francisco, 337, 338

ROCHA, Geraldo, 69

ROCHA, Glauce, 327

ROCHA, J. Mendes da, 390

ROCHA, João Gonçalves da, 944

ROCHA, José Joaquim da, 943

ROCHA, José Lopes Ferreira da (padre doutor), 572

RODIN, 199, 842

RODÓ, 681

RODRIGUES, Augusto, 207, 349

RODRIGUES, J. Wasth, 582

RODRIGUES, João da Costa, 592

RODRIGUES, Mário, 1060

RODRIGUES, Marques, 490, 611, 612

RODRIGUES, Nelson, 180-181

RODRIGUES, Totônio, 34, 72, 118, 773

ROLIM, Oliveira (padre), 555

ROLIM, Zalina, 625
ROLLAND, Romain, 51, 85, 537
ROMERO, Silvio, 149, 174, 611, 612, 613, 614, 615, 618, 621, 625, 696, 697, 698, 711, 715, 720, 777
RONSARD, 448, 601, 608
ROQUETTE-PINTO, 79, 152, 242, 273, 362, 439, 824-825, 830, 997
ROSA, Coriolano, 611
ROSA, João Gonçalves, 574
ROSA, João Guimarães, 292-293, 399, 409-412
ROSA, José de Oliveira – ver OLIVEIRA, José de
ROSA, Luís, 625
ROSA, Luís da Fonseca, 946
ROSA, Mosqueira da, 553
ROSA, Noel, 186
ROSA, Santa (Tomás Santa Rosa), 283-284, 996, 1006, 1034, 1036, 1040, 1051
ROSAS, Oscar, 625
ROSSETTI, Christina, 82, 385
ROSSI, Domenico, 67
ROSTAND, 969
ROUGES, J, des Vignes, 75
ROUSSEAU, Jacques, 152, 163
ROYÈRE, Jean, 231
RUANO, González, 1030
RUBENS, 309
RUCH, Gastão, 226
RUGENDAS 100
RUSKIN, 875
RUYSDAEL, Salomon van, 310

S

SÁ, Cestino Franco de, 611
SÁ, Eduardo de, 611
SÁ, Francisco de, 611
SÁ, Franco de, 612
SÁ, Manuel Correia de, 588
SÁ, Mem de, 95
SÁ-CARNEIRO, Mário de, 747
SAAVEDRA, Carmen, 399
SABINO, Fernando, 15, 16, 29, 38, 334, 335, 1043
SABINO, Ricardo Leão, 433, 442, 443, 445
SACHA (neta de mme. Blank), 332, 380, 997, 1009, 1016
SAGARRA, 1030
SAIÃO, Luís Antônio, 567
SAIDENSTEIN, 307

SAINT-ADOLPHE, Milliet, 556, 559
SAINT-HILAIRE, Auguste de, 25, 152-154, 556, 557, 560, 575
SAINT-PIERRE, Bernandin de, 442, 466
SAINT-SIMON, 334
SALDANHA, 96
SALDANHA, Natividade, 1040
SALES, Antônio, 38, 625, 776, 780, 802
SALES, Campos, 659, 781, 910
SALES, Pereira, 671
SALGADO, Plínio, 751, 1043
SALINAS, Pedro, 418
SALVADOR, Vicente do (frei), 746
SALVAT-PAPASSEIT, 1030
SAMAIN, 59, 603, 737, 749, 812
SAMPAIO, Bittencourt, 611, 612, 613
SAMPAIO, Carlos, 120
SAMPAIO, Prado, 618
SAMPAIO, Teodoro, 551
SÁNCHEZ, Homero Icaza, 287-288, 417
SANDBANK (mlle.), 346
SANNAZARO, 281
SANTIAGO, Manoel, 948
SANTOS, Edgard, 306
SANTOS, Filipe dos, 553
SANTOS, Generino dos, 612
SANTOS, João Lopes de Siqueira, 99
SANTOS, José Pereira dos, 572, 578
SANTOS, Lúcio dos, 589
SANTOS, Marquesa de, 949
SANTOS, Quirino dos, 612
SÃO JOSÉ, Rodrigo de (frei), 775
SAPUCAÍ, 611, 612
SARAIVA, Arnaldo, 22
SARAIVA, João, 625
SARDINHA, Antônio, 303
SARMENTO (doutor), 521, 523
SARMENTO, Ulisses, 625
SARMIENTO, 174, 678, 679, 680, 799
SARMIENTO, Rosa, 258
SATIE, Erik, 66
SCHILLER, 18, 263, 480, 503, 504, 621, 696, 706, 873, 874
SCHLOEZER, Boris de, 840
SCHMIDT, Augusto Frederico, 74, 80, 81, 123-125, 131, 132, 136, 147, 179, 183, 185, 186, 213, 237, 253, 265, 297, 378, 393, 404, 662, 754, 763-765, 777, 787, 872, 877, 881, 883, 894, 919, 937, 990, 991, 992, 995, 996, 1013, 1014, 1025
SCHNEIDER (pastor), 670
SCHUBART, Christian Friedrich Daniel, 63

SCHUBERT, Franz, 50, 63, 980
SCHUMANN, 54
SCHUSTER, M. Lincoln, 75
SCHWOB, Marcel, 176
SCINTILLA (filha de Júlio Ribeiro), 675
SCOTT, Walter, 672
SEABRA, Bruno, 611, 612, 613, 615
SEEGER, Alan, 145
SEGALÁ, Manuel, 227, 287, 399
SEGALL, Lasar, 19, 146, 190-192, 235, 950
SEGOVIA, Andrés, 203
SEIDL, 63
SEIGNOBOS, 838
SEIXAS, Maria Doroteia Joaquina de
    (Marília), 567, 687
SELJAN, Zora, 361-362
SELOMITH (filha de Júlio Ribeiro), 672-
    673
SELVA, Blanche, 49
SENA, Jorge de, 311
SENA, Marcelo de, 766
SENNETT, 363
SEPÚLVEDA, João de Deus, 943
SÉRGIO, Antônio, 227
SERPA, Alberto de, 227, 300, 301, 898,
    1040
SERPA, Ivan, 350
SERRA, Belfor, 611
SERRA, Jesuína, 611
SERRA, João Duarte Lisboa, 434, 445,
    446, 447, 448, 463, 465, 468, 469, 470,
    471, 488, 611, 612
SERRA, Joaquim, 527, 611, 612, 613
SERRA, Leonor Francisca Lisboa, 447,
    448
SERTÓRIO, Jaime, 625
SERVAS, Antônio Vieira, 944
SERVAS, Francisco Vieira, 572, 574
SETTE (Professor), 968
SETTE, Mário, 968
SEVERO, Ricardo, 108
SÉVIGNÉ, Mme. de, 37
SHAKESPEARE, William, 18, 74, 81, 111,
    189, 292, 541, 678, 740, 741, 805, 809,
    856, 874, 878, 1061
SHELLEY 384
SIERRA, Justo, 678
SIGNAC, 341
SILOS, Geraldo de Carvalho, 1058
SILVA, Alberto, 625
SILVA, Antenógenes, 274, 275
SILVA, Antônio de Morais, 321
SILVA, Antônio José da, 590, 697
SILVA, Augusto Freire da, 674

SILVA, Bernardo de Castro e (ferreiro),
    433, 443, 445
SILVA, Bernardo Pires da, 574
SILVA, Bethencourt da, 209, 949
SILVA, Caetano, 589
SILVA, Domingos Carvalho da, 80, 185
SILVA, Domingos da Conceição (frei),
    947
SILVA, Edmir Domingues da, 767
SILVA, Firmino Rodrigues, 611, 612
SILVA, Francisco Manuel da, 955
SILVA, Inocêncio Francisco, 456
SILVA, J. M. Pereira da, 78
SILVA, J. B. – ver SINHÔ
SILVA, João José da, 672
SILVA, Joaquim José da, 577, 582
SILVA, José Bonifácio de Andrada e
    (Patriarca da Independência), 694
SILVA, José Bonifácio de Andrada e (José
    Bonifácio, o Moço), 148, 532, 611, 612,
    613, 615, 708, 711
SILVA, José Maria Velho da, 611, 612
SILVA, José Pereira da, 611
SILVA, Júlio César da, 625
SILVA, Manuel Pessoa da, 611
SILVA, Nilton, 412
SILVA, Nogueira da, 430, 455
SILVA, Oliveira e, 625
SILVA, Oscar Pereira da, 948
SILVA, Pascoal da, 553
SILVA, Paulo, 237
SILVA, Pereira da, 78, 612, 613, 736, 786,
    795, 796
SILVA, Pereira da (João Manuel Pereira da
    Silva), 776, 777
SILVA, Presciliano, 943
SILVA, Raimundo da Costa e, 945
SILVA, Rosa e, 122, 156, 251
SILVA, Vicente Alves da, 579
SILVA, Vieira da, 611, 612
SILVA, Vítor, 625
SILVEIRA, Joel, 1024
SILVEIRA, Sousa da, 35, 36, 78, 80, 81, 96,
    97, 98, 120, 121, 404, 536, 538, 541, 543,
    617, 629, 654, 709, 777, 784, 786, 797,
    798, 808, 829, 830, 831, 833, 997, 998,
    1009, 1014, 1015, 1016, 1018
SILVEIRA, Tasso da, 279-280, 740, 755,
    795
SILVEIRA, Valdomiro, 1055
SILVEIRA JÚNIOR, Xavier da, 625
SILVEIRA NETO, 731, 736, 755
SILVINO, Antônio, 808
SIMAS, Henrique, 767

SIMÕES, João Gaspar, 756, 901
SIMON, Michel, 17, 25, 550
SIMONI, Georges, 591
SIMONSEN, Roberto, 1037
SINÁN, Rogelio, 288
SINHÔ, 111, 112-114, 134-135, 155
SIQUEIRA, José, 65
SITWELL, Edith, 314, 326
SITWELL, Sacheverell, 314
SLUTER, Klaus, 946
SOARES, Gabriel, 94
SOARES, José Bento, 588
SOARES, José Carlos de Macedo (jurista), 785
SOARES, Macedo (poeta), 611
SOARES, Orris, 738
SOEIRO, Renato, 591
SOFFICI, Ardengo, 57, 58
SÓFOCLES, 971
SOÍDO, Henrique, 34
SONIA MARIA, 1066
SOUSA, Afonso Félix de, 185, 766, 767
SOUSA, Alfredo de, 618, 625
SOUSA, Auta de, 136
SOUSA, Cláudio de, 782, 785, 1019
SOUSA, Constantino Gomes de, 611, 612
SOUSA, Cruz e (João da CRUZ E SOUSA), 36, 63, 128, 198, 331, 624, 731-734, 737, 738, 777, 806, 824, 918, 1039
SOUSA, Eduardo de, 900
SOUSA, Gomes de, 611, 612
SOUSA, Inglês de, 776
SOUSA, João de, 944
SOUSA, Joaquim Gomes de (Sousinha), 511
SOUSA, José Pinto de, 584
SOUSA, Leal de, 53
SOUSA, Luís de (frei), 182, 194, 851
SOUSA, Manuel Inácio de Melo e (Barão de Pontal), 555, 574
SOUSA, Manuel Rabelo de, 944
SOUSA, Miguel de, 551
SOUSA, Octávio Tarquínio de, 18, 399, 1003, 1013
SOUSA, Pereira e, 611
SOUSA, Raimundo Brito Gomes de, 611
SOUSA, Raimundo Pereira e, 611
SOUSA, Silveira de, 509, 615
SOUSA, Teixeira e, 611, 612, 613
SOUSA, Tomé de, 694
SOUSA, Vicente de, 37
SOUSA, Xavier de (marechal), 731
SOUSA JÚNIOR, Soares de, 625
SOUSÂNDRADE (Joaquim de Sousa Andrade), 611, 612, 711

SOUTHEY, 940
SPENDER, 33, 422
SPENSER, 74
SPINOZA, 42, 136, 160
STENDHAL, 160
STERNE, 137, 194, 195
STEVEN, Marie, 223
STORNI, Alfonsina, 57
STRAVINSKY, 351, 957, 964, 965
SUASSUNA, Ariano, 178, 360, 1061
SUED, Ibrahim, 335, 364
SURREY, 80, 930
SWANSON, Glória, 363
SWEDENBORG, 424
SWIFT, 137, 150
SWINBURNE, 384, 385
SYMONDS, 843

T

TÁCITO, 37
TAINE, 37, 741
TAMANDARÉ (Almirante), 949
TAQUES, Pedro, 551, 655
TÁRREGA, 204, 205
TARSILA do Amaral, 24, 90, 151-152, 950, 987
TAUNAY, Afonso, 551, 784, 948
TAUNAY, Augusto, 947
TAUNAY, Nicolau Antonio, 947
TAUNAY, Visconde de, 78, 776
TAVARES, Adelmar, 79, 320, 325, 425, 741, 792, 1019
TAVARES, Hekel, 356
TAVARES, Odorico, 306, 766
TAVARES, Paulo, 776
TAVARES, Silva, 625
TÁVORA, Franklin, 499
TÁVORA, Juarez, 222
TCHAIKOVSKY, 356
TEIXEIRA, Bento, 682-683
TEIXEIRA, Joaquim José, 611, 612
TEIXEIRA, Lins, 452
TEIXEIRA, Lucy, 767, 1057-1058
TEIXEIRA, Múcio, 612, 621, 625
TEIXEIRA, Oswaldo, 349, 986
TELLES JÚNIOR, 948
TERÁN, Tomás, 113, 427, 428, 964
TERZI, 941
TESTE, M., 524
TEVES, Matias (frei), 93, 94
THAYDE, Visconde de, 35
THIBAUDET, Albert, 841, 876

THIOLLIER, Renê, 281, 282

THOMAS, Dylan, 244, 245

THOREAU, 679

TIRADENTES – ver XAVIER, Joaquim José da Silva

TOLENTINO, Nicolau, 346

TOLLENARE, 150

TOLSA, García, 204

TOLSTOI, 179

TOMÁSIA, 34, 72

TONEGARU, Constant, 291

TORQUATO, Dominga, 951

TORRES, Alberto, 824

TORRES, Antônio de Andrade, 93

TORRES, Francisco Xavier, 487

TORRES, Heloísa Alberto, 940

TORRES, José Afonso de Morais (dom), 487

TOSCANINI, 961

TOSTES, Theodomiro, 758

TOTH, Arpad, 384

TRAUMANN, Dona Else, 1023

TRIGUEIROS, Melquíades, 673

TRIGUELAS, Miguel Antônio, 579

TRINDADE, Raimundo (cônego), 571, 572, 573

TRISTÃO, Samuel, 54

TROMPOWSKI, Gilberto, 792

TURPIN, Ben, 363

U

UNAMUNO, Miguel de, 247, 419, 866

UNGARETTI, 57, 67, 385, 401

UREÑA, Pedro Henríquez, 417, 679, 810, 865, 877, 881, 918

URTECHO (coronel), 240

V

VALDÉS, Concepción, 865

VALE, Ana Amélia Ferreira do, 434, 435, 439, 459, 474, 475, 476, 477, 478, 481, 482, 486, 487, 488, 496, 500, 503, 505, 519, 532

VALE, Domingos Ferreira do, 617

VALE, José Joaquim Ferreira, 447, 476, 477

VALE, Lourença Ferreira do, 435, 475, 476, 478, 488

VALENTE, Santos, 859

VALENTIM, Mestre (Valentim da Fonseca e Silva, dito), 111, 946-947

VALENTINE (Mr.), 953

VALÉRY, Paul, 38, 78, 79, 82, 184, 364, 376, 380, 420, 471, 798, 835, 837, 841, 843, 848, 862, 876, 877, 883, 911

VALLE, Freitas, 55, 401-402, 961, 962

VALLOTON, 392

VAN DONGEN, 341

VAN GOGH, 341

VARELA, Fagundes, 245, 289, 331, 543, 611, 612, 613, 711, 712-715, 911

VARGAS, Ângela, 792

VARGAS, Getúlio, 24, 79, 266, 365, 416, 781, 1055

VARGAS NETTO, 758

VARNHAGEN, 633, 689, 690, 784, 940

VARONA, 678, 799

VÁRZEA, Virgílio, 625

VASCONCELLOS, Dora, 1045-1046

VASCONCELLOS, Ernani de, 950

VASCONCELLOS, Sylvio de, 550, 567, 569, 585

VASCONCELOS, Bernardo de, 555, 568

VASCONCELOS, Diogo de, 553, 569, 571, 573, 576, 577, 579, 582, 583, 585, 586, 588, 590, 594

VASCONCELOS, Fernando Pereira de, 571

VASCONCELOS, José, 521, 528

VASCONCELOS, Leite de, 321

VASCONCELOS, Luís de (vice-rei), 691, 775

VASCONCELOS, Pedro Teixeira de, 235, 412

VASCONCELOS, Salomão de, 572, 573

VASCONCELOS, Simão de, 655

VASILI, Paulo de, 677

VÁSQUEZ – ver GARCIA Y VASQUEZ, Domingos

VAUGELAS, Claude Favre de, 830

VAUGHAN (apelido de Júlio Ribeiro), 667

VAZ (major), 278

VEGA, Lope de, 384, 678

VEIGA, Francisco Saturnino da, 689

VEIGA, João Domingues, 593

VEIGA, Luís Francisco da, 626, 689

VELASCO, Joaquim Franco, 943

VELÁSQUEZ, Diego, 969

VELÁSQUEZ, Glauco, 114

VELDE, Van de, 75

VELHO, José Maria, 611

VELHO SOBRINHO, 783

VELLINHO, Moysés, 414

VELOSO, Leão, 949

VELOSO, Vitoriano Gonçalves, 592

VERDE, Cesário, 43, 800, 901
VERGARA, Pedro, 758
VERGUEIRO, Carlos, 249
VERHAEREN, 41, 44
VERÍSSIMO, José (pintor), 943
VERÍSSIMO, José, 50, 174, 454, 612, 613, 625, 652, 655, 656, 657, 658, 674, 675, 685, 689, 693, 695, 697, 701, 722, 723, 775, 776, 777, 780, 943, 1048
VERLAINE, Paul, 36, 83, 86, 137, 198, 251, 611, 735, 736, 737, 740, 812, 835, 842, 843, 845, 1058
VIANA, Araujo, 948, 949
VIANA, João Álvares, 578
VIANA, Manuel Nunes, 522
VICENTE, Gil, 798, 817, 1037, 1061
VIDAL, Barros, 172, 173
VIDE, Sebastião Monteiro da (dom), 92
VIEGAS, Aninha, 34, 118, 242
VIEGAS, Yayá, 242
VIEIRA, Antonio (padre), 95, 138, 675, 799, 850
VIEIRA, Celso, 211
VIEIRA, Damasceno, 625
VIEIRA, Domingos (coronel), 561
VIEIRA, Domingos (frei), 649
VIEIRA, Domingos de Abreu, 592
VIEIRA, Filipe, 577
VIEIRA, José, 978
VIEIRA, José Geraldo, 784
VIELÉ-GRIFFIN, 842
VIGGIANI, 992
VIGNALE, 213, 214
VIGNY, 467, 600
VILDRAC, 51
VILHENA, Luís Santos, 487
VILLAGRÁN, Adela, 232
VILLA-LOBOS, Heitor, 11, 63, 65-66, 108, 111, 113, 203, 266, 329, 351-355, 357, 358, 399, 417, 748, 950, 951, 963, 973, 974, 976, 984, 1009
VILLA-LOBOS, Lucília, 352, 353
VILLARES, Décio, 948
VILLAURRUTIA, 384
VILLIOT, Rose, 223
VILLON, 41, 144, 384, 751, 1027
VINCI, Leonardo da, 954
VIOLA, 787
VIOLLET-LE-DUC, 37
VIRGÍLIO, 37, 111, 468, 689, 798, 971
VISCONTI, Eliseu, 948

VITALINO (Vitalino Pereira dos Santos), 206-208
VIVALDI, 1058
VOLLARD, Ambroise, 199
VOLPI, Alfredo, 302-303
VOLTAIRE, 163, 641, 676
VOSS, 174
VOSSLER, Karl, 679

W

WAGENER, Zacharias, 942
WAGNER, Richard, 130, 812
WALLACE, E., 75
WALSH (reverendo), 25, 556, 558, 559
WARCHAVCHIK, 950
WASHINGTON LUÍS, 140, 354, 402, 962
WATZEN, Hermann, 999
WEBER, 205
WEBER, Ilde, 186
WEISSMANN, Franz, 302
WEYDEN, Rogier van der, 359
WHISTLER, 231, 842, 843, 845
WHITMAN, Walt, 679, 749
WILDE, Oscar, 74, 843
WILLAERTS, Abraão, 942
WILSON, William B., 534
WOLF, Ferdinand, 456
WORDSWORTH, 662
WYATT, 80

X

XAVIER, Fontoura, 620, 621, 720
XAVIER, Joaquim José da Silva (TIRADENTES), 25, 148, 555, 561, 565, 567, 591, 594
XAVIER, São Francisco, 893
XAVIER DAS CONCHAS, 947
XENOFONTE, 72

Z

ZADKINE, 310
ZALDUMBIDE, Gonzalo, 286
ZECCHI, Carlo, 983
ZENEA, 865
ZENÓBIA (SENHORA Juan Ramón Jiménez), 387-388
ZIEMBINSKI, 263, 360
ZOLA, Émile, 656
ZORRILLA, José, 158, 724
ZULOAGA, 951
ZWEIG, Stefan, 159, 160, 287

ÍNDICE GERAL DO VOLUME

11   *Itinerário de um cronista*
    André Seffrin

Fortuna crítica da prosa seleta

14   *Diário*
    Sérgio Milliet
14   *Manuel Bandeira*
    Antonio Carlos Villaça
20   *A "Vida nova" de Manuel Bandeira*
    Carlos Newton Júnior
23   *Ouro Preto nos passos do poeta*
    Angelo Oswaldo de Araújo Santos

Prosa seleta
ITINERÁRIO DE PASÁRGADA

30   *Critérios da edição*
    Carlos Newton Júnior
32   Biografia de Pasárgada

CRÔNICAS DA PROVÍNCIA DO BRASIL

90   Bahia
96   Fala brasileira
98   Um purista do estilo colonial
100 As Câmaras Municipais no Brasil
101 Velhas igrejas
103 O que era o Pernambuco de 1821
105 A festa de N. S. da Glória do Outeiro
107 Arquitetura brasileira
108 Crônica de 1880
111 Na câmara-ardente de José do Patrocínio Filho
112 O enterro de Sinhô
114 Pequenino

115 Um grande artista pernambucano
117 Recife
118 O sonho de França Júnior
120 Presente!
122 Graça Aranha
123 Augusto Frederico Schmidt
125 Guilherme de Almeida
126 Mário de Andrade
128 Raul de Leoni
130 Poesia do sertão
131 O místico
132 A trinca do Curvelo
134 Sambistas
136 A nova gnomonia
138 Reis vagabundos
139 Golpe do chapéu
141 Romance do beco
142 Candomblé
143 Lenine
145 Os que marcam *rendez-vous* com a morte
146 Leituras de mocinhas
149 Impressões de um cristão-novo do Regionalismo
150 Portinari
151 Tarsila antropófaga
152 O "nosso" Saint-Hilaire
154 Velórios
155 Fragmentos
158 Casanova
160 O heroísmo de Carlito
162 Elizabeth Barret Browning
166 O coração inumerável
167 No mundo de Proust

FLAUTA DE PAPEL

172 Gralhas
173 A crítica
174 Notícias de Cícero
176 Depoimento de um inocente do Flamengo
177 Os maracatus de Capiba
178 Poema desentranhado
180 Vestido de noiva
181 Carta do Recife
183 Os hipocampos
185 Variações sobre o passado
186 Paulo Sérgio

187	*A casa da rua 92*	250	Comunicações interessantes
188	*O Vale da Decisão*	250	Temístocles
190	O Mangue	251	Eduarda
192	São João	252	Orestes
193	Um centenário	253	Civilização
196	Alphonsus de Guimaraens	254	Ladainha
198	Novo escultor	255	Contra a mão
199	Suicidas	256	Lêdo
200	Cecília, Maria Isabel e José Carlos	257	Ecos do Carnaval
		258	Manuelzinho
203	Literatura de violão	259	Roda, pião!
206	Vitalino	260	Bilac, príncipe
208	Pedro Américo e Victor Meirelles	261	Braga
		262	Nava
209	Minha mãe	262	Estilo romântico
211	A antiga trinca do Curvelo	263	José de Abreu Albano
212	João	265	Flora
213	Germaninha	266	Que idade risonha e bela
216	Fala o sexagenário	267	Crônica para pardais
217	Sérgio, anticafajeste	268	História de um poema
218	Olhai os lírios	269	O fantasma
219	Retorno	270	Diálogo
220	Elsie Houston	271	Desmentido
221	Começo de conversa	272	Na Academia
221	Astrologia e política	273	O professor de grego
222	Rose Méryss	274	Saudades de Quixeramobim
224	Machado de Assis	275	Chiaffarelli
225	Machado e Abel	276	Fala o aposentado
226	Monat	277	As memórias de Amado
227	Santa Clara	277	Queijo de minas
228	Onestaldo	278	Carlos, o Intrépido
229	Pardais novos	279	Tasso e Gomide
229	O largo do Boticário	280	O pelo do crítico
230	Alphonsus	281	Oswald
231	*Viola de bolso*	282	O colete
233	*Goal!*	283	Santa
234	Carta devolvida	284	Diálogo anteontem
235	Tempos do Reis	285	Na Academia
235	Ovalle	286	Lembrança de Gabriela
238	O escultor	287	Poemas para cordas
239	*Ballet*	288	Poesia concreta
240	O estrangeiro	291	Poesia concreta
241	Prudente	292	*Grande sertão: veredas*
242	Finados	293	Mar azul
242	A baleia gigante	294	Rotílio Manduca
243	Depoimento do modelo	295	A chave do poema
244	Poesia em disco	296	Mundo de Kafka
245	Rio antigo	297	Saldo de retalhos
246	*Diário crítico*	298	O grande Alberto
247	Carneiro, sim; leão, não!	300	Antônio Nobre
248	Brecheret	301	Augusto Meyer
249	Jograis de São Paulo	302	Volpi

303	Antologias	365	Expoentes
304	Diário de bordo	366	Cuidado com o X.!
310	Declaração de amor	367	Sensibilidade simbolista
310	Rembrandt	367	Rima natural
311	Vi a Rainha	368	Ribeiro Couto, intraduzível
312	Volta a Haia	369	Rebanho de cantigas
313	Ainda Haia	370	Um visual concreto
314	Adeus a Haia	372	O poeta e o cremador
315	Volta ao lar	372	Chiru: visão no campo
316	O bar	374	O romance de Carlos Eduardo
317	Grandes perdas	375	Nascentes do Modernismo
		376	Caricaturas
		377	Diário de romancista
	ANDORINHA, ANDORINHA	378	Cronista meio leviano
		379	O mistério poético
320	Quem sou eu?	380	Anatomia de um poema
321	O quintal	381	Cantador violeiro
322	Fui filmado	382	Origem do "cromo"
323	Cheia! As cheias!...	383	Calejado no ofício
323	Minha adolescência	384	Antologia diferente
324	Gosmilhos da pensão	386	Soneto das cartas
325	Carta a mestre Corção	387	Poema de *eternidades*
326	Aviso aos navegantes	388	História de Joanita
327	No Festival do Escritor	389	Um amigo: Rufino Fialho
328	Meus poemas de Natal	392	Poeta da indecisão delicada
331	Mestre, contramestre	395	O pavão de Braga
331	Viva a Suécia	396	Uma santa
332	Fala o ex-encadernador	398	Coração de criança
333	Semana cheia	399	Borba e suas arestas
334	Noite de autógrafos	400	Murilo em Roma
335	Prefácio gentil e injusto	401	Poltrona cativa
336	Direito por linhas tortas	402	Memórias de seu Costa
337	Guignard	403	Ascenso do brejo e do sertão
340	Oswaldo Goeldi	404	O anjo Dantas
343	Djanira: pobreza feliz	405	Olegário, água corrente
344	Escrever para o homem da rua	405	Odylo em revista
346	Pérez Rubio, retratista	406	Pintor na Embaixada
348	Retratos de Ismailovitch	407	A carta devolvida
349	Direção do museu	409	Rosa em três tempos
350	O salão moderno	412	Boêmios
351	Villa-Lobos: um concerto em duas críticas	413	Dois que se foram
		414	Jantando com Milliet
354	Villa regendo	415	Perfeição moral
355	Mignone bem brasileiro	416	Oswaldo Aranha: erros do coração
357	Antonieta Rudge Miller		
358	Sob o signo de Santo André	417	Grande da Venezuela
358	*História da música*, de Carpeaux	418	Conhecimento de Carrera Andrade
359	Zuimaalúti	418	Botto, inventor
360	*O Santo e a Porca*	419	Maria da Saudade
361	Bilhete a Zora	420	Cendrars daquele tempo
362	Documentário de escritores	421	Recordação de Camus
363	O passado	422	Presença de Dante
364	Bilu, acadêmico	423	De nudez na praia

425	Ai, árvores!	607	Por amor de um verso
426	Está morrendo mesmo	611	Prefácio da *Antologia dos poetas brasileiros da fase romântica*
427	Batalha naval no Lamas		
		618	Prefácio da *Antologia dos poetas brasileiros da fase parnasiana*
	GONÇALVES DIAS		
438	Capítulo I – Nascimento e infância – 1823-1838	626	A autoria das *Cartas chilenas*
		651	Discurso de posse na Academia Brasileira de Letras
443	Capítulo II – Em Portugal – 1838-1845		
		667	Centenário de Júlio Ribeiro
455	Capítulo III – No Maranhão – 1845-1846	678	Oração de paraninfo (1945)
		682	Apresentação da poesia brasileira
461	Capítulo IV – No Rio – 1846-1851		
474	Capítulo V – Viagem ao norte – 1851-1852	768	Notícia sobre Manuel Bandeira
		774	Vida e trabalhos da Academia Brasileira de Letras
487	Capítulo VI – No Rio – 1852-1854		
495	Capítulo VII – Viagem à Europa – 1854-1858	786	Saudação a Peregrino Júnior
		797	Oração de paraninfo (1949)
505	Capítulo VIII – No Brasil – 1858-1862	800	Silva Ramos
		802	*Juventud, divino tesoro...*
527	Capítulo IX – Na Europa – 1862-1864	804	A rima
		807	Volta ao Nordeste
533	Capítulo X – A última viagem – 10 de setembro - 3 de novembro de 1864	808	Prefácio
		810	Prefácio às cartas de Mário de Andrade a Manuel Bandeira
536	Capítulo XI – A poética de Gonçalves Dias		
		812	Impressões literárias
	GUIA DE OURO PRETO		**DE POETAS E DE POESIA**
551	1 – História	828	Mário de Andrade e a questão da língua
556	2 – Vila Rica		
560	3 – Ouro Preto – a cidade que não mudou	835	O centenário de Stéphane Mallarmé
		847	O centenário de Antero de Quental
561	4 – As duas grandes sombras de Vila Rica		
		850	Antero de Quental
565	5 – Passeios a pé, no centro	861	Um poema de Castro Alves
570	6 – Passeios de automóvel	865	Saudação a Nicolas Guillén
575	7 – Monumentos religiosos	867	Raul de Leoni
588	8 – Monumentos civis	869	Prefácio às *Poesias completas* de Ascenso Ferreira
595	9 – A viagem para Ouro Preto		
596	10 – Várias informações	873	Poesia e verso
		882	Cinco elegias
	ENSAIOS LITERÁRIOS	883	O *humour* na moderna poesia brasileira
		892	Poetas bissextos
600	Uma questão de métrica	895	Novos poemas de Vinicius de Moraes
605	À margem dos poetas		

897	Os 25 poemas da triste alegria
898	Antônio Nobre
910	Castro Alves
912	A face perdida

| 915 | A VERSIFICAÇÃO EM LÍNGUA PORTUGUESA |

CRÍTICA DE ARTES

940	Artes plásticas no Brasil
951	Portinari
954	Mário de Andrade, animador da cultura musical brasileira
959	Francisco Mignone

CORRESPONDÊNCIA

968	1. Ao seu pai
968	2. A Antenor Nascentes
969	3. Ao mesmo
969	4. A Raimundo Bandeira
970	5. Ao mesmo
972	6. A Antenor Nascentes
972	7. Ao mesmo
973	8. A Carlos Drummond de Andrade
973	9. Ao mesmo
974	10. Ao mesmo
974	11. Ao mesmo
975	12. A Martins de Almeida
976	13. A Joanita Blank
976	14. A Carlos Drummond de Andrade
977	15. A Joanita Blank
978	16. A Carlos Drummond de Andrade
978	17. Ao mesmo
979	18. A Joanita Blank
980	19. À mesma
981	20. A Carlos Drummond de Andrade
982	21. A António de Alcântara Machado
983	22. Ao mesmo
984	23. A Carlos Drummond de Andrade

984	24. A Gilberto Freyre
986	25. A Ascenso Ferreira
987	26. A Jorge de Lima
988	27. A António de Alcântara Machado
989	28. A Carlos Drummond de Andrade
989	29. A António de Alcântara Machado
990	30. A Carlos Drummond de Andrade
991	31. A António de Alcântara Machado
992	32. Ao mesmo
992	33. A Ascenso Ferreira
994	34. A Carlos Drummond de Andrade
994	34-bis. A Sybley Derham
995	35. A Carlos Drummond de Andrade
995	36. Ao mesmo
996	37. A Paulo Ribeiro de Magalhães
997	38. A Gilberto Freyre
997	39. A João Alphonsus de Guimaraens
998	40. A Joanita Blank
999	41. A Gilberto Freyre
1000	42. A Paulo Ribeiro de Magalhães
1000	43. A Carlos Drummond de Andrade
1001	44. A João Alphonsus de Guimaraens
1002	45. Ao mesmo
1002	46. Ao mesmo
1003	47. Ao mesmo
1006	48. Ao mesmo
1007	49. Ao mesmo
1007	50. A Lúcio Cardoso
1008	51. A Gilberto Freyre
1009	52. A Fernando Mendes de Almeida
1010	53. A Alphonsus de Guimaraens Filho
1010	54. Ao mesmo
1011	55. Ao mesmo
1011	56. A João Alphonsus de Guimaraens
1011	57. A Alphonsus de Guimaraens Filho
1012	58. Ao mesmo

1013	59. A João Alphonsus de Guimaraens
1014	60. A Fernando Mendes de Almeida
1014	61. A Alphonsus de Guimaraens Filho
1015	62. Ao mesmo
1016	63. A Fernando Mendes de Almeida
1016	64. A Carlos Drummond de Andrade
1016	65. A Alphonsus de Guimaraens Filho
1018	66. A Francisco de Assis Barbosa
1018	67. A Alphonsus de Guimaraens Filho
1019	68. A Carlos Drummond de Andrade
1019	69. A Alphonsus de Guimaraens Filho
1020	70. A Fernando Mendes de Almeida
1020	71. Ao mesmo
1021	72. A Alphonsus de Guimaraens Filho
1022	73. A Fernando Mendes de Almeida
1022	74. A Alphonsus de Guimaraens Filho
1023	75. A Clarice Lispector
1023	76. A Públio Dias
1024	77. A Clarice Lispector
1025	78. A Antonio Candido
1026	79. A Alphonsus de Guimaraens Filho
1027	80. A Públio Dias
1028	81. A Clarice Lispector
1028	82. A Francisco de Assis Barbosa
1029	83. A Alphonsus de Guimararns Filho
1030	84. A Públio Dias
1030	85. A João Cabral de Melo Neto
1031	86. Ao mesmo
1032	87. Ao mesmo
1032	88. Ao mesmo
1033	89. Ao mesmo
1034	90. A Frèdy Blank
1035	91. A Públio Dias
1036	92. A João Cabral de Melo Neto
1037	93. A Alphonsus de Guimaraens Filho

1037	94. A Públio Dias
1038	95. A Sousa Barros
1038	96. A Carlos Drummond de Andrade
1039	97. A Públio Dias
1039	98. A Alphonsus de Guimaraens Filho
1040	99. A João Cabral de Melo Neto
1041	100. A Públio Dias
1041	101. A Alphonsus de Guimaraens Filho
1042	102. A João Cabral de Melo Neto
1042	103. A Públio Dias
1043	104. A João Cabral de Melo Neto
1044	105. Ao mesmo
1045	106. A Públio Dias
1045	107. A Dora Vasconcellos
1046	108. A João Cabral de Melo Neto
1047	109. Ao mesmo
1048	110. A Alphonsus de Guimaraens Filho
1048	111. A Carlos Drummond de Andrade
1049	112. A Zila Mamede
1049	113. À mesma
1050	114. À mesma
1050	115. A Públio Dias
1051	116. A Zila Mamede
1052	117. A Lêdo Ivo
1053	118. A Alphonsus de Guimaraens Filho
1054	119. A Gilberto Amado
1054	120. A Frèdy Blank
1055	121. A Edgard Cavalheiro
1056	122. A Zila Mamede
1056	123. A Públio Dias
1057	124. Ao mesmo
1057	125. A Lucy Teixeira
1058	126. A Lêdo Ivo
1058	127. A João Cabral de Melo Neto
1059	128. Ao mesmo
1059	129. Ao mesmo
1060	130. A Alphonsus de Guimaraens Filho
1060	131. Ao mesmo
1061	132. Ao mesmo
1061	133. A Ariano Suassuna
1062	134. A Alphonsus de Guimaraens Filho
1062	135. Ao mesmo
1063	136. Ao mesmo
1064	137. Ao mesmo

1064	138. Ao mesmo
1065	139. Ao mesmo
1065	140. A Gilberto Freyre
1066	141. Ao mesmo
1066	142. A Alphonsus de Guimaraens Filho
1067	143. A Lêdo Ivo
1068	144. A Alphonsus de Guimaraens Filho

1069	**Bibliografia**

© **Condomínio dos Proprietários Intelectuais de Manuel Bandeira**
Direitos cedidos por Solombra – Agência Literária (solombra@solombra.org)
1ª edição, São Paulo: Nova Aguilar, 2020

Jefferson L. Alves – diretor editorial
Gustavo Henrique Tuna – editor executivo
Sebastião Lacerda – consultoria
Solange Escchipio – gerente de produção
Jefferson Campos – assistente de produção
**Alice Camargo, Carolina de Jesus Pereira, Erika Nakahata, Fernanda Bincoletto,
Flavia Baggio, Lucas de Sena Lima, Tatiana Ferreira de Souza** – revisão
Marcia Benjamim – índice onomástico
Homem de Melo & Troia Design – projeto de design
Tathiana A. Inocêncio e Evelyn Rodrigues do Prado – editoração eletrônica

Obra atualizada conforme o
NOVO ACORDO ORTOGRÁFICO DA LÍNGUA PORTUGUESA.

A maior parte das imagens presentes no caderno iconográfico integra o acervo pessoal de Manuel Bandeira, ora em guarda no Arquivo-Museu de Literatura Brasileira/Fundação Casa de Rui Barbosa–RJ. Todas as iniciativas foram tomadas no sentido de estabelecer as suas autorias, o que não foi possível em todos os casos. Caso os autores se manifestem, a editora dispõe-se a creditá-los.

A Editora Nova Aguilar agradece à Solombra – Agência Literária pela gentil cessão dos direitos de imagem de Manuel Bandeira.

**Dados Internacionais de Catalogação na Publicação (CIP)
(Câmara Brasileira do Livro, SP, Brasil)**

Bandeira, Manuel, 1886-1968
Manuel Bandeira : poesia completa e prosa seleta, volume 2 /
Manuel Bandeira ; organização André Seffrin. – São Paulo : Editora
Nova Aguilar, 2020. – (Biblioteca luso-brasileira. Série Brasileira ; 2)

Bibliografia.
ISBN 978-85-210-0131-7

1. Crônicas brasileiras 2. Poesia brasileira 3. Prosa brasileira 4.
Teatro brasileiro I. Seffrin, André. II. Título. III. Série.

20-35042   CDD-869

Índices para catálogo sistemático:
1. Literatura brasileira   869
Cibele Maria Dias – Bibliotecária – CRB-8/9427

**EDITORA
NOVA
AGUILAR**

Direitos Reservados

editora nova aguilar.
Rua Pirapitingui, 111 – Liberdade
CEP 01508-020 – São Paulo – SP
Tel.: (11) 3277-7999
e-mail: global@globaleditora.com.br
www.novaaguilar.com.br

Colabore com a produção científica e cultural.
Proibida a reprodução total ou parcial desta obra
sem a autorização do editor.

Impresso na Índia

Nº de Catálogo: **10043**